中国近现代中医药期刊续编

第二辑

中华医史杂志

王咪咪◎主编

2020年度北京市优秀古籍整理出版扶持项目

北京科学技术出版社

图书在版编目（CIP）数据

中华医史杂志 / 王咪咪主编. -- 北京 : 北京科学技术出版社, 2021.7
（中国近现代中医药期刊续编. 第二辑）
ISBN 978-7-5714-1480-1

Ⅰ. ①中… Ⅱ. ①王… Ⅲ. ①中国医药学—医学期刊—汇编—中国—近现代 Ⅳ. ①R2-55

中国版本图书馆CIP数据核字(2021)第049327号

策划编辑：侍 伟 段 瑶
责任编辑：侍 伟 王治华
文字编辑：白世敬 刘 佳 陶 清 孙 硕 刘雪怡 吕 艳
责任校对：贾 荣
图文制作：北京艺海正印广告有限公司
责任印制：李 茗
出 版 人：曾庆宇
出版发行：北京科学技术出版社
社　　址：北京西直门南大街16号
邮政编码：100035
电　　话：0086-10-66135495（总编室） 0086-10-66113227（发行部）
网　　址：www.bkydw.cn
印　　刷：北京捷迅佳彩印刷有限公司
开　　本：787mm × 1092mm 1/16
字　　数：545.01千字
印　　张：60.5
版　　次：2021年7月第1版
印　　次：2021年7月第1次印刷
ISBN 978 – 7 – 5714 – 1480 – 1

定　　价：**980.00元**

《中国近现代中医药期刊续编·第二辑》编委会名单

序

2012年上海段逸山先生的《中国近代中医药期刊汇编》（下文简称“《汇编》”）出版，这是中医界的一件大事，是研究、整理、继承、发展中医药的一项大工程，是研究近代中医药发展必不可少的历史资料。在这一工程的感召和激励下，时隔七年，我所的王咪咪研究员决定效仿段先生的体例、思路，尽可能地将《汇编》所未收载的新中国成立前的中医期刊进行搜集、整理，并将之命名为《中国近现代中医药期刊续编》（下文简称“《续编》”）进行影印出版。

《续编》所选期刊数量虽与《汇编》相似，均近50种，但总页数只及《汇编》的1/4，约25000页，其内容绝大部分为中医期刊，以及一些纪念刊、专题刊、会议刊；除此之外，还收录了《中华医学杂志》1915—1949年所发行的35卷近300期中与中医发展、学术讨论等相关的200余篇学术文章，其中包括6期《医史专刊》的全部内容。值得强调的是，《续编》将1951—1955年、1957年、1958年出版的《医史杂志》进行收载，这虽然与整理新中国成立前期刊的初衷不符，但是段先生已将1947年、1948年（1949年、1950年《医史杂志》停刊）的《医史杂志》收入《汇编》中，咪咪等编者认为把20世纪50年代这7年的《医史杂志》全部收入《续编》，将使《医史杂志》初期的各种学术成果得到更好的保存和利用。我以为这将是对段先生《汇编》的一次富有学术价值的补充与完善，对中医近现代的学术研究，对中医整理、继承、发展都是有益的。医学史的研究范围不只是中国医学史，还包括世界医学史，医学各个方面的发展史、疾病史，以及从史学角度谈医学与其关系等。《续编》中收载的文章虽有的出自西医学家，但提出来的问题，对中医发展有极大的推进作用。陈邦贤先生在

《中国医学史》的自序中有“世界医学昌明之国，莫不有医学史、疾病史、医学经验史……岂区区传记遽足以存掌故资考证乎哉！”陈先生将其所研究内容分为三大类：一为关于医学地位之历史，二为医学知识之历史，三为疾病之历史。医学史的开创性研究具有连续性，正如新中国成立初期的《医史杂志》所登载的文章，无论是陈邦贤先生对医学史料的连续性收集，还是李涛先生对医学史的断代研究，他们对医学研究的贡献都是开创性的和历史性的；范行准先生的《中国预防医学思想史》《中国古代军事医学史的初步研究》《中华医学史》等，也都是一直未曾被超越或再研究的。况且那个时期的学术研究距今已近百年，能保存下来的文献十分稀少。今天能有机会把这样一部分珍贵文献用影印的方式保存下来，将是对这一研究领域最大的贡献。同时，扩展收载1951—1958年期间的《医史杂志》，完整保留医学史学科在20世纪50年代的研究成果，可以很好地保持学术研究的连续性，故而主编的这一做法我是支持的。

以段逸山先生的《汇编》为范本，《续编》使新中国成立前的中医及相关期刊保存得更加完整，愿中医人利用这丰富的历史资料更深入地研究中医近现代的学术发展、临床进步、中西医汇通的实践、中医教育的改革等，以更好地继承、挖掘中医药伟大宝库。

李经纬 九十老人

2019年11月于中国中医科学院

前　言

《汇编》主编段逸山先生曾总结道，中医相关期刊文献凭藉时效性强、涉及内容广泛、对热门话题反映快且真实的特点，如实地记录了中医发展的每一步，记录了中医人每一次为中医生存而进行的艰难抗争，故而是中医近现代发展的真实资料，更是我们今天进行历史总结的最好见证。因此，中医药期刊不但具有历史资料的文献价值，还对当今中医药发展具有很强的借鉴意义。

本次出版的《续编》有五六十册之规模，所收集的中医药期刊范围，以段逸山先生主编的《汇编》未收载的新中国成立前50年中医相关期刊为主，以期为广大读者进一步研究和利用中医近现代期刊提供更多宝贵资料。

《续编》收载期刊的主要时间定位在1900—1949年，之所以不以1911年作为断代，是因为《绍兴医药学报》《中西医学报》等一批在社会上很有影响力的中医药期刊是1900年之后便陆续问世的，从这些期刊开始，中医的改革、发展等相关话题便已被触及并讨论。

在历史的长河中，50年时间很短，但20世纪上半叶的50年却是中医曲折发展并影响深远的50年。中国近代，随着西医东渐，中医在社会上逐步失去了主流医学的地位，并逐步在学术传承上出现了危机，以至于连中医是否能名正言顺地保存下来都变得不可预料。因此，能够反映这50年中医发展状况的期刊，就成为承载那段艰难岁月的重要载体。

据不完全统计，这批文献有1500万～2000万字，包括3万多篇涉及中医不同内容的学术文章。这50年间所发生的事件都已成为历史，但当时中医人所提出的问题、争论的焦点、未做完的课题一直在延续，也促使我们今天的中医人要不断地回头看，思考什么才是这些问题的答案！

中医到底科学不科学？中医应怎样改革才能适应社会需要并有益于中医的发展？120年前，这个问题就已经在社会上被广泛讨论，在现存的近现代中医药期刊中，这一类主题的文章有不下3000篇。

中医基础理论的学术争论还在继续，阴阳五行、五运六气、气化的理论要怎样传承？怎样体现中国古代的哲学精神？中医两千余年有文字记载的历史，应怎样继承？怎样整理？关于这些问题，这50年间涌现出不少相关文章，其中有些还是大师之作，对延续至今的这场争论具有重要的参考价值。

像章太炎这样知名的近代民主革命家，也曾对中医的发展有过重要论述，并发表了近百篇的学术文章，他又是怎样看待中医的？此类问题，在这些期刊中可以找到答案。

最初的中西医汇通、结合、引用，对今天的中西医结合有什么现实意义？中医在科学技术如此发达的现代社会中如何建立起自己完备的预防、诊断、治疗系统？这些文章可以给我们以启示。

适应社会发展的中医院校应该怎么办？教材应该是什么样的？根据我们在收集期刊时的初步统计，仅百余种的期刊中就有五十余位中医前辈所发表的二十余类、八十余种中医教材。以中医经典的教材为例，有秦伯未、时逸人、余无言等大家在不同时期从不同角度撰写的《黄帝内经》《伤寒论》《金匮要略》等教材二十余种，其学术性、实用性在今天也不失为典范。可由于当时的条件所限，只能在期刊上登载，无法正式出版，很难保存下来。看到秦伯未先生所著《内经生理学》《内经病理学》《内经解剖学》《内经诊断学》中深入浅出、引人入胜的精彩章节，联想到现在的中医学生在读了五年大学后，仍不能深知《黄帝内经》所言为何，一种使命感便油然而生，我们真心希望这批文献能尽可能地被保存下来，为当今的中医教育、中医发展尽一份力。

新中国成立前这50年也是针灸发展的一个重要阶段，在理论和实践上都有很多优秀论文值得被保存，除承淡安主办的《针灸杂志》专刊外，其他期刊上也有许多针灸方面的内容，同样是研究这一时期针灸发展状况的重要文献。

在中医的在研课题中，有些同志在做日本汉方医学与中医学的交流及互相影响的研究，这一时期的期刊中保存了不少当时中医对日本汉方医学的研究之作，而这些最原始、最有影响的重要信息载体却面临散失的危险，保护好这些文献就可以为相关研究提供强有力的学术支撑。

在这50年中，以期刊为载体，一门新的学科——中国医学史诞生了。中国医学史首次以独立的学科展现在世人面前，为研究中医、整理中医、总结中医、发展中医，把中医推向世界，再把世界的医学展现于中医人面前，做出了重大贡献。创建中国医学史学科的是一批忠实于中医的专家和一批虽出身西医却热爱中医的专家，他们潜心研究中医医史，并将其成果传播出去，对中医发展起到了举足轻重的作用。《古代中西医药之关系》《中国医学史》《中华医学史》《中国预防医学思想史》《传染病之源流》等学术成果均首载于期刊中，作为对中医学术和临床的提炼与总结，这种研究将中医推向了世界，也为中医的发展坚定了信心。史学类文章大都较长，在期刊上大多采用连载的形式发表，随着研究的深入也需旁引很多资料，为使大家对医学史初期的发展有一个更全面、连贯的认识，我们把《医史杂志》的收集延至1958年，为的是使人们可以全面了解这一学科的研究成果对中医发展的重要作用。《医史杂志》创刊于1947年，在此之前一些研究医学史的专家利用西医刊物《中华医学杂志》发表文章，从1936年起《中华医学杂志》不定期出版《医史专刊》。（《中华医学杂志》是西医刊物，我们已把相关的医学史文章及1936年后的《医史专刊》收录于《续编》之中。）这些医学史文章的学术性很强，但其中大部分只保存在期刊上，期刊一旦散失，这些宝贵的资料也将不复存在，如果我们不抢救性地加以保护，可能将永远看不到它们了。

上述的一些课题至今仍在被讨论和研究，这些文献不只是资料，更是前辈们一次次的发言。能保存到今天的期刊，不只是文物，更是一篇篇发言记录，我们应该尽最大的努力，把这批文献保存下来。这50年的中医期刊、纪念刊、专题刊、会议刊，每一本都给我们提供了一段回忆、一个见证、一种警示、一份宝贵的经验。这批1500万～2000万字的珍贵中医文献已到了迫在眉睫需要保护、研究和继承的关键时刻，它们大多距今已有百年，那时的纸张又是初期的化学纸，脆弱易老化，在百年的颠沛流离中能保留至今已属万分不易，若不做抢救性保护，就会散落于历史的尘埃中。

段逸山、王有朋等一批学术先行者们以高度的专业责任感，克服困难领衔影印出版了《汇编》，以最完整的方式保留了这批期刊的原貌，最大限度地保存了这段历史。段逸山老师所收载的48种医刊，其遴选标准为现存新中国成立前保留时间较长、发表时间较早、内容较完备的期刊，其体量是现存新中国成立前期刊的三分之二以上，但仍留有近三分之一的期刊未能收载出版。正如前面所述，每多保留一篇文献都是在保留一份历史痕迹，故对《汇编》未收载的期刊进行整理出版有着重要意义。北京科学技术出版社秉持传承、发展中医的责任感与使命感，积极组织协调本书的出版事宜。同时，在出版社的大力支持下，本书入选北京市古籍整理出版资助项目，为本书的出版提供了可靠的经费保障。这些都让我们十分感动。希望在大家的共同努力下，我们能尽最大可能保存好这批期刊文献。

近现代中医可以说是对旧中医的告别，也是更适应社会发展的新中医的开始，从形式上到实践上都发生了巨大的改变。这50年中医的起起伏伏，学术的争鸣，教育的改变，理论与临床的悄然变革，都值得现在的中医人反思回顾，而这50年的文献也因此变得更具现实研究意义。

《续编》即将付梓之际，恰逢全国、全球新冠肺炎疫情暴发，在此非常时期能如期出版实属难得；也借此机会向曾给予此课题大量帮助和指导的李经纬、余瀛鳌、郑金生等教授表示最诚挚的感谢。

王咪咪

2020年2月

目　录

中国近现代中医药期刊续编·第二辑

中华医史杂志

中華醫史雜誌

傅建暉

1953 第一號 4月20日出版

編輯者 中華醫學會醫史學會編輯委員會

華東醫務生活社出版

·白页·

斯大林同志

· 白 页 ·

中央衛生研究院中醫研究所介紹

江 上 峯

中央衛生研究院

中央衛生研究院中醫研究所設立不過二年，已成爲各方所注意的一個組織，這不是因他有什麼輝煌的成就，使得各方面的重視，而是因爲他與大多數工農兵的保健工作分不開的，玆就這個機構創立的動機，創立的經過，和目前的狀況並將來的展望，簡略的介紹於下：

一、 創立的動機

中國醫藥有數千年的歷史，經長久的考驗，在西醫未傳入中國之前，數千年來都是用此醫治人民的疾病，保衛人民的健康，在醫藥技術上有它的價值，有它的地位，西醫傳入中國後，國人多習西醫，中國固有的醫藥反不被重視。恰恰與此相反的，便是外國從事醫藥者反而重視中國的醫藥技術，加以深刻研究，例如日本人在東北研究漢醫，搜集各種醫藥書籍及標本；蘇聯醫學家重視中國的外治法，將中國的拔火罐加以改良；法國醫學家重視中國的針灸；英、美等國重視中國的本草，作長期研究。凡此種種皆證明並肯定中國醫藥有研究的價值。

數百年來中國醫藥日漸落後的原因：一則由於封建毒素深入人心；一則由於反動統治愚弄人民，使大多數知識份子羣向科舉圈中鑽，以八股爲升官發財的捷徑，鄙視醫藥技術爲三教九流的末技，中國醫藥遂鮮有過問者。自帝國主義侵入中國後，西醫西藥佔了優勢，中國醫藥更一籌莫展矣。

自解放戰爭勝利人民政府成立後，將數千年來的封建勢力，反動統治及帝國主義一掃而光，中國的人民解放了，中國的醫藥技術也解放了。人民政府重視中國固有的醫藥事業，中央衛生部於一九五〇年的秋天在首都召開第一屆全國衛生會議的時候，明確的作了如下的決議：

1.中央衛生部應設立中醫、中藥的研究機構，用科學方法來整理，研究中國醫療方法及中國藥物。這個工作應該聯合各地有經驗有修養的中醫及著名的中藥製造者共同來做，向他們收集有價值的醫療方法，藥方和醫藥文獻，以及各種秘方和民間有效草方，加以研究，鑑別，使中醫中藥的科學成份得以發揚，而廢棄其中不合科學的部份。」此爲創立動機之一。

當第一屆全國衞生會議的時候，全國及格的西醫不過二萬餘人，而中醫據當時不完全的估計約有八十萬人。面對全國的工農兵，作預防的工作，絕不是此區區二萬餘的西醫所能負起的任務，而在中醫中有此龐大的潛在力量，發掘此龐大的潛在力量、動員此龐大的潛在力量，使他們參加預防及保健工作實爲必要，此爲創立中醫研究所動機之二。

中國工農的人數佔全國人口的百分之九十左右，此大多數的人民散處農村工廠中，他們都是慣於應用中藥醫治疾病者，所以單方、祕方及民間草藥流行於農村的特別多，此等單方、秘方及草藥有眞有假，有好有壞，皆應加以審核鑑定及研究，以確定它的本質，進而推廣到農村中去，爲大多數工農的健康謀福利，此爲創立動機之三。

二、創立的經過和目前的狀況

中央衞生部於一九五〇年第一屆全國衞生會議中決定組織中醫研究所，並指定該所附屬於中央衞生研究院之內。中央衞生研究院遂於一九五一年春開始籌備工作。將院內舊結核病院大樓之樓下作爲研究的所址。經六個月的整修於一九五一年秋正式成立。由江上峯院長暫兼所長。

本所在中醫方面分醫史、醫理及針灸三個研究室，在中藥方面分生藥、藥理及化學三個研究室。每研究室現有普通的設備標本及書籍堪供研究之用，本所成立不久，一切工作均屬草創，缺乏經驗，六個研究室目前工作以整理舊有的材料爲中心，俟整理有緒後始分別緩急與以研究，良以數千年的遺產，材料太多，工作煩雜，非有相當長的時間不易就緒，工作雖是艱巨，但同人確有信心把它搞好，盼望國內有志於祖國醫藥事業者前來協助，玆將各室的主要工作概述於後：

甲、醫史研究室工作——本室工作主要是蒐集材料，編索引、書目、年鑑、年表等，以期逐漸成爲醫藥文獻總庫，供給本院及全國各地作參考，並擬於文化建設期中完成唯物觀點的中國醫史大綱。

乙、醫理研究室工作——本室工作是重點的進行症候療法及外治法的研究，仲景傷寒論即是一部系統化的症候療法，且係經典著作，故先從研究此書着手。外治法包括針灸，按摩，正骨，拔火罐等，除針灸工作另項敍述外，其餘外治法已進行蒐盤資料。

丙、針灸研究室工作——本室工作的方向是由普及而提高，以適合人民的需要，現已收集有關文獻三十餘種，包括日本文，朝鮮文及法文譯本等，用科學的方式研究針灸的生理及病理作用；中醫醫院成立之後，則將於病房中作臨床療效的實驗。

丁、生藥研究室工作——本室現在專事收集全國各地的草藥，製成標本，分辨它的種類，鑑別它的眞僞，將各種草藥的根、莖、皮、葉、花、果、加以切片，用顯微鏡辨別他的組織，希望成立藥圃種植各種藥草，將來並望能於四川、廣東、東北及西北各地成立藥圃，培植當地的草藥。

戊、藥理研究室工作——本室主要研究單方及秘方的藥理作用，有動物室及動物以供藥理的研究。現有百數十種的單方正在審查整理中，有重點的選擇其有療效者作藥理的研究。另一方面則從事研究現有的丸散膏丹，擇其有用者，進行藥理的研究，確定其用途，規定其劑量。

己、化學研究室工作——本室選擇具有療效之中藥作化學研究，提煉精華，分析其成分，並比較其原生藥與飲片的有效成份的含量，且研究中藥的化學鑑別方法及劑形改良問題。

以上爲中醫研究所目前的概況。

三、將來的展望

中醫研究所成立以來未及二年，兼以同人參加「土改」及「三反」工作，內部的佈置多未就緒，工作計劃多未妥善，缺點非常之多，但是中央人民政府對此工作則十分重視，大力的給我們幫助。此次全國衛生會議之後更決定擴充原有的機構，充實內容，將中醫研究所改爲中國醫藥研究所，並附設中醫醫院以作臨床的實驗，凡此種種皆給我們絕大的鼓勵，因此我們更有信心，來完成黨及政府給我們的任務。

新醫學文獻編輯史概要

魯德馨

中央衛生部編審委員會

在十九世紀初年，各國傳教士到我國澳門廣州等地，披着傳教行醫外衣，作經濟和文化侵略的先鋒。其著爲醫學文字當始自英國東印度公司派來醫師皮爾遜（Alexander Pearson）和斯丹頓（George Staunton）二氏。皮氏於1805年著［種痘奇法］一書，由斯氏譯成華文。其後皮氏的生徒南海邱浩川氏復輯成一書，名［引痘略］在1817年（嘉慶22年）刊刻行世。此爲新醫學流行中國之始，也就是中國新醫學文獻編輯的起點。

其後1847年T. T. Devan 氏著 The Beginner's First Book 一書，華英文對照，內容爲解剖學名詞和疾病藥物名表，醫學用語等等。

以上多係零星編著，至十九世紀五十年代合信（Benj. Hobson），嘉約翰（J. G. Kerr）兩氏始作有系統的譯述，並成書甚多。

合信氏在1848年創設金利埠醫院，繼於1857年至上海設仁濟醫館，臨症之餘，從事譯書工作，譯成之書，計有：

全體新論（An Outline of Anatomy and Physiology, 1851年）

西醫略論（First Lines of the Practice of Surgery in the West, 1857年）

內科新說（Practice of Medicine and Materia Medica, 1858年）

婦嬰新說（Treatise on Midwifery and Diseases of Children, 1858年）

醫學語彙（Medical Vocabulary, 1858年）

合信氏去華後，繼其後者爲廣州博濟醫院嘉約翰氏。

嘉約翰譯書工作起始於1859年，截至1886年爲止，共譯成醫書二十餘種，其重要者計有：

化學初階四卷（The Principles of Chemistry, 1871）

西藥略釋四卷（Manual of Materia Medica, 1871）

裹札新篇一卷（Essentials of Bandaging, 1872）

皮膚新篇一卷 (Manual of Cutaneous Diseases, 1874)

內科闡微一卷 (Manual of Symptomatology, 1874)

花柳指迷一卷 (Treatise of Syphilis, 1875)

眼科撮要一卷 (Manual of Eye Diseases, 1880)

西醫新報 (Western Healing News, 1880)

割症全書七卷 (Manual of Operative Surgery, 1881)

炎症一卷 (Treatise of Inflammation, 1881)

熱症一卷 (Treatise of Fevers, 188[illegible])

衛生要旨一卷 (Treatise of Hygiene, 1883)

內科全書六卷 (Manual of Theory and Practice of Medicine 1883)

體用十章四卷 (Manual of Physiology, Huxley and Youmans' 1884)

同時,國人方面有尹端模其人者,爲廣州博濟醫院助理醫師,受合信和嘉約翰兩人的感動,也努力譯述醫學書籍,截止1894年,共譯成體質窮源一卷,醫理略述二卷,病理撮要二卷,兒科撮要二卷,和胎產舉要二卷,計五種。

此外還有病症名目,西藥名目,割腹理法,熱病論及化審撮要五種,也是博濟醫院譯本,時代較後,出自何人手筆,尙無從查考。

其在1888年以前,以華文刊行大宗醫書的,尙有J. Dudgeon及John Fryer兩氏。J. Dudgeon氏編譯的書目如下:

全體通考十六卷

全體功用

身體骨骼部位臟腑血脈全圖一卷

西醫舉隅二卷 (Miscellaneous Medical Essays)

英國官藥方 (Squire's Companion to the British Pharmacopoeia) Tract on the Cure of Opium Habit

醫學語彙六卷 (A Medical Vocabulary)

John Fryer氏編譯的書目如下:

儒門醫學四卷 (Handbook of Medicine, 1876年)

化學衛生論二卷 (The Chemistry of Common Life, 1880 年)

西藥大成藥品中西名目表一卷(Vocabulary of Names of Materia Medica, etc., 1886)

西藥大成六卷 (Materia Medica and Therapeutics, 1887)

英國洗冤錄二卷 (Forensic Medicine, 1888)

顯脈表論一卷 (Handbook of the Sphygmograph, 1888)

身體須知一卷 (Outlines of Anatomy and Physiology, 1888)

同時尚有其他書籍多種,由數人分編,按其刊行的先後,彙列如下:

藥性總考一卷 (Contributions to Chinese Materia Medica, 1876 年, F. Porter Smith)

全體闡微四卷 (Anatomy, 1878 年, D. W. Osgood)

全體闡微六卷 (Anatomy, 1880 年, D. W. Osgood)

Opium Smoking (1884 年, D. Hill, G. John and Dudgeon)

List of many medicines in Chinese and Japanese, 1884 年, W. N. Whitney)

全體圖說 (Anatomy and Physiology, 1886 年, A. K. Johnston and Douthwaite)

Vocabulary of Diseases in English and Chinese (1887 年,廣州博濟醫院)

眼科撮要一卷 (The Eye and its Diseases, 1887 年, Douthwaite)

臨症傷科便覽四卷 (Instructions for the Medical Department of the British Army, 1887 年)

內科理法八卷 (The Physician's Vade Mecum, 1888 年, Hooper and V. P. Suvoong)

Lessons in Physiology for the Young(1888 年, Porter)

在二十世紀之初出版的醫學文獻,有杭州廣濟醫局在 1903 年所出的西醫外科理法二卷(英人梅滕更譯著),福州美部公會在 1904 年所出的體學新編三卷 (H. T. Whitney 譯) 和西醫產科新法等等。

以上各種書籍的編譯,多屬各個人的單獨行動,故譯成之書多屬於某某數種科目,對於整個的醫學未能有平均的發展，且所用的名詞，彼此互異，印刷與裝訂的式樣，亦各各不同，在新醫學編輯史上祗能稱爲萌芽時代。

新醫學編譯工作之有團體組織而作有系統的進行，則始自前中國博醫會，中國博醫會於1890年成立了名詞委員會，復在1905年成立了編譯委員會，以後兩委員會合併而由英人高似蘭氏 (P. B. Cousland) 任主編幹事。1926年復改爲出版委員會，委員人選大部分爲外人。至1932年秋始與中華醫學會合併，委員人選國人佔比較多數，以後由魯德馨氏任主編幹事。

博醫會和合併初期的中華醫學會歷年來出版的書籍，多爲當時的醫學校所採用，總計約有六十餘種，玆分類列下：

醫學辭書類：計有（1）高氏醫學辭彙 (English-Chinese Medical Lexicon) 魯德馨，孟合理編，曾由僞教育部頒行暫作標準。（2）漢英醫學辭典 (Chinese- English Medical Dictionary) 劉汝剛編，因檢閱不便，未再版。

基礎醫學類：（1）赫氏解剖學 (Hiss: Anatomy)。（2）格氏系統解剖學 (Gray: Anatomy)，應樂仁等譯。（3）孔氏實地解剖學（全三册）(Cunningham: Practical Anatomy)，魯德馨譯。(4)人體標誌 (Rawling: Landmarks and Surface Marking)。（5）路氏組織學 (Lewis and Stohr: Histology)，施爾德譯。（6）胎生學引階 (Reese: Vertebrate Embryology)，丁立成譯。（7）哈氏生理學 (Halliburton: Physiology)，易文士，啓眞道等譯。（8）實驗生理學 (Experimental Physiology)，啓眞道，易文士編。（9）康氏生物化學 (Cameron: Biochemistry)，李續文譯。(10)浮氏生物化學實驗本 (Folin: Biological Chemistry)，陳覆恩，江清譯。(11)秦氏細菌學 (Zinsser: Bacteriology)，李濤，余濱，魯德馨，等譯。(12)細菌學檢查法，林宗揚，李濤編。(13)史氏病理學 (Stengel: Pathology)，孟合理譯。(14)實用病理組織學 (Pathological Histology)，侯寶璋編，蔡如寶繪圖。

藥物與治療學類：（1）藥物詳要 (Bruce and Dilling: Materia Medica)，于光元，阮其煜譯。（2）西藥概論 (Materia Medica Epitome, Based on U. S. Pharmacopoeia)，江清譯。（3）藥科學撮要 (Materia Medica, Tables and Notes)，伊博恩編。（4）西藥擇要 (Useful Drugs) 江清，黃貽清譯。（5）製藥學要領 (Fundamentals of Pharmacy),米玉士編。(6)艾古二氏實驗藥理學(Edmunds and Cushny: Experimental Pharmacology),于光元譯。(7)賀氏療學(Hare: Therapeutics)盈亨利,魯德馨譯校。(8)伊氏毒理學(Manual of Toxicology),伊博恩編。

診斷學類:(1)內科臨症方法(Hutchison and Hunter: Clinical Methods),孔美格,孟合理譯。(2)實驗診斷:體液學部(Stitt: Practical Diagnosis, Blood Work and Body Fluids),江清譯。(3)實驗診斷:細菌學部(Stitt: Practical Bacteriology),孟合理譯。(4)實驗診斷:寄生蟲學部(Stitt: Animal Parasitology),施爾德譯。(5)梅毒診斷試驗法(S. Cochran: Wassermann and Precipitation Test for Syphilis),孟合理譯。(6)X光線引階(Introduction to X-rays),蘇達立等編。

各科用書:(1)嘉氏內科學(Kerr: Textbook of Medicine)。(2)歐氏內科學(附附錄)(Osler and Mc Crae: Principles and Practice of Medicine; With new Appendix),高似蘭譯。(3)惠嘉二氏內科要覽(Wheeler and Jack: Handbook of Medicine),孟合理,魯德馨譯。(4)精神病簡述(Younger: Insanity in Every Day Practice),朱我農譯。(5)傅氏眼科學(Fuchs: Ophthalmology)。(6)羅卡爾氏外科學(Rose and Carless: Surgery)應樂仁等譯。(7)簡易外科學(Gwynne Williams: Minor Surgery and Bandaging),張查理譯。(8)骨折新療法之概要(Outline of New Treatment of Fractures),孟合理譯。(9)局部麻法入門(Introduction to Local Anesthesia)魏亨利,孟合理編。(10)外科記錄法(Saint: Surgical Note-taking),張查理譯。(11)卡勞婦科學(Penrose: Gynecology)。(12)葛氏婦科全書(Graves: Gynecology),魯德馨等譯。(13)伊氏產科學附錄(Appendix to Evans obstetrics),蓋美瑞,魯德馨編譯。(14)伊何二氏近世產科學(Eden and Holland: Manual of Obstetrics),魯德馨譯。(15)豪侯二氏兒科學(Holt and Howland: Diseases of Infancy and Childhood),紀立生,孟合理譯。(16)皮膚證治(Skin Diseases)。(17)皮膚病彙編(A Textbook of Diseases of the Skin),海貝殖等編。(18)男子花柳病新編(The Venereal Diseases: Surgeon-General, U. S. A. Army),單惠泉譯。(19)梅毒詳論(Syphilis),海貝殖編。(20)薄氏耳鼻喉科學(Porter: Diseases of the Throat, Nose and Ear),于光元譯。(21)梅氏眼科學(May: Diseases of the Eye),李清茂等譯。(22)屈光學(附配鏡方法)(Thorington: Refraction)，新版畢華德譯。(23)物理療法(Nunn: A Text-Book of Physiotherapy)，恩薇露，應樂仁編譯。

衞生學類：(1)羅氏衞生學(Rosenau: Preventive Medicine)，胡宣明，黃貽清譯，新版李濤等譯。(2)公衆衞生學(Leslie: Hygiene and Public Health)。

法醫及倫理：(1)基氏法醫學(Giffen: Medical Jurisprudence)，(2)美醫家道德主義條例(A. M. Assoc, Medical Ethics)，盈亨利譯。

救護及簡易醫書：(1)應急療法(British Red Cross Society: First-Aid Manual)，魯德馨等譯。(2)繃帶纏法(Hopkins: The Roller Bandage)，富馬利譯。(3)醫學用語簡易讀本(Easy Chinese Medical Reader)，孟合理編。(4)育兒指南，史安納編。

印行較晚之書：尙有(1)實用兒科學(諸福棠等編)。(2)醫學史綱(李濤編)。(3)台氏內科學(Tidy: Synopsis of Medicine)，李濤等譯。(4)邁魏二氏外科手術學(Miles and Wilkie: Operative Surgery)，應樂仁譯。(5)人體寄生蟲學(Human Parasitology)，姚永政編譯。(6)藥理學(Pharmacology)，朱恆壁編。其後尙有德溥二氏病理學，滕氏耳鼻喉科學，外科診斷學，增訂近世產科學等數種，有的已經脫稿付印，有的曾編譯過半，因抗戰期中，上海混亂，稿本及排版或遺失或撤毀，未能出版，實屬恨事。

又前者博醫會並曾編譯護病用書。如護病要術，護病新編，等等，亦由該會出版，迨中華護士學會正式成立，乃改由護士學會自行編譯，交由廣協書局出版。

博醫會除會內編譯醫書審查名詞外，復於1915年隨同前江蘇省教育會，中華醫學會，及前中華民國醫藥學會組織一醫學名詞審查會。每次開會並預先函請當時的教育部派代表參加。至1918年七月召開第四次會議時，應各學術團體之請，擴大範圍，改組爲科學名詞審查會。國內學術團體加入者漸多，於是除審查醫學名詞外，兼及理、化、數、及動、植、礦各種之名詞。其已由科學名詞審查會出版的，計有：醫學名詞彙編，動植物名詞彙編(均由魯德馨編)，和數理名詞彙編(曹梁廈編)等數種。

至若以個人的資力，發行醫學書籍至一百餘種之多者，則有無錫丁福保氏，丁氏書起自1908年(光緒34年)，迄於1933年；大部分譯自日文本，篇幅簡短，行文流暢，雖不合醫學校之用，但頗爲中醫和一般普通社會所歡迎。現雖已成昨日黃花，其於新醫學知識之播散，却有相當之功績。

1918年間有所謂丁巳學會之團體，發行丁巳學會醫學講義錄，內容分二十二門，凡普通的醫學科目，大體皆備，每月出兩册，共二十四册，於一年內出完。

在抗戰前通行的醫書，除中華醫學會（包括前博醫會）出版者外，要以商務印書館出版爲最多，其重要之書目計有：

解剖學提綱（湯爾和譯），生理學（蔡翹編），病理總論（周威，洪式閭編），病理各論（洪式閭編譯），病原學（余濱編），近世病原微生物及免疫學（湯爾和譯），實用細菌學（姜白民編），藥理學（余雲岫譯），內科全書（汪尊美等編），近世小兒科學（程瀚章譯），診斷學（湯爾和譯），外科總論（葛成勛，孫柳溪譯），實用外科手術（汪于岡譯），近世婦人科學（湯爾和譯），學校衛生概要（李廷安編），近世法醫學（上官悟塵編）。

由前同仁會發行之醫書爲數亦不少，其重要者約有下列若干種：

解剖學（張方慶譯），生理學（周頌聲，閻德潤譯），組織學(沈恭譯)，內科學（塞先器等譯），外科學總論（時振麟譯），外科學各論（李祖蔚譯），皮膚及性病學(塞先器譯)，藥理學（劉懋淳譯），局部麻醉（楊蔚孫譯），產科學（張方慶譯），產科手術學（瞿紹衡譯），兒科學（周頌聲，馮啓亞譯），眼科學（石錫祜譯）。

由前衛生署頒布及發行者，有：

中華藥典

公共衛生學（余濱譯）

由其他書店學術團體及個人發行者，約有下列數種：

解剖生理學	富馬利譯	廣學書局出版
實用調劑及處方	劉步清編	劉步清出版
西藥配製大全	潘　經著	學術研究會出版
生理及病理胎產學	楊元吉編	楊元吉出版
兒童傳染病	高鏡朗編	
近世小兒科學	尹莘農編	大東書局出版
最近花柳病診斷及治療法	姚伯麟譯	改進與醫學雜誌社出版

中華書局亦曾出版若干醫書，多屬於一般讀物，其具專門性者，多由趙師震氏編譯。

最近並出版趙氏英漢醫學辭典一種。

當1929年，前教育部與前衛生部聯合組織一醫學教育委員會，討論醫學教育工作。至1935年，該會內並設置護士及助產兩教育委員會。除編訂醫學院校教材大綱，暫行課目表及設備標準外，並成立一編審委員會，從事編審醫學圖書。根據該會第一次會議的報告，特約編輯之書籍已完成者，有生理學實習指導，組織學實習大綱，及內科診療須知等書。並曾組織編輯公共衛生學、內科學，公共衛生護士學及助產士產科學等書，惜未能全部出版。

1932年，前教育部將原有編審處擴大組織，改爲國立編譯館，除審查中小學教科書外，並進行科學名詞的搜集與審查。關於醫學部門的名詞曾經審查的，計有：藥理學，精神病理學，細菌及免疫學，解剖學及寄生蟲學等之名詞。

至於醫學期刊——雜誌之類——，以1880年嘉約翰之西醫新報（季刊）爲最早。至1887年始有博醫會報，爲當時博醫會的定期刊物，年出四期，1905年改爲兩月刊，年出六期。到1914年，以國人爲主體的中華醫學會創刊中華醫學雜誌，初爲兩月刊，中英文各半册合訂。其後1932年博醫會與中華醫學會合併，博醫會報亦併入中華醫學雜誌，改爲月刊，分出中文版及英文版，直至如今 其他由學校編輯的期刊如齊魯醫刊，同濟醫刊等等，因銷行範圍較小，不在此詳列。

以上僅就學術機關及團體或個人之有系統的編譯醫學書籍者述之，其餘如私人或書局或學校出版的零星醫學書籍，以及流傳不廣或作通俗用者，概不列入。

解放後的醫學文獻編輯

解放以後值抗戰凋敝之餘，百廢待舉。我人民政府一面力圖恢復國家元氣，一面興建各種公共事業，蓬勃萬象，醫學出版物亦不例外。在中央衛生部尙未正式成立及成立尙未組織編審委員會以前，學校中有自編講義或臨時教本者，例如瀋陽中國醫大，前華北醫科大學及前平原省立醫科學校等。

抗戰時期在部隊中作醫學文字介紹工作甚多者有華東醫務生活社，該社發展甚速，出版醫書甚多，尤其近年對中級醫學教育在教材上貢獻極大，所組社外稿件尙多可取，各方需要亦力求照顧，其所出期刊中，有「華東衛生」（雙月刊），「醫務生活」（月刊），及⌊醫史雜誌⌉（季刊）三種。該社總社設上海，分社及印刷廠設濟南，受華東衛生部領導。

東北人民政府衛生部領導的東北醫學圖書出版社，主要譯印蘇聯先進醫學文獻，其中有部分高級及中級醫學校教材，餘多爲通俗用書及參考書。譯本中除蘇聯原本外，英文本亦有一部分譯成漢文由該社出版。

中南區衛生部領導的衛生教材編製委員會，也編了一些爲本區醫士學校及護士和助產學校應用的臨時教材。該區曾因幹部急切需要，利用分段教學法以資補救，現供求已漸走向計劃化了。中南區並出版一種中南衛生通報。

西南區衛生部亦曾設置西南衛生書報出版社，出版⌊西南衛生⌉，⌊西南醫學⌉，⌊大衆衛生⌉等定期刊物，譯印醫學文摘（不定期刊）及編輯護病原理等書，並製造標本模型及幻燈片等。現已停辦。

此外軍委系統中有人民軍醫出版社，除出版⌊人民軍醫⌉等期刊外，並編輯及翻譯了不少醫學書刊。軍醫手冊及數種參考用書，也極有價値。

中央人民政府衛生部成立後，除設衛生教育處領導教育工作外，並在1950年成立了衛生教材編審委員會，會內分衛生教材與醫藥名詞兩組。爲進行工作便利計，教材組復按學科分爲若干小組，從事編寫各科教材。先從中級着手，原擬定在1952年編出中級醫士、護士、助產及藥劑學校教材一套。因種種原因編寫人未能如期交稿，現預定在1953年秋季開學前全部出版，以應急需。此類叢書約六十餘種，中級各科均備。高級及參考用書亦計劃分別編寫。名詞工作受政務院文教委員會學術名詞統一工作委員會的領導，曾召開了三次審查會議，所有醫藥學各科名詞大致均已審查，現正整理準備分別付印。目前初審油印本分發醫藥院校試用者，計有：解剖學、生理學，細菌學及免疫學，寄生物學，牙科學，生藥學，藥化學，製劑及一般操作等之名詞。已交商務印書館出版者有組織學胚胎學名詞。其餘尙在整理中，本年內將陸續付印。

中央衛生部爲吸取先進醫學，曾於1952年夏成立了「國際醫學文獻翻譯委員會」，組織全國力量，從事此一工作。除翻譯蘇聯中級及高級教材外，其他外文的醫藥學書籍之有可取者，也可譯印參考。第二屆衛生大會時，中央曾出版蘇聯醫學文摘專刊，以資介紹。

至於醫藥衞生期刊，在解放後競相出版，迄1952年初全國各地所出期刊已不下一百八十種之多，除全國性學會及各大行政區均出有期刊外，各省市衞生機關，許多醫學院校，甚至書店與私人醫療機構和藥廠，也競相發行定期刊物。因此不免重複浪費，甚至因稿荒而互相抄襲轉載。中央衞生部和出版總署爲了集中力量，明確分工，提高質量，免除人力物力的浪費；曾於1952年九月發出指示，將混亂現象加以調整。調整後的結果大致如下：（1）衞生行政期刊，中央出一種，如健康報，各大行政區可各出一種；（2）綜合性醫學期刊，在中央領導下出一種，如中華醫學雜誌，各大行政區及各省市一律不出；（3）專科性期刊，由中華醫學會各專科學會主編，每一專科學會可出一種，現已有兒科雜誌，眼科雜誌，內科雜誌，外科雜誌，醫史雜誌等數種，其他尙在籌備出版中；（4）中級醫學期刊，各大行政區可根據具體需要各出一種；（5）藥學期刊，由中央領導中國藥學會暫出全國性的一種，如現有之藥學通報，以後可分出高級和中級的各一種；（6）衞生宣傳期刊，中央主編一種，各大行政區各出一種；（7）專題研究專刊，由中央及各大行政區領導有需要時出不定期刊物；（8）各醫藥院校及省級以下衞生機關，原則上不出定期刊物。至於私營的刊物，如條件具備，可不受此項限制。

此外，時代出版社爲介紹蘇聯先進醫學，出版一種「蘇聯醫學」雜誌，對醫學界也作了一些貢獻，不久政府或須加强作有系統的領導，教它發生作用更大。

爲加强分工統一領導起見，由中央衞生部與出版總署協商，成立一人民衞生出版社，使醫藥衞生刊物和教學課本能配合國家文教建設需要，統籌辦理編輯與出版，藉以提高刊物的質量，並免有重複浪費的現象。該社的任務極其繁重，現正在籌備中，將來華東醫務生活社及東北醫學圖書出版社將全併入人民衞生出版社中。現在該社主要工作，爲翻譯和出版蘇聯高級及中級醫學教材，並配合教學需要，受衞生部教材編審委員會委託，出版該會編審的各種醫藥學書籍及醫學語彙，醫學字典等等。

此外中華醫學會有悠久的出版醫學書刊的歷史，仍繼續出版醫學參考用書，並在衞生部領導下發行中外文版中華醫學雜誌及各種專科雜誌。

附註：本稿因篇幅有限，近年刊物太多，搜載不全，並此申明。

隋唐時代（589—907）我國醫學的成就

李　濤

北京大學醫學院醫史學科

三國以後，由於軍閥混戰，異族侵入，中國混亂了三百年。到了589年，楊堅才把南北朝統一起來，從此中國經濟得到了應有的發展，漸漸走上繁榮的途徑。隋末雖然紊亂了幾年，幸而時間不長，李世民又統一了中國。從618—741年政治比較好，對外侵略不斷勝利，社會經濟得以向上發展，是爲唐朝全盛時代。從742—820年是爲中唐，由於政治腐朽，長期內戰，經濟漸趨衰落。821年以後，宦官掌握政權，朝官分立朋黨，藩鎮重新割據。因而農民破產，經濟崩潰，終於滅亡。醫學必需在政治安定和經濟繁榮的基礎上才能向上發展，中國在第七和第八世紀經濟發展到最高點，因之中國醫學也有輝煌的成就。第九世紀卅年代以後由於經濟崩潰，醫學也沒大的成就可說。

唐代造船工業進步，能造極大的海船。據阿拉伯人蘇萊曼東游筆記說，大中時（847—859）波斯灣風浪險惡，只有中國船能航行無阻，阿拉伯東來貨物都裝在中國船裏。當時對外交通。海路有南北二道，南道自廣州出口與波斯，印度，阿拉伯，南洋羣島通航。北道自明州（浙江鄞縣）和登州（山東蓬萊縣）出口，與朝鮮，日本通航。至於陸路與外國交通，尤爲頻繁，經常與西域和印度諸國往來。此時由於交通發達，各民族文化不斷交流，促進中國醫學的進步。更由於外國藥材的進口，豐富了中國藥物的內容，直接增加了與疾病鬥爭的武器。

西晉末年異族侵入，士大夫遷往長江流域，從此黄河流域的文化，也轉移到長江流域，首先影響了造紙工業的進步，公元三世紀以後用紙書寫漸漸代替了木簡，這對文化傳播和繪畫進步上有很大影響。據隋書經籍志所收錄的醫書多到256部，比漢書藝文志所載的醫書多了十幾倍。而且有了帶圖的醫書如解剖圖，針灸圖（明堂孔穴圖，扁鵲偃側鍼灸圖）和本草圖等。

更由於中國的文化南遷，長江流域的地方病，漸漸被知識份子注意起來，並且當地勞動人民與疾病作鬥爭的經驗，也被記錄下來，這也是當時醫學進步的一個原動力，例如葛洪的肘後方便是在廣東羅浮山作的。

中國的統治階級從來看長江以南爲瘴癘卑濕的區域，照例將罪人流放到那裏去，西晉末年，他們逃到這種瘴癘之區，不得不注意醫學，苟全性命。所以南朝士大夫多精於醫術，如殷浩，殷仲堪，孔熙，羊欣等。因此醫師在社會地位，由於他們提倡，也漸漸提高起來。

道教和佛教在南北朝時代鬥爭極烈，到了唐朝仍然處於對抗情勢之下。道教有引氣法，據說引氣（輕微呼吸）可以治百病，去瘟疫，禁蛇獸，引瘀血等。又有鍊丹法，用各種礦物如水銀，雄黃，砒霜等鍊成丹服用，據說可以成仙。更有去三尸法，三尸法就是三蟲，用叩齒和服藥法驅蟲。由以上道教內容來看，可見他與醫學關係密切。南北朝時代南方有陶宏景，北方有寇謙之，都是道教大師。

東漢到唐是佛經輸入時期，隋唐是中國佛教極盛時代。在這個時代譯了很多佛經。同時也譯了很多種印度醫書，例如隋書經籍志收錄了八種藥方，二種治鬼方 二種香方等。由於醫書的翻譯，將印度醫學的理論、經驗和藥物都介紹進來。更由於當時中國人信仰佛教，便很自然的接受了外族的醫學。所以隋唐時代所著的醫書，如不詳細推求，便分不出那部份是中國固有，那部份是外國傳入。終成爲中國醫學史上革新的時代。

上邊所說政治安定，經濟繁榮，工業進步，文化南遷，宗教的影響，尤其是佛教傳入，促進了中國文化的革新。中國醫學便在這些良好條件下有顯著的成就。

醫學學說

隋、唐醫學的學說，一面發揚漢、晉的陰陽五行學說，一面又吸取印度醫學學說。因此就用哲學以解釋疾病來說，中國是當時世界上最進步的民族。例如漢時張仲景用陰陽之氣來解釋傳染病，對於症候羣的認識和對症療法的貢獻極爲偉大。隋、唐醫家不但承襲舊說，而且進一步描寫各種傳染病的特有症狀，例如巢元方在610年著的諸病源候總論的傷寒病有67候。孫思邈（581—682）著的千金翼方將傷寒論的藥方分成十數類，初學之人，易於記憶，是極大進步。這個例子是說明隋唐醫家沿襲祖先固有的學說，更加以光大，關於陰陽五行的學說，同樣也有進一步的解釋。

在另一方面，由於南北朝時代翻譯了很多印度醫書。自第六世紀起，便採取印度醫學學說。最初陶宏景（452—536）補肘後方稱爲肘後百一方。在序中有「佛經云：人用四大成身，一大輒有一百一病。」陶宏景是南朝有名的道士，所著醫書序中援引佛經，可以證明他已經接受印度醫學理論了。

第七世紀初年著的諸病源候總論中對於四大學說更直接援引。例如在風病諸候中的惡風候稱：「凡風病有四百四種，總而言之不出五種，即是五風。」其後在諸癩候又稱「凡癩病皆是惡風」可見他的書採取了印度學說。甚至癩病這個名稱也有自梵文譯出的可疑，所以才有這樣註解。

其後652年孫思邈著千金方，對於四大學說引證更多，例如在診候中有。「經說：地水火風和合成人。凡人火氣不調，舉身蒸熱。風氣不調，全身彊直，諸毛孔閉塞。水氣不調，身體浮腫，氣滿喘粗。土氣不調，四肢不舉，言無音聲。火去則身冷，風止則氣絕，水竭則無血，土散則身裂。」又云：「一百一病，不治自愈，一百一病須治則愈，一百一病雖治難愈，一百一病眞死不治。」此外他引證印度醫學之處還很多，不再詳舉。

第八世紀王燾著外台秘要（752）。因為他這書是集前人醫方，當然毫無例外地採取印度醫學。甚至眼科一部理論完全採取天竺經，並云授自西國胡僧。

上邊所舉的巢元方、孫思邈、王燾都是隋、唐著名醫家，他們的著作幾乎一致地吸取四大的學說。我們知道，道教與佛教，自南北朝以來，鬥爭極為激烈，佛教徒曾有幾次被迫害，廟宇被拆毀. 陶宏景和孫思邈是當時著名道士，在醫學這方面獨能不敵視印度醫學。這一點足以說明我們祖先，服從眞理，善善從長，具有洋洋大國民的風度。更可以說明隋唐醫學進步的原因。

在此我們還應當提到一個問題，就是印度在公元前七世紀以前的醫書，主張人身成自三原質，便是氣，胆.痰。後來由於亞歷山大在公元前四世紀侵入印度，將希臘醫學四原質學說傳入，於是增加血液，成為四體液說。印度醫學傳入中國是在公元後的事，所以是四大說法，也可以說希臘醫學此時間接傳到中國。現在列如下表，作為說明的輔助。

中國的五行	土	水	火	木	金
印度的四大和希臘的四原質	地	水	火	風	
希臘的四體液	黑胆汁	黃胆汁	血液	黏液	
印度的三體液	胆	痰		氣	

圖1. 孫思邈與韋慈藏，據1372年刊李垣袖珍方版畫

疾病的認識

人類首先將疾病的各式各樣的現象記載下來，後來將這些現象分析，才能按照症狀，經過，預後將他們區別分爲個別的疾病。人類認識疾病是對疾病作鬥爭的一個必需的過程，也是醫學一大進步。中國醫家在這方面貢獻最大者，首推巢元方的諸病源候總論。他記載了1720個症候，歸納爲67門。其中對於內科病紀載特詳，共39門，佔本書的一大半，其餘是五官科，外科，婦科和小兒科的病。

（1）在內科病中首先描述腦神經病，當時稱爲風病。其中記載中風的症候如奄息不知人，舌强不得語，口渴，手足不隨，不仁等極爲詳細。其次對於癲癇，顏面神經痛（頭風）也有描述。唐朝對於腦神經病有極大興趣，曾有多人從事綜合分析。其中最有名的醫生如許仁則療諸風方，能將所經驗的症候記載的極爲詳細。孫思邈和王燾的著作中對於這類病的記載佔了很大篇幅。但是當時對於破傷風，麻風和脚氣等神經症候顯著的病，也歸到所謂諸風之中，因此現在看起來有些混亂。

（2）其次對於傳染病的鑑別也有極大進步。在這方面諸病源候總論首先記有天花（登豆瘡）和麻疹（時氣發斑），爲世界上最早能鑑別這兩個病的文獻。亞拉伯人第九

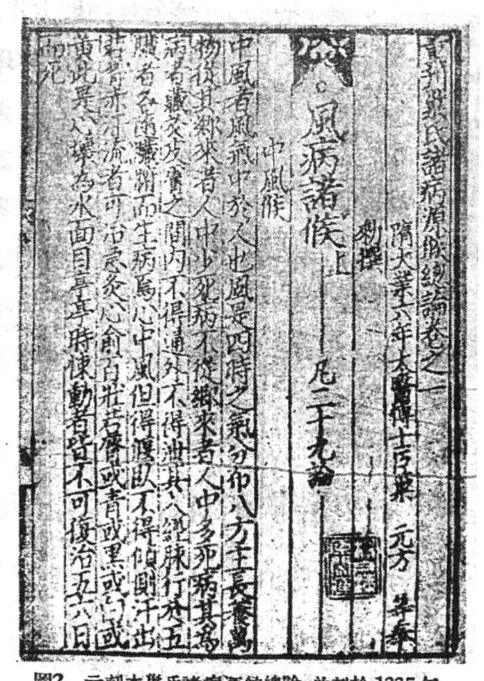
重刊巢氏諸病源候總論卷之一
隋大業六年太醫博士臣巢元方等奉
勅撰
風病諸候上　凡二十九論
中風候
中風者風氣中於人也風是四時之氣分布八方主長養萬
物從其鄉來者人中少死病不從鄉來者人中多死病其為
病者藏於皮膚之間內不得通外不得泄其入經脉行於五
臟者各隨臟腑而生病焉心中風但得偃臥不得傾側汗出
若唇赤汗流者可治急灸心俞百壯若唇或青或黑或白或
黃此是心壞為水面目亭亭時悚動者皆不可復治五六日
而死

圖2. 元刻本巢氏諸病源候總論，約刻於1335年

世紀始能鑑別這兩個病，比中國要晚二百多年。其次對於腺鼠疫（惡核），細菌性痢疾（熱痢），和阿米巴性痢疾（冷痢）在此時起始記載，全是卓越的貢獻。至於瘧疾，傷寒，霍亂爲早已認識的病自不必論。巢氏書中記有很詳細的霍亂症候又將他放在溫疫之後，許仁則分霍亂爲乾濕兩型，這些都足以說明中國此時已能認識此病。而且漢以後中印交通頻繁，印度傳來霍亂也很可能。

對於慢性傳染病首先是麻風，麻風雖然肘後方已有記錄，但略而不詳。諸病源候總論將麻風重要症候均已記載清楚，千金方記載尤詳，稱爲惡風，癩病，或疾風，或耆域惡病。由於名辭的混亂可見在當時是一種新認識的病。其次是肺結核，也是在此時才能正確鑑別，當時稱爲虛勞，骨蒸或傳屍等。唐朝並有專門著作發表，例如蘇游玄感傳屍方，崔知悌骨蒸病灸方。

（3）關於營養性缺乏病。第一正確認識脚氣。據孫思邈千金方中記載，第四世紀以後，士大夫逃往江南，開始認識這個病。其中敍述此病的歷史，症候，治法，預防均極完善。唐朝且有青溪子脚氣論，李暄嶺南脚氣論，脚弱方等專書。王燾的書內脚氣一病竟佔全書十分之一。在世界疾病史中，脚氣是中國人最初能鑑別而且能治療的病。此外夜盲（雀目）和佝僂病，均見於巢元方的著作內，也是極早的文獻。

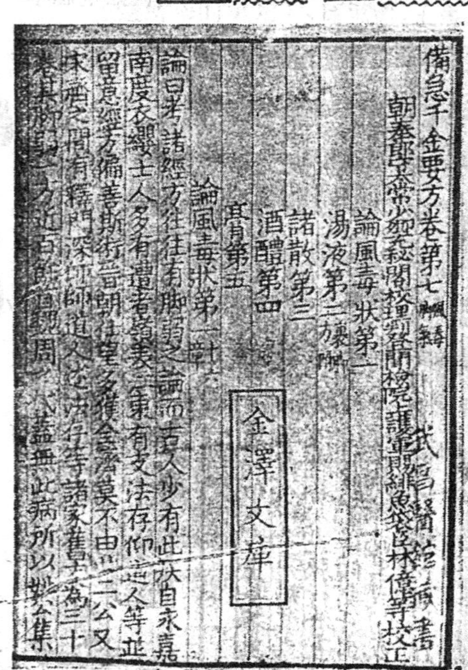
備急千金要方卷第七 風毒脚氣
朝奉郎守太常少卿充秘閣校理判登聞檢院護軍賜緋魚袋臣林億等校正
論風毒狀第一
湯液第二 [illegible]
諸散第三
酒醴第四
膏第五
論風毒狀第一 [illegible]
論曰：考諸經方往往有脚弱之論，而古人少有此疾。自永嘉
南度，衣纓士人多有遭者。嶺表江東有支法存、仰道人等，並
留意經方，偏善斯術。晉朝仕望多獲全濟，莫不由此二公。又
宋齊之間有釋門深師，師道人述法存等諸家舊方爲三十
卷，其脚弱一方近百餘首。魏周之代蓋無此病，所以姚公集
金澤文庫

圖3. 影宋本千金要方，原書存於日本

（4）外科病方面。戰傷和創傷傳染病是這個時代研究的目標，所以隋唐的醫書目錄，載有癰疽金瘡方七種之多。此時起始能鑑別淋巴管炎，（赤脉，癗病），瘭疽，丹毒等病。皮膚和淋巴腺的結核病也有專方，如療三十六瘻方，趙婆療瘰方等。皮膚病中禿頭（鬼舐頭）首見於巢氏書。其次千金方所記載的妬精瘡，極似梅毒的硬性下疳。

（5）關於小兒科，此時已有專方行世。王燾的外台秘要，每個病皆以巢氏諸病源候總論冠首，獨小兒病則以千金方和翼方的論說冠首。這可以說明小兒科是到唐朝才開始發達的科目。在千金方中首先述及中國兒科的發展史：「六歲以下，經所不載，所以乳下嬰兒有病難治者皆爲無所承據也。中古有巫妨者，立小兒顱顖經，以占夭壽，判疾病死生，世相傳授，始有小兒方焉。逮於晉宋，江左推諸蘇家，傳習有驗，流於人間。齊有徐王者亦有小兒方三卷，故今之學者頗得傳授。然徐氏位望隆重，何暇留心於少小，詳其方意，不甚深細，少有可採，未爲至秘。今博撰諸家乃自經用有效者以爲此篇。」由他這段記載，也可以看得出唐以前的小兒科很幼稚。巢元方的病源候論所載 253 候，多與成人雜病相重複，孫思邈見到這一點始將小兒與成人共患的病除去，專講兒童特有的如驚癇，消化不良（客忤）等病，以及乳育法，母病與嬰兒的關係。從他那部書出來，中國兒科學才有獨立的內容。關於驚癇和客忤的解釋，雖極荒唐，但是所用的治法則不外瀉下和健胃劑，過食是小兒常見的病，用這類藥是合乎實際的。

（6）耳目口齒的病，唐朝算一科，孫思邈稱之爲七竅病，內容包括現在的五官科和口腔科。這科是唐朝才發展成爲獨立科目的。其中眼科最爲進步。巢氏病源候論所記的眼病徵候多至 38 種，大約已能診斷結合膜炎、內障、夜盲等病。外台秘要則更記有綠內障，倒睫等，並記有內障的手法術。關於眼科專書，隋志記有陶氏療目方，惜已佚失。其次卽龍樹論經過改編成爲現存的龍木論。外台秘要的眼病和龍樹論全是譯自印度醫書，所以中國眼科的知識與印度醫學有密切關係。

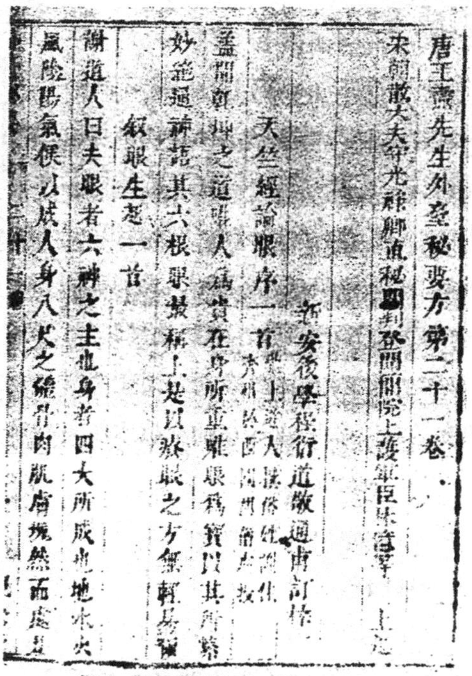

唐王燾先生外臺秘要方第二十一卷
宋朝散大夫守光祿卿直秘閣判登聞檢院上護軍臣林億等上進
新安後學程衍道敬通甫訂梓
天竺經論眼序一首
蓋聞乾坤之道唯人爲貴在身所重唯眼爲寶以其所繫
妙絕通神語其六根眼最稱上是以療眼之方無輕易[illegible]
敘眼生起一首
謝道人曰夫眼者六神之主也身者四大所成也地水火
風陰陽氣候以成人身八尺之體骨肉肌膚塊然而處是

圖4、外台秘要方的一頁

其次是口齒科。唐時有邵英俊口齒論一卷，又排玉集三卷，惜已佚失。巢氏病源候論記有齲齒，牙齒膿腫，齒槽膿腫，齒齦退縮等。此外更記有拔牙損候，可見當時拔牙已經是常見的事。

關於婦產科，隋書經籍志載有張仲景療婦人方，徐文伯療婦人瘕方，又療婦人產後雜方，現皆佚失。據巢氏病源候論所記婦人雜病，也是與普通內科分不清。孫思邈首先將與男子同患之病除去，編輯婦人方，是一大進步。他這部書首先記載姙娠的生理和疾病。以後述說難產和產後的病。其中記載了子癇 橫產和胞衣不出等。外台秘要還記載若干墮胎斷產的方法。其後大中初年（853—858）還出現了產科專書，就是昝殷作的產寶。原本雖已佚失，但是現有從類書輯錄出來的本子，也可略知其中內容。

由上邊所述大略情形，不難想見隋唐時代，對於疾病認識方面，有飛躍的進展。當時因爲今名與古名，固有名辭與譯名，南北的方言等種種不同，結果造成醫學辭彙的混亂。例如脚氣古人叫蹶，膈氣古人叫膏肓，黃病是癉的譯名，北方人稱瘧，南方稱瘴。甚至勞動人民與知識分子的病名也很不同，例如小品論曰「傷寒是雅士之辭云，天行瘟疫是田舍間號耳，不說病之異同也。」孫思邈首先注意到這一點，所以在千金方中特提出這個問題，並作了古今名辭的對照說明。可見名辭統一問題在醫學發展時代，尤其在外國醫學傳入一個時期以後，是極切需要的工作。

藥物治療的成就

神農本草共收錄了365種藥，公元500年陶宏景的名醫別錄又增365種藥共730種藥。隋書經籍志載有本草28種。唐書藝文志也載有25種，雖然其中一部分與隋書記載的相重，但新著的仍然有十幾種。尤其是659年由李勣，蘇敬，許孝崇等22人重修的本草，增藥114種，共53卷，稱新修本草，計收藥844種。這部本草由政府主持修訂，是世界上第一部由國家製訂的藥典。這時藥物內容增多，首由於外國藥的傳入，例如在隋以前翻譯了十數種外國藥方，已詳載在經籍志內。唐朝更有人將這些外國藥搜集起來，成爲專書。例如鄭虔的胡本草，李珣的海藥本草，陳藏器的本草拾遺。更有人將道士服食的結果，荒年時人民尋覓食物的經驗等記錄下來，例如孟詵（621—713）的食療本草，昝殷的食醫心鑑等。

在藥理方面，徐之才將藥分爲十類，至唐千金翼方按藥的功用分爲65門，可見對於藥的功用，有更多的認識。在傳染病方面，除承襲張仲景的對症療法外，對於瘧疾已能使用常山，例如千金方所錄23方，17方皆用常山。外台秘要所收治瘧86首，用常山者57，而且當時流行的十餘種方書普遍採用，與金匱要略僅牡瘧用蜀漆（常山別名）者不同。

其次治熱痢普遍用黃連，現在我們已知他有極大殺菌功用，有效驅蟲藥如使君子、檳榔，雷丸，貫衆，酸石榴根皮等唐代已普遍使用。所有外台秘要收錄的十餘種方書一律採用。

隋、唐醫家在治療方面的特殊貢獻，當推治療營養缺乏病方面。除治療甲狀腺病沿用海藻外，孫思邈及王燾書內收錄的治脚氣方，常用防風，杏仁，蜀椒，桑葉，車前子等。據近代分析，此等藥物含維生素乙$_1$均極豐富。其次治夜盲用羊肝，佝僂病用龜甲等亦極合理。我國向例稱孫、王，爲脚氣專家，即按現代眼光重新估價，也是世界醫學史上最早的營養學家。

對於浮腫，除用利尿藥外，千金方已知忌鹽的益處，其餘如崔氏和必效方也有忌鹼百日的記載，是一大進步。

關於鎮咳用藥，此時亦有極大成績，如所用杏仁，遠志等爲世界現在仍然通用之藥，其餘如附子，莨菪則有鎮痙功用。更常用紫菀，款冬，麥門冬等。對於喘息（上氣）已用麻黃和杏仁稱爲二物散，當時方書如肘後方以下六種方書皆載之。可見已確知麻黃的功用。

健胃藥方面，辛辣藥如薑，桂，鶴虱，橘皮等，香藥如吳茱萸，木香等。

皮膚病方面多用水銀或雄黃與豬油混合，製成軟膏，與現代所用者完全一致。亞拉伯人知用水銀軟膏較此約晚三百年。

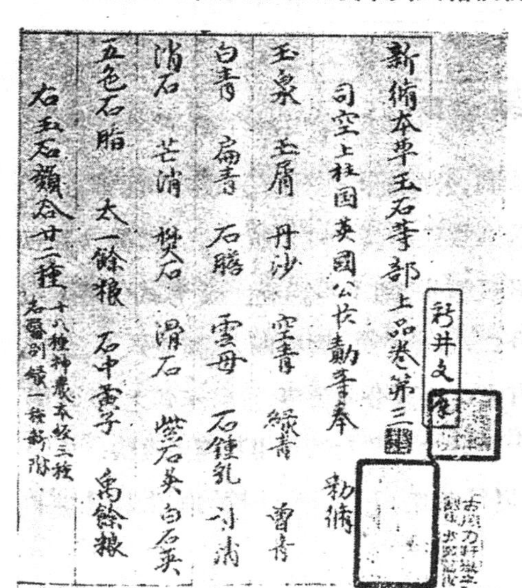

新脩本草玉石等部上品卷第三

司空上柱国英國公臣勣等奉 勅脩

玉泉 玉屑 丹沙 空青 綠青 曾青

白青 扁青 石膽 雲母 石鍾乳 朴消

消石 芒消 礬石 滑石 紫石英 白石英

五色石脂 太一餘粮 石中黄子 禹餘粮

右玉石類合廿二種 十八種神農本經三種名醫別錄一種新附

圖5. 天平三年由日本使臣帶回的唐新本草

由上面的簡略介紹，可知此時我們祖先不但能認識許多病，而且能治療若干疾病。那時所以能有這樣成績，與當時醫家注重實驗有密切關係。例如巢氏書中記有一奴患鼈瘕死，破腹得白鼈。有人乘白馬來看，馬尿濺在鼈上，鼈即縮頭及脚。於是用馬尿灌之，即化爲水。從此治這個病便用白馬尿來治。

外台秘要記有254年崔杭女患心痛，吐出一物狀如蝦蟇。便將它放在竹筒中，另外加入地黃冷淘，經過一時再看已化成水。從此便用地黃治心痛。

外台秘要更記有備急方中的嶺南俚人試驗常山，和都淋藤的方法。據說土人採藥時先吃了試一試。吃後如果覺嘈雜，腹脹，發悶，發寒，便含白銀一宿，如果銀變色便是藥。由這一段記載，我們可以推想用常山治瘧，是經若干人試驗才得到的結果。

外國藥物傳入中國，增加了本草的內容，上邊已經提及。但是在另一方面也給中國本草兩個很壞影響。第一印度的無物非藥的觀念，如千金翼載有「天竺大醫耆婆云，天下物類，皆是靈藥，萬物之中，無一物而非藥者，斯迺大醫也。」試就千金翼所錄的藥617種來分析，玉石，禽，獸，果，蔬，穀米等竟多至三百餘種，其中絕大多數毫無藥效。從此以後，中國的本草，以多爲盛，失去記錄藥物的質樸目的。第二萬應藥的風氣，例如千金翼載有萬病方，其中大排風散用藥多至67味。此外阿加陀圓，耆婆丸（牛黃丸），大麝香丸，吃力迦丸都用數十味藥。這些方藥大約都從外國傳來，尤其是吃力迦丸，所用都是波斯出產的香藥，如訶棃勒，薰陸，鬱金，蘇合，附子等，可見爲外來藥方。667年羅馬輸入的底也伽（內含雅片）也是中世紀盛行的萬應藥。

由於藥物治療的結果，使人在不自覺中迷信了藥物萬能的說法，同時印度藥王的說法，也傳入中國。陳廢帝陳伯宗小字藥王，可見藥王說法流傳已久。到了737年韋訊道號慈藏，自印度來到京師（長安）。施藥治病，醫治多效。李隆基（唐玄宗）叫他入宮，賜號藥王。從此藥王的傳說漸漸普遍起來。

醫學教育

古代中國醫學是師徒傳授。漢代採取選舉制，公元前43年曾有選舉醫師的事。到了六世紀末年，才開始注意醫學教育，設置太醫署與現代的醫學院相類。在太醫署內置有醫博士，按摩博士和咒禁博士三種專門教員，教授學生。到了624年始規定考試登用醫生的方法，並令學生分科學習。當時的太醫署有令二人，丞二人，醫監四人，醫正八人。這些人都是管理醫學院行政事務的。據舊唐書職官志「太醫令掌醫療之法，丞爲之二，其屬有四：曰醫師，鍼師，按摩師，咒禁師，皆有博士以教之。其考試登用如國子監法。凡醫師，醫正，醫工，醫人疾病以其痊多少而書之，以爲考課。」當時醫學校的師生數目如下表：

	醫	鍼	按摩	咒禁	共計
博士	1	1	1	1	4
助教	1	1			2
師	20	10	4	2	36
工	100	20	16	8	144
生	40	20	15	10	85

醫博士所用的教科書爲本草，甲乙經，脉經。這三門是共修的科目，習畢後分習下述五科，即內科（體療），外科（瘡腫），兒科（少小）耳目口齒和角法。其中角法大約是灸法，由於誤將灸寫作角。因爲外台秘要載有灸法，唐書經籍志的醫經中灸經和針經各有專書，當時針法由針博士教，灸法可能是歸醫博士教。（余前在醫學史綱根據日人解釋的角法，極牽强，故暫作以上解釋）這五科的學生的比例和修業年限如下表：

	體療	瘡腫	少小	耳目口齒	角法
人數	10	3	3	2	2
年限	7	5	5	4	3

隋朝的針灸，仍然歸醫博士教授，至唐始有針博士，但是灸法仍由醫博士管。針科所用的教科書有黃帝素問，針經，明堂圖等與醫生相似。

按摩博士和按摩師掌管教授導引方法，兼管正骨，所以正骨科起源於按摩家。導引方法，詳載於巢氏病源候論內，是一種相當複雜的技術。

咒禁是從印度傳來的原始方法，千金翼有禁經一卷，大約是當時咒禁術的內容。

太醫署內掌管藥物的有府二人，史四人，主藥八人，藥童二十四人。另於京師設置藥園，招收庶人十六以上者爲藥園生，學習種藥製藥，業成者爲藥園師。共設藥園師二人。藥園生八人，掌固四人。産藥的州置采藥師一人。

由上邊紀錄可知當時太醫署分爲醫藥兩部，醫學部共 271 人，藥學部 52 人，行政管理人員 16 人共計 349 人。這個醫學校不但規模大，人數多，而且是政府創立，是世界上最早的醫學校。歐洲最早的醫學校意大利的薩勒諾 (Salorno) 醫學校，比中國的太醫署至少要晚數百年。

醫療機構

封建社會，君主對於人民的醫藥，從來不重視。漢末171，173，179年，連年大疫，統治者僅僅派人巡視而已。510年山西臨汾一帶（平陽郡）大疫，死2732人，統制者才不得不設立醫院收容病人，令太醫署担任醫療。但這僅是在傳染病流行時的臨時措置，平時則毫無醫療照顧。唐朝醫學雖然相當發達，但是因爲封建制度日益發展，僅有爲統治階級設立的醫療機構。對於人民的醫藥僅僅頒布幾本藥方，讓人民試用。例如713年令諸州寫本草百一集驗方，723年頒行廣濟方，746年令郡縣長吏，選廣濟方之要者，錄於大板以示坊村。796年又頒布貞元廣利方586首，這算是那時最大的德政。

唐朝雖然也曾設有患坊，收容乞丐貧苦病人，又曾改寺院爲厲人坊，隔離麻風病人。但是以後未能發展下去，是最可惜的事。

至於軍中的醫藥照顧尤其不夠。醫療僅僅是功曹或倉曹，參軍事的一部分職務。可見這時統制者不注意兵士的健康，根本不列入編制之內。

但是統治階級自己的衛生照顧則鋪張誇大。專爲君主一人服務的尙藥局，多至84人，另有專爲后妃服務的內官六人。專爲太子一人服務的藥藏局多至37人，另有內官三人。此外奚官局設藥童二人，宮人病則供醫藥。總計爲皇帝一家服務的醫務人員多至130多人。茲將尙藥局的組織和人數，列如下表。

奉御	直長	書吏	侍御醫	主藥	藥童	司醫	醫佐	按摩師	咒禁師	合口脂匠	掌固
2	4	4	4	12	30	4	8	4	4	4	4

君主以下的各統治階層，如大都督府，和各州皆設有醫學博士和醫學生。表面上是掌管爲人民醫療的事務，實際上爲官僚服務。所以當時行政的基層組織的縣沒有醫藥機構的明文規定。

成爲亞洲醫學中心的中國醫學

從第七世紀至第九世紀的三百年，歐洲人的醫學操於教徒手中，爲最黑暗時代，亞拉伯人方才開始譯書，爲日後文明作準備。但是此時我們中國的醫學已有完整的理論，和有效的治法，更在去粗取精的原則下，吸取當時人類所有的醫學知識，終成爲最進步的醫學。因此其他民族皆來中國學醫。首先是亞拉伯人學習中國的切脉法和傳染病鑑別法，到了九世紀以後亞拉伯醫學才能進步，並且以後成爲歐洲醫學復興的基礎。

(1) طويل 長	(2) قصير 短	(3) عريض —	(4) ضيق —
(5) منخفض 沈 沉	(6) مشرف 浮	(7) عظيم 大	(8) صغير 小
(9) غليظ —	(10) دقيق —	(11) قوي 強	(12) ضعيف 弱
(13) سريع 快 數	(14) بطيء 遲	(15) صلب 革	(16) لين 軟
(17) ممتلئ 滿	(18) خالي 空 虛	(19) حار —	(20) بارد —
(21) متواتر (結)	(22) متفاوت (緩)	(23) متدارك —	(24) متخلخل —
(25) متكاثف 密	(26) متراخي 散	(27) مستوي	(28) اختلاف 芤
(29) منتظم 定	(30) [المختار]مختار —	(31) الوزن	(32) الموجي 洪
(33) متوتر 弦	(34) متصل —	(35) الدودي	(36) ذو القرعتين
(37) الواقع في الوسط 微	(38) السلي —	(39) النملي —	(40) المنشاري 濇
(41) منقطع 暫 歇	(42) الغزالي 促	(43) ذنب الفار	(44) عائد —
(45) التشنج 緊	(46) غشيا [伏][代]	(47) مرتعش 動	(48) المستور 細

圖6. 亞拉伯人的脈名和中國人脈名

其次是傳佈到日本。562年吳人知聰攜帶明堂圖164卷醫學到日本傳授醫學，從此日本才從魔術醫學中解放出來。608年更派藥師惠日，倭漢直福音來中國學醫，直到623年才回國。其後惠日在630，655年三度來中國。他們曾將巢氏病源候論千金方，唐新本草這些書帶回國內，作爲教科書。755年揚州僧人鑑眞又到日本教授醫學。982年丹波康賴所著的醫心方，做效外台秘要的形式，主要采取巢氏病源並參考隋唐醫書80餘種作成。此後一千餘年，日本醫學追隨中國醫學前進，稱之爲皇漢醫學。所以日本醫學在十九世紀以前，完全受中國醫學的影響沒有什麽獨立形式可說。

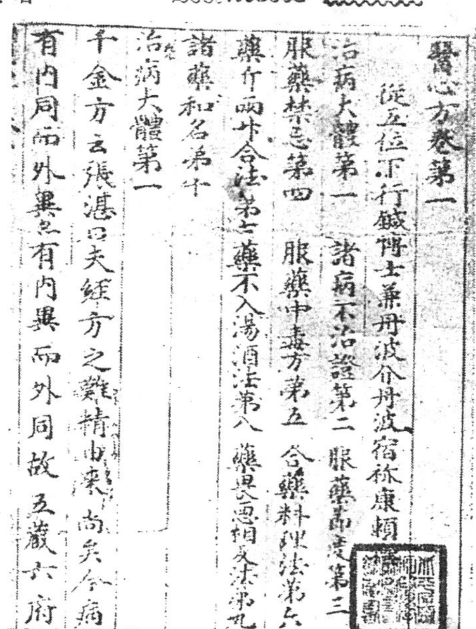

醫心方卷第一

從五位下行鍼博士兼丹波介丹波宿祢康頼撰

治病大體第一　諸病不治證第二　服藥節度第三

服藥禁忌第四　服藥中毒方第五　合藥料理法第六

藥斤兩升合法第七　藥不入湯酒法第八　藥畏惡相反法第九

諸藥和名第十

治病大體第一

千金方云張湛曰夫經方之難精由來尚矣今病

有內同而外異亦有內異而外同故五藏六府

圖7. 日本人現存第一部醫書醫心方

總　結

一、醫學學說方面除了原有的陰陽五行論以外，更採取印度醫學的四大學說。當時世界上各民族解釋疾病發生的哲學，中國採取兼容並包的政策，溶化到自己的醫學內。

二、疾病認識方面，天花和痲疹鑑別是世界醫學文獻上最早的記錄。其次對於霍亂、痲風、鼠疫、肺結核、瘧疾、痢疾、馬鼻疽等均有詳細的記載。在營養缺乏病方面如脚氣的記載，也是世界上最早的記錄。其次對夜盲、軟骨病也有詳細的記載。甲狀腺腫除早知應用海帶治療外，此時更進一步認識發病的原因。

三、在藥物治療方面，除了沿用早已發明的汗、吐、下藥以外，更由經驗上知道應用若干有效的驅蟲藥，殺瘧藥，治痢藥，滅疥藥，以及含大量維生素的藥物。此時我們祖先已有能力防治多種疾病，解除人類痛苦。

四、此時已設立相當完善、有三百多師生的醫學校，比歐洲最早的醫學校，還早數百年。

五、由於中國在此時有輝煌的成就，不久便傳佈到亞洲其他各民族，進一步造福全人類。以後歐洲醫學的復興，與中國醫學傳入亞拉伯也有不可分的關係。可見世界醫學能有現在的成就，毫無疑問的是包括中國人智慧在內的各民族遺產。

六、隋唐時代，中國醫學雖有相當進步。但是我們要知道這時醫學是掌握在宗教家的手內。因此醫書內仍普遍帶有迷信氣氛，具有宗教醫學的特色。

參考書

中國歷史研究會　中國通史簡編　1951年新華書店

巢元方　諸病源候總論　元刻本（約1335）

孫思邈　備急千金要方　影北宋本江戶醫學　光緒戊寅

王燾　外臺秘要　經餘堂　程衍道刻本

魏徵　隋書，百官志，經籍志，　同治辛未年　淮南書局

劉昫　舊唐書，百官志，經籍志

歐陽修　新唐書，百官志，藝文志，同治12年　浙江書局

丹波康賴　醫心方

Castiglioni, A. A History of medicine, 1947

Gruner, O. C. A Treatise on the Canon of medicine of Avicinna, 1930

西陲古方技書殘卷彙編

羅福頤

社會文化事業管理局，北京

編者按中國唐以前古本醫書，留存到現在的很少，近年帝國主義國家的僞學者們不顧廉恥，盜竊了許多唐人寫本醫書，收藏在他們的博物館裏。這種文化侵略罪行，從羅福頤同志所編輯的「西陲古方技書殘卷彙編」得到確證。因爲這本書一時尚不能付印，我們特商請著者同意，將序言和目錄，先行發表，一方從這些國寶，引起我們愛國情緒，一方對帝國主義國家的文化侵略加强警惕心，更附帶對於本期發表的「隋唐時代我國醫學的成就」給以旁證。

一、序　言

我在一九四八年客瀋陽時，從日本人武內睦處，看見黑田源次手抄的「法國巴黎圖書館藏敦皇石室醫方書類纂稿」，是他留學歐洲時纂集的。他的內容是集唐人醫方書殘卷二十一種。我以裏面有佚書，當時向他借出想傳抄一過，不意未到一個月我就離開東北博物館返北京了，他的原稿我還帶在手邊。我到北京後，在北京圖書館，看見許多流在國外的敦皇寫本照片，我拿其中的醫書來校黑田氏稿子，嘗發見有黑田所未見過的。

當時我就請得北京圖書館的許可，借給我影本，我就請我的妻兄商景荀，據影本摹寫，一依原來的行款，想這樣可以少些錯字和脫字，遇照片縮小的就臨摹放大，仍沿原來的行格，有些寫本夾有硃筆寫的，摹時也依原式用硃筆。每段末抄前人的攷訂，遇有未經前人攷訂過的，就據我所知道的寫在後面。並錄伯希和斯坦因原編的號目，以至卷紙的高廣，能知道的總記上，以備讀者的參考。

篇中取材大半是甘肅敦皇石室的蒐藏，少數寫本和木簡則是德國與英國人在我國新疆省吐魯番及羅佈淖爾附近盜掘所發見的。摹寫工作全由我妻兄商景荀担任，經過半年才完，我就編它爲五卷，分成四大類：

一、漢晉人醫方　二、唐人書醫經　三、唐人書本草　四、唐人書醫方

總題作「西陲古方技書殘卷彙編」凡得四十種。比黑田氏稿超過了一倍。總結篇中

殘卷，有二十四種在法國巴黎圖書館，有十九種在英國倫敦博物館，有五種在德國普魯士學士院，其餘有從先我家藏的，同未知藏所的各一種。法國巴黎圖書館藏品中有八種北京圖書館沒有照片，我只有據黑田抄本入錄。對於寫本中有想象是錯字的，也不敢隨意的改動，總據原有的抄寫，某段是摹錄某段是臨寫，總一一記在篇末用備參攷。

我這彙編雖全是殘篇斷簡，而在傳世漢醫籍中是最古老的，並由這可見我祖國漢醫的源流，同唐以前漢醫書的體例。可惜我對漢醫了無研究，如像漢代劉向校七錄時，有醫學專家來校醫籍，就更好了，現在我不過是掇拾漢唐醫書殘卷的材料，彙集成篇而已。至於需要進一步的來考訂古醫方書，只有等待着將來，候專家的研究。

回想這稿初著手時，正遇解放軍圍北京城的時候，到摹錄編訂完了已勝利的解放了北京。想像這書如刊行的時候，諒由新民主主義社會正邁進到社會主義社會的階段了。至於這書的成功，全出於同志們的賜予，現在我謹致誠懇的謝意，並告將來讀這書的人們。

時一九五二年夏羅福頤記於北京

二、目　　錄

卷一

甲、漢晉人醫方

一	漢獸醫方木簡	原號目 525—534		英國倫敦大英博物館藏
二	魏晉醫方殘卷	原號目 933		英國倫敦大英博物館藏

乙、唐人書醫經

三	脈經殘卷	斯坦因氏目 202		英國倫敦大英博物館藏
四	又二	伯希和氏目 3287		法國巴黎國立圖書館藏
五	又三	伯希和氏目 3481	據黑田氏抄本錄	法國巴黎國立圖書館藏
六	玄感脈經	伯希和氏目 3477		法國巴黎國立圖書館藏
七	明堂五藏論殘卷	伯希和氏目 3655		法國巴黎國立圖書館藏
八	張仲景五藏論殘卷	斯坦因氏目 5614		英國倫敦大英博物館藏
九	又二	伯希和氏目 2378		法國巴黎國立圖書館藏
十	又三	伯希和氏目 2755		法國巴黎國立圖書館藏

十一　焉婆五藏論殘卷　　德國普魯士學士院藏

十二　諸醫方髓殘卷　　德國普魯士學士院藏

十三　新集備急灸經殘卷　伯希和氏目2675　前半據黑田氏抄本　法國巴黎國立圖書館藏

卷二

丙、唐人書本草

十四　食療本草殘卷　斯坦因氏目76　英國倫敦大英博物館藏

十五　蘇敬等新修本草殘卷　伯希和氏目3714　法國巴黎國立圖書館藏

十六　又二　斯坦因氏目4534　英國倫敦大英博物館藏

十七　又三　斯坦因氏目4534　英國倫敦大英博物館藏

十八　本草殘卷　德國普魯士學士院藏

十九　又二　伯希和氏目3822　法國巴黎國立圖書館藏

卷三

二十　陶隱居本草殘卷　未知藏所

卷四

丁、唐人書醫方

二十一　療風方殘卷　德國普魯士學士院藏

二十二　劉涓子鬼方殘卷　德國普魯士學士院藏

二十三　療服食方殘卷　上虞羅氏藏

二十四　醫方書一　斯坦因氏目1467　英國倫敦大英博物館藏

二十五　又二　斯坦因氏目1467　英國倫敦大英博物館藏

二十六　又三　伯希和氏目2565又2662　文內有武周新字　法國巴黎國立圖書館藏

二十七　又四　伯希和氏目3731　文內有武周新字　法國巴黎國立圖書館藏

二十八　又五　伯希和氏目2882　法國巴黎國立圖書館藏

二十九　又六　伯希和氏目3144　法國巴黎國立圖書館藏

三十　又七　伯希和氏目3930　法國巴黎國立圖書館藏

卷五

三十一　又八　伯希和氏目2662　背面據黑田氏抄本　法國巴黎國立圖書館藏

三十二	又九	伯希和氏目 3201	背面據黑田氏抄本	法國巴黎國立圖書館藏
三十三	又十	伯希和氏目 3960	背面據黑田氏抄本	法國巴黎國立圖書館藏
三十四	又十一	伯希和氏目 2666	背面據黑田氏抄本	法國巴黎國立圖書館藏
三十五	又十二	伯希和氏目 3596	背面據黑田氏抄本	法國巴黎國立圖書館藏
三十六	又十三	伯希和氏目 3378	背面據黑田氏抄本	法國巴黎國立圖書館藏
三十七	又十四	伯希和氏目 3093		法國巴黎國立圖書館藏
三十八	又十五	伯希和氏目 3043		法國巴黎國立圖書館藏
三十九	觀音妙香丸方	伯希和氏目 2637		法國巴黎國立圖書館藏
四十	又二	伯希和氏目 2703		法國巴黎國立圖書館藏

印度古代醫學簡介

程之範

北大醫學院醫史學科

中國，印度，埃及和蘇美爾是世界人類四大文明發源地，在這些地方的醫學各有他自己的系統，一般人公認後二者是形成希臘醫學的基礎，但前二者對今日世界醫學的貢獻則很少提到，本文將印度古代醫學稍加介紹，並將其對希臘醫學的關係略加討論。本世紀之初在 Mohenjo-Doro 及 Harappa 二地發掘所得，證明印度的文化遠在3000年以前，或在那時已經不是一種原始的文化，而在印度本土上已有一定形的文化，就醫學來說，在上二地掘出的住宅建築中已有若干磚造的室內的浴池、排水管四下的陰溝和垃圾坑等，足見印度那時已有相當進步的衛生知識了。為了對印度醫學有些正確的認識，可分為幾個時期說明：

吠陀時期（約公元前2000——1000年）：

印度的醫學據可考者，當推吠陀時代，梵語「吠陀」(Veda) 本作明字解，意思是求知或知識，有的人解釋為「聖明」或「聖經」，吠陀是當時人的詩集子，也是表現印度宗教初期最古的文學，吠陀約著於公元前兩千年，最初有三種或叫「三明」，後來增加一種即所謂四吠陀即：梨俱吠陀(Rig-Veda)婆摩吠陀(Sama-Veda)耶柔吠陀(Yajur-Veda)及阿闥婆吠陀(Atharva-Veda)，梨俱吠陀或譯作讚誦明論是四吠陀最早者，乃讚誦神的詩集，但也提到藥用植物，並提及麻風病和結核病、可惜語焉不詳。其中阿闥婆吠陀或譯作「讓災明論」約著於公元前七世紀，乃巫祝及祭祀的詩集，其中除講述禳除災害之儀禮外，咒文中揭載七十七種病名及創傷蛇毒蟲毒的病例，以及治療這些疾病的草藥，並提到婦人病和保健術。此外更記載了獸醫學，以及解剖學，更提到骨骼的數目。由其中更可以看到，印度也如世界其他地方一樣，巫祝是最初的醫生。

除上述四吠陀外，尚有四種續吠陀或叫優婆吠陀 (Upaveda) 乃附屬於上述四吠陀之作品，其一叫壽命吠陀或阿輸吠陀 (Ayur-veda) 有人以為是梨俱吠陀之續，但按「Ayur」的含義乃有生命，活力，長壽之意，其中所講述也是健康醫療和生命學等，若以醫學立場來講，不如目之為和醫療有特別關係的阿闥婆吠陀的補充材料較為合理，書中分醫學爲八科。唐代譯爲八醫，成爲印度醫學——亦卽所謂阿輸吠陀系醫學的圭臬，以後印度醫學家所編的醫書：也大致根據此八科來分類。所謂八科就是：一、拔除醫方，爲拔除異物敷裹綳帶等外科。二、利器醫方，這是使用利器治療頭部五官等病。三、身病醫方卽似今日普通內科。四、鬼病醫方印度人深信各種精神病是受鬼的影響。五、小兒方爲胎兒、幼童、產婦之治方。六、解毒劑論。七、長壽藥科。八、强精藥科。

由阿輸吠陀文中我們可知印度古代，卽已認識許多疾病，而且對於醫學相當注意。印度對阿輸吠陀視爲古來聖學之一，甚被尊重，如婆羅門教定阿輸吠陀爲學習的三十二明之一，佛教也將「醫方明」列爲應當學習的五明之一。印度地處熱帶，疾病、毒蛇、猛獸甚多，受環境影響，醫療學發達是可以理解的。

婆羅門教時期（約公元前1000——500年）

最早的醫學文獻 至公元前六世紀以前若干世紀內，一般學者，達克沙（Daksha）因陀羅（Indra）苾哩拘（Bhrigu）德罕溫塔里（Dhanvantari）及曒食（Atreya）等人對阿輸吠陀均加以援引和發揚據傳曒食氏，有弟子六人，其中對醫學貢獻最大者是如火氏（Agnivesa）所著有曒食氏集（Atreya Tantra）；其中將阿輸吠陀詳加說明，內容也分八章，論述八科之治療方法（卽內科、外科、頭頸病科、神經精神科、小兒科、毒物科，返老還童術科及生殖器科等）。其後不僅述及醫藥用植物，並涉及生理學，更提到甚多之動物如牛、馬、象等之疾病，可知獸醫學在印度發達很早，象在戰爭中很重要，故對象之疾病述之甚詳，此書後被印度有名之內科鼻祖闍羅迦（Caraka）氏引錄於其著作闍羅迦全集中。另一弟子布哈拉氏著有布哈拉集（Bhela-Tantra）。

其後醫學雖較之同時期之埃及與希臘醫學仍有顯着之進步，但受婆羅門教之影響已漸失其光輝，直至佛教興起，始再發展。

醫生的地位：按婆羅門僧侶所製定的摩笯法典，將人分爲四種「等級」；婆羅門（僧侶）；刹帝利（武士）；吠舍（農人或商人）及首陀羅（奴隸），醫生最初是屬於婆羅門，因爲按醫學發展規律來講，最初神學的醫學時期僧侶與神最接近，所以醫生是僧侶兼職，這是與其他民族一樣的。但是不久隨着實際操作醫生的發展，醫生的地位漸改爲吠舍級。

醫學學說：關於健康與疾病的三體液學說，乃是印度阿輸吠陀醫學的根本基礎，在阿輸吠陀中曾講到這三種體液（Prabhava）或叫作三大（triqhatu）——氣，胆及痰。三者必須均衡才能保持人體的健康，後來把這三者叫作原素(Doshas)。

此外尚有七種成份(Dhatus)—一切食物均要化爲此七種成分，更有所謂 Malas 卽排泄物，他們的關係可簡列爲下表：

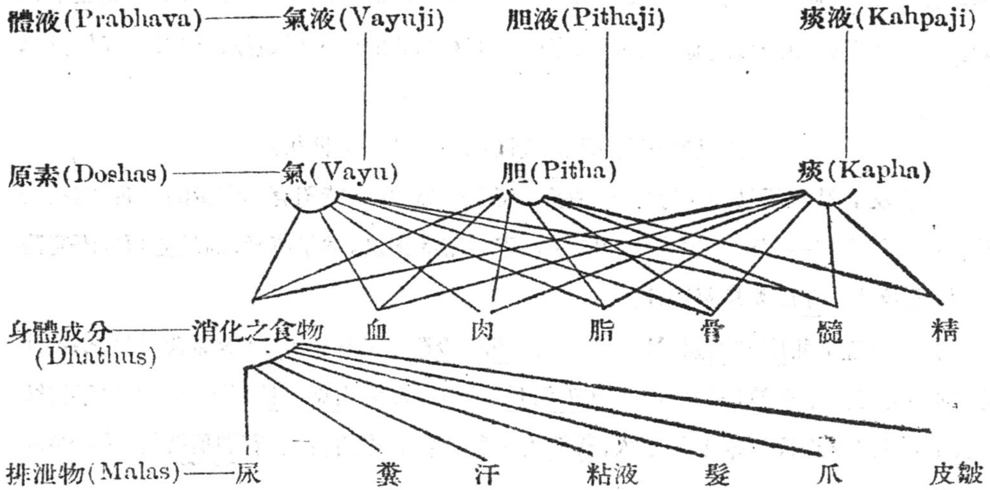

各種疾病被區分爲(1)薩里拉(Sarira)卽屬於身體的，和(2)摩那薩(Manasa)卽屬於精神的，病因可分內在的和外來的，關於疾病之診斷分爲前期病徵和發病後之症狀以及患者對於飲食藥劑及時間之反應，卽所謂［upacaya］，此種理論在以後的闍羅迦集(Caraka-Samhita)中均有更詳的敍述。

對於疾病的治療，阿輸吠陀派的醫生，根據上述理論有其特定的實施，他們認爲食物藥劑以及外用敷劑有維爾耶、毗婆迦、拘那、三性，（卽物理性質，化學成分，和生理活動）三者共同影響身體和疾病，他們依照各個人的體質而調整已遭紊亂的原素，身體成分，和排泄物，它們的關係可如下表：

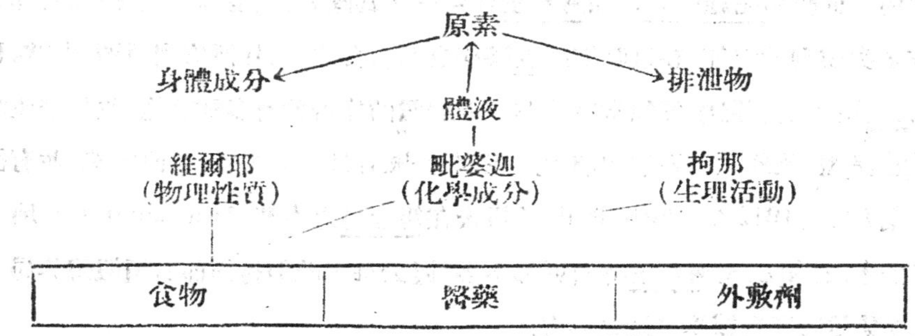

此種三體液學說成了印度醫學理論的基礎，正與我國的五行和希臘的四要素的說法可以媲美。以後希臘醫學受了印度三體液的影響將四要素發展爲四液體說，同時返轉來影響了印度，使原有的三體液說增加了血液，成爲四體液說，但他的基本理論並未改變。這說明了醫學的發展是在不同的環境之下有其共同的發展規律，但又是互相影響的。

佛教時期（公元前五世紀——公元五世紀）

佛教反對婆羅門教的「等級」主張一切人平等，在當時確有其進步的一面，這樣的教義獲得了當時一部被壓迫人民的同情，因而傳播很快，爲了傳教，佛教徒頗好研究醫學，故佛教時期印度醫學最發達。

公元前五世紀摩迦達國（Magadha）之頻毗沙羅（Binbisara）信奉佛教，對醫學也注意，他的「御醫」耆婆（Jivaka）曾在五河地（Panjab）之太克西拉（Taxila）大學學習醫學。該大學醫學課程要學七年之久，耆婆對小兒科特別專門，曾著有迦葉波集（Kasyapa Samhita）。

公元前四世紀時印度人旃陀羅笈多（Chandragupta）驅逐了希臘的侵略者亞歷山大，建立了孔雀王朝，當時太克拉西大學爲一極負盛名的醫學校，旃陀羅麴多的首相迦南克耶氏（Canakya）或叫攷蒂里耶氏（Kantilya），曾著治國要術（Arthasastra）一書，雖非專論醫學之著作，但其中對醫學，植物學有很多論述，由其內容知當時印度不僅有一般醫生而且有普通外科、產科、中毒治療科、軍事外科及法醫人材。並對醫師行醫條例，報告死亡，與發生危險病症時之手續等均有規定，更於人或獸類發生流行病時訂有特殊管制法的規定，書中對個人衛生及環境衛生等也有記載。

公元前三世紀旃陀羅麴多之孫阿育王曾定佛教爲國教，他是個好大喜功的統治者，曾完成許多次勝利的出征，在這時期印度醫學也隨着發達，而且傳佈到亞洲、東歐、和北非。由阿育王所留的石諾中可知當時爲解除人和獸的痛苦曾有多種設施。並知培植醫藥用的植物作藥劑。此外爲了戰爭和懷柔人民，在全國各地設立醫院、和獸醫院，並有很多醫務人員管理。據 1919 年 Castellani 氏報告在錫蘭島之古都 Anuradhapura 地方有公元前五世紀之病院，至阿育王時期更形增多。據云每十餘個村莊卽有類似醫藥局之設置，由此可見當時印度醫學發達之一斑。

阿育王死後，中亞之大夏，波斯之薩迦(Sakas)，裏海南之安息及中亞之大月氏諸民族相繼侵入。這些民族也多信崇佛教。公元一世紀印度有名的大內科醫生闍羅迦氏即迦膩色加王(Kanishka，大月氏第三代王)之御醫，(雖然有人反對此說，但考我國巴利文藏經的譯本中亦有此項記載)，著有闍羅迦集，乃阿輸吠陀系醫學中之權威著作。

氏之著作乃將前述之如火氏所著之噉食氏集加以整理重編而成，蓋如火氏之著作經數世紀已經散亂，其三分之二由闍氏整理(另三分之一由八世紀時特里達巴羅 Dridhabala所整理修訂)。其中包含八篇共119章——通論三十章，解剖學八章，生理學八章，病理學八章，藥理學十二章，治療術三十章，並有十一章論感覺，十二章論潔治法。闍氏的著作實代表印度阿輸吠陀系醫學的內科情況，今摘述其主要內容一二：

集中提到二千種草藥，和少數礦物及動物藥品，並載有各藥的形態，和其培植及收集的方法，並謂良藥有四種特性，即潛力强大，適合疾病，能與他藥混合，能久藏不壞(見闍氏集第四篇第七章)。

集中講到個人衞生的地方很多，陳述身體健康的三大因素：是營養、睡眠、和節食，並規定了人日常生活的禮節和規律。

關於運動的價值很早就被認識到，闍羅迦集第七篇第三十一章曾提到：「能使身體發育均衡，關節堅强，並令人快樂者，即適當之運動；但不可失之過度」。更特殊者爲行一種「瑜伽術」(yoga)即一種身、心的鍛鍊，謂可避免疾病保持健康而臻長壽，正似近世的催眠術。這大概是阿輸吠陀中的精神神經科的一種。

對於併發症及不良預後的疾病都詳加論述，由此可知其對醫術研究的勤勉，且緊密地與經驗相結合。

關於對症療法似很注意，該書第十八章五十一節中載有：「醫者不應因不識病名即不予醫治，必須詳細辨查病者身體所生的症狀，而以適當的方法予以治療」。此外書中對醫院之建築設備等也有記述：「首應依建築術造一個堅固的大廈，須避免尖風，通氣以及光綫均須良好，但須不受直接的光綫及烟塵惡臭的侵入，並應備有浴所、廚房、便所，以及廣闊之空場以供運動。」(同書第十五篇第六章)以後講到這醫院應具備「草藥館」以種植藥物，「動物館」以供醫藥所用的動物之肉；此外對病者的護理也頗注意：「侍病人者應有四德，即侍病人的知識，願爲病者服務，愛護並關切患者，以及清潔等四項。」（同書第三篇第八章）試召以上的記載，可見當時印度醫學，實足驚人，此書以後被譯爲波斯文，至公元七世紀又被譯爲阿拉伯文。

妙聞集(Susruta Samhita)：上述之闍羅迦集主要內容係內科方面，另外一著名外科論著爲妙聞集，乃一阿輸吠陀系醫學外科的代表著作，觀其語文及內容似較闍羅迦集之原始部分卽曒食氏集稍晚，其詳細年代已不可考，有謂妙聞氏係德罕温塔里氏之弟子，此書後來曾經被若干人竄改，直到公元四世紀哲學家兼醫藥學家龍樹(Nagarjuna)氏始將此書修訂。書中分六篇，共186章——通論46章，解剖10章，病理學16章，藥理學 8章，治療法40章及全身外科66章，兹將其主要者舉出一二，可窺之印度外科之一般情況。

書中曾述及全身骨骼爲 300，（此點與闍羅迦集所載360骨骼稍有不同）及關節200，並載有關於設備手術室之指示，且提及應用一種揮發性之麻醉劑，此外書中所述關於皮膚移植術，內障切除術，鼻成形術，赫爾尼亞等手術，對今日之外科方面頗有所貢獻。

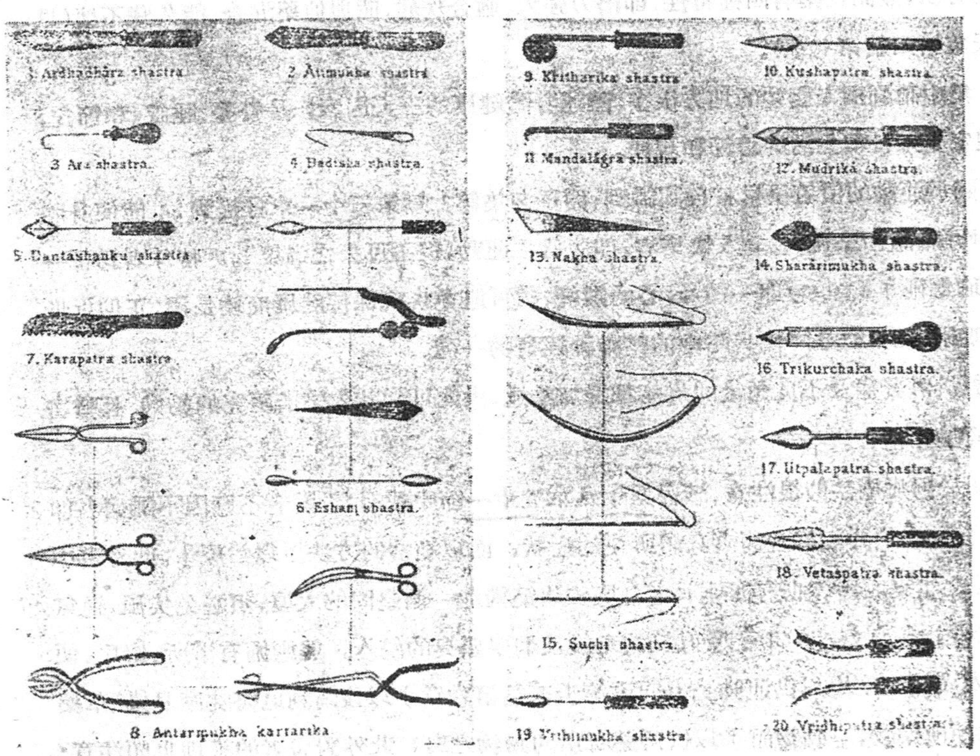

圖 1　　圖 2

例如歐洲外科之鼻成形術卽18世紀英人在印度所學得。

書中並對怎樣學習醫學有所指示，如第一篇第二章中曾述及怎樣的學生適於研究醫學，第九章講到一外科醫學生應當以植物、動物的表皮和死動物，實習切開、割截、刮除、結紮、縫合、靜脉切斷及燒灼術。

妙聞集的第一篇第七章中述及各種外科用器械，這些器械一般都是鐵製的，其嘴子則似鳥類或野獸的嘴，並依照其形狀而命名。這些器械分爲鑷子類(Svastika)鉗子類,(Saudansha)管狀器械類(Nadi yantra)探子類(Shalaka)刀子類(Shastra)及剪子類(Upayantra)如圖所示：

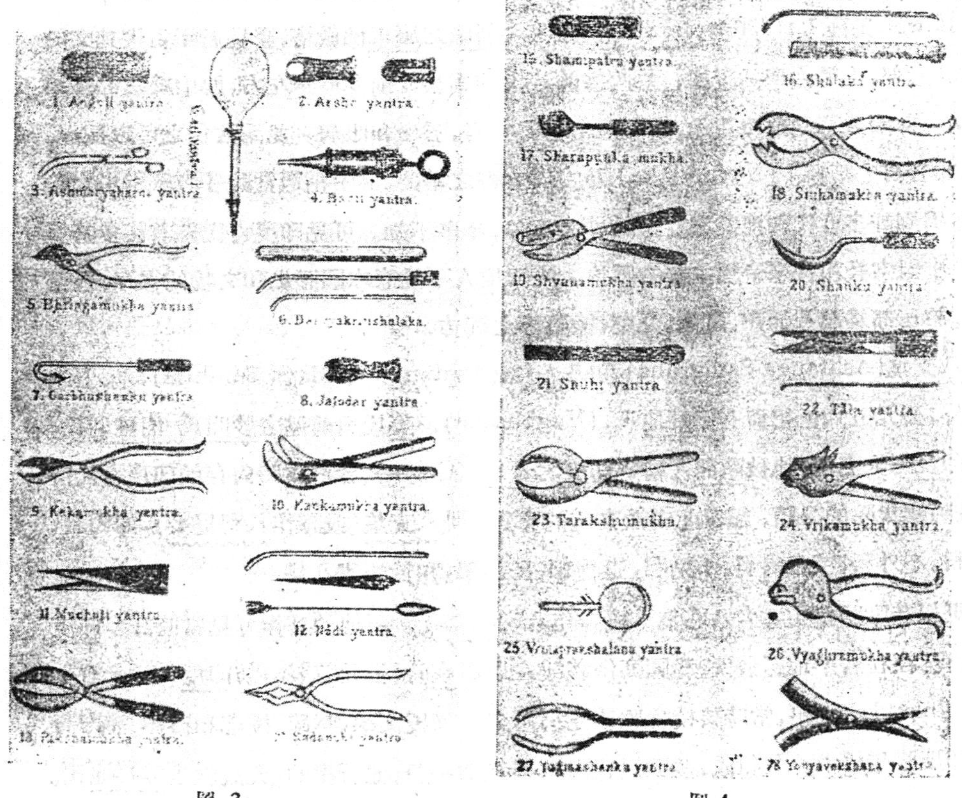

圖 3 圖 4

據 Bhishagratna: An English translation of the Sushruta Samhita

書中對於二十五章講到幾種基本的外科手術：切割術、截除術、劃痕術、吸引術摘出外物，取胎，及結石截除術傷口縫合術。至於聽取骨折的擦音當時也已知道，脫臼的復位法及骨折用夾板的固定治療均有記載，至化膿性及非化膿性腫脹的區別也十分注意（第十七章）書中更提到中箭或體內有異物的取出法和「穿耳眼」的法子，這頗與以前我國婦女穿耳眼相似。

此外書中對醫學道德也有所申述，謂「醫生要有一切必要的知識，要潔身自持，要使患者信賴，並盡一切力量為患者服務。甚至犧牲自己的生命，亦死所不惜。」並謂「正確的知識，廣博的經驗，聰敏的知覺及對患者的同情，是為醫者的四德。」（第九篇第六章）

妙聞集與前述之闍羅迦集是印度阿輸吠陀系醫學的內外科兩大名著，此二書籍後在11世紀經闍迦般尼達陀（Chakpapanidatta）氏註釋為現存之最早註釋本。

Bower 氏抄本：1890年 Bower 氏在我國新疆之庫車佛教塔，發現若干古代梵文的著作共七部，由考古學的證據，知此書的時代約為公元前350年左右，其中有三部醫學書，第一部論大蒜之醫療用途，謂可治消化器官病，咳嗽和眼病，並謂常食之可以長壽。第二部名為「精髓」（Navanitaka）乃古代方書之精要，其中精選當時各專家所用之驗方，並提到許多古代印度醫家，但除妙聞氏外，今多不知。可見印度古代確有甚多醫學家，可惜因宗教和後來帝國主義的壓迫，使印度人不注意本國歷史和文物的保存，以至失傳。第三部為記載油劑、酊劑、丸藥、擦藥等之配方。

八支集（Ashtanga Samgraha）和八心集（Ashtanga Hridaya Samhita）：除上述二氏外，公元五六世紀尚有婆拜他氏，（Vagbhatha）。婆氏與前述之妙聞氏 闍羅迦氏，同為印度三大名醫。他被歐洲人稱為印度之蓋倫（Galen），曾將當時尚存的印度古代醫書，按阿輸吠陀的分類，編輯而成散文體的醫書，叫八支集（或譯作八科提要），即內科、大外科、小外科、精神病科、小兒科、毒物學、長壽學、和性醫學八科。

更以詩歌體編一書名八心集（或譯作八科精華）。由他的著作可見當時許多印度古醫書已經在若干地區散佚。我國高僧義淨在唐高宗時（公元673年）訪印度，並曾到那爛陀（Nalanda）大學，當時該校曾收學生萬餘名，講授文學、哲學、技藝和醫學。義淨曾記載印度醫學係由八科組成，並云近正由人摘錄為一册，他所指的，大概就是婆拜他氏。

印度教時期（公元五世紀——十二世紀）

四世紀初葉，印度北部的一個小封建領主，奪取整個北部印度的諸小公國，成了封建的王國，叫笈多王國。在這個時期，印度的文化曾一度繁榮，並傳佈到阿拉伯，希臘及羅馬，更傳佈到中國、越南、錫蘭島及印度尼西亞。當時印度醫生在國外享有普遍的盛名，伊朗和拜占廷曾給他們很高的評價。但是這種燦爛的文化，不過是爲少數人所享受，人民則受着殘酷的剝削。這種文化沒有繼續長久。同時佛教經過數世紀的統治時代，漸漸趨於形式化，偶像化，不久佛教被新婆羅門教即印度教所驅逐。印度教取得了許多婆羅門教以及佛教的舊例，更增加了許多新神。維持了大量的僧侶和尼姑，建立巍然高大的廟宇。巨人似的千手和多頭的偶像，恐嚇農民暗示他們必須敬神。封建領主和皇朝官吏的壓迫，服從一切權力的宗教習慣，使農民社會對外來的侵略者不加以任何抵抗。六世紀初葉，不斷遭到嚈噠族的襲擊，使笈多王國漸漸削弱。至七世紀印度又分成了七十多個小公國，拖延了若干世紀。到了十世紀以後印度終被回教徒侵入了。

由於社會的影響，在醫學方面，遠不如佛教時期之興盛，可一敍者卽八世紀時，摩陀婆伽羅所著之摩陀婆尼旦那(Madhava-nidana)或簡稱尼旦那這是一部研究病理和診斷的書籍，所以也叫疾病的研究。這書說明了當時印度醫生已經進一步發展了闍羅迦集中的對症療法，此書與妙聞集和闍羅迦集一齊被譯爲阿拉伯文。

金屬藥品起源於前述之公元前四世紀的龍樹氏，到十世紀之後，因爲封建主及僧侶們追求長壽，返老還童術的結果，增加了對金屬藥的提鍊，使汞劑和硫劑藥物更爲精純。於是增加了阿輸吠陀系醫學的藥物內容。十三世紀左右沙恩伽陀羅著的沙恩伽陀羅集(Sarangadhara-Samghata)中曾提到鴉片和水銀的製煉法，並對診脈有所述及。這種把化學藥應用到醫學上，實比歐洲早二三世紀。

外國侵入時期(公元十二世紀——十八世紀)

自從加斯尼的馬穆德侵入印度，以及十四世紀蒙兀兒(Moghuls)入印度以後，數年記來印度之文化被破壞，醫學書籍也有不少被燬，阿拉伯的藥物知識和所謂[unani]系的回教醫學一同被帶入印度，成了與阿輸吠陀系以外的，另一系的醫學。而原有的醫學開始沒落，自十二世紀以後印度阿輸吠陀系的醫學雖然有些著作，但是不出註釋範圍，沒有什麼新的貢獻。爲了淸晰起見，可以把阿輸吠陀系的主要醫學書籍列如下表：

書名	著者	年代	摘要
噉食氏集	如火氏	公元前七世紀	今不存，但爲以後閣羅迦氏引錄，爲代表噉食氏派的著作，如火氏乃其弟子。
布哈拉集	布哈拉氏	公元前七世紀	今不存，也是噉食氏派的著作，布哈拉也是其弟子。
閣羅迦本集	閣羅迦氏	公元前五世紀至公元一世紀間	存一部分，主要論內科。
妙聞本集	妙聞氏	公元前五世紀至公元五世紀間	僅完成一部份。
妙聞全集	龍樹氏	公元七世紀初	龍樹氏完成此部集錄。
八支集	婆拜他氏	公元七世紀	論醫療八科的書。
尼旦那	摩陀婆氏	公元七世紀	論病理診斷之書。
閣羅迦全集	特里達巴羅氏	公元八世紀	特里達巴羅氏完成閣羅迦的著作。
察克羅般尼達陀，阿如那達陀等註釋作家		公元十一世紀至十四世紀	爲註釋以前阿輸吠陀系書的籍。
沙恩迦陀羅集	沙恩迦陀羅氏	公元十三世紀	醫方書，載用金屬藥劑治療並鴉片，汞劑和檢脈法。

至十八世紀中葉英帝國主義侵入印度，使原有之印，回兩系醫學更形衰落。至今日數百年來毫無進展，因爲受帝國主義的侵略，有些地方甚至還存在着巫醫。在文藝復興以後歐洲醫學受生產力的影響已日漸進步，但印度醫學則進入了黑暗時代。歐洲醫學於英國侵入後，已經傳入了印度的都市，西醫學校雖然在十九世紀初葉已經成立，但在殖民地的醫學教育下，醫學是爲殖民者和少數人服務，對於印度人民是沒有什麽好處的。

討　論

關於印度古代醫學之發展及其主要內容已如上述，我們可以看出印度醫學之發達實較希臘醫學爲早，可惜帝國主義是不許殖民地國家重視自己的歷史的。許多帝國主義的學者，甚至顚倒黑白，說印度醫學不過是接受了希臘醫學，有的學者(如Haas)更說印度名醫妙聞氏即是希臘的希波克拉底斯的誤譯。這種說法實是曲解事實，由下幾點可以證明。

在公元前327年，亞歷山大侵入印度時，對印度的文化尤其是醫學甚爲羨慕。在阿育王宮中所保留的亞歷山大的部下及希臘歷史家所遺留的一些記錄中，看到他們對於當時的印度醫生們在軍隊中服務的技術甚爲吃驚。這一點可說明當時希臘的醫學還不如印度醫學，否則這位自命文明的侵略者——按亞歷山大是亞里斯多德的學生——不會吃驚的。

在所謂歐洲醫聖希波克拉底氏的著作中，可以看到許多印度藥品，例如豆蔻（希臘語爲 Kardamomon 印度語爲 kardama）；胡椒（希臘語爲 Peperi 印度語爲 Pippali）生薑（希臘語爲 Ziggiberis 印度語爲 S'rngavera）等等，另外許多希臘用的藥品中也冠以印度的名字例如希波克拉底集中有一種清潔牙齒的藥叫做「印度劑」（Indian preparation）（希氏全集第八卷 366 頁）。

在醫學學說方面，希臘原有四元素說即熱冷乾濕，至希波克拉底氏以後則成爲四體液說，謂四體液平衡則不生病，紊亂則生病，此種說法正與印度的三體液說的理論相同。可見希氏的四體液的病理說實受印度醫學的影響，是將印度三體液說加於原有的希臘四元素說而成的。

另外希氏的全集中嘗記載有用牛的排泄物爲治療的方法者，如牛尿洗陰部可治婦女不姙症，（希氏全集第七卷 365 頁）和婦科病；牛胆汁可治創傷和瀉劑（希氏全集第六卷 415 和 419 頁）等。按希臘對牛並不認爲神聖，而印度自古即認牛爲神聖的動物，故用牛的排泄物治病，顯然是受印度的影響，是可以推想的。

由於以上的事實，我們可以說希臘醫學已是受印度醫學的影響，再看以後公元八世紀阿拉伯人 Harun 及 Mansur 曾譯印度書爲阿拉伯文，當時的醫學者均以讀闍羅迦氏和妙聞氏的著作爲光榮，如阿拉伯的醫學家累塞斯氏（Rhazes）即是阿拉伯醫學和印度醫學兼通的學者。由這些我們可以知道印度醫學在中世紀時曾大量的被阿拉伯所吸收。更由阿拉伯傳入歐洲，成了中世紀著名的薩勒諾（Salerno）醫學校中有名的譯著家君士坦丁氏，（Constantine African 1010——1087）曾到印度、波斯研究醫學30年，可見目爲今日歐洲醫學之祖的薩勒諾醫校，曾有印度醫學的遺產。

可惜者由於印度封建主和宗教思想的影響，自公元十二世紀後，沒有得到應有的發展，尤其十八世紀以後英帝佔領了印度，更使本國醫學趨於沒落。今日的印度尚有三種醫生，即阿輸吠陀系的原有醫學，回教徒帶去的所謂 unani 系的醫學和西方的新醫學，他們各自成立系統，有些像我國解放前的中西醫的情況。印度名醫闍羅迦氏曾經說過：

「使人健康者卽正確之醫學,除人病苦者卽最好的醫生」。乃是世界上最初認識醫學一般性的人,現在這種派別分歧的現象是時代造成的,不會長久的。我們推想印度人民覺悟日益提高,印度人民解放的日子已經不遠,這種不合理的現象,會自然消滅的。

至於我國自公元前二世紀(漢朝)卽與印度交通,張騫通西域,是歷史上最早可靠的記載,其後中、印不斷交通,晉唐以後法顯玄奘及義淨相繼往印度,醫學上的彼此關係十分密切,印度的醫學和佛經一齊傳入了中國,試觀我國佛經中會有妙聞和闍羅迦的名字和藥方,隋書經籍志載有印度藥方十餘種,增加了我國醫藥的內容,同時我國的固有醫學也傳入了印度,例如診脈的方法印度在十二世紀,沙恩伽陀羅氏的著作中才詳細敍述,大約是受我國的影響。又如我國醫書記骨骼有365,而印度亦頗與此相近,對於這方面的研究,不是本文範圍,限於篇幅,容另文討論。

提　要

一　對印度古代醫學的發展按時代加以敍述,並對三體液說稍加解釋。

二　佛教時期是印度醫學最發達時期,會有許多著作,並設立醫院和獸醫院。

三　將作爲印度醫學代表的妙聞集和闍羅迦集內容稍加介紹。

四　說明印度醫學自十二世紀後,漸趨沒落,實受封建宗教和帝國主義侵略的影響。

五　討論印度醫學與希臘醫學的關係,並說明今日歐洲醫學中實包含印度醫學的遺產。

主要參考書

1. Kaviraj Kunjalal Bhishagratna: An English translation of the Sushruta Samhita, 1907。
2. Chandra Chakraberty: An interpretation of ancient Hindu Medicine 1923
3. Comrie J. D.: Ancient Hindu Medicine。
4. A. C. Ukil: History of Indian Medicine from the Ancient Times to the 18 th Century。

5. C. V. Satyanarayanamurthi: A Historical and Chronological Survey of the Practice of Hygiene and Medicine in Inda from Antiquety。

6. 李濤: 醫學史綱 1940。

7. 武田豐四郎著 楊鍊譯 印度古代文化 1936。

8. A. A Macdonell 著, 龍章譯 印度文化史 1948。

9. 湯用彤 印度哲學史略 1935。

中華醫史學會醫史雜誌編委會啓事

關於此次中華醫史雜誌脫期事,本編委會願做下列之檢討:北京方面在去年十二月廿八日始決定負責編輯事宜,編輯組織尚未完竣,出版合約亦未商妥,負責人突接到脫產學習俄文任務,以致中斷進行編輯工作。此雖屬客觀原因,但主要仍是編者處置失當,未能重視此項工作,以致遲誤出版日期。特此謹向讀者及郵局鄭重致歉,並保證今後按照最近與華東醫務生活社所簽訂之出版合約,於約定日期發寄稿件不誤。

中國預防醫學思想史(六)

范行準

九 歐洲免疫學傳入中國及其流佈情形(上)

甲 牛痘傳入中國的年代

在十八世紀的末葉,卽一七九六年(當中國嘉慶元年)英國琴那氏發明了牛痘後,前後恰好十年,這種痘法便由一位在澳門葡萄牙籍的商人許威氏Hewitt 傳入中國了。這是根據英國醫生皮爾遜(Pearson)第一期牛痘局報告的:

一八〇五年春,有澳商葡人許威氏,由馬尼剌帶來「活牛痘苗」。這是葡皇特命專員保管,用很穩妥謹慎的方法,自南美洲運到小呂宋的。

皮爾遜在新訂種痘奇法詳悉中說得更詳細:

……後來相傳至大西洋,啞嘛嘔,啞咲唎㗎等國,依法栽種。……此法繼傳至大呂宋,……伊國王不惜萬金,特發一船,裝載嬰兒駛至本國傳種此痘,由船次第輪種回返,依法而行,每種必效。隨後發諭伊所屬國小呂宋,亦遍行栽種,……茲於嘉慶十年四月內由啤嚹㗎嚕船由小呂宋裝載嬰兒,傳此痘種到澳,本國醫生協同澳門醫生,照法栽種華夷童稚,不下數百,俱亦保全無恙。……

按會隆行主人鄭崇謙序此書的文字(英倫藏本無鄭氏序),以及第一期傳受此術的梁輝張堯譚國諸人中之傑出者,爲南海邱熹(浩川),在他自序引痘略中並有相類的話,可知牛痘的傳入中國,乃嘉慶十年三四月間的事,是中外一致的。但也有人說首先把牛痘傳入中國的是西班牙醫生巴爾明 D.V.F.X.Balmis,而終不爲學者所承認。

乙 牛痘傳入各省年代的概況

牛痘傳入中國的最早地區,旣是澳門。但很快地傳到廣州,由當時的「十三行」商人鄭崇謙之流,設局佈種牛痘。後來各省的牛痘傳佈,都由廣東傳佈開去的。當時兩廣總督阮元題贈邱熺的詩有云:「阿芙蓉毒流中國,力禁猶愁禁未全;若把此丹傳各省,好將兒壽補人年」。凡是帝國主義者,從來不想做一件好事,就表面上說是做好事,而實際必要符合他們的利益才肯去做。翻開他們歷史,都是醜穢無恥的。如英國是以販賣鴉片起家的國家,在中國人民中間種下仇恨,並不因其國人發明種痘而可沖淡它。像阮元這首詩具有調和之意是不對的。所以我們雖對發明牛痘者琴那(注一)的尊敬，但絲毫沒有減輕帝國主義者的罪行。關於牛痘分布情形，近人陳援菴先生在牛痘入中國考略中，有扼要的敘述：

> 粵之乳源，與湖南宜章相比鄰。先是，乳源有廖鳳池者，得牛痘術，以道光七年（一八二七）輸入宜章，是爲牛痘由粵傳各省之第一次。明年（一八二八）香山曾望顏，以牛痘種至京師，郭尚先敍之曰，「歲己卯，余典廣東鄉試，聞牛痘說，疑之；旣博詢之而信，則又怪遠夷能於九萬里外傳之中國，而粵人不能數千里傳之都下也。曾卓如編修乃爲設一局於米市胡同南海會館，索牛痘種於粵，道光八年（一八二八）三月十九日牛痘種寄至」。是爲牛痘種傳各省之第二次。道光間，南海顏敍功宦閩中，聞粵有牛痘種，乃以多金聘痘師陳碧山僱募乳婦，襁負痘童，沿途遞種。道光十一年（一八三一）正月十六日至閩，是爲牛痘種傳各省之第三次。道光甲午（十四年一八三四）江南大痘，京江醫者包祥麟，乃赴楚購牛痘苗，道光十六年（一八三六）四月至揚州，並分種於蕪湖，是爲牛痘種傳各省之第四次。道光二十年（一八四〇），江西痘師劉子楚，由新昌挾其術至省之奉新，是爲牛痘種傳各省之第五次。凡此皆記載所及，其他年月無考，及記載闕如者，無由敍述也……醫學衛生報第七期 宣統元年閏二月出版

按援菴先生所敍分佈時日和地點，是據引痘略各敍的，當然不能包括一切。例如他據郭尚先的牛痘局的緣起說，牛痘傳至北京，是在道光八年。然呂海珊的牛痘淺說云：

> 道光元年，有俄羅斯醫士在京傳種牛痘，俱免天花，始種牛痘

德貞牛痘考亦云：

> 考道光元年，有俄羅斯衛士在京亦經傳種於本牛錄之嬰幼，俱獲免天花云。

可知曾卓如的在京傳種牛痘，還不能算第一次。他如張崇樹自敍種痘書說，「樹於咸豐

注一：其實說牛痘是琴那發明，還不能完全符合當時實際的情況。他是從中國人痘接種後的遞變而來的，此彼不論。卽在琴那之前，已有用牛痘苗爲接種法者，至少已有二次：一七七四年英國一農民，爲防免天花，用牛痘爲他的妻子接種。一七九一年德國伯拉部小學一教師，用牛痘接種三個小兒。但都不爲人相信。至琴那看到榨牛乳婦人不患天花，則已屬第三次的事了。又邇游錄記載：「牛痘法本出粵東，傳於外洋。」未知何據。

辛亥(元年,一八五一)旋川,制軍黃憲由陝延醫度苗至蜀。樹卽命子綱投當求苗種放了。胡文魁敍張氏書則云,成豐中葉,黃制軍仁壽小兒,乃由燕傳至西蜀。而邱熺之子昶,又謂道光二十八年(一八四八)奉廣西孫茶雲司馬之招,前去種痘。桂粤比鄰,疑邱昶在道光二十八年之赴約,並非牛痘初次傳入廣西。惟當時適值太平天國革命,江南地區,被兵最甚,包祥麟雖有一八三六年赴楚購苗之事,但似止於蘇北及蕪湖等地。後因戰事而乳源中絕。惟江南地區仍留空白,同治九年(一八七〇)蒯德模序引痘集要說,江南在同治二年(一八六三)才有痘局之設:

> 嘉慶初,泰西夷醫以引種痘法流傳中國,於是粤東西靡不翕然效其術。既而風行海內,江以北家喻戶曉,人習知之,江南則無聞焉,亦無有信之者。同治二年蘇垣克復,今方伯吾鄉李公設局於省城,數年之間,尠有以痘夭者,南人始習知有牛痘焉。……

自後江南各地也紛設痘局了。我以爲江南牛痘未能逐步傳播或發展的中止,與當時的戰爭,及一方仍流行鼻苗接種法等不無關係。其實嘉道間之牛痘已傳入江南,不過不及江以北之盛而已。至牛痘局之設,固廣州十三行首創其事,不久北京、天津、上海、湖北、湖南、河南等處繼之。而道光八年北京種痘公局及同治四年湖南牛痘局(見光緒二年李汝霖重刊牛痘祕書)。同治七年(一八七五),長白紹誠在河南省垣東門設施種牛痘局。(見孫廷璜等輯引痘條約合梓)。張燾津門雜記記光緒間天津牛痘局等,各局並訂有詳細的條約(章程),是研究牛痘史的很好文獻。天津的保赤堂牛痘公局,局址在城內鼓樓南。上海的官設牛痘局則初在邑廟園內,由黃春圃施種。租界則有仁濟善堂元濟堂等單位主持。(注一)

丙　初期傳入牛痘的保苗問題

嘉慶十年傳入牛痘法,已有二種:一卽皮爾遜在第一期牛痘局報告所謂"活牛痘苗"法,是指小兒種痘,倘用鮮漿的痘苗,因當時尚未有如今日用製萬克辛方法裝在玻璃管中可以保存之故,故須以帶痘漿的小孩作爲接種的痘苗。此事種痘奇書詳悉已有說明。

另一種是乾苗法,此法便利於攜帶,種痘奇書詳悉也有述及它的製法和用法:

> ……若離隔遠涉,難取鮮漿,可將象牙小簪,沾些痘漿,俟乾了藏於鵝毛筒內,用

注一:　參津門雜記卷中施種牛痘條。滬游雜記卷一牛痘局條,繪圖上海雜記卷四牛痘局條。

蜜蠟封固，可能留至兩個月之內；如過期，斷斷不能用矣。務宜於兩月之內早種爲佳。臨種之時，於毛筒內取出象牙小簪，用煖水重潤，先將鐵扁針刺破皮膜，然後將牙小簪上之痘種，插入刺破皮膜處；少頃拔出。如有微血 勿被衣衫拭出。……

這種製造痘苗，在形式上是與今天的方法相近的，也與人痘接種法中的水苗相同。但效果却很難說了。這兩種牛痘法，在初期時，中國尚僅用「活牛痘苗」的一種，乾苗法效力沒有鮮漿正確。所以引痘略的「首在留養苗漿」中備說牛痘法全在養苗，以人傳人，貴乎連綿不絕。邱熺在洋行會館設牛痘局時，春夏秋冬四季風雨無阻地接種，以免苗漿的中絕。由於熱天很少有人來種，所以每年自四月到九月的這一段時間，來種者酌賜菓金，使貧苦小孩獲到一點小惠，郭尚先京都種痘公局條約，及滋德堂痘局亦然。其條約中且有專設「苗頭」老婦二名，專管養苗之責，這未始不是一種有效的奬勵方法；與痘法，鼻苗法中的種苗相同。至於乾苗法，引痘略中雖也有「度苗法」一文，但所製多難如初所以它的效力，連邱熺自己也不敢十分相信。不過如其作爲中國的免疫學史來看，這種乾苗法的仿造，確亦值得一提的。

在初期牛痘使用乾苗法，雖有失效和出僞痘等的缺點，但終不失爲一種發展佈種牛痘的好方法。中國初期牛痘之分佈各地區，多半是依靠乾苗法的。例如由粵傳到北京的第一次種牛痘，卽用此法：道光八年曾望顏自敍種痘法有云：

因閱其書，有所謂傳乾苗法者，乃札致李制軍李鹿坪先生，暨伍商雲都轉，屬其如法取乾苗，由驛而致，果於今春三月十有九日俱寄至。而商雲所寄之簪漿，云「是西洋牛痘漿最難得者」。遂將小兒輩依法引種，次第傳之於外，無不立效。

簪漿，卽後玻璃管漿苗的濫觴。由於此事不平常，故曾氏座師郭尚先在種痘法中特書曰：

因書其帙曰，「種牛痘法，傳至都下，自道光八年歲在戊子三月十九日香山曾卓如編修始。其年六月朔日，莆田郭尚先序」。

但這只能說牛痘「乾苗法」，第一次傳入北京，而不能說牛痘法第一次傳入北京。不過不知怎樣，到道光二十七年，北京的痘苗又中絕了，所以邱昶應潘德畬之聘，又挾了其父所授「乾苗法」到北京設局種痘，並授徒五人而返。第二年到廣西種痘，也用「乾苗」的。

如前所述，在初時期的乾苗法，並不是十全十美的，所以有效有不效。道光十年福州痘疫盛行，南海顏敍功邀請邱熺弟子陳碧山去種痘。結果因陳氏所攜的乾苗，往返種了幾次，都告完全失敗。後來改用「活牛痘苗」，才算完成任務：

……（道光十年）庚寅春，福郡出天花，良醫束手，童稚生存，什不四五。……適粵中最先傳其術者爲邱浩川先生，與余家昆季交善。欲聘來閩，而先生以家事不果行，乃命其徒陳碧山，始以乾苗入閩，佈種不驗，往返數次，辛苦備嘗。復以多金僱募乳婦，襁負幼童，沿途遞種，遲至今春正月十有六日，乃到省垣。凡大憲巨室，莫不信行，已閱十月，歷試數百人，無不應手而效。……引痘略序

道光十六年（一八三六）包祥麟亦因乾苗屢次失效，乃遣使至楚購漿，延醫以巨艦載嬰，沿途遞種，傳漿至揚州。十載之間，分種到蕪湖、清江、鎮江、儀徵、興化等處（詳引痘方書包祥麟、陳煦、包國琪諸人序。）

牛痘苗到了同治初年，已有很大的改進。它已接近了二十世紀初年的標準。我們只看了同治十一年（一八七二）張崇樹自序引痘略合編的話，即可明白：

樹於咸豐辛亥（公元一八五一）旋川，制軍黃憲，由陝延醫度苗至蜀，樹即命子綱投堂求苗種放，而川苗總未若廣苗之美。同治庚午（九年，一八七〇）春，後至粵。……即登浩川先生之堂，而先生已歸道山矣。世兄長樂（即邱昶）復繼先生之志，能世其家學，且云：「西洋方來養漿苗管，甚便用，能藏鮮漿二三月之久」。是年，樹旋川取鮮苗十支，於辛未（十年，一八七一）春至舍。將此漿放種，比川苗爲佳。……

序中所說「養漿苗管」，疑即玻璃管漿苗之類。至用玻璃管以保存痘苗，不知始於何時，惟光緒七年（一八八一），呂海珊在牛痘淺說中，已有用玻筒收貯痘漿法的記載。淺說載：取牛漿藏漿法云：傳漿之時，以八日爲定期，採取牛漿或人漿以待人，固屬便易。然勢有不能盡得其便者，是以古法收取痘漿，以備隨時施種之用，其法用極細玻筒，每管約長三四寸（原注一）將破管口換貼痘顆出漿處，其漿自上，兩指捻住須往後搓動，若漿上至小半截，可向燈火略烘無漿處用少捻住上頭其漿自走至中間手指須口津沾溼免致熱裂 然後用手捻住一頭突出管口三分，向燈火明燒，自然筒口玻鎔其口自封矣（原注二）此法較舊法以蠟封口者更便，臨種時折去兩端吹於刀鋒或吹於破片則痘漿即出，其傳染之力較鮮

原注一：　先用痘刀將牛痘刺得痘漿注出，如草頭之露珠，即取玻管折去兩頭底兒孔內注塞。

原注二：　切不可烘寒有漿處。

漿無異，惟收漿於玻管宜藏於陰涼之處。……

按陳垣先生在宣統元年告種痘者一文中，亦有用玻璃管收藏痘漿法，而不及淺說之詳。

據郭尙先京都種痘公局條約及河南滋德堂痘局條約所載，並有出貼懸賞尋覓痘牛之議，施德堂痘局雖據京都的，但較京都的詳：「凡發見小牛乳旁出痘，其色如藍疱者，卽牛痘是也」。送信的酬錢五百文，並酬育牛家二千文，這也是充裕痘苗之一法。

但施用這種鮮苗的痘師，恐亦安於固陋，到了清末，似仍有用人痘接種的。本來清末的牛痘種，多購自日本。這種牛痘苗，能保持二個月的有效時間，可稱便利了。但據陳援菴先生告種痘者說，粵中痘師，仍有採取人痘種者：其第五節採取人痘及貯蓄痘苗法中，復有五項忌採痘苗說，（原文載醫學衛生第九期，是剿取「種痘施衛心得」一書的）據說他足見當時的痘師，如何地積重難返？

丁　牛痘的再接種和補種

過去許多人以爲患過天花，是可終身免疫的。但從前面所引的文獻而言，這話是不正確是的。天花旣有重新感染的事實，那末初期牛痘接種者，自邱熺以下諸人都相信牛痘種過後，卽可永遠不染天花。而事實上，種痘而重染天花者，時有所見，這並不是牛痘的無效，而是牛痘並沒有使每個人保持終身免疫的抗體。此事據王韜在咸豐三年（一八五三）以前，卽知牛痘須有再種之說：

……予嘗問醫士雒頡曰：「牛痘之法固佳，而聞近日西人至中國多有傳染時症毒氣而再出者，則此法不足恃也？」雒云：「漿必取新鮮，粒務取明綻，則後日可無此患。故漿不過十日，過十日則力薄不效。又小兒每過二三年必再種一二次。」（瀛壖雜志卷六）

雒頡（Lockhart）英國人，其答王韜的話，並不完全符合科學。只有說過二三年必須再種一二次，才是避免再患天花的可靠保障。

鼻苗不出，有補種之說，而牛痘也有補種者。故種牛痘原說已有「若種痘三次不出者，此兒或本無先天之毒，永不出痘」的話。與先天性免疫之說合。方旭蠶存（卷下婦嬰）云：

牛痘有初種不出者，不妨再種。亦有出漿不厚者，乃毒未盡洩，次年仍當補種。其有漿已滿足而卒不免於天行痘者，乃受毒過深也。如能補種二三次，再無此患矣。

此外方氏並舉有連種三四次並不出的例子，以爲毒盛之故。此恐牛痘苗的失效，或適値其人有先天免疫性之故。方說適與種牛痘原說的話相反。

總之，國人到了二十世紀初，已知牛痘每隔數年，須重種一次，和種了不發必須補種；這對推動防止天花的工作，是很好的現象。如王韜方旭都不是醫家，已知此等牛痘再種與補種的必要，而並不懷疑牛痘有免疫的功效。這比起民國十六年（一六二七）嘉定的某一國醫，尚誹議種痘的話，眞不知要高明多少了。

戊　牛痘傳入中國後的不同反應

當牛痘傳入中國後，也如其他新的事物傳入中國一樣，卽起一種抗拒的情形。我們明知鼻苗與牛痘在安危上有很大區別，所以那時的士大夫階級中頭腦比較清楚的如梁紹壬之流，對牛痘都很表贊同。他說：

> 今西洋夷醫咇哈吰，善種痘，法以極薄小刀，微剔兒左右臂，以他人痘漿點入，不過兩三處，越七八日卽見點，比時行之痘大兩倍，兒無所苦，嬉戲如常。夷言本國雖牛馬亦出痘，恆有斃者。因思此法，由牛而施之人，無不應驗，於是其法盛傳。然又必須此漿方得，他痘不能，故互相傳染，使痘漿不絕，名曰「牛痘」。兩般秋雨盦隨筆卷四種痘條

梁氏此說，是很相信牛痘的功效，他當然看過邱氏引痘略一類之書的。較梁氏年歲稍後的王韜，他在瀛壖雜志卷六中也同梁氏之說。同時蕭山王端履在他的重論文齋筆錄中說，因沒有親自經驗，他便用「有姑妄聽之而已」的態度來藐視它。道光時，牛痘在江南尚未盛行，所以雖以王氏之博學多聞，尚作此鄙視態度，更不要說一般人了。

我們再舉道光七年（一八二七）宜章周純熙的洋痘釋疑，及道光十年（一八三〇）吳鯀洋痘可信說的二篇文字，便可明白在梁王以前，一般人對推行牛痘工作，採如何抗拒的情形了！洋痘釋疑云：

> 天下事以習見者爲常，罕見者爲怪，人情類然，而洋痘爲尤甚。洋痘之術，自古蔑有，生斯世者，雖博學通儒，不惟目所未覩，抑且耳所未聞。前序云：傳自歐邏巴州，考歐邏巴州爲海外五大州之第二州……，其人尙文，學極精巧，國王廣設學校，有大學中學小學；大學分四科，一醫科，一治科，一教科，一道科。四科外又有度數之學。……國王取士，以醫科歷家爲最。歷家者姑弗詳，詳其醫，其科無內外大小之分，著有臟圖、腑圖、脈圖、筋骸圖、營衞圖；凡人身之關節奧窔，披圖了然。而其臨症，則有視色、視毫毛、聽聲、寫形諸法。診脈則有六度九候五氣之分；此非海外之神異，而爲中國所未聞者歟！洋痘者，醫之餘技也，其巔末前序備哉。……

今持是說以與天下爭，而信者十之一，不信者十之九，此亦囿於一隅之見耳。請卽其易曉者言之：如歷法律呂二家，中國有之，究不若外國之精且簡；銅壺滴漏，仙器也，洋人則有時辰鐘、時辰鏢之異製；鐘鼓琴瑟樂器也，洋人廣其義則有銅絲琴、指環鐘之巧音；又況小呢、羽毛之類，其出自外洋者，皆爲珍於中國，此固人所共見共聞者也。玆乃於其有資日用者相率以爲常，於其有利嬰孩者，遂驚疑以爲怪，甚至洋烟一事，其貽害於人者，匪淺；且羣然呼之吸之，而於洋痘則忌之譏之，嗚呼，何其愚之甚也！……，總之，四海之外，六合之內，何所不有？凡語言風教，物產技術，其因地而異者，書亦不能盡誌，要在審其有利而無害者信之而已。洋痘之術，爲法便而收功捷，常也，非怪也；人奈何而不爲此！咸豐五年劉墪重刊引種牛痘方書

再看吳氏洋痘可信說的話：

天下絕無而忽有之事，不獨聞之者不信，卽親之者猶不信，如洋痘一事是已。……卽以痘言之，三代無痘證，自漢馬援征武溪蠻，軍中始染此症，傳之中國，則出痘亦絕無而忽有之事也。及至宋王旦，因諸兒痘亡，求神而得鼻苗法，則鼻苗亦絕無而忽有之事也。洋痘之法，亦猶是耳。然忌此法者，亂言惑衆。余……謂馬伏波以苗蠻之痘入中國，災小兒；今暎咭唎以鬼子之法，入中國，救小兒；皆天道自然之理，無足怪者。歐羅巴人尙文學，精巧思，……自明末利瑪竇入中國，爲我朝頒歷法，卽渾天儀、量天尺、自鳴鐘、千里鏡、勾股算旹、測度卜影、以及哆囉、嗶嘰之類，皆非中國所及，牛痘亦洋人巧思之一端也。何有害之洋烟，人偏嗜之，而有益之牛痘，人反疑之耶？……今已由粵及楚，行且由楚及天下，諸大吏必有以其法入告者，我皇上有諭滿洲蒙古未出痘者，不必來京之旨。……得此法，可使中外同登仁壽矣！同上

我們從以上的文字看來，那時中國的人民，由於當時官吏的腐敗，和老式痘師，要將他們固有的技術，維持繼續原有的地位，對於外來新的技術，採取抗拒情形，這種鬥爭，直到延續百餘年的時間，無辜的嬰兒，被這鬥爭中所犧牲的，眞是無法加以估計。當然中國在那半封建半殖民地的統治階級正瘋狂時代，人民不但不能普遍享受到種牛痘的利益，卽種鼻苗的那一點費用都掙不到，一任子女犧牲或爲遺恨終身的崔贍陳黯之流。

不過比起當時歐洲那些政教合一的統治者，對牛痘的推行，還算順利，這點連牛痘

發明者琴那也感到詫異。因爲歐洲有些基督教徒，還誣衊牛痘是一種魔術的勾當。他們生怕因消滅天花流行的死亡情形，失去上帝懲罰人類罪惡的藉口呢。

己　牛痘的推行工作

自西醫傳入中國以後，城市地區，牛痘接種工作，多由西醫担任，然鄉村仍爲中醫兼任。光緒末年，中西醫學的優缺點日著，於是有科學知識和進步的開明中醫，都紛紛設會學習西法種痘。此於推展防止天花的工作方面，當然起一定的作用。所以我們看到光緒三十四年（一九〇八）十月二十八日通州府（南通）批准通州醫學典科申請設立醫學會的告示（見附圖），可視爲當時對防止天花的一種有意義的行動。

關於推動種牛痘工作，據吳鍊說滿清政府除禁止未出痘之滿蒙官吏，來京之諭外，不知當時政府方面有無整個推行計劃，此事沒有材料可資引證。但據劉昌埜引種牛痘方書（同治三年刊本）附載長沙府呂太守勸種牛痘告示，則知僅有個別地方政府推行：

> 照得小兒種痘，性命攸關。每值天行傳染，沿門挨戶不可遏抑；遇有險發之症，卽良醫調治，保全不過十之二三。小兒何辜？殊堪憫惻，惟鼻絮鼻相沿已久，雖防之於未然，亦不能有順而無逆。…　近唯傳痘一法，來至粵東。現已行至京師，歷有明瞭。本府素所深知。今傳楚南，醫師各處設局傳引，合行出示曉諭。爲此示仰各處紳士軍民等知悉。……據周濟「新醫東漸史之研究」原載中西醫藥二卷五期第338頁引

此外尙有光緒廿四年（一八九八）富陽汪知縣勸種牛痘，勿信鼻苗的佈告。並翻刊引痘略分送城鄉，作爲宣傳品。至光緒間香山鄭官應中外衛生要旨說：「不種痘者，易得天花，易傳染他人。不但一己危險，尙有害於衆人，有治民之責者，必察貧家之兒女盡種痘否？如不願種者，必依法治罪。如已種而所出不合法，則必再種；此事惟醫者可主之」卷四。此不僅勸告，而且要强制執行了。可惜鄭氏不是地方官，僅爲對那時的官吏的建議而已。

但在推行種痘中，如道光初，有鄧姓痘師在陝西，種痘之外，同時更雜投藥物以圖利，被秦人所逐，對牛痘失去信仰，不肯接種，致小兒因天花而死的很多。詳見道光二十八年長白崇綸序引痘略

庚　新訂種痘奇法詳悉的流傳

中國雖很早已有合乎免疫學上思想的事實，但還沒有發展到一種學理上的規律，祇有琴那所發明的牛痘術，才合乎免疫學上的原則。雖然在它之前，已有鼻苗了，但嚴格說來，固猶有一定的距離。

琴那種痘術學說的傳入，以皮爾遜所撰新訂種痘奇書詳悉一書爲嚆矢。也可說是近代西洋醫學傳入中國的第一部書。據皮氏自述撰製此書，係在一八〇五年。他在第一期牛痘局報告中有云：

> 有巴爾明醫師自謂種牛痘法係彼傳入中國。但實際在他到中國之前，我已與在澳門的開業醫師，廣爲施種了。而且我曾作了一小册，口授斯當東(G. Staunton)譯成漢文，又在巴氏未到中國數月之前，已刊行了。

詳莫爾斯 (T. B. Morse) 東印度公司公司對華貿易編年史也說：「皮爾遜於一八〇五年任公司外科醫生，著有一書，由斯當東譯成中文」。有的說那時皮爾遜正在廣州行醫，則皮氏似由東印度公司派他來廣州搞醫藥事業的人員。

由於種痘奇書詳悉一書在中國久已看不到之故，一般醫史學家的著作中，從未舉出它的原名。也不可能在外國文獻中找到它的原名。所以有的稱爲種痘奇法，有的稱爲種痘奇書。也有作泰西種痘奇法的。又由於此書的罕觀，竟以爲這書是嘉慶九年（一八〇四年）刊行的。這由於以皮爾遜在嘉慶九年來中國而致誤。皮氏此年來中國見柯爲良的「醫館述略」

就現存原始材料而言，新訂種痘奇法詳悉之原刋尚存英倫博物館。全書七葉，每半葉七行，行十八字，用黃色紙作封面。第一葉正面刋書名「嘆咭唎國新出種痘奇書」十字，第二葉第一行標題：「新訂種痘奇法詳悉」。據一八七七年出版的大英博物館圖書目錄云：

> 嘆咭唎國新出種痘奇書，一八〇五年出版。鹺哐著（鹺哐號哆啉哎）嘶噹哳、鄭崇謙譯。

其實英倫博物館目錄，僅依此書扉葉及末葉所題的書名，並誤以嗷哐爲鹺哐，其書名應依正文新訂種痘奇書詳悉在本書第二葉首行標題爲準。今本書原刋末葉有如下的人名。式樣如下：

嘆咭唎國公班衙命來廣統攝大班貿易事務哆啉哎敬輯

嘆咭唎國公班衙命來廣醫學嗷哐敬訂

嘆咭唎國世襲男爵前乾隆五十八年隨本國使臣入京朝

覲現理公班衙事務嘶噹哳翻譯與外洋會隆行商人鄭崇謙敬書

嘉慶十年六月新刊

這裏可證明英倫目錄以嗷哐爲哆啉哎之名是誤的。鹺哐卽嗷哐，卽柯爲良醫館述略中的皮沈，亦卽德貞牛痘考中的畢爾順，原注：乃印度洋行公司之醫也。按牛痘考原文見中西聞見錄第七月 實卽今天史書所通行的皮爾遜。他名氏已見道光年間中國文人的著作，叫做咇哈吱、如梁紹壬王端履諸人的筆記中，都作咇哈吱也。不過本書說是哆啉吱敬輯，嘶咁敬訂，也是錯誤的。哆啉吱原名英文爲 James Drummond，乃是東印度公司大班，不懂醫學，如何能說是他輯的呢？或者因他的地位比嘶咁高，故如此署結，亦如中國官書，多以大臣之名爲領銜也。

至嘶噹陳卽斯當東、民國初年劉半儂（卽劉復）譯的英使覲見記亦作史担頓。據他在乾隆五十八年（一七九三）代英使嗎嘎噸呢覲見乾隆後的親筆寫的謝表，（見附圖）押名作哆嗎嘶噹陳。此適符合他的原名（Sir George Thomas Staunton）。

新訂種痘奇法詳悉，英國牛津大學圖書館尚藏有一八五八年香港排印的翻刻本。其末葉人名已多改變，如哆啉吱作哆啉文，嘶咁作文收臣，嘶噹陳作斯當東。向達先生曾有此本跋文，見民國二十五年十一月十九日大公報圖書副刊一五七期題作瀛涯瑣記牛津所藏中文書五釋生蓋覺明先生筆名 所言間有舛誤。如以此書刊於一八〇四年等。陳邦賢先生「中國醫學史」（商務本）又襲其誤

這裏應當特別提出的，爲斯當東是在乾隆五十八年隨英國使臣馬戛爾尼的副使，來華不到二個月，在離華時，居然能寫出這樣一篇謝恩書那末他在十九世紀初年，由他的手筆把西洋醫學介紹到中國來，可說不是偶然的。由於他從乾隆五十八年來華，到嘉慶十年前後不過十二年，對於中文，尙沒有一般人的通順，致所譯的種痘奇法詳悉，爲那時文人如沈垚之流所不滿，見沈氏落帆樓文集遺篇卷一答張淵甫書 這類半知識的無聊文人，似乎也含有打擊牛痘在中國推行工作的惡劣企圖。

此外，查此書尙有德國教士羅存德的譯本：據 Memorials of Protestant Missionaries to the Chinese 一書也載有：

嘆咭唎國新出種痘奇書 全書七葉　　德人耶穌教士 羅存德重譯 按蘇氏一八四八年來華，一八六二年返國。

我想斯氏的譯本，國內或已失傳，蘇氏的譯本，更不必說了。中國人往往漠視有科學價值的宣傳品，如種痘奇書詳悉一類之書，外國反有保存，要研究它，反要到外國去，眞有「禮失而求諸野」之歎！

斯當東翻譯的新訂種痘奇書詳悉一書，出版不久，很快的被朝鮮日本等鄰國所翻刻了。據我今天所知，此書傳入朝鮮的有道光八年六月北京琉璃廠奎光齋翻印本。朝鮮丁若鏞與猶堂全書第七集第六卷，收有斯氏譯本全書，惜中多缺字，其全題作：

新證種痘奇書詳悉

下有奎光齋刊本字樣，其末葉有：

道光八年戊子六月重刊

板在琉璃廠橋西路北奎光齋

刻字舖。每本工價紋銀二分。

等字樣，標點是我加的足見此書在道光八年後已流入朝鮮了。此道光八年的翻刻本，據牛痘淺說云：「道光九年香山曾君望顏，由粵携其書至京翻刻，故信者益衆也。」如所指卽奎光齋的翻刻本，那淺說的道光「九年」，當是「八年」之誤。

此書之流入日本，據說是在道光二十九年（一八四九）。由廣瀨元恭之手校刊而改題爲新訂牛痘奇法。廣瀨自序有云：

近頃得斯書於長崎友人某，爲嘆咭唎國人嘶噹嗻以漢文翻譯，卽嘉慶十年所傳於彼邦（中國）者。

雖然，日本在這以前，卽一八四一年已由伊藤圭介之手，從皮爾遜原著加以訓點。但在日本發生影響的，還是斯當東的漢文譯本也。

此外，當時的俄羅斯帝國，似亦曾根據中文本譯爲俄文的。因道光間理藩院所存俄羅斯進呈書目中，有種牛痘法一本。此恐難從「進呈」二字去解釋，說是由當時的帝俄傳入。因從進呈書目的本身看來，有不少從中國醫書中翻譯過去的。此外，據牛痘淺說的話，道光元年，已有俄人在京布種牛痘的醫士，則可能也是來華學習種痘的俄國官學生。此種牛痘法就是他們所翻譯的。

二十世紀醫學史研究概況

馬堪溫　譯

十九世紀初，醫學史的研究幾乎被人忘却，大學裏也不注意它，僅有少數幾個熱心份子繼續研究。人們以爲過去的歷史對新的革命醫學毫無益處，十九世紀末，二十世紀初，始感覺有研究過去的歷史的需要，醫學者於是重新回到醫史的研究上去。

這時歐洲各國正在做戰後整頓，澎湃的愛國思想開始感覺到建立國家歷史的重要性和需要。同時因文化的普及，醫學書籍的大量出版，研究歷史的熱潮，以及許多寶貴材料的發現，都給醫學者研究醫史以新的熱忱。大約此時，成立了一些醫史學會，第一個醫史刊物也定期出現，堂皇的醫史專著也問世，醫史於是在大學裏恢復了尊貴的地位。醫史的研究興起了，並且伸展到各歷史階段和醫學各科中，用新的史觀批判過去的醫學偉人，又在已被遺忘了的醫學者的著述中發掘了新的思想。同時展開了搜集藝術品的熱潮，對藝術和醫學的關係重新加以探討，好像是回到文藝復興時代。插圖文件和已被忘却的古文稿的復活，形成了新的研究基礎和新的材料。古代病人，傷者和瘟疫的圖畫以及雕刻等文件都給疾病史以新的啓示。到少有人去的新地方去探險，在與世隔絕的民族的原始醫學中發現了類似我們祖先時的醫學，這些都是使醫史的研究迅速成長的因素，使醫史的研究從過去幾世前少數的專家和語言學者的手中轉移出來。注意過去的醫生帶給近代研究的貢獻是件重要的事。有些最著名的醫史學者同樣的也在研究上和某種專門工作上著名。醫史是科學，同時也是藝術，要適當的去掌握醫史，便需要把實際的醫學知識與歷史研究結合在一起。

下面我們要舉出最有名的醫史學學者、作家、教授以及他們的重要成就。

十九世紀全世紀和二十世紀的最初幾十年，所有說德語的國家對研究醫史眞是不遺餘力。德文中最著名的醫史著作是 J. H. Bass 氏(1838—1909) 的「Grundriss der Geschichte der Medizin und des heilenden Standes」(已由美國 H. E. Handerson 氏譯出)，繼此書之後又有「醫業和醫學發展史」一書問世(1896)。維也納大學醫史教授 Theodor Puschmann氏(1844—99)主編了「Handbuch der Geschichte der Medizin」，此書後由 Neuburger 與 Pagel 氏完成，至今仍在醫史園地中成爲基礎權威。Puschmann 氏也寫了一本有價值的著作叫做「Geschichte des medizinschen Unterrichts (Leipzig,1889)」，只是此書不包括近代的重要發展。他的繼承者 Max Neuburger 氏，是個多產題材廣闊的醫史作家，他的傑著「Geschichte der Medizin」(Stuttgart, 1906—11)一書從上古寫至中世紀，已由英國 Ernest Playfair 氏（倫敦，1910—25）譯出。無疑 Neuburger 氏的著作是近代醫史教科書中最有趣，最富思想的一部，全書有清晰的遠見和廣博的知識，並特別注意醫學思想的哲學方面。他原是維也納大學的教授。現在在倫敦 Wellcome 博物館工作，他又是具有模範博物館的維也納醫史研究院的創始人。J. L. Pagel 氏(1851—1921)於1898年出版的「Einführung in die Geschichte der Medizin」一書，是一本值得讀但不太精確的著作，後由 Sudhoff 氏先後在 1915和1922年兩次修正。Karl Sudhoff 氏(1853—1938) 是近代的偉大醫史學者，他曾長期做普通開業醫生 後來專心從事醫史研究，並在Puschmann氏所遺之醫史研究所任理事。Sudhoff 氏是「Archiv für die Geschichte der Medizin」雜誌的創始人 (1908)，他也是「Mitteilungen Zur Geschichte der Medizin」雜誌的創始人。他個人的貢獻包括500篇原著 2,000篇單行檢討和註釋文章。他對 Paracelsus 研究有年，並且在他的作品中發表過 (1933)。他對梅毒的根源的研究有不少貢獻，強烈地反對 16 世紀歐洲的大流行根源自美國。他對古時瘟疫的文獻、對 Salerno 大學，以及中世紀醫學的研究有重要貢獻，他的研究所後來是由 Rostock 大學醫史教授 W. von Brunn 氏所指導。德國醫史著作中應該注意的還有 Rostock 大學病理學教授 Ernst Schwalbe 氏的講章和 E. J. Gurlt 氏(1825—99)的上古至文藝復興末的外科史一書。德國近年的醫史著作中應當提一提的還有柏林大學醫史教授及柏林研究院理事 Paul Diepgen 氏(b. 1878)的五小册「Göschen Collection」。G. Honigmann 氏 (1863—1930) 是醫學進化的哲學史一書(1925)的作者。Richard Koch 氏(b. 1882)也寫了許多關於醫學的哲學方面的論文。在專門研究中，J. Hirschberg 氏寫了一本完全的書「Geschichte der Augenheilkunde」(Leipzig, 1899—1918)，此外還有 Max Meyerhof 氏(1874—1945)，他寫了許多研究阿拉伯醫學的論文。

傳記作品中，應該特別注意的是 E. Gurlt 氏與 A. Hirsch 氏合著的「Biographisches Lexikon」，(Leipzig, 1884—8)一書。此書第二增訂版是由 W. Harberling 氏

(1929--34) 完成的，維也納的 I. Ficher 氏 (1869—1943) 是近代專門寫名醫生傳記的人，他特別在產科及婦科方面有研究。

十九世紀末，幾乎被全然忘却的醫史學在意大利回到尊貴的地位。Siena 大學皮膚學教授 D. Barduzzi 氏 (1847—1929)是意大利醫史學會的創始人之一。V. Pensuti 氏 (1859—1925)曾教醫史學於羅馬大學；C. Fedeli 氏 (1851—1927) 曾致力於外科史教學；A. Favaro 氏(1847—1922)寫了許多關於伽利略的文章，並編輯其作品。D. Giordano 氏，曾一度任意大利學會及國際協會主席，是個傑出的外科醫生，在各科上都有卓越的成績，特別是對意大利外科史的研究。有名的衛生學者 Andrea Corsini 氏，在意大利弗勞倫斯城 (Florence) 創設科學歷史博物館，對醫史有很多貢獻，特別是對多斯尼(Tuscan)文藝復興之醫學有研究，並任「Rivista」編輯多年。「Archion Archivio di stória della scienza」的編輯，Aldo Mieli氏，先後在羅馬和阿根廷聖大非大學(Santa Fé)任教授，著有有價值的科學歷史傳記及化學史。近年他和 Brunet 氏合著有「Histoire des Sciences」(巴黎，1935)一書，他並且是國際科學歷史學院(International Academy of the History of Science) 的書記。G. Bilancioni 氏(1881—1935)，著有許多論文，特別是關於耳喉學史。G. Carbonelli 氏(1859—1933)是羅馬古 Santo Spirito 醫院醫史博物館的創始人，並著有一些重要論文。

在法國，熱心於醫史的人在醫史的各方面都有貢獻。著名臨床家 M. Charcot 氏於工餘寫出「Iconographie de la Salpêtriere」一書。L. Meunier氏的「Histoire de la médecine」一書貢獻了有價值的材料，特別是關於法國臨床醫學方面。著名的皮膚病家 E. Jeanselme 氏 (1858—1935) 和法國巴黎大學病理學教授 P. E. Menétrier 氏 (1859—1935) 是醫史作家中兩位領導人物，他們專寫關於拜占庭和希臘羅馬醫學、麻風、梅毒、以及中世紀流疫的論文。在近代法國的作家中我們注意巴黎大學 Corlieu 和 Legrand 氏關於巴黎學社 (Paris Faculty 1896—1911) 的研究，C. A. E. Wickersheimer 氏的「文藝復興時代的法國醫學」(巴黎，1906)及「法國中世紀醫生傳記辭典」(2卷，巴黎，1936)二書；P. Delaunay 氏的「十八世紀的醫生與醫學」一書及中世紀的法國醫學叢書；J. Lévy-Valensi 氏的十七世紀法國醫學，以及巴黎大學教授，國際醫史協會柱石，法國醫史雜誌編輯 Laignel Lavastine 氏的許多貢獻。A. Cabanés

氏(1862—1928)寫了不少關於醫學珍奇事物的文章；J. Vinchon 氏專門從事於病理學史與藝術方面的寫作；Bronon 氏是 Rouen 地方的醫史博物館創始人；M. Genty 氏是醫學院的圖書館員，又是醫學傳記叢書(里昂，1934—8)的編輯者，他也有不少重要論文。里昂大學醫史教授 de Fourmestraux. J. Guiart 氏，曾在羅馬尼亞的科盧日城任教，並在該城創立醫史博物館，他特別專長於古埃及的醫學。此外法國醫史學會出版一醫史會報，是法國醫史學者活動之出口。

英國在醫史方面，曾很活躍，許多較短的文章均刊登於皇家醫史學會續報(Proceedings of the Section of Medical History of the Royal Society of Medicine)上。近代歷史作家中，J. F. Payne 氏(1840—1910)著有昂格魯—撒克遜醫學研究。Norman Moore 氏(1847—1922)是英國研究醫史的學者中的領導人，著有「英島醫史之研究」(牛津，1908)及「聖巴塞羅米醫院簡史」(倫敦，1923)二書，並寫有許多較短的論文。William Osler 氏，甚至在病房工作中都表現了對醫史的興趣，他著有「Aequanimitas」(1905, 1910)及「An Alabama Student」(1909)二書，此外並有一些短的論文。D. Arcy Power 氏(1855—1941)著有「外科史」，「Chronologia Medica」(1923)，及「醫史之基礎」(Baltimore, 1931)三書。有名的心臟學者T. Clifford Allbutt (1836—1925)氏著有「羅馬之希臘醫學」一書。英國研究醫學和科學史的領導人 Charles Singer 氏(b. 1876)曾在牛津大學教醫史及倫敦大學教生物學史。在他的許多較短的論文中，有「醫學簡史」(1925)，及「生物的故事」(1931)二書。他同時有別種不同的著作，如「英國早期魔術與醫學」(1920)，「希臘生物學和醫學」(1922)，「血液循環的發現」(1922)，以及「解剖學之進化」(1925)等著作，他的妻子也是個有名的醫史學家，在他的著作中，有幾部便是他和妻子合作的。他的「歷史研究和科學方法」(1921)一書是罕有之著。在醫史方面的貢獻還有 E. T. Withington氏著有「上古以來的醫學史」；St. Clair Thomson 氏，H. R. Spencer 氏，Humphry Rolleston 氏及其兄 J. D. Rolleston 氏，和 Clifford Doboll 氏的「雷文胡克與其『小動物』」一書；J. B. Hurry 氏有「Imhotep」一書；G. Elliot Smith及W. R. Dawson 有「埃及的木乃伊」，「埃及和亞述醫學」二書；愛丁堡的 J. D. Comrie 氏(1875—1939)有「蘇格蘭醫史」(1932)一書。此外愛丁堡大學的 Douglas Guthrie 氏於最近著有「醫學史」(1945)一書。

西班牙醫史在 A. H. Morejon 氏 (1773—1836) 的「Historia bibigrafica de la medicina espanola」(1842—52)一書中可以盡窺。馬得里大學教授 Eduardo Garcia del Real 氏(1921)也著有同樣題目的書，並另有「Historia de la medicina comtemporanea」(1935) 一書，他的學生們也著有許多論文。此外在西班牙醫史學者中應當提一提的還有 Comenge, Olmedella, 和 Cepero 三氏。

葡萄牙醫學已由 M. Lemos 氏著書記述；Monteiro, Leite de Vasconcellos 氏著「葡萄牙醫學」(1925), R. Jorge 氏著「中世紀瘟疫」, L. de Pina 氏著「葡萄牙醫學」,以及里斯本醫史學會主席 A. da Silva Carvalho 氏著有里斯本外科學派史等書。

荷蘭醫學可以在擁有大批醫史學者上自誇。早期作家如 Jelle Banga 氏 (1786—1877),如再生的 Janus 學報創始人 H. F. A. Peypers 氏 (1855—1904)。其他有名的醫史學者如E. C. Von Deersum 氏,如 E. W. G. Pergens 氏(1862—1917) 專門研究眼科, J. G. de Lint 氏 (1867—1936) 著有「解剖學史圖解」(1926)一書。

在匈牙利最活躍的醫史家有 T. von Győry 氏 (1869—1937) 和小兒科的 I. von Bokai 氏 (1858—19[illegible])。羅馬尼亞醫史學會在上任國際協會主席V. Gomoiu 氏的指導下一直很活躍。波蘭的醫史研究集中於 W. Szumowski 氏所主持的醫史學會,氏爲克拉科 (Cracow) 大學教授,並爲一醫史雜誌編輯。Poznán 地方的 A. Wrzosek 氏和華沙的 L. Zembruski 氏亦爲活躍人物。南斯拉夫著名的醫史研究家爲萊格拉 (Zagreb) 大學教授, 國際協會十一屆委員會主席 L. Thaller 氏。比利時研究醫史的領導人是國際協會創始人和名譽主席 J. Tricot-Royer 氏。他的研究範圍很廣,並特別致力於痲風病,其他的作家有 Van Schevensteen, Deneffe 和 De Mets 氏等。丹麥研究醫史的傑出人物爲 J. J. Petersen, J. W. S. Johnson (1869—1929) 和 Maar 氏, 他們對丹麥醫史都有貢獻。挪威的貢獻是 Fonahn, Vangensten 和 Hopstock 氏合著的 Leonardo da Vinci 氏解剖圖解。希臘醫史已由 Adamanios Kores, Kouis 和 Kabbadias 氏特別加以研究。土耳其已設立醫史學校,指導者是 A. Süheyl 氏,著有一些研究土耳其醫學的文章,他現在任教於伊斯坦寶爾(Istanbul)大學。

像其他的國家一樣,經過一個默默無聞的時期後,美國對醫史的興趣從十九世紀起一直在增加。Fielding Garrison 氏 (1870—1935) 著有［醫史導論］,此書至 1929 年已出至四版,對整個的醫史有獨到的研究,對近代和英美醫學尤有幫助。該書內容豐富,文體新穎,爲醫史著作中難得之作。Garrison 氏感覺靈敏,博學多才,在他的許多寶貴的著作中,重要的著作還有軍醫史。近代的美國醫史研究中,Johns Hopskin 大學的病理教授 W. H. Welch 氏 (1850—1933) 應當佔重要地位,他是個著名的科學家,對科學研究工作起了相當作用,他是巴爾的摩爾城 (Baltimore) 醫史研究所和該院醫學圖書館的創辦人。此外,應當提一提的醫史家還有 F. R. Packard 氏,他是現已停刊的［醫史學報］(Annals of Medical History) 的編輯,［美國醫學史］(1931) 的作者,並著有許多專論和書籍,如論 Paré,如論 Macmichael 氏的［金頭杖］(Golden-headed Cane)。J. G. Mumford 氏 (1863—1914),著有［美國醫學敍事］(1930)一書,Howard Kelly 氏 (1858—1943) 著有［美國醫學傳記］(1920)。關於早期醫史有 Robley Dunglison 氏 (1798—1869)的［上古至十九世紀初的醫史］(1872),Roswell Park 氏 (1852—1914) 的［醫史概要］(1901),M. G. Seelig 氏 (b. 1814)的［醫學史綱］(1925),以及 R. H. Shryock 氏的［近代醫學的發展］(1936)一書,該書並說明了醫史專家加入醫史編纂的傾向。Aronld C. Klebs 氏 (1870—1943) 爲美籍德人,曾居住於瑞典等地,他寫作範圍有幾方面,如［種痘史］(1915),如論 Leonado 等。紐約的 J. J. Walsh 氏 (1865—1942),有許多有趣的著作,如［紐約醫學史］(1919),［意大利的文明貢獻］(1923),［偉大的十三世紀］,［中世紀醫學］(1920),及［近代醫學建造者］(1907)等等。他的兄弟 Joseph 氏專門從事於 Galen 氏的研究。

加拿大的醫史情況從 W. B.Howell, J. J. Heagerty 和 Maude Abbott 等氏的著作中可以看出。美洲各地近年來在醫史上進步均甚速。E. Canton, G. Maceda 等氏對阿根廷醫史有研究,Juan Ramon Beltran 氏對醫史的研究起了不少作用,他建立 Buenos Aires 大學的醫史教程,又是南美醫史學會的中心［Ateneo de Historia de la Medicina］的創始人。Beltran 教授每年都由他的助教和學生出版醫史論著,同時 Beltran 教授所主編的 Revista Argentina de Historia de la Medicina 雜誌也經常刊登有關醫史論著。Hermilio Valdigan 和 C. E. Paz Soldan 氏對秘魯醫學有專門研究,特別是秘魯的民間醫學。L. E. Paz Soldan 氏又是秘魯醫史學會的創建人,並主編該學會之雜誌。因爲他的領導,使醫史在利馬(Lima)甚爲人所歡迎。Lastro;氏對醫史有不少貢獻,他的「Lope de Aguirre 傳」是一本最好的著作。

過去的五十年中,歐洲各國成立了不少醫學會,特別是醫史學會。世界醫史協會的永久會址是巴黎,此外,又設十一處委員會,計在安特衛普(Antworp),巴黎,倫敦,布魯撒爾,(Brussels),日内瓦,來丁——阿姆斯特丹(Leiden-Amsterdam),奥斯羅(Oslo),羅馬,布加勒斯多(Bucharest),馬得里及南斯拉夫。可是大戰中斷了它的活動,將來是否可以恢復,也不可預知。國家醫史學會在各國都興起,其中許多學會都有自己的會報刊物。除上所提到的刊物之外,應當特別提一提的,還有「Janus」,它是最老的醫史雜誌;「Isis」學報是 George Sarton 氏所創辦的「科學史學會」的雜誌,亦由氏主編,倫敦 Taylor 和 Francis 氏發行有「科學會報」;國際協會有「Aesculape」雜誌,可是此雜誌在兩次大戰時全停刊了,此外還有瑞典醫史學會的「Lychnos」雜誌,專闢一欄做爲醫史園地。德國醫史學會有「Mitteilungen Zur Geschichte der Medizin und der Naturwissenschaften」雜誌。法國醫史學會也有一個報導性的刊物。荷蘭主要的醫史刊物是「Bijdragen tot de Geschiedenis der Geneeskunde」和「Opuscula Selecta Neerlandicorum de Arte Medica」二雜誌。後者在1939年已出至15卷,並用兩國語言翻印了荷蘭的偉大古典醫學。M. Lemos 和 Joao de Meira 氏主編的「Arquivos de historia du Medicina portugueza」雜誌有不少貢獻。在波蘭,A. Wrzosek 氏主編的「Archives of the History and Philosophy of Medicine」也是很好的刊物。

歐洲各大城有很多醫史博物館。特別著名的是 Henry S. Wellcome 氏的私人研究所,該所新址距倫敦甚近,擁有世界各地的驚人寶貴的陳列品;如古文稿,罕有的古書,衣飾,藝術品,器械,以及成屋子從原地掘來的古物。此外,羅馬,巴黎,維也納,來比錫等地的博物館也都以擁有寶貴的陳列品爲著。

世界各國差不多都有醫史課程。其中波蘭可以說是個模範,至少在最近,她的五個大學都有醫史教授和研究院的設備,並在學校中列醫史爲必修,且有考試。法國在巴黎大學和里昂大學都有醫史講座。德國曾有三位主任教授,七位特別專任教授和四位講師,在來比錫,柏林,耶拿(Jena)和符次堡(Würzburg)並設有醫史研究院。在美國許多較好的大學裏也有醫史講演和討論,有時並做爲臨床或臨床前功課的一部分;如

Jacobi, Osler, Thayer 和 Riesman 氏等在此方面都有特殊成就。在拉丁美國的許多大學裏，如墨西哥，高特馬拉(Guatemala)，威尼瑞拉(Venezuela)，巴西，阿根廷，以及秘魯，最近都增添了醫史講座。意大利現在波倫亞(Bologna)，栖亞那(Siena)，帕雕亞(Pudua)和羅馬等大學內設醫史課程。

研究醫史需要考察當代的文件和書籍。歐洲的大圖書館從來就擁有豐富的醫學書籍和文稿材料。美國的許多醫學圖書館不斷的增加新書，常有私人圖書館捐贈書籍，並有醫學者埋首於各種醫史的編纂。陸軍醫院的偉大搜集是研究醫史的鼓勵。波斯頓和菲列得爾非亞 (Philadelphia) 醫學院對醫史文獻的搜集都值得誇耀。Johns Hopskins 大學的醫史研究院主要致力於研究和搜集有關醫史研究的材料。紐約醫學院把較古的文學和歷史材料合併研究。Mc Gill 大學的 Sir William Osler 氏圖書館，和 Harvey Cushing 氏的精美搜集品已和耶魯大學的新醫學圖書館合併。圖書館員努力於組織與編目是醫史學者不可少的幫助，是沒有問題的。圖書館工作者的努力使醫史學的研究進步不少，也是值得感謝的。(譯自 A History of Medicine, 1947, 第 1105—1116 頁。Arturo Castiglioni 原著，E. B. Krumbhaar 譯本)

附註：①原文中少數地方曾做精簡和刪略。
②關於蘇聯醫史研究情況將另文報告。

「中醫學術研究」評介

著者　朱　顏　發行　北京健康書店　32開本　86頁　1952

本書是編者在北京中醫進修學校的24次講演，集合成書。主要是將中藥問題逐一提出討論，計有十七講，他在「關於中醫藥物治療的一般認識」的一講內，指出中藥仍停在生藥階段。其後對於麻醉藥、鎮痛藥、呼吸興奮藥、鎮欬祛痰藥、消化系藥、利尿藥、强心藥、調經藥、內分泌藥與營養藥、解熱藥、殺菌藥、驅蟲藥等均有專題討論。因爲這些中藥需要科學的研究，才能有結論，所以著者僅僅提出若干藥名，作爲研究的方向。據著者自述「根據過去十餘年中醫臨床的實際體驗和六年大學醫學院的系統學習，提出有關中醫學術的具體問題。」可見著者有條件去作中醫學術研究。但是這本書僅僅提出問題，全沒有解答，不免使讀者看起來有些失望。由這點可以看出著者所說「中醫學術研究的具體工作，是全體醫務工作者，和自然科學工作者的事」是有十分根據的。

最後對於中醫的診斷，基礎醫學，臨床醫學均加以批判。更分析和批判了中醫學術思想。這本書雖然很簡短，不過四萬字，但是對於中醫來說具有科學化作用，對於西醫來說，也可窺知中醫學術的輪廓，在中西醫團結的號召下，這本書可說盡了他應起的作用。

這本書最大缺點，是名不符實，既然名爲中醫學術研究，便應該有些研究業績發表。現在僅僅提出問題，好像是讓讀者去研究，與著者無關的樣子。假使照現在這本書的內容來說，應該改爲「關於中醫學術研究諸問題」才能名符其實。

第二本書所提出的問題，十分之九都是中藥問題，如删去其中一小部分改稱「關於中藥研究問題」尤爲適合，中醫學術研究應包括很多方面，如文獻整理方面，醫史方面，皆是很重要問題，書中毫未提及，誠然是一個遺憾。　　（徐新民）

會務簡訊

(一)中華醫學會醫史學會北京分會第一次會議記錄

日期：一九五二年十二月二十八日　　　時間：下午二時

地點：中華醫學會總會

出席：江上峯　李　濤　魯德馨　謝恩增　黎希幹　謝厯東　劉國聲　程之範
劉廣洲　陸肇基　賈　魁　徐衡之　羅福頤　馬堪温　金寶善　蔣國彥(請假)

主席：李　濤　　　記錄：馬堪温

會程：

一、主席報告中華醫學會第二屆大會醫史學會改選及成立醫史學會北京分會經過全國委員會委員及北京分會委員名單：

(一)全國委員會

主任委員：宮乃泉

副主任委員：李　濤

委員：余雲岫　王吉民　范行準　江上峯　魯德馨(兼秘書)楊濟時　侯祥川
賈　魁　劉國聲(兼會計)　謝厯東(以在北京之委員為常務委員)

(二)北京分會

主任委員：金寶善

副主任委員：謝恩增　謝厯東

委員：畢華德　周金黄　馮傳漢　鄭麟蕃(兼會計)　羅福頤　程之範
馬堪温(兼秘書)

二、討論

(一)醫史雜誌編輯問題

議決：

1. 接受上海分會意見，自一九五三年開始北京及上海兩分會各擔任稿件一半，醫史雜誌仍在華東醫務生活社印刷。

2. 北京方面增加醫史雜誌編輯委員三人，即江上峯、魯德馨、賈　魁。

3. 編輯方針經衆討論决定以愛國主義思想及團結新舊醫,結合實用爲宗旨。

(二)會費問題

議決:遵照總會章程專科學會不再另收會費。會員及特別會員均需訂閱醫史雜誌。

(三)擴大會員問題

議決:吸收對醫史有興趣者入會,由全國委員會審定。凡欲入會者請與北大醫學院醫史科馬堪溫聯繫。

(四)學術演講、討論、觀摩會問題

議決:學術講演暫定兩月舉行一次,第一次由李濤主持,由江上峯協助。

五時散會

(二)中華醫學會醫史學會上海分會成立大會會議紀錄

時間:一九五三年一月十八日上午九時

地點:上海第二醫學院三〇二室

出席:侯祥川　張贊臣　胡宣明　王吉民　余雲岫　宋大仁　范行準　朱中德
徐德言　沈今凡　王玉潤　葉勁秋

主席:侯祥川　　記錄:范行準

(甲)報告事項

一、主席致開會詞,報告醫史學會北京總會成立,及報告上海分會籌備經過。

二、王吉民傳達 (1) 總會第四屆大會在北京舉行情况,出席者各大行政區皆有代表,共二十餘人,改選職員名單如左:

全國委員會

主任委員:宮乃泉

副主任委員:李　濤

委員:余雲岫　王吉民　范行準　江上峯　楊濟時　胥德馨(兼秘書)
侯祥川　賈　魁　謝麗東　劉國聲(兼會計)(以在北京之委員爲常務委員)

(2) 傳達北京分會成立及委員名單和該會議決各案

(3) 報告本會二年來工作總結，及經濟收支情形。

三、范行準報告醫史雜誌二年來編輯、出版、及發行情況。

(乙)討論事項

一、主席提議上海應否成立分會案。

議決：通過，幷定此次會議爲成立會。

二、余雲岫報告根據北京總會推選職員辦法，籌委會提出上海分會人選，

名單如左：

主任委員：宮乃泉

副主任委員：顏福慶　侯祥川

委員：范行準　吳雲瑞　丁濟民　徐德言　王吉民　陳義文

候補：吳紹青　葉勁秋　余　瀵

經大會討論後，一致通過。

三、討論本會今後工作計劃及方針，發言者多人，頗爲熱烈。

散會十一時半

編後

學習歷史是現在新中國人民的需要，這是由於學習歷史可以幫助我們進步，可以幫助我們學習馬列主義，可以從現象看事物的本質。醫務工作者在現代潮流下，也毫無例外地要學習歷史，歷史可以分成多種，醫學史是人類與自然鬥爭史中的一部分，所以在迫切需要學習歷史狂潮中，醫學史是每個醫務工作者應該通曉的知識。

本期的材料，因爲時間的關係，匆促編成，是不合編者理想的，此後我們計劃將本雜誌的論文分成三部分發表。第一部是祖國醫學史，主要是宣揚勞動人民與疾病作鬥爭的經驗和我們祖先對於世界醫學的貢獻。今後我們十分迫切歡迎這類文章，希望國內作家隨時寄下，以饗讀者。自然我們要保留一部分地位登載醫史家研究的材料，作爲彼此交流知識的園野。

第二部分是蘇聯醫學史，目的是介紹蘇聯醫學的背景、發展、和成就，作爲建設新中國醫學的參考。我們歡迎精通俄文的同志，多多寫這類稿件。

第三部分是世界醫學史，目的是介紹整個醫學發展的過程和方向，以及醫學發展的規律，所以在這欄我們歡迎有系統的疾病史，或學術史一類的文章。

最後我們打算特闢醫界大事一欄，記績國內國外的醫界大事。其次國內外醫史界的動態，也打算按期披露。

以上這樣計劃，決不是我們編輯少數人所能完成的，尤其是浩如煙海的祖國文獻，整理分析總結相當繁重。必須大多數重視這種工作，才能將祖先的成就，適當地披露出來，總之我們希望本雜誌的讀者，不僅是讀者，而且是編者，以便這個雜誌在全國偉大地建設中，完成牠應盡的責任。列寧說：「沒有通曉人類獲得的知識，就不能建設共產主義」同志們我們要記住這句話，作爲我們建設新中國的警鐘。

中華醫史雜誌稿約

(一) 來稿須用方格稿紙橫寫,每句留一空白,半句不留空。抄寫不可潦草。
(二) 如附圖,宜用墨繪出,以便製版。照片不可摺卷。
(三) 外國人名譯成中文或加一氏字。外文最好用打字機打出或用小楷寫出。
(四) 數字兩位或兩位以上、小數點以下的數字,以及百分數均用亞拉伯字寫。
(五) 文摘稿請註明原文出處,必要時應請連同原文寄來。
(六) 參考書請按作者姓名、題目名、雜誌名或書名(出版處)、卷數、頁數、年份次序排列,並需在文內引出。書名按著者姓名、書名、年份、出版社排列。
(七) 來稿經登載後,版權卽歸本社所有,除一律酌贈薄酬外,另贈送單行本三十份(如需多加,另收費用,請預先聲明)。
(八) 凡送登本雜誌之稿件,未經預先聲明,概不退還,如未經退還,亦請勿投寄他種雜誌。
(九) 編輯部對來稿有修改之權,如不願修改,請預先聲明。
(十) 來稿請寄北京西四皇城根北大醫學院內,中華醫史雜誌編輯部。

中華醫史雜誌

(季　刊)

一九五三年第一號

一九五三年四月廿日出版

編輯者　中華醫史雜誌編輯委員會
出版者　華東醫務生活社
上海淮海中路1670弄12號
發行者　郵電部上海郵局
訂閱批銷處:全國各地郵電局
零售代訂處:各地新華書店、中國圖書發行公司
印刷者　洪興印刷所
上海山海關路405弄20號

定價每册五千元

預定價目

全年四期　20,000元

平郵在內掛號另加

·白页·

中華醫史雜誌

傅連暲

1953　第二號 6月20日出版

編輯者　中華醫學會醫史學會編輯委員會

祖國醫學

蘇聯醫學

世界醫學

國際醫史界動態

醫界大事

人民衛生出版社出版

·白页·

西藏醫學

劉國聲

中央衛生研究院　中國醫藥研究所

I. 西藏醫學與印度醫學之關係

西藏醫學是由印度醫學，中國學術，高原療法及佛經理論熔和而成的，又以印度醫學為主。西藏四本藥書云：「欲醫人或自醫，或欲求長壽者，需學醫方明內口訣」。醫方明為印度古代五明學之一種，為論醫學的學術。西藏四本醫書中詳述印度古代名醫龍樹菩薩著作，如切脈經，營養食品經，調劑術經，鍼灸術經，外科器械及瘍科經等。

西藏四本醫書為西藏醫生學醫的經典書籍，在內容方面大多為醫方明內之口訣及印度古代名醫的著述等。又同書中記載人體骨骼數為300個，與印度古代名醫妙聞氏(Susruta)著解剖學上人體骨骼數相同。

印度醫學輸入西藏約在公元七世紀。當時藏王松贊幹布武功甚强，統一內部，又派官員至印度學佛經並創造藏文30字母新文字。西藏才正式有文字。然後佛經及印度文化，醫學等著作，方得翻譯成藏文，源源輸入。

藏王松贊幹布又北征至長安，唐太宗被迫以文成公主許藏王為妻，時貞觀15年(公元641年)，始議和退兵。西藏與中原文化交流乃日漸興盛。唐代名醫孫思邈，王燾等一方沿用陰陽五行說，一方採取印度醫學地，水、風、火四大不調說。(又說四大各有101種疾病)西藏四本醫書中也有四百四病的說法。

由以上數事可略知第七世紀西藏醫學與印度醫學及中國醫學的關係。

II. 西藏醫學病理論

西藏醫學論人身由五種原素構成，即鐵、木、水、火、土，相生相尅，與中醫五行說相同。又論人身中有三毒，即貪、嗔、痴，與生俱來。貪生風病，嗔生黃病(又稱胆病)，痴生痰病。以形象表示之，雞代表貪，蛇代表嗔，猪代表痴。由風、黃、痰三病可產生404種病。其中101種病無藥可治，101種病勿需服藥，101種病為中魔鬼或冲神病，只需祈禳，不可服藥，101種病需服藥治療。

III. 西藏醫學中之診斷法

西藏病人照例先請喇嘛打掛，訊明所患病屬那類，如經打掛認爲需服藥治療者才請醫生看病。西藏醫生多由喇嘛充任，俗人也有行醫者，然爲數極少。切脈時亦用望、聞、問、切諸法，大致與中醫相同。切脈時亦就撓骨動脈露出部診斷之。然與中醫切寸、關、尺三部脈所指臟腑略有不同，詳見下表。

		男		子		女		子	
		左手		右手					
		中醫	藏醫	中醫	藏醫	中醫	藏醫	中醫	藏醫
寸	外	心	心	肺	肺	心	肺	肺	心
	內	小腸	小腸	大腸	大腸	小腸	大腸	大腸	小腸
關	外	肝	脾	脾	肝	肝	脾	脾	肝
	內	胆	胃	胃	胆	胆	胃	胃	胆
尺	外	腎	左腎	命門	右腎	腎	左腎	命門	右腎
	內	三焦	三焦	三焦	膀胱	三焦	三焦	三焦	膀胱

此外西藏醫生尙有一特殊的診斷法，卽驗尿法，爲中醫所無，亦爲印度古代醫學的方法，留存至今。按照此法，病人需持清晨第一次尿中斷少許，使醫生查驗。醫生手持一木枝將尿輕輕攪拌，然後視尿之顏色，泡沫形狀，渣滓有無等，以決定何病。一般以尿色淸爲風病，尿色紫黑爲黃病，尿色白而有渣滓爲痰病。

IV. 西藏醫學中之療法

西藏醫學中之療法有藥物療法，營養療法，放血術，薰藥法及驅鬼法等。

在西藏常用的藥物，包括植物，動物，礦物等約有300種。在當地能採集到的約佔$\frac{7}{10}$，印度藥輸入的約佔$\frac{2}{10}$，內地藥由香港輸出再由印度輸入的約佔$\frac{1}{10}$。當地產的藥有大黃、麻黃、威靈仙、秦艽、冬蟲夏草、貝母、草烏、丹參、曼陀羅、麝香、鹿茸等。印度藥有紅花靑果、柯子、阿魏、大楓子、香木鱉等。內地藥有使君子、檳榔、苦楝子、甘草等。西藏藥物皆不加泡製，屬生藥形式。使用時以散劑較為普遍，丸劑次之，膏劑及煎劑極少。以生獸肉，獸血、骨髓、肝、雪靈芝、雪蓮花、嗟啷花等為營養補品。又以山川柳，貫衆等為草烏，蛇胆等解毒藥。

放血術為印度古代醫療方法之一，現在各國皆少應用，然在西藏，喇嘛醫生以放血術治療神經痛，水腫等症仍甚普遍。其法，醫生以小刀割開病人皮膚淺層靜脈，讓血自行流出，自行凝固。普通流出血量約半兩左右。以割開下肢大隱靜脈或小隱靜脈之淺層血管時候為多。

拉薩西藏地方政府醫算局壁畫

圖 1. 放血部位圖

圖 2. 解　剖　圖

圖 3. 解　剖　圖

圖 4. 四本醫書形象教學圖

圖5. 拉薩藥王山醫學院外景

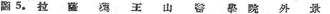

圖6. 西藏醫生驗尿

圖 7.西藏醫生(坐)爲病人(站)施放血術

薰藥法爲使病人嗅吸燃着的藥的煙，以治療疾病之法。一般燃燒艾草，檀香，芸香等藥物。

驅鬼法爲西藏醫學中特殊的方式，而且是屬於宗教形式的，也較爲普遍。一般是病人請喇嘛在家念經祈禳，同時用糌粑製成塔狀小餅，再以紫草茸煎的紅色水塗於餅上。據云喇嘛念經之後可將病魔自病人身中趕出，移行於塔狀小餅中。然後再將小餅扔上屋頂，叫老鷹食去。西藏人信老鷹爲天神，可以降服病魔。第二種驅鬼法是將黑芥子調和酥油塗於病人身上，西藏人信芥子有驅鬼之力，第三種驅鬼法是佩帶藥物以驅鬼並防止病魔做祟。常佩帶的藥物有黑芥子，黑香、蒜、琥珀死人髮、銀精石、水晶、熊肉、老鷹肉、鼠肉、金、銀等。此外尙有喇嘛寺或印經院製的泥製物及神藥丸等，據云亦有驅鬼療病的作用。著者曾於後藏扎什倫布寺得到泥製餅三種，神藥丸三種。泥製餅爲銅錢大小圓餅，直徑約一吋，厚約$\frac{1}{4}$吋。正面皆刻一龍（略似蛇形），一鍬。背面一爲金鋼杵，一爲十字金剛，一爲帶翅的馬王神及二魔鬼。神藥丸有綠荳大紅色及黃色丸兩種及小米粒大紅色丸一種。

V. 西藏醫學事業

西藏地方醫學事業並不發達，現在只拉薩有醫學校兩處，爲培養西藏喇嘛醫生的學校。一名拉薩地方政府醫算局，成立於達賴 13 世時，有 37 年歷史，一名拉薩藥王山醫學院，成立於達賴五世時，有 300 餘年歷史。前者招收自費僧俗學生入學，後者只收喇嘛入學，而且多爲各寺保薦的，學習完了仍回原寺工作。學習材料以西藏四本醫書爲主，又需學經文，符籙、祈禳、打掛等。學生以能背誦醫書並能切脈處方，診病、驗尿、放血、辨別藥草，配藥等經口試及格方准畢業。並不發放證書。學習時間長短不定，視學員能力，約爲十年左右。西藏地方政府及人民對喇嘛醫生甚爲敬重，對於行醫並無任何管理條例。估計全藏約有喇嘛醫生百人左右，大部皆在拉薩等較大城市及寺廟中。至於偏僻邊遠鄉鎮及廣大草原地區，欲求喇嘛醫生亦不可得。

VI. 西藏的疾病情況與解放後的醫療工作

西藏地處邊陲，解放前遭受帝國主義的侵略與國民黨反動統治的剝削，及封建壓迫，人民生活極端困苦，醫藥缺乏。疾病流行，尤以天花及性病危害人民康健至鉅。其他常見之病尙有風濕性關節炎，寄生蟲病，砂眼，甲狀腺腫，痲瘋，營養缺乏病，腸炎，流行性感冒等。西藏雖然有喇嘛醫生，然數目不多，診斷及治療方法尙停留在古代醫學階段，旣無預防醫學，又缺乏科學知識。西藏人民深刻感到疾病的痛苦，早已渴望解放的來臨。終於1951年5月中央人民政府與西藏地方政府簽訂關於和平解放西藏辦法的協議。隨着中國人民解放軍及隨軍工作人員相繼担任起解放西藏，建設國防的任務，不避艱險，超過雪山，跨過激流和草原於1951年九月進入拉薩。我軍爲了解除藏胞疾病的痛苦，卽時籌備成立拉薩門診所，免費治療，施藥，注射牛痘苗。於1952年上半年內，拉薩門診所內藏胞門診數統計達到三萬多號。1952年9月拉薩成立人民醫院，又先後在日喀則，江孜等地建立門診所。各地解放軍部隊中醫生也都就地展開爲藏胞治病的工作。現在藏胞有病都主動找解放軍醫生看病，並以無比的熱誠歌頌英明的毛主席和中國共產黨的關懷，並感謝人民解放軍入藏部隊所給予的健康上及生活上的保障，也期望將有更多的醫務工作同志參加西藏地區的醫療工作。西藏的衛生事業將迅速的全面展開了。

參 考 文 獻

1. 西藏地方政府醫算局出版西藏四本醫書
2. 同上出版西藏藥草
3. 同上出版不死單方
4. 同上編著西藏本草圖譜
5. 同上出版藍瑠璃醫書
6. 西康德格印經院出版藥草學
7. 李濤著醫學史綱
8. 李有義著今日的西藏
9. Chakraberty. C. An Interpretation of Ancient Hindu medicine
10. Comrie. J. D. Ancient Hindu medicine
11. 陳邦賢著中國醫學史

* 中央人民政府文化教育委員會西藏工作隊醫藥組隊員(1951年6月—1952年10月)。

* 又本文曾於1952年12月中華醫學會第九屆大會醫史學會宣讀。

愛國醫家傅青主的醫學著作眞僞問題

揚州　耿鑑庭

（一）傅氏傳略

陽曲傅山，字青主，先世大同人，明末爲諸生，博學尙氣節。入淸卽奉母隱居，棄青巾改著黃冠，蕭然物外。嗜酒，喜花草，工書畫，善詩賦文辭，尤精於醫，以儒義通醫理，不拘前人成法。康熙戊午（公元1678年），詔舉博學鴻詞，廷臣交章薦先生，以老病辭，當事立迫就道，稱股病不能行。肩輿舁入都，臥旅邸，不赴試。明年三月，吏部驗病入告，得免試，特授內閣中書。又强使謝恩，稱疾篤不往。乃舁以入，望見午門，淚涔涔下，掖之使謝，則仆於地，遂得放歸。其迺心明社，不屈淸廷如此。又六年卒。先生生於明萬曆35年丁未，（1607）卒於康熙23年甲子（1684），年78。子眉，字壽髦，善於繼志述事，亦解醫，先先生四月卒，年57。

（二）傅氏之醫學作品

先生博學多才，著述甚夥。醫學作品，今傳於世者，有傅青主女科，產科，男科，兒科等。

女科及產科爲姊妹篇，又多重複，辨其爲僞託者，首爲陸定圃。所著冷廬醫話卷二，今書欄云：「傅氏女科書，道光丁亥（1827）張丹崖鳳翔序刊，近復刊入潘氏海山仙館叢書中。王孟英謂文理粗鄙，勦襲甚多，誤行刊行，玷辱青主。余觀此書，遣辭冗衍，立方板實，說理亦無獨得之處。……成此書者，當是陳遠公之流，而其學更不如遠公，乃女科書之最下者」。

謝誦穆先生中醫僞書攷云：「或云，傅青主女科，係從陳敬之辨證錄中錄出」。又云！「此書當爲僞託」。

以上乃辨女科非出自傅手者。然陸懋修但病此書語句雜沓、體例參錯，曾爲移易增删，改定體例，以女科八門，分爲八卷，另附生化篇一篇，顏曰重訂傅青主女科，固未嘗疑爲僞託也。

序中又引祝屋祁氏序文云！「此書晉省抄本甚夥，然多祕而不傳，彼此參攷，多不相符，則雅樂之爲鄭聲所亂多矣」。觀此，則又僅認其傳抄失實，亦未嘗目爲僞託也。男科較女科後出，篇末附有小兒科。據同治二年癸亥（1863），康衢王道平序云：「癸亥秋，邦定羅公持先生男科小兒科以相示，平見而奇之。究其所從來，羅曰：道光初年，除家刻印先生女科。是時，平定州孫毓芝先生爲余家西席，由平定州攜至舍下，余抄之，藏筒已四十餘年矣」。是亦係由山西傳抄而來者。陸懋修先生於此則力辨其僞。其跋傅青主女科云：「余謂傅徵君所傳醫書，只有女科，安有所謂男科兒科者。玩羅公所言，因子好女科，特爲相示，二語，明是投其所好，使人謂女科外，又有男科兒科，其書一出，購者必多……刻之以圖利。……」

據予考證，男科兒科亦傅氏所著，蓋初稿未經整理者。中醫僞書考，旣知女科產科從辨症錄析出，胡竟不知男科兒科方論，與石室祕錄相同乎？余昔承僞書考之意，疑男科亦出自辨症錄，曾以諸方兩相校，不能脗合。因信陸懋修之言，認男科兒科確爲僞託。今春重讀一過，見其立方，似與石室祕錄相類，遂復加以檢覈。祕錄一書，體例亦頗龐雜，前四卷及第五卷之半，皆以治法爲綱，同法治療之各病，卽納於一法之中。第五卷後半，有傷寒相舌祕法，及其他雜論十七條，末有兒科若干則。第六卷則爲雷眞君親傳活人錄，首列傷寒門四十條，繼列雜症若干條。余每讀一法，將其中方症，與傅青主男科中之該症對勘，發現男科各方，悉見於石室祕錄中，兒科各方則見於其第五卷中。僅有極少數，未能查出。

女科產科旣從辨證錄錄出，男科兒科諸方，又見於石室祕錄，二書皆陳士鐸所述，固同出一源者。惟前者整段迻寫，後者重行分別部居，以病爲綱，爲少異耳。若言僞託，女科產科摘取別刻，或爲書賈之欺世。男科兒科則重爲釐訂增删，似非書賈及淺學之流所能辨？且均取材於陳氏，何以巧合若此？其中必有故也。是眞是僞，有作進一步研究之必要。

（三）陳士鐸之醫學著作

陳士鐸字敬之，別號遠公，又號朱華子，康熙時人。著述甚多，有辨證錄，石室祕錄，洞天奧旨等書。據洞天奧旨中陳氏曾孫鳳輝跋語謂：「尚有素靈本草，傷寒六氣，外經微言，臟腑精鑿，脈訣闡微。辨症玉函等書」今俱未見。前述三書，坊間流行甚多。閱其序文，如出一轍，皆謂爲岐伯天師，張仲景傳授。四庫全書提要中稱：「石室秘錄國朝陳士鐸撰。鐸字遠公，山陰人，是書託名岐伯所傳，張機華佗等所發明，雷公所增補。凡分128法，議論詭異，所列之法，多不經見。稱康熙丁卯（1687）遇岐伯諸人於京都，親受其法。前有岐伯序，自題中清殿下宏宣秘籙無上天眞大帝眞君。又有張機序自題廣蘊眞人。方術家固多依託，然未有怪妄至此者，亦拙於作僞矣」。

石室秘錄自序謂傳自岐伯仲景。洞天奧旨之序文亦類此，可證陳氏之書，並非己作，恐係偶得秘本，纂集成編，託名仙授者也。

（四）錢松所刻辨症奇聞

辨證奇聞一書，乃道光三年（1823）錢松所刻。松字鏡湖，道光時太醫院院使。錢氏序云：「辨症奇聞一書，家藏久矣，予深受其益，詳加删定，分爲十卷，付之剞劂，用特公諸同世，既可爲同人之一助，亦可告不敢私藏之隱願云爾」。

又光緒五年（1879）鍾志高周國驤重刻辨症奇聞序云：「辨症奇聞一書，乃太醫院錢鏡湖先生所家藏者。其原本不知出於何人之手，經錢先生剞劂傳世」。

今攷辨症奇聞與辨症錄篇目文字悉同。陳氏自撰辨症錄序末有云：「……非衒奇而以奇聞名者。以鐸聞二先生之教，不過五閱月耳，絮十萬言盡記憶無忘，述之成帙，是則可奇者乎。……」

可知辨症錄亦得名爲辨症奇聞，陳氏得之託言仙授，錢氏得之則稱家藏，是二而一者也。然此書究爲何人所作？

（五）傅氏知醫之記載

戴夢熊傅徵君傳云：「……又以餘力學岐黄，擅醫之名，山右罔弗知者。……」又敘其拒試博學鴻詞歸晉後云：「山不欲違厥初志，避居遠村，惟以醫術活人，登門求方者戶常滿，貴賤一視之，從不見有倦容，……」

嵇曾筠傅徵君傳云：「精岐黄術，邃於脈理，而時通以儒義，不拘拘於叔和丹溪之言，踵門求醫者戶常滿」。

劉紹攽傅先生傳云：「凡沉痾遇先生無不瘳，用藥不依方書，多意為之，每以一二味取驗。……年八十餘卒，無能傳其術者，至今晉人稱先生皆曰仙醫」。

全祖望傅先生傳略云：「先生又嘗入平定山中，為人視疾。……」

忻州志傅山傳云：「工繪事，邃脈理，……日以醫道活人，神奇變化，洩素問之秘」。

顧炎武贈傅處士山詩云：「老去肱頻折，愁深口自緘」。

申涵光楊方伯傳云：「青主者傅山字，太原高士也，博學兼通醫」。

陽曲志志餘記先生下獄事云：「先生既下獄，顏色自若，供係太原府諸生，食餼有年，以失家避荒，侍養老母，頗知醫藥。……」

茶餘客話云；「……先生善醫，而不耐俗，病家多不能致，然素喜看花，置病於有花木寺觀中，令善先生者誘致之。聞病人呻吟，僧即言羈旅無力延醫耳，先生即為治劑。太原古晉陽城中，有先生賣藥處，立牌「衞生堂藥餌」五字，乃先生筆也」。

陽泉張源洙霜紅龕集序云：「竊惟傅先生以黃冠賣藥市中，而名聞天下」。

以上係他人論傅氏知醫之語。茲再摘傅氏自認知醫之語於下。

悼孫女班班詩云：「弱女雖非男，慰情良勝無，阿爺徒解醫，不及為爾咀」。

敍靈感梓經云；「僑黃之人，（傅氏之自稱）亦嘗學醫」。

書易疑後云：「此西河胡公子季子于野兄弟，所為易學也。……兩公子蓋老夫畏友也，為詩畏其詩，不屑中晚；為文畏其文，不屑為韓為柳；為醫畏其醫，內難諸方書，斤斤上口；論古今得失成敗，指掌櫨審，令老夫瞠乎其後」。

黎娃從石生序云；「勞瘁幾大病，石生圖為延醫診之。娃曰：……無已，要傅道士來診，道士是信我者，老夫因為一往診之。……」

由上記載，可見傅氏確為知醫之人。

（六）　我對於眞僞問題之看法

傅氏知醫，已如上述。至於曾著書，亦無可置疑。例如全祖望先生撰傅先生事略中「先生既絕世事，而家傳故有禁方，乃資以自活」。數語，可證傅氏原有家傳之醫方祕本。又霜紅龕集[illegible]君所作例言，述及傅氏作品時，亦言有幼科丹經女科丹經等。且霜紅龕集中，不乏論醫之作，即其他文章中，亦多以醫為喻者。

傅氏旣以大儒兼治醫學，遇有心領神會處，焉可不筆之於書。今觀辨症錄石室祕錄等書，方簡而意深，頗類傅氏其他文字，且有燕趙慷慨悲歌之氣。依此推測，則辨症錄，石室祕錄，洞天奥旨，可能皆爲傅氏之殘稿，經陳士鐸整理刊布者。觀夫陳氏於辨症錄凡例中曾云：「是篇皆岐伯天師，仲景張使君所口授，鐸敬述廣推以傳世，實遵師誨，非敢自矜出奇」。

所謂師者，究指何人，此頗耐人尋味。鄙意推測，傅氏原有家藏祕方，其中或附己意，或出心裁，別成一編。每種均稿經數易，傅氏父子，次第物故，孫輩尙幼，手稿易落人間。醫方一出，傳抄尤速，可能爲陳士鐸所得，極爲利市，又不忍剽竊，遂記名於神授歟。

（七） 傅陳關係之推測

予尙有一種看法：陳氏可能於傅氏入都時，往旅邸拜謁，傅氏見其可教，遂付以祕方手稿，並誡其勿用眞名刊布。此種推測，有如下之證據。

陳氏原言此書在燕市旅邸遇老人傳授，確巧傅氏入都，亦臥病旅邸。嵇曾筠傅徵君傳有云：「滿漢王公九卿，賢士大夫，逮馬醫下眭，市井細民，莫不重山行義，就見者羅溢其門」。予意陳士鐸亦卽當時馬醫下眭之流。又按傅氏入都是康熙戊午，（1678），次年三月放歸。歿於康熙甲子（1684）。陳氏記載遇仙，是康熙丁卯，（1687），年代未免不符。然陳於洞天奥旨自序中有：康熙丁卯秋，遇岐伯天師於燕市，譚醫者五閱月，鐸信師之深，退而著述。……癸亥（1683）冬，再遊燕市，所遇者瘡瘍壞症，……鐸痛憫久之，因再著茲編，名曰洞天奥旨」。

癸亥在前，丁卯在後，何爲初爲丁卯，繼爲癸亥乎？序文乃由陳氏手書摹刻者，並非手民之誤。意者陳氏故將癸亥前四年之己未，倒書爲後四年之丁卯，以眩惑世人歟？又陳氏謂與天師譚醫五閱月，傅氏究在京師留連幾月，不可確知，然決不能少於五月，甚且過之，或陳氏與傅氏譚醫，僅及五月耳。

傅氏自號朱衣道人，取不忘朱明之意，陳氏則自號朱華子，鄙意陳之與傅志同道合，朱華子之稱，亦由朱衣道人衍化而出者也。

（八）射覆與猜謎

辨症錄後附有鬼眞君脈訣其序中有云：「……鐸遇雲中逸老於燕市，傳法之備，而不傳脈經者，以素問靈樞二書，言脈之多也。……鬼眞君名臾區，雲中逸老弟子也，貌甚奇，面長尺有一寸，髮短而鬈，深目，鼻高，耳垂下且大，非凡近士也。……」

辨症錄但云岐伯天師仲景張使君口授。石室祕錄序則用冗長頭銜。脈訣序又謂傳方法者，雲中逸老。傳脈經者，雲中逸老之弟子鬼臾區，更爲鬼臾區加以形容。

大同古雲中地。傅青主先世爲大同人。「雲中逸老」四字，其指此歟。又雲中山，在山西忻縣西北八十里，多產藥草。忻州志有傅氏傳，傅氏曾否居忻州，未遑細攷，志旣有傳，當與傅氏亦有淵源。

鬼眞君疑指其子傅壽髦，觀其所述形貌，面長鼻高耳垂下且大，以相法言之，均爲壽者之徵。又髮短而鬈，實暗寓「髦」字。

又石室祕錄卷25第14頁，有託名張仲景之按語一則，指出著石室祕錄者，乃明末通儒。其文云：「張公曰：眞妙絕奇文，結胸之症，不意發如許奇語，非天仙又烏能哉？我欲再發一言，不可得矣。非學貫天人，不可言醫，非識通今古，不可談醫，非窮盡方書，不可註醫，此得人之所以最難。自古及今，代不數人，元以前無論，明朝三百年，止得數人而已。李平湖之博，繆仲仁之辨，薛立齋之智，近則李士材之達，喻嘉言之明通，吾子之弘肆，我所言者數人，皆上關星宿，鍾山川之靈而生者也。今日旣許子在著書中人，願吾子勿以菲薄自待也。著書當弘而肆，醫道盡矣至矣，化矣神矣」。

（九）陳士鐸爲何不逕書傅氏作，而稱仙授？

（1）傅氏是隱於醫，恐後人誤認他僅是醫家，所以在醫學著作上不願留名。清初，明遺民中，有氣節之士，不立廟廷，願爲齊民，退居莽野，而逃於醫，以示精神上之抵抗者，如呂晚村，郝太極等皆是。傅青主亦降志於醫，故魏環溪輓傅氏父子詩，有「寄托聲名藥一丸」之句。旣然隱於醫，自然不願留名於著作中矣。

（2）傅氏提囊行藥，是政治上之祕密，陳氏出書自當避用其眞名。據趙儷生先生著清初山陝學者交遊事蹟考（見民國36年大公報文史周刊第十八期）謂一時志同道合之士交往頻繁，山西若傅青主及其子眉而外，有祁縣戴楓仲，陝西則富平朱山輝，李因篤，盩厔李顒，華陰王宏撰，鄠縣李栢，其中人之樞扭爲顧亭林。地點則陽曲之青羊庵，盩厔之二曲土室。另有兩處重要地點，一卽華陰，一卽頻陽。交誼之目的，已於顧氏與三姪書中明顯說出。

（3）　陳編各書除傅氏手筆外間亦博採衆長。辨證錄凡例中對此已有記載，玆錄其三則於下：

（一）　鐸壯遊五岳，每逢異人，傳刀圭之書頗富，凡可引證，附載於各辨症條後，以備同人採擇。

（一）　吾越多隱君子，頗喜談醫，如蔣子羽，姚復菴，倪涵初，金子如，蔡煥然，朱瑞林諸先生，曁內父張公噩，仍與同難余于道元葉子正叔林子巨源錢子升璲丁子威如家太士，或聞其餘論，或接其片言，均採入靡遺。

（一）　二師所傳諸方與鄙人所採諸法，分量有太多過重之處，雖因病立方，各合機宜，然而氣稟有厚薄之分，生產有南北之異，宜臨症加減，不可拘定方中，疑畏而不敢用也。

陳士鐸山陰人，觀吾越二字，知爲浙江之山陰，又於二師所傳一條中，可見南人不慣用北方分量，卽此證明陳氏可能以傅之草稿爲藍本，參合巳意，及同時諸家學說，而成各書。

（十）書名考證

傅氏自號石道人，燕山陳禧諸公，有輓石道人詩二首，其起句曰：「石室文星落，吾曹失羽儀」。劉贄霜紅龕集跋云：「予嘗於山龕石室藥囊梵篋黃冠之廬，見其殘篇剩幅，卽手錄之不遺」。

史記石室原謂藏書之所，在此當指隱居之室爲妥，蓋傅氏於國變後，曾藉石室自晦也。石室祕錄四字，或爲傅氏所親自命名者，洞天奥旨四字，亦爲道家口吻。

陳氏出書，取名辨症錄，錢松所刻則名辨症奇聞，據陳氏自撰辨症錄序文，辨症錄亦卽辨症奇聞，可見其均爲此書之原名。意者，傅氏家傳禁方久用此名，陳氏錢氏俱一仍舊貫，未易他名也。

（十一） 總　　結

傅青主女科產科二書，王孟英陸定圃早辨其爲僞託。陸氏認爲成此書者，乃陳遠公之流。謝誦穆又謂其從辨症錄中析出。男科兒科陸懋修亦力言其僞。余反覆閱讀，得悉其中方論，悉見於陳氏之石室祕錄中，然陳氏各書自序，皆謂遇岐伯於燕市，得其祕本傳授，述而不作。余因疑及岐伯或即隱[illegible]青主，乃作種種之考證及推測，知傅書並非陳氏僞託，而陳書之大部份實以傅氏草稿爲藍本。可能係傅氏被徵入都時授與者，其中均有陳氏之增補。傅氏當日之政治態度不明，故祇好託名於仙授。今傳之女科，當係傅氏昔日單錄之專方。辨症錄當係傅氏增補擴充後之全書。今傳之男科，當係傅氏之最初草稿。石室祕錄當係晚年重纂者。考證及推測之輪廓大略如此，旁搜博採，雖已有徵。附會牽強，在所難免。願海內研究醫史者公決之。

宋元流行最廣的方書惠民和劑局方

汪 頁 寄

惠民和劑局方是中國 11 世紀到 14 世紀流行最廣的方書，影響祖國人民康健者 300 多年，甚至明人小說裏也提到他。現在我將這部書[illegible]流介紹如下。

宋史藝文志　陳師文　校正太平惠民和劑局方 5 卷。

晁公武讀書後志　和劑局方　10 卷　大觀中詔通醫刊正藥局方書，閱歲書成，校正 708 字，增損 70 餘方。

陳振孫書錄解題　太平惠民和劑局方　6 卷（按文獻通考作宋史藝文志作）庫部郎中陳師文等校正凡 21 門 297 方其後時有增補。

馬端臨文獻通攷　和劑局方 10 卷　晁氏曰大觀中詔通醫刊正藥局方書，閱歲書成，校正 708 字，增損 70 餘方。陳氏曰庫部郎中陳師文等校正，凡 21 門 297 方，其後時有增補。

鄭樵通志　和劑局方 2 卷。

焦竑經籍志　和劑局方 10 卷。

我們從這些記錄中，得知太平惠民和劑局方，一稱和劑局方，爲大觀中陳師文等所校正，凡 21 門 297 方，有 5 卷本、6 卷本、10 卷本，書名卷數雖有繁簡多少，但同爲一書，則顯而易見。

關於卷數何以會有不同？據日本丹波元胤的醫籍攷說：「5 卷本已佚，6 卷本或析目錄，別爲一卷，10 卷本或係誤寫」。但朱彝尊跋亡名氏增廣太平惠民和劑局方，則謂「蓋師文等校正本，實止 5 卷，其後添補紹興寶慶淳祐諸方暨吳直閣方諸局方，故增益至 10 卷爾」。又是一種說法。

編著此書的人，除上述陳師文外，具名的還有陳承和裴宗元。陳承可能就是宋哲宗元祐中編著本草別說的閬中醫士陳承（本草綱目序例上），他還編過重廣補註神農本草 23 卷，今此書亦佚（醫籍攷卷 10），詳細身世無可攷。裴宗元與陳師文，在古今醫統上說：

「裴宗元以醫名越，專用成方，及丹溪出而悟曰：操古方以治今病，其勢不能以盡合，故其書遂不盛行也」。

「陳師文爲越名醫，與裴宗元一時齊名，其用方亦大同，所定大觀297方」。這點材料，自不足作吾人多大的參攷。

至陳師文等用以校正的底本，據四庫全書提要謂：「按王應麟玉海云，大觀中陳師文等校正和劑局方5卷297道21門，晁公武讀書志云，大觀中詔通醫刊正藥局方書，閱歲書成，校正708字，增損70餘方，又讀書後志曰：太醫局方10卷，元豐中詔天下高手醫各以得效秘方進，下太醫局試驗，依方製藥鬻之，仍摹本傳於世，是大觀之本實因神宗時舊本重修，故公武有校正增損之語也」。（筆者按讀書志與讀書後志應對調，提要恐誤。）說大觀局方，實由太醫局方而來。此一說法，也有反對的，如醫籍攷就說：「按太醫局方與和劑局方，本自不同，提要誤以此書乃神宗時舊本重修，疎甚」。不過我們倘細讀陳師文等當年所進之表，其中有「……爰自崇寧，增置七局，揭以和劑惠民之名，俾夫修製給賣，各有攸司，……然自設局以來，所有之方，或取於鬻藥之家，或得於陳獻之士，未經參訂，不無舛訛，雖嘗鏤版頒行，未免傳疑承誤，……頃因條具上達朝廷，繼而被命遴選通醫俾之刊正，於是……訂其訛謬，析其淆亂，遺佚者補之，重複者削之，未閱歲而書成，繕寫甫畢，謹獻於朝，……頒此成書，惠及區宇，遂使熙豐惠民之美意，崇觀述事之洪規，本末巨細，無不畢陳，……」等文句。太平惠民和劑局方，實與太醫局方，一脈相承，顯而易見。倒是此書校刊之年，從來雖都作大觀，但陳師文等所進表中，既不具年月，而大觀前後不過4年（1107—1110），倘在此朝成書，似不應有「遂使熙豐惠民之美意，崇觀述事之洪規，本末巨細，無不畢陳，」這樣的寫法，味其語氣，可能還在大觀之後。

又局方既是局頒方書，那末我們試再檢各局的設立和頒書的年份，看有否可供參證之處。

查太醫局爲熙寧九年（1076）置（圖書集成銓衡典43卷官制部及玉海），太醫局方的頒行，在元豐中（1078—1085），詳細年月不明。惠民、和劑等局，據玉海云：「紹興6年正月4日置藥局4所，其一曰和劑局，18年閏8月23日改熟藥所爲太平惠民局，21年12月17日以監本頒諸路」。宋史高宗紀曰：「紹興21年2月乙卯詔諸州置惠民局，官給醫書〕。似乎在紹興年。惟上文陳師文表中有：〔爰自崇寧，增置7局，揭以和劑惠民之名〕，在徽宗時已有此稱。又宋史職官志曰：〔崇寧中置局7所，監丞一員點檢，宣和3年減罷〕。可知此二局起自崇寧，宣和減罷，至紹興重又設立起來的。還有四庫全書提要在此書條上說：〔然此本止14門而方788……是紹興所頒之監本非大觀之舊矣〕。是不但局係重設，即所頒之書，亦不同於大觀了。

閒中偶閱水滸傳，在一百二十回的水滸（商務、國學基本叢書）裏有一篇〔引首〕，〔引首〕末一節說：〔那時百姓受了些快樂，誰知樂極悲生，嘉祐3年春間，天下瘟疫盛行，自江南直至兩京，無一處人民不染此症，天下各州各府，雪片也似申奏將來，且說東京城裏城外，軍民死亡大半，開封府主包待制親將惠民和濟局方，自出俸貲合藥，救治萬民，那裏醫治得。……〕

由上邊的記載，可推想是作者誤和劑局方爲和濟局方。又包待制即包拯，生於公元999年（咸平2年）卒於1062年（嘉祐7年）。（據梁廷燦歷代名人生卒年表）是包拯生時此書尚未刊行。大約由於這本方書盛行於宋代，作者便信手寫來，說他根據這書施藥。更可見這本書在明朝仍然是風行了。

秦漢時代的醫學成就

公元前221——後214年

李　濤

北京醫學院醫史學科

公元前221年（秦嬴政，始皇26年），秦朝開始建立中國民族統一的國家，對外採取侵略政策，對內採取中央集權政策，施行政治，經濟，思想，制度各方面的統一工作。其中如統一文字，劃一度量衡，直接有助於文化的發展。秦朝雖然經過短短的15年便滅亡了，但是這種新制度幾乎全部被漢朝繼承起來。前206年劉邦（漢高祖）採取與民休息的政策，鞏固自己的政權。他的子孫也奉行這種政策，終於使生產恢復，國家富强起來劉徹（武帝）以後，開始對外侵略，竭力擴張領土，威振中外，始能建立起前所未有的大帝國。我們祖國歷史裏，秦漢是一個偉大輝煌的朝代。中華民族的醫學在這個時期奠定了基礎。

公元前二世紀由於長期安定，社會生產恢復，農業進步，人民生活漸漸好轉。農民有了衣食以後，自然感覺醫藥救助的需要，更由於他們終日接觸植物，首先認識植物的藥效，例如巴豆瀉下，葛根解熱，瓜蒂催吐，都很容易與農業聯繫起來。神農本草經所載藥物，十分之八以上是植物，主要是農民多年經驗的積累。

煮鹽，冶鐵，鑄錢是漢朝三大工業。在煮鹽的經驗下，發見鹽水洗眼有明目之效，芒消（硫酸鈉）有瀉下的功用。更由于冶鐵技術進步，開始用鋼製造醫療器械，例如九鍼此時才能用鐵製。而且工人在長期冶鐵經驗中發見鐵粉的强壯作用是很自然的事。其次冶鐵工業發達，採礦工業自然也發達，從此硫黃，水銀不復爲稀有之物，人們發見他們的醫療作用，才有可能。

紙的製造在公元前二世紀已開了端，但是到公元後二世紀才改進了製造技術。因此木簡書册，秦漢時代仍然佔主要地位。現存漢代的醫書，僅有木簡寫的。

秦嬴政迷信談陰陽五行的方士，曾招集很多方士尋求奇藥。齊人徐市說東海有三座神山，仙人及不死藥都在神山上。曾令徐市帶童男女幾千人入海求神仙，其中有百工技藝和醫士。漢初採取黃老刑名的學說，自然迷信方士。劉徹（武帝）初年罷斥諸子百家，獨尊儒學，而儒家多兼陰陽五行學。到了公元一世紀陰陽五行學發展成為讖緯，王莽劉秀（漢光武）崇尚讖緯，藉以統治人民。在這陰陽五行學盛行的時代，解釋生老病死的學說，漸趨一致，遂成為中國醫學的理論基礎。更由於方士的服食，發見了若干因營養缺乏所致的病，如創傷傳染病（癰）他們為獻媚統治階級，發見了若干壯陽藥。

秦漢時代，疆域擴大，多數民族在統一的國家內，增加了交流經驗的機會。由於各民族對於疾病鬥爭的智慧，被總結起來，豐富了中國醫學的內容。例如廣東（南越）的霍亂，四川的暑濕，越南（交趾）的天花，顯然是由於疆域擴大，才能認識的病。

秦漢時代，政治統一，經濟繁榮，農業進步，工業發達，方士服食，疆域擴大等，使中國醫學迅速發展起來，奠定了中國醫學的基礎。此後在這個基礎上，不斷改進和增益，與疾病作鬥爭，保障了民族的健康，和人口的增加。

一、疾病的認識

首先是傳染病的認識。傳染病流行條件首先是多數人口聚集一處，漢代在一世紀以後，人口增加，名宗大族聚居一地，曾引起多次大疫。例如自公元37—50年見於記載的有七次大疫，自171—185年見於記載的有五次大疫。引起傳染病的另一種機會是戰爭。例如公元後16年（王莽天鳳三年）平蠻將軍馮茂的兵，因疾疫死亡者十之六七。是年冬士卒飢疫，京都大尹馮英上言，自西南夷反叛以來，積四十年，郡縣距擊不已，吏士罹毒氣死者十七。其次馬援征交趾，在公元44年，軍吏經瘴疫死者十之四五，征武陵蠻在公元48年，士卒多疫死，援亦病死。公元162年皇甫規討隴右，軍中大疫，死者十之三四。還有公元208年曹操與孫權赤壁之戰，曹操軍中疾疫流行，以致失敗。總之漢代這五次戰爭，都因為傳染病流行失敗了。

由於這些次大疫，漸漸認識了每次流行病的特徵，進而區分各種不同的傳染病。例如馬援征武陵蠻（常德縣）和曹操赤壁之敗，是由於瘧疾流行。據肘後方說，馬援征交趾帶來天花，（虜瘡），這種病的記載是世界醫學文獻上第一個記載。張機能認識傷寒病乃毫無疑問之事。曹植所作說疫氣描寫的病頗似霍亂。總之漢代已能區別瘧疾，天花，傷寒，霍亂等傳染病了。

其次對於消化器病皆隨主要症狀而命名，如胃反，水逆，就是嘔吐，留飲就是胃腸炎一類的病。此外記載這類孤立症狀很多，可見是當時醫家鬥爭的目標。

新陳代謝病中已能認識糖尿病（消渴），這種病的症狀，素問中即有記錄，漢初已成通人皆知之病，故嫁女不肯嫁給這種病人。更因爲二世紀的文人司馬相如得過這個病，使得這個病更著名起來。

在腦血管病中，已能辨別中風（沓風，痱），前二世紀淳于意曾報告了第一例病人。因爲這種病突發，不治，歷史上曾記載了多例，例如前40年周堪，前八年劉驁（成帝）都是因爲這個病死的。

三叉神經痛（風眩），由於這個病的症狀著明，記載較易，例如劉秀和曹操都曾得過這種病。

外科病方面，除了周禮所記腫瘍，潰瘍，金瘍，折瘍外。更記有癰疽，當時認爲患癰疽必死，所以說苑有「癰疽死者不可去也」的說法。前三世紀亞父是疽發於背死的。淳于意曾報告因疽而死的病例。破傷風亦已存記載，稱爲金創瘈瘲。癩亦爲通人皆知之病，公元36年費貽不肯仕公孫述，便漆身爲癩。惡性腫瘤在醫籍中尚無記載，呂雉曾患掖傷，四月餘死，頗似癌瘤。

眼病方面，據說項籍曾患重瞳症，任永馮信則託青盲，不作公孫述的官。其次瞼緣炎當時稱爲贉。

二、診病方法的確立

公元前二世紀淳于意從其師學醫時，主要學脈書，五色診，藥論，古方等。他教學生也以經脈五色診爲主，學習所需期間，大約一年到二年。望色和切脈方法，必需在醫學發展到相當階段，才有寫成專書的可能。由此不難推知公元前二世紀這兩種診斷法已經確立起來。可惜這種專書皆已佚失，現在僅能從黃帝內經素問裏找出一個輪廓。

望色

醫生看病第一是憑藉自己的觀察，而最容易觀察到的便是病人面目的顏色，例如肺結核病人的白色，黃胆的黃色，皮下溢血的黑色，發燒病人的紅色，心臟病人的青色。中國醫書的望色斷病主要是觀察面部顏色。面部又分目，鼻、舌、唇、耳、齒、眉、髮等，通稱爲五色診。爲公元前三世紀學醫必修的科目。

其次病人的肥瘦，眼臉、以及足部的浮腫，喘息，痙攣（痰癎，戴眼、舌、捲、卵縮）等，全是易於看出的症候。在素問上也屢次提及，並且說：「能合色脈，可以萬全」，又說：「望而知之謂之神」，意思是說醫生要會望診和切脈，便可以斷病無誤。

這種望診的方法本來是醫生看病最可靠的方法，中世以後，中國醫學被玄學所佔據，得不到正當的發展，宋時出現的靈樞五色篇，竟有「五色獨決於明堂」的說法，於是五官（鼻、目、脣、耳、舌）成了五臟的代表，穿鑿附會，脫離實際，而且望診僅注意面部，忽略整體。更有五種體質的說法，（靈樞二十五人篇），尤其荒誕不經

切　脈

切脈是中國公元前六世紀已知的方法，發展到素問著作的時代，切脈已成爲專門技術。最初憑切脈以斷生死，現在進而爲診病所必需。醫生切脈最初選擇三個部位，就是頭部顳顬動脈，手部撓動脈，足部脛前動脈。這三部是人身上動脈暴露於皮下的部分，必須經過多年經驗才能認識。素問上所說的三部九候，是由動脈所在的部位想到與附近臟器的關係。例如上部候頭角，口齒，耳目之氣，中部候肺胸心，下部候肝腎脾胃 。這種解釋，在解剖學不發達的時代，是很自然的結果。但是切上下兩部脈不方便，而且不如撓動脈的顯露，並且由經驗下知道僅切手部動脈的功效與切三部脈相等，因此到了公元二世紀醫生切脈只候手部。這是從實際經驗上改進的方法，張仲景雖然有「握手不及足」的批評，但是以後的醫生仍然僅切中部，而不肯切上下兩部。後來玄學家爲了符合三部九候的說法，更將撓動脈露出部分爲寸關尺三部，每部又分浮中沉三候，用以辨別各種內臟之病。這種憑空想像的說法，完全與實際脫離，毫無價値可言。

脈的種類由於人死則脈搏跳動停止，於是想起切脈以斷生死。後來醫生才能漸漸區別有關生死的幾種顯著脈，如脈搏的形狀（大小，浮沉）至數（滑濇）和節律（代散）。素問所記的脈名大約有二十種，但是牠說能用手指區別的只有六種，即大小滑濇浮沉。這裏所說的滑濇就是快慢。這種記載是很質樸的。其餘的十幾種脈因爲不容易分辨，所以素問所用的名字，各篇不能一致，例如毛浮，石沉、溜滑、緊急、軟弱、緩遲等，顯然是異名同物。這部書的學說前後往往不同，可見是集合多人著作的叢書了。公元前二世紀淳于意所記的脈名和數目與素問所記很相近，大約是因爲著作時代相近的緣故。到了公元

後二世紀，張仲景傷寒論所記錄的數目仍然相近，名稱也大致相同。玆列表如下。

素問	大小滑濇浮沉遲數緊急緩堅散弦長弱細虛實代短	
倉公傳	大小滑濇浮沉遲數緊急緩堅散弦長弱　實代	躁，不一，不平，淸順。
傷寒論	大微滑濇浮沉遲數緊緩堅散弦長弱　代	動結促減芤伏濡，革。

由上表可以看出心和血管的動作和情況，凡是手指所能區別的，在公元前三世紀已被發見無遺。直到公元後二世紀凡經五百年，也不過稍加補充而已。最惹起當時重視的，是脈跳的速度，用醫生的呼吸作標準，以四至爲平脈，過多過少都是病象。素問中所說的滑濇，或遲數，和緩急六種脈，可能是醫家命名不同，實際上僅指快慢罷了。尤其重視脈跳的節律，例如散（不一）代（不平），而傷寒論更將代分爲結促兩種，便不易感覺了。其次是血管內的含血量則以脈的大小區別，血管的張力，則以浮沉區別。

脈與疾病的關係　素問關於脈的討論，大部分是有關生死異常顯明的脈象，例如速度過快、過慢、不一律等。其次用以區別病的虛實、寒熱、新舊、出血、疼痛等。所以素問上對於切脈的討論，偏重脈搏與全身的關係。傷寒論仍然推演素問理論，更進而總結了脈象與症狀與用藥的關係，是一大進步。

總之我們祖先在公元前三世紀已認出心血管變化的重要，竭力從切脈方面尋出脈搏與生死疾病的關係。以後循此前進，用切脈作治病的參考，並能作出若干正確理論。這種發明，誠然是人類與疾病作鬥爭的過程中，最偉大的供獻。因此公元七世紀日本人首先學習這種診斷法，十世紀亞拉伯人，十二世紀印度人的醫書也先後採取這種診斷法。切脈斷病法是中國人對於世界醫學上偉大貢獻之一。

三. 有效藥物的發見

中國最早的方書見於記載者，是公元前五六世紀長桑君的禁方書，曾教給扁鵲。到了公元前二世紀淳于意學醫和教徒弟時都學藥論。可惜這些書都已佚失，無從知道其中內容。不過我們可以推斷秦代以後，醫生已能應用多種有效藥物治病，則是毫無疑問的事。到了公元前26年（成帝河平三年）李柱國校方技時，共收集醫方11種，274卷，可見方書的數目已然很多。

現存中國第一部藥書神農本草經，大約著於公元前一世紀前後，其中載藥365種，除去重複，共得347種。其中包括草、穀、菜、果、木、家畜、蟲、魚、金石等。假使除去毫無藥效日常習見的品目，大約共二百種左右。公元二世紀，張仲景所著的書內共用藥170多種。這兩個數目很相近，大約是漢代醫生所能掌握的藥物。

續後漢書百官志，載有藥丞方丞各二人，藥丞主藥，方丞主方。可見公元一世紀以後醫藥已成爲兩種職業，此時藥學已相當進步了。

這些藥物都是來自人民多年的經驗，簡易而且有效。後來中國本草雖然增多五六倍內容，但是這二百種藥仍佔主要地位。所以漢代神農本草經是中國藥學發展的基礎。

最易發見的藥效便是吐，瀉和解熱。公元前二世紀淳于意已善於使用瀉藥，和解熱劑。張機更明指出汗吐下三劑。當時所用的下劑爲大黃、芒消、巴豆，等。解熱則用葛根、黃芩、知母、桂枝、麻黃、柴胡等。吐則用瓜蒂、梔子。這些藥直到現在仍然被利用着，其中大黃、芒消、巴豆和麻黃已成爲世界通用的藥。大黃在十五世紀傳到歐洲，時人視爲珍品，直到十九世紀皆爲我國出口藥物之一。麻黃止喘尤具卓效。可見現代醫學的成就，受賜於我們祖先的智慧者甚多。

至於止痛和鎮靜，主用附子和杏仁，其中杏仁是現在世界上仍然通用的鎮咳藥。附子爲公元前七世紀已發見的毒藥，但是用作治病尚須經過一個時期。他的多種藥效曾廣被使用，並有烏頭天雄天錐，側子，烏喙等名稱，現已知其確有興奮神經和強心作用。

其次有利尿作用的茯苓，澤瀉，葶藶等也被發見了。健胃則用黃連，薑、甘草、棗、葱白、陳皮等。治痢用白頭翁，黃連，抗瘧用蜀漆（常山），治疥癬用水銀硫黃。這些藥皆爲現代仍然應用，而且有確效的藥。

此時雖然不斷與朝鮮，安南，日本，羅馬（大秦），印度（天竺），波斯（安息）交通貿易。但是輸入的藥材，仍然很少。所以此時通用的藥物，仍然限於國產藥材。

就藥的形式來說，公元前二世紀已有湯、散、丸、藥酒。湯主用於五臟六腑的病，意思是洗去臟腑的病。散主用於四肢病，意思是逐散邪氣。丸藥主用於風冷積聚堅癖一類的病，意思是用丸攻破那些病，藥酒是驅除體內寒氣的意思。方士爲了長生煉丹砂一類的藥，稱爲丹藥，因爲漢代服丹的風氣很盛，所以王君房賣丹藥，成了巨富。後來稱紅色粉藥叫作丹。又華陀於手術後，縫合完了便敷以神膏，可見漢時已知用膏藥了。

四、漢代三大醫家

首先記載病歷的淳于意

淳于意臨菑人，生於公元前第三世紀之末，曾爲太倉長，故號太倉公。曾學於公孫光和公乘陽慶。弟子有宋邑、馮信、高期、唐安、杜信等。

史記倉公傳共載病例二十五，稱爲診籍。據說診籍係備稽核診斷當否，對證脈法得失。在診籍中皆註病人之里居病狀，所施何方藥，所診何時。爲後來病歷的起源。也是醫學進步的重要資源。

對於診斷頗注意切脈及五色診。自謂不能無失。現在就他的診籍 25 例來說，死者多至十例，可見是坦白眞實的記錄。

他的診籍中，記有胃腸病，熱病，中風（杳風）蟯蟲病，腹泄（迵風）腎炎，齲齒，疽，嘔血，不乳等。因文字簡略，古今病名不同，只能約略推知，不能確定。

對於病原方面，指出酒和色最爲重要。其 25 醫案中認爲由於酒色發生者 11 例。至於酒色所以致病則歸之於內臟之氣不調。對於蟯蟲的生成則謂由於寒濕之氣所化。

吾人由診籍中，更可推知漢初治病已趨重於用藥。例如他所記 25 例多用藥治，與素問難經偏重鍼灸者顯然不同。至其所用的藥物爲何，因文獻不足，無從斷定。但知盛行使用瀉劑，例如下氣湯，火齊湯，半夏丸等。更用莨礍催乳，芫華驅蟲，苦參湯嗽口，藥酒發汗等。

醫聖張仲景

張機字仲景南陽人，生於公元二世紀，學醫於張伯祖。華陀讀其所著傷寒論，稱贊他是活人書。當時的人尊他爲［醫中聖人張仲景］。

張仲景的著作，仍存於世者有傷寒論和金匱要略。這兩部書是古代醫方中惟一傳留到現在的書。又是中國流傳最廣的書，從公元二世紀到現在，一直被中國醫生奉爲治病南針，其影響於中國醫學者，實在任何醫書之上。傷寒論包括一切傳染病，金匱要略是記載傷寒以外的病。

他按症狀脈形等，將傷寒分爲三陽三陰六大類。每類更就不同之症狀分爲若干亞類，也就是將所能觀察的症候羣，分類記載下來，更於每種症候羣下附以治法。例如脈

圖 1.　河南南陽縣醫聖張仲景墓表

浮、發熱、出汗、惡風，是太陽經中風，卽授以桂枝湯，脈浮、發熱、惡寒、體痛、惡心等是傷寒，卽授以麻黃湯等。

對於病原的解釋，主張因四時之氣不正，能使長幼多人患相似之病。更隨季節有傷寒、春溫，暑病等名稱。

治病有汗吐下三法，並指出三法的適應證和禁忌證，爲醫家立一準繩。傷寒論內載 113 方，金匱要略內載 262 方，能運用之藥品共 170 餘種（據本經疏證）。至於傷寒論之 113 方，可歸納之爲十一二類，每類之方雖多，彼此僅有一二味不同。

對於衰弱和發高熱的病人，不用瀉藥，免招危險，使用蜜或豬膽汁灌腸。救卒死則用種種刺激法，如薤汁灌鼻，吹皂夾末於鼻內等。對於縊死則行人工呼吸法。解毒飲大量水稀薄毒質，並瀉下之。更根據經驗記載飲食禁忌，例如禁食疫死獸肉，穢飯，臭魚等。

圖 2.　華佗　據北京故宮博物院歷代名臣遺像

外科鼻祖華陀

華陀字元化，沛國譙人。生於公元 112 — 212 之間。因恥於服侍統治階級，卒被曹操所殺，是歷史上最有骨氣的醫生。關於他的醫術，後漢書方術傳稱：

「精於方藥，處劑不過數種，心識錙銖不假稱量。鍼灸不過數處，若病發結於內，鍼藥所不能及，乃令先以酒服麻沸湯。卽醉無所覺，因刳破腹背，抽割積聚。若在腸胃則斷截湔洗除去疾穢。旣而縫合，敷以神膏。四五日創愈，一月之間皆平復。

由這段記載可見華陀已知應用麻醉法，並行開腹手術。據文獻所記，他曾開腹術二次，施行全身麻醉三次。華陀爲我國公認之外科鼻祖，曾否施行開腹術，頗爲後人懷疑，甚至有人謂華陀傳由於附會佛經神話所成。但華陀傳所載二外科病例，一爲探取死胎，一爲普通剖腹。古代醫生如果技術純熟，皆能施行剖腹產術，此在世界醫學史上並不鮮見。例如巴比侖，印度，很早卽有此種手術記載。可惜華陀著作，無一本留存到現在，無法確證他曾否行過這類手術。現存的中藏經和內照法，經人考據是後人僞造的。

華陀弟子有吳普李當之和樊阿。吳普李當之皆著有本草，樊阿精於鍼灸，都成爲名醫。

一 文　獻

公元前26年李柱國校方技一類的書，共得醫經七家，醫經是講醫學理論的書，計有黃帝內經外經，扁鵲內經外經，白氏內經外經，旁篇。這些書雖都佚失，但是據藝文志說：「醫經者原人血脈，經絡，骨髓，陰陽，表裏，以起百病之本，死生之分，而用度箴石湯火所施，調百藥齊和之所宜。」可見內容與現存的素問、難經相符合。

經方是講藥物治療的書，對於痺（風溼）疝（心腹氣病），癉（黃病），風寒熱，五臟傷中皆有專方，可見這些病在那時常見。更對於精神病（客疾五臟狂顚病方）外科病（金創瘲瘛方），婦嬰病（婦人嬰兒方）皆有專書。另外還有秦始黃帝扁鵲俞拊方，湯液經法，神農黃帝食禁。

此外還有房中和神仙一類的書。

以上是專指公元前26年所有的醫書。至於

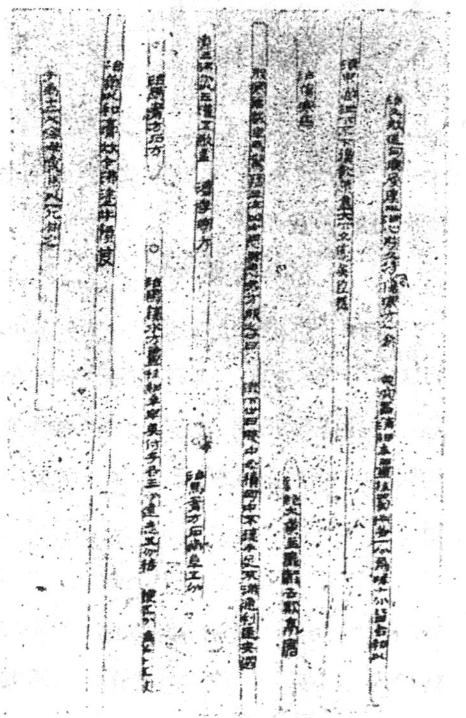

圖 3.　漢代醫方木簡　（據羅福頤西陲古方技書殘卷彙編）

公元後三世紀初年的醫書，當然還要多，可惜文獻不足，沒有法子知道當時情形。留存到現在的，止有張機的傷寒論和金匱要略。

五、社會醫學

封建社會，統治階級已知用醫藥來麻醉人民，鞏固自己的政權。前168年鼂錯曾說「臣聞古之徙民者……爲置醫巫，以救疾病」事實上秦漢時代人民的醫藥，統治階級從不過問。因爲傳染病流行，威脅過甚，統治者爲了自己安全，所以每年春季舉行逐疫的儀式，由童男執行，叫作侲子。這種侲子多到120，到109年才減去一半。

公元二世紀末年連續五次大疫，劉宏（靈帝）曾在171，173，179年派醫生巡迴診視，但是人民需要醫藥照顧的情形非常迫切，這種敷演巡視，當然不能滿足人民願望。張角看到這點，182年又逢大疫，他遂創立太平道教，畫符念咒，給病人治病，自然得到人民的信仰，終於184年領導農民暴發了革命。

人民對於衛生工作此時有很多供獻，例如浴盆、水車（翻車）吸筒（喝烏）的製造，廁所的修建，都足以表示衛生技術的進步。

醫生學醫是師徒傳授的制度，此由漢代三大名醫的傳略，可以推知。學成便賣藥爲生，後漢時壺公賣藥，用葫蘆盛藥，後來稱醫生開業爲懸壺，意思乃是掛起葫蘆（壺）賣藥。這時大部醫生仍然兼製藥，醫藥兩種職業還沒有完全分開。勞動人民對於醫生很崇敬。平常醫生看病照例收些醫藥費，有的醫生不收藥費，則病人於年節

圖4. 漢代的廁所（據漢墓殉葬實物）

送些禮物，或用其他方法報答。例如三世紀時，董奉治病不收錢，但是病人於愈後，就給他種杏樹一株，作爲紀念，後來他的住宅附近成了杏林，直到現在盧山杏林仍是醫界佳話。漢代醫學顯然是在這類人民鼓勵下漸漸進步的。

這時爲統治階級服務的醫生叫作侍醫，秦嬴政的侍醫夏無且在荆軻刺秦時，提藥囊投擲上，可見侍醫是隨侍皇帝左右，如同僕役一樣。統治階級看不起醫生。前 195 年，劉邦中流矢，呂后請醫生給他治。他竟嫚罵醫生，說命在天，扁鵲也無用，不肯醫治。一世紀末年劉肇（和帝）也不信醫生會切脈，三世紀的曹操徵用華陀去治病，他不肯去，曹操竟罵醫生是鼠輩，並且殺了他。這些都足以說明醫生在封建社會的地位很低，也是醫生與統治者鬥爭的一幕。

秦漢時代尙無醫學校的設置。所以皇帝的侍醫在漢朝是從各地選舉來的，例如前 43 年（永光元年）曾選舉從官，醫師是從官的一種，也就是選舉醫師。又如公元後五年（元始五年）曾令天下選舉精通方術本草的人。這些足以說明秦漢時代的醫學，完全是勞動人民所創造，統治階級僅是坐享其成罷了。

統治階級爲了保護自己生命，任意向民間徵用良醫，後漢書百官志載：太醫令下有藥丞方丞，還有員醫 293 人，員吏 19 人，這樣多的醫生全是爲皇帝一家服務的。但是對於人民的疾病，則從不關心，絲毫沒有醫藥設施。

總　　結

1. 秦漢是中國歷史上最偉大的朝代，由於政治統一，經濟繁榮，農業進步，工業發展，方士服食，疆域擴大等。醫學迅速發展起來，奠定了中國醫學的基礎。在疾病認識方面，對於急性傳染病如天花霍亂傷寒瘧疾等均已能區別。其次如糖尿病，中風，三叉神經痛，亦皆已記載。

2. 對於望診和切脈貢獻甚大，公元前二世紀已有專書討論，並且是當時醫生必須學習的技術，所用時間由一年到二年。這種診斷法，在七世紀以後即傳到亞洲其他民族，如日本印度亞拉伯等。所以切脈法是中國對於世界醫學最大貢獻之一。

3. 中國第一部藥書神農本草經載藥 347 種，主要來自農民的經驗，爲中國藥學發展的基礎。其中藥物，多數仍被中國醫生應用於治療，並有若干種被世界各民族所採用。例如大黄、麻黄的應用，完全是來自我們祖先與疾病作鬥爭的經驗，可見現代醫學得有今日成就，實在包括中國人的智慧在內。

4. 陰陽五行的循環命定論，到了秦漢已成醫家一致的信仰是封建社會思想意識的反映，所以中國醫學直到封建社會解體，才能脫離這個圈子。

5. 臨證醫學秦漢時代已有輝煌的成就。例如淳于意創制診籍，張機輯錄醫方，華陀精於外科，較比同時其他民族的醫學，均有過之，而無不及。這一點足以證明我們祖先有充分智慧能防治疾病。

參考書

中國歷史研究會	中國通史簡編	1949	新華書店
陳邦賢	中國醫學史	民26	商務印書館
李　濤	醫學史綱	1940	中華醫學會
陳高傭等	中國歷代天災人禍表	民28	暨南大學叢書之一
神　農	神農本草經	光緒30	顧觀光刊
黄　帝	黄帝內經	光緒3	浙江書局
張　機	仲景全書	光緒20	崇文齋鄧氏
司馬遷	史記：秦本紀，項羽本記，漢高祖本紀，呂后本紀，扁鵲倉公列傳，刺客列傳。	光緒4	金陵書局
班　固	漢書：成帝本紀，平帝本紀，王莽傳，藝文志	同治8	金陵書局
范曄，司馬彪	後漢書：光武本紀，司馬相如傳，方術傳，百官志，	同治8	金陵書局
陳　壽	三國志：魏武帝本紀，華陀傳，士燮傳	同光8	金陵書局

蘇聯免疫學奠基人伊·伊·麥赤尼可夫生平事業簡介(附年表)

馬堪溫

伊·伊·麥赤尼可夫(И. И. Мечников)的名字是蘇聯科學的光榮傳統的確證。他的成就不僅對於蘇聯人民和科學界有特殊意義，並且對世界科學也有不朽的意義。他一生都貢獻給一個最崇高的目的——改進人類的生活和促進科學的進步。他是一個把自己的全部精力都貢獻給科學的學者，是把自己的世界觀放在深信科學是眞理的源泉的思想家，是堅持爲保護和延長人類壽命的。他的生活就是一篇在自然園地裏奮鬥和冒險的故事，名利和地位從未佔據過他的腦子。

麥氏具有和深湛的理解相配合的巨大觀察和直觀的天才，他是一個天生的動物學家，自幼對於四週的事物就有無限濃厚的興趣。1845年5月他生在小俄羅斯哈爾科夫(Харьков)鄉村，他有兩兄一姊，他最小。孩提時代就迷戀自然，喜歡動物，並愛好搜集植物，常常召集哥哥和同伴們聽他講演。自己的零用錢都用來購買博物書籍。有一次爲了捉一隻水蛇，失足落水，幾乎喪命。他的終身事業在兒時就似乎已經註定了。

1856年他進入哈爾科夫中學，因爲在各方面都努力，很快便被列入光榮學生的名列裏。他曾聚集了一些喜愛自然科學的小朋友，打算編一本自然科學百科全書，並爲了讀德國哲學家的書籍，學習德文。15歲時因爲強烈的求知慾的驅使，偸偸地跑到哈爾科夫大學旁聽比較解剖學。這時得到一位年青的生理學教授指導，學習了組織學，更由於醫學生的幫助，能有機會利用顯微鏡。16歲時他寫了批評哈爾科夫大學教授的地質教科書的文章，投到「莫斯科雜誌」上。中學畢業時，因爲成績優良，得到金質奬章。他隻身跑到德國，想去符次堡大學學動物學，費了好多週折才到了那裏，不料正趕上假期，只好敗興而歸，但他却在來比錫買了許多新出版的書籍，其中有達爾文的「物種原始」。這時他只好進入哈爾科夫大學學習生理。1863年他發表了「關於鐘蟲的鞭毛」一文，曾引起著明生理學家九恩(Цион)氏的批評。他努力讀書，在兩年中居然讀完大學四年的課程。1864 年爲了準備碩士論文，去黑爾郭蘭 (Гельголанд) 島研究生物的種系學。他的熱誠引起一些德國科學家的重視，他因爲不肯向父母要錢，以致經常吃不飽飯。他在吉深 (Giessen) 地方自然科學家會議上宣讀了去黑爾郭蘭島的研究論文，同時結識了著名動物學家李加爾特 (Лейкарт)。他利用李氏假期，在他的實驗室工作，發現了線蟲之間歇性繁殖。這個發現竟被李氏竊取獨自發表了，他揭穿了李氏這種行爲，便離開吉深。但這一階段的研究工作却給他奠定下比較胚胎學的道路，在吉深的研究工作，又是他後來研究渦蟲類的細胞內消化的開始。這時他獲得公費在國外學習的機會，便去意大利納波里 (Naples)，結識了年青的動物學家亞利山大，寇瓦連夫斯基 (А. О. Коваленвский)，並在一起研究比較胚胎學，因爲對科學的共同熱愛，使他們結成終生好友。1867 年他們在一起得到貝爾 (Бар) 獎金。他更結識了生理學家謝巧諾夫氏，由於思想上的接近和學術上的切磋，使他們建立了終生的友誼。謝氏鼓勵他從進化的觀點上研究低等動物的胚胎學，這種偉大啓示，是他終生不忘的。他在晚年所著「謝巧諾夫回憶錄」，便是爲紀念這位科學界的偉人。

伊・伊・麥赤尼可夫在他的實驗室中

爲了研究，他在歐洲跑了好幾處，在納波里他發現頭足類和脊椎動物的幼卵相同，證明了高等動物和低等動物在發生學上的聯繫，並以此題寫成論文發表。1867 年返回俄國，先後在奥得薩 (Одесса) 和彼得堡大學任教。1869 年和劉德米拉·瓦西里耶夫娜·費德羅維奇 (Людмила Васильевна Федорович) 結婚，感情甚篤，但不幸愛妻於 1873 年病逝。他受了很大刺激，此時因過於勞累，健康狀況已很壞，目力減退和羞明，只能在薄暮去室外研究蜘蛛和蝸牛；他甚至發出「活着爲什麽？」的悲觀聲調來。但科學拯救了他，由於他堅毅的性格，他把整個的希望全放在工作上。不久他遇見奧列加·尼可萊夫娜·別羅柯不透娃(Ольга Николаевна Белокопытова)，並於1875年結婚，成爲他終生工作伴侶。從1873－1882年他把全部精力貫注在奧德薩大學的教學工作上；他教書深入淺出，很受學生歡迎。但學校中反動派忽視科學，他便領導同仁爲科學而鬥爭。後來學校情形越發惡劣，甚至不能繼續教學和研究工作，最後他只好離開奧德薩大學。

1882年他去意大利墨西那(Messina)，他喜歡當地的海景，尤其是海裏出產豐富的動物。這一段生活是他研究細胞吞噬作用的開端；他日後一直紀念着。他寫到：［在墨西那我的科學生活發生了重大改變。我由一個動物學家突然變成一個病理學家；我走上一條新的路，這條路成爲我日後工作的主要內容……］。他是一個週密的觀察家和勤勉的研究家。下面是他自述引起發炎理論的思想過程：

［一天全家都去看馬戲，我一人在家守着顯微鏡，觀察海盤車幼蟲(Starfish larva)的遊動細胞的生活。突然腦子裏出現了一種新的思想。我想到同樣的細胞可能幫助機體抵抗侵入的異物。我感覺這件事異常有趣，興奮得在屋子裏走來走去，甚至跑到海濱去整理我的思想。

我對自己說假如我的想法是對的，那麼一個木片刺入海盤車幼蟲體內，應當立刻就被遊動的細胞包圍上……。我在花園中一棵小坦支系(Tangerine)樹上摘下一些玫瑰刺，刺入一些海盤車幼蟲皮下。因爲實驗結果，那一夜興奮得睡不着，次日絕早我知道完全成功了。這個實驗成爲細胞吞噬作用理論的基礎。爲了發展它，我貢獻了以後25年的生命。］

這一年夏天，他利用休假寫成第一篇關於發炎反應和低等動物中胚細胞對細菌的消化論文，並按［吞噬細胞］的希臘原文［Phagocytes］命名。

1885年巴斯德氏發表了狂犬病接種法。奧德薩城建立了一個細菌研究所，麥氏被委任爲研究所主任。他埋首於傳染病的研究，但環境很不利，正如他自己所說：［從上面、下面、從四面來的困難］迫使他在1887年離開俄國。他先到維也納，又去巴黎見到巴斯德氏。當時正是許多人攻擊他的細胞吞噬作用學說的時候，但巴斯德氏對他全力支持。他自己這樣記述和巴氏的會見：［……他很親切地接待我，立刻就談起我最感覺興趣的關於機體和細菌做鬥爭的問題］。巴氏對他說：［我一下子就擁護你……我相信你的道路是正確的。」

他決定留在巴斯德研究院工作。巴氏時常到他的實驗室看他的實驗，有時去聽他關於發炎理論的講演。後來巴氏因身體不好，不能外出時，麥氏就每天去看他，告訴他實驗的成績和進展。他領導研究院中最大的實驗室，由於他博學多才，對人誠懇幫助，他受到很大的崇敬。雖然他已是富有經驗的講演家，但每次上堂都要用最大的精心準備；他的講演永遠富有意義；他和學生們的感情有如父子。在巴斯德研究院工作了 25 年，最初是發展吞噬作用理論和爲之做激烈的奮鬥。當時李斯特氏（Lister）已承認他的理論，但反對者仍接踵而來，科賀（Koch）氏便是其中一個，麥氏對每一個批評和攻擊都以新的實驗回答，他的理論也越發明朗廣闊。他努力研究疾病的發炎作用，並做了許多演講，在 1891 年發表了「炎症之比較病理學講義」後，他的鬥爭才漸告終結。從此，他又研究發熱和霍亂。1895年證實了機體抵抗細菌主要靠吞噬細胞，更致力研究傳染病中吞噬細胞對毒素的作用。1897 年在莫斯科國際科學會上他做了吞噬反應的抗毒作用和關於鼠疫問題的報告。這一次他揭發了自然的規律，證實醫學是人類和自然做鬥爭的工具。此後他更發現小噬細胞和巨噬細胞，知道吞噬細胞不僅存在血內，且存在於肝、脾、腎等器官內。他研究免疫學，認爲傳染病的免疫和細胞的生理互相聯繫，卒於 1900 年在巴黎國際科學會議上發表「20 年來對傳染病的免疫性研究。」

1895 年巴斯德氏逝世，麥氏受到很大刺激，於是他開始注意健康，認爲「要了解生命，必須活得長久，否則就好像在一個先天性盲人面前擺上美麗的鮮花一樣」。他於是從事研究衰老和死亡的問題，認爲這個問題必須解決，而且一定能夠解決。1901 年他在曼徹斯特（Manchester）做「人體腸內植物」講演。他更研究頭髮衰落，動脈硬化，用自己所得的獎金購買猿猴做梅毒接種實驗；他研究乳酸，研究人性，深信科學可以解決這些問題，曾發表「人性論」(1903)和「樂觀主義」(1907)二文。1908年他和亞耳利喜氏(Ehrlich)同得到諾貝爾獎金。1909 年回俄國，到處受到尊敬和歡迎，同時他與托爾斯泰（Л. Н. Толстой）在一起談論哲學和科學問題，托氏對他說：「事實上，你我是從不同的道路上走向同一個目標。」

麥氏晚年仍然精力充沛，繼續研究腸內植物，嬰兒腹瀉，食物和營養以及傷寒等，領導去阿斯特拉汗（Астрахан）草原考察結核病和鼠疫，並發表「40 年來找到的正確世界觀」一書。70歲時發表「謝切諾夫回憶錄」和「現在醫學奠基人」。不久因心臟病發作臥床不起。在病中仍然惦念研究工作和他的學生，直到他停止呼吸爲止，一直沒有放棄對科學的確信。他於1916年7月15日逝世，享年72歲。

麥氏以寶貴的貢獻豐富了科學的世界，以非凡的工作和貫澈一致的思想，解決了一系列的生物學和動物學上的基本問題，同樣也解决了病理學和醫學的許多根本問題。他的科學工作可以分成兩個時期：從1863年18歲時發表第一篇科學論文起，到1883年，是他研究動物學時期；從1883年到逝世爲止，是病理學時期。然而，這兩個時期研究的主導思想和方法是互相聯繫着的。他貫澈了達爾文主義的進化思想，努力去尋求一切生等動物現象的統一性和連續性。他的研究從簡單到複雜，從低等動物聯繫到高等動物；從低物的胚胎，一步步地尋出高等動物的胚胎發展，給胚胎學創下基礎。他根據動物進化的統一規律，尋出有脊椎與無脊椎動物進化之間的原始聯繫。由於應用比較方法，他不僅熟悉了不同機體在形態和功能上的聯繫，並且熟悉機體細胞的組成。因之在確定多細胞動物的遊動細胞能包圍異物後，便很自然地認爲這種現象和單細胞動物的消化一樣。結果在確定低等動物的細胞內消化後，又引伸到高等動物，從而產生了吞噬作用的理論。於是又推想到和原蟲相似的白血球，是否也可能在體內起抵抗作用。他除觀察了用玫瑰刺刺入海盤車幼蟲體內的現象外，又觀察到一種透明甲殼類動物(Daphnia)的遊動細胞把侵入的被寄生菌(Monospora bicuspidata)包圍，由於觀察到發炎和聚膿，而引伸到高等動物的發炎現象，於是確定了吞噬細胞。他既已進入病理的領域，便開始研究傳染病的易感性和免疫性；他證實了動物的易感性是細菌進入體內可以自由行動蔓延，而免疫性是吞噬細胞可以消化細菌。他更發現人工免疫，吞噬細胞能吞食細菌和它的毒素，因而進一步確定細胞吞噬作用和發炎是機體的治療方法。他以後對吞噬細胞的種類和性質，它們的消化液，抗毒素的形成以及血液的不同性質等研究都是上述思想的自然發展。而他對於衰老和死亡問題的研究，又建立了長壽問題的基礎。

麥氏不僅是科學家，同時也是偉大的思想家；他的哲學思想的進展和科學研究是平行的。他研究生命現象的規律和統一性時，發現它們的協調有時被內部環境和外界環境的對抗所破壞，而發生不幸的結果，他覺得人來自動物，人性中充滿着不協調，因之，年青時曾一度悲觀。可是他是科學家，他有堅強主動的性格，他不滿足於僅僅被動的接受事實。他從事研究人性中缺少協調的原因和克服不協調的方法。漸漸他認爲人性中最大的不協調是生活的正常軌道被破壞和早衰以及死亡等原因所致。他相信科學可以防止衰老和早衰;他的樂觀主義哲學基礎就建立在相信科學的力量上。「只有正確的科學,可以指出人類眞實的道路」,「只有科學能解答生存的問題」,這種有力的思想和希望便是他研究工作的導路星,使他忘我的爲科學鬥爭,爲人類的幸福而生活,而工作。「人可以做出偉大的事業;…… 人常以爲沒有信仰是不能生活的,但人的信仰必需是對科學力量的信仰。」因之他從低等動物的發生研究起,用邏輯研究它們的整個發展,從最初的細胞內消化問題,達到最高的人生問題。沒有一個生命問題對他是漠心的。他站在許多革新家的行列裏,在自己的研究中貫澈並發展了達爾文主義思想,建立了新的科學——比較胚胎學和比較病理學;他站在爲毀滅一切疾病而鬥爭的前線,建立了第一個詳盡無遺的免疫學理論。他頑强地對抗了一切攻擊,用新的成就回答了每一個批評。他愛科學甚至超過自己的生命,他不惜把回歸熱接種在自己身上。他把72年的生命都交給了科學和人類的幸福,科學史上將永遠牢記着他的忘我精神和成就。「和偉大的生命問題比起來,我感到自己如此微小,總有一天科學會解决這個問題的。」在臨終時他仍然說出這樣對科學的堅强信仰。偉大的生理學巨人巴甫洛夫說得好:「科學要求人的全部生命。」這句話對麥赤尼可夫來講是完全相當的。

伊·伊·麥赤尼可夫的生平事業年表

1845年	5月3日(俄月曆15日)伊·伊·麥赤尼可夫生。
1856年	進入第哈爾科夫(Харьков)中學。
1862年	寫成對雷瓦柯夫斯基(Леваковский)地質教科書評論。
	中學畢業並獲金質獎章。
	去德國旅行。
	進入哈爾科夫大學。
1863年	在夾爾柯夫(Щелков)教授生理實驗室工作。
	第一次獲讀達爾文「物種的來源」一書。
	發表第一篇科學論文「關於鐘蟲的莖」。

1864年　回答九恩(Кюн)教授對其［關於鐘蛛蟲的巢］一文的批評。

大學畢業。

去黑爾郭蘭(Гельголанд)島。

1865年　由恩·伊·彼洛郭夫(Н. И. Пирогов)幫助獲公費出國學習科學兩年。

發現線蟲之間歇型繁殖。

與赫爾岑(Герцен)相識。

與阿·奥·寇瓦連夫斯基(А. О Коваленвский)一起工作。

開始一系列的比較胚胎學的研究。

1866年　揭穿李加爾特(Лейкарт)教授的抄襲行爲。

與謝巧諾夫相識。

在西歐各國實驗室工作。發表10餘篇科學著作。

1867年　考碩士學位。

在奥德薩(Одесса)大學做助教。

與阿·奥·寇瓦連夫斯基同獲貝爾(Бэр)獎金。

1868年　轉到彼得堡大學去做助教。

考博士學位。

1869年　與劉德米拉·瓦西里耶夫娜·費德羅維奇(Людмиле Васильевна Федорович)結婚。

發表許多科學研究論文。

在醫學院遭到反動教授反對。

1870年　第二次得到貝爾獎。

1871年　因妻病隨同去瑪吉爾(Мадер)島休養。

發表許多科學著作。

1872年　被請至奥德薩大學做普通教授。

1872～1882　在奥德薩大學講授動物學及比較解剖學。領導進步教授們爲科學自由做鬥爭。

1873年　發表許多關於比較胚胎學論文。

1874年　繼續胚胎學之研究工作。

1875年　與奧列加·尼可萊夫娜·別羅柯丕透娃(Ольга Нчколаевна Белокопытова)結婚。

1876年　進行一系列的無脊椎動物學之研究。

給「歐洲通報」(Вестник Европы)寫許多關於「物種起源」的評論。

1877年　完成一些無脊椎動物學研究工作。

爲「歐洲通報」寫「人性論」一文。

1878年　從事消化系統的研究。

1879年　繼續無脊椎動物消化的功能的研究。

1880年　研究細胞內消化。

1881年　繼續細胞內消化之研究。

1882年　因不滿奧德薩大學的反動行爲而辭職。

研究低等動物細胞內消化。

用玫瑰刺刺入海盤車幼蟲體內，因此試驗創下多年吞噬細胞的研究基礎。

1883年　在奧德薩俄國自然科學家和醫生代表大會上發表「有機體的整體力量」演說，在演講內第一次說明了吞噬細胞的研究基礎。

被選爲俄國科學院通信院士。

1884年　第一次在透明甲殼動物(Дафна)上觀察噬菌體的抗致病菌情況。

繼續細胞內消化的研究。

1885年　發表許多比較胚胎學的論文。

1886年　被委任爲俄國第一個，世界上第二個細菌研究所主任。

1887年　離開細菌研究所，發表許多關於吞噬細胞的抗菌性研究論文。

1888年　被迫離開俄國。發表結核病中吞噬細菌的作用。

1888－1905　負責巴斯德研究院中最大的試驗室。

1889年　發表許多免疫和細菌學上的研究論文。

1890年　進行傳染病的免疫性的研究。

1891年 被選爲劍橋大學名譽博士。

第三次獲得貝爾獎。

發表「炎症的比較病理學講義」。

在「歐洲通報」及「生活律」上發表對托爾斯泰哲學觀點的批評。

1892年 領導去歐洲霍亂流行地區去考察。

研究霍亂病。

從事許多比較發炎病理和呑噬細胞及免疫性的研究。

1894年 發表關於霍亂的研究。

1895年 繼續傳染病之免疫的研究。

1896年 發表許多關於傳染病之免疫性研究論文（關於毒素——微生物的毒素——和霍亂中的抗毒素）。

1897年 在莫斯科國際醫學會上做「關於呑噬細胞反應對於毒素的關係」及「關於鼠疫」的報告。

1898年 進行機體對破傷風病毒之反應的研究。

1899年 進行細胞毒素和溶解細胞的研究。

1900年 完成許多關於毒素和細胞毒素的研究。

在巴黎國際醫學會上做「關於20年來對於傳染病之免疫性之研究」報告。

發表傳染病之免疫性的首要著作。

1901年 做「關於人體腸內植物」演講，其中提出延長壽命的任務。

研究頭髮脫落問題。

1902年 從事衰老原因的研究。

被選爲俄國科學院名譽院士。

發表「人的本性簡述論文」一書。

從事腸寄生物的研究。

1904年 被選爲巴黎法國科學院院士。

1905年 被任爲巴斯德研究院名譽院長。

被選爲比利時科學院，文學藝術研究院院士。

1907年　發表「樂觀主義短文」一書。

1908年　得諾貝爾獎金。

繼續腸寄生物的研究。

1909年　回俄國。

與托爾斯泰同住在「明朗的園地」(Ясная Поляна)別墅。

1910年　繼續腸寄生物，腸病毒和血管硬化的研究，在猿身上做腸傷寒的試驗。

1911年　領導去阿斯特拉汗(Астрахан)草原研究結核病和鼠疫的考察團。

1912年　繼續腸寄生物的研究和不同營養狀況對腸寄生物的影響。

從事腸傷寒的研究。

發表「40年來找到的正確世界觀」一書。

1913年　從事腸傷寒和腸寄生物的研究。

第一次心臟病嚴重發作。

1914年　繼續腸寄生物的研究。

1915年　70歲壽辰紀念。

發表「謝巧諾夫回憶」一文。

發表「現代醫學奠基人」一書。

1916年　7月15日麥赤尼可夫逝世，享年72歲。

主要參考書

1. И. И. Мечников: Невосприимчивость В. Инфекционных Болезнях, 5 8, Москва, 1947。

2. Olga Metchnikoff: Life of Elie Metchnikoff 1845 -1916, Boston and New york, 1921。

3. Б. Могилевский: И. И. Мечников. 284--287, Москва. Ленинград. 1950.

蘇聯公共衛生的先驅者

弗萊德雷區·愛利斯曼[1,2]

恩·阿·西馬士闊[3]

愛利斯曼在俄國19世紀後半葉公共衞生的進展上起了不可磨滅的作用。他在衞生學和衞生工作上所製訂的許多基本計劃，直到今日仍有很大意義，但是他所想的和他的預見只有在今日蘇維埃政權下才可以實現。

愛利斯曼原是瑞士人，他在1869年從瑞士來到俄國。那時正是所謂﹂大改革﹁的時期，也就是在建設地方自治政府（Земство）的農村醫學的時候。愛利斯曼開始在彼得堡做一名眼科醫生。但他並沒有把自己局限在一般的治療上，而是積極地投入了眼科疾病的預防問題中，特別是關於預防學齡兒童的近視眼問題。他在這方面所做的工作，是他在俄國所最先從事的工作之一。他認爲學校中需要一種合乎衞生的書桌，他於是設計了一種叫做﹂愛利斯曼式書桌﹁，這種書桌後來一直在俄國學校裏應用着。愛利斯曼嘗試了預防工作和社會衞生工作，於是就在彼得堡毅然參加衞生工作，同時還寫了許多關於調查彼得堡窮人生活狀況等方面的論文。自此，愛利斯曼就成了一個胸懷廣闊，熱心

譯者註：

(1) 弗萊德雷區·愛利斯曼（Федор Федорович Эрисман）是俄國19世紀後半葉卓越的衞生學者之一，他堅決反對衞生學的狹隘衞生技術觀點，指出人民的衞生事業必需注意社會條件的變化。他不僅是社會醫學建設的積極參加者，還是爲衞生科學的發展而鬥爭和開闢道路的先驅者。他對於俄羅斯衞生學的供獻，謝巧諾夫氏曾給予這樣的評價：﹂在他以前，衞生學只是徒有虛名，但由他的手，衞生學才開始向許多社會缺陷和疾病做鬥爭……他從瑞士人轉變爲俄羅斯人，忠心熱愛俄國，並把自己生命中最好的年代貢獻給她﹁（見 Г. А. Баткис: Организация Здравоохранения. 65, 1948. Москва)。

(2) 本文原載於﹂蘇聯保健﹁（Советское Здравоохранение, 1944, 4—5, 26—32）上，曾由斯格里（H. E. Sigerist）氏英譯，發表在1946年第一期﹂醫史學報﹁（Bulletin of the History of Medicine）上。本文卽根據俄英原文參照譯出。

(3) 恩·阿·西馬士闊（Н. А. Семашко）氏是蘇維埃保健最初領導人之一，對蘇維埃保健貢獻頗大，氏曾任﹂蘇聯保健﹁雜誌之編輯。現在的蘇聯醫學科學院保健和醫史研究院便是以他的名字命名的。

公共事業的衛生工作者了。

當莫斯科省地方自治政府衛生委員會決定在莫斯科工廠中施行衛生調查時，人們的視線便很自然地集中在愛利斯曼的身上。他的名字在當時是唯一可以擔負這個巨大工作，最孚衆望的候選人。他在1879年到了莫斯科，便開始了多種多樣地，强有力地，不平常而且是富有卓越結果地活動。從此他便一直住在莫斯科。

愛利斯曼光榮地完成了所交給他的莫斯科工廠衛生調查工作。他和一些公共衛生醫生在一起做了六年調查工作。調查1,080個工廠和114,000名工人。對每個工人的報告都分成數部：工作史、現狀、工人成份、工人與農村人口的關係，(4) 僱傭狀況（工作日長短，工資等），生活狀況以及營養等。他雖然知道由於當時不可反抗的勞工剝削，要想做出任何急需的必要措施是幾乎不可能的，但是他並沒有把自己局限在單純的調查工作上，而是盡一切能力去籌劃改進工人生活的實際方法，這一點是具有重大意義，値得學習的。他曾寫到：「到現在爲止，工廠是被統治階級所獨佔，個人的意志統治着一切，在他們統治區域內，除了自己的命令外，不認識任何法律和規章。」

調查結果，印行了317種小册子（380頁並附有圖表），其中六册（130頁）是愛利斯曼親手寫的，他在這些報告中，指出地方自治政府對工廠衛生，工人生活環境和工人居住管理的任務。在工作方法上講，這些調查到今日仍是工廠調查工作的範例。

愛利斯曼把科學的研究與實際結合了起來，無怪乎1884年莫斯科省第一次設立公共衛生醫生職務時，便聘請了他。

這一個時期的生活對愛利斯曼的未來科學事業有極重要意義。他接觸着俄國的土地，他明瞭俄國當時的衛生狀況。因此他就决定了他的科學工作的一般性質。他本是一個瑞士人，但是極其喜愛俄國，甚至於拒絕了澳大利亞的聘任。在1886年布達佩斯舉行的第八屆國際人類學社會統計會議時，代表們爲博得主人的滿意，費了很大力氣也講不出正規的匈牙利文，而他却用流俐的俄語發表一篇熱情的演說，傳達了俄國醫生對大會的祝賀。

1882年愛利斯曼擔任莫斯科國立大學醫學部首任獨立的衛生學講座教授。學校指定給這新的學系是一間小屋子，可是他得到了自治政府的幫助。他在這間屋子中設立了

(4) 當時是一個和集體主義者在爭論俄國資本主義的發展和無產階級的根源上，具有相當政治意義的問題。

一個爲教學用的實驗室，甚至也拿來用做訓練公共衛生學的幹部。

愛利斯曼的希望實現了，1890年他在狄威其（Девичье Поле）創立了衛生研究院。他用最大的精心和最高度的熱情擬定實驗室的佈置，講堂和讀書室等等的詳細計劃。親手在研究院四周種植樹木，指導圍着狄威其診所栽種草坪，今日在衛生研究院樓前的美麗橡樹和菩提樹，就是這位創始人親手栽種的。

起初，研究院有兩層樓，1936年在蘇維埃政權下又增加了兩層。從新裝置了講堂，又建造了一座新的講堂，並且改善了整個研究院的修建。

弗萊德雷區·愛利斯曼紀念碑（在榮膺列寧勳章的莫斯科第一醫科大學衛生研究所前）

愛利斯曼的教學，科學和實際工作最輝煌的時期就在這座衛生研究院中開始。從歷史背景上看，在給予衛生學以正確的概念上，他有偉大的功績。當時在這個問題上，衛生學領袖之間——彼得堡的竇柏柔斯拉文（Доброславин）教授和莫斯科的愛利斯曼教授，曾有甚着至在今日也有教育意義的討論。

竇教授說：「一個衛生家的完善訓練，需要研究這麼多的科目，以致於使它不可能和醫學領域中的那許多科目的研究結合起來……當然，完全受了這種訓練的醫生可以變成最好的衛生學者，但是連最初級訓練也不曾受過的人，也不見得不能變爲衛生家」。

愛利斯曼對這種說法回答道：「假使我們認爲衛生學家和那些偶爾涉及到衛生學問題的物理學家和化學家一樣的話，我們就完全破壞了我們自己製訂的原則，就是破壞了一切衛生研究的基礎原則，也就是破壞了現象的研究和人的健康之間的聯繫。因爲沒有醫學上的訓練，簡直不可能估計外界因素對人類機體的影響」。……「從開頭就把衛生學和醫學的聯繫分開，或者破壞了它們之間的有機聯繫，對衛生科學的發展會有極惡劣的影響」。

賓氏和愛利斯曼的這種辯論在問題的原則上有重大的意義，並且直至今日也沒有失去它的現實性。雖然公共衛生的實踐已經完全鞏固了愛利斯曼的論點，但仍有人時常反復企圖把衛生學的範圍僅局限於一些衛生保健技術的措施上去。固然保健技術對保健工作和衛生措施是有巨大意義的，公共衛生醫生也必須熟悉保健的基本技術，但是衛生學是關於人的健康的科學，因此要想成爲一個衛生學家就必須明瞭人的生理學和病理學。衛生學家利用保健技術的進步去改進社會的健康條件，並且從事於解決保健技術的問題。同樣，流行病學家必須熟悉實驗室工作，但是實驗室的技術人員和流行病學家並不是一回事。流行病學者利用實驗室的研究方法戰勝疾疫。直到現在仍有一些衛生學家主張以保健技術代替衛生學，這樣將會妨礙衛生學成爲一門正規的教學課程。許多人認爲衛生學是「不需要的」，「乾躁的」，「死的」和「多餘的」科學——難道還不是因爲它常常與人的生活隔絕，與人的生理學和病理學隔絕嗎?

愛利斯曼不僅維護衛生學在任務上和性質上的正確地位，他還反對把衛生工作視爲一種狹窄的實驗室工作。「你認爲衛生學不是人民健康的科學，而認爲它必須只是在實驗室中解決問題，如果這樣這門科學便成爲不值得研究的東西了」。「只有把衛生學看做是研究各種影響做爲社會成員的人的健康的因素時，衛生學才有它的創造性和獨立性，若是把衛生學僅僅局限在實驗室工作中，那這種實驗工作的本身就失掉了大部意義」。

不幸，我們的衛生學專家們還沒有克服這種狹窄的實驗室看法。這種態度也在公共衛生的實際工作以及醫學校中衛生學的講授上反映出來：這就是造成這門功課乾燥的原因。因之，明瞭衛生學的研究方法對於衛生醫生來講是必須的。

愛利斯曼懂得衛生學的社會性。他在第一本衛生教科書(1872—1877)上寫道：「衛生學的直接目的是研究自然現象對於人的影響，更進一步是研究人造的社會環境對人的影響，最後去尋找減少自然和社會中一切對於機體的有害條件」。……「只有那些改進人民羣衆的保健條件或全體人口的健康條件的措施是有益的」。愛利斯曼就在他的科學和實際活動中堅持地實踐着這種社會衛生學的觀點。

做爲一個衛生學家和教授，愛利斯曼對衛生學的本性，目的和工作的這種正確了解，決定了他對衞生學所起的巨大作用。愛利斯曼並不是大學裏善於講演的人；他講話的聲音低而快。但他的講演內容是那麼有興趣，以致講堂的前排都擠滿了人，大家都努力不放過他所講的每一個字。學生們坐滿了他的講堂，在講演和實習功課中，他不肯浪費一刻光陰，從不用不需要的內容加重學生們的頭腦。在他的衞生教科書中寫到：「在教科書上，過度地塡塞了許多在本身上也許是極其有興趣的，但是對主題並不需要的，或者甚至可以認爲是離了題的材料，對於課本不但沒有意義，或者乾脆應當認爲是有害的」。誠然，愛利斯曼的這個方針到今日也沒有失去它的重要意義，我們寫教科書的人是應當記住的。

他教給學生們不要把理論與實際脫離，在這一點他是不朽的。他創立了一個與他的學系相聯繫的著名公共衞生辦公處，他的實驗室照顧着城中經常的需要。組織這種工作，爲的是建立一個中心，就像他所說的：「不僅是爲了掌握，並且還爲了做適當的和合法的措施」。他所做的關於這個公共衞生辦公處的報告，在科學上和方法上，到今日仍有相當的價值。

前面已經說過，對於愛利斯曼來講，衞生學是社會衞生，曾任彼羅郭夫(Пирогов)醫師學會和衞生學會的主席，不管在講演和著作中，他從來沒有把自己的見解隱藏起來。「在人性中沒有一種力量迫使我們認爲疾病是不可避免的」。「我們發現人的死亡是與我們不良的生活方式緊緊聯繫着的」。爲避免人對他的責難，他用寓言的方式說出這樣的話，就好像他已經預知種族論者的讕言妄語的謬見似的。「假使管獄的給犯人惡劣的食物，並且把他放在陰暗無光，空氣惡劣的潮濕地窟裏時，犯人怎能防止自己不得肺病呢？」。

當1887年所謂「包特金」(Боткия)沙皇委員會發出關於「減少俄國死亡率問題」的措置時，愛利斯曼和莫斯科公共衞生機構創始人奧斯波夫[5](Осипов)在一起，給予委員會這個官僚措置以徹底的批評。「沒有有利於文化進步的條件，我們不知道用什麼方法，和什麼特殊的萬應藥，能立刻顯著地改進人民的健康，特別是像俄國這麼大，人口這麼稀少，生活水平極低，生產發展這麼慢，而且人民又處在强烈地壓制和其他惡劣

(5) 奧斯波夫(Е. А. Осипов 1841——1904) 爲19世紀後半葉俄國著名衞生學家，地方自治政府醫學創始人之一，對地方自治政府醫學組織貢獻甚大。

環境中」。「貧窮是俄國人民最普遍的災難，雖然公共衛生對於人民健康的影響是這麼重要，但影響最大的還是經濟因素」。他後來又寫到：「個人的健康僅僅是社會健康的一部分」。

沙皇政府一直在妒疑這位危險的教授的行動，但是他們不能逮捕他，因為他是瑞士人。

最後，他們找到了一個制裁他的理由，1895—1896 年發生了學生大暴動。在沙皇政府時期，學生團體是人民增長着的對沙皇政府不滿的敏感晴雨計。憲兵無情地對待學生們，大批地逮捕他們。於是一些進步的莫斯科教授（49人）在郭沙闊夫(Корсаков)和愛利斯曼的領導下，先向當時的總督請願，然後又（40人）向公共教育部部長寫了一封「釋放全部被捕者」的呈文。

呈文的措詞很委婉；簽名的人聲言僅僅是為「誤會」被捕的人請求，而不是為「犯了政治問題」被捕的人請求。但是既使這個就足夠讓被捕的學生坐牢，並且給簽名的教授招了禍。許多教授被解職，其中愛利斯曼是頭一名。事情發生在 1896 年，那時他正在瑞士休假。聽到沙皇政府這種措施，便從此沒有返回俄國。

對於愛利斯曼來講，使他離開他在俄國所熱愛的工作是件痛苦的折磨。他寫給俄國朋友的令人感動的信便是證據。這些信，直到今日讀了沒有不受感動的。

他從瑞士寫信給衛生協會的一個會員說：「在最後的幾年裏，慢慢地，但是令人驚恐的暴風雨的黑雲遮蓋在我的頭上；但我對這個來到的暴風雨沒有辦法，因為我所能有的方法——我的光榮的目的和對於工作忠實地履行——不能使有權者滿足。暴風雨在完全意想不到的時間突然降臨。它把我從俄國的土地上掃去，把我從似乎是不可毀壞的地方連根拔去，把我扔到大海岸上，剝奪了一切我所愛的，學校的和社會的工作，朋友和同志。使我對於未來的一切計劃和所有的期望都在轉眼間變為泡影。」「對於我，生命總像是結束了，在某些程度上來講，無疑是如此，因為像我這樣熱愛莫斯科的工作，任何人在一生中也只能有一次。」無論如何，我不得不離開莫斯科，同時我也永遠離開了俄國，因為我在俄國的工作將永遠不能恢復了」。

但是對於愛利斯曼來講，他的主張比他個人的遭遇更加重要，雖然遭遇是那麼悲慘，他仍然在一封信裏寫出勇敢的話：「從我的心深處，我希望由我熱愛幫助而產生的，並且是從開始的第一步我就喜愛的這個學會，可以繼續昌盛，能越發引起智慧者的注意，並且無論什麽時候當人民的衞生被人討論的時候，它的聲音能越發響亮地被人聽到。那麽，無畏地，並且是充滿自信地前進吧！〗

對莫斯科省地方自治政府的醫生，他寫到：〖他們對我很壞，沒有公道，當然並不是我一個人這樣，誰沒有遭過這樣的經驗呢？但對於我，它可能比別人更痛苦，因爲我不是個還有前途的青年人。像我這樣的年歲，開始一個新的生活是困難的。當然，我仍然感覺很強壯並且富有精力，但我不知道外界的環境會不會很有利。無論怎樣，我將以深厚的感激紀念着俄國，我是深深受惠於她的。當然，我將永不會忘記使我們感到興奮的那些平凡的問題，也不會忘記我能有機會在一起工作的同志們。我將永遠不會與這個對我如此親近，對我的心如此親愛的地方自治政府的醫療組織失去聯繫的〗。

嚴厲的鎮壓並沒有使愛利斯曼的民主確信動搖。在他所居住過的沮利克（Цюрих）地方，他參加了社會民主黨。曾被選爲城市議會委員，並且發展了一個强有力的組織去改進瑞士勞動人民的健康狀況。經常有俄國醫生去拜訪他，找他們的老先生去請教。

愛利斯曼在1915年去世，享年73歲。他的一個學生和同工賈特羅普透夫（П Н. Диатроптов）在悼文中說得很正確：〖他們抹去了愛利斯曼在俄國的生活，但沒有人能把他的名字從俄國的社會衞生史上抹去，他的名字將永垂不朽〗。（馬堪溫譯）

蘇聯關於藥用植物之研究

功勳科學工作者德·姆·拉西斯基教授

我國民間醫學，自古以來即知利用各種藥用植物。

16 世紀曾於克里姆林宮特設一機構名爲藥劑司，收買及栽培藥材。曾編著國內外各種藥用植物之使用指南，命名爲［八方藥用植物誌］。

18 世紀初葉，曾奉彼得一世之命於俄國大量蒐集藥用植物以爲治療和園藝之用，按彼得本人對我國藥用植物頗重視。彼得當政期間曾以［藥園］形式首創植物園，園中栽培各種藥用植物。1706年設於眉斯參街之莫斯科藥園成爲後來之莫斯科大學植物園，1713年設於藥島之彼得堡藥園已成爲著名植物園，此處已設立蘇聯科學院植物研究所。

我國植物界之科學研究亦於彼得一世當政期間廣汎開展，彼得曾專設考察隊使於俄國各地研究植物。

曾令各考察隊隊長必須［探索各種珍奇品種和藥材、花草、藥根、種子以及其他藥物複合劑裏的所需部分］。奉彼得之令於 1718 年專設的考察隊於 1727 年首次提出西伯利亞植物界之報告。

科學院新設的大考察隊以 И. 戈梅林爲首於 1733 年更深入研究西伯利亞之植物，曾記述 1173 種植物並寫成著名科學著作［西伯利亞之植物區系］博得世界聞名。18世紀之瑞典著名博物學家和植物學家林內曾說過：［戈梅林一人發現植物之多幾乎相等於其同伴之另些植物學家所共同發現者］。科學院於 1768 –1774 年設立之考察隊，對於我國植物區系之研究頗有貢獻，參加該隊者有傑出學者列培痕、泊拉斯。

早於 18 世紀，俄國學者即曾記述多種我國藥用植物。大學者羅蒙諾索夫之門生 И. И. 列培痕乃是此工作中之首位研究巨將，此人於科學考察隊中約計工作六年研究西伯利亞之植物區系，於著作［需要仔細研究植物之固有生長力］中大量記述具治療性能之植物。

著名學者俄國第一名植物藥醫師 Н. М. 馬克西姆維奇·安包吉克於 1783 年在彼得堡出版［醫療藥物概論、或醫療需要上有治療作用的植物的記述］、並在此書中寫道：

「我敢說，如一切醫師和醫生更能細心勤勉反覆試驗研究吾國生長之植物有何作用及效力，則幾乎無需由外國尋取昂價，甚至全無治療作用之藥材」。

馬克西姆維奇·安包吉克乃是第一部俄文植物學指南著者，該書於 1795 年在彼得堡出版。此項大著分成兩部，原文 523 頁，附圖 21 版以色彩描畫各種植物。

19 世紀，科學院曾組織地理考察隊，普爾葉瓦力斯基隊赴中央亞細亞，費得欽科隊前往 Туркестан，卡馬洛夫隊赴東部西伯利亞，遠東、堪察加和俄國其他未經調查之區，各考察隊曾發現甚多新種我國植物，其中有些植物具有治療性能。

1828 年於彼得堡出版 Н. П. Щеглов 教授之「經濟植物學」，該著作指出多種我國藥用植物，並寫道：「醫師對多種本地藥材漠不關心，使用高價美國藥材及印度藥材，此非任何情形下皆能容許者。爲不求只責難舊式醫師對此過於相信和荒誕之談，則應以研究爲吾人忽視之國產藥材對人之作用更爲適宜」。

19 世紀 30 年代，外科醫學院教授 А. П. 內留賓於彼得堡發表三卷著作「處方學——Фармакография」。彼於此著中頗注意我國藥用植物並對治療使用法詳盡分析。並寫道：「遺憾得很必須指出者即少數醫生曾利用一般人民的經驗運用質朴的方法。此種方法，眞正說來值得有經驗及公正醫師特別注意」。

前世紀 90 年代由力也夫大學藥學研究院發表博士論文有傑米蚩氏之「俄國民間治療用植物性藥材」，根力蚩氏之「俄國各族人民民間用藥材之深入研究」。

多數著名藥材曾來自俄國民間醫學首用之藥用植物。例如 Горицвет 及 Майский Ландыш 目前全世界仍視爲著名心臟劑普遍利用，然而此係吾國著名內科醫生 С. П. 保特金學派根據民間醫學之經驗而用之於醫學中者。首先注意到 Горицвет 者爲 С. Д. 豪斯醫生，彼於 1859 年關於此藥曾發表著作。

因此，我們知道，自古以來，我國藥用植物之研究曾引起俄國學者注意。雖然 18 世紀和 19 世紀研究我國藥用植物的工作很有科學意義，但是我國藥用植物區系的研究仍屬不普及不充分。只在偉大十月社會主義革命後，藥用植物的研究才獲得應有的發展。

蘇聯的植物區系中富有多種藥用植物，此項研究乃是國家大事。

我們可由蘇聯植物中取得對心臟血管系統有作用的藥劑、止血劑、祛痰劑、緩瀉劑、和利胆劑、對腸胃道起作用、對泌尿器官起作用、對神經系統起作用、對物質代謝起作用之藥劑，殺昆蟲藥、包纏材料之代用物、綿及其他重要醫學製劑。某些藥用植物只生長於我國，如 Цитварная Полынь 野生於卡查赫蘇維埃社會主義共和國，可用以製取山道年。

由 А. П. 敖列霍夫院士和其同事的工作中可看出研究我國藥用植物之科學意義。研究我國植物約 900 種，曾記述新植物鹼 65 種，其中多種植物對醫學、藥學及國民經濟十分重要。屬於此種植物鹼者有 Анабазин、Платифиллин、Сальсолин、Сферофизин、Цитизин 等。研究西伯利亞藥用植物這項重要工作由蘇聯醫藥科學院院士 Н. В. 魏爾西寧、教授 Д. Д. 亞布洛科夫、В. В. 列魏爾達托等領導進行。彼等由 Синюха、Термопсис 製取祛痰劑、由 Кровохлебка 製取收斂劑、由 Байкальский Шлемник 製取降低血壓劑、由 Сибирское Пихтовое масло 製取樟腦、由 Пустырник 製取心臟劑等等。我許多共和國內亦在進行有關方面之研究工作。俄羅斯蘇維埃聯邦社會主義共和國保健部醫學會國內藥材及維他命調查應用委員會、俄羅斯蘇維埃聯邦社會主義共和國保健部中央藥材研究所對於研究我國藥用植物起很大作用。對國內藥用植物進行實驗臨床研究、對由藥用植物提製之製劑進行實驗臨床研究，可提供新的治療用藥材。

蘇聯保健部醫學會藥學委員會贊同於醫療實際中廣汎應用由 Лимонник、Ольха、зверобой 製得之新强壯劑和刺激劑於結腸炎、赤痢時使用；由 Подорожник、本國種 Ревень 新製緩瀉劑代替外國種；由 Крапива、Тысячелистник 製取止血劑，由 Полевой Хвощ、Тыква 製取利尿劑；由 Лекарственный Первоцвет 製作維他命製劑；由 Боярышник、Пустырник 作心臟劑；由 Обвойник、Желтушник 作製劑以代替高價輸入品毒花旋毛子；由 Солянка 製取減低血壓的製劑；由 Широколистный Крестовник 製取鎮痛劑和制止痙攣劑；物馬鈴薯之雌蕊上端寬闊部製取利胆劑。

數以兩萬種植物計算的蘇聯植物區系中，我們只取得約二百種藥用植物。因此，關於此部門之科學研究工作尚須推廣並深入，自然應根據米邱林生物學的原則來進行。對我國藥用植物由各方面進行化學研究，藥學研究和臨床研究，並用各種方法發展其收蒐、栽種工作，卽能獲得新的藥材以代替外國藥材和缺欠的藥材。將個個機關在此部門中之工作適當分工實屬重要。由植物之全面研究言之，由研究之最大收效言之皆十分重要。

藥物植物研究方法問題也値得特別注意。植物中對人體起作用之主要物質、與其相伴之其他物質互有關聯，對此點須進行研究。只有這般研究之後才能决定是否必須增加植物中某種物質的成分及毒害作用。執行此種方針能明確藥用植物栽培工作，炮製工作中之主要任務。有些製劑和藥形包含某種植物之有用治療物質、不含有起不良副作用之雜質者爲有益的藥劑。於藥劑調製部門工作之學者、在這一方面起重要作用。

民間醫學常爲貴重新藥之發現根源，對此須特別注意。進行科學研究工作之際，須廣汎利用種的發生近緣性之方法，並盡量普及蘇聯藥用植物區系之知識。

探尋及利用我國藥用植物這項工作不只是在中央研究機關和治療機關內進行，並在一些周邊地區中能比較容易研究對某一共和國或省有重大意義之當地的植物資源者也可進行。

我國之醫學研究所，臨床治療院和治療設施有責任廣汎研究新種藥用植物之治療性能。而醫學團體在自己的工作計劃中列入廣汎利用藥用植物進行治療這一問題，臨床醫生在自己工作中大量利用已被認可的植物製劑等皆屬必要之例。

我國之科學界，必須由我遼闊廣大的祖國所富有的藥用植物資源製取甚多新的貴重藥材。 （霍儒學譯）

註：植物名因無學名根據未譯成中文。

細菌學及原蟲學的鼻祖安多尼·李歐範賀克(Antony van Leeuwenhoek 1632－1723)

胡 宣 明

克立佛德·多別兒(Clifford Dobell)在他的名著,［安多尼·李歐範賀克及其渺小動物］(Antony Van Leeuwenhoek and HisLittle animals)寫一封長函給讀者、當作序文,裏面有一段話如下:［我年還很青的時候就開始研究機質浸劑中的微生物、當作一種消遣。在研究的時期,我隨便翻閱一些參考書,很驚奇地發現,在200多年以前就有一位荷蘭人,名叫李歐範賀克早已看過我所［發現］的微生物了。後來我又開始研究寄生在蛙的原蟲,下了兩三年的苦工。在研究參考書的時候,我又發覺這位李先生已經見過這些［渺小動物］了。其次我又開始研究各種細菌,包括口腔裏的細菌,尤其是屬於螺旋體的一類。參考書又告訴我,我所［發現］的,這位李老先生已經發現無遺了!以後我集中注意力去研究人類腸裏的原蟲,又發覺李歐範賀克是它們的發現者!［這可能麼］我自問。］

多別兒對於李氏的奇績,越久越感到不可抑制的興趣。他用了25年去研究這位被後代所忽略,所誤會的偉大發現者;他甚至下了極大的苦工去學習李氏所寫的舊式荷蘭文、以便直接閱讀他的原函;結果發現,除了原蟲細菌之外,李氏的發現幾乎無所不包我們再引多別兒的話:［李氏對於毛細管中血的循環的發現已成爲後代學者的典型他所作各種精蟲的比較研究已成爲現代生物學史的界石。關於他所發現的單性生殖及動物發芽,凡有科學常識者都知道了。其他關於解剖學、組織學、生理學、胎生學、動物學、植物學、化學、結晶學等尚待各該科的專家之整理及編輯,方才可以正確地理解它們的價值。李氏甚至作了最瘋狂的試驗去看人們所夢想不到的現象,就是火藥怎樣地爆炸!結果幾乎瞎了眼,但是目的却達到了。他用顯微鏡細驗擣碎的辣椒和水,目的在查明辣椒之所以辣!這個目的他沒有達到,但是從些試驗他發現了細菌和原蟲］。

誰是這位奇人,李歐範賀克!許多人聽見他的偉大成就,以爲他是一位大博士,大教授，大醫師，享有特殊的研究的機會。可是事實不是這樣的。現在我們簡單地述說他的略歷：1623 年 10 月 24 日他生在荷蘭的蝶兒赴荻市（Delft）他的祖父及父親都是作籃子的工人，母親是一個酒廠老闆的女兒。他才 5 歲父親就去世了，三年後母親再嫁給一個油漆匠。李氏 3 歲入學縖了幾年書。以後又跟一位作律師的親戚住幾年，學了一點算學及物理學。16 歲他的繼父去世，即往阿姆司達旦一間布店學生意。22 歲回老家，開一間布店。同年娶梅氏女爲妻，生 3 子 2 女。除長女馬利亞之外，其他子女都夭殤。李氏在當地的市政府兼過三種差事卽市政府會議廳管理員，工務局測量員及酒廠稽查員。

李氏究竟從那一年開始作科學的研究工作無從查考；直到 1673 年 4 月 28 經一位荷蘭名醫葛驪夫（Reinier de Grarf）的介紹才將一點研究的結果寄給倫敦王家學會（The Royal Society）的祕書歐田堡（Henry Oldenbury）登在該會的哲學季刊，內容是「關於黴菌，蜜蜂的嘴、螫、及眼和虱子等的觀察」，關於各種微生物的觀察，李氏具有不可抑制的好奇心。他的時間和精力幾乎全部都用在研究的工作上，他所用的放大鏡都是自己磨出來的。凡是可以放在放大鏡下觀察的莫不一一拿來細驗，並花費很多時間將最有趣的發現作給人看。

1680 年 1 月 29 王家學會選舉李氏爲正會員，全體會員一致贊成通過。

1698 年彼得大帝到蝶兒赴荻去考察該地的著名火藥庫；船停在火藥庫前，派兩人去請李氏到船上來，並將放大鏡及一些標本帶來。李氏讓彼得大帝看鱔魚尾巴上毛細管中血的循環，並給他欣賞許多的渺小動物。彼得大帝非常高興，和李氏傾談 2 小時之久，臨行握他的手，盡歡而別。

李氏晚年患足疾，行動艱難，但他還是天天做研究工作，不肯休息。1716 年他寫信給他的義姪說，因爲他年齡太高，腸內膜銷磨殆盡，恐怕活不久了。1717 年致函王家學會說他的「死期近了，這是最後一封信了」。可是他還活了五年多，並寫了 18 封信給該會，報告他的研究工作，最後的兩封信到倫敦時，他已經死了。1723 年 7 月 26 歿於老家蝶兒赴荻，享壽 91 歲。

李氏是一位天生的研究家。他有壓不住的好奇心而無絲毫的名利心，他有超人的恆心，無窮的耐性，絕對誠實，絕對坦白，好像一個天真爛漫的小孩。以下是他自己所說的話：「大量的錢財不能誘我作出這許多的發現，只有天生的內在的推動力能使我完成這工作，我未曾見過第二個人肯用這樣多的時間和精神去尋找大自然的秘密。可是我却從這種工作得到極大的快樂」。「我決不固執個人的意見。你果有人清楚地證明我的意見是錯誤的，我一定放棄我的而欣然接受別人的正確的見解，因爲我的惟一的目標在追求眞理，服膺眞理，並好好兒運用我這小小的天才」。「爲作上述的觀察，我用了比人所能相信更多的工夫。然而我高興地付出這個代價。有人批評我說爲什麼費這樣多的時候，有什好處呢？可是我不把這一類的話放在心裏」。「人不信我所說關於生育的生理，我不以爲奇，因爲自古以來新奇的事往往不爲人所信。他們都愛信年靑時從老師所學的老套。」「本市有一位明理的先生對我說：『李歐範賀克，你確能發現眞理，但是你一生得不到人的信服』。所以人反對我的見解我不以爲奇」。「許多不學無聞的人說我是一個行邪術的人，老是要將不存在的東西給人看。他們該受饒恕，因爲他們不知所云」。「我知道所有的大學教授都不信男性的種子是有生命的渺小動物；但是我不因此而發愁，因爲我確知我是對的」。

現在我們簡略地引用李氏關於發現原蟲的報告函。1674 年 9 月 7 日他發出第六號函給歐田堡，大意如下：步行出城約二小時有一個湖，湖底泥厚積。冬天水甚清，夏天則變爲灰白色，水面浮着綠色的游絲。近日我走過這湖濱，順便取回一瓶水。用顯微鏡一驗，看見水中有很多的渺小動物，有圓形的，有蛋形的。後一類的動物，靠近頭有一對微細的脚，在近尾的一端有兩個小翅。此外還有其他蛋形而略長的小動物，數目很少，游動甚慢。這些渺小動物有各種的顏色，有透明的灰白色，有燦爛的綠色小鱗，有灰色的，也有中段綠而前後白的，大多數的渺小動物在水中作出種種的動態，或向上游，或向下潛，或旋轉不停，花樣很多，十分好看。我想它們的體積比我在乾酪上所看的小蜘蛛類要小到 1000 倍。李氏著名的第 18 號函一再述說他看見小到不能相信的渺小動物，這是指細菌說的。這封信是在 1676 年 10 月 9 日寫的，其內容大致是：1675 年九月中旬我驗一滴停在藍底水桶數日的雨水，發現一些活物。我決定細察這些活物，因爲它們比宣馬丹(Swammordam) 所描寫的『最小活物』水蚤約小一萬倍。李氏詳細地，逼眞地描寫上述的小活物，爲節省篇幅起見，從略。據多別兒的判斷李氏所形容的四種原蟲第一是鐘珠蟲屬(Uorticolla)第二第三是纖毛蟲類(Ciliata)第四種是一條鞭原蟲(Monas)。還有一種李氏叫它們作「龐然大物」這是指輪齒類 (Rotifera) 說的。

1676 年5月26至6月26又作了多次的雨水察驗，所見和以前大同小異，無需細說。同年的7月底至8月8日他又作了幾次河水、井水及海水的檢驗，沒有得到重要的發現。

關於細菌的發現李氏說：「我試過好多次要查出爲什麽辣椒浸在醋裏一年之久仍不失它的辣味。1676年4月初我將半兩的完整辣椒浸在水裏，目的只在把它們浸軟，藉以便利研究。過了3個星期，水已將化乾，我再加一點雪水。4月24日我發現在這辣椒水中，有多到難以相信的渺小動物，其中有一些桿狀小動物，長度比寬度約3倍或4倍，其粗細和虱子身上的毛差不多。……第四種的小動物小到令人不敢相信。依我的猜想，100隻接連起來，其長度不及一粒粗沙的直徑（粗沙直徑約$\frac{1}{30}$英寸）我又發現第五種的小動物，大小和上述的小動物差不多，但長比寬只大一倍左右」。

「4月26我又取2兩半的雪水倒入裝有半兩辣椒的磁杯。自這一天起，我日日察驗這辣椒水，直到5月5日，却看不見什麽活物。6日我發現很多極小的活物，看來似乎長度比寬度大一倍，慢慢的動着，頻頻地打轆。7日看見更多上述的小動物。10日又加上一點雪水。13,14兩天所看的和以前略同。18日又加了一點雪水。6月1日看見少許圓形的小動物，體積比以前所見最小的約大八倍。它們驟動極速，如鷇離絃，使我幾乎不敢信自己的眼睛。5月26我拿$\frac{1}{3}$兩辣椒把它擣碎，倒入磁杯，加上$2\frac{1}{2}$兩水，攪拌之後，讓它澄清；2小時後，將這擣碎的辣椒浸劑倒入上述充滿渺小動物的辣椒水裏。倒入之後，裏面的渺小動物盡都死去；但是若加的很少，就不致死」。

「從5月26日－6月2日下午我看不見什麽活物在這擣碎辣椒的浸劑裏，到了這日的晚上才看見一些渺小動物，但是看不出生命的現象，到了夜裏11時才看見一些活物。次日我看見很多極小的生物，其長度比寬度大二、三部。這時候辣椒水一直在起泡。6月4日我看見很多的渺小動物，在一滴水裏至少有八千至一萬個，其形狀，在顯微鏡下看起來，好像一粒一粒的沙。6月16日我發現在一滴水中有多到難以相信的各種大小不同的渺小動物。8月5日我又發現很多極小的渺小動物，長比寬約大3倍至4倍。同時我又發現許多極小的鱔魚（螺旋菌）。6日又發現較大的球狀小動物，比虱子的眼約小50倍，此後我天天照常觀察，所見略同，直到九月19日。從此以後，因爲沒有新的發現，就不再作紀錄了」。

此後李氏又觀察醋、薑水、丁香水及肉豆蔻水中的渺小動物，沒有什麼新發現，茲不贅說。以上所引便是李氏著名之第18號函主要的內容。

第18號函發出之後，倫敦的科學界大感興趣，但是對於一滴水竟能涵數百萬小動物，表示懷疑。李氏即回一封信（第19號函1677年3月23），大意如下：『一滴水能容數百萬的小動物實在難以想像。所以我不怪人家不信。我的計算法是這樣的：我假定一滴水大如一粒綠豆。我每次取驗的水很少，約如一粒高粱的大小。高粱的直徑約綠豆的直徑的4.5之一。4.5×4.5×4.5＝91.125。我將驗水的玻璃片分作30格。在每一格裏面最少可以看到1000個渺小動物。那麼30×1000×91＝2，730，000』1677年10月5日李氏又發出第21號函，大意說據當地的見證人的估記，在一滴水裏有400萬以上的小動物，但是這些見證人只能看見半數的渺小動物，因爲他們是用普通的顯微鏡看的。而不是用李氏一人自用最精巧的鏡頭看的。李氏本人在一滴辣椒水裏可以看到800萬個渺小動物。但是，他說：『我一向愛打個大折扣，以免使人太難相信』。第21函附8封見證人的親筆信，從略。

1878年1月14李氏又發出第23號函，更清楚地描寫細菌的形狀，茲節譯如下：『現在我不能不說，雖然以前我曾說過我看不清最小的小動物的構造，現在却能清楚地看見了。這是因爲我愛看它們可喜的身體和動態……本月6日我發現極多不可思議的渺小動物。據我的推測，其中最小的比頭髮小1000倍，長比寬約3－4倍。它們極迅速地衝，如同梭魚一般，此外還有更小的，我沒有工夫一一細說，只說一點，就是在停留較久的辣椒水裏，我常看見異常渺小的動物，狀如鱔魚，其形狀和肉眼所見的鱔魚，完全一樣。我想若把它們接連起來，1000條長不及1條醋鱔（按醋鱔平均長1.5粍）。

李氏估計渺小動物的大小全用比較的方法，他所採用的標準不外下列幾種：（1）粗沙（870 Micra 秒），（2）細沙（260秒），（3）紅血球（7.5秒），（4）醋鱔（長1200－1700秒），（5）虱子的眼睛（直徑長70秒），（6）虱子的毛（寬4秒），（7）頭髮（寬44秒）。

李氏第32號函（1680年6月14）報告關於無氣生活的細菌。他將辣椒浸水裝入有底的玻璃管，把玻璃管的上端過火，拉成像筆峯的樣子，並在峯頂留一小孔。他將浸液燒熱，把裏面的空氣驅逐殆盡；最後將小孔封起來。過了幾天他把管子的上端拆斷取出一滴唾液，發現三種前所未見的細菌。當時他還不知道他所發現的具有非常重大的意義，後來有一位著名的荷蘭科學家，白雅因革(Beijerinck)指出這是歷史上對於無氣生活的細菌第一次的觀察。

關於原蟲（纖毛蟲 Ciliates）的交媾李氏曾說過好幾次。第一次見於 1680 年 11 月 12 的函。他說：「每次我看到一對渺小動物互相纏結，我總是想它們正在交媾」1692 年 3 月 7 日第 71 號函說的更清楚，他說：「有好幾天我注視這些小動物，直到眼和手都很疲倦，這是因爲我看見很多小動物一對一對在交媾，久而不改它們的姿態。大的把小的拖着走，雙雙對對向前游去。這一次我能夠特別清楚地看它們交媾，好像用肉眼看飛蟲交尾一樣。1680 年 11 月 9 日第 96 號函說的更無可疑：「一天之後我再作觀察。我很希奇地看見很多的小動物在交媾，乃至看見它們彼此相就而開始交媾，搖搖擺擺地動着，而後連合游去，或靜止在玻璃片上」。

以上所說是李氏對於自由生活的原蟲和細菌的觀察（見於第 6, 13, 13a, 18, 18b 19, 21, 23, 26, 29a, 30, 31, 32 71 92, 96 等函）我們所引的只是一個概要而已。

在下面我們略講李氏對於人身及下等動物體內的寄生物的觀察，這一類的報告見於第 7, 33, 34, 38, 39, 75, 110, 等號的報告函，我們分三段來講：

（1）精蟲：李氏第一次報告發現人的精蟲是在 1677 年 11 月。信到之日倫敦人正在慶祝他們的國王威廉及王后瑪麗的結婚。以後又陸續報告關於鷄、青蛙、蒼蠅、馬蠅和別種昆蟲及動物的研究及其精蟲的發現。最後一次關於精蟲的報告見於 1716 年 1 月 5 日的第 29 號函。

（2）口腔及齒石中的細菌：這是 1683 年 9 月 17 第 39 號函所報告的。這封函約有 1600 字，茲節譯如下：「我每天必用鹽擦牙，擦後用清水淨洗並用牙籤挖齒縫間的積垢，所以我的牙比大多數人的牙更潔白。可是還免不了齒石的積累。每次我自驗口涎都看不見任何的渺小動物：但我想齒石中一定有它們。因爲齒石不透明，驗不出來，所以我就用牙籤刮出一點齒石，在一滴水中磨碎，放在顯微鏡下；果然有無數的渺小動物，第一種形如梭，很少，游動迅速，像梭魚。第二種比較小一點，狀如梭形但是一端較大。它們旋轉不已，如同小孩所玩的陀螺。第三種像球，最小。第四種像螺旋。第五種最長如線，或直，或略灣。

「後來我察驗幾位小心刷牙的婦女；她們的口涎中沒有活物，但是齒石中則有很多渺小動物。我又驗一個八歲小孩的口涎和齒石，結果略同。我故意幾天不洗牙而後察驗切牙上下的齒齦的積垢，看見幾個渺小動物。有一天我和一個老人閒談，會看他的牙齒髒不可言。我問他最後一次洗牙是在多久以前。他說他一生沒有洗過牙齒。我驗他的齒石，看到驚人之多的渺小動物，紛紛蠢動。長而曲的線形小動物特別多。我遇見一個愛吃煙酒的老人，看他的牙很髒。我問他：可洗過口，他說：從來沒有洗過，但是每天飯後必用酒或白蘭地大大的嗽口。我驗他的口涎，沒有生物。驗他的齒石，看見很多渺小動物，其中有兩種特別的小。我含一口醋和酒，而後察驗齒石，看見很多生物。我將這酒和醋倒入所驗的，已經磨碎的齒石，小動物立刻死；因此我的結論是我所含的酒和醋沒有滲透齒間的齒石。我家裏有幾個女人愛看醋中的小鱔魚，但是看後得到很壞的印象，誓終身不再吃醋。可是我若告訴她們說，每人的口中生存着比荷蘭全國人民更多的動物，不知她們將作何感想？」

（3）胆汁及腸內的寄生物：這一段的報告見於第 7，33，34，38，39，75，110 等號的函，1674 年寫給歐田堡秘書的函說他曾驗過牛、羊、小羊、兔子及小兔等動物的胆汁，發現一些球狀透明的小浮囊，裏面似有黃色的液。他用一根毛觸這囊包，觸處略微凹入，毛一收回，又復原形。他又發現一些卵形物，兩端一樣，多別兒認爲前者係球蟲，後者係肝蛭的卵，他又在馬蠅、母鷄、鴿子及青蛙的腸內發現幾種原蟲和細菌，茲不細說。

1681 年 1 月 4 日所寫的 34 號函報告他在自己的糞裏所發現的原蟲和細菌如下：「我的體重是 160 磅，30 年來幾乎一樣。從前我的大便很正常，可是現在却不然了。每隔 2－4 個星期就患瀉肚，每日大便二、三或四次。今年夏天患腹瀉更多，尤其是在吃過我所愛吃的肥火腿之後。……驗我的稀薄的糞，我看見很多的小動物，很好看地動着，其中有的比紅血球大，有的比紅血球小；長度比寬度略大，腹部稍扁，有很多小脚忙動不休，可是動脚雖速，前進的速度却是很慢；在一粒沙大小的面積上平均只能看到一個，但是有時却多至 4，5 個，乃至 7，8 個。（按，據多別兒的解釋，這是人字形鞭毛蟲）。我又看見一種形如鱔魚的小動物，數很多而體極小，我想 500 或 600 條接起來不及一條醋鱔之長。它們很活潑地，波動如蛇，急躍如梭魚。有一天我作了 4 次的觀察，只看見人字形鞭毛蟲一種，後來仔細地，竭目力觀察，竟能看見極多的渺小動物，它們比紅血球小 200

倍，換一句話說，它們的直徑不及紅血球的直徑的六分之一。有幾次我在一粒沙大小的面積上看到四種小動物，總數在一千以上，看來似乎這囊全是活物。這使我高興極了，不能不報告出來」。

末了我們引用多別兒的「書後」(The Envoy)的話作個總結：「幾年前我作過一篇文章稱李歐範賀克爲「原蟲學及細菌學之父」。這個稱呼已經得到許多學者的贊同。現在再將這個尊稱印在拙著的書名之下。我這樣作是有充分理由的。據我的淺見只有李氏一人配得着這個尊稱。無疑地，他是天下第一個人親眼見過原蟲和細菌，並藉着準確的觀察和理解，創始原蟲學及細菌學的研究。因此之故，他對於原蟲學及細菌學的關係是父與子，或只是產生者(only begetter)的關係。我們對於李氏的意見只可根據他自己的寫作，不可憑後人的傳說。他留給我們一大堆的紀錄，有的已經出版，有的尚未付印。我們儘可照個人的歡喜提取研究的材料。他對於原蟲和細菌所作的觀察我已盡我的能力搜集並將不完全與不連貫的部分整理出來，以便現代的學者得以看清它們的眞意義和重要性。學者若用李氏的時代及現代的學識當作天平，把他的話秤一秤，必能充分地證明李氏是世界第一個原蟲學及細菌學的專家。現在他已得到成千成萬的追隨者與倣傚者。在他以前固然有幾個人理想天地間必有無量數的渺小動物，但那不過是一種理想而已。我認爲李氏在原蟲學及細菌學的地位是無可爭辯的，因爲我們所知的及將來所能知的渺小動物他幾乎都見過了。有人說李氏雖首先見過原蟲和細菌，却不能因此而稱他爲第一個專家。這句話偶然聽來，似乎很有見解，或者足以使喜歡咬文嚼字者滿意，但是每一個原蟲學及細菌學的實際工作者都曉得這是瞎說。如果可以這樣說的話，那末我們也可以說哥倫布未曾發現新大陸，因爲他並未留下關於紐約的記錄。」

參考書

Antony van Leeuwenhoek and His "Little Animals", Clifford Dobell.

關於腎臟炎的歷史

程之範譯

約在三千五百年以前，Ebors 草紙文中即記載過膀胱有二排尿管，這大約是最初對泌尿器官的記載。

公元二世紀羅馬名醫學家蓋倫氏（Galen）曾寫過：「腎乃排尿器官一事，不僅為希波克拉底氏以及其他諸名醫所確信，即每一屠夫對此亦均瞭然，蓋由於每日觀察腎臟及輸尿管之部位，並見此管係由腎引至膀胱，彼即推知其功用矣」。

最早提及慢性腎炎的文獻都有些隱晦不明；希波克拉底氏全集的第34章中說道：「尿表面呈小泡時即示腎臟有病，此病甚纏綿」。希氏著作的名翻譯者亞當氏（F. Adans）論及此節時曾說：「原作者此處所指殆為蛋白尿，亦即熟知之泡沫尿，今日公認係與腎病有關」。我們知道希氏對尿極有研究，因為他深信疾病的「體液」說；認為患病的原因係由於身體內體液不平衡所致，過剩的體液經此過程遂成廢物而排出體外，所以他自然要研究含有排出廢物在內的尿了。希氏書中講到患病時尿的特性計有188次之多。

所有希氏的弟子們都講到尿，但他們的觀察，一般說來除希氏講過的外，很少新的見解。大醫學家賽爾蘇斯氏（A. C. Celsus）在紀元後初年的著作內，曾詳述自希波克拉底氏到他自己那時代的希臘醫家的觀點。他注意到他們描寫的一種病叫「水腫」。並謂水腫分三類：腫脹，皮下水腫和水腹。他曾詳細的說到利尿劑，並作了明智的觀察：「測量水腫患者的飲量及尿量乃是良法，必須排出量超過飲入量時始有復原之望也」。

第一個論及慢性腎炎的，乃是生於公元一世紀的盧弗斯氏（Ruphos）的作品，但這篇說明只是片斷的，其中關于腎之硬化，腎硬變，有以下的記錄：「腎內硬化初無痛楚，患者惟覺脇腹部如懸有重物者，臀部麻木兩腿無力，排尿稀少，全身情況甚類水腫，此時須用泥罨劑或按摩使腎軟化，用藥物以增尿量，並灌腸使腹軟化」。

被認為是基督教徒的最早一位著名希臘醫者阿伊喜阿斯氏（Aetius）生於公元502—575年，曾在君士坦丁堡行醫，著有醫學六書（Six Books on medicine），據1543年的拉丁文版在其第17章中有這樣的敍述：「腎臟硬化時並無苦痛，患者惟感胃部如懸物，臀部麻木，腿部無力，尿量減少，身體他部極似患水腫者；且患者時或發現顯著之水腫病，一如因其他臟器硬化時所發現者」。在此前一章論腎臟炎症中也有錄自盧弗斯的著作處，故可斷言阿伊喜阿斯氏曉得盧弗斯的著作。

希臘醫生保羅氏(Paul 625－690)在他所編腎臟之硬化一書中曾記載：「腎臟硬化時並無痛苦，惟腰似懸物臀部麻痺，四肢失力，尿量稀少，一切徵象均如水腫患者」。顯然，這仍是抄錄了盧弗斯氏的話。

阿拉伯的醫生們對保羅及盧弗斯都極欽佩。保羅的外科著作乃是累塞斯氏(Rhazes 850－923)主要外科著作的藍本，累氏在他的著作中曾說：「腎臟發腫時並不生膿反而硬化，在進行時腰部覺沉重而不發燒……且若尿量減少，則投以較大量之興奮劑，蓋此於病況將引起水腫症」。

被稱爲「醫生中之王」的阿維森納氏(Avicenna 980—1037)曾說：「在腎硬化時有極沉重的下墜感，惟無痛苦，……雙腿及臀部麻木……下肢消瘦，排尿量稀，……腫脹和惡液質相似……且常患水腫」。

由以上所述可見至公元1000年時，至少有五位醫士，即盧弗斯，阿伊喜阿斯，保羅，累塞斯以及阿維森納等氏都熟知腎臟硬化症，並述其特徵：軟弱無力，不感痛苦，尿量稀少和水腫，而且這些敍述都像是源自盧弗斯氏。後四人的記述不僅注意到相同的病徵，就是文字也幾乎相同。

1269至1274年在布侖那(Bolongna)大學任教授的維廉氏(William)在他的著作中曾提到：「腎臟硬化之象徵爲尿量減少，臀部沉重，和脊椎痛疼，其後腹部開始腫脹並生水腫」。他的記述寫於盧弗斯氏一千多年以後，但顯然仍與過去的記載相似。

中世紀時對于腎病知識很少補充，這時代的科學領導者阿拉伯人研究過尿，其成就也未超過他們以前的希臘導師。中世紀末葉有驗尿家興起，他們專以觀察尿來作診斷，這種僞科學像當初占星術一樣地佔據了醫學界。在繪畫上和一般人心目中醫師們是以尿瓶來表示的，正如主教之笏杖或教皇之三角冠一般，這時代有一幅有趣圖畫，上面把耶穌畫作一位大醫師，就是高舉着尿瓶的。

但這時代的驗尿家們對我們原有的腎病知識很少增加。他們對許多病的診斷，僅用有限的知識。約死於1220年的高貝爾氏(Gilles de Corbeil)的著名的述尿的詩Carmina de urinarum judiciis一向是關於這題材的權威論著。這詩的第一部論尿的顏色

——黑色，灰色，白色，淡青色，灰白色，乳色，檸檬色，紅色，綠色，以及各樣混合色。第二論述尿內含物，它所形成的圓環，小泡，細粒，雲狀物，沫狀物，膿，油脂，食糜血，砂粒，毛髮，及皮屑等。這詩曾風行一時，並把當時驗尿學所有知識都摘錄在內。作者知道尿中有膿是表示腎或膀胱的潰瘍，有血表示腎或膀胱有病，有砂粒表示腎結石或膀胱結石。然而這詩對於診斷慢性腎炎還是很少幫助。

如魏氏(Henry Viets)曾指出柯薩那氏(N. Cusanus 1401—1464)的著作中曾建議比較等量的體健者及體弱者的血或尿的重量，並謂其極有價值，但這建議無人重視。化學派醫家的創始者何爾門特氏(J. B. V. Helmont 1577—1644)顯然是實行這辦法的第一人，曾在1662年著作中述及以同重量的水和病人的尿作比較的經驗——這是第一次尿的比重測驗。他還檢查過因水腫而死的病人屍體發現肝的外表是正常的，打破了以前舊的學說認爲水腫均是由肝病所得。他發現有些病人的腎有病，並有一人的腎大僅似榛實。照他那神話式的說法水腫乃是由於腎之 Archeus 神發怒，因爲「腎乃主水者也」。

據維拉德氏(Vieillard)說對尿作有系統的科學的研究，始於畢里尼氏(Bollini 1643—1704)和布爾哈維氏(Boerbaave 1668—1738)。這二人拋棄了驗尿派只研究尿的表面狀態的舊觀念，而注意到尿的成份研究。畢里尼氏注重檢查尿的物理性，布爾哈維氏注重其化學性；布爾哈維氏又回溯到何爾門特氏的方法測量尿和水的比重。

同時布氏的一位同事德克氏(F. Dekkers 1648—1720)第一次發現了尿中含有蛋白，他先把尿煮沸，然後加一、二滴醋酸，他是從一個肺癆患者的尿觀察到的，時爲1695年。到1765年克他諾氏(Cotugno)指出當一個水腫患者的尿被蒸發了一部分後，顯現一種白色物質，即凝結爲蛋白。1811年維爾氏(W. C. Wells)在「內外科醫學進步協會」宣讀過一篇論文，述說他對130名水腫患者的尿，作過試驗，發現其中78人尿中有蛋白。他還述及兩個水腫病人的腎臟狀態，一人的腎遠較正常者堅硬，其外層且變厚，組織亦有改變；另一人的腎則較正常者爲大且軟，且在二者外表均有若干囊胞，半埋於其外層質內。七年之後，布拉克爾(J. Bla Ckall)在1816年所著水腫病之性質及治療一書中說：「水腫患者的尿加熱可凝結」。他並注意到兩個病例的腎較通常堅硬，其中一人尤甚，已近於硬性癌(Scirrhus)。

要言之，到1816年已知在許多水腫患者中，尿量減少，且含有蛋白質，並且有些病人的腎臟顯小而堅硬，然而還無人注意到蛋白尿，腎硬化及水腫這些現象間的聯繫把它們看作一個診斷的整體；更無人指出這種綜合病徵是屢見不鮮的。看到這一點的，乃是博來特(R. Bright 1789—1858)的偉大成就。

博來特氏在1827年出版的「病案報告」序言中說，約在十二年以前他第一次觀察到死於水腫者腎組織之變化。他的報告內包括23個病案，記有臨床病歷，屍體剖檢報告及若干病理損害的精美繪圖。他說此病有三種形式：「第一種似有變性狀態，表面上較簡單之衰弱腎臟稍爲顯著。此種狀態下腎臟失其正常之堅實性，外表變爲黃色斑狀。第二種則整個外層部分轉變爲粒狀組織，並顯有多量暗白色異常之間質性沉着。第三種其腎臟外表觸之粗糙如有痂狀，…… 甚堅硬，切開後發現其組織已近於半軟骨之堅硬狀態，切開時甚難」。

博氏並說：「余雖妄測有此不同之三態存在，然是否正確亦不敢定」。他以爲第二和第三種形式可能是同一病之進行狀態。

據霍特氏(H. White)說博來特氏于1842年對腎作顯微鏡下的研究，然而其結果迄未發表，第一次在顯微鏡下研究腎的是韓勒(Henle)氏，在1841和1847年之間，他鑑於結締組織的增多，謂此變化爲腎硬變(Cirrhosis)，惟此名詞已一無原來的有色觀念，僅謂由新生之收縮性纖維使此器官形體減小而已。

博氏在1836年的蓋氏醫院報告書(Guy's Hospitol Reports)第一卷，一百蛋白尿病案之症狀表中，敍及此類病人患心臟肥大者極多，並謂其心房之肥大與腎病之加深似有共同進行之勢。在此論文中博氏更注意到當病發展時尿中尿素量減少而血量加多。

博氏這種新併發症的權威敍述，使時人震驚，因而「博來特氏病」一詞不久卽出現于英法醫學術語中，稍後也見於德文中。這些病人的腎臟都用肉眼並顯微鏡仔細檢查，尿也經過化學的及顯微鏡的研究，1843年西門氏(Simon)及奈斯氏(Nasse)都研究過尿圓柱；次年韓勒氏研究腎之各部組織，其後在1858年樓參斯特氏(Rosenstein)發現正常尿中也有圓柱，此種觀察近年來曾屢被證實。

博氏和他的助手們尤其是鮑斯通氏(John Bostoch)，發現正常人的尿中有時也含有蛋白。他們常用的檢查法是盛尿少許於匙內，就燈焰或燭上加熱，健康人之尿受熱後毫無變化；然而當他們用二氯化汞或氫氧化鉀的普魯氏低鐵 (Forroprussjate of potash) 試驗正常的尿時即可發現少量的蛋白。

博氏和其助手還不會測量血壓，不過在他們的臨床記錄中對病人的脉搏却常有詳盡的敍述．在論及心房肥大時他說道：〔血本質上之改變 …… 影響微血管之血液循環，以致必須施以更大之動力始能促使血液流入遠處之血管〕。這種想法被約翰遜氏 (George Johnson) 更推進一步，他說本應被腎臟所消除的雜質，仍保存在血液中，因而使小動脉收縮，血壓昇高，及心房肥大。高爾 (Gull) 和薩通 (Sutton) 二氏反對這種意見，他們認爲血壓增高並非由于小動脉的收縮，而是因爲動脉毛細管纖維性變或毛細管及小動脉中的透明蛋白纖維性變。

韋茹特氏 (Karl Vierordt) 是第一次製出人體血壓計的，在 1855 年講過幾個博來特氏病患者都顯有高血壓。巴師氏 (Von Basch) 是在 1880 年裝置了第一具實用脉壓計的，也作了與此相同的觀察，但醫學界在採用了 1896 年羅西氏 (Riva Rocci) 製的血壓儀器以後，對博來特氏病患者才照例先作血壓測驗。卜柔韓特氏 Broodhent 1890 年的名著脉搏 (The Pulse) 內，有一章專講腎病，曾力稱高血壓現象的重要，但他不曾提到用儀器測量血壓，雖然他畫過高血壓脉搏的脉波計式的圖跡，他是用手指來診斷動脉血壓的。

我們回顧腎炎歷史時博來特氏在這方的特殊地位，正如維塞利阿斯氏 (Vesalius) 在解剖學的歷史中一樣，亞迪氏 (Addis) 曾說：〔人們常說自博來特氏迄今我們對此症實無何等進步，此言亦頗正確〕。此雖有些過甚其辭，但也可見博氏的偉大貢獻了。

慢性腎臟疾病的知識在近半世紀來，也有相當進步，此不僅在認識〔腎單位〕(Nephron) 的各部機能方面，而且在臨床方面也有較好的分類，此乃由握哈德氏 (F. Volhard) 和發耳氏 (T. Fahr) 開始。更由於各種精密的試驗而示出正確的診斷和預後。關于腎機能狀態的研究，已由試驗所指明：例如排泄某種染料的能力；身體內保持蛋白的能力；以及排泄尿素的能力。這些研究現在更被許多新的方法所充實，而進一步指出疾患在發展時期腎單位各部的機能狀態，可早被發現，而予以治療。例如用血中菊糖的濾過來測量腎小球的濾過率，用碘銳特 (diodrast) 的排出量以測量腎小管的排泄容量。用葡萄糖的復吸收以測量腎小管的復吸收量，當有患者對照時，並可用尿的濃縮量

（大量比重）測量之。的確這些方法都隨時代而更換，在今日僅指明各部的病理機能，正如解剖上的改變一樣，這些不過是整個博來特氏病的一面。然而這些方法在對腎臟炎症，未能整個明了以前，確能使對病人情況有了更好的了解，因而增進其健康。柏林的斯他司氏（H. Strauss）强調指出血液化學研究的重要，說是腎機能最可靠的指標(1902)。1912年佛朗氏(Otto Folin)又敍述了一個測定血中含氮物質的比色方法，從這個方法和測定血和尿中微量物質的方法得到了對於治療腎臟炎的重要知識。另一個研究腎病的重要步驟是用 Volhard 氏標準方法在對照情況下試驗比重濃度而完成的。

摘譯自：　1. Ralph H. Mojor: Notes on the History of Nephritis, Bulletin of the History of Medicine, 23:453-460, 1949.

2. Arthuro Castiglioni: A History of Medicine (Translated from the Italian and Edited by E. B. Krumbhaar, and. Ed. 993-994, 1947.)

蘇聯保健史和理論問題第一次會議

1951 年2月2－6日在以恩·阿·西馬士闊（Н.А.Семашко）氏命名的保健組織和醫學史研究院召開了關於蘇聯保健理論和醫學史問題的第一次科學會議。參加大會的有莫斯科，列寧格勒等蘇聯其他 20 餘城市的著名保健工作者，蘇聯醫學科學研究院科學工作者，保健組織和醫史研究院主任以及在醫學研究研究院的進修生們。

大會聽取和討論了後列報告：「巴甫洛夫學說和保健任務」，「蘇聯保健教學理論基礎」，「蘇聯保健理論和研究院當前任務以及保健組織講座問題」，「蘇聯保健史和醫學史研究之現狀和展望」，「庫依貝舍夫（Куйбышев）城和斯大林格勒（Сталинград）城水利發電站及土爾克明尼亞（Туркмения）大運河建設中的醫療衛生組織供應」，「農村地區居民與集體農莊及農業城的建立中的醫藥組織供應」等。

大會上暴露了在蘇聯保健和醫學史理論基礎教學和研究中存在的缺點及許多大學不重視此科目在教學和醫師培養上的作用和意義。大會同時並修改了上列科目的教學提綱和計劃。講座的領導人並交換了工作經驗，提出了提高國內醫學研究院保健組織和醫學史教學質量的寶貴建議。

大會討論了以恩·阿·西馬士闊氏命名的蘇聯醫學科學院保健組織和醫學史研究院全體工作人員行將付印的關於蘇聯保健基礎專論和醫史教科書。

大會組織了後列科學文獻展覽；「布爾什維克黨在蘇聯保健組織上所起之作用」，「布爾什維克黨爲勞動人民健康條件和勞動者生活而鬥爭」，「偉大的十月社會主義革命與蘇聯保健組織」。

大會採納並批準了與會者的報告，號召保健組織家們，醫學史家們開展關於蘇聯保健和醫學史理論領域中的科學研究工作，利用保健實際工作中提高人民醫藥供應質量的先進經驗，在教學中推廣與預防任務，衛生學，外界環境健康化任務有關的巴甫洛夫學說基本原則，更快地消滅蘇聯保健理論基礎的科學工作中存在的落後觀點。

（據 Советское Здравоохранения. 1951．3）

霍布金大學醫史研究院1951——1952年動態簡介

1951 — 1952年醫史研究院教員共8人,所開課程如下:

醫學史概要	第一學期	19世紀病理學史	第三學期
圖書館之使用	第一學期	美國醫學史	第三第四學期
現代科學之起源	第一及第二學期	文藝復興醫學史	第四學期
美國公共衞生學史	第二學期	中國醫學問題	第四學期
醫學經濟和醫藥護理討論	第三學期		

以上課程主要對醫學校或衞生學校學生,有些課程畢業生和研究院的研究生亦參加聽講。美國醫學史一課主要是爲醫預學生。研究院照例在其他10個院校開醫史課程、

該院爲和其他學校院系取得聯繫,設有醫史科學委員會。該院認爲最好各院校有專任教授指導醫史課程。

該院教員去年曾主編「醫史學報」和「美國醫史協會」,並去各處演講。去年「醫史學報」已出至第25卷,包括607頁和插圖30幅。爲紀念W.S.Halsted氏百年誕辰,去年2月6—9日Welch醫學圖書館舉行了Halsted氏生平和作品的展覽會。去年研究院得到捐贈和搜集書籍183册,像片15張,圖畫11張,文物一件。研究院的醫史學會曾在去年1月7日開第一次會議,會上宣讀了「瑞士醫學史現狀」,「美國早期顱頂外科」,「波斯頓醫業和公共衞生」。4月16日開會時曾宣讀「古埃及醫學紙草文,特別是Hearst紙草文」等論文,並計劃1953年多舉行醫史學會。

(據Bulletin of the History of Medicine. 26:5. 1952.)

中華人民共和國衛生大事年表

1949 十月一日中央人民政府成立，在共同綱領第 48 條規定「提倡國民體育推廣衛生事業，並注意保護母親，嬰兒和兒童的健康」。

中央人民政府衛生部成立

1950 全國衛生科學研究工作會議

第一屆全國衛生會議

全國醫藥衛生展覽會

中華醫學會第八屆大會

改組中國紅十字會

1951 抗美援朝手術隊出發

處理接受美國津貼的醫療機構實施辦法草案

醫院診所管理暫行條例

法定傳染病管理條例草案

醫師暫行條例，中醫師暫行條例公佈

充實國防建設中的衛生人員

全國組織療法座談會

全國民族衛生工作會議

全國藥政會議

1952 細菌戰防禦專門委員會

藥師，牙醫師，醫士，助產士，護士，牙技士暫行條例公佈

保衛世界和平委員會紀念四大文化名人

愛國衛生運動

全國開始實施公費醫療制度

無痛分娩法座談會

國際科學委員會調查細菌戰

中國出席第 18 屆國際紅十字會

縣衛生院暫行組織通則

醫師、中醫師、牙醫師、藥師考試暫行條例公佈

第二屆全國衛生會議

第九屆中華醫學會

中華醫史雜誌稿約

(一) 來稿須用方格稿紙横寫，每句留一空白，半句不留空。抄寫不可潦草。

(二) 如附圖，宜用墨繪出，以便製版。照片不可摺卷。

(三) 外國人名譯成中文或加一氏字。外文最好用打字機打出或用小楷寫出。

(四) 數字兩位或兩位以上，小數點以下的數字，以及百分數均用亞拉伯字寫。

(五) 文摘稿請註明原文出處，必要時應請連同原文寄來。

(六) 參考書請按作者姓名、題目名、雜誌名或書名(出版處)、卷數、頁數、年份次序排列，並需在文內引出。書名按著者姓名、書名、年份、出版社排列。

(七) 來稿經登載後，版權即歸本社所有，並酌贈薄酬。

(八) 凡送登本雜誌之稿件，未經預先聲明，概不退還，如未經退還，亦請勿投寄他種雜誌。

(九) 編輯部對來稿有修改之權，如不願修改，請預先聲明。

(十) 來稿請寄北京西四皇城根北京醫學院內，中華醫史雜誌編輯部。

中華醫史雜誌

(季　刊)

一九五三年第二號

一九五三年六月20日出版

編輯者　中華醫史雜誌編輯委員會

出版者　人民衛生出版社
北京東城大佛寺南兵馬司3號

發行者　郵電部上海郵局
訂閱批銷處：全國各地郵電局
零售代訂處：各地新華書店、中國圖書發行公司

印刷者　洪興印刷所
上海山海關路405弄20號

定價每册五千元

預定價目

全年四期　20,000元

平郵在內掛號另加

·白页·

一九五三年　第三號　九月廿日出版

人民衛生出版社

醫學雜誌創刊介紹

中華結核病科雜誌（季刊）

一九五三年第一號七月一日創刊

每季第一月一日出版　　每期定價5.000元

第一號要目簡介

中華口腔科雜誌（季刊）

一九五三年第一號八月五日創刊

每季第二月五日出版　　每期定價5.000元

中華耳鼻咽喉科雜誌（季刊）

一九五三年第一號八月二十日創刊

每季第二月二十日出版　　每期定價5.000元

中華放射學雜誌（季刊）

一九五三年第一號九月十日創刊

每季第三月十日出版　　每期定價7.000元

中華衛生雜誌（雙月刊）

一九五三年第一號十月一日創刊

每雙月一日出版　　每期定價5.000元

中華皮膚科雜誌（季刊）

一九五三年第一號十月二十日創刊

每季第一月二十日出版　　每期定價7.000元

中華醫學會編輯　人民衛生出版社出版　北京郵局發行

巴甫洛夫誕辰紀念

李　濤*

巴甫洛夫誕生在1849年9月26日，距現在已經104年。他在30歲以前，就是1879年以前，是求學時代，對於神學、法學、博物、醫學等曾廣泛地學習，打下良好的基礎。此後即專門致力生理學的研究，計50餘年。由1878年起，即從事循環系統的實驗共十多年，可稱爲第一個研究時期。由1890年起致力研究消化系統，對於消化腺機能有驚人的發見，引起世界生理學界的稱讚，爲第二個時期。由1902年開始，一直到1936年逝世爲止，爲第三個時期，用全部精力，研究高級神經系統，研究大腦兩半球的機能。終於研究清楚了大腦生理學上的許多重要複雜問題。不但在生理學做了劃時代的貢獻，而且使整個醫學起了根本變化。

巴甫洛夫死後15年，就是1950年，蘇聯科學院召開關於巴甫洛夫生理學說問題的科學會議。這次會議特別指出巴甫洛夫學說不是呆板的教條，而是發展生理學，醫學和心理學所必需的科學理論基礎。並且規定爲此後醫學各科研究的方向。

新中國醫學界本年以來已正式展開學習蘇聯的熱潮，首先是學習巴甫洛夫的學說，以建立辯證唯物的自然科學思想。現在的中國醫學科學家無疑皆曾受唯心論長期的影響，必須嚴肅地學習，才能掌

* 北京醫學院醫史學科

握此種與自然作鬥爭的銳利武器。而且必待掌握了這種方法，他的研究才能適合社會主義社會的需要。

巴甫洛夫學說是辯證唯物主義應用到醫學上的典範，學習它就是學習辯證唯物主義；它不只對生理學和醫學本身有重大意義，它對一切現代進步文化都有普遍的意義。在紀念巴甫洛夫誕辰的今日，我們不僅要更加努力學習巴甫洛夫的學說，最主要的是把它貫徹到自己的學科中來。醫學史是一門有戰鬥性的科學，每個學醫的人都應當了解它，因爲它不僅告訴我們過去，也指出我們今後的方向。但舊的醫史充滿了唯心論的氣氛，已不適於新中國人民的需要。所以，學習巴甫洛夫的學說，貫徹他的精神乃是今日醫史家的重大責任，唯有這樣才能在邊學邊作下，寫出人民需要的歷史。在此我特提出幾點意見，供同道參考，作爲紀念偉大的生理學巨人巴甫洛夫誕辰的獻禮。

第一、注意社會歷史。醫學史是人類文化史的一部分，而文化史又是通史的一部分，所以醫學的發展與經濟、政治、哲學、文學、自然科學等息息相關。研究醫學史不能孤立地限於醫學本身。例如中國舊醫學由於停留在封建社會階段上，在近三百年不能與世界醫學比美，在封建社會經濟下，只能產生封建社會文化，違反這種規律 便是唯心的思想。

第二、肯定歷史是發展的。人類利用前人的經驗與自然作鬥爭，一天一天的進步，乃是鐵的事實。但是，長期封建社會的我國學人，受了儒家的影響，在不自覺中均有保守和尊古的思想。醫家也認爲愈古愈好，推崇漢唐，輕視明清。我們醫史家首先要肅清這種錯誤思想，指出醫學向前發展的史實，使人從正確史實中，看到新中國之前途無量。

第三、愛國主義與國際主義相結合。近百年來中國淪爲半殖民地，受帝國主義國家的壓迫，以致失去自信心，尤以醫學爲甚。學醫的人往往鄙視祖國醫學，不肯虛心學習。不知道世界醫學所以有今日的成就，是多民族智慧的綜合，有極大部分是來自我國勞動人民的遺產。中國醫學在三百年前始終與世界各民族的醫學並駕齊驅。至17世紀中葉以後，由於滿清的閉關自守政策，隔絕了中西文化交流，所以暫時地落後起來。現代醫史家有責任指出中國醫學對於世界醫學的貢獻，建立民族自尊心。

但是，我們不可爲狹窄的愛國主義所限制，只看見自己好，看不見別人的長處，以至妄自尊大，故步自封。必須結合國際主義精神。每逢表揚一件事，必須與同時代的其他民族相比較，每當批判一件事，必當照顧到當時的條件。總之，以其對於人類生存的利益爲標準，測量其貢獻之有無大小，便不至於犯坐井觀天的錯誤。

第四、要有洋洋大國民風度，勇於吸收他人的長處。醫學的總目的是袪病延年，爲人類謀福利。所以吸收世界各民族與自然鬥爭的成果，以便更多地更好地爲人民服務，是最有遠見，而且必須的。唐朝吸取佛教醫學，宋朝吸取亞拉伯醫學，正是表示我們祖先的智慧。現在我們更應當吸取世界各民族的醫學，豐富自家醫學的內容。

第五、使用批評與自我批評的武器。歷史家的任務，首先是評論正確，至於敘述完善，尙在其次。現在醫史家所有的材料皆來自封建社會或半殖民地社會。有一大部是僞造材料，很容易指鹿爲馬。必須展開批評與自我批評，也就是依靠羣衆的智慧，才能寫出眞實的，人民的醫學歷史。

醫學史在中國現在仍然處於幼稚階段，專業醫史的人既然寥若晨星，醫學界對於他的重視也不够。以往不但沒有什麼成就可說，甚至歪曲史實，給世界人以錯誤的觀念，這是極應糾正的。在百年前，俄國的生理學也很幼稚，不能比美先進國家。但是由於巴甫洛夫的近60年的長期戰鬥，尤其十月革命以後的20年，成績卓著，震驚世界。因之所有歷次在德、英、美各國召開的國際學術會議，皆被邀請參加，奉爲大師。今天我們紀念巴甫洛夫的誕辰，首先要學習他那種堅忍不拔長期鬥爭的精神，向科學邁進。

太平天國時期之衛生工作考

唐志烱

太平天國這一浩闊氣壯的革命運動，離現在已有100多年了；全國人民對這一推翻民族壓迫與封建土地制度的鬥爭，永遠是值得紀念與自豪的。我是一個醫務工作者，每當翻閱了歷代的革命史後，除了和每個人一樣的感觸外，並經常存在着一個問題，就是在這些革命運動中他們是怎樣進行衛生工作的？這是我國革命醫學史上的寶貴遺產，因而也成爲我寫這篇文的動機。

關於太平天國的資料，主要有這樣兩方面；一方面是太平天國本身的各種文件，另一方面是滿淸的官員和當時的一些地主士紳階級所寫的。前者是正史，當然是完全可靠的；後者是記叙的性質，却竭盡了汚衊太平天國的能事，文字上都加上了「僞」「賊」等字眼。但革命的事實，不是這些反動派所能抹煞的。我所引據的兩方面材料都有，可是這兩方面有關於衛生工作上材料的記載却是不多的。

研究我們祖國的醫學史，過去都着重在以一病一藥或一治療方法爲單位的居多，而以一個時期一個階段的研究，尙屬少見。因此這樣的嘗試，當然也就不會完美的，但我相信可以表現出在祖國人民光榮的崇高的革命傳統中，而醫務衛生工作，同樣是負起他一定的使命，起着一定的作用。回顧歷史，或多或少是給我們一些啓發的。

根據材料的性質，大致分以下四點：

（一）太平天國之衛生醫藥組織：

太平天國建都於南京，自建都後，朝內的官員，正職的和職同的就有了一定的編制，其官職共分18等，王有一、二、三、四、五、六等，其次是侯、丞相、檢點、指揮、將軍、總制、監軍、軍帥、師帥、旅帥、卒長、兩司馬。兩司馬下面有伍長，管四個人是沒有官職的。但衛生人員却沒有規定，在1621名的宮內給事和164名的典官，除了有馬醫一人外，其他各種醫生都沒有列入，不知什麼原因。現據賊情彙纂卷三的「僞官制」中是這樣的：

「僞殿前國醫一人，封眞忠報國補天侯，屬官甚多，僞天朝內醫四人，僞天朝掌醫四人專治外科，亦職同指揮，又內醫四人，職同將軍，內醫七人職同總制。又內醫七人職同監軍。」

以上大約是國家機關的衛生官員人數，其中所說的眞忠報國補天侯，屬官甚多，想恐怕是政府機關中的衛生工作上最高的負責人了，其職最高是封到侯。除此之外，據同書中尙有「留朝內診脉醫生九人……又設朝內拯危急一人。」這所謂九個的診脉醫生。我個人意見，大約是專替天王與各王府的女眷看病的，因爲當太平天國時，男女界限是分得較嚴的（因非本文範圍，故不論及），男醫生到王府去看病（女眷），只伸手切脉，其他的望問聞，都不可能進，所以他的名字就叫切脉醫生了。拯危急是担任朝內急救工作的。

以上的人員，按當時的情況，大約是可以適應了，而這些朝內的衛生官員，與軍隊中的衛生官員，在工作上是否直接領導，或發生怎樣的關係，却無從查考。

在軍隊中的醫務組織，記載各有不同，或多或少，可能是因爲在那時醫藥衛生人員很缺乏，不可能規定很多人數，同時從傷亡上來說，因那時戰爭大部尙是用刀矛，當沒有像現在各種火器性武器傷亡來得大。

太平軍是以軍爲最高單位，集中許多軍由官職不等之王、侯、指揮、將軍等人統率，進行戰鬥。軍以下分前、後、左、右、中五營，各營由師帥統率，下又分前、後、左、右、中五營，各營由旅帥統率，旅帥下分一、二、三、四、五，由卒長統率。每卒長下分東、南、西、北，各由兩司馬統率，全軍官兵共13155人，內伍卒共12500人。

每軍的醫生，根據記載較多的是：職同盟軍的內醫一人，掌醫一人（外科），拯危急一人，理能人一人。這數目大概最基本的，以13000餘人之隊伍，只有一個外科醫生，一個急救員，當然是不够的。但另據賊情彙纂中所載有：「各軍內醫四人職同總制，各軍內醫14人職同軍帥。恩賞檢點督醫將軍一人，掌醫25人職同總制，……各軍拯危急職同監軍，屬官無數，則皆治外科，主療受傷之人。」

這個數目就大了，其中最高官職爲將軍，（但所謂「恩賞」、是虛銜、並非實職），可能是該軍的衛生工作領導人。其中可看出有一個特點，即外科的人員，顯然配備是比較堅强的，除25人外，尙有急救員，並且還「屬官無數」。以25個外科醫生計算，則每師營中可分到五個，每旅營中就有一個，即530人中有一個外科醫生，這是相當健全的一個戰時衛生機構了。但這裏所指的「各軍」，其軍字是否即軍帥的軍，或廣義的指各王所率領的「方面軍」，就難以作確定了。

以上所述，尙有理能人，能人就是負傷的人，理能人是護理傷員的，其主要工作是對傷員的茶飯湯藥喂養和伺候。

各軍中也有馬醫一人，專門醫治牲口的疾病。

太平軍的新戰士，是否進行入伍檢查，就難查考。估計在那時條件下，是很難做到這點的，但希望年青力壯的入伍，有殘疾的不要是肯定的。在天朝田畝制度中規定：

「凡天下每一夫有妻子女約三、四口或五、六、七、八口，則出一人爲兵，其餘鰥寡孤獨廢疾免疫（役）皆頒國庫以養」。但士兵的來源，不一定是按上面所規定，因爲戰爭一直沒有息，軍隊須要補充和擴大，所以俘虜投降的也有，招募的也有，自動參加則更多。而且天朝田畝制度在那時尙未普遍實行。

對藥品在那時一定是很缺乏的，根據地鞏固的地方尙好，軍隊在移動中就更困難了。所以在首都藥品大約是徵用統制的，據眉鼻隨聞錄卷五中有：

「賊於藥材亦必擄掠、故城中大小藥店，均爲賊封閉，令僞內醫專管，並有僞總藥庫」。

這裏值得注意的是「專管」兩字，可見對藥品的重視，因爲須要供給軍隊與政府工作人員，也可能包括老百姓，不得不集中物力，採取統支統籌的辦法。另外提到「總藥庫」，這說明藥材工作是有組織的，所稱總藥庫，定有分藥庫之類的機構，其任務定是供給各個使用單位的。

另外在天王所頒佈行軍規矩中第五條「軍民男婦不得……搜操藥材舖戶……。」

這裏特別規定不得搜操藥材舖戶，可能有兩方面原因：一當然是羣衆紀律問題。另一方面可能因藥品少而發生過搜操藥舖的事情，故作規定。或者因總的已有藥庫組織，不需要軍隊再去徵發。

關於醫生的來源，有的是自動參加的，也有聘請的；至於有否自己培養的，無處可查。又因爲當時滿清政府勢力尙大，軍事人材當然更迫切需要，因此也有參加革命很久的醫生，改行做軍事工作，如據賊情彙纂卷二有：

「僞功勳前夏官付丞相賴漢英……頗通文墨，兼知醫理……初封僞內醫職同軍帥。壬子十月升殿右四指揮，始獨領一隊。」

又「僞殿前丞相何潮元……壬子六月升內醫監軍，癸丑二月升前一軍內醫職同總制，六月封恩賞丞相、十一月隨秦日綱出擾安徽……。」

另外有一重要的材料，在干王（洪秀全之弟）所擬之資政新編中有：

「……立醫師必考取數場，然後聘用，不受謝金，公義者司其事」等語。

這是招考醫師的一個規定，且要「考取數場」，表示了對醫生的嚴格選擇；這一個新的措施是很進步的，因爲那時尙是神學玄學佔統治地位，可能有許多醫生，用些迷信的辦法貽誤人命；也可能有許多醫學知識很少使治療受影響，因此規定招考，以便選擇吸收較高明的醫生。

（二）太平天國之醫療衛生設施：

在天京之老百姓，都是有組織的，不管男女，各盡其能進行勞動。因此醫生也集中使用，在賊情彙纂卷二中有：「分設各街道醫生至60人、並職同軍帥。」這60個醫生是替老百姓看病的。又在金癸甲紀事事略中有「僞督內醫黃惟悅……凡在城醫生，每朔望必令至其館點名」的記載。初一，月半到偽內醫黃惟悅的館內「點名」是幹什麼呢？可能已經實行公醫一樣的制度了，黃惟悅可能就是負責這方面事情的。每月兩次的「點名」，或是一種例會，以便檢查人數指導工作等等。

太平天國對人民保健中有幾項事情是特別注意的，也辦得很嚴厲的。

1. 禁烟，在好多佈告、政令、條例上都有規定，有的連黃烟也禁吸，並積極宣傳吸鴉片之禍害，在軍隊中規定特別嚴。在定營規條的第三：「練好心腸，不得吹烟飲酒……」而在有些條例中則規定：「凡吹洋烟者斬首不留。」由於腐敗的滿清政府所種下的禍根，吸毒已成普遍的風氣，如不嚴禁，難獲效果。但後來據說規定稍寬，違禁者，第一、二次打、上枷、禁閉等，第三次斬首。在干王的資政新編中，對禁烟提出了些具體辦法：

「禁酒及一切生熟黃烟鴉片。先要禁爲官者，漸次嚴禁在下，絕其栽植之源，遏其航來之路，或於外洋入口之埠不准過關。走私者殺無赦。」這些辦法，都很徹底。

除這些規定以外，在天王所頒之詔旨中，有很通俗很生動的五言詩，現錄如下：

天王詔旨云：朕詔天下軍民人等知之：

「烟槍即銃槍、自打自行傷、多少英雄漢、彈死在高床，欽此。」——見欽定軍次實錄。

太平天國所頒發的各種文件，其文字都很通俗，擺脫了多少年來的八股；這對中國文學上可能也會起着一定影響，但這是題外之事了。

2. 禁娼，在太平天國時，除了王、侯等有妻室外，其他人都不得結婚，軍營中「男女不得有私」這是因戰爭緊張的關係，不致有妻子的顧慮，爲了保持部隊的純潔，和婦女的解放、禁娼是必要的措施，在石達開和韋正的佈告上規定。

「娼妓最宜禁絕也……倘有習於邪行，官兵民人私行宿娼，不遵條規嘗娼者，合家剿洗，鄰佑擒送者有賞，知情藏隱者一體治罪，明知故犯者斬首不留。」這不可謂不嚴了。

3. 對嬰兒的保護，由於歷代的封建統治，重男輕女，農村經濟破產，而造成溺嬰的風氣很重，嬰兒死亡率想必是很大的。滿清政府對於這些問題，當然不是他們所要辦的事情；但太平天國，知道這問題是有關於民族生存，在干王的資政新編中規定：

「禁溺子女，不得已難養者，准無子之人抱爲己子，不得作奴視之，或交育嬰堂，溺者罪之。」

這裏聯系到對兒童的養育，也是有專人負責，在金陵雜記中有一段說：

「僞育材官前僞封爲育嬰官，有正副，將賊之子姪輩，並擄得各省之孩童；名爲娃崽，令其自行送之此館，令通文理者教習……。」

這裏所講的「育嬰官」，不僅指對孩童進行教育，而是指對一、二歲之嬰孩，專設育嬰官，有可能似現在的托兒所之類的組織，收集了因戰鬥父母死亡的小孩，或父母都參加勞動，其孩子由專人負責管理。

除了上述三點外，對纏足問題，也打破了千餘年來的惡習，未纏者不准再纏，已經纏者，勸放，因爲太平天國男女，都從事勞動，纏脚是影響健康，妨害勞動的，但其辦法却沒有像禁烟那樣嚴。在干王的資政新編中對這些行爲所提的辦法是：「……在上者（指天王）以爲可恥之行，見則鄙之忽之，遇到怒之譴之，民自厭而去之，是不邢而自化，不禁而弭矣」。意思是慢慢的改造，把壞的風氣逐漸扭轉過來。

太平天國對醫院建設是重視的，有好些記錄都提到要興醫院。能人館是很早就有了，這主要是傷兵醫院，在資政新編中有「倘民有美舉如醫院禮拜堂、學館、四民院、四疾院等，上（指天王）則親臨以隆其事，以奬其成……」這是發動人民來建設醫院。另外又專門提出：

「興醫院以濟疾苦，保富貴好善，仰天王天兄聖心者題緣而成其舉……」。

對殘廢人員專門有人負責管理，並設法教他們各種適於他們身體的職業，使不致完全成一個廢人。殘廢的人由公家供養，在京都大約集中，到農村分散在各家。

這樣的老民殘廢其數目不少，據金陵雜紀中「……稟設老民殘廢館，……旋於東北兩城設立數十館，每館25人，自擬一館長並無長毛老賊雜處，每日檢拾字紙打掃街道爲事，共約3000餘人，賊並逐日發米穀……」。

這裏所講的有3000餘人，但也有說8000餘人的，就難以確定了。

在清潔衞生的掃除，城內發動老民殘廢者經行打掃，已如上述，金陵癸甲新樂府中，有「獨有街道要完整」之句，其目的是想汚蔑譏笑太平天國，意思是旁的事情弄得天翻地覆，獨獨街道天天打掃；這反而暴露出統治階級對人民的衞生事業是漠不關心，所以對太平天國之打掃街道就表示驚奇了。

在農村中也有組織，據資政新編中：

「興鄉兵，大村多設，小村少設，日間管理各戶洒掃街渠，以免穢毒傷人……被傷者生則醫，死者撫，有妻子者議邺。」

這是農村的衞生措施，就是由村民自己選出數人，來負責督促各戶洒掃街渠，如因此而受傷，或致死的，則就醫或撫邺，使農民們不致在打掃衞生上有更多的顧慮。

另外有些記載，說到死後驗屍問題，看起來驗屍是普遍進行的，並不是專對某一人死亡要引起法律糾紛才驗，因此一些不懂事的保守的士紳文人們又對之加以各方面的猜測，據賊情彙纂卷九中有：

「死時主者（指教內的負責人）遣人來驗，盡驅死者血屬無一人在前，方扃門行驗，驗時以管藥二紙掩屍目後裹以紅布囊，曰衣胞，紉其項以入棺」。

「無一人在前」「扃門行驗」這說明是秘密進行的，究竟如何驗，爲什麼要這樣秘密，（按歷來驗屍是公開的），是值得使人思索的，是否是進行屍體解剖而爲避免引起一些不必要的謠言也未可知；並且其下文有「以管葯二紙掩屍目，裹以紅布囊」，也是一個疑問。有的記載，甚至說是把眼睛挖去鍊銀子，總之死後進行檢驗，足爲醫學上一個有價值的資料。

另外尚有對公共衞生上很有興趣的一些記載，在眉鼻隨聞錄卷五中：

「每夜間向女館出令，或交活鼠一個，或交蜰蝨（臭蟲）一對……。」

在金陵癸甲記事略中也有同樣的叙述：

「又傳僞令，要每女館送老鼠數付，臭蝨數對於僞府，亦不知何用，眞邪怪也。」

的確，究竟每天要送這些東西做什麼呢？當然不會是毫無意義的事，大家也都知道老鼠臭蟲是對人很不利的，從上述各種衞生工作的措施看來，也很容易聯系到這同樣是一件衞生工作事項。有可能在那時有名的「南京蟲」已經是很猖狂了，而需要老百姓對這些東西加以撲滅，我不禁想起今天之愛國衞生運動中的「五滅一捕」來。這些，當然不是那些專重金銀財寶的士紳地主們所能想得到的，無怪乎要「眞邪怪也」了。

在醫療上估計是較簡陋的，大都是吃湯藥，而其中有一個很大的功蹟就是把中國多少年來的迷信治療辦法革除了，上面所談起過的那個殿前丞相何潮文，他本來是「能以符水治病」的，可是參加革命後，「而不准用符水，謂之曰「妖符」」，這就是很大的見證。

使用鍼灸，可能較普遍，這大約因爲鍼灸在我國早已很發達，同時在當時各種困難條件下，鍼灸是最簡便而又最經濟的一個治療方法，據賊情彙纂中「……有疾病不得如常醫藥，必其教中人來施鍼灸，婦女亦裸體受治。」這裏所講的不得「如常醫藥」，當然是指望聞問切和湯藥，且下面又說「婦女亦裸體受治」，無非是想借此汚蔑太平天國，可是，難道用鍼灸就不是「如常醫藥」了嗎？婦女生病，難道就只能限於切脈嗎？欲想汚蔑太平天國反而證明了太平天國之科學態度，這是當時士大夫們所料想不到的。

對有病的人，規定是很優待的，儘量要使他們病養好再進行工作，在金陵城外新樂府中養病篇內有「病者自賃民間舍，養得痊癒始銷假。」這一方面說明了對疾病療養之醫院很少，或者沒有，故不得不脫離營房租老百姓房子住。另一方可以看出他們對傷病員的關心。

（三）太平軍之衞生工作

軍隊中之衞生工作，大都是有條例規定而進行的，在賊情彙纂卷八中有：

「一、凡營盤之內俱要乾淨打掃，不得任意運化作踐，有汚馬路，以及在無羞恥處潤泉（大小便）。

一、凡我們兄弟俱要練得正正眞眞，不得脫衣露天，睡覺不准脫裳。」

另天王所頒之行營規矩第八令「不得焚燒民房

及出恭在路並民房。」

焚燒民房和出恭在路相提並論，也是見太平軍之羣衆紀律與軍營衞生之嚴格，這樣的軍隊，這樣的條令，在歷史上確實是少見的。

在天王所頒之體惜號令中規定：

「凡巡更把卡兵士，若遇天寒雨雪之夜，尤當加以體恤，若見其衣裳單少，或被褥不敷，即當傳令各官如有多餘，即當帮出分散兵士，倘各官亦無多袍裳即令各官夜間將皮袍裳給把卡兵士穿，日間令其交還………。」

雖作爲體惜，但這樣的措施對防止凍傷，戰壕脚，傷風感冒等是收到一定效果的。

對打仗之傷員是極關懷的，這表現了太平軍的本質雖滿淸方面的記載也不能掩飾，在賊情彙纂卷三中有「將士病者，醫治甚勤，藥餌無缺，左右常有服侍之人。」

而規定最具體最詳細的是天王所頒之體惜號令中另一條，現將全文摘錄如下：

「凡爲佐將者當知愛惜士兵。譬如行營，沿途遇有被傷以及老幼人等遇有越嶺過河不能行走者，必須諭令各官，無論何人所有馬匹，俱牽與能人騎坐；如馬匹不敷，總要令兵士抬負而行，庶無遺棄。至於紮定營盤之時，必須諭令拯危官員將所有能人，每逢禮拜之期，務要查實傷愈者幾名，一一報明，令宰夫官三日兩日按名給肉，以資調養。又令掌醫內醫格外小心醫治，揀選新鮮藥餌，不可因其膿血之腥臭而生厭心。其爲佐將者當公事稍暇，亦必須親到功臣衙看視，其有親屬者，看其遠近，酌量令其前來照料；無親屬者，本營兄弟總要小心提理，念同魂父所生，視爲骨肉一樣。」

在這段文中，我們對太平軍傷員之處理上，看出了好多有價值的問題：

1. 傷員不得丟遺，一定要帶走，將官之馬可給傷員騎，不够，士兵自己抬走，以解決戰時之傷員運輸力；

2. 建立了每星期的檢查報告制度，從中也可看出治療效率；

3. 傷員之營養要增加，兩、三天就給肉，是一般人沒有的，只有總制以上的官職才有肉給；

4. 不論醫生、幹部、士兵都應關心照顧傷員。

這段文我看了十來次，每次都感嘆着何其與中國人民解放軍對傷員之態度這樣相像。革命部隊之高度階級友愛，同樣是傳統性體現着。

關於統計病、傷、死亡等規定有特殊的記號，在點名號令中：

「其名牌另其分別註明：昇天者用硃筆一點，三更者用硃筆捲叉，身體有恙者用硃筆畫圈，被傷者用硃筆鈎三角，使點名之人，一見名牌，便知人數。」查察號令中也有同樣規定。所謂「三更者」，大約是指逃亡開小差之意，太平軍有好多隱語，如殺頭叫「雲中雪」，傷員叫「能人」，火藥叫「紅粉」，砲彈片叫「鉛碼」等。

打仗時，担負第一次治療的是急救員（拯危急），掌醫是第二步了，拯危急的人，他的戰時位置在什麽地方？就無從查考。一般想來，那時的戰鬥，當然沒有現在分工那樣細密，組織那樣複雜；在幹部帶頭，個個奮勇向前的時候，（南王馮雲山西王蕭朝貴就是身先士卒，衝鋒在前而犧牲的），拯危急的也一定是在前綫。他的程序是「凡有打仗傷者，則有拯危急一人先以草藥敷之，然後送於能人館養之。」傷口以草藥敷，不知是些什麽草藥？效果不知如何？

對將士死亡後，不用棺木安葬，而是用綢布包裹後入土。規定「所有昇天之人，俱不准照凡情歪例，利用棺木，以錦被綢縐包埋便是。」這大概是因大批棺木不易得到，也是浪費，另一方面，太平天國有許多都是推反滿淸的舊俗，而自己建立新的規章秩序的。

這許多年來，太平軍中是否發生過大的傳染病，這是值得考慮的，但看了好多資料，却沒有找到這方面的記載，究竟是沒有發生過呢？還是發生過而沒有記載，就不得而知，不過在忠王李秀成的自述中，有這樣一段：

「天連逢大雨不息，官兵困苦，病者甚多，一夜至天明，各館病例，見勢爲難，攻又不下，戰又不成，思無法處，淸軍又不出戰，總以嚴守爲强，後路救兵又至，我軍病者又多，無兵可用。」

這是已經到了太平天國的末期，天京被圍，天王屢次犯了大小許多錯誤，致使忠王數十萬軍隊，陷於絕地。這一次的疾病，影響了戰鬥到全軍覆沒的程度。但究竟是什麽病呢，可能不一定是傳染病，而因連日大雨的疲勞，飢餓，營養不良（糧食沒有了）所引起。但根據所說的［一夜至天明，各館病倒］的話，又好像是什麼急性傳染病，不然又不至於一夜都病倒了。或者兩方面都雜在一起，而造成了［無兵可用］的悲慘局面，以致勁旅受損，天京被破。返顧歷史，不覺心慟，也足以警惕我們對軍隊衛生的注意。

（四）太平軍之營養問題

太平天國自金田起義，到南京建都後十餘年，根據地一直是沒有很好的鞏固，單是京都就被圍七次，因此對給養確實是一個嚴重問題。其來源一是繳納。二是購買，三是繳獲和沒收大地主的。在政府機關，可能比軍隊好一些，因爲軍隊在外作戰，往往遭到惡劣的情況，因此他們曾經也吃過草根樹皮驢馬皮等，在最後天京被圍時，都是吃甜露（草名）。

像上述情況當然也不是經常這樣，在平時，他們對這問題同樣是很注意而有一定規矩，因爲太平天國信奉耶蘇（但與歐美的耶蘇教又不完全一樣，是天王等另創立的）所以在禮拜天「必用單蓋印，赴典茶心衙領取果品糕餅，赴典天厨衙領取海菜」，領來後先敬天父，敬過後自用，在軍隊中的口糧油塊，也是禮拜天領取。

軍隊的糧食，如需就地徵發，也是有組織的進行，在行軍規矩中，規定［軍兵男婦不得入鄉造飯取食……。］另外［軍行先數百里，即遣人前往，遍張告示，令富者貢獻貲糧，窮者效力］的記載，是足以說明當時徵糧的情況。

對烹調的技術可能不够好，特別是軍隊，因爲在作戰時，就講究不了；因此往往弄成應湯煮的小菜，而乾炒了，也有把人參之類的東西，和在菜一起，海參用火烤，菜好多是半生不熟恐是兩廣人民的習慣，這些也並不奇怪，因爲農民的隊伍，當然沒有地主官僚們會講究飲食。

關於基本的營養也有定規，據賊情彙纂卷九中說：

［惟禮拜錢及糧米油塊，一律皆有定例，僞官每人每日給錢 100 文，散卒半之，每 25 人每七日給米 200 斤，油七斤，鹽七斤而已。］

這雖非太平天國自己的材料，但也可了解太平軍營養的大概情況。25 人七天米 200 斤，那末平均每天每人大約有一斤二兩（在那時候秤比現在大），油約六錢，鹽六錢。這樣，基本上很可以維持了。

除了一些最低的禮拜錢以外，大小官員是沒有薪金的。另外就是增加肉類；據同篇內所載［雖貴爲王侯，並無常俸，惟食肉有制，僞天王日給肉十斤，以次遞減，至總制半斤，以下無與焉。］

［以下無與焉］是很可懷疑，按總制是 12 等官級，下面還有六等及伍卒，傷兵兩、三天給肉一次，總制以下的官員決不會一點肉都沒有的。不過除了米、油、鹽等基本給養外，尙有菜金（即買菜錢）。據同篇中有這樣記載：

［……難民曾述卒長管百人，係某功勳統下，親見其卒長每月向僞功勳領取買菜錢，多至金一、二兩，銀首飾數十兩，某卒長悉數易錢買豬雞以供衆啖。］

這里［悉數］二字是很忠實的，卒長並無自己落入腰包或自己多享受一點，而是［以供衆啖］，當然每月有這樣菜金的規定，不另外規定肉，也是相當够了。

從以上的營養材料看來，是够得上標準的，並且能將實數供給於士兵，而比歷來的反動軍隊層層尅扣眞不可同日而語。

關於太平天國和太平軍的衛生工作各方面，就目前我只能了解到這樣程度，又因爲各種文獻資料對這方面記載不多，研究不够深刻，我不能就冒然下一些綜合性的結論，但即使根據上述這些材料，我們也可初步了解在 100 多年前我們祖國人民爲了驅逐民族敵人，爲了推翻封建制度，所掀起的革命洪濤，是多麼壯烈偉大；而其中之衛生工作，對當時軍隊人民來說，是起了它一定的積極作用的。

附註 1. 上面所引據的材料，先是陸續參考散本的，當執筆時，適値中國史學會主編之太平天國（共八部）出版，故本文全係根據上述版本摘錄。

2. 因資料一部分是滿淸方面的記載，其文句中，都有［僞］［賊］等字樣，及汚衊性的語句，但爲求其眞，故仍按原文摘錄。

3. 賊情彙纂一書是滿淸方面對太平天國最詳細的一部記載，共 20 卷，係曾國藩爲了便於進行鎭壓太平天國之革命運動，命其手下張德堅等所搜集編輯，其中有好些事情是弄錯的，但它記入了許多革命部隊的文件和制度等，還却對我們是有用處的，本文引證它的材料亦較多，故此說明。

十六世紀偉大的醫藥學家 植物學家李時珍

宋大仁

在最近落成的蘇聯莫斯科大學新校舍的大禮堂走廊上，鑲嵌着世界各國大科學家的彩色大理石像，其中有我國南北朝的祖冲之和明代的李時珍，從這裏可以看出我們的盟邦社會主義國家的蘇聯，對於我國往昔偉大科學家歷史地位的重視，也證明了中蘇兩國人民相互尊敬的偉大友誼，因此介紹他們在科學上所有卓越貢獻和事跡，是必要的了。關於數學，天文，機械製造的科學家祖冲之，1953年3月31日新華通訊社電已有介紹。從略，茲將我國偉大的醫藥學家，植物學家李時珍的歷史和貢獻，介紹於下：

李時珍，字東璧，晚年自號瀕湖山人，湖北蘄州人，生於明朝嘉靖元年，卒於萬曆24年，即公元1522—1596年[1]。其父名言聞，字子郁，號月池，博學精醫，曾被當時的王侯所器重，聘爲太醫，著述甚多[2]。時珍在幼年時代，聰明異常，但是身體孱弱，面目清癯，在14歲那年，補了諸生(即學官子弟)，頗有聲譽，然在當時的科舉制度之下，他一連考了三次鄉試，沒有考中，於是發憤讀書。一天到晚，足不出戶埋頭苦研，往往從清晨到深夜，手不釋卷的勤讀。後來還師事了他的父執，理學名家顧日巖，桂巖兩兄弟，所以學問更大大地進步了[3]。到這個時候，他反而無心於功名利禄，再也不想去應考了。却在專心一志地做學術研究工作，因爲他的父親是一個醫生，而且他自幼身體孱弱，更重視醫藥，對醫藥學曾下一番苦功，由於他讀書特別多，能够博聞强記，不拘泥於舊說，凡事切實研究，並加以批判，所以在醫藥學上，頗多發明和創見。

時珍的性情善良，孝父母，愛兄弟，還能幫助朋友，爲羣衆服務而不希望人們知道他的功蹟；所以與人治好疾病，多不取報酬。遠在千百里外的人們，每都不辭困難，前來求診，因此他的聲望更一天天大起來了[4]。當時楚王聞知他是個學問淵博的學者，就禮聘他做「奉祠正」（官名），掌握良醫所事（良醫爲明代王府貴族的侍醫）。有一天王世子暴厥，時珍給他醫好，救活了小性命，王妃在感激之餘，送他許多金銀財物，但他堅拒不受，因此就推薦他在朝庭當「太醫院判」[5]。做了一年之後，因他本已無心於功名利祿，又因爲身體不健康，時常有病，就决定辭去了職位，建築了一所養病著書之處，題名「薖所館」，以明其志[6]。從此不問外事，專心著作，他的一生著作，有：本草綱目，瀕湖脉譩，奇經八脉考，集簡方，五臟圖論，三焦客難命門考，瀕湖醫案，食物本草等有關醫藥著作；在文學方面，也著了薖所館詩詞及詩話等書[7]。在時珍的著作中，最值得提出的，是他的數十年來精力所寄的不朽巨構，本草綱目一書，他從1552年(嘉靖壬子)開始著述，費了27年的時間，其間換了三次稿子，才於1578年（萬曆戊寅）完成此巨大著作。

從前我國藥物書籍，在神農本草經所載的祇有365種，到梁代陶宏景增添了一倍，到唐朝蘇敬增加114種。宋劉翰又增加了120種，後來掌禹錫，唐愼微先後增補，合爲1558種。然而品類既繁，名稱龐雜有的同物異名，也有同名異物，殽雜紊亂，難作學術之準繩。時珍認識到這一點，於是下了決心窮搜博採，切實研究，去僞存菁，先後參考了800餘家有關書籍，進行了徹底的整理與修訂，還增加了374種藥物，終於寫成了學術上輝煌鉅著的本草綱目[8]。全書52卷，共分16部，62類，記載了1880種藥物。由於他的學問淵博，辨別能力很强，不但每種藥名都有解釋，就是難以認識和疑難的舊名，都給他鑒辨或解釋明確了。並且把過去本草書中，以前歸類不妥當的藥物，改列到適當的部類裏去。他根據了唐愼微的大觀本草，增加部門，更分類別細爲歸納。在當時的條件之下，這種清晰的分類方法，是很傑出的了，所以該書不但收羅賅博，並予過去本草書籍以很多的補充和修正。時珍編著綱目，不但他自己花了30餘年心血，其門弟子及四個兒子，四個孫子，都參與工作[9]。此書最初刻本，爲明萬曆18年庚寅（1596年），金陵胡承龍所刊，世稱金陵第一版，前僅有萬曆庚寅王世貞序，無其子建元進表，此爲與通行本不同之處；其子建木繪畫二卷（圖一）。當此書將近刊成的那年，時珍適値74歲（舊曆作76），他預知死期的將臨，預撰遺表交給其子建元，並囑其待機進呈朝廷[10]。歿後，葬葬在蘄州東王里竹林湖[11]。時珍歿後不久，明神宗朱翊鈞，詔修國史，徵求四方文籍，其子李建元就把遺表遺書奉獻，神宗大爲嘉獎，即命刊行[12]。綱目一書內容豐富，考證翔實，所以到明朝末年已翻刻了四、五次，清代以後翻刻更多次，此後的本草學家，一直都以這部書爲根據。而在200年來國際藥物學上，也佔着重要的地位，如法人都哈爾德氏（Du-halde）【中國史地年事政治紀殊】一書，1735年在巴黎刊行內有譯成法文之本草綱目數卷，又從這本書譯成英文本兩種：一爲卜羅氏（R.Brookes）所譯，一爲克扶氏（E.Cave）刊行。節譯本草綱目卷一之一部分及16種藥品。1871年上海美華書館刊行美人斯密斯氏（Smith）【中國藥料品物略釋】，大部譯自本草綱目，藥品在1000種左右。俄人畢斯適達氏（E.V.Bretschneider）著中國植物學皆取材於綱目，初發表於亞洲文會年報，於1882年刊行單行本。德人許寶德氏（F.Hibotter）著中國生藥學，亦是以本草綱目爲藍本，1913年在柏林出版。英人伊博恩氏（B.E.Read）——上海雷士德醫學研究院生理學科主任，爲研究中藥之專家，以20餘年之精力，把本草綱目全部譯成英文，而且每品都有科學的繪圖。在日本傳譯更早，約在萬曆末年，即日本慶長12年（1619年）由林道春獻於幕府；康熙11年，即寬文12年（1672年）有貝原益軒的校正本草綱目39卷，康熙48年即寶永6年（1709年）有太和本草16卷，嘉慶8年即享和3年（1803年），小野蘭山著本草綱目啓蒙43卷，釐訂了錯誤之處，亦是有價値的著作[13]。可見這部傑作，在國際學術上的貢獻和影響很大。所以我們的盟邦蘇聯，把時珍譽爲國際科學偉人，當無愧色！

時珍總結了歷代藥物和植物學上的知識及經驗，著成這部科學巨著不但在醫藥方面，有極大價値，而且在植物學方面，也有很大的貢獻，因爲我國藥物多屬草本產品，由於醫藥研究的需要，也引起了他對於植物形態和分類，進一步的辨認和歸納，也就詳細描寫了藥用植物的形態和類別，因此成爲我國植物分類學上極其重要的卓越的文獻[14]。由此可見，李時珍的畢生業蹟和在科學歷史上的崇高地位，是應該受到我們後人和國際所尊重的！

註：

（1）李時珍生卒爲公元1522年—1596年，參考吳雲瑞撰【李時珍傳略註】，根據：（一）李建元進書疏稱【行年三十，躬自校讎】，又時珍開始著本草綱目爲嘉靖壬子（1552年），那年時珍爲30歲，若與顧景星白茅堂集所載時珍享年76歲計算，亦能相符。（二）時珍死期即萬曆24年（1596年），因是年11月建元進遺書疏稱，【甫及刻成，忽値數盡】，時珍適爲74歲，顧氏傳照中曆計稱他享年76歲。

（2）著有醫學八脉註（蘄州志）人參傳兩卷，蘄艾傳一卷，（本草綱目人參條及艾條引）四診發明八卷及痘疹証治。詳見明史藝文志。

（3）見顧景星白茅堂集。顧日巖字子承，嘉靖戊寅進士，桂巖字子貢，庚戌進士，係顧景星之曾祖。

（4）見白茅堂集李氏傳。

（5）太醫院判之職，按明史百官志：太醫院有院使一人（正五品），院判二人（正六品），其屬御醫四人，後增至18人。隆慶五年，改定10人，太醫院掌醫療之法，醫術分13科，自御醫以下各專一科醫士、即13科中之醫員，由吏目經考績陞補。李時珍父言聞銜太醫吏目，時珍爲院判，其子建方爲醫士，李氏三代於太醫院俱有職位。

（6）邁所錦題名，出於詩經：【碩人之邁，碩人之軸】，言病困也。

（7）時珍著述，（一）本草綱目，公元1553—1578年計27年書成。（二）瀕湖脈學一卷公元1554年書成。（三）奇經八脈考一卷公元1572年書成。（四）瀕湖醫案。（五）集簡方，或係其門弟子所輯，已佚。（六）食物本草22卷，湖廣通志稱李氏所撰，但醫籍考謂係明末姚可成托名時珍所作，一說即李東垣之食物本草，曾經時珍修輯者。其他（七）五臟圖論。（八）三焦客難命門考。（九）邁所館詩詞。（十）詩話，均佚。

（8）見明史方技傳。

（9）見金陵版本草綱目，男：建中、建元校正，建方建木重訂。孫：樹宗、樹聲，樹勳次卷，樹本楷書。附圖·男建中輯，建元圖，孫：樹宗校。門弟子：龐鹿門助編（湖廣通志），黃甲，高第，校閱。

（10）見白茅堂集：明史方技傳。

（11）見湖廣通志八十一陵墓志。

（12）見明史方技傳、明實錄、白茅堂集。

（13）王吉民：本草綱目譯本考証，中華醫學雜誌28：378—385，1942。

（14）吳徵鎰：中國植物歷史發展的過程和現況，科學通報，2：12—20，1955。

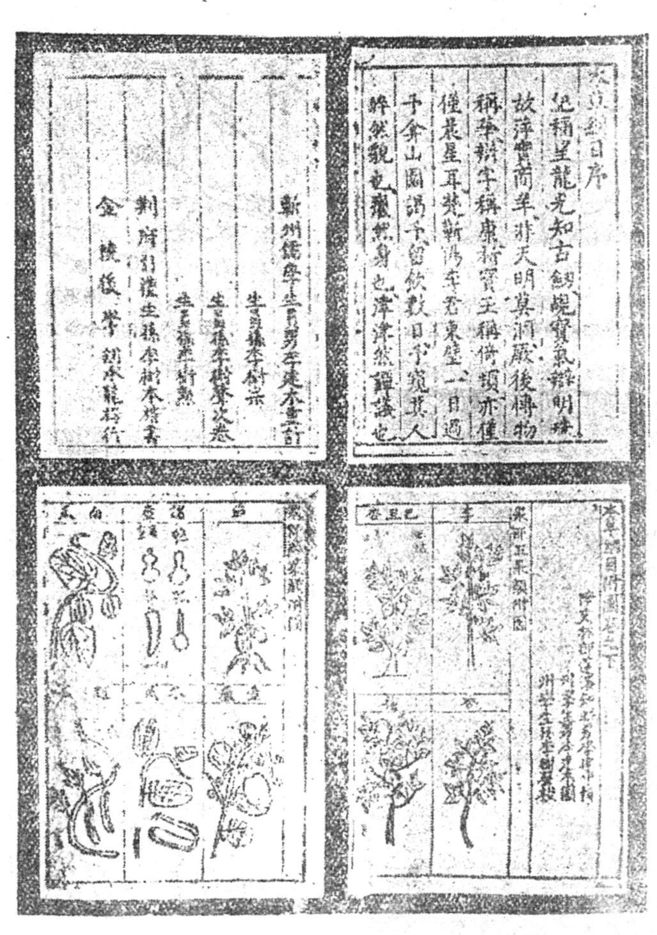

中国近现代中医药期刊续编·第二辑

生物化學的發展

葛洪

圖一　據李喬苹中國古代化學工業

孫思邈

圖二　據同治七年立本堂刊千金方

李杲

圖三　據明萬曆建北京東藥王廟塑像

李時珍

圖四　據日野五七郎最新和漢藥物學

生物化學的發展

李 濤* 劉思職*

生物化學在本世紀始發展成爲獨立科學，所以從狹義上講不過半世紀的歷史。但是生物體的化學現象和生物與周圍物質的交換，早已被人類發覺，並且在2000多年前，就有人企圖以化學方法達到延年益壽的理想。因此生物化學的知識是隨着人類文明，多年多人智慧的結晶。所以我們講生物化學的歷史，也應該追溯到遠古。

中國古代

人類文明從原始社會進入奴隸社會，由於生產力較前發達，有了賸餘的糧食，開始用糧食作酒。我國至少在公元前22世紀已能釀酒。據戰國策記載，夏禹（公元前2205—2198年）時儀狄始作酒。後來禹的孫子太康（公元前2188—2160年）由於好喝酒，被人攆走了（甘酒嗜音）。近來殷墟出土的銅器，酒具很多，可見公元前14世紀飲酒的風氣很盛。用以釀酒的釀母，古來叫作麯或酶。書經記載作酒必得用麯(若作酒醴，爾維麯蘗，)禮記還記載所用的麯必香，乃是選用適當的菌種，以作酒。至於酶字古來通媒，意思是米豆要經酵母的媒介才能成酒。現在生物化學中的酶字，依然是討論人體內各種酶，在化學反應上所起的媒介作用。

釀母的治療效用，經過多年的經驗，也被人發見了。公元前597年（魯宣公12年）已經知道用麥麯治療胃腸病（叔展曰：有麥麯乎？曰無。有山麯窮乎？曰無。河魚腹疾奈何？）後來醫生因爲釀母治胃病有神效，稱之爲神麯。直到現在酵母仍然是世界上通用的健胃藥。

酒變酸，即成醋，所以人類能釀醋的時代，應該與釀酒同時。醋古來叫醯，或酢，或苦酒，爲周禮五味之一。醋的解溫，健胃和收斂作用，也早被人類發覺。而且宋代以後有多種藥是經過醋製，所以藥用的範圍很廣。

其次醬的製造，我國遠在公元前12世紀著作周禮已有記載。由於能製造多種醬，稱爲百醬，主要是經過發酵製成的豆醬，豆豉，醬油，其次是肉醬（醢）蝦醬，魚醬，芍藥醬等。公元前六世紀孔子曾說：「不得其醬不食。」可見那時醬已成爲人民的必需調味品了。後來漢代張氏賣醬，樊少翁賣豆豉，都成巨富，更可說明醬和豆豉是當時人民的通常食品。

至於醬和豆豉在治療上的價値，也很早便被發見。例如公元前二世紀的傷寒論便用豆豉作健胃和解毒劑，並美其名爲香豉。醬的用法在醫療上與豆豉相同。

相傳公元前二世紀，我國人已能製造豆腐。劉安的著作（淮南子）已有記載。俗稱豆腐爲黎祁，或來其。豆腐的製成，表示人類知道如何利用植物蛋白，也表示我們祖先的智慧，歐美人到了近代才學會了製作豆腐。

經過化學手續製成的普通食物，除了酒，醋，醬，以外還有糖。詩經有「堇荼如飴」的記載，是表示我們祖先在公元前12世紀已能製糖。飴是大麥經過發芽製成的糖漿（麥芽糖），也是周禮所記五味之一。飴的水分蒸發後成塊，叫作餳，就是糖。糖的營養效用早被人類發見。例如內經素問已有「脾欲緩，急食甘以緩之。」後來醫生用他作補虛止渴之用。第六世紀陶宏景書內，解釋糖能補虛的道理。認爲米是溫，經過製造成飴變成大溫。大溫入胃，能使生者變化，就是使血變成氣，爲我們人體所利用。氣即是現代所說的能。這是中國古人最早對於生物變化的觀察和解說。

* 北京醫學院醫史學科

由上述事實，可見在公元前25—12世紀之間，我國人已觀察到微生物的酶，所引起的多種化學變化，並且能掌握微生物所引起的變化，爲人類服務，製成多種食品，更由於經驗上用以防治疾病。到了公元前12世紀，我國社會已由奴隸制度進入封建制度。這時由於農業發達，使食物由生食（寒食）進到熟食（饔飧），更由於交通進步，能被人利用的食物種類日多。這些都需要複雜的烹調技術。因此當時的統治階級設置了食醫（飲食家）和食官（炊事員）。正表示人類文明又邁進了一大步。

漢晉時代（公元前221—後588）

公元前五世紀以後，由於鐵器應用，及生產力的發達，人類產生了延年益壽的願望。當時方士欲從飲食中發見長生藥，曾遍試當時所知的動植礦物。公元前三世紀秦始皇曾派徐福入海求長生藥，是人所共知的事。

我國的方士爲求長生，最初食用各種植物，後來服石。但是服石之後，反因營養不良而易發病，於是進而燒煉礦石，企圖獲得延年益壽的仙丹。在燒煉丹砂（HgS）的過程中得出水銀。淮南子有「朱砂爲澒」的記載，澒即水銀，是知我國在公元前二世紀已能煉製水銀。

現存最古的煉丹書，爲東漢人魏伯陽的周易參同契，其中對於汞和鉛的煉製，均有記載。魏晉時代煉丹風氣很盛，葛洪（278—339年）所著的抱朴子，集當時方士煉丹的大成。其中所記煉製原料有丹砂，雄黃，雌黃，硫黃，曾青，或膽礬，白礬和礬石，硝石，雲母，磁鐵，戎鹽，鹵鹽，錫等。由此煉出汞、砒、硫、鉛等。雖然於服丹後不免中毒或病死，但是他們却傳留下來若干實驗方法如昇華，蒸餾等手續，而且方士企圖用化學方法尋求延年益壽之道，也是事實。西洋煉丹術較中國爲晚，所以有些學者說西洋的煉丹術是由中國傳去的。

由於煉丹製出的汞、硫、砒等，不久即應用於治病。例如用汞或雄黃（硫化砷）和猪油，配成軟膏，治療疥癬一類寄生蟲病，公元前一世紀的神農本草經已有記錄。我國是世界上最早應用金屬藥物的民族。應用水銀軟膏治病，亞拉伯人較我國晚數百年，歐洲人則要晚到13世紀才開始利用（Gilbert）。

隋唐時代（公元588—960年）

西晉末年政府南遷，從此時起我國文化中心由黃河流域移往長江流域。知識份子到了長江以南，見到許多新病，並且記載了勞動人民對於那些疾病的鬥爭經驗，直接豐富了我國醫學的內容。若干由於營養素缺乏所致的病，如甲狀腺腫，脚氣，夜盲等，此時皆能診斷和治療。可見我國古人對於維生素和激素，在生命現象中的重要性，已有正確認識能力。

甲狀腺腫　公元前四世紀莊子上已記載癭病。其後漸知癭病多見於山區，於是認爲與飲水有沙所致。至第四世紀葛洪著肘後百一方首先記載海藻酒療癭方。海藻含碘，用以治癭，與現代科學治法完全相合。以後我國方書皆用海藻昆布一類含碘植物治癭。例如唐朝王燾著外台秘要中，記有療癭方36，其中27方皆有含碘植物。後來更進一步將海帶放在飲水缸內，以預防癭病，此種發明。尤可欽佩。至於歐洲人晚至第一世紀始記述亞路普斯山的甲狀腺腫，到1170年始知用燒海藻及海棉治療，較我國人的發見實晚數百年。

脚氣　關於脚氣病的歷史，公元七世紀孫思邈（581—682年）已有詳細的記載。他知道這是一種食米區的病，並按其症狀分爲腫，不腫和脚氣入心三種。當時所用的脚氣藥如防風，車前子，杏仁，大豆，檳榔等，經近日化學家分析，皆含大量維生素B_1，可見當時對於脚氣已有正確的治療經驗。同時更知用穀白皮（楮樹皮）煮米粥常食之以預防脚氣。總之我國人對於脚氣的診斷，治療，和預防均有極大貢獻，爲世界其他民族所不及。

夜盲　公元七世紀巢氏病源中首記此病，稱爲雀目。孫思邈書中首用猪肝治之。我國第一部眼科專書龍木論治雀目，除猪肝以外，更用蒼朮，地膚子，細辛，決明子等。這些藥經近日化學家化析，均含大量維生素A，或A原。我國古人向例認爲肝與眼相連，所以治療因營養素缺乏所致的眼病如雀盲，乾眼，目昏暗等皆用動物肝臟。按夜盲，在歐洲也很早就有報告，但從無有效治法。兩相比較，可見我國勞動人民的智慧。

除上述幾種由營養素缺乏所致的疾病以外，對於因新陳代謝紊亂所起的現象，也被發見。例如糖尿病是公元前三世紀已能鑑別的病，到了第七世紀更發見了早期診斷方法。

公元693年（長壽元年），郭霸曾親嘗魏元忠的糞，他說糞甘則可憂，苦便無傷，可見嘗糞診斷糖尿病，已成通人皆知的事。其次對於浮腫，到了七世紀已知浮腫與食鹽有關，由經驗上得知不吃鹽的益處，當時醫方中都有忌鹽的記載。這類人體的精微化學變化，早在第七世紀即能發見，誠然是一進步。

宋金元時代（公元960—1369年）

我國在六世紀發明了印刷，到10世紀普遍應用起來。印刷術的發明，直接促進了我國和世界的文化。13世紀蒙古人統治了歐亞兩洲，將世界各民族的文化交流起來。此時我國醫學，在固有的文明基礎上，吸取了其他民族的長處，輝煌一時，僅生物化學方面的成就已很可觀。

首先是動物臟器的應用，到了10世紀以後幾乎成了風氣，每一種臟器病都要用動物臟器來治。此點與隋唐時代偶然用幾種臟器治病者迥然不同。例如羚羊角所有中風，發熱病（傳染病），脚氣，虛勞，腰痛等皆用，幾乎成了萬應藥。並且將雞胃（膍胵）治糖尿病，羊靨治甲狀腺腫普遍起來。更創用蟾酥（蛙怒時分泌的液體，功用與腎上腺素相似）治創傷，胎盤（紫河車）作強壯藥。總之當時確企圖利用各種動物臟器調節人體的機能。這種寶貴經驗顯然啓發了現代激素的研究。

10世紀以後，我國祖先極力講求飲食的衛生，來增進人體的健康。例如討論食物的專書，此時不斷出版。所有關於茶、竹筍、梅、海棠、蟹、橘、瓜果、甘蔗、禽、菌、野菜等皆有專門著作。現在我國飲食種類的豐富，味道的可口，稱為世界第一，正是吾人祖先多年研究的結晶。據宋人記載，我國飲茶風氣盛行以後，黃病即少見。由此可見當時已收到改善飲食的效果。

至於從飲食方面醫治疾病是很早的事。經過多年經驗，便確知飲食療法的價值。唐朝孟詵著食療本草昝殷著食醫心鑑是我國最早的食療專書。可惜原本皆已佚失。現在僅有輯錄的本子。10世紀以後在這一方面，尤為進步。例如聖濟總錄中的食治，忽思慧的飲饍正要。於每病之後，列舉食物的種類和烹調方法，與現代的醫院食譜極為近似。

由於飲食療法的進步，惹起當時醫家的注意。13世紀的李杲（1180—1251年）極力提倡營養療法的重要，主張用甘溫一類的藥如黃耆，人參等，補養脾胃，培養元氣。當時稱為溫補法。他的理論與現代的營養療法多能暗合，可惜他所用的藥，則不一定皆有營養價值。此點可以證明他的學說不能與實際完全一致。

明清時代（1369—1840年）

14世紀以後，我國學者努力於食物資源的發見，曾廣泛研究各種生物，並有極大成績。最有名的著作是救荒本草，這部書作於15世紀初年，其中記載草245種，木80種，穀20種，菜46種，計共415種。大部皆為前人未經記載的植物。直接增廣了吾人利用植物的範圍。其後還有多人著作了這類食物本草如汪穎，胡文煥，寧原，鮑山，和李時珍。其中李時珍研究的範圍，不限於植物，兼及各種動物，為16世紀，世界上最大的學者。

李時珍（1522—1596年）自1552年起，便從事本草的研究，至1578年著成本草綱目一書，在他死的那年始行出版。共載藥1880種，增加新藥347種。除植物藥外記載魚63種，獸類藥123種，昆蟲百餘種，鳥類77種，介類45種。在生物學上的貢獻，比之林納（Linné）在1735年所著的博物綱目，有過之無不及。其中有許多藥，是要經生物變化才能製成，例如酥，乳腐，魚鮓等。還有人體的代謝產物如糞（人中黃），尿（淋石），乳汁，月水，人血，人精等均有觀察。此外對於金屬化合物也有不少的記載。無疑今日的生物化學家應該向李時珍學習，發揮中華民族無窮的創造力，使生物更好的為人民服務。

17世紀以後，滿清政府統治中國，採取閉關自守政策。同時封建制度高度發展，人民沒有言論思想自由。200年來中華民族遭到殘酷的壓制，中國社會被迫停留在封建階段上，因之我國在學術上不能有更大的發展，結果落後於其他民族。生物化學自然也不能例外。

近　代　和　現　代

在我國統治者閉關自守，摧殘科學的同時，歐洲的自然科學，包括生物化學，則大有進展。在進展的過程中，唯心論者與唯物論者展開了劇烈的鬥爭。俄羅斯的科學家羅蒙諾索夫氏（1711—1765）首先發現自然界的總規律，即物質及運動的不滅定律。這一定律給唯心論者以致命的打擊。在這個定律的基礎上，拉瓦西（1743—1794）發現了生物體呼吸作用的本質；他首先確定氧在呼吸過程中被消耗。二氧化碳被排出，同時產生熱；他並認爲體溫即是食物在體內氧化的結果。

羅蒙諾索夫氏的發現對於有機化學的發展亦有重要的影響。過去的有機化學家一直認爲有機化合物只能由有生命的動植物合成，人工的方法則無能爲力。他們認爲，有機化合物與無機化合物的基本區別即在於前者含有神秘的「生命力」。這種唯心的「生機論」觀點被羅蒙諾索夫氏的物質及運動不滅定律所推翻。根據這個定律羅氏强調化學反應與生命現象的關係；他認爲生命現象也遵循一定的自然規律，也可以同非生物界的現象一樣加以研究。烏爾樂氏（1800—1882）在1828年第一次用人工方法由無機物合成動物體的代謝產物，尿素。尿素的合成證實了羅蒙諾索夫氏的觀點。從此以後人們才眞正擺脫生機論的束縛，積極地用化學方法以研究過去認爲不可知的「生命力」。

烏爾樂氏合成尿素的成功不僅推翻有機化學的發展障碍，同時也奠定生物化學的發展基礎。在最近50年來，由於「生機論」學派的崩潰，生物化學才有驚人的發展。發展的過程可以分爲三個階段。第一階段可以稱爲「叙述生物化學」。這一階段的主要內容乃是研究生物體的化學組成。我國生物化學家吳憲等在血液成分的研究及食物的分析上多有貢獻。第二階段可以稱爲「動態生物化學」。這一階段的主要內容乃是研究生物體內組成物質的化學變化及轉變。在這一階段中生物化學家對於維生素及激素的生理功用及化學性質，各種酶的結晶及應用，新陳代謝的中間程序，蛋白質的生命現象中的重要性等方面，都有驚人的研究成績。吳憲等在蛋白質的變性，免疫反應的機構及營養的改善方面也有重大的成就。不過這些成績都是以離體的器官，精製的純酶或孤立的代謝反應作爲研究的對象而獲得的結果。因爲沒有考慮生物體內各種器官的相互關係，各種酶的相互影響以及各種代謝程序的聯繫，所以在19世紀末期之前，生物化學的問題主要是由化學（特別是有機化學）及生理學分別研究。只是在19世紀末和20世紀初，生物化學才成爲一門獨立的科學。它既不同於有機化學也不同於生理學；而是此二種科學在發展過程中的必然產物。雖然生物化學不是有機化學，但是它與有機化學有極其密切的聯系。只有應用有機化學的分析與合成方法才能研究生物體的化學成分。因此「叙述生物化學」的發展與有機化學及分析化學的發展是密切不可分的。近年來，由於物理化學的卓越成就，在體內物質代謝的研究上已經廣泛應用同位素及其他物理化學的技術。這種聯系物理學、化學及生物學而發展起來的物理生物化學乃是目前最有前途的科學。

前已述及，生物化學是在生理學的基礎上發展起來的一門科學；生物化學的一種目的也就是要通過體內的化學變化來認識生物體的生理活動，或爲生物體的生理活動奠定化學基礎。因此生物化學的研究工作不能脫離生理學；而生理學的進一步發展也必須依賴生物化學。巴甫洛夫學說爲現代的生理學開闢了新的領域；所以現代的生物化學也必須建立在巴甫洛夫學說的基礎上。資產階級的生物化學家脫離了巴甫洛夫生理學，不考慮神經系統對於體內化學反應的决定性影響，孤立地解釋人體或動物體的化學過程。這樣就使得他們仍然停留在「動態生物化學」的階段，因而限制了生物化學的發展。因此爲了生物化學的向前發展，吾人必須掌握並進一步在生物化學方面發展巴甫洛夫的高級神經活動學說。

除生理學之外，生物化學與其他基礎醫學也有密切的關係。近年組織化學的發展就是由於應用生物化學的方法，以解決過去顯微鏡及染色所不能解決的問題。細菌學的研究更需要廣泛應用生物化學的原理與技術；例如細菌的生理、免疫作用的化學程序，抗體蛋白質的生成機構等，莫不與生物化學有密切關係。現代細菌學的發展是要在一定程度上依賴生物化學的成就。最後應該提到生理病理學；這是一門建立在巴甫洛夫學說基礎上的新醫學。生理病理學的基本特點就是從生物體的統一性出發來研究病原；也就是說，根據生物體生理機能及生化程序的改變，而不是僅僅根據細胞形態的變異來研究病原。由此可見生理病理學與生物化學也有密切的關係。

生物化學乃是預防或治療醫學的重要基礎，體內物質代謝程序的紊亂或異常，莫不表現爲疾病；特別是因內分泌失常而引起的代謝紊亂，表現更爲顯著。若不掌握物質代謝的規律性則無從確定病因或給患者以適當的治療。臨床的化學診斷雖然歷史很短，但在今天已經成爲一種不可缺少的診斷方法；例如糖尿病的診斷只有通過血糖濃度的測定及耐糖曲線的形狀才能確定；測定尿中17酮類固醇及氯化鈉的含量才能確定腎上腺皮質的機能是否亢進；血中酸性磷酸酶含量的測定可以診斷前列腺癌，鹼性磷酸酶則可以診斷骨癌。

生物化學與預防醫學也有極其重要的關係。增進人體的健康是預防疾病的一種重要積極因素。如何供給人體適當的養料以增進人體的健康，則是生物化學上的一個重要問題。適當的營養不僅可以預防，還可以治療疾病。維生素對於維生素缺乏病的治療是最有效的方法；在膳食中增加蛋白質則可以加速外科創傷的癒合。吾人可以預料今後臨床醫學的發展，必將更廣泛應用生物化學的知識。

對於生命的化學現象缺乏整體的認識。巴甫洛夫（1849—1936）根據條件反射的形成，證明生物體的一切機能活動都是受着神經系統，特別是大腦皮質的統一支配。這一天才工作不獨在生理學上開闢一個新的研究領域，同時也將生物化學的發展推進到更高的第三階段，即「機能生物化學」的階段。這一階段的主要任務應該是聯系生理機能、神經管制及內外環境的條件來研究生物整體的化學變化，特別是蛋白質及酶在物質代謝中所起的巨大作用。

以上三個階段的劃分只能認爲是各個發展階段的必然趨勢；它們之間不是彼此孤立而是互相聯繫。如果不先了解生物體的物質組成，無論如何也不可能研究物質代謝的動態平衡；如果不先研究「動態生物化學」，「機能生物化學」也不能單獨向前發展。換言之，機能生物化學就是敘述生物化學及動態生物化學的更高發展階段。

在上述三個階段的發展過程中，生物化學不是單獨前進而是與分析化學，有機化學，生理學及臨床醫學取得密切聯繫。

孫中山醫學畢業年期之考證

王吉民

(一) 孫中山醫學畢業年期之考證

香港西醫書院，即現在香港大學醫學院之前身，創立於公元1887年，孫中山爲首屆畢業生之一，關於孫氏畢業之年期，各書所載，略有不同，前曾一度引起各方之討論，余對此頗爲留意，已收得相當材料，尤其是醫界方面著述之記載，玆將各文加以考評，羅列於後，以供醫史研究家及搜集革命史料者之參考焉。

吳稚暉著中山先生的革命兩基礎云「西1881年，16歲由夏威夷回國，尋入廣州博濟醫校，壬午八年，西1882，17歲，轉學香港阿賴斯醫院，乙酉11年，西1885年，20歲，畢業香港醫校，西人記載謂先生以本年方入香港醫校，誤也」。

吳文完全不對，蓋香港西醫書院，於1887年方開辦，係五年學制，豈能肄業二年卽行畢業。陸丹林在總理習醫年齡考證中曾指出其錯，並得吳氏覆函承認謬誤，則孫氏1885年畢業之說，自不能成立矣。

總理自撰生傳云：「余21歲改習西醫，先入廣東省城美教士所設之博濟醫院肄業，次年轉入香港西醫書院，五年畢業，考拔前茅，時26歲矣」。若照此推算，26歲，當爲1891年。此外更有謂孫氏係於1893年畢業，如馮自由，中華民國開國前革命史云：「總理年20，肄業於廣州博濟醫院，翌年轉學於香港雅麗士醫院，癸巳年，即1893年，以全校第一名畢業醫學」。陳少白嘗云：「先生確在癸巳年畢業，猶憶當時代爲手寫證書，因該執照，誤癸巳爲癸己也」。

以上三說，皆屬不確，蓋孫氏畢業年期，實爲壬辰年，即公元1892年，非但多數文獻公認爲是年，且有實物證明，玆將各記載列後：

總理倫敦被難記云「1886年，余在廣州中美傳道會，嘉約翰老醫生門下習醫，1887年，因聞香港西醫書院成立，比較完備，遂決志轉學於該院，經五年勤讀，獲得內外科畢業士憑照」。

博醫會報39卷4期，社論云：「孫逸仙初在廣州嘉約翰門下習醫，1887年，始入香港醫校，五年畢業，得內外科畢業士學位，即在澳門行醫，並設分診所於廣州」。

廣州博濟醫院創立百週年紀念云：「最足紀者爲1886年，先一年孫逸仙博士，（當時稱爲帝象）由香港來廣州，訪嘉約翰醫生，嘉一見即器重之，留居本院，孫由此習醫一年，後一年適香港雅麗士醫院，及香港醫校先後成立，孫乃轉學該校，畢業於1892年」。

康德黎孫逸仙與中國之覺悟云：「時粵中有博濟醫院，爲美國外科大家嘉約翰所主持，逸仙肄業於此，年僅18也，予初見逸仙，係1887年，是年10月，香港西醫學堂成立，逸仙由廣州轉學香港，肄業五年，得內外科畢業文憑，爲該校首屆畢業生」。

嘉惠霖在刀圭鋒尖之上云：「康德黎博士，於1887年，創辦香港西醫學堂，帝象（即中山先生之名）爲該校第一個畢業生，於1892年，領得畢業執照，由康氏及各教授講師簽發，孫氏取名逸仙，是在此時也」。

總理開始學醫與革命運動50週年紀念史略云：「先生旣在博濟一年，醫學根底，自比其他初來學生爲優，記憶力之强，與研究之專精，又非常人所能及，經過五年時間，各科考試，爲滿百分之數，以第一人畢業，其證書經校長及教員13人，試官八人，及牧師書記官簽字，由香港總督羅便臣爵士手給，准其以內外科產科行世，是爲香港第一張醫照，1892年7月23日所發」。

逸經文史半月刊第17期，馮自由之革命逸史云：「總理在香港肄業之醫學校，乃香港議政局員何啓律師，爲紀念其英籍之妻，雅麗士所設，總理在校五年，各科考試均滿百分之數，以第一人畢業，其證書經校長及教員13人，試官八人，及牧師，書記署名，由香港總督羅便臣，於1892年7月23日發給」。

康德黎爵士傳云「康夫人日記，1892年7月23日載：今日爲香港醫校一大可紀念之日，因港督發給醫照，余往議事廳觀禮。總督夫人亦在座，德黎之演說，人皆以爲「極好」。港督羅便臣爵士，在議事廳主持典禮，發給文憑與香港醫校二畢業生，其中一名爲孫逸仙，是晚德黎特設盛筵於奥斯丁酒樓，共請50餘客以爲慶祝」。

香港西醫書院年刊內同學錄載：「1892年畢業生，江英華，孫逸仙」。

香港西醫書院各科考試分數單載：「1892年7月，產科，外科、及醫學專門考試成績，應考者四人，及格者第一名孫逸仙，平均數73分。第二名，江英華，平均數67分」。

王吉民，伍連德中國醫史云：「1892年7月23日，香港西醫書院，舉行第一次畢業典禮，由總督羅便臣爵士主席，發給證書，予二位畢業生，此典禮之所以爲一重要大事，因其中一位是孫逸仙，彼在1887年進院，今經考試，成績優良而畢業也」。

香港南華郵報1892年7月24日號載，「光緒18年，1892年，陽歷7月23日，香港西醫院舉行畢業典禮，由香港總督羅便臣爵士對該院優等各學員頒發奬品，港督親任主席，首由湯姆生秘書報告，次由教務長康德黎博士演說，康氏演說畢，即頒發孫逸仙，與江英華，二人成績優越之畢業執照」。

鄧慕韓總理學醫畢業年歲考云：「總理學醫畢業年歲有三說，一爲辛卯，一爲壬辰，一爲癸巳，云辛卯者，根據總理自撰生傳。云壬辰者，根據總理所著倫敦遇難記。云癸巳者，根據香港西醫學院所給畢業執照。三說均有所據，並非臆度，然則何所適從乎，曰當以壬辰爲是，總理生傳所云，26歲畢業者，雖在辛卯，然總理生平均述年歲，以滿一週年，乃爲一歲，總理之生傳係在陰曆十月初六日，即陽歷11月12日，故於壬辰十月初六以前，總理仍爲26歲，過此則爲27歲，此不能據總理所云26歲便是辛卯也。至香港西醫學院所給執照，雖在1893年，即癸巳年，陳少白嘗云，發執照時係在癸巳，因該執照誤癸己爲癸巳，故憶在是年，既然經在校畢業，遲之又久，然後發給執照證書，此係學校常有之事，則又不能以發給執照時，乃始認爲畢業也。總理之著倫敦遇難記云，在西歷1892年，予卜居珠江江口之澳門，以醫爲業，1892年，即壬辰，如以癸巳爲畢業，則是年總理何能在廣州業醫，有甲午正月，廣州中西報可證，且先一年，總理已在澳門中西藥局中，經鏡湖醫院之聘，後爲葡醫之嫉視限制，乃離此而赴廣州，如在癸己畢業，試問一年之內，能否經此若干之曲折耶，且其師康德黎，同學關景良，均云總理畢業於1892年，則壬辰之說，益足信而無疑也」。

宋大仁孫中山與醫學及其肝病一書，關於畢業年期一點云，國父於1887年陽歷正月，光緒12年，丙戌，入香港西醫書院，1892年7月畢業，已有直接史料，確切證明。故黨史編纂委員會，所編總理年譜長篇初稿所載：光緒13年轉入香港雅麗醫學校，及陳少白氏云，國父係畢業於1893年癸己者，均屬有誤陳氏力言當時經過事實，亦爲事後追記，是因記憶上之參差，而强爲肯定，以致造成絕大錯誤，遂使後學遺惘不解矣。綜觀以上各考證，可知孫氏香港西醫書院畢業年期，確爲光緒18年壬辰，即公歷1892年，並於7月23日星期六，在香港議事廳舉行畢業典禮，由總督羅便臣爵士發給執照也。

（二）兩張執照之謎

孫中山先生畢業年期雖已確定，但於畢業執照，尚有一段逸聞，頗具歷史價値，蓋余發現該照共有二張，其式樣皆同，惟年期各異，謹將詳情縷述，以供史家研討。緣香港大學向珍藏有副本一張，據陸丹林說：「曾親眼見過在29年春，廣東文物展覽會，香港大學也把牠公開陳列」。查中國文化協進會出版之廣東文物上册第135頁，出品第394號載，有該照攝影，同書中册第103頁，有文云：「文憑中英文並列，全體教員署名，領憑者二人，一爲總理（孫逸仙），次爲江英華。中文如下：香港

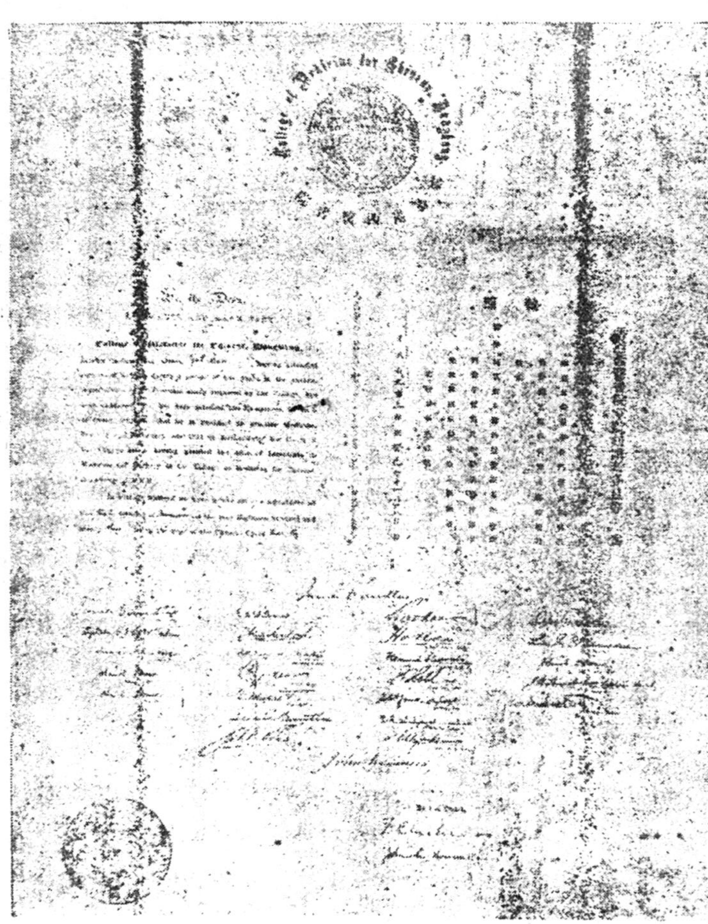

孫中山先生習醫時之畢業證書

西醫書院掌院並講考各員等，爲發給照事，照得某某在本院肄業五年，醫學各門歷經考驗。於內外婦嬰諸科，俱皆通曉，確堪行世。奉醫學局賞給香港西醫書院考準權宜行醫字樣。爲此特發執照，仰該學生收執以昭信守，須至執照者，右仰該生收執。1892年月日」。上左角有英文註明，此文憑副本，係羅便臣爵士，於1892年7月23日星期六發給首屆二名畢業士，孫逸仙，及江英華字樣。按執照中英文詞句大致相同，惟英文方面，則有「並由書院當局授與香港西醫書院內外科畢業士學位」。一語，中文無之，該副本不幸於香港淪陷時遺失，至今未獲，及讀1945年羅香林著國父之大學時代，得知下列消息，據云「西醫書院自歸併於香港大學後，其註册簿與學員成績，及畢業執照副本等，概存於香港大學。以其與國父有關，爲中華民國重要史料之一種，故自民國30年12月8日，日寇襲擊香港，香港大學鄭文光先生，即以救護此項史料之責自任，始則使之不爲敵軍砲火所傷，至香港陷落，則密爲脫險，運入桂林經由杭立武先生，呈送中央保存，並由杭先生將此項史料應歸中央之意義，向英大使薛穆爵士（Sir H. J. Seymour）說明。彼深以爲然，鄭杭二先生之護持文物，厥功不可沒也。惟鄭先生所郵致史料，尚缺國父執照副本」勝利後，中央黨史館所藏孫氏文獻遺物中，祗見有該執照中英文抄件，並無副本，余於1951年冬，曾往香港大學母校演講，遂再查該照之下落，據謂前確存有副本，但自香港失守後，不知去向云，此重要黨史文獻，因日本之侵略而散失，可知戰爭予我國文化之浩叔，殊不可以數計也。

至於第二張執照之發現，係抗戰前，香港大光報基督號曾登有攝影一幅，友人麥君梅生，剪一份寄來，余見其年期與第一張有異，即去函大光報詢問該件之來源，旋得覆書，謂係某君持文憑送來編輯部，製版後即交還，因當時未注意其重要性，未曾詳問何人收藏，續刊出後。廣州黨史館即函問此文憑，惟已無法追查矣。

總理醫科畢業証書副本港大醫科學院藏

細考兩執照空白上所塡之姓名年月，皆係書記湯姆生之筆跡，於此可斷定該照係眞品，而非僞造，問題於是產生。第一張執照，既於畢業典禮時發給，何以翌年再發第二張，其用意爲何，理由安在，假照鄧慕韓之推測，畢業很久後，發給執照，學校常有之事，意即畢業時無執照，此與事實不符，且必有正本，而後有副本，理至顯淺。若宋大仁之結論，謂陳少白事後追記。係記憶上之參差，則實物俱在，又作何解釋，二君皆未見兩張執照，輕下斷語，致有錯誤也。此執照之謎，迄今尚無滿意解答，仍懸爲疑案，俟獲得新史料再下定論耳。

向疾病作鬥爭的現階段

陳義文*

（一）前言

目前我們祖國展開了轟轟烈烈的大規模經濟文化建設及愛國衛生運動，來逐漸提高人民的健康及文化生活水平，反對敵人的細菌戰，並與一切疾病災害作鬥爭，來保護人民的安全幸福。過去人民所希望的事情，今天都在逐步實現了。

先進的工人階級首先訂立了愛國衛生公約及個人衛生計劃，並掀起了「生產」「學習」大競賽，四年來克服了種種困難，創造了許多新記錄，保證了對我們衛生建設及醫療器材供應，使我們有向疾病作鬥爭的工具，能够順利的展開工作。

志願軍的醫務人員，爲了保衛祖國，保衛世界和平，站在反細菌戰的最前綫，發揮了高度的國際主義精神，發動了羣衆搞好衛生工作，使一個連隊在50天內就能够捕殺老鼠8萬餘隻（1952年4月—6月20日），爲了捕殺一隻老鼠，不惜動員數人乃至一班人，趕至數里乃至數十里，因此保證了志願軍及朝鮮人民的健康和安全，志願軍的醫務人員經常以長征中的醫務同志來作榜樣當他們聽到25000里長征中，許多可歌可泣的事，鼓起了更大的勇氣，來救治傷員。志願軍的醫務人員，在戰鬥中發揮了自救互救的方法，對傷員建立了五快運動，若糧食缺乏時，醫務人員吃野菜，而將好的飲食給傷員吃。選吃的野菜計有50餘種，如馬他利，麻雜菜，山蔓菁等。並在修整期間展開教學，推行蘇聯先進醫學，展開了神經封閉療法，組織療法等，並且經常發動羣衆展開反細菌戰的工作，粉碎敵人數十次細菌戰的進攻，扼止了美帝散佈的瘟疫。

祖國的醫務人員參加防治隊，抗梅隊（到邊區）防疫隊，經過思想改造運動及抗美援朝手術隊的工作，絕大多數都光榮的，集體的走向人民，走向爲工農兵服務的方向。

由於改革了社會制度，消滅了封建剝削，生產效率提高了，人民生活好轉，公共衛生進步，若干社會病如梅毒，結核等由於抗梅隊的努力和卡介苗的大量注射，以及抗生劑的使用已有極大成績。

醫學上素來認爲威脅人類安全的急性傳染病如霍亂、鼠疫、天花等，由於全國預防注射接種的普遍展開，環境衛生的進步，有的逐漸減少，有的已經絕跡，如霍亂自1820年在中國流行後，每年均流行，三、五年必大流行一次。解放後，經過人民防疫的努力，就未發現過一個眞性霍亂。如鼠疫由八個流行區設立「鼠疫防治所」後，1950年死亡率35.7%，1951年減少至26%，目前已能完全控制鼠疫的流行了。

醫學教育制度的改革及醫院作風的整頓後，醫校學生顯著增多，據統計（1951年6月）全國在醫校學習的人數已超過了過去69年來所訓練出來的醫生總數，東北區1950年畢業醫生已等於1930年畢業醫生的五倍。

在醫務部門展開了批評與自我批評，不但減少了醫療事故，而且基本上確立了全心全意爲傷病員服務的思想。各醫院都出現醫務功臣與醫務模範。據1951年10月1日的統計全國公立醫院的數字比反動統治時期增加了155%，近來還逐漸在增多，使我們向疾病作鬥爭的隊伍日漸壯大了。

團結中西醫也有了顯著的成績，在業務上貫徹了「中醫科學化」「西醫大衆化」的方針，據1951年4月的統計，全國已有940個縣新建立了醫務組織（不包括西醫的單獨組織）其中由中西醫共同組

* 第二軍醫大學醫院

織的協會有551個縣市。1950年7月中央人民政府首先創辦北京中醫進修學校後，至1951年9月全國已建立了10所中醫進修學校，中醫進修班34班。至該年年底已有3800名中醫從進修學校和進修班畢業。許多有名的教授和醫師都爲進修的中醫上課，表現了中西醫的眞誠團結，拋棄了舊社會中彼此歧視的錯誤觀念。

據東北日報1951年9月16日所載：「爲了發揮中醫在治療上的效能和推廣中醫在長期累積的經驗，中央人民政府衛生部已在中央衛生研究院內設立中醫研究所，進行有關中醫醫史、單方、中藥、針灸、食品醫療等研究，最近又設立了針灸研究所，並在今年開始推廣針灸療法。1952年第二次衛生會議以後，又決定將中醫研究所改稱爲「中國醫藥研究所」加强工作，因此我們以祖國醫學演進的現階段來看，要結合我們「預防爲主」的衛生政策，來實現我們祖國第一個五年建設計劃，第一是要向蘇聯醫學學習，第二是要向祖先醫學遺產學習。

（二）向祖先醫學遺產學習

在科學發達的今天，向祖先醫學學習並不是開倒車，而是要以新的觀點（即辯證唯物的觀點）以批判性的方法來接受眞理。祖先醫學有優點，也有缺點，我們爲了人民的需要，應當發揚優點，批判缺點，提高祖國醫務人員的積極性，創造性與鑽研精神。祖先醫學的主要優點，是從人體直接嘗試或累積經驗所得，比用動物試驗更爲正確可靠。主要缺點是記述簡單，往往涉及陰陽五行等玄學。

（1）醫學史方面：

醫學是有繼承性的科學，我們要不知道過去，便不能了解現在，不明白現在，便無法掌握未來。舉例來說，化學療法是現在盛行的療法，但是我們要追求這種方法的來源，便知道他有一定的歷史基礎。我們祖先公元前一世紀用水銀雄黃等治疥，在10世紀已盛用砒霜來治療瘧疾和痢疾等傳染病。16世紀歐人始提倡用礦物藥如水銀砒素硫黃等。這些顯然啓發了本世紀初年挨爾利赫（Ehrlich）諸人的研究。卒於1910年發明了606。醫學上所有偉大發明都不是憑空想出，而是來自勞動人民的經驗。中國醫學文獻浩如煙海，如加以科學的整理，顯然對於醫學研究是有極大啓發作用。

現代科學的成果，是世界所有勞動人民智慧的積累。醫學的成就顯然有若干是我們祖先的遺產。中國人對於脈學的研究，正表示重視心血管的問題，而且血循環的說法已明白記載，這一點對於17世紀血循環的發見有很大的啓發作用。發掘和發揚祖先的成就，培養醫務工作者的愛國心，建立自尊心，誠然是建設國家的急切要務，所以醫學史的研究不能看作單純學術問題，而是建設新國家的一種迫切需要，也是一種政治任務。

（2）在藥物方面：

如麻黃治療氣喘，常山治療瘧疾，我們祖先在幾千年前就應用，今天已證實是合乎科學的。其餘用豬肝、羊肝治療夜盲用車前子防風治脚氣，羊靨治癭氣（甲狀腺腫），用人中黃（糞水）治療熱性病；皆可從現代藥理學得到正確解釋。其餘如延胡索，烏頭的鎭痛，杜仲，五味子的治高血壓等等，都是古時醫生累積的經驗。顯然是還有很多寶貴經驗需要有步驟的，有組織的來研究與發揚。

（3）針灸療法到今天仍然存在，而且還能够解決一部疾病的治療問題，必然有它的眞理存在。據日本三浦氏研究孔穴，說約23%與神經相値，22%與血管相値，55%毫無所値。我想這55%很可能是刺激「神經網」發生反射作用，使免疫力增强。至於艾灸的作用據實驗能使白血球增加（在炎症早期比熱敷效果還好）對細菌吞食力加强。今天我們應當使針灸治療，脫離神秘的外衣，加以科學的研究與推廣。

（三）努力向癌症作鬥爭

醫學上一向認爲威脅人類生命安全的主要疾病，有下列四大類：

第一類：急性傳染病及各種炎症。

第二類：梅毒結核及創傷。

第三類：癌症及心臟血管病。

第四類：其他如職業病等。

由於科學發達，化學及抗生劑進步，公共衛生設備普及，人民衛生知識提高，以及外科技術提高，屬於第一、第二、第四類的疾病對於人類的威脅性已逐漸減少，甚至完全消滅。戰傷在消滅了帝國主義之後也可以避免。唯有第三類疾病，就是癌瘤和心血管病在目前乃至將來還是醫學界及科學界研究的重點。（本文因限於篇幅，僅略將癌症談及）。

周禮記有腫瘍，正是指腫瘤一類的病，可見中國在公元前12世紀已記載這類病。到了公元前六世紀晉景公所患的膏肓，據孫思邈注解是膈病，很可能是食道癌瘤。公元前二世紀的字典裏許愼著的說文記有贅，肬，瘤，瘜等字，是已能區別多種瘤病。公元第四世紀葛洪在肘後方中記有血瘤，頗似血管瘤。公元七世紀孫思邈的千金方更記有肉瘤，並指出不可隨便割治，以免發生危險。此外他還記有骨瘤、石瘤、肉瘤、膿瘤、血瘤、白瘤等。他所說的肉瘤便是現在所說的肉瘤和癌瘤。

宋朝的衞濟寶書始有癌的記載，指爲癰疽的一種，但是仍不十分明瞭。元朝朱震亨首先能區別乳癰和乳巖，他說「憂怒抑鬱，時日積累，脾氣消沮，肝氣橫逆，遂成隱核如鼈棋子。不痛不癢。十數年後方爲瘡陷，名曰乳巖，以其瘡形嵌凹似巖穴也。不可治矣」。

後來中國醫書裏有癌、瘟、巖三字，大約都是指癌瘤來說的。

關於癌瘤發生的原因，受了古代哲學的影響，也是歸之於五原質的過多過少。例如肝火、心火，脾土，肺氣，腎水等不協調便可發生腫瘤。茲舉明朝薛己的醫按的說法如下：

（1）若怒動肝火，血涸而筋攣者，其自筋腫起，按之如筋，久而或有血縷名曰筋瘤，用六味地黃丸，四物，山梔，木瓜之類。

（2）若怒動肝水，陰血沸騰，外邪相搏，而爲腫者，其自肌肉腫起，久而亦有赤縷，或俱赤者名曰血瘤，用四物茯苓遠志之類。

（3）若鬱結傷脾，肌肉消薄，外邪所搏而爲腫者，其自肌肉腫起，按之實軟，名曰肉瘤，用歸脾，益氣二湯。

（4）若勞傷肺氣，腠理不密，外邪所搏而壅者，其自皮膚腫起，按之浮軟，名曰氣瘤，用補中益氣之類。

（5）若勞傷腎水，不能榮骨，而爲腫者，其自骨腫起，按之堅硬，名曰骨瘤，用地黃丸，補中益氣湯主之。

以上是中國舊醫學對於腫瘤的成因和治法的大概情形，其次談一談近代醫學關於癌瘤發生問題。

19世紀維耳荷氏(Karl Virchow,1821—1901)倡細胞病理學，解釋癌的發生是由於細胞的聚集。但是這種說法，不久從實驗病理學上卽證明是不合實際的。在1916年用反覆塗煤焦油法，產生皮膚癌，使癌的研究開闢了新途徑。

因爲癌症不是像傳染病那樣容易防治，但也不是機體完整性規律一般以外的東西。據勒柏辛斯卡亞氏1946年研究活質報告，對我們啓示腫瘤可能是由於營養性神經發生代謝障碍後；產生特殊活質，再發展而成癌細胞。（若照維耳荷氏細胞產自細胞，腫瘤將永爲不可解決的問題）。烈氏（Яернях овскии）發現包圍癌細胞的有叉狀神經末梢。

巴甫洛夫曾提出：「假使我們生長的腫瘤，是在我們所不了解之原因影響之下發生的，此時經常性的刺激使營養阻抑性神經發生反射，結果損傷性刺激繼續刺激組織，因此如神經（營養性）切斷破壞反射弓後，會有良好的效果」。

傑爾森闊（Тереженко）氏曾用兎試驗實神經封閉療法，阻止了癌細胞的轉移。也有切斷神經來作治療者。

在治療上，無論最好的外科手術及放射治療能達到五年生存率者也只有40%，胃癌的五年治愈率只有10%（Pack）氏。所以最重要的還是預防。如何預防：

（1）飲水與腫瘤的關係：我國早已在紀元前二世紀呂氏春秋有：輕水所多禿與癭人；辛水所多疽與痤人；重水所多尰與躄人；苦水所多尪與傴人。甘水所多好與美人；「癭」除了指飲水中缺碘質，使人患甲狀腺瘤外，還與其他種瘤腫有關係。因爲水中有的微生物還可以阻止腫瘤的生長。據1948年列奧契也夫(Н. Ф Леонтьев)氏從海水中分離出100多種微生物，能够利用促癌性的煙化合物作爲養料，使煙化合物的促癌性質喪失。這些微生物分屬於30類的酵母及黴菌，能使炭氫化物氧化成二氧化炭(CO_2)，並說明海洋微生物本身或其產物，可利用來破壞促癌性炭氫化合物，且可發展成防治癌症藥物。

（2）營養與腫瘤的關係：

金元四大名醫之一朱丹溪說：「養氣須斷厚味」，到1944年Tannenbaum氏根據各人壽保險公司的統計說：體重過度者，癌腫之發病率較高。

同年樸特氏（Potter）也提出「節制飲食」及「適當運動」可以防止人類癌腫的發生。並說明：食料中缺少 Lysine 或胱胺酸，（Cystine）鼠類自生性瘤的發生卽降低。又說：食物中缺少 Biotin 或 Pyridoxin 者亦可減少癌症的形成。1950 年我國潘世成報告，腫瘤細胞內，肝澱粉及糖蛋白質均較正常增多。目前雖已有癌症的飲食治療單，但是人類癌症與那些飲食的關係，還未獲得結論。

（5）防癌大檢查：

1946年列寧格勒首先舉行一次 26000 人的防癌檢查，發現有癌腫前驅症狀者（如 Саванкий 氏小黴狀羣等）及癌腫可疑者佔 2.7％，患癌者12人。目前蘇聯防癌工作頗有成就，首先在莫斯科設有全國性中央防癌研究所，並設有三個分所，每個分所控制並領導全國防癌網的 1/3。據1951年 5 月的統計，莫斯科的防癌網包括癌腫研究所 74 處及次要防癌中心 387 處，慢性病醫院 80 處，這些機構都是依據人口的密度而分佈在各共和國裏。

我國醫院裏目前還很少有獨立的腫瘤科，當然研究的人員是更少。須要加强向蘇聯學習。

我國關於癌症的病例報告也很少，據上海鐳錠醫院報告 1300 癌例中，年齡 31—50 歲者佔到57％。又說明我國以鼻咽癌患者爲多。（佔 11.15％），女性最多爲子宮頸癌（佔 35.38％）。據我們醫院觀察，癌症死亡率佔住院死亡率11％，其中以腸癌，胃、食管，賁門癌爲最多。

（四）總　結

（1）簡略說明現階段向疾病鬥爭的戰果，及繼續鬥爭的必然性與重要性，並須向蘇聯醫學學習，向祖先醫學學習。

（2）重點說明在一般傳染病戰勝後，卽須要展開向癌症及心臟血管病作鬥爭。

民元前後之中國醫藥期刊考

蔡恩頤

中華醫學雜誌第20卷第一期20年紀念號王吉民氏會發表中國醫藥期刊目錄一文，對於國內先後出版之醫藥期刊，幾已羅列殆盡，頗引起醫史家之興趣，顧其時因限於篇幅，故僅述及期刊名稱，主編人姓名，發行地址，出版年月，至其內容等等，概予從略。關於此種期刊之內容，在最近出版者，尙可設法查考，但在久遠者，則情形不同，因此種早年刊物，目前國內收藏家及圖書舘恐鮮有存書。筆者特草此文，俾供參考：文中不免有遺漏者，尙祈讀者諒之。

1. 西醫新報　該報爲中國第一種新醫期刊，亦即爲我國最早之西醫雜誌，創刊於前清光緒六年，即公元1880年，爲嘉約翰主編，在廣州發行，年出四冊，八期後停刊。該報已屬稀有，詳情已載第四卷第一期醫史雜誌，兹不多贅。上海中華醫學會牛惠生圖書舘藏有第四期一冊，特錄其要目如下，以供研究醫史者之參考，俾知其一、二：

論西醫公會聚集之益，論止瘟疫傳染之法，眼球各肌肉功用圖說，西醫用藥撮要略述，胎產奇病略述，論醫痔瘻藥肛門生窄，解熱藥方，長髮藥方，風濕藥方，消頸癧方，論戒鴉片烟良法，論肺內傷成膿瘡圖說，西國聽耳器圖說，西醫眼科廣告。

2. 醫學報　査此報爲我國人自辦最早之醫刊，由尹端模氏於前清光緒12年即公元1886年創辦，在廣州出版，係月刊，僅出數期即停刊，國內未聞有收藏者，聞英國倫敦博物院圖書舘藏有此報第一期云。

3. 博醫會報　該報爲外國人在華傳教的醫師所設立之「中國行醫傳教會」(後改稱博醫會)主編，初名博醫會報，嗣博醫會合併於中華醫學會後改名中國醫學雜誌外文版，第一卷第一期在前清光緒14年，即公元1887年三月發行，由上海別發洋行印刷，年出四期，全年訂費大洋二元。自37卷起改爲月刊，在抗戰期間改爲雙月刊及季刊，且分上海版，重慶版，及美國版，勝利後恢復原狀。內容全用英文，撰稿者多屬國內名醫，在國際醫界有相當地位，該報發行迄今，具有65年之歷史，從未中輟，現仍繼續出版，爲我國醫誌中壽命最長者。

4. 醫藥學報　該報係由我國留學日本千葉醫學專門學校醫藥二科學生所組織之中國醫藥學會主辦，秉光編輯發行人，地址在日本千葉縣千葉町寒川新田1156番地辻川方，報爲華裝綫釘本，白報紙鉛印，在日本印刷。第一期在前清光緒33年1月1日，即公元1907年發行，係兩月刊，第四期後停刊，報費定價爲一冊大洋三角，六冊一元六角，12冊三元，內容相當豐富，書末附有中國醫藥學會簡章。

5. 衛生世界　該誌爲中國國民衛生會主編，發行所在日本金澤市下木多町一番丁五番地，月出一冊，朔日發行，其第一卷第一期係在前清光緒33年，五月朔日，即公元1907年6月11日出版，用白報紙鉛印，每冊售大洋二角，篇首登載中國國民衛生會章程，其執筆者多爲我國留學日本醫校之學生，內容相當豐富，全屬新醫作品，出至第五期停刊。

6. 醫學衛生報　報爲月刊，主編兼發行者梁愼餘，第一期在前清34年即公元1908年8月出版，發行所在廣州長樂街恒安別舘，報費全年一元七角四分，用白報紙鉛印，第一期僅有45頁，內容有關於醫史考據論文多篇，出至十期停刊（圖一）。

7. 醫學世界　該誌係上海大馬路泥城橋西堍自新醫院內之醫學世界社發行，主編者汪惕予，第一期在前清光緒34年6月8日，即公元1908年初版發行，至宣統2年2月25日即1910年發行第四版，該誌係華裝線釘本，用光紙鉛印，月出一期，31期後停刊，報費全年一元七角四分。內容中醫與西醫作品皆有，書末附有創立自新醫院緣起，附設醫科學校及醫學補習科，此外有插圖三幅，均爲該醫院之圖，據誌末啓事自云各埠函請續訂者業在3500以外，就其時醫藥尚未十分發達而論，銷數已算不少，詎出至31期後即停刊，該自新醫院已不存在。（圖二）

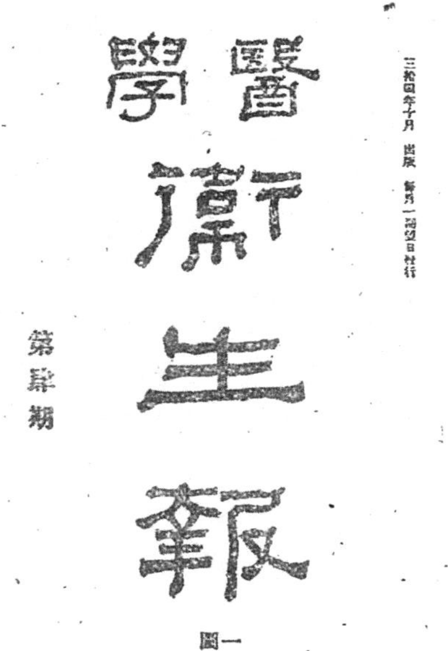

圖一

8. 中西醫學報　該報爲上海中西醫學研究會主編，第一期係於前清宣統2年4月15日即公元1910年初版，月出一册，出至八卷12期停刊，總發行所在上海新馬路昌壽里無錫丁寓，內容中醫與西醫作品皆有，以丁福保氏作品爲最多，該會除研究中西醫學外，兼舉辦一「函授新醫學講習社」定爲醫學函授之先河，此外兼載醫藥問答，爲近年上海各報登載醫藥問答之先聲。報費零售每册一角，全年本埠八角四分，外埠九角六分。

9. 光華醫事衛生雜誌　該誌係月刊，第一期在前清宣統二年即公元1910年8月出版，發行者爲譚斌宜，編輯者爲葉菁華陳垣，發行所在廣州關部前光華醫社、用白報紙鉛字印，報費零售每册一角，全年12册一元，出至第十期停刊。其撰述員及評議員皆爲廣東之著名西醫及宿儒，共有62人之多，故作品頗爲精采，第二期登有畫像一幅、爲康熙朝養心殿御醫高嘉淇像，據陳垣言，高氏留學西洋，習醫術，係在香山黃寬（綽卿）之先，引證頗詳，此考據俻足珍貴。此外又連載鄭豪所著「赴那威國白備根城萬國消除痲瘋會紀略」一文，洋洋數千言，鄭氏早在民元以前出洋參加外國醫學會會議，寔爲我國醫界生色不少也。

10. 中華醫報　該報爲月刊，第一期係在民國元年，即公元1912年5月出版，主編者嘉惠霖醫師，發行所在廣州廣東公醫院，報費全年二元，出至第21期停。用道林紙鉛字精印，字大行疎，殊爲醒目，間插圖像，其要目及作者姓名，除中文外，兼用英文，該報執筆者以外籍醫師爲多，我國西醫亦有之，內容甚爲豐富，但所述病名，多爲我國字典所無之怪字，如「[illegible]」代表子宮，「[illegible]」「[illegible]」代表再發瘧疾，「[illegible]」代表微生物或細菌之類，不勝枚舉，此或係外醫所創作者，但後人多不用之。

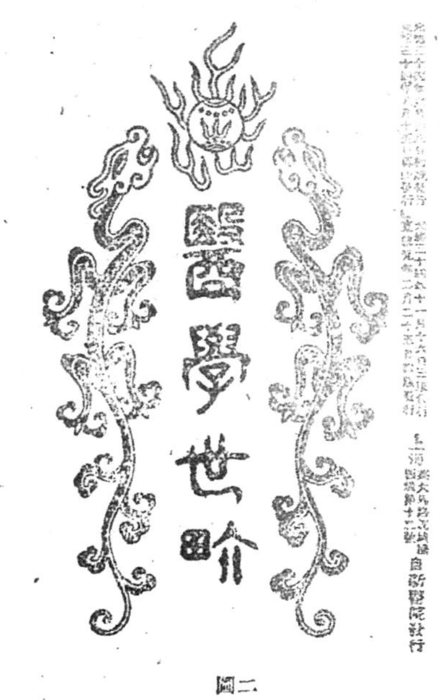

圖二

11. 醫藥觀　該誌爲月刊，主編者厲家福，發行者浙江杭州壽安坊中華醫藥公司王程之，發行所浙江杭州中華醫藥學會，殆爲該學會之機關報，報費全年二元，零售每册四角，第一期係在民國三年，即公元1914年2月10日出版，用道林紙鉛字精印，裝訂優良，編排得宜，第一期首頁載有該會特別啓事二則及中華醫藥學會章程，內容頗爲豐富，第一期目次有祝詞，發刊詞，論著，學說，綜覽，記事，雜俎，小說，附錄等等，應有盡有，共有230餘頁，爲當時醫誌中之最完備而字數最多者，惜出至第11期停刊。

12. 廣東光華醫社月報　該報爲月刊，第一期係在民國四年，即公元1915年5月15日出版，編輯者爲葉慧博，發行者爲廣州光華醫社、報費全年12期五角，零售每冊五分，出至九期停，用白報紙鉛印，但每期頁數僅40餘頁，內容平平，第一期目次除圖畫，發刊詞，論說各一，及醫事批評五則外，全屬該社本身之報告，收支數目及徵求社員之辦法等等，均與醫藥無關者，殆爲該醫社本身之機關報也。

13. 浙江廣濟醫報　該報爲兩月刊，主編者廣濟醫科同學會，發行所杭州廣濟醫院，報費零售每冊五角，全年二元，第一期係在民國三年，即公元1914年10月1日出版，出至第41期停刊，用白報紙鉛印，頁數約70餘頁，內容雖欠豐富，然壽命幾及七年，亦不算短矣。

14. 中華醫學雜誌　該誌初爲季刊，第一卷第一期係在公元1915年10月出版，嗣改爲兩月刊，發行者中華醫學會，發行地址在北京崇文門大街325號，該誌最初爲中英文參半（但並非互譯），1931年英文部與博醫會報合併，中文部與齊魯醫刊合併，用道林紙鉛字精印，字大行疎，殊爲醒目，定價全年二元，零售每冊五角、第一期中文部有中華醫學會宣言書，中華醫學會例言及論文17篇，計56頁，英文部有論文十數篇，計52頁，兩共108頁，嗣後內容日益豐富，每期除社言，言論，名著選錄，法令，文苑，譯林，醫報撮要，紀事，來稿等等外，兼登圖像，表格等不少。以1934年爲全盛時代，由李濤醫師主編，每期有數百頁之多，較諸英美醫藥期刊，不相上下。抗戰期內分重慶版及上海版，勝利後總會復員回滬，乃合併於上海出版，解放後因總會還京，該誌遂移京，至今仍照常繼續。查該誌出版迄今已有35年之歷史，中間雖經過最艱苦危急時期，然從未有一期停版，僅有時因環境不同，時爲月刊，時爲兩月刊而已，該誌爲國內唯一之新型醫刊，1952年10月復與中華新醫學報合併，內容更爲精彩，將來發展，未可限量也。

流行病史的研究

原著者：伊·伊·耶爾金教授，莫斯科

流行病學是一門最古老的科學。在古時候因為有和傳染病做鬥爭的必要，便有了流行病學，還在很久以前，當人類知道傳染病的性質時，就研究它的病源和病理。

可惜，對於流行病學史這一門科學研究的還不多。常見的流行病學著作都是流行病的闡述，或者在闡述的基礎上談些和流行病鬥爭的合理方法。

大約在半世紀以前，在發現細菌的偉大年代裏，發現了大多數的傳染病原，並且研究了它們的病源和病理，然而流行病學在資本主義國家中沒有得到充分的發展；資本主義國家把微生物學「荒廢」了。

許多資本主義的科學家認為流行病學是微生物學的一部分。

甚至流行病學教科書內的流行病學歷史概論也僅限於敘述偉大科學家的發現：如巴斯德、麥赤尼可夫、科賀、加百里斯基，特拉塞維奇等氏。

在很久以前已有可能較深刻地研究流行病學史了；然而在這門科學中的落後情況必須完全消滅。

按照我們的意見，流行病學史，應當分成四個時期。

第一時期——古代社會 流行病學的萌芽

在古代社會裏（巴比侖，埃及，古希臘和羅馬），科學是以一種特別的社會意識形態出現：自然，當時的流行病學只不過是初步的猜測。

歷史古蹟證明人類在古代就遭受傳染病的災害，並且經常受到傳染病毀滅性的災難。在最古老的文獻中，就記載麻瘋、天花和鼠疫。譬如埃及的紙草文，印度的吠陀經 (Вед)，巴比侖的法典，印度的摩奴 (Манну) 法典，中國的古文獻，荷馬的依里亞特 (Илиад) 和奧德塞 (Одиссея) 史詩，希波可拉底等人的著作。

大家都知道希臘的伯羅奔尼撒戰爭（公元前431—404年）中的流行病，就是叫做「Фукидид」大疫」。說得更正確，這是巨型的，使幾萬人犧牲的，合併有腸傷寒的流行性斑疹傷寒。

大家都知道，愛非歐皮亞 (Эфиопия) 和埃及曾遭到所謂塞埔露斯「流行病」。鼠疫的流行，席捲了大部埃及，巴基斯坦，敘利亞和亞歷山大等城，這是所謂「Юстиниан」鼠疫。（公元531—588年）。

許多世紀來，人民和流行病鬥爭的結果，產生了對於當時說來是有效的鬥爭方法。譬如，把麻瘋患者趕出城外，把他們留下的用品燒光。在希臘採用了消毒房屋，採用了硫黃焚燒法。印度摩奴法典指示要把污水，糞便儘可能引到離房舍遠些；禁止食用某些動物的肉，指示洗手，在接觸屍體後要洗澡。

尼祿 (Нерон) 王的創造性律法中規定清掃街道和住房的垃圾。

羅馬已經按裝了自來水管和排水管。

但是這一切措施都不過是推測的結果。對於流行病傳播的規律，知道的仍然不多。這個時期的流行病學只不過是第一步。

第二時期——封建時代

早期的封建社會，是受宗教思想和神學的統治，科學和科學的思想受着限制。代替科學的是煩瑣哲學（經院哲學），神學和煉金術。

但在封建主義晚期經濟條件的改變，產生了新的社會力量——資產階級。手工業，商業，工場以及航海的發展，需要發展科學（數學，機械學，天文學、地理學和其他精確的自然科學）。

大城市的增加，人口的稠密，住宅的不衛生，促進了流行病在城市中發展。中世紀的城市衛生狀況是非常惡劣的：在住房前面就是豬圈，而豬就在城中隨便遊逛，夜裏撒的尿在早晨便從窗子潑在大街上，垃圾等骯髒的東西在街上亂扔。河流被弄得非常骯髒。

這個時期城市衛生狀況從下列事實便可以知道：國王菲力·奥古斯都（Филипп-Август）聞慣了自己宮城的氣味，在1185年，他站在宮殿窗子旁，正好一輛馬車經過，衝起了宮殿前面大街上的垃圾，他量倒了。菲特烈（Фридрих）皇帝，在1485年，騎馬走過瑞特林根（Рейтлинген）大街時，幾乎連人帶馬一同掉在垃圾坑裏。當然，流行病就在中世紀的城市中紮下堅固的根，而商業和戰爭的增加又促進了流行病在歐洲城市傳佈。

鼠疫、天花、梅毒、腸傷寒和其他疾病都大規模地流行。譬如，在14世紀全世界鼠疫大流行時，歐洲死亡人數約2500萬，相當全人口的$\frac{1}{4}$，而在中國，則將近3500萬。17世紀死於天花的超過5000萬人。這樣的情形在其他某些國家也有記載。

對大量廣泛流行的疾病需要有徹底的撲滅方法。17和18世紀世界上進行了整頓城市的措施：鋪設了人行道；從1760年巴黎禁止在街上拋倒垃圾。19世紀初發明了抽水馬桶。

在談起此時期俄國的流行病史時，一般只提出著名的忘我的薩木伊羅維奇（Д. С. Самойлович）氏。但並不只是他一個人，這個時期，和他在一起工作的，還有其他許多偉大的醫生。其中可以提出的有亞赫烈斯基（К. О. Ягельский）氏，他在1771年出版了「抗鼠疫藥品教範」一書，盧茨基（И. В. Руцкий）氏，在1781年所寫的博士論文，題目就是鼠疫，波古萊茨基（П. И. Погорецкий）氏和薩木伊羅維奇氏，於1770—1771年在莫斯科共同從事撲滅鼠疫工作，沙風斯基（Шафонский）氏出版了首都莫斯科1770—1772年發生的鼠疫一書；伊凡·維恩（Иван Виен）氏，在1786年出版了鼠疫的記載❶教科書，此外，還有其他許多俄羅斯的天才醫生。

作家們所談到的在較早期，如伊萬·葛羅滋涅（Иван Грозный），阿利克謝·米哈伊羅維奇（Алексей Михайлович）等統治時代，和流行病做鬥爭的俄國醫學活動家們的名字我們還不知道。在這方面，流行病歷史家們在利用歷史年鑑和其他歷史文件上還不够。

第三時期——資本主義時代

19世紀下半葉，20世紀初，在科學方面有很大成就。唯物主義和唯心主義在社會科學和自然科學中鬥爭更尖銳化。細菌的偉大發現給廣泛地研究傳染病的病源學，病理學和免疫性打下了基礎，也同樣給研究流行病的發生和傳佈的規律打下基礎。巴斯德氏發現了病源微生物，製定了抗瘋咬病和西伯利亞炭疽接種法。麥赤尼可夫氏建立了第一個唯物的免疫學說，並且堅持了這種學說，和科賀，埃爾利赫（Эрлих）等人進行了鬥爭。岑考夫斯基（Л. С. Ценковский）氏獨立地製定了西伯利亞炭疽接種法。科賀氏提出了人工條件培養細菌的方法。加馬利亞（Н. Ф. Гамалея）氏奠定了並且完成了抗瘋咬病安全接種法。伊萬諾夫斯基（Д. И. Ивановский）氏發現了濾過性病毒。大多數的傳染病源都被許多「微生物的獵人」發現了。

這個時期的馬克思主義經典著作中對流行病的性質給予了社會階級的分析，馬克思寫道：「資本家無情地對待各處工人的生活和健康，在這種社會裏，只能迫使工人如此」❷，馬克思在他的天才著作「資本論」的第一冊上寫道：「流浪勞動者，大體是利用在排水和建築方面的各種作業，及燒磚，燒石灰，建築鐵道方面。在他們野營附近一帶，就有天花、腸傷寒、虎烈拉、猩紅熱一類的惡疾飛往輸來」❸。

恩格斯在住宅問題和英國工人階級狀況二書中對勞動人民生活的恐慌艱難擴大流行病的發展作了明確的分析。

在革命運動的壓力下，資本家迫不得已採用了一些保護人民健康的措施。在和流行病鬥爭下强迫他們做些其他措施，恩格斯寫道：「流行病，如虎烈拉、傷寒、天花等經常反覆出現，告訴英國的資本家，如果他們不想和家人死於流行病的話，就

---

❶ 伊凡，維恩氏在種痘問題上曾是薩木伊羅維奇氏原則上的反對者，但是在教科書上，在病原和疾病傳染機轉上有着唯物的觀點。

❷ 馬克斯、恩格斯全集17章，296頁

❸ 同上

應當毫不遲延地着手整頓他們自己城市的衛生設備┐❶。

資本主義的流行病學得到了片面的發展。資本主義的學者們，在馬爾薩斯思想的影響下，利用細菌的偉大發現，製定了主要的個體預防方法。在資本主義時期，在預防免疫方面的確也有相當的成就。

資本主義的流行病學對流行病的社會階級本質缺乏理解。所以，20世紀初，資本主義的流行病學出現了危機，這並不是偶然的。這在尼可萊（Ш. Николь）氏的悲觀論調中鮮明地表現出來：└我們的方法至多能保護個別方面，但不能防止流行病的發展，不能使全國從疾病中解放出來┐❷。

但俄國優秀的社會醫學代表者開拓了新的方針——└社會流行病學┐。

與尼可萊氏的悲觀主義相反，還在1875年愛利斯曼（Ф. Ф. Эрисман）氏就寫道：└這樣，歷史給我們以希望，由於教育的普及，社會條件的改善，以及科學的發展，得以使我們國家的流行病日趨消滅，並且也可以把人類全部從流行病中解放出來┐❸。

因此，19世紀後25年開始時，愛利斯曼就相信和流行病做鬥爭不僅可以勝利，而且可以把傳染病完全消滅。所以，根據愛利斯曼的意見，應當有三項條件：改變社會條件；提高人民文化和發展科學知識。

其他進步的社會醫學代表人物也宣傳類似的觀點。如屋瓦洛夫（M. C. Уваров）氏寫道：└我們了解流行病學是研究社會中流行病的結果。這種定義是必須的，因爲現在有許多傾向要把流行病學看做是研究微生物學和研究微生物在生體內生活的結果。┐

亞可文闊（E. И. Яковенко）氏指出流行病學在近10年內受到細菌學强烈的並且是片面的影響。他寫道：└流行病學過去主要是受德國科賀氏學派的影響，而科賀氏學派是輕視從社會觀點和用社會方法解釋和研究流行病學的。┐

彼洛果夫（Н. И. Пирогов）氏和其他偉大的俄羅斯臨床家的流行病學觀點有巨大價值。

蘇維埃流行病學的奠基人沙伯羅特（Д. К. Заболотный）氏的科學活動就在這個時期開始。他對霍亂和鼠疫的流行病學上的卓越工作是用科學的唯物主義分析流行病的性質的典型。

優秀的俄羅斯醫學代表人物都忘我的，不惜自己的健康，甚至不惜自己的生命爲人民服務。薩木伊羅維奇氏在鼠疫流行的時候，爲了證明鼠疫在消毒以後的效果，不將貧窮人的最後財產焚燒，而把鼠疫患者消毒後的衣服穿在自己身上。當巴斯德氏的抗瘋咬病接種法的發明遭到迫害時，加馬利亞氏爲了證實巴氏的接種法是無害的，曾給自己接種。民赫（Г. Н. Минх）氏和莫出可夫斯基（О. О. Мочуковский）氏爲證明血內含有傳染病原，而把斑疹傷寒和腸傷寒患者的血液接種在自己身內。這都是在還沒有發現這些疾病的病原的好久以前所做的。沙伯特羅特氏和撒夫千闊（И. Г. Савченко）氏爲了證明通過口腔的預防接種，曾飲下培養有毒的霍亂弧菌。這樣的例子，可以引證的很多。

第四時期——蘇維埃時期

蘇維埃的流行病學在爲爭取蘇維埃政權的十月社會主義戰爭時期，在反對武裝干涉者和國內反革命的全民戰爭中開始建立。年青的蘇維埃國家和新的敵人——斑疹傷寒，腸傷寒以及霍亂流行病鬥爭起來。列寧號召全國人民和流行病做鬥爭的話是永誌不忘的：└不是虱子戰勝社會主義，就是社會主義戰勝虱子┐。馬克思、恩格斯、列寧、斯大林的話和聯共（布）黨黨綱上的規定是流行病學理論和實際的發展基礎。在聯共（布）黨黨綱上其中一條構成了保健任務。在研究病源學，病理學，傳染病的免疫及臨床方面所獲得的現代科學成就，以及進步的俄羅斯學者們在└社會流行病學┐領域中的工作，是蘇維埃流行病學建立的起源。

在現在的蘇維埃國家的時期，建立了眞正的辯證唯物主義的流行病學理論，這種理論提出在我們國家內消滅傳染病的問題，而且已經達到消滅鼠疫、天花、霍亂和腸傷寒。

在我們國家，預防傳染病是以現代的科學成就爲基礎，並且是在國家計劃就序的情況下進行的。

在蘇維埃流行病學的發展中，起重大作用的是

---

❶ 同上

❷ Ш. 尼可萊：傳染病的進化，俄譯本，1937.

❸ Ф. 愛利斯曼：衛生指南，1875.

掃羅屋也夫（З. П. Соловьев）氏；他不僅是蘇維埃保健事業的偉大組織家，而且是蘇維埃醫學理論家。

掃羅屋也夫氏在給蘇維埃流行病學的原則打下基礎的著作中寫道：「蘇維埃制度在本身上含有最大的保證，爲了解決這些任務的方法和道路，歷史可以給予保證。蘇維埃制度給予實現了解和實行預防以最大的可能性，並且徹底地，有計劃地提出方策。」❶

掃羅屋也夫氏在他的著作中清楚地描述了治療預防機關醫生在和流行病做鬥爭，和在預防傳染病上的任務。

最卓出的，始終如一的，先進俄羅斯流行病學代表人沙伯羅特（Д. К. Заболотный）氏從蘇維埃建國第一天起就積極地參加撲滅流行病的工作。從蘇維埃政權建立的第一天就積極參加建立衛生防疫站工作的還有馬爾岑諾夫斯基（Е. И. Марциновский），塔拉塞維奇（Л. А. Тарасевич），塞信（А. Н. Сысин）等氏。這樣，在十月社會主義戰爭和蘇維埃政權建立時期就已打下了蘇維埃流行病學的基礎，同樣，在我們蘇維埃政權以前，就已大有成效地開掘和發展流行病學了。在這裏，巴甫洛夫的著作是有巨大意義的，他創立了一些傳染病天然發源的學說。

我們國家卓出的學者，在蘇維埃流行病學發展上起偉大作用的，如革羅馬謝夫斯基（Л. В. Громашевский）氏，在他的教本裏綜合了蘇維埃流行病學的巨大經驗，構成了流行病學的理論基礎，其他還有屋革拉里克（Г. Ф. Вогралик），掃羅屋也夫，巴謝尼（В. А. Башенин），斯德羅竇夫斯基（П. Ф. Здродовский）等氏。

在人類歷史上我們國家首先創立了合適的衛生防疫設施，佈置了數十個專門科學研究院，數百個衛生防疫站以及其他專門機構。

爲了培養醫務幹部設立了衛生系。

數萬名流行病醫生，衛生醫生，微生物和傳染病醫生，有成績地工作着，保衛着建立共產主義的人民免於傳染的侵襲。

在這種重要的工作中，還有廣闊的防治機關網。

在我們國家社會主義經濟建設成就和人民物質和文化水平不斷提高的基礎上，蘇維埃的保健事業在預防傳染病上達到了無上的成就。在歷史上老早就見不到如鼠疫，霍亂和天花這樣的疾病了。甚至在我們國家的條件下，消除了這些傳染病流行的可能。

大多數地區已經消滅了斑疹傷寒，並且到處都獲得了成功。在撲滅瘧疾上也有很偉大的成就。腸傷寒和白喉的患病率已經縮減到極少。其他傳染病的患病率也下降了。

流行病學歷史的各基本階段就是這樣。爲了蘇維埃保健科學，必須更深入地全面地研究流行病學歷史。現在的流行病學講座和研究院應當大大地擴大這門科學的研究提綱。

---

❶ З. П. 掃羅屋也夫：蘇聯保健事業之建設1932。

馬堪溫譯自 И. И. Елкин. К Изучению Истории Эпидемиологии. Советское Здравоохранение, 5, 53—58, 1952)

蘇聯的口腔醫學

原著者：伊·姆·斯他洛彼斯基

口腔醫學是一門新興的醫學。口腔醫學是由牙科治療與頜骨外科所合成的。其目的，內容，和任務只是在 1920—1925 年才確定，現時已發展成爲醫學中一大部門，從事於牙齒、口腔、頜骨及頜周組織病理臨症和治療的蘇聯口腔醫學。

必須指出的是，在十月革命以前的牙科治療學只是狹窄的實用專科，其中僅包括治牙、拔牙、和鑲牙，並且那時俄國的牙科治療學也擺脫不開國外牙科治療學中的維爾嘯 (Virchow) 氏觀點(關於口腔和牙齒中病理過程的局部作用)。在十月革命期間值得慰藉地特別需要說明的個別學者有斯克里弗梭夫斯基 (Н. Р. Склифосовский), 傑姆達諾夫 (М. М. Чемоданов), 滋那民斯基 (Н. Н. Знаменский), 里姆別爾哥(А. К. Лимберг), 涅斯米亞諾夫(Н. Н. Несмеянов), 阿斯塔霍夫(Н. А. Астахов)、阿勃里可梭夫 (А. И. Абрикосов) 等氏，他們都和國外的學者進行過鬥爭和說服，他們卓越的著述在後來蘇聯口腔醫學發展上，都起了重要作用。

衆所周知的俄國外科學家 Н. В. Склифосовский 氏於 1880 年在俄國首先發表了關於牙齒齲蝕擴延的著作，他所在過的莫斯科外科臨床系當然可以被認爲俄國口腔醫學的孕育中心，並在 19 世紀末葉開始了牠的活動。在牙科治療部分中最初的蘇聯學者有：傑米達諾夫氏，他是牙齒疾患治療卓越著作的作者。滋那民斯基氏首先在 1902 年發表了關於牙槽膿溢病理解剖，原因和治療的臨症一動物試驗的著作等。

頜骨外科是和眼科外科或耳鼻喉外科相似的，它發展到外科的領域中也只是在 1917 年由於頜骨外科學家們在第一次世界大戰中工作的結果，並由外科中分化成爲一個獨立部門。在這一時期的頜骨外科工作中，必須特別詳細加以說明的是在 1916 年俄國軍醫牙科醫師契克爾士傑特 (С. С. Тигерштедт) 氏所研究的在射擊性頜骨骨折時所用的夾板法。這種方法一直到現在，在蘇聯還廣汎地採用着。

雖然在牙科治療和頜骨外科中有着巨大的科學成就，但是沙皇俄國的社會條件却不促進這門科學發展：當時規定了這方面的講授是在私立牙科治療學校中進行，這和整個國家對口腔醫學援助的原則是矛盾的。

還要談到的是 1879 年在彼得堡所召開的第六屆俄國自然科學工作者和醫師的全國代表大會上斯克里弗梭夫斯基氏的提議，把牙科醫師的預科教育由牙科治療學校劃入高等醫學校，這個意見只是在十月社會主義革命以後才得以實現。直到革命時期，給牙科醫學生講授牙齒和口腔疾病病理，臨症和治療的學校，只有莫斯科大學醫學院(Н. Н. Знаменский 講師)，軍醫大學 (Н. Ф. Федоров 講師)，和高等女子專門學校 (А. К. Лимберг 教授)。

蘇聯偉大的社會主義改革，成爲所有蘇聯醫學中獲得輝煌成績的先決條件，這也同樣反映在口腔醫學的發展上，諸如口腔醫學研究者的研究所組織，醫學研究所中口腔醫學講室的組織，口腔醫學高等專門學校的開放，國家口腔醫學治療所創立的廣汎的組織網都急劇地促進了蘇聯口腔醫學的發展。

另外，由 1917—1947 年內，蘇聯在口腔醫學方面出版了 8,864 冊雜誌性的刊物，306 冊教科書和專論，195 篇學術論文。

蘇聯學者們創造性的著作，在這些空前未有的大量著作中，有着特殊的意義，因爲這些著者都在口腔醫學中最困難和最驚人的問題上有着貢獻，諸如下列問題都得到新的解釋：齲齒的原因和病理(И. Г. Лукомский Д. А. Энтин, А. Э. Шарпенак 等氏)；

牙周病的原因和病理（А. И. Евдокимов,П. П. Львов, Д. А. Энтин, Е. Е. Платонов, Л. М. Линденбаум 等氏）：口腔膿毒病和口腔中毒的病理和臨症（И. Г. Лукомский, Д. А. Энтин, Г. А. Васильев, Я. С. Пеккер 等氏）：慢性牙周炎的治療（А. А. Анищенко, Я. О. Гутнер 等氏）。

還有許多新的有價值的被蘇聯口腔醫學家們以大量篇幅所記載的關於頜骨及其周圍組織急性炎症臨症及治療的資料（А. И. Евдокимов, И. Г. Лукомский, П. П. Львов, С. Н, Вайсблат, В. М.Уваров 等氏），和被蘇聯醫學家們所提出許多新穎有利的傳達麻醉和拔牙法（С. Н. Вайсблат, А. Е. Верлоцкий 等氏）。

其後蘇聯學者也建議了首創的防齲法（И. Г. Лукомский 氏）。

蘇聯口腔醫學的著作在面頜外科發展上的意義也是難以估計的。由於這些著作，蘇聯的口腔醫學才得以在經年的衛國戰爭中得到輝煌的成績，並使蘇聯軍隊中 85.6% 的頜骨外傷都得到挽救。

由於許多蘇聯口腔醫學家們在面頜外科方面有着卓越的成就，而被授予斯大林獎金獲得者的崇高稱號（А. Э. Рауэр, Н. М. Михельсон, А.А.Лимберг 等氏）。蘇聯的口腔矯正學家們也基於全新的生理原則獲得斯大林獎金。

由於蘇聯學者和醫師們大量理論方面和臨症方面的工作，蘇聯的口腔醫學已經開始完全脫離了外國的口腔醫學，並且已經在全世界的口腔醫學校中佔着領導地位。

（劉鼎新譯自 И. М. Старобинский. Стоматология 之序言）

匹洛果夫氏的教育工作

原著者：阿·姆·戈謝列維奇

蘇聯醫學天才者 H.И. 匹洛果夫氏的作用和意義盡人皆知。在本篇短著中，我們要從一個外科教育家這一點描述他的卓越的工作。

此種工作開始於傑爾普特大學，後在聖彼得堡外科醫學院（現基洛夫軍醫學院）。

匹洛果夫氏於1836年在傑爾普特初次講課。他在教育工作的初期就開始培養科學教育幹部和外科醫師。在傑爾普特時和助教 A.A.吉切爾一同工作，以後吉氏成爲外科醫學院的教授。

25歲的青年教授具備着青春的熱情和非凡的精力。在講課中發展自己的外科觀點，用屍體表演外科手術直到極微細的部分爲止。夏季，他在里富梁得省的各城市作手術，因爲病人早已在這等候。

匹洛果夫氏熱心地致力於科學工作，並動員青年學生參加。在解剖教室和外科臨床治療院講課之處，不僅是醫學家甚至其他學院的學生都常集聚前來。Л.Ф.富洛本氏寫道：「匹洛果夫與學生間的關係日漸親密，幾乎完全是同志間的關係。每個星期六的晚間，有10—15人聚集於他的周圍飲茶。茶話十分生動，無論科學之討論或其他之言談皆愉快且有理性。」後來他的學生Э.Ф.喀傑說過：「誰也不能像匹洛果夫那樣使青年人對他們喜好的事物感到興趣發生熱愛，誰也不能像匹洛果夫那樣鼓舞青年鑽研外科。」

他對自己的錯誤進行的批評，特別值得注意，而那種批評是他的特點和突出之點。他在1837年發表的「傑爾普特帝國大學臨床治療院外科年譜」很有教育意義，他在這部著作中公開分析他在診斷和治療病人中所犯的錯誤。

他曾寫道：「我的著作將常能指出在當時我應該怎樣做而我沒有那樣做。雖然如此，但我仍認爲它應該出版，原因就是我們缺少內容含有臨床醫師尤其是外科醫師之眞誠懺悔的作品。」（摘自「年譜」之序）

年譜問世之後，傑爾普特的學生曾將石印本呈給匹洛果夫氏，他在那上寫道：「我內心的希望就是我的學生以批評待我；只有學生們相信我能貫徹始終時，我的目的才能達到；我做得能否正確這是另一件事，須待時間和經驗來判明。」

「年譜」是世界醫學文獻中的非凡著作。И.П.巴甫洛夫關於年譜曾說過：「對自己和自己工作的此種無情的公開批評，不見得在某處的醫學文獻中還能看到。這就是最大的功績。」我國的另一科學巨匠 H.H.希爾金科氏曾讚歎道：「只要稍讀些匹洛果夫氏的年譜，我們是多麼想從全部內心向我們一些同時代的人發出忠告！這些都是尼可萊伊瓦諾維奇·匹洛果夫氏的敏感的心境，眞誠的良心的型式，他在自己的學生面前不隱藏任何一點。」

由1841—1854年在學院講課，學院根據他的主意改組外科和解剖學的教學工作。根據他的建議學院附設了醫院外科治療院。與此類似的治療院，以後又在各大學內開設了。可見此種改革有極大的意義，從這種機構保留至現今，這一點，就能不言而喻。

匹洛果夫氏以人民教育部醫學教學改組委員會委員的資格主張動員城市醫院醫生參加醫學教學工作。後來，誰都知道他創立了世界上第一個實用解剖研究所。

匹洛果夫氏講外科課時並不用美麗的詞句。講課的特點就是明白，巧妙地概括了病理現象並且內容豐富。一切的叙述皆根據解剖資料。不僅講述臨床外科的解剖根據也講述實驗根據。據說他曾當學生面前作過實驗表演醚的無痛作用，包紮動物的動脈及其他的實驗。從他的臨床講義，從他的大著作普通野戰外科學原理（1865—1866年）中記載得很多的生理解剖資料，就能看出他對實驗的重視。

在他的講課中既然貫徹他早在傑爾普特時製定的解剖實驗程序，而且還經常强調疾病的臨床現象與解剖之際所發現的病理解剖變化之間的聯繫。講授疾病和傷害之徵候的正確臨床分析，講授手術的技術，這種工作已被西洛果夫氏提高到成爲他的外科解剖講課的基礎。每次大手術前的外科解剖說明就是爲了這個目的。

1850—1851年的學年教學計劃的製定情形爲五年級學生42名的功課定爲四個月。21名學生在醫院外科臨床治療院中工作兩個月，其餘的21名學生在內科治療院工作，以後卽調換。學生們觀察病人，寫病歷，在助教指導下有時在他親自指導下包紮繃帶，他們自己做小手術。24小時義務性臨床治療的獨自値班和積極地參加護理病人的工作有很大意義。他規定：「……學生於自己値班之日……當教授巡診時須緊緊跟在後面；對每個病人都於筆記本上有次序地記錄教授所指示的事項……。」當討論病人之際，如西洛果夫氏在場，他就建議主要應根據客觀的研究來說明病理現象。只有在客觀地研究完了之後才解答病人的質疑。他寫道：「根據一些客觀症兆進行事先擬診，以至於詢問病人，我認爲比較可靠，但是我並不勸告任何一個青年醫生單根據疾病的事先判斷，我認爲詢問病人和病人談述之後有必要再進行客觀的診斷，在詢問之後，常還需要重新研究。」

另一個偉大的醫師 C. П 保特金由莫斯科大學畢業以後立卽在西洛果夫氏指導下工作。繼承了西洛果夫氏對病人進行客觀研究的優越傳統。後來被保特金氏更進一步加强了西洛果夫氏的研究病人的方針，在軍醫學院臨床治療院中，在彼得堡的醫生之間更得到了普遍發展。

從西洛果夫氏的回憶和其他人的證明中我們知道19世紀前50年中，俄國的醫學教育，尤其是外科學教育組織，很有缺點。於40年代和50年代，也就是有了西洛果夫氏之後，這一方面才大有改善。他的學生 П. С. 普拉托諾夫於1853—1859年自外國回來的報告中稱：「……我國學院臨床治療院現有的法規完全和歐洲最好的治療院的法規相似……如果談到學生們的知識，那麼我國人的素養比外國人更强。」

他除了在醫院外科治療院教學之外，還在實際解剖研究所工作，五年之間（1846—1851年）在他的直接指導下，學生們作病理解剖2000次。他在此處給醫生們講手術外科課程。

這位臨床導師西洛果夫氏的榮譽很高，以致於有些學生想從其他學校轉學到他的學院，例如 A. Ⅱ. 愛北爾曼氏便是由喀山大學轉去的。我們還知道青年醫生們渴望來到西洛果夫氏的治療院。如後來著名的產科醫生 A. Я. 克拉索夫斯基（1821—1893年）於學生時代曾跟西洛果夫氏學習手術，曾想作他的助教但未能實現。

B. M. 富洛林斯基氏於1853—1858年曾爲外科醫學院的學生，他寫過關於西洛果夫氏之非凡的教學才能和進行外科手術時的卓絕的技術。H. O. 克瓦列夫斯基教授（1881年）曾在外國爲教授養成所的學生（西洛果夫氏於1852—1866年曾教導過他們並試驗過他們），他談過西洛果夫具有學習知識的熱情，這種熱情感動了青年。和克瓦列夫斯基氏一同在外國的另一些青年學者如 И. И. 麥赤尼可夫、И. M. 多戈里等氏也有過同樣的反映。對青年人的這種非平凡的關係，也像西洛果夫的教學才能一樣，是他的不可分離的品質。他在自己照片上的題字：「我喜愛青年時代並尊重它，因爲它能回首自己。」

作爲外科醫師之教育者的西洛果夫氏還有一個特點，就是他不將自己拘束在學院教授工作的狹小天地內，他還熟識了有醫學最新業績的許多醫師。1847年在彼得堡、莫斯科等十幾處大醫院裏，給醫生們表演麻醉技術。並於15個年當中，在敖布霍夫醫院同醫生們商討問題作手術也作過解剖，更在許多地方醫院會診。

西洛果夫像他初期做工作時一樣在50年代也利用時間在晚上用屍體給醫生們講授手術外科學。在當時沒有醫師進修學院，當時的交通工具和今日完全不同，因此，這種工作都非常重要。除了實際表演手術外科，除了醫術和醫學知識以外，還在彼得堡——在他的科學小組內和在開業醫師協會上——做過許多次報告。

他剛由國外回國，卽在彼得堡給醫生們講外科解剖學。他寫道：「科學在我國和德國仍然是新鮮事物，以致許多醫生尚不知科學之名稱……白天我製作標本，尤其是用些屍體製作，用屍體指示某一部分的精細位置，並用另一屍體作此部分的全部解剖並遵守外科解剖的必需規則」。聽講的人中有學院的著名外科教授、侍醫和醫生等。

匹洛果夫的天才著作至現今爲止對於培養外科醫生起極大的作用，這一點是很顯明的。在本章中我們僅想叙述一些散載在他的很多著作中的某些基本觀點。

他認爲在教學中「將教學與科學分離」是不可能的。他說「……沒有教學，科學仍能發光發熱，沒有科學，無論教學的外表怎樣誘人，它只能發微亮」。他不將個個科學分科互相分開，認爲彼由此而生根，此向彼而深入。他關於青年科學者的培養曾寫道：「對某一門科學之有限數目的被教育者，只須指示現代科學之所以收到現有成績的方法和機構即可，至於其他事項，如果被教育者眞正肯追求，自然他們就都能獲得」。

匹洛果夫奠定了並發展了局處解剖學，外科實用解剖學的學說。他設立了實用解剖學研究所。他屢次注意到解剖學對外科學的重要性，並注意到懂得臨床需要的人必須研究局部解剖學。同時，像前所叙述那樣，他給解剖學和外科學指出生理學和實驗的方針。

匹洛果夫明確了外科學處於兩個時代之間，隨即好像預見數十年似地大胆聲明道：「科學的命運已不被手術外科學所掌握」。這種情形就使另一行文字即：「仔細研究創傷傳染和醫院傳染，給外科學指出另一個方向的時代已經不遠了。藝術萬能的妄想與空想已經消失」（普通野戰外科學的原理）有頭有尾。

匹洛果夫對個性學說也表現了先見之明，而且這種學說在當時還是不存在的。他在野戰外科學的原理第一卷中說道：「我確信，如沒有個性的學說，醫療統計不可能有眞正的進步（儘管爲了避免於病人病床根據個人特點進行處置的困難而依賴醫療統計）。根據我的意見，只有在明白了病人的個性對個個情形所起的作用之後，醫療統計才能合理和適當」。在同一著作的第二卷中說道：「很顯然，醫學的障礙物就是病人的個性」。

他這種信念很早就確立了，早在他寫野戰外科學原理以前。早在1849年也就是野戰外科學原理出世前16年他曾寫道：「正確的統計結論多少能決定出顯明疾病的徵兆之經常性；同時病人體格和外表的統計研究也指明個性特點對某些徵候的關係」。他痛切感覺到爲了正確判別病人和治療病人有必要根據個性處理，於是用另一段文字結束了野戰外科學原理，那就是「生命不只拘束於學說的狹窄圈子內，並且任何一種教條的公式也不能表示出生命之富於變化的病案檢討。

讀匹洛果夫的論文不能無動於中，因爲他在論文中提出些問題，這些問題對外科醫生來說曾經常是並且還繼續是最急需的問題。從這一觀點來看，有些著作如論臨床時各種疾病過程之顯現。匹洛果夫教授對自己做過的外科手術之報告，論外科疾病判別之困難和外科中之僥幸在目前也有教育意義。

他在「報告」中重覆指出他的全部工作中都貫穿着自我批評的必要性：「現在（傑爾普特臨床治療院年譜問世後經過20年，當我看到許多次的失敗原因不僅是缺乏智識，也有對聽自我師和讀自書籍的皆錯誤地信以爲眞等；現在，當我開始繼續對我自己之經驗所得到的確信都懷疑時，——在往事中，只有於實際中公開暴露成功與失敗的這一方針，才受得起考驗。我抱着此種方針開始醫療生涯，抱此方針結束醫療生涯」。我們切不可忘記當匹洛果夫這樣談論的時候，外國外科家還保持相反的觀點。例如著名的外科醫生沙森亞克（шассеньяк）習慣於對自己手術的失敗掩而不言，反之偶有微小成就却宣揚不已。

匹洛果夫的普及教學思想，當他離開外科醫學院之後，在得到大家公認的生命問題中，在1862—1866年的各論文中得到發展，在他以後的各種工作中也得到發展，毫無疑問這種思想是以教學的豐富經驗爲根據的；它是匹洛果夫在多年的外科教授工作中表現出的教學天才之自然結果。他是無出其右的教學者，不只局限於講授講義，與學生鑽研外科學。他在傑爾普特和彼得堡學院、在許多醫院、科學協會、在外科醫和解剖學家之間、病理解剖學家之間、在和平時期在戰爭時期、在戰場在後方進行各方面的外科幹部的進修工作，其次他的許多科學著作都很有教育意義。能以說明他的特徵的主要特點是很重要的：他想用一切可行的辦法向學生和廣大的醫生界傳播自己的思想。西洛果夫外科學的思想和方法在他生時和死後俄國醫生中間迅速地發展了，以致全部俄國外科學都成了西洛果夫學派。

H. H. 布爾金科是個有名的外科醫革新者，他努力研究了西洛果夫的著作，屢次在講課中、和同事們談話中强調西洛果夫觀點的教育意義。

布爾金科寫道：∟如果天才有高的目標，掌握達到目標的方法，那末在西洛果夫的創作中必須承認有天才性。目標就是創立科學的醫學，保障外科學發展之解剖學，病理學開端的實驗、診斷之關鍵的疾病客觀徵兆研究——此種實際目標的實現乃是20年的大著作事業。創立了研究解剖學的新方法，臨床醫學的新方法，同時也創立了野戰外科學⌉。

天才的醫師教育家、愛國醫師西洛果夫的著作乃是取之不竭的思想源泉，根據此種思想以前曾教育了數百數千俄國外科醫生而這些思想直到今日仍有價值。西洛果夫從塞瓦斯托波爾寄給A. A. 西洛果娃的信（1855年4月29日）中寫道：∟我愛俄國、愛祖國的榮譽而不求官位：這是天生的，不能由心中拔除也不能改變⌉。

保特金表示自己的願望說：∟……願西洛果夫所提出的成爲他生活中之最主要任務的各種科學問題和生命問題，無論對我們或對於下一代仍然有像他已經給與那樣的更大的意義……⌉。

在我們的時代，當着蘇維埃科學界尤其是外科學界隆重地追念偉大的西洛果夫和發展他的優良傳統之時，這些話很有意義。

（霍儒學譯自 Геселевич А. М. Педагогическая деятельнотъ Н. И. Пирогова. (Cоветская медицинна, 12, 1951)

列寧「火星」報中的保健問題❶

- 原著者：依·阿·斯洛尼牟卡婭❷

「列寧所點起的火星，後來燃成了偉大的革命火焰、將貴族地主的沙皇帝制和資產階級的政權燒成灰燼。」
（聯共黨史簡明教程1946年版、25頁）

1900年12月「火星」報——依照列寧的提議而創刊的第一份全俄性革命的馬克思主義者之報紙——第1期號發刊以來，已經過50星霜。「火星」報爲了實現列寧的建黨計劃，集聚黨的力量展開了廣泛的鬥爭。

列寧同志直接參加且每天親自指導下於外國出版的我黨之戰鬥性機關報，於沙皇暴政的艱苦條件下以深入的地下活動散發在俄國境內，當你翻開每份報紙閱讀時不能不感到興奮。與報紙標題並列的幾個字說明什麼呢？這就是「星星之火，可以燎原」。

醫務工作者與我國的一切勞動人民一同重視這個意義深遠的日子——「火星」報第一期出刊50週年。

列寧「火星」報在政治上教育了工人和知識份子。同時，該報也指出了爭取認眞保護工人健康的道路，爭取勞動條件生活條件好轉的道路。

列寧「火星」報號召俄國知識份子其中也包括醫生及一切醫務工作者由一般地呼喊自由轉向和工人階級共同進行實際的革命鬥爭、推翻專制制度，爭取社會主義的勝利。

「火星」報首先公佈俄國社會民主工黨的黨綱草案，後來此草案於1903年俄國社會民主工黨第二次代表大會上通過。列寧在該草案中科學地論證了保健部門的任務並結合了政治任務。列寧於第17項內列舉了許多要求事項，這些都是黨「爲了防止工人階級的身體衰退和精神頹喪，爲了增强工人階級進行解放鬥爭的能力」❸而提出的。

斯大林敎導我們說：「誰都知道工人黨的黨綱是工人階級鬥爭目的和鬥爭任務之簡明的科學歸納的說明。黨綱將無產階級革命運動的最終目的和黨爲達到最終目的所爭取的各項要求都規定出來」❹。

列寧「火星」報使俄國工人同時也使俄國醫務工作者認識了「黨爲達到最終目的所爭取的」保健部門的各項任務。

「火星」報於大量的社論、各地通訊、來信、黨內生活短評和工人運動零訊中給爲爭取工農保健而鬥爭的問題留出篇幅。「火星」報出刊三年（1900--1903）內的51期中關於此類問題究竟發表了多少社論和短評實難枚舉。「火星」報編輯部不僅在專論中注意此問題，並在其他一些論文和短評中解說它們，且常將保健問題與革命的工人運動問題結合在一起。

我們曾研究過的與保健問題有關的論文、短評及各地通訊，可按其題綱分成下列兩類：1）革命前俄國勞動條件生活條件的改善問題，衛生防疫情形及醫療的問題，2）與醫務知識份子的敎育、醫務知識份子由空喊自由轉向實際革命行動等有關聯的問題。

大多數的材料屬於第一類。此類問題的論文，短評和通訊置重點於對工廠工人實施醫療服務的情況、企業內醫院工作的狀況、一般死亡率和兒童死亡率。在論文，短評和通訊中不僅引證些事實，暴露沙皇專政制度和地方自治會議議員的罪惡並使此

---

❶ 爲紀念「火星」報50週年（1900年12月——1950年12月）而作

❷ 蘇聯醫藥科學院謝馬什克保健組織及醫學史研究所

❸ 1902年6月1日第21期「火星」報第2--3頁。

❹ 聯共黨史簡明敎程1946年版58頁。

項實際問題和一般政治問題之間形成了緊密聯繫。

「火星」報每期所發表的工廠通信特別有意義。

工人們在寄給「火星」報的信中報告了行政當局常常違反有關保護工人勞動與生活的甚至是最殘缺不全的沙皇法律；他們得出結論說「俄國法律的特點就是怎樣便於曲解法律而怎樣制定法律」（參看「火星報」第1期第18頁）。

「火星報」編輯部補充道「莫斯科的工廠主們將保護工人健康與勞動的法律曲解惡用，這是沙皇政府的一種恥辱。」

巴星工場的工人來信說：「此處的空氣非常污濁，雖然有通風設備，但是已發生故障不能使用」（參看「火星報」第1期第16頁）。通訊員從格魯霍夫手工工場報道說：「衛生情況不良，窒息性的蒸汽從地板下發散出來，通風不足，牆壁天棚上生霉，到處飛起灰塵」（參看「火星報」第9期第15頁）。馬卡羅夫兄弟工廠的工人來信說他們必須在密集的窒息性的灰塵中工作，灰塵落在肺內使肺病加重、灰塵使視力減退「……廠方無良心地摧殘工人健康，如必須支出醫藥費時，則廠方寧肯解雇工人……在醫院裏乃是「置活人於死」並不是「修養」。這是有道理的、給病人吃的是用酸白菜做的湯，或者是發酸的牛乳等！」（參看火星報第9期第16頁）。此類情形及與之相似的情形不僅發生於偏僻地區，也發生在莫斯科省和莫斯科附近的工廠內。

「火星」報的通訊員下結論說「很顯然，盡力加强省縣，忽視工人生活與健康」（參看「火星」報第9期第15頁）。

但是「火星」報所發表的工廠來信與通訊不僅記述了不合衛生的勞動條件，同時也列舉了工人們爲消滅不合規矩的現象、消滅當局和廠主所表現的反抗而進行鬥爭的事實。

來信人指出了沙皇政府所任命的工廠監督對於工人的胡作妄爲和不起作用。工人在信中稱工廠監督爲資本家的奴才；工人指出工廠監督避免在工廠中逗留、懼怕工人控訴，而此種控訴常是和行政當局對安全設備的最基本要求惡意地忽略無睹有密切聯繫，由於這種情形就發生不幸事件。工人還寫道有些時候，工廠監督對於因殘廢而被解雇的工人所提出的控訴給與答覆之際，藉口自己無力，而勸工人另進其他工廠。

「火星」報編輯部以下列數語結束此短評：「工廠監督眞可憐得很！難道沙皇政府就不能勸說沙瓦莫洛卓夫（Савва Морозов）使他不虐待財政部的派員奴才嗎？我們向工廠監督先生提議，如有任何反對沙瓦莫洛夫的要求時請寄到「火星」報以便發表」（參看「火星」報第9期第18頁）。

「火星」報也談到了不合衛生條件的工人生活問題。

有篇論文簽名爲「敖列霍夫朱耶夫柴」，談到了工人居住的「小房」和「廠舍」的情況不合人道。

「火星」報編輯部在附註中寫道：「只有改革工廠法、整頓工廠監督，工人階級充分地自動起來，做好自動罷工，集會等才能消除不成體統的廠舍」（參看「火星」報第8期第13頁）。

不僅在列寧「火星」報的工人來信中暴露了沙皇的工人勞動及健康保護法的罪惡。在工人因革命活動被沙皇政府送到法庭受審的發言中，保護健康的問題也成爲一項重要問題。例如在一篇論文「尼惹果列的工人在法庭受審」中（1902年12月1日第29期「火星」報發表）引證索莫夫斯克工廠的工人札洛莫夫的講話說「……工人不是爲了自己的幸福而住在連最低限度的衛生要求都不能滿足的小房裏、工人也懂得營養食品和長時休息更容易恢復消耗在重力勞動上的體力。普遍來看，工人需要文化的生活條件，故意遮上兩眼的人，才看不見這一點」。

「……由於上述各種原因，我認爲工人有權爭取生活條件更良好的勞動，我有意識地參加遊行。我一旦得悉此次遊行消息後，就決定參加，並製做題有「八小時工作制萬歲」字樣的旗」（參看「火星報」第29期第5頁）。

列寧「火星」報也報道了工廠醫院的狀況說「用蓖麻油、金鷄納皮和松節油應診各病」，配置醫師只是爲了形式而不是爲了治病人。

「火星」報還報道過一件發生在產院的可恨事件，就是一個女工被拒絕入院，並很粗野地宣稱該女工過於早期要求入院由主人供養。而該女工就在街上生產。

工人寫道「我們的健康，我們的力量變成莫洛卓夫百萬財富的一小部分了』（參看『火星』報第4期第15頁）。

地方自治會的有些進步的醫生在南部諸省爲外來的農業工人組織了醫療給食站，但這些醫生却遭受迫害，『火星』報對這一事情有所反響。

列寧對於依・恩・切札科夫氏，波・弗・庫得梁夫切夫氏及自治會的其他各位衛生醫師所給與的肯定的評價是著名的。不只是警察，還有兼自治會議員的地主堅决要求醫生們對農業工人與僱主間的關係停止干涉並威脅說『凡欲設立的醫療給食站須立即封閉』。『火星』報作出結論說：『很明顯了，我們的地方自治會議員當事情不使他們拿錢時倘主張自由，如一旦涉及獲利問題，……那麽他們就要無孔不入了（參看『火星』報第45期第17頁）。

『火星』報所報道的有關醫生們參加革命活動的材料，非常有用。曾發表過秘密警察的文件並附有『危險』醫生、醫士、助產醫等之需要『特別監視』的人名單（參看『火星』報第4期第13頁）。另外，『火星』報並斥責了爲當局和工廠主服務的個別醫生的非社會活動。

列寧「火星」報，使蘇維埃的保健工作者留心布爾什維克黨對工人的保健問題是怎樣經常地關心。

這些資料，再次使我們相信，蘇維埃的保健，廣義言之來自布爾什維克黨的行動及其綱領。布爾什維克黨在其爭取工人階級和一切勞動人們擺脫資本主義和沙皇制度壓迫的鬥爭中給蘇維埃保健奠定了基礎並强化了它。

霍儒學譯自 Советское здравоохранение
1951年第1期第49—53頁

肺炎的歷史

程之範 編譯

(一) 肺炎的認識

在古代醫學著作中，搜集關於肺炎的材料是困難的，因爲直到18世紀以前，各種診斷的方法都極原始。並且把呼吸器官（包括肋膜）的所有發炎狀態都看成性質和起源相同的一個病，名之爲肺周圍炎（Peripneumonia）。過去關於此病的著作却很多，這裏只提到用科學方法代替經驗來觀察和診斷的幾個主要階段，和那些有關的醫家。

在任何疾病史中，首先要查出記載此病的第一個文獻。肺炎最初的記載是見於希波克拉底氏(Hippocrates, 公元前460—370年)的著作中，他也和其他古代醫家相同，把一切胸部有痛苦的急性病都歸入肺周圍炎內，這名稱一直被延用了2000多年。在他的急症治療一章中，認爲此病的徵候是：發高熱，一側或兩側胸內疼痛，有時隨呼吸而加重，咳嗽，痰爲鮮紅色或青紫色，或稀薄多泡沫或具有與普通痰不同之特徵。小便稀少而色濃，並謂在第七日有減輕的趨勢。他對治療的方法主要是放血，和熱敷以減少痛苦。

阿利提阿斯（Aretaeus, 公元131—201）氏對肺周圍炎有更明晰的叙述，並講到痛苦的原因：「肺周圍炎是一種肺部發炎。有高熱，如果僅肺發炎則胸部有重壓感而無疼痛，因爲肺天生無感覺，是像羊毛似的疏鬆組織……但如肺與胸相連的粘膜發炎時則感有疼痛。同時呼吸困難急促，患者每欲起立，因爲這種姿式最易呼吸……患者口乾舌燥，極願得涼風，神志不清，咳嗽多無痰，有之則爲泡沫狀，或作胆汁色，或染血液呈鮮紅色，其中以帶血者預後最惡劣」。

在所有早期文獻中都未見述及對此病作體格檢查，其診斷方法是觀察患者和他的排泄物，以及刺靜脉所放出的血液，並以手觸摸來估計體溫。在哈維（Harvey）氏發現脉搏的生理作用以前，當時已知診脉，並由脉搏的性質而作出診斷。

在中世紀並無任何進步。至近代西頓那姆氏（T. Sydenham 公元1624—89年）時，首先用英文詳細叙述此病。但他以爲眞正的肺周圍炎與胸膜炎相同，只是侵襲肺部更廣。他所述及的胸膜炎却更像肺炎。他講到一種「假肺周圍炎」多發生於中年後的肥胖人嗜飲烈酒，尤其白蘭地，患此種病時並不發熱。這大概是今日所謂原發性非典型性肺炎最初記載，其弟子赫胥翰氏（J. Huxham 公元1692—1768年）曾行醫於Totons和Plymouth等處，是當時的名醫，但又帶着他那時代「江湖醫生」的作風，他創製藥典中「金鷄納混合藥酒」的配方，至今仍叫作赫胥翰藥酒，是治此類病的補劑。

在他所著的熱病論中，述及了胸膜炎，肺周圍炎及胸膜肺周圍炎，由他招引病人的方法來看，他是極主張放血術的，他重視在此病各階段所放出的血液的形象而進行診斷。

他把西頓那姆氏所說的假肺周圍炎叫作Peripneumonia notha，因爲這病進行遲緩並且發熱很輕。他說：胸膜肺周圍炎的特徵爲前胸有劇痛，高熱，胸前有重壓咳嗽，呼吸困難及咯血。他描述的病很像是流行性感冒流行時的肺炎。

醫學革命家巴拉塞爾薩斯氏（Paraselsus）在1527年雖然公然燒掉了蓋倫（Galen）氏的著作，但關於解決肺炎的問題僅有極少進步。直到16世紀後半解剖學在歐洲大陸上被重視起來，由解剖所見到的變化開始爲觀察家所注意，情勢才爲之一變。這裏我們可舉出布爾哈維（H. Boerhaave）氏在他1728年所著的箴言（Aphorism）中，講到兩種肺周圍炎，一種部位是在肺動脉末端，另一種是發生於兩側枝氣管內。二者都與肋膜炎不同，因肋膜炎病人有連續高熱，並有發炎性劇痛，每一呼吸疼痛更甚。這可能是已能區別大葉肺炎和小葉肺炎。此外更述及：患肺周圍炎時肺部變沉重，不能自行擴張，並爲青紫色。咳出大量黃痰，帶少許血液。他認爲疼痛的部位是在胸膜。

至莫干宜氏（G. B. Morgagni 公元 1682—1774 年）更進一步述及此症患者死後剖檢肺部的狀態爲一種實變，猶如硬肉。他還注意到兩個胸膜表面的粘連。

甚至在 18 世紀，英國第一個作臨床講授的人卡楞氏（W. Cullen 公元 1710—90 年）之巨著疾病系統分類（Nosolgy: A Systematic Arrangement of Disease）書中，竟認爲所有胸腔的發炎只是一種病，稱爲肺炎：肋膜炎與肺炎有時雖然不同，但一般並無明確的界限，對二者加以區別僅爲一種細節，在實際醫療上並無何等用處。

自培利氏（M. Baillie 公元 1762—1823 年）第一次精確的叙述在肺炎中肺部的肝樣變後，對此問題才有清晰的了解。氏爲外科家維廉韓特氏（William Hanter）之姪，英國第一個把病理學視爲科學、並把生前病歷和屍體剖檢的發現加以聯繫的人。

第一步改進臨床檢查的是叩診的發明人奥布盧革氏（L. Auenbrugger），氏在 1761 年用叩診法分析出含有空氣和空氣稀少或有液體的肺，可有不同叩音，改進了對肺實質的診斷方法。據說他這種觀念，是由他在學徒時常拍打他父親——一個酒店主——的酒桶聽裏面還有多少酒的法子而來。他在關於他的叩診著作中曾詳提到由此法得到的叩音，然而有 50 年之久，此種方法並未爲人注意，或認爲有何價值被應用，其後經拿破侖一世的「御醫」柯氏（Corrisart）推許才注意到它的重要性。

直到 19 世紀初葉，天才的短壽的雷內克氏（Rene Théophile Hyacinthe Laënnec）（公元 1781—1826 年）才使我們對肺炎、胸膜炎、肺結核，以及其他種肺部疾病，有一完整的基礎，並述及肺炎在初期的診斷方法，以及其與胸膜疾病的區別。在這一方面，用於診斷胸部疾病時，他那劃時代的聽診器和聽診法的發明和應用給我們很大幫助。1819 年他發表了經典著作醫學聽診法一書，（Del'auscultation médiate）他的新方法是以一物體——即聽診器，介於患者之胸部和醫生兩耳之間，以作聽診。他確定肋膜炎是肋膜本身的發炎，不像在他以前那些醫生認爲是一種肺部組織的病。他特別規定與肺炎同時發生的肋膜炎，稱爲胸膜肺炎。他從沒用過「肺周圍炎」這一名詞，自他以後，我們也再見不到這名詞了。

他說急性肺炎有三個階段——充血或炎性充血，肝樣變和化膿。其他醫生也曾注意到患「肺周圍炎」時肺的這些變化，但雷內克氏是第一個確定它的眞實特性而且認出此病的不同階段的人。他還講到有肺的一些部分已肝樣變了，而其附近的部分却完全正常的情形，他說這叫做小葉肺炎，可於同時在若干不同部分發生。

他知道並認識了奥布盧革氏關於叩診的著作的重要，雖然別人並不注意；但他自己對於診斷各種肺疾患的主要供獻，則在於他應用聽診器得到的知識。他認爲捻髮囉音爲肺炎最初期的確定象徵，也是消散期的象徵。他並述及童期呼吸音，濕性囉音，低胸語音，及羊音，指出它們在診斷肺疾病上的價値。

阿迪森氏（Thomas Addison）在他的對肺炎的觀察（公元 1837—43 年）一書中，曾述及肺炎的部位係在肺泡，一般肺炎沉着物都流入這些肺泡內，否認了當時一般人所想的，以爲在肺的實質或間質內，並以爲其產物流入組織內。他更述及小葉肺炎，他發見這病多發生於有惡病質性的人，尤其在患各種慢性病的後期，以及經過外科手術之後的人。

1839 年斯克達氏（Josef Skoda）在叩診及聽診的著作內，對於肺炎診斷又補充了有用的一點：「患肺炎時，肺部肝樣變部分周圍的組織，尤其在肺的邊緣處，常有氣腫，這時叩診一般產生高鼓音，甚至由於液體或固體成分增加使得肺部的空氣量減少時，仍能發生此音」。此種高鼓音即我們熟知的「斯克達氏鼓音」，能够在肺下部已實變，而肺上部還含空氣時的肺炎中發現。

羅基坦斯基（Carl. Rokitansky）氏 1849 年第一次述及卡他性或小葉肺炎與大葉肺炎二者間病理上的不同，差不多同時，大葉肺炎被空海姆（J. Cohnheim）氏稱爲「格魯布性」或「纖維性」肺炎。

至 19 世紀下葉細菌學發明以後，對於肺炎的性質及原因的了解有一種大進步。1882 年弗利蘭德（Friedlander）氏發見患肺炎的肺內有被膜的球菌，但此類球有與此病之眞正關係，直到福蘭克（Fränkel）氏才被認清。福氏曾述及在培養上與弗利蘭德氏細菌完全不同的雙球菌。今日公認爲福蘭克氏的細菌，即肺炎球菌，在大葉肺炎約 95% 病案中都是單獨存在。僅約 1% 病案中有弗利蘭德氏細菌單獨存在。

巴斯德氏及其他醫學家們發現正常人口腔及鼻腔內也含有多量此種細菌，尤其在冬季爲甚。有幾型小葉肺炎中，同時發現有肺炎球菌及他種細菌，包括發否氏（R. Pfeiffer）於 1892 年發現的流行性感冒桿菌。

1913 年道奇氏（Dochez）曾辨認出肺炎球菌有四種不同菌株，即第Ⅰ·Ⅱ·Ⅲ·Ⅳ·四型，在所有肺炎中前二型佔 60% 而第Ⅱ型具有較高的毒力。第Ⅲ型佔病案的 12%，毒力最烈，其致命率約爲 65%。第Ⅳ型佔所有病案中 24%，只能使患者 16% 致死，在健康人口中最常見的菌株即是此型。此種研究工作對於肺炎的血清治療上很有價値。1927 年考貝（Cooper）愛德華（Edwards）等氏再將第Ⅳ型肺炎球菌分類，辨明了生物學上的 32 個特型肺炎雙球菌。近年對此方面不斷研究，辨明的已有 70 型。但有多種係上述四型的亞種。

此外，1920 年拉姆西氏（Ramsay）進一步在 X 線片上發現「原發性非典型性肺炎」（Pneumonilis）其後1938 年賴曼氏（Reimann）始詳細介紹並正式命名，1945 年丁格（Dingle）氏更詳細研究此病病原，謂與濾過性毒體有關。

（二）肺炎的流行

自古來文獻即常講到「肺炎流行病」，但這大多數都可能是鼠疫或流行性感冒而有肺炎的病徵。眞正的大葉肺炎於 1863 年在冰島確曾染及了許多人，那是在一個嚴冬並經過了一場流行性感冒之後。1867 年在 New Brunswick 也有許多兵士染過眞正大葉型肺炎。

1918 年在英國發生的嚴重肺炎，好像與自美洲運去的軍隊有關，乃是在流行性感冒後發生的許多病人的顏面部爲黃褐色或青紫色，由於敗血性鏈球菌破壞了血液，病勢一開始即沉重無望。美國醫生發見這些從遙遠農村運來的許多兵士都患有麻疹，在病院中蔓延得很快，在他們的喉部發見一些敗血性鏈球菌。患肺炎而死的都是經過暫短但嚴重的病期，吸氣極端困難，發紺，大多數情形有大量的胸膜滲出物及白血球增加，在所有病例中，敗血性鏈球菌都是最佔優勢的細菌。有些也有發否氏桿菌，至於肺炎球菌則發現於典型大葉肺炎的區域。由屍體剖檢發現主要均爲枝氣管肺炎及小葉肺炎。

第二次在美國流行的，則多由於流行性感冒桿菌所致。

（三）肺炎的治療

放血術：由於對疾病的性質觀念之改變，治療方法自古以來亦在不斷變更中。但有一種方法自希波克拉底氏時代到 19 世紀中葉一直延用的，那就是「靜脉放血術」。希波克拉底氏曾指示「肺周圍炎，如痛苦劇烈，可大量放血，並大胆行之」。英人格累哥利（Gregory）氏曾講過：「大量放血之危險，固小於疾病本身之危險」。甚至雷內克氏也認爲這是一句格言，謂此種「消炎」療法能達到減消胸部內發炎的目的。當時以爲這即是肺炎的原因。但今日放血法已不被人採用了。

嘔吐劑：尤其酒石酸銻在 18 世紀曾被若干醫生任意應用，認爲唯一能治療肺炎。其次對於丹毒也用吐劑治療。

變質劑：是用來以刺激淋巴腺系統而得消散炎症的，有人用小劑甘汞及鴉片，溶於多量的大麥水內飲用。但最廣泛應用的是投以小劑量的吐酒漸漸養成忍受力。雷內克氏用過此種方法，並稱相當成功，他的病人沒有「吐瀉」。不能忍受此種治療的人很少。

退熱療法：當上世紀發現安替比林及其他煤膠解熱劑時，曾試用於肺炎，希望由減低體溫而縮短患病的時間。後發現此類藥亦如奎寧，確能減低熱度，而且並無害處，但對肺炎却也沒有眞正好效果。那時覺得熱度本身乃是天然抵抗疾病的一種方法。

至於減輕高熱度的不適，冷擦浴法乃是比較更滿意更舒適的方法，現在有時仍應用此法。

抗病血清療法：多年間曾以自免疫動物提出的各種血清治療肺炎，得到不同程度的成功。當發現所用的抗病血清必須符合肺炎球菌四型中之一時，這種方法遂更得到鼓勵，羅氏研究院如此實行後，急性肺葉肺炎的死亡率由 25—30% 減低至 7.5% 但任何種血清治療，均須由有經驗醫生施行，否則有很大危害。

磺胺劑和抗生劑：磺胺劑和青黴素的發現，爲細菌傳染之化學治療，創了奇績，肺炎患者死亡率大減，文獻中關於此項治療之記載，不勝枚舉。翁革蘭得（Ungor leider）氏等曾以磺胺劑未廣泛應用前之 1935—1937 年間與磺胺劑被應用後之 1939-1942 年間，分析肺炎死亡率和病程，結論爲磺胺類劑應用後之三年內平均肺炎之死亡率自 20% 降至 3.9%。平均總病程由 38 日（1935）降至 27 日（1941）。

自從青黴素大量製造並應用後，不但效力較磺胺劑更好，而且沒有像磺胺劑那樣有中毒的現象，所以在肺炎的治療上磺胺劑已漸爲青黴素所代替。

只有前述的濾過性毒所致的原發性非典型性肺炎，這兩種藥都沒有多少效力。

參 考 文 獻

1. Bett, W. R.: A Short History of Some Common Disease pp. 47—57 1937.
2. Ungerleiderm, H E; Steinhaus, H. W. and Cubner. R. S.. Public Health and Economic Aspects of Pneumonia, Am. J. Publ. Hlth. 33: 1095, 1934.
3. 李秀琴 蘭寶森：原發性非典型性肺炎．新醫學報 2: 2, 61, 1950.

抗生素的歷史——由巴斯德到弗來明氏

原著者　Jules Brune (Antibiosis from Pasteur to Fleming)

〖抗生一名辭最初見於發利曼(Paul Vuillemin)醫生於 1889 年提交法國科學促進會的一篇文章，〖題爲抗生與共生〗原字是法文的 Antibiose，原作者給的定義如下：

〖一種生物毀滅另一生物的生命以保持其本身的生命，前一種是完全主動的，後者是完全被動的，主動的生物毫無限制地傷害被動的生物的生命。這一情況很簡單以至人們從未想到給它起個名稱。這種情況並不一定單獨出現而常可能以更複雜的現象而發生。簡言之，我們可稱它爲抗生。主動的生物可稱爲抗生物 (Antibiont)，被動的生物即稱爲忍受物 (Support)，這與共生中得到的情形正好相反。〗

我們若對這一冗長定義逐字加以仔細分析即顯然可見原來意義遠較今日所用的爲廣泛，試舉今日窩曼 (Waksman) 氏所給的定義爲例：在他所著細菌的相尅作用及抗生物質 (Microbial antagonisms and antibiotic substances) 一書中的 271 頁上說：〖抗生係一種細菌抑制另一種細菌的生長。〗

事實上發利曼氏定義中的意思連獅子之捕殺人畜，長蛇之毒噬動物也都要包括在內了！這雖有些牽强附會但發利曼氏對他所要證明之點却說得很有道理. 他以爲寄生無論如何對寄生物是有益的。所謂寄生乃是抗生和共生兩辭的中間名詞，如兩種生物在一起，其中之一確被傷害時便是抗生，如對二者都確有益處就是共生；如在疑惑之間則爲寄生，其情形將隨環境而改變。至於對此種相互關係最近的看法如窩曼氏所指出的則是：

1. 共生 (Symbiosis)：兩種生物彼此絕對需依賴生活者。

2. 協生 (Metabiosis)：兩種生物同處，此種生物確有利於另一種生物的生存。

3. 抗生 (Antibiosis)：兩種生物相處，一種生物有害於另一種生物時。

4. 寄生 (Parasitism)：兩種生物同處，一種生物確危害另一種生物時。

發利曼氏在他的著作中並沒有講到像今日我們對抗生所了解的情況，但他有的話都和我們現在的觀念極近：〖最簡單的抗生如植物在靜止期(dormant stage) 它對敵人的侵入不作任何抗抵：他舉例說如土豆和洋葱所患的微生物病，常因細菌進入其細胞而慢慢毀壞了它們，又如麥粒受到某種微生物的侵入而腐爛並毀壞。〗

雖然發利曼氏始創抗生一辭但並非說這現象（甚至如今日我們所了解的）在他以前就不爲人所知，僅由巴斯德氏在 1877 年能寫出的生命尅制生命一文即可見在抗生一辭以前至少 12 年就已知道在活的生物間彼此有相尅情形了。要詳盡的分析自巴斯德至弗來明無數關於抗生的工作，將需要相當長的時間作預備。1945 年窩曼氏的書目即有論文 1016 種其中 332 種（約$\frac{1}{3}$）係發表於 1929 年（即弗來明氏公佈其論文之年）以前。下面所引的只是其中少數有重要性的幾種：

(一) 巴斯德 (L. Pasteur) 氏
1877—細菌對細菌

下面兩段引自巴斯德氏 1887 年所寫炭疽與敗血病一文中的摘錄，足以證明這位狂犬症的征服者已經十分了解細菌間的相尅現象：〖在低級生物中彼此相殘的情形較在各種高級動植物之間尤甚。液體中如有一種酵母或厭氣性細菌侵入即極難再容另一種低級菌類繁殖，甚至這液體原適於該菌的營養時也是如此。

〖中性的或略帶鹼性的尿爲炭疽桿菌的最好培

養基，如尿內無菌炭疽桿菌也是純淨的則在12小時後此菌大量增生，其長絲使此液體中充滿絨毛如氈，但在尿中接種炭疽桿菌的同時更接種一種普通需氣菌，這炭疽桿菌即不生長，或長得很少，而且早晚要完全毀滅的。可注意的是這種現象甚至在最易受炭疽感染的動物身體內也能見到，這樣引起一驚人的結果：即以大量炭疽菌注入動物時也可以使動物不發生病只需要同時在此含有炭疽桿菌的液體中再加一些普通菌即可，這些事實或可使我們在治療學上寄與極大希望。」

在1880年巴斯德氏又講到抗生作用的另一例，他發現：「在一種動物（鷄）中獲得對炭疽的免疫方法係藉一種完全不同的寄生性疾病（鷄霍亂）的力量。」在七大卷四開本的巴斯德全集中可能還有其他抗生作用的例子。但對我們所要證明的一點只此已足。這位天才對此種原因不明的現象已有清楚的了解和對一件70年後才出現的事情的直覺。

（二）巴芮（A. De Bary）氏 1879

據窩曼氏（Waksman）說德國大植物學家巴芮氏乃是第一個重視微生物間相互對抗關係的人，當兩種細菌在同一培養基上生長時遲早一種要克服另一種並甚至殺死它，這種現象名爲抗生。不幸巴芮氏發表此意見的原著未能找到，因此對這問題不能作任何直接報告，然而我不相信巴氏曾用過抗生一詞，因爲如上文所說這詞乃是十年後(1889)發利曼氏所創造的。

在1885年還出現兩篇重要論文，其一發表於巴黎另一在那坡士，論及利用細菌相尅作用醫療的可能性。

（三）科尼(A. V. Cornil)氏及巴培(V. Babes)氏 1885—細菌對細菌

科尼及巴培二氏在一法國醫學雜誌中寫道：「如果細菌相尅作用的研究進步到適當時期，由某一種細菌所引起的疾病可即被另一種細菌治好」。並說：「對細菌此種相互活動作更深入，更廣泛的研究，可能在治療學上引起新的觀念」。

（四）康塔（A. Cantai）氏 1885—細菌對細菌

康塔氏也是在1885年，大概是第一個用抗生方法治療一種傳染病–肺結核的人。他曾寫道：「我們已知某種細菌，如果在任何方式中接種另一種細菌，甚至病原菌時，就能毀滅它，這引起我想發明一種方法來治療各種傳染病」，據佛羅芮（Florey）氏報告他後來就對一個患嚴重肺結核病的人應用了所謂「代替療法」：他用一個噴霧器把他稱爲「Bacterium termo」大概是一些菌種的混合的培養物混以白明膠，直接吹入患者肺中。結果痰中結核菌不見了，而出現了「Bacterium termo」同時患者的病况也有進步。

（五）加累（C. Garré）氏 1887—細菌對細菌

瑞士科學家加累氏在1887年介紹一種在玻璃器內研究細菌相尅作用的方法，其法與我們現在所用的很少分別。他以螢光桿菌在瓊脂碟上作劃綫接種如車輪的輻狀。經過24小時後他再以傷寒桿菌接種於碟內作綫狀與螢光桿菌的綫相間。當這兩種細菌在碟內接近時，則傷寒桿菌的生長即被抑止，而在外周處則可形成某種範圍的菌菓落。

（六）弗拉德芮西(E. Freudenreich)氏 1888—細菌對細菌

弗拉德芮西氏在1888年指出「當某種細菌在盛有肉羮的燒瓶中生長若干時期，然後以一磁濾過器過濾，將傷寒菌種入此濾液內有時生長，有的濾液雖能生長但很不繁殖」。1889年這一年特別重要，因爲這年發表了三篇論文和我們這題目有關。

（七）發利曼(P. Vuillemin)氏 1889

第一，發利曼氏始創抗生一辭，這是在巴斯德氏發現此種現象後的12年。雖然發利曼氏給予這字的意義遠較現在廣泛，但對這語言學上的貢獻仍要歸功於他的。窩曼（Waksman）講到這個字時，他提起兩篇論文，一是瓦德(Ward)氏所作(1899)；另一是巴潤（Bahrens）氏所作（1904）；他認爲是最初使用這字的。他似乎不知道發利曼氏的論文，因爲在他的書中和參考書目中都沒有提到。

（八）布沙德（C. Bouchard）氏 1889—細菌對細菌

第二，由布沙德氏一篇題名接種綠膿菌對於炭疽病的影響的論文中，指出他開始研究另一種細菌，這工作迄至在今日還在繼續中。他所發表的結果顯示以綠膿菌 (Pseudomonas pyocyanea) 接種於兎時，即能給以相當程度的保護力以抵抗炭疽菌 (B. Anthracis) 的感染，不過對於豚鼠的結果却沒有那樣好。這引起十年後對綠膿酶 (Pyocyanase) 分離的研究。

（九）多爾 (K. G. Doehle) 氏 1889—細菌對細菌

第三，德國科學家多爾氏發表一篇論文，還是在1889年第一次說明抗生的作用:「在一個炭疽桿菌的瓊脂碟內接種毒性炭球菌 (Micrococcus anthracotoxicus) 一方塊，在此方塊周圍有一無菌的地帶，證明此球菌有一種抗生物質(antibiotic)的擴散」。

（十）哥西歐 (B. Gosio) 氏 1896—青黴對細菌

講到青黴屬 (Penicillium)及一般黴類，1896年是值得紀念的，因為在這一年一位意大利科學家哥西歐氏發現了由青黴屬的一種黴中產生第一種抗生物質，這種透明的物質能抑止炭疽桿菌的生長，現在稱為滅菌酸 (Mycophenolic acid) 哥氏的原文未見，以上是據佛羅茵氏的記載。

（十一）杜香 (E. Duchesne) 氏 1897—青黴對細菌

次年法國科學家杜香氏發表了一篇論文，他報告「某種綠色黴菌能够壓制各種細菌之生長或使他們衰弱」。據窩曼氏說杜香是第一個報告黴類會有抗細菌原質的人，他似乎忽略了佛羅茵氏所提起的比他早一年的哥西歐氏的名字，及其工作。這正可以說明在同時代由許多人研究的工作是很難確知誰先誰後。

（十二）挨姆麥利赫 (R. Emmerich) 氏及羅氏 (Löw) 1899—細菌對細菌

德國挨姆麥利赫及羅二氏在1899年始以抗菌浸劑供藥用。此浸劑是由綠膿菌的老培養物製成的叫作「綠膿酶」。二氏指出他能短時間溶解在玻璃器中混懸的炭疽菌，並對傷寒桿菌、葡萄球菌、白喉桿菌、及鼠疫桿菌也有殺菌力。

關於綠膿酶這題目的著作本極多，在治療中常用此物注射或作局部消毒，但後來此種熱潮漸退，至1913年孫恩百哥 (Sonnenbergev) 氏說「論綠膿酶療法的文章近來已幾乎完全看不到了」。

（十三）福羅斯特 (W. D. Frost) 氏1904—細菌對細菌

細菌學家福羅斯特氏在1904年曾發表一篇細菌相尅作用的重要論文，據他說:「傷寒桿菌能被許多種土壤菌類所噬，其中以螢光桿菌效力最强」。福氏所用的方法之一是以膠棉濾證於兩種細菌培養物之間，意思是抗生物質能自一培養物穿過薄膜擴散至另一培養物，而細菌本身却不能通過」。

（十四）司徒里 (A. Sturli) 氏 1908—青黴屬對細菌

其次為一不甚知名的作者司徒里氏，在論及抗生作用的歷史中極少提及他，甚至窩曼以及佛里茵二人也都不曾提及他。但他却實在作過與我們這問題有直接關係的觀察和試驗，他在1908年發表一篇文章: 關於青黴屬的問題，僅這個題目即引起了我的注意，在細讀其內容時我看到以下的話:「由於這純浸液數量之少，其毒力只能試之於細菌，以此物質五厘克 (Centigrams) 加諸炭疽桿菌的呂夫勒氏 (Löffler) 肉羹培養物中即可抑止其生長」。

（十五）韋斯特林 (R Westling) 氏 1912

此處離題講幾句關於一位科學家的話，實際上他的名字從未被提到與青黴素或青黴菌有關，人們都知青黴素主要是由青黴中一種青黴菌(Penicillium notatum) 所產生的，但誰也不注意這一重要植物是由何人命名並述及的，這種不關心的態度並不僅限於此一事，反而是細菌學家們對於他們每日所搞的生物體的名稱所採的通常態度，——名稱就是名稱而已。

植物學家們對於給植物命名的人士通常却予以相當敬重，若遇這一例時他們即將把這青黴的全名稱為「韋氏青黴菌」(Penicillium notatum westling) 因為這種出名的青黴是第一個由韋斯特林氏所了解命名並敘述的。這位分類學者自然夢想不到這種新植物一朝會享盛名的。然而其功績正如發利曼氏之始創抗生及弗來明氏之始創青黴素的名字一樣。

（十六）弗德莫 (A. Vaudremer) 氏 1913—麴菌屬對細菌

1913 年在法國弗德莫氏發現烟色麴菌 (Aspergillus fumigatus) 的濾液能消滅結核菌，這特別有興趣因爲此後從烟色麴菌製出四種抗生素：Spinulosin fumigatin, fumigacin 和 gliotoxin。所以這黴菌爲現在最重要的一種，但是還要知道彼時尚在弗來明氏第一次發表關於青黴素論文的 16 年以前。

由於大家極欲尋得一完美的抗生劑以對抗結核病，這裏最好回憶一下弗德莫氏的話，猶如昨天所寫的一樣：﹂自治療人類結核病的觀點而論任何結論都未免過早，自 1910 年以來在巴黎的若干病院和療養院中我們曾以烟色麴菌的浸劑醫治 200 多個病人。由我們對病歷觀察所得的結果可推定注射此劑是無害的，它從未引起任何發熱反應，有時得到意料之外的痊愈。有的則有暫時的好轉，但不幸的是還有許多病例的病程仍然進行﹂。

關於弗德莫氏自 1892—1827 年對抗生現象先進的研究歧爾恩氏 (Guilhon) 的論文中曾摘要介紹，還有這位大細菌學家兼臨症醫師的一幅照片。

（十七）利斯科 (R. Lieske) 氏—放線菌屬對細菌

放線菌屬 (Actinomycetes) 可以說是介於細菌與黴菌之間的一種黴生物，早於 1890 年加斯培芮尼 (Gasperini) 氏即已指出某種鏈絲菌屬能使許多微生物分解。

利斯科氏在 1921 年，發表一篇關於放線菌屬的專論指出某種放線菌能使許多死的或活的細菌細胞分解；他們在這種活動中是有選擇性的，僅對某種細菌如金色鏈絲菌及釀膿鏈絲菌等有影響，而對如 S. lutea, S. marcescens. Ps. aeruginosa 等則否，但利斯科氏並未以此有趣的事實應用於治療上。

（十八）格累喜阿 (A. Gratia) 氏 1923—1939

兩年後比利時科學家格累喜阿氏和他的同事開始發表一連串短文，主要刊載於巴黎生物學會報告上，這比利時學派的研究工作十分廣泛，並歷時 15 年之久。(1923—1939)

格累喜阿氏和他同事主要研究的是放線菌屬 (Streptothrix 或 Actinomyces) 的溶菌物質，然而在他們第三篇論文中 (1925) 格累喜阿及達斯 (Dath) 二氏竟寫着：﹂從一污染的炭疽桿菌培基中，外觀十分澄清，我們已分離出一種能溶解炭疽桿菌的青黴﹂。同文中還有以下重要的話：﹂放線菌屬所生的溶解是由於一種極靈敏而且有顯著擴散性的物質所致，此種物質亦可見於溶解的和濾過的微生物乳液﹂。

在 1925 年他們發表的論文中曾寫道：利斯科已經觀察到放線菌屬的抗生物質：並很公正的說：﹂以前我們認爲是我們最初發現的，但現在我們要說明這是由利斯科氏首先發現的﹂。

當我最初聽到發現青黴素時，使我心中十分疑惑。雖然那時全世界都吵着說：在歷史上第一次發現有一種强力的抗生物質，從一種低級的綠色黴即像每人都曾在橘子或楊梅果醬上看到過的青黴屬中獲得了。

不管我們認爲 actinomycetin（這是後來由韋爾士 (welsch) 氏所起的名字）及青黴素二者那個重要，甚至後來青黴素雖證明用作藥劑時較 actinomycetin 力量更大且更實用，但不能否認這種﹂格累喜阿氏物質﹂在臨症應用上遠在青黴素之前，並且不僅如佛羅芮氏所說的用於免疫，它也曾用於眞正的治療目的。

格累喜阿氏在 1930 年曾寫道：﹂由於慢性葡萄球菌性傳染病之難於治療，可見能溶菌的黴溶解物一定含有抗原性物質﹂，他又說：「我們已見到病原菌被黴所溶解，在一年多以前我們已很容易見到獲得鏈球菌以及肺炎雙球菌，白喉及百日咳桿菌等的被黴溶解；查門 (Janmain) 氏已獲得淋菌的被黴溶解﹂。

至於有些人認爲在青黴素之前所發現的抗生素對動物都有毒性，因此沒有醫療價值的說法，我可再引一些格累喜阿氏所作的觀察：﹂所有這些黴溶解物，例如曾與巨毒的細菌如白喉菌混合並曾用大劑量並長時間注射於豚鼠及兎並未發生任何事件。我想這即證明不僅原來細菌已完全被毁滅即由黴中所得的溶解物質對動物也是完全無害的。﹂

還有人懷疑這位比利時生物學家所發現的黴溶解物是否曾應用於人體，我將再引下面一例，雖然由此還不易對黴溶解物的醫療價值下一斷語，因爲它並非單獨使用的，但的確可以證明這種「格累喜阿氏物質」對人是無害的：

「一患者三年不斷發生癤子，經數醫生用各種方法都未治癒，後由一焦急的皮科專家送到我們處，查門氏給他注射三次嗜菌體後隨即注射一系列溶葡萄球菌的黴劑（myclysats）。結果很好，不僅很快治癒而且持久，此後並未復發。自此以後，我們即對許多病例施以此種嗜菌體及溶解葡萄球菌的黴劑的合併療法。我們並相信這是今日最難治的葡萄球菌性傳染病的最有效的療法，收效迅速而可靠，沒有危險，患者不感痛苦且易於應用」。

（十九）弗來明(Fleming)氏 1929—青黴對細菌

1912年弗來明氏發表了一篇文章，宣稱他已發現了一種由青黴屬所產生的抗生素。他還不知道物質的眞正性質所以他寫道：「在此文中將不斷提到由此類黴素的肉羹培養基之濾液所作的試驗，爲了避免重複這類累贅的黴肉羹濾液一詞，所以可用青黴素名之」。

弗來明氏的論文被遺忘了有十年之久，青黴素也一直未被作治療之用直到牛津的一些人在佛羅芮氏的領導下研究起這問題，其中的秦氏(Ernst Chain)在1940年設計出一種提製方法，我們才得到像今日這樣穩定狀態的純青黴素。

總　　結

結束這一歷史的記述，我以爲近十年來被人十分注意的抗生作用乃是一個老問題，並且有許多工作者對其進展都曾有過貢獻。到1940年製出了青黴素並用之治療藥物時，抗生素的研究可謂登峯造極。這整個問題從此時才受到明顯的重視。所以使得許多人以爲抗生研究始於1940年，或最早始於1929年。

如孚爾香（J. F. Fulton）氏所寫：「青黴素的發展我們找不到可以歸功一人的、顯然的、獨自發明的史料」。對此我們無需視爲奇怪，因爲一些發現常常是如此，都是由於許多人片段知識長期積累的結果。在這一件事，更不足爲奇，因爲由經驗得來的知識，遠在科學的知識以前。據說在我的家鄉Quebec地方，老年人很久就用果醬上的黴治療呼吸器病他們只是把黴和果醬攪拌在一起，然後用羹匙服之！在中歐有一件盡人皆知的事就是常保存一塊發霉的麵包以防止傳染，若家中任何人受了傷，如刀傷或挫傷，就在麵包外面切下一薄片，加水和成糊狀，敷於傷處外用繃帶包裹這樣傷處即不會發生傳染。此外北美印地安人中，也知道黴菌的治療能力。

這一切並非辯護說經驗是一種有系統的知識，不過使我們要更虛心一點，更要意識到歷史的重要性！科學人士應永誌不忘博物學家阿加西（Louis Agassiz）氏所親身經歷的一件事，當他研究一種魚類即Siluridae的習性時，他以爲他發現了一全新的事，但在發表以前他鑽研了一下歷史文獻，結果查到他的這「發現」已經有一位博物學家早發現了，那人的名字乃是——亞里士多德！

袁君譯自 J. of History of Med. & Allied Sciences (Antibiosis from Pasteur to Fleming) 6: 3 p. 287—301, 1951.

化學療法的歷史

原著者：范得雷（Findlay, G. M.）

化學療法是用藥物治療寄生蟲傳染病的一種方法目的在於把寄生蟲驅出體外，或者在不損傷人體組織的原則下，把寄生蟲消毀。化學療法一詞，就廣義上言，也適用於惡性腫瘤的藥物治療，雖然外來的寄生蟲，如病毒不一定就是所有的腫瘤的病因。在細菌沒有引起臨床症狀以前，就把它們消滅，如預防瘧疾、錐蟲病，鏈球菌類以及性傳染病，也都屬於化學療法的範圍之內。事實上，化學療法是研究藥物對寄生在宿主內的細菌或寄生蟲的作用。

「化學療法」這一名詞，在許多方面來講，都是不合適的，因爲按字義，它是用化學藥物治療疾病的意思，這個較狹隘的含義是挨爾利許（Ehrlich）氏（1909）所規定的許多人不僅這個字的含義，到現在還一直採用它。瑞特（Wrighr 1927）氏建議把「化學療法」一詞改爲「藥物療法」，但是「化學療法」一詞早在20年前就已經被多人採用了。

用於治療寄生病傳染病的藥，不一定每一種都是化學療法藥物。例如用阿斯比林治療瘧疾，由於它降低體溫，可以減輕頭疼，但是它並不消滅瘧原蟲，所以只不過是對症藥物。可是奎寧減輕頭疼，也消滅瘧原蟲，所以它是化學療法藥物。

化學療法史可以分成三個時期：

(1) 純經驗主義時期，此時到1910年挨爾利赫氏和秦氏（Hata）發現阿斯非那民（606）爲止。

(2) 從1910—1935年多馬克（Domagk）氏介紹白色百浪多息（prontosil rubrum）：此時期化學療法只能應用於原蟲，螺旋體和腸蟲感染。

(3) 現代兼用磺胺劑和抗生素控制細菌感染病

人類自古便相信可以把致病的因素驅除出體外，這是一個很堅定的理論。在古埃及和巴比崙開始有記載的時候，便把魔鬼看做是侵入體內的病原。今日在美洲、亞洲、非洲等地的原始部落中，仍然廣泛地有着這樣的信仰。最早的最成功的化學療法醫生萊菲爾（Raphael），根據「Bock of Tobit」（舊約聖全書中14篇中之一篇，譯者）曾把托貝亞（Tobias）王的新娘撒拉（Sara）身內的魔鬼趕走了。「托貝亞拿起香灰，把魚的心和肝放在上面，做出一股煙。魔鬼聞到了味時，便跑到埃及地邊去了」，這就是最初用化學毒氣來治療。後來便有人進一步把這種思想科學化了，這甚至是在寄生蟲病的理論還沒有建立以前的事。有些巴拉塞爾賽斯（Paracelsus）氏的信徒認爲疾病是由於食物中含有不潔潔的種子所致。在人體協調的時候，可以把這些種子很自然地排出，反之，當人體的協調有一些被破壞的時候，這些種子就必須用藥物驅除。米林根（Millingen 1838）氏在患疥者身上發現疥蟲的作用時寫道：「那些能消滅疥蟲的物質能治疥，是已知的事。難道這種類似的方法不能產生奇妙的功用嗎？」

今日所仍應用的許多藥，在最初都是用來驅除人身內魔鬼的。最初應用的是硫黃，因爲人們認爲它的臭氣可以擾亂潛居在人體內的任何魔鬼。嘔吐藥，瀉下藥以及發汗藥也是這種起源。然而，有一些嘔吐藥和瀉下藥也可以驅蟲，如藜（灰藿菜）有驅蟲性質在石器時代丹麥就培植了。同樣亞里斯多德（公元前384—322年）就介紹用硫黃治療疥。中國在公元前二世紀對於水銀的作用已很熟悉，第四世紀已用水銀軟膏於皮膚病。阿拉伯在很早就用水銀做爲油膏塗抹，並認爲灰色軟膏和昇汞是治療皮膚病特別有價値的藥品。累塞斯（Rhazes 860—932）氏以及同時的阿拉伯醫生都慣用動物做藥物實驗，他用猴做試驗而熟悉了水銀的毒性。歐洲最初應用水銀軟膏的人是吉爾勃特（約1180—1250）氏，Theodoric 地方的色維阿（Cervia 1205—98）氏，是個天主教的僧侶，他是教皇 Innocent 四世的醫生，曾很生動地叙述連續應用水銀六天多的流涎情况。無怪乎15世紀後幾年西歐出現梅毒時，便幾乎立即用水銀治療梅毒的皮膚損害了。所以在這麼短的時間裏能用水銀治病便斷定是單純的經驗治療是不對的。(Sherrington 氏 1945)。雖然通常認爲巴拉塞爾賽斯(Paracelsus 1493—1541) 氏在介紹水銀治療梅毒方法有功，但是在他以前就有許多醫生 (Antonio Benivini 氏 1507, Jacopo da Carpi Berengario 氏 1522和Bartholomaeus Cocle (B. della Rocca)氏1504) 已經成功地用水銀了。

銀屑，銅屑和金屑混以童便曾爲阿諾德 (Arnold 約 1235—1310) 氏所推許，據說安格利克 (Bartholomaes Anglic) 氏曾用金屑治療鼠疫。雖然從普林尼 (Pliny) 氏開始就用砷的硫化物治療因蟲所致之顏面膿斑，但砷主要還是用做毒藥。在巴拉塞爾賽斯氏和他的信徒以前，除去水銀和銻以外，所用的眞正化學療法藥物是很少的，他以後砷、鉛、鐵和硫酸銅在藥物中才佔永久地位。古時候所用的眞正重要的化學療法藥物是從綿馬 (male fern) 中提出來的，曾被塞奧夫拉斯塔斯 (Theophrastus 公元前 370—285) 氏和蓋倫(Galen 130—201) 氏所推許，從 Artemisia maritima var. antheminticum 書中提出的山道年，因它的驅蟲作用，曾被希臘人所推許，吐根在葡萄牙人沒有爭服巴西以前，曾被巴西人用做治療痢疾，美洲藜葉和種子的浸出劑曾被阿芝特克人 (Aztec) 採用，他們稱其爲 apazote。野無花果汁 (Leche de higueron) 有驅蟲的價值，可能是非洲人傳到新大陸的。大風子油治療麻瘋的效用，據緬甸 (Rama) 氏的傳說，是由於本納爾斯(Benares) 國王得了麻瘋後，回到大風子樹林中，依靠大風子爲生時發現的。他用大風子把自己的病治好以後，有一天在樹林裏遇見皮亞 (Piza) 公主，皮亞公主也是個麻瘋病人，他就用同樣方法把皮亞公主的病治好，並且娶了她。據說妙聞集 (Shushruta Samhita) 一書的作者妙聞 (Sushruta) 氏曾論到大風子治療麻瘋的效力。

在很久以前，大部分藥物都是從單純的魔術觀點選用的。人類所以應用那些與疾病形象相似的藥是起自表徵學說，而這種學說則是在同氣相求，以毒攻毒的思想下發展的，理論最初是由阿爾伯特 (Albert 1754) 氏使之科學化的後來並且成爲哈湼曼 (Hahnemann 1810) 氏的順勢療法的基礎。按照現代說法，是具有化學構造的藥物的治療作用是由於其結構和主要的細胞代謝產物很相似。在西班牙人還沒到南美以前就認爲南美已經知道金雞鈉皮的治療性質，這種想像是錯誤的。海吉 (Haggis 1941) 氏所寫的秦昆 (Chinchon) 伯爵夫人的故事是沒有根據的，因爲最初從南美運到歐洲的金雞鈉皮是秘魯樹皮的攙雜品，Myroxylon peruiferum 在 17 世紀初被人認爲是不中用的退熱藥。金雞鈉皮和 Myroxylon 很相似，大家都公認，如果它們的治療效用彼此相同的話，它們一定是由一種植物遺傳下來的。事實上，布眾爾 (Blair 1720) 氏就想按照這個方向把藥用植物分類。直到 19 世紀後半葉，醫生所用的藥物主要還是植物，即所謂草本藥物，(Galenicals)，它的成份不明，用以治療原因不明的疾病。弗祿泰爾 (Voltaire) 氏認爲甚至對病人的情况不明就用藥。所以只能知道這麼少的有效藥品是不足怪的，但事實上從那些藥物能發現了許多有效物質又是件驚人的事。

要使化學療法成立，必須將以前人們認爲疾病是由四體液失去平衡而致的理論必須拋棄。因爲體液學說是與複方藥物有密切關係的，而複方藥物中各藥物的性質可以混雜在一起以產生反抗體液的不平衡。

因爲化學療法治療寄生性傳染病，如腸蟲、原蟲、螺旋體、細菌、眞菌植物，立克次氏體以及病毒所致的疾病，所以在弗拉加斯說瑞斯 (Fracastorius) (1483—1553)雷文胡克 (Leeuwenhoek 1632—1723) 巴斯德 (1822—1985) 科賀 (1843—1910) 李斯特 (1827—1912) 等氏寄生性疾病理論未完全成立以前，化學療法幾乎不能有任何進展。想各種方法在實驗條件下，使實驗動物確證傳染病，是很重要的一環。在 19 世紀後半葉，因爲病理學的進展，已有合用而且標準的技術使動物患寄生性感染病了。在實驗上成功，並能使動物得的傳染病第一個是錐蟲病。

假如化學療法過去不被限制在天然的植物提出物上和無機鹽類的話，早就需要合成化學家的帮助了。一旦有機化學中的生活力說 (生機論) 被否定了以後，一旦波琴玆 (W. H. Perkins)氏發現了苯胺染料 (aniline dye)，即爲合成化學家和實驗病理學家開闢了美滿的合作道路。

傳教師大衞李文斯敦 (David Livingstone 1858) 在 1847—1848 年左右，鑑於砷的强壯作用，用以治療馬的「毒蠅咬病」，而治癒頗覺驚奇。在中非曾用此法治療一匹馬，病症大爲減輕，雖然後來那匹馬終因復發病而死。布魯士(Bruce) 氏在 1895 年發現錐蟲的病理作用後，又開始用無機砷治療布魯士氏錐蟲病，這可能是因爲他參照李文斯敦的著作了。布氏說：「砷有特殊的效用，能使血中原蟲消失，防止血液破壞和乾枯，並能改變體溫曲線。此藥能否完全治療這種病，還需要觀察。」林加特 (Lingard 1899) 氏在印度試用砷治療馬，水牛，牛、鼠、袋鼠和魚的錐蟲病，得到更有希望的效果。

此時，苯胺染料的研究從英國傳到德國、德國的維吉特(Carl Weiger, 1876) 氏研究組織和細菌的鑑別染色最初應用從乾胭脂蟲提出來的有核胭脂紅染料，後來用苯胺甲基紫染料 (aniline dye methyl violet) 。維氏也鼓舞了他的表兄挨爾利赫氏 挨氏特別對白血球內構造鑑別染色感覺興趣。這不過是用染料試驗治療錐蟲病的第一步。挨氏 (1909) 證明維恩斯堡(Weinsberg)氏的台盼紅，(trypan red)，對鼠錐蟲感染 (Trypanosoma equiperdum) 有殺滅效用而且毒力不大。但不幸台盼紅對於他種動物的錐蟲病效力不大，所以終被棄擲。後來那塔爾 (Nuttall) 和海德文 (Hadwen) 二氏在 1909 年證明台盼藍可以治療犬錐蟲病 (Canine piroplasmosis)，只是不能除盡。然而眞正化學療法的奠基人挨爾利赫氏斷然論證可以在不傷害宿主的情形下，消滅寄生蟲，從而永遠消滅了房白令 (Von Behring 1887—88) 氏的悲觀態度。房白令氏因研究甲酚 (Crerols 1888) 和氰化銀製劑治療炭疽的結果，認爲人和動物的組織細胞對消毒藥品的毒力，要比當時所知道的任何細菌更富易感性。可是，在 1894 年，六次甲基四胺 (Hexamethylenete tramine) 已被用做尿防腐劑了 (Nicolaier 氏)。

拉弗朗 (Laveran) 和美斯奈爾 (Mesnil)二氏受了布魯士和林加特二氏研究的鼓舞，在 1902 年曾試驗亞砷酸鈉 (sodium arsenite) 對鼠之布魯士氏錐蟲病之效力。因之再次證明此藥對寄生蟲之毒力大於對宿主之毒力，但是病常可復發，並且錐蟲常對砷之繼續治療產生抗力。然而，在 1905 年陶馬斯 (Thomas) 氏證明有機砷，「阿托銼」(atoxyl) 可將鼠之錐蟲病完全除根。這種效果是驚人的，因爲在前一年 (1904) 挨爾利赫和志賀 (1904) 二氏曾發現阿托銼在玻器內對錐蟲的作用不太大。爲了解釋阿托銼對錐蟲在活體和玻器內作用的不一致，曾進一步研究阿托銼之構成。最初當 1863 年時栢查姆 (Béchamp) 氏，認爲阿托銼是胂酸苯胺，(Arsenic acid aniline)，但是挨爾利赫和栢西姆(Bertheim 1907) 二氏則證明實在是基苯胂酸 (Para-aminophenylarsonic acid)。

OH
|
HO—AS=O
|
NH
(苯環)

栢查姆氏阿託銼構造

OH
|
HO—AS=O
|
(苯環)
|
NH_2

挨爾利赫和栢西姆二氏之阿託銼構造

因爲發現氧化砷類對玻器中之錐蟲有效，故對於砷殺錐蟲劑在活體和玻器中作用之不同有了新解釋。挨爾利赫氏於是下結論，認爲體素必須把五價砷還原爲三價氧化砷，這時砷才能發生作用，錐蟲才能被消滅。於是便對三價有機砷劑進行週密研究。用次亞硫酸鈉使五價對位氨基乙酸苯砷酸 (quinquevalent phenylglycine-para-arsonic acid) 還原爲三價化合物——三價對氨基乙酸苯砷酸 (para-arsonic-pherylglycine) 。這個物質有兩個彼此由雙價鍵所連合的砷原子，每一砷原子藉一單鍵與苯核聯結；因之它能代表有機胂劑中的偶砷苯式化合物，並且是阿斯非那民 (606) 的前身。最初的偶砷苯衍化物——阿斯非那民，是由挨爾利赫氏和秦氏 (1910) 所製成，在兩個苯核上都帶有氨基和羥氧基 (hydroxy-groups) 。阿斯非那民無疑是有效，但是它所產生的毒力很大，而且常見。

然而 914 和硫阿斯非那民毒力較少，故現在仍在應用，雖然硫阿斯非那民特別容易使人生腦病。

$ClH.H_2N$–[AS=AS, OH, OH]–NH_2HCl　$NaOS.O.CH_2HN$–[AS=AS, OH, OH]–NH_2　$NaO_2.S.O.CH_2HN$–[AS=AS, OH, OH]–$NH.CH_2.OSO_2Na$

（阿斯非那民）　　（914）　　（硫阿斯非那民）

埃爾利赫氏進一步研究更有效能的化學療法藥物，是受兩種主導原則的影響：(1)最强殺菌療法，用一單劑藥就能把組織中的寄生蟲全部消滅，(2)化學療法指數（chemotherapeutic index）概念。

606 對某些回歸熱類菌可起最强殺菌療法之作用，因爲注射一或二次時，就足以將所有螺旋體消滅，並且可以終止感染。青黴素的作用也與此類似。

任何藥物之化學療法指數最初都以最小治療量和最大耐量之比表示：

$$化學療法指數=\frac{最大耐量}{最小治療量}$$

任何化學物之化學療法指數越大，其效力也越大。拿化學療法指數作治療效力的尺度，這種概念無疑具有很大價値，但是不久就發現用它來做結論時感覺有相當困難，因爲同一種化合物的化學療法指數對同樣寄生蟲往往隨各種宿主而不同，甚或在同一宿主，隨着給藥途徑，也不一樣。因之，根據動物實驗，起初認爲氧化胂類對人毒力過大，但後來的研究已經證明它對梅毒和睡眠病都有效。「最大耐量」和「最小治療量」這二名詞現在已經很不適用，因爲它們有相當大的錯誤，並且又不確定，除非用很多動物做實驗，否則便很難做出正確的測定。較近的研究想根據特勒萬（Trevan 1927）氏的，實驗得出比較的數字，特勒萬氏只用反應所需劑量 50% 給予一定動物，便可得出正確毒力比較。由此可得出曲線，表示所用的劑量與仍然生活動物數的關係。有人想從 50% 致死量和 50% 有效量之比，提供正確的指數（Wien 氏 1946）。

$$化學療法指數=\frac{50\%致死量}{50\%治療量}$$

50% 致死量是殺死 50% 動物的劑量，50% 有效量是治療 50% 動物的劑量；但是，正如特勒萬氏所指出的，假如在任何感染中，劑量反應不相平行時，這個比例就無大價値了。此外，劑量指數並不表示所要求的關係（安全劑量和治療量之間的比較）。由致死量 0.1（殺死除 0.1% 外所有動物的劑量），和治療量 99.9（治療除 0.1% 外全部動物的劑量），之比可得出較佳的數字，這數字可以認爲是「最大耐量」和「最小治癒療量」的合宜替代數。這些數字可以由消退式的推定或由計算所得出的劑量反應曲線測定。

在動物上試驗抗瘧藥時，曾應用另外一指數，即需要產生同樣反應的奎寧劑量，通常是以中等致死量做爲此化合物在試驗時的單位劑量。（蒲跎氏等 Buttle et al. 1934. 1938）。曾特別應用等量奎寧，而等量阿的平或者等量磺胺嘧啶（sulfadiazine）也曾用於抗瘧試驗。

在此化學療法史的第二期中，曾研究了許多五價砷劑，其製劑例如阿西他胂（acetarsol）和台吩胂胺（tryparsamid）皆被應用。由於研究五價胂劑，引起了五價銻劑的合成，五價銻劑在治療利什曼原蟲病上比吐酒石更有效。麥克唐納（Mc Donagh 1915）氏也證明吐酒石對埃及住血吸蟲病有效，雖然有三價銻。（如 Stibophen）的問世，但吐酒石仍然沒有遜色。其他應介紹的驅蟲劑是四氯化碳 Hall 氏 1921），後來又有治療鈎蟲病，毒力甚小的四氯二烯（Hall & Shillinger 二氏 1925）。

旣然化學療法幾乎是染料工業的副產品，無怪乎最早大規模研究新藥品是在德國進行的。素拉明（Suramin）就是一種完全新型的化合物，最初用它治療錐蟲病，而爲了治療瘧疾，又合成了撲瘧母星，此種藥物的起點是美藍，因古特曼（Guttmann）和埃爾利赫二氏（1891）發現美藍有輕微的抗瘧作用。甚至早在 1871 年埃爾利赫氏就已注意到美藍在濃縮的血流裏染出瘧原蟲，而不染出紅血球和其他組織。後來，德國的化學家，仍然驚奇於染料和化學療法製劑之間的相同性，故製出阿的平治療瘧疾，這是一種有吖啶環（acridine）的化合物。1939—45年的大戰時，聯合軍因爲應用阿的平，所以在緬甸和太平洋戰爭中得勝。

最後，多馬克（Domagk）氏在 1935 年製出紅色百浪多息，這是一種氨苯磺胺和紅色染料的化合物，對鏈球菌類有效。自此，化學療法史的第三期開始了。

特勒弗爾 (Trefouels)．尼斯 (Nith) 和勃維特 (Bovet) 三氏 (1935) 的實驗證明增加合成化學家的廣闊範圍的不是橘紅 (chrysoidin)，而是氨苯磺胺 (sulfanilamide)。此時製出的磺胺劑和砜類已有5,000 餘種，其中十幾種化合物不僅對普通細菌感染有效，並且能抵抗淋巴肉芽腫鸚鵡病類病毒，另外一些砜劑又能抵抗耐酸性桿菌。

弗來明 (Fleming)氏在1929 年發現了黴菌——青黴屬 (Penicillium) 給化學療法開闢了完全新的園地，產生一種能抵抗許多種細菌的物質。弗羅瑞 (Florey) 和他的同事們研究青黴素濃縮，證明這種抗生素效用甚廣，對病毒也有效。證明有幾種不同組成的青黴素，並且有很大可能合成新的青黴素。在研究抗生素中已經從黴菌或細菌中得到 80 餘種對其他細菌有效的物質。其中鏈黴素對結核桿菌有效，是現代最有興趣的藥物。

富於細菌或霉的物質能抑制細菌的生長，是早知的事實。愛柏氏和倫敦紙草文 (Ebers papyrus) 中已經介紹用富於大腸桿菌的糞便敷於外傷。

自從挨爾利赫氏起已經認爲原蟲和螺旋體可以對有機砒產生抗力，現在更知道細菌和病毒都可以對磺胺劑和抗生素產生抗力。事實上，凡是發見一種新抗生素以後，首要的問題是測定服用多久，便產生抗藥菌種。

在化學療法史的第三期內也研究了其他許多新的藥物。此外，更習知了化學療法製劑的作用方式。菲爾德 (Fildes 1940) 氏認爲化學療法製劑與細胞代謝產物爭與酶結合，與挨爾利赫氏的細胞受體思想相合。伍德 (Woods 1940) 氏所敘述的對氨基苯甲酸 (P-aminobenzoic acid) 對氨苯磺胺的抑制作用便是一個典型的例子。

化學療法仍然有許多問題需要解決。不是所有的細菌性感染都是化學療法製劑可以制御的，在治療病毒性疾病上，化學療法只不過剛開始。可能最大的問題是如何預防寄生物的迅速發生抗力菌種；現在正如敦約翰 (John Donn) 氏所說：「我們要和新的疾病戰爭」。然而我們要考慮到科學的化學療法只不過不到 50 年的歷史，它在這麼短的時間裏所拯救的人可能比歷史上的兩次大戰所犧牲的人還要多，從這一點上看，它的成就不小了。大部現在看起來是確定了的東西還要在進一步的研究中修改，正如達爾文氏所說：「人類許多危險傾向之一就是用有限的經驗下結論。」直到化學療法永久驅除了困擾人類的寄生蟲爲止，沒有任何科學的理由認爲化學療法不能再行進步

1900，1910 和 1945 年在美國研究的五種主要致死原因，已經證明有很大的變化了 1900年主要的致死原因是：(1) 結核病；(2) 肺炎、(3) 腸炎，傷寒和其他急性腸道傳染病；(4) 心臟病；(5) 大腦出血和血栓形成。1910 年唯一的變化是心臟病已經從第四位變爲第一位。但是，在 1945 年又有很大的變化。心臟病仍居首位。但以前居第八位的癌瘤，已經變成第二位，大腦出血和血栓形成變爲第三位。意外致命是第四位，腎臟炎爲第五位。

註：原文附參考文獻 46 種。

（田可文譯自 G. M. Findlay; Recent Advances in Chemotherapy. 3rd Ed., vol. 1. P.P. 1—13. London, 1950）

評中國醫生之祕密

(Secrets of Chinese Physicians)

著者 盧嘉庭；出版 羅伯生書店

芸 心

近年以來用外文著書論中國事物者，可謂汗牛充棟，如政治、歷史、宗教、哲學、文藝、美術、風尚、遊歷等各門皆有，惟關於醫學之著述，尚不多見。本書之出版，似屬趨時投機之刊物也。著者盧嘉庭（譯音）係上海中醫學校畢業，旅居美國15年，據謂此書寫成多得作家施爾佛博士（Jessi Forrest Silver）之助，全書共165面，有地圖一、插圖十，紙面平裝，樂山磯羅伯生書店出版。

施氏在緒言中，極欲表示其欽佩中國文化之意，惟似無甚研究，對於醫學更是門外漢，其第一句說：「中國爲世界上最古之國，人口亦最多4000年來，從未有人以英文寫成一書，將其醫學之秘密發表。」此眞是駭人之語，蓋凡稍留意中國醫藥者，莫不知早有此種著作，除民元以前之書不計外，如莫爾斯氏（W. R. Morse）之中國醫學（Chinese Medicine）胡美氏（E. H. Hume）之中國之醫道（The Chinese Way of Medicine.）及伊博恩氏（B. E. Read）之中國藥物（Chinese Materia Medica）等書，皆係十餘年內之刊物。而王伍合著之巨著，中國醫史（History of Chinese Medicine）在歐美各醫校圖書舘均有其書，而施氏竟未寓目！

本書共分25章：(1)學徒、(2)入學、(3)切脈、(4)八脈、(5)四診、(6)十問、(7)開業大綱、(8)人體、(9)推拿、(10)沐浴、(11)壽命、(12)衣食住、(13)走方醫、(14)金針、(15)男人疾病、(16)小兒疾病、(17)婦人疾病、(18)其他疾病、(19)婦女隱病、(20)婚嫁、(21)品格、(22)中國草藥、(23)本草皇后、(24)草藥學、(25)草藥庫。觀以上分類甚不適當，內容亦頗貧乏，有一、二面而成一章者，且多錯誤之處，兹提出數點如下：

（一）第一頁地圖滿洲係中國一部分，不應認其爲滿洲國，該地圖係施氏所繪，然著者爲中國人，竟如此無知！

（二）書中人名地名拼音均無一定，宜採用標準譯音。

（三）Chinaman 一字含有侮辱之意，在昔爲帝國主義人士用之，至民國成立以後皆改用 Chinese，著者係中國人，此書係抗戰期間出版，乃竟仍用此字（見19及76面）極爲不妥。

（四）中國舊社會分士農工商四（民）級乃第75頁，竟分爲官，士、農、商、工五級，不知何所根據。

（五）全書最重要之部，爲第14，15兩章，著者稱係將中國200餘種神秘草藥，列表公開介紹與西方，但細察內容，極其膚淺，僅以藥名主治兩項簡單譯成英文，至本品學名，有效成分，劑量，用途等，隻字不提，有何貢獻於他國之可言，其視伊氏之中國藥物，眞有天淵之別也。

總而言之此書毫無學術價值亦無介紹中醫文化於國外之作用，似係書賈迎合外人好奇心一種讀物而已。

國際醫史動態

蘇聯衞生史研究的現狀和展望

建立在辯證法和歷史唯物論的基礎上的蘇聯衞生史，它不僅對蘇聯醫務工作者具有重大教育意義，而且對所有人民民主國家也如此。衞生史不僅使我們能很好地瞭解過去的歷史過程，而且使我們能預見今後衞生發展道路和研究人民健康問題的前途。

蘇聯醫學科學院以恩、阿、塞馬西闊（Н. А. Семашко）氏命名的衞生組織和醫史研究院的建立，促進了蘇聯科學團體注意研究蘇聯衞生史的問題。研究院五年的活動，完成了一系列可以說是研究蘇聯衞生史的先決工作。

研究院首先提出的問題是蘇聯衞生發源地的研究，就是布爾什維克黨在建立保衞勞動人民健康的理論和實踐中所起的主導作用。研究院全體工作人員根據這個問題，搜集了相當多的蘇聯衞生史唯物主義原著手稿和印刷文獻。現存的文獻有：蘇聯衞生編年史、蘇聯衞生組織史概論（1917—1945年），偉大十月社會主義革命前夕的衞生問題、斯大林著作中的衞生問題、列寧著作中的醫生問題、列寧「火星」報上勞動人民衞生問題等。

研究院在五年中除去在定期醫學雜誌上刊載的論文，共出版了國內戰爭和紅軍的醫藥保障1918—1920年，「紅十字」和「紅半月」歷史教材以及蘇聯最初衞生組織人之一的布爾什維克醫生伊·夫·盧沙闊夫（И. В. Русаков）氏的生平事業小冊。目前正在付印的有「列寧簽署的政府衞生文件、偉大十月社會主義革命與蘇聯衞生組織。至於其他醫學科學院的作品，在五年中共有45篇論醫史論文，其中12篇是關於蘇聯衞生史的。

蘇聯衞生是有計劃的，有系統的社會性，國家性設施，它的理論是建築在工人革命運動經驗的基礎上的，而且是醫藥衞生建設先進經驗的綜合。這個經驗也包括衞生思想的發展。必須更好地把注意力集中在依照馬列主義去綜合蘇維埃醫學理論經驗，集中在指示蘇維埃衞生今後發展道路的歷史規律的研究上。

醫史家應當用歷史觀點，指出以馬列主義理論爲基礎的蘇聯衞生組織，爲灌輸預防爲主方針的實踐，爲醫藥衞生事業的統一（方法的統一，預防和治療的統一）所進行的思想鬥爭。醫史家應當揭露出蘇聯預防醫學的內容，指出它的發源地，指出在蘇聯醫學實踐中爲灌輸預防思想而鬥爭的蘇聯醫學和資產階級的預防在原則上的區別。

揭露出祖國衞生卓越的活動家的眞實作用和意義，可以扭轉向外國人的卑躬屈節。應當向布爾什維克主義中，向馬克思、恩克斯、列寧、斯大林的學說中去尋找蘇聯國家勞動人民衞生的理論基礎。同時還要對革命前的俄國醫學給以正確的歷史闡述，應當在各方面研究在布爾什維克主義下出現的知識份子，他們的活動，以及他們爲先進的衞生事業所進行的鬥爭。

在列寧、斯大林方法論的基礎上，蘇聯衞生史應當有正確的歷史分期。蘇聯衞生史（包括革命前）的分期應當應用斯大林同志關於五種基本生產關係的指示。

編寫祖國（蘇聯）衞生史的時候，還應當在民族的觀念上，考慮到盟員共和國發展的特徵。以恩·阿·塞瑪西闊命名的衞生組織和醫史研究院在五年（1951—1955年）科學研究工作計劃中擬定了編寫紀念祖國衞生史專論，從古代到蘇維埃時期。在1951年應當擬定這個專論的大綱，然後在蘇聯歷史科學院和衞生組織醫史研究院講座會上討論，並廣泛地約請蘇聯科學界參加。

(摘譯自 М. И. Барсуков. Состояние и Перспективы Изучения Истории Советского Здравоохранения. Советское Здравоохранение. 3, 14—19, 1951)

意大利醫史和自然科學學會

意大利醫史和自然科學學會在1952年4月26,27日在波倫亞大學舉行會議。第一日主要是授給J. P. Webster氏和其同工Martha Teach Gnudi氏學位。因二氏之合作而有關於波倫亞外科醫生之生平〔The Life and Times of Gaspare T. g l'acozzi〕一書問世。會上並報告了有關Tag'iacozzi氏之論文。

次日由Busacchi氏報告已故波倫亞大學教授Gaetano Salvioli氏之著作，氏生於100年前，爲肺炎球菌之最初發現人。繼而報告34篇論文，每篇用10分鐘報告五分鐘討論。論文不長，但水平很高。會上報告材料很多，盼望在不久將來可由該會出版。(據 Bulletin of the History of Medicine. 26: 5. 1952)。

美國醫史學第二十五屆年會

美國醫史學會第25屆年會在1952年5月1—3日在坎薩斯大學舉行，到會會員共百餘人，出席聽講者百餘人。第一日上午開執行委員會年會，下午講演題爲亞力山大亞醫學的復興（公元前三世紀），晚間讀論文三篇。第二日共讀論文11篇，第三日爲會務會議。其報告中稱醫史雜誌共發行1150份，會員492，分會26。更報告了醫學史在美國和加拿大的醫學校講授情形，計共調查83醫校。其中按正規講授醫史課者44校，其中成立醫史學科者22校。從事講授醫史的教員共71人。各醫校的醫史學科有五校最爲完善，即何普金、耶魯、芝加哥、維思康心，依利諾斯等校，其中何普金有教授講師八人，另有輔助人員，可稱美國醫史研究的中心。最後選舉職員，由耶魯大學醫史講授富爾敦 (J. F. Futlon) 當選爲會長。(據 Bulletin of the History of medicine 26: 1952)。

中華醫史雜誌稿約

（一）來稿須用方格稿紙橫寫，每句留一空白，半句不留空。抄寫不可潦草。

（二）如附圖，宜用墨繪出，以便製版。照片不可摺卷。

（三）外國人名譯成中文或加一氏字。外文最好用打字機打出或用小楷寫出。

（四）數字兩位或兩位以上，小數點以下的數字．以及百分數均用亞拉伯字寫。

（五）文摘稿請註明原文出處，必要時應請連同原文寄來。

（六）參考書請按作者姓名、題目名、雜誌名或書名（出版處）、卷數、頁數、年份次序排列，並需在文內引出。書名按著者姓名、書名、年份、出版社排列。

（七）來稿經登載後，版權即歸本社所有，除一律酌贈薄酬外，不再另贈單行本。

（八）凡送登本雜誌之稿件，未經預先聲明，概不退還，如未經退還，亦請勿投寄他種雜誌。

（九）編輯部對來稿有修改之權，如不願修改，請預先聲明。

（十）來稿請寄北京西四皇城根北大醫學院內，中華醫史雜誌編輯部。

中華醫史雜誌

（季刊）

一九五三年第三號

（每季第三月二十日出版）

一九五三年九月廿日出版

（本期印數1,500册）

編輯者　中華醫學會醫史學會　中華醫史雜誌編輯委員會

出版者　人民衛生出版社　北京南兵馬司三號

總發行　郵電部北京郵局

訂閱處　全國各地郵電局

印刷者　北京市印刷二廠　佟麟閣路七十一號

每册定價五千元

預定價目

半年二期　10,000元

全年四期　20,000元

平郵在內掛號另加

新書即將出版

蘇聯保健工作　　中央衛生部教育司譯　　估計定價 20.000 元

這是蘇聯專家爲第一屆高級衛生行政幹部訓練班所作的有系統地介紹蘇聯保健工作的講稿集，爲我們衛生工作者有系統的學習保健工作和學習巴甫洛夫學說的良好材料，書中內容包括：一、社會主義保健事業的原則，二、蘇聯保健事業發展的幾個階段，三、保健機關的組織機構，四、擬定衛生工作計劃的方法，五、衛生統計，六、醫療預防機構及其工作任務，七、衛生宣傳教育，八、中級醫務幹部的培養，九、婦幼保健工作，十、工礦衛生工作的目的與任務，十一、衛生機構在環境衛生方面的任務，十二、藥政組織，十三、防疫工作，全書約三十萬言。

兒童解剖生理特點　　蔣芝英譯　　估計定價 10.000 元

本書詳細闡述了在新生兒、乳兒、幼兒、學齡前兒及學齡時期，兒童在生理解剖方面的特點。針對這些特點，在各個時期，兒童對營養、衣着、活動、休息等生活制度的要求也不同，本書提出了解決這些問題的辦法。

眼科實習教程　　孫振聲譯　　估計定價 10.000 元

本書是由蘇聯醫科大學教材翻譯而成，內容爲眼科實習的各種操作方法。

生物化學實習　　中國醫大生物化學教研組譯　　估計定價 10.000 元

本書是供醫大學生生物化學實習用的參考書，共分蛋白質、酶維生素、脂質及其代謝，醣的代謝、蛋白質代謝，血液胆汁、胃液、尿、乳等十章，並附錄三十餘種主要試劑的製法，本書目的在於使學生能够獨立地作實驗。所以在每一實驗章內皆列舉所需器材，試劑並詳述操作過程，對於理論方面也有扼要的叙述。

傳染病實驗診斷　　閻佩珩編著　　估計定價 8.100 元

本書內容包括各種傳染病在實驗室的診斷，在化驗檢查方面叙述較詳，對診斷各種傳染病時幫助較大。

外科類症鑑別診斷學　　于洞濤譯　　估計定價 36.000 元

本書包括外科範圍內所有之疾病，主要是以症狀上加以鑑別，可供一般外科醫師及外科學生參考用。

人民衛生出版社出版　　新華書店發行

一九五三年　第四號　十二月二十日出版

祖國醫學

蘇聯醫學

世界醫學

國際醫史動態

人民衛生出版社

中華醫史雜誌稿約

（一）來稿須用方格稿紙橫寫，每句留一空白，半句不留空。抄寫不可潦草。

（二）如附圖，宜用墨繪出，以便製版。照片不可摺卷。

（三）外國人名譯成中文或加一氏字。外文最好用打字機打出或用小楷寫出。

（四）數字兩位或兩位以上，小數點以下的數字，以及百分數均用亞拉伯字寫。

（五）文摘稿請註明原文出處，必要時應請連同原文寄來。

（六）參考書請按作者姓名、題目名、雜誌名或書名（出版處）、卷數、頁數、年份次序排列，並需在文內引出。書名按著者姓名、書名、年份、出版社排列。

（七）來稿經登載後版權歸本會及作者（譯者）所共有，除一律酌贈薄酬外，不再另增單行本。

（八）凡送本雜誌之稿件，未經預先聲明，概不退還，如未經退還，亦請勿投寄他種雜誌。

（九）編輯部對來稿有修改之權，如不願修改，請預先聲明。

（十）來稿請寄北京西四皇城根北京醫學院內，中華醫史雜誌編輯部。

中華醫史雜誌編輯委員會啓事

我們現在準備在祖國歷代的醫學家中，推選一位最偉大的醫學家出來。希望醫史學會全體會員，本雜誌讀者及全國的醫務工作者，都來參加提名推選，並請詳細列舉所以推選的具體理由。請儘在一九五四年一月底以前函寄「北京中央衛生研究院中國醫藥研究所龍伯堅同志收」，以便彙齊討論決定，不勝企盼。

三國時代的偉大醫家華佗

任林圃　　周詩貫

華佗是中國歷史上的一位偉大的醫家。他在醫學和衛生學方面都有很大的創造和發現。但在中國的長期的封建社會裏，他的天才創造並沒有得到應有的發揮，連他本身也被當時的封建統治者曹操所殺。這當然都是極爲可惜的。但即從歷史的簡略記載裏，從那些並不完整的記錄當中，也還可以看出華佗的偉大創造能力和他的發現。

陳壽的三國志華佗本傳與范曄後漢書的華佗本傳都是一些傳說的雜湊，在這兩篇本傳中華佗的生卒年月均無考，我們也只能從這些材料當中找到一點大概的線索。

本傳說明：華佗一名旉，字元化，沛國譙人，是曹操的同鄉。他曾經「游學徐土」，能「兼通數經」。當時的沛相陳珪曾舉他爲「孝廉」，太尉黃琬曾辟請他去做官，他都沒有去。

我們可以從這兩件事情上約略察知華佗的年齡。

東漢舉「孝廉」是有年齡限制的，在漢順帝時詔書裏有下列的規定：

「初令郡國舉孝廉，限年40以上。諸生通章句文史，能牘奏，乃得應選。其有茂才異行，若顏淵子奇，不拘年齒。」

這是當時的一般性的規定。華佗本傳當時既沒有以他爲「茂才異行」的記載，因而這兩次的舉薦都可以肯定是在華佗40歲以後的事。

陳珪始爲沛相在何年不能確定，因而他舉華佗在何時亦不能肯定。但黃琬爲太尉時間並不長，這個年代是可以查考出來的。

黃琬爲太尉在漢獻帝中平六年11月，罷太尉在第二年初平元年二月，只有三個月的時間，辟華佗時應即在此時。這時華佗已經超過40歲了（註一）。因而我們可以初步肯定華佗生於漢順帝永和時。

華佗被曹操所殺在何時亦不可考。本傳僅記曹操在其愛子倉舒病困時，有「悔殺華佗，令此兒彊（強）死」的話，因而可知曹操殺華佗應在倉舒死之前。倉舒之死在建安13年，曹操殺華佗應在此年以前。

本傳有如下的一段話：

「太祖親理得病篤重，使佗專視。佗曰「此近難濟，恒事攻治，可延歲月」。佗久遠家思歸，因曰：「當得家書，方欲暫還耳」。到家辭以妻病，數乞期不反。太祖累書呼，又敕郡縣發遣，佗恃能厭食事，猶不上道。太祖大怒，使人往檢：若妻信病，賜小豆40斛，寬假限日。若其虛詐，便收送之。」

原文中「親理」之「理」字疑是「征」字之誤。建安三年以後，曹操親征之舉有數次，而以建安五年攻袁紹之役較大，至建安八年始滅袁尚。那時曹操的確是焦躁非常的，荀彧傳說他「出入動靜變於常」，得病的可能是非常大的，疑所謂「親征」就是指的這一次「親征」。據此則曹操殺華佗應在建安八年左右。

根據以上材料，可以大致肯定華佗生於順帝永和間而被殺於獻帝建安八年左右，死時年約六十二、三歲。（紀元後141？—203？）

華佗早期的事蹟無可詳考。本傳說他「游學徐土，兼通數經」，可見他一直是在徐州一帶的。據三國志本傳所載華佗病例中的記載，他早期行醫的地點亦僅有「鹽瀆」、「東陽」、「彭城」、「廣陵」四處，均在徐州境內，可見華佗一直並未離開過徐州。華佗離開這一帶，據考訂當在建安三年以後。

三國志本傳中有華佗爲廣陵太守陳登治「胃中蟲」的事，陳登即前文中「沛相陳珪」的兒子，他的事蹟附見於魏志張邈傳。陳登爲廣陵太守時在建安二年，那時陳珪尚爲沛相，呂布自稱徐州刺史。陳珪陳登都是曹操一夥，當時華佗可能即在廣陵。

曹操擊破呂布在建安三年，召用華佗應即在此時或較此稍後。

三國志本傳說他是「本作士人，以醫見業，意常自悔」的。按華佗對他自己的醫學很愛重，在臨死之際還把醫書付託於獄吏的事情便可以說明。根據他在徐州行醫的情況，他對病者的就診是「來者不拒」的，即使行路上的人他也給看病。這說明他喜好以醫濟世的，但他悔以醫見業的心情也可能。在被曹操徵用他以後，曹操這個封建統治者看華佗是「鼠輩」，不尊重他，因而引起「以醫見業，意常自悔」的心情。但這並不是他對行醫有什麽「意常自悔」的事。

另外，陳珪、黃琬兩人舉薦華佗，但他都沒有應命的事，也可以說明曹操徵召華佗是帶有强迫性的。陳珪是沛相，是華陀家鄉的地方最高官吏。黃琬是太尉，是東漢最高的行政官吏。他們的舉薦、華佗都沒有去，曹操當時名位也還不如黃琬高，在華佗不應陳、黃之辟舉而就曹操之徵召是前後矛盾的。這說明曹操徵召華佗是帶有强迫性的。

同時華佗在不應陳珪、黃琬的辟舉後，他仍然還是一直在行醫的，從來也沒有「以醫自悔」過，本傳中所記他在徐州時治病的病例就不少。華佗被曹操徵召之帶有强迫性與曹操對華佗的卑視，這些也形成了華佗「意常自悔」的心情，這也可見在曹操宮廷裏服務對華佗來說是並不心甘的。

在殺華佗時，曹操的謀士荀彧曾向曹操爲華佗緩頰：

「佗術實工，人命所縣（懸），宜含宥之」。

曹操是這樣答覆的：

「不憂，天下當無此鼠輩邪。」

就這樣，一代偉大的天才醫家，便輕易的犧牲在封建統治者的刀鋒之下了。

這裏可以看出：封建統治者是如何的在狠毒地摧殘着科學，而把人命置諸度外的。

華佗臨死時，取出了一卷書，交給了獄吏。他說：

「此可以活人。」

由此可見：華佗對於自己的醫學——可以活人的科學是極其愛重的。雖在瀕死之際，他也不願自己的醫學同歸對滅。這裏，華佗是看醫學比自己的身命還珍貴的。

但在殘酷的封建統治之下，華佗的這一點點希望也歸於幻滅。漢律：「與罪人交關三日已（以）上，皆應知情，」「私相授受」當然是在「交關」之例的。「獄吏畏法不受」，「佗亦不彊（强），索火燒之。」華佗這時的心情是極沈痛的，「可以活人」的偉大成果就那樣的化爲了灰燼。

華佗主要的醫療方法是用湯藥和針灸，這兩種本來都是古法，但在華佗是很好的把它們發展了的。

在用湯藥方面他非常精熟。據本傳：

「其療疾合湯，不過數種。心解分劑，不復稱量。煮熟便飲，語其節度，舍去輒愈。」

在用針灸方面：

「若當灸，不過一兩處，每處七八壯，病亦應除。」

「若當針，亦不過一兩處，下針言：「當引某許，若至，語人」。病者言：「已到」。應便拔針，病亦行差。」

由此可見華佗對一般病症是用湯劑，其次用針灸，而這兩種在他都是非常精熟的。關於「針」的一條材料很可貴，因爲它給我們保存了漢代「針」法的部分情況。

「下針言：「當引某許，若至，語人」」的「引」字可作掣動解，就是說下針以後應當掣動某處，如果掣動的話，病人便告訴醫生，就把針拔掉。

華佗除了用湯藥，針灸的治療方法以外，他對用這些方法治不了的腹內疾病，便用剖腹手術來進行治療。

「若病結積在內，針藥所不能及，當須刳割者，便飲其麻沸散，須臾，便如醉死無所知，因破取病。若在腸中，便斷腸湔洗，縫腹膏摩，四、五日差。不痛，人亦不自寤，一月之間，即平復矣」。

以上是三國志本傳的說法，後漢書華佗本傳與此文大致相同。

後漢書華佗傳：「若疾發結於內，針藥所不能及者，乃令先以酒服麻沸散，既醉無所覺，因刳破腹背，抽割積聚。若在腸胃則斷截（截）湔洗，除去疾穢，既而縫合，傅以神膏，四、五日創愈，一月之間皆平復。」

按三國志與後漢書所記「麻沸散」之服用方法

不同，三國志僅言「便服其麻沸散」，而後漢書言用酒服。所記爲一事不應有此出入，疑三國志文於此有所漏略，「麻沸散」用酒服亦屬合理。

關於華佗用酒服麻沸湯一節，近代醫史學者不乏論列，其事殆可以肯定，他所使用的麻藥據後人推測大約不外烏頭一類藥。

我國使用烏頭較早，在墨子中已有使用烏頭爲毒藥之記錄：

墨子襍守篇：「令邊縣豫種畜芫芸、烏喙、袾葉外宅。溝井可窴塞，不可置此其中。」

此「烏喙」即烏頭，此爲烏頭在當時軍事上之用途。古代用毒藥於戰爭之事亦見墨子：墨子天志篇：「…是以天下之庶國，方以水火毒藥兵刃相賊害也。」

墨子襍守篇據近人考訂當成於戰國末年秦人之手，而烏頭之使用在當時業已普遍，其開始使用之時必較此更早。故麻沸湯之成分除包含有酒外，其包含烏頭在內亦很有可能。

關於華佗的醫學淵源的問題，我們有以下的看法。

華佗是否曾受到外來醫藥的影響一節未敢確定，因據三國志及後漢書所言，華佗除在晚年被曹操徵召外，一生未離開徐州地區，直接受外來影響很少可能。若間接影響則除華佗以外，擅此術者亦當不止一人，何以其人物事蹟在史籍中並不一見？

且據三國志及後漢書本傳所言，華佗的醫學是有弟子而無師承的，都沒有提到他究竟是從那裏學來的醫學。東漢及三國時對「師承」一節是非常重視的，其它的「方術」家的傳記中一般都提到他們的授受源流，唯有華佗是例外，因此可見華佗當時恐怕就沒有什麼一定的師承，否則像這樣一位有重名的人物、他的師承所自，在本傳裏是無論如何也應該提到的。

根據以上的看法，我們以爲華佗應該是一位當時的民間的醫者，他一方面系統地接受了古代的湯藥、針灸的經驗，另一方面在這基礎上加以發展，他能把古代的經驗加以發展的原因便是由於他能密切的聯繫人民羣衆的生活，將一部分民間的醫藥經驗集中和系統化起來，再在實際的治療中去提高和修正。

這種情況可以從華佗的許多病例中得到證明，華佗所用的藥物有很多是當時的日常生活用品，另有一部分是在一些人無意中發現後經華佗審定的。

後漢書華佗本傳：「佗嘗行道，見有病咽塞者，因語之曰：『向來道隅有賣餅人，萍齏甚酸，可取三升飲之，病當自去』。」

此文在三國志本傳大致相同，唯「萍齏」作「蒜齏大酢」。

無論是「萍齏」，是「蒜齏」，都是賣餅家用來供客用的東西，也就是當時一般食品的一種，這種東西能够作藥用，是當時人民羣衆的一種生活經驗的積累，從多次的有意或無意中證實了它的效能的，但華佗却把它肯定了並系統化了來加以使用。

另外如有關「青黏」的傳說。

魏志裴注引華佗別傳：「青黏者，一名地節，一名黃芝，主理五藏，益精氣。本出於迷入山者，見仙人服之，以告佗，佗以爲佳。」

這裏所謂「見仙人服之」是一種神話，但迷入山的人，找不到喫的東西，是可能慢慢的找到一些可喫的草，如「青黏」之類，這本是一種偶然的發現，但華佗也把它肯定了並製成方劑，那便是「漆葉青黏散」，是華佗的方藥中至今唯一存在的：

「漆葉屑一升，青黏屑14兩，以是爲率。」

藥的功效是「久服去三蟲，利五藏，輕體，使人頭不白。」

但這兩種藥物在當時看來也是極普遍的：

「漆葉隨處所而有，青黏生於豐沛及朝歌云。」

「處所而有」就是那裏都有的意思，可見這種藥物也是當時人們所習見的東西。

華佗其它的方劑均不傳，另外本傳中有「亭歷犬血散」一方名，藥物未載，但以「漆葉青黏散」之例推之，恐仍以「亭歷」與「犬血」爲主，這也是當時老百姓所耳聞目見的東西。

根據以上材料來看，可以看出華佗一面是接受了一些古代的經驗，另一方面他是把一些民間的醫學經驗搜集起來，系統地加以整理後再加以使用的。這就是華佗的醫學爲什麼沒有一定的師承的原因。

在衛生理論方面，華佗的見解直到現在看來都是科學的，他告訴他的弟子吳普的一段話：

「人體欲得勞動，但不當使極耳。動搖則穀氣得銷、血脉流通，病不得生，譬如戶樞終不朽也。」

他的這種衞生理論在現在看來都很科學，那些「陰陽五行」之類的論點在他的理論和病例中一點也找不到，可能都被他揚棄了。

根據他以上的理論，華佗又創造出一種「五禽之戲。」

「是以古之仙者，爲導引之事，熊經鴟顧，引輓腰體，動諸關節，以求難老。吾有一術，名五禽之戲，一曰虎，二曰鹿，三曰熊，四曰猨，五曰鳥。亦以除疾，兼利蹄足，以當導引。體有不快，起作一禽之戲，怡而汗出，因以著粉，身體輕便，腹中欲食。」

「導引」即深呼吸，這裏的所謂五禽之戲，大約是模仿五種動物動作狀態的體操。

這種體操對身體有一定的好處，華佗的弟子吳普一直施用，據記載，效果是很好的。

三國志裴注引華佗別傳：「吳普從佗學、微得其方，魏明帝呼之使爲禽戲，普以年老手足不能相及，粗以其法語諸醫。普今年將90，耳不聾，目不冥，牙齒完堅，飲食無損。」

華佗有兩個弟子，吳普是廣陵人，樊阿是彭城人，大約都是華佗在徐州時的學生。但他們似乎都不能繼承華佗的醫學，不僅沒有使華佗的醫學得到發揚光大，而且逐漸衰微了。

從以上的事實看來，華佗在中國歷史上毫無疑問是一位偉大的醫學家。他的獨到的成就顯示了中國人民在醫學上的偉大創造能力。他的書燒毀了，關於他的技術，我們不能詳盡地知道，是很遺憾的事。

〔註一〕按漢代一般「徵辟」的慣例：是先由地方官舉薦，即所謂舉孝廉，然後再由「三公」舉薦，故陳珪舉華佗應在黃琬「辟」華佗以前，此與本文的叙事次序亦相合。陳珪舉華佗時，華佗至少必須滿40歲，故此可云40餘歲，因黃琬之辟華佗事既在陳珪舉華佗之後，其時華佗之年齡必已超過40歲無疑。

李時珍先生的本草綱目傳入了日本以後

陳存仁

李時珍先生的本草綱目，在明朝神宗時萬曆18年（1590年）刻成問世，隔了16年在日本是慶長11年（1606年），有林道春氏經長崎把本草綱目帶到日本，進呈幕府（據富士川游著日本醫學史說）。從這時起掀起了全日本醫藥界研究的狂熱，其情況有下列書籍可以說明一切。

一、保存中國的原本

板本	冊數	保藏者	附識
金陵本（萬曆18年初刻）	16冊	京都大森紀念文庫藏（卷四缺）。	大森藏本有白井光太郎博士題識云「本草綱目初版本在中國早已失傳，日本存三部外，二百年前荷蘭人由華攜至歐洲，由德國柏林王立圖書館收藏，全世界今存四部」云云。原註如是，中國有無存本待考。
金陵本（同上）	全	內閣文庫藏。	
金陵本（同上）	全	伊藤篤太郎博士藏。	
江西本（萬曆癸卯年刊）	35冊52卷	大阪武田長兵衛氏藏（今存武田藥廠）。	曾經在昭和三年五月大阪舉行的本草圖書展覽會中展出。

二、本草綱目的日本翻刊本

度數	名稱	日本年份	公曆年份	翻刻者	根據的本子	其他
第一度	（金陵本）本草綱目和刻本	無考	無考	無考	金陵本	此本存目，日本已沒有保存了
第二度	（江西本）本草綱目和刻本	寬永14年刊	1637年	京都發行	萬曆癸卯年開版的江西本	附刻脉學等三種
第三度	武陵錢衙版本草綱目和刻本	承應二年刊	1653年	書肆野四彌次右衛門	崇禎庚辰武錢衙刻本	脉學等三種刪除
第四度	校正本草綱目和刻本	寬文12年刊	1662年	貝原益軒監修	崇禎武陵錢衙本的全部翻刻本	增入和名校正并加品目及附錄一冊
第五度	和語本草綱目十冊	元祿11年	1698年	岡本一抱子	不詳	
第六度	新校正本草綱目	正德四年刊	1714年	書肆唐本屋清兵衛萬屋作右衛門	根據江西本	錯誤已多
第七度	校正修補本草綱目	正德五年	1715年	稻生若水校修	不詳	錦箱本
第八度	校正本草綱目	享保19年	1734年	近畿書肆竹田刊	不詳	袖珍本
第九度	新校本草綱目	寬政八年	1796年	皇都書肆廣大堂	不詳	大字本

除了上面的九種翻刻本以外，我所不知道的板本，可能還有三、五種，想來數目不會很多的。

三、本草綱目的日文譯本

年份	書名	譯者	册數	其他
天明三年	本草綱目譯說	小野蘭山著	20册	東京早川植物研究所藏
昭和九年	頭註國譯本草綱目	鈴本眞海和田利彥等。東京春陽堂刊	15册	日本坊間有售

四、研究本草綱目的書籍

書名	册數	著者	附記
本草綱目解	二册	木村孔恭著	日本坊間有售
本草綱目序註并疏	一册	林道春著	天明五年日本刊
本草綱目紀聞	20册	小野蘭山述	大阪府立圖書館藏
本草綱目辨誤	不詳	小野蘭山	據日本醫學史載小野傳
本草綱目鈞衡	二册	向英俊著	富士川游藏
本草通串	56册94卷	前田利保著	日本坊間有售
本草綱目固獲編	三册六卷	稲焕景文著	寫本
本草綱目啓蒙	24册48卷	小野蘭山述	日本坊間有售
本草綱目附方分類	15册	山脇玄修編	曾在第六回極東熱帶醫學會附設日本醫學歷史展覽會展出
本草綱目分類索引五種（藥名,病名,術語,藥方名,地理五種）	一册	和田利彥等刊	國譯本草綱目頭註附錄

五、擴大配圖的本子

書名	繪著者	册數	附識
本草圖譜	岩崎常正（灌園）自繪	95册索引二册	本書依着本草綱目的分類、每藥配着彩色圖譜，漢産標本外、附加日産藥品標本。精細木刻五彩套版印的、版在日本大地震時燬掉了。日本坊間已成稀少珍本。十年前上海自然科學研究所存一部。
本草綱目啓蒙圖譜	井口望之編	20册	稀見本
本草圖說	高木春山稿也是依本草綱目的目次配了圖	195册	此本未刻曾在日本的本草圖書展覽會中展出（昭和三年五月岩瀨出品）

六、縮編便覽的本子

書名	編刊者	附記
本草綱目指南	武田藥廠備	曾在大阪展覽、册數著作者不詳
本草綱目袖珍鑑	前田利保編	坊間有售

中华医史杂志

附錄攝影圖片

日本所藏金陵初刻本：此書藏日本內閣文庫，係萬曆 18 年初刻本，第一頁有紅色片假名小註多紀氏藏書印，農商務省印等印記（見圖1甲、乙）。

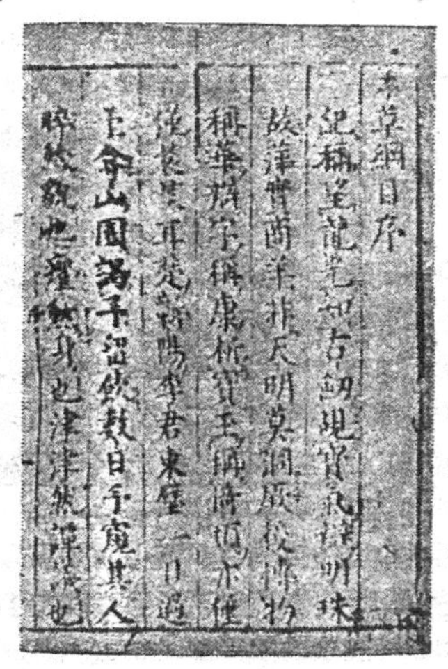

本草綱目序
紀稱望龍光知古劍覘寶氣辨明珠
故萍實商羊非天明莫洞厥後博物
稱華辨字稱康析寶玉稱倚頓亦僅
僅晨星耳楚蘄陽李君東璧一日過
予弇山園謁予留飲數日予窺其人
晬然貌也癯然身也津津然譚議也

圖1甲

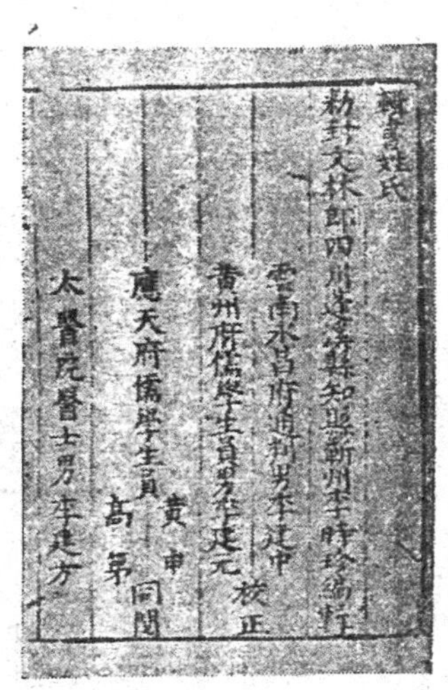

輯書姓氏
敕封文林郎四川蓬溪縣知縣蘄州李時珍編輯
雲南永昌府通判男李建中
黃州府儒學生員男李建元 校正
應天府儒學生員 黃申 高第 同閱
太醫院醫士男李建方

圖1乙

日譯本草綱目第一册攝影。全書計15册，鈴木眞海譯，春陽堂刊（見圖2）。

圖2

擴大配圖本：這是依着本草綱目的目錄次序，配上五彩的標本圖，書名本草圖譜，有93幅之多（見圖5甲、乙）。

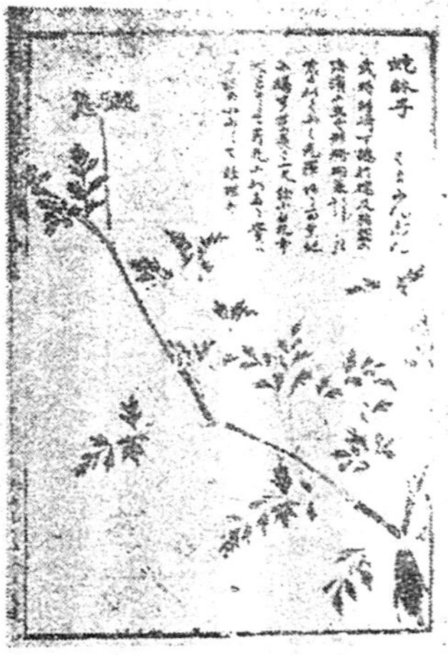

圖5甲

圖5乙

李時珍本草綱目外文譯本談

王吉民*

李時珍的本草綱目，不但在國內享負盛名，被譽爲一部藥物學與植物學的偉大作品，在歐美及日本等國，也甚有聲譽。關於李氏的生平事蹟，以及綱目的內容價值，另有專文論述，本篇所叙述的，祇談一些本草綱目被譯成各國文字的略歷。

我國本草之學——現稱爲藥物學，歷史甚爲悠久，相傳在上古時代，神農氏曾著有本草經，雖然這僅僅是神話，但是我國本草學起源的悠久，實在是不可否認的。據歷史的記載，我國本草學，在兩漢時代已建立基礎，其後歷代都有進展，直至明朝，可稱盛極一時，本草綱目即集其大成，爲當時我國本草學的最高成就。那時歐洲尙處在中古黑暗時代，在本草學方面，非但不能有這樣淵博的研究，就是我國植物的豐富，也是遠非歐洲各國所可媲美的。在本草綱目刊出的四年後，即公元 1601 年，歐洲才有第一部藥典——紐倫堡藥局方的刊行；1618 年，倫敦藥局方才出版，而全英第一部藥典則在 1864 年始行頒佈。由此可知我國的本草綱目一書，在藥物學水平上實爲當時任何國家所不及，外國學者對於它曾畀以最高的評價，稱之爲「中藥寶庫」，可見他們對本草綱目的重視。

以前有很多學者欲將這書翻譯爲外文，都因爲這一工作的異常浩繁，以及才識兩方面的不足，而多無結果，一直到近年來才能獲得成功，茲將各國翻譯本草綱目的一般經過情形分述如下：

法文譯本　最早翻譯本草綱目的是法國都哈爾德 (Du Halde) 氏。在 1735 年都氏刊行中國史地年事政治記錄一書，中有兩章論及藥物者，係由本草綱目節譯而成。第一章第一節係綱目總目錄，第二節係卷一上序例之歷代諸家本草，神農本草名例，陶隱居名醫別錄合藥分劑（節譯）及七方等條。第二章係選譯下列各藥品：人參、茶、象、駱駝、海馬、麝香、冬蟲草、大黃、阿膠、當歸、白蠟、五倍子、烏臼木、三七等十數種藥品而已[1]。

此後，Lepage (1813)、Yvan (1847)、Debeaux (1865)、Etienne (1869)、Soubeiran (1874)及 Vincent (1915)等氏，皆有關於中國藥用植物之著述，爲數雖不少，但並非直譯本草綱目，不在本篇範圍，故從略。

日文譯本　明萬歷末年、即日本長慶 11 年 (1606)，林道春氏自長崎得本草綱目獻於幕府，是此

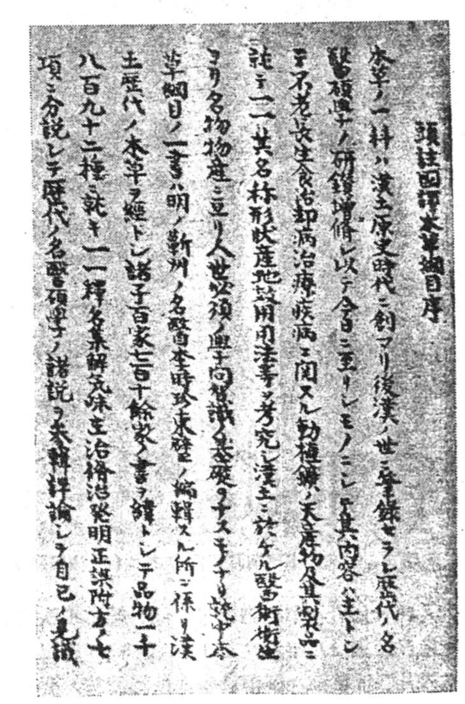
頭註國譯本草綱目序
本草ノ一科ハ漢土原史時代ニ創マリ後漢ノ世ニ筆錄セラレ歷代ノ名
醫碩學ノ研鑽增修ヲ以テ今日ニ至リシモノニシテ其內容ハ主トシ
テ不老長生食治卻病治療疾病ニ関スル動植鑛ノ天產物及其製品ニ
就テ一一其名称形状產地效用用法等ヲ考究シ漢土ニ於ケル醫術ノ基
ヨリ名物物產ニ亘リ人世必須ノ學ニ向テ智識ノ基礎ヲナスモノナリ就中本
草綱目ノ一書ハ明ノ蘄州ノ名醫李時珍東璧ノ編輯スル所ニ係リ漢
土歷代ノ本草ヲ經トシ諸子百家七百十餘家ノ書ヲ緯トシテ品物一千
八百九十二種ニ就キ一一釋名集解氣味主治脩治發明正誤附方ノ七
項ニ分說シテ歷代ノ名醫碩學ノ諸說ヲ采輯詳論シテ自己ノ見識

圖 1. 日文「本草綱目」內容之一（丁濟民藏）

書傳至日本之始[2]。至於綱目翻譯爲日文，共有兩種：一爲本草綱目譯說，20冊，係小野蘭山於天明三年即 1783 年刊行，現藏東京早川植物研究所；

* 中華醫學會上海分會圖書博物館

一爲頭註國譯本草綱目，共15巨册布面精裝，於昭和四年即1929年刊行，主譯校者共有八人，計監修兼校註：白井光太郎，顧問：木村博昭，考定：牧野富太郎、協水鐵五郎、岡田信利、矢野宗幹、木村康一、及譯文：玲木眞海等[3]。

譯本係由最初刻本即所謂金陵版譯成，據謂此刊本中國久佚，世界現僅存四部，日本佔藏其三，餘一部則在德國[4]，其實這是過去一些日本人的矯妄之辭，上海丁濟民氏藏有一部，國內其他醫家或者也有收藏[5]。

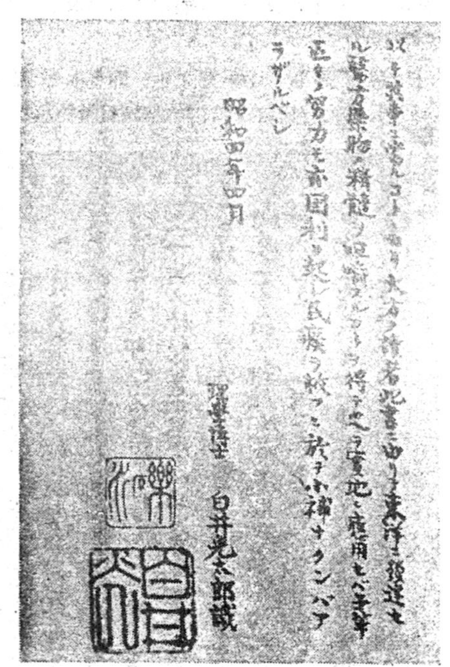
ラザルベシ
昭和四年四月
理學博士　白井光太郎識

圖 2. 日文［本草綱目］內容之二（丁濟民藏）

此外尚有本草圖譜一書，係岩崎常正根據綱目而繪，於道光八年即文正11年（1828）出版，蒐羅草木凡二千餘種，圖繪精審，色彩兼施，全書共93册，復經白井光太郎等考訂，於1900年重刊發行，更爲名貴，現在坊間已不易得，成爲珍本。

德文譯本　本草綱目傳至德國，是二百年前有一荷蘭人名 George Eberhard Rumpf 將一部金陵初刻版，携至德國交柏林國立圖書館收藏，自此以後，德國學者對中藥即極爲重視，各大藥廠多採集中國生藥標本，並用科學方法製成出品，例如怡默克藥廠，遠在1899年即將我國當歸，提出精英製

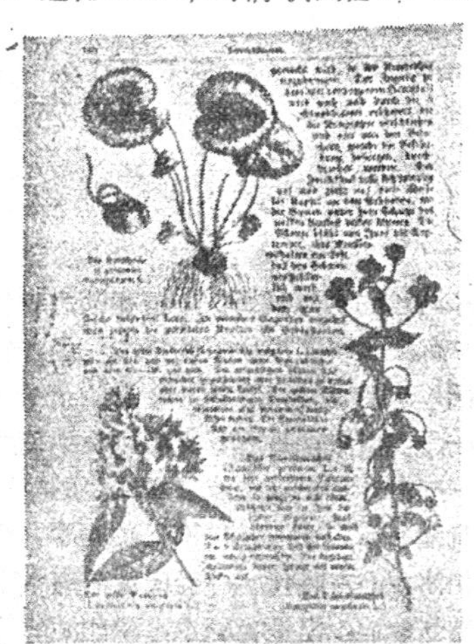

圖 5. 德文［本草綱目］圖譜之一（陳存仁藏）

成婦女痛經良藥，推銷各國，大獲其利。德文中國藥物之著述頗多，至本草綱目譯本則有醫學博士萊大學教授 Delitzsch 氏及其助手 Ross 氏合譯本，書共14巨册，並有精美五彩插圖，1928年葛亭根及明與城 T. F. Schreiber 書店出版。查此書並非全譯，金石等都已刪去，祇由草木部譯起，第二次世

圖 4. 德文［本草綱目］圖譜之二（陳存仁藏）

界大戰以後，德國已無存書，陳存仁氏於前年在瑞士舊書店購得一部[6]。

英文譯本　英美人士對於我國植物之研究及採訪，甚爲活動，著述特多。如 R. Fortune、H. F

Hance、D. Hanbury、P. Smith、A. Henry、Forbes and Hemsley、E. H. Wilson 及 G. Stuart 等氏之作品、均彰彰在人耳目，各書中以 Smith 氏之中國藥料品物略釋及 Stuart 氏之中國藥物草木部兩種，爲早年唯一之藥物學參考書，雖非直譯本草綱目，但大部分係由該書取材。

朝鮮漢城沙非倫協和醫校敎授 Ralph Mills 素有翻譯本草綱目之志願，曾紐合同人，多年從事於此，搜集資料甚夥，除李氏綱目外，兼及趙學敏之本草拾遺，譯成稿本，共40餘冊，嗣因事返國，中途停頓，乃於1920年將一切稿卷標本移交伊博恩氏 (B. E. Read) 收存採用。

伊氏英籍，1887年生，專攻藥物學，曾獲得英美各大學藥物學學位，1909年來華，先後在北京協和醫學院及上海雷氏德醫學研究院担任要職，1946年任研究院院長，1949年病逝。伊氏爲中國藥物學專家，名聞國際，著述甚富，其最負盛譽者，爲翻譯李時珍本草綱目一書，氏旣係專才，復有同人協助，乃將 Mills 氏之稿件，詳加考定整理，經二十餘年之努力，將全部綱目譯成英文，分期刊行專冊，由北平博物學會出版及發行，茲將各書依照出版年期列後：

1. 本草綱目金石部：與朴柱秉合編，共120面，1928年初版，1936年再版；係譯綱目第8—11卷而成，原書謂係第8—12卷，誤也。

2. 本草綱目獸部：共164面，有插圖四，1931年出版；係譯綱目第50—51卷而成。

3. 本草綱目禽部：共112面，有插圖二，1932年出版；係譯綱目第47—49卷而成。

4. 本草綱目鱗部：共66面，有插圖七，1934年出版；係譯綱目第43卷鱗部之一及之二而成。

5. 本草綱目介部：共95面，有插圖12，1937年出版；係譯綱目第45及46卷而成。

6. 本草綱目鱗部：共136面，有插圖60，1939年出版，係譯綱目第44卷鱗部之三及之四而成。

7. 本草綱目蟲部：共164面，有插圖四，1941年出版；係譯綱目第39—42卷而成。

8. 本草綱目草木部：此爲綱目最重要之部，包括草部第12—21卷；穀部第22—25卷；菜部第26—28卷；果部第29—33卷；木部第34—37卷；共計25卷，幾佔全書之一半。伊氏努力多年，

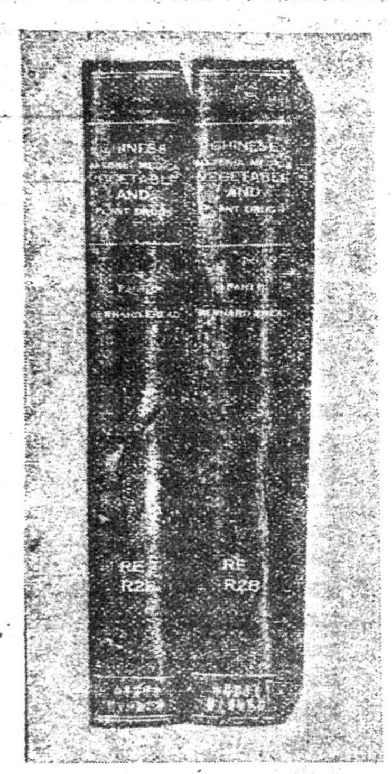

圖 5. 英文［本草綱目］草木部
（中華醫學會醫史博物館藏）

於1949年完成，惜未付梓即歸道山。雷氏德研究院當局，本擬在滬刊行，嗣以種種困難，乃於19[illegible]年寄往國外排印，尙未問世。中華醫學會醫史博物館藏有該遺稿打字副本，裝訂兩厚冊，共2,000餘面。此書編纂方法與上列外書不同，並非直譯，係選綱目中草穀菜木等部876種藥品，鑑定名稱，述明有效成分，參以各家評論，並加以詳盡之註釋，按字母排列，最後有英文藥名索引及中文藥名索引。原稿本附有彩色圖譜約300幅，係伊氏親自督製，據云以製版費過巨，不擬付印，殊爲可惜。

伊氏尙有名著本草新註一書，係與北平陸物試驗所劉汝强合編，就本草綱目所載草木部主要藥品868種，依恩格拉氏方式，分類整理，重加審定，試求其本性，列有全表，搜集名論，依品附述，並縮記其化學成分及生理效能，書末附有中文、英文、拉丁文藥名索引三種，尤稱便利，是誠一部有用參考資料工具書。初由北平協和醫學院於1923

年印行，第二版刊於1927年，增至106面，第三版新增藥品50種，並擴充至539面，於1936年改由北平博物學會印行，係中華植物考之一。十餘年間，重版三次，可見是書之價值矣。

茲爲更加明瞭便於參考起見，謹將本草綱目各卷及外文譯本，列表如下以資對照。

卷　別	類　　別	日文譯本	德文譯本	英文譯本	英譯本書名
第1卷	序例上	已　譯	未　譯	已　譯	A Description of the Empire of China, by Du Halde.
第2卷	序例下	〃	〃	〃	
第3卷	百病主治藥上	〃	〃	未　譯	
第4卷	百病主治藥下	〃	〃	〃	
第5卷	水部	〃	〃	未　譯	
第6卷	火部	〃	〃	〃	
第7卷	土部	〃	〃	〃	
第8卷	金石部	〃	〃	已　譯	Minerals and Stones
第9卷	〃	〃	〃	〃	
第10卷	〃	〃	〃	〃	
第11卷	〃	〃	〃	〃	
第12卷	草部	〃	已　譯	已　譯	Vegetable and Plant Drugs
第13卷	〃	〃	〃	〃	
第14卷	〃	〃	〃	〃	
第15卷	〃	〃	〃	〃	
第16卷	〃	〃	〃	〃	
第17卷	〃	〃	〃	〃	
第18卷	〃	〃	〃	〃	
第19卷	〃	〃	〃	〃	
第20卷	〃	〃	〃	〃	
第21卷	〃	〃	〃	〃	
第22卷	穀部	〃	〃	〃	
第23卷	〃	〃	〃	〃	
第24卷	〃	〃	〃	〃	
第25卷	〃	〃	〃	〃	
第26卷	〃	〃	〃	〃	
第27卷	〃	〃	〃	〃	
第28卷	〃	〃	〃	〃	
第29卷	果部	〃	〃	〃	
第30卷	〃	〃	〃	〃	
第31卷	〃	〃	〃	〃	
第32卷	〃	〃	〃	〃	
第33卷	〃	〃	〃	〃	
第34卷	木部	〃	〃	〃	
第35卷	〃	〃	〃	〃	
第36卷	〃	〃	〃	〃	
第37卷	〃	〃	〃	〃	
第38卷	服器部	〃	未　譯	未　譯	
第39卷	蟲部	〃	〃	已　譯	Insect Drugs
第40卷	〃	〃	〃	〃	
第41卷	〃	〃	〃	〃	
第42卷	〃	〃	〃	〃	

第43卷	鱗部	已　譯	未　譯	已　譯	Dragon and Snake Drugs
第44卷	〃	〃	〃	〃	Fish Drugs
第45卷	介部	〃	〃	已　譯	Turtle and Shellfish Drugs
第46卷	〃	〃	〃	〃	
第47卷	禽部	〃	〃	已　譯	Avian Drugs
第48卷	〃	〃	〃	〃	
第49卷	〃	〃	〃	〃	
第50卷	獸部	〃	〃	已　譯	Animal Drugs
第51卷	〃	〃	〃	〃	
第52卷	人部	〃	〃	〃	

參考文獻

1. 王吉民：本草綱目譯本考證，中華醫學雜誌28：11期，1942.
2. 富士川游：日本醫學史，p. 335.
3. 陳存仁：李時珍先生的本草綱目傳入了日本以後（未刊稿）.
4. 白井光太郎：頭註國譯本草綱目，序後.
5. 丁濟民：跋明金陵刊本本草綱目，醫史雜誌，2卷3/4期合刊1948.
6. 陳存仁：中醫中藥傳海外，p. 34.

德譯瀕湖脈學的小考證

芸　心

瀕湖老人是李時珍晚年所取的別號，在他現存著述中，除本草綱目偉大的作品外，尚有瀕湖脈學和奇經八脈考。這兩種書，雖各僅一卷，但在脈學著述中，却被認爲極有價值的文獻之一。因常附刻於本草綱目之後，故流傳甚廣。

瀕湖脈學在明嘉靖甲子（公曆1654年）寫成的。李時珍自序說：宋有俗子，杜撰脈訣，鄙俩紕繆，醫學習誦，以爲權輿，逮臻頒白，脈理竟昧，戴同父常刊其誤。先考月池翁著四診發明八卷，皆精詣奧室，淺學未能窺造，珍因撮粹擷華，僭撰此書，以便習讀，爲脈指南，世之醫病兩家，咸以脈爲首務，不知脈乃四診之一，謂之巧者爾，上士欲會其全，非備四診不可。

德文譯本，係由許寶德氏（Fr. Hübotter）所譯，刊於他所著的中華醫學（Die Chinesche Medizin）一書中。許氏德人，獲有醫學及哲學博士學位，前任柏林大學醫史副教授十數年，專研究東方醫史；著作甚多；曾一度赴日本考察醫學，於1927年間來中國，在湖南益陽信義醫院任職，抗戰前後，遷居青島自行開業，約在解放前返國。

瀕湖脈學無單行本，係中華醫學書裏的一章，共14面（自179—193面止），該書於1929年由來比錫（Dr. Bruno Schindler）書店出版，因印書不多，目下甚難購得，已成爲稀有珍本了。許氏將脈學的正文、浮、沈、遲、數、滑、濇、虛、實、長、短、洪、微、緊、緩、芤、弦、革、牢、濡、弱、散、細、伏、動、促、代27種脈法完全譯出，但附載的宋崔嘉彥四言詩一首則未譯。最後許氏將日人淺田所著的和漢醫學分類各脈法來作比較，並加以評釋。瀕湖脈學除許氏德文譯本外，未聞有譯爲其他國文字的。

鼠疫活菌苗我國研究成功史

毛采章*

鼠疫活菌苗我國早已研究試驗成功，當時並在鼠疫區使用過，成績斐然，這是我國醫學科學上的大事蹟，是很光輝燦爛的一件研究發明工作。可惜醫史上還缺少這寶貴有價值的一頁，我不能讓他湮沒，所以將舊事重提，以供醫史實錄。

關於該項重要研究成功之工作，除作者曾於1939年［熱帶病研究所二十八年度論文］中發表過一篇：［活性鼠疫疫苗效力之試驗］一文外，至關於研究製造經過方法，一直到目前也沒有正式發表過。故我醫界人士知道這件事的是很少，所以有發表的價值。

茲分三部來敘述：一、鼠疫活菌苗研究成功之經過要錄；二、鼠疫活菌苗應用經過概況；三、鼠疫活菌苗效力之試驗，並附當時發表之論文照片二張，以資佐證。

研究試驗成功經過要錄

一、研究單位：廣西省衛生試驗所（初名廣西製藥廠），時在廣西梧州。

二、開始研究時期：為1955年11月28日。

三、研究成功日期：自開始研究後，從未間斷，以迄初次應用於人體，為1957年1月25日，當時受注射試驗人數為22人（內女8人男14人），事後曾得廣西省政府獎金。

四、試驗用菌種：為1935年廣西博白縣發生鼠疫時，染疫患者死亡後，由其鼠蹊淋巴腺內採取之强毒菌種行培養留存之菌種。

五、培養研究試驗方法及經過：採用高溫減毒培養法，最初三週內溫度自攝氏37度逐漸升高到41度，及後固定溫度為41—42.5行培養（最初固定溫度短期內有用43度者）。每天一次或二次移種於普通斜面培養基上，至201代時其毒力即消失並具活菌所產生之免疫力，至300代時免疫力大為增高，初次應用於人體之菌株為726代及以後各代者。

六、試驗用之動物：為家鼠、小白鼠、天竺鼠等、最後在使用到人體以前，曾用猴類行試驗。

七、動物試驗之方法：行皮下或腹腔內注射。

八、關於强毒菌種感染用量及試驗方法，另詳於下面：［活性鼠疫疫苗效力之試驗］一節。

九、研究者：為徐良董醫師及作者本人，樓融醫師亦參與該項工作。

十、後來亦曾在强毒菌種中分離獲得天然無毒菌株。

應用經過概況

一、鼠疫活菌苗研究成功後之當年，即1937年，就應用到鼠疫疫區，在我國使用該項活菌苗可算是創舉，1938年又繼續應用，前後有三次。受注射人數當時有記錄可稽者約5,700餘人，前後各次均由作者主持工作，或在赴疫區前先配製濃縮菌液用安瓿封好，盛於冰壺內，臨用時配成應用菌液；或帶菌株及一切培養用器材，前往疫區就地培養製造應用。1939年廣西衛生試驗所因戰局關係，遷移桂林，1940年作者到廣東工作，自此以後未曾繼續採用。及桂林淪陷時菌種亦遭遺失，因此不復有人憶及我國醫學科學之創造功績，幾至湮沒無聞。

二、應用地區：當時應用之地區為廣西之博白、容縣及廣東之廉江安鋪等地。

三、當時在各疫區應用經過中，前後受注射者除在安鋪有一人患腺鼠疫但症狀較輕並短期即痊愈外，其餘受注射者，均無感染鼠疫之報告。

四、該疫苗亦僅注射一次即產生免疫力，反應亦甚微。初次應用對記錄甚詳，茲附當時記錄表式樣見表一：

* 蕪湖市衛生防疫站

表一　活性鼠疫苗應用記錄

號數	姓名	性別	年齡	體重（公斤）	苗種傳代	皮下注射量（毫克）	年月日	所在地名及村長

反應										
	注射當日	頭痛 紅腫浸潤	頭脹 疼痛	畏寒 壓痛	體溫 壓感	苦悶 腺腫	倦怠 硬結	腰酸 癢感	口味不佳 形成膿瘍	食慾減退 妨碍工作
	注射翌日	頭痛 紅腫浸潤	頭脹 疼痛	畏寒 壓痛	體溫 壓感	苦悶 腺腫	倦怠 硬結	腰酸 癢感	口味不佳 形成膿瘍	食慾減退 妨碍工作
	注射三日	頭痛 紅腫浸潤	頭脹 疼痛	畏寒 壓痛	體溫 壓感	苦悶 腺腫	倦怠 硬結	腰酸 癢感	口味不佳 形成膿瘍	食慾減退 妨碍工作
	注射四日	頭痛 紅腫浸潤	頭脹 疼痛	畏寒 壓痛	體溫 壓感	苦悶 腺腫	倦怠 硬結	腰酸 癢感	口味不佳 形成膿瘍	食慾減退 妨碍工作
	注射五日	頭痛 紅腫浸潤	頭脹 疼痛	畏寒 壓痛	體溫 壓感	苦悶 腺腫	倦怠 硬結	腰酸 癢感	口味不佳 形成膿瘍	食慾減退 妨碍工作
附記										

記錄者

鼠疫活菌苗產生免疫效力之試驗

關於鼠疫活菌苗效力問題，在研究過程中經常行動物試驗，已確證實爲具有免疫力及絕對安全時，才敢應用於人體，其經過之試驗次數甚多，但均未有公開報告。作者曾於 1938 年間將鼠疫活菌苗及其他鼠疫死菌苗具體的作過對照的效力試驗，並著論文一篇，文名活性「鼠疫疫苗效力之試驗」，列載於「熱帶病研究所民國二十八年度論文」中，玆將原文附錄於後，並附照片二幅，以資證明確係當年之事實（熱帶病研究所爲洪式閭博士主辦時遷移在北碚）。

附錄：活性鼠疫疫苗效力之試驗

第一　供試驗用鼠疫疫苗之類別

甲、廣西省衛生試驗所製造活性鼠疫疫苗（製

熱帶病研究所民國二十八年度論文

造號數爲二八八號）。本項疫苗每公撮含生活鼠疫桿菌五萬萬個，自然死滅鼠疫桿菌十萬萬個，用量成人一次一公撮，兒童半公撮，僅注射一次，於一星期後即發生免疫力，其免疫力保持之期間爲九個月，

注射後反應輕微。不僅曾應用該項疫苗於三千七百餘人中呈輕度全身反應——發熱、頭痛倦怠等——者僅十數人；餘皆無何等反應，或僅呈輕度局部反應——局部壓痛，感痛，腫脹等。

活性鼠疫疫苗有效期，冰箱保存者爲半個月；室溫保存者僅三天。爲便於携帶計，先製成濃厚疫苗，並滴定其稀釋度，貯藏於置有冰塊之水壺內，臨用時加滅菌生理食鹽水稀釋爲應用疫苗，水壺保冰溫僅六天，預計其有效期爲九天。

將該項活性鼠疫疫苗，以其貯存法之不同，及經過時期之長短，試驗時分爲下列數批：

1. 新製之疫苗：疫苗製成之後，即行注射於動物，未經任何保存處置者；

2. 於冰箱內保存經十五日之疫苗；

3. 認爲已過期失效之疫苗：即保存於冰壺內九天，並繼續在室溫保存經五日者；

4. 於已過期失效之活性疫苗中取菌培養復行製造之活性疫苗。

乙、西貢製鼠疫疫苗 Vaccin Antipesteux, Institute Pastur de Saigon，此項疫苗由西貢新製購來者，承廣東省政府防疫專員張茂林醫師在濂江防治鼠疫時轉贈，以供試驗用，該項疫苗爲二十五公撮裝，所含之菌數、用量、及有效日期等，均無註明，據張君面告；用量爲二公撮，一次注射，經取該項疫苗行培養，無發育，證明爲死菌疫苗。

丙、中央防疫處製造鼠疫疫苗Plague Vaccin.爲四十公撮瓶裝，每公撮含死滅鼠疫桿菌十萬萬個，成人用量第一次半公撮，第二次及第三次均爲一公撮，每隔一星期至十日注射一次，失效期爲二十七年十月十日，該項疫苗係在安舖疫區工作時承濂江第二平民醫院陳武院長所給，供爲試驗用。

第二　動物試驗之經過

供本次試驗用之動物，皆爲天竺鼠，體重均在三百六十公分至四百公分之間，疫苗之接種爲皮下注射；强毒鼠疫桿菌之感染亦爲皮下接種。

甲、新製之活性鼠疫疫苗：二十七年四月八日製造，當日即注射一斜面（約爲十公撮之菌量）於每隻天竺鼠，共注射四隻，於五月十三日行强毒鼠疫桿菌接種感染。

乙、於冰箱已保存十五日之活性鼠疫疫苗：四月二十三日行注射於天竺鼠，每隻一公撮，共注射五隻，亦於五月十三日行强毒鼠疫桿菌接種感染。

丙、認爲已過期之活性鼠疫疫苗：四月二十二日行注射於天竺鼠，每隻爲一公撮，共注射六隻，亦於五月十三日行强毒鼠疫桿菌接種感染。

丁、過期失效之活性疫苗重行培養製造之活性疫苗：四月二十四日於每隻天竺鼠注射十分之一斜面（約等於一公撮量），共注射四隻，五月十三日行强毒鼠疫桿菌接種感染。

戊、西貢製鼠疫疫苗：四月二十二日於每隻天竺鼠注射二公撮，共注射六隻，亦於五月十三日行强毒鼠疫桿菌接種感染。

己、中央防疫處製鼠疫疫苗：本項疫苗本擬與上列各疫苗同時舉行試驗，以缺乏同等體重動物，故於六月十七日另行試驗注射於四隻天竺鼠，總用量每隻爲二公撮，七月七日行强毒鼠疫桿菌接種感染。

庚、對照試驗：五月十三日用天竺鼠五隻（未注射任何疫苗者）行强毒鼠疫桿菌接種感染，爲第一次試驗時對照之用；又於七月七日用天竺鼠五隻行强毒鼠疫桿菌接種感染，爲第二次試驗時對照之用。

附强毒鼠疫桿菌感染接種用量法：行本試驗時關於强毒鼠疫桿菌感染量，均依照 Steveson & Kapadin 氏法行之，其法：用新培養之强毒鼠疫桿菌一斜面，注射於大家鼠腹腔內，約經三日，鼠即死亡，當即解剖切取鼠之脾臟 0.25 公分，研碎後用肉湯逐次稀釋成爲 1：10000 倍之稀釋液。其稀釋之操作程序：先將該 0.25 公分鼠脾研細後，加以 9.75 公撮肉湯混和均勻，即成 1：40 倍之稀釋液；取上液一公撮與肉湯四公撮相混和，使成爲 1：200 倍稀釋液；又次吸取上液一公撮與肉湯四公撮相混和，即成 1：1000 倍稀釋液；最後取上液一公撮與肉湯九公撮相混和，於是成爲1：10000倍之稀釋液。該 1：10000 倍之鼠脾臟稀釋液每公撮內含有强毒生活鼠疫桿菌四十萬萬至五十萬萬個。此菌數適爲每隻天竺鼠感染量，即用以接種感染於每隻試用之天竺鼠。

第三　動物試驗之結果

一、廣西省衛生試驗所新製二八八號活性鼠疫疫苗所注射四隻天竺鼠，皆發生免疫力，無感染鼠疫而死亡，皆生存；

二、冰箱內保存十五日之活性鼠疫疫苗所注射五隻天竺鼠，僅一隻感染鼠疫而死亡，餘四隻發生免疫力；

三、認爲過期已失效之活性鼠疫疫苗所注射六隻天竺鼠，其中五隻感染鼠疫而死亡，仍有一隻發生免疫力；

四、過期失效之活性鼠疫疫苗重行培養製造之活性鼠疫疫苗所注射四隻天竺鼠，其中三隻感染鼠疫而死亡，餘一隻仍發生免疫力；

五、西貢製鼠疫疫苗所注射六隻天竺鼠，均先後感染鼠疫而死亡，無一隻發生免疫力；

六、中央防疫處製鼠疫疫苗所注射四隻天竺鼠，均先後感染鼠疫而死亡，亦皆不發生免疫力；

七、第一次及第二次對照試驗用之天竺鼠十隻，前後皆感染鼠疫而死亡，無生存者。

茲將本試驗之經過及結果列表於後：

試驗用疫苗類別		動物注射疫苗日期	疫苗注射數量	試驗動物隻數	强毒感染日期	强毒感染後動物死亡隻數及日期	發生免疫力動物隻數	免疫力百分率估計(%)
廣西省衛生試驗所228號活性鼠疫疫苗	新製之活性鼠疫疫苗	27年4月8日	1斜面	4	27年5月13日	無	4	100
	冰箱保存15日之活性鼠疫疫苗	4月23日	1公撮	5	同	5月21日死一隻	4	80
	認爲已過期活性鼠疫疫苗	4月24日	1公撮	6	同	5月16日死一隻 5月17日死二隻 5月　日死二隻	1	16.5
	過期失效之疫苗重行培養製造活性疫苗	4月24日	0.1斜面	4	同	5月16日死三隻	1	25
西貢製鼠疫疫苗		4月22日	2公撮	6	同	5月15日死一隻 5月16日死二隻 5月17日死三隻	無	0
中央防疫處製鼠疫疫苗		6月17日	2公撮	4	7月8日	7月13日死一隻 7月14日死一隻 7月15日死二隻	無	0
第一次對照試驗				5	5月13日	5月15日死一隻 5月16日死二隻 5月17日死二隻		
第二次對照試驗				5	7月8日	7月11日死二隻 7月12日死二隻 7月13日死二隻		

北宋時代的醫學（960—1127）

李　濤*

唐末藩鎮割劇，軍閥混戰50年，歷史上稱爲五代十國。到了960年趙匡胤篡周自立，國號宋，中原漸歸統一。但是東北的契丹（遼）從石晉時（936）便佔據燕雲16州，直到1125年才被金滅亡。北宋的中葉拓跋元昊更佔據西北部，稱西夏，割據了近200年（1038—1227）。由上可見北宋的167年始終是偏安的局面。

北宋雖在偏安的形勢下，仍有很長的和平時期，而且中國本部政治統一，因此農民在和平統一情況下，墾殖荒田，興修水利，生活賴以蘇息，國內商業也由於和平統一日趨繁榮。貿易方面：十世紀以後，自海路與外國通商，非常活躍，超過唐代。在杭州、明州（鄞縣）和廣州皆設置市舶司，抽取賦稅。

當時採取互換制度，用金、銀、鉛、錫、雜色帛、瓷器、茶，換易外國的奢侈品，如犀、象、琥珀、香藥和蘇木等。更在河北與陝西設榷場與契丹和西夏互市，將外國香藥、犀、象等換取馬羊，以及麝香、羚角、硼砂、柴胡、蓯蓉、紅花。由於國外貿易活躍，國家稅入增多，經濟得以向上發展。

宋朝盛行官賣制度，人民生活必需品如鹽、茶、酒、礦物等，都歸國家專利，作爲歲入的一部分，不久這種制度，也應用到藥品方面。1076年京師（開封）起始設立太醫局賣藥所，製成熟藥（丸、散、膏、丹、酒）出賣，所以又稱熟藥所。第一年收息錢25,000緡，約得一倍的利息。後來這種賣藥所逐漸增設，1103年增到七所，而且各省市也設立起來。醫生和病人應用丸、散、膏、丹較湯藥便利，是中國藥學上一大進步，熟藥所的設立推廣了熟藥的應用。

此時工業方面也有極大發展，舉其大者如火藥、磁石製指南針、木版印刷、冶銅煉鋼的技術，都有飛躍進步，不但促進中國文化，而且影響世界的文明。例如用銅製成學習針灸用的銅人，使針刺的俞穴有了規格，更由於宋陽製出精巧刺針，減輕了針刺的痛苦。並知利用磁石吸鐵的效能，除去體內異物。但是此時工業影響醫學進步最大者，當推印刷術的發明。印刷術的發明雖在公元八世紀，但是醫學傳播上在唐代主要還仰賴抄寫（715年諸州置助教，寫本草百一集驗方）板報（746年令郡縣長吏選廣濟方之要者錄於大板，以示坊村）或刻石（926年陳立刊北京要術於石，置於太原府衙之左）。到了十世紀雕板印刷始普遍利用，不久即有了印行的醫書。例如974年開寶本草和992年（淳化三年）太平聖惠方編成，即雕板印行，其後公私不斷印行醫書。歐洲在15世紀才從我國學會印書，現在我們仍然存有12世紀印行的醫書多種，兩相對照，實在是中華民族足以自豪的寶貴遺產。

以前的醫書由於輾轉抄寫，錯誤很多，爲慎重出版起見，在1026年由晁宗慤，王舉正等校定若干古代醫書，更在1057年設立校正醫書局於編集院，令掌禹錫、林億、高保衡、孫兆等校正醫書。現存宋以前的醫書，內經（素問靈樞）、難經、脉經、傷寒論、金匱要略、巢氏病源、千金方、千金翼方、外台秘要等都曾經過他們校正後印行。醫書刊行以後曾用書籍與外國交換貨物（1006年及1078年兩次禁止），於是醫書流傳漸廣，由極少數人的手中普及到多數讀書的人，使醫學得以較廣泛的爲人類解除疾病痛苦。

由第9—12世紀阿拉伯（大食）國家正當鼎盛時代。中國與阿拉伯交通陸路雖被西夏所阻，但海上交通則極頻繁。僅就宋史所記，北宋一代信使往返已達26次。十世紀末年阿拉伯人蒲希密居留廣州多年，其子曾留居開封數月，對於中阿兩國文化交流上貢獻尤多。中國的切脉法和煉丹術，早已傳入阿拉伯。11世紀內阿拉伯人嚮慕中國文化，當

* 北京醫學院醫史科

以中國官爵袍帶爲榮，可見當時中國文化實高出世界任何民族。此時阿拉伯醫學對於臨症醫學多所發明，直接影響了中國醫學的進步。例如乳香、龍腦、沙糖、酒精、腽肭臍、薔薇水、以及阿拉伯所特有的烙法等皆先後傳入。阿拉伯人之星相學亦同時傳入，於是與星相有關的運氣說攙入醫學領域，妨害了此後中國醫學的進步。所以阿拉伯醫學對於中國醫學的影響，可說是功過參半。

宋朝的學校皆隸屬於國子監，以儒學爲主，其餘如法律、武舉、書、畫和醫學稱爲雜學。儒學按期招考，雜學則不一定。起初國子監有學官，無學生聽講，學校是虛文。1079年（元豐二年）王安石創立三舍法，即外舍、內舍和上舍三級。月考和年考及格，得順序上升，從此太學才像個學校。但是這時學校僅是科舉升官的預備。科舉專取文辭，不問行爲。反造成咬文嚼字的腐儒，使學校不能起培養人才的作用。醫學在這種制度下，醫生以舞文弄墨爲得計，難望其有驚人的成就。

但是由於韻文盛行，此時產生了很多似詩歌體的醫書如脉訣、傷寒訣、子午經、小兒王訣等。同時更編輯了幾種問答式醫書如傷寒百問等。這些都是使醫學便於記誦學習的書，所以流行很廣。

由上論述，可見北宋醫學進步的原動力，只有三端，一爲印刷術發明，使醫學知識普及於多數人，二爲阿拉伯醫學的傳入，使治療學日益進步。至於醫學校的設立，利害參半，僅佔次要地位而已。

一、政府編輯醫學

由於印刷術進步，古代醫書均加校定印行，已述於前。但是醫學一天一天的進步，非古代醫書所能包括，必需編輯新醫書才行。首先是本草，由於新藥增多，唐本草已不適用，所以973年趙匡胤令馬志、劉翰以及翟煦、張華、吳復珪、王光祐、陳昭遇等九人修訂，更令李昉、王祐、扈蒙校閱。經二年始成，增藥133種，是爲開寶本草。這部本草不但增加一百多種新藥，而且在藥物分類上也較前進步。

過了八十多年，即1057年令掌禹錫、林億、蘇頌、張洞等更校修本草，增藥82種，是爲嘉祐補註本草。1061年又令各地將所產藥物繪圖呈上，由

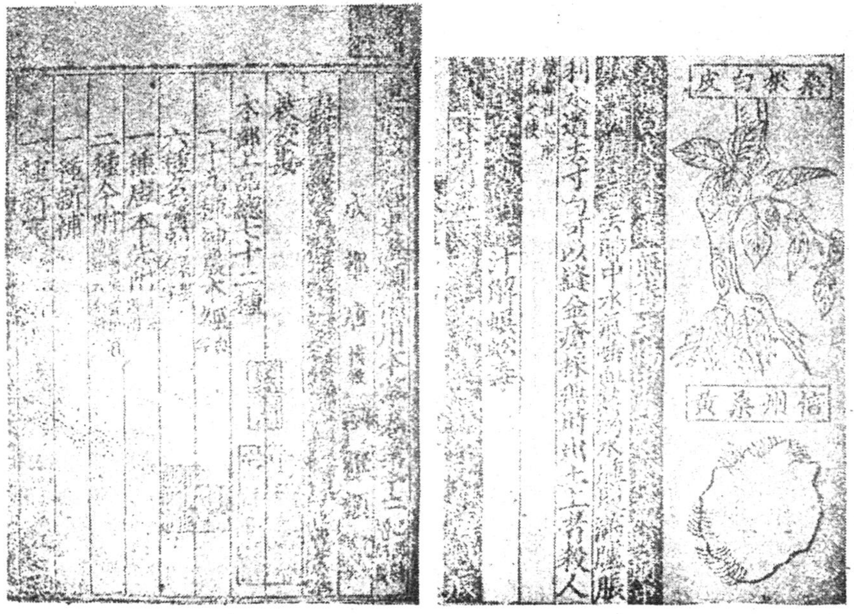

圖一甲，乙重修政和經史證類本草（唐愼微撰，一約1249年蒙古刻本）

蘇頌編輯成圖經本草。此書不取怪誕之藥，而且圖經根據各地人民從實物中繪畫，頗具樸實風氣。五十年後即1108年，唐慎微將歷代本草正文與圖經合而爲一，使學習的人方便許多，而且每藥之後，將製藥法（雷公炮炙論）及古今單方均附入，是爲證類本草，自這部書編成，中國本草始具有近代藥物學的形勢。但是這部書收錄不經常見的藥凡七百種，博而不精，失之雜亂。不料趙佶（徽宗）竟據爲已美，改名大觀（經史證類）本草，1116年經曹孝忠重修，更改名政和（經史證類）本草。這部書以後沿用了近五百年，可見是一代傑作。

這時除了編輯本草以外，更編輯醫方。首先是在982—992年令王懷懚、王祐、鄭彥、陳昭遇編輯聖惠方。這部書廣行搜集唐以前的方書，仿照外台秘要方分1670門，載16,834方，足以代表中國十世紀的醫學知識。書成頒發各省（州）置醫學博士掌管。但是這書重複百出，多至一百卷，不便於用，甚爲顯然，所以蔡襄說各省都將他鎖在庫裏，夏天曝凉一次算完，遂於1046年令何希彭編聖惠選方。然而這書以後作爲標準醫書，而且用作教科書者達數百年，影響於宋代醫學甚大。北宋末年趙佶又令醫官根據聖惠方編輯聖濟總錄，共錄方兩萬多，分二百卷，多至二百萬字。大約書未出版，便被金人擄去，所以此書流行於金朝，南宋的人反沒見到這部書。上已提到1076年設立太醫局熟藥所，後來爲了便利熟藥的製造，1080年印行局方，其中僅錄丸散膏丹酒的成方，而不及湯方。

圖二 太平惠民和劑局方(陳師文撰，元刻本)

局方是中國第一部配方手册，刊行以後，藥師和醫師均稱便利。大觀年間（1107—1110）更由陳師文、裴宗元、陳承等加以修訂，稱曰太平惠民和劑局方，共收795方，以後屢加增訂，通行了二百多年。

上邊所說由政府編輯本草和醫方，在世界上是創舉。其他民族此時僅有個人寫的書，還不知發揮集體的力量，自然不能有包羅當代所有知識的醫學全書。

圖三 大德重校聖濟總錄(元刻本)

二、醫學學說

宋朝科舉制度專注重文字，使言語與行動分離。風氣所被產生舞文弄墨的醫書，專從曲解文辭上附會，使醫學理論進入不可解的地步。按運氣說法，大約來自阿拉伯人的占星術。唐朝王冰始言之。崔知悌更用歲月日的干支，規定產婦臥位的方向，以定吉凶。這種學說到了宋朝更盛行起來。例如1099年劉溫舒作素問入式運氣論奥，大事發揮運氣理論，他這本書本極迂腐可笑，而且五氣(風、熱、燥、濕、寒)六氣(多一暑)前後矛盾。不料後來趙佶（徽宗）作聖濟經（1118）和聖濟總錄也都採取這種醫說，附會運氣與疾病和治療的關係。所謂運氣是說天氣有六（風、寒、暑、濕、燥、火），地質有五（木、火、土、金、水）以十干配五運，十二支對六氣。因以紀年的干支推定歲氣，更由歲氣推定應得之病，定以施治的方法。例如甲巳年多雨，人多腎病。如此六十年皆可按干支類推。總而言之，完全憑主觀的想法解釋疾病由於大宇宙運行而發生，人力不能戰勝。這種宿命論適合統治者的需要，憑藉政治和道教的推動，12世紀以後盛行一時，妨礙了中國醫學應有的發展。

三、臨證醫學

北宋一代醫學進步最多者當推臨證醫學。首先是出現了記載病例的醫方如蘇軾和沈括的蘇沈良方，和錢乙的小兒藥證直訣兩書，報告病歷相當詳細，醫生得從全部病程中認識疾病的特性，並且習知處治的方法，是一大進步。

在辨認疾病方面，首先是開始鑑別天花與麻疹，後來且能鑑別水痘。例如十世紀編的聖惠方說腑熱生細疹，臟熱生豆瘡。而小兒藥證直訣則說水疱（水痘）屬肝，膿疱（天花）屬肺，斑瘡（麻疹）屬心等。聖濟總錄則有麩瘡（麻疹）和痘瘡之分。雖然他們說的病原，皆憑玄想，但是他們知道能區分這幾種病，則甚顯然。因爲這幾種病的治法相同，當時總稱之爲瘡疹。董汲在1093年曾寫了第一部專書，小兒斑疹備急方。

中風仍是這時醫生研究的課題，所以宋朝設有風科，包括所有腦溢血、風濕等病，不難想見當時很注意這個問題。唐代醫書對於中風的治法還沒有一定辦法，聖惠方以後漸漸主用防風、獨活、當歸或牛黃、朱砂等藥。可見此時已尋得有益無害的治法。

結核病的名稱唐朝仍甚混亂，至十世紀以後始統名爲虛勞。聖惠方記載虛勞的症候多至44種，聖濟總錄有八卷記載虛勞，足見爲當時醫家研究的中心。

變態反應性狀態如漆瘡和鷄卵中毒均有報告。

外科 膿腫按侵襲範圍大小來分，如1—2寸者名癤，2—5寸者名癰，5—10寸者名疽。此時最大進步，即對膿腫的處置已日趨合理，例如初起時用溫罨法（湯水、罨藥、灸等），已化膿時用針刺破。所用器械於用前燒灼消毒，術後加紙以防封閉。止痛則用延胡索、川椒、天南星等，止血則用蟾酥，刺激則用斑蝥，消毒則用硫酸銅（密陀僧），硇砂等（石藥）。對於淋巴結核（瘰癧）則用砒素以及各種香藥。聖濟總錄，對於淋巴結核記有多種方藥，佔二卷之多，可見當時很重視這個病。

對於創傷傳染的處置有所謂托裏法，意思是促進化膿，更有所謂內消法，意思是停止化膿，促其治癒。姑無論其所用藥是否有效，此種思想實甚可驚。

此外記有肉瘤（反花瘡），結核性潰瘍（冷瘡），下腿潰瘍（臁瘡），火傷凍瘡等。

對於金瘡和骨折的記載已較前詳細。手術方面雖無詳細記載，但記有用桑白線縫斷腸。而且閻文顯和劉贇皆能割出體內箭頭，是當時已行各種手術了。

婦產科 婦科病中無月經（月水不通）、月經不調、月經過多（崩中）、月經痛（月水來腹痛）等，在十世紀以後，開始記載。首先是對通經藥紅花、當歸、蘇木；止血藥如炭類、鈣類、膠類；止痛藥，如延胡索；墜胎藥如牛膝皆已有正確經驗。其次對於產前產後的護理也有極大進步。

小兒科 這時著名的兒科書是顱顖經，大約作於隋以前，對於丹毒記載特別詳細，治法簡要易行，流行頗廣。到了11世紀末年錢乙專門兒科四十餘年，對於兒科病有銳敏的觀察。例如他的書內僅提可以實際應用的六種脈。所報告的病例，亦皆集中幾種兒科常見而且重要的病，例如驚搐、發熱病（瘡疹）、胃腸病（吐瀉）、咳嗽等。1119年經他的學生閻孝忠編輯出版小兒藥證直訣以後，使兒科醫生治病有所遵循，這部書是中國兒科學的一部重要著作。其次聖濟總錄中兒科亦較比精詳。對於小兒的消化不良病，頗知注重營養療法，而且皆用實際經驗舉例，最爲出色。對於用藥主張精，而反對雜，頗譏責用多藥之非，書中在古方治積聚藥總考中稱：「立方之人，未入神妙，鮮有不類聚羣毒以爲丸者，此之謂獵不知兎，廣發原野，冀一人護之，術亦疎矣。」此在盛行複方的中世，誠爲切中肯要的批評。

此時兒科用藥方面有極大進步，除驅蟲藥外，對於健胃藥如促進食慾的芳香藥和辛辣藥，皆善於使用，使小兒胃腸病，不似以前為害之甚。

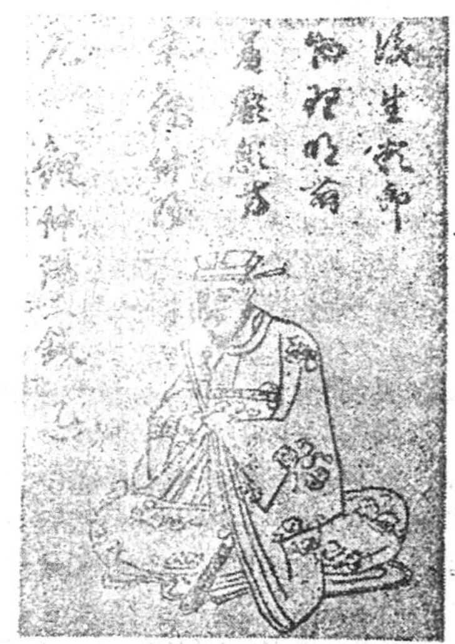

圖四　錢乙（據正田履安、菊隱翁，醫仙圖讚）

北宋一代臨證醫學最大進步，首推兒科，在診斷方面，痘疹能與其他熱病鑑別，而痘疹之中又能分別麻疹、天花、水痘。在治療方面已能戰勝多種消化系統的病，如營養不良，急慢性胃腸炎等。所以北宋時代醫學的成就，以兒科學最大。

眼科　龍木論為唐朝譯出的書，此時仍甚風行，故聖惠方和聖濟總錄二書皆用為主要參考。七世紀以後阿拉伯眼科極為進步，此時治眼病盛用礦物藥，顯然與阿拉伯醫學有關。手術方面有鉤割鍼鐮法、熨烙法，而聖惠方載有內障手術法，對於術前注意，患者姿式，手術方法，術後處置均極詳細，用1200多字描述，可見此時中國已精於內障手術了。

四、藥物治療的成就

自唐以後，藥物萬能的思想一天一天的濃厚起來。醫生治病也頗注意藥的製造，首先是成藥代替了湯方，影響及醫生所寫醫書的形式也改變了。以前的醫書以病證為主，證下附方，聖惠方以前的書全是這樣。11世紀以後的方書則以藥為主，將病證甚至病例報告皆附在方下，例如蘇沈良方和王氏博濟方皆用這種形式。1076年熟藥所的設立，1081年局方的印行，更促進了醫生用成藥的風氣。成藥形式除了丸散膏丹以外，酒浸劑大為盛行，如當歸酒，虎骨酒等。

其次礦物藥和動物藥的盛行使用。唐以前醫生所用的藥主要是植物。十世紀以後已廣用礦物藥。例如聖惠方中多用砒霜治瘧疾(佔所收方41/171)、痢疾（10/37）、痔瘡、瘰癧等。用水銀為利尿劑（大腹水、水蠱用之），並用水銀和黃膏製成坐藥治蟯蟲，皆極有價值。其次阿拉伯人以金能治百病的風氣也傳入中國，故多種病皆用金箔。其次硼砂甘汞也從此時開始應用。

在動物藥方面最大貢獻即強心藥蟾酥的發明。用針刺蛙使怒，採取其皮膚上分泌液，用麵混合製成。主用於外傷（止血）、牙痛（止痛）、月經痛和衰弱病人（強心）。現在已證明其確有上述效用。其次用動物同種臟器補養人的同種臟器也極盛行，所謂同形療法，例如鷄胃治糖尿病，羊腎治虛勞，虎骨治腰痛等，正是現代臟器療法的起源。此外更根據以毒攻毒的原則用各種小動物，如蛇、蝎、守宮等，不下數十種。

植物藥方面最大貢獻即發見較有效的止痛藥，例如延胡索、罌粟、天南星、川椒等，較以前僅用烏頭為有效。其次即芳香健胃藥已善於使用，如豆蔻、木香、乳香、檳榔、丁香、沉香、蓽茇等。由於香藥的盛行使用，便有人治病時專用香藥，胃腸病外，如熱病，中風也用香藥。1107年朱肱序類證活人書中，已提到當時醫生有好用涼藥（大黃、芒硝等）者，有好用熱藥（香藥如附子，木香等）者，並指出是一時風氣所趨。同時的方書如惠民和劑局方和聖濟總錄也偏重用熱藥。這是以後中國醫學分派的起點。

飲食療法，聖惠方記有28種病皆有食治方法。主要將各種營養物製成粥，如糖尿病人飲牛乳，水腫時食鯉魚粥或黑豆粥，咳嗽時飲杏仁粥，痢疾時服魚粥等。更有產婦服食的方法，大約皆為動物蛋白如鷄、魚等。對於虛勞食治方法尤多，可見當時對於此病已知注重營養了。藥物療法的進步與道教服食有密切關係。北宋一代道教盛行，聖惠方和聖濟總錄均載有多種服食用的動植物，由此可以辨認多種動植物的治療價值則無可疑。但是道士迷信藥物萬能的思想很深，常以稀少奇怪物品為貴，如好用犀角、麝香、牛黃、真珠、天靈蓋、紫河車、蛇蝎、蜈蚣等。使治病的藥物也墜入玄虛。聖濟總錄充滿迷信氣氛，正是受道教影響的原故。

醫生製方，唐時尙主張單味獨行，所以許胤宗說：「醫要視脉，唯用一物攻之，氣純而愈速。一藥偶得他藥相制，弗能專力，此難愈之驗也。」但是到了宋朝，醫生便以用多藥複方爲能。甚至同一方名，因開方的人不同，所含藥味也不同，例如聖濟總錄所載牛黃丸多至13方，羌活湯多至22方。還有藥味相似而方名迥異者。當時的人不能明白藥物的眞正效用，所以遇有偶效之方皆記錄下來，而作書的人更無選擇驗方的原則可遵，結果有方必錄，造成藥方混亂的現象。

阿拉伯與歐洲在中世紀時的藥方也同我國一樣，直至19世紀藥理學進步，才擺脫這種神祕的羈絆。

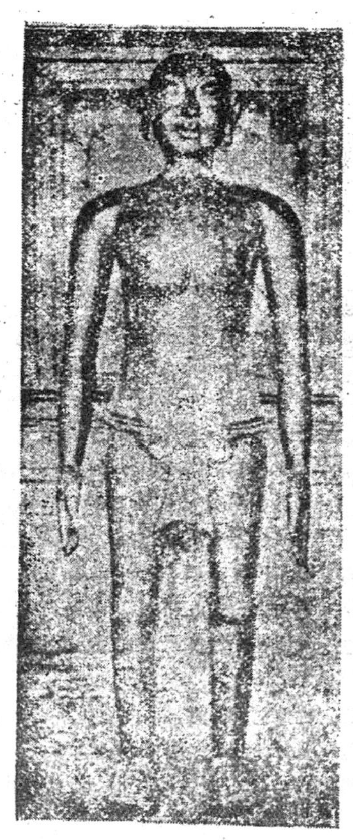

圖五　銅人(據王吉民、伍連德、中國醫史)

五、針灸和解剖

在針灸方面，北宋初年由於彼此傳抄的醫書中，經絡兪穴的部位，非常紊亂，不能一致。在整理古醫書的風氣下，1026年王維一設計用銅鑄成人體模型，刻劃經穴，並題名其上。更著一部書，叫銅人兪穴針灸圖經。以後考針科學生，便用銅人作模型試驗。1034年由於許希用針法治癒宋仁宗趙禎的病，特爲古代針灸家扁鵲立廟，從此針灸法日益盛行。鑄銅人是針灸學上最大進步，甚至1128年金人指名索取銅人作爲議和的條件。

針灸是直接與人體構造有關的治療法。由於實施針灸，不得不注意解剖。所以11世紀中葉以後曾引起多人注意這個問題。例如慶曆間(1041—48)和崇寧間(1102—06)有兩次從刑死體，實地觀察內臟。並且惹起當時的人對於古代解剖學難經，發生疑問，所以1062年丁德用，1067年虞庶皆曾補註難經。但是當時受宗教影響，與同時的歐洲人和阿拉伯人一樣，不能公開解剖，所以不能再進一步發展。

六、醫學組織

北宋初年因襲唐代制度，設立翰林醫官院，掌管當時政府醫藥事務。所有軍醫如邊防駐軍、禁軍或出師作戰的軍隊，大臣出使外國，學校（太學、律學、武舉生等）皆由醫官院派醫官担任治療。此外民間醫藥也歸醫官院掌管。因此最初醫官院的醫官無定額，到了1038年(寶元二年)，員額和組織始規定如表一。

醫官院名義上雖分七級，但是因爲宋朝採官與職分離的制度，所以醫官有了功勞，可以就其年資按着武官品級來升，如刺使，團練使，防禦使等，例如劉翰和趙自化都當過團練副使。

1111年（政和）規定醫官分14階，但是名目多到22種，當時政治腐敗，官員冗濫，無以復加。學醫的目的不在爲人治病，而是在作官，結果1119年（政和）醫官院的醫官，多到1096名，自然其中有許多根本不知醫的人。那時的醫官名稱主要者可分三種即大夫、郎、和翰林，現在我們稱醫生爲大夫或郎中，還是沿襲12世紀的名稱。玆列表如下（見表二）。

表 一

名稱	院使	副使	直院	尚藥奉御	醫官	醫學	祗候	共
額數	4	2	7	7	30	40	12	102

表 二

舊名	軍器庫使	西綾錦使	榷易使	翰林醫官使	軍器庫副使	西綾錦副使	榷易副使	翰林醫官副使
政和	和安、成安、成全、成和大夫	保和大夫	保安大夫	翰林良醫	和安郎成和郎成安郎成全郎	保和郎	保安郎	翰林醫正

以上是14階，以下還有翰林醫官、翰林醫效，翰林醫愈、翰林醫證、翰林醫診、翰林醫候、翰林醫學等八種名稱。名稱雖有22種之多，但是最高的和安大夫僅僅是從六品官（當時官分九品，18級）而已。

七、醫學教育

在宋朝初年，醫學沒有正式學校，僅是按照科舉辦法，隨時考取。例如十世紀末年，宋太宗趙匡義因爲賈黃中病風眩死，曾召集所有京城(開封)醫生，加以考試錄用。1076年在王安石變法風潮下，醫學校才成獨立機構，當時稱爲太醫局，並委任校長（提舉一，判局二）和教授。招收學生300人。考試時分三科，即內科（方脈科）外科和針科。在每年春季招考。考試科目，內科學生考素問、難經和脉經稱爲大經，更考巢氏病源、龍樹論和千金翼方稱爲小經。針科和外科學生所考科目與上略同，僅不考脉經，而考三部針灸經。

1078—1085年間太醫局學生分九科專業學習，據元豐備對所載分配如表三。假如我們承認分科詳細，是學術進步的象徵，則試與唐代醫學分科相比，不難想見此時醫學的進步。

表 三

唐代	體療		少小		瘡腫		耳目口齒	針	咒禁
宋代	大方脉	風科	小方脉	產科	瘡腫兼折傷	眼科	口齒兼咽喉	針灸	金鏃兼書禁
學生數	120	80	20	10	20	20	10	10	10

1079年王安石創行三舍法於太學，1102年以後將原歸太常寺領導的醫學，改歸國子監。於是醫學也實行三舍法。定爲上舍40人，內舍60人，外舍200人。每齋置長諭一人。置博士和正錄各四員，分科教導。醫學校制度，自中唐以後間斷了二百多年，此時才又恢復起來。

在學校內考試每年舉行，考試科目有三經大義、方脉、臨證、運氣、假令治病法等。內科與外科和針科考的科目，微有不同。考試及格，便可當尚藥局醫師。其次充任博士，正錄及外州醫學教授。

八、總結

北宋是中國古代醫學進入中世醫學的轉折點，也是繼往開來的時代。這時不但校定了所有古代醫書，而且綜合了古代醫藥知識，將其編輯成書，例如證類本草和聖濟總錄等。爲12世紀以後的醫學，奠定了根基。

由於印板醫書盛行，政府和私人刊行許多醫書，從此醫學知識得以普及到多數人，正是以後醫學進步的原動力。

此時與阿拉伯交通頻繁，使兩大民族的文化得以交流。他們學習了我們的切脉法和煉丹術。

我們學習了他們的藥物學和占星術，從此運氣學說影響中國醫學數百年之久。

醫學進步最突出部分是臨證醫學，而小兒科和外科又是進步最多的學科。

藥物方面首先是發見了較比有效的止痛藥如延胡索、罌粟、天南星等，其次即能使用芳香健胃藥如木香、豆蔻等作爲健胃劑。再次礦物藥和動物藥的使用範圍日益增大。而飲食療法的注意，尤直接有利於疾病的預防和恢復。據說自唐朝盛行飲茶法以後，到 12 世紀，黃病大爲減少。

由於針灸的實用，發明用金人作爲兪穴的模型，並漸漸引起研究人體構造的興趣。

宋朝科舉專取文辭，結果產生了咬文嚼字的迂腐的醫書如運氣論奥和聖濟經等。更由於官僚政治，官與職分離，12世紀初年醫官院的人員竟冗濫到一千多人。

1076年醫學校開始成立爲獨立機構，1102年始具有名副其實的醫學校形式。醫學校的設立無疑推動了醫學的進步。

參考文獻

1. 中國歷史研究會：中國通史簡編，新華書店，1951。
2. 阿魯圖：宋史，選舉志，職官志，食貨志，方技列傳，光緒元年浙江書局刻本。
3. 晁公武：郡齋讀書志(1151年著)，光緒六年會稽章氏類刻藝芸書舍本。
4. 王懷隱等：太平聖惠方(992年著)，據宋本光緒年手抄本。
5. 王維一：新刊補註銅人俞穴鍼灸圖經(1027著)，宣統元年影金大定本。
6. 王袞：王氏博濟方(1047年著)自永樂大典輯出的四庫全書手抄本。
7. 蘇軾，沈括：蘇沈良方(約1075年前後著)，乾隆癸丑鮑廷博刻本。
8. 劉溫舒：素問入式運氣論奥(1099年著)，日本寬永二年刊本。
9. 朱肱：類證活人書(1107年著)，光緒十年江南機器製造局本。
10. 陳師文：增廣太平惠民和濟局方(1107年著)，日本享保庚戌刻本。
11. 趙佶：聖濟經(1118年著)，光緒十三年刻本。
12. 錢乙：小兒藥證直訣（1119年著），光緒壬辰年刻本。
13. 唐愼微：重修政和經史證類本草(1108年著)，商務影印金晦明軒本。
14. 趙佶：大德重校聖濟總錄(1118—26年著)，光緒年影抄元刻本。

重 要 更 正

第三號「生物化學發展」一文

1. 作者劉思職，服務機關應爲北京醫學院生物化學科。

2. 頁 148 圖三及頁 151 右欄第二行李果係李杲之誤。

3. 頁 152 左欄末行第五字應另起一段，頁 153 右欄全部共三段應接在頁 152 左欄末行第四字即「所以」以後。

中華醫史雜誌編輯委員會

先秦醫學史料一斑

王範之

一、殷墟甲骨文中疾病的知識

中國古代醫學，在先秦已頗具成就；春秋以後戰國以來，即更已有着理論的存在。但於今欲明白先秦醫學的情況——尤其是春秋以前，那又是件難事。因爲關於古醫的材料，存在的實在太少。

關於殷代的醫和疾病情况，我們現在只能根據殷高宗武丁一代——59年間——的甲骨材料來考察。因爲盤庚以前沒有甲骨文的發現，武丁以後的甲骨文不曾見有醫與疾病的記載——此恐是由於出現材料的不完全，不是說武丁後沒有醫和疾病的事情。根據武丁這段時間的材料，發見出在這時間中有很多種類的疾病出現——但都屬於王室的，平民和奴隸們的疾病沒有記載。並且發見出他們對這些疾病的醫治，通常是以求祖先的方式，祈禱於祖宗們的面前來求保佑；似乎未曾找出一點他們已是能够知道使用藥物治病的痕跡。換句話說，這可能就是以巫來治病的時代——巫和醫不可分的時代呢？

我們根據武丁時代出現的甲文卜辭來考察，統計出那時殷人疾病的種類、疾病的觀念和疾病的治療情形，列表如下（見表一）。

表　一

疾病種類	病者	疾病情况	疾病觀念	治療	材料根據——卜辭
疾自（說文自嘗鼻字講）			不唯有它唯有它		盧靜齋（C. T. Loo）所藏甲骨文字（影本）
疾身（腹疾）	武丁		唯妣已它		同　上
同	武丁			禦祭妣已及妣庚	庫方二氏所藏甲骨卜辭285
疾足	婦妀（武丁妃）	不祉			盧靜齋所藏甲骨文字
疾止			唯有它唯有它		鐵雲藏龜拾遺10.6 龜甲獸骨文字2.9.7 殷契遺珠540
同	武丁			禦祭妣已	庫方二氏所藏甲骨卜辭93
育疾（產病）	武丁妃	不死			簠室殷契徵文69
小兒病	武丁妃妹之子疾	不死			鐵雲藏龜186.1
流行時症					殷墟書契前編61.5
	武丁妃好	不祉疾			殷墟書契後編下11.8
		其疾其祉			庫方二氏所藏甲骨卜辭986
			亡降疾亡降疾		龜甲獸骨文字2.21.8及2.21.12
			雨疾（降疾）		殷契佚存565鐵雲藏龜641
			其唯蠱 不唯蠱		盧靜齋所藏甲骨文字（影本）
				告疾於祖乙 告疾於祖丁	甲骨文錄280，殷墟書契前編1.12，5
疾首	武丁		鬼祟		殷墟書契前編6.177
同	同	亡祉			殷墟書契後編下712

同	武丁子				柏根氏舊藏甲骨文字35，庫方二氏藏甲骨卜辭564
病目	武丁				殷墟書契續編587
同		不祟			鐵雲藏龜拾遺20.3
疾耳					鐵雲藏龜158.3
同			有它		殷契遺珠271
病齒	武丁	上帝可賜愈			殷墟書契前編442
同	同	勿賜愈			同書6.53.1
同			有它		殷墟書契續編5.5.4
同			有它		殷契粹編1519
同	武丁		或非先父乙作它		鐵雲藏龜190.2
同	武丁			貞其父乙在天是否有閒	甲骨文外集55
同	武丁			祭於父乙以求賜愈	殷墟書契前編1.25.1
同	武丁			告於祖丁	庫方二氏藏甲骨卜辭1957
疾舌			有它		殷墟書契續編5.17.3
同	武丁			祈於亡母庚	羅氏所藏甲骨文字26
疾言					殷墟書契前編5303

從上表發見出13種疾病：如疾首（頭病）、疾目（眼病）、疾耳（耳病）、疾齒（齒病）、疾舌（舌病）、疾言（說不出聲、大概是喉病）、病自（鼻病；說文自，鼻也）、病身（腹病）、疾足（足病）、疾止（大概是濕痿，或爛足趼）、疾育（生產病）、小兒病（沒有說出病名）、流行時症。害病的人，有殷王武丁、武丁的兒子，武丁的妃子，及武丁的臣子——如［囚王囚爻馬亡疾。］（鐵雲藏龜拾遺10.6）［馬］是殷王的武士（或騎士），有些地方稱［馬小臣］；卜辭中有句［令多馬衛於北］的話，可見［馬］可能就是武士（或騎士）的稱呼了；［爻］是這武士（或騎士）的名字。

疾病的情況：有的是說不纏綿——如［不祉］。有的是說纏綿——如［其祉］。有的又說不致於死——如［不死］。

疾病的觀念：他們把疾病當作是一種禍祟，害病就認爲［有它］。但是禍祟是那裏來的呢？大半都以爲不外是上帝降的，祖先的作祟，或者由於［蠱］的作怪。至於對於這些疾病的治療呢？在這些材料當中沒有什麽說明；只是見到一有疾病，就祭祖先、告祖先、禦祖先，來求祖先保佑的事。這裏只發見不管疾病之來臨，是天帝也好、祖先也好，大半他們都一概是求祖先賜癒的——並且特別表明求某一個祖先。他們所求的祖先，不是死去的父親，便是死去的母親，或是死去了的祖父。沒有特別表明的，只見到武丁嗾疾［祭祖先］的話；大概這裏說的是列祖列宗的意思。

他們爲甚麽只求祖先不求天帝呢？恐怕以爲祖先是和他們接近的、有親切關係的，比較具體的神；或者以爲天帝是疏遠、渺冥、沒有親切關係的抽象的神。若這推測是對的，那麽，所謂殷人信崇鬼神的事，應是出發於比較具體的觀念上——所謂信崇鬼神，就是信崇死去的人，死去的父母祖父母之類。

從這些疾病種類上看來，得知殷人對疾病的觀念不是籠統的——似乎已有對疾病種類的認識。他們至少已是具有這疾病的發生在哪個地方，是身體哪一部分有病底疾病分析、審辨的觀念。所以由這情形看來，殷人可能已具有使用藥物的知識；但就如今存在的卜辭考察，卻未發見這個事實。此或是由於殷人對於疾病觀念的不同，因此將藥物治療放在次要而不重視它，還是現今出土的材料不完全。在這裏我們只可說是，根據現有的材料，未發見出他們已是使用藥物治病的痕跡。

二、周禮的醫學分類

周禮這書的作成，多半是在戰國時候。它不算是說明周代事實的直接材料；但亦不能因此而否認這記載全不合於周代的實際。因爲它若果是戰國人的著作，也當是爲戰國人根據着他們所知道的周代材料、或傳說，而寫的。至多，不過參加了戰國人的知識和思想。

周禮對醫學產生了分類，同時發見出巫和醫的分裂——醫是從巫發展出來的，所以呂覽勿躬說，「巫彭作醫」，字書「醫」字作「毉」，這裏更可看出巫醫的關係。若說殷王武丁時，是巫醫不分的時代；那麼，「周禮時代」（我們或者可把它當作一個時代說）便就是巫醫分裂的時代。因爲，周禮除開食醫、疾醫、瘍醫………而外，還有司巫、女巫、男巫等名目。司巫是掌管羣巫的——領導全國羣巫做求雨或祭喪的事。女巫大概在求雨時叫她們舞雩；邦有大裁叫她們去歌哭，以歌哭來哀感神靈。男巫還保存有招福安禍，消解疾病的職務，所以周禮說男巫「春招弭，以除疾病」。雖然巫醫分裂了，男巫們尚仍維持着消除疾病的職務。

巫醫分裂在周禮中存在着顯然的事實，但這事是否即開始於周代？此處沒有格外的材料來證明。若把周禮作根據，這事便就可能開始在周代。

雖然在周代巫醫分裂了，但巫仍然保持有消除疾病的職務——周禮上是曾經說過的。尚書金縢裏，有武王病，周公設壇告祭三王，求賜愈，願以自己的身體來替代武王，把武王的「病」換到他的身體上來。這件事情，當算是殷人以告祭來治病的遺跡，它仍與巫事治病分不開的。所以我說，縱是巫醫在周代分裂了，但巫在周代仍然存在着治病的地位。似乎在先秦的治病上，巫和醫彼此都存在着相當勢力。左傳裏說出許多以巫治病的跡象，如昭公七年，鄭子產說鬼神依人爲滛厲；及晉侯病，認爲是鼓神作怪，郊祭後才好的。在某些情況下，巫的地位還顯得重要些。例如陸賈新語資質篇說，扁鵲因得罪宋君，逃到衛國。衛人有病將死，扁鵲到這人的家裏，想給他醫治；但這人的父親不肯用扁鵲，而用靈巫去求福請命，結果這人病死了。這是漢代人對扁鵲一段傳說，正足以表示出一部分人信巫不信醫的事實。所以司馬遷在史記扁鵲倉公列傳裏，才鄭重的說道，「信巫不信醫六不治」。

三、呂覽本味所見的美食名類

呂覽所說的美味，不必就是現代人所認爲的美味；或者現在根本就沒有這東西的存在——如這裏說的「鳳之丸」。還有，由於自然環境的改變，使物類的性味起了改變。古人和今人的的習慣不同，因此古與今的美味也就不會是一樣。前者，如毛詩稽古篇所載的荇、藻、蘋、蘩，古人都把它當作美食；周南召南草木疏，也說甘美可食，現在就變成難食的東西。禮記內則養父母將，枌、榆，列爲珍味，現在也不能吃了；除非荒歲的人才把它的皮當做充饑的東西。後者，如禮記人君吃的庶羞，裏面有蜩、蠭。蜩是蟬子；蠭是蜂子。如今的人卻未見有把這兩種東西拿來作食品；更不會有人把它當作美味看待（見表二）。

表 二

分類	名稱	產地	形狀	生活	性味與功用	參考
肉類	猩猩之脣					
	貛之炙（鳥類）					
	雋觾之翠（鳥類）					
	述蕩之擥（獸類，擥是蹄子）					
	旄象之約（獸類，約是尾巴）					
魚類	鱄	洞庭				
	鮞	東海				
	朱鼈	醴水（在蒼梧）	六足，有珠百碧			
	鰩	雚水（在西極）	其狀若鯉而有翼	常從西海夜飛游於東海	山海經說「食之止狂」	雚水，山海經作觀水

菜類	蘋(水藻)	崑崙	郭璞說，就是西山經的蕡草，其狀如葵	毛詩品物圖考說，「即大蓱，浮生水上。」或說楚王渡江得蘋實大如斗，甘如蜜，這蘋卻不是崑崙的蘋。	郭璞說，「其味如葱」，西山經說，「可以止勞」。周召二南草木疏說，甘美可食。	
	壽木	崑崙			高誘註，「食之不死」	
	赤木之葉	指姑之東，中容之國			食之可仙	
	玄木之葉	同　上			同　上	
	嘉樹	餘督之南，南極之崖(註曰、南方之山名)	其色若碧		註說，「食之而靈」	
	陽華之芸	註說陽華山名、在吳越間		香草，生於仲冬	其葉可去蚤虱	
	芹	雲夢(註，楚澤)		生長水涯	爲菹甚香	
	菁	具區(註 澤名在吳越間)				
	土英(草類)	浸淵(註，浸淵、深淵，不詳)				
和類	薑	陽樸(註，在蜀郡)				梁涇若
	桂	招搖(註，山名，在桂陽)	或說江南木，葉似枇杷，百藥之長。	呂覽，桂枝下無雜木，生合浦交趾高山。	或說，味極辛辣，冬夏常青	
	菌(竹筍)	越駱(註，國名，不知其所)				
	鱣鮪之醢(大魚醬)		鱣肉黃，鮪肉白。鱣有千餘斤的，口在頷下，腹背有甲。鮪，頭小而尖。用這個肉做的醬，叫鱣鮪之醢			
	鹽	大夏(註，澤名，或曰山名，在西北)				
	露	宰揭(不詳)				
卵類	鳳之丸	流沙之西，丹山之南(註，流沙在敦煌西，丹山之南方)				鳳丸爲沃國人所食
	卵	長澤(不詳)	是大鳥的卵，其大如甕			
飯類	禾	玄山(不詳)				
	粟	不周(註，山名，在崑崙西北)				
	穄(黑黍)	陽山(註，在崑崙之陽)				
	秬	南海				

水類	露	三危				
	井	崑崙				是指的井裏的水
	菁水	沮江之丘（不詳）				
	曰(白)山之水					⌊曰⌉字應是⌊白⌉字
	涌泉	高泉之山（不詳）				
	冀州之原	冀州				
果類	沙棠之實	註，⌊沙棠木名，崑崙山有之⌉	見山海經西山經		見西次三經	
	百果	常山之北，投淵之上（不詳）				舜帝所食
	甘櫨	箕山之東，青鳥之所				或說，箕山在潁川，青鳥在崑崙
	橘	江浦		葉夢得說，⌊橘性極畏寒，今吳中橘亦惟洞庭東南兩山最盛⌉		
	柚	雲夢	似橘而大		味比橘酸，列子說，⌊食其皮汁已憤厥之疾⌉	
馬類	青龍之匹					
	遺風之乘					

四、山海經所記的藥物

山海經裏面記載出許多用作藥物的動物、植物、和礦物，並都說出它們的產地、效用、或治病。除開沒有說出它們的功效、及一些含有迷信意識、或根據傳說而全憑想像虛構的東西而外，我都把它分門別類的列成表統計出來，山海經中這些屬於當作藥物使用的動、植、礦類的記載部分，應算是先秦一部有系統的藥物記載。後來的⌊本草⌉當是根據了它。

山海經裏記載出許多怪異的東西——如五藏山經裏的異獸奇禽之類——這都由於根據各個地域的人的實際經驗、知識、傳說，與當時一般人存在着的迷信心理糾混結合的原故。對於這些怪異東西的傳說本身，即不可說它們是沒有根據。雖然有一部分全是基於純粹的迷信觀點而說的，如龍身人頭的雷神之類，有一部分是根據傳說而加上想像的虛構的，如海外海內經的穿胸國、奇肱國、一目國之類。但這些我們都可顯然的把它辨認得出；亦是我們必須要加擇別的。

漢代的人把山海經看作正當有用的書，東漢在明帝叫王景治水，賜給山海經、河渠書、禹貢圖，從這裏就可看出當時將這書與河渠、禹貢圖，視爲同等具有實際功用的書。隋唐時尚還把它看作地理類的書（隋唐志屬地理門）清四庫全書竟將它歸在小說類裏，這大概由於着重怪誕方面的原故。

山海經的藥物分類和統計

山海經裏所載的藥物，據我們分析統計，得出三個類別：第一是動物類，有61種。第二是草木類，有52種。第三是礦物類，只有三種：就是西山經的流赭、礜石、中次七經的帝臺棋（石）。除此而外，在書中沒有說出是甚麼東西的有三種：即是南山經的育沛，北次三經的器酸，中山經的天嬰。

山海經的藥物用法統計

山海經裏對於這些藥物的用法，我們發見出，它們已是存在着內服和外治的兩種使用形式。

屬於內服的有 89 種（因爲都是說⌊服⌉或⌊食⌉的）現在將它完全夠舉出來：

草類：靦餘、白蓉、草荔、骨容、杜衡、蘋、[illegible]

䔄草、無條、牛傷、嘉榮、泰室之山的䔄草、蔄草、㳕禺之山的草的實、石脆之山的草的實。

木類：蓇、嘉果、櫰木、丹木、天楄、蒙木、帝休、楠木、亢木、文莖的實、北號之山山的木的實、櫰木的實、黃棘、彫棠。

梨類：沙棠。

獸類：狌狌類、耳鼠、領胡、䑏、蠪蚳、䮰，青邱山之獸。

魚類：鯥、修辟之魚、鰼魚、䲃魚、䱱魚、儵魚、河羅魚、鰼鰼之魚、鱳魚、鮨魚、鯊魚、鯊䲛、人魚、鰠父之魚、䱻魚、珠蟞魚、鱃魚、茈魚、勞水的飛魚、再遺之魚、滑魚。

鳥類：鵸䳜、肥遺、䳋鳥、鵸鵌、青耕、櫟、數斯、翼望之山的奇䳜、當扈、帶山的鵸䳜、白䳌、白鵺、䴅、鷶鷵、黃鳥、䳜、正回之水的飛鳥、䳜鶅。

兩棲類　三足龜。

石頭：帝臺棋。

不詳：崇吾之山的實、苦辛、器酸、赤鱬、虎蛟、鴸鶋。

屬於外用的有九種——外用當中有四種不同的用法：

第一，是用來配帶在身上的：迷穀（木類）佩之不迷。育沛（不詳）佩之不瘕疾。薰草（草類）佩之已厲（治時疫，流行病）。元龜（兩棲）佩之治聾。䍺訑（獸類）佩之不畏（治胆怯）。灌灌（獸類）佩之不惑。

第二，用來沐浴的：黃雚（草類）浴之已疥，又可治胕腫。

第三，用來坐臥的：豁遨（獸類）席其皮治蠱。

第四，用作圈養的：朏朏（獸類）養之可已憂。

此外，尚有未曾明白說出用法的，有六種：羊桃（木類）治皮張（皮腫）。梨（草類）治疽。䔄（草類）治瞢（大概是目盲疾），焉酸（草類）治毒（大約是解毒的意思）。橐魚（魚類）治白癬。天嬰（不詳）治痤（痤是大疮）。

屬於特殊藥物類：關於山海經中所見到的特殊藥物，這裏我們分別出來五類。

第一是補藥類，有六種：蘋（草類）服之不夭（延壽的意思）。櫰木（木類）食之多力。蔄草（草類）食之不愚。狌狌（獸類）食之善走。鵸（鳥類）食之宜子孫（多生育）。鹿蜀（獸類）佩之宜子孫。

第二是避孕藥類，有兩種：即是，骨容（木類）食之使人無子。黃棘（木類）服之不字（字當生講不字就是不能生）。

第三美容藥類，也止有兩種：就是，荀草（草類）服之美人色。姑䔄山的䔄草（草類）服之媚於人。

第四毒藥類，這些藥含有毒性，能够毒殺動物或人。這類藥有，莽草（草類）可以毒魚。無條（草類）可以毒鼠。芒草（木類）可以毒魚。茇（木類）可以毒魚。葶薴（木類）可以毒魚。䱻䱻之魚（魚類）可以殺人。師魚（魚類）食之殺人。礜（礦物）可以毒鼠。

第五解毒藥類，亦只得兩種：即是，耳鼠（獸類）禦百毒。焉酸（草類）治毒。

第六畜類用藥，我們也發見兩種，就是芑（木類）和流赭（礦物）。芑是可以服馬，把這藥的汁塗在馬的身上，可以使這馬成爲良駒。流赭是治牛馬病的藥，若以這東西塗牛馬，可使牛馬無病。

有一種藥物治兩樣病的：山海經裏的藥物大半都是一藥治一病，但這裏也有13種藥物治兩樣病，此於藥物使用上不可說不算是一個進步。如：白蓉，它不特可以治「不飢」而且也可「釋勞」。蘋草是補藥（服之不夭），同時又可治「腹病」。植楮草治「眯」（物入目中），又治「癙」（癙瘻，即瀛瘡）。虎蛟治「腫」疾，也治「痔」疾。肥遺治「癘疫」（爲時節氣候所生的流行病），又能「殺蟲」。三足龜，食之「無大疾」，同時又能治「腫」疾。䲃魚，治「癰」，又治「瘻」。耳鼠，治「眯」（脹肚病），又能「禦百毒」。白鵺，治「喉痛」，又治「癡疾」。䴅鳥，治「腹痛」，又「止洞下」（大概是止腹瀉）。鷶鷵鳥呢，治「不饑」，同時又能「已寓」（這病不詳）。黃雚草，治「疥」，又治「胕腫」。元龜，治「聾」，同時可「治病」（這大約指一切的病）。

三種說出「味」的藥物：山海經裏記載的藥物只說出他們的產地、形狀、特點、和治病，沒有說出「味」來。獨於東次二經的珠蟞魚、東次四經的北號之木的果實、中次六經的苦辛，說出它們的「味」是「酸味」。此恐是對這個釋解的注文，被誤置在正文中去的。

根據藥物生長的形態及成長性以治病：山海經說，崑崙之邱的沙棠，因爲體浮輕，所以「可禦水」，於是食之便能「使人不溺」——大約以爲食了這藥可使人的體質變得如沙棠一樣的浮輕。姑媱山的䔄草，因爲是上帝女兒死去化的，所以吃了它就可變得如帝之女一樣的嫵媚。由這兩個例子看來，似乎已存在着拿藥物成長的體形和性質，來作爲能治病的解釋；具有以藥物成長的形質是什麼就可治什麼的傾向；有從能治病的藥物上追求出一種所以能治病的理由，而欲構製出一個藥物理論的一個發展。

從山海經藥物治病上看出先秦時代的疾病情況：最後，我們由山海經裏的藥物治病，看出先秦（大體是六國）時代的疾病情形。由這裏看出的疾病，可以歸納出31種：就是，胃病、心臟病、肺病、消化不良病（即腸胃病）、腹疾、脹肚病（踩疾）、耳病、目疾、喉疾（㗭疾）、皮膚病、痔、瘺（瘻、癙）、疽、癭（腐腫大瘡都包括在裏面）、腫疾、疣子、瘕疾、癡、神經病、精神病、神經衰弱症、㾓疾、憂鬱、多眠病、氣逆病、中熱、寒疾、風疾（手足痙攣）、流行病（因氣候時節而生的病）、蠱、狐臭疾（騷疾）。

這裏我們統計出治目疾的藥有七種；治風疾的有六種；治癭疾的有六種；治皮膚病（疥、癬）的有五種；治心臟病的有五種；治神經衰弱病的有五種；治流行病的有五種；治痔瘡的有四種；治腫疾的有四種；治肺病、耳疾、腹疾、神經病、精神病、多眠病、憂鬱、疣子、蠱的有三種；治喉病、寒病、㾓疾、瘺、疽、癰的有兩種。其餘的都是一種病只有那一樣藥來治。統計起來，治目疾的藥最多；治風疾、癡疾的次多；治皮膚、心臟、胃病、神經衰弱、流行病的又次多。在多種藥類治療一種病的情形下，我們可以推測，這病必是更廣泛的存在着。因此，我們所舉出的這些病，可能都是更廣泛的存在於先秦的時代裏。

幾種急性傳染病的史料特輯

陳 邦 賢*

一、天 花

天花在我國最早的記錄，要推晉朝葛稚川氏（265—313年）之肘後方。相傳東漢馬援於建武中（25—55年）征武林蠻（今湖南省常德縣），染此病而死，兵士患者亦甚多，遂傳至中原，當時呼爲虜瘡。隋唐朝都稱爲豌豆瘡，宋朝才稱豆瘡，後改豆爲痘。各種疾病，以天花的名稱爲最多。到了陳文中氏痘疹方論始看作小兒病。

肘後方：「比歲有天行發斑瘡，頭面及身，須臾周匝，狀如火瘡，皆戴白漿，隨決隨生，不即療，劇者數日必死，療得瘥後，瘡瘢紫黯，彌歲方滅，此惡毒之氣也。」

這是中國對於天花症狀最早的記載。

中國種痘法的沿革：自古預防天花之法，有傳痘和種痘兩種，傳痘法較種痘法爲早。此法是何人發明，殊難稽考。其起原地在中亞細亞地方；一經西方土耳其而傳入歐洲；一經東方印度而傳至中國，日本。鼻痘法始於 998—1022 年之間，宋眞宗時代。兩般秋雨盦隨筆載有中國種痘始於宋眞宗朝王旦，其後各相授受，以湖廣人爲最多。治痘十全中，也說宋眞宗時，峨眉山有神人，出而爲丞相王旦子種痘而愈，到後來這種方法便傳於世。一說王旦之子，均死於天花，晚復得一子，詔求良法，得峨眉神僧（或稱老嫗）傳出鼻苗的方法。總之鼻苗的方法，始於998—1022年之間。中國醫籍中關於種痘的記載，以1695年（清康熙34年）張氏醫通爲始，次即爲1739年（清乾隆四年）醫宗金鑑記載很詳。其中有種痘新法要旨，上面說道：「嘗考種痘之法，有謂取痘粒之漿而種之者，有謂穿服痘兒之衣而種之者，有謂痘痂屑乾吹入鼻中而種之者，謂之旱苗。有謂以痘痂濕屑吹入鼻孔而種之者，謂之水苗。以上四者相較，水苗爲上，旱苗次之，痘衣不驗，痘漿太殘忍。故古法獨用水苗，蓋取其和平穩當也。旱法雖屬捷徑然難免迅烈。若夫痘衣痘漿之說，斷不可用。」由此可以知道中國1739年以前，已有漿苗、衣苗、旱苗、水苗四種種痘方法了。

黃晟寶驗良方說：「嬰兒痘症，個個不免，或週歲，或二三歲，以至十數歲，必須出痘。但痘係天行時氣而出，若本年時氣好，則出痘保全者多；反是則少。嘗見一鄉之中，因痘而殤者，比戶皆然，甚是可傷。今福建、廣東、江西地方向有種痘之法；每當天時溫和之季，遇人家嬰兒痘之稀少者，取其痘殼四、五粒，研爲細末，用綿包裹，男左女右，塞嬰兒鼻內二、三日，自然身熱出痘。所出之痘，輕者不過四、五粒，重者一、二十粒，痘稀毒亦稀，萬安萬穩，然此種傳痘方法，十中二、三，往往陷於難症，而致死亡，故屢爲醫家所擯斥。」

日本的種痘法，是從中國傳入的。1746年（清乾隆11年），杭州李仁山在長崎專施種痘，著種痘和解，其法一如醫宗金鑑所說，於是日本之種痘法盛行。種牛痘法，也是從中國輸入，邱浩川的引痘略，是傳入日本第一部種牛痘的書籍。

二、麻 疹

麻疹的名稱，始於明龔信古今醫鑑（1576年）。我國記載這病，以宋錢乙小兒直訣爲最早（1078—85年）。陳文中痘疹方論（1241—51年）始能區別天花與痘疹。金元以後專書迭出，記載尤詳。

明呂坤麻疹拾遺說：「古人重痘輕疹，今則疹之慘毒與痘同酷。麻疹之發，多在天行癘氣傳染，沿門履巷，遍地相傳。」由此可以知明朝後半葉麻疹已很流行了。

三、白 喉

中國歷代都有這病，隋唐以前的喉痹，大致與

* 江蘇蘇州醫士學校

歐洲古代的悪性咽喉病相類。宋元明醫籍記載的纏喉風，鎖喉風，馬脾風等，大體與白喉相近似。清代關於白喉流行狀況，記載較詳。清嘉慶道光間，鄭梅澗重樓玉鑰說道：「喉間起白腐一症，此患甚多，小兒尤甚，且多傳染，所謂白纏喉是也。」其序文（1835年清道光18年）又說道「近年夏間，津北一帶，時疫喉症盛行。」張善吾抄時疫白喉捷要上面說道：「白喉一症，愈大愈險，有朝夕死者，延街合巷，互相傳染，治之不速，十難全一。」以上是關於白喉流行的記載。

關於症狀的記載，景岳全書(醫案一則)：「余在燕都，嘗見一女子，未及笄，忽一日仲秋，無痛而嗌，息難出入，不半日愈甚，而青瞪目，聲細，引頸求救，一日夜而歿。又一家人亦如此，此恐爲眞正鎖喉風。」時疫白喉捷要：「其症初起，憎寒壯熱，口渴舌乾，聲音不出，湯水不入，痰涎壅塞眼閉，疼痛異常；有隨發而白隨現者，有至二、三日而白始現者，或由白點白條白塊，漸至滿喉皆白；脉多洪數，甚者且至無數，此乃時行厲氣爲病。」以上記載，大多爲眞正白喉。

四、猩紅熱

猩紅熱俗名喉痧，一名爛喉痧。中國醫籍的記載，始於1723年（清雍正11年），葉天士醫案；在他的醫案中說道：「雍正癸丑年間（1723年）以來，有爛喉痧一證，發於冬春之際，不分老幼，遍相傳染，發則壯熱煩渴，痧密肌紅，宛如錦紋，咽喉疼痛腫爛，」「又姚姓，疫毒口糜，丹疹喉啞，治在上焦。」

又余師愚疫疹一得：「乾隆戊子年(1768年)，吾邑疫疹流行。」又陳氏疫痧草說道：「兄發痧而豫使弟服藥，盍若兄發痧而使弟他居之爲妙乎。」這就是說猩紅熱應當施行隔離法。

五、鼠疫

洪稚存北江詩話：「趙州師道南，今望江令師範之子也。生有異才，年未三十卒。其遺詩名天王集，頗有新意。趙州有怪鼠，白日入人家，即伏地嘔血死；人染其氣，亦無不立殞者。道南賦鼠死行一篇，奇險怪偉，爲集中之冠，不數日道南亦以怪鼠死奇矣。」

按師道南是清乾隆時人，乾隆壬子癸丑（1792—93年）以來，鶴慶賓川城鄉吾民，每見鼠向人跳，跳罷立死，人便生赤痒子，或吐血痰，死亡甚快，醫藥罔效。

既而趙州的白崖，彌渡，也有這樣的現象，可見當時鼠疫在中國雲南一帶，流行的慘酷了。

兪曲園筆記「同治之初，滇中大亂，賊所到之處，殺人如麻，白骨遍野，通都大邑，悉成坵墟。亂定之後，孑遺之民，稍稍復集，掃除骼骼，經營苫蓋。時則有大疫，疫之將作，其家之鼠，無故自斃，或在牆壁中，或在承塵上，人不及見，久而腐爛，人聞其臭，鮮不疾者，病皆驟然而起，身上先墳起一小塊，堅硬如石，顏色微紅，捫之極痛，旋身熱譫語，或逾日死，或即日死，諸醫束手，不能處方；有以刀割去之者，然此處甫割，彼處復起；其得活者，千百中一、二而已。疫起鄉間，延及城市，一家有病者，則其左右十數家即遷移避之，踣於道者無算，然卒不能免也。甚至闔門同盡，比戶皆空，小村聚中，絕無人跡，老子云：「師之所處，荊棘生焉，」信矣。馬星五觀察驯良，雲南人，爲余說如此，蓋其所親見也。」按同治初年殆即指1866年清同治五年而言。

藥言隨筆：「滇黔兩粵，向有時疫痒子症，患之者十中難愈二、三，甚至舉家傳染，俗名耗子病。以鼠先受，如見有斃鼠，人觸其臭氣則病，室中或不見鼠，時症必流行。無論男女壯弱，一經發熱，即生痒子，或在腋下，或現兩胯，兩腮，或痛而不見其形，遲則三、五日，速則一晝夜即斃。」惜無年代可以考證。這都是片斷的鼠疫流行史料。李希聖傳染病管理有鼠疫年表，記載很詳，茲不贅錄。

六、霍亂

霍亂的名稱很古，素問：「太陰所至，爲中滿，霍亂吐下。」又：「土鬱之發，民病心腹脹，腸鳴而爲數後，甚則心痛脇膜，嘔吐霍亂。」這是最早霍亂的記載。明張景岳註釋：「揮霍撩亂，上吐下瀉。」這是解釋霍亂的意義。不過古時霍亂，是指夏秋二季的急性胃腸炎，或食物性中毒，所謂假霍亂，與歐洲古代相同。

據清代醫籍的記載，則爲1821年（清道光元年）發生眞霍亂。王孟英霍亂論病情篇註楊素園氏語：「道光元年（1821年）滇省此證大作，一轉筋即死，京師至棺木盡，以席裹身而葬，卒未有識何病者。」按1821年中國北京、山東，曾發生霍亂，也正是世界霍亂大流行的時候。

七、傷　寒

傷寒的名稱，始於素問。素問說：「冬傷於寒，春必病溫。」是溫病的名稱，也屬於傷寒。難經解釋傷寒說：「傷寒有四：有中風、有傷寒、有濕溫、有熱病、有溫病，其所苦各不同。」是傷寒不僅指溫病，並且包括了「中風」，「濕溫」，「熱病」。清代吳鞠通溫病條辨又把溫病做了一個解釋，他說：「溫病者：有風溫、有溫熱、有溫疫、有溫毒、有暑溫、有濕溫、有秋燥、有溫瘧。」

這一連串的看來，溫病既屬於傷寒，傷寒的範圍更廣泛了，統括起來，有13種病名在它的範圍之內。素問又說：「今夫熱病者，皆傷寒之類也」；這更加表示廣泛。漢代張仲景依據素問的話，結合他的實際經驗，著了一部「傷寒卒病論」，簡稱「傷寒論」；他這一部裏有397法，113方，可說在公元第二世紀是世界醫書中第一部優秀作品。它的範圍很廣，不僅是熱病的總稱，並且包括了一切外感疾病。可是他所說的傷寒，決不只是現代的傷寒；現代的傷寒是有病原菌證明的；如研究它的症狀，當然也有和近代傷寒相似的。傷寒論序文中說道：「余宗族素多，向逾二百，自建安紀年以來，猶未十稔，其死亡者三分之二，傷寒十居其七。」這是流行病已毫無疑義。

八、痢　疾

痢疾在中國很古，名稱也很多。素問有腸澼、飧泄、重下等名；難經名大瘕泄；金匱有「下利膿血」與熱利重下等說；大都與腸炎相混淆。

病源候論：「赤白相雜，重者狀如膿涕，而血和之；輕者膿上有赤脉膿血，狀如魚腦。」千金方：「熱毒下黑血，五內攪痛，日夜百行，氣絕。」外台秘要：「赤白痢下，令人下部疼重，故名重下。」這兩則描寫痢疾的症狀，非常正確。

景岳全書：「痢疾，即經所謂腸澼，古今方書，因其閉滯不利，故又稱爲滯下。其所下者，或赤或白，或膿或血，有痛者，有不痛者，有裏急後重者，有嘔吐者，有嘔惡脹滿者，有噤口不食者，有寒熱往來者，態度多端。」

九、瘧　疾

考諸醫學典籍，瘧疾的名稱很古，起自素問，大概包括一切寒熱病在內。周禮：「秋時有瘧寒疾。」呂氏春秋：「孟秋行夏令，民多瘧疾。」歷代以寒熱症狀不同及時令的不同，便定出種種的名稱。關於瘧疾的解釋：「瘧」字有酷虐之意。玉案說：「瘧者殘虐之意，字從病從虐。」說文說：「瘧寒熱休作也。」古名痁，又名痎。說文說：「痁發瘧也。痎，二日一發也。」瘧疾已成爲家喻戶曉的疾病，所以名稱很多，土俗有寒熱病、發冷病、脾寒病、打脾寒、發擺子、半日子、發半日、打擺子、做老爺、賣柴病、子母瘧、子午瘧等名稱。

廣西叫羊毛痧。雲南貴州叫瘴氣。此外又有蝦蟆瘴、泥鰍瘴、蝴蝶瘴等名稱。

歷代關於流行的記載很少，只有金張子和說：「余親見泰和六年丙寅（1206年）征南師旅大舉，至明年（1207年）軍迴，是歲瘴癘殺人，莫知其數，昏瞀懊憹，十死八、九。……次歲瘧病大作，侯王官吏，上下皆病，輕者旬月，甚者彌年。」因此只能在症狀上作研究資料，而不能獲得瘧疾在歷代流行的記載。

關於沙皇俄國動員居民參加醫療設施的工作的問題

原著者：Н. П. Малаховская

沙皇俄國何能談到動員被壓迫的羣衆參加政治活動及社會活動，更不可能參加醫療設施的工作。然而在瘟疫流行時，沙皇政府也不得不仰仗居民之協助以防治疫病。早在 18 世紀末期即有過動員居民參加衛生工作的事實。但是剝削政府在法律上的階級本質，也在這點表現出來。

1775 年莫斯科曾出版一本書叫「1770—1772年首都莫斯科惡疫流行的記述，及封閉當時既已設立的一切設施的有關附錄文件」。記述中列舉許多情況，在每種情況下每 20 戶必須抽出一人去援助醫務工作人員和警察。這些被抽出的人每天需視察各戶，每發生新病情時需通報並須監察是否遵守檢疫制度。

另外，又初次於民間散發印刷傳單，解說惡疫的症候並指出防治對策。記述中並特別指出此種傳單的收效。動員居民參加此種措施帶有偶然的性質，也只有在完全特別的情況下才能發生。

19世紀末期，於莫斯科市自治系統內設立衛生委員會。組織此委員會的直接動機，即感到某種傳染病例增加，或特别感到某種疫病的畏懼，更確實一點說即顧慮疫病之來襲。

衛生委員會是最初設立的衛生社會團體。E.M. 伊瓦諾夫氏說過「此種委員會，是因爲莫斯科流行天花，於 1878 年組成的」。據他談，市長曾召集委員會之組成人員戰傷軍人管理官、公衆保健委員會會員、莫斯科各醫院的主任醫生等開會。「會上認爲由於莫斯科正在流行天花，且斑疹傷寒也可能由戰場（1877—1878 年的俄土戰爭）侵襲到莫斯科，所以採取改善城市衛生條件的緊急對策實屬必要。將莫斯科市分成 17 個區（根據警察管區數目劃分），每個區皆有區官及醫生」。區官使居民通過政府及市行政機關所認可的防疫對策。並在該管區內收集各種疫病的情報。還需檢查私人住宅、工廠、商店的衛生情況，於必要時有權使警察協助。衛生委員會只在城市內開展了工作。1864 年，俄國中部各省曾設立地方自治機關。由於畏懼鼠疫，於 1879 年准許各縣地方議會在取得警察署長同意之後頒布必須執行的決議來防止和滅絕流行病。於醫療區內設衛生管理官。每個縣內設立衛生管理官的情形都不一樣，而各地所制定的通令又帶有特殊的地方性。一位社會活動家地方醫生 M. C. Толмачев 氏曾介紹此種史實稱，「根據彼得堡縣地方自治會的通令，衛生管理官由地方議會從威望素著的當地居民中選出，每三年一次；衛生管理官需監視執行必須執行的決議的情況，使違反決議者受審，研究對健康有害的公衆生活的各種情況，注視疫病的發生與傳播。

醫療區衛生管理官大會組成衛生管理機構，此機構每月至少須開會一次由醫療區醫生或衛生醫師出席指導，每年一次在三月一日以前向地方行政機關提出醫療區衛生情況及過去一年中所採取的衛生對策的全面報告」。

「根據莫斯科通令草案，區衛生會須按照通令第二項，注意本區內有害居民健康的各種影響並探討其對策」。

通令草案中規定「衛生管理官在本區內須注意居民的健康情形，執行決議的情形（遇有特殊情形時可寫文據），注視鄰區發生的威脅居民生命的疫病及其襲入本區。衛生管理官向居民解釋地方自治會採取衛生對策的意義及其重要性，並在本區內直接協助地方醫務工作人員。根據醫生的指示得保有某些消毒劑並得使用之」。衛生管理機構之存在期間爲 10 年（自 1879—1889 年），在此期間半數以下的縣（371縣中佔165縣）曾工作相當長的期間。

此種管理機構多半是由各地方的地主組成，有時却是鄉長或牧長。某些縣的管理機構中特請教員參加。當疫病猖獗之際，管理官的數目增至每一村落爲一名或二名。

醫療區醫生會首先被選爲主席。衛生管理官或由縣地方自治會任命，或由行政機關根據區管理機構主席的提議而任命之。

M. C. Толмачёв 氏關於區衛生管理官的職務問題曾寫道：⌊注視疫病並向醫生或行政機關報告，發生疫病時幫助醫生消毒和採取其他措施就是區衛生管理官的職務；遇有特殊情形，則對執行衛生決議中發生的顯著偏差進行監督⌉。並繼續寫道：⌊至於談到衛生管理官和區衛生會議的某一實際工作的表現，在所有地方自治會中，有1/5（35個自治會）表現得不能令人滿意，甚至除去霍亂流行期，連半分生氣都沒有，其餘4/5的地方自治會，未發表任何一點工作事實，也許因爲關於此項問題無足以爲世人道者⌉（1920年）。

由此可見，如果說管理會曾在各地方做些工作，也只限於特殊情形下（如霍亂、鼠疫、白喉流行之際），當患病率一旦下降，其工作亦即中斷。

有些醫師社會活動家也曾企圖動員居民協助他們。但這些個別熱心醫師的此種企圖在沙皇俄國時，都是曇花一現而已。

A. C. Петровский 醫師在諾瓦拉多加（Новая Ладога）曾得到寶貴工作經驗，他是第一個從許多村民護士中培養成的一個。在諾瓦拉多加後來這些護士於農村地區在醫生的領導下工作並完成了她們所担當的任務。1893—1894年幫助醫生防治斑疹傷寒流行時，她們表現得特别好。

他相信在本區內護士的工作能收到良好效果，博得其他醫療區醫生的好評，因此決定將設立經常性獨立的農村護士養成所的計劃案提交幾處大會去討論。

1893年他首先在聖彼德堡地方自治會召開的地方社會事業家及地方醫生大會上，後來在紀念皮洛果夫俄國醫生協會第五次大會地方醫學組上演說擁護農村護士養成所。

他認爲組織醫療工作需要多設立⌊下級醫務人員養成所⌉以期此等人員能滿足下述各項基本要求：

1）每一農村皆須有醫務人員，以免任何一居民區無隨時監視醫療的人。

2）對一切可疑疾病之初期，須細心診察以便立刻向醫生報告；

3）如不能將病人送往醫療機關時，須遵照醫生的指示，護理病人並報告病勢。

4）必須向醫生立刻報告一切疑似的傳染病；

5）下級醫務人員在醫院內明白梅毒病人的特點及接觸梅毒病人時的警惕對策以後，就完全可能在發病之初識別出梅毒，並適時向醫生報告，按照醫生的指教開導病人及其周圍的人，尤其是病人家屬及其親戚，使他們懂得警惕對策及適當治療的必要性。

使農村護士隨着需要担任助產工作，如此逐漸減少由無知的接生婆所致的產婦殘廢。爲此，A. C. Петровский 氏提議採用農村小學以上程度的青年女子。他說，來自民間的這些青年女子必能理解他的需要，沒有疑問也能得到他的無限信任。

來自各居民區的青年女子必須於醫療區醫院受專門教育，住在醫院中，由醫院供給飲食學習如何護理病人。課程結束時，根據他的方案，這些青年女子必須各回本村，由地方行政機關領取薪俸做工作。他更特別指出此種初級醫務工作人員，在地方醫療組織內能直接監視區內的一切居民地區，並能担任以下任務。

1）於農村實際生活中，能更順利地執行最簡單的切合居住的衛生對策，如此能減少患病率和死亡率；

2）由於適時發現傳染病，就能控制它們；

3）控制梅毒病人的傳播；

4）減少因異常分娩，難產所發生的死亡率，減少產後疾病。

A. C. Петровский 氏的報告曾引起生動的討論，在討論之時，曾多人發言。

但是醫學組仍舊拒絕於農村中設立農村護士養成所。第五次皮洛果夫醫生大會的參加者並未支持 A. C. Петровский 氏的意見。

在沙皇俄國，縱然政府想保護統治階級免遭瘟疫，有時不得不仰仗居民協助，但是居民並未同時也不可能眞正參加醫療設施的工作。在城市中，由動員居民參加衛生委員會和衛生管理機構上面可以看出。在農村中，設立區衛生管理機構也未獲得令人滿意的成績，而且衛生管理機構的工作却完全與參加工作的社會活動家醫生和地方自治會有關聯。

只有在蘇維埃制度下，公衆衛生組織才能有巨大的規模和發展。社會主義國家的勞動人民積極參加蘇聯保健的建設，並盡一切力量改善對居民的醫療事業。

（霍儒學譯自 Советское здравоохранение 1951年第5期54—57頁。）

十至十三世紀格魯吉亞文藝復興時代中的醫學

原著者：Г. З. 畢茨赫拉烏里（梯比里斯）

格魯吉亞的過去的歷史，是十分古老的。特里阿列奇（Триалети），柯耳希德窪地（Колхидская низменность）及巴格尼奇（Багинети）的發掘物，揭露了遠在紀元前二千年格魯吉亞的高度文化。

格魯吉亞人民，雖然歷來不斷遭受國外侵略者和國內當權的上層分子的壓迫，但是，格魯吉亞人民終究保持住了他們自己的獨特性，並且堅毅地繼續建立着民族文化的偉大史蹟。遠在第四世紀在格魯吉亞已設有修辭學校——柯耳希德大學院。

根據哈恰普利澤（Хачапуридзе）氏的材料，格魯吉亞的字母表及文字，還是產生在基督教以前的時代。1937 年，在鮑耳尼西（Болниси）（格魯吉亞）發見了紀元前 492—493 年的文字。

由第十世紀末至第12世紀，格魯吉亞的文藝復興時期，也像其他東方各國文藝復興的發展，是與西歐無關，而且較西歐的文藝復興期還早數百年。這個時期中值得注意的是哲學、自然科學及藝術的極度發達。在梯弗里斯（Тифлис）曾建築了一所專用的房屋，以供來自各國的詩人、畫家、建築學家、醫師等集會之用。

這一時代，也標誌着醫學以及其他一切醫療事業的繁盛。如果查考這一時代的醫學史蹟，就可以瞭解格魯吉亞醫學思想的方向，醫業的範圍及技術。其中還有第十世紀至第 12 世紀中醫院工作組織的極有興趣的實際材料。

在格魯吉亞年鑑「Картлисцховреба」內，可以看到當時修道院內設有醫院的記載。在醫院裏曾採用過醫療人員工作的獨特組織方式。在醫院裏連續工作六個月的醫師們，滿期後被派到邊區去接替在那裏工作的醫師們；相反地，在邊區工作的醫師們則轉到醫院裏去工作。

在我們所蒐集到的格魯吉亞醫學手稿中，可以看到醫學的一般問題，例如解剖學、生理學、胎生學、衛生學；疾病分類，疾病的經過及其治療方法。

在叙述藥局方面的書籍中，主要記載着關於藥劑的知識。其中叙述藥劑的調製方法、劑量及其對機體的作用。此等書籍的內容並不僅限於藥劑的調製，而且更廣泛地綜合了當時的醫學經驗。

應該列入我們所叙述的時代，格魯吉亞的豐富醫學哲學文獻資料中的，有：依斯罕寺院（Ишханский монастырь）從九世紀至十世紀約·別拉婭（Иоанн Берая）氏所著「論人類之創造」的沙特別爾德（Шатберд）科學文選中選出的「醫學論文」、哥·諾謝里（Григорий Носели）氏所著「論人類之誕生」和聶·愛米斯基（Немесий Эмесский）所著「論人類之本性」，〔是格魯吉亞著名的新柏拉圖學派學者約·別特利茨（Иоанн Петрици）氏於12世紀最初25年中，由希臘文翻譯過來的〕，由約·別特利茨氏所著「柏拉圖與披·吉阿陀（Прокл Диадох）哲學之研究」及柯切齊斯維里（Котетишвили）氏著，格魯吉亞醫學書籍出版局出版的兩種醫學哲學專著「Усцоро Карабадини」及「Цигни Саакимон」。

在11世紀後半葉之初期，格魯吉亞哲學界中，出現了一個卓越的人物，這就是新柏拉圖學派哲學者及通俗解說者約·別特利茨氏。他固然並不是醫生，但是由於他感覺到對醫學知識的迫切需要，所以就精細地從事研究醫學。

如果仔細閱讀別特利茨氏所著的「柏拉圖與披洛克勒·吉阿陀哲學之研究」，就可以明白看出，在這一部書裏面，著者不僅深刻地分析了柏拉圖學說，同時也通曉了醫學哲學思想及理論與實用醫學的原則。著者深信，醫生們必須學習一般哲學的基本知識，如無哲學知識，是不可能學會醫療技術的。

在本書的跋言中，他曾將醫學與哲學緊密地結合起來，他認爲爲了判明病源，確定診斷以及接下來的疾病的合理治療，必須在哲學的基礎上來進行治療，「因爲醫療對於自然界和自然界的配合是一種哲學」[1]。

他認爲人是構造複雜的一種生物。

他寫道：「當我們說『人』的時候，我們並不是單指『人』這個概念的個別部分：人是有生活能力的、能說話的、難免一死的、能領會科學的……，因爲人所取得的生命並不是『單純的生命』」。在這裏，他除了對人的定義給予某種程度的唯物主義解釋之外，又假定了「非單純的生命」的存在而表現了生命特徵的不可知論成份。

他繼續寫道：「假如，（人——本文作者註）不會說話或者不會死亡，或者沒有認識事物的能力，那麼，他就不是人類」。關於人類生體的複雜構造這一原理，在其「論生存的因果性」一書的11章中，曾再度强調過，他寫道：「在生物分佈的次序上，某些是處於較高階段上的而擁有許多中樞，因之，力量最强大，同時成爲是大多數現象的產生原因，而另外一些生物却沒有這樣多的中樞，其重要性較次，所以也產生較少的現象」。

如果把「中樞」這個詞，當作器官來理解，那麼，他的見解，從機體分化性的觀點來看，是有其深長意義的。

此外，把「中樞」這個詞，也可以當作神經中樞來理解；在這種情況下，別特利茨氏的原理，恰好接近現代的神經論觀點了。

他不僅諳熟人體內臟的形態學結構、機能和生理活動，而且對於這些器官活動中存在着的相互關係，也是瞭如指掌的。同時也顯示了對於那個時代的發生學的知識。在「單一性與複性」一書的第一章中，寫道：「在精蟲的最初階段中，一切都已存在着：心、肝、腦、肌肉、骨、神經、爪甲、毛髮，但是他們之間並不互相混淆」。在這裏，他却成爲胚中預存說唯心主義理論的早期代表者了。

他所提出的有關胚胎在母體子宮內的生活力的產婦科資料也值得注意。在那個時代裏，格魯吉亞已經有了產婆，而且她們還起着不小的作用，關於這一問題，在他的著作（參看「論最大的幸福」的第八章）中，有初次的說明。

第一個醫學文獻，名爲「Усцоро Карабадини」，作者是格魯吉亞醫生卡那聶里（Кананели）氏。他是一個有高度文化的學者，精通格魯吉亞醫學術語，伊朗、阿拉伯及希臘語言。

「Усцоро Карабадини」[2]專著的文字、術語及結構，連同其中充滿着的醫學哲學思想，都證明這部書，是屬於第11世紀醫學手稿之列。

這一部專著包括三大篇。第一篇包括35章，其內容敘述醫療一般原則、解剖學、生理學、附有藥理學知識的生物學，發生學的知識，產婦科學總論及一大章談及瘧疾。專著的第二篇共爲28章，內容包括病理學及內科學各論的知識。在第二篇裏幾乎都是敘述內臟的各種疾患，其症候及治療。第三篇共爲38章，內容敘述皮膚疾患、脫位及骨折，燙傷與凍傷的治療等。在這篇的跋言中，還敘述公共衛生及食餌療法的知識，此外也涉及某些藥劑。

閱讀「Усцоро Карабадини」專著後，可以看出此書是由具備着豐富的理論和實踐知識的人寫成的。各種疾患的敘述，絕無像阿拉伯諸醫學家那種公式化和嚴格系統化的特徵。

在本書裏面，卡那聶里氏幾乎絕未引用其他作者的材料，而祗是詳細地分析了自己的實際經驗與觀察，因而使這一著作取得了特殊的獨創性與完備性。

本書敘述的若干原理，直到現在也未失去其意義。例如，在傳染病一章中，預防健康人不受感染，警告他們不要用患者使用過的器皿吃飯和飲水。

作者認爲在未判明疾病的性質以前，不應給患者服用任何藥物，因爲過早服藥，會使疾病的症狀趨於模糊，因而有誤診的可能。

值得注意的是講骨折的一章，其中作者寫道：爲了使斷骨癒合良好，必須使骨折碎片緊密正確地對合，事先必須將碎片正復，然後再接裝副木。

根據上述材料，可以證明「Усцоро Карабадини」專著，是著名的格魯吉亞醫學文獻中最古代的一種文稿，這部文稿中對醫學理論與實際問題，都有充分的說明。

「Цигни Саакимон」（「醫書」）[3]專著，是格魯吉亞文藝復興時代醫學文獻中的第二篇文稿。根據柯切齊斯維里氏的記載，這是阿拉伯阿維爾洛愛斯（Аверроэс）醫生著作的格魯吉亞文的優秀譯本。但是，這個說法，還不能肯定而是值得再加查考和研究的。該書的正式格魯吉亞文譯本，是格魯吉亞醫生霍·柯比里（Ходжа Копили）氏所譯。

在這本書裏，記載着許多在格魯吉亞的現代民間醫學中仍可遇到的醫療方法及藥品，霍·柯比里氏在該文稿中補充的許多本人的觀念與註釋，都足以證明這一著作不僅是阿維爾洛愛斯氏原書的譯本，而且也是這位格魯吉亞醫學家的創作醫學著述。

這部文稿編寫爲三大篇：

1．總論；2．病理學與內科學各論；3．藥物及其調製方法。

最初15章包括醫學的一般知識、衛生學及預防醫學、生理解剖學資料、診斷學及病理學總論。

在後面各章中，敘述頭部、鼻和頸、牙齒、舌及唇部疾患以及眼科疾患。

本書中作者對醫生們的要求是相當高的。他認爲醫生應當徹底而全面地精通醫學，博覽羣書，而且要有豐富的醫療經驗。

在那個時代裏，認爲保守醫業秘密和奉行醫德，是非常重要的。例如，在本書裏有這樣的話：「醫生應當保守醫業秘密，應當有親切而忠誠的態度………」。

談到醫生的道德及處世的性格，作者這樣寫道：「醫生應當正直誠摯、大公無私、得到羣衆的信任，切忌偷懶、輕薄。假如一個醫生沒能具備這種優良品質，那麼，最好不要請他看病」。

在某一章裏，霍·柯比里氏强調醫生必須深入研究與實際密切結合的理論。他警告患者不要相信江湖術士和冒牌庸醫，因爲他們缺乏醫學教育和醫療經驗，僅以空洞的論辯掩飾其愚昧無知，而行其草菅人命之實。

在發生學和生物學章中，作者敘述了胚胎發生的主要階段。繼之，也敘述了人體解剖學和生理學。作者寫道：人體有248根骨頭，527條肌肉，508個關節，血管總共有360根，其中搏動性血管（動脈）156根，非搏動性血管或靜止性血管（靜脈）204根。

在衛生學與預防醫學章中，敘述個人衛生、行走、休息及營養的各種規則。

書中敘述的某些外科疾患及其治療方法，直到目前在臨床醫學上仍被採用，例如：氣管切開術，青光眼手術及痔的手術。

此外，書中又歷舉了23種藥品，其中主要是植物性的；另外也附有一些標準的處方例。

就本書的內容來說，該項著作可能被用作高級學校的良好參考書。尤其提高它的價值的是它問世的時候，適值格魯吉亞文化與科學的極盛的時代，並且足以使我們能够詳細瞭解醫學上醫學哲學思潮的動態，疾病的診斷及治療方法。

從醫學哲學觀點來看，格魯吉亞文藝復興時代的旗手邵特·魯斯塔維里（Шот Руставели）氏寫的「披着虎皮的勇士」這一首長詩，是有重大歷史研究意義的。

格魯吉亞偉大的思想家邵特·魯斯塔維里氏，在這首長詩中，除了在哲學領域內的淵博知識之外，在醫學領域內也表現出他豐富的知識。

長詩中講述當時的醫生們對於瞭解患者的既往歷非常重視。邵特·魯斯塔維里氏指出，當機體內四種液體（血液、粘液、黑色和黃色胆汁）的平衡發生紊亂時，須進行靜脉放血。

從這一首長詩中，大家就可以知道，每一個統帥麾下都設有會治療創傷和摘出異物的熟練的外科專家，這些專家在行軍中經常陪伴着統帥同行。若干戰士也會包紮傷口並携帶着藥品及繃帶材料。

當我們研究格魯吉亞文藝復興時代的醫學作品時，可以明白看出這些作品不僅單純地列舉了當時在格魯吉亞廣泛施行的民間醫療方法，而且也包括着許多分析醫學本質並總結醫學技術全部經驗的獨創的醫學哲學概念。這些作品的分析證明格魯吉亞的醫學，逐漸地從宗教學、愚昧無知和民間迷信的影響下，解脫出來而走上堅强的科學的道路上去。

上述資料不僅確切說明當時文化與科學範圍的廣泛及醫學的已經存在，並且也證明這門科學已達到眞正昌明的階段。

註(1) 約·別特利茨氏著，「柏拉圖與坡洛克勒·吉阿陀(Прокл Диадох)哲學之研究」。И. Д. 潘茨哈夫(Панцхав)氏由格魯吉亞文譯成俄文並加考據，梯比里斯版，1942年。

註(2) 卡那再里氏著，「Усцоро Карабаџини」，梯比里斯版，1940年。

註(3) 「Цигни Саакимоп（醫書）」梯比里斯版，1936年。

（任國智譯，朱濱生校　譯自「蘇聯醫學」雜誌，1955年，第七期。）

巴甫里諾夫氏逝世二十週年紀念

原著者: B. B. 斯聶基列夫

1953年2月10日，是19世紀末20世紀初莫斯科著名內科醫學家之一，柯斯坦欽·米海依洛維奇·巴甫里諾夫 (Константин Михайлович Павлинов) 氏逝世20週年紀念日。

巴甫里諾夫氏的活動，正與醫學蓬勃發展的時期相符合。

A. A. 歐斯特洛烏莫夫 (Остроумов) 氏的同代人和熱烈的贊助者，巴甫里諾夫氏是倡導醫學與自然科學有着不斷聯繫的宣傳家。

他生於1845年11月11日。自1868年莫斯科大學醫學系畢業之後，遂留在 Г. А. 札哈利因 (Захарьин) 教授領導的臨床治療院裏工作。

他僅在臨床治療院工作三年時間，經過自己的鑽研，於1871年，因發現「在機體內形成尿酸的部位」而光榮地考取了博士學位。在他研究的時代裏，關於尿酸和尿素在機體內形成部位問題，是空前的。在他自己的工作中證實了，尿酸也含在正常鳥類的血液中，並且可用精確的化學方法來測定，腎臟只起到排泄器官的作用，而尿酸却由血液帶到腎臟裏去。他認爲「尿酸和尿素不足是在某一個器官內可以形成：它們形成的部位，若廣義地來說，是在整個機體內」。

他寫道：「尿酸和尿素在機體內的形成，不是經過血液中蛋白質的直接燃燒」。他在博士職位的工作中，曾發明了鳥類腎臟血管不流血包紮的獨創的方法，這種方法在他發現以前，任何人沒有能實行成功。

1881年，他開始担任病理學各論的講座和內科疾病治療的講課，受到極大的歡迎。

1890年，他的著作「病理學各論與內科疾病治療」一書出版了，是一本包括傳染病、鼻咽喉疾病、結核病課程的內容豐富的教程。

在這本教程內，他關於用人工氣胸治療肺結核病人的主張，是極其重要的。直到今天，根據文獻上的記載，弗爾拉尼尼 (Форланини) 氏人工氣胸的思想尚佔優勢地位。但是，巴甫里諾夫氏已於1890年，早在弗爾拉尼尼氏數年前就曾這樣寫道：「經驗證明，有時於形成人工氣胸時，肺內結核病病變的活動性，就逐漸減少了。

此時，由於肺臟組織萎縮的結果，供給結核桿菌的空氣量減少，也是起着很大作用的。我已提過，施行人工氣胸經過2—3週以後，發熱靜息了。許脫克 (Штокс) 氏，汶特利赫 (Винтрих) 氏及其他各學者，早已注意到了這點，雖然引證了臨床的根據證明此點，但是却未曾試驗用人工氣胸來治療肺結核病」。

巴甫里諾夫氏在其所著的這部教科書裏，談到在病理過程中，神經系統的作用要佔顯著的地位。例如敘及有關胃臟疾患，神經系官能病的分類，他把神經系官能病分爲運動性的、發動性的、分泌性的，他也敘述過神經性嘔吐、癔病和神經衰弱患者的胃液酸度等於零。敘述了腹部疼痛、嘔吐、衰竭沉重疾患的明顯症狀，所謂胃性神經衰弱。他指出胃臟與其他器官之間存在着反射的聯繫。按照他的見解，胃臟神經系官能病患者的基本療法，應是「全身療法、其目的是在減少對神經中樞的刺激」。

繼 С. П. 鮑特金 (Боткин) 氏之後，巴甫里諾夫氏在其自著的教科書中，敘述了卡答性黃疸的傳染病，並將其分爲二型：地方性的和流行性的。

1892年，醫院門診部的主要各科遷到捷維奇耶姆(Девичьём) 原野上的新舍。以後內科門診部遷到他所領導的諾沃·耶卡特利尼醫院 (Ново-Екатерининская Больница)。

在這個門診部裏，他工作七年。在這段時間裏他完成了20多種科學著作。

1899年，他被任命爲病理學各論和內科疾病治療講座的正式教授，而於1902年，他榮任了捷維奇耶姆原野醫院內科門診部教授之職。

在1885—1901年這個期間裏，他的臨床講義曾出版過四種。

第二版的「生命與進化的必需條件，疾病與機體衰亡的條件」，值得特別注意。在這部講義中，他叙述自己對機體生活活動的看法，在這個基礎上他觀察了各個器官和組織乏氧的情形。

這一著作對我們之所以有價值，是在於作者在這一著作裏，是從唯物主義的立場，考慮到外界環境對人體內所產生的各種過程，其中包括思維過程的影響。

第三版有關衰弱體質問題的臨床講義，對我們有着重大的意義。正如A. A. 歐斯特洛烏莫夫氏和巴甫里諾夫氏承認外界環境，對機體的形成和發展，起着决定性的作用，應把圍繞人們周圍的一切，理解爲外界環境。他認爲機體在環境的影響下，是可以改變的，並且「機體的先天性衰弱，若在外界環境的影響下，經過數代逐漸地增强，可以獲得堅實而健康的機體」。

但是，他在其講義中，曾出現了某些錯誤，人的過份「生物化」就是這些錯誤的原因。

遺憾的是他也與A. A. 歐斯特洛烏莫夫氏一樣，輕視了社會環境對人體的形成及人體疾病的作用。

在第三版中，引人注意的，是將心房無顯著舒張且經過良好特殊型的左房室口狹窄，作了極詳細地研究。最初由杜洛兹耶（Дюрозье）氏叙述過該病型的存在，但是，只有巴甫里諾夫氏才給這種疾患提出了詳細的臨床症狀，並認爲是先天性的疾患。他寫道：「先天性僧帽瓣狹窄，應理解爲非複雜性的僧帽瓣閉鎖不全和非炎症性的疾患，僧帽瓣狹窄，是心臟發育不全及營養不良的結果」。

雖然左房室口狹窄，稱爲杜洛兹耶氏病，但是，必須承認，理應稱爲杜洛兹耶氏和巴甫里諾夫氏病。

在第四版中，談及有關內臟器官梅毒症，他詳細地研究了肝臟和血管梅毒疾患的臨床症狀，並指出這是梅毒性的動脈瘤。

在И. M. 謝切諾夫（Сеченов）氏、C. П. 鮑特金氏，И. П. 巴甫洛夫氏的著作中，主張神經論的思想，獲得了充分地發展，而在巴甫里諾夫氏的講義中，以及在他所著的教科書中，都一致强調在病理過程中，高級神經活動佔主導作用。

在觀察切斷迷走神經的狗時，他發現了在牠們機體內所發生的變化，正如肺結核患者體內所發生的變化相類似，並在觀察之後，作出這樣的結論：「在衰弱體質結核病患者體內所存在着的許多現象，也能在行迷走神經切斷術之後由機體內發現，從這方面就可以證明，衰弱機體的最初基礎，就是機體的神經系統」。

在電療法的講義（第一版講義）中，他寫道：「假如我們見到患麻疹時在臉部發生的疹子、猩紅熱時在頸部的疹子及天花時在腰神經枝的區域內所發生的疹子時，那麽，我們就可以想到發生這種疹子最接近的原因，是由於傳染病侵害了神經系統的某一部分所致」。

1893年，他被選爲莫斯科醫學會主席，該會於1895年由他倡導改編爲莫斯科內科學會。並由他編寫了該會的第一次會章。

在該會內，他的主張，不僅是在治療方面和其他臨床各科中豐富而淵博的學識，使人驚服，並且在生理學及生物化學方面亦然。

該會的會議，是由他担任主席，非常生動而有興趣地進行着，在這個會議上，關於治療以及外科和傳染病臨床及其他方面，所提出的一些問題都是嶄新的、先進的。

1911年，他因病離職，但是事後他並未放棄醫療工作。

在偉大的十月社會主義革命以後，他住在別金斯基（Пензенский）省內克拉斯諾斯洛鮑德斯科（Краснослободск）城，在這裏他積極地參加了斑疹傷寒、流行性感冒及瘧疾流行的鬥爭。

於1924年，他返莫斯科。他這次的歸來，受到莫斯科的內科醫學家們的熱烈歡迎。

於1925年，在莫斯科內科學會的會議上，隆重地慶祝了巴甫里諾夫氏的80誕辰。被慶祝者收到了該會代表M. П. 柯恰洛夫斯基（Кончаловский）氏和其他38位會員簽名的通訊處。

在通訊處中記載着K. M. 巴甫里諾夫氏在祖國醫學發展中所建立的功績，並强調指出他在應用人工氣胸療法上的優先權。該會並授予他名譽會員的稱號。

他回到莫斯科以後，立刻就在莫斯科大學及改善科學家生活中央委員會內開始担任顧問工作，在這裏工作直到1933年2月10日突然逝世的最後的一天。

直到最後的一天，他也沒放棄科學工作。在他逝世的前幾天，他寫成了自己最後的著作「論細胞之乏氧」。

在他整個一生中，他是醫學中生理實驗學派的熱烈擁護者，但是他使人注意不要陷入爲了實驗而實驗。據他的見解，實驗要符合臨床上的利益，應當解决臨床上的問題。

（任國智譯，潘崇熙校，譯自「蘇聯醫學」，1953年，第6期。）

醫學史的任務

原著者：Б.Д.彼得洛夫*

蘇聯醫學史的工作，本着聯共黨中央委員會關於思想問題的歷史性決議的基礎，一年一年地發展着。僅僅在最近兩年就出版了100餘本關於醫學史、醫學專科史和描述祖國卓越學者的活動的醫史書籍。醫學史的論文也將近100篇。

這些醫史書籍和論文，顯示了祖國的學者們在醫學、生物學及一般自然科學進展上所起的巨大作用。

現在已將那些不知名的，被人遺忘了的學者、醫生、研究家們披露出來，使他們的優越功績，得到表揚。

現在已有許多醫務工作者從事祖國（蘇聯）醫學史的工作。而且，已有各科專家從事研究自己專業的歷史，是件極可貴的事。

醫學校醫史講座的基礎的加强，過去一年課程提綱的加强，以及醫學團體對研究醫史的顯著興趣，起了肯定的作用。

特别應當注意的是醫學雜誌編輯的巨大工作，在最近2—3年醫史方面的論文比過去20年的還要多。

這一切都說明蘇聯的醫務工作者——醫生們和學者們——努力執行聯共黨中央委員會關於在祖國（蘇聯）科學史的研究工作中，要改革向外國人卑躬屈節的指示。這種工作特别重要，因為許多年來，大國主義的思想和觀念歪曲了歷史的眞正現象，錯誤地介紹了祖國學者們在醫學發展上所起的歷史作用。

在談論作品的同時，不能不指出它們的嚴重缺點。資產階級編寫歷史的影響還沒有被消除。仍然有以事實代替歷史，以履歷表或訃文代替名人傳記的作品。這些作品缺乏布爾什維克的原則性和目的性。

當然，這些缺點之中大部分是因爲剛開始寫醫學史著作，沒有經驗，只是把材料聚集在一起了。但是，最大的原因還不在這裏。

醫學史工作者，直到現在為止，必需遵循着列寧，斯大林的歷史指示。眞正的歷史科學是來自馬克斯主義的。正是馬克斯主義指明了歷史過程的規律，它被地點和時間所制約，依賴於歷史條件。斯大林同志在聯共（布）黨史簡明教程中指示說：「很明顯，沒有對社會現象的歷史解釋，歷史科學便不可能存在和發展，因爲只有這樣的解釋才能使歷史科學擺脫開變爲混亂的事實和荒謬錯誤的堆積。」（聯共（布）黨史簡明教程第105頁）。

在開展中的醫學史工作應當把注意力集中在那兒呢？應當遵守的有那些要求呢？這些問題的回答首先應當向斯大林同志對歷史的任務和意見的指示中去尋找。

在「聯共（布）黨史簡明教程」中已經指出了，什麼樣的社會物質生活條件產生什麼樣的社會思想，觀點和制度。在「聯共（布）黨史簡明教程」中已經指出了，什麼樣的社會思想又反過來影響社會物質生活。斯大林同志在他的「馬克斯主義與語言學問題」一書中指出上層建築由基礎產生，但是「……相反地，上層建築一出現後，就要成爲極大的積極力量，積極幫助自己基礎的形成和鞏固，採取一切辦法幫助新制度，以摧毁和消滅舊基礎與舊階級。」[1]

上層建築在社會發展中的積極作用，這種指示，對於歷史和醫學史具有特别重要意義，在醫學史著作中正是常常把這方面忘掉了，或者闡述的不好。在某些醫學家的書籍之中，常常可以見到這些缺點。例如詳細地寫該學者曾在某地方學習，在某時和某地得到學位，做過某種差事和在某時曾去出

---

* Б. Д. 彼得洛夫爲莫斯科醫學院醫史教研組主任（譯者）

(1) И. В. 斯大林：馬克斯主義與語言學問題，第七頁，1950。

差，出版過某種著作，曾被選爲某社會團體和科學研究院的名譽院士，在某時逝世和埋葬在某地；但是，很不幸，對於關係重要的事項的敘述却不能令人滿意，如敘述學者的有功績的思想，這些思想是怎樣形成的，什麽樣的生活實際力量對他們起了影響，這些思想又怎樣反過來在實際中體現出來，他們怎樣服務人民，怎樣地服務於祖國的科學，怎樣幫助我們國家向前進展。

斯大林同志對於思想的組織和改造作用的指示給予了研究家們以重要的方針。

醫史著作中布爾什維克的黨性和目的性，對未來的希望，以及對今日和明日的服務是我們成功的重要條件。

應當讓過去爲將來和現在服務。我們應當把敘述過去的現象的這種醫學史，用來幫助解決今日的任務，用來確定我們的遠景，並促進我們前進。

揭露過去作者著作中空想的，未能明確的思想，是醫學史的一個任務。

如果過去曾對馬那森（Манассеин）和波洛傑伯諾夫（Полотебнов）二氏的著名辯論做過仔細研究的話，那麽黴的治療性質在很久以前便可能被發覺和廣泛地應用了，關於這個已討論過了。

過去的學者和醫生們常不能實現他們的理想，因爲他們缺乏較高的科學水平，缺乏必需的事實，缺乏完善的方法和物質的基礎。醫學史的又一個任務是找出這些沒有被實現的理想，並且把它們揭露出來，查明這些思想中存在的可能性。

巴甫洛夫要求在臨床上運用實驗的方法去解決疾病的治療問題，假如運用歷史的話，就會提出在很久以前俄羅斯的進步學者了。在100多年以前（1851）卓出的俄羅斯臨床家和社會活動家伊諾傑姆茨夫（Ф. И. Иноземцев）在「莫斯科醫生」雜誌上發表了「治療經驗」論文，提出了以下問題：到底神經參加個別的過程否？伊諾傑姆茨夫氏在分析他的農村病人普·亞捷耶夫（Прасковый Агеев）時回答了這個問題。他在引證外國生理學家的材料時寫道：「爲了得到正確結論，我決定試驗治療方法。爲了能完全有效，而在各方面都不損害病人，是允許試驗的。因爲我所用的有效藥品，在我監督下，不致有害。」

伊諾傑姆茨夫氏所做的試驗很成功：病人完全痊癒了，並且證明在病的起源和過程中，神經系統起着決定性作用。這個論證，在當時是全然新的，勇敢的證明；他走了一條獨創的道路，我們稱它爲「神經論」創始人之一。

他關於作用過程的討論，接近了我們當代和今後的巴甫洛夫學說。

伊諾傑姆茨夫氏有意義地論證了他的見解中的規律性和正確性，他說：「醫療的實際就是一個上級機關，通過它應當進行一切醫學上的研究和發掘工作，而這些研究和發掘工作，只有在它們具有不可反駁的眞實根據和獲得普遍應用時，才經得起正當的和公正的批評。」

這種方法和馬克斯主義的實踐就是眞理的準則的道理是多麽相近啊！而他這些話是在100多年以前寫的。

上面舉出的例子指出所要求的規律性是要使過去爲未來服務。醫學史的任務之一應當是去尋找沒有被實現的發現，沒有被公開的，合乎邏輯的思想，以及被遺忘了的過去活動家的思想。每一部門中都有沒有被發現的，沒有被確證的經驗，和沒有被實現的思想，而醫學史的任務就是善於把它們發掘出來，爲今日和明日服務。

難道這是說醫學史應當縮小爲思想史嗎？

不，不是這意思。這樣的結論只有死板的，和死讀書的，不懂得或者不願意理解實踐在思想發展中的作用，不理解在新科學道路上普通工作者（普通人，實踐家）的作用。祖國（蘇聯）的學者們和生活和實踐的密切聯繫是他們的特點。孟德洛夫（Мудров），包特金（Боткин），彼洛果夫（Пирогов）以及斯克里弗索夫斯基（Склифосовский）等氏，如果用現代的話說，他們曾經是保健的組織家。正是他們的這種特點使他們在許多工作中不怕，而且保持了自己的頑强精神和生氣。

斯大林同志在他著名的語言學的著作中着重指出「社會現象，除去一般的以外，都有着它自己的特性，這種特性彼此區別開來，並且對科學有更大的重要性。」[1] 醫學有它自己的特性。醫學史的重要任務之一恰恰就是去發掘這些特別的方面，指出

---

(1) И. В. 斯大林：馬克斯主義與語言學問題 7? 頁，1950.

它們在不同歷史階段和不同國家中，由於各種不同因素所造成的區別。如果能在這方面做得正確，那麼現在通常對醫史的分期應當改變，並且許多醫學專科的歷史應當重寫。

譬如，在蘇聯科學院和醫學科學院討論巴甫洛夫學說的聯席會議以後，弄清楚了關於生理學史的分期，而關於這個分期，到現在爲止，醫學史家還一直採用着不正確的方法。已經清楚地查明了，生理學史有兩個階段，就是巴甫洛夫前期和巴甫洛夫時期。

斯大林同志所說的關於每一科學部門的特點，就是指它的發展的特點，某一個出色的發現在這個發展中的作用，在一切日新月異的，推進性的生活要求中的作用，最後是它在有關科學領域中的作用——所有這些都發生在每一個科學部門的成長中，並且也發生在如此複雜的醫學部門的發展特點中。

假如從斯大林同志所指示的觀點上看，就弄清楚了現在所採用的醫學史分期是經不住批評的。這就弄清楚了我們祖國（蘇聯）的學者們所起的作用是比從來所認爲的要大得多。十分有可能需要規定這樣的分期：如彼洛果夫時期的外科學，麥赤尼可夫時期的細菌學，包特金時期的治療學，貝爾（Бер）以後的，新的，在原則上優秀的胚胎學時期。

闡明祖國（蘇聯）學者們最近兩三年來研究工作的優越性，這個工作是在繼續着，但是做得還不够。現在是轉到闡明祖國學者們的作用的時候，其目的不是個别的發明，不是個人方面的，而是闡明某一科學部門的形成和發展，是去解決它在原則上主要的問題。

譬如藥物學史的特點：幾年前美國醫學會曾請醫生們塡寫一個表，上面要寫出十種最有價值的藥物。測驗的結果在1945年發表了。

最大多數的票數是下列十種藥品：(1) 靑黴素和磺醯胺製品，(2) 血和血漿，(3) 金雞納霜，(4) 醚，嗎啡和可加因，(5) 毛地黃，(6) 六〇六，(7) 抗疫藥品，牛痘，(8) 胰島素，(9) 其他荷爾蒙，(10) 維生素。

爲了表露出俄國和蘇聯學者們在發明，合成以及研究這些有價值的藥物中所起的作用，那麼只須看一看這一個名單就够了。

馬那森（Манассеин）和波洛傑伯諾夫（Полотебнов）二氏在發明靑黴素上已是很有名的了。俄羅斯學者魯寧（Лунин）發現了維生素。包特金氏在臨床上使用毛地黃。哈爾科夫（Харьков）大學教授在1816年曾合成金雞納霜。掃伯烈夫（Соболев）氏發明了胰島素。發現抗疫性的現象並且給藥物治療打下基礎的功勞是麥赤尼可夫氏的。輸血療法是蘇聯的學者們在輸血研究所第一所長布革得諾夫（А. А. Богднов）領導之下完成的；布革得諾夫氏在挽救病人生命時，把自己的血輸給病人，因而犧牲了生命。

我們，正如上面所指出的，不能滿意於那些孤立的，零散的闡述祖國（蘇聯）某個學者的優越成就的作品。

到現在爲止，旣不寫祖國治療學的歷史，又不寫祖國外科學史，這是我們不能容忍的；到現在爲止，幾乎完全沒有醫學專科史，也是不可容忍的。

要解決這些任務，必須注意一個重要的缺點：就是到現在爲止，還在吸引研究家們去寫個别醫學家的傳記。在這個方針下曾經做了，寫了，並且出版了20多本書，特别是「祖國卓越活動家」叢書中，寫了一系列學者的傳記；這種工作應當繼續下去，但是現在應當轉向下一個階段了，就是開始寫科學學派史和思想史；沒有這個，我們就不能有完全的，使人信服的專科史。

祖國（蘇聯）學者們的特點是他們在學術工作中的集體性，從年靑的時候，就有去解決那些每每是由實踐家的複雜理論的任務，特别是一般醫生們的理論。

類似集體創作的卓出例子是古賓賓（Н. П. Гундобин）氏的活動。在總共不到十年的短期間，他不僅創作了卓越的，典型的作品「童齡的特性」(1906)，而且善於組織大的科學集體作品。十年中在他的領導下寫出了100多篇學位論文。就在蘇維埃時期，也有同樣廣闊的科學工作，那便是由布爾金科（Н. Н. Бурденко）氏領導下組織了數百醫生和科學家參加科學工作，而且，正像我們所了解的一樣，有驚人的，卓出的成績。

目前，在醫史學戰線上的重要任務之一就是深入地去研究學派的活動和思想。這一個階段是完全必須的。經驗告訴我們，要寫專科史，僅僅研究某些學者們的活動專論是不够的。必須先寫一系列關於歷史學派，歷史講座，歷史潮流及思想的專題研究，而我們祖國的醫學科學是富於這些材料的。

編寫神經論的形成和發展史，以及它的前期史是個重要的任務；這一方面的工作還只是初步。這種工作所具有的意義，是無須說了。我們祖國學者們所創建的世界醫學思想山峰之一的神經論，不愧是一最精確的研究，其實最初的歷史研究早已經指出了，只是我們對祖國科學的這些光輝歷史知道得太少。

醫學通史的研究問題也是一個很重要的任務。可惜，對這一方面沒有給予應有的注意。外國的歷史家和醫學家企圖偷偷地把偉大的過去遺產攫爲己有。正是法西斯的研究家們企圖把巴拉塞爾薩斯（Парацельс）氏變爲法西斯，正是一些英美的所謂學者們把在1000年前以阿維森納之名馳名於歐洲的偉大的塔什克學者伊本—森納（Ибн-Сина）解釋爲阿拉伯人，而把他的作品，解釋爲阿拉伯文化的成果。這些厚顏無恥的說法，無異是他們的無知，在我們國家內，甚至連小學生都能比英美的歷史僞造者們能分辨這個問題。

醫學通史的研究問題變得更迫切了，因爲許多人民民主國家的卓出醫學活動家老早就等待歷史家闡述他們在科學史中的眞實作用和揭露一些所謂「研究家」們的造謠中傷的揑造。譬如舉出卓出的捷克學者們：如普傾野（Пуркинье），普羅哈斯闊（Прохаско），特別是在基也輔（Киев）的湯姆森氏（Томсен），以及以契爾馬克氏（Чермак）命名的全體醫生們的工作；其中契爾馬克氏（Иоганн Непомук Чермак 1828—1873）就是喉頭鏡的發明人。傑奧爾革，普羅哈斯闊（Георг Прохаско 1749—1821）是解剖學家，生理學家，他曾在布拉格受過醫學教育。普傾野氏（Ян Пуркинье 1781—1869）曾任布拉格的解剖學和生理學教授，他所發現的細胞，現仍以他的名字命名。（按即"Purkinje cells"--譯者）

要知道，正是「原形質」一名詞的作者普傾野氏是細胞理論基礎的創始人（在什凡 Шван 以前）之一。

這裏所提出的僅僅是捷克人，但是要知道，不難指出許多著名匈牙利的，波蘭的，羅馬尼亞和其他許多國家的學者來。蘇聯的醫學史家們的任務是幫助進步的人民民主國家的學者寫他們自己國家的，眞實的，而不是僞造的醫學史。

應當把每年出版的許多僞造的，歪曲歷史以及在英美黑暗勢力下的歷史著作，和眞正科學的，完全沒有世界主義觀念和種族主義的瘋話的歷史對比。應當給那些企圖抹殺某些國家在醫學發展上的功績的企圖給以回擊，並且給那些僞造歷史和吹噓功績等等的企圖予以回擊。

斯大林同志說：「每一個民族——無論怎樣的都是一樣——大的或小的，都有自己的，屬於一個民族，而不屬於另一個民族的特質和特點。這些特點是他們的貢獻，這些貢獻引每一個民族到共同的世界文化寶庫中，並且增益了，充實了這寶庫。」[1] 蘇聯醫史學家的任務是幫助調查清楚每一個民族對世界科學寶庫的貢獻。

蘇聯醫學史工作的任務日益擴大，直到現在爲止，他所完成的仍然不能令人滿意。

此後應當大胆地，廣闊地開展蘇聯醫學史和衞生史的研究工作。蘇聯醫學史的研究是重要的，因爲它是與那些反動的，代表腐朽資產階級文化的資產階級學者的唯心理論做鬥爭的，銳利武器。同時蘇聯醫學史和衞生史又武裝了世界上進步學者，特別是人民民主國家的醫務工作者們，爲社會主義建設而鬥爭。

應當揭穿和擊退有些同志們對於醫學史研究所抱的不正確見解，就是與現代距離愈遠愈好，以古爲貴的有害見解。現在是了解這些有害的，危險的觀點的時候了。

考古家在挖掘的時候，發覺了古希臘城的文物，器皿裏帶有麥粒，放在那兒差不多有一千年的樣子。如果那些種子在當時播了種，就會生出芽，開花，結果。

挖掘這種種子應當是我們的歷史研究工作，而且假如對於過去的事實，細心地，靈巧地觀察，和正確地闡述的話，就會開花、結果、幫助我們的今日，現在和未來，幫助我們的鬥爭。

（馬堪溫譯自 Б. Д. Петров: Задачи истории медицины. Советское Здравоохранение, 6—12, 4. 1952.）

(1) 眞理報，13. IV. 1948 年。

衛生史的教學和研究

原著者：Б. С. 西哥爾

自從偉大的十月社會主義革命以來，蘇聯衛生事業已走上了偉大的和光輝的道路，並且在蘇聯人民健康組織上達到了無上的成就。研究蘇聯各時期的衛生發展史，並且依照馬列主義社會發展的學說去綜合它的豐富經驗，是醫史科學工作者和衛生組織工作者，更是醫學研究院的首要任務。

到目前爲止，蘇聯衛生史的著作還不多，而現有的著作又有缺點。其中最大的缺點是：單純地敘述歷史事實，經常根據蘇聯衛生在量一方面成就的材料（醫療設施和幹部數量的增加）和革命前或國外的材料相比，而不深入地分析和指出在社會主義建設的條件上，以及向共產主義過渡的道路上，蘇聯衛生在質一方面的特點；不指出在經濟基礎上，做爲上層建築成員的衛生事業的作用。

斯大林同志在他的天才著作「馬克斯主義與語言學問題」中確定了上層建築是對於「政治、法律、宗教、藝術、哲學的觀點，以及適合於這些觀點的政治法律等制度」。

斯大林同志說：「每一個基礎都有適合於它的上層建築。封建制度的基礎有它自己的上層建築，自己的政治，法律等等的觀點，以及適合於這些觀點的制度；資本主義的基礎有它自己的上層建築；社會主義的基礎也有它自己的上層建築。當基礎發生變化和被消滅時，那末它的上層建築也就隨着變化，隨着被消滅。當產生新的基礎時，那末也就會隨着產生適合於新基礎的新的上層建築。」

應當依照斯大林同志這些指示，去闡明在社會主義內，與蘇聯國家制度密切相關的，同時是積極影響基礎的衛生發展史。應當指出無產階級革命勝利之後，在衛生事業領域內，觀點的變化和與制度相適合的工作的變化。

離開闡述新與舊的鬥爭，和在衛生事業中同樣出現，並且又伴隨着舊的上層建築而消滅的思想鬥爭是不能闡述蘇聯衛生史的。

蘇聯衛生發展的過程不可能像某些歷史研究中那樣平順前進的。不僅在蘇聯衛生的萌芽期（彼洛郭夫協會）有和頹廢階級的思想鬥爭，而且在以後也有（和反動的魏爾嘯學派的殘餘的鬥爭）；這些殘餘在蘇聯衛生事業發展道路上曾造成一系列的錯誤（在診療所的全盤建立中過低地估計重要工業部門工人階級的首要供應）。

應當闡明這個鬥爭的階級根源和黨在消滅這種思想傾向上所起的作用。

近年來，在出版上和在1951年蘇聯醫學科學院恩·阿·塞馬西闊(Н. А. Семашко)衛生組織和醫史研究院的會議上，都注意到蘇聯衛生理論問題。指出了衛生組織講座對這一重要部門的教學和科學研究上沒有給予應有的注意。因此，特別認爲蘇聯衛生理論問題應當在教學和其他醫學科目中，像臨床科目及衛生科目中佔有自己的位置，因爲衛生理論與實際有直接聯繫，沒有正確的理論基礎，是不可能理解實際的。

在教育和培養未來的蘇聯醫生上的重大缺點，主要是對蘇聯衛生史的研究和編寫，缺乏應有的注意。因爲只有依照馬克斯學說的歷史分析，才能爲理論的綜合打下基礎。

研究列寧，斯大林的著作，黨的文件和決定，以及黨的刊物中關於蘇聯衛生問題和蘇聯衛生理論基礎的研究是有特殊意義的。因爲這些文獻指出在社會主義社會內，在一定的衛生事業的內容和形式上，黨在理論基礎的建立上所起的作用。這個問題已在巴爾蘇可夫氏（М. И. Барсуков）關於1917—1918年蘇聯衛生組織史中正確地闡明了。對於蘇聯衛生發展的近期階段，闡述得還不够，仍然需要研究。現在在所有高級醫學校中的醫史和衛生組織講座使我們能從「地方的」觀點上建立蘇聯衛生史，也就是指出在各個共和國和各省內發展着的衛生事業的道路。但是，這個問題，到現在爲止，研究得仍然不够。

鑑於蘇聯衛生史的研究是具有重大教育意義的，可以吸收大學生和研究生參加科學小組會，在小組會中可以列入些適當的歷史題目。我們在列寧格勒醫學衛生研究院的醫史和衛生組織講座中是這樣貫徹這個問題的：大學生和研究生們已經完成了「革命前布爾什維克報中的衛生問題」，「十月社會主義革命中的布爾什維克醫生」及「列寧和衛生」等題。

近年來出版的醫學史和衛生組織史研究，都經常用不正確的觀點把蘇聯醫學史和衛生史解釋爲一種只是闡述過去的科學。其實，在歷史中可以，而且應該研究蘇聯的現狀，和擬定未來發展的遠景。因此，應當吸引衛生機關，科學研究機關和大學校經常把它們的工作編寫出來。這一切對於蘇聯衛生史都是重要的材料。

衛生機關所編寫的年報，應當有適當的評論，而不應當單純地提供出統計的材料。

1939—40年俄羅斯蘇維埃聯邦社會主義共和國衛生部科學方法局，委任高等醫學校衛生組織講座編寫各省和各地方衛生部門的視察網和活動大綱。這種實施應該重新恢復。

各衛生機關僅僅在紀念日時去研究自己機關的歷史，並且所研究的材料和文件大部分都是在節日時不易找到的，這種情況不能認爲是正常的。其實，有系統的闡述自己機關的活動是隨時得到必要的報道的基礎。

我們的研究院，每年都舉行闡述自己研究院歷史的科學會議，敘述學者們的研究活動和生活。這些會議促進了學生們對自己母校的情感，激起他們對母校的過去和現在的興趣。這種經驗可以推薦給其他研究院。

研究和教授衛生史不應當脫離醫學史，同時也不可以把醫學史看成只是描述學者的生平和活動的歷史。

難道不分析衛生組織，不闡明理論與實際之間不可分的聯繫，就可以算是研究醫學了嗎？

因此，應當弄清楚醫學史和衛生組織講座，在衛生史教學上各自所應起的作用是什麼。毫無疑義，正確地闡述社會發展各階段的醫史，需要同時闡述衛生史，因爲衛生史反映在醫學史的提綱中。但是，在衛生組織教學中還必須闡述衛生事業的發展問題。

講授在我們國家中佔有如此重要地位的蘇聯衛生史的時候，應當注意編寫革命前的衛生史。但在這一方面，我們做得還不够好。

目前所有的著作，一般都是對醫療設施的形式和疾病的闡述，而沒有正確地用馬列主義觀點來闡述醫生們的活動，他們的觀點，工作條件，以及他們依照列寧的指示對兩種文化所進行的鬥爭。還沒有闡述祖國（蘇聯）的學者和一般醫生們在衛生事業中的進步作用，他們活動中的進步性，他們爲貫徹預防措施所進行的努力，以及他們在封建或資本主義俄國時代所進行的艱難而頑強的鬥爭。

應當編寫和闡述這樣的問題，如醫療和衛生事業的起源：像基也輔-俄羅斯的醫療設施的萌芽，衛生措施的實行——如自來水管的按置，在諾夫哥羅德(Новгород)的排污水管的按置比其他歐洲城市都要早——和流行病的合理鬥爭方式，人民醫學中關於衛生問題的反映，値得紀念的原稿(年鑑)，醫院、以及所頒佈的帶有階級特性的律法。

我國（蘇聯）在18世紀已然實行了城市醫生的職位，縣女醫和巡視醫務局。僅僅把他們看成爲官僚機關是不正確的。他們當中許多是在艱難的帝王貴族統治條件下和在農奴制度下和流行病以及其他疾病做鬥爭的，並且曾企圖實行預防措施。他們擬定了醫療地形圖，無疑，這是科學實際的寶物[1]。

毫無疑義，在地方檔案中，還可以發現很多醫療地形圖，這些地形圖對人民的地方衛生性質的鑑定上是巨大的珍寶。醫學史和衛生組織講座可以做這樣的事。

戰時醫生，不僅在軍隊裏服務，而且爲人民服務，他們留下了同樣一系列的醫療地形圖和其他著作，把這些綜合起來是很有興趣的，這對於衛生史也很有意義。

祖國卓出的醫務工作者，澤別林（С. Г. Зыбелин），孟德羅夫（М. Я. Мудров），穆新（Е. О. Мухин），嘉傑闊夫斯基（Н. Е. Дядьковский），彼羅郭夫（Н. И. Пирогов），沙哈林（Т. А. Захарин），奥斯特羅烏莫夫

(1) 約有100幅這樣的醫療地形圖，是地方自治局醫學以前的，蒐集在1949年列寧格勒公共衛生醫學研究院所出版的［衛生問題］中。

(А. А. Остроумов)，包特金 (С. П. Боткин) 等人，在從事科學研究工作的同時，又積極參加衞生工作。但是，對他們的研究是不够的。闡述他們在醫生工作中對預防意義的觀點，和他們認爲外在環境對於病理學上的作用，是有巨大教育意義的。這些問題應當在醫學史的教學中給予足够的注意。

需要特别研究羅曼諾索夫(М. В. Ломоносов)，拉吉歇夫 (Радищев)，別林斯基(В. Г. Белинский)，彼薩列夫(Писарев)，車爾尼雪夫斯基 (Н. Г. Чернышевский) 氏等和其他俄國古典哲學代表學者的作品中對於衞生問題的反映；必需研究他們的思想對祖國醫學泰斗和進步醫生的影響。

對於編寫衞生史富有豐富材料的定期醫學刊物和普通報刊，利用得也是不够。

擺在我們面前的工作是研究我國各共和國的衞生史，如格魯吉亞 (Грузия)，阿捷爾拜疆 (Азербайджан)，土爾克明尼亞 (Трукменния)，烏玆別克 (Узбеск)，塔什克 (Таджик)，拉脫維亞 (Латвия)，立陶宛 (Литва) 等。

斯大林，日丹諾夫，基羅夫在對於蘇聯歷史課本大綱的批評中指出爲了「蘇聯歷史不能與我們蘇聯其他民族的歷史脫離」，因此必需編寫各共和國的醫學史和衞生史。

特別重要的是應當指出這些共和國的進步俄羅斯醫學家和衞生活動家在醫學和衞生事業中的優越性和進步性。

在列寧格勒國家中央歷史檔案庫中發現了些寶貴的文件。談到沙皇伊拉克召請阿斯特拉汗 (Астрахань) 醫務局檢査員吉爾茨烏斯 (Гирциус) 醫生到其甫里斯(Тифлис)去給他治病的事。在吉爾茨烏斯回去以後，格魯其亞 (Грузия) 女皇達麗雅 (Дария) 寫信說吉爾茨烏斯醫生不僅治好了她的病和「宮中其他的病人」，而且「還防止了在其甫里斯發生的災疫和那裏的一些村莊中的傳染病，並用他的措施把病徹底消滅了」。吉爾茨烏斯繼承了薩木伊羅維奇(Самойлович)，澤別林(Зыбелин)以及沙風斯基 (Шафонский) 等進步的俄羅斯醫生的道路，他並不把自己局限在治療沙皇家族的病上，並且對格魯其亞所發生的流行病採取了消滅的措施。不應當認爲這些事實也只不過如此，而應該指出俄羅斯和其他民族之間的醫藥衞生關係。

編寫醫學教育發展史時，不僅要闡明醫學專科教授的著作，還要闡明他們參加人民醫療和組織的活動，這個是衞生史研究的任務之一。

嘉桑 (Казань) 和哈爾科夫 (Харьков) 大學醫學系是醫學和醫學實際的苗圃，它們從創立起，到現在已是 150 年了。應當對於它們在衞生事業上所起的作用，給以充分而圓滿的闡明。

到現在爲止，地方自治局醫學史還沒有編出，而現存的關於這方面的研究也不能認爲是滿意的，因爲這些作者都是一味地只寫革命前日班闊夫 (Жбанков) 和奧西波夫 (Осипов) 等人的事情，而不闡述地方自治局醫學的階級特性和它的改良主義本質。不精細地指出在彼羅郭夫 (Пирогов) 協會以及類似的醫學組織（人民健康保衞協會等）和彝體革命的醫生們之間所進行的鬥爭；因爲大部分的地方自治局醫生和城市醫生都反映了小資產階級思想。

在彼得堡布爾什維克黨委員會的宣言中對第九次彼羅郭夫醫師代表大會指出了地方自治局醫生的明確的特性（布爾什維克黨第 58 號傳單，據「彼得堡布爾什維克傳單，」1902—1917)。「地方自治局醫生，除去醫生的稱號外，還是社會活動家的典型。但並不是所有的人都一致瞭解這種作用。在我們面前有這樣貧血的缺乏思想的文化人的典型。這是一種看不見割毁他們高尙事業的尖刀的短見人的典型……」

但是後來出現了脫離開對地方自治局議員（地主）的崇拜的地方自治局醫生。

對於這些醫生的形像，生活和革命活動，以及在無產階級革命後參加蘇聯衞生的建設，一直沒有闡明。我們到今日爲止，仍沒有對塞馬西闊 (Н. А. Семашко)，梭羅甫也夫 (З. П. Соловьев)，盧沙闊夫 (И. В. Русаков)，米茨克維奇 (С. И. Мицкевич)，榜奇布盧耶維奇 (Бонч-Бруевич) 等醫生給予嚴正的研究，這些人還在革命前期就「從文化的土壤上轉到革命的土壤上」了。

在編寫祖國（蘇聯）醫學史和衞生史時，應當接受醫生們和醫學研究院講座的參加。因此應當吸收各科專家來參加工作。

黨和政府認爲祖國（蘇聯）科學史的工作具有重大意義。但有些講座的領導者，還對這種任務表現着輕視的態度。譬如，他們認爲不可以給歷史論文學位，或者認爲最終也不能顯露自己專門技能的基礎知識。這種觀點是不正確的，實際上，只有很好地明瞭這個科目的專家，才能編寫它的歷史。

目前即將來到的衛生史建立工作只有在嚴密的計劃和領導下才能圓滿地實現。蘇聯醫學科學院恩·阿·塞馬西闊衛生組織醫史研究院應當實現它。

（馬堪溫譯自 Б. С. Сигал: О преподавании и изучении истории здравоохранения. советское здравоохранение. 3. 1951）

澤別林著作中的預防思想

原著者：E. A. 羅托娃

斯·革·澤別林氏（Семен Герасимович Зыбелин 1735—1802）是18世紀俄羅斯醫學的卓出代表。

澤別林氏在莫斯科大學成立的那一年（1735）入學，畢業後被送到國外去深造，在來頓大學讀完醫學系並得到博士學位。1765年莫斯科大學創辦了醫學系，他被聘爲教授。他是當時莫斯科大學醫學系的頭一位俄羅斯教授。

澤別林氏是羅曼諾索夫氏（М. В. Ломоносов）的繼承者，所以他在大學生活和社會生活中都表現出自己是一個熱烈的愛國者。他的科學活動是和他的全部內科，小兒科實際治療工作分不開的。他的醫生活動中，大部分都從事於社會設施方面的工作。譬如1771年鼠疫流行的時候，澤別林氏曾冒着生命的危險，頑强地和鼠疫作鬥爭，率領衞生隊到莫斯科居民最多的地方——克林姆林和內城——去工作。他甘願爲貧窮人治病，他不僅在口頭上勸示他們，而且用實際物質去幫助他們。他是蘇聯醫學的光榮傳統代表者之一，而這個傳統就是蘇聯所固有的進步醫學，也正是臨床醫學和社會衞生相結合的傳統。

機體與環境的相互關係的唯物主義理解是預防醫學的思想基礎，而這種思想是從澤別林氏開始奠定的。

澤別林氏根據羅曼諾索夫氏的宇宙的統一和自然界諸現象中基本規律的共同性的學說，提出有機體和外界環境統一的問題。他不怕當時的統治思想，在他的「人體構造和其對疾病的預防方法」一文中說道，人被「沒有止境的，無數的事物」所環繞，這些事物又「不斷地影響人體」；爲了明瞭人的機體的性質，必須研究圍繞着人的自然的性質必須「洞悉」它，因爲自然的規律「與我們美妙的身體構造是這樣緊密的結合在一起」，以致和自然有着共同的規律，即「有着各別的和共同的自己的規律」[1]。

這種問題的提出，開闢了解釋疾病的起源問題和向疾病做鬥爭的道路。澤別林氏不僅向病理上的遺傳去尋找疾病的原因，還向人的工作和生活條件中去尋找。他指出外界環境緊緊地和人的機體互相聯繫，並且直接影響人體。爲了增加人體的健康，更認爲不僅須要研究這個外在環境的條件和它對人體的影響，還應該去改變這些條件。

澤別林根據他自己的這種有機體與外界環境（人的生活條件）相聯繫的見解，更加注意改善人的工作和生活的衞生條件。這些條件的改善，常常可以預防或者改變某些疾病的過程。澤別林所有的著作都貫徹着這種疾病的預防勝於治療的基本思想。因而在他的全部醫學活動中就奠定了預防疾病的基礎。因之，變爲卓出的，並且是莫斯科大學第一位俄羅斯教授，成爲臨床家基石的澤別林，在自己大部臨床講演中都提到了個人和社會的衞生。其中主要的有「疾病的正確治療」（1768），「處在過熱環境中的害處」（1773），「幼兒的正當培育」（1775），「預防方法的重要性，順便談談人口緩慢增加的原因」（1780）等等。在這些講演中他以一個具有廣闊眼界的公共衞生家的姿態發表了自己的意見。

澤別林氏在「預防方法的重要性，順便談談人口緩慢增加的原因」中簡明地分析了人口學的材料，並引證許多例子，證明歐洲的許多城市中人口死亡率之增高。他認爲這個死亡率所以高的原因是因爲城市的緊密，街道過於狹窄，以及缺少樹木等等，他說：「……除去其他原因以外，城市緊密，居民擁擠，街道狹窄，建築物過高，城市中缺少花園，而且院子又過低。」

澤別林氏擬定了必要的措施，如弄乾了靠近居民區的池沼，向房屋內透放「新鮮空氣」，而最主

(1) С. Г. 澤別林：人體構造和其對疾病的預防方法(1777)。見：莫斯科大學紀念大會演說，第一部，93頁，1819年。

要的是「嚴格地注意清潔」。

他分析俄國的出生率和死亡率的材料時，下結論道：「人口的緩慢增加或巨大減少，特別是從幼年開始，並且剛生下一歲的嬰兒比兩歲或三歲的嬰兒容易死亡。」因此，他提出了一系列和高的兒童死亡率做鬥爭的實際理論與提議，並指出母乳哺育的必要性等。他熱烈地主張胸部哺乳，這個在他的「幼兒的正當培育」中已經提出了。

他在1773年6月30日發表的「處在過熱環境中的害處」講演是講住宅衛生的。他在這個講演中反對不合衛生的生活條件，反對18世紀俄國貴族城市中所盛行的不合衛生的成見。他極其反對稠密和低矮的居室，缺乏通氣設備，屋中廣舖着絨毛，以及根深蒂固的害怕寒冷和傷風的成見，這些人常常使身體過份加熱，因之削弱了身體，易於得各種疾病。他特別反對地主們的根深蒂固的育兒法。他用充足的科學材料向聽衆解釋熱度過高的害處，同時指出習慣於冷的益處，和習慣於熱的害處，因爲後者可以「產生」各種疾病。他說人應當處在適當的溫度中，同時着重指出過熱和不通風的害處並可以引起疾病「唯有適當的調節，外界空氣的溫度才能有益處……假如溫度過熱，不與冷空氣相互調換時，人常常得各種疾病」[2]。

澤別林氏着重指出習慣於過熱的環境，常常容易得感冒和其他疾病「從這裏清楚地看出，在冬天處在過熱的屋子中的人，……常得各種疾病」[3]。

澤別林氏認爲在寒冷中「穿着適當溫暖的衣服」比穿過暖的衣服對於人更有益處。因爲這樣使身體更加强壯，更能抵抗疾病。他拿蘇聯的歐洲北部人的生活做爲例子，說這地方的人，自幼即從事鍛鍊身體，因之有强壯的身體。

「這樣便顯然看出，在北方處於最冷地方的民族，如伊爾庫茨克(Иркутск)地方，常常冷得連水銀都冰成硬塊，但那兒的居民，由於自小就習慣於寒冷，所以不僅身體堅壯，精神好，不枯乾瘦弱，而且比生長在氣候熱的國家的人更健康，更結實，有生氣和强壯。這個說明爲什麼這種純樸的民族在冬季所以敞開胸膛，而有時在嚴寒中還流汗」[4]。

他着重指出「在溫度過高的地方，空氣很少變化和流動」[5]。而當「空氣停滯不流動」的時候，就引起人暈倒，並且更加嚴重地損害身體。

在還有充分的科學材料的時候，澤別林氏甚至已預測到悶熱是因爲不透空氣的原故。他反對人們常常喜歡守着火爐子取暖「許多人一動不動地守在爐子旁邊，因而損害了和削弱了健康」[6]。這些人經常感冒「因爲傷風，感冒，寒熱症，咳嗽和肺癆很容易傳染」。

他特別反對屋子的天花板很低，污濁的空氣可以從低處進去「……經常增加熱和惡臭」的中層樓(Антресоль, 即 Mezzanine — 譯者)。這種房屋在各城市中是很流行的，並且常拿它當做兒童的居室。他認爲「這樣的環境……特別消耗和困憊兒童的身體和力量」[7]。

關於住宅衛生，澤別林氏强調注意屋內溫度的適當，認爲只可以生活在「人體所需要的自然溫度中」，並要注意「人體需要外界的空氣溫度低於人體的溫度」。他並且喚起聽衆注意不清潔的地方和過熱的特別害處。

爲了和過熱的沉悶空氣做鬥爭，他推薦住室打開窗子，按置小窗，利用自然的和人工的通風設備。

「爲了避免屋子過熱和空氣沉悶，一些住宅有時就應當打開窗子，並且在窗子上一定要有玻璃扉，假如沒有通風機的話，爐子上應當按一個煙囱，或按置壁爐，這樣污濁的空氣可以經過囱子出去，新鮮的空氣也可以進來，同時也減低了屋子溫度過高」[8]。這種利用火爐或壁爐來調換空氣的思想，到很晚才獲得了科學的解釋。

澤別林氏在講演中屢次講到衛生問題。

1775年，他在發表「幼兒正確培育」的時候，着重地强調了房間內具有清潔空氣的意義，同時更指出「兒童所居住的房間，溫度應當適宜，空氣應當清潔並且要流動」，「空氣並且不要惡臭和有害，不要有煙和炭氣，不要弄得空氣沉悶」，所以「不

(2) 處在過熱環境中的害處(1773)，見：「莫斯科大學紀念大會演說」，第四部，第153頁，1823年。

(3) 同上，第158頁。

(4) 同上，第160頁。

(5) 同上，第163頁。

(6) 同上，第165頁。

(7) 同上，第164頁。

(8) 同上，第164—165頁。

僅在夏天，即使在冬天，也應該經常打開窗子或按設通風口」。

他在著作中許多地方提出了正確的，合乎衛生的兒童養育。他和那些養育兒童上的偏見做鬥爭，許多人「在嬰兒剛降生不幾年就放在熱的環境中，或者放在爐子旁邊，裹在絨毛褥子裏，同時被窩又熱得使小孩永遠汗流滿面，因此一天天地削弱了身體，特別是變得枯萎和不發育」[9]。他拿大部分的「俄羅斯人」做例子，他們自小習慣於冷的空氣，所以很經得冷空氣的猛烈變化。

爲了增强人的健康，他推薦從小就慢慢地鍛鍊身體，按照俄羅斯人習慣於冷水的習慣，夏日在河裏游泳；先在夏日用冷水擦身，然後在冬日用冷水擦身。

「因此，希望經常保持身體健康，習慣於用冷水洗澡便很容易做到；假使在夏天開始洗澡，或者用夏天河裏或池塘裏的水洗澡，這樣繼續到秋天，然後仍然繼續下去……」[10]。

「誠然，自己軟弱的身體是很難習慣於這種與習慣相反的變化，但是不要以爲這個很難做到，並且又容易得病」[11]。

在兒童身體發育的過程中，條件的改變和教育兒童養成衛生的習慣，可以使兒童身體加强，並且不易得病。澤別林氏否認了古老的固體質學說，同時提出了影響各性的學說，即認爲一方面是遺傳，另一方面是外界條件，如勞動條件，四週的環境等等能影響各性。他認爲遺傳並不是決定性的，不可避免的，而認爲有訓練的和有教養的意志能影響個性。

澤別林氏認爲教育的方法和外在環境條件的改變可以影響人的心理（正如他所說的「心智」），他認爲人的心理控制人的身體，並且可以左右身體。

因此從這裏可以看出正確的衛生教育在改變體格（體質）上有很大的意義。他說教育是必需的，它「……不只使人有好的品行，高尙的素養，而且還改變人的體格，使人的身體健康」[12]。

澤別林氏對於人的有機體與「外在環境」之間的關係的唯物主義理解，以及對預防思想的科學解釋，對以後蘇聯醫學的發展曾有重大的意義。

以後些年，預防思想已經在俄羅斯的許多臨床講座中宣佈開了。

俄羅斯的臨床醫生們，如孟德洛夫（М. Я. Мудров），嘉傑闊夫斯基（И. Е. Дядьковский），孟新（Е. О. Мухин），彼洛郭夫（Н. И. Пирогов），包特金（С. П. Боткин），沙哈林（Г. А. Захарьин），奧斯托羅烏莫夫（А. А. Остроумов）等人，曾繼承了爲人民服務的光榮傳統，曾週密地觀察病人，並力求瞭解疾病的原因。

蘇聯醫學界紀念蘇聯醫學創始人斯·革·澤別林氏的逝世150年。澤別林氏通過自己的活動，打下了俄羅斯醫學進步傳統的基礎。這些傳統在以後的歷史發展過程中，在進步的，光榮的俄羅斯醫學代表的活動中，特別是在我們蘇聯醫學中，達到了光輝的成就。

（薛紀元、田可文譯自 Е. И. Лотова: Идеи профилактики в трудах С. Г. Зыбелина. Советское Здравоохранение. 3, 1952）

（9）同上，第177頁。

（10）同上，第174頁。

（11）同上，第175頁。

（12）澤別林，人體的構造……見「莫斯科大學紀念大會演說」第一部，第125頁，1819年。

紀念四大文化名人中的兩位醫生
哥白尼和拉伯雷

田　袁

今年是世界四大文化名人屈原逝世2230週年，哥白尼逝世410週年，弗朗索瓦·拉伯雷逝世400週年，何塞·馬蒂誕生100週年紀念。其中哥白尼和拉伯雷都做過醫生，現在我們特來紀念他們兩人。

哥白尼畫像

哥白尼在1473年生於波蘭托耳城（Torum）。十歲的時候，哥白尼的父親死了，寄居在舅父路卡斯·華玆洛特家中。18歲時哥白尼入了克拉科大學。當時的波蘭正處在文藝復興文化發展時期，國都克拉科在文化生活的發展中佔有特殊的地位，是當時中歐文化中心。新興的資產階級思想家，人文主義者都集中在這裏。哥白尼就在1491年入了這樣的一個科學環境中學習藝術和數學。三年後，他在克拉科大學畢業了。他舅父又送他到當時歐洲工商業和科學中心意大利去留學。1497年2月起哥白尼在波倫亞大學學神學和天文，後來又轉入當時著名的醫校巴都阿大學習醫二年，並學習希臘文和拉丁文。他前後在意大利九年。

1504年他帶着天文學，法律學，醫學和古典哲學的知識回祖國波蘭。担任了代爾米亞教會的牧師。他同時是他舅父華玆洛特的醫生，也是當地的名醫，教區以外的人都來請他診治。

哥白尼的教區職務很忙，但他從未肯放鬆科學研究工作；他最喜歡天文學。1509年他已經初步寫成天體運行的提綱，爲了慎重起見，直到1543年，他臨死前才出版「天體運行」這本書。這書的問世說明了地球不是宇宙的中心，而是繞太陽運行，推翻了2000年所留傳的天動學說。他的學說大爲教會所反對，被認爲是「不合理的，明顯地設教和違反聖書的。」這時甚至連宗教改革家馬丁路德都指斥他是瘋子。他的學說後來被羅馬教皇的異端裁判所禁止，而忠心於他的學說的人都遭到了嚴厲鎭壓。如意大利天文學家白魯諾於1600年被教會活活燒死；1633年70高齡的伽里略也因之受到了嚴刑和審訊。

但哥白尼的學說畢竟是奠定了近代科學的基礎，他給近代科學的影響之大，正如恩格斯所說「從這裏就寫下了自然科學由神學解放出來的年月。」

* * * * *

弗朗索瓦·拉伯雷生在法國圖倰省，息濃城郊的吉文歐村。他的生年，一直認爲是1483年，但最近的考證却說是1494或1495年。拉伯雷自幼先後在塞伊僧院，波梅特修道院受到了初步教育，後來又去聖芳濟會修道院(15[illegible])。他在修道院住了十多年，這其間他醉心於各國語言，[illegible]和被人認爲是歐洲文藝復興時期文化[illegible]的[illegible]文學。

1450年他脫去了僧侶的長袍，進入蒙彼利埃大學的醫學院，兩年後去里昂市立醫院做醫生。里昂是當時最大文化中心，有名的人物塞凡提斯（Servetus）都在那裏。因爲他是個與衆不同的醫生，除去治療病人的疾病外，還注意到他們的精神。他爲病人寫書解悶，此時，他除寫成小說巨人傳「卡岡都亞和龐大固埧」第一、二部外，還註釋了希波克拉底的「警言」和蓋倫的著作。因之在醫學界享有盛名。

弗朗索瓦•拉伯雷畫像

1534年他以巴黎紅衣主教約翰•杜•貝雷的私人醫生資格，曾先後三次訪問意大利。意大利是人文主義的故鄉，這對拉伯雷來講，是很有影響的。

1536年他回法國，在蒙蓓利埃醫學院得醫學碩士和博士學位，並在該校講學。

拉伯雷不僅是個偉大的作家，還是個偉大的醫生。當時的人稱他爲「醫界的騙子，能把死人從墳墓中呼喚出來，使他們重返人生和世界。」在他著作裏，他諷刺和譏笑江湖術醫式的治療和醫學上的迷信，同時也譏笑墨守成規的中世紀古法教育。據說他是在蒙蓓利埃大學第一個使用當時教會眼裏的危險文字——希臘文——教學的人。他在該校教授解剖學時，又打破了教會的律法，解剖人體示教，所以後人稱他爲法國解剖學的先驅者。

1546年他的偉大著作「巨人傳」的第三部發表了，因爲當時黑暗勢力的壓迫，傳播進步思想的出版家都受了極刑。拉伯雷隨時都有被捕的危險，不得不逃至國外。

1550年，他任墨東的教士，1553年他死在聖保羅花園路。

* * * * *

從上面哥白尼和拉伯雷生平的簡述中，可以看出做爲天文學家的哥白尼和做爲作家的拉伯雷，儘管他們對人類的貢獻不同，他們的方向却是一個。因之他們之間有不少共同點。

首先，他們都生在文藝復興時代。這個時代，按照恩格斯的話「……是一個空前所未有的時代，是一個需要和產生巨人的時代，需要和產生在思考力上，熱情上與性格上，在多才多藝上與廣識博學上的巨人的時代」。而哥白尼和拉伯雷就是這個時代的偉大代表。

大家都知道，文藝復興時代，是新興的資產階級起來反對封建統治的時代，是新興城市中新的社會力量反對腐朽的中世紀文化的時代。當時的醫學也和其他自然科學一樣，受着教會封建統治和煩瑣哲學的影響，迷信，保守；在醫療方面放血術，占星術佔重要地位。當時的醫校大多數都是教師照本宣讀，解剖學也以古書爲根據，遇有屍體與古書所載不同，則說是人生長錯誤。一般醫生雖未嘗不知此種舊法錯誤，但是受當時教會的封建壓迫，不敢反抗。自從文藝復興人文主義興起，醫界人士才開始起來質疑舊說。而哥白尼和拉伯雷便是推動這個偉大時代的帶頭人物。

哥白尼和拉伯雷對醫學的貢獻不在於他們是個有名的醫生，而在於他們的思想對整個醫學界的革新的影響。他們帶來了科學的實踐精神，使人們敢於懷疑古說。這種唯物的思想影響了整個科學的發展，醫學當然也不例外。所以和他們同時代的瑞士醫生巴拉塞爾賽斯（Paracelsus 1493—1541）氏在巴爾大學，當衆焚毀蓋倫氏的著作，並用當時流行的德語講演，反對以拉丁文演說的習慣。再後不久，法國外科家巴累（Paré 1510—1590）氏改革了創傷治療，不用沸油，而改用軟膏，更有未塞利阿斯（Vesalius 1514—1564）開始做屍體解剖，出版了人體構造一書，指出前人錯誤200處以上，給近代醫學打下了根基。新醫學循此路前進才有17世紀的生理學，18世紀的病理學，以及19世紀的外科等的發展。這些都是文藝復興以後所給予的成果。哥白尼和拉伯雷就是推動文藝復興這偉大時代前進的代表人物，因之他們的精神對醫學界有不可磨滅的影響。所以，紀念他們，是有深刻的意義的。

第二、他們都是客觀眞理的信仰者和勇敢的追求者和戰鬥者。他們都認爲人的努力一定可以認識宇宙，他們都相信客觀眞理。哥白尼在「天體運行論」的第一頁上，有給教皇的一封信說：「假如有人不以數學知識，而根據聖經的這一段或那一段妄加批評我這著作，則我不但不預備答覆他們，而且還要輕視這樣的見解」。拉伯雷在他的「神瓶」故事中，敍述龐大洞舉和他的同伴，爲了追求眞理，終於找到了「神瓶」，聽到神瓶的話說：「喝罷！」「請你們到知識的泉源那裏去………研究人類和宇宙，理解物質世界和精神世界的規律……請你們暢飲知識，暢飲眞理……。」由此可見，對於哥白尼和拉伯雷來講，人類的使命就是掌握自然和社會的規律，而人類的知識是完全可以找到的。他們都力求通過科學或藝術去揭露自然和社會的秘密，儘管所用的方式不同，然而他們所共有的這種思想是一致的。這正是我們醫學界人所値得效法的。

第三、他們對人類的前途都抱有强烈的希望和信心；他們熱愛自己的祖國，關心自己民族的命運，因之他們也熱愛人類，關心人類的命運。他們都咒咀並且反對不正義的侵略戰爭。1517年哥白尼親自領導本國人民打退入侵的條頓騎士團，拉伯雷在「巨人傳」第一部中描寫把戰爭當做昇官發財的卑可肖國王；他妄想征服世界，但他的結局是可恥的失敗。另外哥白尼和拉伯雷都同樣反對教會的統治，反對統治階級。他們不僅關心人民物質生活上的疾苦而且更關心人民精神上的痛苦。他們用不同的方式去揭露和反對造成人民痛苦和剝削的制度，去解放被壓迫的思想。在這一點上，他們的工作是一致的。學習這種精神也是我們紀念他們的主要意義。

但是資產階級的學者們竄歪曲歷史，忽視哥白尼的近代科學史中的功績，否認哥白尼是近代科學的創造人，又把拉伯雷看做是一個荒淫的酒徒。這使我們想到資產階級唯心論的醫史學者們也曾企圖顚倒黑白，模糊醫學上人物和事蹟的正確估價。所以學習哥白尼和拉伯雷的精神，根據辯證唯物主義觀點，正確地闡述醫學的發展規律，發掘和宣揚我們祖國醫學的成就和對於世界醫學的貢獻，是我國醫史工作者當前的重要任務之一。

「沒有良心的科學只是靈魂的毀滅」，400年前拉伯雷的這句話，在今日仍有它現實的意義。對祖國的熱愛，對人民疾苦的關懷，對人類未來合理前途的信心和希望，在尋求客觀眞理上的戰鬥創造精神，這些就是哥白尼和拉伯雷身上所表現出的共同特質。

但是，就在目前，世界上有些資本主義的科學家，出賣了自己的良心，甘心做資本家的工具。他們把人類科學的成果，用來毀滅人類，把物理學用來製造原子彈，化學用來製造毒氣，細菌學用來製造細菌戰。他們的渺小與無恥，和哥白尼、拉伯雷的偉大與正義相去之遠，眞如天地之隔。

紀念哥白尼和拉伯雷，學習他們的精神，使醫學進一步爲人民服務，使醫學史成爲一門戰鬥性的科學，積極地爲社會服務，這就是我們的目標。

偉大的文化先驅者哥白尼和拉伯雷永垂不朽！

論醫學的發展

王克錦*

醫學跳不出一般自然科學的領域，也是人類在生產過程中經驗的總和，因此生產行動對於醫學的發展有決定意義。

在幾百萬年以前，人類的祖先由於勞動使手專門化以後，對於征服自然日有進步，眼界也漸擴大，在採食植物過程中，不斷發現某些草皮樹根對疾病有治療作用。人是社會性的動物，在社會生活中共同協作，發展了發音器官，日久形成語言，「有聲的語言，在人類歷史上是幫助人從動物界劃分出來，結合成社會，發展自己的思惟，組織社會生產，與自然力量作勝利的鬥爭，並達到我們現在所有的進步的力量之一。」（斯大林：馬克思主義與語言學問題，眞理出版社 1950 年版）在原始共產主義社會裏環境迫着人類趕快解決客觀現實生老病死諸問題，致將經驗上治病的植物（藥物）互相傳達應用，以後有了文字就記錄起來，在中國傳說爲神農氏嚐百草以建立中藥本草，在古希臘是以半人半馬手執巨蛇的神爲救衆生的醫神，名阿斯克勒普。從這一類神話中，可以看出當時醫學的萌芽。人類創造工具，生產發展到獵獸食肉，加速了人類的進化，改造了消化器官，發展了人體內日趨繁雜的要素，尤其是腦的發達極快，習慣了各種食物及氣候，切身體會出致病的原因，織衣建屋學會了預防疾病，以後生產力進步，有了冶金陶器造船等工業，發展了文化，醫學也因記錄積累而獨立化。

因爲宇宙事物在人類頭腦中的虛幻反映，漸漸產生宗教，人類就以思想解釋行爲，古人以自然哲學天才的直覺，在醫學上創造了一些零碎的有價值的發明，如去勢術、包莖手術、膿瘍切開、催生術等。古希臘的哲學，認爲整個自然界由原生動物到人類，永遠是在不斷的運動變化中，醫學理論和哲學融合成一體，哲學家同時就是醫學家。古希臘倡地水風火說，在中國就說人秉五行（金木水火土）以生，所秉失調或與天時地氣的五行相剋則病。醫學除直覺的事物外，其他都是靠猜想。在玄學的基礎上，我們可以認識到古代完整的宇宙觀。

在很長的迷信愚昧封建社會中，醫學做了神學的婢女，將人的生老病死問題不得不乞援於「萬物」的創造者，將醫卜星相並列看待。

紀元 450—1050 年基督教統治歐洲時期，阻礙了文化進步，「你們知道我們迄今稱以書寫爲業的人爲 Clerk（書記）就是與 Clergy（牧師）相同的一個字。它使我們記憶起，很長的年代中，祗有傳教士是唯一能寫的人，黑暗時代實際沒有中等階級（沒有醫生，律師和牧師），熟練工人也很少。」（布勞主教 William Montgomery Brown：簡明科學與歷史）醫學也被關在黑暗中，傳教士兼任醫生。經過中世紀的黑暗，以後生產力有了大的發展，出現了許多新發明，給醫學創造下新的實驗手段，使醫學發展爲眞正系統的實驗科學有了可能性，且由於氣象學，動物學，植物學的發展，致醫學有了無限的研究材料。

第十世紀是阿拉伯文化燦爛的時期，這時最有名的醫生阿維森納氏（Avicenna），不僅促進阿拉伯醫學進步，而且對歐洲醫學有顯著的影響。他有16種醫學著作。他屬於亞里士多德哲學派，人稱他爲亞里士多德第二。其醫學理論是採用蓋倫氏（Galen）學說，他給醫學創立了嚴密的系統，極力主張醫學是有一致性，有規律，合乎邏輯的科學，認爲治病如同數學中的定律一樣。他最有名的著作是「醫典」。這部書總括了當代的醫學知識，加以整理和註釋，共分五卷，約一百萬字。其醫學學說是根據宇宙學，心理學的基本原則，解釋人生疾病和死亡問題，提倡養生法，藥物和手術。氏很重視切脈，將脈搏區別爲48種，其中有35種，和中國脈經所記

* 張家口市華北軍區衛生幹部學校

載的相合。這部著作一直到 17 世紀影響歐亞兩洲醫學界，雖然在 16 世紀巴拉塞爾蘇斯氏 (Paracelsus) 當衆焚毀這部﹂醫典﹂，但他的權威仍受人敬仰。

15 世紀後半期歐洲開始文藝復興運動。爲適應資本主義生產力的發展，新興階級打破了教會的精神獨裁，哲學就脫離神學發展爲形而上學及機械唯物論。﹂然而這個時期也有一個特點，就是這時期曾經形成了一個特殊的完整的世界觀，這一個世界觀的中心思想是說：﹂自然是絕對不變的﹂。無論自然本身是怎樣生成的，自從它生成以後，在它生存的期間，它永遠是依然故我地常住不變的。﹂（恩格斯：自然辯證法導言，鄭易里譯本八頁）。醫學從神學中解放出來，在當時哲學影響下突破唯心的外衣，向科學道路上發展，如胎生學和比較解剖學發展起來。

在社會改革運動中，出現了許多學識廣博的人物，他們在發展的生產力鼓舞下，富於冒險性格，偉大的科學家都作過遙遠的旅行。瑞士巴拉塞爾蘇斯氏是個醫生，他在旅行歐洲諸國時，得到豐富的化學知識，他曾說：﹂化學並不是能够製造黃金的，製造治病所必需的藥品，才是化學眞正的目的﹂。所以在他以前的時代叫鍊金術時代，在他以後一百年間的時代叫醫化學時代。他首先以强烈的化學藥品並蒸餾植物作藥用，這是化學品用到醫藥上的首創。氏於 1536 年著成﹂大外科學﹂，於 1564—1572 年間巴累氏 (Ambroise Paré) 創四肢切斷術，血管結紮法。英國倍根氏 (Francis Bacen 1561—1626) 在其所著﹂新工具﹂ (Novum organum) 一書中號召蒐集科學材料。他計劃編輯物理、化學、解剖、醫學……學術史。在﹂新工具﹂中排列第 46 項爲腺液、大小便、唾津、汗液、毛髮爪甲史。第 57 項，爲老壯少幼人壽長短各國異同史。在 16 世紀中未塞利阿斯氏 (Vesalius) 改革了解剖學，產科上也已經試行帝王切開術及用子宮鏡檢查。自從哈維氏 (Harvey) 發現了血液循環以後，生理學也就成了獨立學科。更在 1660 年留文胡克氏 (Leeuwenhock) 發明顯微鏡。

當時封建宗教勢力，爲了維持自己的統治地位，成立﹂異端裁判所﹂，鎭壓科學家。如塞爾維塔斯氏 (Servetus) 在快要發明血液循環理論時，因解剖屍體，被喀爾文氏 (Calvin) 判處了火刑，把他活活燒死。所以這個時代醫學的發展帶有革命性，因爲它要爲自由研究而鬥爭。

到 19 世紀由於發明能互變律，施旺 (Schwann) 施列登 (Schlerden) 二氏發現有機細胞，達爾文的進化論，這三個偉大的發明，促進了醫學的發展，﹂而在事實上，到上世紀（18世紀末期）自然科學主要是蒐集的科學，研究總結事物的科學。而在本世紀（19世紀）自然科學在本質上曾變成了整理的科學研究過程，研究這些事物發生與發展及研究聯系這些自然過程，而爲了一個偉大整體的聯系的科學了。﹂（恩格斯：費爾巴哈論）同時資產階級的形而上學哲學，受自然科學發展的影響，給哲學以機械的思惟方法。自然科學家以這種思惟方法去認識自然，必然表現出階級限制性，就不能完全系統的認識自然的本質，所以在整個自然觀上來說，還不如古希臘哲學。德國的觀念論者想把哲學和科學融合在一個體系下，結果反而使它們更加分離。以幻想的思惟來補充自然科學理論，就引起了實證的自然科學家激烈反對。如魏爾嘯 (Virchow) 的細胞病理學，科和 (Koch) 的細菌學，都是以實證的研究所發明。

至 19 世紀後半期由於機械力學的發展，造成自然科學和技術學的分離，在生產中形成極度的分工。醫學的分科也就細緻起來，眼科學、耳科學、喉科學、皮膚科學、產科學、婦科學相繼獨立起來。而資產階級醫學家因限制在專科範圍內，養成狹隘片面性。因形而上學越不能說明發展的自然科學，遂產生馬哈主義的實證論。實證論和機械論有密切的聯系，從馬克思主義立場上看來，因爲它們是非辯證法的，所以本質上都是形而上學。現在實證論對醫學尙有相當支配作用，不過自從工人階級壯大以來，辯證法唯物論和一切資產階級哲學的鬥爭一天天尖銳起來，醫學的發展，是不顧資產階級的主觀願望，步入唯物辯證法法則的範疇。但醫學在爲資產階級服務中，不能不受形而上學的影響。而蘇聯的醫學，則完全排斥了資產階級的形而上學觀點，在唯物辯證法的哲學基礎上充分發展起來，醫學已經不是少數人營利的工具，而成了保證人類健康發展的科學，由廣大人民自由使用，成了建設社會主義的主要組成部分。

在帝國主義國家，「資本主義式的壟斷，也與其他的壟斷一樣，必然發生停滯和衰落的趨勢。隨着壟斷價格的規定（雖是暫時的）改良技術的動機，也相當地消滅下去，因此一切其他進步也消滅下去，這樣便造成一種以人力方法去阻止技術進步經濟上的可能性，例如美國有個歐文斯氏（Owens）發明一種製瓶機，將引起製瓶業的革命，德意志製瓶業卡德爾氏買得他的專利權，並將該發明隱藏起來而不去應用。」（列寧：帝國主義——資本主義的最高階段，中譯本 133—134 頁）資本主義生產關係已經成了生產力發展的桎梏，醫學在資產階級自私自利的個人主義下，發展已受到限制，只有變更社會制度才能掃除醫學發展道路上的障礙。所以醫學發展的前途與無產階級革命的前途是密切聯系着的，同時衛生工作也就成了革命鬥爭的一個環節。

癲癇的歷史

程之範編譯

希臘時代

在希臘，當希波克拉底氏以前認爲癲癇是一種神聖咀咒的結果，稱作「神病」，癲癇的患者在那時是被敬爲諸神垂顧的人，這種情形到中世紀更爲普遍。

希波克拉底氏曾有專論，對於癲癇的臨床症狀十分清晰並說腦的一側受傷可使身體相反的一側發生抽搐；極力反對癲癇爲神聖咀咒和不可治愈的說法。

羅馬時代

在羅馬時代，這個神聖病被認爲是魔鬼凶兆，而受卑視。在集會中一遇此病發生，大家就散會，普通稱此病爲 morbus comilialis，據說即因此而起；不過也可能因爲癲癇患者在大庭廣衆間易於犯病的緣故。羅馬人在街上遇到這種病人時就吐口唾沫，這種風俗到18世紀之末還存在於法國。嚴重的癲癇患者並被隔離不使與羣衆接觸，這是由於古代巴比侖亞述傳來的觀念，相信癲癇是接觸傳染的，這種觀念一直流傳至中世紀，當時癲癇患者是不許售賣飲食的。直至15世紀中葉在阿爾薩斯（Alsace）還存在着癲癇隔離病院。在羅馬對這病也有許多名字：morbus sonticus, morbus lunaticus, morbus major, morbus caducus，尤其 morbus caducus 一名直至19世紀中還有許多國家中應用。

在羅馬蓋倫氏（131—201）發表了他有名的 consilum de puero epileptico，此書存於十世紀的阿拉伯文中。他認爲抽風是一種不隨意的動作，並說，如面部受影響則此病在腦，如不牽及面部則病在脊髓。他第一個述及癲癇的前驅症，慢性癲癇的患者面容及此病的週期。他也信奉希波克拉底氏學派的主張在治療時要考慮衛生方法，慎重的飲食及適當的職業，並說他常見此病因三日瘧的發生而被遏止。他反對放血而主張用驅蟲劑，以免有寄生蟲存在。並以爲海葱醋、芸香和胡椒也很好。

阿利提阿斯（Aretaeus,131—201）對於因腦一側的局部受傷而引起的相反一側的偏癲癇，加以研究，並由此而定出運動路的十字形交叉公式。他主要是論及癲癇的療法，反對阿斯克雷派阿提氏（Asclepiads）所主張的結婚和性慾滿足的治法，而主張攝生法及自然的娛樂。他曾用膽朒臍，斑蝥，另外還有外科用的環鋸，——他是第一個述及由顱骨凹陷骨折所致的癲癇的。

奧利連氏（Aurelianus,540）第一次講到癲癇與歇斯底理的關係，還有並不抽風的類中風性癲癇（小發作）。他述及治療時曾說，如驟然有發紺時即要放血法，此外並用手足縛紮法以阻止其蔓延（這法是自希波克拉底氏得來的）。又有燒灼頭部法、一般攝生法、還有最重要的是適當的工作。

特拉利斯城的亞歷山大氏（Alexander，525—605）曾寫過關於兒童的癲癇，他反對放血並提倡用小心而自然的營養。他是第一個用苦艾醫治癲癇的。

中世紀

由於希臘影響的消失，羅馬醫學遂退化爲巫術、僧侶、法條，以及一些微末小道，醫學知識毫無增進。直到八世紀阿拉伯醫學興起，在布哈拉，開羅，哥德華，以及在西班牙，巴各達都有醫學校，幾乎歐洲現存所有古典醫學著作，都是由這些學校所藏的阿拉伯文本，而得到保存的。

累塞斯氏（Rezas）和阿維森納都以爲有許多不同種類的癲癇也可能有不同種的病因。癲癇一詞最初即見於阿維森納的著作中。他說有一種癲癇是由中毒而起，換言之即毒劑有使人抽搐的效應。他並說希波克拉底氏已曾注意到這一事實。累塞斯氏認爲海葱是最好的治療藥品，但阿維森納則主張用獾片。阿拉伯文稱癲癇爲「兒童之母」，可能是由於此症遺傳的緣故。自阿拉伯學派衰落後，三百年間關於癲癇的知識並無任何增進。

文藝復興時期至十九世紀中葉

至文藝復興時期及鍊金術出現時，巴拉塞爾薩斯氏（1493—1541）以爲癲癇是由於酸性在體內過多。不過他對於大多數疾病都作這樣解釋。他還肯定說在人頭骨中都有一小尖骨，乾燥後製成末狀即有治癒癲癇的神秘特性。

1580 年斐諾爾氏（Jean Fernel）寫過一篇關於此病的極完全的敘述，約在同時布倫那的麥叩利斯氏（Mercurialis）對抽風動作雖曾作仔細的研究，惜也未曾增加什麼新的知識。斯諾爾特氏（Sennert 1532--1637）重又回到此病源於魔鬼說，但由他對鵪鶉、百靈、鵲、猛禽以及鸕鷀、鶏、綿羊、山羊、狗及貓等癲癇所作的觀察，斷定此病在整個動物中均屬常見。

文藝復興時代也就是解剖學進步的時代，在癲癇的知識方面也有一定的進步。1700 年哈弗曼氏（F. Hoffmann）創「血管痙攣說」謂係此病之主因，以致有許多疾病，由癲癇以至心絞痛，都用此說解釋。其後與此性質完全不同的病理學說雖一個個被證實，然而血管痙攣說仍爲人所信仰。其實此說並無任何作爲病因的根據。至 1710 年遂有布爾哈未氏（Boerhaave）的巨著對此病病因加以分類，敘述各種現象並解釋對癲癇的療法，他所喜用的治療法是使生活簡樸而有工作。1750 年薩威革氏（Sauvage）在他的著作:「Nosologie d'Epileprie」一書中搜集了當時所有關於癲癇的知識。

斯他爾氏（Stahl,1660—1734）第一次證明鉛中毒能引起癲癇，其後坦奎若氏（Tanqueral）在 1837 年對鉛中毒研究，也證明了鉛中毒性癲癇（Saturnine epilepsy），布特斯氏（Bretius）在1740 年强調說顱骨凹陷骨折爲外傷性癲癇之病因。又在 1795 年徹內氏（Cheyen）引用乳類食物作爲治療方法。

提索氏（Tissot）的「癲癇論」是對此病作詳盡的臨床敘述的經典，他認爲纈草根（Valerian）極有價值。但也用他種療法。卡楞氏（Cullen）是提索氏的追隨者，他把癲癇的發作分爲兩大類：興奮類和簡單的虛脫類，這就是今日所謂癲癇的大發作和小發作。在此說 1000 年以前奧利連氏（C. Aureliañns）在述驚厥性和非驚厥性癲癇時即首先暗示過的。

1795 年彼內爾氏（Pinel）認爲癲癇是一種神經官能病，他建立了一個癲癇病院，因此對此病的觀察有了很大的增進。1820年該院的挨斯基羅（Esquirol）和卡爾米爾（Calmeil）兩氏發現普通瘋狂癱瘓可同時附有癲癇。1826 年該院比沙（Bouchet）和卡薩維爾（Casanveilh）二氏作了神經衰弱與癲癇之關係的研究。直到一百年後高萬氏（Gowers）才指出精神衰弱並非由於驚厥發作，也不一定由於發作頻繁而生，而是某些癲癇致病主因，影響及腦所生的結果。1840 年陶德氏（Todd）始創「癲癇性癱瘓」一詞，當時稱爲「癲癇後癱瘓」，他和他的弟子們認爲這是在驚厥後腦部因衰竭而無活動力的一種情形。但高萬氏則又以爲是在最嚴重而且反覆的驚厥後也不一定發生「癲癇癱瘓」，反之，此種病的最高程度則於感覺神經抽搐，而不發生驚厥時見到，並且它甚至可能爲一次發作的唯一表現。換言之，這也和精神衰弱一樣是某些類癲癇的一種表現。

1827 年赫爾平氏（Herpin）著作，對此病作仔細的臨床敘述，並包含了當時所有對癲癇的研究。他使用氧化鋅，硫酸銅，對於癲癇之治療是一進步。

德蘭曉夫氏（Delasiauve）於 1854 年在巴黎所著的中，關於此病的歷史。他發現對癲癇作任何的分類都極困難，病原知識很少，病理學的深入探討尤爲缺乏。至於對治療法的選擇則極廣泛，由德氏的分類即可見一斑：

治療方法：

（一）安神法：放血術　溫水浴。

（二）排泄法：吐劑　瀉劑　滲出法：（起皰劑　燒灼　排液　艾灸）。

（三）鎮靜法：安靜劑　石灰泡沫水　巧克力　樟腦　醚。

（四）特定法：纈草、阿魏（Asafoetida）蒜、香芸、麝香、蓖麻、雅片劑、曼陀羅和顛茄、洋地黃、海葱、鋅之氧化物、鋅之硫化物及纈草酸鹽、金鶏納、鐵、靛、銀之硝酸鹽、斑蝥、馬錢子、胡椒、靜脉注射一種混合劑、瘡疾療法、環鋸術。

所有以上的各種治療方法在當時都被認爲有價值（其中尤以纈草被認爲最有效）。

十九世紀後半葉

在19世紀前半葉培爾(C. Bell)諸氏提出一種觀念，認爲來自身體任何區域的周圍刺激，均爲癲癇的一個成因。並對人類反射性癲癇及創傷與瘢痕，尤其有角類家畜脊背部的創痕後的癲癇，都會詳細研究。並强調諸古話乚被嚇得發瘋乛的理由，即爲癲癇的反射來源。至1857年劉考科氏(C. Locock)第一次指出溴化物遏止癲癇發作的影響，此藥的價值以後並在英國證實。直到1910年創用魯米那(luminal)以前，溴化物幾乎爲治療癲癇的唯一有效藥劑。有一時期用得藥量最大，多到每日一千喱(grain)，結果產生溴中毒的麻煩，這情形甚至今日尙存在。高爾氏在19世紀末曾證明溴化物對癲癇最有益的劑量爲每日不超過30喱。

自1864年起周克遜氏(H. Jockson)又重提起癲癇這一問題，並天才的創立了對癲癇的觀念，他的學說是每一個癲癇的發作都在大腦皮質有一局部起動點，而全身性和局部性發作的區別是由此機能障礙向皮質其他部分的擴散力及擴散速度所决定的。他證明皮質的一處局部損害，可能引起限定於此周圍區域的機能的陣發障礙——味覺、嗅覺、聽覺、視覺、普通感覺能的幻覺及抽搐，或某些個別感覺能，如普通感覺的消滅或運動能力的消失等等；他認爲癲癇的發作爲一種機能的喪失，如由神智喪失，及一般身體機能的消失及癱瘓可證明、並謂，在發作中的積極的表現諸如：幻覺、驚厥、括約肌的開放等，均由於在發病中最初受障礙的上部神經系對下部神經系之控制的解除所致(此種謂上部爲機能喪失下部爲機能解除的學說，1924年爲哈頓皮克氏提出)。周克遜氏以爲某種乚下層乛抽搐，可能起源自皮質下的區域，近日斯皮勒氏(Spiller)曾正確的說某些具有强直性及手足搐搦狀痙攣的發作，起源於紋狀體(Straite bodies)，並稱此臨床病狀爲乚紋狀體性乛或乚皮質下性癲癇乛(Subcortical)。周克遜氏證明如此病發作時開始有味覺或嗅覺上的前驅兆，則病源在鈎狀區，並指出常由於鈎狀區局部有大損害所致。他還指出當患癲癇時發生有高度清晰的幻覺，甚至屬於視覺或聽覺方面的亦源於鈎狀區，但如腦部聽覺或視覺中樞受損害時，則生的幻覺却是粗糙模糊的。

査爾科氏(Charot)稱局部癲癇爲乚周克遜氏癲癇乛，但由於對周克遜著作的誤解一般以爲此名稱應用於因腦的局部損害而發生的局部抽搐，而需要局部的外科治療。但實際上由腦的局部損害而起的最普通的發作都是一般性的，而局部抽搐的最普通原因則爲原發性癲癇；雷諾德氏(R. Reynold)在醫院所作的研究曾證實此點，他指出類似尿中毒的單純輾轉不寧現象，常發生於習慣性癲癇患者，而頑固性的癲癇患者甚少見嚴重的局部發作，外科方法僅對有少數由局部損害而患局部抽搐的病例有益處。

1870年夫利什氏(Fritsch)等所作的研究，證明大腦皮質對感應電的局部感應機能及所產生的擴延性抽搐，與當皮質任何部分受到過强刺激時引起癲癇抽搐正好相似。此點予周克遜的學說以有力證明；但他以爲皮質受感應電刺激而生的抽搐結果使得對癲癇起一種乚火柴和火車炸藥乛的觀念，好像皮質經一突然自發的激動後隨之其中包含的乚能乛即發生一大爆炸而釋放出，隨即產生衰竭與癱瘓，然後這乚火藥乛(指腦中能力)再重新聚積。致每次犯病後更易於復發。即像懸得不穩的一吊桶水在每次傾覆後即改變形式而使重心提高，結果乃至再下一次更容易溢出。

此種學說是癲癇知識和治療的前進中的一退步。它漠視在小癲癇中所見的單純知識喪失及普遍的機能喪失現象，放棄了要有正常生活和充分工作的健全攝生的治療法。爲了避免刺激，遂使不幸的患癲癇的兒童離開學校，受不到教育和遊戲。爲了保持安靜不得作有趣的活動。於是在被遺棄者的沮喪和煩倦中助長了疾病的增加。

1880年該里歐氏(Gelineau)第一次述及乚麻醉樣昏睡乛，其後1926年阿提氏(Adie)對此曾作一專論，使此病易於認識，並知此病並不少見。他述及此病可以突然而不可阻止地陷入自然睡眠，而又可於瞬間喚醒，並述及由情緒激動而生的乚猝倒性癱瘓乛。

二十世紀

1906年夫利德曼氏(Friedman)述及類癲癇發作，1923年阿提氏又曾着重敘述過，這類病的各色各樣的小發作狀態發生於兒童時期，與精神的喪癇並無關係，阿氏反對形式的治療，而謂近青年時代時即自然中止，不復犯。這對高窪氏所堅持的癲癇有自然痊癒趨向的話給予一最好的證實。

遠在公元六世紀亞利山大氏（Alexander）即知道投以苦艾可發生實驗性的癲癇。生理學家柏金耶氏（Purkinje）在1835年曾服用樟腦而使自己發生癲癇。布朗塞卡爾氏（Brown-Séquard）自1856—67年曾使豚鼠和其他動物的腦，腦幹及脊髓受損害而造成癲癇，所有他的實驗都被格來漢氏（Graham Brown）於1910年證實。羅波氏（Roeber）在1869年指出防已鹼（Picro toxin）有發生抽搐的效用。羅斯邁（Russmal）泰尼爾（Tenner）二氏在1857年第一次指出腦貧血能致癲癇。在1897年勞松氏（Lawson）指出溴化樟腦可致癲癇。這些在馬斯克氏（Muskens）所作的一切實驗中都應用了，並載於1928年所著的論文中。用動物的腦作實驗性的損害，並沒有找出什麼致病的規律，直到1927年同迪（Dandy）愛爾曼（Elman）二氏才實驗證明由大腦皮質受損造成癲癇時，雙重因素是必須或至少是高度有效的。他們發見在貓的大腦皮質上的一個微小的局部損害不能發生癲癇，但如這貓有一個這樣雖已治癒的損害，若再投以不致產生抽搐的小劑量的苦艾時，結果却產生了與此損害相應的局部抽搐。因此，結論是：假若有苦艾等產生的代謝作用之紊亂存在，而使此貓有潛在性的癲癇，則此局部損害決定可引起抽搐。由此試驗和其他實驗所得的結論，產生了一個理論，即一切癲癇現象不論是特發性的，還是由腦的損害，或由體外毒素，或尿毒症，子癇，佝僂病等等所致的癲癇，乃具有同一的性質，都是由於一些代謝的惡性體質。而人和各種動物都可分爲三類：（一）代謝作用穩定未發生惡性體質的，不論是腦的損害，尿中毒，或他種因素都不能產生癲癇。（二）有潛伏性的癲癇類，其代謝作用沒有如此穩定，則腦的損害，尿毒症以及許多其他原因都可以引起癲癇。此類的人或動物都很容易轉移爲復發性癲癇。（三）經常存在着顯然的惡性體質的，這些即是明顯的特發性癲癇的患者，其發病的時機是由代謝的作用紊亂增加而決定的。

1925年福斯特氏（O. Foerster）指出肺的過量換氣有使習慣性癲癇患者犯病的效能，他令一排患者立住不動，儘力作快而且深的呼吸，結果一個個便會發病倒下，好像兵士們被機槍射倒一樣，這是由於換氣過度，碳酸損失，而使鹼中毒增加所致。有人因換氣過度而發生手足搐搦，這是早已知道的。還有常可見到的，在用奚皮氏（Sippy）鹼性療法醫治胃潰瘍時患者可能發生手足搐搦，癲癇發作，甚或嚴重的癲癇連續狀態，而這些人以前是可能沒有發生過任何現象的。又有一種病似乎從來沒有和癲癇一齊發生過，即是多尿症，由此看來可認爲一種新陳代謝的惡性體質是癲癇的次要因素，而酸鹼性平衡的不穩定形成了此種障礙的一部分，當此不穩定性爲鹼中毒時病即發作。

岐爾達（Gildea）科布（Cobb）二氏1929年繼續了開利（Kellie）考柏（A. cooper）等氏於一百年前所作的研究，探討因癲癇發作血壓降低而引起的大腦貧血。據稱：患癲癇症的驚厥發作可能是天然的一種保護行動，以避免危險的鹼中毒和血壓嚴重的降低，因爲呼吸的停止可以防止二氧化碳（CO_2）的放出，同時肌肉的強迫用力又可增加二氧化碳（CO_2），且可使血壓上昇。

羅素（A. E. Russale）和科利尼（Collier）二氏在1909和1928年先後說明暈厥或昏倒與癲癇之關係，認爲只不過現象屬於同類，在臨床上並無關聯。科氏更說，在一切暈厥發作時（這情形可延長數秒鐘）都可有相當程度的抽搐，通常是在面部，但有時也及於全身。並謂習慣性的暈厥也可以用治療癲癇，偏頭痛或血管收縮發作時有效的方法治療之。並說：在 Stokes-Adams 徵候和陣發性心動過速症中，都可能發生癲癇的發作，但當心收縮不全，或發紺時則不發生。

1910年開始用魯米那（Luminal）治療癲癇及其合併症，曾有很大價值，此藥已大部奪取了溴化物的地位。1924年卡米徹（Carmichael）氏用副醛（Paraldehyde）以遏止連續發作的癲癇，尤其用於緩解癲癇的狀態。

由於癲癇有鹼中毒的因素。遂有人用酸原性的食物，即減少炭水化物而增加脂肪和蛋白質。今日認爲這種食物對治療小兒及青年癲癇有一定的價值。

1937年巴特那姆氏（Putnam）和美利特氏（Merritt）試驗藥物預防貓用電所產生的驚厥，發現 Sodium Diphenyl-hydantronate 比溴劑和巴比土類藥物效力爲優，其後即使用此藥物治療癲癇患者。將藥製成膠囊，成人含 0.1 克，嬰兒及六歲以下兒童用 0.05 克，並可與巴比土類相間使用。一般說來此藥對於大發作較小發作爲有效。韋廉氏（Williams）1939 年報告他用此藥治療的 91 例慢性癲癇，據說 76% 大發作和 63% 小發作頻度減少，但有些例子初期反應良好，後來即漸消失。另一點即此藥物有副作用，用時應小心，且不能認爲此藥能治癒癲癇。

俄國的醫學者布喜氏（И. Ф. Буш）和卡魯可夫斯基氏（А. Чаруковский）認爲癲癇發作是大腦損傷顱骨創傷時所產生的疾病。布爾金科氏（Н. Н. Бурденко）曾指出過創傷在癲癇發生的作用。俄國的學者們除了確定了外界環境在癲癇病因中起主導作用以外，根據臨床的經驗更確定了癲癇的某些類型。更進一步研究了本症中小腦皮質下神經節和視丘下部作用的判明；這些神經結構部位在某些一定類型癲癇的發生上是具有一定意義的。此外由蘇聯醫學家們廣泛的臨床研究證實了植物神經性癲癇的存在。遠在 1863 年窩薩柏氏（П. Ворсаб）即觀察過皮質下部性癲癇症狀的間歇性癲癇患者。1925—1926年伊岑闊氏（Н. М. Иценко）曾描述過與視丘下部損害有關的植物神經症候，賓費爾德氏（Пенфилд）在 1929 年曾有過一例特殊癲癇發作記錄，他稱之爲間腦性癲癇。賓氏的觀察更證實了皮質下癲癇的存在。1936 年伊岑闊氏在提出了腦源癲患者的一般症狀後又把植物神經性癲癇分爲數型：無搐搦神植物性型，震顫型，類寒戰型，無力型，高血壓型等癲癇。

貝可夫氏（Быков）發揚了巴甫洛夫的學說而確定了內臟活動乃是受大腦皮質支配的，並證實了大腦皮質調節內臟工作的機轉，雖有其特徵，但其基礎也是條件反射機轉。

蘇聯醫學者根據大腦皮質對內臟器官調節作用的巴甫洛夫學說爲指南，從新的理論和觀點上證明了皮質內臟性癲癇症。根據臨床的觀察可以證明：皮質內臟性癲癇是由於大腦皮質抑制過程減弱時興奮的爆發和擴散而發生。

參 考 文 獻

1. Bett. W. R.: A short History of some common Disease, P. P. 119—136. 1937.

2. Beaumont. G. E., Recent advances in medicine, P. P. 312—315. 1948.

3. Поемный. Ф. А.: Кортико-висцеральная эпилепсия. журнал невропатологии и психиатрии имени С. С. Корсакова 465—466, 1953.

關節炎的歷史

程之範編譯

一、古　　代

關節炎的歷史可以說比人類的歷史還要久遠。在今已滅絕的白堊紀的蜥蜴骨骼上即顯有關節炎及齲齒。在此上古時代並可查見病灶感染與畸形性關節炎間的關係。在爪哇原人的股骨近髖關節處有一新骨形成，顯然也是由於此病演變所致。此外畸形性關節炎在新石器時代的人類骨骼上也不鮮見。初期人類居住在陰濕的洞穴中經常與飢寒鬥爭，患此種由貧困及營養不良而起的疾病是不足爲奇的。

在下努比亞地區（Lower Nubia）做的古生物考查中，包括對大量得於尼羅河附近沙漠墓地內的古埃及人屍骨的研究，證明了此病自史前時期起經過古埃及的各朝代都有發現。據準玆氏（Wood Jones）謂關節炎是古代埃及人及努比亞人中常見的骨科疾病。此病不但極普通而且發展的相當嚴重。的確，在有些考查過的墓地中發現全體都曾患過較輕的關節炎。此病乃屬於環境的而非屬於種族的。因爲在初世紀遷至 Philae 附近地區的移民中，所發見的骸骨的病況與原有舊土著居民同樣嚴重。據發現其身體的每一關節包括脊柱在內，都曾受到感染，且病狀似甚嚴重。有趣的是這些埃及人，黑種人和經東部地中海地域來的外族人中究竟有一個什麼共同因素會產生此病。因爲尼羅河是所有這些人們的生命泉源，可能這病是由於他們在這河水中經常工作而來。另一因素在這些古代骸骨上極爲普遍的是因爲經常吃堅硬而多砂的食物，牙齒多被磨損。尼羅河區域缺少煮飯用的燃料，多數食物均被生食，所以常發現牙齒被磨得甚至露出齒髓腔，而且齒槽膿瘍也極爲普遍；但今日所謂的齲齒尙不多見。

二、希臘和羅馬時代

在希臘醫學時代，希波克拉底氏著作中述及的「關節炎」顯然與現在我們所說的急性風濕症（Acute rhenmatism）一樣。他論述的病狀是發熱，關節有劇痛，有時在這一關節有時在另一關節，痛期短暫，不致於死，青年人較老年人易罹及。此外痛風（gout）也相當普遍，因影響於足部故希氏之著作以及當時其他文獻均稱之爲足痛風（Podagra），是各關節感染中最强烈、持久，而且痛苦的。但不致死亡，且始終固定於大足趾。在希臘和羅馬的文獻中還有許多講到痛風的，認爲因吃得過多及貪嘴以致發生此病的話；在羅馬一些名詩人中，且常常用這種題目。

「rheum」「rheumatism」和「rheumatic」等字的醫學意義在當時僅用於指「體液」及身體排洩物。

公元一世紀阿利提阿斯氏（Aretacus）認爲關節炎是一切關節疼痛的病；在足部者稱爲「Podagra」；在手部者稱爲「Cheiragra」。他說：「疼痛通過胸廓和背部各肌，頸椎及胸椎都感不適，此疼痛直達脊骨上端。」顯然，他把畸形性關節炎和腰風濕（lumbago）也包括在內。第四世紀時奧利連氏（Caelius Aure lianus）以「Podagra」一字專指足部疼痛，以「arthitis」一字指許多關節疼痛，他的記述今日看來乃是指急性和慢性痛風。至於「rheumatism」一字雖在當時也被人應用（如 Pliny 氏）但其意義僅係指一種加答爾（Catarrh）。

將 rheumatism 或 rheumatic 這名稱和觀念從外部的排出物，和加答爾等意，轉變爲指關節內部的痛疼和腫脹之意，是與體液病原論有關係的。希臘醫學家們認爲人有四體液：血液、粘液、黄胆汁和黑胆汁，並以爲疾病是由於其中某液的過多或過少或混合的不適當而起的。肌肉感到痛疼及關節內侵入滲液被認爲是由於皮膚不能分泌出一種辛辣的體液，結果使之積聚於人體內而產生痛疼，腫脹等等。在蓋倫氏（Galen）以前醫學家們好像只述及關節炎的病徵即已滿足，多未加以解釋，蓋侖才第一次解釋其病理。

三、中 世 紀

這種體液的解釋一直流傳下來，經過中世紀，得爾彼修氏（Delpeuch）曾引用15世紀一位著者的話：「痛風（Gout）一字，在有些情況下是指某一體液流入吾人身體某一部分；因此把某一體液的滲出物不論是流往胸部或任何其他器官都叫做痛風。此外有時此字的意義又僅指各關節的痛疼。這是因由其他器官生出的體液浸入關節的空隙所致。這些器官事實上都將其所餘物流注到其他器官，痛風即由此產生。此一名稱是比擬於自屋頂或樹木上流下來的水滴而來」。（按 Gutta 爲一滴之意）

當時對任何情況的關節炎的治療都是要設法控制紊亂失調的體液。其方法甚多，特別是用放血法；此外各醫家還引用導瀉、吐劑、熱水浴、甘汞及後來的金鷄納樹皮，Dover 氏散，James 氏散（吐酒石）、癒創木（Puaiacum）、撒爾沙（Savsaparilla）烏頭及其他藥物。局部則用水蛭起皰劑，刺激性或安靜性擦藥。西頓那姆氏（Sydenham 1624--89）對痛風症（他自己即是患痛風症的）和風濕症曾作一清晰的分別。他用「Podagra」和「rheumatismus」二字分別代表此兩種病。他又把腰風濕（lumbago）解釋爲體液病的第三種。

他對風濕症喜用放血法，但後來他又傾向于天然療法，謂主要靠謹慎而簡單的食物。

其後修道院中的拉丁文著者們對痛風（Gout）一字解釋爲關節發炎，至13世紀末此字才普遍應用於英國。至用風濕（rheumatism）一字指關節炎是很晚的事。

四、近 代

至18世紀中葉由於病理學的興起，認識了各病都有其特有的解剖的結果，體液學說的病理觀念遂失勢。這在1767年摩干宜氏（Morgagni）出版的「由解剖學研究各病的部位及原因」一書中特別得到證明。因而對於關節炎的發病必定要求新的解釋。卡倫氏（W. Cullen 1710—90）即把痛風和風濕症與發熱病中的其他發炎症同列入一類。

卡倫氏在他的「醫藥施用初步方法」一書中，對急性風濕症曾有很好的解述，他認爲這是一種肌的紊亂失調，由附着於其周圍的膜而影響於關節的。

「關節炎」一詞原指痛風（Gout）及慢性風濕症（Chronic rheumatism）後更包括了所有各種關節長期疼痛，及變形的病。但醫師們却已看到慢性關節病有許多不同的型。第一次區分出我們今日稱風濕樣（rheumatoid）關節炎的人好像是蘭未氏（Landré-Beauvais），時爲1800年，他注意到婦女最常發生此病，並名之爲「原發性無力性關節炎」（Goutte asthénique primitive）。1805年夏甲斯氏（Haygarth）發表了「論關節之結瘤」一文，此種結瘤發現於他治療的患者中。據觀察，此症一般都起在手指關節，然後發展至其他甚至所有關節，使關節變形。他並指出這種病徵與痛風以及急性慢性風濕都不相同。韓貝德氏（Heberden 1710—1801）在慢性風濕症的名字下講到這種情形時又把它與痛風及風濕劃分開，並記述這種以他自己的名字命名的「韓貝德氏結」如下：「這些小硬節——大小如小豌豆，時常在手指上見到，尤其在近關節上端的稍下一點的地方，他們與痛風無關，從未患過痛風的人也會發現此症。它們可終身存在，很少有疼痛或變爲潰瘍者。與其說是不方便，還不如說有些不大好看，不過當任意運動手指時稍有些妨礙罷了。」

其他醫者把這種情形名之爲風濕性痛風（rheumatic gout），但革陸得氏（A. B. Garrod）則以爲既非風濕又非痛風，遂於1858年倡用「風濕樣關節炎」（rheumatoid arthitis），此名和許多同義的名稱即一直被沿用至今。但此病與「慢性骨關節炎」（Chronic Osteo-arthritis）間仍有很多混淆。

1907年革陸得氏（A. E. Garrod）論述風濕樣關節炎與骨關節炎，謂係兩種不同的病，每種各有其特具的病理，由此時起這種區分即被一般人應用。在認識了急性風濕症極可能是起源於細菌以後，風濕樣關節炎也有同樣性質的觀念，遂漸被贊同。但由許多人研究都未能在腫脹的關節處發現過任何細菌，於是遂以此種關節的病變是由於某些遙遠的傳染病灶所生毒性的影響所致。而且病變一旦開始，還能在原來的病灶消滅之後很久，仍繼續發展。

慢性骨關節炎或叫作畸形性關節炎也叫老年性關節炎；又因爲染及脊椎故又名畸形性脊椎炎（Spondylitis deformans）是所知最古老的疾病之一，它發現在古埃及的屍體上，前已述及。此外更發現於龐貝（Pompeii）廢墟中，巴黎墓窖內，和各史前期以至中古時代的坟墓裏。1857年亞當氏（Adoms）曾發表過一篇古典專論，名為「論名關節之風濕性痛風或慢性風濕性關節炎」。然而在這謹慎的研究著作中，仍未免包括了風濕樣關節炎所特有的萎縮性變化病例在內。

斯多克曼氏（Stockman）在1920年明確地區分了這兩種相似的關節炎，他寫過很明白的對關節炎的叙述。

斯穿革魏氏（Strangeways）為了要使關節炎這混亂的問題簡化，曾作了不少貢獻，在1905年開始了對各關節的風濕樣疾病的研究，並且觀察了250個慢性關節炎症的病例，都加以臨床的和顯微鏡下的分析，並將結果送英國皇家學會。對這些資料於1932年曾有報告，謂：骨關節炎及風濕樣關節炎是一種病的同一尺度上相反兩端的表現，即骨關節炎是當組織健壯時，所發生的一種進行性增生之刺激結果，而風濕樣關節炎則為一種退化和分解的結果，發生於組織活力低落之時，並激起一定的炎性反應。由這報告並了解此二症與痛風症相混，常是由於當關節中鹼性重尿酸鹽之沉澱出現，蓋當骨關節炎或風濕樣關節炎時，此現象時常發生。

此外還有許多種與其他疾病併發的關節炎，現在已認清確有傳染性質。關於常與結核病發病的關節炎，關節腫大與腺腫脹（結核的）的彼此相關是很早就知道的。維士曼氏（R. Wiseman）在17世紀就把這種關節炎命名為「白色腫大病」，並且1765年伯特氏（Percival Patt）曾首論及脊椎之形彎曲、瘰癧、頸內或腸系膜中之硬結腺，腕及踝的滑膜腫大，關節腫脹及骨瘍，這些都有起自同一原因的可能。西米氏（James Syme）在1831年首次創議用截除關節的手術治療此種關節炎。此病的治法一向是：對初期的固定法，對晚期的用截除法，直到本世紀之初才有人指出日光對此病重要。

淋病性關節炎在1703年曾被一位名叫莫斯革拉夫氏（W. Musgrave）的所注意，他認為是一種特別風濕病，其後一世紀，韓特氏（J. Hunter）等才把這種關節炎記述詳細，然而直到1879年奈塞氏（Neisser）發現了致此病的淋菌，又數年後一些醫生們在强直及腫大的關節的滲出物中得到此菌後，這種關節炎始確切被認知。

還有類似風濕樣關節炎的各種慢性傳染性關節炎是在扁桃體，中耳、牙齒、消化道，以及皮膚等發炎後發生的，也已被認識。其他傳染性疾病例如猩紅熱、梅毒、肺炎、膿毒血病、痢疾等，也常同時發生關節炎的併發症。

至今日對於牽連關節的疾病可有如下的分類：

1. 已知病原的傳染性關節炎：包括淋菌性關節炎、肺炎雙球菌性關節炎，化膿性關節炎、梅毒性關節炎、結核性關節炎、猩紅熱性關節炎、流行性感冒關節炎、產褥熱關節炎、布氏桿菌關節炎、傷寒的關節炎、桿菌痢疾的關節炎及亞急性細菌性心內膜炎的關節炎等。

2. 可能為傳染性但病原未明者：

（一）風濕性關節炎，（二）風濕樣關節炎：包括成年型、幼年型、强直性脊椎炎、神經性關節炎（Psoriatic arthritis）。

3. 退行性關節疾病：

（一）骨性關節炎，（二）繼發性關節炎：繼發於過去外傷者、繼發於構造異常者，繼發於過去傳染性關節炎者以及原因不明者。

4. 併有新陳代謝障礙的關節炎：

（一）痛風，（二）其他代謝疾病的關節炎性症狀。

5. 神經病性關節炎：

（一）繼發於脊髓痨者，（二）繼發於脊髓空洞症者。

6. 關節之贅生物。

7. 機械性關節病：

（一）外傷性關節炎，（二）位置異常以致損傷後繼發的關節障礙。

8. 混合型：如其他疾病之關節症狀，或局部關節障礙。

參考文獻

1. Bett. W. R.: A Short History of some Common Disease, p.p. 137—145, 1957.
2. Cecil: Textbook of Medicine, p. p. 1426—1428. 1947.

國際醫史動態

蘇聯塞馬西闊衛生組織和醫史研究院一九五三年會議

本年3月26—28日，蘇聯塞馬西闊保健組織醫史研究院青年工作者舉行第一次科學會議。

參加會議的有第一、二莫斯科醫學研究院衛生組織、醫史研究院的教師、中央研究院進修醫師、營養、兒科、藥物、口腔、蘇聯和俄羅斯蘇維埃社會主義共和國衛生部、羅斯托夫（Ростов）、雅羅斯拉夫來（Ярославль）及德涅彼得羅夫斯克（Днепропетровск）醫學研究院的代表們。

會議聽取了18個報告。

首由寇烈斯尼冠夫氏（Б. Н.Колесников）做「巴甫洛夫生理學說是自然科學的辯證唯物主義基礎的貢獻」的報告。扼要地描述了巴甫洛夫的創造對於自然科學辯證唯物主義的論證的巨大意義。

傑亞賓娜（В. Л. Дерябина）和布里奧昂托夫（М. С. Брилиантов）二氏的報告，叙述了巴甫洛夫學說在衛生實際工作中的應用問題。傑氏在「醫院活動中施用了巴甫洛夫學說的一些方法」的報告中，以莫斯科，列寧格勒等地的醫院活動為基礎，分析並揭露了在採用巴甫洛夫學說上的缺點，以及把巴甫洛夫學說單純化和庸俗化的原因。

普塔史吉娜氏（З. Н. Пташкина）做了「雜誌文獻中的衛生組織問題」的報告，並發表了意見。謝爾傑耶夫氏（Г. Н. Сергеев）的報告：「蘇聯政權第一月中地方刊物中的人民衛生機關問題，」是廣泛地研究地方刊物的首次嘗試，並闡明了許多有意義的事實。

青年醫史學家革利果良（Н. А. Григорян），李斯岑（Ю. П. Лисицын）和亞歷山大羅夫（О. А Александров）二氏做了關於蘇聯醫學中神經思想的發展和巴甫洛夫學說對蘇聯醫學的影響的報告。他在報告中叙述了彼得洛夫氏（М. П. Петров）在編輯巴甫洛夫實驗神經學說中的忠實，貫徹始終的工作。李斯岑叙述達爾克歇維奇（Даркшевич）氏的臨床觀點，指出巴甫洛夫生理學派對蘇聯神經病理學發展的有力影響。亞歷山大羅夫在報告中叙述了卓越的蘇聯組織學家拉甫連契耶夫氏（Б. И. Лаврентьев）的創造的思想基礎。

衛生統計的報告內容豐富而有意義。

庫德來甫茨夫氏（Е. Н. Кудрявцев）在關於產業工人患病率的報告中，揭露了存在於工業病研究方法上的一系列缺點，並提出許多寶貴的補充。

文革羅夫（И. В. Венгров）和阿利耶夫（А. В. Алиев）二氏在報告中尖銳地和深刻地揭發了英美反動的文化和醫學。

在討論報告中，有21個發言，其中有巴爾蘇可夫（М. И. Барсуков）教授、醫學科學院醫史科主任彼得洛夫（Б. Д. Петров）、木列塔諾夫斯基（М. П. Мультановский）教授、國家醫書出版局醫史編輯主任阿爾哈傑列斯基（Ю. В. Архангельский）以及蘇聯保健部代表庫爾金（В. М. Курыгин）等。

研究院院長阿書爾闊夫（Е. Д. Ашурков）在總結時指出大會開得很成功。每一個報告都是巨大的嚴肅的工作的結果。每個報告都有高的科學理論水平和巴甫洛夫生理學理論觀點。他着重指出會議對培養青年幹部的重大意義，並提議在研究院中系統地建立青年科學工作者會議。

大會通過在1954年3月開下一次研究院會議。

（溫摘自 Совеÿское Здравоохранение, 3, 1953）

日本舉行「神農祭」並講述「神農本草經」

日本「湯島神農史蹟禮贊」會主辦的「神農祭」1953年6月10日在日本湯島開幕了。在發起書中首先說明存在湯島聖堂神農像之來源：乃是約一千年以前日本天元五年（即宋太宗太平興國七年）由日本東太寺僧奝然氏與佛像一齊由中國帶回日本的。此神像約與人身之大小相等，為現存日本最古的神農像。次由主祭人不破龍登代氏致開會辭並由龍野一雄氏作「關於神農本草經」的專題學術講演，大意說：〔神農本草經大約是漢代以後的著作後人假托神農氏所作。當秦漢時代〔神仙家〕盛行，方士們上山煉丹，以礦物爲長生不老之藥。故在神農本草經中也以礦物藥列爲卷首，次爲草本，蟲獸，果菜，最後才是米食。書中並將藥物分爲上，中、下三品、養命無毒者爲上品，養性無毒者爲中品，治病和有毒的爲下品，這樣的分類成爲本草書中的一種分類方法。〕氏以後並對本草經中的思想、藥型、產地等都加以分析。並說明本草經中大部藥物的應用都非常驚人的正確，其中能用現代藥學知識說明的也不少，並舉出，水銀治療疥瘙白禿和殺皮膚中的蟲虱，水蛭對惡血瘀血，並知多食莨菪可以發狂等等。最後並把神農本草經與傷寒論和金匱要略的用藥方法稍作比較。會後並舉行宴會。

（範摘譯自漢方第二卷第七號52頁）

意大利醫史學家嘉斯提革朗尼氏逝世
(1874—1953)

嘉斯提革朗尼（A. Castiglioni）氏在1874年4月10日生於意大利的里雅斯德（Trieste）城。1882—1890年在該地高等學校讀書，1890—1896年轉入維也納醫學校，1896年畢業得醫學博士學位，旋即從事醫生工作。嘉氏在維也納的時候，受到德國醫史學家瑪克斯紐堡革（Max Neuberger）氏的影響，對醫學史發生了興趣，後便致力醫學史工作，曾在栖亞那（Siena 1921），巴岙阿（Padua 1922—1938）和佩魯査（Peurgia 1934—1938）大學教授醫學史。在國內外都做過講演。

嘉氏最著名的著作是〔醫學史〕一書，1927年在意大利出版，後又出了兩版（1936，1949）該書曾被譯成五種文字。意大利文版多偏重於意大利醫學史，英文版（1941及1947）偏重於世界醫學史。書共1000餘頁，並有插圖500餘幅。

嘉氏在1953年1月21日逝世。

（溫摘自Journal of the History of Medicine and Allied Sciences.8. 2. 1953.）

中華醫史雜誌索引

（1953年1—4號）

一至三畫

四畫

五畫

六畫

七 畫

八 畫

九 畫

十 畫

十 一 畫

十二畫

十三畫

十四畫

十五畫

十六畫

十七畫

十八畫

十九畫

二十畫

二十一至二十五畫

人民衛生出版社啓事

本社將庫存過期刊物交下列兩書店零售，各地讀者如需要時，請逕向該書店聯系購買是荷。

1. 五定醫藥書報社：上海（0）北京東路266號一樓68室。
   醫務生活（1951—1953年6月） 醫藥彙報（1951） 華東衛生（1951—1952）
   醫史雜誌（1951—1953年6月） 蘇聯醫學（第一年至第九年其中三、四年有合訂本），備有各期存刊目錄函索即寄。
2. 健康書店：北京市東四北大街71號
   中級醫刊、醫務生活、蘇聯醫學（以上三刊自53年第7號起）
   中華內科雜誌、中華外科雜誌（以上兩刊自53年第4號起）
   中華兒科雜誌、中華婦產科雜誌（以上兩刊自53年第3號起）
   中華放射學雜誌、中華衛生雜誌（以上兩刊自53年第1號起）
   中華醫學雜誌（自53年第8號起） 中華眼科雜誌（自53年第5號起）

中華醫史雜誌

（季刊）

一九五三年第四號

（每季第三月二十日出版）

一九五三年十二月廿日出版

（本期印數2,500册）

編輯者 中華醫學會醫史學會 中華醫史雜誌編輯委員會

出版者 人民衛生出版社 北京南兵馬司三號

總發行 郵電部北京郵局

訂閱處 全國各地郵電局

印刷者 北京市印刷二廠 佟麟閣路七十一號

每册定價五千元

預定價目

半年二期 10,000元

全年四期 20,000元

平郵在內掛號另加

最近初版新書

婦科學（助產教材）　葉蕙芳編　（上海版）　定價 4,800元

本書共十四章，分述婦科與產科的關係，婦科疾病的徵狀診斷，及婦女生殖器官的發育等。

藥物學（藥劑教材）　林啓壽　徐玉均編　（東北版）　定價 10,000元

本書的內容是根據中華人民共和國藥典第一版（1953）所收載的藥品（法定藥品）爲範圍，按其療效分類討論，共分十二章，每章先作該類藥物一般性的介紹，再分別敘述各法定藥品，每個藥品均按名稱（中名及拉丁名）、重要別名、結構式、來源、性狀、識別法、效用、用法和貯存法等項詳細討論，特別重視性狀和識別法，以便學員更好掌握藥物的特性在管理和調配藥品時不致發生錯誤，在用法項下則說明藥品供應用時重要製劑，使學員能結合藥劑學和調劑學，進一步熟練自己的業務。書中有一二處會涉及一些中華人民共和國藥典範圍以外的材料，目的是在和法定藥品相比較，藉以瞭解法定藥品的優越性，或在目下國內情況特殊性。

分析化學教科書　鄭仁風譯　（東北版）　定價 10,000元

爲中央人民政府衛生部衛生教材編審委員會推荐的中級醫藥學校參考教材。原書係蘇聯保健部推荐的中級醫學校教科書。

內容包括「定量分析」「定性分析」等的理論知識及簡單的實驗操作技術。

飲食衛生圖解（壹冊）　楊寶華等繪　（東北版）　定價 3,000元

本書用通俗的文字說明飲食合理的攝取法，並指何種食物富有營養，特別每段附以圖解，因此它能適合廣大羣衆讀用。

精神預防性無痛分娩法　山東省無痛分娩法推行委員會編……（山東版）　定價 1,400元

根據巴甫洛夫學說用淺顯通俗的文字講述無痛分娩法原理和過程，並附教程三課。可供助產士學習或參考之用。

起死回生　孫則明譯　（山東版）　定價 1,500元

本書是以故事體裁介紹蘇聯先進醫學「起死回生」新法，文筆極活潑流暢。醫務工作者讀之可以豐富經驗；市民讀之可以增加新醫學知識，對於生命保障更有信心。

人民衛生出版社出版　新華書店發行

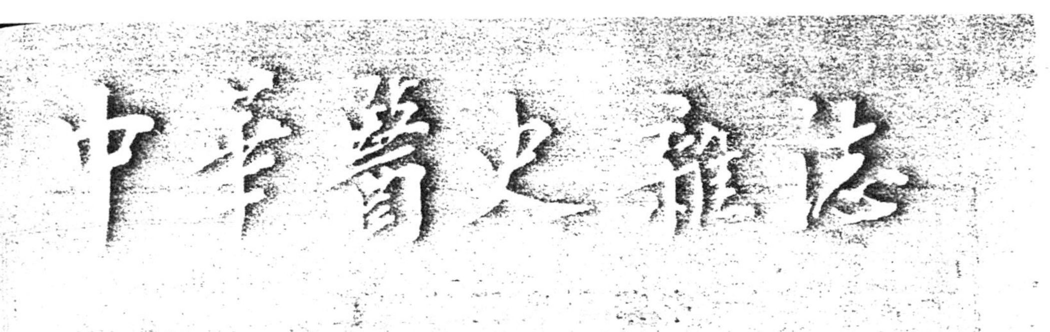

一九五四年　第一號　三月二十日出版

中華醫史雜誌稿約

（一）來稿須用方格稿紙橫寫，每句留一空白，半句不留空。抄寫不可潦草。

（二）如附圖，宜用墨繪出，以便製版。照片不可摺卷。

（三）外國人名譯成中文或加一氏字。外文最好用打字機打出或用小楷寫出。

（四）數字兩位或兩位以上，小數點以下的數字，以及百分數均用阿拉伯字寫。

（五）文摘稿請註明原文出處，必要時應請連同原文寄來。

（六）參考書請按作者姓名、題目名、雜誌名或書名（出版處）、卷數、頁數、年份次序排列，並需在文內引出。書名按著者姓名、書名、年份、出版社排列。

（七）來稿經登載後版權歸本會及作者（譯者）所共有，除一律酌贈薄酬外，另贈單行本三十本。

（八）凡送本雜誌之稿件，未經預先聲明，概不退還，如未經退還，亦請勿投寄他種雜誌。

（九）編輯部對來稿有修改之權，如不願修改，請預先聲明。

（十）來稿請寄北京西四皇城根北京醫學院內，中華醫史雜誌編輯部。

中華醫史雜誌編輯委員

中華醫學會總會醫史學會啓事

我們現在準備在祖國歷代的醫學家中，推選一位最偉大的醫學家出來。希望全國的醫務工作者都來參加提名推選，並詳細列舉所以推選的具體理由，請函寄「北京南緯路中央衛生研究院中國醫藥研究所龍伯堅同志收」，以便彙齊討論決定，不勝企盼。

中西醫都需學習的傷寒論
它的內容和評價

李松聲

傷寒論是漢末張機(仲景)所著的方書，大約完成於公元209年左右。後來經過二百多年曾經晋朝太醫令王叔和編輯，現存的傷寒論就是曾經王叔和編輯的本子。由於這部書總結了公元二世紀人民向傳染病作鬥爭的經驗，同時傳染病又是歷代爲害人類最大的敵人，所以經過一千七百多年，歷代無數名醫的修訂，註解和發揮，直到了現在，仍然爲中醫習醫必讀的書。由於這部書在全東亞人民向傳染病做鬥爭的過程中，有極大貢獻，我們有必要將它的內容介紹出來，使西醫知道祖國偉大醫家的偉大發明，同時也使中醫明瞭這部書的眞正價值所在，並且如何取精去粗和推陳出新。

主要內容

這部書按照病人的證候和醫生的檢查規定了治病的方法，共397法。當時治病法主要是給病人開方吃藥，所以這部書共收錄了113方。因爲經過後人屢次修訂，所以397法和113方的數目字與現在書中所記有些出入。但是絕大部分仍是原書的形式。

疾病的分類和病名

人身是一小天地的說法，秦漢以來，已成定論，所以醫生認爲傳染病是受了氣候的影響，假使氣候不正，人受了涼，便會得病，因稱這類病爲傷寒。但是四時都可遇見相似的傳染病，爲了區別起見，隨着四季給以不同名稱，例如秋冬所患的病叫傷寒，春天稱爲溫病，夏天稱爲暑病。因爲一時常有很多人患相同的病，稱之爲時氣病，也就是流行病。更因爲傳染病的病程有長短，這部書中規定凡是6—12天能好的病叫作傷寒、溫病或暑病。12天以上仍然不能痊癒的病，稱爲溫瘧、風溫、溫毒、溫疫等。此外這部書更記載了相當於破傷風(痓)，風濕（濕痺），中暑（暍），霍亂等病的症候和病

圖 1

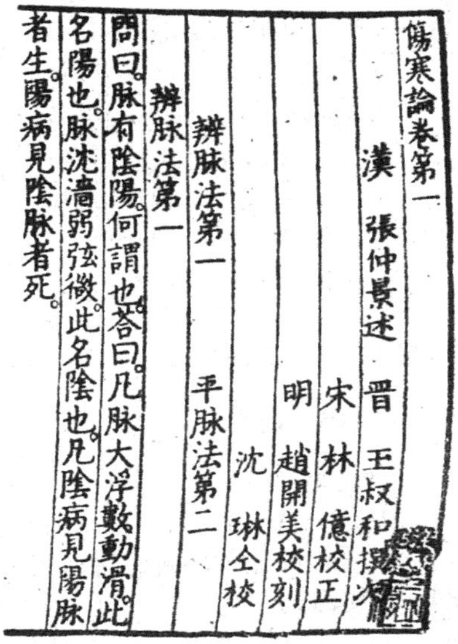

傷寒論卷第一
漢 張仲景述 晉 王叔和撰次
宋 林 億校正
明 趙開美校刻
沈 琳仝校
辨脉法第一 平脉法第二
辨脉法第一
問曰。脉有陰陽。何謂也。答曰。凡脉大浮數動滑。此名陽也。脉沈濇弱弦微。此名陰也。凡陰病見陽脉者生。陽病見陰脉者死。

圖 2

名，還有由於當時記載簡略，我們不能判定爲什麼病的病名，如痙、濕、風濕等。但是這些病的起原全歸咎於受寒，這部書專講這類病，所以稱這部書爲傷寒論，假使我們譯成現在的語彙，應該稱爲傳染病學。

由上邊所說，我們可以知道，當時對於急性傳染病是按季節，病程和特殊症候，給以種種名稱，自然現在看起來有些混亂，但是在公元二世紀已經是驚人的成就了。

病程和症候

疾病的症候隨着患病日期而改變，是顯而易見的事。由於當時六經的學說盛行，於是認爲病的進行由此經傳至彼經，六經遞傳共需六日，六經傳完以後，恢復期也需要六日。所以前後病程共12日，但是也有例外的。這部書按照主要證候羣分成六經，更將每經所能遇到的證候，一一記載下來，並規定處治方法。換句話說就是按照證候，施以治療。各經證候略如下表：

1. 太陽經證

主症：脈浮、頭項痛、惡寒、發熱、出汗、惡風。

能見到的症候：脈：緊、數急、浮緊、洪大、浮弱、沉緊、結代。

發熱：鼻鳴咽乾、往來寒熱、譫語、身重、四肢急、頭痛、身痛、手足冷（厥）。

消化系症：舌苦、口渴、嘔吐、不欲食、胸滿（痞）、胸滿而痛（結胸）、腹滿、腹痛、小便不利或數，大便硬（鞕）或稀（溏）。

精神：煩滿、不安，驚狂、直視、心亂、心悸、頭眩、痙攣（驚癎）。

其他：皮膚黄色、喘、咳、氣短。

附註：此項指見於原書［太陽病脉證並治］中的證候來說，以下各經仿此。

2. 陽明經證

主症：胃家實。

能見到的症候：脈：大、浮緊、遲、滑疾。

發熱：出汗、惡寒、頭眩、譫語、手足涼（厥）、身重、發狂、喘，

疼痛：骨節、頭、咽、脅下、心。

消化道：口苦、咽乾、舌苦、嘔吐、不能食、腹滿、心滿、胸滿、脅滿。

大便：硬（鞕）、稀（溏）、黑。

小便：不利（不通）、數。

皮膚：發黄、蟲行。

3. 少陽經證

主症：口苦、咽乾、目眩。

能見到的症候：脉絃細、沉緊、小、耳聾、目赤、煩滿、頭痛、發熱、脇痛、譫語、嘔吐。

4. 太陰經證

主症：腹滿、吐、食不下、自利（腹瀉）、腹痛，胸下結鞕、四肢疼痛。

能見到的證候：脉浮、緩、弱、自利、不渴、發黄、腹滿痛。

5. 少陰經證

主症：脉微細、欲寐。

能見到的症候：脉：沉細、數、無脉。

疼痛：咽、身體、骨節、心下痛、腹痛，

發熱：惡寒、眩、譫語、口燥咽乾、嘔吐。

煩燥、不得眠、胸滿、腹脹。

大便：下利、便膿血。

小便：不利。

6. 厥陰經證

主症：口渴（消渴）、氣上撞心、心中疼熱、不欲食、吐蛔蟲（蚘）、下之利不止。

能見到的症候：脉：微浮、遲、滑、細欲絕、緊。

發熱：手足冷（厥）、膚冷、出汗、惡寒、譫語。

疼痛：四肢、身體、頭、咽。

大便：下利、膿血。

煩滿、腹脹、嘔吐。

由傷寒論中所記載的證候，可見三陽證以發熱最突出，其餘各種證候全是由發熱引起的，總之是一種發高熱的現象。三陰證皆有脉跳動微細和下瀉的徵象，乃是發高熱日久，侵犯消化道和心臟的病人。

治病的方法

傷寒論中提出了汗法、吐法和下法，並規定了三法的適應證和禁忌證。但是他所說的下法是包括利尿和健胃法，又汗法包括興奮和鎮靜法。可見當時的醫生已能使用解熱、興奮、鎮靜、瀉下、利尿、健胃、催吐以及止瀉的藥，所以書中雖僅提出三法治病，實際上他已運用了八種以上對於人身起作用的藥劑。

藥物和藥方

書中共載近80種藥物，並由這些藥配伍爲113方。假使我們按這些藥物的功用來區分，可以分爲下述八類，共100個藥方，其餘還有幾個藥方因爲價值不大，略去不論。

1. 解熱劑 傷寒論中的藥，現在用實驗已經證明有效的解熱藥有麻黃、柴胡、黃芩、知母和蜀漆(常山)，也是本書上所載桂枝湯、麻黃湯、柴胡湯、葛根湯和白虎湯的主藥。解熱藥方可分爲五類，計共37方；每個方子最少的是三味藥，最多的是13味藥，最常用的調味藥有甘草、大棗、薑、桂枝等。

（一） 桂枝湯類方

共十九方，各方合共用藥十九味。用途主爲清凉解熱。

方名 ＼ 藥名	桂枝	芍藥	甘草	生薑	大棗	附子	厚朴	杏仁	膠飴	人參	石膏	白朮	茯苓	牡蠣	蜀漆	龍骨	葛根	麻黃	大黃	適應證
桂枝湯	1	1	1	1	1															發熱初期
桂枝甘草湯	1	1	1	1	1															
桂枝加桂湯	1	1	1	1	1															針時傳染者
桂枝加芍藥湯	1	1	1	1	1															腹瀉時痛
桂枝去芍藥湯	1		1	1	1															脉促胸滿
桂枝去芍藥加附子湯	1		1	1	1	1														下後，脉促胸滿
桂子加附子湯	1	1	1	1	1	1														四肢急難以屈伸
桂枝加厚朴杏仁湯	1	1	1	1	1		1	1												喘
小建中湯	1	1	1	1	1				1											心悸而煩
桂枝加芍藥生薑人參湯	1	1	1	1	1					1										身疼、脉沉
桂枝二越婢一湯	1	1	1	1	1						1									脉微弱
桂枝去桂加茯苓白朮湯		1	1	1	1							1	1							小便不利
茯苓桂枝甘草大棗湯	1		1		1								1							
桂枝去芍藥加蜀漆龍骨牡蠣救逆湯	1		1	1	1									1	1	1				起臥不安
桂枝甘草龍骨牡蠣湯	1		1											1		1				煩燥
桂枝加葛根湯	1	1	1	1	1												1			項背强
桂枝麻黃各半湯	1	1	1	1	1			1										1		如瘧
桂枝二麻黃一湯	1	1	1	1	1			1										1		如瘧、一日再發
桂枝加大黃湯	1	1	1	1	1														1	實痛

由上列諸方的適應證，可以推知桂枝湯本方是無大作用的藥，所以初得病的人可以服用。更可推知芍藥有鎮靜止痛的作用，杏仁有止喘的作用，人參、附子有興奮作用，茯苓和白朮有利尿作用。蜀漆有解熱的作用。事實上也證明這些藥有那樣作用。

（二） 麻黃湯類方

共六方、各方共用藥十二味（附註：僅細辛五味子和半夏未見於上列諸方）。

方名＼藥名	麻黃	桂枝	甘草	杏仁	石膏	生薑	大棗	細辛	五味子	半夏	附子	芍藥	適應證
麻黃湯	1	1	1	1									太陽病，八九日不解，服湯已發、必衄、發汗。
麻黃杏仁甘草石膏湯	1		1	1	1								汗出而喘
大青龍湯	1	1	1	1	1	1	1						脉浮緊、發熱惡寒，身疼痛，不出汗，煩燥。
小青龍湯	1	1	1			1		1	1	1		1	心下有水氣
麻黃附子細辛湯	1							1			1		發熱脉沉
麻黃附子甘草湯	1			1							1		少陰發汗

由上方可知主要用麻黃解熱，其餘皆爲調味藥和健胃藥。

（三） 葛根湯類方

三方，各方共用藥十味（附註：僅黃連黃芩未見於上列諸方）。

方名＼藥名	葛根	麻黃	桂枝	生薑	甘草	芍藥	大棗	半夏	黃連	黃芩	適應證
葛根湯	1	1	1	1	1	1	1				太陽陽明合病、必自利、項强無汗。
葛根加半夏湯	1	1	1	1	1	1	1	1			去嘔
葛根黃芩黃連湯	1				1				1	1	下後利不止，脉促、喘，出汗。

上方的解熱作用爲麻黃或黃芩

（四） 柴胡湯類方

六方，各方共用藥十七味（附註：僅柴胡枳實鉛丹芒硝栝樓根未見於上列諸方）。

方名＼藥名	柴胡	黃芩	人參	甘草	生薑	大棗	半夏	芍藥	枳實	桂枝	龍骨	牡蠣	鉛丹	茯苓	大黃	芒硝	栝樓根	適應證
小柴胡湯	1	1	1	1	1	1	1											傷寒五六日，發熱、胃滿、不食、和解。
大柴胡湯	1	1			1	1	1	1	1									太陽病經十餘日，微煩、壯熱作嘔。
柴胡加桂枝湯	1	1	1	1	1	1	1	1		1								六、七日、發熱、肢痛、微嘔。
柴胡加龍骨牡蠣湯	1	1	1	1	1	1	1			1	1	1	1	1	1			胸滿煩驚
柴胡桂枝乾薑湯	1			1	1					1		1					1	傷寒五、六日，胃滿、發熱、心煩。
柴胡加芒硝湯	1	1	1	1	1	1	1									1		傷寒十三日不解，胃滿、發熱、日哺潮熱。

上列六方用柴胡和黃芩解熱。

（五）　白虎湯類方

三方，共八味（附註：僅知母粳米、竹葉、麥門冬未見於上列諸方）。

方名＼藥名	知母	石膏	甘草	粳米	人參	竹葉	麥門冬	半夏	適應證
白虎湯	1	1	1	1					裏熱
竹葉石膏湯		1	1	1	1	1	1	1	
白虎加人參湯	1	1	1	1	1				

主用知母解熱。

解熱藥的用法

（1）傷風、感冒初得之發熱證，用桂枝湯，清涼解熱。

（2）發熱有喘，不出汗，已七、八日者用麻黃湯。

（5）高熱時，不出汗，有喘用葛根湯，主用麻黃或黃芩以解熱。

（4）高熱時，發熱已六、七日，胃滿者用柴胡湯。主賴柴胡黃芩解熱。

（5）上藥皆無效，仍高熱，用白虎湯，主賴知母解熱。

2.　催吐劑　主要用苦味藥作催吐劑，如梔子、瓜蒂等。現知傳染病人無須用吐法，所以此類方劑不重要。

梔子湯類方及瓜蒂散

方八、藥九味，目的在吐，吐則止。

方名＼藥名	梔子	香豉	甘草	生薑	厚朴	枳實	黃蘗	適當證
梔子豉湯	1	1						發熱，陽明病，虛煩不得眠，心中懊憹，胃中窒。
梔子甘草豉湯	1	1	1					＋少氣｝服一半，吐則止
梔子生薑豉湯	1	1		1				＋嘔｝服一半，吐則止
梔子乾薑湯	1			1				
梔子厚朴枳實湯	1				1	1		傷寒下後，心煩腹滿，臥起不安（服一半，吐則止）。
梔子柏皮湯	1		1				1	傷寒身黃發熱
梔子枳實豉湯	1	1				1		
瓜蒂散	瓜蒂，赤小豆							

上方皆用梔子或瓜蒂的苦味來催吐。

3.　瀉下劑　主要用大黃，芒硝（硫酸鈉），偶用巴豆、甘遂，大戟。衰弱病人用蜜製成坐藥插入肛門，更或用灌腸法，尤其是這兩個方法有利無害，簡便易行，應該提倡。

承氣湯類方

共11方，共用藥19味

湯名＼藥名	大黃	芒硝	厚朴	枳實	甘草	桃仁	桂枝	水蛭	蝱蟲	葶藶	杏仁	甘遂	大戟	芫花	桔梗	巴豆	貝母	麻仁	芍藥
大承氣湯	1	1	1	1															
小承氣湯	1		1	1															
調味承氣湯	1	1			1														
桃仁承氣湯	1	1			1	1	1												
抵當湯	1					1		1	1										
抵當丸	1					1		1	1										
大陷胸湯	1	1										1							
大陷胸丸	1	1								1	1	1							
麻仁丸	1	1		1							1							1	1
十棗湯												1	1	1					
白散															1	1	1		

以大黃芒硝爲瀉劑者九方，白散以巴豆爲主藥，十棗湯以甘遂大戟爲主藥。

外有蜜煎導方，即用蜜製成坐藥，豬膽汁方，即用膽汁灌腸。

4. 止痢劑 白頭翁和黃連均經實驗證明有殺菌之效，所以本書所載白頭翁湯應是有效的藥方。其餘則無效用。

三方，藥八味。

白頭翁湯	白頭翁 黃蘗 黃連 秦皮。
桃花湯	赤石脂 生薑 粳米
赤石脂禹餘糧湯	赤石脂 禹餘糧

5. 利尿劑 茯苓、猪苓、澤瀉、白朮、葶藶均爲自古試用有效的利尿藥、但文蛤散及茵陳湯是否有效，現尙不明。

6. 鎮靜劑 附子少量有興奮作用，大量有鎮靜作用，芍藥有鎮靜作用均經證實。四逆湯類方共11方，皆用附子或芍藥。似用其鎮靜作用。亦或用其興奮作用。

五苓湯類方

本方四，類方二，利尿劑，共19味。

方名＼藥名	猪苓	澤瀉	白朮	茯苓	桂枝	阿膠	滑石	甘草	生薑	牡蠣	文蛤	茵陳	梔子	大黃	蜀漆	葶藶	商陸	海藻	栝樓	適應證
五苓湯	1	1	1	1	1															
猪苓湯	1	1		1		1	1													素問已用澤瀉，白朮、利尿，茯苓，猪苓，葶藶商陸皆有利尿作用。
茯苓甘草湯				1	1			1	1											
牡蠣澤瀉湯		1								1					1	1	1	1	1	
文蛤湯											1									是否有效，未明。
茵陳蒿湯												1	1	1						

四逆湯類方

正方八，附方三，共17味。

方名＼藥名	附子	乾薑	甘草	人參	猪胆汁	茯苓	葱白	人尿	枳實	柴胡	芍藥	當歸	桂枝	細辛	通草	大棗	吳茱萸	適應證
四逆湯	1	1	1															腹瀉，吐、食不下，自利、腹痛。
四逆加人參湯	1	1	1	1														霍亂、惡寒，脉微而利。
通脉四逆湯	1	1	1															下痢、外熱，手足厥逆、脉微，惡寒。
通脉四逆加猪胆汁湯	1	1	1		1													霍亂，吐，汗厥、脉微
乾薑附子湯	1	1																
茯苓四逆湯	1	1	1	1		1												
白通湯	1	1					1											少陰痛，下利、脉微
白通加猪胆汁湯	1	1			1		1	1										下痢，無脉，厥逆，乾嘔
四逆散			1						1	1	1							
當歸四逆湯			1								1	1	1	1	1	1		手足寒，脉微
當歸四逆加吳茱萸生薑湯		1	1								1	1	1	1	1	1	1	

附子視爲溫藥（大約用其鎮靜作用，凡脉微沉遲、手足寒、下利皆用之）。芍藥亦爲鎮靜藥。

7. 健胃劑 黃芩、黃連、大黃均爲苦味健胃劑，生薑爲辛辣健胃劑，芍藥有安靜腸胃的作用。

瀉心湯類方共15方。

瀉心湯類方

方 13，各方共藥 13 味。

方名 \ 藥名	生薑	甘草	半夏	人參	黃芩	黃連	大棗	芍藥	大黃	附子	旋覆花	代赭	厚朴	適應證
瀉心湯					1	1			1					復汗作痞
生薑瀉心湯	1	1	1	1	1	1	1							
半夏瀉心湯	1	1	1	1	1	1	1							痞滿不痛
甘草瀉心湯	1	1	1		1	1	1							客氣上逆
甘草乾薑湯	1	1												心煩惡寒
黃芩加半夏生薑湯	1	1	1		1		1	1						合病下利
芍藥甘草湯		1						1						
黃芩湯		1			1		1	1						少陽合病
大黃黃連瀉心湯						1			1					誤下誤汗攻痞
乾薑黃連黃芩人參湯	1			1	1	1								
附子瀉心湯					1	1			1	1				
旋覆花代赭石湯	1	1	1	1			1				1	1		噫氣不除
厚朴生薑甘草半夏人參湯	1	1	1	1									1	汗後脹滿

以黃芩、黃連大黃生薑爲主、皆苦辛之藥。

8. 興奮劑 白朮、附子、人參均有興奮作用，理中湯類方九方皆以此爲主藥。

理中湯類方

方九，各方共藥 11 味。

方名 \ 藥名	茯苓	白朮	芍藥	附子	生薑	人參	甘草	桂枝	大棗		適應證
眞武湯	1	1	1	1	1						心悸頭眩
附子湯	1	1	1	1		1					少陰惡寒
理中湯		1			1	1	1				
甘草附子湯				1			1				
桂枝附子湯				1				1			
桂枝人參湯		1			1	1		1			協熱下利
芍藥甘草附子湯			1	1			1				汗後惡寒
茯苓桂枝白朮甘草湯	1	1					1	1			逆滿頭眩
桂枝附子去桂加朮湯		1		1	1		1		1		大便鞕，小便自利

以白朮、附子爲主藥，似以興奮爲主。

評 論

1. 傷寒論所載藥方百餘個，按其對於人體上所起的效用，列爲八類，共 12 個表。從這些表裏可以清楚地看出，中國早在公元二世紀已能正確使用解熱藥，瀉下藥、利尿藥、催吐藥、鎮靜藥、興奮藥、健胃藥和止利藥，共用藥近 80 種，其中絕大多數的藥物效用，曾經現代科學證實無誤。試與同時期的希臘、羅馬醫學相比，實有過之而無不及。這些藥直到現在仍被醫生應用着，對於東亞人民供獻之大，實在無法計算。尤其是大黃、麻黃兩藥，現在已成爲世界各民族通用的藥。誠然是中華民族足以自豪的對於人類的偉大貢獻。

2. 在公元二世紀，按照季節、病程和特殊症象來區別傳染病，並給以病名，是人類認識疾病的一種進步方法。但是自19世紀末葉人類隱藏敵人就是病原菌發現以後，那種舊的傳染病分類法和病名，無疑應該拋棄。同理病程和症候也不應該還用三陽三陰來區分。自從體溫表應用於測量人體熱度以後，以前所爭的陰陽表裏，幾分鐘便可以解決，爲什麼還費很大功夫去記誦那些很不易記的六經證治。所以我建議中醫科學化的第一步便是使用體溫表來檢查體溫，不再憑着「脈浮，頭項强痛，惡寒」，診斷爲太陽證，更無須憑着「脈微細，欲寐」來斷爲少陰證。所以傷寒分經是應該拋棄的東西了。

至於用藥的方法，建議按照上列八類方劑的適應證靈活運用。由於近代科學已證明上述百餘方中的有效藥僅僅20—30種，假使用對了主藥(君藥)，便能奏效，自然近年發明了許多傳染病的特效藥，也應該學習怎樣施用，例如白喉血清，磺胺，青黴素等等，等到中醫吸收了新醫的知識，中國自然也沒有舊醫存在了。

3. 中西醫團結第一個條件是彼此相知，西醫要瞭解中醫的理論，病名和藥名，傷寒論是每個中醫必修的書，其中藥品是現代中醫用藥的基礎。所以每個西醫都應看一遍傷寒論，但是在醫務繁忙的今日，而且新舊語彙不同的條件下，實在妨礙了西醫向中醫學習的道路，今天我特將這部書譯成現代語言，並且去粗取精，列成簡表，易於學習。這當然只能算是向中醫學習的第一課，離着通曉中醫全部內容自然尚有距離，直到每個西醫都明白中醫學的內容，自然西醫的名字，就不再存在了。

鍼灸的發展和在世界各國研究的現狀*

宋大仁

一、起源和發展

遠在新石器時代，人類穴居野處，與禽獸爲伍，夏季與烈日相爭，冬季和嚴霜抵抗，皮膚異常堅固，但在和異族搏鬥，皮膚破了便塗裹包紮，偶然生了疾病，祇曉得祈禱鬼神或利用符咒，往往無效，偶然利用石針之類的東西，流出血液，覺得輕快，這是針的前身。王太僕云：古者以砭石爲針。金元起云：砭石者是古時外治之法，有三名，一針石、二砭石、三鑱石，其實是一樣的，這便是鍼術的開端，山海經東山經說：「高氏之山，其下多箴石。」又說「高氏之山有石如玉可以爲箴」，箴就是鍼也就是針字，漢書藝文志「用度箴石湯火所施」顏師古註「箴可以刺病也」，管子輕重篇和淮南原道訓所用箴字，可以爲證。當時人類用鍼砭治病，也祇是在皮膚淺層[1]，也就是說鍼刺所達到的，不過肌膚的淺層，並不能深入，到了鐵器時代鍼是用鐵做的了，鍼刺所達到的地方，可以深入一點而施行鍼刺的希望，也跟着要想深入一點。

灸法也是在懂得熟食以後，無意中被火灼傷了皮膚，但是同時却解除身體上某種疾病的痛害，因而知道了灸法可以甦病，後來逐漸改進，成爲治病的方術。

針的療法，在文獻上最早出現於左傳成公十年，所載晋景公病，請醫緩來診治，醫緩說：「疾不可爲也，在肓之上，膏之下，攻之不可，達之不及，藥不至焉。」杜預根據漢魏傳統的舊說，把達字解釋爲針字[2]，因爲後漢的鄭康成，三國的荀悅都認達字爲針刺，所以這「左傳」的「達」字，已是針刺療法的最早記載。至於灸法的記載，要算最早見於「莊子」盜跖篇。

在史記扁倉列傳所載越人扁鵲「刺維會而起虢太子之尸厥」，漢華元化針腦空以愈魏武帝之腦風。所謂刺法即是針術之舊稱，考之往古歷史，負有盛名的醫家，都能兼擅針灸之術，漢有郭玉，華佗，及魏之崔彧李譚氏，並以針名，後漢張仲景之傷寒論，晋王叔和之脈經，均有宜刺禁刺之紀錄，至於晋皇甫謐之甲乙經，成於公元256年以後，是集合「鍼經」「素問」和「明堂」三部古書，删繁擷要而成。唐孫思邈千金方、王燾外台祕要，亦有經穴專篇，宜針宜灸，對症施行，而王超、甄權等並有著述。到了宋世仁宗時，特詔王維德考訂經穴，鑄爲銅人，其後王執中著針灸資生經七卷。劉元賓著洞天針灸經，下及金元太師竇漢卿精針術，著有標幽賦，張潔古醫書著述甚多，亦擅針灸，滑伯仁（壽）得東平高陽之傳，遠近聞名，元醫忽必太烈著有金蘭循經，王鏡澤得竇氏之傳，重註標幽賦，傳其子國瑞，國瑞傳廷玉，廷玉傳宗澤，世守其業。明季有顧龍著針灸要覽，吳嘉言鍼灸原樞，汪機針灸問答，姚亮針灸圖經，陳會神應針經，高武針灸節要與聚英，楊繼洲針灸大成，各有發揮，更有黄良佑、陳光遠、李成章等亦以針術鳴世。明刊圖書編，章潢（本清）輯，有人身經絡全圖，詳註經穴部位和名稱。將來影印刊行，可供針灸家參考。自宋至明，可稱全盛時期。現在留傳民間最廣的，要算是針灸大成一書，這是明末清初的著作，醫者無一不奉此書爲惟一的書本。而所操以治病的法則，莫不跟從師傅的傳述與平日的積驗。至民元以後，陝西黄竹齋曾將內經以及千金外台等書所有的孔穴，彙輯考正而成巨製，張山雷氏亦嘗考正孔穴，印有

---

* 1953年10月17日中華醫學會上海分會醫史學會針灸座談會上報告。

(1) 劉向說苑卷二說：「病者肌膚，鍼石之所不及也」鹽鐵論輕重第十四說：「夫拙醫不知脉理之腠血氣之分，忘刺而無益於疾，傷肌膚而已矣」可見古代人類用鍼砭治病，只在皮膚淺層。

(2) 引自余雲岫：「針灸孔穴之我見」的第三節：「針灸療法考古」中的話（醫務生活1952年12月號第11頁）。

成書，可見歷代的醫生，曾煞費苦心，積累了豐富的經驗。現在新中國的人民政府與人民解放軍的醫務機關中，好些也採用了針灸療法，並且已取得了成效。近年在中央衛生部領導下，設立了針灸療法實驗所[(1)]進行了治療、研究及培養幹部三者結合的實驗工作，已獲得了初步的成績和經驗。

二、經穴和十二經脉

歷代所有針灸書籍，如素問、靈樞、難經、子午經、甲乙經、明堂針灸圖、千金外台等，就中最古而比較完備的，要算晉朝皇甫謐的「甲乙經」了。至於素問這部書，現雖仍在流傳，可惜已經後人改編，已非唐前的面目了。「鍼經」說起來就是現存的「靈樞」、是否即是鍼經的原來面目，不得而知了。但以靈樞經和甲乙經及楊上善「太素」相對照，其中有一大半是相同的，所以「甲乙經」採集靈素的話，似乎有據。在南朝劉宋時代有秦承祖者著「偃側雜鍼灸經」，唐孫思邈以「甲乙經」來校「秦承祖圖」曉得秦圖有闕漏，於是採用甄權的「新定圖」來著針灸經，現存的「千金方」卷29、卷30，「千金翼方」卷26、卷27、卷28的針灸，就是孫氏的「針灸經」。但孫氏說：依甄權的「明堂圖」為定，而甄權的新圖，是取法於「甲乙」的，由此可見「甲乙經」甄權孫思邈的「明堂孔穴」都是相同的。今據「甲乙」「千金」和「千金翼」計算之，書中所載孔穴之總數，都是649穴其中單穴49，雙穴300，穴名共349。但千金方把側人圖足少陰腎經的最後一穴會陰當做雙穴，所以單穴少了一名，寫成48名，這是有些錯誤的。然「千金翼」已把它改正過來了。在單穴添一穴會陰，成49穴，雙穴減少一穴成300穴(兩側共600穴)總起來就是649穴，唐外台祕要比甲乙經多了雙穴八名，就是胆腑人第四，多了後腋、轉穀、飲郄、應突、脇堂、旁庭、始素七名，都是雙穴，膀胱腑人第11末多了膏肓俞一名，也是雙穴，按照穴名計算，多了八名，若照孔數計算，多了16穴[(2)]，歷代文獻，經穴之數，各書不一，從用穴來講，由少數穴位發展為多數穴位，由異名整理為同名穴（如長强達17名，關元達27名之多）由散在孔穴發展為系統的孔穴，發展到十四經出現後，更有「經外奇經」「穴外奇穴」甚至說「寸寸人身皆是穴，但開筋肉莫狐疑」（見行總總要歌）然尋常所習用者，亦有350餘穴，其中有效者固多，用之不得當或無驗者亦復不少。在日本明治維新之後，已知舊說經穴徑路之模糊影響，不盡可靠，曾一度廢棄，其後在明治20年間，醫學士大久保適齋始注意之，醫學博士三浦謹之助更發展「鍼治之科學的研究」[(3)]樫田十次郎及原田重雄兩氏之「灸治論」後藤道雄氏之「論黑特氏（Head）帶與古來鍼灸術之關係」力言鍼灸在治療上之價值，後藤氏並引證美國黑特氏所唱導的神經過敏帶治療點之說，謂與腧穴學有同一意義，於是引起該國政府的注意。至公元1913年（大正二年）文部省特設經穴調查會，任命醫學博士三宅秀等六人爲調查會委員。[(4)]歷時六年，始克完成審查工作，於舊經穴660餘穴中，删除身體局部無關重要之穴，得120穴，名爲「孔穴」，計頭部正中線六穴，頭部側線九穴，顱頂部二穴、額部二穴顳顬部三穴，耳前部二穴，耳下部一穴，顏面部九穴，頸部二穴，背部正中線四穴，背部側線13穴，胸部12穴，腹部正中線七穴，腹部側綫16穴，側腹部六穴，肩胛部二穴，上肢部13穴，下肢部11穴，合如上數；此外舊經穴被認爲完全無效，並改經穴爲孔穴，部位經大澤氏由解剖學的觀察，慎加訂正，復經吉田富岡二氏針灸屍體，指示準確之部位，用爲標準，並由文部省正式公佈，取繁於簡，易於傳習，在治療上自覺迅速，且便於施用，至於孔穴之根據，在解剖學上所見要不外神經的起止及血管之徑路等。1931年（昭和六年）出版的日本針灸專門學院教諭德田慈司所著簡明改正孔穴學及孔穴圖，其內詳述每一孔穴之「部門」「解剖」「療法」「主治症」等均以科學的解釋爲主，即由經穴之調查委員會吉田弘道氏爲之校訂，極爲精審。據我國閻德潤教授在

---

(1) 詳情見朱璉：「針灸療法的實驗」即介紹中央衛生部針灸療法實驗所成立一年後的工作情況（江西中醫藥第四卷一二期合刊第七頁1952年七八月出版）。

(2) 引自余雲岫：「針灸孔穴之我見」的第四節「孔穴的疑問」

(3) 三浦謹之助著：「鍼治之科學研究」1902年（明治35年）發表。樫田十次郎與原田重雄氏著：「灸治論」發表於1912年（明治45年）6月之東京醫學會雜誌26卷第12號中。後藤道雄氏：「論黑特氏帶與我國古來鍼灸術之關係」發表於1912年（明治45年）1月之中外醫事新報第763號中。

(4) 參考溫灸學講義第四編等書

1937年發表12經脉彙辨一文[1]其結論是這樣的：(1)12經脉爲一虛構，與今之血管系統不符，故無解剖學上之價值。(2)12經脉之生理學爲一玄想，關於血氣之生成及營衞之運行，其說與泰西 Galenas（公元150—200）以前時代之所論者如出一轍。(3)12經脉之病理學，與12經脉本身無關，且12臟腑所生之病狀，亦非該臟腑之固有，又多混同，故難憑信。

在實際上，針灸療法可分爲刺針法與灸療法二種，前者是利用金屬製的細針刺入身體一定位置之皮下深部，藉這種器械的刺激，以達到治療的效果。而後者則在一定位置之皮膚表面，藉燃點乾燥艾葉，用溫熱刺激以達治療之效果，在應用這種療法時，都要選擇人的表面上的一些有一定位置的「點」，作爲刺激的目標，這種刺激點，就叫做孔穴或經穴。針灸的刺激點穴位，在過去舊的細胞病理學、器官局部病理論是搞不通的，祇有現在從先進的巴甫洛夫氏「大腦機能定位化」的新學說去研究，才可以左右逢源。

三、針灸在日本的情況

關於針灸之輸入日本，在漢方醫學新研究一書[2]中記載頗詳，玆摘譯於下：

「日本書記允恭天皇的書中寫着「怨惱久病不能步行，而且欲除我既有之病，乃非個人之奏書，而是寃將身破治療之。」這是指瀉血法而言，不是鍼法，無論如何，鍼灸都是由中國傳入的罷，並非是日本的發明，但是日本能加以保存，更加以改良，這也是日本誇張偉大的一點，日本的鍼灸比較中國如何進步，祇看「十四經」中繪着的經穴圖，前者如何粗雜，而後者非常正確，一看便可分明。日本明確的針灸科輸入，是在欽明帝的23年8月，樂書與明堂圖一起來朝，這就是鍼科輸入日本的開始，後來就有紀河邊幾男磨到新羅（即今之朝鮮）去學習鍼術回來，傳說在皇極天皇元年歸朝時即授給他爲鍼博士。

由鐮倉時代（1192—1333）到室町時代（1393—1572）鍼科已漸衰退，有名的針師已不出診。那時灸治之法，已普及民間……對於熱病是用小的尖銳的金針，在病者的皮膚上，針刺六處治療之。又對重病者刺皮膚20多處，並施以灸治將乾艾團用火點燒成灰，除去時有黑疤痕現出。

隨着社會不斷進步，而鍼灸科逐漸衰退，但在朝鮮征伐（譯者按實際是侵略）時代，入江賴明從軍赴朝，接受明人吳林達秘傳歸來，從此鍼科又復興起來。此時所用之鍼，都是鐵製，自從輸入日本，進行種種的改良由御薗意齊開始用金或銀製鍼，這種金銀製的沒有折損之憂，金銀之性對人體感覺柔軟，所以後人用的金銀之鍼，是由此人開始，這是日本對鍼科的改良，亦足誇耀之事。

從前的鍼法叫撚針，自從御薗意齊之後，經過56年出現有名的杉山和一，他發明了一種名叫「管鍼」因此鍼術的困難，得以緩和，甚至鍼術普及了。德川幕府命他設立鍼治講習所，他的門人是三島安一設講堂在千住板橋等地，及其他各州，有45所，那時杉山是名聞一世。然而鍼術之妙，仍在於撚鍼，講起鍼術的名手，還是屬於使用撚鍼的人們。」

至於灸治術之自中國開始傳入日本，[3]是在日本人皇30代，即欽明天皇——神武天皇即位（公元550餘年）之時當時日本朝庭特設九重典藥寮，兼掌其事，此後研究的人漸多。公元710年，即文武天皇時代，特頒醫疾令命典藥寮專立鍼灸二部，以重其責。至鐮倉、室町時代，多將灸術用治癰疽、疔瘡等瘡瘍疾患，因爲朝庭之醫官制度變更，灸治術曾一度衰頹，然在民間仍極盛行。到德川八代將軍吉宗公時代，灸法起初專用於外科病之治療，及後藤艮山出，創百病因一氣滯之說，論內臟癥痂等病，皆由遊惰所致，可用灸法施治之，其所用之艾炷，大如鼠糞或麥粒狀，壯數固視病之輕重而異，然以二三千至六七千爲度，其門下之在四方者，盛用灸法，致後藤的灸法，不僅盛傳於朝鮮，即西洋人亦都知道。不過此時德川喜慶將軍政權還於帝室，諸般制度，取法西洋，以致西洋醫術，風靡一時，衞生行政，操於荷醫之手，針灸醫學，幾一蹶不振。至明治20年醫學士大久保適齋、醫學博士三浦勤之助等，出而研究之，認本療法對於治療

(1) 關氏論文見1937年中西醫藥雜誌及東方醫學雜誌

(2) 譯自中山忠直漢方醫學新研究165—174頁昭和六年四月3版東京寶文館發行

(3) 此段參考原志兎太郎：「灸法醫學研究」第二頁至第九頁及溫灸學講義第四編第一頁至第二頁

上隨有重大之價值，於此漸見一線曙光，迄明治44年，內務省令頒全國設立試驗制度，其研究資料，悉以科學爲根據。如艾之有效成分，據化學之分析，經穴灸點之部位，與解剖生理之關係，特設調査委員會以整理與改進。

調査委員共有六個，就是(1)帝國大學名譽敎授三宅醫學博士(2)帝國大學敎授大澤醫學博士(3)帝國大學敎授富士川醫學博士(4)東京盲學校校長町田先生(5)灸術專門醫吉川先生(6)東京盲學校敎授富岡先生。據這六個委員的調査，經穴孔穴，悉經删改，其孔穴從前本有六百餘處，經六氏取捨變更，而所定僅有120處。更依京都帝大敎授青地正德氏之灸術本體之發表，灸治學益臻光明，而青地氏卒獲灸術醫學博士之學位，昭和4年4月22日，九州大學敎授原志免太郎以研究心得，著有灸治及生理的作用之論文提出，益引起醫學界之驚異。

日本灸術之科學的研究，始自醫學博士三浦謹之助，在明治35年(公元1902年)三浦博士發表「鍼治之科學的研究」。又與大久保適齋極力研究溫灸結果，知艾灸有進竄性，由皮膚之血管，滲透徹於全體，且藉藥力刺激以排除血液中之代謝物，並增殖紅血球白血球撲滅細菌，促進淋巴液之還流、同時刺激知覺神經，引起其反射或緊張作用，增强抗毒力以殺菌、其後櫻田十次郎、原田重雄兩氏（東大）之論文業蹟、記錄艾大、重量，艾之燃燒溫度，各種艾炷之皮下深達作用、灸治及於血液之影響對於血管之影響，對於血壓之作用，及於腸蠕動之影響，及於疲勞曲線之影響，以及灸痕之組織的關係等，實爲此法研究的先驅、與氏等研究前後，有醫學博士後藤道雄氏（京大）者，知黑特(Head)氏帶與鍼灸術，有非常密切之關係，專由此方面，努力說明灸治的本態。其次於大正七年醫學博士越智眞逸氏(京大)以「灸治及於腎臟機能如利尿的影響」爲題，發表其研究。又著有「最新生理學」（大正12年初版）設有灸治一項，以介紹櫻田，後藤諸氏之業績大要。爾後灸治之科學研究，爲下火之觀察。大正14年前後，在京都與九州一隅，有三人研究，一爲原志免太郎（九大）一爲青地正皓氏（府大）一爲時枝薰氏（京大）惟原志免太郎的研究，拓端於施灸皮膚之組織學的標本，而時枝青地兩博士之研究，則專依血液學上之研究，而努力於灸之作用及其本態之闡明。

在日本之鍼灸傳到西洋，[1]是在17世紀左右，最初將此法傳去的，傳說是與蘭達的醫家名叫利內者，利內是在1668年畢業於來典大學爲博士，畢業後經過六年，在1673年充爲東印度公司的醫員，來到爪哇，逗留在巴塔比亞數個月，後來就跟隨與蘭達的貢使來到長崎。那時是延寶元年（1673年），自從德國人的開恩非愛而進朝後，約在17年前。聽說利內來到江戸診察將軍的病，第二年離開長崎，回到爪哇，隨後就回到與蘭達，種種的著述，都是公開的，並且說其中有一部書中寫着日本的鍼灸法。

利內來到日本的次年，有一位名叫布司嚇夫牧師來朝了，他在1674年出版了一書，也寫着灸的事情，這是在西洋介紹灸法的開始。在文政六年(1823年)有名的西波兒德前來向石坂宗哲學習鍼灸術，而且將「知要一言」譯著。又有某德國人的鍼灸研究的遺稿，在1727年由英國人斯托羅哼編輯出版。

四、針灸在法國的情況[2]

針灸療法，何時傳入歐洲，無從詳考。1689年法國克蘭賽(Jan Craset)所著東洋敎會史中，曾有記述，當時天主敎士 Du Halde 即將金針傳入法國，1816年，名音樂家 Berlion 之父，曾著書論金針療法。1826年Cloquet敎授盛讚金針的靈驗，然不多時又冷淡了，1863年 Dabry 出版「中國醫學大全」，書中除醫藥主要學識外，還包括獸醫與針灸，在法國研究針灸的，都視此書爲必讀的。在很長時期內，此類書籍，單有理論而缺乏正確技術，並未能推動金針工作。直到1929年法國粟理一(G. Soulie de Morant)氏從中國帶去了金針的學識與技術，於是法國始有金針醫學的基礎。

現在(1949年)巴黎有一個「金針工作者協會」是專爲保障職業的。又有兩個「金針學會」每個學會都有會員三百多人，每月開會一次，相互交流經

(1) 註同第11頁(3)

(2) 此段參考劉永純：「中國金針治療法」在法國之概況見中華醫學雜誌35卷第11、12期合刊，455—458面）

驗和知識，每次會議和學術討論的內容，都發表在學會的「月報」上。其中有一個學會，每年組織「金針國際會議」一次。另外由學會主辦的「金針課程」理論與實驗並重，兩年畢業。法國現在研究金針的人很多。在巴黎的市立和公立醫院中，有五個已開辦金針治療專科。Necker 醫院的金針門診部，設有 Ameline 教授主管的部分，每星期二次，每次治療可達五六十人。

法國金針學報有兩種：一是粟理一氏主辦的，一是德勒夫（De La Fuye）醫師主辦的。內容方面專題討論的有失眠、哮喘、遺尿、關節痛、糖尿病等。還有金針與「外科」的關係與「和諧派」的關係與「波動感」(Radiesthesie)之關係，都有長篇的著作。關於金針與生理的作用，亦有論述。

粟理一氏在中國服務的時間，約有50年之久，他於 1901 年來我國北京公使館任職，參觀北京教會區醫院用針灸療法治療霍亂，深感驚奇，乃潛心覓師學習，從未間斷，1929 年回法國，充當法國外交部亞洲司司長，不復談及金針，但後來有人勸他在醫院裏代病人治療，起初一個星期一次，後來就兩次三次，同時又要做關於金針的論文和書籍，結果辭去了外交部的職務，專幹金針的生活了。粟氏能讀中國古醫書，他用醫書上的材料與其經驗相結合，著了一部有條有理的「金針大全」，已出二本，就是「經穴篇」和「經穴使用法」。還有「診候篇」和「病及治療法」沒有出版。粟氏說中國針法有三種：最簡單的在「痛處下針」可以減少痛楚，其效甚暫，如「依穴道治病」，技術已經高一層，效驗較好，「眞正的針術」是根據手脈下針，其效最良。

關於治療方面，巴黎大學醫學院佛朗丹（Flandin）教授在巴黎醫學會上報告「一年用金針治療各病的成績」。其結論說：「金針療法，效速驚人，超乎常用治療法以上。在有些嚴重難治的症候中，其所得效果較常法爲優！」他的治療原則有三：一切官能症候與臟燥症有關者不用金針治療，治療者皆具有機質變化，治療時只用金針，不用他法。佛朗丹說：「一個 70 歲老人關節痛，無法可治，金針一次，痛即減輕，數次痊癒。一婦人 51 歲，兩肩劇痛，至於失眠，針後痛減可眠；復發再治復癒，一共有類似的 20 個關節炎病人，有的病痛大大減輕，有的痊癒。其中有一個膝部關節炎，韌帶已經鈣化，用理療方法不行，金針幾次後，即好了十分之八九。此外呃逆、遺尿、耳聾、便秘、半身不遂，用金針治療效果不定。最奇怪者，就是有一個面部麻痺與神經痛的病人，已經病了三年，針療數次，幾乎完全復原。」

五、新近學者的研究業績

鍼灸是我國醫學上寶貴的歷史遺產。近幾年來，由於鍼灸專門學者的實驗與研究，已經證明了它有獨特的長處。有名的著作如朱璉著新針灸學，魯之俊著新編針灸學以及東北醫科大學內科學院，魏如恕教授「從鍼灸、非特異性蛋白刺戟療法談到組織埋藏」及中國醫科大學醫學院魏如恕、王麗琛、龐繼光三氏共同發表的「鍼刺療法在臨床上療效的觀察和原理的研究」……對鍼灸醫學作了有系統的研究，於此我國的鍼灸學，在科學上，可謂已奠定了基礎。

茲將以上諸氏的理論，摘錄於後：

1．朱璉氏：論針灸爲什麽能治病[1]

「用針灸術治病，不論是刺激神經的針與出血針，或皮膚針、串線針（在穴部的皮膚上，串入一線，墜以銅錢，促使化膿）、火針（將針燒紅刺入）也不論是無瘢痕灸或有瘢痕灸、化膿灸，它所以能治病，主要是由於激發和調整身體內部神經的調節和管制的機能。」

「針灸療法，不是直接以外因爲對手，因而也不着重對患部組織直接的治療，而是激發與調整神經機能，以達到治病的目的。所以針灸用同樣的穴位，常常能去掉兩種方向不同的病徵（如「無汗能發，有汗能止」）。在炎症初期，白血球需要增多，而不能順利增多時，針灸以後，就能增多，反之，在炎症外期，針灸同樣的穴位，又能使白血球正常減少，炎症的滲出物便能很快的吸收。

有許多維他命缺乏病，實際上並不是由於食物裏面完全缺乏了維他命之故，而是由於體內吸收那種維他命的機能不強的緣故。這種吸收機能的減弱，又常常與它相關的神經的機能有些失常所致。因此，對於許多這類的病，不給以維他命特別豐富的食物，但行針灸，也能收到很大的效果。

---

(1) 參考1951年2月17日人民日報朱璉：針灸療法的重要性及其原理一文

針灸對神經的興奮、鎮靜，同時也是激發神經對本身的修復、調整、代償機能，所以如果沒有外因的繼續影響，針灸對於神經的興奮與鎮靜，效果極好。過去對於找不出確實外因的病，常常歸因於遺傳，沒有好多辦法醫治，如某些胃潰瘍、癲癇、失心風等等，針灸也能收到較大的效果。

神經受到針灸的刺激，興奮的傳佈常常放散在很大的範圍，在很大的範圍內，發生調整作用。所以針灸的治效，常不限於穴位附近和神經徑路的沿線，而可以影響很遠很廣。如刺脚趾，可以影響到頭部。因而刺激一個穴位功效也不是專治一種病，而是調整那個有關部位的神經機能，對有關部位的疾病，都能發生或多或少的效果。

至於化膿灸、串線針，在皮膚上造成無菌的化膿，以及出血療法，大放血療法（以及拔火罐，刮痧造成皮下瘀血）的治療原理，也是對於神經調整，應變機能的激發。……」

2. 魯之俊：論針灸的效能及其理由[1]

「針灸有確效，但並不是百病皆治，在使用時一定要有較正確的診斷，否則會失掉信心，它的效能表現，可以用下面幾點理由加以說明：

（一）調整自主神經，對於自主神經如心臟，腸胃可使之興奮或抑制，例如出汗的病人用針灸可停止，發汗不出的病人用針灸可使之發汗，神經性的速脉或脉搏不規則，用針灸可以調整，這些都顯明的看出對自主神經能起調整作用。

（二）對造血器官之影響，白血球減少的患者，經二、三次針灸後，可以增加二、三倍，這證明對造血器官能增强機能，瘧疾、淋病、霍亂等本爲血液原蟲或細菌所引起，用針灸可以治癒或減輕，這也可能是因造血器官功能之增强，抵抗力提高了，使身體能將原蟲或細菌撲滅（白血球噬菌作用）。

（三）有消炎止痛作用，肌肉神經等炎症，用針灸可以消退，可以止痛，例如癰疽初期單用針灸可以治癒，這是很好的證明，炎性症白血球增多超過15,000的病人，經二、三次針灸，白血球即下降，局部症狀也減輕，在病理上可能是局部血循環旺盛，痛腫可迅速消退。

上述三大效能的表現，與蘇聯的神經病理學說相符合，更進一步的解答，尚待我們的努力。」

3. 魏如恕：從針灸非特異性蛋白刺激療法談到組織埋藏的總結：[2]

（一）鍼灸療法，在治療的實際應用上，有科學性的地位存在。

（二）鍼灸，非特異性蛋白療法，雖然與組織埋藏療法，在技術操作上不同，而在臨床效果上，有一致的表現，它們之間，在促進中間代謝方面上，可想到有相關的基本因子存在。

4. 魏、王、龐、共同發表「關於鍼刺療法在臨床上療效的觀察和原理的研究」的總結：[3]

「基於此次臨床治驗例的觀察和鍼治原理的研究結果，可得以下的具體結論。

（一）鍼治是民族的、大衆的更是具有科學性的理學療法。他能在門診中短時間內，不用錢，不用藥、不痛苦、極簡單、又方便，一般人都能掌握，而能解決醫療問題，眞正能給勞動大衆服務的治療方法，我們更主張鍼刺療法下鄉。

（二）在我們短時間內的經驗病例中，以神經性和風濕性關節炎的疼痛、神經痲痺，收效較大，對發作前內二小時鍼治兩例瘧疾，收到治癒的效果，對神經衰弱以及自主神經失調的疾病，雖然效果不定，有時見效，有時輕減，但是患者都表示好感，樂於接受治療。

（三）鍼治乃是用金屬製的小工具，向末梢神經直接刺激，他是物理性刺戟療法的一種。

（四）通過我們的臨床實驗，證實了鍼治乃是惹起交感神經興奮的有力條件，交感神經興奮又是血液發生改變的主導因素。

（五）鍼治的作用，主要是鎮靜、興奮和促進活體生理機能好轉，提高中間代謝的有力助手。對知覺運動神經，似有給與鎮靜或者興奮作用，如對局部的神經性疼痛，由於較長時間較强的鍼刺，能發揮鎮痛和麻醉的本能，對局部的神經痲痺，給與較短而弱或稍强的鍼刺能掀起興奮性的作用，更對交感神經給與興奮，不但能調節自主神經緊張失常的狀態，且能調節以至促進活體生理機能好轉的傾向。

（六）基於鍼治以後，血中出現血液沉降速度

（1）參考魯之俊新編針灸學第4頁

（2）參考東北醫學雜誌3卷五期

（3）參考針灸療法選集第63頁1952年6月初版東北圖書出版社

加快，紅、白血球，中立性分葉核細胞增多，血糖、丙種球蛋白，氯化物增量的現象，更可以想到鍼刺療法，尙有促進活體生理機能好轉，和組織療法的治療原理，似乎接近。

（七）又如以上所述血液中增數增量的變化，多在鍼治初期出現，和臨床治療迅速奏效的實際表現，大體一致，這乃是由於鍼治的神經刺戟，起了主導作用的鐵證，和比較晚期奏效的組織療法相比，是有差別的一點。

（八）鍼治的初期，血液中產生的白血球數中立性分葉核、嗜酸性細胞、淋巴球、血糖、丙種球蛋白，氯化物等等的增加，調整修復的現象，是和自主神經，更是和交感神經機能，是分不開的。

（九）通過此次研究結果，我們除去奠定了鍼刺療法的基本原理以外，更由客觀的事實告訴了我們，對鍼治原理進一步的研究，必須由神經更是自主神經病理學的基本原理上着手，纔能收到正確的結論。〕

鍼灸療法，爲我國偉大的歷史文化寶貴遺產。由於廣大人民的要求，對這在實踐中已經取得一定成效的針灸療法的研究工作，人民政府極爲重視。針灸在實踐中已證明是各種醫學療法中之一種，而且是我國特有的創作的治療法，不論是主治或配合治療，都會有一定的效能。因此爲廣大人民所需要。但另一方面，它還沒有提高到理論的高度，應用科學方法來研究分析，同時由於過去許多好的針灸經驗，不能流傳，以及某些人的泛用針灸，使它沒有得到應有的醫學地位。現在依據各學者的研究，於針灸學術，雖得到了初步的認識，但還是不够的，因此我們要想對於鍼治原理作進一步的研究，必須用解剖、生理、病理等各種方法，來下一番實驗工夫，並以巴甫洛夫高級神經活動學說來研究針灸的基本原理，才能得出正確的結論，希望醫學界同志共同努力！

我國古書論脚氣病

侯祥川*

脚氣病爲維生素 B_1 的缺乏病，還是近三十年來被證明的事實。其特徵爲腿部軟弱，肌肉消瘦，膝反射消失，腓腸肌握痛，手足下垂無力或水腫，心跳及脈搏快速，氣急，甚至驚厥，喪失知覺而死亡。我國古書對此病之記載甚多。雖然在秦漢以前所述之名稱、理論與療法未必盡與我們目前所稱之脚氣病相符，但其後許多較詳細的記載，可以斷定是指現代之脚氣病而言，並有很多經驗符合於現代脚氣病的科學理論。根據古書中許多材料，我國先人對脚氣病的發現遠早於其它國家。在比較可靠的記載裏，左傳和詩小雅在公元前 544 年即已記載此病；而歐洲的最早記載是在公元前 24 年由 Strabo 及 Dion Cassius 在羅馬士兵中調查所得。歐洲醫生第一次論述脚氣病是在公元 1642 年；但我國醫生如巢元方及孫思邈等在公元 589 及 618 年即對此病有了詳細的論述。

脚氣病的名稱

我國古書中本無脚氣病一名，但素問（公元前2697年）所稱之「厥」，「痿躄」，靈樞所謂「厥氣生足悗」，左傳所謂「沉溺重膇」，詩小雅所謂「微尰」，史記所謂「踣蹶」，以及「緩風」「濕痹」「痿痹」「流腫」「脚弱」「脚中」「江南之疾」「脚軟」等等，皆係指脚氣病或其它有關之脚病而言。「脚氣病」的名稱大約是晉朝（公元 265 年）蘇敬初次引用的。後漢華佗論脚弱症候有「脚氣」與「氣脚」之分。隋唐以後，脚氣病始成爲通用之名。

脚氣病的流行

此症在古時患者甚少，根據千金方記載：「考諸經方，往往有脚弱之論，而古人少有此疾」。至東晉初期（公元 307—312 年），我國南部患此症者甚多，千金方曾載：「自永嘉南渡，衣纓人士多有遭者」，也就是說貴族和士大夫多患此病。當時在東南部有支法存及仰道人二位名醫。根據古書記載，他們治癒脚氣病患者甚多。至宋（公元 420 年）齊（479年）之深師及師道人將法存的療方編爲20卷，其中有關治療脚氣病者有百餘方。

當時我國北部尚未有脚氣病，如千金方所載：「魏周之代蓋無此病……，關西河北不識此疾」。當時之書籍如姚公集驗，姚僧坦及徐王選錄等，皆未提到脚氣病。

但到隋唐時，士兵患此病者甚多，如隋書載：「大業元年（公元 529 年），劉方征林邑，士卒脚腫，死亡者十有四五」。但脚腫也可能是因缺乏蛋白質而引起之營養性水腫。

其後我國北部也有患此症者。當時有人認爲係全國統一，漕運海運暢通，白米逐漸由南方運輸至北方所致。杜甫詩有米與絲由南方運至北方的記載。唐（618 年）孫思邈認爲：「近來士大夫雖不涉江湖，亦有居然患之者，良由今代天下風氣混同，物類齊等所致之耳」。

之後宋朝（1078 年）董汲曾著治療脚氣病的專著，元朝明朝對此症亦有許多推測論述，但極少實際之記載。足見患者漸多。但在明代患此症者東南區較北方爲多。

脚氣病的分類

孫思邈分脚氣病爲三類、即腫、不腫及脚氣入心。又有分脚氣爲乾濕二類者。據明李梴醫學入門載：「濕者筋脈弛長而軟，或浮腫，或生臁瘡之類，謂之濕脚氣；乾者筋脈蜷縮攣痛，枯細不腫，謂之乾脚氣」。此種觀察與現代對脚氣病的見解相同。此外，明樓英則將脚氣分爲乾、濕及衝心三種；後者與近世所知之急性脚氣病患者有心機能障礙之證

* 上海第二軍醫大學

狀相同。王肯堂則又將脚氣病分爲三陰三陽；揣測其意，似將三種脚氣之每一種又各分爲陰陽二類。

脚氣病的病因

歷代對此症的病因學說多係臆揣，少有事實根據。素問曾載：「臏跛風寒濕之病也」。巢氏病源將脚氣病之症候分爲八論，其總論認爲脚氣病之病源係由感受風毒所致。孫思邈千金方亦以脚氣病爲感受風毒而發生的病：「夫風毒之中人，皆起於地，……足常履之，所以風毒之中人也必先中脚」。宋董汲脚氣治法總要：「脚氣必由於風濕，風濕兼有冷熱，無非本原腎虛」。淮南子有「穀氣多痹」的記載；這是脚氣與飲食有關的說法，但嫌簡單模糊。

華佗中藏經又認爲：「醉入房中，飽眠露下，當風取凉，對月食歡，沐浴未乾而熟睡，房室纔罷而衝風，久立於低濕，久佇於水溼，冒雨而行，清寒而寢，勞傷汗出，飲食悲心」等等都是脚氣病的原因。

唐朝陳藏器對此症之病原才有正確的觀點。他認爲：「久食白米，令人身軟，緩人筋也，小貓犬食之亦脚屈不能行，馬食之足重」。此種觀點與近代的科學研究結果相符合；因常食白米確會發生脚氣病。此外唐朝陳士良亦記有久食白米則發生「心悸」；此即近來所謂急性心臟脚氣病。

脚氣病的症狀

我國古書對脚氣病症狀之論述甚多，但大致相似；玆略引數例如下：

華佗中藏經所述症狀似指嚴重的急性心臟脚氣病而言：「本從微起，漸成巨候；流入臟腑，傷於四肢、頭、項、背、腹，未甚終不能知覺也。時因他而作，或如傷寒，或如中暑，或腹背疼痛，或肢節不仁，或語言錯亂，或精神昏昧，或時喘乏，或暴盲聾，或飲食不入，或臟腑不通，或攣急不遂，或舒緩不收，或口眼牽搐，或手足顫掉種種症狀」。

千金方所述的脚氣病症狀也屬於急性心臟性脚氣病。如「或見食嘔吐，憎聞食臭，或腹痛下痢，或大小便秘澀不通，或胸中衝悸，不欲見明，或精神昏憒，或喜迷忘，語言錯亂，或熱頭痛，或身體酷冷疼煩，或覺轉筋，或腫不腫，或髀腿頑痺，或時緩縱不隨，或復百節攣急，或小腹不仁，此皆脚氣病狀貌也。」

巢元方病源所述的以下症狀，前段似爲初期症狀而後段似爲嚴重症狀。「得此病多不即覺；或先無他疾而忽得之，或因衆病而後得之。初甚微，飲食、嬉戲、氣力如故。常熟察之，其狀自膝至脚有不仁或若痺，或淫淫如蟲所啄；或脚指及膝脛灑灑爾，或脚屈弱不能行；或微痛，或酷冷，或痠痛；或緩縱不適，或攣急或至困不能飲食；或見食而嘔吐，惡聞食臭；或有物如指，發於腨腸逕上衝心；氣上者……。」

此外尙有其他論述，其意與以上所引的大略相同。

脚氣病之預防

千金翼方中曾載用穀皮（楮樹皮）煮湯，加入粥內常食之可免脚氣病。這是很正確的觀察，因穀皮含維生素 B_1 很多。他們所述的提取方法也屬適當。其法爲「穀白皮五升（切勿取斑者有毒），右一味以水一斗煮取七升，去滓煮米粥常食之。」

脚氣病的禁忌

我國古書對於疾病都詳列一些禁忌，而脚氣病也不例外。千金方載：「凡脚氣病極須慎房室、羊肉、牛肉、蒜、蕺菜、菘菜、蔓菁、瓠子、酒、麵、油、酥、麋、猪、鷄、鵝、鴨等」。但這些食物，按現代觀點，非但不必禁忌，而且其中許多種食之有益。

脚氣病的治法

脚氣病的治法在古書記載者有服藥，鍼灸，導引，邃地等法。玆舉一些分述如下：

1.　在服藥方面，歷代所用方劑有：

晉葛洪方：「大豆豉汁飲之」。

晉深師方：「浑牛尿一盞、檳榔一枚，空心暖服」。

梁陶宏景別錄：「松節、商陸、丹參、附子、茵芋等」。

唐孫思邈千金方：「湯液三十八睹散方七酒醴方十七膏方八、其中一方以好豉三斗蒸一石米下曝乾，如是三上，以酒漬七日，去滓飲，惟醉爲佳。

酒盡更以二斗半漬之，飲之如初」。

千金翼方：「脚氣方二十一，其中一方以大麻二升，熬研烏豆一斗，以水四斗煮取汁一斗半。桑白皮切五升右三味以豆汁內藥煮取六升，一服一升，日二服，三日令盡」。

唐蘇恭本草：「牛蒡根浸酒飲高良薑煎服」。

唐德宗廣利方：「大豆二升，水三升，濃煮汁服」。

唐陳藏器本草拾遺：「蕓薹、豬肝、木瓜、葱白、鰻鱺魚等」。

表一　古代治療脚氣病的藥物及食物

朝代	創用者或書名	品名	學名（拉丁文）	維生素 B_1 每百克含量微克	註
晉	葛洪	牽牛子	Ipoḿcea hedcracea, Jacq.	170	治急性脚氣病兼有水腫
〃	〃	發酵豆汁乳汁	Glycine soja S. et Z.		治腿軟和麻感
梁	陶宏景	商陸	Phytolacca ac nosa, Rcxb.		治腿軟和水腫
隋	巢元方	竹瀝湯	Bambusa, sp.		
唐	孫思邈	麻黃	Ephedra, sp.	90	
〃	〃	獨活	Angelica grosseserrata, Max.		治腿軟
〃	〃	防風	Siler divaricatum, Eth. et Hk.		
〃	〃	防已	Stephania tetrandra, Mona.		
〃	〃	細辛	Asarum Sieboldi, Mig.		治脚氣病最良藥
〃	〃	蜀椒	Xanthoxylum piperitum, Dc.	220	
〃	〃	吳茱萸	Evodia rutaecarpa, Eth.	280	
〃	〃	犀角	Rhinoceratidae, sp.		治各種脚氣病
〃	〃	蓖麻葉	Ricinus communis, L.		
唐	廣利方	黑大豆	Glycine soja S. et Z.	410	治心臟脚氣病
唐	食療本草	蕓薹	Brassica campestris, L.	120	
〃	〃	葱白	Allium fistulosum, L.		
〃	〃	鱧魚	Ophicephalus argus, Cantor,		
〃	〃	鰻鱺魚	Anguilla japonica, T. et S.		
唐	海藥本草	海藻	Sargassum silequastrum, Ag.	40	治腿麻痺
〃	〃	海桐皮	Erythrina indica, Lam.		
唐	藥性本草	杏仁	Prunus armeniaca, L.	340	
〃	〃	蘇子	Perilla nankinensis, Decre.	370	
唐	獨行方	郁李仁	Prunus japonica, Th.		治有水腫脚氣病
唐	食醫心鏡	馬齒莧	P rtulacca oleracea, L.	40	〃
宋	本草圖經	水蘇	Stachys aspera, Michx.		
〃	〃	櫰芽	Eucommia ulmoides, Oliv.		
宋	開寶本草	桑枝	Morus alba, L.	85	
宋	日華本草	蜆肉	Corbicufla leans.		治急性脚氣病
宋元	養老書	豬肝	Sus scro a, L var.		
明	本草綱目	巴戟天	Bacopa monniera.		

唐昝殷食醫心鏡:「馬齒莧和少粳米醬汁煮食,治脚氣衝心」。

唐孟詵食療本草:「薏苡仁、大豆、甘草、赤小豆」。

宋蘇頌圖經本草:「糯芽作蔬治嚴重脚氣病,「水蘇」治水腫脚氣病」。

宋聖濟總錄:「桑枝二兩炒香,以水一升煎服」。

宋陳直養老書:「常服猪肝」。

宋大明日華本草:「茴香、鈎樟、淡菜、蜆肉、葱白等」。

元李仲南永類方:「木鼈子麸炒,去油,同桂末熱酒服」。

元闕穆沙瑞竹堂經驗方:「五加浸酒飲」。

明胡氏易簡方:「忍冬爲末,每服二錢,熱酒調下」。

以上所引服用物品都含有維生素 B_1;猪肝、赤小豆、薏苡仁、烏豆、大豆等含維生素 B_1 尤爲豐富。所以用來治脚氣病是有效的。玆將幾種治療脚氣病物品的維生素 B_1 含量,按使用年代列於表一。

此外明李時珍本草綱目所載藥物甚多,將另文論述,本文從略。

2. 在鍼灸治療方面,銅人鍼灸經有下述八種方法:

「風市穴(在膝上外廉兩筋中以手著腿中指盡處是)鍼五分,灸五壯(灸法稱每艾一炷爲一壯)」。

「伏兎穴(在膝上六寸起肉間)鍼五分。」

「犢鼻穴(膝臏下䯒骨上俠解大筋陷中)鍼三分,灸三壯」。

「膝兩眼穴(又名膝關穴,在犢鼻穴下二寸旁陷中),鍼四分,灸五壯」。

「三里穴(在膝下三寸䯒骨外廉大筋內宛中,兩筋肉分間,舉足取之)鍼五分,灸三壯」。

「上廉穴(在三里穴下一寸)鍼三分,灸三壯」。

「下廉穴(在輔骨下去上廉一寸輔筋內分外)鍼五分,灸五壯」。

「絕骨穴(即懸穴在足外踝三寸,動脈中尋摸尖骨是也)鍼六分,灸五壯」。

千金方所論之灸法,亦爲八穴,但其所灸壯數較多。倂說壯之多寡,須視病情而定,又說灸前服竹瀝湯,灸訖服八風散。

3. 在導引法方面(即運動鍛鍊以使血脈流通)方式有如下:

「坐,兩足長舒,自縱身納氣向下,使心內柔和適散,然後屈一足安膝上努長,舒一足仰取指向上,使即仰臥……等」。

以上鍼灸及導引方法所能發生效果,可能是由局部神經受刺激引起反應,提高神經營養機能所致。

此外有所謂渫洗,敷貼及熨熏等方法,可能也是由於外來刺激加於皮膚而引起的良好反應。

渫洗的方法有:

唐甄權海本草:「落鴈木同松木皮煮汁洗之」。

唐王燾外台秘要:「黍穰一石煮汁,入椒目一升,煎沸漬脚三四度愈」。

宋蘇頌圖經本草:「莊草煮濃汁浸之」。

但以上渫洗方法,可能治療傳染性脚病而不是脚氣病」。

敷貼的方法有:

永類方:「皂莢赤小豆酒調敷」。

名醫錄「木瓜切片,囊成踏之」。

大全良方:「川椒囊成踏之」。

本草綱目:「樟腦着鞋內」。

熨熏方法有:

本草拾遺:「麥麸醋蒸熱熨」。「蠶沙蒸熱熨」。

普濟方:「蘇枋木熏洗」。

以上敷貼及熨熏的療效是否指眞正的脚氣病而言,尚不能確定。

結 語

我國古書論脚氣病的資料很多,在公元前344年就已有可靠的記載。古代對脚氣病所用的名稱有多種,而「脚氣病」這個名稱則開始在公元265年。此後對此病的流行則有更詳細的記載,並認爲與南方的食白米有關。如唐朝的陳藏器與陳士良等,即有「久食白米即可發生脚氣病」的正確記載。更寶貴的是千金翼方中所記載的「常食穀皮可免脚氣病的發生」。

至於古書所載治療脚氣病的藥物及食物，現已證明絕大多數含有豐富的維生素 B_1，確實可以治療脚氣病。

此外如鍼灸、導引、熨熏等治療方法，其療效究竟如何；若從巴甫洛夫學說來看，是值得今後進一步研究的問題。

參考文獻

1. 黃帝　內經
2. 巢元方　巢氏病源　隋
3. 孫思邈　千金要方　唐
4. 孫思邈　千金翼方　唐
5. 杜甫　杜子美集　唐
6. 陳藏器　本草拾遺　唐
7. 李時珍　本草綱目　明
8. Vedder, E. B.: Beri beri, Bale, Sons & Danielsson 1913.

Yang E. F. and Read B. E.: Chinese J. Physiol, 15: 9, 1940.

歷宋元明清二十餘代重固名醫何氏世系考

朱孔陽

在封建社會內醫生賤業，甚至列入星相一流，但是到了宋朝也就是十世紀以後，醫學日益進步，醫生地位也日益提高，所以范仲淹有不爲良相，當爲良醫的話。後來考舉落第的士子和官場失意的官吏，往往去習醫，並且以治病濟世爲榮，爲仁術，爲積德，而且在封建社會內人民的保守性特別强，因此常有數世行醫的家庭。但是綿長五代者已不多見。不料竟有歷宋元明清數代，達七百餘年，相傳行醫有二十一世，且代有聞人，如重固何氏者，不僅在吾國醫學史上誠無多見即在世界醫史上亦從未之聞。余特考其世系以供關心醫學文化者作一種參考資料。

何氏世系表（按松江府志排比）

```
                    ┌天祥─士方
何侃─○○─廣族─┤
                    └鑾─（以上籍華亭）

              ┌巖─全─鳳春─（以上籍奉賢）
士方─澂─┤
              └如會

        ┌九經─┐
鳳春─┤        │                    ┌汝闔─
        └十翼─┴─從政─○○─┤
                                      └汝闇

                      ┌鴻堂
汝闔─○○─炫─┤
                      └王模─（遷青浦）

                            ┌其偉──長治─鑾宇
                  ┌世仁─┤
                  │        └──────昌煥─振基
王模─雲翔─┤        ┌其章──昌齡─五徵
                  │        │
                  └世英──其超──昌梓─┬鄰彭
                                          └廷璐
```

宋第一世

何侃，字直哉，紹定中由儒士選授嚴州淳安縣主簿　歸隱於醫。何氏以醫名世，自侃始。（松江府志藝術傳，及青龍何氏家譜。）

宋第三世（第二世缺）

何廣族。（奉賢縣志）

元第四世

何天祥，字克善，侃曾孫，官醫學教諭，起危疾如神。自青龍鎮遷居郡城之東，有壺春丹房，楊維禎爲記。（松江府志）

又奉賢志載云：何天祥，字克善，廣族子也，官醫學教諭。以刀圭濟世，起危疾如神而未嘗責報，所居有壺春丹房，楊維禎爲之記。

何鑾，字廷晉，華亭人，四世祖將仕郎侃善醫，世傳其業。鑾尤精太素脉，張副憲以雛僧腕帶金釧試之診，鑾曰，此脉清如入水珠，乃方外孤子，不應入公府，副憲歎爲神人。嘗視馮督學疾，知其父以暮年得子及病所由起皆隱中。（松江府志）（郭志按何氏家譜，鑾以上並華亭人。）

元第五世

何士方，字叔剛　官嘉興府教諭，世其學，人稱爲何長者。（何氏家譜）

明第六世

何澂，字澂之，天祥孫，宣德間以醫名，鄰人某患瘵疾垂危，澂治之愈　某感甚，命其妻侍寢，澂拒之，夜夢神語之曰，汝有陰德，上帝嘉汝命，賜錢三千貫並一官。未幾，召治東宮疾，得痊，官襄府良醫正，賜錢一如神言，終明之世，子孫官太醫院，京師號爲何醫院家。（續太平廣記及府志）

按奉賢志載云：何澄，字澄之，天祥從孫也，（府志證明是誤）精醫術。同里孫勉之抱瘵疾，諸醫咸謂不起，服澄藥，竟霍然，孫感甚，命其妻侍澄，澄拒之。是夜夢神語之曰，汝醫藥有功而不以汙人婦，上帝嘉汝命，賜錢三千貫並一官，未幾，東宮得疾，院醫束手，有詔召草澤醫人，澄應詔進治疾，竟得痊。乃賜官麗府良醫正，食二品俸。其賞錢果如神言。（以上引醫說，照錄志載，以仍其舊。）

明第七世

何嚴、字公謹，天祥曾孫。宣德己酉副貢，性溫厚，積學工詩文。何氏世業醫，至嚴大究其奧，宣德中官太醫院副使。（郭志參家傳）

奉賢志載：何嚴，字公謹，天祥曾孫也。宣德己酉副貢，爲人恂恂退讓，讀書積學能詩文，以醫世其家，療治如神。宣德甲寅應詔入太醫院，尋病卒，年45。

何如曾，字希魯，鑾之從曾孫，善察脉，與孝廉張省廉交厚，知其病已深，勸其緩赴禮闈，未幾果卒，某太夫人有危疾，六脉俱沈，羣醫束手，如曾曰，此經所謂雙伏，乃陽回吉兆也，一劑而愈。（松江府志）

按奉賢志載何鑾爲何嚴族孫，如曾作如魯，字希曾，並爲鑾四世從孫，余從府志以郭志按何氏家譜爲根據。惟載如曾一段，錄之於後，以作參考。［鑾四世從孫如魯，字希曾，亦善察脉。有孝廉張省廉者，體負宿疾，將計北往，延如魯診之，知其疾將發則不治，謂曰，試期尚遠，緩行何如，省廉不悟，行次毘陵，疾果作，急返棹而殂，蘇州一紳之母有危疾，六脉俱沈，羣醫束手，如魯往視曰，無恐，此經所謂雙伏，乃陽回吉兆也。投一劑，得汗而愈。］

明第八世

何全，字廷用，嚴子，領正統丁卯鄉薦，特授御醫，累擢院使，親老乞歸，御製詩送之。（郭志參家傳）

按奉賢志載：何全，字廷用，正統丁卯舉人。精醫，屢起沉疴而不責報，奉召授御醫院院正，使留侍內廷有功，賜建立俊士坊，尋以親老乞歸，御製詩文送之。

明第九世

何鳳春，太醫院御醫。（郭志參家傳）

明第十世

何九經，伊府良醫正，世其業，（郭志參家傳）

何十翼，字承雲，天祥七世孫也。官景楚二府良醫正，隆慶四年告歸，郡中倚爲司命，餽遺充斥，悉散之貧者，里人稱仁人云。（奉賢志）（府志在里人下多見之必拱手加敬七字）

明第十一世

何從政，九經子，世其業。

清第十二世

何汝闞，字宗台，天祥十世孫。爲人明允誠篤，世其家學，活人萬計。婁令李復興將有均役之舉，忽病危，汝闞曰，賢侯有此盛心，天所相也，投藥即瘥。巡撫湯文正斌召視疾，時海塘久圮，汝闞密告宜改石工，請發帑無徵義戶，湯重其品悉從之，稱爲醫中君子。提督梁化鳳素重之，梁病亟，有裨將謀作亂，以汝闞故嘗活之，陰令其避，汝闞即入告梁夫人，請速發家財以安軍心，且告且泣，夫人感動乃如汝闞指，遂弭其變。郡邑敦請賓鄉飲賓，沒祀鄉賢。（江南通志）（顧嗣立潛邱年譜有記汝闞事）

何汝闇，後改名潤，亦工醫。

清第十四世（第十三世缺）

何炫，字令昭，號自宗，汝闞孫。讀書過目成誦，家世業醫，炫尤精詣，起沈疴，愈痼疾如神。後瑞例貢入太學。著有傷寒本義，金匱要略本義，保產全書。（府志及何氏世傳）

奉賢志載：何炫，字令昭，號自宗，汝闞孫也。例貢生，讀書一過，輒終身不忘，醫承世業，起疾如神，志在濟世，未嘗計利。居家孝友，營葬祖父獨任之，卒年61，子鴻堂，王模，皆以醫名，王模，字鐵山，諸生，徙居青浦北簳山，

清第十五世

何鴻堂，炫子，以醫名。（奉賢志）

何王模，字鐵山，號萍香，炫子，奉賢諸生，爲青浦方氏贅壻，徙居簳山，遂著籍焉。習岐黃術，名與父齊。方伯增福贈以額曰扁鵲重逢，工詩，格在誠齋放翁間。年81，偶示微疾，誦偈曰鐵山老人堅似鐵，瘦骨撐持多歲月，九九總歸八十一，千丈麻繩一個結，湛然而逝。著有倚南軒集四卷，萍香詩草二卷。（松江府志）

清第十六世

何雲翔，字北海，炫孫，太學生，醫承世業。（松江府志）

清第十七世

何世仁，字元長，青浦人，候選布政司理問，祖王模，父雲翔，累世名醫，世仁尤神望聞之術。有金山某求診者，曰，爾曾溺於水乎，其人曰然，與方即愈。人問何以知其溺？曰，色黑脈沈故知之。嘉興沈某妻求治癥，世仁曰，是娠也，可勿藥，沈固無恙，請按脈，曰，爾胃氣已絕，不久且死，沈大怒去，即死，其妻果產一子。病者集其門，舟車雜遝至塞衢巷，不以貴賤貧富異視，務得其受病之由，故所治皆應手而愈。性慷慨，宗黨乞貸罔勿應。獨力刊行陳忠裕公遺集，卒年55。著治病要言，簳山草堂醫案16卷，福泉山房醫案10卷。（墓志）

清畫錄：何世仁，青浦人，字元長，號福泉山人，精醫嗜書畫篆刻。

中國醫藥大辭典：何世仁，字元長，青浦人，以醫名，尤普望聞之術，所治病，應手輙效，負盛名三十餘年。

何世英，王模孫，能醫。（家傳）

清第十八世

何其偉，字書田，號韋人，青浦人，世仁子，增貢生，少師王侍郎昶及莊師洛，昶與師洛輯陳忠裕公集，其偉爲之校刊，復與陳太守廷慶建陳夏祠於廣甫林。詩學陸游，醫能世其學，林文忠則徐深器之，謂其不僅以醫名者。敦孝友，尚氣節，尤好施與，宗戚有困乏者周卹之。著有醫人史傳，簳山醫案擇效。（張澄照手寫本稿藏珠里諸氏）

青浦何書田茂才，居北簳山下，工詩，家世能醫，書田尤精其術，名滿大江南北。侯官林文忠公撫吳時，得軟脚病，何治之獲痊，公贈以聯曰，菊井活人眞壽客，簳山編集老詩豪。由是投分甚密，而何介節自持，未嘗干以私，人兩重之。（梁恭辰楹聯四話）

按醫林尙友錄載云，何其偉，家世能醫，初爲諸生，專於學，工古今體詩，未嘗爲醫，父卒，念世業不可無繼，稍稍爲之，名大噪。有徐姓者，昏熱發狂，力能踰牆屋，何曰，是邪食交結也，則其人果以酷暑食水澆飯，旋就柳陰下臥也，以大黃枳實，下之而愈。金澤鎭某生，逾冠未婚，得狂疾，用牛黃淸心加味法，而屬其家人於煮藥時覆女子褻衣於其上，兩劑而愈，門人疑之，何曰，是陰陽易法，吾用之偶驗耳。嘗作醫論詩云，「治病與作文，其道本一貫，病者文之題，切脉腠理現，見到無游移，方成貴果斷，某經用某藥，一味不可亂，心靈則手敏，法熟用益便，隨證有新獲，豈爲證所難，不見古文家，萬篇局萬變。」可見其生平所得力矣。著有醫學妙諦若干卷。（中國醫學大辭典亦有同樣記載）

毛對山墨餘錄記明經徐何辨證一篇，渲染過甚，明經醫德極高，決非眞確。

何其章，字小山，諸生，其偉弟，工詩詞，醫承家學。

重固何氏家藏七榆草堂圖册，凡數十頁。繪者王學浩，改琦，林文忠公則徐題其引首，姚椿，姚樞，敛著，姜皋，郭麐，諸名流皆有詩文記之。七榆草堂者，何小山其章讀書處也。小山最工詞，即以此堂名其稿。（青浦續志）

七榆草堂，在重固福泉山麓，何其偉其章居。王學浩改琦圖之，林文忠公爲題額。又有停漚舫，爲其偉子長治讀書處。（青浦縣志）

何其超，字古心，恩貢生，父世英，庠生，工醫，早世，時其超年十一，母氏陶，訓之嚴，弱冠與陳瀾奉沈璉結二卯文社，旋學醫於從兄其偉，詩得婁姚椿指授，以唐人爲法，選青浦詩續傳，持擇甚精。張溫和祥河陳臬河南招之往主講明道書院，歸著藏齋詩鈔，世濟堂合稿。

清第十九世

何長治，號鴻舫，其偉子，工詩，書法學魯公，精醫，以其藝馳譽海上，偶寫竹石，有陳古筆意。

青浦志載：何長治，字鴻舫，其偉子，太學生，居重固，生有異稟，浸淫載籍，手自朱黄，少師婁縣姚椿，詩文得古人步驟，一洗綺靡無儳之習，書法胎息平原，堅拔渾厚，自謂大江以東獨絕，間畫墨梅，世不易得。何氏故世醫，至長治醫學益震，病者求治，戶限爲穿。歿後，人寶其書，或得寸牋方案者，珍若球璧。長治豪於飲，修髯古貌，聲若洪鐘，於學無不精通，然大都爲醫名書名所掩，晚年自號横泖病鴻。著有續醫人史傳，還如閣詩存二卷（鹿邑王樹棻序已刊），長治初有贍簳山廬詩稿，經洪楊革命而散佚。

退省廬筆記云：何鴻舫，青浦重固鎮名醫也，門外河濱，艤舟如蟻，皆遠方之乞診而來者，登其堂，梁間題額之多，等於官署，然非頌先生一人者，蓋重固何氏爲世醫，至先生而已二十三世，故所懸之額，不可以僂指計也。先生貌修偉長髯，斑白拂拂過胸，而精神殊爲矍鑠，語言更爽利無匹，好飲酒，健談笑。醫學外兼工書法，作擘窠大字，尤力透紙背，爲人書楹聯堂額，署款每爲横泖病鴻。逮歸道山之後，欲得先生手筆之人，徧求其平日所開藥方，每紙可易餻餅二枚，後竟增至四枚。以藥方而爲人珍視若此，誠醫林之佳話亦藝苑所罕聞也。

志載重固何氏，累葉以醫名，鴻舫上舍兼擅詞翰並好客，居福泉山麓，騷人墨客來游者，無不主其家，同光間余倩雲昭，陳樑庵樗，與上舍詩酒往還，一時稱盛。

何昌煥，字蔚如，其偉子，咸豐壬子舉人，工醫。

何昌齡，字端叔，其章子，醫克承家學，性豪邁，行道吳江，求治者盈門。（吳江志）

何昌梓，字伯穎，其超子，居簳山，咸豐己未副貢，醫承家學，好爲深思，嘗取室中所儲診籍，手自輯錄，闡發其奥賾之蘊。治病究合脉法，應手奏效。何氏自道光間分簳山重固兩支，時昌梓醫名與其從兄長治競爽，長治自有傳，兼工詩，其超題其爐餘集云，頗憶蘇家名父子，斜川一集繼東坡，其矜許如此。

昌梓精醫工詩，秋日游簳山詩云，山有雙峰絳簳名，趁晴携杖一閒行，泉清水自山坳瀉，樹老根從石罅生，漁子持竿船影杳，僧寮鳴角晚風清，歸舟一棹偏容與，紅葉斜陽無限情。著有香雪軒醫案四卷，爐餘詩鈔二卷。（見青浦續志）

清第二十世

何振宇，字虚白，鴻舫子，工書善醫。

何振基，字魯廷，附貢生，居重固。父昌煥，字蔚如，咸豐壬子舉人，夙精難素，不樂進取，善養生，與室張氏同日卒，年均七十有三，人比之劉樊夫婦。振基醫得父授，苦志鑽擘，治傷寒溫熱諸症尤神，病家爭延致之。時仲父長治，方以醫負盛名，振基承其後亦籍甚。論者謂重固何氏之醫與簳山何氏一脉，均能繩繩勿替云。（續志）

何五徵，字伯鴻，昌齡子，同治甲子舉人，亦能醫，工詩文。

何壽彭，字考祥，亦精醫，嘗謂南方地暖，溫病爲多，因作溫病說。著有醫鏡三卷。

何廷璋，字端夫，其超孫，諸生，著有干山志略，光緒間續修簳山何氏族譜未刊。

編者考何氏世系，至廷璋止爲二十世，是從松江府志與青浦志等排比。若按退省廬筆記云：「重固何氏爲世醫，至先生（鴻舫）已二十三世。」如是至廷璋止爲二十四世矣。復觀七檜草堂圖冊內欽吉堂記云：「何氏世神於醫，至書田小山兄弟廿四世矣。」照此到廷璋一代，已廿六世矣。欽氏與何氏書田小山昆仲，相交攸久，何氏世譜尚藏堂屋，其根據有自，故編者考何氏世系當不止二十世，俟假得何氏世譜後修正，尚希達者教正是盼。編者附誌

孫星衍和醫藥書籍

李　鼎*

清朝乾隆嘉慶年間(1735—1818)，考據學風極盛，孫星衍（字淵如），也是其中的著名人物。他涉獵的範圍很廣，除了經子之外，還連帶到醫藥方書。他雖然不是醫生，但和醫藥有很多聯繫。

孫氏早年就根據爾雅、釋名、說文、廣雅等書，寫成一篇「釋人」，解釋人體各部的名稱。後來胡澍還給它加上疏證[1]。

孫氏31歲（1783年乾隆48年）就初次考訂藥物古籍——「神農本草經」[2]。35歲入翰林（1787年乾隆52年）。34歲做刑部主事。44歲做山東兗沂曹濟道兼運河都水使者時，陽穀、東阿二縣界修葺阿膠的古阿井，他寫了篇碑記[3]。47歲（1799年嘉慶四年）母親喪事，南歸陽湖。阮元聘他爲杭州詁經精舍主教。在這一年，再次和姪兒孫馮翼校定「神農本草經」[4]，刊入問經堂叢書中。喪滿，仍發山東。53歲，補督糧道。54歲，權布政使。56歲，寫過一本「平津館鑒藏記」，登載所藏書籍板本。其中有關醫藥書籍如下：

宋板：寇宗奭本草衍義20卷。類編朱氏（佐君）集驗醫方15卷。

元板：新刊補注黃帝內經素問12卷。唐愼微「經史證類大觀本草」31卷。證類增注傷寒百問歌四卷。新刊東垣（李杲）先生蘭室祕藏三卷。奇效良方65卷。成無己傷寒論注解10卷。新刊平冤錄，無冤錄各一卷。

明板：重刊巢氏（元方）諸病原候總論50卷。「重修政和證類備用本草」30卷，三部。王大獻重刊「經史證類大全本草」31卷（第31卷爲本經外類，政和本所無）。鼎雕銅人兪穴鍼灸圖經三卷。宋郭思纂千金寶要六卷。溫隱居備急海上仙方一卷。

舊影寫本：王燾外臺祕要40卷。洗冤集錄一卷。華氏中藏經三卷。素問六氣玄珠密語10卷。杜光庭廣成先生玉函經一卷。宋王氏（璆）百一選方八卷。華陽陶隱居（弘景）集二卷。

孫寫本：錢氏（乙）小兒直決四卷。急救仙方一卷。王好古伊尹湯液仲景廣爲大法四卷。

後幾年，先後校刊「華氏中藏經」[5]，從外臺祕要第17卷輯出「素女方」[6]並附刊「製大黃丸方」，入平津館叢書中。從千金翼方、肘後備急方輯出「服鹽藥法」，校刊「宋提刑洗冤錄」[7]、「千金寶要」入岱南閣叢書中。59歲，引疾歸。後主教鍾山書院。66歲（1818年嘉慶25年）逝世。

孫氏的一生表現，就是好古，喜愛書籍。袁枚稱他爲「奇才」，可是「恃才傲物」[8]。父親名勳，舉人，做過河曲知縣，每年製「大黃丸」[illegible]送患者，很有功效。孫氏和孫思邈是「本家」，稱孫思邈爲「家眞人」。這些，都引起他對醫藥書籍的興趣。其中主要的是「神農本草經」。

「神農本草」自歷代補充修訂，原有單行本很少刊行。孫氏乃從「證類本草」[9]中輯出，並加考證。根據太平御覽引本草經上云「生山谷」「生川

---

* 上海市衛生學校

(1)「釋人」載「問字堂集」。胡澍（1824—1872）著有「內經素問校義」刊在世界書局出版的珍本醫書集成中。

(2) 初次「考訂神農本草經序」載「問字堂集」，末尾記「乾隆癸卯，48年7月7日于都門官菜園上街寓舍。」和以後載在「本草經」上的序文有些不同。

(3)「重修阿井碑記」載「岱南閣集」。

(4) 署「孫星衍，孫馮翼同輯」。序文「其辨析物類，引據諸書，則鳳卿（馮翼字）增補之力俱多云。」

(5)「華氏中藏經」舊題「華佗撰」，其實非是。孫說：「此書文義古奧，似是六朝人所撰，非後世所能假託。」

(6)「素女經」古代「房中術」之類，已散逸，孫輯也不能完備，今日本「醫心方」中援引最多。

(7) 法醫用書。

(8)「奇才」的話，見「與袁簡齋書」載「問字堂集」。葉德輝「清代學者象傳」說他「恃才傲物，目無餘子」。

(9)「證類本草」成于大觀年稱「大觀本草」，政和重修稱「政和本草」。

澤」，下云生某郡縣；又薛綜注張衡賦引本草經「太一禹餘糧一名石腦，生山谷。」因訂定「生山谷」「生川澤」原是本草經文，其下郡縣名稱乃出自漢代名醫添附。而唐後本草山川郡縣並歸屬名醫別錄，是出于傳寫錯誤。這個見解是有其相當理由。在孫氏本書，還有幾條欠缺，可根據太平御覽引文補上：

麻黃——生川谷

厚朴——生山谷

女青——生川谷

澤蘭——生池澤

孫氏又從太平御覽、藝文類聚等書輯出久已散逸的「吳氏本草」[10]引文，附于每條之後。雖不能完全，而對認識古代醫藥文獻頗有幫助。今再補充他所遺漏的幾條：

賈思勰齊民要術引吳氏本草：

大棗者名良棗。

桂一名止唾。

櫻桃一名朱桃，一名英桃。（英桃，御覽、藝文引作麥英）。

太平御覽引吳氏本草：

石芸一名敝列，一名顧啄。

李時珍本草綱目轉引吳氏本草：

翹根，李當之苦。

蘋，治暴熱，下水氣，利小便。

在後，又依照字書注釋藥物名義，改掉一些「俗字」，編次分卷，末尾附錄各書所引的本經逸文。照理，孫氏藏書豐富，只「證類本草」就有元明刊本五種（見上錄），並且經過很長的時間，如能仔細的做，定可成一本完善的本子。但本書卻存着不少的缺點，沒有盡他「啓蒙方技」的責任。初序中的話：「鈔胥之任，匪有發明」[11]，就是抄，也未免抄得粗心大意。

蘇恭唐本草退去姑活，別羈，石下長卿，翹根，屈草，淮木等六種在有名未用門中，孫氏以姑活，別羈，屈草，淮木四種列在上品草部後，以翹根列在中品草部後，遺漏石下長卿一條未錄。又移動米穀部青蘘，菜部假蘇，木部芫華入草部，果部橘柚入木部，蟲魚部伏翼入禽部。根據御覽引本草經文有升麻，把升麻列入上品，這是對的；因吳氏本草有粟米，黍米，就把原屬名醫別錄的粟米、黍米改入本草經文，這就有些亂搞。把淮木後面占斯的注當做淮木的注，假蘇條，把唐本草注說是陶弘景注。同樣的情形還多。御覽第988卷引本草經「草決明，味鹹，理目珠精。」是說「治眼很好」的意思，並非援引原文。孫氏乃據此于決明子條「益精光」下注說：「御覽作理目珠精」。以「珠」作「硃」，並誤解其意。據御覽錄本草經逸文「神農與太一外五岳四瀆」外字下，孫注說「巡字」。查御覽984卷，「外」字其實是「升」字的錯誤。周學海在翻印本書時，曾對他提出批評[12]：「……乃于名物形狀，亦徒羅列富有，莫正是非。如水萍則藻，蘋並列；柳華則檉、杞同稱。如此之類，未可殫舉。夫橘柚用其實也，非用其木；青蘘爲巨勝苗，巨勝九穀長，其可實穀而苗草耶？二種出入，嫌于妄作矣。……夫數典者經生之空談，而無與于醫之實用者也，苟不求所以用之，即名物品數盡如神農之舊，而何濟于世。……」

在所輯「素女方」中，也可看出他的草率。顧觀光說過[13]：「近孫淵如，頗好古書，取17卷中所引「素女經。四季補益方」列入平津館中，不知34卷，尚有「素女八瘕方」，失于採錄。可謂疏略之甚。」

雖然這樣，他所校定的「神農本草經」，還是受到讀書界的重視。1850年，王楚材依照本書作「神農本草經贊」[14]。1891年，建德周學海重刻本書。序文說：「學海慮古籍之湮也，亟爲刊布，舍顧而從孫者，亦取徵引之富贍耳。」近代，中華書局「四部備要」，商務印書館「叢書集成」及大東書局「中國醫書集成」也重印本書。

參考文獻

1. 孫星衍，問字堂集，岱南閣集，並見「孫淵如先生集」，商務。

---

(10)「吳氏本草」華佗弟子吳普撰，宋時已散逸。

(11) 初序中的話：「庶以輔翼完經，啓蒙方技，鈔胥之任，匪有發明（抄寫員的工作，沒有特別創見）。」後來經過刪改。

(12) 見序文

(13) 顧觀光（1798—1862）研究天文歷算，著書很多。也校刊「神農本草經」「傷寒雜病論」「素問靈樞」。引文見「讀外臺秘要書後」載「武陵山人雜著」。

(14) 王書刊在珍本醫書集成中。

2. 清史列傳第69卷，儒林傳下二、中華版。
3. 葉關豪，清代學者象傳。
4. 孫輯神農本草經，問經堂本，商務叢書集成版；周翻印本，中華四部備要版。
5. 平津館鑒藏記，商務版。
6. 華氏中藏經序，商務版。
7. 服鹽藥法，商務版。
8. 素女方，製大黃丸方序，商務版。
9. 政和本草，商務四部叢刊版。
10. 太平御覽，商務版。
11. 賈思勰，齊民要術，商務版。
12. 李時珍，本草綱目，世界版。
13. 歐觀光，武陵山人雜著，商務版。

國際醫史學動態

美國醫史學會第二十六屆年會

美國醫史學會第二十六屆年會在1953年4月10—12日於俄亥俄州立大學（Ohio State University）內的俄亥俄州博物館舉行。第一日上午在 Fort Hayes Hotel 開執行委員會，由會長富爾敦（J. F. Fulton）担任主席。參觀俄亥俄州博物館和俄亥俄州立大學的新衛生站。下午和俄亥俄州考古學會、歷史學會在俄亥俄州博物館大禮堂開聯席會。此後開會務會議，報告中說每個會員最少每兩年在醫史雜誌上發表一篇論文；名譽會員10人，會員491人，通訊會員14人，分會24個。更報告了醫史雜誌共發行1,150份，發表了主要論文25篇，書評26篇和其他文章等；論文中會員投稿者20人，非會員14人。晚間開學術討論會，討論關於「北美合衆國早期的醫學」，共有論文三篇。

第二日上午論文報告會共讀論文七篇，下午學術討論會，討論關於「俄亥俄州一百五十年來的醫學和牙科學」，共有論文14篇，因時間所限，讀了六篇，另外八篇只讀了題目。

第三日上午宣讀論文七篇，閉會。

（基據 Bulletin of the history of medicine vol. 27, No. 4, 1953.）

關於金雞納傳入我國的紀載

王吉民*

金鷄勒亦名金鷄納，是泰西治瘧疾的特效藥，它的發見為世界醫藥史上一件大事。記得從前有一本書說過：如果世界上沒有金鷄納的話，白種人在熱帶地方的稱霸，是永遠不會成功的。又一說：英國若不全靠金鷄納的話，是永遠不能維持統治印度的。可見帝國主義侵略他國的方式是無孔不入，醫藥也是一種被利用的工具了。

蔡華比氏在中國美術及科學雜誌有一篇論文「金鷄納羅曼史」很詳細描寫這藥最初在南美州發見的故事，其後植物學家如何冒險挺入森林採訪種子，各國競爭移植樹苗，搶奪市場種種活劇，洋洋大觀。本篇僅述它傳入中國的一段史實而已。這項文獻的來源，可分中文的紀載及外文的紀載。

一、中文的紀載

查愼行人海記云：「上留心醫理，熟諳藥性，常諭臣等云，聖賢道理俱有一定之論，至於醫卜星相，言人人殊，方書所載，湯頭甚多，若一方可療一病，何用屢易，西洋有一種樹皮名金鷄勒，以治瘧疾，一服即愈，只在對證也。」（昭代叢書壬集第82頁）

清朝野史大觀卷11第84頁聖祖論醫條有同樣的紀載，惟言人人殊之後，方書所載之前，有「世間庸醫於寒熱虛實率未能辨，南人喜用補，北人喜用瀉，皆非適中之道。大抵溫補之藥，其效甚微，酷烈之藥，其效立見。」一段。

趙學敏本草綱目拾遺卷六金鷄勒條：「查愼行人海記：西洋有一種樹皮，名金鷄勒，以治瘧，一服即瘉，嘉慶五年（公歷1800年），予宗人晉齋自粵東歸，帶得此物，出以相示，細枝中空，儼如去骨遠志，味微辛，云能走達營衛，大約性熱，專捷行氣血也。

治瘧　澳番相傳，不論何瘧，用金鷄勒一錢，肉桂五分，同煎服，壯實人金鷄勒可用二錢，一服即瘉，解酒煎湯，下咽即醒，亦澳番傳」。

俞曲園茶香室叢鈔卷22金鷄勒條：「國朝查愼行人海記云，上常諭臣等云，西洋有一種樹皮，名金鷄勒，以治瘧疾，一服即瘉，用藥只在對症也。按余同年勒少仲中丞，極信此藥，云不止治瘧，兼可補胃，人或不之信，康熙時已入中國，且有聖祖此論也。」

樊國樑燕京開教略中篇37頁：「法國之王類斯第十四世，欲於中國傳揚聖教，並訪查民情地理，以廣見聞，特派本國耶穌會士六人，一名達沙爾，一名張誠，字實齋，一名李明，一名劉應，一名白晉，字乃心，一名洪若翰。六人於降生後一千六百八十五年洋歷三月初三日啓程，至一千六百八十八年洋歷二月抵華。除達沙爾西歸外，尚餘五人。（下略）次年（豈註：上節述1692年事）皇上偶染瘧疾，洪若翰、劉應進金鷄納（治瘧疾，西藥名，）張誠、白晉又進他味西藥。皇上以未達藥性，派四大臣試驗，先令患瘧者服之，皆愈，四大臣自服少許，亦覺無害，遂奏請皇上進用，不日，瘧瘳。洪若翰記曰：「皇上瘧瘳後，欲酬西士忠愛，于降生後一千六百九十三年洋歷七月初四日召吾等覲見，特於皇城西安門內賜賓廈一所。此月十一日，地面官將房院交清，然雜亂蕪穢，不堪居住，皇上飭工部鳩工修葺，頗稱愜志。至洋歷十二月十九日，一律完竣，即將新建小堂，獻為恭敬吾主死於十字架救贖普世之用，名之為救世堂，此即北堂之來歷也，次日行開堂慶禮，以便信友等出入瞻禮焉。」

黃伯祿正教奉褒：「清康熙三十二年（1693年）聖祖偶染瘧疾，西士洪若翰、劉應等進西藥金鷄納治之，結果痊癒，大受賞賜。」

康熙極相信金鷄納治瘧的靈驗，除自己服用

* 中華醫學會上海分會圖書博物館

外，並推荐於臣子。聖祖五幸江南全錄（振綺堂叢書本）載有康熙四十四年三月二十八日「上向提督張，你臉上比從前很瘦了。回奏說：因病了九次，所以瘦了。皇上說：我有很好藥，你怎麼不討呢。回奏，皇上沒有賜，不敢擅討。上說：你不比別人，不同着，要什麼，只管討。隨顧皇太子，你記着，回去就賜提督張。聖駕回行宮，令近侍梁傅旨說，這金雞那，是皇上御製的，服了很好。這是十兩，着賜提督。」紅樓夢的作者曹雪芹的祖父曹寅，係江寧織造局主任，患瘧勢甚重，康熙特諭蘇州織造局李煦持藥趕去，但藥未到而曹寅已經死了。這段事實載在文獻叢編第33篇33頁，玆錄如後：「康熙五十一年七月十八日李煦奏江寧織造曹寅染病代請賜藥摺云。臣李煦跪奏江寧織造臣曹寅於六月十六日自江寧來至揚州書局，料理刻工，於七月初一日感受風寒，臥病數日，轉而成瘧，雖服藥調理，日漸虛弱，臣在儀眞視聖，聞其染病，臣隨於十五日親至揚州看視。曹寅向臣言，我病時來時去，醫生用藥不能見效，必得主子聖藥救我。但我兒子年小，今若打發他求主子去，目下我身邊又無看視之人，求你替我啓奏，如同我自己一樣，若得賜藥，尚可起死回生，實蒙天恩再造等語。臣今在揚看其調理，但病勢甚重，臣不敢不據實奏聞，伏乞睿鑒。康熙五十一年七月十八日。」

「硃批你奏得好，今欲賜瘧疾的藥，恐遲延，所以賜驛馬星夜趕去。但瘧疾若未轉泄痢還無妨，若轉了病，此藥用不得，南方庸醫，每每用補濟（應作劑）而傷人者，不計其數，須要小心。曹寅元肯吃人參，今得此病，亦是人參中來的。

金專治瘧疾，用二錢末酒調服，若輕了些，再吃一服必要住的，住後，或一錢或八分，連吃二服，可以出根。

若不是瘧疾，此藥用不得，須要認眞。萬囑、萬囑、萬囑。」

二、外文的紀載

關於金雞納傳入中土的外文紀載，有下列數條，其譯文如左：

都哈爾德史地年事政治紀錄：「康熙35年（公歷1692年）聖祖因被惡性熱病侵襲，徐日昇，張誠神父奉命通夜留在宮內，並將法王類斯十四世賜給舉國貧民的錠劑呈進，服用半帖，熱即解除，數日後，因飲食失調變爲瘧疾，上下驚恐，遂頒布詔書，徵求良法，特派大臣四人專主其事，應徵者甚衆，其中有佛僧，自告奮勇，取井內淸水一桶，投少許入樽，端向太陽，雙眸仰視，口念阿彌，轉立四方，祈禱嚴整，狀極神秘。儀式告畢，即匍匐跪前將水呈飲，謂可療斯疾，但結果無效，被判爲欺詐。天主教神父適是時獲得金雞納一磅，此藥北京尙無人知其效用，乃在宮中試於三個患瘧之人。一個發熱時服之，第二個發熱後一日服之，第三個無熱時服之，皆一劑見效。康熙帝見此，乃大胆服之而癒。」

王吉民伍連德合著「中國醫史」所載，大致係由都氏書轉錄，並詳細描寫康熙帝癒後出巡之盛况，特許神父張誠、白晉、洪若翰、劉應四人扈蹕隊中以示優待，且對衆親詔如下：

汝等聽者，歐羅巴人鋻朕勤勞，常披心瀝胆，滿腔熱忱，朕即欲發見微疵，以斥責汝等亦不可得，朕國內之人民，常稱汝等爲異端，故朕亦時時注意汝等行動；今已深悉汝等之忠誠與廉潔矣。朕今在此以汝等舉荐於朕之國民，並將有公文發表焉。

荷蘭金雞納推銷局頃出一書，名瘧疾與金雞納，論瘧疾之歷史病狀治法甚詳，並插有古代關於瘧疾之金石圖畫多幅，頗爲名貴，書中一段敍述康熙帝患瘧服金雞納而癒之事，譯之如左。

天主教神父盛倡金雞納治瘧靈驗之說，並把得是藥來華、1692年康熙帝患大熱頗類瘧疾，厥狀甚危，御醫束手。帝堅欲服金雞納一試，左右及諸醫均力阻，帝不聽，畢得良效，夜熱度驟減，此後或高或低。卒因繼續服藥遂得痊癒云。

齊魯大學校長巴姆博士所著「中國與近世醫學」第51頁，亦有同樣之紀載，其詞曰1692年康熙帝染劇熱，會天主教神父以金雞納癒人瘧疾甚多，乃以此藥進，竟奏奇效，帝嘉其功，賜內府大廈以居之。

以上外文各條皆說康熙服用金雞納時爲1692年，而中文記載則爲1693年，其實以後者爲確，因都氏之錯，轉引者亦隨而誤。顧力治在「中國美術及科學雜誌」第17卷第一期1937年7月號第36面，曾指出這點，謂其他神父的紀錄，如米剌氏之「中國通史」第11章168—172頁，皆說康熙患瘧服食金雞納事，係在1693年四月。關於這事，洪若翰神父致法王聽懺悔之桀司神父函，有詳細記載，更可證明，節錄於後：

「我和劉應神父於1692年終回抵廣州，這時候曾接到命令前往北京內廷，當我們抵京時，康熙帝已患病，他在過去兩年內曾很留心查驗我們由歐洲帶來的藥品，尤注意法王賜給窮人這些藥丸，我們曾把這些藥丸在法國醫好的各種疾病逐一記載，它的功效，確屬神奇，而且異常迅速，能使垂死和絕望的病人於服藥後次日即起死回生，這些藥丸的神效，人們稱之爲「天藥」。

這時候康熙皇帝所患的病，乃係初步惡性熱瘧，他雖然知道這些藥丸能够把他的病醫好，可是中國醫生不敢用之，而改用他藥，但康熙帝自知病勢日趨沉重，遂毅然命廷臣將半服藥丸給他食，到晚上熱度減低，次日又覺得舒服，可是不久他又患了三日熱，甚爲憂慮，乃通告全城人士凡能醫好三日熱者，應立即入見，於是每日均有人前往試試。

這時候余與劉應神父正行抵宮廷，我們帶有來自旁迪車尼的金雞納一磅，這些藥，當時北京尚未知道，我們遂把這藥進呈，告以在歐洲這藥係醫治間歇熱和三日熱最有把握的。有四位大臣担任監督藥品試驗，並把試驗結果奏明皇上，大臣很歡喜接待我們，我們遂把這藥怎樣治療及根據法王命令的通常用法告訴他們，他們很爲滿意，並詢問金雞納的本質，它的功效怎樣，及能醫治什麽病。

次日，他們把三個病人叫來試驗這藥，服了第一劑後，就立即好了，廷臣於是馬上奏明皇上，當時如果不是皇太子觀阻的話，康熙帝就會在這一天吞服這藥了。因皇太子很愛他的父親，深以康熙帝患病爲念，甚怕這種無人知道的藥恐有害處，不敢輕易嘗試，於是召見這四位廷臣，責以不應這樣草率與知皇上，廷臣們自行認錯，並告訴皇太子，對這藥毫不畏懼，四人均願嘗試，太子首肯，於是立即命人拿個杯子來，由太子親自把藥及些酒放入杯內和勻，四位大臣當面服之，隨往入睡，安然無事，並不覺得有絲毫不妥之處。

剛巧那天晚上康熙帝睡得不好，次早三點鐘即召見肅善親王，王奏知他與三位廷臣皆屬平安無事，皇帝不假思索即毅然把藥吞服，那天這三日熱，照例是會發的，可是並不發作，整日整夜都覺得舒服，全宮皆大歡喜，這四位廷臣很感謝我們這藥的功效，康熙帝仍繼續吞服，身子亦日有起色，他曾當衆自說這藥丸已救回他的性命，並爲酬謝我們起見，他把一所大房子賞給我們，這所房子原係一個大臣的，因犯了罪充軍到新疆去而被沒收充公的。」

三、譯名的考證

金鷄納原名 Cinchona 其精則名 Quinine 初名秘魯樹皮，以產於秘魯國，又名神父樹皮，因據稱一神父所發現。其後秘魯國之西班牙總督夫人名金鷄納者，患瘧投以此物而愈，遂以夫人之名名其藥。趙學敏本草綱目拾遺譯爲金鷄勒，合信氏西醫略論瘧症條云：「鷄哪係金鷄哪之精藥，治瘧第一良藥。」內科新說卷上瘧症論有「鷄喇」「金鷄喇末」等名；卷下金鷄哪條又有「昔人但知用金鷄哪，近日用法，專取金鷄哪精桀名鷄哪——或譯爲哇哪，或譯爲鷄年，無異議——功力更佳」等語。金鷄勒音譯，合信氏未必沒見過，意者他嫌「勒」字的音不準，故改爲「喇」「哪」耳。

斯宓斯中國藥物詳釋譯 Cinchona 爲「金丹皮」，以爲「金鷄哪」一名是合信氏創的，又舉「金丹絨」「金鷄納霜」爲 Quinine 之譯名，並述反對金鷄納霜譯名之理由。洪氏萬國藥方譯爲「金鷄袜」及「桂尼濁」實爲洪氏所創。梅滕更醫方彙編譯爲「鷄那」及「鷄那精」。

綜觀各譯者頗不一致。Cinchona 之譯名有金鷄勒，金鷄納，金鷄袜，金鷄哪，辛科那等名；Quinine 之譯名有金鷄納霜，桂尼濁，哇哪，鷄年，桂寧，規那，貴林，見年，奎寧等。現在通行之譯名爲金鷄納及奎寧。

幾種中藥研究的近況

姜周行

中藥是我國數千年來的寶貴遺產，在我國保健工作當中仍佔重要部分，人民政府號召我們醫藥衞生工作者應該重視中藥，「用科學的方法加以整理，並發揮中藥的優良成分，更好地爲人民健康服務」。我們醫藥衞生工作者很光榮地接受了這個任務，近幾年來無論在整理或研究方面都已加强了工作。現將幾種中藥研究的近況介紹如下：

一、抗瘧藥

1. 常山　中藥有抗瘧作用的藥物以常山爲主，在科學的臨床方面已經證明了入院觀察的104個病例中三日瘧治愈率爲85%[1]，在植物學方面也肯定了牠是虎耳草科的植物 *Dichroa febrifuga Lour.* （現改爲八仙花科[2] *Hydrangeaceae*）。而與芸香科的小臭木（*Orixa japonica Thunb.*）無論在形態上或化學成分方面都是完全不同的。我國有些醫藥書如陳存仁的中國藥學大辭典，新本草綱目；李鴻彝的國藥藥理學等都是錯誤地記載着這個名字。另外，在北京藥市中所售的常山飲片也夾雜了大部分顏色深黃而味苦的「常山」，據趙燏黃氏[3]研究，這是小蘗科植物北恆山（*Berbris vulgaris L.* 及 *Berlris Chinesis Poir*）的地下莖，但能否代用常山尚無研究報告。常山成分屬於生物鹼，根與葉（又名蜀漆）大致相同，但總生物鹼的含量若干，各方報告均不一致，相差很遠；由0.15%到0.4%[4,5]，尚須改進測定方法再作一個有系統的測定以供製藥及使用時的參考。化學成分研究的結果，分離了有效成分爲生物鹼，稱常山鹼(Dichroine)，共有三種異構體[6]，名爲常山鹼甲、乙、丙（*α-Dichroine, β-Dichroine, γ-Dichroine*），化學實驗式爲 $C_{16}H_{21}O_3N_3$，是喹啉唑酮（Quinazolonoe）的衍生物與奎寧不同，當中以常山鹼丙對於雞瘧原蟲效力最强，對鴨瘧、猴瘧都有效[7]，注射0.04毫克於每公斤體重的鴿子體內引起嘔吐，可能爲中樞性的。在臨床上應用常山根的浸膏片亦間或引起嘔吐。程學銘氏等[8]曾將常山浸膏反復提純後佐以鹼劑製成藥片，作臨床試驗，亦不能完全除去嘔吐之副作用，嗣後又製成滑石粉丸衣與鞣酸常山[9]，經動物與臨床試驗亦沒有得到一致的結果，即有的服了吐，有的不吐。目前亟待研究的是劑量的用法或配合其他藥物以減輕嘔吐作用。

關於常山的化學成分構造及其合成，外國學者做了一系列的研究工作[10]，用人工綜合的常山鹼的療效只有天然的一半，在牠的54種衍生物中亦只有十餘種比較好些[11]，但都不及常山鹼。

2. 鴉膽子　在1765年即試用於阿米巴痢疾，爲苦木科植物 *Brucea japonica Merr.* 或 *Brucea sumatrana Roxb.* 的種子。王進英氏[12]於1950年首先試用於雞瘧，以後又試用於27個瘧疾病人，其結論認爲對間日瘧、三日瘧和惡性瘧都有良好療效，服藥後二天退熱的佔81%强。但浙江衞生實驗院1951年報告[13]，認爲鴉胆子對惡性瘧疾原蟲的有性生殖體及三日瘧原蟲毫無作用，結論與王氏實驗報告不完全一致，其原因何在，兩方面都還沒有說明，必須重複檢查各人的試驗，同時尚須對鴉胆子的化學成分及其含量加以詳細研究與測定；以掌握鴉胆子原生藥的性能後再作臨床試驗。

鴉胆子含有油分甚多，約23%。于光元氏[14]及李寶實氏[15]同年發表鴉胆子油治各種疣（瘊子）和乳頭瘤有效，僅需外塗即可使瘊子和乳頭瘤從皮膚脫下，周圍的正常皮膚若接觸藥物則發生炎症。

關於鴉胆子的化學成分有許多人研究過，各人報告均不一致，最近有朱任宏氏[16]報告三種結晶物質：第一種的分子式是 $C_{12}H_{16}O_5$，熔點263—265 °C；第二種的分子式是 $C_{10}H_{16}O_5$，熔點254—256 °C，味極苦，遇硫酸變紫紅色；第三種是脂肪酸 $C_{17}H_{34}O_2$，熔點60—61 °C，當中以第一種成分265 °C作雞瘧試驗，於八、九天後原蟲消失[17]。看來此種成分的治瘧效力還不及常山鹼。

二、驅蟲藥

1. **檳榔** 爲棕櫚科植物 *Areca catechu* 的乾燥成熟種子，早已作治療人、畜絛蟲之用，近有用治薑片蟲的[18]，即取檳榔 50 克加水 125 毫升煮一小時製成煎劑，在 64 個病例中，多數患者服藥 2—3 小時後，即排出大量薑片蟲。部分患者有發生嘔吐、惡心或腹痛的現象。檳榔的新鮮切片對蛔蟲亦有效[19]，治癒率佔 40% 强，但用新鮮切片放置一日後作煎劑，試用驅蛔蟲八例，則全數失敗，原因何在尚難臆測，必須由化學方面測定檳榔鹼的成分是否存在，或驅蛔之有效成分另有其他物質存在？檳榔的生物鹼以檳榔鹼（Arecoline）爲主，約含有 0.1—0.3%[20]。中華人民共和國藥典（1953 版）規定含醚溶性生物鹼作爲檳榔鹼（$C_8H_{15}O_2N$）計算不得少於 0.25%，但據劉國聲氏化驗報告[21]生檳榔中含檳榔鹼即有 0.33—0.36%。含量很高是應該注意的一件事。檳榔作爲驅蟲藥用時須服 50 克作成煎劑，一次服用，但煎劑中含有檳榔鹼若干亦應加以分析。據熟習中藥業製藥情形者說，檳榔製成飲片時必須將生檳榔浸在水中十餘天始可切成薄片。如果屬實，則檳榔在浸的過程中生物鹼損失若干應該分析一下，以作中藥業的參考。

2. **使君子** 爲使君子科植物 *Quisqualis indica L.*（或 *Q. Sinensis Lindl.*）之種子作驅蛔蟲用，近報告[22]對於薑片蟲、蟯蟲亦有效，但對鞭毛蟲及鈎蟲無效。用量按照兒童年齡各有分別；4—6歲服六粒，7—10 歲八粒，10—15 歲服 12 粒，但陳賓卷氏[23]報告的用量每次服 20 粒，每日 40—44 粒，治療總劑量 42—152 粒則發生副作用，如呃逆、頭痛、頭昏、惡心嘔吐、肚子痛、當中以呃逆者較多，二氏所用之量懸殊甚大，是否由於使君子的有效成分因產地不同而有分別或另有其他原因，應從化學方面分析生藥有效成分的含量後方可改進治療的方法。

胡崇瀾氏報告[24]根據蚯蚓實驗，有效成分爲水溶性，浸膏雖經發酵作用除去糖質後其效用未受影響。甲醇浸出物同樣有效。陳思義氏[25]報告使君子酸鉀（$C_{10}H_{16}N_6O_{10}K_2$）確有驅蛔作用，並非完全由於所含的鉀鹽了。使君子酸（$C_{10}H_{18}N_6O_{10}$）酸性反應甚强，作成鈉鹽對蚯蚓無大效。但使君子酸鉀的含量，尚未見有報告。

三、抗菌作用的中藥

早在 1928 年蘇聯生物學者托金（B. P. Tokin）教授發現在某些高等植物中含有殺菌性物質，稱之爲［植物殺菌素］，在常用中藥中用水抽出物作抗菌性質試驗[26]，發現大黃、黃連、山茱萸、茜草等對於金黃色葡萄狀球菌有不同程度的抗生作用，此外還有小回回蒜、百部等對於大腸菌有抗生作用。劉國聲氏[27]亦曾作中藥抗生力的研究，發現黃連、大黃、連翹、夏枯草、忍冬、當歸、厚樸、丹皮、知母、芍藥、百部十餘種有抗生力。近年蘇聯報告[28]桉樹葉（Folia Eucalypti）煎湯可供一切化膿性外症殺菌消毒之用，其效用且過於青黴素。用法極爲簡單，即取桉葉 15 克加水煎湯成 100 毫升，外用，用後病人都感覺非常舒適，治外科各種炎症，如骨髓炎、蜂窩織炎、疔瘡、紅絲疔、丹毒、產氣疽等均奏良效。查桉樹在我國雲南、四川、廣東、福建均有大量生長，民間用爲治瘧疾用，並傳說有此樹生長之處即可無蚊，不知確否，應請農村防疫工作者注意觀察之，桉樹葉中含有揮發油 3—6%。苦味成分，桉葉酸。在油中之主要成分爲桉葉油酚（Cineol），可進一步作分離試驗，究竟有抗生作用的是甚麼成分。

杜松實的石油醚浸出物中有强抗生作用，即稀釋到 1600 分之一亦能制止細菌發育，據分析結果得知有抗生作用的部分爲 $C_{29}H_{20}O_3$，可能爲松香酸的異構體[29]。此外尚有大蒜對於病原性絲狀菌作用[30]及痢疾桿菌作用[31]均有研究報告。對於抗眞菌力的試驗亦有報告[32]。最近王撲氏等[33]曾就 102 種藥用植物作抗菌效能試驗，認爲熱水浸出液具抗菌性的爲數不多，恐因植物中含有的抗生素多半不溶於水，但用乙醇浸液有抗生性效能的比熱水浸液多，活動性强。並認爲厚樸、烏梅、馬齒莧、白芷對於試驗的病菌有高度的抑制作用。木通、細辛、遠志也有顯著的抑制作用。初步試驗已認爲百部對人型結核菌有完全抑制作用。厚樸、烏梅、白芨、白芷、遠志對人型結核菌也有顯著抑制作用。王氏報告水浸液的抗菌作用結果與蘇聯報告用水抽出物作試驗的方法，結果不完全一致，這是値得注意的。此外白果[34]及白果酸[35]的抗結核菌試驗亦均有詳細研究報告。

四、高血壓藥

治高血壓症藥物爲近年來各國醫藥研究工作者主要的課題，在中藥中有無治高血壓症藥物是值得探討的，下列二藥的研究是值得介紹的：

1. **杜仲** 爲强壯劑治腰痛的特效藥。1951 年蘇聯醫學雜誌報告用杜仲治高血壓症可使病人主觀症狀改善並無副作用，功效可持久到四個月以上。查杜仲爲杜仲科（不是大戟科）植物 *Eucommia ulmoides* Oliv. 的樹皮，在我國四川、湖北、浙江、安徽、甘肅、貴州、福建等省均有生長，藥市以四川及洛陽產的爲上品，含有硬性橡膠約 5%。據蘇聯分析結果無生物鹼且尚不能證明有糖苷存在。醇抽出物味苦。有類似纈草素氣味。其能使血壓降低之成分爲何物尚在研究中。我國科學院藥物研究所[35]進行初步試驗，取沸水煎出液中和後，在狗體作靜脉注射能立即降低血壓，且能維持很久，但是產生一種急速耐受現象，即第二或第三次靜脉注射杜仲浸液而毫無減壓作用。

2. **槐花米** 爲槐樹（*Sophora japonica L.*）未開放之花蕊，主要成分爲蘆丁（Rutin），色黄，民間作黄色染料用並輸出南洋各地。自發現蘆丁有使毛細血管脆性減低作用後，我國首先由汪殿華[35]、趙燏黄[36]二氏分别從槐花米中大量提取推廣應用，作爲預防高血壓中風藥。現市售之蘆丁均係我國各大藥廠自槐花米中提得的，此係中藥大量提取糖苷類之第一種藥物，亦即繼麻黄之後大量用化學方法提出應用的第二種成功的中藥。據近代報告尚可由蕎麥[37]中提製蘆丁，其他植物中如桉葉、番茄等亦均含有蘆丁。關於槐花米中的蘆丁定量法，林啓壽氏[38]曾試用色層分離法測定北京中藥店所售槐花含蘆丁量爲 5.33%。黄紹德氏[39]曾作槐花藥理之初步研究，認爲槐花對於動物尚有暫時減低血壓作用。

以上爲幾種中藥近年來研究進展的概况。尚有一些中藥研究工作因未到成熟時期，只有留待日後研究工作者不斷地報導。必須在這裏説明的是，我國醫藥科學工作者在解放以來對於中藥科學化的認識確實提高了。從上面一些研究報告當中我們可以看出，中藥的療效及作用方面的研究是比較過去多了，並且能結合到生產推廣應用上去。在這個巨大的任務當中，植物學家、化學家、藥理學家以及臨床醫師在各個不同的崗位上，用科學方法對中國藥做了一些試驗，但是，各部門的專家尚沒有組織得很好，配合得很好。要解决中國藥裏面的問題，必須要有集體主義與愛國主義相結合的精神，認清我國過渡時期的總路線與總任務的要求，大家一起在統一計劃下分工合作，那就能使新的進展更加迅速。解放以前四十年中研究中藥的成就不大，相反地影響了許多人對於中藥研究的錯誤看法而失去了研究中藥的信心。中藥當中還潛在許多實貴的東西，我們要本着爲人民健康服務的精神用科學的方法告訴人民甚麼是好藥，同時還要從好藥中發揚光大起來。最後我希望醫藥衛生工作者一齊團結起來爲「中藥科學化」的目標而奮鬥。

參考文獻

1. 中國特效藥研究所常山治瘧研究初步報告（1942 年單行本）
2. 樓之岑：J. Pharm. Pharmacol，1950，**2**，162—177頁。
3. 趙燏黄：北京醫學院藥學系私人通信。
4. A. Frederick: J. Am. Chem. Soc. vol. 70, No. 6, 1948.
5. 趙承嘏等：中國科學二卷四期 455—407 頁．1951.
6. 傅豐永等：西南藥刊，1951 年，創刊號，重慶。
7. 陳克恢等：J.Pharmacol. Exper. Therap.95, 191, 1949.
8. 程學銘等：（同（1））
9. 姜達衢：「鹽酸常山與瘧疾」，醫藥學，第三卷，上海。
10. J. Organ. Chem. Vol. 17, 1952.
11. 藥學通報第一卷第七期 289 頁．1953.
12. 王進英：科學通報一卷七期 460 頁，1950.
13. 浙江衛生實驗院，1951，第二年年報 61 頁。
14. 于光元：中華醫學雜誌 36：99，1950.
15. 李寶實：中華醫學雜誌 36：1903 頁，1950.
16. 朱任宏；科學通報，第一卷第七期 459 頁，1950.
17. 王進英：中華醫學雜誌，36 卷，469 頁，1950.
18. 「長沙王家嶺區的薑片蟲病」湘雅醫刊一卷三期 18 頁，1950.
19. 陳寶星：「檳榔驅蛔蟲臨床試驗初步報告」中華醫學雜誌 446—481 頁，1952.
20. C. Wehmer: Die Pflanzenstoffe 第二版一卷 123 頁，1929.

21. 劉國樑：［檳榔子中鹼類成分 Arecoline 之含量］醫藥學四卷三期 115 頁，1951.
22. ［江西衛生廳鄉村衛生實驗區試用中藥使君子驅蟲報告］中南衛生通報第二卷第三期 54 頁，1952.
23. 陳質菴：［使君子對於小兒蛔蟲的療效］東北醫學雜誌第十期 929—934 頁，1952.
24. 胡崇澍：［使君子之研究］中華醫學雜誌 36：619，1950.
25. 陳思義等：［使君子的驅蟲成分］中華醫學雜誌 38：319—321，1952.
26. 許邦憲譯：［中國藥用植物中的抗生性物質］醫藥學第三卷九期，1950.
27. 中國新醫學報第一卷第二、四期，1950.
28. 鐵光：［洋葉湯抗生效力］黃蘭孫編：中國藥物的科學研究，1952.
29. 藥學通報第一卷七期 288 頁，1953.
30. 李鳳蓀：［大蒜治療桿菌痢疾的初步報告］中南醫學雜誌第二卷十二期 909—917 頁，1952.
31. 張水聰：［大蒜揮發性物質對病原性絲狀菌作用研究］中華新醫學報第三卷 1—8 頁，1952.
32. 鄒武鏡：［普通中國草藥在試管內對致病性及非致病性真菌的抗真菌力］中華醫學雜誌 38：315—318 1952.
33. 王岳等：［102 種藥用植物抗菌效能的初步試驗］植物學報第二卷第二期，1953.
34. 周郁文：［白果的抗菌作用］中華醫學雜誌 36：549，1950.
35. 科學通報七卷 41 頁，1953.
36. 汪殿華、羅建陶二氏在上海中心製藥廠，趙燏黃在北京趙氏生藥化學研究所。現上海五洲，中法兩藥廠均能製造。
37. 蔣宏濬譯：［萵參中提製蘆丁］，中國藥物的科學研究 131 頁，1952.
38. 林啓壽：［藉色層分離法測定國產生藥中蘆丁的含量］藥學學報一卷一期，1953.
39. 黃紹德：中南醫學雜誌，2：885—887 1952.

中华医史杂志

貝母的歷史和近代的觀察與實驗

王孝濤*

貝母在我國古代就知道用作醫病的藥物，他的醫療功能各本草書中有如下述的記載：

、神農本草經：貝母味辛平，主治傷寒煩熱、淋瀝邪氣、疝瘕喉痺、乳難、金創風痙。

名醫別錄：欬嗽上氣、止煩熱渴。

經史證類備急本草：消痰、潤心肺、末和沙糖丸、含止嗽[1]。

本草綱目：化痰降氣、小兒晬嗽、孕婦欬嗽等療用[2]。

本草綱目拾遺：川貝味甘而補肺，象貝治風火痰嗽爲佳[3]。

根據上述記載，貝母到明代才有分成二種，但治療功效自名醫別錄以下全是一致的，就是能鎮咳，能祛痰。

貝母並不是僅產於四川和浙江。據陶弘景說生晉（河北之晉縣）地。唐本草稱出荊州（湖北之荊陽）襄州（湖北之襄陽）者最佳，江南諸州亦有。宋蘇頌則稱今之河中（山西之蒲州），郢（湖北之安陸），江陵府（湖北之江陵縣），隨（湖北之德安縣），蔡（河南之汝寧縣），滁州（安徽之滁州），壽（安徽之壽縣），鄭（河南之鄭縣），潤（江蘇之鎮江）皆有之。可知貝母原產於北方，至唐代移植於華中，至宋代到達南方，今更茂生於浙江之象山，以及雲南之麗江，分佈地區甚廣[4,5,6]。

古本草記載貝母原植物形態之辨正

貝母原植物，各本草記載，大有出入，如：

1. 唐代蘇恭曰 其葉似大蒜。

2. 宋代蘇頌曰 莖細青色，葉亦青，似蕎麥，隨苗出 七月開花，碧綠色，形如鼓子花，八月采根，根有瓣子 黃白色如聚貝子。

3. 陸璣詩疏曰，蝱、貝母也，葉如栝樓而細小，其子在根下，如芋子正白，四方連累相着，有分解，今近道出者正類此。

4. 郭璞注爾雅之蝱，稱白花，葉似韭。

5. 經史證類備急本草及紹興校定經史證類備急本草載有三圖[7]：

圖1 貝母

圖2 越州貝母　　圖3 峽州貝母

* 中央衛生研究院中國醫藥研究所

貝母（圖1），爲蔓生草，葉掌狀五出，花大五瓣，地下部爲塊莖。

越州貝母（圖2），草本植物，葉披針形，而爲羽狀脉，花腋出而小，其地下部肥大似鱗莖。

峽州貝母（圖3），草本植物，葉對生，線形披針形，平行脉，花大五瓣，單出頂生，地下部爲鱗莖，與現在的川貝母相同。

5. 植物名實圖考載有貝母一圖（圖4），爲草本植物，基出葉，單一長柄，三出，小葉卵形，全緣，頭尖，地下部球形，近似半夏[8]。

圖 4

7. 本草綱目拾遺，引百草鏡云：浙貝出象山，俗呼象貝母，皮糙味苦，獨頭無瓣（恐是指加工品），頂圓心斜，入藥選圓白而小者爲佳。又引葉闇齋云，寧波象山所出之貝母，亦分瓣，味苦而不甜，其頂平而不尖[3]。

因此，知貝母在歷代本草中所記載的形態，前後很不一致。詩疏稱葉如栝樓，和經史證類備急本草及其紹興校定本所載圖形（圖1）爲蔓生草，葉掌狀五出，頗相符合，而與今所見之貝母完全不同，此所記載之貝母，恐係屬葫蘆科之植物。

越州貝母（圖2）與經史證類備急本草中之晋州貝母圖相同。查越州爲今浙江之紹興，晋州爲今河北之晋縣，一在南方，一在北方。雖稱爲鱗莖，而葉却稱是羽狀脉，並非單子葉植物，在今之藥舖中，未曾見有如此之貝母，恐記載上有錯誤。

植物名實圖考中所載貝母之圖（圖4），雖頗似單子葉植物，而葉基出長柄，單一，地下部爲球形，與半夏極相似，與現今所見之貝母有所出入，此種貝母，恐屬天南星科之植物。

唐本草稱貝母葉似大蒜，宋本草稱花碧綠色，根有瓣子，黃白色如聚貝子；郭璞稱葉似韮；和經史證類備急本草及其紹興校定本所載峽州貝母，鱗莖，葉披針狀平行脉，大花五瓣，單出頂生；且峽州就是今湖北之宜昌，接近四川邊界。根據這些記載之貝母，可以證明與今之川貝原植物相符合。

至本草綱目拾遺引百草鏡稱，浙貝出象山，皮糙味苦；葉闇齋稱，寧波象山所出之貝母，亦分瓣，味苦而不甜，其頂平而不尖。這些記載當然是描寫浙貝母。

現在貝母有川貝和浙貝二種，是與事實符合。

貝母的原植物

貝母是屬於百合科（*Liliaceae*）植物之 *Fritillaria Roylei Hook f.* 及 *Fritillaria verticillata, Willd. var. Thunbergii, Baker.* 二種，前者爲川貝，後者爲浙貝。

形態　貝母原生於我國，爲多年生草本，春季抽莖，高達30—60厘米。葉爲互生，或3—4葉輪生，葉形披針狀，上部葉之先端大都卷曲。春4—5月間，莖上腋生出花梗，各生花一朵，開六瓣鐘狀花，花下垂，內面呈淡黃，外面呈淡紫色，並帶有綠色條紋和網點。

產區　川貝是四川省的主產藥，以松潘縣及打箭爐產者爲最佳，稱松貝或爐貝。此外理番、茂縣及巴縣等的萬山綿亙，森林掩映，道路崎嶇之高山

圖5　川貝

草坪地帶，均有產生。還有甘肅之岷縣，陝西之南部，雲南之麗江，西康之章谷等地，亦有產生[9]。浙貝僅產於浙江之象山，和鄞縣之西郊的山區地帶。

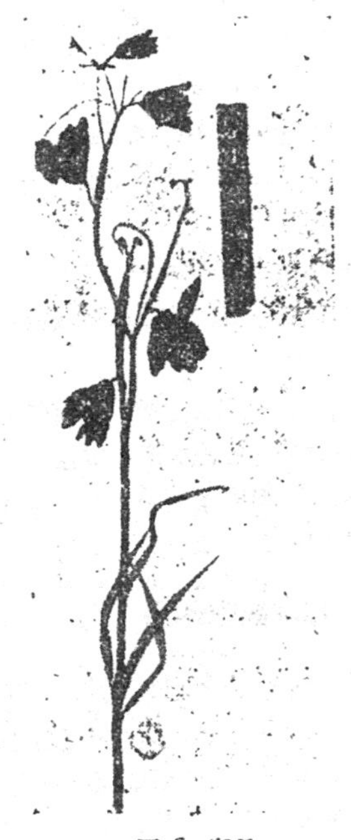

圖 6 浙貝

現據1948年統計，川貝年產160担，1950年統計，川貝年產350担，浙貝 8000担[11,12,13]。

採集和調製 川貝多係野生品，一般專以入山掘藥為業的人(藥伕子)，每年在七、八、九三月挖冬蟲夏草後即入山挖貝母，過遲則抽苗。挖取後利用太陽晒乾，天時不佳時，則用微火烘乾。川貝的集散地，四川在灌縣，雲南在昆明，西康在雅安。藥商收集後即行加工整理，先將附着土渣洗淨，或用麥桿擦去外皮，再用白礬水泡製，然後用硫黃燻白[9]。

浙貝都為栽培品，收集後置木桶中，加砂相擦，以去外皮，或用剝皮器剝去外皮，然後用水洗淨，用石灰處理，即貝母一百斤，加石灰五斤，充分攪拌，使周體附有石灰，經過48小時，俟其肉質充分變化後，再用太陽晒乾，或用微火烘乾，以供挑選和包裝[13]。

包裝 貝母包裝多係用白布袋，外套麻布，裝於竹簍中封固，外捆以麻繩，每包約30—50斤不等。亦有以木匣裝，匣內周圍舖一層油紙，每匣10—50斤不等。貯藏宜擱置高爽而乾燥處，切勿沾有潮濕，常用陽光照晒，倘發現蟲蛀，可立即用硫黃燻之。

貝母全年產量之 70% 以上，集中上海，廣州等地，外銷香港、南洋一帶[3]。

生藥性狀

川貝呈扁球形或圓錐形，先端尖，底部直徑長1.0—1.8厘米，高達1.0—1.6厘米，外圍鱗葉二片，形態肥厚，白色，內皮淡黃色。內瓣形小，2—3片，內圍包有殘莖，底部附有殘根或殘根之痕跡。折斷面粗糙，淡黃色質，無特殊之臭氣，稍帶甜味。

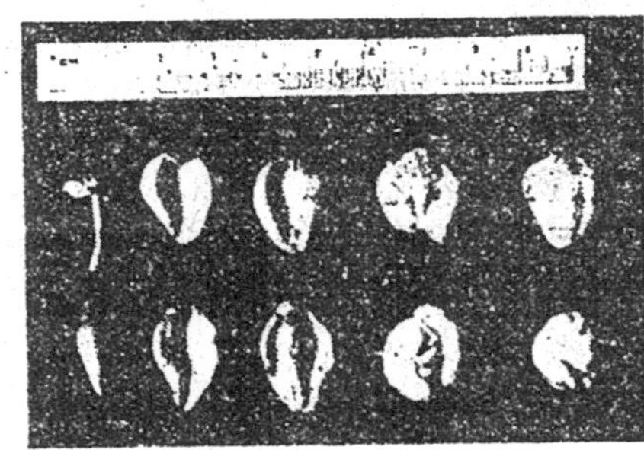

圖 7 川貝

浙貝呈扁圓球形，有如饅首狀，較川貝大2—4倍，中心部兩面凹入。直徑達1.5—3.5厘米，厚1.0—2.0厘米。外圍二片大形鱗葉，略向內彎曲呈匙狀或元寶狀，長2.0—3.5厘米，厚1.0—1.5厘米，內有小鱗葉數片。全體帶粉白色乃至淡黃色，折斷面粗糙，內皮為淡棕色，內部殆全白色，或具帶有棕色之部分。微有臭氣，味先微甜而後苦。

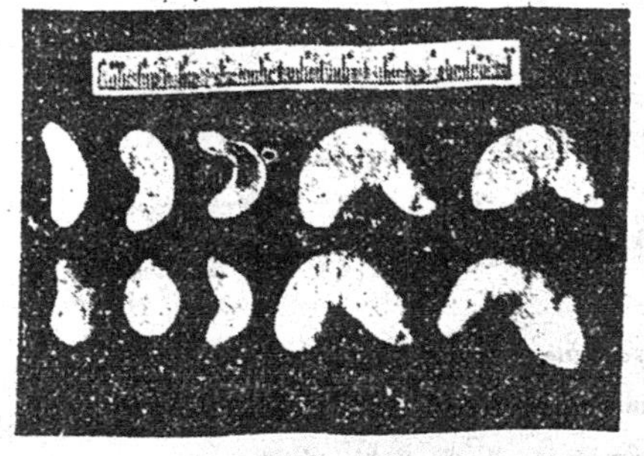

圖 8 浙貝

粉末 川貝和浙貝之粉末均呈類白色，惟川貝

味淡而稍甜，浙貝味先微甜而後苦，帶有微臭，

浙貝之澱粉粒呈卵圓形，大約6—55微米，臍點不顯明，層紋顯明帶偏心性，破裂狀，位置處於較小之一端。表皮細胞之細胞壁，呈特異之念珠狀，細胞呈多角形或長方形。導管多見有螺旋紋，稀有環紋導管。

川貝之澱粉粒呈不規則之橢圓形，大約6—61微米，臍點馬蹄形[14,15,16,17,18]，星狀，破裂位置不定。層紋多不顯明，其表皮細胞爲薄壁性長方形。導管多爲螺旋紋而稀有網紋導管。

藥舖識別 浙貝體積大於川貝2—4倍，形似元寶，帶白粉，味苦。川貝形小，味甜，皮白色者爲上品，帶虎黃色者次之。川貝在商品貨色上，有如下列五等差別：

一等：稱松貝，產於松潘，似圓豌豆，色白，大小均勻，閉口子，狀如羅漢肚者爲上品。

二等：稱平貝，扁平尖頭，開口如蓮花狀者，俗稱糧貨子（雜貨之意）。

三等：稱渋子，因烘時火力過大，成油青色（即撞動爐熱之貝，有成熟貝和黃貝——皮黃色之分）。

四等：稱大子（提貝），爲由平貝中選出其頭子較大者。

五等：稱細子，即小貝和碎貝，粒子最小[9]。

貝母之成分

貝母之成分，曾作試驗而有報告者[19]，有很多人，如趙承嘏氏報告，曾在浙貝中提得結晶性生物鹼二種：

1. 浙貝母鹼甲（peimine） $C_{26}H_{43}O_3N$ 融點 223°C，
2. 浙貝母鹼乙（peiminine） $C_{26}H_{41}O_3N$ 融點 213°C，

在川貝中提得麥片形結晶之生物鹼一種：

3. 川貝母鹼丙（fritimine） $C_{38}H_{62}O_3N_2$ 融點 167°C。

最近又報告在浙貝中，提得微量的生物鹼四種[20]：

1. peimisine $C_{27}H_{42}O_4N$ 融點 270°C，
2. peimiphine $C_{27}H_{47}O_3N$ 融點 127°C，
3. peimidine $C_{27}H_{45}O_2N$ 融點 222°C，
4. peimitidine $C_{27}H_{44}O_3N$ 融點 188°C。

紀育灃氏報告[21]，曾在浙貝中，提得一種結晶，定名peimine $C_{26}H_{43}O_3N$。與榮熙氏報告[22]，亦從浙貝中，提得一種固醇類（propeimin）$C_{26}H_{44}O_3$ 或 $C_{27}H_{46}O_3$，認爲是浙貝母鹼甲之前身。又日人八木氏報告[23]，曾從川貝中，提得兩種生物鹼：

1. Fritilline $C_{34}H_5O_3N$ 結晶性
2. Fritillarine $C_{19}H_{33}O_2N$ 非晶性

日人福田氏報告[24]，貝母中含有生物鹼二種：

1. Verticin $C_{18}H_{33}NO_2$
2. Verticilline $C_{19}H_{33}NO_2$

其化學成分雖未能一致，但爲生物鹼則可肯定。

反應 取檢體粉末0.5克，加2%醋酸或鹽酸溶液10毫升，振盪少時，再於水浴上加溫三分鐘，濾過，取濾液五毫升，加梅氏（Meyer's）試液三滴應呈白濁色（生物鹼反應）[25]。

貝母之藥理作用

據日人八木氏報告[23]，將川貝成分fritillarine對溫血動物（家兎）試驗，使其中樞神經系麻痺，起呼吸及自發運動之障礙，犯心筋而減其搏動數，因收縮不完全而使血壓下降。至於貝母能有鎮咳祛痰藥效者，恐由於對呼吸脉搏有緩和作用之故。

據劉紹光氏報告[26]，將浙貝生物鹼作藥理試驗，認其作用與阿託品（atropine）相類似，故認貝母鎮痙止咳作用之功效，是基源於此。

1. 對貓和兎的枝氣管肌之有效劑量爲1:5,000,000，枝氣管肌的收縮和擴張，全視濃度之不同而有差異。

2. 小劑量現呼吸受刺激的作用，大劑量則減少呼吸的氣量和速度。

3. 浙貝鹼的鹽酸鹽1%溶液，使貓和兎的瞳孔起極度的擴張，對光線的反應消失。

應用 貝母作鎮咳劑，祛痰劑。一日的劑量爲5—10克[27]，作煎劑內服。

結　語

貝母自古即爲祛痰鎮咳的要藥，雖然有川貝和浙貝之分，但川貝則從陝西到雲南均有產；浙貝僅產於浙江的寧波，而浙貝原植物是由川貝變衍而來，品質雖形狀有大小之不同，而粉末組織相差不

遠。成分雖有多人報告，化學構造未能一致，但爲生物鹼則可肯定。藥理作用，認其對呼吸脉搏均有緩和作用，並與阿託品相似，證明確具祛痰頑咳功效。因此建議，此種確有效能具科學條件的中藥，應該考慮收入中國藥典中去，爲人民健康服務。

參考文獻

(1)唐愼微，經史證類備急本草，卷第八，30頁，（商務四部叢刊本）。
(2)李時珍，本草綱目，山草類，469頁，（世界書店版民國26年）。
(3)趙學敏，本草綱目拾遺，卷五草部下，97頁，（同上）。
(4)陳存仁，中國藥學大辭典，642頁，上海世界書局。
(5)趙燏黃，本草實地之觀察 II. P. 159(1937)。
(6)中尾、中村，漢藥寫眞集成 I. P. 31(1929)。
(7)王繼先，紹興校定經史證類備急本草畫，卷之二，日本印四卷本。
(8)吳其濬，植物名實圖考，山草卷之七，42頁，山西本（1920)。
(9)中國醫藥研究所，中藥調查資料（未出版）。
(10)英國邱園，中國植物標本影譜百合科(目錄未印)。
(11)東亞研究所，中國有用植物一覽，506頁，(1941)。
(12)山崎氏，支那物產綜覽，（121頁）(1941)（東京栗田書店）。
(13)王孝濤，醫藥新知 II. 6. 189 (1951)。
(14)趙燏黃，生藥學，158頁。
(15)李承祜，生藥學，314頁。
(16)刈米達夫，邦產藥用植物，364頁。
(17)石戶谷勉，北支那之藥草，2頁。
(18)裴武宗，藥用植物圖譜，（54頁）(1949年)。
(19)趙承嘏，中國生理學雜誌，VI, 265--270 (1932), VII, 41—44（1933）。
(20)趙承嘏， J. Amer. pharm. ASS. Sci. Ed. 36, 215—7 (1947)。
(21)紀育灃，J. Amer. chem. Soc. 58, 1305—7 (1936)。
(22)吳榮熙，J. Amer. chem. Soc. 66, 1778—80 (1944)。
(23)八木精一，京都醫學雜誌，10, 175（大正二年)。
(24)福田氏，日本化學雜誌，50, 74 (1929)。
(25)周夢白、劉壽山，北京中醫月刊，二卷。
(26)劉紹光，藥理研究報告，第一集 (1935)。
(27)阿部要治，滿洲漢藥性狀與實際，119頁。

南宋的醫學

(1127—1279)

李　濤*

一、社會背景

自從1127年（宋靖康二年），金人擄走宋徽宗和欽宗，佔據了黃河流域，趙構跑往南京(商邱)做了皇帝，後來遷到臨安(杭州)，從此中國政權南北分裂。先是宋金對峙，前後凡一百多年，到了1234年蒙古滅金，不斷南侵，南宋又掙扎了四十多年，終於1279年滅亡。在這150年期間，連年戰爭，人民生活不能安定，妨礙了人民的經濟和文化的應有發展。但是在另一方面，由於連年戰爭，外傷和骨折的人很多，因此中國的外科學在此時有了極大進步。

南宋是北宋的繼續，一切典章制度大略相似。南北分裂，統治者爲了圖存，不得不施行小惠來籠絡人心，所以設立慈幼局收養貧家子女，更照北宋的辦法設立惠民和劑局，平抑藥價，還設立居養院（養老院），安濟坊（乞丐收容所），漏澤園（掩埋貧人屍體）等。但是由於政治腐敗，官吏作弊，這類機關反增加了貪汚舞弊的機會。例如惠民和劑局配製官藥時，局官作弊，用樟腦代冰片，用台附代川附，從中取利。而且貴藥製成，照例被朝官富家取去。當時人戲稱惠民局爲惠官局，和劑局爲和吏局[36]。更因爲局官粗心大意，往往錯配藥劑，以致藥不對病，貽害病人。

南宋雖然時常與金人戰爭，但是長江以南各省從未波及，因此農業繼續進步。同時國內商業也普遍發展，國外貿易則由海路進口，其中藥物也是主要貨物。因此經濟較北宋尤爲發展。由於經濟繁榮，消耗大量香料（包括食用，藥用和佩帶用的各種香藥），並設局專賣，從中抽取大量賦稅。

南宋的統治階級自從開國即提倡程顥一派的儒學，世稱道學。道學家專尚空談，不求實際，言行兩不相顧，本是毫無作爲的學究。但是統治階級爲了利用他們的多烘，作爲麻痺人民的工具，所以南宋一代的宰相往往是道學家。他們這種學說不久也漸漸滲入到醫學領域內，首先是醫生對於疾病的解釋受了道學影響，離開了臨證實際經驗，走向曲解附會的道路上去，阻礙了醫學的進展。例如傷寒病自來稱爲天行病，從經驗上早知其傳染性，12世紀竟有說傷寒不傳染[7]，並著書立說，可見理論脫離實際之害了。

由上邊所介紹的南宋政治，經濟和一般文化的情形，我們可以知道南北分裂，連年戰爭，阻礙了醫學的應有進展。但是勞動人民向疾病做鬥爭的努力，從未懈怠，因此醫學仍有相當成就。首先是醫學自北宋分科以後，技術得以專精，例如內科，小兒科，外科，婦產科等等均有進步，並皆有綜合當時經驗而且實用的專科書籍出版。不但臨證醫學有了成就，而且將醫學知識應用到法律上，以及應用到個人和公共衛生上。這一點誠然是南宋醫學的特色，也正表示醫學爲人類服務的範圍從此日益加大了。

二、基礎醫學

1. 病因學

飲食不節，氣候改變，情感異常足以使人生病，東周以後已被醫生們觀察到了，現存最早的醫書素問，便有詳細的記載。後來漢人用陰陽五行說解釋病因，隋唐時更傳入印度的四大學說，使人感覺到對於病因的解釋紛亂異常。到了12世紀陳言乃本着金匱要略的內因，外因和不內外因的說法，於1174年（淳熙甲午）著三因極一病源論[11]，將

*北京醫學院醫史科

病因歸納爲三類，從此病因學說才日益明確起來。

他先將六淫（寒、暑、燥、濕、風、熱）所致的病，即與氣候變化有關的傳染病如傷寒，中暑、風濕、瘟疫，時氣等歸爲外因病。更將七情（喜、怒、憂、思、悲、恐、驚）所致的病，即情感易於發生衝動的神經病和肺勞等歸爲內因病。最後將飲食飢飽，以及外傷等，不能歸入內因和外因者一律歸爲不內外因。當時所認識的複雜的多種多樣的疾病，經他歸納爲三因，使病因學說系統化起來，實是一大進步。

南宋時代政治腐朽，提倡咬文嚼字的文章，考試醫生也專注重文字。例如 1191 年（紹熙二）出版的太醫局諸科程文，是當時的標準試卷，現在仍有清朝輯出的殘本[17]。但是那些論文全是就字義上往返討論，穿鑿附會。主考的人多是腐朽的人，所出題目中竟有「問脣至齒長幾分」，「問齒已後至會厭深三寸半」等糊塗題目。而且規定當時考題中必須有運氣一項。更規定習醫的人必需修習充滿運氣學說的聖濟經。結果運氣學說統治了南宋時代醫學的理論，使醫學理論與臨證知識脫離。

2. 診斷學

公元三世紀王叔和的脉經發表以後，切脉斷病法已成醫生的例行工作。其後脉書雖然不斷也有著作，但是離不開他的範圍，至12世紀許叔微曾著有仲景三十六種脉法圖[4]，首先用圖畫描寫脉形，可惜原書佚失，內容已不能明。後至 1241 年（淳祐 1），施發根據自己在手指覺察出來的脉搏跳動現象，繪爲圖像，共繪了 33 個圖[25]，這種將脉搏跳動描寫成圖畫的發明，實可驚人。後來直到1860年法人 E. J. Marey 氏發明脉波計，這種願望才得以正確實現出來。

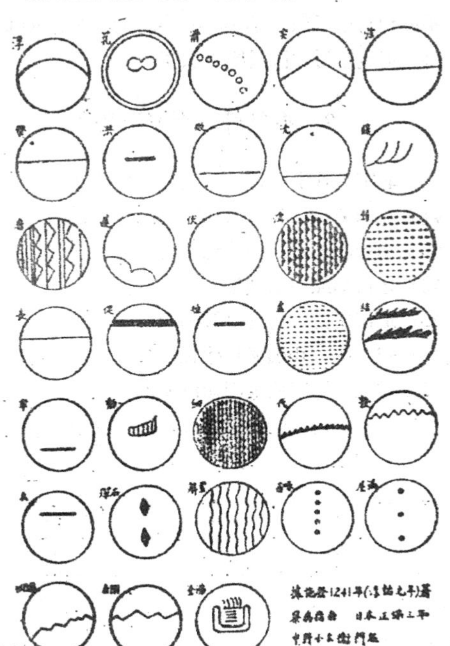

圖 1　脉影圖

診斷疾病有賴於症候羣和病程的觀察。張仲景所作傷寒論正是根據症候羣和患病日期來斷病下藥。不料這種正確的診斷法，到了宋朝竟被忽視。甚至醫生僅注意單一證候，例如成無已提出傷寒60症，許叔微提出傷寒 72 症等[4]，此後，醫生用藥，往往專以每個症候爲對象，不管病人所患的什麼病了。

三、臨症醫學

1. 內科（大方脉）

傳染病　北宋的醫生，對於傳染病的鑑別診斷，已有極大成就，如天花，水痘和麻疹的鑑別。至南宋，郭雍（？—1174）對於鑑別診斷最爲注意。在他所著傷寒補亡論[15]裏說，以前的人對於發疹的傳染病記載簡略，因此特提出討論。他說：

「傷寒熱病發斑謂之斑，其形如丹砂小點，終不成瘡，退即消盡，不復有痕（斑疹傷寒）。溫毒斑即成瘡，古人謂熱毒瘡也。舍是又安得有熱毒一瘡？後人謂豌豆瘡，以其形似之也。溫毒瘡數種，豌豆瘡則其毒之最大者（天花）。其次則水疱麻子是也（水痘）。又其次麩瘡子是也，如麩，不成瘡，但退皮耳。以其不成瘡，俗謂之麩瘡（麻疹）。又與癮疹不同。癮疹皮膚搔癢，搔則癮疹璺起，相連而出，終不成瘡，不結膿水，亦不退皮。忽爾而出，復忽爾而消，亦名風尸（風疹）。」

由上段記載，可知中國在12世紀已能區別傷寒、天花、水痘、麻疹，斑疹傷寒和風疹了。

他不僅區別了上述七種傳染病，更對於其他相類的病，一一提出重點加以鑑別，例如消化不良（食積）與脚氣等，傷寒與瘧疾（瘴瘧），化膿性炎症（瘡瘍，水毒）等。總之他是最早注意鑑別診斷的人。

對於痢疾的傳染性此時醫生也認識的很淸楚，當時稱之爲毒疫痢。例如婦人大全良方(24)中記有「有一方一郡之內，上下傳染，疾相似。或只一家長幼皆然。或上下鄰里間相傳染。或有病同而證異，亦有證異而治同。或用溫劑而安，或用涼劑而愈。有如此者是毒疫痢也。」

此外對扁桃腺炎，腮腺炎（痄腮），淋症，軟性下疳等傳染病也均有記載(2)。

其次對於傳染病的治療問題，北宋時主張已各不同，有的主張用瀉下劑（寒藥），有的喜用興奮劑（熱藥）。因爲石藏用慣用瀉下劑，陳承慣用興奮劑，當時有「藏用檐頭三斗火，陳承篋裏一盤冰」的諺語(16)。按傳染病有一定的病程，不論用那種藥，經過一定期間，皆可望愈。因此醫生往往以爲自己用藥之功，彼此意見紛歧，主張各異。到了南宋這種爭持更加劇烈。於是名醫許叔微遂提出表裏虛實四字，作爲用藥標準(4)。表裏是指患病日程來說，頭幾天叫表（病在皮膚），日久便傳到裏（病到內臟）。虛實是按症候來說，精神衰弱者爲虛，反之精神不安者爲實。凡是精神不安者便用瀉下劑（實則下之），精神衰弱者則用興奮劑（虛則汗之）。同時他所用的下劑，是大黃一類的緩下劑，對於劇下藥如巴豆等竭力反對施用於發熱病人。這些主張相當正確，自然受到多數人的擁護。後來嚴用和於1253年著濟生方(28)曾將虛實詳加區別，正是受此種學說的影響。

水腫的鑑別　亦較前大爲進步，已能區別從面目起的腎病水腫，治以大戟芫花。從四肢起的心臟性水腫，治以澤瀉葶藶連翹，從腹部腫起的肝性水腫，治以甘遂(2)。而且有許多種藥方用水銀配合，水銀利尿之效11世紀以後中國醫生已通知之。

消化系統病　對於胃腸炎（積聚，凝滯），慢性胃炎（飲癖），消化不良（氣病），試用種種藥物治療之。例如芳香健胃藥（神麴，木香），苦味健胃藥（黃連，黃蘗），辛辣健胃藥（胡椒，乾薑，縮砂），鎮靜健胃藥（阿魏，白朮）等無不多方試用。

中國知用罂粟治病自十世紀起始，大約自印度傳來，據泊宅編(19)，記有蜀山叟治痢疾用罂粟殼，可見此藥來自西方。因此北宋時代名稱仍甚混亂，如罂粟子，米囊子，御米子，米蒴子等(2)。經過百餘年，至12世紀，腹泄，痢疾，咳嗽等病已通用罂粟(13)。並知其作用極猛。用之過早反而有害。

南宋時代對於內科貢獻最大的醫生當推張銳和許叔微。張銳字子剛，北宋末年曾任太醫院教授，南宋初年逃亡四川，1134年（紹興三年）著雞峯普濟方(2)。他這書收錄三千多方，並附有病例。尤其是最後一卷爲備急單方，皆單味獨行，如治中風用烏頭，附子，止吐用天南星，鎮靜（夢寐不寧）用阿魏，虛勞用黃耆或地黃，促進食欲（治心胃氣）用神麴，通便用麻仁等，皆與藥的眞正效用相合，可見他是一位精於用藥的醫家。但是這部書中所舉病例皆爲孫兆的經驗，多至數十處，可見是綜合前人經驗的書。

許叔微字知可，生於1080年（元豐三年），據說考試落第，才習醫。著有傷寒百證歌，發微論，仲景三十六種脉法圖和類證普濟本事方(3)。其中類證普濟本事方記載自己的多數病例，皆有年代，病人名，治療經過。其中最早的病例是1110年（庚寅），最晚的病例是1143年（癸亥）。由此推測此書大約著於1144—50年左右。因爲這部書記載病例詳細，選方甚精，所以風行一時，1185年便刊行第二版，直到18世紀中葉仍有人註解此書。可見影響中國醫學之大了。

2. 小兒科（小方脉科）

北宋時代小兒科在臨證醫學中成就最大，其中錢乙貢獻尤多，詳情已述於前（北宋時代的醫學）。到了南宋，兒科學仍然繼續向前發展。有的人曾將當時兒科知識廣加搜集，彙爲一書；有的人敏於觀察，正確記錄，將兒科學引向科學之門。因此12—13世紀之間，中國兒科學仍有輝煌的成就。首先是劉昉和王歷，王湜等編輯的幼幼新書(5)，曾搜集前代方書和當時民間的小兒方，尤以湖南一帶醫方爲多，於1150年（紹興20年）印行，多至40卷。其中首先記載嬰兒保育方法，例如初生兒護理法，擇乳母法，哺兒法，斷臍法，剃頭法等。其次記載了多種初生兒病和小兒發育異常現象，例如行遲，顖不合，齒不生，髮不生等。更記有多種營養缺乏病如消瘦（鶴節），佝僂病（龜胸，龜背）等。對於驚風記載尤爲詳盡，曾按症候的不同區分驚、風、癇等。對於急慢驚風的治療，開始試用有效的癲醉藥曼陀羅，此藥乃由印度新傳入的藥，故有佛花，大白華，天仙子等名目。與其他鎮痙藥天南星，朱砂等配合稱睡紅散，楊氏家藏方中稱之爲醉紅散，也用以治驚風[12]。特別對於消化系統病的討論最爲詳盡，幾佔全書$\frac{1}{4}$，最後還列舉所參考的書目。總之這部書是中國12世紀最詳盡的兒科學。但是書中重複的地方很多，甚至收錄了迷信方術，終成爲一博而不精的著作。

稍後於這部書，更有小兒衞生總微論方的著作[16]。其中記載了多數先天性畸形，如駢指，缺唇，侏儒，支廢等。並已知小兒臍風和成人的破傷風是一種病，此在病原菌未發現以前，能有這樣判斷，實可驚人。當時的醫生對於天花麻疹等病，一派用瀉下藥（寒藥），另一派用興奮劑（熱藥），他一律反對，而倡用平和藥，誠然是正確的主張。對於患長期傳染病的小兒主張勤加喂奶的營養療法。對於營養不良病（無辜）反對用鬼神解釋，直指爲消化病。還首先記載了營養缺乏病中的癩皮病（鮮體）。他這些記載和觀察均極驚人，而且文筆流暢，便於學習，所以是此時兒科學最有貢獻的著作。但是這書所記載的方劑也很雜，例如消化不良（五疳）和吐瀉門各記載一百多方，醫師臨症時，究竟應用那個方，是沒法選擇的，乃是這部書最大的缺點。最後這部書著於宋金戰爭劇烈時期，中國士人多自北方逃至杭州（錢塘），書成60年後，就是1216年（嘉定丙子）始由醫官何大任代爲印行，因此著者之名已無從知曉了。

自北宋以後，小兒科醫生治療痘疹皆遵錢乙，用苦味健胃劑和瀉下藥（宣利解散之藥）。至南宋末年，陳文中受了熱藥派醫生（主張興奮藥和芳香藥）的影響，於1241年著小兒痘疹方論[28]，反對前人的治法，主張用人參，木香、白朮、茯苓一類的藥，從此小兒醫家也分爲兩派了。

3. 外科（瘡腫兼折瘍科）

在外科方面，傳染性化膿症（癰疽），仍爲當時醫家主要的治療目標，因此宋史藝文志所收錄19種外科書中，有16種皆以癰疽爲名[27]。這時在觀察病徵方面有很大進步，凡使患炎症的人，飲食和大小便均正常，傳染僅限制在局部（肌肉好惡分明）而且服藥有效者，便斷定預後無妨，當時稱這類徵兆爲五善。反之如有發熱，氣喘、昏迷、脉濇、皮膚發青，皮肉壞死，嘔吐等膿毒敗血症的現象，便知是預後不良的先兆，當時稱此類徵兆爲七惡。這種五善七惡的徵象，爲12世紀外科家通知的診斷口訣[9]。對於癰疽的治法也得到一些有效辦法。在發炎初期極力主張用溫罨方法，也就是當時盛行的灸法。灸法就是用艾葉撮成團，曬乾。先在患部放上大蒜薄片，然後在蒜片上放艾團，燃著以後經過長時間方能燃完，因此患部能保持長久溫熱，得以促進血循環。同時可用多數艾團繼續不斷使用，直至炎症消退或化膿，然後停止。這種合理的治法，1196年李迅所著的集驗背疽方[18]曾極力主張。其次專講灸法的專書[21]，如1226年聞人耆年的備急灸法[22]，所載灸法主治範圍也以癰疽爲主（諸發，腸癰，丁瘡，附骨疽）。這種方法顯然與現代溫罨法可收同樣效果，所以當時的臨症醫家一致試用。

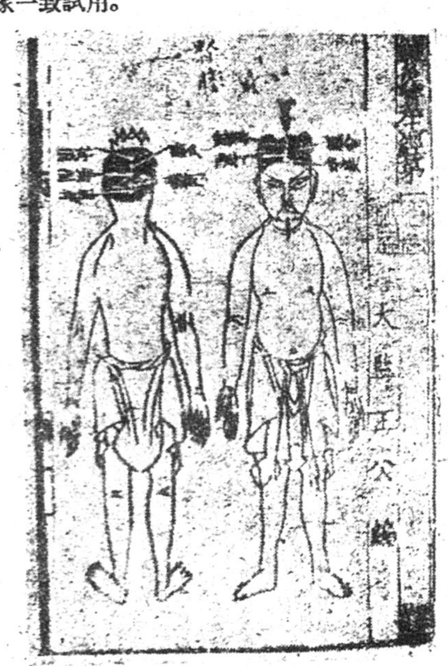

圖 2　鍼灸資生經俞穴圖（據元刻鍼灸資生經）

此外更有用紗布溫罨者，與現代所用方法完全相合。例如楊氏家藏方卷12有〔用軟白布二條，於濃米醋內煮令熱，更互漉出，於膠紙上乘熱蒸熨。若痛癢時，乃是藥攻其病，須是忍耐，不住蒸熨，直至膿出將盡〕。至於內服藥首先用輕微瀉劑，其後便予以鎮痛藥和鎮靜藥如烏頭，白芷、當𤽣、芎藭等。當時稱這類藥爲托裏藥，意思是促進化膿。其實主要功用是安定病人的精神，待其自潰、其次遇有發熱，惡寒時，便予以强心利尿藥，如地黃，茯苓、澤瀉等。更或予以興奮藥，如麝香、人參等。以上這些藥統稱爲熱藥，爲當時治癰疽的主藥。

現在南宋時代的第一部外科專書是東軒居士所著衛濟寶書[9]，於1171年以後出版。其中也是首先討論癰疽，曾按形狀區別爲五種，並繪圖說明，但是現在看起來皆是深部化膿症。最後特別記載了乳房炎（乳癰），並提到四十歲以上的婦人患之，十瘉四五，又稱在乳房而不善治，腐漏者三年而

圖 3　李嵩繪灸背圖（據故宮博物院）

死，可見他已能認識乳癌，與尋常乳炎爲兩種病了。這本書還記載所用外科器械如針（陰針，陽針，雷鋒針），刀（取膿針，煉刀），鉤，鑷子，敷藥用雞羽等。到了1263年陳自明曾將當時癰疽

圖 4　鍼乳癰圖（據衛濟寶書）

方書總結起來，編爲外科精要[31]，前後共55條，其中摘自李迅集驗背疽方和伍起予的外科新書者最多。這本書簡單扼要，便於實用，所以在1548年名醫薛己曾加註解，可見是流行300年以上的書了。

對於骨折治療亦有進步。遇有四肢骨折時先用杉板夾縛定，或用柳條簾加以固定後再敷藥。例如楊氏家藏方[12]卷14，接骨膏下有「取嫩細柳條，量所用長短截數十條，以線穿成簾，裹於損折處，纏一遭就線頭繫定。又用好皮紙一條，量柳簾高下裁剪，即於紙上攤鎔黃蠟，勻摻肉桂末在蠟上，厚半寸許，即於簾子上纏藥紙三四重，上用帛子軟物纏縛扎定。其痛漸止，骨漸相接。」

其次對於整形術如縫缺唇和切斷駢指均已有記載[6]。四肢骨折痊癒後，肌肉攣縮者，已知用物理療法。例如醫說第七卷[16]記載一軍人下肢受傷，脚筋攣縮時，令病人腰間繫尺長大竹管一支，每坐則置竹管於地，舉足搓滾。

對於結核性漏瘡已知使用探子探其根源，然後處治。按嚴氏濟生方[28]卷七有一人患漏瘡於臍間。稽（名太夫，曾充金朝外科教御）以榆皮枝，

刮去皮，取線。以綿裹其尖，以線牢繫之。以撚皮探瘡中，瘡之穴乃自脇而達於腰在皮膚之間。稽（太夫）遂於病者腰間以針決破，用追毒丹三粒納於瘡中，三日即潰，而脇間之漏遂止。則膿悉自腰間針孔中出，膿盡，生肌，遂癒。」

此書更記載稽太夫治潰瘍性齒齦炎一例（內痔瘡），用勾刀決斷其根，並用燒灼法止血，尤爲巧妙。本事方[3]還記有上額竇炎，下頷膿瘍和結核性潰瘍。

對於痔核的治療，太平聖惠方已知用砒，到了南宋，遂成外科通用治法，但是砒治法仍有很多缺點，如疼痛等，患者往往不欲接受。經過百餘年的實驗，卒得出有效而且副作用少的辦法[29]，就是先將痔核周圍的健康皮膚塗以保護藥，然後在痔核上塗布砒劑（白礬四兩，生砒二錢半，朱砂一錢），當時因此劑有腐蝕作用，稱之爲枯藥。每日敷藥三次，俟皮膚焦黑，核破，仍照舊塗藥，直待痔核壞死乾落爲止。並知預備止血藥和止痛藥隨時應用，另外預備洗瘡口藥，緩下藥等，總之這種治痔的方法，簡便有效，直到現在仍有一定的地位。

4. 婦 產 科

產科到了 11 世紀發展成爲專科，以產科聞名的醫人很多，如張銳[2]、李師聖、郭稽中、楊子建[11]、陳自明等[24]。關於婦產科專書也不斷出版，先有產育寶慶集，繼有衛生家寶產科備要[14]，最後有婦人大全良方[22]出版。這些書全是綜合當時婦產科知識編集成書，尤以婦人大全良方最爲完備。這部書共分八門：前三門是婦科，後五門是產科，著者是世代醫家，曾參考二十幾種醫書，取精去粗，更附記多數病例，彙集成書。誠爲 13 世紀婦產科的傑出作品。因此風行四百年，直到17世紀王肯堂作女科證治準繩，仍用這本書作藍本。此外更有通俗產科書出版，即齊仲甫的產科百問[30]。這本書簡明易讀，每病僅引二三方，每方僅三五味藥，故爲極實用的書。

先就婦科方面來說，對於月經來潮的解釋謂冷熱調和則依時而下。若寒冷則血結於內，又或勞傷過度，患咯血肺結核等病則血枯竭，遂無月經。尋常的無月經則用牛膝、大黃、桃仁等通經藥，若是由虛勞所致的無月經，則主張用健胃藥和營養劑（熱藥）治療，反對用瀉下藥。對於月經痛（月水不利）則用鎮痛鎮靜藥如延胡索、當歸、香附子等。對於月經過多則用鈣類（牡蠣、烏賊骨、龍骨），炭類（伏龍肝、髮灰、墨），膠類（牛角䚡、鹿角膠），同時也用鎮靜藥。中國自九世紀所著第一部產科書即產寶內已載有四物散（當歸、白芍、川芎、地黃等分，每服四錢）通用於婦科病，經數百年的經驗，已知爲婦科聖藥，所以陳自明極力推崇之，按當歸、白芍、川芎三藥皆有緩解子宮肌肉緊張或鎮靜止痛之效，可見是有效的方劑。

對於產科貢獻最大者首推楊子建所著十產論[24]。記載了肩產式（橫產，手或肩先露），足產式（倒產），額產式（偏產，左額角或右額角先露），臍帶產式（礙產，臍帶攀肩）。更記載了使胎位轉正的各種手法，茲記肩產式轉胎法如下：

「凡推兒之法，先推兒身令直上，漸漸通以中指摩其肩，推其上而正。漸漸引指攀其耳而正之。須是產母仰臥，然後推兒直上，徐徐正之，候其身正，門路皆順。煎催生藥一盞，令產母喫了，方可使產母用力，令兒下生，此名橫產。」

陳自明更記載了子宮脫出，當時稱之爲盤腸產。治法用醋或冷水噴產婦面，使發生肌肉收縮，自行縮回。

產前產後所用的方藥，主要是鎮靜和止血藥當時往往將這類藥混爲一劑服用，例如烏金散有三味鎮靜藥（當歸、芍藥、延胡索）五味止血藥（髮灰、墨、百草霜、蝨蟖蝎、魚鰾）一味調味藥（肉桂）。產科備要內說他能治產前產後 18 病，是乃最明顯的例子。

四、應用醫學

1. 衛 生 學

防病和長生是古人早已存在的幻想，但是習知有效的防病方法，必須醫學發達到一定程度才有可能。中國醫學十世紀以後進步迅速，成就很大，因此有些人開始根據醫學知識講求衛生方法，例如名醫趙有化在 11 世紀初年便作了一部四時頤養錄。此後這類書不斷刊行。其中最著名的爲陳直所著奉親養老新書[33]。他受了當時禮教的影響，提倡孝事父母，所以寫了這部老人衛生書。書中首先提倡精神休養，如節制憂愁悲哀等，更提倡適當的娛樂，例如遊山旅行，音樂（彈琴），作詩等。其次爲飲食營養，竭力提倡飲用牛乳、羊肝羹。更根據多種食療書籍，專立食治一門，主張飲食治療疾病。他說：「凡老人之患，先以食治，食治未愈，然後命藥，此養老人之大法也。」因此書中記載了老人所需富於營養的食譜，如肝、粥、雞、魚、羊肉、雞卵等。書內還記載多種健胃方，通利大小便的方劑。更收錄治風濕病的藥方。這部書無疑是老人衞生很適用的書，因此流行很廣。到了元朝鄒鉉，更增益了三卷，於1307年（大德丁未）出版。但是鄒鉉附加的部分價値不大，尤其是第四卷皆爲孝子事蹟，與個人衞生的關係毫不相干，未免畫蛇添足了。

此外醫方中[19]還記載了揩牙粉，牙刷，熏蚊子法，去頭蝨方，去壁蝨方等，這些皆表示應用醫學知識到個人衞生的成就。

在公共衞生方面，到了宋代，已頗知注意清除街道垃圾，建立都市的公共浴室和公共厕所，以及掩埋路屍等[35]。尤其是爲了管理醫生特設行會，爲了管理藥品特設惠民藥局[36]。早在12世紀中國即有此類公共衞生方面的設施，較比歐洲任何國家都要早幾百年，誠然是足以自豪的事。

醫生在社會中的地位 醫生在社會上地位由於技術進步而日漸提高，所以范仲淹（980—1052）有不爲良相，當爲良醫的說法，因此宋代士人，考舉落第，便爲醫生，南宋名醫許叔微便是最著名的例子。當時以施醫濟衆，爲高尙道德，甚至以編輯和刊行醫書爲功德。因此宋代編輯醫書也最多，宋史藝文志所收錄醫書多至509部[37]。其中一部分是官吏在這種風氣下刊行的，如洪氏集驗方[8]，幼幼新書[5]，衞生家寶方[14]，魏氏家藏方[23]等。雖然他們編輯的書往往雜亂無序，前後矛盾，但是那時的醫學知識賴以傳播下來，仍然是値得稱道的。

上邊所說醫生的地位日漸提高，只是限於內科醫生，其餘如外科和牙科醫生仍不爲社會所重視。陳自明在外科精要的序中說：「能療癰疽，持補割，理折傷，攻牙療痔，多是庸俗不通文理之人，一見文繁，即便厭棄。」可見文化高的人不肯當外科醫生和牙科醫生了。

2. 法 醫 學

中國在第三世紀，醫生吳普已利用醫學知識到審判案件上，其後隨着醫學進步法官裁判時需要醫學解釋的地方一天一天的多起來。後來將這類知識積累起來，並且能編成專書，顯然是說明醫學已相當進步了。據說中國在第六世紀名醫徐之才曾著明冤實錄是中國最早的法醫書，可惜現已無傳。後來這類書不斷問世。到了南宋，訟師業特別發達。江西著名訟師多設立訟學校，浙江有業嘴社，也是訟師養成所[36]。顯然他們是需要有些醫學知識才成。因此這時法醫學的著作也特別多。其中最有名的法醫書，當推1247年（淳祐7）宋慈所著的洗冤集錄[27]。

他這部書是根據前人的法醫學知識，增以自己的見解彙集而成。第一卷檢驗總論，驗傷和保外就醫（保辜）。其次爲驗尸，分爲初檢，覆檢，更詳細規定各種驗尸格式和方法。更有合血法，是將兩人的血放在一起，看能合不能合，滴骨法是將活人的血滴在死人的骨上，看能滴入不能滴入。這種方法與現在用血型來鑑定親子關係，頗有暗合之點。

此書更利用了當時骨學知識，附有檢骨圖，記載人體骨骼，以備檢驗時對證。

第二卷爲各種外傷死，如毆死，踢傷致死，殺傷等。其次對於縊死，溺死、刀傷死、燒死、凍死和病死一一加以辨別和說明。

第三卷更記載了當時人所能利用的有毒的動植礦物。

第四卷爲急救法和救服毒所用的方藥。

總之這部書自13世紀起至19世紀末葉，中國曾沿用了六百多年。所有中國法官和檢驗吏（仵作）都奉爲經典。後來雖不斷有法醫書籍著作，但是都用他這部書作基本，略爲增益罷了。

五、醫 學 史

唐代甘伯宗首先寫了第一部醫史專書，稱爲名醫傳，其中自三皇以下至唐，共記載了120個名醫，有傳有讚而且有圖，惜此書現已不傳。至1006年（景德2）趙自化著有名醫顯秩傳，現也佚失。此後醫史書籍不斷出版，但是現在仍存的，首推1189年（淳熙16）張杲所著醫說，其中卷一爲歷代名醫，上自三皇，下至唐代，搜集了116個名醫的傳記，彙集而成爲現存最早的醫史書。因爲他這部書是彙集多書材料而成，各名醫的序列，未能按時代嚴格排列，如樓護列在太倉公之前，張永祖列在張機之後。而且雜採列仙傳搜神記等書，所以有若干事蹟不盡可信。

這書出版後三十年即1220年（嘉定庚辰）周守忠根據當時通行的兩本醫史，即名醫大傳和名醫錄，更參考多種文獻，著了一部醫史，名爲歷代名醫蒙求[20]，共分二卷，記載名醫202人。實際上僅記載名醫182人。他這部書將各名醫的主要事蹟編成四字一句的韻文，以便學醫的人易於記憶。因此他編輯時僅注意文字韻調，不計名醫生存年代的序列。其中名醫除了醫說所記的108人以外，更收錄了當代名醫，所以人數比前多了三分之一以上。其中名醫材料也有多數來自說部，與醫說中歷代名醫傳的缺點完全相同。但是這部書是中國現存第一部專門醫史書籍，包括了名醫大傳和名醫錄的內容，無疑是很可珍貴的材料。

稍後更有魏了翁[34]在其學醫隨筆內曾按時代次序，記載了190個名醫，其中112人與醫說相同，另增唐宋名醫數十人。但僅有姓名，未列事蹟，且亦未註明來源，則不能算作醫史了。

六、總　　結

1. 南宋繼承北宋的典章制度，偏安華南150多年。關於醫學組織和醫學教育大致與北宋相同，所以不再重述。

南宋時連年戰爭，政治腐敗和道學家虛僞風氣，妨害了醫學的發展。所以南宋的醫學成就，限制在整理和充實的範圍內，不能像北宋時代醫學的跨步直前。

2. 南宋時代陳言按疾病發生的原因將疾病歸納爲三類，創三因說。其後施發則將脉搏的流動現象繪製成圖，使脉搏形象化。他們這種發明顯然對於以後病原學和診斷學的進展都有相當作用。

3. 在臨證醫學方面由於北宋末年已走向分科專門的道路，因之內科、小兒科、外科和婦產科均有極大發展。其中尤以婦產科的成就最大，而陳自明在這方面貢獻最多。其次許叔微對於內科，李迅對於外科，劉昉對於小兒科也有傑出的貢獻。

4. 由於醫學進步的結果十世紀以後，中國醫學已突破了僅僅治病的範圍，而應用到法官裁判案件上。到了13世紀中葉遂有相當完善的法醫書洗冤錄出版，比之歐洲人應用醫學知識到裁判上要早四百年左右。同時醫學知識更應用到個人防病和公共衛生上，例如奉親養老新書的編輯，便可指明中國在個人衛生上已有相當成就。

參考文獻

1. 王貺　全生指迷方　長恩室叢書本
2. 張銳　雞峯普濟方　1134（紹興3）道光八年樹經堂刻本
3. 許叔微　類證普濟本事方　1150日本享保21年大阪河井八三郎刊印。類證普濟本事方釋義　1150？姑蘇掃葉山房義記刻本
4. 許叔微　傷寒百證歌發微論　昭和二年日本進修書屋重刊
5. 劉昉等　幼幼新書　1150（紹興20）萬曆14年陳履端重刊
6. 　　　小兒衛生總微論方　1156?（約著於此時）民國13年蘭陵堂刊
7. 程迥　程氏醫經正本書　1163（景定4）十萬卷樓叢書本
8. 洪遵　洪氏集驗方　1170（乾道庚寅）　宋乾道六年當塗刻本．又嘉慶己卯年士禮居黃氏本
9. 東軒居士　衛濟寶書　1170（乾道庚寅）　光緒戊寅當歸草堂本
10. 李師聖等　產育寶慶集方　光緒戊寅當歸草堂本
11. 陳言　三因極一病證方論　1174（淳熙甲午）　日本文化11年京師石田治兵衛翻刻本
12. 偶揆　偶氏家藏方　1178（淳熙5）　日本抄本
13. 吳彥夔　傳信適用方　1180（淳熙7）　光緒四年當歸草堂本
14. 朱端章　衛生家寶產科備要　1184（淳熙甲辰）　宋淳熙十年　光緒13年陸心源重刻本
15. 郭雍　傷寒補亡論　1187著書年（淳熙14）　宣統元年梁園節署刻本
16. 張杲　醫說　1189（淳熙16）　癸酉陶風樓影印宋本
17. 　　　太醫局醫科程文　1191（紹熙2）　光緒四年當歸草堂本
18. 李迅　集驗背疽方　1196（慶元3）　四庫全書抄本
19. 王璆　百一選方　1196（慶元2）　據寬政七年源億和校本手抄本
20. 周守忠　歷代名醫蒙求　1220（嘉定庚辰）　民國20年故宮博物院影印臨安本
21. 王執中　鍼灸資生經　1220（嘉定庚辰　第二版）元廣勤書堂刻本（約1560年）

22. 聞人耆年　備急灸法　1226（寶慶丙戌）　日本十瀨同心閣室版
23. 魏峴　魏氏家藏方　1227（寶慶丁亥）　日本抄本
24. 齊仲甫　女科百問　乾隆七年棠錦堂
25. 陳自明　婦人大全良方　1237（嘉熙 1）　日本文化二年丹波元簡抄本
26. 施發　察病指南　1241（淳祐 1）　日本正保三年，中野小左衛門版
27. 陳文中　陳氏小兒痘疹方　1241（淳祐 1）　書業堂刊薛氏醫案叢書本
28. 宋慈　洗冤錄集證　1247（淳祐 7）　道光 24 年劉曉城刻本
29. 嚴用和　嚴氏濟生方　1253（寶祐 1）　日本植村玉枝軒
30. 仁齋直指小兒方論　1260（景定庚申）　明黃鑑刻本
31. 陳自明　外科精要　1263（景定癸亥）　明嘉靖戊申刻本
32. 楊士瀛　仁齋直指方論　1264（景定 5）　明黃鑑刻本
33. 陳直　壽親養老新書　萬曆 21 年虎林胡文煥本（格致叢書）
34. 魏了翁　醫學隨筆　學海類編
35. 范行準　中國預防醫學思想史　1953　醫務生活社
36. 中國歷史研究會　中國通史簡編　1951　新華書店
37. 阿登圖　宋史藝文志　光緒元年浙江書局刻本

揚州醫藥方言攷

張羽屏原著

耿鑑庭摘錄

吾揚近日小學家，以張羽屏先生爲巨擘。嘗草江都方言考釋十二卷，凡數十萬言。幾易其稿，殆丹鉛滿紙，用力之精，可以想見。近復取尤通用者，以白話成語料二卷。兩書中醫藥方言甚多。鑑讀之，獲益殊不淺。揚州解放後，醫院林立，醫師多自遠方來。於病歷証狀，以語言或不通，常不甚了了。間雖明其意，而無字可落筆。因此求診者頗不以爲便。前得葉君勁秋函，亦以滬上五方雜處，確寫病歷爲苦。爰自兩書各摘若干條，公於世，冠以今名，庶或爲臨床之一助云爾。　　鑑庭識

㾊　食後欲嘔，揚州俗言泛泛的。當用㾊字，孚萬切。方言十云，㾊惡也。郭注云，㾊怪惡腹也，蓋謂腹中作惡，作惡即作嘔。故玉篇㾊訓惡也，吐㾊也。以下句申說上句之意。廣韻二十五願亦訓吐㾊。

歁　小兒食乳，已復滲出，揚俗呼之如㘈。實當言歁，聲以同韵而小誤也。說文歁訓歐。歐即嘔字，原爲前智切。廣韻兼收五支，音同於貲。集韻作貲音者引蒼頡篇云，嚘歁也。嚘爲氣逆，蓋以氣逆復吐爾。

迮　揚俗或戲呼瞽者爲瞎札兒。札疑迮之聲轉。迮切側伯。釋名釋疾病云，瞎迮也，膚幕迮迫也。迮字原有迫義。一切經音義九引字書，謂瞎爲一目合之，目皮被迫，即常合而不能開，瞎之得名以此，故劉熙取迮訓瞎，今語遂有以瞎迮連文者。俗本釋名迮誤作迮，形相近也。迮迫不詞，畢沅校本正之。

㤇　痛而呼者，其音如夭如遙，實當爲㤇。㤇字胡茅切。大徐本說文訓痛聲，與号字義同音洽、号通於敖、荀子富國云，天下敖敖然，若燒若焦、言燒言焦，是宜呼痛、三國志魏常林傳裴注引魏略云，林夜楇吏，不勝痛，叫呼敖敖徹曙。即以敖敖爲痛聲，二字相叠，長言之也。魏書崔浩傳云，及浩幽執，置之檻內。呼聲嗷嗷，聞于行路。加口爲之。廣韻訓㤇爲痛而叫，收十四肴。顏氏家訓風操篇蒼頡篇有㤇字。訓詁云，痛而謼也，音羽罪反，北人痛則呼之。聲類音于來反，南人痛或呼之。宋本家訓來作耒。按其字從肴聲，不當入賄咍隊等部。洪亮吉曉讀書齋雜錄謂㤇疑侑之誤。北俗痛苦避呼阿侑，讀若肴。依此說似亦可用㾢字。一切經音義十五即云，㾢：諸書作侑，引通俗文謂痛聲曰㾢：于罪反，通作啨。搜神記十四云，聞呻吟之聲曰啨啨宜死。皆以二字相叠爲長言也。朝野僉載述郭勝靜因姦民婦被鞭。蓋諱其事，曰勝靜不被打阿㾢㾢。㾢與侑㾢啨聲近。

聒　狀耳鳴者言之如烘，字當爲聒。聒切戶萌。文選風賦李注引埤蒼以聒聒爲風聲。法言問道云，非雷非霆，隱隱聒聒。耳鳴言聒者，其中如有風雷之聲也。廣雅釋詁三云，聒聾也。王念孫疏證謂凡聽而不聰，聞而不達者，耳中常聒聒然。玉篇引字書聒訓耳語。廣韻十三耕義同。集韻聒字三見，並訓耳中聲。讀宏音者有重文作聝。今語此音皆涸入東冬部。集韻收一東者則有聋字，訓耳有聲。一董又有䁨字聳字，謂䁨聳爲耳聾，耺耺爲耳中鳴，音並相近。

痀　老人脊曲，揚俗言鉤。鉤由痀轉。說文痀訓曲脊，原爲其俱切。集韻兼收九噳。莊子達生云，見痀僂者承蜩。列子黃帝文同，釋文以爲背曲疾也。說文玖下言讀若人句脊之句，即謂痀脊之痀。句本訓曲，句聲之字多有曲義。說文耇字爲老人面凍黎若垢。以垢說耇，義取同聲。愚意疑亦謂老人背曲者。說文㜌字訓嫗。嫗之言傴，背曲顯然，然則老人之有耇稱，即謂耇之言痀可也。

㩉　手指反戾者揚俗呼爲㩉爪子。㩉或說作舉

之上聲，字當用彆，畢結切。玉篇彆訓弓戾。詩小雅采薇釋文引埤蒼云，彆弓末反戾也。孔疏引說文云、彆弓戾也。彆彆同字，原謂弓之反戾，引申之則凡反戾者皆得稱彆或彆。俗言拗氣爲彆氣，亦反戾之象。手爪反戾者呼彆爪子，宜也。揚州畫舫錄小秦淮錄云，浦琳字天玉，右手短而捩，稱搣子。全椒金兆燕爲作搣子傳。此用搣字，字在集韻十六屑凡兩見，並訓捩。捩戾同字。

殰　胎已死而後產者，揚俗言息胎，似當用殰。殰字呼臭切。禮記樂記云，卵生者不殰。釋文謂卵坼不成曰殰。史記樂書正義謂卵坼不成子曰殰。移用於人，則胎生不成子者可以言殰也。

眵　目疾雖愈而猶苦目汁凝者，揚俗言退疵。疵當用眵。說文眵訓瞢兜。瞢字據玄應一切經音義凡五引皆作蔑。說文蔑下即云目眵也。廣韻五支訓眵爲目汁凝。故目汁凝者稱退眵矣。眵以凝而易乾。張師錫老兒詩云，膠睫乾眵綴。俗又有乾眵眵之語，蓋取於此。䁾亦可用。廣韻集韻七之䁾字並訓目汁凝。

腾　創口四周突起，揚俗呼爲腾　爲當用腾。說文腾訓創肉反出，香靳切。玉篇腾訓腫起。慧琳一切經音義七十一云，毒腾江南言腾腫，蓋牽連而腫也。創之四周發熱及作痛者，今謂腾熱腾疼，其意皆同。廣韻二十四焮及十七準兩收腾字，十七準以痛爲腾之重文。玉篇痛訓創肉反腫起。外臺秘要二十九甲疽方引崔氏言四邊腫焮，又二十四癰疽發背雜療方，引千金言癰勢焮熱。定命錄言其腫轉劇，連膝焮痛，却用焮字。清異錄言左腮焮腫，則借焮字爲之。玉篇又有𤺊字，訓腫痛。廣韻𤺊收兩十七證，訓腫起。

𣪩　揚俗於作嘔呼如作𡠴。𡠴蓋𣪩之變讀。𣪩切許角，說文訓歐兒。徐鍇謂心惡未至於歐，因𣪩出之。歐即嘔字。今人將吐痰，恒發聲如𣪩，然則即釋𣪩爲歐聲似無不可。若有聲而無物，則當言噦。說文噦訓气牾。一切經音義二十二引通俗文云，气逆曰噦。禮記內則云，在父母舅姑之所，不敢噦噫嚏咳。四字各爲一事。素問陰陽應象大論王注不別；謂噦爲噦噫，冒寒所生。新校正以連言含混，因謂噫非噦也，引楊上善語釋爲氣忤，實即气牾。寶命全形論注則云，噦謂聲濁惡，言病深者有濁惡之聲如噦然。此說是矣。禮記玉藻鄭注以聲容靜爲不噦欬。可知噦本主聲；有聲無物，乃俗所謂乾作噦也。本音於月切，今語入鐸韵。

蹃　揚俗呼足跛者音如垂，字當爲蹃。蹃切渠追，說文有曲脛之義。漢書賈誼傳云，又苦跋盭。錢大昕謂跋是蹃字之譌。其言是也。盭與戾同用。蹃之言拳，猶顴之訓權。拳曲而不申者，必失其平，即所謂蹃盭矣。

瞀　天晚目昏，揚俗呼雀目眼。按方書有雀目方，療人之暝不見物者。單稱雀目可通，目與眼連文則不詞矣。此目字當由瞀轉。陸佃埤雅云，雀目夕昏。人有至夕昏不見物者，謂之雀瞀。確用瞀字。瞀切莫候，說文訓氐目謹視。氐即低字。視而低目，精必不充。晉書天文志上引宣夜之書云，眼瞀精絕，故蒼蒼然也。孟子音義下引丁音，以瞀爲目不明。後漢書廉范傳李注引禮記鄭注，亦以瞀爲目不明之貌。莊子徐無鬼云，小童曰，予適有瞀病。司馬注謂瞀讀曰㫚。集韻即以㫚爲瞀之重文。說文㫚訓低目視。廣韻㫚收三十七号訓低目細視。今俗於病目畏光者言冒光冒亮，皆宜用㫚。畏光者多俯首，否亦不能大張其目。與低目細視義相引申。

瘨　腹滿難勝者，揚俗言撐撐脹脹。撐當爲瘨。說文瘨訓腹張，即謂腹脹。原切都年，瘨之言塡，腹以塡塞而病也。集韻兼收十七真，音同於瞋。䐜可通用，說文䐜訓起。太玄經爭次六云，股脚䐜如。范注䐜訓大，狀股脚者得通於腹，腹脹起則大矣。素問靈樞多言䐜脹䐜滿。靈樞經脈肺手太陰之脈下云，是動則病肺脹滿。脹亦䐜之借字。

皻　鼻有粗大而紅者，揚俗呼酒糟鼻子。糟色不紅，皻之聲轉。皻切莊加。劉賓客嘉話錄云，隋末有河間人皻鼻酗酒。正字通謂紅暈似瘡浮起著面鼻者曰酒皻。集韵九麻以齇與皻爲同字。魏書王慧龍傳云，王氏世齇鼻，江東謂之齇王。即用齇字。南史宋紀中載前廢帝肆罵孝武帝爲齇奴。其形左右互易。魏書島夷劉裕傳云，子業入其父陵廟，指陵像顧謂左右曰，渠大齇鼻，如何不齇之。令畫工齇陵像鼻。易從查作。素問生氣通天論云，勞汗當風，寒薄爲皻，此言粉刺，字形又不同矣。

躄　足戾者揚俗呼如畢之上聲，當由躄字聲轉。躄切必益，說文作壁，訓人不能行。廣雅釋言云，躄痿也。痿即痿字，爲罷病，蓋據史記平原君傳躄者自言罷癃之病爲說。呂氏春秋盡數高注云，躄不能行也。文選七發李注云，躄跛不能行也。素問痿論云，急薄著則生痿躄。禮記王制作跛躃。字形微異。漢書賈誼傳云，又類辟，且病痱。荀子正論云，不能以辟馬毀輿致遠。辟皆躄字之省，旁轉爲躠。說文躠訓跛，跛訓行不正。其聲與躄相轉。

䵝 揚俗狀人面色黃者以爲黃巴巴的。巴當用䵝，䵝切披巴。集韻訓面黃。常言面黃必連以肌瘦，故又有瘦䵝䵝之語。瘦之甚者疑於枯腊。舊五代史外國傳載契丹耶律德光犮于殺虎林之側，得疾卒。契丹人破其尸，摘去腸胃，以鹽沃之。漢人目爲帝羓。羓之義即爲腊，今語所謂牛肉羓子，亦此意。腊必乾硬，强橫不順理者俗呼橫（讀如硬之陽平）肉羓子，言其硬也。晚生之子俗呼老羓子。言其不易豐腴，近於乾也。

僇 揚俗有獃頭肉腦之語。肉與獃不類，蓋僇之聲譌。僇在說文訓癡行僇僇。讀若雡。廣韻又有六音。說文云，癡不慧也。方言十云，癡騃也。僇爲癡行，則與獃頭並舉者當云僇腦矣。俗又有捞聲捞氣之語。捞字說作陰平，率爲好惡作劇使人不適者言之，此即僇之聲轉。弄人已甚，亦癡行也。癡行是病狀，故爾雅釋詁病義有戮字。戮與僇通用。

癉 揚俗呼不慧者爲二嫩。嫩蓋癉之聲亂。癉切牛昆。廣韻二十三魂訓癡兒。集韻義同。今俗以癉訾人而必冠言二者，與二鍋二哈一例。如諺所謂雙料的，見其爲不慧之尤也。

覷 揚俗呼近視眼爲蛆眼。蛆當用覷，覷字原切七句。集韻兼收九魚。一切經音義二十引通俗文云，伏覷曰覷。短視之人，恒小其目以聚光，與伏覷者相似，故有覷眼之稱。葉夢得石林燕語言歐陽文忠近視。蘇籀欒城先生遺言則謂文忠讀書五行俱下，但近覷耳。覰亦覷字。集韻又作䁦。

痒 揚俗狀怯寒者曰汗毛莘莘。莘當用痒。痒切所臻，又切山錦。說文訓寒病。怯寒者必毛戴，心有所懼者同，故見蛇虺往往呼痒也。素問靈樞二書，狀人惡寒者，言泝然、言泝泝然、言洒然、言洒洒、言洒洒然、言灑灑、言淅然，言淅淅、言洒淅，其聲皆與痒字相轉。

䵤 揚俗呼足胝曰老繭。繭或轉入銑韻。字在說文作䵤，訓黑皴。莊子天道云，百舍重趼。淮南子修務訓文同。趼即䵤字，司馬彪訓胝，高誘謂足胝生。廣韻以趼皵爲同字。玉篇皵訓皮起。文選難蜀父老李注引三蒼解詁訓胝爲繭。繭亦皵也。淮南子又云重繭、曾繭、直用繭字。戰國策趙策、宋策、尸子止楚師、新書勸學、漢書叙傳上、後漢書段熲傳，並言重繭，皆借字也。風俗通十反言重蠒，蠒爲繭之俗體。

關於「生物化學的發展」一文的一點意見

袁翰青

一九五三年第三號的中華醫史雜誌裏，載有李濤和劉思職兩位教授的一篇論文「生物化學的發展」。在中國科學界擺脫了殖民地思想影響之後，對於祖國科學工作在歷史上的發展，加以考證和重視，這是令人興奮的事。李、劉兩教授的這篇論文，着重說明生物化學在中國古代的成就，足以啓發我們的民族自豪感和貫徹愛國主義的教育，的確是值得歡迎的。可是我讀了這篇論文之後，認為這裏面有些觀點是有問題的，有些考據是不够正確的；而這篇論文是刊載在學術性的雜誌裏，將在醫學界和化學界發生不小的影響，可能有人轉相引用，使錯誤的考據長期流傳。所以希望仍然利用醫史雜誌的篇幅，提出一點意見，並就正於李、劉兩教授。

首先一個顯然的問題是淮南子一書裏究竟有無關於製造豆腐的記載。「生物化學的發展」一文裏有「劉安的著作（淮南子）已有記載」這句話，說得十分肯定。可是遍查淮南子原書，却沒有關於製造豆腐的記載。無論是豆腐二字或是豆腐的別名黎祁或來其，在淮南子裏都找不到。全部淮南子裏祇有一個豆字。那是在第14卷裏有「豆之先泰羹」一語，這裏的豆字不是指豆科植物的豆，而是指的一種古代餐具。如果並未查對原書而遽加「已有記載」的斷語，這是會貽誤讀者的，也是研究科學史的人不應疏忽的。

附帶我想談一下製造豆腐的歷史考證問題。在李時珍的本草綱目裏是有關於豆腐製法的記載的[1]，並且也提到「始於淮南王劉安」的傳說。可是本草綱目是16世紀後期的書，劉安是公元前二世紀的人。相距一千七百多年，這樣的傳說的可靠性是很低的。李喬苹著的中國化學史曾經轉抄了1690年出版的天祿識餘（高士奇著）和1796年出版的事物原會（汪汲著）中關於豆腐的話，也提到劉安，並且事物原會裏還有「孔子不食」豆腐的說法[2]。

李喬苹所著的中國化學史是一部雜湊而成的不科學的書，姑不談其中的荒謬的觀點，即就所搜集的資料而言，也表現出毫無選擇與辨別的能力。這裏面所引用的書籍全不考證它們的出版年代，亦不考慮其中材料的可靠性的程度，祇是堆集了一些前人的說法而已。這本書中關於「豆腐之肇始」一節當然仍是全無抉擇地轉抄。這裏所抄的天祿識餘中的一句話大概也是根據本草綱目，因為天祿識餘是17世紀末期的書。事物原會裏曾引到謝綽的拾遺，說豆腐是劉安所傳。查謝綽是五代時的人，生於第十世紀，他所做的一本小書，名為宋拾遺錄，列於說郛這部叢書裏。現在翻查宋拾遺錄，却並無關於豆腐的文字。所以事物原會裏的話也可疑，至於「孔子不食」的說法更屬無稽。

記載農產品加工，最早而最詳細的一部書當然要推北魏賈思勰的齊民要術了。賈思勰是第五世紀的人，他的自序裏有「起自耕農，終于醯醢，資生之業，靡不畢書」的語句[3]，而讀了這部書以後，也的確使人感到他所搜集的關於食物的製法是相當詳盡的，可是齊民要術裏却沒有提到豆腐。唐朝的韋巨源（七世紀人）所著的食譜裏也沒有提及豆腐。因此，公元前二世紀的劉安首創豆腐的說法是不可信的。

據查考的初步結果是，書籍裏有提及豆腐者最早是在宋朝。11世紀末年寇宗奭所著的本草衍義，中間有「生大豆……又可磑為腐，食之」一語[4]。同時期的詩人蘇軾所做的詩有「煮豆為乳脂為酥」之句，註中說「謂豆腐也」[5]。12世紀的詩人陸游的詩裏有這樣一聯：「拭盤推連食，洗釜煮黎祁」，他自己註明，「蜀人名豆腐曰黎祁」[6]。從宋朝以後，在書籍裏提到豆腐的就很多了。元朝的虞集（14世紀初期人）曾經寫過一篇豆腐贊的文章。16世紀的李時珍對於豆腐的製法記述得自然比較詳細了。

從上面所述的情形來推測，豆腐的開始製造和食用自然早於 11 世紀，但是無法證明其早到唐朝，更無法證明其早到漢初。唐書裏雖有「乳腐」一詞，可是指的牛乳的製品而不是指的豆腐乳。本來把這樣一種民間製造的食品歸功於一個統治階級的貴族是很難符合實際的。劉安是漢高祖劉邦的孫子，說他會去發明製豆腐，實在令人無法相信。豆腐的發明和製造一定是我國農民的功績，他們在煮豆磨漿之後得出來的產物。開始製作的年代雖已無法絕對斷定，想來很可能是在五代的時候，九世紀或是十世紀的時期。彼時在歐洲正是黑暗的中世紀，而我國人民已會提煉出植物蛋白質，一直流傳到現在，成爲重要的食物。就這樣已足以使我們感到中國人民創造力的偉大了。如果隨意引用傳說而把豆腐的發明推到紀元前二世紀去，那祇有造成牽強附會而不科學的影響，研究科學史的人是不必這樣做的。

附註：袁先生的原文本尚有關於釀酒、歷史觀點和近代貢獻等幾點意見，因爲有待商討，所以祇發表了關於豆腐的一部分。

參考文獻

1. 李時珍：本草綱目，第 25 卷第 5 頁，商務印書館萬有文庫版。

2. 李喬苹：中國化學史，第 154 頁，1940 年商務印書館版。

3. 賈思勰：齊民要術，第 5 頁，叢書集成版。

4. 寇宗奭：本草衍義，第 114 頁，叢書集成版。

5. 佩文韻府，第 1703 頁，萬有文庫版。

6. 上海大公報，1951 年 7 月 12 日、中國的世界第一欄。

列寧對地方自治局醫生著作的評價

原著者：蘇聯醫學科學院塞馬西闊衛生組織和醫學史研究院 И. А. 斯羅妮姆斯卡婭

「要記住，要愛戴，要學習我們的導師，我們的領袖伊里奇。」——約·斯大林

19世紀末，列寧對民粹主義者和經濟主義者進行了無情的鬥爭。

列寧的著作在粉碎民粹主義思想上起了決定性的作用，特別是「什麼是「人民之友」以及他們如何攻擊社會民主黨人？」和「俄國資本主義的發展」二書。

列寧曾從這些書中引用了許多全面的材料。醫生的著作也同樣引起了列寧的注意，因此在他的著作中所引用的大量書籍、論文集、雜誌、各種科學、文學、藝術和技術部門的論文中，有不少地方引用了醫生所寫的有關工人和農人勞動條件，以及日常生活的論文和書籍。

這些著作的作者（大多數是地方自治局醫生）收集了許多眞實材料，毫不粉飾地描述了工人和農民住所不衛生的可驚情況，描述了地主和工廠主對工人健康漠不關心的冷酷態度；指出了破產、貧窮和飢餓，傳染病傳播現象是資本主義發展成帝國主義階段中的特徵。

地方自治局醫生的傳統，是「脫離政治的文化工作」，和當時的共同現象，也說明在革命鬥爭的同時，以及爲了變更和改善公共衛生條件鬥爭的同時，醫生們的工作，局限於大小工廠和外來農業工人聚集地區的衛生調查。

在遮伊諾夫(Д. И. Воинов)，傑民契耶夫（Е. М. Дементьев)，庫得爾雅夫柴夫（П. Ф. Кудрявцев)，莫爾松（Н. И. Моллесон)，別斯可夫（П. А. Песков)，普哥業夫（А. В. Погожев)，吉嘉可夫（Н. И. Тезяков)，芬堡（Л. Б. Фейнберг）和愛利思曼（Ф. Ф. Эрисман）醫生及其他醫生中大多數是民粹主義者，他們曾收集了許多重要的，有意義的眞實材料，但是他們對這些材料沒有給以正確的評價，沒有把衛生問題和革命鬥爭任務聯繫起來，因之他們在相當程度上使自己的作品減低了價值。他們做出的結論，在政治上是不正確的。

列寧仔細地閱讀了醫生們的著作，精細地研究了具體的統計材料，選擇並核對了他們引證的數字，用馬克思主義把它們進一步修正了，因而使醫生的衛生調查的枯燥數目字，變成確鑿事實的，使人信服的政治講話。

對於外出工藝（按即流浪農民底僱傭農業工作——譯者）的特點，列寧在另外的根據中引證了地方自治局衛生醫生吉嘉可夫（Н. Н. Тезяков 1859—1925）的「黑爾松州（Херсон）農業工人及其衛生監督組織」[1]。這個調查揭露了對於工人有組織的剝削，工人在不衛生的條件中每晝夜要工作15—16小時。

列寧認爲按照實際的材料來說，吉嘉可夫的著作是「優秀」的，並在「俄國19世紀末土地問題」[2]一書中也援引了他的作品。

同時，列寧指出吉嘉可夫的著作反映了「民粹主義成見的有害影響」。

列寧說：「下邊還有一個例子表明民粹派偏見底有害影響。其出色著作爲我們常常所引證的吉嘉可夫先生指出了一個事實：黑爾松州的本地工人很多出外到塔利達州去，雖然黑爾松州本身缺乏大批工人。他把這叫做是「非常奇怪的現象」，「主人

(1) 吉嘉可夫：黑爾松省農業工人及其衛生監督組織，黑爾松，1896.

(2) 列寧全集，第15卷，第103—104頁，第四版。

也吃虧，工人也吃虧，工人拋棄家鄉的工作而到塔利達州有找不到工作的危險」（第53頁）。相反地，我們非常奇怪的是吉嘉可夫先生底這類聲明。難道工人不懂得自己的利益，沒有權利給自己尋找最有利的條件嗎？（塔利達州農業工人的工資比黑爾松州高些。）事實上，難道我們應當認爲農人一定要在他被登記和「有份地」的地方生活與工作嗎？」[3]

列寧在談到吉嘉可夫著作中的實際材料時（其中敘述農業工人的不合衛生的工作條件，每日過度的工作時間，不良的營養），寫道：「1889—1890年所舉行的衛生調查（雖然遠不完滿），揭開了遮掩窮鄉僻野勞動條件的帷幕底一個角落。」[4]

「外來的工人工作條件嚴重到那種程度，從這種情況便可以看出：工作從12小時半繼續到15小時，工人在機器旁工作所遭致的創傷已成爲普通的現象，工人（如在打穀機旁工作的工人）的職業等都發展起來，除去在進步國家早已絕跡的純粹中世紀的工役及勞制的經濟方式外，在最發達的美國形式中之一切純粹資本主義剝削的「優點」都可以在19世紀末的俄羅斯看到。在俄羅斯一切土地關係的巨大變化，不外乎農奴制度和資產階級剝削方式的互相錯綜。」[5]

列寧對吉嘉可夫所做的改善農業工人的衛生的條件，設立醫藥糧食站，及工人登記的組織，衛生監督，廉價飯食供應的措施是贊成的。同時他指出「不論這種組織底範圍和結果如何微小，不論它的存在如何動搖——（列寧在註釋中說黑爾松州六個縣地方自治局會議，吉嘉可夫先報導了其中對於組織工人監督所的意見，有四個曾經表示反對這種制度。當地的土地佔有者們責難地方自治局道：「它將把工人弄得懶惰起來」等等）——它總還是一個證明農業資本主義傾向的巨大歷史事實。」[6]

列寧就這樣在批評吉嘉可夫的民粹主義成見的同時，仔細地對待了吉嘉可夫所研究的關於外出工藝的衛生條件實際材料。

列寧對庫得爾雅夫柴夫（П. Ф. Кудрявцев 1863—1935）的「塔利達州卡霍加地尼古拉市集外來農業工人及1895年對他們的衛生檢查」（黑爾松，1896）一書給予了高的評價。

庫得爾夫柴夫在其上述著作中引用了實際的材料，指出在1895年「許多有機器的農戶寧願用工人收割來代替機器收割」。列寧說「這個事實比一切議論都更清楚，更令人信服地表明了資本主義的機器使用時所特有的矛盾是何等深刻！」[7]

在分析如此重要的俄國農村農人生活的情況時，譬如外出工藝的生活情況，列寧在「俄國資本主義的發展」一書中對日班闊夫（Д. Н. Жбанков）醫生的六種著作給予了嚴厲的批評。這六種著作有的是單行冊，有的登載在雜誌上：「斯摩稜斯克（Смоленск）州的工廠衛生調查」（斯摩稜斯克1894）；「1866—1883年外出營生對科斯特羅姆（Костром）州人口移動的影響」（科斯特羅姆，1887）；「1892—1895年斯摩稜斯克州的外出工藝」（斯摩稜斯克，1896）；「科斯特羅姆州，索利加利契縣的城市外出工資」（司法導報，1890，第九期）；「農婦方面」（科斯特羅姆，1891）；「外出營生對人口移動的影響」（醫師，1895，第25期）。

列寧擊碎了日班闊夫醫生的民粹主義思想，揭露了日班闊夫所廣泛採用統計平均數的反科學性質。列寧對日班闊夫的材料表示不信任，他親自計算，更用其他作家的材料與之比較。

列寧認爲日班闊夫醫生在所有的著作中對整個的外出工藝給予了完全不正確的分析，並對迫使農村工人從事外出工藝的原因做了不正確的結論。

列寧說：「這種對外出工藝的估價，我們有充分理由可以稱之爲民粹派的估價。」[8]

「這些善良心腸的先生們，沒有一個想一想：在談到「最嚴重問題底解決」之前，必須首先注意農民移動底完全自由，拒絕土地和離開公社的自由，在國內任何城市或鄉村可以隨意居住（不繳納「贖金」）的自由！」[9]

從列寧的這些論斷中可以得出結論，在資本主義條件下改善工人和農民工人的勞動和生活條件是和革命鬥爭密切地聯繫着的，要把這兩者分開，就

(3) 列寧全集，第三卷，第212頁，第四版。
(4) 同上，第三卷，第208頁，第四版。
(5) 同上，第15卷，第104頁，第四版。
(6) 同上，第三卷，第209—210頁，第四版。
(7) 同上，第197頁，第四版。
(8) 同上，第508頁，第四版。
(9) 同上，第509頁，第四版。

會得出在政治上不正確的結論，也就是民粹派醫生日班闊夫所做出的結論。

列寧在指出不同形式的僱傭勞動也存在於不與工廠相聯繫的小工業中時，除了其他的例子外，又引用了渥伊諾夫（Л. И. Воинов）醫生關於1888年聖彼得堡縣參議會第五醫藥區的報告中的材料（該報告發表在「1889年聖彼得堡縣地方自治局報告」中）（聖彼得堡1888）。

渥伊諾夫醫生在報告中描寫了區衛生現狀的全部情形，指出彼得堡附近烟草工廠製作紙匣的工人們在家中或是在不適合的房舍中，罹病率的增加和傳染病的蔓延。

列寧引用這個事實，和其他的事實一起來證明在俄羅斯不直接在工廠工作的居民已經被吸引到工業中來了。

列寧很關心木材工人和甜菜工人的工作條件，在他們之中流行病和其他疾病的蔓延，說明了「木材工作是屬於報酬極壞的工作；衛生條件令人嫌惡，工人底健康遭到極大的損壞；散佈在森林深處的工人底狀況是沒有保障的；這工業部門中十分盛行的是『家長制』農民手工業底伴隨物：奴役，物品工資制等等。」(10)

列寧說「甜菜農場中的工人狀況是最艱苦的，」並引了哈爾科夫州第七次醫生代表大會上芬堡（Л. Б. Фенберг），波多爾斯基（В. Д. Подольский），羅曼南柯（А. И. Романенко）醫生的報告材料做例子，其中有「關於甜菜農場工人狀況的許多非常悲慘的事實。」(11)

列寧在其永垂不朽之作「俄國資本主義的發展」中指出了農莊工人的嚴重生活條件及所居住的潮濕、寒冷、黑暗而擁擠的土窖的不衛生情況。列寧同時指出了工人營養的不够標準，使人疲倦的冗長工作日（一般是12.5—15小時）。他寫道：「在炎熱的時候，休息也只是『例外』，——暈眩是常有的事情。在機器前的工作，造成了職業分工與職業病。」(12)

列寧在自己的著作中也從普哥業夫（А. В. Погожев 1853—1913）的「18世紀末19世紀初莫斯科州世襲使用農奴的地主工廠和工廠生活」；愛利斯曼（Ф. Ф. Эрисман 1842—1915）的「關於工人的報道」和「1879—1885年調査中的莫斯科州工廠現狀的一般報告」，以及渥瓦洛夫（M. C. Уваров）的「關於外出工藝對俄國衛生情況的影響」（社會衛生、法醫及實用醫學通報1896年第31卷）的論文中引證了材料。

列寧再三提到和援引傑民契耶夫（Е. М. Дементьев 1850—1918）醫生的「工廠它給居民什麼，從居民那裏又取得了什麼？」

列寧指出：「有系統地收集的統計材料（包括大約兩萬工人）曾經表明了：工廠工人之中只有14.1%才是做農業工作。但是更重要得多的是在上述著作中最詳盡地證明了的事實：即機器生產砍斷了工人與土地的聯繫。」(13)

列寧對傑民契耶夫醫生的書給了高的評價，並在他最初的著作之一「什麼是『人民之友』以及他們如何攻擊社會民主黨人？」(14)中也提到了傑民契耶夫的著作。

列寧同樣地歡迎別斯可夫（П. А. Песков）醫生的「1885年伏拉基米爾區工廠檢查員報告」。

列寧在「工廠工人罰金法規說明」(15)一書中引證了這個報告的材料。

列寧在「經濟論文」中同樣引證了莫爾松（Н. И. Моллесон 1842—1920）發表在「健康雜誌」（第122期，第五卷，1878—1879年，第382—384頁，403—405頁）上的「彈毛業和氈毛業衛生情況報告」一文，列寧寫道：「因而，衛生醫生要求爲這些家庭手工業者建立工廠，禁止在家中工作，不能不期望實現這個措施，因爲它可能推動技術過程的進步，清除很多中間剝削，繼之爲了調整工作日和勞動條件掃清道路。總之，在我們的『人民』工業內消除最令人憤慨的不法行爲。」(16)

莫爾松不明白「衆所週知工業的這種形式意味着，資本主義的深刻統治，是它最後及最高形式的一個直系祖先，也就是大機器工業的祖先，所以替包買主工作是資本主義的落後形式，然而在現在社

(10) 列寧全集，第三卷，第462頁，第四版。
(11) 同上，第250頁，第四版。
(12) 同上，第209頁，第四版。
(13) 同上，第471—472頁，第四版。
(14) 同上，第一卷，第194頁，第四版。
(15) 同上，第二卷，第35頁，第四版。
(16) 同上，第597頁，第四版。

會中，這個落後性使在此形式中的勞動人民的情况特别惡化，這些勞動人民是被許多中間人剝削，他們是零散的，被迫滿足於最低的工資，在非常不衛生的環境中和格外長的工作日條件中工作——而最主要的是，處在極難有可能集體監督生產的條件下」。[17]

列寧對醫生著作多方面的批判性的分析，徹底擊碎了他們把俄國農業經濟看成是獨立小生產者性質的民粹主義觀念。

列寧不僅僅對醫生的論文和著作給以科學的，政治上的尖銳批評和估價，並且在大會上和報紙上對醫生不正確的言論給以無情的批評。

如在第217期「俄羅斯語言」（4"17"，VII. 1913）上登載了第12屆彼洛郭夫醫師代表大會里什庫斯（Л. Г. Лицкус）和阿斯特拉漢（И. Д. Астрахан）醫生關於墮胎問題的言論的報道。

在布爾什維克「真理」報上刊載了列寧的「工人階級與新馬爾薩斯理論」一文；列寧在這篇論文中有力地批評了新馬爾薩斯的理論。列寧在這篇論文中指出統治階級頒布的墮胎法，禁止預防措施的醫學著作法的一切僞善。列寧指出，這些法規並不能醫治資本主義的瘡痍，而把它們變成被壓迫羣衆的特别惡性的，特别嚴重的瘡痍了。醫學宣傳的自由和保護男女公民起碼的民主權利是一回事，新馬爾薩斯主義的社會學說是另一回事。」[18]

就是在「新時代」（Новое Время）（6"19"，I，1913）報紙上的小短評「角樓」（угловые квартиры）也逃不開列寧的尖銳批評。報紙上報導了高兹羅夫斯基（Козловский）博士根據人民健康協會的任務，調查了工人的角樓（即貧窮的人無力租整間的房間，往往幾家人同住一間房間，用布幕隔開。——譯者），工人們在布爾什維克的「真理報」篇幅上讀到了針對它的答覆、在報紙上登載了В. И.（列寧）簽署的論文「論一個發現」，在論文中列寧揭露並指出了人民健康協會為改善工人生活條件所做某些措施中的軟弱無力。在論文中我們讀到「但是有時貧窮和困苦的驚人情况和奢侈一起湧現——特别是假如危險威脅資本家先生們的健康和幸福時——使得很難「發現」。在每一個大城市裏，在任何農村的偏僻地方，間或「暴露」駭人聽聞的，醜惡的，人類卑鄙的窮敢行爲，窮困，荒廢。通過「大」報紙，「揭露」報導給大衆，但談一談，過兩天，以後就忘記了。飽人不知餓人飢……

人民健康協會聽到這個報告後，已决定研究問題……，提出申請書……請求關於調查的事，也就是做了所能做的一切。」[19]

1914年「教育」雜誌第一期，刊載了В. И.（列寧）簽署的，列寧對「1913年聖彼得堡全蘇衛生展覽會上勞動保護展覽品」一書的評論。醫學界參加了編著這本受批評的書，其中有維諾庫洛夫（А.Н. Винокуров），華西里也夫斯基（А.П. Васильевский），尼可里斯基（Д.Н. Никольский）。

無論是書的內容，無論是書中材料的排列，列寧都詳細地研究了，並提出很多改進下次出版書籍時的建議。列寧結束評論時寫道「下次出版時，這本書能够，並且應當成爲俄羅斯有系統的勞動條例和保護勞動問題的材料大全。」[20]

在我們的論文中，所引用的只是列寧在保護人民健康問題指示中理論富源的一小部分。

我們看到列寧如何崇高地估計了革命前期俄羅斯醫生社會活動家的許多作品，他是如何肯定地介紹了收集在他們著作中的大部材料，以及他對這些材料詳細及誠懇的研究。

同時，列寧的指示及訓誡幫助瞭解許多地方自治局醫生所具有的錯誤傾向，由於他們沒有正確的，科學的馬克思主義分析，在很多情况下，造成他們工作方法的缺陷。

（馬堪遲　許曾瑛譯 Советское Здравоохранение, 2. 1952）

---

(17) 列寧全集、第402—403頁，第四版。
(18) 同上，第19卷、第207頁，第四版。
(19) 同上，第18卷、第510頁，第四版。
(20) 同上，第20卷、第21頁，第四版。

蘇維埃時代的外科學

原著者：И. Г. Руфанов

偉大的十月社會主義革命粉碎了舊的沙俄，建立了世界上第一個社會主義國家，顯著地提高了俄羅斯外科學。由於革命的勝利，使我們祖國的外科學在世界科學界內佔了主導的地位，並且，在它的前面開闢了廣大美好的遠景，爲科學的實踐活動創造了無限的可能性。

在革命以前，俄羅斯外科醫師的科學工作只能在幾個大學中心內進行，而進行工作的條件，除了極少的幾個例外，都是不良的。專制帝俄的沉重的政治迫害，深深地束縛了科學創造的意識，而其經濟政策更剝奪了醫學科學研究的物質基礎。在1917年以前全國只有16個醫學專科學院，一個軍醫學院及女子醫事訓練班，但這些機構並沒有具備進行科學研究工作的條件。十月社會主義革命以後情況就大大地改變了，共產黨及蘇維埃政府對蘇維埃科學，包括外科學在內，給以特別的關懷。

由於斯大林的民族政策，在蘇維埃社會主義共和國聯盟的每一個加盟共和國內都設有醫學院，研究院以及醫師進修學院和蘇聯科學院分院。

爲了科學工作，撥給了大量經費，建立了許多新型的設備完善的外科機構和專門的研究院。蘇維埃學者儘量地被供給以各種進行科學研究工作的有利條件。在全國之內擴展了科學研究工作，同時外科學也開始急劇地發展着；已經逐漸地建立了72個醫學院，其每年所培養出來的醫師數量就超過1913年沙俄時代醫師的總數量。外科醫師的數量劇增了，因爲醫院內的外科病牀數目顯著地增加着。對於實際外科中的最迫切問題也給予了注意，大規模地開展了對外傷的鬥爭和熟練急救的組織。創傷及急性外科疾患之能够得到最大的療效決定於醫院條件下的給於救護的時限。蘇聯的「急救」組織與其他外國的醫療機構相比較，是最好的一種醫療服務。由於建立了急救外科學院、外傷治療學院、外傷科及救急站，因此顯著地減少了死亡率及殘廢。

在1917年以前在俄羅斯還未進行過向病人輸血，但現在輸血研究所在全國範圍內許多城市都已經具備了。

在十月社會主義革命以前，跟惡性腫瘤鬥爭的問題是很少受到注意的，但是現在蘇聯的醫師進修學院內都有腫瘤學講座，以及設備完善的腫瘤學研究所，腫瘤病科和腫瘤防治院。在及時的早期診斷之後，只有早期進行混合治療（包括手術），才能實際地降低惡性腫瘤的死亡率。

在1917年以前同樣地對於骨結核也很少注意到，因此留下了許多殘廢以及喪失工作能力的人。在蘇聯現在的醫學院以及醫師進修學院內都設立了結核病專科講座，到處開設了防治院，醫院，研究所，療養所。由於這些措施，急劇地減少了骨結核患者的死亡率以及殘廢的數目（如駝背，瘻，變形等）。

在蘇聯各種微細的專門學科也獲得了很大的發展；如開設了神經外科研究所（名爲Бурденко及Поленова），內分泌學研究所等等。但外科學上的成績還決不止這些。醫學上預防爲主的方針，以及對職業病的鬥爭都對外科學起了很好的影響。現在科學的工作不但是像十月革命以前在醫學院內進行，而且也普遍地在許許多多以國內有名學者爲首的研究所內開展着。

政府和黨給予醫學、尤其是外科學以極大的重視：在蘇聯科學院內建立了醫學科學部，許多有名的外科醫師都被選入如Н.Н.Бурденко氏，П.А.Герцен氏，С.И.Спасокукоцкий氏，Н.Н.Петров氏等。

在1944年爲了繼續加強發展祖國的醫學科學，蘇維埃聯盟部長會議決定設立蘇聯醫學科學院，此院乃蘇聯醫學界中最高的科學機構，其中包含有國內最卓越的科學家。蘇聯醫學科學院下設25個研究所如А.В.Вишневский臨床實驗外科研究所，Н.Н.

Бурденко 神經外科研究所，腫瘤學研究所，結核病研究所等等。

蘇聯醫學，特別是外科學，在偉大的衛國戰爭時期得到了巨大的成就。在前線及後方醫院內，傷員治癒而歸隊的有73%，而在第一次世界大戰時能治癒歸隊的只有40—50%。因此，73%這個數字已經是一個成績很高的表現。同時我們可以看到傷員死亡率的減低以及其他一系列的成績，特別是在恢復外科學的領域內。上述這些成績不但是因爲前後方對傷員有完善的醫療機構，也不但是外科醫師技藝進步的結果，但同時卻也是醫學科學，特别是外科學，急劇發展所得到的成績的後果。

許多卓越的外科醫師都榮膺了斯大林獎金如 С. И. Спасокукоцкий 氏，Н. Н. Бурденко 氏，А. Г. Савиных 氏，Ю. Ю. Джанелидзе 氏，А. Н. Бакулев 氏，С. С. Гиргрлав 氏，Н. Н. Петров 氏，Н. Г. Корнев 氏，Н. Н. Еланский 氏等等。

許多科學代表會議，以及州、共和國和全蘇代表大會經常地討論在蘇聯國內所發生的外科問題，幫助推廣千萬外科醫師科學理論上及實際工作中的成就，如此更培植了大量外科醫師及科學家，其中許多人都得到了科學實踐工作的可能條件，而建立了全國性及世界性的卓越名聲如 С. П. Федоров 氏，В. И. Разумовский 氏，В. А. Оппель 氏，Н. Н. Бурденко 氏等等。

С. И. Спасокукоцкий 氏（1870—1943）科學院院士，莫斯科斯大林第二醫學院臨床外科教授，蘇聯最卓越的外科醫師之一，於90年代末，他在斯摩林斯基省鄉村醫院內工作，進行了許多外科手術，這些手術使他在第二次比羅古夫代表大會上得到了極大的注意（500次疝氣手術，81次胃腸道手術）。如同 Дьяконов 氏一樣，他也是由鄉村醫院內培育出來，而得到 Саратовский 大學的講席，最後轉往莫斯科。Спасокукоцкий 氏曾建立外科學校，許多卓越外科醫師都曾在內担任講席。

蘇聯的外科學醫師都感謝 С. И. Спасокукоцкий 氏對於肺及胸膜化膿性疾患方面的貢獻，對於這些，他曾著作了書籍，蘇聯醫師還感謝他對應用死人血液輸血的臨床及實驗研究，這位外科著者及醫學革新家，是許多手術方法的創始人，如肺內包蟲手術，截肢手術等，而 Спасокукоцкий–Кочергин 氏的人工製手方法更是在蘇聯普遍應用的方法。

Н. Н. Бурденко 氏（1876—1946）科學院院士，榮膺列寧勳章莫斯科第一醫學院臨床外科學教授。1911 年已是 Юрьевский 大學教授，自 1918 年係 Воронежский 大學教授。1923 年轉往莫斯科，任外科手術學講座教授，最後任莫斯科第一醫學院外科學教授。

Н. Н. Бурденко 氏在蘇聯建立了神經外科研究所，至死一直爲該所之領導人，該所後即以 Бурденко 而名之。

蘇維埃國家的卓越的活動家，蘇聯最高蘇維埃代表，蘇聯紅軍軍主任外科醫師 Н. Н. Бурденко 氏以忘我的勞動促進了蘇聯外科學。他和其他許多卓越的醫務工作者都是投入建立蘇聯最高醫學科學機構——蘇聯醫學科學院——的積極人物，因此他被選爲該院第一任主席。Бурденко 氏對於休克，創傷的治療以及軍陣外科學上的功績是衆所週知的。他又是神經外科，肺和胃外科，以及關節成形外科學等一系列工作的名人。由於他這種矢忠服務祖國的熱忱得到了蘇維埃人民的感謝與尊敬，在莫斯科建立了他的紀念碑，他生前所住的街道即以其名而稱之。

我們可以看到祖國外科學的獨特而迅速的發展。它走着自己的道路，而不是跟隨摹倣別國的外科學，我們不能忽視蘇聯外科學在教學時與臨床實踐工作間密切相聯系的這一明顯特點，這一點早在俄羅斯（即18世紀末與19世紀初期）建立外科教學的初期即已經開始了。這些特徵顯明地表示了祖國外科醫師的教育不同於同一時期內歐洲國家的教條式的外科醫師教育。

我們的外科學家早在 Пирогов 氏以前就力圖創作外科學的作品，而不滿足於翻譯出版物了。Пирогов 氏的作品到現在還被認爲是無可倫比的。

祖國的外科學永遠是依據着解剖學和生理學的基礎而發展着，而在別國就不是如此。Пирогов 氏當他派往外國時就注意到西方國家的外科醫師對解剖學的忽視。А. М. Филомафитский 氏、Н. И. Пирогов 氏，以及 И. М. Сеченов 氏，И. П. Павлов 氏，Н. Е Введенский 氏都促進了臨床外科學對生理學方法的應用。

我們祖國的外科學在外科學的各個領域內都曾

創造（如麻醉，休克，對創傷感染的預防，腹腔外科等等），這在外科學總各論的相應章節內都可以看到。

許許多多卓越的科學工作，論文，論著及對於各種專門部分（如腫瘤學，創傷學，神經外科學等）的著述都是外科醫師進修深造的有價值的資料。

全蘇維埃外科醫師協會每年召開擴大會議二次以討論重要的外科學問題，幾百位外科專家都參加會議，而會議的決議，通報給全國科學性外科機構。全蘇聯外科醫師協會的成就也出版印行。如此，現在在全國外科醫師之間建立了密切的聯系系統，幫助交流先進經驗，幫助推行最好的治療方法。

（戴瑞鴻節譯自 1955 年版 Общая Хирургия 第二章）

巴甫洛夫早年的偉大成就之一
(艾克氏瘻的成功)

原著者：Henri Roger

1892年，在聖彼得堡的生物學報上（第一册，401—494頁）出現了一篇令人深爲注意的著作，研究的問題是［艾克氏下腔靜脉與門靜脉瘻管及其對機體的後果］，署名的是巴甫洛夫和他的合作者 M. Hahn, V. Massen, M. Nencki 三氏。這些實驗家成功了一種手術，在以前此手術曾經多次的嘗試過，但總是失敗了。此手術的創始者是俄羅斯的外科專家艾克氏，他曾希冀將門靜脉接到腔靜脈上來醫治肝硬變中的腹水。他曾在狗身上作了數例試驗，但那些狗都很快的由第二至第六日死亡了，只有一條狗活了兩個半月，但却在這時由實驗室裏逃了出去，因此無法由解剖證實實驗的結果。以後 Stelnikow 氏也作了幾次嘗試，但亦未得到更好的成績。

巴甫洛夫成功了這個精細的手術，因爲他用了最正確的方法和嚴格的滅菌條件。在他的報告中，叙述了組織情况的細節。對於我們這些在那個時代僅有着設備不週，照顧不够的實驗室的人們，這是一個眞切的啓示。那時在巴甫洛夫的研究院裏，已有着設備得和最好的醫院一般的手術室：有三間屋子用來爲消毒器械，外科醫師及助手們的準備及動物的細緻的洗刷。當動物在最優良的滅菌條件下受了手術後，即被安置到清潔溫暖的房間內，關在裝有易於洗擦的磁磚壁的籠子裏。就在這種完備的條件下作手術。巴甫洛夫等得到了前人所未有的成功。

巴甫洛夫確定了手術的技巧，能够近於百發百中地成功門腔靜脉吻合術。他將兩條靜脈各作一切口，再將二者作側壁與側壁的縫合，然後將門靜脉結紮。以後手術方法又有了改進，照 Transini 氏的建議，大多改作末端與側壁吻合術，使腔靜脉的血流暫時停頓，在其上作一切口，然後將事先截斷了的門靜脉的軀幹接合上去。

在優良的條件下施行此手術，動物可得到長時期的繼續生存。手術後可發生某些機能的紊亂，但當產生了足够發達的側枝循環使肝臟恢復了正常功能後，這些紊亂即減輕、消失了。如果瘻管比較狹窄，門靜脉血不能便利地流至腔靜脉時，這些紊亂便繼續存在。須知艾克氏瘻並不等於在功能上將肝臟消除了，有補給血路逐漸形成，肝動脉的體積也增大。不過肝臟雖有同於正常的血流灌注，但有一個改變却存在不移，即自腸道來的血液流入腔靜脉中，因此由腸所吸收的物質直接流入大循環，而不穿過肝臟，如這些物質具有某種毒性，即可引起或重或輕的意外，否則可以再進入肝臟如正常一般地承受各種變化。

巴甫洛夫及其合作者對於門腔靜脉瘻所引起的紊亂，也叙述得很多，他們發現當給與肉食時，這些紊亂特別顯著，動物由原來的善良馴服而變爲兇惡、執拗，有幾條狗甚至兇暴得不讓餵食的人近身；也有的在室內不停的走，往牆上爬，啃它所能遇到的一切，然後發生陣攣性驚厥和搐搦。經過這些發作以後，狗便步履蹣跚或失調，有時變爲盲目或痛覺喪失，這些神經及精神的表現是非常值得注意，因爲長久以來，臨床家們便已注重肝的損害對產生譫妄的作用，並曾描寫了與腎原性精神錯亂相近的肝原性精神錯亂。

巴甫洛夫曾委他的二位合作者 Nencki 與 Hahn 作手術後動物的尿液檢驗，結果發現尿素量減少，由每24小時15克減至三克，而氨的成分則由手術前 3.8/100 升高至九甚而 20/100，於昏迷時氨的排泄更高，氨是處於氨基碳酸鹽的形式。爲了能够將門腔靜脉瘻所引起的紊亂歸罪於氨基碳酸鹽，必須先斷定此物質的毒性，巴甫洛夫與 Massen 摒除了氨的影響，而認爲係由於氨基碳酸的關係，因爲注射氨所引起的後果，與前述的不同，而靜脉注射每公斤體重0.25克的氨基碳酸鈉後，可觀察到狗皆昏昏思睡，欲飄不能，如强使之行走，即搖搖擺擺，運動失調；如注射0.3克，所得結果却相反，是不停的激動，衝動，眼球紊亂，然後再呈現一種奇特的强直性昏厥；如劑量再加大，則引起手足搐搦，以至死亡。

氨基碳酸鈉的毒害作用，可被肝臟所消除，因爲口服此鹽後，正常的動物能善爲承受，而於具有門腔靜脉瘻的動物，則產生如同靜脉注射同樣的意外。

巴甫洛夫的結論，以後曾受到 Magnus Alsleben 氏的批評，後者認爲作過門腔靜脉瘻的狗，並不恒定產生毒性反應，例如 Rothberger 及 Winterberg 二氏所作的18條狗中，僅有三例出現中毒症狀；Matthews, Miller 二氏的55次試驗，亦僅有三例，而 Nencki 氏的定量分析是在一個方法還不够精細的時代所作的。因此關於這方面還須繼續再研究，不過 Fischler 氏仍然支持氨中毒在因門腔靜脉瘻所致的意外中起重要的作用。

此外，巴甫洛夫又始創了另一種爲研究肝臟紊亂所引起的後果的方法，即肝臟摘除術。在我們所分析的這篇報告中，巴甫洛夫及其合作者於哺乳動物身上完成了這一個以前一直認爲不可能的手術，由於事先作的門腔靜脉瘻防止了血液鬱積在門靜脉系統內，而使肝臟的摘除有了可能性。在巴甫洛夫的基礎試驗及以後 Salaskin 及 Zaleski 二氏的試驗中，動物能繼續生存3—6小時，有時可達八小時。

以後，此問題又被 Mann 及 Magath 二氏研究過，氏等改良了手術的方法，但結果繼續生存的時間仍差不多，由2—11小時。Mann 及 Magath 二氏試驗的興趣在於給肝臟的功能作了新的指示，突出了動物澱粉生成的重要性，意外及死亡應歸於糖質貯藏處的消除。但是這些試驗也給我們指示了氮代謝的紊亂，這就又將我們引向了巴甫洛夫的研究結果。於摘除肝及腎的動物，血中尿素濃度維持在正常數值內，如腎臟尙存在時，尿液將尿素排洩，因後者不再能產生，故血中含量即迅速降低，同時血中氨基酸及尿酸增多，最主要的是尿氮量與總氮量之比率增高，於某些情况下可達50%。此爲證明當肝臟機能減退而產生意外時，含氮物質的重要性之另一方法。

我們認爲值得將四十餘年以前，起始建立巴甫洛夫榮譽的報告回顧一下。自此以後，巴甫洛夫發表了可觀的研究成果。這些成就爲生理學開闢了新的天地，將心理生理學指引到一條收獲豐富的道路，給心理表現帶來了意想不到的光輝。這些成果確定了它的作者巴甫洛夫的不朽榮譽，使之成爲對科學的進步貢獻最大的人物之一。

（陳家倫譯　鄭安堃校　原文載 Le Journal Médical Français 1953年10月號）

著名的醫學活動家M.Я.孟德羅夫

原著者：A·路士尼可夫

馬特維依·亞可夫列維奇·孟德羅夫氏（Матвей Яковлевич Мудров 1776—1831）的臨床學說是俄羅斯科學上的卓越成就。他在革命前的俄羅斯享有盛名。無論在歷史著作，專門著作，或是報告文學內都經常看到他的名字。列夫·托爾斯泰在［戰爭與和平］小說中提到孟德羅夫，把他稱爲當代最受推崇的一位醫生。然而，只有在偉大的十月社會主義革命以後，這位科學家在祖國醫學發展上的巨大影響才完全爲人們所瞭解。

孟德羅夫氏是莫斯科大學醫學系最老的教授，是俄羅斯醫學創始人澤別林（С. Г. Зыбелин）及波里特可夫斯基（Ф. Г. Политковский）的學生。孟德羅夫氏認爲他的臨床學說直接地繼承了他們的活動。

孟德羅夫氏在西歐旅行時，很清楚地瞭解了當時外國的醫學理論，教學方法，醫院和臨床治療院，以後，他就將其與祖國的醫學做了比較。孟德羅夫氏堅決反對在外國人面前卑躬屈節。他說：［我以一個目賭者向你們肯定說，我們的醫學設備完全不遜於歐洲任何一個考究的醫院。］

孟德羅夫的著作，巧妙地把對科學眞理的渴望和對祖國的熱愛結合在一起。他是一個社會活動家，民主主義者。他來自人民，瞭解人民的疾苦，並正確地估計了時代的社會政治事件。

對生活的正確理解幫助他繼承了祖國先進醫學的偉大傳統，建立了自己獨創的醫療方法。

按照孟德羅夫的意見，實驗和討論是眞正的醫學基礎。孟德羅夫氏反對一切杜撰的，形而上學的理論。他在書信中，講座上，都屢次尖銳地諷諷並批評那些像列士拉烏布（Решлауб）的國外醫學家，他們企圖宣傳以神學推斷做基礎的醫學［理論］。

孟德羅夫氏教導說，不能單依據自然科學某一個部門來建立極複雜的病人科學。單獨地掌握化學，物理學和機械學均不能使醫生達到目的。

這位著名的臨床學家的醫療活動是以細密地研究病體特性做爲基礎的。因此，首先就需要解剖學，病理解剖學，生理學以及衛生學。

孟德羅夫氏教導說：［簡單是眞實的標誌，］醫學中永遠應當從簡單到複雜，從已知到未知。他瞭解［次序是解決一切事物的關鍵］這一特殊的意義。他看到在科學發展的現有水平上去正確地斷定疾病是如何困難。按照孟德羅夫的說法，如果在某些器官內沒有發生功能破壞和物質變化時，則疾病從不會發展起來。無論功能破壞或物質變化最後都會引起機體生活功能的完全破壞。

孟德羅夫氏說，醫療科學的對象是健康人，病人和死人。假如人健康的話，那麼醫生就應該注意防止疾病的發生。假如人病了，則醫生的目的就是中止並消除疾病，假如人死了，則必須研究死亡的原因並瞭解機體內死後的變化。

孟德羅夫氏勇敢地注視了醫學的未來，他面前展開了廣闊的活動範圍。他瞭解到，必須把實用醫學和衛生學（生活的合理標準科學）以及長壽術（延長生命方法的科學）聯結起來。因爲醫學的主要任務是根本消除疾病。

爲了解決所有的這些問題，只是研究病體還不够，因此還應當認識機體周圍的東西。這就是爲什麼孟德羅夫氏首先在醫學史中着手製定詳細研究的系統以及診察病人時考慮到他的特性。

客觀的診察曾被孟德羅夫氏特別仔細地研究過。他給病人進行檢查時的那種精密性和熟練不得不使人驚訝，他通常使用解剖方法，也就是從頭部開始的方法。他指出，頭部有最重要的感覺器官，而主要的是支配身體的腦子，他把檢查中樞神經系統和感覺器官放在第一位。有必要着重指示，孟德羅夫氏已經知道並應用物理檢查的方法——叩診法和聽診法，這可以從1829年他在莫斯科大學的講演記錄中看到。

著名的臨床家孟德羅夫氏認爲研究各種不同種

類的脉搏（以時間，體力，動脉的直徑，緊張力，節奏來確定的）具有重大意義。此外，他叙述了危險期的和病徵的脉搏。非常仔細地研究了心律不整齊 他計算心律不整齊達13種之多。

按照孟德羅夫的意見，醫生搜集的全部材料應當綜合地理解為是為了解决四個基本問題：疾病的性質，狀態，時期及嚴重程度。

孟德羅夫氏編寫的［疾病分類］曾為一巨大成就。最早的分類法還是在 18 世紀提出的，其科學和實用價值不大。

孟德羅夫氏將人類疼痛的多樣性分為八級。將生理學的原理（器官的降低或增高的刺激性）和病理解剖學的原理作為分類基礎。根據孟德羅夫的意見，與增高刺激性有關係的病症佔多數，他將其分為炎症（包括熱病），血管病，淋巴病（淋巴管和腺的疾病），神經病和內臟病。

據孟德羅夫的判斷，神經病經常由於神經系統刺激的升高。他指出一切所有的神經系統可分為頭部的，脊髓的，神經節的，並按照這個將神經的病症分類。［智力，想像力，記憶力的病症］，也就是精神錯亂，屬於第一組。第二組包括消化，呼吸，血液循環器官神經。性範圍的神經組成最後一組。

大部分俄羅斯醫生都是用他的分類法，直到嘉吉可夫斯基氏（И. Е. Дядьковский）提出了疾病的另外一種最新分類法才代替了他的分類法。

這樣，孟德羅夫氏繼年長的同時代人穆新氏（Е. О. Мухин）之後（也不是沒有他的影響）承認了神經系統對人類生活及健康的特殊意義。他要求個別對待病人的辦法：［不是病服藥，而是病人服藥。］孟德羅夫氏講到關於他本人的成就和他對於科學的新貢獻時說：［我對你們簡單明瞭地講，醫療在於醫治病人本身。告訴你們，這就是我藝術的全部秘密。］

看起來，醫學在數世紀來都是緩慢地向這個普通的眞理邁進。然而只有俄羅斯唯物主義的臨床治療院在18世紀末至19世紀初，首先樹立了實現它的正確方法。

孟德羅夫氏認為疾病是由於外界很多因素影響而發生的機體不正常狀態。他說：要找到疾病的原因，［應當先在病人的外界找。］著名的內科醫生孟德羅夫氏曾提醒醫生說，［不可以把健康認為僅僅是一些藥瓶子裏的事。你的藥房為你自己和你的病人服務時應該包括整個自然界中的一切。］因而，在孟德羅夫的臨床學說裏，旣可找到預防的，又可找到精神療法的根源。

孟德羅夫氏也是一位非常出色的教育家。他非常天才地檢査病人，淵博的學識，特殊的講演天才，——這一切都使大學生們嚮往於他。

馬特維依·亞可夫列維奇曾幹練地培養了千百個俄羅斯醫生，在他的領導下，著述了很多珍貴的科學作品。可惜，到現在還未被醫史學家們研究。從他的臨床治療院中培養出這樣的祖國和世界的科學代表，像比洛果夫（Н. И. Пирогов），索柯里斯基（Г. И. Сокольский），列別傑夫（К. В. Лебедев），格魯吉諾夫（И. Е. Груинов）及其他的人。他改變了醫學教學，使病理解剖的剖驗具有重大意義。孟德羅夫臨床治療院首先開始使用了詳細的病歷。

孟德羅夫氏從未忘記過他的生命和科學都屬於人民。還在他教授活動的最初年代，那時俄羅斯正處於嚴重的戰事前夜——與拿破侖作鬥爭。他意識到培養戰時醫生的必要性。1809年他在莫斯科大學作了［論戰爭衞生的效果和目的］的演講。

孟德羅夫氏在流行病學中也有偉大的功績，在嚴重的霍亂時期(1830—1831)；他是消滅流行病中央委員會的一級醫生。在沙皇農奴制的俄國，消滅這種嚴重的疾病是非常困難的。然而孟德羅夫氏還是和很多醫生順利地完成了這個任務。他提出治療霍亂的新方法，特別注意病人的飲食規則和精神情况。他在［霍亂論文］裏寫道：［沒有什麽像害怕霍亂及畏懼死亡再有害的了。］孟德羅夫氏指出，霍亂的本質就是胃腸消化道的發炎。

祖國醫學發展中的整個時代都與孟德羅夫的名字相聯系。他的有成果的科學活動無論在國內，無論在國外都大大提高了俄羅斯醫生的威信。格瓦洛夫氏（Я. Говоров）寫道：［1841年俄國人到了巴黎以後，法國醫生才知道我們的醫生在這門藝術裏也可以毫無例外地赫赫於世。］

眞實的民主主義者孟德羅夫是一位具有高尙道德品質的人。在戰後的年代中，莫斯科成為一片廢墟，大學還在關閉着。他以［自費］開辦了醫學系，後來他又用私人的錢建立了臨床學院的校舍。

馬特維依·亞可夫列維奇在廣大的人民羣衆和進步社會代表中獲得了巨大的威望。例如，衆所週知的，他和十二月黨人很接近，在兇惡的反動勢力統治時期，他勇敢地幫助了流放到西伯利亞的穆拉維耶夫（Муравьев）兄弟們。他與查達耶夫（П. Чаадаев），屠格涅夫（А. Тургенев）及其他人的親切會見也曾被記述過。

這位祖國醫學的傑出活動家，一生都是爲了科學和人民的健康不停息地英勇的工作。同時，他也號召自己的學生「向非凡的勞動前進」，他說：「在醫療藝術裏，沒有學完自己科學的醫生。」

孟德羅夫氏對進步的俄羅斯醫學影響是非常巨大的。他在自己的前輩澤別林和穆新的成就基礎上建立了臨床學說。機體和周圍的環境是他學說的中心。孟德羅夫氏着手研究神經系統對疾病發生的影響及疾病的治療以後，對19世紀後半葉著名醫生們的科學思維起了顯著的影響，首先就是對沙哈林（Г. А. Захарин）和奧斯特洛烏莫夫（А. А. Остроумов）的影響。

我們，蘇維埃醫學家，應當很清楚地瞭解這位卓越的臨床研究者的創造力。他的工作促進了俄羅斯醫學中神經論的思想發展。

（許會玫譯自1954年1月5日蘇聯「醫務工作者」報）

醫學史課堂討論的方法

（薩拉托夫醫學院之經驗介紹）

原著者：Г. И. 克里麥爾

本學年醫學史課程的教學已經改進了。新的課程提綱和課堂討論（семинар）的採用，以及衛生組織和醫史研究院在方法上的幫助，這些都使教學更加成功。到目前爲止，還沒有醫學史教科書是個大缺點。採用課堂討論第一年的經驗，證明它（課堂討論）對於學生非常需要，而且有益處。

醫學史提綱的序論正確地指出教學計劃所規定的課堂討論應當與目前培養醫生的任務相適合，應當從現有的適當的文献出發，但是好的課堂討論計劃畢竟還是應當擬定。

醫學史課堂討論規定爲18小時。在實行課堂討論時，我們採取培養學生根據書籍做學術講演的獨立報告的方法。

按照我們編寫的提綱預先分配給學生題目和基本文献以及補加文献的詳細索引，同時給學生安排時間。每名學生爲一次課堂討論準備大約25—30分鐘的報告。

大多數的報告都是有充分價値的，並且顯示了學生無論對馬列主義理論方面，或是臨床醫學，以及理論醫學方面都有充分的準備。

合理地編排課程時間表是進行課堂討論中的重要因素。在四年級的醫史課中，平常是以課程表爲基礎，建立一個週期的原則，就是學生在整個週期中不斷地研究某一門科學。這樣的方式對於醫學史課堂討論是不合適的，因爲學生需要有時間用適當的方式去準備報告。

薩拉托夫（Саратов）醫學院曾用所謂「окна」的方式，就是用完全沒有其他實習課的時間去進行醫史課。每個課堂討論之間的間隔，一般都在10—14天以上。

極大多數的學生都很注意聽報告，並且感覺興趣，最重要的在於學生不僅聽取了報告，還討論了報告，而且有創造性的爭論。但是，遠非所有組別裏的學生，都積極地參加了報告的討論。有些小組的討論進行得很生動，有時甚至有很熱烈的氣氛，而另外一些小組却進行得沒有生氣。討論得不積極是因爲對課堂討論的準備工作做得不够。

學生不僅應當準備報告，還應當準備討論，因此應當合理地安排一些學生環繞着一個題目做報告。學生應當準備發言，因此必須預先給他們指定適當的參考文献。學生在規定的討論中必須發言，這樣可以激起其他學生更積極地參加報告的討論。

應當廣泛地展開批評與自我批評，並且教會學生正確地鑑定報告，公開地指出報告中的缺點，這樣，無疑是有巨大教育意義的。課程的內容和提出的許多理論上的問題，特別是學生感覺非常有趣的問題，激起了積極性。

敘述材料的時候報告應是以大綱的形式寫出，這樣可使學生養成獨立發言的習慣。

課堂討論時間的長短有很大意義。薩拉托夫醫學院醫史課堂討論是四小時，但是這樣長的時間，使學生疲乏，並且減少學生的積極性。最合適的時間是三小時。

很顯然，課堂討論的提綱和內容是決定課堂討論成功的重要因素。

根據我們的看法，下列課堂討論的提綱內容最適宜。

第一課。帝俄時代的醫學。基本宗旨是指出這個時期內的醫學的獨特性和獨立性以及在天才的學者羅曼諾索夫（М. В. Ломоносов）的影響下，俄國醫學的唯物主義傳統的萌芽。在這一課中應當闡述卓出的醫生，如薩穆伊羅維奇（Данило Самойлович），澤別林（С. Г. Зыбелин），阿姆勃吉克（Н. М. Амбодик）的生平和活動。

第二課。封建主義制度瓦解和資本主義形成時期中的俄國醫學（18世紀末及19世紀前半）。基本宗旨是指出醫學的繼續成長和發展，和在拉吉歇夫 (Радищев)、別林斯基 (Белинский)、赫爾岑 (Герцен) 等人唯物哲學觀點的影響下，祖國醫學中唯物主義傳統的繼續鞏固，指出唯物主義和唯心主義之間的鬥爭。在這一課內應當特別注意到偉大的學者，如彼洛郭夫 (Н. И. Пирогов) 的生平和活動，應當描述孟德洛夫 (М. Я. Мудров) 在醫學上的意義，應當注意到唯物主義醫生如嘉傑可夫斯基 (И. Е. Дядьковский) 和列別傑夫 (Лебедев)，在他們著作中神經主義首先萌了芽。

第三課。資本主義俄國的醫學 (19世紀後半和20世紀初)。主要目的是指出此時期俄國的醫學已經走到世界上第一位；在俄國已反對反動的維爾嘯和維斯曼理論，確定了並且發展了達爾文學說和神經主義理論。此時期內，在俄羅斯革命民主派唯物哲學的影響下形成了如卓出的唯物主義學者謝巧諾夫 (И. М. Сеченов)、包特金 (С. П. Боткин)、奧斯特羅烏莫夫 (А. А. Остроумов) 的宇宙觀。應當指出祖國臨床治療學和外科學的成就。

第四課。是第三課的繼續部分。這一課中應當注意到達爾文主義在俄國的創造性的發展 (麥赤尼可夫 (И. И. Мечников, 米丘林 И. В. Мичурин，季米列亞澤夫 К. А. Тимирязев)，並且應當闡述俄國微生物學的成就 (麥赤尼可夫，岑考夫斯基 Л. С. Ценковский，加勃利且夫斯基 Г. Н. Габричевский，加馬利亞 Н. Ф. Гамалея)。

19世紀下半葉臨床上起了分化，獨立的臨床部門形成了，如小兒科，婦科，神經病科，精神病學科。這些學科的奠基人是斯涅吉列夫 (В. Ф. Снегирев)，費拉托夫 (Н. Ф. Филатов)，可什夫尼可夫 (А. Я. Кожевников) 和考爾薩可夫 (С. С. Корсаков)。

第五課，專講天才學者巴甫洛夫，這一課應特別注意。應當研究巴甫洛夫的傳記，他的宇宙觀的主要特徵，指出巴甫洛夫和唯心理論的鬥爭。應當刻劃出來巴甫洛夫是好戰的唯物主義者和蘇聯的愛國者，指出巴甫洛夫學說是列寧主義認識論的自然科學基礎的意義。應當强調巴甫洛夫和米丘林學說在思想上的血緣關係。

在這一課中應當討論這樣的問題，如巴甫洛夫學說對臨床和理論學課的改造的意義，對衛生學和衛生組織學的改造的意義，以及 1950 年巴甫洛夫學說會議的意義，

學生根據系別應當注意巴甫洛夫思想在對於自己系別具有最大意義的每個學科中的貫徹。

第六課。包括整個蘇聯醫學問題。這一課應當把注意力集中在研究作爲指導和領導力量的黨在蘇聯衛生和醫學中的作用，指出馬列主義哲學是蘇聯醫學思想的基礎，指出蘇聯醫學和衛生學在質量上是新的和最高的階段。

在上第六課的時候，應當研究這些卓出的活動家的意義，如布爾金科 (Н. Н. Бурденко)，奧勃拉湊夫 (В. П. Образцов)，斯特拉什斯科 (Н. Д. Стражеско)，蘇羅甫也夫 (З. П. Соловьев)，以及卓出的學者和勒柏辛斯卡婭 (О. Б. Лепешинская)。

課堂討論課程最後是教員的結束語，教員在總結中做一結論。

課堂討論不包括，也不能包括醫學史所有的提綱，因爲課堂討論只是講課的補充，而且課堂討論的進行必須配合講課的題目。

在課堂討論課程結束時，最好在學生科學會內組織關於醫學史問題的常會，在常會上應當把一些最出色的報告提出來。

(馬堪溫譯自 Советское Здравоохранение, 4: 21. 1952)

因蘇林的簡史*

原著者：Lloyd Stevenson

公曆1920年七月，我在加拿大的倫敦市開始掛牌行醫。開頭的四個星期竟無一人來就診；直到月底才來了一個病人。第一月的收入共計四元。以後數月的業務幾乎一樣的蕭條。同年的十月我從設在倫敦市的安大略省立大學的醫學院得到一個實驗指導員（demonstrator）的職；所教的科目是生理，解剖及臨診外科學。

10月30日，預備好「胰腺與糖尿病的關係」的講義之後，我往圖書館裏去；打開一本剛到的「外科、婦科及產科學雜誌」一看，第一篇就是 Moses Barron 氏所作，與我所預備要講的問題有關的論文；其內容的大意是：胰導管被縛後所發生的壞變，和被結石塞住後所發生的一樣。讀完這篇論文之後，我覺得異常興奮，睡不着覺。我彷彿能够看出胰島細胞和糖尿病有一種關係。我也覺得似乎可以藉着縛胰導管而解決提取島素（因蘇林）的問題。我反覆思想，直到上午二時，方才把模糊的臆想弄清楚；遂即起床，寫在記錄簿上：「縛狗的胰導管，等候6—8個星期，以待其壞變，然後將殘餘的腺割下，而提取其要素」。

當日的上午，我將我的理想告訴 Miller 氏，Crane 氏及 McKibben 氏三位教授，並請借用醫學院的化驗室作我的試驗工作；可惜因醫學院快要搬場而新屋尚未落成，他們不能答應我的請求。Miller 博士勸我到多倫多市去見我的母校的生理學教授 Macleod 氏。我永遠不能忘記這一次的約會，因爲最後他說：「世界最好的生理學專家還不能證明到底胰腺有無內分泌，你想完成什麽？」（後來班定將書面的工作計劃交給 Macleod 教授，他才勉强答應）

1921年5月16日工作開始，Macleod 教授照我的請求，給我十隻狗，准我借用他的化驗室八個星期，並指定白士德（C. H. Best）及諾波兒（E. C. Noble）作我的助手，各作四個星期。白士德先來服務，諾波兒因病未來，由白氏繼續下去。

我們先縛幾隻狗的胰導管，然後將另外的幾隻狗的胰腺割去，藉以學習化驗其血及尿並觀察牠們的生活狀態及健康情形。

過了七個星期（七月六日）我們用哥羅芳麻醉了兩隻胰導管被縛的狗，剖腹一看，非常失望，因爲出乎我們的意料之外，胰腺並未因壞變而萎縮。仔細一查，我們看見導管有一處脹大如囊，上面還可看見所縛的線，因此就不得不再施手術，將導管重新縛好，而特別注意使縛線寬緊合度，因爲太寬，則不足以堵住導管；太緊，則線的下面被壓壞而腐蝕，上面鋪滿一片溢出的漿液，凝固成壁，而再將被塞的導管打通。有些導管在兩三處同時縛線，其寬緊稍微不同。七月12日我們再剖視狗的胰腺，看見其中有些已經相當地萎縮了，可是爲穩健起見，我們決定再等候兩個星期。

七月27日我們先預備好一隻割去胰腺的狗，以供新法治療的試驗，然後將上面所說導管被縛的胰腺割下，切爲細塊，放入一個冰冷的研鉢，把它凍結在鹹水中，研碎後再加上100毫升的鹽溶液。我們取出五毫升的溶液，打入無胰狗的靜脈，每半小時驗血一次。二小時之後，血糖從0.2%降至0.11%。狗的病也大大的好轉了；後來因爲來不及供給注射劑，狗就死了。我們將牠解剖，並將腐下靜脈的位置畫爲圖表，以便此後可將注射針打入靜脈管（以前所用的方法是先切開狗皮及其靜脈管而後將套管插入靜脈而縛之）。

我們又將另一隻狗的胰腺割去，使牠患糖尿病，而後用從五個壞變的胰腺提取的膏劑去醫治牠。開頭的八天，狗的健康情況很好。此後我們所預備的「埃列汀」（Isletin）用完了，無法醫治，厲害的糖尿病症狀顯然可見。

---

* 班定講於愉定堡大學，1928年10月30日

約在上午三時，當我正在看狗臨終的症狀，我忽然想起，或有可能，用另一種方法將胰腺裏的毒素清除出去。以往的經驗告訴我們，若能把這毒素清除，就能製成無毒，而有良效的膏劑。這時的希望是在利用從前課堂裏所學的試驗，將腸內泌素(Secretin)不斷地注入胰腺，直到胰腺泡(Acinous cells)完全枯竭，

第二天早晨我們麻醉了一隻正常的狗；白士德立刻開始用狗的腸內膜趕製膏劑，我將套管安入狗的靜脈，即將腸內泌素不斷地注入，而將所分泌的液收入瓶中。四小時之後，不論怎樣注射，再也得不到一滴了。我們又刺激迷走神經(Nervus Vagus)，竟能再擠出幾滴泌液；就趕快把這枯竭的胰腺割下凍結，切碎，製膏而注入被割胰的狗。在未能得到驗血糖的結果之前，已能看出很顯著的進步了。病狗的眼已較明朗；牠對於四周的人、物頗感興趣；三小時後已能在狗櫃內行走；櫃門一開，牠就跳下地板，行動宛如無病之狗。這時所感到的快樂使我終身不能忘記。此後的三天我們能夠藉着這膏劑維持狗的健康；可惜後來我們不能使胰腺泡的分泌完全枯竭，以致所製的膏劑差些，因此狗的症狀開始惡化，到割胰後的第27天就死了。

以上所用的方法，雖然不是一個切合實用的方法，却能證明我們所信之學說的準確：就是要製無毒的島素，必須先將胰腺泡所分泌的產物清除出去。到了這一個段落，我們所得到的結論是：用壞變的胰，或腺泡枯竭的胰，所製的膏劑去治割了胰的狗，可以降低血糖，盡除尿糖，增進使用血裏葡萄糖的功能，使狗的症狀好轉並延長其生命。

要使我們的研究工作進行更快，就不能不想出一個更迅速地製膏的方法。Laguesse氏發見初生動物的胰島細胞比長大時的胰島細胞多些，所以我們想試用初生動物的胰腺來製膏劑；後來又進一步推想，或者動物胎的胰島細胞還要多些；我們的結論似乎是合理的。最後我們猜想，如果能夠得到已滿妊娠期限的三分之一的胎，就能得到胰腺的內分泌，因爲到了這一段落，胎中的別種內分泌，例如腎上腺素，已經出現了。同時似乎可以推斷另外一點：就是：胎兒既無需消化飲食，也就無强烈的消化液了。我生長在農村，知道農民往往使母牛懷孕，以增其食慾而促其發胖，然後賣給屠宰場；所以在屠場裏一定可以得到不少的牛胎。第二天的早晨，約九點鐘，預備好消過毒的用具及器皿，白士德和我同往屠宰場，找到九個懷孕3—4個月的牛胎的胰腺。我們即將經常所用的方法製膏劑而將它注入割了胰腺的狗。第一次注射的結果是狗的血糖從0.33降至0.17；以後注射的結果大致相同。這樣一來，我們可以不花費化驗室的錢，而製出足供反覆試驗的種種膏劑。我們發見可用酒精及醋酮來從胰島的細胞提取治糖尿病的要素。

牛胎雖好，究竟不多，不能不另找更多的原料，所以我們就開始用大牛的胰腺來製膏劑；第一次用酒精提取島素；然後用低溫度眞空蒸餾，把酒精清除出去。後來我們又用各種百分比的酒精作試驗，發見90%以上的酒精不能使島素溶化。此後我們在去胰動物的身上試驗各種新製島素的潛力及毒力。注射的方法不是注入靜脈就是注入膚下。經過幾個月的研究，我們居然能够用注射島素的方法保存一隻去胰狗的生命至70天之久。

1922年1月11日第一批的病人到多倫多公醫院來接受島素治療。注射之後，病人的血糖及尿糖都有標準的下降；但是因爲膏劑所含的蛋白質太多，在打針的傷口出現無菌的膿。

1908年Zuelzer氏曾用自製的島素治糖尿病；注射之後病人尿中的醋酮，雙醋酸及糖大減，或至完全消失，而病人一般的狀況也大有進步；但是因爲製品欠純潔，大多數患猛烈的寒戰，發燒，也有幾個嘔吐的。1908年Forschbach氏也作過同樣的治療，結果中毒的很多，因此Zuelzer氏的膏劑不受人的歡迎，用者極少。

我們所製的島素用後沒有劇烈的反應，病人相當滿意；因此Macleod教授決定改變其化驗所原來的工作計劃而用幾乎全部的人及設備去研究島素。他指定Collip博士專心研究精製島素的化學問題。在短時間之內Collip將用以作分澱的酒精從60%提高至90%，因而製成毒素較輕而效力較大的出品。可惜，當他試製大量島素的時候就遇到嚴重的困難了。過了幾個月白士德負起生產並精製島素的責任；直到1928年他還主管Connaught化驗所的因蘇林製造部。現在製因蘇林的進步方法多是他和他的同工研究出來的。

Macleod氏主管的化驗室先用試驗管內的反應

去作因蘇林潛力的鑑定，結果失敗。Collip 氏曾發見若將超量的因蘇林注入健康的兎，四小時後就現出間歇驚厥及昏迷等症狀。若將葡萄糖注入這兎，牠很快就好了，所以就决定用兎子作定量分析的試驗。經過詳密研究之後，大家决定以「能在四小時，將一隻重二公斤之健康兎的血糖减到 0.045 之因蘇林爲一個單位」。

爲要使全世界都遵守一個標準，聯合國把因蘇林的單位改定如次：「一個因蘇林的單位定爲：分量足以使停食 24 小時，體重二公斤之兎的標準血糖 0.118% 减至 0.045%，經五小時之久的因蘇林」。

起初我們稱我們所製治糖尿病的實劑爲Isletin，（意思就是小島素），後來因爲 Macleod 教授的堅决主張，才改稱爲因蘇林，（Insulin，意思就是島素）。以後我們才發覺在 1910 年此名，Insulin 已被愛定堡的醫師 Sharpey-Schafer 氏用過了。

1922 年的五月我們和 Gilchrist 博士合作，在克里士第街醫院(Christie Street Hospital) 設立一個專治糖尿病的診所。以後又在多倫多公醫院及小兒病院設立同樣的診所。

1922 年的十一月我們在多倫多召開一個圓桌會議；有好多的糖尿病專家前來參加，大家討論了好幾天，並公推各部門的權威，分題繼續研究，以備將研究的結果作成論文，登在「新陳代謝專刊」上。凡特來多倫多參觀我們的工作者，我們莫不將因蘇林的製造法及用法詳詳細細地講給他們聽並作給他們看。

現在治糖尿病的良好結果是靠各部門科學家多年的勞動；因蘇林的發見不過是末後階段再進一步而已。早在 1889 年 Minkowski 氏就證明胰腺和糖尿病有直接的關係，因爲若將狗的胰腺割去，結果必死於糖尿病。Ssobolew 氏證明胰腺泡壞變不致發生糖尿病。他也證明胰腺裏有一種內分泌，能防糖尿病。關於炭水化合物的新陳代謝，科學家已作了很多的研究；他們已能準確地估計血裏及尿裏分量極少的糖。用管制飲食治糖尿病的技術也已發展到很高的程度了。我們住在多倫多的同人在他人對於炭水化合物研究所得之外，能作一點有實際重要性的貢献，覺得非常之榮幸！

附班定的史略

Banting 氏名 Frederick Grant，1891 年 11 月 14 日生於多倫多附近的 Alliston。他的父母是忠厚老實的農民。他讀小學的時候，有兩個同窗死於急性糖尿病，使他十分傷心。有一天，正從學校回家時，他看見兩個建築工人從建築架上掉下來，不省人事。他飛跑去請醫生急救，深佩醫師的本領，遂即立志學醫。1912 年入多倫多大學醫學院，最佩服骨科教授施氏，即選讀骨科。1916 年志願加入加拿大陸軍軍醫團，到歐洲戰場去服務，英勇過人；後因受傷回國；在醫院裏服務數年；後來在安大略省倫敦市掛牌行醫，業務蕭條，不得已兼作助教，以維生活，就在這時，無意中從一本雜誌得到一點關於治糖尿病的理想，終因熱心研究而發見因蘇林。1923 年榮獲諾貝爾獎金。1924 年和新婚的夫人遊歷西印度及中美洲；回國後任多倫多醫學院的醫學研究科教授；1928 年多倫多大學特設班定研究院，請他担任院長；此後班定常出國考察關於科學的研究問題，藉此機會，徧遊名山大川。他自小就愛畫風景，所以在遊歷的途中畫了很多幅的風景畫，內有數張描寫狂風大雪，尤爲出色。1941 年 2 月 20 日在紐芬蘭島上飛機赴英倫，接洽要公；起飛才數分鐘，機器失靈，立即轉回，天色昏暗，在盲目降落時，機翼猛觸一株孤立大樹，翻倒雪地上。班定受重傷，不省人事；十餘小時後忽自甦醒，始知已出大禍；奮死力爬出破機，離機才十餘尺；即倒斃於狂風大雪之中，正如在平素所愛畫的風景中。傑出英雄如此下場，令人嗟嘆不已！

（胡宜明節譯自 Edinburgh Medical Journal 1929 Vol. 1.）

幾種內分泌腺疾病的歷史

程之範編譯

引　言

很早以前人們就知道了內分泌的功能，在原始人類曾以吞食敵人的臟器來治療疾病，如吞食心臟謂可增進勇敢，吞食脾臟治療脾病，正好像今日的器官治療法，但是這些是出於迷信的結果。在中國，公元前第四世紀的書籍莊子已經記有癭病（甲狀腺腫），山海經也記有食某種草可得癭的記載。在歐洲，對內分泌腺的構造開始研究者為17世紀的馬爾皮岐氏（1628—1694），在這以前雖有解剖學家搜尋這些腺體的排泄管甚或描述其排泄管，但直到1766年Haller（1708—77）氏才說他們是「無管腺」，後又被人認為是「血管腺」（Vasculan glands）。直到1855年Clande Bernard氏（1813—78）才根據科學的論據提出與外分泌腺相對的內分泌腺的概念。T. Addison氏（1793—1860）在1849—55年發現了以他的名字命名的「阿迪森氏病」；C. E. Brown-Séquard氏（1817—94）在1856年發表了對腎上腺生理的研究；以及1889年由於睾丸醇酯的提出等等，都激起了學者們對內分泌研究的興趣。

1902年Bayliss和Starling二氏發現了胰液素（Secretin）之後，1905年即使用了「化學報信者」（Chemical messenger's）和激素（hormones）兩個名辭。因為「hormones」這個英文字來源於希臘文，ὁρμάω，意思是「刺激之物」，故E. A. Schäfer氏建議用自泌物（autacid）這個名詞作總的名稱，然後再分為刺激的「激素hormones」和抑制的「抑素Chalones」。至於內分泌（endocrine）和內分泌學（endocrinology）二詞，乃是1909年N. Pende氏所推荐以後才應用的。

在上世紀單獨缺乏一種分泌腺，認為是疾病的一種原因；後來又認識了異常的或過度的腺體活動，在本世紀對數個內分泌腺的同時缺乏、或多腺性缺損（multiglandular defect）加以描述，其後內分泌腺間的互相倚賴——內分泌平衡——特別是腦垂體前葉對身體其他各激素的管制也被確定，近年來在蘇聯根據了巴甫洛夫的學說，了解到內分泌腺具有自主作用的說法是錯誤的，證明了內分泌腺是直接受神經系統管轄，神經系統能左右其分泌能力，早在1941年Г. Ф. Ланг氏在他著的內科教科書中已將內分泌腺疾患命名為「神經體液調節器疾患」。1947年Е. Н. Сперанская氏認為以大腦皮質及皮質下中樞對內分泌腺機能有複雜的指導影響，需要更進一步研究外界對內分泌系統機能狀態的影響。貝柯夫氏（К. М. Быков）證明了除去大腦半球時內分泌腺都發生形態學上的變化；更確定了內分泌腺的作用就好像某些代謝過程及大腦皮質調節作用間之連結環，這點引起了內分泌學家的注意，在臨床方面尚須特別仔細研究。

甲狀腺的疾病

在中國很早以前對甲狀腺病已有認識，如前所述；在歐洲最早為羅馬的名醫Galen氏（131—201）所知，其後解剖學的鼻祖Vesalius氏（1514—64）在他著的「人體的構造」書中曾詳細描述（1513）。又被Eustachius氏（1520—74）稱做「喉頭分泌腺」（Glandula laryngea）。至於現今的名字乃是從1656年T. Wharton氏（1614—73）以後才應用，原來是「盾」（θυρεός）的意思。

1. 單純性甲狀腺腫：

甲狀腺腫：Goitre和Bronchocele兩字，前者來源於「喉」（guttur），後者來源於氣管（βρόγχος）和腫瘤（κήλη），本是很古的字，但是和頸部結核性淋巴腺病混淆不清都包含在腺腫（Struma）一詞之內。

阿爾卑斯山的地方性甲狀腺腫為Pling氏（公元23—79）所認識；後更由Paracelsus氏所描述，當時被認為是飲用阿爾卑斯山谷中的雪水所致，以後（甚至在19世紀的初葉）還被認爲是由於飲用石灰岩區的雪水所致。現在則認爲此病乃由於缺乏碘質；碘自1821年已被用來治療此病，預防性的投碘法是十分成功的。Lugol氏液是巴黎的J. G. A. Lugol氏在1829年所發明的。Roger氏在1170年雖使用了海藻及海綿灰來治療，但不知是什麼原因。在中國則遠在公元四世紀（晋）葛洪氏（278-339）所著的肘後方已記有用海藻療癭方，其後歷代中國醫書中對此病都有記載，並都用含碘的海中植物（海藻、昆布、海帶）作爲丸劑、湯劑、散劑、或酒浸劑服用。對甲狀腺手術療法在中國和歐洲的羅馬差不多同時（公元前後）都有實施，但因當時科學條件的限制，不能完善進行。第一次完全甲狀腺截除術是在1867年P. Sick氏所作，但於術後發生了粘液性水腫。

據1941年Robertson氏報告在中國抗戰時期雲南省滇緬公路附近居民因爲所食食鹽和蔬菜中缺少碘質，有半數以上成年人患甲狀腺腫，有人甚至是在六個月以前剛到雲南的。但是食用四川省產的鹽的人則未發生，因爲四川所產者不缺乏碘質。

2. 甲狀腺機能減退

（一）呆小病

呆小病或叫克汀氏病〔克汀〕(Cretin)是一個有許多不同來源的字，不過大概是從〔Chrétien〕轉來的，很久的一個時期地方性呆小病是唯一被認識的甲狀腺病；Paracelsus氏首先把呆小病與地方性甲狀腺腫聯系起來；但是現在知道甲狀腺腫可以是地方性的，而無呆小病；亦即可以在一地方流行而不發生呆小病。在北美某些地區地方性甲狀腺腫非常普遍，而地方性呆小病還沒有被發現，F. Platter (1536—1614)和W. Hoefer (1614—81)二氏也曾記載過這種情况，而且是從智力不足的觀點來叙述。T. B. Curling氏（1811—88）於1850年在一篇短文中報告了二例無甲狀腺而在頸部有對稱的脂肪塊，這篇論文是對於甲狀腺缺乏的預言。H. Fagge氏在1871年第一次描述了散發性呆小病，並指出呆小病可以出現在成人時期。在過去呆小病與其他型的智力不足如先天愚型（Mongolism），以及與軟骨病及軟骨發生不全（achonodroplasia）之間，是存在着極大的混亂。

（二）粘液性水腫

1873年10月24日W. W. Gull氏（1816—90）叙述了五例發於女子成年時期的類呆小病，差不多恰好四年之後，在1877年10月23日，W. M Ord氏（1834—1902）論述了粘液性水腫及甲狀腺病的變化。這個名稱是根據分析證明在組織中粘蛋白(mucin)有增加，但是後來知道並不一定如此，所以這個名稱是不令人滿意的；Osler氏（1849—1919）提議用人名名稱——Gull氏症。當1880年G. H. Savage和G. Ballet二氏記述了男子病例之前，一直認爲此症是發生於女子的，1899年E. Hertoghe氏着重指出良性甲狀腺機能減退的變相；1883年J. L. Reverdin氏（1842—1929）的T. Kocken氏（1841—1917）分別叙述了甲狀腺截除術後發生的甲狀腺缺乏性惡病質，同年F. Semon氏（1849—1912）指出：粘液性水腫、呆小病及甲狀腺缺乏性惡病質都是由於缺少甲狀腺分泌，他的假設雖然起初被人嘲笑，但是後來（1888年）在倫敦臨床學會的一委員會中，經過分析了109個病例之後，完全被證實。V. Horsley氏（1857—1916）依據很多實驗的甲狀腺截除術，支持Semon氏的意見，並於1890年推荐用植入甲狀腺治療，但是這樣作了之後，效果是爲時甚暫的，因爲植入後被吸收了。1891年Horsley的學生G. R. Murray氏用羊的甲狀腺甘油浸劑皮下注射以治療粘液水腫，次年又發現經口服也同樣有效。1895年E. Baumaun氏叙述甲狀腺碘質(thyreoiodine)是甲狀腺的精華。1915年E. C. Kendall氏分離出一種結晶狀甲狀腺素，這種物質在1927年更能由人工合成。

3. 甲狀腺機能亢進：

突眼性甲狀腺腫

C. H. Parry氏（1755—1822）自1786年起開始觀察到突眼性甲狀腺腫，但是到1825年才發表。G. Flajani氏於1802年，A. F. Demours氏於1821年，R. J. Graves於1835年，K. A. Von-Basedow (1799—1854)於1840年，H. Marsh氏於1841年，W. Stokes於1854年，都描述了此病病例。幾乎所有這些人的名字都用來稱呼此病。A. Trausseau於1860年給它起名爲Graves氏症。Osler氏於1898年叫它爲Parry氏症。早年的學者認爲是一種心臟神經官能症，1886年P. J. Möbins氏（1854-1907）把

它歸咎於異常的甲狀腺活動。1893 年 W. S. Grsenfield (1846—1919) 證明了甲狀腺的組織上的變化，在 Parry 氏的八個病例之中，有兩個的症狀是繼發於長期的甲狀腺腫，Stokes 氏對此也有同樣的觀察；Pierre Marie 氏在 1897 年稱之爲「Goitre basedowifie」現在叫做「毒性腺瘤」(toxic adenoma)，毒性甲狀腺腫 (toxic goitre)，或格雷弗斯氏第二症 (Secandary Granes' diesease)。關於突眼性甲狀腺腫是由於甲狀腺內分泌的過度(甲狀腺機能亢進heperthyrardism) 還是由於分泌的變化 (甲狀腺機能障礙，dysthyroidism) 曾有極大的爭論。H. S. Plummet 氏認爲毒性腺瘤是甲狀腺機能亢進，而突眼性甲狀腺腫是甲狀腺機能亢進加上腦垂體機能障礙。F. Von. Müller 氏於 1893 年指出這兩種情况代謝率都有增加，A. S. Warthin 氏和 E. A. Cockayne 氏 (1928 年) 及 D. Marine 氏 (1930 年) 都對個體易患 Gravés 氏症的體質狀况加以叙述，認爲它的解剖學的基礎是胸腺淋巴體質。W. O. Markham 氏在 1858 年首先注意到大的胸腺，T. Kocher氏於 1908 年指出淋巴球增多；G. Roussy 氏於 1914 年發現甲狀腺的淋巴性增生性過長；Warthim 氏堅持說 Gravés 氏症及毒性腺瘤都有這種情形。在 1860 年 Trnisseau 氏認識到不全型 Gravés 氏症；甲狀腺毒性心 (thyrotoxic heart) 可能是它的主要徵狀，心房纖維性顫動是它熟知的結果。Marie 氏於 1883 年堅持說震顫是一個主要病徵，同年 G. Ballet 氏論述了一時性輕癱性現象。Dumontpallien 氏 1867 年注意到糖尿，F. von Müller 氏 1906 年特别注意到其併發。有很少的例子，如 H. Randu 氏 (1883年) 與 P. Sollien 氏 (1891 年)所提出的，某些粘液性水腫的某些現象可與 Gravés 症相混，粘液性水腫也可在 Gravés 氏症減退後持續多年。許多以人名命名的症候羣已被描述，如 Von Graefé 氏徵 (1864 年) Stellway 氏徵 (1869 年) 以及 Joffroy 氏徵 (1893 年)。

碘療法爲 Basedow 氏(1840 年)，Stokes氏 (1854 年) 及 W. B. Cheadle 氏 (1869 年) 使用，但是直到 1922 年 E. Mallanby 氏推荐此法以前幾乎完全被人忽視，H. S. Plummer 氏 (1924 年) 以爲碘能顯著地減輕症狀，並使患者能忍受甲狀腺切除術，但不能根本治療。在 1923—1946 年二十餘年間曾先後由 Barker, Wood, Guptill, William 等氏報告過數千甲狀腺機能亢進患者在手術前應用 Lugal 氏液，其中僅九例發生中毒現象。至於手術療法首先爲 P. Heron, 和 Watson (1832—1907)在 1874 年所應用，對毒性腺瘤(toxic adenoms)來說手術是重要的，但是 X 射線或鐳的照射對突眼性甲狀腺腫那個有效是討論得很多了。自 1941 年 Astwood 氏發明硫脲 (thiourea) 以來對於不宜用手術的患者多應用硫脲和其化合物，尤以硫氧嘧啶 (thiouracil) 最常用。此外由於內分泌腺與中樞神經關係的日趨明瞭，對甲狀腺機能亢進患者的環境影響漸已注意。

甲狀旁腺的疾病

1. 甲狀旁腺機能減退(手足搐搦症)：

1880 年 I. V. Sandström 氏 (1852—98) 記述並命名了人的四個甲狀旁腺，但他的觀察並未引起注意，直到 1891 年 E. Gley 氏 (1857—1930) 才又發現了家兎的外甲狀旁腺。由於這種延擱，所以實際上在甲狀腺截除術時，誤將甲狀旁腺除去而發生的手足搐搦症，一直都被誤認爲是除去了甲狀腺所致。手足搐搦首先爲 J. Clarke 氏 (1761—1815 年) 於 1815 年描述，1852 年 Carvisart 氏給起了這個名字，1883 年 Weiss 氏注意到它發生於甲狀腺截除之後，1903 年 P. M. Jeaudelize 氏注意到與甲狀旁腺的除去有關；1907 年 W. G. Macallum 氏與 G. Voegtlin 氏表明甲狀旁腺的除去引致血鈣過少及手足搐搦，並知可用鈣劑解除。1925 年 J. B. Collip 氏等做成可靠的甲狀旁腺浸劑，可減輕因甲狀旁腺缺乏或摘除而引起的手足搐搦症。1942年據 Ross 和 Wood 氏報告，氏等所做成的甲狀旁腺浸劑較Collip 氏者力量大三倍；但如過度使用可引致全身化纖維囊性骨炎的骨損害。近來用大量維生素 D 如照射麥角醇 (Dihydroxytachys terol) 能助鈣質在腸管之吸收，且與甲狀旁腺內分泌素有相似之作用，可使血鈣增加。

2. 甲狀旁腺機能亢進

1891 年 Von Recklinghausen 氏把全身化纖維性囊性骨炎自骨質軟化病 (Osteomalacia) 中分出來。原發性甲狀旁腺腫瘤首爲 T. Koche 氏於 1899 年叙述，1940 年 M. Askanazy 氏把甲狀旁腺機能亢進所生的全身化纖維性囊性骨炎與旁腺腫瘤相聯系起來。但是到 1926 年 F. Mandl 氏等才明確地確定，並做了第一個手術，切除了一個腫瘤。因激素過度分泌而致的原發性甲狀旁腺增生從骨中移出多量的鈣質，從而產生骨病及血鈣過多。因此在有血鈣過多的全身性纖維性囊性骨炎時，截除一個即使是尚不可捫知的甲狀旁腺，也是正當的。這種手術已經經常而且很成功的進行了。1934 年 Albright 氏最初對無顯著骨變化而有腎臟損害及生鈣磷型腎石的甲狀旁腺機能亢進作了叙述。

甲狀旁腺機能亢進症本是少見之病，據 Cope 氏於 1943 年所報告的 70 例病人和 1941 年 Chapman 氏所報告的 205 例中，年齡多在 30—60 歲之間，多見於女性。

至於急性甲狀旁腺機能過敏症尤爲少見，1943 年 Mellgren 氏報告過七例均死亡。

腎上腺的疾病

1. 腎上腺機能減退：

腎上腺在 1552 年首先爲 B. Eustachius 氏(1520—74)記述，在這以前曾有過許多名字如腎囊(renal capsules)黑胆囊（Capsulae atrabilariae）並猜測有一個空腔、T. Addison 氏於 1849 年 3 月 15 日宣讀過一篇論文：「貧血——腎上腺的疾病」(Anaemia—Disease of the Suprarenal Capsules)；但是除了 1854 年 G. Burrows 氏(1801—87)認識到一例以外，這個問題是被忽視的，直到 Addison 氏有美麗插圖的專論「腎上腺疾病的全身及局部影響」(The Constitutional and Local Effects of Disease of the Suprarenal Capsules）一文於 1855 年間以後，才被人注意。

Trousseau 氏於 1856 年介紹用人名名稱「阿迪森氏症」；起初阿迪森氏採取廣義的意見，認爲任何妨礙腎上腺功能的損害都會引起他所描述的症狀，但是後來他的意見有了一些改變；病之主要特徵爲貧血、衰弱、無力、心功能衰弱、胃敏感及皮膚變色。S. Wilks 氏（1824—1911）在一系列的論文中(1859—69)，堅持說腎上腺損害並非結核性，但常有與結核同樣的特性，與肝硬變或硬結腎類似，並可使腎上腺消失。E. H. Greenhow 氏(1814—88)於 1866 年隨 Wilks 氏之後進一步把症狀大部歸因於附近交感神經的刺激與變性。這種假說於 1894 年雖因 G. Oliver 及 Schäfer 二氏發現腎上腺髓質中的腎上腺素（adrenaline)而被否定，但有一些症狀仍被歸因於交感神經的刺激，直到 1928 年腎上腺功能不全（advenal inadequacy）一般地仍認爲是由於髓質分泌腎上腺素的衰竭所致；但是後來逐漸證明對生命重要的是皮質而不是髓質(Stewart 氏及 Rogoff 氏 1917—29)，更由阿迪森氏症注射皮質激素（cortical hormone）或皮質素（Cortin），所獲得的非常顯明的症狀減退，得到了結論：阿迪森症乃由皮質的功能不全所致，腎上腺結核是最普通的損害，但後來又特別注意到由於一種不明的毒素引起的慢性皮質壞死，能造成皮質萎縮，這種病被稱爲原發性收縮腎上腺（primary contracted adrenal, H. G. Wells 氏，1930）或腎上腺收縮（adrenal contraction, Kovács 氏，1928）。

近年來由於尿中 17—酮醇脂（17-Ketosteroid）測定法，Robinson-Kepler-Power 氏水試驗法等等的腎上腺皮質功能測驗的應用，對阿迪生氏症的診斷頗有幫助。

Loeb 和 Harrop 二氏（1933）有價值的研究指出鈉鹽在臨床上對阿迪生氏病之治療有益，不僅食物中含有高量鈉鹽爲適宜，而且據 Truszkowski 和 Zwemer 二氏研究（1936）證明腎上腺機能不全患者少攝食鉀質也有益處。因此，在臨床上應用腎上腺皮質治療時，也應注意到食物中礦物質的含量。

在 1933 年 Kendall 氏和 Grollman 氏都從腎上腺皮質浸劑中獲得一結晶物質，這種物質似有皮質激素樣作用。稍後不久 Reichstein 氏又自皮質中分離出一種複合的結晶物，亦有皮質激素樣作用，他命名爲腎上腺皮質酮(Corticosterone)，以後 Kendell 氏又證明他以前所說的那種，就是與 Reichstein 所分離出的皮質酮相同。1937 年 Steiger 和 Reichstein 二氏稱自豆固醇（Stigmaslerol）中，綜合一種類固醇的複合物——去氧腎上腺皮質酮的醋酸鹽（desoxycorticosterone acetate），此化合物是被發現在活動的腎上腺皮質內，並知與黃體酮（Progesterone）在化學上有密切關係。次年 Reichstein 和 Von Enw 二氏分離成功了去氧腎上腺質皮酮確定了它的天然存在，現在已能較大量的製造。此外結晶性內泌素（Ciba-Percorten）之藥丸並可用來作皮下接種。Reichstein 和 Kendall 二氏近又用一個氧原子與 11

位碳結合，化合成功去氧氧皮質酮類（dehydrocorticosterone）。

2. 腎上腺機能亢進:

原發性腎上腺增生併發第二性徵的早熟在1863年已被注意到，但在1905年，W. Bulloch與J. H. Sequeira二氏把顯著的軀幹變化與原發性腎上腺皮質腫瘤聯系起來以前，並未得到廣泛的認識。自那時以來表現女子男性改變的腎上腺男性化現象及男童的［Infant Hercules］型等腫瘤的問題已是熟知的了。某些腎上腺腫瘤可併發頑固性高血壓症。腎上腺髓質的增生有好多種：有一些如Hutchison型和Pepper型是迅速生長的眞性瘤，且是惡性的；但自從發現任何一腎上腺生出神經母細胞瘤可以轉移至眼窩肝臟之後，此等命名已無大意義。另一些如嗜鉻細胞瘤，由不同的嗜鉻細胞組成，含有腎上腺素可併發高血壓的發作性危象(Crisis)。

腦垂體的疾病

此腺爲Galen氏所認識，1543年被Vesalius氏叫做腦垂體(Pituitary)，而由Von Soemmerring氏(1755—1830)那裏得到了垂體(hypophysis)這個名字。

腦垂體爲內分泌腺最重要的一部分，其前葉迄今已知具有十幾種不同的生理作用，已經分出的激素也有六、七種，且多已製成結晶，如由嗜酸性細胞可產生生長激素、生乳激素、向甲狀腺激素、嗜鹼細胞可產生向腎上腺激素、向生殖腺激素，此外更能提出新陳代謝之刺激素和向甲狀旁腺素，其後葉生理作用已知有使色細胞擴張，使平滑肌收縮，升高血壓和抗利尿作用，但究竟有若干種現仍不能肯定，前葉分泌素中的向腎上腺激素，近年來頗有人用之於臨床，1949年Hench氏等最先報告注射合成的向腎上腺激素（A. C. T. H.）可使類風濕樣關節炎減輕，强直減少，關節腫脹及壓痛減少，四肢活動增加，同年Markson氏也報告A. C. T. H.應用後可減輕痛風性關節炎，其後更有人將之應用於哮喘病（Rose 1950）和其他等疾病，但效用爲時甚暫，1950年據Morris報告又由腦下垂體提出另一胨浸膏（Peptide extract）或名A. C. T. P. 較A. C. T. H. 强8.5倍，但這些在臨床效用和能否大量製造，尙待研究。至對腦垂體本身疾病的認識，則是上世紀末葉的事。

1. 垂體機能亢進

在中國1591年江瓘氏所作的［名醫類案］中曾有這樣一段：［皇甫及者其父爲太原少尹，甚鍾愛之，及生如常兒，至咸通壬辰歲年十四矣，忽感異疾，非有切肌徹骨之苦，但暴長耳。逾時而身越七尺，帶兼數圍，長啜大嚼，復三倍於昔矣，明年秋無疾而逝。］這大概是對巨人症（Gigantism）的記載，1886年P. Marie氏對肢端肥大症作了臨床的描述，F. R. B. Afkinson氏曾把到1931年爲止報告的1319個病例加以分析；1887年O. Менковский氏(1858—1931)認爲其與腦垂體有關，1894年A. Tamburini氏(1848—1919)認爲他是由於腦垂體前葉腺瘤引起的過度分泌作用（垂體機能亢進）此說被H. Cushing氏於1908年所證實，1895年Brissand和Meige二氏得到結論說巨人症是骨骺聯結前的肢端肥大症，而肢端肥大症是成人時期的巨人症，C. Benda氏(1907)指明由嗜伊紅細胞組成的腺瘤是過分生長的原因，起初它被誤認爲是粘液性水腫，1895年A. Chauffard氏對不完全型加以注意；D. Hansemann氏於1897年指出糖尿的發生，1927年Cushing和L. Davidoff二氏强調這一點，並提示了新陳代謝率的昇高；他們把這二者都歸咎於垂體前葉所致，自1908年以來已實行垂體腫瘤的剔除，特別爲Cushing氏所施行。

垂體前葉的嗜鹼腺瘤綜合病徵是垂體機能亢進的另一型，在1932年因它的發現人而被稱爲［Cushing氏綜合病徵］，例如疼痛性肥胖，多毛症，血管性高血壓，和生殖器退化等特徵，以前認爲是由於腎上腺皮質腫瘤，現知可能是繼發於垂體前葉小的嗜鹼腺瘤。此症一般因瘤甚小，不必手術，近多用X射線照射，有好效果，1943年F. Albright認爲男性內分泌素對此症可生有利之影響。

2. 垂體機能減退：有許多綜合病徵

（一）最普通的垂體前葉腺瘤是由主要的無粒細胞或不染色細胞組成，這些細胞並無任何特殊功能，這些腺瘤壓迫嗜伊紅及嗜鹼細胞而產生垂體機能減退徵狀，但是肥胖、低血壓、脫髮、性慾減退、這些全身症狀除非因壓迫附近部分（譬如視神經交叉）而起的症狀顯著時才出現。

（二）肥胖性生殖無能症(adiposo-genital dystrophy)1900年6月J. Babinski氏(1857—1932)描述了肥胖症，幼稚症和性慾減退，1901年A. Fröhlich氏作了更詳盡的描述，M. Bartel氏於1908年稱這些情况爲肥胖性生殖無能普通就叫作Fröhlich氏病徵。它通常發生於兒童是因爲存在於拉克氏袋(Rathke's pouch)的先天性腫瘤（顱咽管瘤）壓迫垂體前葉的結果，且常壓迫其鄰近部特别是視丘下部，因此，症狀可以是多樣的，除了垂體機能減退的症狀之外，還有一些别的症狀像多尿和肥胖這是因爲影響了視丘下部。

（三）西曼氏病(Simmond's disease)是與肢端肥大病相反的垂體惡病質(hypophysial cachexia)。N. Simmonds在1914年認爲是垂體前葉腺素栓引起的壞死性梗塞形成。成人所表現的臨床現象：全身消耗衰老，牙齒脫落腋毛陰毛脫落陽萎，或無生殖能，低溫和低的代謝率。這些都和以前J. Hutchinson氏(1828—1913)在1886年以及H. Gilford在1897年所描述過的青年人的早老症(Progena, πρorηρos)的情况很相似。

參考文獻

1. Humphry Rolleston: The Endocrine Disorders, A Short History of some Common Disease 1934.
2. Cameron, A. T.: Recent Advances in Endocrinology. 6 Ed. 1947.
3. T'ao、Lee: A Brief History of the Endocrine Disorders in China, Chinese Medical Journal 59: 579—386 April, 1941.

會務通訊

余雲岫醫師逝世

余雲岫醫師遺像

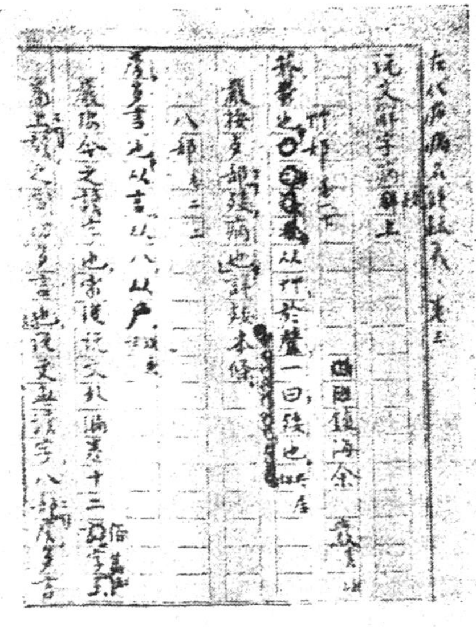

余雲岫醫師手稿

本雜誌編輯委員余雲岫醫師向來患有肺結核和糖尿病，1953年9月30日忽然發生腸阻塞症，入廣慈醫院住院，10月中旬一度出院，後又轉劇，仍舊住院，治療無效，於1954年1月3日上午9時35分在上海同濟大學附屬醫院逝世，享壽75歲、翌日即在該院舉行屍體解剖，這是余醫師生平所提倡的。六日火葬。余醫師是我國新醫中對於中國舊醫學最有研究的一人，他生平所閱讀過的中醫書，不下數千卷，並且密行細字，側注眉批，所下苦工，過去醫界中還沒有人能和他比擬。他的著述已刊行的有［余氏醫述］，［醫學革命論一二三集］，［古代疾病名候疏義］等書。他還有［國產藥物的文獻研究］一書，共有稿本214本，是從傷寒論，金匱要略，千金方，千金翼方，外臺秘要方五種唐天寶以前的醫籍，所載藥物和病證抄錄而成，下記原書的卷數和頁數，其中整理好做成結論的只有47本，還有167本沒有完成。余醫師對於中國舊醫學的看法，是主張有破壞和建設兩方面的，詳見他所著的［中醫之破壞與建設］一文中。［國產藥物的文獻研究］稿本，就是他對於中醫建設方面的一部分的研究工作。現在不幸逝世，沒有完成他的志願，實在是國家和人民的一大損失。

中華醫學會北京分會醫史學會年會

時間：1953年12月4日下午七時

地點：中華醫學會總會會議室

出席：金寶善　魯德馨　李　濤　龍伯堅　賈　魁　鍾惠瀾　謝恩增　劉國聲　程之範　章新民　蔣國彥　馬堪溫　孔淑貞　陸肇基　趙玉青　鄭麟蕃（請假）　孟昭赫（請假）

主席：金寶善　記錄：馬堪溫

一、報告：

1. 李濤報告中華醫史雜誌 1953 年度編輯、出版，發行概況。

2. 李濤報告醫史學會一部會員集體翻譯醫學史書籍籌備情況：

爲普及和提高國內醫學史水平，決定翻譯 A. Castiglioni 氏「醫學史」一書。由李　濤　馬堪溫　賈　魁　脅德馨　程之範　謝恩增　江晦明　龍伯堅　金寶善　胡宣明　王吉民　余新恩　梅晋良　陸肇基担任翻譯；由宮乃泉，李　濤，王吉民，黃樹則，黃勝白任主編。預定在 1954 年上半年內譯完，然後由人民衛生出版社出版。

3. 金寶善報告上海分會醫史學會改選經過及新執委名單。

4. 龍伯堅報告中華醫學會「中西醫學術交流會」成立經過。

5. 龍伯堅報告中央衛生研究院中國醫藥研究所情況。

6. 金寶善傳達傅理事長對各分科學會今後工作應配合國家過渡時期總路線的指示。

二、討論北京分會醫史學會1954年會務活動。

三、改選 1954 年度北京分會醫史學會執行委員。經過協商，名單如下：

主任委員：龍伯堅

副主任委員：謝恩增　謝匯東

委員：金寶善　程之範　羅福頤　馬堪溫

四、主席總結，九時半散會。

中華醫學會上海分會醫史學會年會

本會 1953 年度年會於 11 月 14 日下午七時假中華醫學會上海分會大禮堂舉行。首由副主任委員侯祥川報告本會一年來工作紀要，丁濟民報告經濟狀況。次討論中華醫學會上海分會交來郵政總局擬發行醫藥衛生紀念郵票徵求意見等案。改選 1954 年度職員，結果王吉民、侯祥川、范行準、丁濟民、龐京周、徐德言、顏福慶七人當選爲委員，葉勁秋、王玉潤、章次公爲候補委員。選舉畢即舉行學術演講，到會者60餘人。由張昌紹教授主講「中藥研究的過去和將來」，分藥之起源、本草學之演進，過去研究方法之缺點，今後應走之方向和努力等四段，解釋詳盡。至九時半散會。

又本會於 11 月 18 日下午七時半假中華醫學會上海分會會議室召開新任委員第一次會議。侯祥川主席，除討論各議案及計劃明年工作大綱外，推選王吉民爲主任委員，侯祥川爲副主任委員、龐京周爲秘書、丁濟民爲會計。

李時珍文獻展覽會的介紹

1953 年蘇聯莫斯科大學新校舍落成，在大禮堂走廊的牆壁上，鑲嵌着世界各國科學家的彩色大理石像，其中有我國兩個偉大的科學家，就是南北朝的祖冲之和明朝的李時珍。莫斯科眞理報指出在莫斯科大學新校舍中有中國科學家的塑像，這證明蘇聯人民對中國擁有傑出的古代文化的人民有着無比的尊敬。

人們對我國古代偉大科學家歷史地位如此重視，而我們對自己祖先在科學技術方面的卓越貢獻，往往不很注意，比如李時珍吧，我西醫藥界人士恐怕就不甚熟悉，因此介紹他的事蹟，是完全有必要的了。

我們在去年六月即開始蒐集資料，雖經過半年時間的辛苦搜尋，甚或遠至北京香港和湖北蘄州等處而收穫不多，可是凡所知道的有關文獻都盡可能找到。現在將所得極其珍貴稀有的整理一下，舉行一個小規模的展覽會，專供會員們的觀摩，希望通過這次展覽會來提高同人對於本國先賢偉業的認識，並可增加我們對祖國前途光榮的信念，使各人在其工作崗位上更加努力於基本建設，俾早日達到社會主義的幸福境域。

所得的文獻物品，可分五類。（一）畫像圖表，（二）傳記論文，（三）本草綱目各種版本，（四）本草綱目各國譯本，（五）其他有關文物。

展覽品中有極名貴而不可多得的：如本草綱目金陵第一版，日人謂中國久已失傳，現已假得上海丁濟民氏所藏的一部；朝鮮米爾斯之英譯本草綱目原稿；伊博恩之英譯本草綱目木部遺稿；以上三種珍籍，均在此次展覽會陳列。又如各種畫像有日本木刻，有水彩圖畫，其中是數幅係專爲這次展覽會而繪的。更有三尺高的塑像，尤爲特色，而最有意義的，是李時珍的故鄉及墓碑照片，發前人所未發，在醫學史上，很有價值。至於本草圖譜係岩崎常正根據本草綱目而繪的，此五色彩圖極其精美，此外如傳記論文共計20餘篇，其中有尚未發表過的。總之以上各物都是平時不易得見而儘量設法陳列出來了。

這個展覽會係由中華醫學會上海分會中國藥學會上海分會及中華醫學會上海分會醫史學會三個團體合辦而專爲會員們展出的，自1954年2月19日至28日共10天，在中華醫學會上海分會大禮堂舉行。最後，希望會員們對於搜集有關材料方面，亦能够熱心協助，俾得將來能有更大而更完備的展出。

李時珍傳略

李時珍，字東璧，晚號瀕湖山人，明湖北蘄州人。父名言聞，是一個世醫。時珍幼時體弱多病，好讀書，長大後，即繼承父業，尤喜爲貧民治病，名重一時，官楚王府奉祠正，旋被薦於朝，授太醫院判。他淡於利祿功名，不一年，即告歸。專心研究藥物和撰述醫書。

他的最大成就，即編著本草綱目一書，他窮搜博採，芟繁補闕，閱書達八百餘家，稿凡三易，用畢生的精力，並動員了全家，包括他的四個兒子，四個孫子，及其門第子來參加工作，自嘉靖壬子（即1552年）起，開始搜集材料，直到萬曆戊寅（即1578年）方脫稿，經過27年的奮鬥，終於完成這部巨著，而於萬曆24年（即1596年）在金陵（南京）由胡承龍刊行。

他發揮了人民自己的創造力量，影響所及，達三百餘年之久，其價值不但在中國，就是在國際間也很有地位，這種偉大的精神與貢獻，眞是值得我們的學習和尊崇！

他生於明正德13年，即公元1518年，卒於萬曆21年即公元1593年，享年七十有六，葬於湖北蘄州東門外的竹林湖畔。

展品目錄提要

（一）畫像圖表類

李時珍畫像　中國科學院

李時珍畫像　日本木刻

李時珍畫像　日本木刻

時珍殉學圖　宋大仁製

明季李時珍採藥圖　潘志雲繪

李時珍畫像　梁俊青繪

時珍採藥圖　吳曼青繪

李時珍事蹟圖　宋大仁　徐子鶴合作

李時珍的故鄉照片

本草正統旁出圖表　中華醫學會醫史學會製

李時珍先生的本草綱目傳入了日本以後　陳存仁製

本草綱目各國譯本對照表　王吉民製

李時珍年譜簡表　王吉民製

歷代本草分類表　中華醫學會醫史學會

（二）傳記論文類

李時珍傳　張廷玉（明史方技傳）

李時珍傳　王宏瀚（古今醫史續增）

李時珍傳　陳夢雷（古今圖書集成醫部名流列傳）

李時珍傳　紀　昀（四庫全書目錄提要）

李時珍傳　多紀元胤（醫籍考）

李時珍傳　顧景星（白茅堂詩文全集第38卷）

李時珍傳　承　新（中國古代大科學家，少年兒童出版社1954）

李時珍傳略註　吳雲瑞（中華醫學雜誌卷28第十期）

我國偉大的藥物學家——李時診　錢崇澍（上海文滙報，1953年5月3日）

我國偉大的科學家祖沖之和李時珍　燕　羽（上海解放日報，1953年4月23日）

我國十六世紀偉大的藥物學家——李時珍　范行準（科學畫報，1953年五月號）

我國偉大的科學家——李時珍　樊立俠（科學

求，1953年六月號）

十六世紀偉大的醫藥學家植物學家李時珍　宋大仁（中華醫史雜誌，1953年第三號）

李時珍傳　張慧劍

英譯本草綱目考　王吉民（中華醫學雜誌，卷21第10期）

本草綱目譯本考證　王吉民（中華醫學雜誌，卷28第11期）

跋金陵刊本本草綱目　丁濟民（醫史雜誌，卷二第三四期合刊）

本草綱目釋名的批判　黃勝白（醫藥學，卷四第六期）

本草經眼錄　王重民（醫史雜誌，卷四第三期）

李時珍本草綱目外文譯本談　王吉民（中華醫史雜誌，1953年第四號）

德譯瀕湖脈學的小考證　王吉民（中華醫史雜誌，1953年第四號）

（三）本草綱目的各種版本

本草綱目五十二卷　萬曆24年金陵胡承龍原刊本

本草綱目五十二卷　萬曆31年江西張氏刊本

本草綱目五十二卷　萬曆34年湖北薛氏刊本

本草綱目五十二卷　崇禎13年錢氏刊本

本草綱目五十二卷　清順治15年張朝璘刊本

本草綱目五十二卷　康熙芥子園刊巾箱本

本草綱目五十二卷　日本正德四年（公元1714年）刊本

本草綱目五十二卷　光緒五年上海鴻寶齋石印巾箱本

本草綱目五十二卷　光緒11年張氏味古齋刊本

本草綱目五十二卷　光緒20年上海圖書集成印書局活字本

本草綱目五十二卷　民國元年上海鴻寶齋石印本

本草綱目五十二卷　民國二年11月上海商務印書館第三版石印本

本草綱目五十二卷　上海錦章書局石印小字本

本草綱目五十二卷　上海商務印書館萬有文庫本

繪圖本草綱目彙言二十卷　清初大成齋印本

本草綱目類纂必讀十二卷　清康熙12年何氏毓麟堂刊本

（四）本草綱目的各國譯本

（1）法文譯本

中國史地年事政治紀錄　都哈爾德氏

（2）日文譯本

頭註國譯本草綱目　鈴木眞海等

本草圖譜　岩琦常正

（3）德文譯本

中國本草綱目　Dalitzsch. Ross. 合譯

（4）英文譯本

本草綱目及拾遺　朝鮮米爾斯等 Ralph Mills

英譯本草綱目

本草綱目金石部　與朴桂秉合編 Minerals And Stones

本草綱目獸部　Animal Drugs

本草綱目禽部　Avian Drugs

本草綱目鱗部　Fish Drugs

本草綱目介部　Turtle and Shellfish Drugs

本草綱目鱗部　Fish Drugs

本草綱目蟲部　Insect Drugs

本草綱目草木部　Plant and Vegetable Drugs

（據李時珍文獻展覽會特刊）

最近出版期刊

中華眼科雜誌（雙月刊）

一九五四年　第二號　三月五日出版

每單月五日出版　每期定價 7,000 元

中華婦產科雜誌（季刊）

一九五四年　第一號　三月十日出版

每季第三月十日出版　每期定價 5,000 元

人民衛生出版社出版　全國各地郵局發行

中華醫史雜誌

（季刊）

一九五四年第一號

（每季第三月二十日出版）

一九五四年三月二十日出版

編輯者　中華醫學會醫史學會
中華醫史雜誌編輯委員會

出版者　人民衛生出版社
北京南兵馬司三號

總發行　郵電部北京郵局
訂閱兌辦處：全國各地郵電局
零售代訂處：各地新華書店

印刷者　北京市印刷二廠
修築閣路七十一號

每册定價五千元

預定價目

半年二期　10,000 元

全年四期　20,000 元

平郵在內掛號另加

本期印數 1—3,867 册

俄英中醫學辭彙

開始登記

何懷德　田立志編

魯德馨　朱濱生　何長淸　朱洪蔭校訂

三十二開本　道林紙布面精裝　估計定價 45,000 元

為了便於讀者學習和翻譯先進的蘇聯醫學書刊，彙輯了一般醫學基礎理論和臨床實用各科名詞、術語兩萬餘則。以俄文爲主（標有重音，註明詞性，並分單字、語彙和互相參照字）對照英文（拉丁文學名必要時選註），中文統一譯名。（根據文委學術名詞統一工作委員會審定名詞）。特別選輯有關巴甫洛夫學說語彙和一些常用的蘇聯新藥名詞。最後附有俄文醫學名詞的接頭字、接尾字簡表及俄文文法品詞變化表以增加讀者檢字和參考的便利。

一、登記日期：自四月四日起至四月十八日止。

二、登記地點：各地新華書店。

三、登記辦法：到各登記店或以函向登記店進行登記，寫明姓名、服務機關、地址、電話、需要冊數等。登記時不必付款，書款在取書時一次付淸。

四、估計出版日期：本年六月底出版，屆時由各登記店通知登記讀者備款取書，逾期不代保留。

人民衛生出版社出版　　新華書店發行

一九五四年　第二號　六月二十日出版

中華醫史雜誌稿約

（一）來稿須用方格稿紙單面橫寫，並正確地使用標點符號，抄寫不可潦草。

（二）如有附圖，宜用白紙黑墨繪出，以便製版。照片不可摺捲。

（三）外國人名可譯成中文或原文下加一氏字。外文最好用打字機打出或用小楷寫出。

（四）數字兩位或兩位以上，小數點以下的數字，以及百分數均用阿拉伯字寫。

（五）譯稿及文摘稿請註明原文出處，必要時應請連同原文寄來。

（六）參考書請按作者姓名、題目名、雜誌名或書名（出版處）、卷數、頁數、年份次序排列，並需在文內引出。書名按著者姓名、書名、年份、出版社排列。

（七）來稿經登載後版權歸本會及作者（譯者）所共有，除一律酌致稿酬外，另贈單行本三十本。

（八）請勿一稿兩投。本雜誌不擬採用的文稿，一律退還。

（九）編輯部對來稿有修改之權，如不願修改，請預先聲明。

（十）來稿請寄北京東單三條四號中華醫學會中華醫史雜誌編輯委員會。

事　啓

本刊為了提高質量，除對所收之文稿約請專家審查外，要求今後不分論著、報告、翻譯、文摘等一律先通過作者工作單位領導幹部的審查和介紹，再行投寄本刊，如無工作單位的個人著作投稿時，亦請通過當地醫藥衛生機構或中華醫學會各地分會為要。特此通告，敬希注意為荷！

中華醫學會總會啓

余雲岫先生傳略和年譜

中華醫學會上海分會醫史學會

一、早　　歲

余先生名巖，字雲岫，號百之，譜名允紱。兄弟五人，先生居長。1879 年 9 月 14 日生於浙江鎮海澥浦余飯郵。家庭很窮困，六歲入鄉塾讀書。

1894 年中日戰爭時，他已 14 歲，1900 年即有名的帝國主義者聯合進攻中國的那一年，他已22歲了，這都是他目擊自己祖國的人民，被那羣野獸般的外兵蹂躪凌辱，和結合過去不久的「鴉片戰爭」及以後一連串的帝國主義侵略中國的歷史，他都銘刻在心，而喚起他研究科學救國的熱情。他在寧波學堂，雖已受了較現代化的教育，但他仍不滿足於已知的學識；他買了許多數理化一類的書來自修，因他深知那羣帝國主義者手中的法寶——戰艦槍礮，都從這方面得來的。但當時環境束縛了他，無法作更進一步的深造。直到1905年，才得到公費派赴日本留學的機會。

二、在　日　本

他於 1905 年到日本，次年先入日本體育會肄業。因爲他長期過貧困生活，那時身體並不如後來那樣强壯，而且有一時期患過結核病。在體育會畢業後，即入東京物理學校，後來進入大阪醫大習醫。

從 1908—1916 年的七年中，除因回國參加救護工作輟學一年外，在這長長六年留學期間，從不缺課；不但自已刻苦勤讀，還幫助同學，每月必邀集同學研究各科講義，每至深夜不休。

辛亥革命事起，先生也如其他留日學生一樣，加入組織，回國做救護工作，奔赴晋陝等地，熱心爲革命軍民服務。

三、開　　業

先生自日本歸國後，長長地40年的時間，中國一直陷入帝國主義侵略，和反動軍閥混戰的困擾中。其間雖有少得可憐的醫學研究機構，又大半爲帝國主義所組織，和被少數有關分子所把持，這樣，他只有開業糊口了。

先生爲病人處方用藥方面，輕易不肯用舶來品的新藥，而寧願採用國產的新藥。實際他經常所用的又多是國產藥物製成的酊劑粉劑。他的三弟允緩是經常爲他製煉中藥的一位得力助手，當然在上海崇拜舶來品新藥之風極盛的病家，是有意見的，但都經先生耐心地對他們說服：「中國也有好藥，外國也有壞藥。國內有自製新藥與舶來品的新藥功效相等，我們醫生就應採用自製新藥。醫生用藥是在治好病，非不得已時，何必用舶來品呢？」這在一般掛牌的醫生所罕見的。另一方面他還念念於國產藥物的研究，和中國醫學的改進工作。在研究工作方面，除了文獻以外他還創一小規模的研究室，把研究工作與臨床工作結合一起。

四、醫學革命

先生熱愛祖國，熱愛科學，因爲對科學的熱愛，而對非科學的憎恨；高爾基說：「一個人不會恨，也就不可能有眞正的愛。」他因熱愛祖國，自然痛恨過去侵略中國的帝國主義和反動政權，以至只知謀個人利益的醫生，及社會上這類的人。這些都可在他的余氏醫述中找到證明。

他因熱愛科學的醫學，所以恨非科學的醫學。因時代和環境關係，他當時只知單純從科學觀點去愛國，而忘了政治革命的重要。他愛科學的醫學，而排斥非科學的醫學，但在非科學的醫學中，如仍有科學的一面的話，他仍是熱愛的。換句話說，他是批判它的缺點，發揚它的優點。這是他醫學革命的思想根源。

先生所以提倡醫學革命，當然還有客觀環境的影響。他在日本習醫學時，親眼看到日本明治維新以後，國勢蒸蒸日上，走上了資本主義的道路。日本的醫學原屬漢醫系統。自維新後，廢止「漢醫」，日本醫學得到飛躍的進步，而並沒有什麼不便的地方。他以爲中國也可照樣做。他一面又受漢學大師章炳麟（太炎）在日本講學的影響。因漢學是「循名責實」的，把他在日本所學的西洋醫學，和早年他所學習過的中國原有醫學兩相對比，無疑地後者是相形見拙了。先生自敍學術次第也說：「長習新醫，服膺名理」，便是一個正確的證明。這樣合併了幾種客觀的因素，便促成他的醫學革命的工作。所以1914年，他在日本時便着手寫靈素商兌了，1917年出版後，即震撼了整個的醫界。然而商兌出版，雖震撼了整個醫界，尤其是中醫界，但也只有震撼而已，很少回擊，這使先生非常失望。

五、醫學革命之又一面

前面說過他對醫學革命，原非單在憎恨的一面，而尚有熱愛的一面。對此我們不僅如上面舉出他臨床愛用中藥的例子，我們同時還可舉他所作的「科學的國產藥物研究之第一步」，「研究國藥產物芻議」，那一類整理國藥文獻的文字來做代表。最具體的還可看他在1929年所寫「我國醫學革命之破壞與建設」的文字。他曾批判過陳克恢先生發明「麻黃素」治喘功效，因不查考中國固有醫藥文獻，而多走了彎路；因中醫書上，在二千年前，已有麻黃治喘的記載了。他凡遇到中醫書上記載合乎科學，確實可靠的地方，是讚揚不遺餘力的。例如他發見崔氏別錄載有瘰癧與結核病同源說早於法國匿克氏一千幾百年，因而作出論文，提到遠東熱帶病學會上報告，獲得世界各國出席代表的注意。對中國原有醫學，再不敢存輕視的偏見了。同時，他對中國唐以前方書認爲有研究價值地方，因此費了很大力量整理「國產藥物的文獻研究」。

先生晚年，即自1933年以後，對中國原有醫學又作另一方面的工作。即對中醫病名的文獻整理和研究工作，他以爲這也是幫助中醫走上科學途徑的一條路。他對這部分工作是具有各方面的條件的。這也最好拿他自敍學術次第的話來說明「晚究舊醫，博覽詳考，愼思明辨，壹本經學師法，科學律令」。他最先寫成釋名病釋，其後方言、爾雅等書有關病名的都加以考證和詮釋，有時並說明古書上的某病，即今日之某病，其考證一遵漢學師法，其詮釋一遵科學律令，於可疑處，不敢輕下斷語，强作能人，而付蓋闕之例。這都是他「愼思明辨」之意。這類工作做了15年以上，後來總合成爲「中國古代疾病名候疏義」一書，由人民衛生出版社刊行，幸在先生逝世前十幾天出版。

六、從鬥爭到團結

先生數十年來對中國醫學革命工作，既有熱愛和憎恨的兩方面——批判性的和建設性的具體工作表現昭示於人。不論以往的敵或友，都能漸漸明白他是廓然無私，完全從祖國醫學改進作出發。他爲人又那樣恂恂儒雅，和易近人。所以抗戰以後，許多開明的青年中醫，都樂與他接近，開中醫與先生實際團結的先路。

此後，更時有進步的中醫，登先生之門，向他請教，而先生只要是知道的，無不傾筐倒篋，毫無保留地詳細解說，必使對方完全了解而後已。因他向有負責的態度，他最恨不求甚解而馬虎的人。他的弟子李慶坪先生，原習中醫的，他每星期必到先生家裏去請教一次。先生凡對一問題，可以解決的，即隨時解說，遇到困難，即不惜翻盡架上的書，他這樣認眞，連請教他的李先生有時也都感不耐煩，而他却必要找到水落石出，才肯罷手。這種鍥而不捨，誨人不倦的精神，凡與他接觸過的，都能認識的。這樣自然引起人們的敬愛。所以去請教他的中醫，也天天多起來，連外埠也時有中醫向他通函問候，或把刊物寄他，求他批評，更有從遙遠的外埠來滬前往拜訪的。晚年中醫刊物上更時有先生的文字，這樣他已成爲中醫團結的對象。

七、在新時代的曙光中走完自己的旅程

1949年全國解放了。一個歷史上最醜惡的政府，在人民面前倒下去了；同時一個史無前例的人民自己樹立的政權建立起來。先生也和其他人民一樣，好像從陰暗的斗室中走到寬大的場地，沐着新時代的曙光，他年齡好像輕了許多。他從解放那年到他去世時爲止，對共產黨領導下的一切措施，無不衷心擁護，尤其有關衛生行政的措施，更是首先身體力行。他這種行動，是完全可以理解的。

至於他對人民政府的認識，也是非常直接的。

他說：「我把過去所經歷過的政府和現在人民政府所措施的作一比較，我不能不跟共產黨走。因共產黨講的話，做的事，無一不兌現，也無一不符合人民的利益。這樣，我不跟共產黨走還跟誰走？」

1950年6月25日，美國統治集團，發動侵略朝鮮戰爭，竟狂妄地敢於深入朝鮮的北部臨近中國的邊境。因而中國人民有志願軍的組織，出國抗拒美帝。1951年春醫界中也有赴朝救護工作隊的運動，在上海，他首先響應，報名參加，領導上因照顧他的身體與年齡關係，未被批准。他常對朋友說：「組織上如需要我到朝鮮去工作，將是一生最光榮的事。就是死，還有比這更光榮的死嗎？」這絕不像年逾古稀人的話。他認爲到朝鮮去做救護工作，比之辛亥革命由日本返國所做的救護工作，更有意義。雖然他自己未被批准，也終因他的熱心首先報名參加，大大鼓舞了醫界同志熱烈參加的情緒，同時他又鼓舞他的兩個孫子（曰愃、曰幹）參軍（現在分在海陸軍服役）。1951年政府號召國防經濟建設，他又首先報名參加，政府也同樣照顧他的身體而未批准。

1950年5月，他被聘爲第一屆全國衛生會議籌備委員會華東分會的籌委。同時又是中華人民共和國藥典編纂委員會特邀委員，每次開會，他都寧願放棄自己門診工作而到會。所以他在華東衛生行政會議上建議：私人開業醫師，應走向整體，而聯合診所就是走向整體的初步組織，這些都是那時一般開業醫師所不能說的話。

同年他被聘爲第一屆全國衛生會議的特邀代表。他在大會上被推爲主席團主席之一。於醫政方面多所建議。在這次大會的議決案中，對於醫學教育制度方面，與以往的殖民地化的醫學教育制度有着基本的改變。也正符合先生幾十年來在這方面的願望。因此使先生更衷心的擁護共產黨領導下的人民衛生事業。

在他醫學革命方面言，於解放初期，因未瞭解政府的政策，所以他的看法，與它還稍有不同，這可在他醫述初集第三版自序中的開頭幾句話，是可以看出的。自第一屆全國衛生會議作出三大方針後，他就徹底明瞭，同時與他所希望中醫走上科學路徑的目標是完全符合而可把它統一起來。

先生正擘畫一切，準備1954年去北京參加國際研究工作，而中央領導方面也正以熱烈心情，期待他去工作。

然而遺憾的是先生在1953年9月30日的上午，忽然發生腸阻塞病象。進入上海廣慈醫院治療，至10月13日好轉。11月16日忽又轉劇，乃入怡和醫院，繼而改入同濟大學附屬醫院治療。雖經多方挽救終歸無效，延至一月三日上午9時35分，他安詳地長逝了！據病理解剖初步報告，最後死因是橫行結腸上有潰瘍並穿孔。並患初期癌瘤。

余雲岫先生年譜

1879年（光緒五年）9月14日（公曆10月28日）生於浙江鎭海澥浦余嚴邨。

1884年（光緒10年）六歲　春，入塾讀書。

1901年（光緒27年）23歲　就讀南潯潯溪公學。時校長爲杜亞泉，名譽校長爲蔡元培。

1903年（光緒29年）25歲　至上海任澄衷學堂教員。

1904年（光緒30年）26歲　主辦鎭北貴駟橋寶善學堂。

1905年（光緒31年）27歲　由鎭海鯤池書院公費派赴日本留學。

1908年（光緒34年）30歲　入大阪醫科大學預科習醫。成普通物理學講義。由上海文明書局出版。

1910年（宣統二年）32歲　課餘撰成物理學教科書。仍交上海文明書局出版。

1911年（宣統三年）33歲　10月，武漢革命軍事起。11月，乃隨留日醫學生組織之赤十字社歸國作救護工作，先至上海，旋即隨革命軍入南京。12月，受豫晉秦隴紅十字會之託，赴陝西，做救護工作。

1912年（中華民國元年）34歲　七月，任北京師範學校學監。

1913年（中華民國二年）35歲　春，再赴日本大阪醫大繼續求學。

1916年（中華民國五年）38歲　夏，大阪醫大卒業。七月，歸國任公立上海醫院醫務長。

1917年（中華民國六年）39歲　靈素商兌出版。冬，辭公立上海醫院醫務長職。

1918年（中華民國七年）40歲　在上海開業。同時任上海商務印書館編輯。

1925年（中華民國14年）47歲　八月，被任中日文化事業委員會上海分會委員。10月，赴日本，出席遠東熱帶病學會。在大會上演講「中國結核病歷史的研究」，指出瘰癧與肺癆同原之說，唐時崔氏別錄已有明確記載，早於歐洲林匿克氏者1,200餘年。11月，組織上海市醫師公會，被推爲第一任會長。

1926年（中華民國15年）48歲　11月，任南京中央衛生委員會委員。

1928年（中華民國17年）50歲　二月，創辦社會醫報，並自任爲主任。三月，任大學院譯名統一委員會委員，及醫學校學制與課程編制委員會委員。四月，任大學院審查科學圖書委員會委員。八月，任內政部衛生專門委員會委員。11月，搜羅歷年所作有關醫學文字，編爲余氏醫述，後改名爲醫學革命論集。

1927年（中華民國18年）51歲　二月，出席中央衛生委員會會議，在會上提出二項建議：(1)急須設法增加全國醫師人數以利衛生行政之進展案。(2)廢止舊醫以掃除醫事衛生之障礙案。

1931年（中華民國20年）53歲　著皇漢醫學批評，先後在社會醫報按期發表，至此，作單刊本出版。

1932年（中華民國21年）54歲　任東南醫學院校董會校董，兼副校董主席。

1933年（中華民國22年）55歲　七月，余氏醫述二集編成。

1934年（中華民國23年）56歲　三月，任教育部醫學教育委員會顧問。任中華醫學雜誌編輯主任。

1935年（中華民國24年）57歲　五月，北平研究院聘爲特約研究員。

1937年（中華民國26年）59歲　三月，闢診所之一部作研究室。六月，余氏醫述第二集出版。

1938年（中華民國27年）60歲　10月12日，釋名病釋單刊本出版。

1939年（中華民國28年）61歲　10月1日，方言病詁（後易名方言病疏）脫稿。

1940年（中華民國29年）62歲　11月1日爾雅病詁（後易爾雅病疏）脫稿。

1941年（中華民國30年）63歲　12月15日，說文解字病詁（後易名說文解字病疏）脫稿。

1942年（中華民國31年）64歲　2月9日，廣雅病疏脫稿。

1943年（中華民國32年）65歲　二月，十三經病疏脫稿。

1944年（中華民國33年）66歲　秋，任中國醫藥研究所所長。

1947年（中華民國36年）69歲　一月初着手作「古代疾病名候疏義索引」。

1948年（中華民國37年）70歲　醫史雜誌出刊先生七十歲生日紀念論文專號。

1949年　71歲　全國解放。10月1日中華人民共和國成立。先生益努力閱讀馬列一類之書。從無綫電廣播中學習俄文。

1950年　72歲　五月，任全國第一屆衛生會議籌備委員會華東分會委員。先生被聘爲全國第一屆衛生會議特邀代表。

1951年　73歲　任華東醫務生活期刊編輯委員會。上海市人民政府文化教育委員會委員。上海市土產交流大會籌備委員會藥物館出展委員。全國衛生科學研究委員會中醫專門委員會專門委員。中央人民政府衛生部教材編審委員會委員。上海市各界人民代表會議協商委員會委員。中央衛生部中華人民共和國藥典編纂委員會特邀委員。中華自然科學專門會聯合會委員。上海市科學普及協會委員。上海市人民政府衛生局中醫進修委員會委員。中華醫學會理事。

1952年　74歲　任上海市衛生局成藥審查委員會。上海市國醫訓練所學術講座講師。

1953年　75歲　一月一日，任上海市新成區第四聯合診所所長。9月30日病。

1954年　76歲　一月三日（農曆11月29日）晨9時55分，病逝同濟醫院。享年75歲。遺命將遺體交醫學院作病理解剖。六日上午公祭，下午火葬。

新舊醫(中西醫)學術交流問題的我見

松 聲

一、從發展上看新舊醫學的本質

現在我國醫學存在着不同的兩個醫學系統，一個是以經驗爲主的固有醫學，一個是曾經若干科學考驗的西洋醫學，統一這二者也是必然的趨勢。但是如何求得統一呢？首先要從歷史上看這個問題，認淸中國醫學和西洋醫學的本質，再進一步了解現存的問題，然後不難看出解决的方法。尤其重要的，是我們對這個問題現在應該採取什麼辦法，以便加速解决這個問題。

1. 中國醫學的發展

中華民族是世界上具有古老文化的民族，在公元前六世紀（春秋時代）醫學已脫離了鬼神的觀念，用哲學解釋生老病死的問題。到了公元前四世紀（戰國時代）由於社會經濟的影響，中國醫學主要以漢族經驗爲主，更吸收了其他兄弟民族的經驗，構成中國醫學之基礎。中國第一部醫書內經素問大約是此時的產物。公元一世紀前後（漢代）更總結了這種經驗，在藥物方面有本草經的出現，在醫療方面有傷寒論的問世。同時這三部書仍是現代中國舊醫學的基礎。

公元四世紀到八世紀（晋唐時代），由於佛教盛行，中國更吸收了印度人的醫學經驗，使得中國醫學內容更加豐富，終成爲當時東西各民族中最進步的醫學。

10—14世紀（宋金元時代）由於交通發達，中國不斷與回族接觸，又吸收了阿拉伯人的醫學經驗，所以到了16世紀中國醫學已有相當的成就。

17世紀以後歐洲醫學的知識，雖然也零星的傳入中國，但是由於滿淸閉關自守的緣故，不能自由地吸收外來文化，造成與世界其他民族隔絕的事實。從此中國醫學孤立起來，無疑地妨礙了它應有的進步。

2. 西洋醫學的發展

西洋醫學主要是以希臘醫學爲基礎，更吸收了其他民族的經驗，直到16世紀與中國醫學無大差異，在某些地方而且落後於中國醫學。但是16世紀以後歐洲的經濟基礎起了巨大變化，即是由封建社會漸漸發展到資本主義社會，在文化方面便有顯著的改變，首先是古典文化的復興，藝術家在現實主義的影響下，欲使藝術與大自然趨於一致，不得不從實際上觀察人體構造，這種成果迅速地影響解剖學的進步，奠定了近代醫學的基礎。

天文家在測量天體的需要下發明了望遠鏡，這種測量觀念，不久也影響了人體生理學，結果在度量體溫的要求下發明了體溫計；在度量心血噴出的要求下，發明了血循環。以前醫生多年爭論的寒熱問題，現在用體溫計很快便可以準確地解决了；以前醫生視爲十分神秘的脈搏數，自從應用了能走一分鐘的表，平常的人便可以數知了。

靈魂問題，是自古以來宗教上一件神秘，自從化學進步，認識了空氣的本質，試將一貓放入於玻璃罐內，通一抽氣機，在空氣抽淨後則貓窒息而死。從此知道空氣爲呼吸所必需，以前靈魂的說法純是宗敎上的謊言。18世紀以後，化學脫離了煉丹術的束縛，所有重要氣體皆在此時發見。從此醫學上的神秘問題，大部皆得到適當解答。

傳染病的病原自古就憶測是微生物所致，但是找不到明確的證據。自從顯微鏡製造進步，各種微生物均一一呈現於吾人眼前。不久醫生便用以檢查病原微生物，結果在19世紀的末葉幾乎所有病原性細菌均被發現。以前醫生對於傳染病的猜測，除了用鬼神解釋以外，便歸咎於受風、着凉、受暑、傷食、受濕等。自從病原微生物發見以後，醫生對於傳染病看法也根本改變了。

物理、化學、微生物學應用到醫學以後，醫學上的迷信肅清了一大部，使得醫學更接近了科學。因此通稱現代醫學爲科學的醫學。自然這種醫學是比較純經驗的醫學進了一大步。

二、近百年來中國的新醫和舊醫

19 世紀中葉，帝國主義國家們欲侵略中國，甚至在用大炮以前，便憑着著西洋醫學打開閉關自守的中國門戶。於是約一百年前，來了西洋醫生，設立醫院招收中國生徒。據 1897 年調查中國人學西醫畢業的約爲 300 名，這點說明在 1900 年以前，中國雖然有中西醫的存在，由於西醫少，還未成爲社會問題。

滿清政府末年中國由於受到資產階級改良思想的影響，西洋醫學已漸被注意。1912 年滿清政府被推倒以後，設立新醫學校和他種新式醫療機構，對於舊醫採取自流態度，甚至有人主張廢棄。因之 1914 年中醫組織醫藥救亡團，呼籲保存中醫中藥，從此中國有了中西醫的問題。這個問題隨着新醫在中國的發展，而日益加深。到了 1929 年由於兩方面鬥爭的尖銳，竟有人提議廢止舊醫（是割斷歷史的做法），但舊醫在數量上當時不僅數十倍於新醫，而且是當時中國人民主要保健員。這種提議未能通過，但是從此加深了中西醫的界限，所以說中國中西醫共存的現象是近百年的事，中西醫成爲社會上問題則是近 40 年的事，尤以解放前的 20 年矛盾最厲害。

三、現在存在的問題

以前由於資本主義制度的影響，中西醫的不團結，一部分由於業務營利競爭所引起乃是事實。但是自從 1949 年起全國解放，經濟制度改變，業務營利競爭已不重要，所以現存問題主要是學術問題。

我們中華民族一向具有泱泱大國民的風度，勇於吸收外來文化。歷代外國醫學傳入，我們祖先都將它吸收進來，變成自已的文化。因此唐朝沒有中印醫問題，宋元時代也沒有中回醫問題。自從 17 世紀中葉以後，滿清政府採取閉關政策，中國與西洋隔絕了 200 年。直到 19 世紀中葉，中國人始得重新與西洋醫學接觸，此時自然也有若干志士想將西洋醫學的長處吸收進來，但是由於西洋醫學以多種自然科學作爲基礎，儒醫無法單從文字上了解，結果匯而不通。在另一方面，學西醫的中國人因受了半殖民地的或帝國主義的教育，多站在外國人立場，鄙視祖國文化，不屑於整理祖先遺產，結果中西醫雖然同以解除人類痛苦爲目的，但是彼此兩不相謀。

醫學的優劣是要看效果的，醫學的效果最容易看見的是外科。19 世紀中葉以後發明了麻醉法和消毒法以後，各種外科手術均能安全實施。自從西醫傳到中國，人民對於西洋醫學的批評是「西醫長於外科」。同樣對於與外科相近的產科、眼科、耳鼻喉科等也有一樣的評價。所以中西醫學術問題，重點不在外科、產科、眼科和耳鼻喉科方面。

西洋醫學內科治療在 50 年前仍很貧乏，尤其對於多見的傳染病，幾乎毫無有效治法，如專就治療效果來衡量中西醫，可說不甚懸殊。更由於新舊醫學病名不同，理論各異，尤其是用藥不同，草藥方西醫不懂，西藥名中醫不認識，結果發生種種誤會。所以中西醫現存的不團結，主要是內科和與他相近的小兒科，而問題中心是學術問題。

四、中西醫學術交流的辦法

中醫有幾千年的經驗，但未經過科學的檢查，也就是說我們祖先的經驗必須與科學聯繫起來，才能發見真正有價值部分，增加人類向疾病作鬥爭的武器。這種責任無疑應放在現在中國的醫學科學家的肩上。

西洋醫術是整個自外洋搬運進來的，其中有一部分是不科學的或不適合中國人的。（中醫人數多，未受外國人教育，看問題比較客觀。由此可見在選擇地吸收外來文化方面，中醫能起一定的作用。）

中華醫學會總會傅連暲理事長在 1954 年的工作上，提出了中西醫學術交流會的辦法，是本着中央衛生部所規定的中西醫團結的方針，用定期座談的形式，要求西醫能初步地學習若干祖國醫學，同樣也要求中醫認識現代醫學的內容，希望從學術交流中作到中西醫學術合流，從學術上消滅中西的界限，以便更好的爲人民服務。

這誠然是一種最好的辦法，但是中國醫學是一種經驗的醫學，中醫遍佈於全國各地，目前此種交流會僅在中央一地成立，似還不能發揮全國中西醫界的力量。因此希望中華醫學會各地分會也組織當地中西醫界成立各地的中西醫學術交流會，使中西醫彼此相知，更好地發揮集體力量。

另一方面，這個座談會的作用，僅是對於以前造就出來的老年醫生，一種補救的辦法。對於現在學校中正在受教育的醫學生怎麼樣呢？醫學教育家似乎還沒有注意到這個問題，僅就過去數年內醫學校課程中來說，看不出有什麼中西醫團結的表現，甚至唯一可以起溝通中西醫學作用的醫學歷史，也未列入正式必修課程，結果所造就出來的醫生，不但不能從發展上看醫學問題，而且是同以前的西醫一樣的與中醫隔膜。中西醫的問題是個歷史問題，要解決這個問題，必須使每個醫生了解它，不再重演以前的錯誤；在學校中，從實際上將「團結中西醫」的精神貫徹進去。使未來的醫生們能正確的認識祖國醫學，「排洩其糟粕，吸收其精華」（毛主席語）。這不僅是一種良好的愛國教育，而且在將來消滅中西醫間的隔膜上起着絕對的作用。

金元時代的醫學

(1127—1234—1368)

李 濤*

一、社會背景

1127年女眞族出兵攻宋佔領黃河流域，國號金。從此中國政權分裂，北方是金，南方是宋，彼此對峙了一百多年。13世紀初葉，蒙古族興起，到了1234年滅金，佔據中國北部，繼續與南宋對峙，凡經46年。所以從1127年起到1279年止，前後152年，中國的政權，始終是南北分裂着。中國北部，被落後民族所統治，連年戰爭，經濟破壞，一切文化落後，醫學也停滯不前。更由於金朝的典章文物，一切摹仿漢族，所以女眞族雖然武力佔據中國北部，在文化方面則被漢族所同化。因此醫學的成就，若與同時期的南宋相比，則遠不如。

1280年以後蒙古族滅宋，統治中國幾近90年。政治極度腐敗，剝削殘酷無比，給予中國社會以極大的災害。因之漢族的反蒙古鬥爭，前仆後繼。終於1368年朱元璋北伐成功，中國才又回到漢族的手中。在此期間經濟受到極嚴重的破壞，人民飢餓流亡，求生不得。一切文化皆處於停滯狀態，因之醫學的成就也很少。

13世紀的90年代就是忽必烈時代，佔領的地區，橫跨歐亞兩洲，造成世界史上空前的大帝國。蒙古族既然統治歐亞兩洲，歐亞的交通一天一天的多起來。由於歐亞兩洲各民族的頻繁接觸，彼此文化得以迅速交流，直接促進了科學的進步。首先是中國的羅盤針、印刷術和算盤等傳給西方，而西方的數學、天文、工藝等也傳來中國。馬克波羅遊記極力稱贊中國文物之盛，可見當時中國是世界上文化最高的民族。在醫學方面有多數歐洲人在13世紀來到北京，如愛薛（Frank Isaiah）和約翰（John of Montecovino）等，皆曾行醫於北京。首先直接將西洋醫學介紹到中國。

蒙古兵攻城後，屠殺極慘，獨不殺工匠，醫生視同匠藝，也得免死。所以窩闊台攻宋時，命楊維中姚樞從軍到南方，求儒道釋醫卜等人。這當然不是他們重視醫學而是統治者爲了保護自己的生命不得不要醫生，因此中國醫學才得保全和光大起來。

蒙古族向四方征伐，主要是用騎兵。騎兵最常遭遇的傷害便是由於墜馬所致的骨折和脫臼。使得他們不得不注意外科和骨科。13世紀中葉蒙古西侵佔領了回教國，擄回阿拉伯醫生，設立回回藥物院。因此他們的正骨術得以傳到中國。當時阿拉伯人的醫書曾譯成中文，直接豐富了中國醫學內容。

二、醫學學說

由於12世紀初年規定內經素問是習醫必讀之書，所以醫生的思想被素問的理論所佔據。首先是南宋的醫生陳言，於1174年著三因極一病源論，將病源分爲三類，就是由氣候變化所致的外因病，由七情所致的內因病，以及不內外因病。與他同時的北方醫生劉完素，主張六氣是致病的原因，正如他所說的外因病。13世紀的北方醫生李杲主張飲食不節和過勞是致病的原因，大略相當於陳言所說的不內外因病。14世紀朱震亨主張縱慾致病說，與陳言所說的內因也有相似之處。由上可見這個時代的醫生，對於病源的推測，仍不出氣候變異，飲食不節，過勞，情感變化幾種。但是他們能將當時所知多數疾病歸納在幾種原因以內，使醫生在診病時有了系統概念，作爲治療標準，仍然是一種進步。

阿拉伯醫學理論的傳入

13世紀末年蒙古人佔領歐亞兩洲的大部，建都

* 北京醫學院醫史科

北京。當時北京有很多阿拉伯人和歐洲人寄居。由於他們習慣用阿拉伯的治法和藥物，統治者特在北京設立回回藥物院，由阿拉伯人主持。1294年約翰醫生來北京。同時也設立由中國人主持的太醫院。當時北京存在着兩種不同的醫學系統，一爲中國固有醫學系統，一爲阿拉伯人醫學系統。此兩種醫學是世界上最前進的醫學，在北京得以直接的密切接觸。10世紀以來，中國醫學本來已有輝煌的成就，此時又與當時最進步的阿拉伯醫學接觸，並曾翻譯阿拉伯醫書，如回回藥方[36]（圖1），於是吸收了他們的學說和技術，終成爲當時世界上最進步的醫學。在學說方面中國向來主張六氣是疾病的原因，但是阿拉伯人是液體病理學說，主張四體液失調致病。因此13世紀以後中國的醫家，將六氣簡化爲四氣。13世紀，顏氏濟生方雖已採用四氣說，但採用者不廣，至14世紀時始普遍。例如孫允賢、危亦林、朱震亨等著名醫家，皆採取風寒暑濕致病的學說。六氣和四體液的說法，本來無大區別，中國人很容易接受。這一點足以說明當時世界上文化最高的民族，中國人和阿拉伯人的醫學思想幾乎是相同的。

1. 劉完素

（守眞，河間人，約生於1110—1200）

北宋末年規定習醫的人必須修習素問和聖濟經，而且規定考試醫生時必須考試運氣論。但是運氣學說與實際醫學有極大距離，所說某年患某病並無徵驗，醫生自然不肯相信，這種理論經過數十年的提倡，漸漸變成醫生的思想意識，加以多方傅會，終能與醫學具體地聯繫起來。在這方面用力最多者首推劉完素（守眞）。他生於北宋末年，受了運氣說的影響，曾著黃帝素問宣明論方，首將素問中的62證提出，並加註解。次將當時通知的病分爲17門，每門各有總論，並各附數十方不等。中國12世紀以前的臨證醫書如外台秘要，聖惠方等皆根據巢氏病源候總論解釋疾病的發生。他這部書則完全根據素問中理論來解釋病因，是中國醫學思想上一大變革[4]。

大約在1155年左右他著了一部書叫素問玄機原病式。根據素問中的理論，將當時所知的疾病，按六氣歸納爲六類。大致將運動系統所有的病，歸咎於風，腎病等歸咎於濕，皮膚病凍傷等歸咎於燥，胃腸病等歸咎於寒，外科病歸咎於熱，精神病歸咎於火。更將六氣與五行的關係連接起來，如諸風屬木，諸濕屬土，諸燥屬金，諸寒屬水，諸熱屬火等。爲了配合六氣更將五行的火分爲君火和相火。如諸熱屬君火，諸火屬相火。在12世紀以前的中國醫書內，羅列了多數孤立的證候，散亂沒有系統。劉完素首先將所有證候用六氣不調解釋。從此醫生看病有了系統概念，並且按照病因施治，也就是按照風濕燥寒熱火六種不同原因來處方用藥[5]。較比以前遇到病證，無原則的試用各種成方，顯然是進了一大步。

傳染病（傷寒）的治法，以前對於何時應用發汗藥，何時應用瀉下藥，爭論很多。他主張將兩種藥劑配合成複方，適用於任何發熱病人。例如雙解散和通聖散等方皆將大黃，芒硝等瀉藥，和麻黃，黃芩等發汗藥，合製成方[10]。由於他重視火是疾病的原因，所以好用這類凉藥，後人稱他爲寒凉派的創始人。更由於他所用的藥，簡單價廉，頗受民間擁護，河北一帶直到現在仍有很多供奉他的廟宇（圖2）。

他的著作除了上述的素問宣明論方和素問玄機原病式以外，現存於世者還有五種，有的價值不大[8]，有的是他的學生所編[6,7]，有的是僞託之作[9]，所以略而不論。

2. 張從正

（子和，戴人，約生於1156—1228）

劉完素在12世紀將中國醫學系統化起來，並且簡單化起來，使學醫的人便於學習，因此有多人信仰他的學說，其中最有名的是張從正。他曾著一部書叫儒門事親，由他的學生麻知幾寫成[14]。他的疾病分類法完全宗劉守眞的六氣說，稱爲六門。治病法則宗漢代名醫張機汗吐下法，稱爲三法。由於他喜用劇烈的瀉劑和吐劑，後人稱他爲攻下派。由上可知，他以發揮前人學說爲主，自己並無獨創學說。而且他的治病法，易於使病人中毒，發生危險，害多利少。所以當時已有很多人反對，也是15世紀以後，中國醫生分派別的重要原因。但是他的書中報告了二百多病例，而且文字流暢易懂。在描述疾病方面，確有相當貢獻。

3. 李杲

（明之，自號東垣老人，眞定人，1180—1251）

劉完素好用解熱劑和瀉下劑，顯然是一偏之見。所以同時的醫家張元素便反對他。李杲學（圖5）於張元素，自然也反對劉完素的學說，主張疾病的原因除了氣候變化（外感）以外，還有飲食不節和過勞（內傷）是致病的原因。李杲與張從正同時，因爲主張不同，彼此在著作內辯論極烈。他在1247年（定宗2）著內外傷辯[15]，1249年更著脾胃論[16]，都是發揮飲食不節足以發病的理論。反對張從正的攻下法，主張用營養法以治病，因此後人稱他爲補土派。他認爲人的營養來自胃，所以主張健胃，使病不生，有病的人營養好也可以自然治癒。

他的著作除了上述兩種以外。現存者還有三種[17,18,19]，其中有的是他的學生所編輯[19]。所以與前二書重複的地方很多。

李杲的治病法，較攻下派用藥法安全，所以頗得後世醫生擁護，稱之爲「醫中王道」。這派醫家除李杲外，更有王好古（進之，海藏，約生於1200—1308）。他的主要貢獻，是對於傳染病後期的病人，代謝機能已經減退者（陰證），竭力主張用强心和興奮劑，反對用瀉劑[21]。這種合理主張，顯然有益於傳染病的治療，給醫生以正確的指導。他所著的書現存者仍有五種[20—24]，皆字句簡短，頗似現在的處方手冊。

4. 朱震亨

（彥修，學者稱爲丹溪先生，1281—1358）

劉完素的六氣致病論（外感），加上李杲的飲食不節致病說（內傷），仍然不能全部解釋所有疾病的發生。因此朱震亨提出縱慾致病的理論（圖4）。他在幼年習學周敦頤、程頤和朱熹的道學。道學家主張心中無慾而靜，寂然不動。朱震亨受了這種主靜去慾的影響，因創陽常有餘陰常不足的學說。陽常有餘，就是動的太多，陰常不足就是靜的不够。換句話說陰代表血，陰不足就是血不足。縱慾則失去血液，寡慾可以養血。因在所著格致餘論內[44]，主張節慾法以防病和治病。後人稱他爲滋陰派，也就是養血治病法。

因爲他生在14世紀的中葉，受了阿拉伯醫學的影響，他所說的火，頗似歐洲人所說的精氣。他說心、肝、腎內均有火，心火是君火，統治腎肝內的相火。相火盛則陰虛，陰虛則病。所以主張心不動以養陰，類似現在的安靜療法。他這種學說影響於中國醫學者極大，此後醫生便很重視節慾治病法。

他的另外的一大貢獻，便是反對當時盛行的太平惠民和劑局方，特著一書名局方發揮[45]。局方中好用礦物藥，如硫黄、水銀、金、銀等治中風，更好用刺激性一類藥（辛香燥熱之劑）治神經精神病（氣病），皆無益有害的治法。但是由於局方是統治者頒布的，醫生不敢違抗，已經盲從了二百多年，不知道貽誤多少病人。他特別指出局方的錯誤，並且指明正當的治法。從此醫生治病，才不沿用那些錯誤的方法，嘉惠後人，不言可知。

他的著作，除了上述兩種以外，據醫籍考所載，還有20多種，大部皆已佚失。現存的幾種，有的是學生記載[47,48]，有的是僞託[49]。他的學生很多，最有名的是戴元禮[50]，劉純等，皆是明初著名的醫家。由此可見這一派影響於中國醫學極大。

三、臨證醫學

金元時代中國臨證醫學的主要成就，當推外科和正骨科，其次爲內科。小兒科則無大發明[29]。在14世紀小兒科和婦產科甚至無專門著作出版。其次方書的編輯，也無大成就[25,27,32]，僅有13世紀末年的澹寮集驗方，較爲出色。此書曾博採20幾種方書選編而成，且附有病例，可稱一代佳作，其餘皆無可取[28]。在針灸方面這時著作很多，有將全部的俞穴繪圖成書者[40]，更有簡化俞穴爲120個，以便實用者[33]。中國臨證醫家自13世紀以後由於主張不同分成派別，因之展開彼此辯論和批評，甚至有專以批評爲主的書[51,53]，這正是15世紀以後中國醫學進步的基礎。

其次十二世紀以後，醫家對於古代醫學起了懷疑，例如張元素說古方不能治今病，想創用新法。他的學生李杲創用溫補法，是溫補派的創始人。當時守舊的人張從正反對補法，主張沿用汗吐下法，當時稱爲攻下派。14世紀更有朱震亨出，反對和劑局方，創立滋陰法，總之金元醫家彼此鬥爭很烈，正是中國醫學以後進步的原因。

1. 內 科

此時對於診斷方面大部沿襲舊法[41,42:53]，無何可說。惟一的貢獻，當推杜本在1341年（至正1）所著的敖氏傷寒金鏡錄。他這部書圖繪各種有病的舌色，如白胎、黑胎、洋莓舌、乾裂舌等，計共32圖（圖5）。每圖之下均有說明[39]。從此醫生看病，切脉以外，必看舌苔，使診斷學上增加一新武器，對於醫生斷病上，有極大幫助。

(1) 傳染病學 1142年（紹興12）成無已著明理論，將傷寒論中所記的50種證候，孤立的討論[1]，更於1144年根據內經註解傷寒論，使醫學離開經驗，專從文字上推敲[2]。風氣所被，此後關於傷寒問題的著作，皆憑玄想寫成，無補實際。例如傷寒直格[6]，傷寒標本心法類萃[7]，傷寒醫鑑[10]，雲岐子保命集類要[12]。傷寒圖歌活人指掌[26]。傷寒鈐法[31]等。

斑疹傷寒 12世紀下半葉郭雍已能鑑別斑疹傷寒，前在南宋的醫學內已提及了。到了13世紀初葉張從正著儒門事親，更明白地提出斑疹傷寒的名稱，詳細記載此病的證候。其中有「俗呼曰斑疹傷寒，此言却有理，爲此證時與傷寒相兼而行。必先發熱、惡寒、頭項痛、腰脊强。從太陽傳至四五日煉疹始發。先從兩脇下有之，出於脇肋，次及身表，漸及四肢。」他以後有王好古著陰證略例，也報告了一例（侯輔之）。郭雍和張從正都是河南考城人，王好古是河北趙州人。中國北部是斑疹傷寒流行地區，所以他們能詳細記載這種病。

傷風感冒 在12世紀以後纔認識此症。傷風首見於傷寒標本新法，感冒首見於醫方大成。自此以後傷風感冒始能與傷寒區分。

鼠疫 公元七世紀的巢氏諸病源候總論，曾有惡核的記載。雖然症狀類似腺鼠疫，但是直到12世紀醫生仍然不認識這種病。由12世紀下半葉至13世紀中葉的中國北方醫生，例如劉完素，張元素，李杲，羅天益等在著作內不斷提到雷頭風和大頭痛。雖然他們所記症候不詳，不能斷定是鼠疫，但是由後來醫生在同樣病名下所描述的證狀和流行情況，可以推知確是鼠疫。後來李杲曾記有1232年有一種傳染病劇烈流行於開封，死亡很多，大約也是鼠疫。但是當時一般醫生仍然不能與傷寒區別，所以李杲著內外傷辯，意思是說傷寒是外感，這種傳染病是內傷。由於病名的混亂或稱大頭痛，或稱雷頭風，或稱內傷，可見當時對於鼠疫尚沒有確診辦法。

肺結核 關於肺結核的傳染性，早已被人發覺（尸注）。但有勞蟲是肺結核原因的推測，11世紀以前的急救仙方中（曾經林億校）內有紫庭追癆方，已明白指出勞蟲是勞瘵的原因並繪圖說明（圖6）。其後這種說法更盛，陳言於1174年的三因方內也提及勞蟲。孫允賢在1321年著的醫方大成[80]便有「諸方均記有去勞瘵蟲法」，可見勞蟲說法已被醫生公認了。從此勞蟲幻想遂具體化起來。這種勞蟲說在回回藥方內也有相同的記載，可見是當時世界上各民族對勞瘵病原的推測，完全一致。

於1345年更有葛乾孫著十藥神書[43]。他這部書共記十方，其中三方是止血劑，三方是止嗽劑，一方是安眠劑，三方爲營養劑。在當時對證療法中，可說是治療肺結核的最合理的療法。唐宋以來肺結核的治療向無有效辦法，自此書問世，中國醫生治療肺結核在對症治療方面有了依據，實在是一大貢獻。

(2) 消化系病（脾胃病） 1249年李杲著脾胃論，主張人以胃氣爲本，飲食入胃，變成精氣，營養全身，竭力提倡營養療法。由於當時醫生治病全憑對證治療，所以書內對於用藥極力推敲，特別指出用藥的加減法。他以前的醫生僅僅强記古人的驗方，他則指出製方的方法，使醫生能自由運用藥物。例如平胃散（枳實和白朮）是治胃腸病的基本方劑，如病人有不消化的症候便多加枳實，不快時加木香，食慾不振時加黃耆、人參，腹脹時加厚朴等。由此可知他對每藥的確實效力皆已明瞭，所以才能明白指出。他不但精於胃腸病的治療，而且指出營養法是治一切疾病的根本。從他以後醫生始知注意健胃法和營養法，顯然是增加了向疾病作鬥爭的方法，他所著的脾胃論是中國第一部胃病專書。他本人則兼胃病專家和營養學家。

2. 外科和正骨科

12世紀中國醫學已有極大成就，因此13世紀北京雖然來了阿拉伯醫生，設立阿拉伯式醫院（回回藥物院），但是影響於中國醫學進步的地方主要還是外科和正骨科。1335年齊德之著外科精義[87]和1337年危亦林著世醫得效方[88]皆有吸取阿拉伯醫學的痕跡，尤其是世醫得效方中的正骨科與現存回回藥方的折傷門內容多半相同，是最明顯的證據。

外科精義 共二卷，其中引用前人方書50多種，總結了前人的經驗，足以代表14世紀中國外科發展的情形。上卷記載外科病的診斷法和治法，下卷記載藥方和外科用藥物。關於外科病，除了傳染性化膿症，結核性潰瘍（附骨疽）以外，更記有肺膿瘍、血管瘤、陰瘡、丹毒、痔瘻、外傷、火傷等。在治法中記有亂切法（砭鐮法）、貼藥法、溫罨法（溻潰瘡腫法）、開創口法（鍼烙法）、腐蝕法（追蝕瘡疽法）、止痛法等。最後記載外科用藥59種，簡明扼要，足稱當時外科善本。

正骨術 自12世紀以後的醫書內，雖皆有記載，但是東鱗西爪，尚無真正內容。1337年危亦林著世醫得效方專闢正骨兼金鏃科。其中記載四肢骨折和脫臼（脚手各有六出臼，四折骨），更記有脊椎骨折（背脊骨折），並皆記載了整復法。另記載整復所用器械如剪、刀、鐵鉗、鑿、麻線、桑白線等。當時所用的麻藥爲烏頭、蔓陀羅、坐拏等。止痛藥則用乳香、沒藥、川椒等。

書中稱在行手術前，先服麻藥，使不知痛，然後整復。玆記其麻藥方及使用法，如下：

「諸骨碎骨折出臼者，每付二錢，紅酒調下。麻倒不識痛處。或用刀割開，或用剪去骨鋒者。以手整頓骨節歸元端正。用夾夾定，然後醫治。或箭鏃入骨不出，亦可用此麻之。或用鐵鉗取出，或用鑿鑿開，取出後用鹽湯或鹽水與服立醒。」

由於打撲傷和箭傷是當時戰爭上主要創傷，這本書內記載手術方法均極詳細。而且處置方法也多合理。這書是中國第一本正骨學專書，爲此後正骨科發展的基礎。

3. 處方學的進步

12世紀初年編輯的政和本草，載藥多至千餘種，同時修的方書聖濟總錄，收方多至兩萬。醫生無法記憶，不便實用，甚爲顯然。因此臨證醫家不得不想由博返約之道。首先要推求藥的眞正效用和製方的方法，如此才能取精去粗。他們根據古代本草如神農本草經，和自己的經驗，決定藥效，編輯實用的本草書，如潔古珍珠囊[12]，湯液本草[23]，和本草衍義補遺[46]等，所討論的藥皆僅一百多種。由於他們所著的書合乎實用，所以很受醫生歡迎。其次他們一致注意配方的方法，所以當時諸大醫家對於七方（大、小、緩、急、奇、偶、複）十劑（宣、通、補、瀉、輕、重、滑、澀、燥、濕）掌起討論[8,14,17]，而且他們的方書內皆列舉用藥加減法一項。由他們按照證候列舉的藥，可知他們確能運用多數有效藥物。此點較比當時阿拉伯醫書，毫無原則的於每證之下列舉多方，顯然是進了一步。所以我們今天檢討金元醫家在臨證醫學上貢獻，主要是他們教給醫生自己掌握藥物和自己製方，不再強記古人成方。雖然他們解釋藥效的理論，近於玄虛，但是提高了中國醫學的水準，走在當時世界醫學的前端，則毫無問題的事。可惜他們受了運氣學說的影響，主張醫生用藥隨着季節（四時用藥加減法）和地域（南人北人用藥各異）不同而有加減，使處方學帶上了玄學氣氛，誠然是一大不幸。

四、衛生學的情況

1. 流行病學

13世紀初年蒙古人向四方征伐，不但直接加給各地人民以災難，而且增多了流行病傳播的機會。由1213年（貞祐1）至1221年（興定5）河北山西一帶，便不斷有流行病發生。1228年窩闊台（太宗）自西域封地帶兵歸蒙古。1230年繼續侵金，1232年（天興1）圍開封（汴京）終釀成傳染病大流行，死人數十萬。據李杲的內外傷辯記載：

「向者壬辰改元（1232）京師戒嚴，迨三月下旬受敵者凡半月，解圍之後，都人不受病者萬無一二，旣而死者繼踵不絕。都門十有二所，每日各門所送，多者二千，少者一千，似此者幾三月。此百萬人豈俱感風寒外傷者耶？大抵人在圍城中，飲食不節，乃勞役所傷，……非惟大梁（開封）爲然，遠在貞祐興定間如東平（1220），如太原，如鳳翔，解圍之後，病傷而死，無不然者。」

同書在內傷飲食不節勞役所傷段內，記有「鼻有鼻流涕，頭痛自汗。鼻中氣短，少氣，不足以息語，則氣短而怯弱，不欲言。妨食，或食不下，或不欲食三者互有之。……」顯然是鼠疫特有徵候。

按一時能死人數十萬的流行病，只有霍亂、斑疹傷寒與鼠疫。但是霍亂與斑疹傷寒爲當時醫生已能診斷的病，可見非此二病。更就所記主要證候推測，大約是鼠疫。

14世紀中葉鼠疫流行於世界。1348年遍及歐亞非三洲，到了1352年便波及到俄羅斯。同年中國浙江龍興一帶也發生流行病。此後連年中國各地均有疫症發生。直到1362年（至正22）見於史書記載者達九次之多。尤以1359年（至正19）流行地域最廣，遍及陝西（鄜州）山西，河北（并州）山東（莒州、沂水，日照）廣東（南雄）等省。其死亡之慘不難想見。

2. 營養學

營養問題，中國古人早已注意到了，但是偏重在病人的飲食療法方面。至1330年（天曆2）忽思慧著飲膳正要，始從健康人的飲食方面立論，講究正常人的饍食[35]（圖7）。他這部書首先列舉一般衛生法則，例如夜晚不可多食，食後嗽口，清旦刷牙不如夜刷牙，齒疾不生等。其後條列妊婦食忌和乳母食忌。再次列舉各種富於營養性食物，頗似今日的食譜。例如各種點心，菜肴的成分和烹調方法，均詳細載明。現在我國日常食物大半均見於此書。最後講營養治療法，飲食的衛生，食物中毒等。而且此書附版畫20多幅，尤爲生動可貴。

著者任皇帝的庖師十幾年，根據自己經驗，參照當時衛生知識，逐條寫出，簡明適用。不但是中國現存的第一部完整的飲食衛生書，而且是一極有價值的食譜。

與飲饍正要同時出版的飲食書，更有吳瑞的日用本草[34]。其中分八門即米、穀、菜、果、禽獸、魚蟲味等。他根據前人方書50多種註解各種食物對於人體的影響，並且欲從日常食物中講求防治疾病的方法，也是中國營養學中的名著。

3. 衛生組織

自從1127年，女眞族佔據了黃河流域，是爲金國。女眞族的文化較比漢族的文化落後。1138年金熙宗定官制，依漢法，就是仿照宋朝的官制來統治人民。因之金朝的衛生組織幾乎完全與宋朝相同。例如宋朝設醫官院，爲官僚服務，金朝稱太醫院。宋朝設御藥院爲皇帝服務，金朝稱尚藥局。宋朝設惠民局專賣藥物，金朝稱惠民司。其餘如醫官的名稱和品級，也大部相同，最多只有一二個字的差別[53]。因此金朝的衛生組織不再重複。

當時蒙古族的文化較比女眞族尤爲落後，所以滅金以後，便摹仿金朝官制，於1260年（中統1）設立太醫院，於1261年在北京設大都惠民局，1263年在多倫設上都惠民局，1269年設御藥院，1273年更設御藥局。御藥院担任保管藥物和製造，御藥局掌管兩都的行篋藥物。另設專爲太子服務的典藥局和行典藥局。以上這些機構全是沿襲唐宋以來的官僚制度。

元朝的衛生組織最特殊的一點，便是於1270年（至元7）設置廣惠司。廣惠司是阿拉伯式醫院。蒙古兵在1253—1259年，西征回教國，佔領波斯一帶地區，建立伊爾汗藩國。1260年（中統1）調西征軍充防城軍。更由於許多衛士來自西方（欽察衛，西域親軍等）。由於這些西方衛士慣於阿拉伯治法，因此於1270年設廣惠司，用阿拉伯醫生，配製回回藥物，治療衛士的患病者。更由於事實上的需要，於1292年擴大組織，在北京和多倫各設一回回藥物院，加上以前設立的廣惠司，當時中國已有三個阿拉伯式醫學機關。

4. 醫藥管理[55]

1268年蒙古族佔領中國，因爲文化低於漢族，他們爲了預防漢人反抗，誤服毒藥，曾一再下令禁止售賣毒藥。例如1268年（至元5）禁止售賣烏頭、附子、巴豆、砒霜等，同時禁賣墮胎藥。次年（至元6）禁止做冒遊行賣藥。並於1272年（至元9）規定賣毒藥致人於死者，買者賣者均處死。1311年（至大4）禁售毒藥，除上述四種外，更增加大戟、芫花、梨蘆（藜蘆）、甘遂、側子、天雄、烏喙、莨菪，共計12種。（側子、天雄、烏喙、附子、烏頭是同物異名的藥，所以實際上是八種藥）。1319年更禁止玩弄蛇蟲禽獸，聚集人衆，街市售藥，違者處以重罪。

同時庸醫殺人的事，也時有所聞，因此規定醫生行醫須經過考試。例如1270年（至元7）醫生李忠給病人割治癭瘤身死。益都府醫生劉執中針死了人。又1309年（至大2）曲周縣醫生張永給人吃黎簠末中毒身死。因此1300年（大德4）禁止庸醫治病。1316年(延祐3)更規定醫生必須精通13科的一科始准行醫。凡是充任太醫和郡縣醫官的人須經考試及格。另規定所有行醫的人都須經內外郡縣的醫學考試。合格始得行醫。

監獄醫生　13世紀起已有獄醫的設置。但是由於元朝吏治腐敗，往往獄官任用不知醫的人充當獄醫。因此1313年（皇慶2）規定充獄醫者必須考試及格，始准錄用。更規定犯人有病，由獄官給藥免費醫治，並准許罪人的家屬進獄看護。

5. 醫生在社會中的地位

隨着醫學進步，醫生在社會上的地位，一天一天的提高起來。南宋遺民鄭思肖說，元分人民爲十級，醫生列在第五級（一官、二吏、三僧、四道、五醫、六工、七獵、八民、九儒、十丐）。當時規定醫戶得免一切差役，1305年澤州知州王黼說，醫學和刑法是兩大要務，必須重視才成。這兩點可以說明在14世紀中國社會上已經相當重視醫生了。但是外科醫生在社會上的地位，仍次於內科醫生，所以1335年齊德之外科精義內說，外科醫生不習切脉，甘當淺陋之名，是不應該的。

五、醫學教育[55]

1262年（中統3）太醫院大使王猷建議在各路設立醫學，於是久已廢弛的醫學教育才又恢復起來。1271年（至元8）更規定三年考試一次，及格者充任醫官。次年更在各路設立醫學提舉司，掌管考試醫生，試驗在職醫官，審查編輯的醫書，辨驗藥材，培養醫生，領導各路的醫學。大致相當於現在的各省的衛生行政機關。

當時各路各州皆設立醫學，後來大多數縣也設立起醫學。上州中州的醫學設教授，下州設學正，縣設教諭，掌管醫學教育。當時的醫學設在現今各縣城仍有殘跡的三皇廟內。1285年(至元22)規定，每逢每月的初一和十五兩日，醫生須要到三皇廟前焚香，彼此交流經驗。同時將自己的治病經驗寫出，在年終呈交本路的醫學教授，評定優劣。所以這時的醫學，與現在的醫學會的性質相近。

這種類似學會的醫學，由於元朝政治腐敗，也從未認眞實行。所以1305年（大德9），王黼說各路雖有醫學皆係有名無實。因此這年規定醫學生須要經常到校學習（坐齋肄業）。更規定在入醫學前，須修習一定的預備課程，以及入學後應修習的醫學課程（素問、難經、本草、和聖濟總錄、傷寒論等）。此後元朝的醫學才具有現代醫學校的形式。

醫學內分13科，但是有兩科合設一科者，所以實際上僅設10科。就是內科（大方脉）小兒科（小方脉）、精神神經科（風科）、婦產科、眼科、口齒兼咽喉科、正骨兼金瘡科、外科（瘡腫）、針灸科和祝由書禁科。試與宋代醫學所分科目相比，可見惟一差別，是正骨科成了獨立的學科。這一點，也正指明此時正骨科進步最多。

總　　結

1. 從1127--1279年中國的黃河流域被女眞族和蒙古族，先後統治了152年。一切文化較比同時期中國南方，均遠不如，因此醫學也不及同時期中國南方醫學進步。1280—1368年蒙古族統治全中國，經濟破壞，文化衰退，使中國進入黑暗時代。

2. 在醫學學說方面主要根據內經素問來解釋疾病的發生。14世紀以後受了阿拉伯醫學的影響，吸收了四體液論，但是與中國固有的六氣說相比，分不出上下來，只是增加中國醫學理論上的混亂，無有貢獻可說。

3. 臨證醫學方面的成就，主要是正骨科，受阿拉伯醫學的影響，有了顯著的進步。其次是消化系統病的治療，藥效的確認，處方的方法均有相當進步。

4. 在衛生學方面的成就，主要者爲營養學，和醫藥管理，在組織方面特別是在北京設立阿拉伯醫院（回回藥物院），使西方醫學直接傳入中國。在中西學術交流上曾起了一定的作用。

5. 13世紀末葉雖然曾在各路各州甚至各縣設立醫學，但是所設的醫學校有名無實，不能促進醫學進步。直到14世紀初年醫學才略具現代醫學校的形式。終由於當時政治腐敗，經濟破壞，醫學校不能發揮他應有的作用。

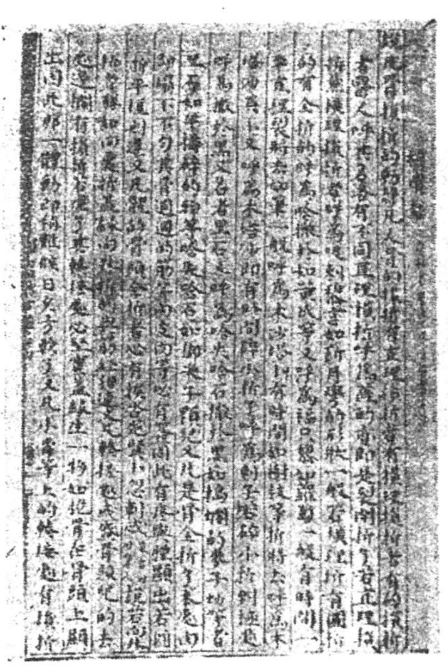

圖 1 回回藥方（明抄本）

圖 3 李 杲
（據明萬曆建北京東藥王廟塑像）

圖 2 劉完素的墓（河北省，河間縣，劉守（眞）村）

圖 4　朱震亨
（據醫仙圖讚，日人手抄本）

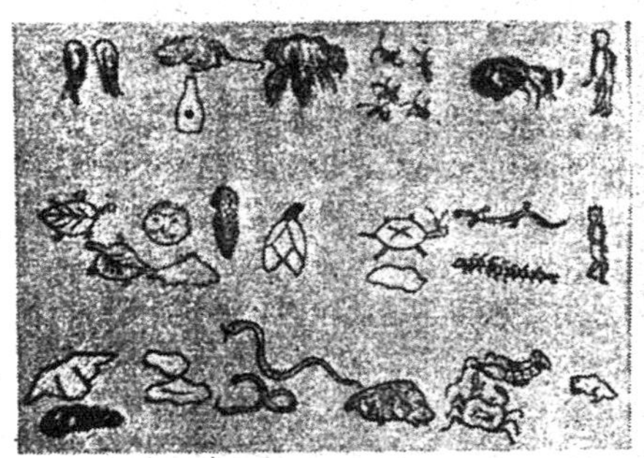

圖 6　肺結核病原想象圖
（據劉眞人紫庭追癆方）

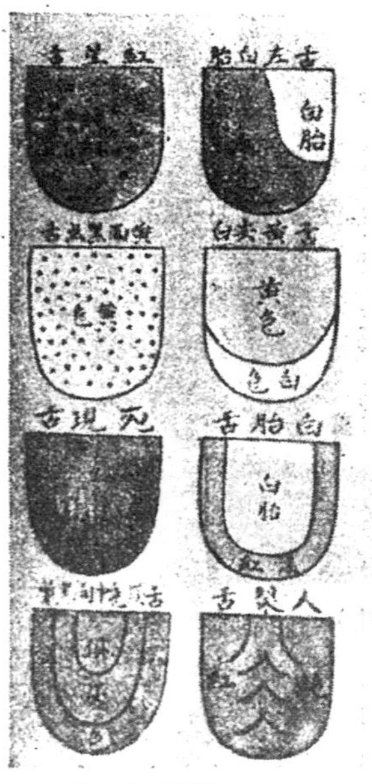

圖 5　敖氏傷寒金鏡錄內所論一部分舌胎圖

圖 7　食物相反（據明刻(約 1456 年)飲膳正要）

參考文獻

1. 成無己 明理論 1142（紹興壬戌） 光緒 33 年醫統正脉
2. 成無己 註解傷寒論 1144（紹興 14） 光緒 33 年醫統正脉
3. 成無己 藥方論 光緒 33 年醫統正脉
4. 劉完素 黃帝素問宣明論方 光緒 33 年醫統正脉
5. 劉完素 素問玄機原病式 光緒 33 年醫統正脉
6. 劉完素 葛雍編傷寒直格 光緒 33 年醫統正脉
7. 劉完素 傷寒標本心法類萃 光緒 33 年醫統正脉
8. 劉完素 素問病機氣宜保命集 1186（大定丙午） 光緒 33 年醫統正脉
9. 劉完素 三消論 光緒辛卯周澂之校刻醫書
10. 馬宗素 傷寒醫鑑 光緒 33 年醫統正脉
11. 張元素 潔古家珍 涵芬樓影印元刻濟生拔萃
12. 張元素 潔古珍珠囊 涵芬樓影印元刻濟生拔萃
13. 張 璧 雲岐子保命集論類要 涵芬樓影印元刻濟生拔萃
14. 張從正 儒門事親 1232以前 光緒 33 年醫統正脉
15. 李 杲 內外傷辨 1247（定宗 2） 光緒 33 年醫統正脉
16. 李 杲 脾胃論 1249（己酉） 光緒 33 年醫統正脉
17. 李 杲 醫學發明 光緒 33 年醫統正脉
18. 李 杲 活法機要 光緒 33 年醫統正脉
19. 李 杲 蘭室秘藏（羅天益刊） 1276 （至元丙子） 光緒 33 年醫統正脉
20. 王好古 醫壘元戎 1237（丁酉） 光緒 33 年醫統正脉
21. 王好古 陰證略例 涵芬樓影印元刻濟生拔萃
22. 王好古 癍論萃英 涵芬樓影印元刻濟生拔萃
23. 王好古 湯液本草 1306（大德10） 光緒 33 年醫統正脉
24. 王好古 此事難知 1308（至大 1） 光緒 33 年醫統正脉
25. 許國禎 御藥院方 1267（至元 4） 日本精思堂
26. 吳 恕 傷寒圖歌活人指掌 1276（至元間） 清致和堂
27. 羅謙甫 衛生寶鑑 1281（至元辛巳） 涵芬樓影印元刻濟生拔萃
28. 釋繼洪 澹寮集驗方 1283（至元癸未） 日本人手抄本
29. 曾世榮 活幼新書 1294（至元甲午） 宣統二年武昌醫館
30. 孫允賢 類證南北經驗醫方大成論 1321（至治 1） 日本寬永三年文書堂
31. 程德齋 傷寒鈐法 1324—27 清刊薛氏醫案
32. 沙圖穆蘇 瑞竹堂經驗方 1326（泰定丙寅） 光緒四年當歸草堂
33. 王國瑞 扁鵲神應玉龍經 1329（天曆 2） 四庫抄本
34. 吳 瑞 日本本草 1329（天曆 2） 明萬曆庚申
35. 忽思慧 飲膳正要 1330（天曆 3） 民 22 年商務國書基本叢書
36. 回回藥方 明手抄本
37. 齊德之 外科精義 1335（後至元 1） 光緒33年醫統正脉
38. 危亦林 世醫得效方 1337（後至元 3） 四庫抄本
39. 杜 本 敖氏傷寒金鏡錄 1341（至正 1） 清刊薛氏醫案
40. 滑 壽 新刊十四經發揮 1341（至正 1） 日本慶安二年
41. 滑 壽 診家樞要 光緒辛卯周澂之校刻醫書
42. 滑 壽 難經本義 光緒辛卯周澂之校刻醫書
43. 葛乾孫 十藥神書 1345（至正乙酉） 日本柏原屋與左衛門
44. 朱震亨 格致餘論 1347（至正 7） 光緒 33 年醫統正脉
45. 朱震亨 局方發揮 光緒 33 年醫統正脉
46. 朱震亨 本草衍義補遺 明邵武版丹溪心法附錄
47. 朱震亨 金匱鈎玄（又名平治會萃） 明初戴元禮錄 光緒 33 年醫統正脉
48. 朱震亨 丹溪心法附錄 1450印行 明嘉靖 15 年
49. 朱震亨 脈因證治 1775印行 光緒辛卯周澂之校刻醫書
50. 戴元禮 證治要訣 明初 光緒 33 年醫統正脉
51. 王 履 醫經溯洄集 明初 光緒 33 年醫統正脉
52. 戴起宗 脈訣刊誤集解 1523印行 光緒辛卯周澂之校刻醫書
53. 托克托 金史 1344（正正 4） 同治甲戌江蘇書局
54. 宋 濂 元史 1369（洪武 2） 同治甲戌江蘇書局
55. 元典章 光緒戊申 誦芬室藏書

我國早期留學西洋習醫者黃寬傳略

王吉民

陳垣氏在1922年的「光華醫事衞生雜誌」上有一篇論文「高嘉淇傳」，說我國最早留學西洋習醫術的，當推廣東高嘉淇氏。

照該誌所載高氏名竹，字嘉淇，號廣瞻，爲養心殿的御醫，在康熙年間，跟葡萄牙人學習西醫，曾經治好康熙太后的乳癌云云[1]。可是醫史學者的一般評論，以高氏紀載闕略，根據不足，多認香山黃寬氏，可以稱得我國早期留學西洋的習醫者。

考黃寬氏，字綽卿，號傑臣，廣東香山東岸鄉人，生於道光九年，即公元1829年，其先世多務農耕田，年幼時，父母早故，即失怙恃，依靠祖母撫養長大，惟天賦敏慧，初進鄉村學塾讀書，一經塾師的教，就能背誦，得有奇童之稱，後以家貧，中途停學。年12，至澳門，得外人的資助，就讀於教會馬氏學校[2,3]。

馬氏學校，係馬禮遜教育會創辦。學校起初在澳門，後來移到香港，由布朗氏主持，1874年布氏返美，有中國學生三人隨行，除容宏和黃勝外，其一就是黃寬，這是我國出洋留學學生的第一班。

黃寬離國時，年才18歲，至美國進曼松學校，凡四年，得文學士學位。嗣獲蘇京行醫傳教會奬學金，乃赴英倫，入愛丁堡大學專攻醫科，肄業五五，在畢業考試時，名列第五，獲金牌等奬及醫學士頭銜。復留英兩載，研究病理學與解剖學，直至1857年返國[4]。

氏回國後，服務於香港倫敦會醫院，第二年赴廣州接辦合信氏在金利埠創設的惠愛醫館，力加整頓，館務蒸蒸日上[5]，據1859年報告，該館有病床80架，住院病人有430人，門診病人達26,030人。氏親授生徒四人，助理診務，同時又兼職於博濟醫局，旋以不直某教徒的作爲和當局意見不合，遂辭去了惠愛醫館之職。同治初年（1862年）李鴻章聘至幕府，任醫官職務，不半年，對於仕宦生活不感興趣，即行辭去，當時上海道台丁雨生氏勸他復職，並應許他予以種種便利，氏終不就，返廣州再度自設診所[6]。

1863年海關醫務處成立，聘全國醫官共17人，都屬外籍，中國人僅他一人。1866年博濟醫局附設醫校，聘氏爲教員，担任解剖學生理學和外科。次年，嘉約翰氏因病離華，委氏爲代理，在氏代理期間內，所施手術的次數，比較過去任何一年的相當期內爲多，就是醫校的學生也特別增多，氏在教學和診務上的地位，更覺重要。氏除盡力於上述的工作以外，復任西南施醫局主任，在他各種崗位上，一生勤勞，始終未曾懈怠。

氏好學不倦，醫術精深，處方尙簡。氏尤擅長外科，診斷精細，手術靈敏，按1860年曾施行胚胎截開術一例，是爲國內施行這種手術的嚆矢。廣東向以患膀胱石爲多，嘉約翰氏曾以截石術聞名，但是在他以前，黃氏早經割治過33人。

氏性剛直，不喜交際，他的生活簡單樸實，不吸烟，不飲酒。家河南時，與姊同住，娶何福堂女爲妻，氏甚孝友，事祖母尤尊崇，祗有一姊，到老敬愛不渝，視諸甥若己出，力盡教養，不知何故，與妻離異，因此氏終身不再娶，遂無所出。

公元1878年（光緒四年），10月12日，氏患項疽劇發，卒與世長辭，享年49歲[7]。除醫院報告和海關醫務年刊外，無其他著述行世。

黃寬年譜簡表

1829 道光九年 黃寬生於廣東香山縣東岸鄉。

1840 道光21年 12歲往澳門在馬禮遜學校肄業。

1842 道光22年 學校遷香港，和學生同行。

1846 道光26年 隨校長布朗氏赴美，入曼松學校肄業。

1850 道光30年 大學畢業，得文學士學位，赴英國愛丁堡大學習醫科。

1855 咸豐五年 醫科畢業，得醫學士學位。

1856—57 咸豐6—7年 在醫院實習。

1857 咸豐七年 返國在香港倫敦會醫院服務。

1858 咸豐八年 返廣州就惠愛醫館職。

1860 咸豐10年 辭惠愛醫館職自設診所，暇時協助博濟醫局診務。

同年施行胚胎截開術，爲中國此種手術的第一例。

1862 同治一年 李鴻章聘至幕府任醫官職，不半年，即辭去。返廣州，再自設診所。

1863 同治二年 聘爲海關醫務處醫官。

1866 同治五年 博濟醫院附設醫校成立，聘爲教員，担任解剖學、生理學及外科。

1867 同治六年 代理博濟醫院院長。

1873 同治12年 廣州霍亂盛行，著文詳論眞假霍亂之區別。

1875 光緒一年 兼西南施醫局主任。

1878 光緒四年 因患背癰逝世，享年49歲。

参考文獻

1. 陳 垣：高嘉洪傳，光華醫事衛生雜誌，2號.
2. 余學琀：中國人始留學歐洲習醫術者黃公綽卿行述，醫學衛生報第5期.
3. 王吉民：吾國最早留學海外之二醫師 醫文1:3,27頁.
4. Wong and Wu: History of Chinese Medicine, p. 371—373, 391, 395.
5. Report of Medical Missionary Society, 1860.
6. Chinese Recorder, vol. 7, p. 174; vol. 19, p. 21.
7. Customs Medical Reports, No. 18, p. 57, 1879.

來 函 更 正

中華醫史雜誌 1954年 第一號

頁	欄	行	誤	正
25	左	3	1735	1753
25	左	12	34歲	37歲
36	右	倒3	及打	及西康之打
38	左	倒13	peimine	penirine
62	右	倒1	1953年	1935年

證類本草與本草衍義的幾個問題

洪貫之

唐代的新修本草21卷，成於公元659年（顯慶四年），是我國第一部藥典，現在此書僅存殘卷。宋代在新修本草的基礎上從事增修，先後頒布了盧多遜詳定本草20卷，目錄一卷；開寶重定本草20卷，目錄一卷；嘉祐補注神農本草（公元1057——嘉祐二年，掌禹錫等補注）20卷，目錄一卷；蘇頌圖經本草（公元1061年——嘉祐六年）20卷，目錄一卷等，今各書多已亡佚。在此以後，有唐愼微的「經史證類備急本草」，這一歷史上偉大的私人著作，經過了艾晟的補充後，改題爲「大觀經史證類本草」而刊行，後人或稱爲「經史證類大觀本草」，至今爲研究古本草學者所推重。

一般學者對於「大觀本草」的內容，一向認爲和唐愼微的原本是一致的，素無異詞；我却發現此書已不是唐氏當日的本來面目，前人似少注意。現在把我所見到的有關資料提出於後。

一、大觀本草經過艾晟增改，不是唐愼微證類本草的原本。

經史證類備急本草的原著作人是唐愼微，字審元，成都華陽人。他在元祐間（公元1086—1093）曾給宇文虛中的先人療病，所以虛中對唐氏的性格、作風和辛勤地搜集資料編寫本書的情況等，有深切了解（見宇文虛中跋，此跋在重修政和本草中）。但是艾晟在「大觀本草」的序文裏（公元1108——大觀二年）却說：「愼微姓唐，不知爲何許人；傳其書，失其邑里族氏，故不及載云。」查艾、唐兩人年代相距甚近，而失考如此，足見艾晟這個人的粗枝大葉。今唐氏書雖因艾晟而流傳，但艾氏對證類原書的內容，有否改竄或補充的痕跡，自然也成我們研究的目標了。

我首先檢查了明嘉靖刊本（公元1552）「重修政和證類備用本草」，在該書卷第三、玉石部上品丹砂條：引用「別說」文字後，發現有細註兩行：「晟近得武林陳承編次本草圖經本參對，陳於圖經外，又以「別說」附著於後，其言皆可稽據不妄，因增入之」。我手頭沒有大觀本草，蒙范行準先生借閱武昌柯氏影元覆刻本，查見亦有此段註文，這裏的「晟」當然便是艾晟無疑。所以書中的「別說」必爲艾氏所附益，這是很顯明的。

再看證類所引用的「所出經史方書」的存目，他對引用各書書名類次，體例十分謹嚴，是按着經、史、子、醫經、本草、方書等的次序編列的，在本草類並無陳承所著的本草圖經列入，但在傳記雜著的目次中，却忽然出現「陳承別說」四字，這是不能忽視的。我們明白陳氏的書原稱「重廣補注神農本草並圖經」（見長樂林希序，載大觀及政和本草序例上），所謂「陳承別說」現非書名，照原有體例，決不能把本草一類的書雜在傳記雜著的書籍中來編目，更可證明這「陳承別說」四字也爲後人補列於存目之內的，已無可疑。

又據日本丹波元胤醫籍考云：「本事方載剪草治吐血瘵瘵方曰：「鄉人艾孚先嘗說此事，渠後作大觀本草；亦收入集中。」孚先當是晟字。」可見當時有人直認大觀本草爲艾氏書。今查第九卷草部中品，剪草條有「治瘵瘵方」，此方並未注明出處；又第21卷蟲魚部中品，蠐螬條有「治口瘡方」，亦無出處，均與原書體例不合。雖然一般認爲「大觀本草」比較上最接近唐氏書原有形式的，但艾晟破壞了唐氏體例的事實，我們在考證上仍然不可忽略。

大觀本草已非唐氏原本，具詳前述。這裏所要提到的是大觀本草的兩次重修：第一次在公元1116年（政和六年）九月，題爲「政和新修經史證類備用本草」，有編類聖濟經、提舉太醫學事曹孝忠序；另一次是在公元1157年（紹興27年）九月，由醫官王繼先等校定，在公元1159年上之刻版，題爲「紹興校定大觀證類本草」。大觀本草今有公元1904

年（光緒甲辰）武昌柯逢時影元覆刻本，計31卷，每卷卷末或首行亦題「經史證類大全本草」，書內不附寇氏衍義；其「有名未用」在30卷，本經外草類在31卷，此與「政和本草」不同之處。清修四庫時未見大觀眞本，僅以明刊本爲據，故提要有「大德所刻「大觀本草」亦增宗奭「衍義」，與泰和本同」的錯誤紀錄。實際上元代大德壬寅（公元1302）所刻的宗文書院本大觀本草，係據南宋本覆刻，文中避孝宗（宋帝趙眘，公元1163——1189）名諱，書中並不附入「衍義」，丹波氏醫籍考辨之甚詳。但是四庫提要爲什麼會有這樣的錯誤紀載呢？因爲明人確有以「政和本草」妄易「大德」題署的，就是公元1577年（萬曆五年）的宣城王大獻刻本。據楊守敬日本訪書志卷九，跋大觀本有云：「明萬曆丁丑，宣城王大獻始以成化重刻政和之本，依其家所藏宗文書院大觀本之篇題，合二本爲一書。卷末有王大獻後序，自記甚明。並去政和本諸序跋，獨留大觀艾晟序及宗文書院木記。按其名則「大觀」，考其書則「政和」，無知妄作，莫此爲甚。」這就是四庫提要錯誤的根源了。

二、寇氏衍義是什麼人附入政和本草的？

政和本草和寇宗奭的「本草衍義」是成於同一時期的（衍義序有「時政和六年丙申歲記」字樣）。政和本草中似不應當附有寇氏衍義。現在通行的政和本草，係據晦明軒本覆刻，題爲「重修政和經史證類備用本草」，計50卷，內附寇氏「衍義」，當非政和之舊。關於政和本的增入衍義一事，很多學者每據四庫提要之說，認爲「衍義」的新增始於平陽張存惠，近人張山雷先生已揭發其誤。今考「重修政和本草」晦明軒印記有云：「此書行世已久，諸家因革不同。今取證類本尤善者爲窠模，增以寇氏衍義，別本中論方多者，悉爲補入」云云。又貽溪麻革序有云「行於中州者，舊有解人龐氏本，兵煙蕩析之餘，所存無幾，故人罕得恣覩。今平陽張魏卿，惜其寖遂湮墜，乃命工刻梓。實因龐氏本，「仍附以寇氏衍義」，比之舊本益備而加察焉。」這裏明明說是「仍附」，足見「衍義」新增並不始於張氏，當時通行的證類，且不止一本，於此已可了然。至於後世重刻政和本草，改題爲「重修政和」云云，實以晦明軒本爲始。

現存的「政和本草」，最多見的是明代嘉靖刊本（公元1552—嘉靖壬子），係據成化戊子（公元1468）本覆刻，其祖本仍是張存惠本。卷首有麻革、曹孝忠序，晦明軒木記及明代重刊諸序；卷末有補注本草奏勅、圖經本草奏勅，並宇文虛中及劉祁等跋。書內各藥附圖，因晦明軒印記有「圖像失眞者，據所嘗見，皆更寫之」的話，故與大觀本多有不同。

四部叢刊的「重修政和經史證類舊用本草」是以影印晦明軒原本爲號召的，其實仍是取明代的覆刻本，削去重刊諸序而付之影印，絕非元本。考段玉裁說文解字註云：「果人之「人」字，自宋元以前，本草方書，詩歌記載，無不作「人」；自明成化本草，乃盡改爲「仁」字，於理不通。金泰和間所刻本草皆作「人」，藏袁廷檮所。」今檢四部叢刊本政和本草，如木部的「郁李仁」，果部的「桃核仁」、「杏核仁」、「李核仁」等，無一作「人」字的，與段說不合。可見商務所據的實非晦明軒原版。不過晦明軒本實是元刻，並非金本，以干支紀年推之，金統覆亡已十餘年。據友人范行準云：當是金之遺民所爲，故仍奉勝朝正朔，此說甚可信從。

三、道藏本圖經衍義本草是不是寇氏衍義原本？

本書在宋史藝文志未見著錄，我在1948年發表的「中國古代本草著述史略」（醫史雜誌二卷第一、二期合刊）文中也沒有提到此書。我購得的是涵芬樓影印道藏本，全書42卷，16冊；序例上五卷，別出一冊。書中各卷第二、三行有「宋通直郎、辨驗藥材寇宗奭編撰」，「宋太醫助教，辨驗藥材許洪校正」的署名。其書無重刊年月及序跋並缺目次，但據書中「郁李人」、「桃核人」、「李核人」等仍寫作「人」，不作「仁」字，可見此刻必在明代以前，在現存古本草書中也是稀有的。

我們一向只知寇宗奭編有「本草衍義」20卷，未聞編有此書，且卷目亦不相合。惟醫籍考有「劉信甫新編類要圖註本草42卷」之目，卷帙全與本書同，但撰人姓氏不同，書名亦稍異。丹波氏在劉書存目後有按語說：「劉信甫著有活人事證方，蓋嘉定（南宋寧宗，即公元1208——1224）中人也。信甫編是書後，就證類本草中附以寇氏衍義者，有金平水張存惠……然存惠之書，於政和原本，無所節略；信甫之書，頗加芟汰，二書體裁自異。又有元山普明大師、賜紫僧慧昌，校正「類編圖經集註衍義本草」，其卷數板式，一與信甫之書相同。」丹波氏並沒有說到另有許洪校正本一種，足證丹波氏未見此道藏本。至於丹波氏也以證類中附入衍義，屬之張存惠，其說實誤，已辨正在前，玆不複贅。

我認爲現在道藏本的書名大抵是省文，它旣然包括了「補註本草」「圖經」和「衍義」的內容，書名也應該作「圖經集註衍義本草」纔是。假使衍義在本書中只是後人的「增附」，就不該題爲寇宗奭撰，而且旣有「許洪校正」字樣，似乎更不可能以後人僞託之書當之。我偶然取了大觀和政和本草與此道藏本來對勘，發現有兩點可異之處：（1）本書首卷序例同樣載有「重廣補注神農本草並圖經」的林希序，但並沒有大觀本的「艾晟序」或政和本的「曹孝忠序」附入，似乎本書非以大觀本草爲藍本的；（2）全書藥圖和現存的「大觀本」或「政和本」的圖並不相同，當必另有來歷。因此使我聯想到本書可能保留了宋代圖經本草的某些內容——特別在藥圖方面，那麽此書和陳承的重廣本草圖經頗有些瓜葛，祇是到目前爲止，還不能找出它們間有着血統關係的確切證據。

本書的校正者許洪的時代是可以考證的。他曾經校註「太平惠民和劑局方」，並自編「和劑局方總論」及「本草藥性總論」等。他的校註局方自序尙存（見醫籍考），後署「時嘉定改元，歲在戊辰（公元1208）日南長至，勅授太醫助教、前差充四川總領所、檢察惠民局許洪」字樣。就此可知許洪生存的時代，上距寇氏成書之日已逾百年，他能見到寇氏原本，但現在的道藏本，經過許洪校正後，或許也有重行劃分和增刪的可能。

本草衍義單行本20卷，一向被認爲是寇氏原本的，今有公元1877年（光緒三年）陸心源校刊的吳興陸氏十萬卷樓重雕本，據稱係據南宋麻沙本重刻，「行款悉依元刻」。今檢陸氏十萬卷樓本，其書首頁有政和六年12月劄文一頁，頁尾有「宣和元年（公元1119）某月本宅鏤版印造」，「姪宣教郎、知解州、解縣丞寇約校勘」兩行，可知此書最早係寇氏自刻，則南宋本亦當爲寇氏眞本。惟近人張山雷根據寇氏原叙，提出了相反的見解。他在道藏本寇宗奭本草衍義校勘記自叙中說：「寇氏衍義自叙則謂「謹依二經類例，分門條斷（此所謂二經，指本草及圖經二種而言，即嘉祐二年掌禹錫等奉詔補註之本草20卷，目錄一卷，及嘉祐六年蘇頌所上之本草圖經20卷，目錄一卷是也。道藏此本題爲圖經衍義本草，亦與寇氏之自叙相符——張氏自註），仍衍序例爲三卷。內有名未用及意義已盡者，更不編入；其神農本經、名醫別錄、唐本先附、今附、新補、新定之目，緣本經已著，目錄內更不聲說。依舊作20卷，及目錄一卷，目之曰本草衍義」云云。乃知道藏此本，本經、別錄之黑字白字不分，及唐附、今附、新補、新定諸名稱，所以一律刪除者，寇氏固已自言之；而其他生僻藥物，大半無存，又各藥下詮釋之文，此本俱不若張本（按：張本指今政和本草）繁瑣者，皆與寇氏自叙無一不應。然則道藏此本即是寇氏衍義之眞本，惟寇書原於唐本及開寶、嘉祐諸本，同爲20卷，目錄一卷。今道藏本析爲42卷，又刪其目錄，乃爲擅改舊式耳」。我們雖不同意此道藏本即爲寇氏衍義的眞本，但根據張氏此文的線索，再重讀寇氏自序，也就覺得此序不像爲今單行本衍義而寫，尤其自叙中如張氏所舉出的這些「仍衍」「更不編入」「目錄內更不聲說」「依舊作20卷，目錄一卷」等說法，應該尙有包括了補注本草和圖經大部分內容的另一書存在，似不專指今單行本衍義而言。那麼寇氏自叙在政和本草及道藏本裏都稱它爲「衍義總叙」的意義，也就可以恍然了。

我推想寇氏原書的撰寫，大抵是以陳承的重廣本草圖經爲藍本（可能也參考唐氏證類的原本），當時的衍義部分，本是獨成一書，並非逐條附入；全書的其他內容，雖比大觀本草和政和本草爲「精簡」，總是大同小異而已。由於當時的大觀本草與政和本草旣由政府兩次刊行，所以寇氏只把自己的「衍義」部分析出單行，而不再刊印全書，但是自叙並未改寫，或者旨在說明當時另有一番編寫過程和目的，所以仍把「總叙」保留下來，我想也是可能的。現在許洪校正的道藏本，把衍義分附於各條之後，恐怕並不是寇氏全書的原有形式吧。

張山雷先生的校勘記僅有稿本，未見。我現

在正進行政和本草與道藏本衍義的校勘工作。我覺得道藏本的刪略處，並不是無原則的，最顯著的，如政和及大觀本草所有的本草圖經本經外草類、木蔓類，及有名未用、唐本退、今退等諸藥文字，在道藏本全被刪除；此非關於圖經條、海藥條、陳藏器餘各藥，大部分摒棄不錄，只有少數收載，確與「衍義總叙」所言頗合。但道藏本的刊落、錯簡等，除張山雷氏已校出的外，尚有若干脫漏處，俟全書校竣，當另撰校勘記。本書雖非精刻，而此外既別無善本，則道藏此本亦數百年前的舊物，幸獲保全而流傳，在醫藥文獻史上，總是有它一定的價值的。

編者按： 洪貫之同志這篇文字主要是想說明證類本草和本草衍義的三個問題。對於這幾個問題，我們特提出下列意見，以供作者和讀者的參考。

1. 寇氏衍義是什麼人附入證類本草的這一問題，洪貫之同志引的證據是不夠的。晦明軒印記題泰和甲子下己酉，麻革導修證類本草序題己酉孟秋望日，劉祁歸潛志卷13（知不足齋叢書本）書證類本草後題己酉中秋日，這三個己酉都是一年，都是公元1249年。何以知道這三個己酉是同一年呢？因爲金史卷226內有劉祁傳，他的生卒年是公元1203—1250年，他一生只逢有一個己酉（公元1249年），就是在他逝世之前一年。麻革序指明是張存惠附以寇氏衍義。晦明軒刻本政和本草每卷書名題下均註明「己酉新增衍義」。劉祁書證類本草後說：「今歲遊平水，會郡人張存惠魏卿介吾友弋君唐佐來言，其家重刊證類本草已出，及增入宋人寇宗奭衍義。完爲新書，求爲序引，因爲書其後。」這說得非常明白。因此，我們可以推知，在北方，張存惠是將寇氏衍義增入政和本草的第一人，晦明軒可能就是張存惠的別號。

在南方却不然了。據日本人森立之經籍訪古志補遺著錄有建安余彥國勵賢堂刊本、劉信甫許洪校正的，「新編類要圖經本草」。森立之說：「按此節略唐氏證類，而附以寇宗奭演義者。劉信甫許洪俱宋嘉定間人（公元1208—1224年），在張魏卿新增衍義之前20有餘年矣。」由此可見證類本草中附入寇氏衍義，南方是早於北方了。

洪貫之同志根據麻革序中「仍附以寇氏衍義」一句，將仍字解作仍舊的意義，認爲新增衍義並不始於張存惠。這種看法也有問題。因爲仍字的意義很多（見阮元經籍纂詁），又可以當乃字用（見王引之經傳釋詞及吳昌瑩經詞衍釋），並不止限於仍舊的意義。

2. 晦明軒印記題泰和甲子下己酉，最初發現這個問題，並給予解釋的是錢謙益，他在有學集卷46，跋本草說：「金源代以夷狄右文，隔絕江右，其遺書尤可貴重。平水所刻本草，題泰和甲子下己酉歲。金章宗太和四年甲子，宋甯宗嘉泰四年也。至己酉歲爲宋理宗淳化九年，距甲子45年，金源之亡已16年矣。猶泰和甲子者，蒙古雖滅金，未立年號，又當女后攝政國內大亂之時，而金人猶不忘故國，故以己酉繫泰和甲子之下歟。」（四部叢刊本）後來錢大昕採取錢謙益的一部分的說法，他在十駕齋養新錄卷14，證類本草條說：「舊題記云泰和甲子下己酉冬，實元定宗后稱制之年，距金亡已十有六載矣。而存惠猶以泰和甲子統之，隱寓不忘故國之思。或以爲金泰和刻則誤矣。」（四部備要本）程瑤田又採取了錢謙益的另一部分的說法，他在通藝錄、古書求解，證類本草書後說：「泰和，金章宗年號。甲子爲泰和四年，實宋甯宗嘉泰四年也。下己酉者，元定宗后稱制之年也，爲宋淳祐九年。時平陽地屬元，元初承金而未建元，故止溯金章宗甲子以統之。」（安徽叢書本）

3. 日本人森立之經籍訪古志補遺著錄有元板「類編圖經集註衍義本草42卷，序例五卷，目錄一卷」。森立之說：「元世醫普明眞濟大師賜紫僧慧昌校正。按此書即類要圖註本草，而妄改題目者。」同書又著錄有建安元彥國勵賢堂刊本「新編類要圖註本草42卷，序例五卷，目錄一卷」。森立之說：「宋桃谿儒醫劉信甫校正。卷首有許洪校正字。」中央衛生研究院中國醫藥研究所藏有元刊殘本「類編圖經集註衍義本草」，與森立之所著錄的正是一書，目錄前有僧慧昌校正一行，序錄前有寇宗奭編撰許洪校正兩行。據此可知這兩種本草實即一書，都是經過許洪校正的。這說明本草上題許洪校正字樣的，並不止限於道藏本圖經衍義本草一種。

「銅人腧穴鍼灸圖經」和「銅人鍼灸經」的異同

張贊臣

銅人是宋代醫學上的創作，據王應麟玉海說：「天聖五年（公元1027）10月壬辰，醫官院上所鑄腧穴銅人式二，詔：一置醫官院，一置大相國寺仁濟殿。先是，上（按指趙禎，即宋仁宗）以鍼砭之法傳述不同，命尚藥奉御王惟一，考明氣穴經絡之會，鑄銅人式，又纂集舊聞，訂正訛謬，爲銅人腧穴針灸圖經三卷；至是上之，摹印頒行，翰林學士夏竦序。以四年歲次析木（公元1026）秋八月丙申上，七年（1029）閏二月乙未賜諸州。」後世針灸著述，引用本書，多簡稱「銅人經」，其書至今受人重視。在明代曾經覆刻，見於著錄的有瞿氏鐵琴銅劍樓傳抄明正統本，又平津館鑒藏記載：孫星衍藏有明本刪雕腧穴針灸圖經三卷，當亦爲正統本。現存的銅人圖經爲金大定平水新刊五卷本，經貴池劉世珩影金覆刊（公元1909），爲玉海堂景宋叢書之五。此外別有明刊太醫院原板的三卷本計兩種：一爲單行本，共四册；又一本係金陵三多齋梓行，與徐鳳針灸大全合刻，題爲「銅人徐氏針灸合刻」，亦四册此二本卷首均有明正統八年（公元1443）御製序。清修四庫全書時在醫家類既未著錄，而且十分錯誤地把不署撰人名氏七卷本的「銅人鍼灸經」與王氏書混爲一談，在提要文中，引用了讀書後志和玉海的話，還說：「此本（按指銅人針灸經）卷數不符，而大致與二家所言合，疑或天聖之舊本」云云，直認兩書爲一。這一錯誤在今天是必須加以糾正的。

著作年代和板本異同

1. 銅人腧穴針灸圖經

銅人腧穴針灸圖經的著作年代是肯定的。王氏原書止三卷，現在通行的爲貴池劉氏覆刻金平水新宋史藝文志同）；玉海係本於續資治通鑑長編云云。今考補注本首頁有「翰林醫官朝散大夫、殿中省尚藥奉御、騎都尉、賜紫金魚袋臣王惟一奉聖旨編修」的題署，目錄後有夏竦序。又明朱祁鎮（即英宗）正統八年（公元1443）三月二十一御製序說：「宋天聖中創作銅人腧穴針灸圖經三卷，刻諸石；復範銅肖人，分布腧穴於周身……於今四百餘年，石刻漫滅而不完，銅象昏暗而難辨，……乃命礱石範銅，倣前重作。」均足證明明季覆刻確爲王氏圖經，可見後世或作「惟德」，這些均是承襲讀書後志之訛，宋史祇有「王惟德」傳，可能亦出於後人妄改，故王氏書原祇三卷，而著作人之應作「惟一」，也是沒有疑問的。

現存劉氏影金覆刻本既標明「新刊補注」，自和一般僞託者不同，而且卷三「針灸避忌人神圖」之前有：「鍼灸避忌太乙之圖序」，後署「時大定丙午歲（公元1186）上元日，平水閑邪聵叟述」字樣，是其書顯有增益，故卷帙不符。劉氏刊本我在早年曾有購藏，至明刊兩種，已爲稀有珍本。查明刊單行本分卷上、卷中、卷下三卷，各一册，別出「穴腧都數」一册，不列卷內；又金陵本（即與徐氏大全合刻本）內容並與上同，惟以「都數」爲首册（亦不列卷），此均據正統本復刻者。今取與補注本互校，惟明本不署撰人姓氏，亦無夏竦序及目次，所繪腧穴圖與補注本全不相同，至正文（明本關於十二經循行各經序次與補注本不同，且無細注）則大致相同，惟分卷略異。如補注本之一、二卷均在上卷（指明本，下同），卷三及卷四在中卷（卷三內避忌神人之圖，明本作針灸避忌之圖；圖後冬至、立春、春分、立夏、夏至、立秋、秋分及中州等八圖，明本無），五卷爲下卷。觀此處爲新刊所附入外，其餘內容，無甚歧異，所以「三卷」「五卷」的卷帙盈縮問題，至此已略可考見。關於各本文字或稍有出入，容後另寫精校，茲不贅述。

2. 銅人針灸經

四庫全書醫家類著錄的「銅人鍼灸經七卷」，內容編次與王氏「銅人經」大異。現存的有明山西平陽府刊本，計兩册，圖文並多訛奪，蓋是當時俗刻；清代另有馮一梅校本。此書在後世針灸書中引用很少，惟承淡安君在民國丁丑（1927）出版的「銅人經穴圖考」曾將此書收入，承君所據的是光緒間復刊本，其圖亦係光緒九年（1883）10月所重繪，圖文並多校正。據醫籍考著錄此書，作亡名氏鍼經一卷，下注云：「按此書收在於聖惠方第99卷，今味其序語，非出於唐以後之人者。原本當自單行，王懷隱等編書，採入其全文者也。熊氏衞生堂所刊，劃爲七卷，改名銅人鍼灸經，歙求記並提要所著者（原誤則）是也。彼未見聖惠方銅人圖經等書，故其說特致傅會矣。」今考聖惠方的編纂，始於宋太平興國七年成於淳化三年（公元982—992）。此書旣被收入聖惠方，自然是宋以前的書。今查該書卷二：前頂穴條引「甄權針經」云云，可見其成書不能早於唐初，也是沒有疑問的。不過此書經熊氏重刊以後，把它改題爲「銅人鍼灸經」，竟將宋前的書冠以「銅人」的書名，不知「銅人」之稱始於宋代，如此擅易書名，不但和王氏書易於相混，而且失去「歷史名詞」在時代上的正確性，這更是非常不妥的，不可不辨。

內容的異同

古代針灸圖籍大部亡佚，留傳下來的已是很少。唐時有甄權鍼經和明堂圖，今並不存。惟甄氏明堂孔穴，因孫思邈收入千金翼方，尚可考見甄氏的取穴多寡，和甲乙經也是完全相同的。

現在我取王惟一的「銅人腧穴針灸圖經」的穴名來和甲乙經對勘，發覺王氏書中的孔穴比甲乙經多出了「青靈」「厥陰兪」「膏肓兪」三個雙穴和督脈的「靈台」「陽關」兩單穴，所以穴名是354穴，如以穴位合計是657穴（與聖濟總錄針灸門及滑伯仁十四經發揮的取穴完全相同）。除了穴名以外，王氏的編次（據五卷補注本）卷一及卷二是十二經及督任脈循行文並所屬各穴，卷三以下是各穴的主療（包括穴位、主治等）正文，並不按十二經分部，而是以頭部（偃、伏、側、正等）、面部、肩膊、背腧、側頸項、膺腧、側腋、腹部、側脅等的篇目爲次序，但在四肢手足各穴則另立十二經爲篇次。它的篇目和穴位分配，雖然和甲乙、甄權（據千金翼卷26）等略有出入，但用這樣的編次方式來配列諸穴，仍然與甲乙經等是同一系統的。如果以「銅人針灸經」取來對勘，就和甲乙及銅人經大大不同了。（但外台秘要的孔穴是把頭面、胸背等完全配列在十二經系統的）

「銅人針灸經」的篇次和取穴都非常特出。它按正人形、背人形（各四）、左人形、右人形（各二）等的十二人形次序來配列諸穴，各附十二人圖。計穴名164，連左右雙穴合計爲290穴，比甲乙經少了185穴（但其中也有少數穴名是甲乙經及王氏銅人書所未載的，如神聰四穴、髖骨四穴、及眉沖、當陽、督兪、氣海兪、關元兪、膝堂、風市、前關等）。當時鍼灸法的傳述不同，於此亦略可考見。此外「銅人針灸經」的各穴主療文字，以及針入分寸，施灸壯數，也和王氏銅人等互有異同，足見此書的撰輯確是別有師承的。可惜撰人姓氏與確切的著作年代，時至今日已難詳考。我們現在如果從「精簡孔穴」的要求來看，還需是值得研究的，我要把兩書同時提出討論的本意，也就在此。希望同志們更進一步加以整理和發揮。

揚州疾病方言攷（一續）

張羽屏原著　耿鑑庭摘錄

自揚州醫藥方言攷登載於中華醫史雜誌·本年度第一號後，各地友好紛紛來函，咸謂頗切實用，函望賡續爲之，爰又輯二十五字，易以今名，似較合理。吾揚鄒必顯先生，於嘉慶間曾拾輟揚州俗語，成飛跎傳若干卷，及今猶膾炙人口，爭相傳閱，今余欲私淑其意，待本篇再發表數次，內容稍稍豐富後，總爲貫串，假設其辭，以醫者病家之會話方式，寫數篇診療記錄，庶使江淮間之刀圭度世者讀之，一目瞭然，便於記憶，或可爲臨床時應對及醫算之一助云爾。

鑑庭識

瞟　目睛上視者，揚俗呼爲瞟天眼。瞟當用瞟。廣韻瞟收宵小二韻，小韻音敷沼切。引埤蒼云：一目病。目病則不能平視矣。瞟在說文訓瞭，徐鍇通釋謂微視之。上視者若有所細察然，瞟天之名，蓋生於此。集韻四宵瞟字有瞟爲重文。說文瞟訓目有察省見，通釋謂微察之。亦細察也。

齈　鼻病而累及語音者，揚俗呼如囊之去聲。疑爲齈之聲轉。玉篇齈奴東切，訓鼻齈。義未明晰。廣韻齈收一送，訓多涕鼻疾。集韻冬送二韻兼收，一云鼻病；一云鼻病多涕。涕多則鼻易塞，宜語音之不能明矣。

豁　鼻與脣或有斷缺，揚俗呼滑鼻，滑嘴。滑當用豁。豁切呼括。說文作䜊，訓通谷。他書皆左右互易作豁。廣雅釋詁三豁訓空。漢書楊雄傳上顏注豁訓開。高帝紀上顏注謂豁然爲開大之貌。鼻與嘴之言豁，亦爲其開大耳。明史擴廓帖木兒傳有部將名豁鼻馬，此謂人也。費聚傳言豁鼻山，乃移以名山矣。王定保摭言載方干脣缺，李主簿譏爲口脣開袴，是即今語所謂豁嘴者。韓愈落齒詩云：憶初落一時，但念豁可恥。送侯參謀赴河中幕詩云：我齒豁可鄙。上兵部李侍郎書云：髮禿齒豁。是知齒脫亦得稱豁。在今語則呼爲缺牙巴，缺豁一義。與豁同音者：說文有䜊字，訓空大。集韻有闊字，訓大開門兒。義亦與豁相近。

魃　揚俗凡有小兒者，不與孕婦提抱，意謂懼爲所忌。自生兒未斷乳，母又懷孕，兒有以此致病者，則呼爲忌保了。忌當以䰯爲專字。魃切奇寄。說文有小兒鬼之義。巢氏病源卷47小兒雜病被魃候云：小兒所以有魃病者，婦人懷娠，有惡神導其腹中胎妬嫉，而制伏他小兒令病也。按此語合前說，頗涉怪誕，然可知魃之爲言猶忌矣。合後說者，千金方卷五有小兒魃方，論云：凡婦人先有小兒未能行，而母又有孕，使兒飲此乳，亦作魃也。令兒黃瘦骨立，髮落壯熱，是其證也。

嘵　小兒因啼受風，揚俗呼爲嗆風。嗆當用嘵。嘵切丘尙。方言卷一云：自關而西，秦晉之間，哭極音絕謂之嘵。平原謂啼極無聲謂之嘵哴。嘵風之名，則以哭極啼極之時，適有風來入犯也。若更因風致欬，遂亦稱爲嘵欬矣。

欬　揚俗以哼哼摇摇狀年老多病者，摇字無理，似雜入鎭江語音，蓋言咳也。今人說咳字多在德韻，音實當在代韻。字本作欬，苦蓋切。說文訓屰气，即謂逆氣。素問專有欬論篇。又生氣通天論云：秋傷於濕，上逆而欬。陰陽應象大論云：秋傷於濕，冬生欬嗽。字皆作欬。

㿑𤺄　痰塞喉中，吐不能盡，呼吸成聲，揚俗以爲護護的。護護當用㿑𤺄。㿑音同胡，𤺄切乎郭。㿑𤺄二字爲連語。玉篇㿑下釋㿑𤺄爲物阻咽中。廣韻十一模㿑下謂㿑𤺄爲物在喉中。正與今語意合。

潠　早起咽中多痰，先吸茶一二口，借以利喉，便於吐出，揚俗呼之如訕，例以水煙筒之滌油垢也。訕當用潠。潠切巽倦。說文訓歆歃，訓吮。利喉必先吸茶，正以歃吮爲用，故得稱潠。玉篇及廣韻三十三線作潠。三十諫又有涮字，訓洗。集韻訓滌。可以通用。今俗言涮喉嚨，原有洗滌之意。音益相合。又有呼爲堨喉嚨者，堨字說作去聲。義取堨除，與洗刷同功。聲亦相轉。

䁖　痰多而欲淸除者，揚俗又呼爲打䁖喉嚨。

打鑑意猶打埽，埽鑑亦通言也。說文鑑訓滌器。漢書元后傳顏注鑑訓洗滌。藝文志顏注，後漢書班固傳下李注，鑑並訓滌。除痰以利喉者，其用同於洗滌，故得稱鑑。冠以打字，則方俗語例多有之，打埽之外，如打算、打扮、打聽之類，不可枚舉。阮大鋮春燈謎傳奇齣謎云：那消茶飯時，把眼睛打鑑。即以打鑑連文。紀君祥趙氏孤兒雜劇有早把手脚兒十分打當語。應與打鑑同意。禮記曲禮上篇虛口孔疏言食竟飲酒蕩口。又引晉穀隱云：飯畢蕩口。蕩鑑通用。廣雅釋詁二云：盪洒也。曹憲盪音蕩。洒與洗同。廣韻盪訓洗盪，義猶洗鑑。

歔 將唾痰者，往往喉中發聲，其音如許壁切。字當用歔。說文歔訓且唾聲。且猶將也。廣韻歔收十二霽，集韻兼收十二錫。聲轉可以爲歇，廣韻二十五德歇訓唾聲。旁轉又可爲歊，玉篇歊訓吐聲。

嫗 小兒有病者畏寒而臥，大人貼身熨之，揚俗言務。實當用嫗。嫗切衣遇。詩小雅巷伯篇毛傳云：柳下惠嫗不逮門之女。禮記樂記篇煦嫗鄭注云：體曰嫗。詩小雅小宛篇釋文，孔疏，並引作以體曰嫗。巷伯傳意亦謂以體煖之。蓼莪篇孔疏之解覆育，謂其寒暑或身體嫗之，覆近而愛育焉。嫗之宜以防寒，不適於暑日，疏文連及之耳。劉向列女傳卷一云：姜嫄生子，棄之，取置寒冰之上，飛鳥傴覆之。傴亦嫗也。禮記之煦嫗，在淮南子原道訓作呴諭。昭三年左傳則倒其文爲燠休。燠休音如嫗煦，故寒後轉熱，遂稱發燠矣。嫗之取義，如雞伏卵之孚。（孚今用孵）禮記樂記篇云：羽者嫗伏。即謂伏卵。大戴禮記夏小正篇雞桴粥傳解桴爲嫗伏。桴即孚之借字。方言卷八伏雞郭注云：江東呼蓲。一切經音義卷十八引通俗文云：雞伏卵江東呼蓲。是知蓲可通嫗。魏書高句麗傳云：河伯女生一卵，棄之野，衆鳥以毛茹之。茹猶列女傳之傴。賈思勰齊民要術養羊、養雞、造神麴、作菹等篇多用茹字，不具引。

炮 病人發熱，苦其焦灼，揚俗有跑燥之語。燥音如躁，跑當用炮。炮切薄交。說文訓毛炙肉。炙肉以火，火然則熱，故玉篇爊訓炮爊，集韻侯候二韻爊訓炮與煖。炮之義同於煖，煖之義同於熱，可知炮亦熱矣。方岳秋熱詩云：秋來幾何時，炮暑乃爾劇。即以炮狀熱。病人之苦炮燥，亦謂內熱如焦灼耳。

泚 病人身有汗出，揚俗以䗖䗖狀之。常人即言濟濟。其原當起於泚。泚切雌氏，又切千禮。孟子滕文公篇云：其顙有泚。趙注謂汗出泚泚然也。考工記車人先鄭注引作其顙有疵。是疵得通於泚矣。汗出則溼潤，故今語狀溼潤者曰溼泚泚，潮泚泚，水泚泚。二老堂詩話稱康與之重陽過雨，憶謝詞云：茱萸䊧，黃菊溼䨔䨔。堅瓠首集卷一述康詞作濕滋滋。字又不同。

納 汗出後衣衾沾溼，揚俗有潮搭搭之語。蓋由納納聲誤。納切奴荅。說文訓絲溼納納。楚辭遠紛篇云：衣納納而掩露。王注謂納納濡溼貌。原本玉篇納下引作濡濕貌。若協今語，則有後出之㴽字。玉篇㴽訓溼。集韻二十七合、三十二洽作㴽，並訓濕。類篇訓溼。轉其聲則爲滴。說文滴訓水注。今語有云溼滴滴者，與潮㴽㴽同意。

凙 病人熱退生涼，揚俗言涼鐸鐸的。鐸當用凙。玉篇凙訓冰。楚辭憫上篇云：冰凍兮洛凙。廣韻十九鐸引作冬冰之洛凙。文似有誤，然可知洛凙二字所以狀冰也。今於涼言凙凙，則又借冰以狀人體。俗亦有呼冰涼，或涼冰冰者，意無不同。

歊 病人枯瘠，皮骨相著，揚俗呼爲郝起來。郝當用歊。歊在集韻即有郝音。考工記輪人云：轂雖敝不歊。鄭注歊訓歊暴，賈疏以爲瘦減。晏子春秋內篇襍上用槁暴，實即歊暴。此固言物，可通於人。人之枯瘠骨立，猶歊暴也。歊之旁轉爲縠。莊子天下篇郭注訓縠爲無潤。無潤是枯瘠之象。荀子富國篇楊注引郭語，繼釋之云：縠義與瘠同。管子地員篇房注言縠謙，義亦近瘠。

槀 體瘠骨立者，揚俗又言考起來。考當用槀。今人讀槀字多作杲音，非是，音實同考。槀與枯爲雙聲，故說文槀訓木枯。引申之則不限於木。禮記曲禮下篇言槀魚，謂魚之乾枯者。人體瘦減已甚，狀近乾枯，因即呼爲槀起來。有作槁者，字形之變也。或借薧稿，義皆爲乾，見周禮天官[illegible]人鄭注，禮記內則篇鄭注，及廣雅釋詁二。

齵 枯瘠已甚，脣或不能緘齒，揚俗有支牙咧（來改切）嘴之語。支當用齵。齵字[illegible]，廣韻兼收五支，音爲側宜切。說文齵訓[illegible]見[illegible]之見。[illegible]之反爲閉，口開而後齒見，閉[illegible]不[illegible]矣。[illegible]不能[illegible]之人，口無閉時，齒乃常見，[illegible]

合。小徐本說文作䶗。說文又有齵字，訓爲口張齒見，宋玉登徒子好色賦所云齵脣歷齒是也。字收銑韻，去今語音似遠，然其聲從只來，只戩音固甚近。說文更有只聲之㧾，義亦爲開。音直同於只矣。

裂　䶗牙咧嘴之咧，字與語意不洽，當由裂之聲轉。裂切良薛。淮南子覽冥訓高注，楚辭遠紛篇王注，裂並訓分。莊子天下篇郭注裂訓分離。字在說文釋爲繒餘，繒而曰餘，明其已分離矣。口脣張大，有分裂之象。呼口脣之不合爲裂嘴，猶謂目睫之不合爲裂眥也。裂出於列，禮記內則篇釋文言裂本又作列，荀子哀公篇楊注言列與裂同，管子法禁篇房注列亦訓分。列字从刀，說文本訓分解。刀固有分解之用者。故裂嘴之裂，尤以列爲其原。口脣之不能合，如有分解之使然者也。

鬇　病人之髮有枯燥而蓬亂者，揚俗謂爲鬇起來。鬇蓋鬡之聲轉。鬡切助庚。玉篇訓鬇鬡爲髮亂。巢氏病源卷47小兒雜病被魃候云：毫毛（千金方卷五毛下有鬢字此疑誤奪）髮鬡鬡不悅。即謂蓬亂。本爲疊韻連語，今省尾音矣。千金方卷五小兒魃方作鬇鬡不悅，直从鬇字爲聲。玉篇鬡有重文作鬤，言出字書。鬤鬇聲近。

儾　因病瘦減，有肉脫而皮鬆者，揚俗謂爲囊下來，囊字說作陰平。字當用儾，儾讀囊之去聲，集韻收四十二宕，訓爲寬緩。皮鬆者有寬緩之象，故以爲儾下來。字从囊作，囊以貯物爲用，貯物而不能實，外皮虛張，即所謂寬緩矣。

黲　枯瘦者面多黑，揚俗有黑蹀蹀之語，蹀蓋黲之聲轉。黲音同慘，說文訓淺青黑。廣雅釋器直云黲黑也。玉篇言物將敗時，顏色黲黲。人面枯黑，亦有將敗之象，狀以黲黲固宜。文選登樓賦李注引通俗文云：暗色曰黲。賦文原用慘慘，注謂慘與黲古字通。然則今語以人面枯黑爲黲黲者，正爲其呈有慘狀歟。

皫　人面有雖不枯黑，而常帶病容，慘白少血色者，揚俗於白字下疊料之陰平狀之。此當用皫。其音爲方小切，與今語平上微異。玉篇皫下云：面白皫皫也。廣韻收三十小，集韻改入二十九篠，並云皫皫面白。與玉篇文倒而義同。

[illegible]　病退後有面呈紅潤色者，揚俗呼爲紅憨憨的。憨當用[illegible]。[illegible]切火含，玉篇訓面絀貌。絀字無理，蓋紅字之誤。廣韻二十二覃[illegible]訓面紅，可證。集韻[illegible]訓面赭色。赭猶紅也。重文有[illegible]。玉篇[illegible]訓酒色。亦謂紅也。

泡　病浮腫者，揚俗有虛脬腫臉之語。脬當用泡。漢書藝文志顏注訓泡爲水上浮漚，廣韻五肴義同。是爲虛空之物。狀浮腫者借以爲喻。故言虛泡。方言卷二云：泡盛也，江淮之間曰泡。郭注謂泡肥洪張貌。此指似肥而非眞肥者，與虛腫之義益合。依說文宜用瀑。瀑有沫義。郭璞江賦言瀑沫，瀑同於瀑。瀑沫即泡沫也。

芍藥甘草湯的研究

原著者：細野史郎　坂口弘　内炭精一

緒　　言

醫學目的之一本為治療，中國醫學確能達到此目的。但是一方面由於中國醫學之古書記載不詳，另一方面對所謂「證」的病理不十分明瞭，同時更由於中藥藥理缺少研究，故往往陷於獨斷臆測，或狹隘的追隨古代名人。

如此，欲將中國醫學此種歷史的缺點給以補充，以使此種醫學開一廣大進步道路，並使之普及，唯一方法即將中國醫學給以科學基礎。本文之目的也就在此。

作者所以先研究芍藥甘草湯之理由，一則由於臨床方面的興趣，二則由於此方很簡單，只芍藥和甘草二味構成，而傷寒論中又多以此二藥與他藥配合製成方劑。尤其是桂枝湯和四逆湯中應用最多，似為構成處方不可少者。因此，芍藥甘草湯的研究乃是其他方劑研究之基礎。

文獻考察

傷寒論太陽病上篇關於芍藥甘草湯之記載：

「傷寒脉浮。自汗出，小便數，心煩，微惡寒，脚攣急，反與桂枝，欲攻其表，此誤也。得之便厥，咽中乾，煩躁吐逆者，作甘草乾薑湯與之，以復其陽，若厥愈足溫者，更作芍藥甘草湯與之，其脚即伸。」

其後更記有對此種誤治所引起的症候羣的治療方法問答二項。

究竟芍藥甘草湯適用之「證」即症候羣，其病理狀態如何？文中只叙述了「脚攣急」，所述很不完全。因此有必要將芍藥甘草湯臨床應用範圍首先確定。

淺田宗伯氏之勿誤藥室口訣中對芍藥甘草湯記有：

「此方主治脚攣急，即兩足或膝疼痛不能屈伸，有如脚氣之步行艱難可應用之。次更用於種種急痛，例如腹痛時可收卓效。更有興味者：尿道排尿疼痛，甚至晝夜號泣者，用此方加以松心，可治之。其他驚癇之痙攣等，加鉤藤、羚羊角以治之。又因梅毒用諸藥而羸劣，骨節疼痛而體弱又不能用攻下藥者，可加松心治之見效。」

又湯陰聽乘有治淋痛一例：嘗使用八正散，龍胆瀉肝湯等一向無效者，其腹診可見腹肌攣急，尤在小腹為甚，推之兩足引痛，迅速與以芍甘湯，可使腹肌拘急弛緩，由此更使小便通快而治癒之。

稻葉文禮氏所著之腹證奇覽下冊，有芍藥甘草湯的「腹候圖」並記有「腹底有緊張物，或拳攣物，用指頭輕輕按之即可察知，此處拳攣物即拘攣也。緊張物即急迫也。芍藥治拘攣，甘草治急迫，或腰脚緊張感，或手足牽引痛等症，或有世俗所謂「積聚」物之症狀。若問何病，拘攣急迫則用此方。」

由以上文獻和臨床的經驗綜合之，可見芍藥甘草湯應用於下列狀態之治療：

不問肌肉之種類為骨骼肌或平滑肌，當其攣急時所起之一切症候羣，無論中樞神經或末梢神經，均顯有良好鎮靜作用。詳言之即不止於對軀幹或四肢等表面肌肉有效，即對體內深在之平滑肌臟器尤其是腸、胃、氣管、胆囊、胆管、輸尿管，尿道等等平滑肌管狀臟器攣急時，應用之有卓效。

以下將以往諸家對芍藥甘草湯構成之各生藥之論說略述之：

1. 芍藥

重校藥徵有「芍藥主治結實而拘攣也；旁治腹痛、頭痛、身體不仁、疼痛、腹滿，咳逆下痢腫膿」之記載，要者即芍藥之藥理作用主要是對於肌肉（包括骨骼肌和平滑肌），由於急攣引起之症候羣，可有治療之效。

其次將岡本一抱子著廣益本草大成的全文引用

如下：﹁白芍藥，酸微寒，入肝脾血分，補肝血不足，涼血熱，治腹痛，瀉痢，胎前產後諸疾，諸種失血，中滿，腰痛，煩熱，寒熱脇痛，收斂瘡口，療血閉，固腠理，和血液，瀉肝，安脾，收胃氣。﹂

元素舉出芍藥之主要效用有六：（1）安脾經，（2）治腹痛，（3）收胃氣，（4）止瀉痢，（5）和血脈，（6）固腠理。

今假定芍藥的藥效爲此六項，則由芍藥影響消化器平滑肌的狀態，以窺知其藥理學之通性並非完全不可能。

作者等檢查以往文獻中，對芍藥的實驗研究甚少，只有曹氏之研究。氏由剔出家兎的腸管作實驗，當濃度小時呈抑制作用，大時，最初爲促進作用，後則呈抑制作用。

2. 甘草

重校藥徵有﹁甘草主治急迫也，故治裏急、急痛、攣急，而旁治厥冷煩躁，衝逆等諸般急迫之毒也。﹂其主治頗與芍藥相似。

廣益本草有﹁甘草性甘平，補脾胃，緩正氣，治寒熱邪氣，長肌肉，止渴，潤肺，去咽痛，解百毒，療小兒胎毒，驚痫，除火熱，通經脈，通九竅，養陰血，治瘡腫，腹脹，煩滿，止痛，益精，壯筋骨，補內傷﹂等。

總之將甘草之藥效綜括之爲：不僅治攣急，急迫，而能養脾胃，補益內傷，更有解百毒之作用。

據肥後勇氏實驗研究，將家兎之腸管剔出，以0.05克之甘草作用後，則顯一過性緊張上升，振幅增大，不久其運動漸被抑制，緊張度漸次下降，振幅漸縮小。

實驗方法

今將生物體實驗和摘出的臟器實驗方法合進併行，即前者將家兎的胃中連以橡皮製導管，將其一端所連之陰莖護囊嚥下，自管中向囊內打入空氣，管之另端與水壓表相連，由內壓之變化可使水壓變化，並在煙鼓上描記之。而窺知胃的運動，並用另一皮管將藥液注入胃內，以下暫稱本法爲橡皮球法。

次爲摘出臟器之實驗法，即將空腸肛門側終末部的腸管摘出一段，依馬氏（Magnus）法將之放入與體溫相同的 Tyrod 氏液中，依其縱軸之運動可以在煙鼓上描記之。

實驗動物爲成熟的家兎，被檢生藥爲水煎成份，其濃度以生藥之重量百分數計之。

實檢成績

1. 芍藥甘草湯對於胃運動之影響

先依橡皮球法將家兎胃之球注入60毫升空氣，描記其正常運動，次將20%的芍藥甘草湯20毫升由皮管注入胃內，於是在注入後約10分鐘時，胃運動較比正常運動顯然緊張度增大，頻數、振幅也增大。此狀態持續20分鐘後，再注入同樣20%之該液體18毫升，則見緊張度較正常顯著下降，振幅也顯著減少，呈長時間之持續。

2. 對於摘出腸管之影響

爲了進一步檢討芍藥甘草湯對胃運動的影響，於是將芍藥甘草湯作摘出腸管運動的檢查。

由馬氏法把腸管正常運動描記，將腸管浮游於100毫升 Tyrod 氏液中，以1%芍藥甘草湯2.0毫升注入其中，最初極短時間內輕度緊張上升，可見振幅減少，不久緊張度較正常下降，振幅增至正常以上。於此再以同液5.0毫升注入，腸管收縮運動規則正常，振幅約略同大，緊張不變，此謂之 Tachylaxie 現象，次更以10%濃度的芍藥甘草湯4.0毫升注入其中，最初極短時間輕度緊張度上升，振幅微增大，頻度緩慢，不久頻度仍然，緊張度顯著下降至正常以下，振幅縮小。

其次，更對病理的異常興奮狀態的腸管，觀察芍藥甘草湯對其作用：以同樣馬氏法給予組織胺2% 0.1毫升，使腸管異常興奮，此時以10%芍藥甘草湯注入，即見緊張度顯然下降，振幅縮小。再以副交感神經末梢刺激劑0.1%乙醯胆鹼（acetycholine）一毫升注入，使呈興奮狀態，此高度緊張的腸管再予以10%芍藥甘草湯1.0毫升則仍可見緊張下降。

爲了理解方便，玆將以上實驗成績歸納於下：

1. 芍藥甘草湯對生體實驗：低濃度時對正常胃運動有促進興奮作用。

2. 芍藥甘草湯高濃度時，無論對生體實驗或摘出之臟器，對正常胃管運動都有抑制作用。

3. 芍藥甘草湯高濃度時，對摘出腸管由組織胺或乙醯胆鹼所致病理的異常興奮狀態有明顯之抑制作用。

其次以芍藥甘草湯構成之要素、芍藥和甘草各單獨之作用研究之：

1. 芍藥：

(1) 芍藥對胃運動之影響：依橡皮球法俟胃運動曲線約略一定時，以10%芍藥浸出液4.0毫升注入胃中，則胃運動振幅漸次增大，緊張度上升。

(2) 芍藥對摘出腸管之影響：依馬氏法可見芍藥的作用，無論在低濃度（1%，1—5毫升）或高濃度（5%，1—3毫升），都可見緊張上升、振幅增大。

總之，芍藥對胃運動或摘出之腸管兩種實驗都對胃腸道具促進作用，即興奮之作用。此點與上所述曹氏之實驗結果微有出入。

2. 甘草：

(1) 甘草對胃運動之影響：橡皮球法依10%甘草浸出液4.0毫升注入胃中，則見胃運動緊張度漸次下降，振幅減少，近至30分鐘後，振幅幾近乎零，緊張度遠較正常下降，此狀態持續很長時間。

(2) 甘草對摘出腸管之影響：依馬氏法，無論低濃度（10%，0.2—0.5毫升）或高濃度（10%，2.0毫升）之甘草浸出液對腸管運動之緊張度均緩和，並使振幅減少，運動緩慢。不過高濃度者變化較顯明，但甘草不致使其緊張度降至正常以下。

即甘草無論對生體內或摘出之臟器，均可使胃腸管的緊張度下降，振幅減少。惟其不同之點即在生體內可致正常以下，而在摘出臟器則只能使下降至正常範圍之內。

作者等將芍藥甘草對摘出腸管作用點雖作了某種程度之分析，但所謂生藥者，其成分尙存有若干問題，俟後詳細研究，異日發表。

綜括以上實驗成績：

1. 芍藥甘草湯對於生體實驗：低濃度者對正常胃運動興奮，具促進的作用。

高濃度者，無論對生體實驗或摘出臟器，均對正常胃腸運動有抑制作用。

高濃度者，對由組織胺和乙醯胆鹼所致的異常興奮狀態之摘出腸管，有比較正常狀態更顯明之抑制作用。

2. 芍藥對胃運動或對摘出腸管，有促進興奮之作用。

3. 甘草對生體內，或摘出腸管兩者之運動均有抑制作用。

由於以上實驗，作者係以消化管平滑肌爲指標，檢查芍藥甘草湯之作用，此處所見之成績甚明，可證明芍藥甘草湯之主治所謂「治肌攣急」大約即是指對消化器平滑肌之作用而言。

（程之範譯自　日本東洋醫學會誌，三卷一號〔1953年二月號〕）

譯者按： 中西醫如何團結，是目前我國醫學界存在的問題，其中中藥問題也很重要，一方面要打破以往對中藥的神秘性，另一方面要避免粗暴的以爲中藥一無足取，在團結中西醫的今日，究竟如何使中藥科學化，這雖然是藥學家的任務，但如果先由醫史家根據以往文獻，由古人經驗中提出其治療效果，然後再供藥學家研究，則事半而功倍。介紹本文之目的也就在此。

巴甫洛夫的回憶錄

原著者　Ю. П. 福羅洛夫

少年時代

伊凡·彼得羅維奇常常而且喜歡叙述自己的童年與青年時代。從他底叙述中憑記憶所及有如下幾件軼事。

從這些叙述中了解舊時的利亞贊（Рязань）（19世紀的50年代與60年代）曾是一個荒凉的外省地方。僅在城市的中心高聳着幾座官方機關的大建築物，大主教的住宅，禮拜堂，劇院，貴族的俱樂部，中學堂。城市的其他地方全蓋滿小小的木頭房子。巴氏家族曾住在市郊。父親巴甫洛夫·彼得·德米特利葉維奇的住宅就座落在被古老的菩提樹圍繞着的尼可里斯基大街上。1849年9月14日（按舊歷計算）在這所住宅的耳房內誕生了伊·彼·巴甫洛夫。此後不久巴氏家庭曾遷至新修築的住所，就在這裏居住了半世紀有餘。

伊凡·彼得羅維奇很早就表現出罕有的良好記憶力：他曾記住自己的第一個印象即在他的伯父安葬的時候被母親抱在懷中。巴甫洛夫當時尚不滿兩週歲。

他是家中最大的一個兒子。父親與母親對他寄託着很大的希望，很早就教會了讀書與寫字。

他曾與弟兄們一起玩過趾骨遊戲和九柱戲，趕走過鴿子，這曾是當時兒童與許多成年人最盛行的一種遊戲。

伊凡·彼得羅維奇是在鄰居一個女人那兒學會讀書。他母親瓦勤瓦拉·伊萬諾夫娜是一個不識字的女人。可是他父親在當時來說却具有相當的教育程度，常常留心社會生活的事件，甚至曾訂閱過阿·斯·普斯庚所創辦的文學雜誌「現代人」。伊凡·彼得羅維奇常常以感激的心情回憶起使他習慣於樸素勞動生活的自己的雙親。他特別以親切的心情回憶自己的父親對他的忠告，幾乎使他一生不忘：讀每一本書不祇一次，而要連續地讀兩次。

然而，對父親的愛戴沒有影響了他以後對宗教的態度，當他長成後便了解到宗教的反動實質，開始同彼得·德米特利葉維奇進行過關於老牧師在沙皇制度與宗教會議所防止的利亞贊分裂派中間底「傳教」事業的熱烈爭論。

童年時代的巴甫洛夫，常到利亞贊四周的森林中採蔴子和菌類，也常往傳說是依利亞·穆樓莫耶畢誕生的地方——荒凉的「莫曉拉」方面的森林去。

他同弟弟米洽尋找過鳥窠，到過特魯伯斯河，奧克河的支流去游泳，欣賞從前爲抵抗韃靼入侵略而建築的古代城堡的風景。據巴甫洛夫說他就在這兒產生了和發展了對於自己國家，自己民族的優越感，並且對其歷史命運發生了深刻的興趣。

他喜歡叙述一件發生於最年幼時候的故事。例如在尼可里斯基街上某一個庭院中曾有一隻兇狠的狗。所有的人特別是孩子們很懼怕這隻狗，以至於不敢接近牠。某一天當瓦尼亞*看見這隻兇狠的狗時，產生了何種的驚奇呢，他是將鎖鏈解開，狗即變成一個柔順而可愛的生物，因而也就不用任何恐懼的心理來撫愛牠。

顯然，巴甫洛夫補充說，這個事件就是條件反射的一個例子，套鎖鏈本身的動作就是狗的保護性反射的刺激物，因此狗在此時就變爲兇暴的惡狗。

送兒子入校學習的時間來到了，於是父親爲兒子伊凡·彼得羅維奇選擇了一個神學校。歷來的習慣：兒子應該繼承父親的職業。然而生活提出了自己的「修正」。從一個神學校的學生長成後不久，巴甫洛夫就變成所有邪教的一位熱烈反對者。居住在培養宗教觀點的中心——教會中學的年青巴甫洛夫如同其某些同學一樣對煩瑣哲學有反感，而對自然科學產生了莫大的興趣。

應該指出，他在這方面不是例外：許多60—70

* 巴甫洛夫之愛稱——譯者註

年代知識份子的代表皆是縣警察區內反對宗教之熱情鬥士，並脫離教會學校之學籍。在這方面亦包括車爾尼雪夫斯基，陀勃羅柳波夫。回憶，就連留有卓越的∟神學校概論⌉的炮米亞勒夫斯基亦是宗教家庭出身。

現今，曾經巴甫洛夫渡過童年的住宅已變成許多參觀者觀光的博物舘了。住宅的後面已重建了蘋果園，在這個蘋果園內他小時候在父親領導下曾培植過果樹。

有過與巴甫洛夫這個時期有聯繫的一段插話。有一天巴甫洛夫的父親和他及其弟弟德米特利一同爲栽植蘋果樹而挖了幾個坑。坑已經挖完。父親忽然宣佈，坑的位置不對，因爲怕樹苗遭熱氣。他提議重新開始全部工作。米沿*則悲觀失望說：這是一件困難的工作，手上都磨出水泡了。巴甫洛夫開始冷笑地說：∟對不起⌉，伊凡·彼得羅維奇不僅自已從新拿起鐵鍬，而且還說服了弟弟。經過一些時間彼得·德米特利葉維奇微笑地說停止工作。他說工作僅是考驗孩子們的堅忍性。這是一種特殊的教育方法。略微粗野，但毫無疑問影響了這位未來學者後來熱情克服全部困難的性格。對體力勞動的熱愛貫串在巴甫洛夫的一生。

蘋果園內有一涼亭，亭內放置幾張床，夏天爲願意在室外於開花的樹木中睡覺的人用，秋天則做爲看守蘋果之用。夏天來訪者常在這裏過夜。亭上有一個不太的乾草棚，在這裏集合着秘密從教會當局而來的神學院學生所進行的聖彼得堡雜誌的∟非法閱讀⌉

參觀者在利亞贊城訪問伊·彼·巴甫洛夫的住宅——博物舘時一般皆注意一個險峻的木梯子，這個梯子是童年的伊凡·彼得羅維奇同弟弟們從地上升到所住的二層屋的用具。在這間小屋子裏一個神學院學生——巴甫洛夫就開始了第一次認識車爾尼雪夫斯基，陀勃羅柳波夫，彼沙雷夫的論文以及在伊·彼·巴甫洛夫建立世界觀中起重要作用的俄國生理學之父伊凡·米哈伊洛維奇·謝巧諾夫∟大腦反射⌉的天才著作。

如所周知，伊·米·謝巧諾夫曾是三大實驗家之一，這些實驗家不僅完全獻身於科學，而且還勇敢地發出了反對社會不平等的抗議呼聲。他是一位積極爲自由獨立思想權利而鬥爭的學者——社會活動家。此外，謝巧諾夫還表現了對下一代俄羅斯學者的不斷關懷。巴甫洛夫也正是成爲這樣的科學熱情者。

謝巧諾夫的唯物主義觀點在俄羅斯是得不到正式科學人士的同情與支持。沙皇政府所派遣的走狗不斷地迫害謝巧諾夫，不給他發揮創造性的才能的機會，企圖焚燒他底著作∟大腦反射⌉。然而恰恰因爲謝巧諾夫以自己的唯物主義觀點而寫出光輝著作吸引了先進的青年，其中就包括巴甫洛夫。雖然伊凡·彼得羅維奇在決定自己命運之前已答應過父親將畢業教會中學，然而傾心於高等教育，渴望到聖彼得堡的心如此的切，以至巴甫洛夫竟未參加畢業考試。在教會當局的命令中伊凡·巴甫洛夫已被認爲是致力於∟原始社會狀態⌉的人即破壞所有僧侶機關的人和∟自由的人⌉。

大學時代

依凡·彼得羅維奇於 1870 年同一批同志離開利亞贊入聖彼得堡大學。彼得·德米特利葉維奇·巴甫洛夫的物質財產看來是不多的，他底大兒子赴京的當時口袋裏僅有一張∟貧困證明書⌉，這就是說投與巴甫洛夫免費學習的權利。然而物質的極度貧困却以精神上的富裕補償了，這種毅力的積蓄會集中在年輕的巴甫洛夫身上。

關於這一段的生活，有時是非常困難的，甚至無錢在學生食堂內午餐，關於這個學者願意在閑暇的時間講給學生們聽。他回憶起大學生的年代，又感到自已是一個年輕人，而所以講給我們聽，目的是教育我們對不怕困難和貧窮的人們尊敬，假如在前面有堅定而明確的目標——服務於科學，這些困難和貧窮是容易克服的。

伊凡·彼得羅維奇與一起在聖彼得堡學習的弟兄們是洶湧澎湃的運動用官方語言稱作∟大學生事件⌉的目擊者。實質上這就是青年革命運動。其中有一次運動的目的是要反對一位生理學家齊翁(Цион)的公然反動觀點。

這位學者，哥·斯賓新勒的崇拜者，保護資產階級利益的人，無論如何不能稱爲謙虛的人，他發現了在機體內有特殊的神經 (n. depressor)，他在演講

---

* 即德米特利的愛稱——譯者註

中喜歡說：「你們之中的每一個人在自己的心臟中皆帶着我的神經」。

學生們敵視齊翁。甚至不准他進入內－外科學院（即所謂當時的軍醫學院）。齊翁曾請求內－外科學院領導派兩名憲兵在講堂的門口「維持秩序」。然而仍無濟於事：大學生的風潮繼續進行，以至齊翁不得不辭去內外科學院的講座及大學的職位。

當巴甫洛夫回憶齊翁時，通常說：「總之他是不愛自己的祖國，不愛科學，假使他拋棄這兩而就會變成外國金融事業的代理人即股票的經紀人。」

巴甫洛夫大學畢業，獲得金質獎章並對實驗表現了極深刻的興趣而且善於觀察，但是巴甫洛夫無力繼續自己的研究。此時齊翁教授已從大學轉入科學院，可以保證伊凡·彼得羅維奇實驗室工作的全部條件，然而齊翁在巴甫洛夫及其朋友們的眼睛裏已經是道德上敗壞聲名的人，所以伊凡·彼得羅維奇未向他求助。

情況是非常惡劣，一切都需要重新開始。然而伊凡·彼得羅維奇曾是一個在困難與失望鬥爭中受過鍛鍊的人：他決定去獸醫學院以助手的身份到不十分著名的克·意·與斯切莫維奇那裏，並同時以內外科學院大學生的資格繼續深造。

後來的一切證明，他的做法是正確的，並成爲一個勝利者，同時獲得了進行科學工作的豐富經驗。

大學時期對於他的科學意向與興趣的建立起了決定性的作用。入大學後，他就選擇了生理學作爲自己的專業並且將自己的一生獻給了生理學。

但是如何研究生理學？當時的許多卓越的生理學家認爲刀是學者最好的助手。切開活的機體來觀察內部的活動。除這種方法外還利用過以電流刺激神經，血液及胃液的化學檢查。

「讓解剖學者剖驗屍體，觀察、試探每一個器官；而生理學者則應在活的未被損傷的機體內研究生理過程」——巴甫洛夫決定說。

巴甫洛夫早在工作於大學實驗室內就已經給自己提出了複雜的任務——在活的機體內即在所有的器官繼續生活與工作的條件下來研究消化過程。大學生巴甫洛夫的初次獨立工作之一即是胰腺分泌的研究。他在這一方面獲得了巨大的成就，然而不是很快地獲得而是在許多關於心臟神經支配的輝煌著作發表之後。

爲什麼巴甫洛夫恰恰研究心臟的神經系統，而後來又研究機體內直到動物及人體內消化及其他過程的神經調節？

19 世紀後 25 年在活機體內的研究上獲得了巨大的成就。曾利用物理化學方法確定了營養及增殖等的許多規律性。在生理化學實驗室內根據合成的方法曾發現許多有機物質。由於電的易感應儀器技術之改進使生理學者能够沿中樞神經發現神經興奮的散佈，同時在神經及肌肉中曾發現許多有趣的生理現象。因此了解到身體內的器官、保證動物在空間運動的肌肉及分泌汗和其他液體（例如胃液）的腺體甚至心臟、肺臟、血管、生殖器官皆協調地工作。其相互的聯繫是以構成神經系統的神經中樞來調節。

巴甫洛夫一方面對於這些問題感到莫大的興趣，同時還給自己提出了以實驗的方式證明在動物所有器官的生活機能中中樞神經系統起着何種作用的研究任務。

如上所述，巴甫洛夫大學畢業後就入內外科學院三年級繼續攻讀。同一個時期他還工作於俄國著名臨床學家斯·波·鮑特金實驗室內工作。巴甫洛夫以實驗室工作人員的身份在神經中發現了向心神經枝，這種纖維僅能引起心臟收縮的加强，而不影響心臟的節律。這種纖維從那時起就稱作「巴甫洛夫氏神經」。

巴甫洛夫無論是在聖彼得堡大學或是內外科學院，在研究生理學的同時，還對生物學和化學感興趣，並且以興奮的心情研究過這門科學。

他底親兄弟對此亦起了推動和引導作用。在德·意·孟得列葉夫的領導下而研究化學的德米特利非常熱愛自己的哥哥並志願幫助他學化學。

後來他邀請伊凡·彼得羅維奇偕夫人及孩子住在大學樓舍孟得列葉夫實驗室附近的住宅內，這樣就給伊凡·彼得羅維奇獻身於科學事業的全部可能。在這裏他餵養了由他解剖過的狗，這些狗是在消化方面開始實驗使用過的。

二弟——彼特勒(Петр)選擇動物學做爲自己的專業，作於大學內娜·恩·鮑哥達勒夫教授那裏。

當時，即在 70—80 年代，在動物學的講座中很少講授達爾文關於動物世界進化論的學說。鮑哥達勒夫的講義，以及同弟兄們關於講義的談話，特別是同別特勒，別得羅維奇及其同志們的談話皆引起了巴甫洛夫對進化論學說的特殊興趣。

正如從事於家畜起源問題研究的鮑哥達勒夫教授的話「狗使人出息」，這句話巴甫洛夫非常喜歡傳誦。

他的大學時代的末期（1878—1879 年）曾充滿着重要的社會政治事件。

當巴甫洛夫攻讀於四年級的時候，發生了俄土戰爭。當時大部分著名臨床學家，其中包括斯·彼·鮑特金，皆赴巴爾幹半島前線，因此講課是由次一級的講師担任。

這個時期，巴甫洛夫一方面在吳斯切莫維奇（К. Н. Устимович）那裏繼續進行實驗工作，並且還做了心臟與血管生理學方面的許多新的重要觀察。

此時俄國革命運動的高潮在增長着。爲解放斯拉夫民族而裝備了整個軍隊的沙皇政府對於蒙受資本家，沙皇政府的官員，地方行政長官及其他暴君下之横暴與醜行的勞動者之困境未採取任何措施。洶湧澎湃的青年大學生開始向羣衆進行有力的宣傳。因此宣傳員被逮捕和坐牢。被逮捕的人中有一個年輕的恩·渠·富維金斯基，這是巴甫洛夫從學校那裏得知；富維金斯基較巴甫洛夫年輕幾歲。

具有滿腔熱忱的 200 青年，其中包括許多大學生，是利切內大街上地方法院法廳中的被告者。內外科學院的學生始終是先進份子且對同志們深表同情。

所有的人在口中皆有對被告者依鮑立特，美斯金（Ипполит, Мышкин）的辯護辭，實質上即是一份鮮明的反對沙皇政府的起訴書。巴甫洛夫弟兄們獲得了這個辯護辭的記錄並且把它背得純熟。

關於向沒有帶武器的人們進行宣傳或採取有決定意義的行動，孰優孰劣，曾展開了熱烈的爭論。

在這些熱烈的爭論中祇缺少一個主要的問題：學生運動與緊密的農民聯盟中的無產階級革命運動必須結合的理解。

先進的學者於相當晚的時間，在 1905 年才意識到工人運動的作用。但有一件事對於巴甫洛夫兄弟是清楚的：在人民與沙皇政府的鬥爭中他們應站的立場就是人民的立場。

試舉一個典型的歷史事實。1878 年 11 月許多大學生，其中包括醫務工作者出發至阿尼齊叩夫（Аничков）宮並湧至庭院中遞交給沙皇繼承者關於釋放被捕大學生的請願書。翌日 11 月 30 日在科學院的閱覽室內曾舉行過醫務人員的熱烈集會，行政上所召請的騎兵隊與憲兵隊也到這裏。結果 142 人被捕 37 人被逐出京城，因而大學閱覽室就「永久」被關閉着。

在軍事醫學科學院中

伊凡·彼得羅維奇一方面供職於科學院，一方面在塞·彼·鮑特金剛開放不久的臨床實驗室內在狗身上進行着實驗。

鮑特金（Сергей Петрович Боткин）是一位傑出的人物和大實驗家。他第一個把舊時醫師所承繼的醫學事業同確實的唯物論的學說結合起來，應用化學與生理學的方法來研究病人和病人的治療。鮑特金不僅是卓越的實驗家而且還是一位著名的社會活動家。他熱烈地關心着廣大羣衆各階層中間疾病預防問題，與衰老做鬥爭，保護兒童的健康，婦女的教育問題。而且他還是一位傑出的講師，他能用自己語言的推理法和生動的話語說服聽衆，利用講文藝故事的時機說明極複雜的問題。許多青年在他那裏學習，其中亦包括伊凡·彼得羅維奇。巴甫洛夫以鮑特金爲榜樣，並在未來的事業中追隨着他。

伊·彼·巴甫洛夫非常尊敬塞·彼·鮑特金，且常常指出他應該感謝鮑特金的實驗基本思想——「神經論」的思想。

他在自己的博士論文（第一個大的著述）中就給自己提出了極艱鉅的而且是重要的任務——尋得恢復心臟機能的方法和挽回機體的生命甚至在「臨床死亡」的瞬間。

精細的解剖技術，頑强和嚴格的貫徹性，幫助了年輕的學者探索豐富的心臟神經「叢」中的無數細枝中每一細枝的影響，區別獨立的陽性與陰性作用的神經枝。他的任務是尋得這樣的纖維枝，即在以微弱的電流刺激此纖維枝時能把疲倦而不能工作的心肌恢復活動能力。

他在心臟神經上的第一次系統的實驗不僅是發展心肌，而且是發展身體其他器官平滑肌的營養機能神經學說的基礎。

他不祇一次地敘述過，他是怎樣着手不應用麻醉，甚至不利用繫繩在狗的動脈內研究血壓。他是首先割開動物的皮膚，而後露出股骨動脈，向內插入一個小的玻璃血壓計。

已經查明，任何的捆綁以及應用麻醉皆猛烈地變化血管中血壓的水平。巴甫洛夫是這樣肯定了問題：當他把狗放在手術台上時就用小塊食物喂牠，這樣經過數日狗則自己一躍而跳上手術台。巴甫洛夫當把狗翻過來將背向下（爲了下肢血管手術的方便）亦不忘記使狗饗以盛饌。然後就在巴甫洛夫手中出現外科手術刀。結果經過一週凡進入實驗室的同寅皆可證明這種景况：狗安靜地躺着，伸着脚爪，沒有繫鏈，伊凡·彼得洛維奇將玻璃血壓計放在被割開的動脉內信服地測量血壓。

狗所以產生這種行爲主要是因爲異常的刺激成爲習慣性的刺激，並且藉着與食物的聯繫引起了新的反應方向——條件反射的結果。

他一方面叙述這個實驗，另一方面還補充說：⌊因此條件反射早在19世紀80年代的初期就已經被發現⌉。

因此，他對某些資產階級，例如，富勒頓將條件反射發現的榮譽歸功於什林頓，卡利塞勒等人的顯然讕話給予批評。實質上條件反射的思想是誕生於巴甫洛夫在讀謝巧諾夫⌊大腦反射⌉的時候即60年代。

巴甫洛夫出色地完成了學術論文，從科學院派他出去留學的外國歸來，熱情地接受了在塞·彼·鮑特金臨床實驗室研究藥物對心臟的生理作用。應該說，當伊·彼·巴甫洛夫出國時就已經是一個實驗家了。巴甫洛夫被同在一起工作的學者召回又以同樣的方法學習於劉德維哥與哥日金哥意恩實驗室，就像教授青年一般。

在這些年代裏巴甫洛夫對消化的規律更感到興趣。他對這個題目早在1874年就開始研究——胰腺分泌的研究，在新的世界又出現在他的面前。他這個階段的事業與軍事醫學科學院的歷史密切相關。

他在軍事醫學科學院中一般來說渡過自己平生的40餘年。我的父親於1889年畢業於軍事醫學科學院以後從未與他斷絕聯系，常常憶述許多關於巴甫洛夫的軼事。在我們家庭中常常討論與醫學院有關的事件。特別是注意巴甫洛夫的命運，人們皆預言着當時青年中間的巴甫洛夫有着燦爛的未來。

1898年是科學院創立一百週年紀念，我的父親寫了關於俄羅斯醫生的詩，題目是⌊從來未將自己的靈魂認爲是別人的⌉。這首詩描寫了熱愛自己alma mater即培育了自己的學校——軍事醫學科學院的先進醫學活動家的形象。詩中被提到的人們都曾是伊·彼·巴甫洛夫的老師和同志，也是他的親人和敬愛的人。

（趙伯仁、李茂文譯自伊凡·彼得羅維奇·巴甫洛夫回憶錄）

蘇聯三醫學院醫學史教學中課堂討論介紹

馬堪溫

蘇聯對於歷史教育一向重視，因此，醫學院校對醫學史教育也極注意。目前蘇聯六年制的醫學院校中，醫學史在四年級講授，總時數是54小時，包括36小時講課，18小時實習（課堂討論）。

1951年蘇聯醫學院醫學史課程中增加了課堂討論，同年蘇聯塞馬士閣（Н. А. Семашко）保健組織和醫學史研究所醫學史部爲醫學院的醫學史講課和課堂討論擬定了提綱，其中關於蘇聯醫學史的課堂討論提綱有下列九項：

1. 18世紀和19世紀上半葉俄羅斯醫學的先進唯物傾向。
2. 俄國醫學教育的發展。
3. 19世紀下半葉進步的醫學科學和唯物哲學，以及自然科學的關係。
4. 地方自治局和彼洛郭夫醫師協會的醫學。
5. 俄羅斯學者（И. М. 謝巧諾夫，И. П. 巴甫洛夫，И. И. 麥赤尼可夫）的發明的世界意義。
6. 俄國的著名治療學派。
7. 俄羅斯外科醫生在國防和祖國外科學發展中的作用。
8. 蘇維埃醫學的預防方針。
9. 蘇聯醫學科學機構的發展和組織。

各醫學院醫學史教研組按照上列方針，結合具體情況，擬定了課堂討論提綱。下面分別把莫斯科第二醫學院，哈爾科夫醫學院，薩拉托夫醫學院醫學史課堂討論的內容和方法做一介紹。

莫斯科第二醫學院[1]

方法　將學生以25—30人分成一組，每週三小時，共進行六週。第一週由導師做序論報告，分給學生課堂討論題目和參考文獻，指示工作方法（如何應用文獻，如何做摘要，如何做報告）。使學生在這第一課中，熟悉每個題目的工作方法。每名學生都按照分發的題目做報告，然後把報告交給導師，由教研組審閱，在學期末再發還學生，充做考試準備之用。此外，在各小組選出一、二名學生記錄其他小組的報告內容。

內容

1. 「18世紀和19世紀上半葉俄羅斯醫學的先進唯物傾向」：課程開始時指出俄國唯物哲學的奠基人羅曼諾索夫(Ломоносов)的科學經驗。目的是使學生從羅曼諾索夫的著作中認識羅氏的哲學，天才的科學研究和言論，以及對蘇聯醫學發展的偉大影響，同時了解他的繼承者拉吉歇夫（Радищев）的著作和醫學言論，以及在自然科學方面的成就。學生從傑列霍夫斯基（Тереховский）和舒姆郎斯基（Шумлянский）的論文中了解到18世紀醫生的研究工作；從薩穆伊羅維奇(Самойлович)的著作中看出他在研究和發明中的革新，唯物主義和愛國主義，看出澤別林（Зыбелин）的進步著作如何遭到禁止；從穆得洛夫（Мудров）的著作中了解到他的臨床觀點，教育見解和活動。同時從還沒有再版的嘉吉可夫斯基（Дядьковский）的著作中，選出最富代表性的部分，用打字機打出發給學生，並在討論中進行分析。學生從契可秦（Тикотин）和馬爾郭林（Маргорин）的書中知道沙郭爾斯基（Загорский）和布亞列斯基（Буяльский）的活動。這一課最後是報告彼洛郭夫的活動和觀點。學生從彼洛郭夫的原著和布爾金科(Бурденко)的全集中了解彼洛郭夫一系列的著作。

2. 「19世紀下半葉的醫學科學和唯物哲學，以及自然科學的關係」和「俄羅斯學者的發明的世界意義」：這一課需先指出俄羅斯的唯物哲學家，民主革命家對於俄羅斯自然科學及醫學發展的影響。學生從赫爾岑（Герцен）的著作中了解到他對自然的唯物主義觀點；從車爾尼雪夫斯基（Чернышевский）的著作中了解到偉大的俄羅斯唯物主義者怎樣用唯物哲學解決自然科學的問題；從賓柏洛劉勃夫（Добролюбов）的論文中看出他對解剖學和生理學問題的理解，以及爲自然科學，爲唯物主義哲學而向一切唯心主義和神秘主義做鬥爭的意義；從彼薩列夫（Писарев）的論文中看出他在解決自然科學問題上的唯物主義見解，以及他怎樣熱烈地提倡自然科學。

然後就進行「俄羅斯學者的發明的世界意義」一題。學生從車爾尼雪夫斯基的戰友和繼承者謝巧諾夫的著作中了解到他怎樣奠定了生理學中神經系統的唯物主義方向和唯物主義理論知識的基礎；從巴甫洛夫的著作中看出偉大生理學家的科學世界觀和方法上的基本特點；此外，並令學生學習麥赤尼可夫著作中的細胞吞噬作用理論，發炎的比較病理學，免疫及傳染病等問題。

3.　「祖國卓出的治療學派」和「俄羅斯外科醫生在國防和祖國外科學發展中的作用」：在第一題中，學生報告自己對包特金（Боткин），沙哈林（Захарин）和奧斯特洛屋莫夫（Остроумов）原著的了解。學生從包特金的講演和報告中了解到包特金對謝巧諾夫理論觀點的形成的影響，了解到包特金確定了神經是病理過程的中心並製定了疾病病理中的神經理解；從沙哈林的臨床講演中看出他對病人的治療和研究方法，以及他的衛生學觀點；從奧斯特洛屋莫夫的講演中看出他對生理學和醫學的理解，對機體和環境的相互關係，機體的統一的理解。

第二題已經在上題中部分地闡述了。這裏只補充地研究布爾金科氏「蘇聯偉大衛國戰爭中的醫學經驗」一書中關於祖國外科史的評述。

4.　「俄國及蘇聯醫學教育的發展」：這一課指出俄國時代醫學教育的進步特點，與實際治療，和與自然科學的關係，進步的醫學代表人物爲醫學校的獨立的鬥爭；並在這個背景的基礎上指出偉大十月社會主義革命後醫學教育的改造。此外，令學生學習謝得洛夫，蘇穆伊羅維奇以及其他上述作家的著作中對於醫生培養的研究。學生從分析索洛維耶夫（Соловьев）的「高等醫學校應當培養什麼樣的醫生」一論文中，可了解蘇維埃時期的歷史，此外，還有「地方自治局醫學五十年」一論文，對地方自治局醫學給了馬克思主義的批評。對於地方自治局醫生的一般作用的批評，還有列寧的言論。

5.　「蘇維埃醫學的預防方針」：這一課是保健組織課程的補充，應該對蘇維埃醫學的發生和發展，以及基本特徵給予歷史的闡述。學生從塞馬士闊和索洛維耶夫的代表著作中認識了蘇維埃保健理論，認識了蘇維埃醫學基本方針和預防任務；從巴爾蘇可夫（М. И. Барсуков）的「偉大十月社會主義革命與蘇維埃保健組織」一書的材料中可以看出蘇維埃保健第一階段的歷史；關於「蘇維埃保健組織的科學工作」一題，學生參考了安尼赤可夫（Н. А. Аничков），貝可夫（К. М. Быков）和塞馬士闊（Н. А. Семашко）的「蘇維埃保健三十年的成就」文集和布爾金科在蘇聯醫學科學院成立大會上的講話。

課程進行情況　每名學生在討論課上必須按照所分發的題目做報告；大多數的學生了解課堂討論的意義，並對討論感覺興趣。學期考試證明學生成績已有進步，對祖國醫學代表人物已有具體的知識，了解他們的著作和活動，並能獨立地了解和批評祖國醫學發展史。

哈爾科夫醫學院(2)

方法　首先闡明醫學史課堂討論的任務和蘇聯歷史工作的基本方針，分給學生題目，指定參考文獻（發給學生文獻目錄單，介紹適當的作品和情況，以便學生自己選擇補充文獻），選派論敵，規定報告日期。按照小組學生數目規定 2—3 個報告，每報告規定爲 20—30 分鐘。每課總時間爲 90 分鐘，用 60 分鐘做報告，15 分鐘由論敵發言，15 分鐘由教師批評報告。每個報告人要介紹題目和所參考的原文。然後就聽取報告，討論報告。

內容　全院有三系，故對不同系別給予不同的題目。共擬定 30 個報告題目，每一組八個，題目內容分兩大部分，一部分是關於重要醫學家的生平，世界觀和科學活動（此部比重較大），另一部分是關於專科方面的題目。關於醫學家的討論分三人報告：一人報告生平；一人報告科學性；一人報告世界觀。

一、醫學家

1. 農奴制度廢除時期的醫學活動家：穆得洛夫、彼洛郭夫、伊諾傑姆茨夫（Ф. И. Иноземцев），沙郭爾斯基（П. А. Загорский），費洛馬費特斯基（А. М. Филомафитский）以及嘉吉可夫斯基（И. Е. Дядьковский），還有羅曼諾索夫，薩穆伊羅維奇，和馬克西莫維奇—阿姆勃吉克（Н. М. Максимович-Амбодик）。

2. 革命前期的醫學活動家：謝巧諾夫、包特金、沙哈林、奧斯特洛屋莫夫，馬那塞恩（В. А. Манассеин），費拉托夫（Н. Ф. Филатов），別赫傑列夫（В. М. Бехтерев），鐸柏斯拉維奇（А. П. Доброславич），愛利斯曼（Ф. Ф. Эрисман），彼得洛夫（А. В. Петров），麥赤尼可夫，克爾尼革（В. М. Керниг），梭柏烈夫（Л. В. Соболев），以及季米里亞茨夫（К. А. Тимирязев）等。

3. 蘇維埃時期的醫學活動家：柔洛維耶夫，塞馬士闊、巴甫洛夫、布爾金科、渥羅別耶夫（В. П. Воробьев），沙勃洛特（Д. К. Заболотный），伽馬利亞（Н. Ф. Гамалея），吉斯利（А. А. Кисель）和米丘林。

二、醫學專科發展等問題

1. 斯大林憲法中的人民保健問題，聯共（布）黨布拉加會議的決定。

2. 列寧「俄國資本主義的發展」，馬克思「資本論」，恩格斯「英國工人階級狀況」著作中的資本主義與人民問題。

3. 偉大衛國戰爭中蘇聯外科治療學，神經病理學，以及和傳染病做鬥爭的成就。

4. 貴族帝國時期和農奴制度時期小兒科及婦產科的歷史。

5. 最初的俄羅斯醫學校。

6. 俄國時期基輔和莫斯科的醫學。

7. 哈爾科夫醫學院院史。

課程進行情況：討論課進行得很嚴肅、很熱烈。學生對於討論很認眞，對祖國學者的生平和科學成就闡述得很好。逐字援引文獻，常有錯誤的報告很少。論敵的發言一般是簡要的，大多數論敵的發言很嚴肅，證明論敵不但預先熟悉了討論題和報告題目，以及文獻，而且指出報告人的遺漏處和錯誤，補充了沒有闡明的地方。因爲報告的時間關係，爲了保證報告的內容，決定將來把題目縮小。下學期並擬選擇些關於個別作家的作品的題目來討論，如謝巧諾夫的「大腦反射」，斯涅吉列夫（В. Ф. Снегирев）的「子宮出血」，包特金、沙哈林的臨床講演。

薩拉托夫醫學院[3]

方法 討論時間爲18小時，每次三小時，討論六次，最後由教員做結束語。採取培養學生根據書籍做學術講演的獨立報告方法。先分配給學生題目和基本文獻及補充文獻的詳細索引，同時給學生安排時間，每名學生爲每次課堂討論預備25—30分鐘的報告，同時還需準備討論。學生在所規定的討論中必須發言。因爲學生需要有適當的時間去準備報告，所以利用空堂去進行課堂討論；每次討論之間的間隔約10—14天。

內容 分爲六課。

1. 帝俄時期的醫學：基本宗旨是指出此時期醫學的獨特性和獨立性，由於天才的學者羅曼諾索夫的影響，俄國醫學唯物主義傳統開始萌了芽。此外，還需要闡述俄羅斯卓出醫生薩穆伊羅維奇，澤別林，阿姆勃吉克（Н. М. Амбодик）的生平和活動。

2. 18世紀末及19世紀前半葉俄國封建主義制度瓦解和資本主義形成時期的醫學：基本宗旨是指出此時期俄國醫學的繼續成長和發展，以及唯物主義傳統的鞏固，指出拉吉歇夫、別林斯基（Белинский），赫爾岑等人的唯物哲學觀點對於醫學唯物主義的影響，以及唯物主義和唯心主義之間的鬥爭。在這一課中特別注意偉大外科學家彼洛郭夫的生平和活動，應當描述穆得洛夫對醫學的貢獻，還應當注意嘉吉可夫斯基和列別傑夫著作中神經主義的首先萌芽。

3. 19世紀後半葉和20世紀初俄國資本主義時期的醫學：基本宗旨是指出此時的俄國醫學已經佔世界第一位，已經反對維爾嘯和維斯曼的反動理論；達爾文學說和神經主義理論發展了並且已確立起來。由於俄羅斯革命民主派唯物哲學的影響，而使卓出的唯物主義學者謝巧諾夫、包特金、奧斯特洛屋莫夫有了唯物的宇宙觀。此外，還應當指出俄國臨床治療學和外科學的成就。

4. 這一課是上一課的繼續部分，在這一課中應當注意到麥赤尼可夫、米丘林、季米里亞茨夫等人對達爾文主義的創造性發展，以及俄國此時期微生物學家如麥赤尼可夫，岑考夫斯基（Ценковский），伽馬利亞等人的成就。還應當指出19世紀下半葉俄國已經形成了獨立的臨床部門，如小兒科（創始人是斯涅吉列夫 В. У. Снегирьв），婦科（創始人是費拉托夫 Н. Ф. Филатов），神經病科（創始人是可什尼可夫 А. Я. Кожевников），精神病學科（創始人是考爾薩可夫 С. С. Корсаков）。

5. 這一課專講天才的學者巴甫洛夫。應當研究他的傳記和宇宙觀，指出他是唯物理論的鬥爭者和愛國者；指出巴甫洛夫學說是列寧主義認識論的自然科學的基礎，並强調巴甫洛夫學說和米丘林學說在思想上的血緣關係。還應當討論巴甫洛夫學說對臨床和理論學課的意義，對衛生學和保健組織學的改造意義，以及1950年巴甫洛夫學說會議的意義。

6. 這一課專講蘇維埃時期的醫學。應當特別注意黨在蘇聯衛生學和醫學中的領導作用，指出馬列主義哲學是蘇聯醫學和衛生學的思想基礎，指出蘇聯醫學和衛生學是在質量上的新的最高階段。同時，還應當研究卓出的活動家如布爾金科，斯特拉什斯科（Н. Д. Стражеско），奥勃拉湊夫（В. П. Образцов），索洛維耶夫，勒柏辛斯卡婭（О. Б. Лепешинская）在醫學上的意義。

課程進行情況 極大多數學生都很注意聽報告，並很感覺興趣；他們對報告的討論很生動，並常有創造性的討論。大多數的報告都很有價值，從中可以看出學生對馬列主義理論，臨床醫學，以及醫學理論都做過充分的準備。有個別小組討論得沒有生氣，其原因是準備工作做的不够。採用課堂討論的經驗，證明課堂討論對學生既需要又有益處。

個人的體會

從以上的介紹中可以看出三校的醫學史課堂討論的內容和方法雖不盡相同，但總目的却是一個，就是使學生了解俄羅斯醫學的基本特點和蘇維埃醫學的優越性，如人道主義精神，醫學與先進的自然科學的關係，進步醫生的唯物主義世界觀與祖國唯物哲學方針的聯繫，他們的社會活動與祖國的密切關係，他們的社會活動和預防思想的優越傳統，他們和唯心主義的鬥爭，以及在醫學科學上的卓越貢獻等等。學生通過這樣的課程，加强了對祖國的熱愛，民族自尊心，以及爲共產主義建設的自覺性。

莫斯科第二醫學院醫學史課堂討論比較偏重於獨立閱讀進步醫生代表著作，目的在使學生熟悉原著，從原著中了解到進步人物的活動，思想和成就，認識到蘇聯醫學的優越傳統和特點；哈爾科夫醫學院比較偏重使學生學會用歷史題目組織報告並批評彼此的報告，練習利用現有的文獻，正確地評論歷史事件和人物。所以它的討論提綱內容也偏重於歷史人物方面，同時爲了照顧系別，還擬定了專科方面的題目，更特出的是在討論題中有哈爾科夫醫學院院史一題目（按哈爾科夫醫學院已有150年的歷史）；薩拉托夫醫學院偏重培養學生根據文獻做學術獨立報告，教授學生在批評與自我批評的基礎上正確地鑑定報告，公開地指出報告的缺點；此外，該校還特別注意對巴甫洛夫的研究。以上這些都是極富教育意義的，因爲學生從這樣的課程中不僅學得歷史知識，掌握了歷史材料，還學得了處理歷史問題的方法。

醫學史在我國還是一門幼稚的科學，專業醫學史的人過少，一般人對於醫學史內容和其教育意義還沒有足够的了解和認識。本文僅根據蘇聯三醫學院醫學史課程中的課堂討論經驗總結，將蘇聯醫學院醫學史教育的精神和方法做一介紹，供醫學教育家，醫學史工作者學習蘇聯的參考。

參考文獻

1. М. П. Мультановский: Семинарские Занятия по Истории Медицины в Медицинских Институтах. Советское Здравоохранение, 1953, 4. 15—19.
2. П. Т. Петров: Опыт Семинаров по Истории Медицины в Харьковский Медицинском Институте. Советское Здравоохранение, 1953, 4. 19—21.
3. Г. Н. Кример: Методика Семинарских Занятий по История Медицины. Советское Здравоохранение, 1953, 4. 21—24.

下頜骨成型手術史

原著者 А. А. Кьяндский

在1900年破天荒第一次下頜骨的游離骨修補術，爲俄羅斯外科學家則考夫（Зыков）醫師行於莫斯科列夫伸（Лившин）教授的外科臨床醫院中。

在此之前曾有個別的下頜骨缺損之骨修補手術，用的是連於軟組織上的骨膜的骨片移植方法。

廣泛地採用下頜骨骨修補術和引用矯形方法是開始於第一次世界大戰期間(1914—1918)。

此項手術方法的發展及其結果的改善，主要地基於我國學者的研究，如尼米洛夫（Немилов,1913），彼得羅夫(Петров, 1911)，考爾聶夫（Корнев）（列寧格勒，1927），勒喔夫（Львов）（列寧格勒，1924），拉吾埃拉（Рауэра）（莫斯科，1924）等人。

在最近25年中由於林伯格氏（Лимберг）（列寧格勒）和他的同事們的工作，在下頜骨骨修補的方法中，帶來了新的很重要的改變。因而促進了手術結果的進一步改善。

這樣，下頜骨骨修補術的發展可以分做三個時期：第一期是開始於契雅寇諾夫(Дьяконов)的手術和某些外國作者利用有帶移植物的移植嘗試；第二期開始於則考夫的游離骨片移植術；第三期開始於第一次世界大戰期間，當時矯形法已經開始廣泛地被應用了。

第一個時期

對於下頜骨修補術發展的第一個時期來說，典型範例要算契雅寇諾夫(Дьяконов)氏病案。

契雅寇諾夫氏病案。移植物取自下頜骨並運用肌肉作帶。

1897年契雅寇諾夫氏（莫斯科）在割除肉瘤後用取自下頜骨前面及下緣，並有肌肉作帶的骨移植片去恢復切斷了的下頜骨之完整。手術前契雅寇諾夫氏曾在屍體上進行過試驗。

在此90年代之初，外國作者曾經嘗試過，企圖用帶蒂骨移植片修補下頜骨缺損。此等嘗試曾有不同程度的成功。

患者K，女性，24歲，因下頜骨右側水平部分患肉瘤而就醫。手術是照下述計劃進行的：由下頜骨下緣退讓少許，按照腫瘤的位置。作水平向直線切口，劃開軟組織，通過切口截除患瘤的骨部長約6.5厘米。皮膚切口沿下頜骨下緣前進至頦中線不遠處，但不深入組織。由傷口下緣開始，將皮膚由其附着的頸闊肌剝離，幾至舌骨之平面。當牽皮膚傷口的上緣向上時，引切口穿過軟組織抵骨，與下頜骨下緣平行，其間相距二厘米（並引向中線）。從此切口的內側端，沿頦中線做第二切口，向下並繞過下頜骨的下緣。這樣，劃分出爲遮蓋頜骨斷端用的軟組織後，契雅寇諾夫氏即在上述切口範圍內進行了頜骨本身的分離術。起初用刀形鋸沿頦中線鋸成高二厘米的三角形。然後用同一個鋸於下頜骨的前面鋸成一銳角，爲的是使切除之骨塊成爲三稜形。將和軟組織相連的骨移植塊安放於下頜骨殘餘斷端之間（圖1—2）。

儘管［在縫線部分有少許化膿］（契雅寇諾夫），但被移植的骨塊活得很好。1897年4月8日，即手術後$3^1/_2$星期，患者被示教於莫斯科外科學會的會議上。

巴爾金赫宜爾（Барденхейер）氏病案 移植物是取自額部的皮、骨膜、骨三者之帶蒂骨塊。

作者在1891年移植來自額部的帶蒂的皮、骨膜，骨三者之複合片，用以修補和恢復了因切除肉瘤後而致之下頜骨缺損。

皮片的蒂是由顳顬部份切下。將位於皮片內的骨膜緣與骨折端的骨膜邊緣縫合在一起。移植片活得很成功，但在功能和美觀方面的結果不能令人滿意，因爲沒有採取適當的方法去固定頜骨斷端，而移植片自動移向缺損處。爲了預防移動，作者提議放置象牙骨塊在頜骨殘餘部分之間，以固定骨折斷端至足够堅實的結合形成之時爲止。

劉德衛格——李吉日爾（Людвиг Риджьер）氏病案　帶皮蒂之鎖骨移植。

作者在 1892 年報告關於取自鎖骨表面的帶蒂的移植物（皮包裹的）用以恢復下頜骨的方法。

移植物的準備是照下列方法進行的：由鎖骨上方向下劃一長方形；它的寬應不小於移植片骨部的

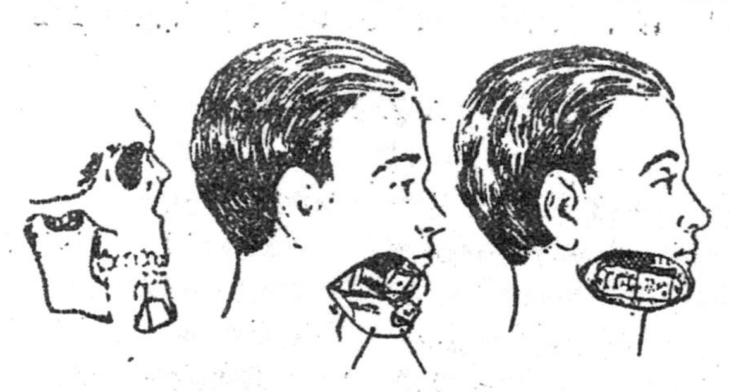

圖1—2　契雅寇諾夫手術之要點（圖採自紀伸的著作中）

預定長度，皮膚的剝離不高於鎖骨下緣的水平。從鎖骨上將與皮片相連的表層部分做皮下剝離。皮片的下部分被利用來遮蓋移植片骨部的暴露表面。手術造成的皮膚缺損用取自附近部分的皮片來遮蓋。移植片做成後劉氏建議等待 8—14 日，然後將連在長的皮蒂上的皮、骨移植片移入下頜骨缺損部分。關於移植的結果劉氏並未報告。

伍約利爾李爾（Вёльфлер）氏病案　用取自肩胛骨並帶皮蒂的移植片。

伍氏報告了他在 1892 年試驗用骨修補術恢復下頜骨缺損，使下頜骨連接。

從肩胛骨部分作成皮、骨膜、骨三者，連在皮蒂上的舌形複合移植片（沒有將骨片翻轉），並移於下頜骨缺損部。在手術時破壞了移植物骨部及軟組織間的連繫。病案以骨壞死並脫落而告終，下頜骨連續之恢復未獲成功。

柯拉伍斯（Краузе）氏之五病案　骨移植塊取自頜骨，以皮及深層組織作蒂。

柯氏從 1893 年到 1894 年間共做了五個下頜骨修補手術。缺損的大小由 5.5—8 厘米不等。他的方法是移植由蒂連接的皮及面部深層軟組織的骨移植塊，骨塊或取自下頜缺損部分的附近，或取自健側。手術治療照下述方法進行。

為了部分地截除下頜骨，按照長度，作一切口與下頜骨下緣平行，貫穿軟組織。不作垂直切口。沿下頜角摘除部分做細密縫合，目的在於使手術傷口與口腔隔離。在下頜骨殘餘骨端之間放置大小合適、聯結正確、由象牙製成的無頭釘。無頭釘的兩端插入下頜管的孔內。此釘可以促進止血並固定下頜骨的殘餘部分於正確的位置。手術創先用紗布充塞，後用幾針對合縫線押住。骨修補術是在第二步，即過 4—6 日後施行。有一次是在第一次手術後 17 日進行的。

取出紗布充塞物後，在下頜骨殘餘部分的相接處之上切開皮膚軟組織及骨膜抵骨。這個切口起始於手術創的邊緣，與下頜骨下緣平行，但在較高的位置。從此水平切口的遠中端，另作一切口往下方與之垂直。由骨面剝離軟組織及骨膜後，為了固定移植物，在窄狹的空間上用迴轉鑽鑽一小孔，穿過適當的地方並貫以銀絲。從下頜骨下緣鋸出長方形骨塊，骨塊與軟組織片相連。關於骨之分離柯氏一次用了鑿子，兩次用了弓形鋸子，兩次用了鏈鋸。為了(1)由軟組織形成厚大皮蒂，(2)避免開入口腔的危險，(3)避免移植物的骨部與軟組織分離的危險，柯氏建議在下頜骨下緣經由旁側垂直切口打一個窄的裂縫狀缺損。插一探針通過第一次手術創之端——下頜骨的截除部分——由裂縫狀缺損內出來。順着探針引入鏈鋸。鑒於偶有進入口腔的危險，在引入探針和鏈鋸時，應當經常地特別小心。

這樣使鋸子依次漸進地被引進，並通過厚層的肌肉，下頜骨的內皮質層，海綿層和外皮質層。在骨部前端柯氏建議作一帶蒂的骨膜片，它取自下頜骨殘存段的骨膜。扭轉軟組織片和鋸下的骨塊向下。而被鋸斷的下頜骨的表面則用縫合在一起的肌肉連同骨膜遮蓋之。為了牽引直立的皮片，將旁側的垂直切口遠遠地引至下方接近喉部，或更遠些。

移植片被轉向缺損部分，並用銀質縫線固定移植片於下頜骨殘存之骨端。祇縫合水平切口。

顯然，柯氏依照病案的特殊情形(圖5)，少微改變了某些手術細則。儘管他的病人都是52—69歲的高齡，手術却都獲得了順利的結果：有兩個病人移植塊得着圓滿的生長，兩個病人有邊緣小塊腐骨

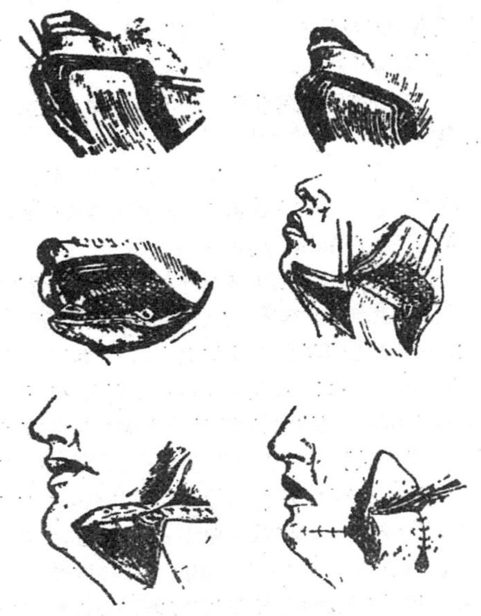

圖 5　柯拉伍斯法。帶蒂的下頜骨骨修補術。

脫落，另一個病人的移植塊死了 $^1/_3$。

在最後兩個病人中有一個作了X線觀察，在X線影片上可以看到該塊骨頭。

韋立特(Вильдт)氏病案　移植片取自下頜骨下緣，以肌肉作蒂而移植。

1896 年曾發表了他在 1892 年 7 月 20 日對 73 歲患下頜骨復發性瘤的男病人所做的下頜骨修補手術。雖然韋氏主張在手術時儘可能地不要損傷口腔粘膜，但他自已却做了一次的骨修補術，那就是說在摘除腫瘤之後立即植骨，這樣幾乎經常地通入口腔。

可能是，他終於避免了打通口腔，因爲腫瘤位於升枝的下端部分。移植片長 3.5 厘米，是由下頜骨的前殘存段之下緣鋸下的，有肌肉作蒂，被移至缺損部分，並用銀質縫線固定。在保存移植塊方面韋氏獲得了良好的結果。患者在第 38 日出院。縫線在手術後四星期拆除。

第二個時期

如上面指出那樣，爲了恢復下頜骨前部缺損，第一次游離骨移植術是在 1900 年 5 月 1 日由俄羅斯外科學家則考夫醫師在莫斯科列夫伸教授所領導的外科臨床醫院中所完成的。

手術是在患下頜骨髓炎後七個月，已形成下頜骨大部分壞死時施行的。移植塊之長爲四厘米，取自另側下頜骨殘存部的前部份(圖4)。

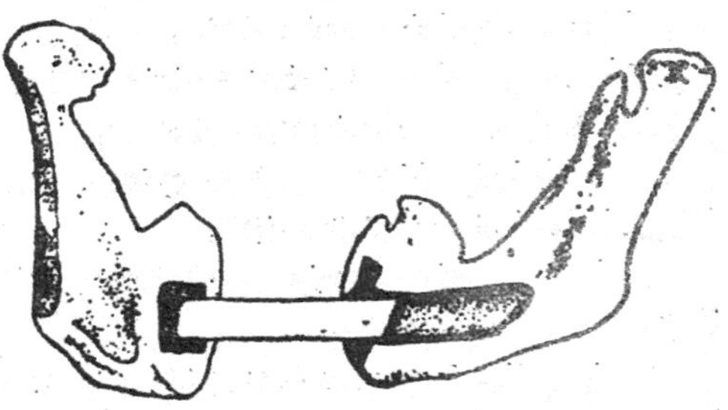

圖 4　則考夫手術之圖解

在下頜骨右半，鋸開的表面，形成一厘米的凹，以備插入移植物的右端。手術時的出血用紗布塞和用骨臘制止之。移植物完全活了，並對其結果觀察了十年以上。

必須指出，則考夫氏在 1900 年做的是［二次］下頜骨骨修補，那就是說並非直接地也不是立刻地行於缺損形成之後。

在記載中則考夫氏特别强調手術區和移植物之無菌的重要性。

這個病案的特點是：

(1) 用游離骨移植成功地恢復了下頜骨的完整。

(2) 缺損的修復係用二次法，那就是說在缺損形成後經過一個適當選擇的時期。

(3) 則氏對於用無菌法保護移植物之必要性做了堅决的聲明。

在這裏則考夫氏對於成型外科樹立了功勳。他應該被認爲完全變更了在他以前既存的下頜骨修補方法的發明人。正如其他關心這一有歷史性的問題的人所指出的一樣，則考夫氏是第一個施行了下頜骨的游離骨修補術的外科家。據我們的意見，則氏也是第一個人把注意力轉向遵守基本條件的必要性

方面，以求成功地實現下頜骨游離骨修復術。

紀仲氏（Демин）（莫斯科）曾遇到過這樣病人，38歲，1904年10月30日在俄日戰爭前綫受火器傷之後，在下頜骨的左側水平部分形成缺損。

骨修補術是在1905年3月3日施行的。紀仲氏全部地重複了契雅寇諾夫的手術。在下頜骨斷端實行新創術後，紀仲氏於下頜骨缺損內安放移植物。移植物係三稜形，取自下頜骨前面，有軟組織作蒂（頸闊肌、筋膜、腱膜和二腹肌前腹）。

手術是在奇雛仿全身麻醉下進行的。缺損的大小，在頜骨折斷端分離後，等於4.5厘米。用骨縫線（紀仲）將移植片兩端同下頜骨斷端固定。

皮縫線於第六日拆除，傷口第一期癒合。第11日形成瘻管，第14日出現第二瘻管。

五月一日，即手術後兩月，移植骨片的一部分脫落。

哈爾斯特德（Хальстед）氏（1904年）曾報導有關用骨移植（取自脛骨）的方法，成功地恢復了下頜骨完整的病案。手術是史拉特爾（Шлаттер）在蘇黎賀（Цюрих）作的。

以後，在文獻中看到了薩阿爾（Саар-Saar）的病案。

患者，男性，29歲，於1908年8月19日在輪船上墜入艙中，致下頜骨折斷。發生了下頜骨骨髓炎。1909年3月26日，薩氏打開骨髓炎的病灶，並於頜骨之斷端施以新創術。因為在這樣做的時候形成了通入口腔的孔道，故立即對口腔粘膜縫合。

在缺損部分置入長約四厘米，隨意地取自下頜骨前骨折端下緣的移植物。移植物兩端與下頜骨的斷端用銀質縫線連在一起。又第二次發生了骨髓炎。5月26日取出移植物。再次造成長二厘米的缺損。為了預防骨折片的移位而加以巴特史（Партш）氏夾。七月初傷口已癒合。7月14日，通過表面切口，取出夾板，裝入假牙床。在下頜骨缺損部分內，安放黃色銅塊。假牙亦用黃銅製成。在植入物與假牙之間加入由軟橡膠製成的襯墊。

根據史特洛依斯列（Штройеслер）氏的報導，結果很好。

列克賽爾（Лексер）氏在1908年做了同種骨移植兩例。在第一例，患者因患癌截除一半下頜骨之後，列氏移植了取自屍體的適當的下頜骨部分。在下頜骨截除術結束後，加了縫線在口腔粘膜上，移植物用縫骨的鐵絲固定。起初經過平順，隨後發生了瘻管。很快地發展成為復發性腫瘤。

第二例因係肉瘤，沿下頜骨長軸截除下頜骨將近八厘米大小之後，用骨移植方法恢復了缺損、移植物帶的骨膜係由小腿之脛骨截除而來。

結果未報告。

列氏建議利用取自患者本人並保有骨膜的肋骨作為移植物。

在同年，1908年，巴衣爾（Паπр）指出，直到現時為止尚未研究出可以適合各種要求和能夠系統地被採用的骨修補方法。

從個人方面巴氏提出下列，為了使修補術成功而必須遵循的事項：（1）關於下頜殘存端之移位方面，應於截除後設法加上夾板，或採用假頜植入法，（2）實行無菌手術，（3）隔離口腔與手術區。關於第3項依巴氏的意見是需要細心地縫合粘膜或用皮修補術。巴氏又建議用保留骨膜的肋骨作為移植物。就在那一年他實行了游離的、保留骨膜的肋骨移植。手術以移植物的全部脫落而告終。

赫立爾（Хеллер）氏在兩個下唇復發性癌的病案中用轉移鎖骨部皮片同裹在它裏面的肋骨的方法修復了下頜骨和軟組織缺損。

方法如下：植入截下的並帶有骨膜的肋骨塊於鎖骨下部的皮下，讓它留在那裏2—3星期之久。這是預備手術。第二步，摘除腫瘤，並移植準備好了的肋骨（有皮作成長蒂）以修補所遺的缺損。倘若不能把下頜骨截除手術延期，建議用二次變格手術：先行摘除腫瘤，並同時移植肋骨在鎖骨下區之皮下。用夾板維持下頜骨的殘存段於適當的位置，或植入假的頜骨。在後一種情形下，經過4—6星期取出假頜骨，刮除肉芽組織，立刻或等待幾天之後，施行帶蒂肋骨移植。

關於巴依爾（Паπр）和赫立爾（Хеллер）的修補結果在文獻中有不正確的報導。實際上，在三個病案中都是不成功的。病人死於復發性癌，移植物並未活。

契約滿（Тильман）氏在兩個病案中做了［illegible］一次的［illegible］骨修補的試驗，用取自脛骨前面的游離骨移植片，連同骨膜，作了恢復下頜骨缺損的骨修補術的嘗試。

病例一，因患口腔粘膜癌1908年12月29日施行左側從正中線到半月切迹的下頜骨部分截除。用腸線縫合口腔粘膜。移植骨，連同骨膜，取自脛骨。移植片的大小：長八厘米，寬1.5厘米，厚三厘米。移植下頜骨缺損部分後用銀質縫線將移植片兩端固定在下頜骨殘存段的兩端。肌肉用腸線縫合後，皮膚亦完全縫合。傷口表面癒合良好，但從口腔方面，後面的縫線裂開了，部分骨頭也在此處暴露。1909年2月有六厘米長的腐骨脫落。3月10日瘻管封閉。在X線照片上移植片的所在顯出陰影。

病例二，1910年1月5日在左側，由正中線到高出下頜角一厘米的平面，契約滿氏施行了下頜骨截除術。在縫合粘膜後，作連同骨膜取自脛骨的游離骨片移植。移植片同下頜骨的殘存端用銀質縫線固定。肌肉用腸線縫合後，皮膚亦完全縫合。1910年2月15日移植片全部被摘出。1910年2月23日X線照片上顯出淡薄的陰影。做觸診檢查時可摸到骨頭。

第一例游離肋骨的再度移植，並由夾板固定頜骨的殘存端的手術，是由 Эндерлен 氏做的。

患者，女性，30歲，因患下頜癌，在1910年3月29日被施行手術。截除下頜骨的長度是從頦棘到下頜角之上三厘米的平面。手術後未用夾板。手術創口的癒合，除切口後端有瘻管形成外，爲第一期癒合。後來鑒於下頜骨殘存段的移位，採用了維伍爾（Заурр）氏夾。

1910年12月3日施行了缺損的骨修補手術。從第八肋骨的軟骨部，部分地截除了長近10厘米的骨塊，連同骨膜。在臉上沿着舊的瘢痕作切口。將殘存的下頜骨前端施以新創術，使其成石階形樣式。下頜骨的殘餘部分與關節突起未被暴露。在顴底上作成坑窪，插入移植骨片的軟骨端於其中。全部移植骨片按着長度埋入軟組織中，在它末端之前放置夾持在殘存骨前端之階上，用雙鐵素夾固定。深部用腸線縫合，皮亦完全縫合。傷口第一期癒合。第八日取出鐵素縫線。在美觀和功能方面獲得良好的結果。觀察兩年有餘。

毫無疑問，對於下頜骨完整的恢復，要以歐別爾（Оппель）教授的病例較爲接近游離骨移植。這個病例是在1910年發表的。關於這一點在外國史評中沒有一個提到過。

1909年四月在歐別爾（В. А. Оппель）教授的臨床醫院裏由巴夫洛夫（Т. П. Павлов）教授的臨床醫院中轉來一位17歲的男性病人，患色素乾皮病，並且顯微鏡下檢查淋巴節時發現有「癌的結構」。此外，在下唇和頦下部還有一個大的癌性潰瘍，波及下頜骨。在截除下頜骨並同時廣泛地切除了口底軟組織及下唇之後，很快地又出現了復發性癌。彼得羅夫（Петров）教授繼續截除左側水平部至升枝的基底。由於這次手術的結果，病人的面容受到嚴重的損毀。「口腔開放，它的前下壁和下壁沒有任何回遮，舌突出在此口的中央，周圍經常流着涎液。既不能說話也不能正常地吃飯和喝水……，曾試做過半邊的假下頜骨以建立口腔之壁，但病人拒絕安放假頜骨」（歐別爾）。擺在面前的任務是特別困難的：（1）幾乎完全沒有下頜骨的水平部分和與面容有重要關係的頦弓。（2）缺少下唇。（3）沒有口腔的底。（4）頦部沒有任何遮蓋物（歐別爾）。

歐別爾在頸中部皮下做了兩個六厘米長取自鎖骨移植骨片的游離骨移植。安放兩骨移植片成角狀，它們的近端彼此接合，外側端則埋入胸鎖乳突肌內（圖5）。

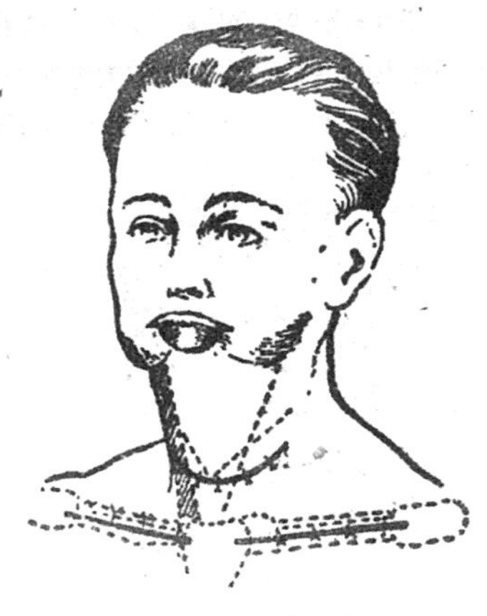

圖5　歐別爾修補法的第一步

兩個移植片都活了，兩近中端也連接起來。就這樣在頸上初步地形成了下頜弓。

在下一期「形成大的，連在寬的上端的皮、骨、肌……，皮片的準備直至其頂端被提起做成口孔的下緣時才停止。將粘膜與皮膚分離。在這些切口裏縫上皮片頂端的頰側。這樣口內粘膜和表面上皮的皮片縫在一起。鎖骨塊的外側端用絲製縫線固定在暴露的下頜骨殘存段之旁。皮片上端的游離緣捲向外，包繞新建的下頜骨。有賴這一步驟得以建立了下唇的雛型」（歐別爾）。

企圖用兩個 7×4 厘米的游離的皮移植片來遮蓋皮片的無皮面，但未成功。

創傷的下部用薄的皮片遮蓋。由於皮片形成疤痕，使骨移植片的前部向下翻轉。並因此口腔陷於開口狀態（圖6）。

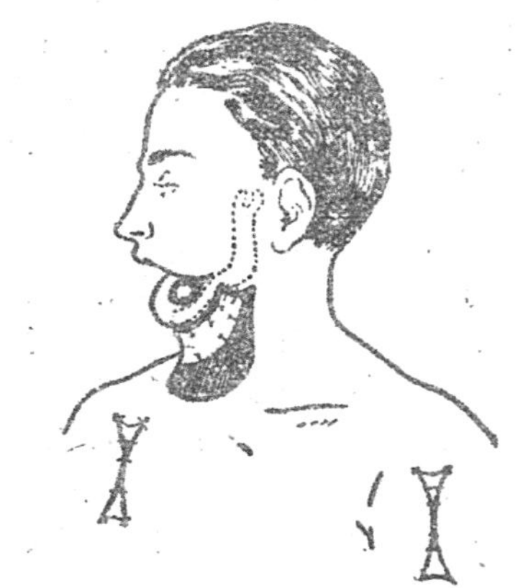

圖6 歐別爾修補法的第二步

後來只得切開新形成的下唇上的疤痕組織，把切後的表面用兩個取自肩部的帶長蒂的皮片遮蓋（圖7）。

圖7 歐別爾修補法的最後步驟

經過口縫和頰的修補之後，治療的基本目的總算達到：（1）不僅恢復了口孔，而且也恢復其口下壁的骨殘餘，下頜骨水平部。（2）下頜骨殘餘與移植的鎖骨塊之間沒有發生接連。同時病人用新建的下頜骨水平部動作，應當想到這點運動是依靠頸部的肌肉。（3）具有相當深的口腔底，也相當的限制了涎液的流出。（4）患者獲得了清晰地講話的能力（歐別爾）。

在文章結尾裏歐氏寫道：「據我所知這樣廣泛的修補手術還沒有被採用過。」

馬可——友仁（Мак-Юйн）氏在1909年發表了一個用同種骨移植法修補下頜骨缺損的病例：

患者，女性，15歲，由於某種來自兒童時期的疾病，使一側下頜骨水平部有了缺損。由於患者未曾帶以假牙和假牙床，其結果因下頜骨殘存段之移位以致面部發生顯著的不對稱。後來成功地實施了骨端的新創術和展開下頜骨殘存段，而未揭破口腔。該修補是用人的帶骨膜的肋骨。移植片被分爲兩半。據馬氏的資料，儘管移植片很快地暴露，穿出創痕，和一小部移植片脫落，但結果很好。缺損被修復，獲得牢固的骨結合，後來移植片的體積增大。病人被觀察六年之久。

關於第二個相類似只缺損較小和手術上困難較少的病例，馬氏提得很簡短。

在1911年瑞典外科醫師古拿尼司特列姆（Гу-нарнистрэм）發表了兩個用帶蒂鎖骨移植法修補下頜骨的病案。

病例一，患者男性，60歲，由於下唇和下頜骨的癌症，作者於1911年7月14日施行了手術。摘除下唇的腫瘤並截除下頜骨前部長達六厘米。爲了預防下頜骨殘存段的移位，在其殘存兩端之間放置了以銀絲固定的畢靈格（Биллинг）氏銀質夾板。用絲製縫線使舌固定在夾板上。

按照狄芬巴赫（Диффенбах）氏法修整軟組織。

1911年7月25日在鎖骨部由軟組織和骨形成皮片：於鎖骨內 $^1/_3$ 的上方，做直角形的皮膚切口，其底部接近中線。切口的下角深抵鎖骨，即達鎖骨下緣。骨膜的分層是在窄的面積上。平行於鎖骨的擴闊表面用電鑽通過骨頭穿成幾個通路。

用直的鑿子將和相當寬的軟組織瓣連着的鎖骨前半邊打下，以便利用軟組織瓣把鎖骨分離下來的那一部分翻轉過來（圖8）。皮片形成之後20天，即1911年8月15日，做了第三次手術。摘去畢靈格（Биллинг）氏夾。帶有長蒂的頸部軟組織瓣被移植到缺損部分。移植瓣骨部之兩端同頜骨之殘存端用銅鋁合金製成的縫線連在一起。修整了軟組織。

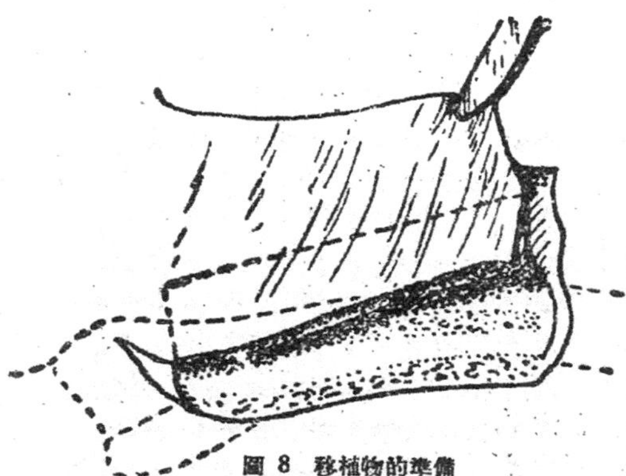

圖 8 移植物的準備

儘管移植物的骨部有些邊緣壞死，而下頜骨的連絡仍得恢復和長合。至 1911 年 12 月 2 日患者情況很好。

病例二，患者男性，58 歲，因下頜骨癌性腫瘤由尼司特列姆氏於 1911 年 7 月 29 日施行了手術。

截除下頜骨前部及左側水平部的一部分。放上畢靈格（Биллинг）氏夾，並用銀絲固定於下頜骨之殘存端上。縫合口腔粘膜至右側畢靈格（Биллинг）氏夾之中心所在處。縫合皮膚，由外面引入了紗布充填物。初步結果是這樣的好，以致經過兩個星期，即至 1911 年 8 月 11 日就做了下頜骨的骨修復手術。但與第一例不同，手術者決定同時進行皮瓣形成和它的移植。手術方法的執行完全和在第一例中所做的一樣。結果是不成功的——移植物的骨部完全壞死。這一次也和第一病例相同，發生了鎖骨餘部的骨折。

患者死於 1911 年 10 月 24 日，即第一次手術後三月。屍體解剖發現頸部的左半有壞疽性膿性蜂窩織炎，左肺尖膿腫和壞死，肺硬結，脾炎，肝和腎呈退化性變。

據尼司特列姆的意見，不成功的原因有：(1) 廣闊地進入了感染，即由夾板右端粘膜沒有縫合的地方發生了感染，經過口腔導向移植片的深處。(2) 移植骨的血運不足，因而對於感染的防禦力也不够。

尼司特列姆的基本結論：(1) 對於下頜骨的修復，帶蒂的鎖骨移植是很好的材料。(2) 皮片形成後應該等待足够的時間，然後才移至缺損部分。(3) 必須嚴格地遵守和執行無菌法。(4) 下頜骨截除後，必須即時利用假牙和假頜骨的裝置。

彼得羅夫（Н. Н. Петров）教授於 1911 年 3 月給一個 48 歲的婦人切除下頜骨復發性囊腫肉瘤後，做了同種的肋骨移植術。

病人在 10 年前曾行下頜骨的半邊截除。下頜骨的再發性瘤截除後，祇剩一側升枝和不多的水平部分，長約 1.5 厘米。關於如何設法隔離口腔與手術創一事，按病案記載是無法知道的，也沒有人知道是否曾通入口腔。在這裏也採用了肋骨移植。肋骨是取自另外一個因枝氣管擴張而由歐別爾教授剛才施行過手術的病人。移植片長 18 厘米。肋骨體做了下頜骨的水平部分。爲了做成弓形，鋸開了肋骨的內皮質層。以安置縫線而達到固定移植片端與下頜骨殘存段的目的。另用縫線來固定肋骨曲折處。獲得的結果不甚良好。由於化膿的緣故，手術後一個月全部移植片被摘除。雖然如此，經過此段時期後，頦下形成堅固的疤痕，固定在相當滿意的位置。病人已有完全可能吃軟的食物，因而拒絕了向她所建議的安裝義齒的建議。

歌約別立（Тёбель）在 1913 年報導兩個病例：

病例一，1911 年 6 月 12 日來了一位病人，男性，19 歲，有缺損在下頜骨前部。患者在四歲半的時候，頦下部出現腫瘤，被證明爲骨肉瘤。1897 年 9 月 3 日施行了下頜骨前部的截除手術。面容的毀壞尚不很大。患者給以假牙和假頜骨，並曾換過兩次。到了 13 歲時給做了新的假頜骨。爲了裝上有咬合的牙齒，採用了鋼的彈簧。由於彈簧的作用，八星期後，得以將下頜骨的殘存部分向兩旁分到需要的位置。在下頜骨的兩個殘存段各鑲了一排新的牙齒。

在牙上裝以金冠，在新的假牙床之端有金質套冠套在牙冠之上。病人入院時下頜骨缺損在二厘米以內，當把下頜骨殘存段分向兩側時缺損擴大到四厘米。患者最大的痛苦是語言功能的受損害。劇烈的頦部後陷（鳥面）是很惹人注目的。頦下有弓形疤痕，下頜骨前面的骨頭完全缺失。

1911 年 7 月 13 日做了手術：在嗎啡、阿托平、哥羅仿同氧氣的高壓麻醉下截除第 12 肋骨，保存了移植片各面的骨膜，並打開了胸腔。移植片長16厘米，置於食鹽溶液內。暴露了下頜骨殘存段的兩端，當在這樣做時沒有發生穿入口腔的情形。為了進行結紮，在下頜骨殘存段的兩端各做成一個石階蹬形並各穿一小孔。在移植片上也做了相符的階形和小孔。移植片被在正中折彎，放置於準備好的位置上。用絲製縫線固定移植片的兩端。外面做了完全縫合。移植物完全活了，在美觀上和功能上均獲得了良好的結果。

根據這一病例，歇氏做出下列的評語：(1) 手術施行的成功有賴絕對的無菌條件。(2) 强調二次修補的重要性。(3) 相隔時間甚長，很有興趣，從截除時算起已過去15年零10個月。(4) 最後，歇氏發表關於這樣的一個假定，就是從脛骨取來的移植片應比來自肋骨的移植片更富有活力，並引證這些骨頭在骨折後實變期限的不同。

病例二，1912年10月9日來了一位病人，兩歲的女孩，患有先天性下頜骨的頦下部和舌的一部分缺損。母親在懷孕三月時受過不流血的子宮後傾位置的矯正手術。

當進來時惹人注目的是頦部劇烈的後陷，較正常位置向後三厘米。發育不全的舌頭像長枕一樣呈現在口腔之底。左側水平部的長度，從下頜角算起，等於五厘米。右側是三厘米。每側各有一個乳牙。左手指發育障礙。患者能够發某些字的音，並能嚼軟麵包和小麵包。

1912年10月17日做了手術。高壓麻醉也和第一例所用者相同。移植片取自第十肋骨，並且連有骨膜和胸膜。除骨外，移植片內有二厘米長的軟骨。在頦下做切口，分出發育不佳的下頜骨的水平部之兩端。階蹬形的做法和第一例同。為了更好的固定移植物起見，又放上了石膏領子，三日後代以膠膏綳帶。手術後的第五日發生了猩紅熱，此病繼續加重，但患者終於恢復健康。至11月11日創口差不多全部癒合，祇是在下頜角處留一瘻管和暴露的骨頭。在左端是潮紅的表面。在胸部創口也化了膿，但最後創口癒合了。

12月18日於移植物中部的上方形成了瘻管。儘管決定了要儘可能地較久地保留移植物，以指望來自骨衣方面的新生骨之生成，但於1913年1月24日終於不得不全部摘除移植物。在創口內引入紗布充填物。2月19日當病人出院時頦下部變得堅硬些。右面水平部好像長了些，但在中部則並無骨的形成。

必須指出，歇氏在14匹狗的身上表演了相同的試驗，都沒有成功。十四個移植物完全脫落了。

基於以上兩例，歇氏的結論如下：(1) 在第二例移植的失敗乃是猩紅熱併發症的結果。(2) 下頜骨截除後為了預防下頜骨殘存段的移位必須給患者以假牙床或假頜骨。(3) 骨修復術應在第二期做，那就是說在下頜骨截除後應當等待一個一定的時期。(4) 下頜骨缺損的骨修補的補償法與只用假牙床的方法相比，有許多優點。(5) 彼時發表的14個例子中，有九個成功地達到了下頜骨連續性的圓滿恢復。(6) 當移植物連同骨衣採自脛骨時，在列可斯爾和契約滿的病例中，甚至一期骨修補就導向良好的結果，但也有某些病例導向不完全順利的結果。

我們要指出，歇氏最後的兩個結論是根據不正確的資料，所以不能同意。

阿巴德（Абадь）氏病例

1911年5月22日阿氏給一位患下頜骨左側牙釉質瘤的22歲的婦人施行了手術。開始做了第12肋骨截除。為了穿縫線，在移植物的一端鑽了小孔。左半下頜骨摘出是在犬齒處用鋸子鋸斷下頜骨的水平部，並且儘可能地保存了大部粘膜，其目的在於封閉通入口腔的開口。粘膜用腸線縫合。移植物放入準備好的托中，前端用縫線固定，後端置入關節所在的方向。引流並縫合皮膚。因為化膿，經過2.5月，移植物完全脫落。由於瘢痕組織的形成，獲得圓滿的功能。

阿氏指出，在行手術時應當盡最大的努力去避免從口腔方面弄污手術區。並且應當在放入肋骨之前細心地縫合粘膜。

事實上，如所週知，口腔粘膜的縫合並不是最好的和最有效的方法，而且這種建議是缺乏論證的。

馬可·韋利阿姆斯（Мак Виллямс）氏在1910年10月19日給一個患巨細胞肉瘤的12歲的男孩做了左半下頜骨摘除術。手術後經過平順。

1912年2月10日用沒有骨膜連着的第七肋骨的一部，施行了下頜骨骨修補手術。

在移植物的表面造成六個窩籠樣缺損。移植物的前端置入骨膜下的袋內，並用一條鉻製腸縫線穿過移植物前面的鑽孔及周圍軟組織固定之。後端游離地置入軟組織中。

移植片全部活了。

韋氏認爲游離骨移植物底血管形成過程的强度有着重大的意義。關於這個，爲了儘快地保證移植物深部的營養，他利用了不帶骨膜的骨作爲移植的材料，並在移植物的表面上打了許多篩篋樣的缺口，直通到骨鬆質。

在各種骨修補手術中，韋氏好幾次利用了上述游離骨移植片的準備方法。

最後的兩側下頜骨的游離移植是屬於史米金(Шмиден)氏的。在這兩例中，整復所用材料是取自脛骨的薄骨片。

在第一例獲得良好的結果。

在第二例，手術後很快地患者死於肺炎。關於修補的結果如何無從談起。在第一例，手術者把移植片加於下頜骨殘存段之新創端的外側表面，並用鐵栗縫線固定它（圖9）。

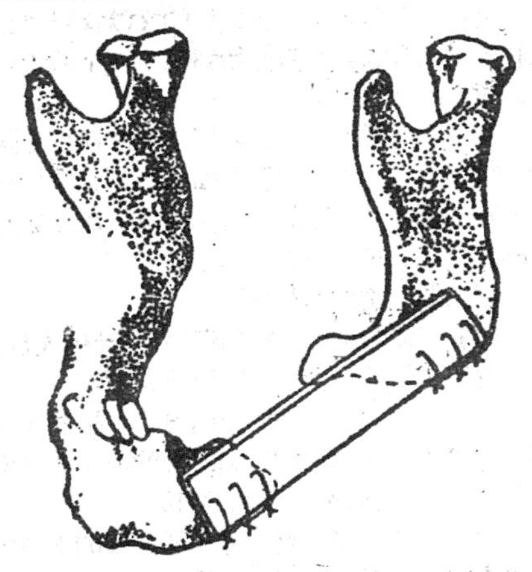

圖9 手術圖解

在第二例，移植片是置於下頜骨殘存段之間。移植片兩端使作燕尾形。

關於第一期和第二期歷史資料的見解

我們決定要在本文中較詳細地舉出歷史材料，甚至於簡短地寫出了病歷，其原因如下：(1) 在文獻中缺乏關於這個問題的十分詳盡的材料，而更主要的是 (2) 我們深信即使在現時，歷史材料也不會喪失它的意義。

在世界文獻中，爲了記載不同時期的材料，迄今照例利用在1917年所發表的克拉波(Клапп)的混合圖表。意大利作者喀文(Д. Кавин)的最新工作中也保有同樣的材料。

我們決定探求最初根源，也就是作者們的原文。主要地，爲了補充和修正有關個別下頜骨骨修補的病案，以及把歐別爾病案補充在內。

關於契約滿的第一例也必須更正，應把它算作不成功的例子，因爲在植入骨片原長八厘米而脫落的死骨爲六厘米長的情形下，是不能把它算做部分成功之例的。其中就是契約滿和列克司爾(Тильман и Лексер)的病例使得手術者認爲所謂下頜骨「一次骨修復」，即成型手術直接行於下頜骨部分截除之後是可能的，特別是小缺損以及在有條件避免打開廣闊的口腔粘膜時。

基於資料的詳盡分析，應當做出肯定的結論：下頜骨缺損的「一次」骨修復，不管它的大小如何，誰也沒有成功。

我們把赫立爾(Хеллер)的病案也列在「一次」骨修補一類之內。雖然他在最終成型手術之前2—3星期先做了準備，先將取自鎖骨的移植骨片植於胸部皮下，做爲預備手術，對於移植物的生物學上的準備來說，他的選擇時期是非常短的。

在分析一二兩組的材料時獲得意外的結果：老的作者們（從1892—1897年）比戰前的作者們有着好的結果。

誠然，起初的移植物並非游離的，儘管後者擁有前人的經驗和已研究出來較好的理論基礎，但畢竟老作者們的手術方法，甚至依照現代的觀念，比後來作者們的作法也是合理的。

關於這方面的說明，應當從本世紀初出現的游離骨修補術的廣泛的可能性對於作者們的誘惑中去尋找。四肢骨及頭蓋骨游離骨移植術的成功也保證了下頜骨的類似的無可懷疑的成功。

對下頜骨骨移植的可能性之估價是正確的，但被忘記的是爲了成功所必須遵循的條件：

(1) 游離骨移植手術的成功，僅在無菌的條件下才是可能的。打通口腔能消除游離骨移植物成活的希望。「一次骨修復」，即游離骨移植術直接行於下頜骨形成缺損並損傷粘膜之後則將永遠導向失敗。

（2）當粘膜被切破，而要想藉助縫合粘膜邊緣來使手術創與口腔隔離，無論何時都不會成功。在移植物的位置上不可避免地要發生炎性病變。

（3）為求得好的功能的結果，必須保證移植物和下頜骨殘存段位置的正確，並藉助正畸器械，在足够的時間（6—7星期）內把他們固定在正確的位置上。

但是，對這些人們都未注意到。

則考夫（Зыков,1900年）氏之後，包括1910年在內，曾有八次在下頜骨形成缺損後直接做恢復下頜缺損的骨修補術的嘗試。當時一部分手術者，大概連這種手術的特殊冒險性也沒有看出來。另有一部分手術者，在打通口腔時，錯誤地估計了縫合軟組織的效果。更特殊的是，甚至在1919年哥勃别勒（Гöбель）還認為「一次骨修補在與口腔有不寬的開口連通時」是無妨的。

我們所分析的下頜骨骨修補術在不同的發展時期的特點是醫生們希望只靠手術方法來求得所期待的結果。我們沒有關於在下頜骨截除後如何防止其移位的矯形措施的（報導）材料。金德剌（Генц）的矯形手術是有興趣的，手術的目的在於當下頜骨前部被截除後經過相當長的時期，來矯正其殘存段的位置。關於需要及時地採用適當的方法的思想已經屢次地和老早地提出過了。還在戰前（1914—1918年）就曾認為外科醫生和牙科醫生的合作是必要的。牙科醫生在外科的成型手術成功之前應當用自己的辦法，設法固定下頜骨之殘存段。

關於這樣情形的實行，在戰時文獻中我們連一個病例也沒有找到。這個問題，以後我們將分處繼續說明。

對有關下頜骨修補問題之發展的兩個時期的記述，使得我們做出結論，即外科醫生們的著作具有特有的意義，這些作品在臨床的實例中指出了外科醫生對操作的原則上的證明是重要的。

上面所舉出的情況是由則考夫（Зыков）最初整理出來的，到今天仍然完全保有它自己的意義。

但這些具有重要意義的指示一點都沒有被外國學者所瞭解及採納。關於這點，我們根據上面關於各個外科醫生行動的詳細記載是有充足根據這樣講的。

他們得到的結果再好不過地證明了他們所選擇的方法的缺陷。

我們願指出，則考夫的名字遠不是在所有的外國作者的著作中都被提到的。

契雅寇諾夫（Дьяконов）的手術是十分新穎的，並且比起和它相似的柯拉武司（Крауз）手術，按計劃說，是無與倫比的更合理的。

契雅寇諾夫的倡議，用錫自下頜骨的鄰近部分的帶肌肉蒂的骨塊移植，以恢復下頜骨缺損法，為某些外國的外科醫生（Пихлер, Кавин）在第一次世界大戰期間完全成功地用於數百病例的手術的基礎。

完全是按照想像，但是有正確根據的歐别爾手術，也沒有反映在外國作者的著作中。

如上所舉出來的不同作者的觀察的詳細記載，應當符合我們的目的——提出最終形式並經過正確說明的有關第一次大戰前時期的下頜骨修補問題的歷史材料，指出了在發展這門重要的外科學中俄羅斯外科學家們的工作起着特别重要的作用。

第三個時期

在世界大戰期間（1914—1918年），在有關下頜骨缺損的骨修補問題方面的成就，給這種手術的現代方法打下了基礎。

第一次世界大戰期間的豐富資料充實了外科醫生的大量的經驗。按照收集到的文獻資料作基礎，我們計算出從世界大戰開始到現今，下頜骨修補病例的總數超過五千個。

可以想像得出，在敘述第三個時期中有關下頜骨修補問題時，就不可能敘述只有少數典型病例之作者們的觀察了。關於擁有更多材料的作家們的方法的敘述我們把它放在第七章。

第三期的主要特點如下：

（1）面頜創傷由一般創傷（各樣受傷人員在內）中分立出來，並培養出專門醫務幹部。

（2）專門人才數目的迅速增加。這些人由於非常多的觀察，無論在顏面和頜骨的緊急外科中，或整復外科中都獲得了大量的經驗。

（3）研究出來了無論那一種方法的下頜骨修補術要想獲得成功的結果所必需的條件。

（4）檢查原先建議的下頜骨假關節治療方法，擬定各種新的下頜骨骨修補方法。

（5）擬定下頜骨夾板和假牙床製做的最簡單和最合理的方法。

（張光炎譯自 Остеопластика Нижней Челюсти При Огнестрельных Дефектах, Медгиз—1949）

塞麥爾瓦亦斯
——母親的救星

鄢裕光*

伊格納斯·菲利浦·塞麥爾瓦亦斯 1818—1865 1861年照片

關於產褥熱發生的記載很早。於17世紀時，該病已在許多的大城市中流行着。如巴黎(1660)，來比錫(1665)，倫敦(1750, 1761)，愛丁堡(1772)，柏林(1778)。於19世紀中葉，在大城市的產院中，因產褥熱所致的死亡率，竟達10%以上。而以維也納第一產院(1846—1848)產婦的死亡數字最爲顯著驚人。曾經有過在一個月內，死亡率達到30%。

在早期對產褥熱病原的研究，沒有得到圓滿的結論，當疾病不流行時，有人認爲是產婦體質因素的關係。於疾病流行時，大家又認爲是一種原因不明，產婦對疾病感受性增大的關係。其傳染途徑，有認爲是經空氣的；或認爲是宇宙的關係。終因不明其真正原因所在。故當時對產褥熱的看法，被認爲是一種無法防治的疾病。在當時的教科書中也冠以各種不相當的名稱。

1833年維也納的產科醫院分爲第一產院與第二產院。前者爲醫學生實習之處。後者爲助產士教學之所。1840—1847年第一產院產婦的死亡率平均在7.5%左右，第二產院的平均死亡率則在2.5%左右。

匈牙利醫師伊格納斯·菲利浦，塞麥爾瓦亦斯(Ignaz Philipp Semmelweis)於1846年在維也納第一產院任助教職。他對當時病房中有因發高燒得敗血病而死亡的產婦，抱以高度的同情心和責任感。在他負責病房部分206位產婦中，因產褥熱而死亡的有36位，佔17.5%。死亡率之高，和最危險的疾病如肺炎一樣。他發現到第一產院的死亡數字，很明顯的超過第二產院。同時，他在嚴謹的思考和敏銳的觀察後，發現在第一產院裏醫學生們於作過病理解剖後，手還未經過嚴密的消毒，就到產院去實習——作陰道檢查。產婦由此而感染發燒。尤其是在作連續的陰道檢查後，就有好幾位產婦受感染而死亡。因此，他認識到：醫學生們的手，是產褥熱致病死亡主要的媒介。病原是一種「腐壞的動物有機毒素」所引起的。所以，他要求醫學生們進病房實習前，需要將手在漂白粉溶液內消毒。同時，產院的醫療器械也進行消毒。因是，產婦的死亡數字，顯著的降低爲11.4%。1847年時，死亡率只佔5%。以後僅到1.27%。

不久，塞麥爾瓦亦斯報告他的朋友病理學家柯勒基卡氏(Kolletschka 1803—1847)在作屍體解剖

---

* 北京第二兒童醫院

時不愼受傷染病，發病經過情況與患產褥熱的產婦完全相同。因此，他認爲是同一病原所引起的。經過 Podach 氏 1947 的研究，證明他的認識是正確的。

1850 年他在維也納醫師公會的演講會上，報告了產褥熱的發生及預防方法，可是沒有受到足够的重視，而得到保守派一些不科學和不合實際的批評。年輕的塞麥爾瓦亦斯，在激憤之下，於1850就回到他的祖國——匈牙利——去工作。在他離開維也納第一產院以後，該院的死亡率又明顯往上升了。

1850 年起他開始在布達佩斯的 St. Rochus 醫院工作。剛巧那時產院裏的產婦正面臨產褥熱的危境中：一個產婦已經死亡；一個正在危急中；四個產婦已受了感染。這幾個產婦都是因爲外科主任作過了有菌的手術後又去接生才感染的。塞氏開始在醫院中進行防治，他號召所有的醫師、助產士、護士都必須進行手的消毒。而且還要對手術器械，材料，被褥都必須消毒。在以後的六年中，每一千個母親中只死亡了六個。產婦得到了安全的保障，同時他也因此在 1855 年被升爲教授。

1861 年他將研究的結果，發表了名著「產褥熱的病原，認識及預防」。雖然，他的發現，在醫學史上是一個偉大的成就，對後來在外科、婦產科學中消毒滅菌方面起了肯定性的作用，可是，並沒有得到普遍的重視和贊同。除了維也納的 Skoda, Hebra, Rokitansky 幾位教授熱烈的支持他的發現，認爲他的工作可與 Jenner 氏相比外，沒有別的專家表示支持的意見。如病理學家 Virchow 氏 1879 年認爲產褥熱不一定要經過感染及局部組織損傷而發生。

他的預防方法，在匈牙利一直推行到 1866 年。當時因政府改組，爲了節省用費，將病人床單換洗的次數減少了。甚至於還要使用已被膿液污染的床單。此時產褥熱的死亡率又明顯升高。塞氏又一次的正確的認識到產褥熱的原因及消毒的必要。經過他的反對，政府是不再爲洗滌節省了。

由於顯微鏡的改善，巴斯德最先發現鏈球菌是產褥熱的致病原因。從此，多年來對病原方面的爭論，才算有了最後的解決。

偉大的塞麥爾瓦亦斯氏爲了母親們的健康，經過了長時期對產褥熱的研究；並對當時頑固的醫學家們進行了不屈的鬥爭。因之他精神上受了嚴重的損傷，終於 1865 年進入維也納近郊的精神病院。在他最後一次還能作手術時，他因受傷患敗血病而逝世。很不幸的，死於他所發現的疾病。

塞麥爾瓦亦斯是一位具有高度的同情心和責任感的醫學家。他有敏銳的觀察力。他用科學的頭腦去仔細研究疾病的原因和預防的方法。在實踐中得到了很好的效果，拯救了世界上很多的母親和嬰兒。他的發現，雖然在當世沒有爲醫學界所共認。可是世界上每個角落裏，從他的預防方法基礎上，使產婦們的健康得到了保障。世人稱他是「母親的救星」。這種光榮的稱號，是很恰當的，尤其是他的堅忍不移，爲科學的眞理作不屈的鬥爭的勇氣，和他爲人類謀幸福的精神，是値得醫務工作者們學習的。

匈牙利人民共和國的醫學科學的發展

匈牙利科學院院長 魯斯納克

在19世紀中葉，正當爲匈牙利的獨立自由而進行革命鬥爭的時期，匈牙利的醫學即已奠定了基礎。

在19世紀40年代，匈牙利外科學的創始人、1848—1849年民族解放運動的積極參加者亞諾斯·鮑拉薩氏就開始了自己的活動。鮑拉薩氏對關節炎症性疾病所應用的固定方法很快地轟動了全世界。

當時還有一位著名的匈牙利學者伊格納斯·塞麥爾瓦亦斯氏，就是他確定了產褥敗血症的發病原因。

在治療學方面應用科學研究方法的奠基者弗利得斯·克拉尼是當代的傑出的人物。

在19世紀末20世紀初，匈牙利醫學擁有許多驚人的科學成就。譬如，愛特列·赫捷斯醫師在改進狂犬病預防注射方面進行了龐大的科學研究工作。約塞夫·法德爾氏確立了在匈牙利的衞生服務基礎。著名的病理學家歐賓·別爾基克氏在細菌學方面收到很多巨大的成就。

法西斯制度給全部匈牙利科學造成了窘困的條件，使其沒有可能進行科學研究工作。法西斯政府完全荒廢了科學研究所、臨床醫院和普通醫院，使全國保健工作處於困迫狀態。法西斯把匈牙利驅入戰爭，在戰爭時期毀滅了許多的醫院和科學研究所，顯著地減少了醫師的數目。

1945年4月4日，英勇的蘇聯紅軍消滅了匈牙利的法西斯軍隊的最後殘餘。我們祖國的解放，同時也就是匈牙利科學的解放。被德國法西斯搶掠和毀滅的匈牙利，在其最困難的這個歷史時期，深深地體會到了蘇聯的無私的幫助。由於匈牙利共產黨之決定性的與正確的政策，我們的國家開始了迅速的恢復。在1945年春季，我們的大學已開始上課，而科學研究工作也迅速地恢復了。許多年青的研究家們獲得了在新的科學研究所中進行勞動的條件。

匈牙利科學院在解放後重新改組了。匈牙利科學院在其成立後這150年當中，醫學學者第一次作了它的領導人；在科學院內並附設一個由22名院士組成的醫學科學系（院），這些院士光榮地代表了匈牙利醫學。

匈牙利醫學科學研究機關得到了匈牙利勞動人民的黨和匈牙利政府的無限的支持，蘇聯學者的無私的友誼幫助，應用蘇聯醫者的巨大的成就，使我們匈牙利科學有可能獲得了重大的成就，我們並因這些成就而自豪。

我祇能記叙一些匈牙利人民民主共和國醫學家們各方面活動的最卓越的成就。

弗利得斯·克拉尼的兒子——山賓爾·克拉尼氏是匈牙利醫學科學的主要活動家之一。把物理化學方法推廣到臨床上去、對腎臟活動實行機能檢查和腎病療法都是與他的名字分不開的。

山賓爾·克拉尼的學生們繼承着自己偉大的老師的事業。本文著者從事研究水腫問題已經好久了。他是最先確定血清膠體滲透壓在水腫病因中的作用的研究者之一。在淋巴循環方面也繼續作了這一類的研究。研究的結果確定淋巴循環機能不全對內臟器官的疾病是起着重大作用的。布達佩斯的泌尿科臨床醫院的同事們也進行着類似的研究，在那裏，在A·巴彼其院士領導之下正在研究腎臟淋巴循環的變化。

匈牙利的學者們特別注意血液循環的問題。譬如，布達佩斯第三內科醫院的主任巴勒·果苗里教授進行着許多有益的實驗，已經證明在血氧量過少時，腎血液循環減少是由於中樞神經系統病理機能所引起的，布達佩斯生理學研究所主任彼切爾·巴林特教授正在研究着腎臟內血液循環與因失血而發生的休克。他證明，應用麻醉可以避免低血壓對腎臟的有害作用。約日爾·巴格教授及其同事們，特別是依洛鼢·班戈，他們都在研究着動脈硬化症問題，他們在胰腺裏發現一種酶（彈力蛋白酶），

中国近现代中医药期刊续编·第二辑

這種酶能分解彈力纖維。

匈牙利在研究肌肉的生理學與生物化學方面有着多年的傳統。布達佩斯生物化學研究所所長布魯諾·斯特拉烏波院士最先把肌動蛋白從肌肉組織的蛋白中分離出來。他根據肌肉收縮時所發生的生物化學過程，來研究與組織構造有關的酵素分解過程，斯特拉烏波教授現在研究着紅血球的滲透性問題。彼奧斯城的生物物理研究所所長耶訥·愛爾恩斯特院士多年以來進行着肌肉收縮的生理學研究。由於他這種聞名於世界的卓越研究，使肌肉收縮時的生物化學和物理過程在很大的範圍內得到了闡明（結晶作用）。

匈牙利科學院給予布達佩斯藥物研究所以莫大的幫助，這裏的全體工作人員在別拉·依塞庫茨院士領導下，很久就研究製造麻痺神經突觸的各種藥物及局部麻醉和降低血壓的藥物。

戰後幾年來，匈牙利的學者們在研究抗生素方面獲得了卓越的成就。製藥工業科學研究所某些學者們已經研究出青黴素酵解的方法，而現在則更掌握着鏈黴素酵解的方法。有些學者正在研究匈牙利的抗生素類並分離出新的抗生素。此外，還研究抗生學的理論問題。其中介布烈秦城藥物學研究所的同事們（以齊伯爾·瓦里納里氏爲領導）是最突出的，他們研究着生產新的抗生素之可能性。謝哥德城生物化學研究所的同事們在安德拉斯教授領導下正研究着在抗生素工業酵解方面的重要的理論問題。領導謝哥德城藥物學研究所的米克洛斯院士是匈牙利化學療法問題的傑出專家，多年以來他成功地研究着網狀內皮系統的生物學。其中特別應當指出的，是研究 histalin 對網狀內皮細胞機能的作用和大分子物質沉着方面的研究。

應當强調指出，匈牙利學者們。僅僅在我國解放以後才開始積極地來研究病毒問題。這方面的優秀專家之一依瓦訥維奇院士，正在研究病毒的繁殖問題。此外，他在生產含有大量維生素 B_{12} 的肝臟製劑方面獲得了顯著的成績。國家保健研究院院長哈娃斯院士研究着在生物學上屬於同一種類的各種微生物間的頡頏作用。在其研究過程中證明了有關微生物生活活動方面米邱林生物學基本原理之正確性。

許多學者正在研究，引起各種腸管疾病的致病菌，特別是消化不良和痢疾等的致病菌。卡洛依·拉烏斯教授在這方面有着極大的貢獻。該研究所的同事們在他的領導下從事研究抗痢疾接種的方法。

蘇聯學者們的研究工作對匈牙利的科學發展有着極大的影響。匈蘇兩國間的科學力量的聯繫愈益鞏固着。

譬如，在O·B· 列別辛斯卡亞的偉大的科學發現之後，我國內也開始特別注意於研究活蛋白質和研究細胞發育的形態。科學院生物醫學系秘書兼布達佩斯組織胚胎研究所主任的依母列·喬勒院士因發現新的細胞發育形態，而獲得了光輝的成就。喬勒院士在胸腺裏發現了細胞分裂新的形狀，在細胞分裂的過程中由細胞裏放出一種物質而變成成熟的細胞。

介布列秦城病理研究所主任別拉·卡里涅爾院士所作的研究是非常著名的。他闡明了腫瘤遷徙與活質之間的關係。匈牙利科學研究院生物研究所主任笈列尼依院士正在研究濾過形的酵母並研究把酵母的無細胞濾液變成細胞。他並利用生物學的研究方法來闡明在細胞形成的全部過程中物質代謝的變化。

匈牙利科學院主席團確實認識到巴甫洛夫生理學的巨大意義，因而採取了一系列的措施，使匈牙利的所有學者、特別是醫務工作者們很好地學習巴甫洛夫學說。爲此，附屬於科學院主席團組成一個巴甫洛夫學說學習委員會，其任務是在於將偉大生理學者巴甫洛夫的學說貫徹到匈牙利的醫學當中去。該委員會的主席是謝哥德城內科醫院主任亞玆·賀切尼依院士，他從事研究中樞神經系統在內科疾病中的作用已經多年了。

匈牙利科學院已經用匈牙利文出版了巴甫洛夫選集，大腦兩半球機能講義以及蘇聯學者貝柯夫，依萬諸夫·斯莫棱斯基和其他等人的一些著作。有了這些譯品使得巴甫洛夫的學說在匈牙利的醫務工作者中間廣泛地傳播起來。科學院的醫學圖書出版局源源不斷地供給匈牙利學者們以蘇聯醫學書籍的譯文。這樣，就使得我們逐漸深入地學習蘇聯醫學的成就。

我們從蘇聯學者那裏得知什麽是現代科學及其思想基礎的意義是什麽。我們盡全力以蘇聯人民所特有的人道主義和對自己人民的熱愛來教育自己。

匈牙利的醫師們和學者們清楚地認識到戰爭會給人們帶來多大的災難。他們知道只有和平才能保證創造性的勞動條件。所以全匈牙利的學者們和醫務工作者們都團結起來爲和平而奮鬥並積極地參加和平的、創造性的勞動。

（趙伯仁、傅韜譯自蘇聯「醫務工作者」報1953年12月11日）

結核病年表

原著者 R.M. Burke

一、古代（公元前5000—公元1600年）最早的證據、臨床的描述、液體病理學

1. 東方醫學（公元前5000—460年）

公元前

5000 初期文明建立了。開始有歷史的記錄。

Bartels 氏在新石器時代的人裡找到脊柱結核病的證據。

2900—2625 金字塔建築時代。

1000 印度醫師如妙聞氏等在壽命吠陀一書裡有很豐富的結核病臨床知識。摩拏法典（印度）中認爲結核病是污穢、不治的病，而且有礙結婚。

G. E. Smith 氏在埃及第21王朝的木乃伊中發現脊柱結核（Pott's disease）。

約 900 荷馬（Homer）供給了古代希臘的結核病的資料。

700—165 舊約聖經裡祇是模糊的提及消耗性病。

2. 希波克拉底斯的醫學（公元前460—公元201年）

醫學擺脫了迷信的束縛，成爲個別的科學，應用臨床的方法研究疾病。

驚人優良的癆病臨床叙述出現。結核病的種種變幻，使得古代人將癆病分爲很多想像上的各自分離的疾病。描述了肺以外的損害，但沒有直接的和癆病相結合。體液說解釋癆病是由於特殊的惡病體質所致的肺的潰瘍和化膿。這惡病體質有適當的液滴到肺中，以致潰爛。合理的治療。一般衛生方法的應用。

（公元前 460—370） 希波克拉底斯氏首先詳細描述癆病的症狀（含有溶解和消耗兩種意義）。癆病是體液性惡病體質（常是遺傳的）使得肺潰爛和化膿。他說肺上有腺腫或小結。用適當的飲食和極小量的藥於治療。

（584—322） 亞理斯多德（Aristotle）氏描述豬的瘰癧。認爲癆病是接觸感染的。

312 羅馬第一個下水道築成。

63 Caelius Aurelianur 氏對癆病的症狀作了有力的描述。

（公元前 25—公元 45） 塞爾薩斯（Celsus）氏的著作反映了亞歷山大的和羅馬早期的醫學說法。他提及皮膚的腺腫或寒性膿腫，並且他是一個極力主張到海上航行以治療癆病者。

（公元 23—79） 普利尼（Pliny the Elder）氏引用很多民間通用的治療咳嗽和瘰癧的藥物，如狐狸肺、蝸牛、蘿蔔。

約 200 阿利提阿斯（Aretaeus）氏很生動的描寫了癆病的損害。他清楚的將精腺聯繫到癆病。

（131—201） 該楞（Galen）氏對結核病的說法（癆病、脊髓癆、消瘦等），正如他的解剖學和生理學，影響了幾世紀。認爲癆病是肺的潰瘍，它的治療和表面的潰瘍治療一樣。認爲肺的小節或結核是由於敗壞的體液的凝固。（他和希波克拉底斯氏一樣，沒有說明這些小節就像癆病的特殊先兆。）他使用各種藥物，並且也使用精神健全的普通方法。他主張不和患癆病的人接近。

3. 該楞後期（202—1452年）

西歐慢慢的重建立起新的文明。基督教擴展。阿拉伯人侵到東方及歐洲的一部。古代醫學的思想被譯成拉丁文和阿拉伯文。對醫學很少新的貢獻。

結核病仍和以往一樣的神祕不知。病理解剖學的無知阻礙了它的進步。治療是用巫術和根據經驗。沒有預防方法。

352—427 區比俞入著作中指出牛的消耗性病和人病同類。不吃潰爛的動物肺臟。

(860—932) Rhazes 氏認爲結核性潰瘍很難治癒。(在中世紀潰瘍是一個難題，並不只是結核。)

(980—1037) 阿維森納 (Avicenna) 氏視癆病猶如普通局部潰瘍。他把潰瘍的形成分爲三期。氣管內注射紅玫瑰和蜜是理想的藥物。

1162 臨床醫生阿文左阿 (Avenzoar) 氏逝世。他以山羊奶用於治療。(在任何時期奶是被認爲最有益處。尤其是人奶，山羊奶和驢奶。)

(1259—1312) 亞諾爾特 (Arnold of Villanova) 氏說，癆病的潰瘍是由於冷體液 (cold humor)從頭一滴一滴漸漸流到肺臟所致。

1407 在慕尼克禁止使用有消耗性病的動物。

(1342—1412) 裴剌里 (Mathieu Ferrari of Pavid) 氏著癆病的治療一書。

1376 John of Arderne (1306—90?) 著論肛門瘻 (Treatise on fistulo-in-ano) 一書。

4. 文藝復興(1453—1600年)

個人自由思想和希臘原著的探索。印刷術的發明和美洲的發現。在醫學方面，現代的解剖學奠定了基礎。但對結核病，除了減少若干奇怪治法以外，並沒有提高。

1478 塞爾蘇斯的第一版出版 (Florence)，這是最早印行的醫書中的一部。

(1490—1553) 拉伯雷 (Rabelais) 氏諷刺皇帝手撫摩瘰癧的治法。

1525 希波克拉底斯的著作譯成拉丁文印行。

1538 亨利第八 (Henry VIII) 下令：命名，結婚，死亡，要在教區登記。

1543 未塞利阿斯 (Andreas Vesalius 1514—64)氏的人體的構造 (De Febrica) 出版。現代解剖學開始。

1546 Fracastorius 氏著傳染性之合理論 (De Contagione)，其中說明微生物接觸傳染的現代學說。他認爲癆病是由看不見的小體所傳染，他認爲這小體能在腐化的體液中滋長，正如在外面一樣。

1553 塞爾維塔斯 (Servetus) 氏發現肺循環。

1558 Fernel 氏看出癆病人患水腫時，預後不良。(希波克拉底斯氏也已提及。)

(1564—1616) 沙士比亞的劇本中有很多結核病的引喻。

1567 Paracelsus 氏 (1493—1541) 的關於礦工癆專論印行。他痛斥盲目墨守古代醫學的成規。他在醫學上應用了化學藥物。

(1578—1625) Spigelius 氏認爲英國女人習慣穿緊身的衣服，使得胸部受限制，促進了癆瘵的發展。

(1589—1655) Lazare Rivière (Montpellier) 氏著夫婦的結核病率。

1591 Peter Forest 氏主張用精神健全的衛生方法治療癆病；他贊成當時流行的以飲人乳作爲療法的輔助。

二、近代前期 (1600—1800年)

解剖學，生理學

現代生理學由哈威 (Harvey) 氏發現血循環開始。18 世紀末，大體解剖的研究已達極點，主要開始從事研究病理學。

掃清了過去一些不够眞實的和謬誤的認識。肺結節首先被看作是癆病的起原。認爲結節和瘰癧的腺質腫脹相似，因此，瘰癧和癆病被緊密的聯繫在一起。在 18 世紀無腺腫的肺結核被證實。治療和以往無差別。歐洲結核病死亡人數增加，可能是由於人口集中城市和貧窮人口增加的影響所造成。南歐較信仰結核病的接觸傳染性學說，曾採取一些管制法規。

1609 De Laurens 氏認爲瘰癧是一種遺傳的和接觸傳染性的疾病。他討論到皇帝手摩的效用値得考慮。

1616 哈威 (William Harvey, 1578—1657) 氏作關於血循環的講演。

1621 Zacchias 氏發表法醫學的論文。他討論到丈夫可以和有結核病的妻子離婚。

1629 倫敦死亡統計開始逐一記錄疾病。癆瘵是死亡主要原因。

(1644—1683) Michael Ettmüller 氏以爲特別由於痰的傳染。

1650 Sylvius 氏 (1614—72) 認爲結節是癆病的起因。

1661 Malpighi 氏 (1628—98) 著 De pulmonibus 一書。他證明肺泡和毛細管在肺動脈和肺靜脈之間。

1667 Locke 氏認為倫敦 20% 人口死於癆病（當時倫敦的人口 45 萬）。

1672 Thomas Willis 氏（1621—75）述說即使肺沒有潰瘍，也能有癆病（一般的說法是癆病必先有潰瘍或空洞）。他研究肺小葉的解剖。

1675 le Jaune 和 Josselyn 氏指出在白種人來到北美洲以前印第安人就已有結核病了。

1676 Richard Wiseman 氏描述關節結核病稱為［石腫］（tumor albus）或白色水腫（white swelling）。

1679 F. Sylvius 氏的 De phthisi 出版。他說結節引起癆病，並且結節是淋巴腺擴大和患瘰癧相同。

1683 Leeuwenhock 氏（1632——1723）描述微生物。

Paul Barbette 氏見到淋巴管和癆病的密切關係。

1689 Richard Morton 氏（1637—98）發表一篇論文，題目是 Phthisiologia，癆瘵是由血液的紊亂所致。描述了 16 種。結節是各種癆瘵不可少的先驅。他的治療法有精神治療並附加許多經驗上的藥物。

1692 Thomas Sydenhan 氏（1624—89）著 Processus integri，他竭力主張癆瘵患者採用新鮮空氣和騎馬運動。以為胸廓運動是有益的。

1699 意大利的盧加（Lucca）地方當局首次公佈預防癆病條例。

1700 Ramazzini 氏著論職業病。討論礦工癆和石匠癆。

Manget 氏初次描述粟粒形結核的屍體剖驗。

(1700—1772) Van Swieten 氏明瞭若干肺潰瘍的發生。他主張到農村去，以為土壤放散出的氣可以治癒。他描述了捻髮音。

1735 威尼斯設立癆病者休養醫院。

(1735—1788) 著名的理論家 John Brown 說，癆病的特點是肺的痙攣，因此使肺乾燥和撕裂。最初的原因是遺傳。

1740 Frederic Hoffman 氏認為體高而頸長的人易罹癆瘵。

1741 在 18 世紀歐洲的結核病或者達到高峯（1741 年由於結核病死亡者每 5.5 人佔一人；1799 年則為 1: 3. 8—Bateman）。

1744 Planter 氏認為佝僂的脊柱是起原於結核性病。

1751 西班牙 Ferdinand Ⅵ 下令，患開放性結核病者，死後要消毒他的房屋和燒毀個人的用物。

1757 Gilchrist 氏設想將空氣導入胸膜腔以治療癆瘵。

1761 Leopold Auenbrugger 氏（1722—1809）的 Inventum novum 出版，其中描述了叩診法。

Giovanni Morgagni氏（1682—1777）發表 De Sedibus。奠定科學的病理學。他懷疑瘰癧和肺癆是相似的。他因為怕傳染，避免解剖癆病屍體。

1767 英國開始工業革命。迅速的人口集中都市，影響到結核病蔓延。

1768 Robert Whytt 氏（1714—66）第一次描述兒童結核性腦膜炎。

1774 Thomas Percival 氏是第一個英國醫生推薦用魚肝油治療癆瘵。

1785 William Withering 氏指出瞳孔散大是癆瘵病徵之一。

1789 Kortum 氏試圖用瘰癧的膿汁接種在人體，沒有成功。

1790 Marc-Antoine Petit 氏（1766—1811）著論喉結核病（Treatise on tuberculous Larynx）。

1792 De Mega 氏認為鹽是治咯血的藥物。（在日光下的各樣東西都被用來止肺出血。）

1793 Mathew Baillie 氏（1761—1823）發表他的病理解剖學，將病理學系統化。正確的描述了鈣化結節。區分了小結性癆瘵和浸潤性癆瘵。

1796 James Clark 氏敘述用乙醚治療癆病的咳嗽。

1797 C. G. Hufeland 氏著論瘰癧症（Treatise on Scrofulous Disease）。他認為瘰癧是淋巴系統失去功能，淋巴呈酸性狀態。（對病理不清楚。）

1798—1808 Robert Willam 氏的皮膚病論文出版。他懷疑到結節性紅斑和結核病多少有些關係。他將此病定名為狼瘡，正如後來所知的尋常狼瘡（Lupus vulgaris）。

Thomas Beddoes 氏（1754—1808）著結核病手冊，反映了當時通用的藥物。他在英格蘭 Clifton 創辦一個用空氣治療的機關。

三、近代（1800—19—年）

French 氏應用病理解剖學的方法研究疾病，得到很多重要的事實。這一個時期的興趣轉向細胞。19 世紀前葉，德國人發展了細胞學和細胞病理學。巴斯德（Pasteur）氏公布疾病的細菌說。因此，成立了細菌學，傳染病學以及 20 世紀的預防醫學。生物化學出現後成爲研究疾病的重要角色，最後它趨向細胞內容物的研究。

1. 1800—1881 年，病理學，實驗的和臨床的結核病

病理學（粗腦的） 結核病的大體病理學已被 French 氏全部研究過，他定出來結核的特異性和統一性。結核的發展狀態清楚的知曉（鈣化、萎縮和潰瘍）。瘰癧和肺癆知道是同一的疾病。

（顯微鏡的） 結核被認爲如同一個無血管細胞的小節，在不超過一定大小，就乾酪化。魏爾嘯（Virchow）氏在他的研究中指出膿或乾酪樣變不只限於結核病所特有。

實驗的結核病 Villemin 氏證明結核病是一種由接種病毒可以發生的特殊性病。由於在肺外病灶如鶴節風，寒性膿瘍等發見了結節和病毒，使結核病的範圍擴大了。

臨床的結核病 Laënnec 氏建立了現代的物理診斷法，在渾沌中帶來了規律。對聽診器很感興趣。早期的診斷變爲可能。癆病的臨床表現，因病理學的研究而能更清楚的認識了，從而指出結核病是一種特殊的體質病，起因於一種特殊的結構，就是結節。

病理學家找到很多的結核病能治癒的證據，這使得重新注意了治療，並且出現近代的療養院：療養院首要的條件是氣候、新鮮空氣和飲食，最後着重在休息。

1800 Bichat 氏（1771—1802）著 Traité des Membranes，他的組織學說溝通了器官病理和細胞病理學。

William Nisbet 氏抛棄了很多結核病的假設分類，使分類得以簡單化。

1803 Vetter 氏認爲結核的乾酪樣物質是結核病的首要特點。

1804 Bonnafox-Demalet 氏在他的一本著作裏描述了 12 種癆病。他痛斥少穿衣服易患癆病的說法。

1805 Salmade 氏報告結核病的接種試驗失敗。

1815 René-Théophile-Hyacinthe Laënnec 氏發明聽診器。

1819 Laënnec 氏（1787—1826）著 De l'Auscultation Médiate。建立了現代物理診斷，在臨床醫學上從渾沌中得到了規律。他確定了結核的特殊性和統一性。他從舊的結核病分類中除去非結核性的情況（首先描述支氣管擴張）。他正確的解釋，在結核病的治療中，瘢痕組織的地位，並且也承認這病的潛在性。

1822 James Carson 氏（1772—1843）推薦用人工氣胸療法治肺結核。他賞識肺壓迫法的機械利益。

1825 Pierre Louis 氏（1787—1872），Recherches sur la Phthisie。這裏面包括驚人的肺外損害研究，其中有結核性腹膜炎及結核性喉炎。他反對 Laënnec氏關於結核的統一性的說法。Louis 氏認爲喉結核病是痰的機械摩擦所起。（這種卡他兒性的學說廣泛的流行着。）Louis 氏的定律：肺結核病是其他結核病的先驅。

1830—50 對結核病盛行投速效藥的方法（應用催吐劑、瀉下、吸入、礦泉水、特殊的、猛烈的）。當肺出血時，治療的良好，流血可以停止。一般的是寧可姑息不願治療，特別是巴黎和維也納學派。

1831 Gurlt 氏視牛的肺病與人類的結核病是同一的。

1832 F. H. Ramagde 氏施行人工氣胸。

1837 William Stokes 氏（1804—78）著胸的疾病，包括很多臨床的觀察。

Trousseau 氏著了關於喉癆病的驚人論文。

1837—1841 Rayer 氏著關於腎病的論文，其中包括第一次完善的腎結核病的描述。

1839 Josef Skoda 氏（1805—81），論聽診與叩診（Treatise on Auscultation and Percussion）。他根據聲學的定律把題目系統化了。

英國結核病死亡率每 10 萬人中有 400 人。

倫敦大約每10萬人中有600人。

Malin 氏觀察了兩隻因吞嚥它的患有癆病主人的痰而死亡的狗。

1841 Gluge 氏開始研究結核的細胞構造。(開始由大體病理學的研究轉向鏡下病理學。)

1842—46 Corl Rokitamsky 氏(1804—78)的教科書出版。他述說結節是凝固蛋白質的滲出物所構成(這滲出物是眞癌的胚胎性組織)。詳細描述了腸結核的病理。他注意到喉結核是繼發的，很少原發的。

1843 Klencke 氏在兎身接種結核病成功。他以爲結核性細胞的活動如同癌細胞。

1846 John Hutchinson 氏(1811—61)作了肺活量的第一次正確研究。發明了肺量測定器。

1847 Virchow 氏說明結核性物質或乾酪樣變不是結核病所特有。

1847—54 Virchow 和 Reinhard 氏提出二元論的學說，就是發生性結核病(粟粒形結核)和炎性結核病(乾酪性肺炎)。

1851 Henry I. Bowditch 氏(1808—92)推廣胸膜滲出物的吸引術。

Cazenave 氏承認紅斑性狼瘡和結核病相同。

1852 Virchow 氏限定⌊結節⌉一辭指粟粒形結核。他認爲遺傳是此病發生的一個有力的因素。

1853 紐約的癆瘵死亡率是每10萬人中有469人。

1853—56 Hermann Brehmer 氏(1826—96)說明結核病是可治癒的。(在普通屍體解剖中發現高的肺病損害治癒率，引起對於可以治癒的興趣。)

1855 Jaeger 氏最先解釋脈絡膜結核。

1856 Austin Flint 氏(1812—86)採用⌊支氣管肺泡性喘息⌉(broncho-vesicular breathing)一名。

1858 Rudolph Virchow 氏(1821—1902)發表細胞病理學。結節是周圍結締組織的增生所造成。結節形成的古代體液說已成過去。

Maze 氏描述眼的脈絡膜結核。

1859 德國 Silesia 地方在 Görbersdorf 由 Brehmer 氏設立最初的結核病療養院。着重循環系統的强壯，應用運動、新鮮空氣、水療法和休息。

1861 Oliver Wendell Holmes 氏以⌊白惡疫⌉(white plague)一名來稱呼結核病。

1862 Louis Pasteur 氏(1822—95)反駁生物自生論。疾病形成的細菌學說在它的實際應用引起。

Carl Wunderluch 氏報告慢性粟粒形結核病的病例。(血原性肺結核病。)

1863 瑞士發表結核病高度的減少。

1864 L. M. Lawson 氏(1812—64)的⌊肺癆病⌉(Practical Treatise on Phthisis Pulmonalis)反映了當時美國人觀點的紊亂。

1865—68 Jean-Antoine Villemin 氏(1872—92), Études sur la tuberculose。他的動物實驗證明結核病是一種特殊的傳染，起因於可接種物。結核病屬於毒性病類。人的結核病和牛的結核病起原相似。

1866 二元論學說臨床代表者 Niemeyer 氏陳述⌊發生於癆瘵患者的最劣情況，是變成結核性⌉。在這樣的話裏反映了德國在這方面存在的紊亂情形。

1868—72 A. Chauveau 氏(1827—1917)首先證明結核病可由消化道傳入。

1870 Gerlach 氏證明含有結核的牛乳能傳染。

1871 Armanni 氏(意大利)證明結核病的乾酪樣物質的特殊性和毒性。

1873 Friedlander 氏在狼瘡裏發現結節。

1876 Peter Dettweiler 氏(1837—1904)推廣了休息治法，休息在戶外走廊的輪椅上。他採用了郵便的痰盂。

1877 Cohnheim 和 Salomonsen 氏施行兎的眼前房接種成功。這在結核的組織發生論中給了一個驚人的貢獻。

Weigert 氏描述在由靜脈散開的結核病。說明粟粒形結核的發展。

Sayre 氏應用石膏背袴於 Pott 氏病。

Tappeiner 氏用飛沫感染法或吸入感染法將結核病使狗感染。

1878 Cohnheim 氏對頸淋巴結核最初是由扁桃腺的疾病所引起之說，發生了疑問。

1879 Hansen 和 Neisser 氏發現痲瘋分枝桿菌。

McCall Anderson 氏指出在解剖上或屍體剖檢上，結核和疣狀狼瘡是相同的。

1880—85 Julius Arnold 氏專心研究肝、腎和淋巴

腺結核。

1881 Felix Guyon 氏從外科的立場考慮腎結核病。

在德國七名死亡人口中有一名是死於結核病。

2. 細菌學、臨床病理學、化學、治療、預防

細菌學 Robert Koch 氏發現結核菌，使得結核病的知識在19世紀很快的進入新的境界，過去不明瞭的完全得到了解。他發現有結核病的動物，於復接種時便發生抵抗。他應用了結核菌素。Koch 氏的研究給後來的研究工作指出了方向。

臨床病理學 在患結核病的每個氣管支氣管小結上必然發見結核性病灶。原發性良性傳染（童年型）需與繼發性惡性疾患（老年型）區別。

化學 從發現結核菌的耐酸性和含有大量的脂肪起，開始結核菌的化學研究工作。

治療 在體溫不高的情形時，對延長臥床休息的重要性漸漸有了認識。爲看護結核病人，擴大療養院的建立。輔助的方法用局部休息和肺臟壓縮（萎陷療法）。這些方法中，特別是人工氣胸，是抵抗結核病有力的武器。

預防 結核病是一種傳染性的疾病。統一和有力的抗癆活動開始。採取了管制立法。系統的流行病學開始。結核菌素試驗和X線成了兩個發覺結核病的有力助手。結核病的死亡率低降。預防的接種（卡介苗）開始試驗。

1882 Robert Koch 氏（1843—1910）3月24日公佈發現結核菌。他研究出結核菌的染色法和培養法。

P. Baumgarten 和 Aufrecht 氏都發現了結核菌。

Paul Ehrlich 氏討論結核菌耐酸性的現象。應用品紅染色。

Carlo Forlanini 氏（1847—1918）提議用人工氣胸治療肺結核病。

Landouzy 氏描述臨床上結核菌敗血病。

1882—83 Ziehl-Neelsen 氏進一步改良結核桿菌的染色法（石炭酸品紅液）。

1883 Baley 氏指出牛和鳥結核桿菌的染色鑑別法。

Lichtheim 氏從人糞中分離出結核桿菌。

1883—84 Lachmann 和 Smith 氏確定肛門瘻爲結核性。

1884 Strassmann 氏發現肺癆病人常有扁桃腺結核病。

Chaufford 和 Gombault 氏由細菌學和接種的研究證明胸膜炎爲結核性。

Bang 和 Stein 氏培養出牛結核桿菌。

結核病的遺傳學說很難根除。很多人承認接觸傳染可致肺癆，但不認爲是生活習慣不良所致。

1885 De Cérenville 氏（1843—1915）初次施行肋骨切除術，使結核性組織塌陷。

Cayley 氏用氣胸制止咯血。

1886 Hacken 氏於結腸患增生性結核者完成單側切除術。

1887 Nocard 和 Roux 氏發現培養基裏加入甘油大大的提高結核桿菌的生長。

1888 Hammerschlag 氏發現結核菌含有高量的類脂質。

George Cornet 氏（1858—1915）證明乾了的痰可以吸入（塵埃傳染）。反吐痰運動興起。

當特發性水氣胸時，C. Potain 氏以無菌空氣代替胸膜滲液。他應用檢壓計。

1889 Bamberger 和 Marie 氏描述肥大性肺性骨關節病（杵狀手指）。

1890 Koch 氏發現豚鼠對復接種有抵抗——Koch 氏現象。在治療上應用死結核桿菌（結核菌素）的甘油浸膏。

Maffucci 氏（1845—1903）分離鳥結核桿菌（B. Gallinaceous）。

Von Schroetter 氏建立第一個抗結核病學會（維也納）。

1891 Virchow 氏報告經結核菌素治療後，患者的結核軟化並且外延。

Escherich 和 Epstein 氏指明結核菌素注射在診斷上的價值（皮下局部試驗——Stichreaktion）。

Straus 和 Gamaléia 氏證明鳥結核桿菌的不同特性。

Hadra 氏以金屬絲纏於脊柱棘突以限制脊柱結核活動。

Kingston Fowler 氏主張廢棄癆病和癆瘵的名

稱。

1892 正式應用結核菌素檢查牛的結核病。

Edoardo Maragliano 氏 (1849—) 首用死菌苗預防接種。

Daremberg 氏從溫度上研究證明運動對結核病有害。

1893 André Borrel 氏和其他學者陳述；結節是由淋巴系統發生的。結核細胞總是淋巴細胞。

Schlenker 氏說明扁桃腺結核的感染，常是由食物裏的桿菌所致；更常是由痰裏的桿菌所致。

1894—95 Forlanini 氏報告他的第一組氣胸病例。認爲應該求完全的壓縮法——慢慢的引起。他採用氮。

1895 Roentgen 氏 (1845—1923) 發現X線。結核病早期的和正確的診斷變爲可能。

1897 Bataillon, Dubard 和 Terre 氏鑑別出冷血動物（魚）的結核桿菌。

F. H. Williams 氏 (1852—1936) 描述在X線檢查感染側隔膜移後和尖端的透明度減低爲肺結核病早期徵狀。

1898 Theobald Smith 氏 (1859—1936) 分離和培養牛結核桿菌。

G. Kuss 氏 (1867—1937) 作小兒初期結核病傳染道的病理研究。第一次清楚的給了初期損傷的鈣化的描述。

S. Arloing (1886—1910) 和 Cournont 氏應用結核桿菌血漿凝集法於診斷。

Killian 氏應用直接支氣管鏡檢法。

1899 德國採用 Turban 的結核病分類（解剖學的），並成爲國際的統計。

1900 Otto Naegeli 氏從屍體剖檢研究中發見大部分成年人多多少少都有結核病。他這工作指出結核病自癒的往往比因而致死的要多。激起對免疫和抵抗力的研究。

1901 Koch 氏認爲牛結核對人類無害。引起極大的爭論。

Widel 和 LeSourd 氏應用補體結合試驗。

第二次國際結核病會議（倫敦）。

Koch 氏製作新的結核菌素 (Bacillen Emulsion)。

1902 Christian Saugman 氏 (1864—1923) 應用水銀檢壓計於氣胸，後來採用水檢壓計。

Ravenel 氏從患結核病的兒童中分離牛結核桿菌。他後來證明結核桿菌可穿入腸粘膜。

1903 Auguste Rollier 氏 (1874—) 在瑞士阿爾卑斯山的 Leysin 地方用日光療法於結核病。

Von Behring 氏 (1854—1917) 認爲很多的肺結核病是由於食入牛結核桿菌所致。因此，以爲許多成年人的結核是幼年感染的結果。

Osler 氏創用訪視結核病護士。

1903—13 英國皇家委員會報告關於結核桿菌的傳染和類型，（分爲三種類型：人型、牛型、鳥型）。牛結核可以感染到人。

1904 國際抗癆協會成立（哥本哈根）。

Sir Almroth Wright 氏發明結核病噬菌指數試驗。

Carl Spengler 氏初次採用牛結核菌素 "P. T. O."。

1905 Leon Bernard 氏認爲結核桿菌可以在每個器官產生炎性損害（非水泡性）。結核菌素療法復興（少量用）。

1906 von Pirquet 氏公布變態反應性說。

E. J. Beck 氏應用鉍糊劑於X線攝影。

1907 Clemens von Pirquet 氏 (1874—1929) 應用結核病診斷上的皮膚反應 (von Pirquet 試驗)。

Brauer-Feiedrich 氏胸廓成形術施行。

Hans Much 氏描述結核菌發展的粒狀期 (Much粒)。這促進了結核菌多形性的研究。

Orth 氏說已有免疫的人再感染是發病的原因，此種再感染是起自外面。

Calmette 和 Wolf-Eisner 氏應用結膜反應試驗於結核病。

Freund 氏主張肋軟骨切除術治肺結核病。

1908 Mantoux 氏應用結核菌素皮內試驗。

第六次國際結核病會議（華盛頓）。

支加哥强制牛奶採用巴斯德滅菌法。

Uhlenhuth 和 Xylander 氏應用安替佛民沉澱法檢痰，

Moro 氏建議皮膚結核菌素試驗（以往用 Löwenstein 的 Dermotubin 試驗）

1909 Calmette 氏陳述消化道是結核病主要傳染途

徑。

H. Albrecht 氏認爲兒童初期感染始於氣道和肺。

Sauerbruch 氏施行脊柱旁的胸廓成形術。

1910 日光療法普遍化。反對肺外結核病早期用外科治療。

Fontès 氏說明在結核桿菌的培養基發現毒性濾過性成分。

英格蘭和威爾士 10 名死亡中有一名是死於結核病。

1911 Max Wilms 氏(1867—1918)完成肺結核病的脊柱切除術(columuar resection),(只限於脊柱旁區的肋骨切除)。

A. S. Griffith 氏在狼瘡和皮膚結核病發現弱型結核桿菌。

Stuertz 氏建議以膈神經切斷術治療肺底結核。

Le Conte 氏在美國首次完成結核病胸廓成型術。

1912 Anton Ghon 氏(1866—1936),兒童原發性肺結核病灶——(高氏結節)。初期感染特性的詳細研究。

H. C. Jacobaeus 氏(1879—1937)發明胸腔鏡檢法,不久以後應用到胸的肺黏解術的手術上(用閉式法使胸膜不粘連,無效的氣胸變爲有效)。

Maurizio Ascoli 氏應用兩側人工氣胸。

Ascoli 氏極力主張拋棄人工氣胸的完全萎陷。贊成部分萎陷,因爲這樣更有益處。

1913 Wilms-Sauerbruch 胸廓成形術。胸廓成形術成爲多次氣胸效果不良的合理輔助治法。

Sauerbruch 和 Schepelman 氏施行膈神經切斷術,作爲肺結核病治療方法。

英國施行結核病强迫報告。

1914—18 第一次世界大戰。

結核病在戰爭國家增加。

醉心於用新鮮空氣治療的風氣衰退。

1916 K. E. Ranke 氏照梅毒的病程分人的結核病爲三期:初期、二期、三期。他的學說廣泛的流傳。

1917—23 公共衛生方法控制結核病證明有效。

1918 德國結核病死亡率每 10 萬人中有 230 人,1914 年大戰開始時是 142 人。

Robert Fahreus 氏應用血沉降試驗。

蘇聯政府在莫斯科建立第一個結核病機構。

1919 Brown 和 Sampson 氏採用X線作腸結核的診斷。

布拉格建立「Masaryk 抗癆協會」。

1920 國際抗結核協會建立,總會設在日內瓦。

1921 Sicard 和 Forestier 氏應用加碘油於不透明診斷。(支氣管擴張的診斷簡化。)

Elving 和 Maendl 氏對咯血應用氯化鈣靜脈注射。隨後用於結核性腸炎。

1922 Ludwing Aschoff 氏(1866—)的研究重新引起對再感染的病理特徵的興趣。他描述再感染的癆病病灶。

A. Bernou 氏應用緩和的油類注入胸膜腔代替空氣治療肺結核(油胸)。

Felix(膈神經撕除)和 Goetze(膈神經部分切除)氏計劃用手術使膈膜產生完全的或永久的麻痹。

1924 Albert Calmette 氏(1863—1933)開始給兒童接種卡介苗抵抗結核病——活的無毒力的牛結核桿菌。

Møllgaard 氏用金治療結核病,採用 Sanocrysin。

1927 不同類型的結核病死亡率每 10 萬人中:呼吸系統的 71.3 人;腦膜的 3.3;腸的和腹膜的 2.6;關節和脊柱 1.1;其他器官 1.1;播散性的 1.5。

Petreff 氏描述結核桿菌的微生物分離(R 或粗糙無毒力型和 S 或平滑有毒力型)。

Heimbeck 氏在護士中作結核菌素試驗研究,促進了成年人接種結核菌素陰性反應的研究。

33 種結核病雜誌。

1928 結核病死亡率居總死亡率的第七位(心臟病居首位),但在 15—40 歲者仍是死亡的主要原因(美國統計)。

Ralph Matson 氏報告很多的病例適合胸膜內肺黏解術。(應用 Jacobaeus-Unverricht 胸腔鏡。)

1929 X 線成爲「早期診斷的主要步驟,並且是結核病有效治療的指標」—McPhedran. 由於感染率減少，結核菌素試驗增加了診斷上的意義。（Chadwick 在 Massachusetts 發現初級學校中的兒童 28% 陽性反應。）

1930 萎陷療法的範圍放寬，給空洞病例帶來了新的希望。療養院的病人 40—70% 適合用某些萎陷療法。

白血球反應（淋巴球——單核比例）作爲結核病病理活動的指標。（E. M. Medlar 和 Florence Sabin 卓異的研究。）

Ornstein, Ulmar 和 Dittler 氏進一步將結核病分類（兩個主要的類型：滲出性和增殖性）。

盧卑克（Lübeck）事件（德國）。76 名兒童死於錯用卡介苗。

1931 Seibert, Long 氏等應用了精製的結核菌素（P. P. D.——精製的蛋白質衍化物）。已能作皮膚鑑定試驗的正確方法。

美國普遍調查，發現牛結核的發病率爲1%，1922 年爲 4%。

對結核桿菌的化學餾分物深入研究，開始得到有價值的材料（例如多醣類分出是極有效的抗原）。

培養法的進步，使得在臨床診斷上能廣泛的應用，以證明結核桿菌存在。

1932 法國每五名兒童中有一名接種了卡介苗。

Blacklock 氏研究了兒童結核病的病理學和細菌學。

電影膠片用在胸部 X 線照像。

J. Arthur Myers 和 C. A. Stewart 氏對結核病初次感染所引起的免疫性的價值有疑問，他們認爲這是一個健康冒險。

1935 Myers, Moorman 氏和其他的人很懷疑在美國兒童的結核病預防管制計劃的實際價值。

結核病死亡率爲每 10 萬人有 54 人（美國統計）。

Drolet 氏估計全世界每年死於結核病者要在 200 萬人以上。

1936 因爲「經濟危機」美國結核病的死亡率增加。

1937 William Snow Miller 氏發表「肺臟」（解剖學）。

（陸肇基節譯自 A Historical Chronology of Tuberculosis, 1938, Charles C. Thomas）

譯者按：原著是 1938 年出版，只記載至 1937 年，內容缺乏近十幾年的材料，尤其沒有中國和蘇聯的材料。本文並非完整的結核病史，只能作爲研究結核病史的參考。

文　摘

醫　學

大元聖政國朝典章禮部卷之五，典章32，學校二。誦芬室叢刊初編。

設立醫學

中統三年九月　日欽奉皇帝聖旨一道，與中書省忽魯不花爲頭官員。據太醫院大使王猷、副使王安仁奏：先醫學久廢，後進無所師受，設或朝廷取要醫人，切恐學不經師，深爲利害。依舊來體例，就隨路各醫充教授職事，設立醫學，訓誨後進醫生勾當等事，仍保舉到隨路各醫人等充各路教授，准奏。仰隨路已保教授，專一訓誨後進醫人勾當。今差太醫院副使王安仁懸帶金牌前去，隨路設立醫學。據教授人員絲線包銀等差發，依例除免。所有主善一名，俸給及學校房舍，本處官司照依舊例吩咐，如教授並非承襲職位，仰別行舉，據醫學生員擬免本身檢醫差占等雜役，將來進學成就別行定奪，每月試以疑難，以所對優劣量加懲勸，若有民間良家子弟，才性可以教誨、願就學者聽。仍仰本路管民正官，不妨本職，提學勾當，省諸人不得沮壞。欽此。

免醫人部役

中統三年皇帝聖旨，今差光錄大夫太醫提點王子俊，提點許國禎，各懸金牌，太醫大使王猷副使王安仁，管領諸路醫人惠民藥局勾當。道與十路宣撫使，並隨處州城達魯花赤管民官。聖旨到日，據醫人每戶下差發，除絲棉、顏色、種田納稅，買賣納商稅外，其餘軍需、鋪馬、祗應、迎牛、人夫諸科名雜泛差役，並行蠲免。若有諸投下官員人等，於本路醫人處收買藥物，依理給價，無得抑勒取要。據隨路應有係官醫人，每戶照依年例科取，取包銀三兩，依例折納，無定交鈔。仰王子俊斟酌貧富，品答科徵，供納隨朝見承應太醫人等用度。據徵到銀貨起發來時，本處官司驗輕重，用鋪馬頭口，遞運入站。據種糯米底30戶，除收到子粒回，易輕賫與醫人包銀子處送納外，仰子俊除係官醫人外，都不得將當差民戶影占。欽此。

醫戶免差經事

大德三年四月　日欽奉聖旨，節該太醫院官人每奏：在先漢兒田地裏，有的醫人每根底。薛禪皇帝爲各路裏有差發的上頭，與了聖旨；有來不依着聖旨體例裏行，不教當橫枝兒差發；有各投下、各路分裏將影占着的不肯教回付；有係籍戶每限教生受有麼。道俺行文書來，有他醫人每，說將來有可憐見呵。依着先體例裏，漢兒蠻子田地裏教行聖旨麼。道：奏來，如今從今已後，漢兒田地裏，有的係籍內醫戶每大差發交納者，種田呵，納地稅者，做買賣呵納商稅者，除那的外，別個軍需不揀什麼，休教出者，舖馬、祗應、夫役，橫枝兒差發休與者。蠻子田地裏，有的係籍的醫戶，每地稅商以來，別個不揀甚麼差發休與者。係籍的醫戶每，根底，不揀是誰，休隱占者。這般宣諭了呵，係籍的醫戶每根底隱占呵，重。並差發要的管民官，不怕那醫人每與百姓每相干，詞訟有呵，管民官與管醫人頭目每，一同歸斷。若道醫人每更倚着這般宣諭了呵，將不係籍醫戶每隱藏呵，他每不怕那。欽此。

講　究　醫　學

至元22年2月，行台咨奉中書省劄付，送禮部與尚醫監，講究到醫學體例，仰更爲行下各道按察司，常加檢察。數內一款節，該醫學教授見教生員，照依每年降去一十三科題目，令醫生每月習課義一道，年終考較優劣，有無成績。又一款、諸路管醫提舉司或提領所委正官一員，專行提調，同醫學教授，將附籍醫戶，並應有開張藥舖行醫貨藥之家，子孫弟姪選揀堪中一名赴學；若有良家子弟，才性可以教誨，願就學者，聽學生員就醫，欽此。聖旨擬免本身檢醫雜泛，將來進學成就，別行定奪。欽此。

此擬將見醫學生員籍貫、姓名、攻習是何科目經書，有無習課醫義，開申尙醫監備擢用。又一欵節，該各路州縣除醫學生員外，應有係籍醫戶，及但是行醫之家，皆以醫業爲生，擬合依上，每遇朔望，詣本處，及聚集三皇廟聖前焚香，各說所行科業、治過病人、講究受病根因、時月運氣、用過藥餌是否合宜，仍令各人自寫曾醫愈何人，病患治法藥方，具呈本路教授外，據州縣醫人具呈本縣教諭，候年深，呈本路醫學教授者較優劣，備申擢用，以革假醫爲名之弊。奉此合下仰照驗施行。

保申醫義

元貞二年七月太醫院照得諸路醫學提舉司年例，具呈到大方脉雜醫等一十三科，周歲月會，擬雜醫義題目一百二十道，已經行下各路醫學教授，令後進生員，照依程式、服法、經義、體制課習，比及年終，置簿申院去訖。今切各處教授、學正、學錄教諭人等，運到所業文字不依官降題目，或還行舊題，或自意立題，不合格法，往往赴院求進，以致泛濫不一；今後擬合令教授、學正、學錄、教諭人等，須要於三年以裏官降題目內教授，所醫義三道、治法一道，學正課醫義二道，治法一道，親筆眞謹書寫，保申到院，考較文理相應、治法允當。若例應陞補教授人員，依上本覆，相應至日定奪外，據學正人員量材擢用，如不係官降題目。若經三年之外者，別無定奪，仰照驗施行。

醫學科同

大德九年　月江浙行省，准中書省咨吏部，呈奉省判禮部，呈諸人陳言事，依例會集到集賢翰林兩院官，一同議得平陽路澤州知州王祐所言：竊聞爲世切務，惟醫與刑。醫者司命於人，刑者弼教於世。惟人也以寒風暑溼遘其疾，以放僻邪侈陷於罪。除其疾須用醫以治，陷於罪當施刑以斷。然而醫有明不明，刑有濫不濫，醫不明則不審血氣虛實而妄許藥餌，刑或濫則不詳咎惡輕重而妄加鞭撲。藥餌妄許則無益反害，鞭撲妄加則無辜受殃，無益反害，死生相去不遠，無辜受殃，存之未知若何。嗟乎。可不戒哉。是故醫欲明，須玩味前賢之經訓，刑不濫在講究本朝之典章。經訓精則許以爲醫，典章通則用之爲吏。今各路雖有醫師學，亦係有名無實。參詳莫若今後督責各處有司，廣設學校。爲醫師者，命一通曉經書良醫主之，集後進醫生講習素問、難經、仲景，叔和脉訣之類然亦須通四書，務要精通，不精通者，禁治不得行醫。吏員命明師主之，各處首領官，公務畢，率習師吏貼書人等講習經史，先自小學，文公四書及典章案式，算術之類；須要精通，各處長官時常提調，嚴加教訓，務要成材，以備試驗擢用，亦以廉訪司每月行諸學考試。若有教勸怠惰去處，將提調官員責罰使有成，實爲官民便益，伏乞鈞詳移准太醫院關送。據諸路醫學提舉司呈；該行下大都路醫學教授依上擬去來，今據本學狀申，照得中統三年九月內，欽奉聖旨，節該隨路設立醫學(全文見中統三年九月設立醫學案)，欽此。除欽依外，今據王祐所言；醫官有名無實，本學得各處設立醫學，積有年矣。其間累蒙太醫院定立選舉教官格例，講究取人教養之法，已有成規，蓋是教官及提調官不能舉行，以致怠惰。又檢會至元22年欽奉聖旨，節該舉公事行者，欽此。當都省令太醫院講究到程試太醫，合試科目一十三科，合爲十科，各有所治。經書、篇卷、方論、條目，今欲後之學醫，亦須精通四書，不精通者，禁治不得行醫。夫四書實爲學之本，進德之門，凡文武醫卜，俱當習而知，何醫者而已，且爲醫之必須通曉天地運氣，本草藥性。運氣則必當洞曉易道之玄微；藥性則博通毛詩爾雅之名物。又醫者論病，以及因病診以知證，凡尙書、春秋、三禮等書固當通曉，若然，則豈獨四書諸子史俱當講明。然此儒者考試之法，其明經之科，凡入舉場必須專治一大經，兼課論孟小義各一，亦不能備他書兼試，況業醫者藝不精明，下能爲上工，業不專科，則不能入妙，擬合遵依，已定程式爲考試之法，所據不精本科經書禁治不得行醫。相應今將程試科目各習經書開具申乞照詳本司參詳。如准所擬，實爲相應。今將程試科目各習經書開具於後乞照驗事，當院看詳，若依所擬，相應關請照驗、准此。擬合依准太醫院所擬行省。

行照會，相應具呈，照詳都省咨請依上施行。

一、程試太醫合設科目

大方脉雜醫科、小方脉科、風科、產科兼婦人雜病、眼科、口齒兼咽喉科、正骨兼金瘡科、瘡腫科、鍼灸科、祝由書禁科。

一、各科合試經書

大方脉雜醫科

素問一部、難經一部、神農本草一部、張仲景傷寒論一部、聖濟總錄83卷（第20—100卷）（185—187卷）。

小方脉

素問一部、難經一部、神農本草一部、聖濟總錄16卷（第167—182卷）。

風科

素問一部、難經一部、神農本草一部、聖濟總錄16卷（第5—20卷）。

產科兼婦人雜病

素問一部、難經一部、神農本草一部、聖濟總錄16卷（第105—116卷）。

眼科

素問一部、難經一部、神農本草一部、聖濟總錄13卷（第102—112卷）。

口齒兼咽喉科

素問一部、難經一部、神農本草一部、聖濟總錄四卷（第139—140卷并144—145卷）。

瘡腫科

素問一部、難經一部、神農本草一部、聖濟總錄21卷（第200卷又114—116并125—128、又141—142卷）。

鍼灸科

素問一部、難經一部、神農本草一部、聖濟總錄四卷（第191—194卷）。

祝由書禁科

素問一部、千金翼方二卷、聖濟總錄三卷（第195—197卷）。

醫學官罰俸例

大德九年，江浙行省，准中書省咨禮部呈，湖廣奉使宣撫咨湖南廉訪司，申備本道僉事李奉訓牒，該欽奉聖旨節，該隨路設立醫學（見中統三年九月立醫學條）。欽此！除欽依外，又太醫院降到一十三科周歲月會醫義題目，仰在學醫生依照程式格法，所作大小經義，如法置簿考較，比候年繳納等事。竊詳活人之術莫善於醫，爲醫之道，當務於學。蓋醫者明脉察理用藥處方，不可不精於學也。方今朝廷清明，以好生之心，爲崇醫之舉，立學校以養之，設教官以主太醫院，申明規式甚詳。本路官責任提調甚篤，况近欽覩聖朝頒賜聖濟總錄以惠天下，端使人皆知學務在成。但各處學校因循苟且，不能奉承，月試既未舉行，課義亦皆鹵莽，朔望一來，苟圖塞責，講解勿問，視爲虛文，甚居終日，既不明岐黃之書，一旦疾民，安望有倉扁之術。脉理不察，藥劑妄投，欲使民無橫夭難矣。由教官正錄尸素備員，淺見寡聞，不能訓誨，循習廢隋，致無成功。憲司所致，欲加嚴責，緣爲醫官又無罰例，減與寬恤，恃此肆志效尤，若非明立責罰，何以作新。擬合遍行各路，今後莫若責任提調正官，嚴督所屬學校務遵累行法規，訓誨後進醫生，期於有成。廉訪司官按臨之處，考其課業審其成否。如有奉行不主，誨訓無成，此學官提調官各坐以罪，如此日就月將，人才成就，仰副聖朝崇醫學之盛。近者按臨衡州，已督所屬，依科訓誨，其餘路分恐有未與去處，理合一體通行。又兼責罰，亦係通例遍行，合屬備牒總司，仍申憲台照詳，准此。照得近按臨衡州路省會，本路醫學保舉到後進醫生名數，升習科業，已督所屬依例訓誨外，今准前因。看詳所言誠爲允當，除訓誨生員一節，已牒按治路分依例施行。本省看詳有司官所掌庶務至甚繁夥，又且訓誨醫生各職任，若肆業無法，依准廉訪司所擬，責罰教授正錄等官，相應本部移准太醫院，關送諸路醫學提舉司呈議。得如准廉訪司僉事李奉訓所言甚爲允當，擬合依遍行各路以爲通例。若以肆業無法，責罰教授正錄等，欽依已降聖旨事，意差委各處正官提調廉訪司，按臨考驗，相應都省除外，咨請照驗依上施行。

一、各處學校應設大小學生，今後其有仍前不令坐齋肆業，有名無實者，初次教授罰俸一月，正錄各罰中統鈔七兩。再次，教授罰俸兩月，正錄視其例倍罰。三次教授正錄取招別議，仍各標注過名。其提調官視學官例減等，初次罰俸半月，再次一月，三次兩月。

一、各處學校若大小生員在學，而訓誨無法，課講鹵莽，苟應故事者：初次，教授罰俸半月，正錄各罰中統鈔五兩。再次，教授罰俸一月，正錄各罰中統鈔七兩。三次教授正錄取招別議，仍各標注過名。提調官初次罰俸十日，再次半月，三次一月。

鄉貫藥物趁時收採

大德八年五月，湖廣行省，准中書省咨禮部，呈准太醫院，照得各處辦貢藥物，自大德元年至今，每歲照依出產地面科取，除已納外，有令然拖欠不行送納數目，亦有令人順帶前來，不堪支用，以致急缺，深爲未便。今將各處排年未納藥物開坐前去請催貢。准此。本部看詳上貢納藥物，即係各年拖欠數目，又急缺藥味，官司已行和買應付，若便依准催貢，必致科配於民，即日屢經天災，人民缺食。況大德七年藥物，已科各處貢納。大德八年相近貢納，所據上項拖欠數目，既是已往年分，如准倚免，相應移准太醫院。關所據拖欠數目，若便依前催貢已過年分，往復人民生受。擬合盡行革去，不須貢納。今後如遇有科坐急缺藥味，須要本處官司趁時收採新鮮精粹藥物，令官醫提舉司辨驗。無爲打差官赴院貢納，相應關請照驗，准此。除直隸本部去處行移，依上施行外，有各處行省，合從都省照會施行具呈。照詳得此都省除外，咨請依上施行。

禁治庸醫

大德四年11月，江西行省，准中書省咨刑部呈：嘗聞醫出上古，實非小技，幾微之間死生係焉。若學之人，深究其道，用藥得宜，庶幾不悞於人命。比年來一等庸醫，不通難素，不諳脈理，以至於藥物君臣佐使之分，丸散生熟炮煉之製，既無師傳，詎能自曉。或曰錄野方，風聞謬論，輒於市肆大扁儒醫，以至閭閻細民，不幸遘疾，彼既寡知，謾往求謁。庸醫之輩，惟利是圖，診候，中間弗察虛實、不知標本，妄投藥劑，誤插針穴，僥倖愈者，自以爲能；謬誤死者，皆委於命。岐黃之道，果如是也。略舉至元七年，益都府醫人劉執中，針犯也速歹兒元帥娘子腸胃身死。本人所犯擬決一百七下，追給燒埋銀兩，以充營葬之資。至大二年廣平路曲周縣醫工張永，因朱當兒患心風病証，用梨蘆末調治被毒致命。又陝西行省咨鳳翔府醫工王文素看診李大使卒，患陽証傷寒，用羌活附子藥餌，以致熱攻身死，幸而罪遇原免，此例擬徵燒埋銀兩外，本部俱有文案可考。似此致傷人命，不可縷數，以此參詳各處路府州縣，既有所設提領教授學提舉之官，今後醫戶以及絹哏子弟願學醫者，必須期於精明濟物，每遇旦望，其提舉學教授等官嚴立規程，課試諸生醫書醫義，若能明察脈理，深通修合者，方許行醫看候。如有診候不明，妄投藥劑，誤插針穴，致傷人命者，臨事詳其輕重追斷。所據提舉教授等官，訓誨失宜，禁約不到，亦行究治。如蒙准呈，遍行照會，以戒庸醫有所知懼不致悞傷人命。具呈照詳都省咨請依上施行。

試驗獄醫

皇慶二年三月中書省咨刑部，呈奉省判茶陵州民戶譚時升陳言：路府州縣獄醫，皆是據憑醫工提領差撥醫治，中間多係不諳方脈之人，或廉覓不畏公法之人，惟利是務，代名當役。但有罪囚患病，其獄卒人等止是報答病証，分數其當該案分，以爲補襯案卷之用。如是死損、初複檢驗尸傷，官吏以鄰封往來爲念，暗令仵作行人，會情符合屍傷申復上司，其間抑屈萬端。今後官醫提領，差到醫人提調刑獄官，令醫工提領再三試驗過，方許收係。監察御史，肅政廉訪司糾彈，但有收係不諳方脈，因而死損罪囚，將提調官並官醫提領科決黜斷醫人，嚴加懲斷發下，合屬與民一體當差送刑部：得差撥獄醫，合依所言試驗委用。如或不諳方脈，濫送醫工、官醫提領人等，量情科罪，提調官亦行究治，仍將濫選之人革去外，據初復檢驗屍傷，官吏私相會情符合一節，已有呈准通例，別難再議，具呈。照詳得此都省准呈，咨請依上施行。

試驗醫人

中書省咨禮部呈太醫院。關延祐三年三月26日奏過下項事件，關請欽依施行，准此。本部議得太醫院試驗醫人提領提舉等，逐一議擬，如蒙准呈移咨行省，劄付本部欽依，相應具呈，照詳都省，咨請依上施行。

一、去年中書省御史台奏，奉聖旨，隨朝太醫內省不得醫的也，有差用了藥呵，犯着人的性命去也，各處教授提領行醫的勾當，省不得的也，有，交太醫院試驗，分揀者麼。道：聖旨有來。俺奉聖旨，教楊大方、完顏、李叔茂和兩個監察，將隨朝太醫試了也。今後依舊例三年一遍，設立科舉，試太醫呵。奏，奉聖旨有來。俺商量來，從教諭、學錄、學正、到教授已試四遍了，委付來。倘不如舉，總從廉訪司體察呵。怎生？奏呵。奉聖旨，那般者麼。道：聖旨了也。前件議得試驗醫人合准太醫院所擬相應。

一、提領提舉不在這裏的依體例，除將去到任時，限百日課將醫義來的、替的、解由連將醫義來。試得中呵委付；試不中的由提領內斟酌定奪，止管醫戶，不得行醫，若有詐冒，聽從廉訪體察。這般行呵怎生？奏呵，奉聖旨：那般者麼。道：聖旨了也。前件議得所試提領舉，理宜從太醫院所擬相應。

一、科舉依着先奏的聖旨三年一遍。依舊例呵，今年秋裏教外路鄉試，來年秋裏，這裏會試。赴試人員從路府州縣醫戶，並諸色內，選舉三十以上醫明行修，孝友忠義著於鄉閭，爲衆所稱，保結貢試。倘舉不應，監察御史廉訪司體察，俺與省部家文書，行將各處去，鄉試不限員數，教各科目通取100人赴部會試，取中的30人，所課醫義，照依至元21年例，量減二道。第一場，本經義一道，治法一道。第二場，本經義一道，藥性一道。不限字數，候有成效別議添設，於試中30人內，第一甲充太醫，二甲副提舉，三甲教授。這般行呵怎生？奏呵。奉聖旨那般者麼。道：聖旨了也。前件議得，宜從太醫院所擬相應。

刑部卷之19　典章57

禁賣毒藥亂行鍼醫

至元五年12月14日，中書兵刑部，承奉中書省劄付，據提點太醫院奏，奉聖旨仰中書省，嚴行禁約開張藥舖之家，內有不畏公法之人，往往將有毒藥物，如烏頭、附子、巴豆、砒霜之類，尋常發賣與人。其間或有非違殺傷人命，及不習醫道諸色人等，不通醫書，不識藥性，欺誑俚俗，假醫爲名，規圖財利，亂行鍼藥，誤人性命。又有一等婦人專行墮胎藥者，作弊多端禁約事。欽此。

禁假醫遊行貨藥

至元六年　月　日尚書省來，呈備高唐州申，至元六年正月17日，准奉右三部符文，該奉中書省札付，欽奉聖旨禁約習醫道諸色人等，不通經書，不知藥性，欺誑俚俗，假醫爲名，規圖財賄，亂行鍼藥，誤人性命之人，欽此。除外，切見隨處強竊盜賊起數，其間多有托跡往來，假醫爲名，覓便生情作過。略舉本州管下高唐等處，捉獲賊人高道浪等，俱指賣藥打當爲名，得便爲盜，合無今後凡有村野誑誕聚衆，打當行醫，不通經書，不習科目之人，盡行禁斷，庶免妄行鍼藥，誤人性命，亦又革去賊人不得假醫爲名作過。本部議定，今後除諸科目，人各令務本業，遇有患人，依經方對證用藥，或鍼灸看治外，據不通經書不知藥性，妄行鍼藥，誤人性命之人，合行禁約，如違，治罪施行。

禁貨賣假藥

至元九年八月26日，中書兵刑部，承奉到中書省劄付，該准中書省咨，是年七月21日，阿合馬平章奏，如今街上多有賣假藥，及用諸米麵諸色包裹，詐被藥物出賣的也有，恐誤傷人性命。奉聖旨：您也好生出榜明白省諭者，如省諭以後，有違犯人呵，依着札撒教死者欽此。

禁治買賣毒藥

至元九年十月初六日行省，准中書省咨，大德二年二月初四日，奏過事內一件，前者有脫迭兒的上頭賣毒藥的，禁約整治商量者麼。道：聖旨有來，俺與太醫院官部官衆人一處商量得，今後如砒霜、巴豆、烏頭、附子、大戟、芫花、藜蘆、甘遂這般毒藥，治病的藥裏多用者，全禁斷呵，不宜也者。如今賣藥的每根底嚴切整治，外頭收採這般毒藥，將來呵藥舖裏賣與者，醫人每買有毒的藥治病呵，着證見買者，賣的人每根底各杖六十七下，並追至元鈔一百兩正，與元告人作充賞者。又街市造酒麴裏，這般毒藥休用者。不通醫術的人，合着假藥至街市貨賣的也禁治者。首告的人每言語若虛呵，也依體例要罪過呵怎生。奏呵，奉聖旨那般者。欽此。

禁治毒藥

至大四年八月28日，江西行省准中書省，咨刑部呈太醫院。關爲至大四年五月初六日，本院官奏，在先薛禪皇帝、完澤篤皇帝時分麴藥裏，多用着毒的藥物，爲傷人的上頭。遍行文字禁斷來，如今凡有造酒踏麴的人，都交嚴行禁斷，更要罪過呵，怎生。奉聖旨，你說得是，有便與都台府家文書來，依在先定例，好生的禁斷了者麼。道：聖旨了也。欽此。今將合禁藥物開坐前去，咨請遍行欽依聖旨禁斷施行，准此，具呈。照得部堂劄旨准擬，已

中國科學院召開關於開展中國科學史研究工作的座談會

我們偉大的祖國是世界文明發達最早的國家之一，我國已有了將近四千年有文字可考的歷史。在我國民族的開化史上，有素稱發達的農業和手工業，有許多偉大的思想家、科學家和發明家，有極其豐富的文化典籍。但是，在半殖民地半封建的舊中國，我國豐富的文化科學遺產不僅得不到應有的重視，相反地，却受到了帝國主義、封建勢力與官僚資本的催殘和那些身受嚴重的買辦思想影響的知識分子的鄙棄。解放以來，黨和人民政府對整理我國的文化科學遺產，發展我國的文化科學事業，是十分關懷與重視的。早在兩年之前，中國科學院就曾舉行過會議，討論開展中國科學史研究的問題，但當時還沒有條件把各方面研究科學史的力量組織起來。爲了能有計劃有組織地開展中國科學史的研究工作，中國科學院在高等教育部的積極贊助之下，在1954年2月9日，邀請了20多位在京的對中國科學史素有研究的專家，舉行座談，就如何組織力量，進一步開展中國科學史的研究工作交換意見。會議由中國科學院竺可楨副院長主持。

在座談會上，竺可楨副院長首先指出了開展中國科學史研究的重大意義。他說：「整理我國歷史上的文化遺產，總結我們的祖先在幾千年來所積累起來的農業、醫藥、手工業生產的經驗，可以大大豐富各門有關科學的內容，積極推動我國文化科學事業的發展，同時也是對世界文化事業的巨大貢獻。今天，全國廣大人民都迫切地希望知道我國在歷史上的科學成就，特別是高等學校的學生和教師都需要系統地了解各門科學在我國發展的歷史。我們的國際友人對我國歷史上的文化遺產也是十分珍視的。他們都迫切地希望了解中國人民幾千年來對人類文化科學發展的巨大貢獻。蘇聯科學院已準備着手翻譯有關我國科學發展歷史的著作，希望我們推薦好的書給他們；特別是許多到過中國或對中國比較了解的兄弟國家的學者，看到了我國自古代遺留下來的宏偉的建築和精緻的手工業製品，看到了我國勞動人民在農業生產上的豐富經驗，看到了我國浩繁的古代的醫藥文獻……，無不讚嘆不已，認爲是極爲豐富的文化寶藏，積極鼓勵我們整理介紹。蘇聯著名生物學家李森科院士就曾向中國科學院訪蘇代表團作過這樣的建議。保加利亞達斯卡洛夫院士最近來中國，就發現許多保加利亞農業生產上所存在的技術問題，我們中國農民却早有妥善的辦法解決了。因此，爲了吸取並發揚我國古代文化科學遺產中的精華，教育下一代，並爲加强國際文化交流，我們必須積極開展中國科學史的研究。」接着，到會的專家們在發言中都一致表示同意竺可楨副院長的意見，認爲中國科學院和高等教育部在今天提出進一步開展中國科學史的研究的任務是十分適時的。大家都說，開展這項工作是老一輩科學工作者的義不容辭的責任。會上，大家並對如何進一步開展中國科學史的研究，發表了許多寶貴的意見。

許多專家都指出：中國科學史的整理和研究內容十分豐富。我們需要綜合性的全面的中國科學史，也需要各門科學在中國發展的歷史；需要一般的科學史和科學思想史；我們不僅要搞清我國在歷史上的科學成就，同時還要搞清自古以來我國與世界各國文化科學交流的歷史……。要完成這些任務，必須從多方面進行工作：我們須要搜集、整理有關我國科學發展史的資料和文獻，也須要搜集、考證古代遺留下來的文物，同時也應搜集總結那些在文獻上找不到但在勞動人民中流傳久遠的豐富的生產經驗……。由於我國歷史悠久，我國的古代文化典籍十分浩瀚（僅現存醫藥文獻一項，就有2,000多種），我國的歷史文物數不勝數，我國勞動人民所積累起來的生產經驗更是非凡豐富，因此，整理、編纂、研究中國科學史是一項十分艱巨的工作，又由於我國歷史學者與科學工作者還缺乏這方面工作的經驗，關於馬克思列寧主義理論修養都很不够，因此，要完成這項任務是存在着不少困難的，必須付出大量的勞動，進行長期的工作。

在討論中，專家們又强調地指出科學史的研究，是一項綜合性的工作，必須集合各方面的力量來協力進行。科學史既然是歷史學的一部分，因此，研究者必須懂得社會發展規律，熟悉歷史文獻；但它研究的是自然科學發展的歷史，因此，研究者又必須掌握自然現象發展的規律。所以沒有歷史學家與自然科學家的緊密合作，要做好這項工作是不可能的。專家們舉出過去工作的許多經驗，具體的說明了這個問題，例如，搜集整理歷史文獻的工作，假如沒有歷史學家的幫助，自然科學家很難掌握我國古代的文獻，分辨書籍的眞僞，考證它的眞實年代（如周禮考工記、周髀算經等書的眞實年代都是需要進一步考證的），也很難查考某一個時代的社會背景（例如中國古代社會的分期問題至今尚未解决），這些工作必須依靠歷史學家。但另一方面，歷史學家因爲不熟悉自然科學業務，對於某些在科學史上十分可貴的材料，往往容易忽略過去。例如在我國古代文獻中也有一些描寫「走馬燈」、「流星」（一種爆竹）的記載，這在歷史學家看來，可能認爲沒有什麽價值，但在自然科學家看來，這却說明了「燃氣輪」、「火箭」的原理的最早運用。因此，查考文獻的工作，必須由歷史學家和自然科學工作者密切配合起來，才能更有成效。在考證古代文物的工作上也是一樣，如要研究生物學史，必須由考古學家、歷史學家與生物學家共同進行；研究陶瓷、冶金等技術史，則必須考古學家、化學家、歷史學家合作進行。至於勞動人民在農業、醫藥、建築、水利、紡織……等方面的經驗總結，更需要各門科學工作者具體調查研究，不是一般歷史學家所能單獨勝任的。爲了考證國際間文化交流的歷史，還必須懂得古今中外的各種文字與語言，由此進一步加以推敲。例如火藥是由中國輸出的歷史根據，就可以從阿拉伯古代書籍稱硝爲「中國雪」、「中國鹽」來獲得一部分證明，而這項工作就必須和語言學家取得密切合作。此外，關於科學思想史就必須加强歷史學家，哲學家和自然科學家的密切合作，關於音樂史（可分樂理和音樂儀器兩部分）就必須由物理學家和音樂家密切合作進行……。

在會上，大家也簡略地交換了目前各方面有關中國科學史研究的情况。大家認爲近年來中國科學史的研究工作，雖然沒有計劃有組織地進行，但還有不少專家分頭進行着工作。例如：數學方面有錢寶琮、李儼，物理學方面有葉企孫、錢臨照，天文學方面有劉朝陽，化學方面有王璡、張之高，工程方面有劉仙洲領導的淸華大學中國工程發明史編輯委員會，水利方面有鄭肇經，建築方面有梁思成，技術發明方面有王振鐸、馮家昇，生物學方面有陳楨，醫學方面有李濤，……等等。大家認爲今天的主要問題是需要進一步組織起來，給予這些專家們必要的時間與物質幫助。爲了開展這項工作，大家希望中國科學院能在高等教育部的積極幫助下，把各方面力量組織起來，使中國科學史的研究工作能在統一領導之下逐步地加强。在科學史工作者本身，大家認爲應該徹底打破怕犯錯誤的顧慮，大胆地把這項任務担當起來，並積極地開展學術上的不同的意見的爭論，使中國科學史的研究能在實踐與集體討論的基礎上，不斷地前進。（轉載科學通報1954年4月號）

紀念梁贊省卓越醫學家的科學會議

1953年12月24—25日梁贊省召開了紀念梁贊省卓越醫學家的科學會議。

會議是由蘇聯醫學科學院以謝瑪士柯（Н. А. Семашко）爲名的保健組織及醫史研究所和以巴甫洛夫院士爲名的梁贊醫學院籌備的。蘇聯共產黨省委書記拉里歐諾夫（А. Н. Ларионов）參加了科學會議的組織。

梁贊省以很多卓越的祖國科學家而驕傲：梁贊是偉大的俄羅斯生理學家巴甫洛夫的故鄉，恰普雷根（С. А. Чаплыгин）院士誕生在拉扉恩堡（現在的恰普雷根城），米丘林誕生於普羅恩斯基縣多爾果耶村（現在的米丘林村）。在梁贊省人中有着很多卓越的醫學家，其中某些人從未與梁贊斷絕過聯繫。

蘇聯醫學科學院副院長柯羅特可夫（Ф. Г. Кротков）主持開會。他着重指出會議前曾作了說明祖國醫學優秀代表者們和研究他們活動及著作的科學研究工作，以後又指出會議的重要意義。柯羅特可夫强調說，這個科學會議應當作爲其他城市中一系列科學常會和會議的開端。柯羅特可夫（梁贊省人）受蘇聯醫學科學院主席團的委託及其本人的名義向到會者致敬並祝會議工作的成功。

會議聽取了13個報告。保健組織及醫史研究所醫史科主任彼德羅夫（Б. Д. Петров）就黨十九次代表大會的决議報告了關於研究醫史的任務。

梁贊醫學院正常生理學教研組主任西羅基（В. Ф. Широкий）教授非常成功地做了專題報告「巴甫洛夫院士——生理學中新階段的創始人」。

巴甫洛夫博物舘舘長林尼可夫（Г. С. Линников）做了關於巴甫洛夫在梁贊時期的生活的報告。

安娜尼耶娃（Н. А. Ананьева）講師（梁贊醫學院保健組織教研組）以「嘉吉可夫斯基（Дядьковский）在醫學中爭取唯物主義的鬥爭」爲題的報告和保健組織及醫史研究所科學工作者雅庫柏娃婭（Е. Н. Якубовая）的報告「杜柏維茨基（П. А. Дубовицкий）——醫學教育的著名學者和活動家」，以及庫德林（А. Н. Кудрин）講師（梁贊醫學院藥劑學教研組）的報告「論卓越的蘇維埃藥劑學者克拉夫柯夫（Н. П. Кравков）」，都引起聽衆們莫大的興趣。大家都特別注意傾聽了最後的一個報告。庫德林敘述了自己對克拉夫柯夫思想遺產的見解，根據庫德林的意見，克拉夫柯夫個別不正確的敘述是沒有理由視其爲「公然的唯心論者。」

科學會議的項目包括關於卓越的臨床醫學工作者的報告，如神經病理學者柯然夫尼可夫（А. Я. Кожевников）——莫斯科神經學學校的創始者〔報告者是梁贊醫學院院長柯瓦列夫（Е. Н. Ковалев）〕，皮膚病學者波羅捷布諾夫（А. Г. Полотебнов）教授（報告人是保健組織及醫史研究所所長阿舒爾柯夫〔Е. Д. Ашурков〕），莫斯科皮膚病學校創始者波斯別洛夫（А. И. Поспелов）（報告人是瓦羅諾夫Д. Л. Воронов教授）葉果洛夫（М. А. Егоров）和雅可夫列夫（М. В. Яковлев）教授作了關於蘇維埃外科學家——梁贊省人馬爾提諾夫（А. В. Мартынов）的報告。

很多會議參加者在討論報告時都積極地發表意見。其中某些人作了重要的報導。就像大學生科學學會的參加者，大學生瓦爾切娃（Г. Вальцева）作了關於外科眼科醫生多波羅握舉斯基（В. И Добровольский）的報告，保健組織及醫史研究所科學工作者查格爾斯卡婭（Е. Д. Загорская）作了關於精神病專門醫生岡努什金（П. Л. Ганнушкин）的報導，卡涅夫斯基（А. О. Каневский）指出，嘉吉柯夫斯基，和生理學家格列柏夫（И. Т. Глебов）以及若干其他人的名字都不應當地被遺忘掉，甚至在醫學百科全書中都沒有他們，蘇聯大百科全書出版醫生的報道中沒指出他們的出生地。

梁贊省國家檔案舘主任列別捷娃（Г. В. Лебедева）强調說，蘇聯歷史科學的發展是與文件材料的研究有着不可分割的聯繫。檔案的研究在表現俄羅斯科學的優越性和獨立性中起着巨大的作用。列別捷娃說道，很多文件還沒有被發現出來，本省醫院及其他治療預防機構中這些文件的數量是很豐富的。她希望這次的科學會議能成爲將來研究檔案文件的一種刺激，並號召梁贊醫學院的科學團體及梁贊實習大夫們去做這件事。這個希望在省保健部副部長麗特維納（Е. В. Литвина）的發言中得到支持，她强調說，這個會議應當作爲有計劃研究梁贊省保健史的開端。

共有12人參加報告的討論。

蘇聯科學院以謝瑪士柯爲名的保健組織及醫史研究所所長阿舒爾柯夫（Е. Д. Ашурков）在結語中作了會議兩天來工作的總結並指出會議的組織者作了良好的開端。梁贊的經驗應在其他城市中推行。決定出刊會議的報告書。

（安　藍譯自蘇聯保健事業1954年第二期）

（上接148頁）

移咨各處行省欽依施行。

砒霜、巴豆、烏頭、附子、大戟、芫花、梨蘆、甘遂、天雄、烏喙、側子、莨菪子、計12種。

禁治沿街貨藥

皇慶元年七月24日，江西行省，准中書省咨刑部呈准太醫院。關爲皇慶元年四月25日，本院官員特奏，如今有一等不畏官法的人，每每當街聚衆，施呈小技，誘說俚俗，貨賣藥餌，及有不能經書，不知藥性，胡亂行醫用藥針炙，貪圖錢物，其間多有傷害人命。近聞刑部裏也行文書來，似這般的，若不體已前所定之例，嚴加禁治，不惟有違先皇帝聖旨，如不中的一般。奏呵，奉聖旨，您便與省部文字，交遍行出榜嚴加禁治，好生的拿着要罪過去麽。道：聖旨了也。欽此。關請欽依施行，准此。除欽依禁治外，具呈。照詳都咨請欽依施行。

（龔純摘錄）

中華醫史雜誌 （季刊） 一九五四年第二號 （每季第三月二十日出版） 一九五四年六月二十日出版	編輯者	中華醫學會醫史學會 中華醫史雜誌編輯委員會	每冊定價五千元
	出版者	人民衛生出版社 北京南兵馬司三號	預定價目
	總發行	郵電部北京郵局 訂閱處：全國各地郵電局 零售代訂處：各地新華書店	半年二期　10,000 元 全年四期　20,000 元
	印刷者	北京市印刷二廠 修鱗閣路七十一號	郵費在內，掛號另加

本期印數 1—3,749 冊

一九五四年　第三號　九月二十日出版

中華醫學會醫史學會主編　人民衛生出版社出版

中華醫史雜誌稿約

（一）來稿須用方格稿紙單面橫寫，並正確地使用標點符號；抄寫不可潦草。

（二）如有附圖，請用白紙黑墨繪出；照片應注意黑白明顯，不可摺卷，以便製版。

（三）外國人名譯成中文可加一氏字。外文最好用打字機打出或用小楷寫出。

（四）數字在兩位或兩位以上、小數點以下，以及百分數，均用阿拉伯字寫。

（五）譯稿及文摘請註明原文出處，必要時應請連同原文寄來。

（六）參考書請按作者姓名、題目名、雜誌名或書名（並註明出版處）、卷數、頁數、年份次序排列，並需在文內引出。書名按著者姓名、書名、年份、出版社排列。

（七）來稿經登載後版權歸本會及作者（譯者）所共有，除一律酌致稿酬外，另贈單行本三十冊。

（八）請勿一稿兩投。本雜誌不擬採用的文稿，一律退還。

（九）編輯部對來稿有修改之權，如不願修改，請預先聲明。

（十）來稿請寄北京東單三條四號中華醫學會中華醫史雜誌編輯委員會。

中國的醫聖扁鵲——秦越人

趙玉青* 孔淑貞*

扁鵲姓秦名越人，是我們祖國古代的名醫，從長桑君學習醫術十餘年，精於望、聞、問、切之法，特以診脉著名，爲我國脉學之宗，其事蹟多見於我國古書中，後人著作中亦有很多引證。他的醫學活動對於祖國醫學的貢獻是偉大的，猶如希波克拉底斯之與希臘醫學，可稱爲我們祖國的醫聖，他的醫學活動也給人民留下了極其深刻的印象，到處爲他設廟立碑，在剝削階級統治時代毫無醫療設施的情况下，人們的健康只能寄托在自己衷心敬仰的醫學家們的懷念裏。（圖 1）

圖 1 扁鵲（據[illegible]）

扁鵲生卒的年代和故里

綽號 扁鵲是秦越人在趙行醫時的綽號。史記卷 105 扁鵲倉公列傳記載，扁鵲自稱爲齊秦越人，可知秦越人是他在家鄉的姓名。日人滕惟寅「扁倉公傳割解」卷上說：扁鵲爲古神醫，周秦間凡稱良醫爲扁鵲，是不足以使人信服的。如果周秦間都稱良醫爲扁鵲，爲甚麼在同一時代的醫和、醫緩未被稱爲扁鵲？因此周秦間凡稱良醫爲扁鵲的說法是毫無根據的。扁鵲是秦越人的綽號。史記爲秦越人立傳，亦採用他的綽號，這正如史記中的萬石君本來是張叔，不寫他的姓名而用他的祿號，齊國的田文用孟嘗君的稱號，秦惠王的弟用樗里子的稱號，此外淳于意作過太倉令（即山東倉州）即稱太倉公，均不列姓名，可見史記立傳很多是這樣寫法，所以給秦越人立傳，也用扁鵲的綽號標題。

故里 史記記載：扁鵲爲渤海郡鄭人。宋裴駰集解引晉徐廣曰：「鄭當爲鄚」。是因鄭鄚二字，形頗相近，而誤鄚爲鄭。鄚就是現在的河北省任邱縣鄚州。扁鵲亦自謂爲齊渤海人，查鄚州漢爲鄚縣，屬涿郡。隋（公元589—617年）屬河間郡（即瀛州）。唐景雲二年（公元 117 年）改名鄚州。光天初（公元 721 年）於州北置渤海郡。熙寧六年（公元 844 年）劃鄚州入任邱縣[1]。任邱縣距京都（北京）550 里，南接河間，北通雄縣（70 里）。東抵大城（90 里）。西距高陽（60 里）。現在的鄚州亦屬任邱縣。（圖 2）

生卒 唐楊玄操以千金翼中有「黃帝問扁鵲曰，」即以此開始提出扁鵲爲黃帝時人，但扁鵲不見於內經。可見與黃帝無關。又以扁鵲事蹟不見於戰國（公元前 403—221 年）以前著作中，僅見於戰國的文獻如韓非子、戰國策以及前漢人所作的史

* 中央衛生研究院中國醫藥研究所

記等書。就其中所記事蹟，考究扁鵲和他所遇到的那些人們的時代，對於推算扁鵲的生卒年代的確是有幫助的。

圖2　任邱縣鄭州廢城（鄭州鎮）

按照史記扁鵲傳記載，當晉昭公時，扁鵲視趙簡子疾。查史記趙世家中所記，趙簡子專晉政在晉定公之世，並且晉昭公已先趙簡子之立九年而卒。可見趙簡子昏迷五日，不知人，召扁鵲診治，必不能在晉昭公時，昭公殆定公之誤。按史記載趙簡子病在晉定公11年（公元前501年）。

扁鵲列傳更提到扁鵲爲齊桓侯視疾的事。根據裴駰集解，桓侯當爲齊侯田和之子桓侯午，齊桓侯午立於周安王18年（公元前384年），相距趙簡子病有117年，時間上比較接近。據扁鵲倉公傳補註卷上第二頁引證漢書音義謂「扁鵲爲魏桓侯時人」。但晉臣瓚說：「魏無桓侯」。又韓非子喻老篇所記蔡桓侯的病狀及其病理發展過程，與扁鵲傳所用文字語氣均相同，很可能是司馬遷根據韓非子編寫的。但蔡桓侯在東周初（公元前714年立）與李醯刺殺扁鵲的秦武王時代，在時間上距有四百年之遙，可見蔡爲齊之誤了。假定以趙簡子爲扁鵲的基本年代，則桓侯當爲齊桓侯。

最後傳中更載有扁鵲見武王的事，並在秦武王時代被李醯忌殺。按秦武王立於周赧王五年（公元前310年）。與趙簡子相去191年。

扁鵲年表

公元前501年：周敬王19年，晉定公11年，扁鵲診趙簡子疾。（史記趙世家）

公元前384年：周安王18年，齊桓侯午立，扁鵲過齊，齊桓侯客之。（史記裴駰集解）

公元前310年：周赧王5年，秦武王元年，扁鵲見秦武王。（戰國策）

公元前207年：周赧王8年，秦武王卒。

史記中記載的與扁鵲同時代的人如哲學家老子，大儒荀子，所涉及的年代也在百年甚至數百年以上，但是我們不能因此否定老子和荀子的存在。並且由多方面證據可以確定他們的活動時期是戰國後期[2]。又在世界醫學史上如希臘的醫學家——希波克拉底斯（公元前460年——約公元前359年）其年代亦涉及一百多年。關於他的歷史也知道的很少，但是他在醫學上的偉大貢獻，絕不能因此而一筆抹煞，至今仍被歐洲人稱爲醫聖，無人懷疑。由此我們可以說扁鵲傳所涉及年代過長，乃是古代史家忽略時代一種常有的現象，絕不能因此而懷疑扁鵲的存在有無問題。所以我們仍應按照司馬遷所說「扁鵲爲醫，爲方者宗」的明訓，尊崇扁鵲是中國的醫聖。

扁鵲時代之醫術——公元前五世紀中國的醫學狀況

扁鵲所處的時代，正當東周兼併戰爭繼續發展而進入劇烈的戰國時期。這一階段，由於領主政權的破壞和削弱，剝削方式改變了，束縛在宗族裏面的大量農奴，比東周後期更進一步得到解脫。在這個重大的變化下，新興的農民階級出現，生產力空前的提高，戰國社會呈現了空前未有的繁榮氣象。

戰國時代，由於宗族制度的破壞，土地私有制度已經確立，對農業起着推動作用。鐵製工具已廣泛應用，工商業也跟着發展起來。東周時期在文化上的創造，在這一時代得到了進一步的發揚，使人類的知識得以提高，在醫學方面，醫巫分業，鬼神致病的觀念也發生了動搖，對於疾病的解釋首先注意到外界環境對人體的影響，後來發展成爲陰陽五行學說的理論。

在農業躍進的過程中，人們增加了藥物知識，對於用藥治病漸漸有了信仰。根據山海經、周禮、詩經等書的記載至公元前五世紀已知用藥百餘種。由於工業進步，簡陋的石針，改用金屬製造，即所謂金針，已製出有九種之多。更由於商業的發達促進了經驗交流的機會，各民族的醫術如東方的砭石，西方的藥，北方的灸焫，南方的針，中央的按摩，在這時被熔合在一起而應用起來。戰國初李悝計算一個普通農民家庭的費用，其中包括疾病費，這時宗族制度被破壞後，民間有了醫生，扁鵲遊走各地，以醫爲食，正可說明當時已有自由開業的醫生。

公元前五世紀切脉斷病法已經發明了。所以扁鵲遇病人便首先切脉，例如史記記載當晋定公11年時，趙簡子病，昏迷五日，不省人事，扁鵲以切脉法斷定未死，最後爲之治癒。又記有虢太子病，約半日餘，四肢冰冷，感覺喪失，一般人認爲太子已死，只是未曾收歛。適逢扁鵲過虢，爲之診治，扁鵲並察知患者尚有微弱的呼吸，兩股內側有溫感，診斷爲「尸蹶症」，並立刻取三陽五會，即百會穴（註一）。以針法先行急救，太子遂恢復知覺。又使他的學生子豹爲五分之熨，（再以更互溫熱）熨兩脇下。後再以湯劑調養20餘日，終於恢復健康。虢君感激地說：「有先生則活，無先生則棄溝壑。」此後衆人皆知扁鵲有起死回生的高超醫術。扁鵲所診斷的「尸蹶症」很像現在醫學中的休克症狀，意識不清，呼吸微弱，「形靜如死狀。」他採用的治療方法是正確的，先以針法刺激神經系統，並用熨法溫暖身體，保持體溫。兩千多年以前，能有這樣的醫術確是驚人的。

他到了齊國的都城，齊桓侯招待他，他說：「君有疾在腠理，如不早治，病勢將內攻。」桓侯懷疑行醫者好利，想治無病的人以圖功利，而不肯就治。五日後他見了桓侯又說：「君有疾在血脉，不治恐深。」桓侯很不高興。又過了五天，見桓侯說：「君有疾在腸胃，不治將深。」桓侯仍不肯治療。又過了五天，扁鵲遙望桓侯，知其病已不可治而退走。桓侯使人了解原因，扁鵲說：「疾在腠理可以湯熨外治法治之。疾在血脉可以針石法治之。疾在腸胃可以酒醪內治法治之。但病入了骨髓則無可奈何。現在桓侯的病已到骨髓，不能治了。」後又過了五天，桓侯才感覺到自己體痛發病，但此時病勢已加深，想求扁鵲治療，可是扁鵲已逃到秦國了，於是桓侯病重身死。扁鵲觀察這一病例的病理變化過程，很相似現在外科中之創傷傳染，化膿性病灶之轉移，最初傳染到臨近的組織或侵入血行，更轉移至臟器及骨髓。他對疾病的認識具有由外及內的發展的病理觀念，因能測知預後。其認識含有早期診斷，早期治療的預防思想。史記也因之說：「使聖人預知微，能使良醫早從事，則疾可已，身可活也。」

扁鵲不僅在診斷、病理、治法上對祖國醫學有卓越的貢獻，太史公自序：「扁鵲爲醫，爲方者宗，後世脩序，弗能易也。」這就顯示出扁鵲在我國醫學史上應佔之地位。並且也通曉各科醫學知識，他周遊各國大都市間行醫，到邯鄲，俗重婦人，就作帶下醫（婦科）。到周都洛陽，俗尊老人，就作耳目疾醫。到秦都咸陽，俗愛小兒，就作小兒醫。秦太醫令李醯自知其術不如，使人刺殺扁鵲。史記爲名醫立傳，扁鵲居首是有理由的。

戰國時代，正是新興的農民階級出現，土地私有制度已經確立的時期。戰國社會呈現了前所未有的繁榮氣象，東周時期在文化上的創造這時得到了進一步的發揚，醫學也在原有的基礎上向前發展着，扁鵲的醫術——診斷上望、聞、問、切之應用，病理觀念的認識，正確的治療方法之被應用——正表現了我國在戰國時代醫學的成就。

人民對於扁鵲的紀念

扁鵲的醫名甚盛，人民對於他更是念念不忘，認爲他是能起死回生的超人，因此扁鵲墓散見於全國各地者約有四處，據日人櫟蔭拙在醫賸卷上第11頁所引如下：

（1）盧城　唐段成大酉陽雜俎云：「盧城之東有扁鵲冢。」（盧城即今濟北盧縣故城。）

（2）山東省朝城縣　元和郡縣志云：「扁鵲墓在朝城縣羅城西北隅。」

（3）河南伏道　宋范成大攬轡錄云：「壬申過伏道，有扁鵲墓，墓上有幡竿，人傳云：四旁土可以爲藥，或於土中得小圓，黑褐色，以治病。伏道艾，醫家最貴之。」又宋樓鑰北行日錄也說：「乾道五年（公元1189年）12月14日車行40里過伏道，望扁鵲墓前多生艾，功倍於他艾。」

註一：根據近代針灸文獻，百會穴「在顱頂中央，直兩耳尖，解剖部位在顱頂部帽狀腱膜部，循後顳顬動脈和後頭神經。」是接近大腦的一個重要穴孔。

(4) 任邱縣　王兆雲揮麈新譚云:「扁鵲墓在河間任邱縣，其祠名藥王祠。」

扁鵲墓共有四處之多，這表示了人民對他的崇拜和敬仰，究竟何處是眞，何處是僞，尙待進一步的研究。

鄭州藥王廟即扁鵲祠，在中國算是有名的廟宇，歷史悠久，廟貌宏麗，其廟會也最興盛。鄭州藥王廟是有很多人知道的，相傳「天下大廟屬鄭州。」據調査鄭州今爲鎭，在任邱縣北40里地許。現在鄭州尙爲商業中心，出鄭州東北約四里，即古鄭州城，現僅有遺跡，藥王廟即在舊城北部。扁鵲墓則在該廟之後。又在鄭州東門外有扁鵲故宅，後人爲了紀念他，今仍稱之爲藥王莊。明一統志也如此記載:「廢鄭州城東門外有藥王祖業莊，扁鵲墓在藥王廟後。」任邱縣志也說:「任邱縣北四十里地有鄭州，在鄭州東門外有扁鵲故宅，今仍稱之爲藥王莊」（圖三）。

圖 3　扁鵲的故里——藥王莊（任邱縣鄭州鎭）

這裏的藥王廟究竟始於何時，據淸咸豐11年（公元1861年）重修藥王廟碑碑文上說:「原夫祠之所由起也始於元。」在元以前則爲扁鵲廟。此由宋人王兆雲的揮麈新譚中所記可以說明。至元間由於各縣均設立藥王廟，所以改扁鵲廟爲藥王廟。後來歷次重修，香火不絕。明萬曆12年(公元1584年)御製重修鄭州藥王廟。碑文說:「有言鄭州藥王廟者，相傳爲扁鵲廟，其來若干年，邑里疾癘，有禱必應，爲了順民所欲，出供奉美金，」[1] 才把這廟從新建築。據調査現在該廟遺址上仍有萬曆21年（公元1593年）勅重修鄭州藥王廟碑一座，所記碑文摘錄如下:

「……鄭之藥王廟獨祀（春秋）扁鵲。扁鵲鄭人也，一名秦越人，世傳其受術長桑君，治病神應，故前代因封神應王，而「土人」亦遂以藥王稱之，即其地祀焉，綿延數千載。……譬之百川宗海，四嶽宗岱，皆報祀必先，故特仿京師醫王廟之制，如祀三皇而以歷代之名醫祔之，示不忘本也。……且鄭之藥王廟，本祀扁鵲，而神固已嘗之矣。聖人能預知徵，使良醫早從事，可以却病，可以延年……。」

俗傳舊曆四月28日爲藥王誕辰。鄭州藥王廟照例在舊曆四月整整一個月的時光，進香的往來不絕，人們結隊成羣的去朝香，人們對藥王的崇拜有極其深刻的印象。1938年日寇侵佔華北時竟將此人民所愛戴的藥王廟完全焚毀，到了今天只賸下磚頭瓦塊，亂灰碎石了。唯一倖存的只有那白石砌成的三座山門。由東向西，可以看見三座山門的額部依次刻着「勅建藥王廟」、「勅建三皇殿」「勅建文昌閣」等字樣。當地人民至今仍叫這廟爲「大廟」，更可想到這廟當年工程的浩大。

勞動人民縱然在極艱難的日子裏，也要爲自己中心愛戴的人，累世相傳來紀念他，使人民的英雄事蹟記載於人民自己的懷念裏，扁鵲是其中最明顯的例子。(圖四)

圖 4 由右至左爲：藥王廟，三皇殿，文昌閣之山門（任邱縣鄚州鎮）

結 束 語

近百年來，中國受了半封建半殖民地社會的影響，使過去一些學者們喪失了民族自尊心，向外國人卑躬屈節，歪曲地講解歷史的眞象，錯誤地懷疑，甚至否定祖國的醫學家們在醫學發展上所起的歷史作用。過去對扁鵲的懷疑正是受了半殖民地的影響。現在我們在中國共產黨，人民政府和毛主席正確英明的領導下，學習了馬列主義，應該重新認識：我們祖國有幾千年悠久的光輝燦爛的歷史，在醫學發展的過程中，曾出現過許多卓越的醫學活動家。我們了解：歷史是由人創造的，一切歷史活動和歷史現象，不通過人便無從實現。因此將那些由於資產階級歪曲歷史事實而被人懷疑的祖國人民的醫學家們披露出來，使他們的功績得到表揚，也通過他們來認識祖國醫學歷史的眞正面貌，這是我們醫學工作者的任務之一。

參考文獻

1. 呂超如：藥王考與鄚州藥王考，（民37年4月）公元 1948 年 國華印刷廠
2. 范文瀾：中國通史簡編，1953 年 人民出版社

試論「漢末建安時張仲景官至長沙太守」的問題

鄧　曼

張仲景是我國醫藥方術的奠基人。他的巨著「傷寒論」及「金匱要略」二書是濟世活人的寶典。到今天醫藥進入了科學化的時代，它仍然是一般中醫必需學習的東西。由於仲景在我國醫學上作出了很大的貢獻，對於他的歷史，似乎應該加以研究。因此，我首先把「他在建安時代做長沙太守」這個各家爭論未決的問題提出來談一談。

宋向元氏舉金人成無已注「傷寒論」前面的「仲景自序」末無「漢長沙沙守」字樣，僅署「漢張仲景述」五字。及康平「傷寒論自序」的眉注：坊本斯語下有：「漢長沙守南陽張機著」九字。並同書「傷寒例」開首的眉注：宋本有「漢張仲景述」五字，亦無「長沙守」的記載，來證明宋本「傷寒論序例」都沒有「漢長沙守」字樣的題署。又以爲晋人王叔和去仲景時代不遠，對於仲景的事蹟是有一定了解的。但是王氏編次他的「傷寒論」，沒有說他做過長沙太守的話。而且漢末連年戰禍，知兵者才可以做太守，如仲景這樣的文士是不能担任這種職務的。最後他判斷：「方論序等書上的「舉孝廉官，至長沙太守」等字樣，是唐宋間人爲了愛護仲景僞造出來的」[1]。這樣說法，好像有理，其實不然。因爲成注本及康平本傷寒論等書，既不能代表一切宋本。更不能代表原本的程式。而且它們有不少「竄亂改易」原本的地方[2]。相反地，宋人陳振孫的「直齋書錄解題」是根據各書的版本編成的。它（卷十三）說：「傷寒論十卷，漢長沙太守南陽張機仲景撰」正足說明：宋本「傷寒論自序」還有署題「漢長沙守」字樣的。試看日本人丹波元簡所作「傷寒論輯義」及山田正珍所著「傷寒論集成」，它們根據宋本所載的「仲景自序」，正有「漢長沙守張機仲景撰」的署題，更是明顯的例證[3]。至於王叔和編次「傷寒論」的時候，會否說過仲景做長沙太守的話，現在已無確據可證。不過王氏編仲景的遺書，並不是編仲景的歷史。即使他沒有說「漢長沙守張機」的話，也不能證明仲景沒有做過太守。若說漢末多戰事。但是，太守的職位，是担任「治民、進賢、勸功、決訟、檢姦……舉孝廉」等事務的[4]。遇有戰事發生，另有僚屬幫助。比如韓玄守長沙，便有勇將黃忠等助他[5]。便是例證。再看像孔融那樣的文人學士也做過太守，仲景何獨不能？如果唐宋間人替仲景捏造官銜，必然僞造一個中原一帶地方的美好官名，似乎不至於把「長沙太守」這個頭銜加到仲景的身上。由此，可知從任何方面來看宋氏的論斷，都是很有問題的。

丁福保氏撰「名醫別傳」也懷疑張仲景沒有做過長沙太守。他所論各點，薛凝嵩氏在「張仲景生平事蹟考證」一文中已有商討[6]，不再重論。但，我有兩點意見加以補充。第一：考史書記載某地某官的姓名，一定他的事蹟對於當時的軍、政時局等方面發生過某種比較重要的影響或關係。不然的話，便略而不載。試看漢末數十年間，史載：長沙太守，僅有區星，孫堅，孫策，蘇代，張羨，韓玄數人而已。而且從這些記錄中，看不出他們先後接替的跡象，多半是相隔若干年以後才見一人的姓名出現的。可證這中間一定還有些太守的姓名被編史

(1) 宋氏「張仲景生平問題的討論」（「新中醫藥」四卷，十期）。

(2) 見方有執「傷寒論條辨」。喻昌「尙論篇」等書。

(3) 丹波氏和山田氏的著作見「皇漢醫學叢書」。

(4) 「文獻通考」卷67職官17。

(5) 見「三國志」黃忠傳。

(6) 「新中醫藥」四卷七期。

書的人省略了。仲景名在其中，也是可以理解的。第二：仲景「傷寒論自序」說：「獨怪當今居世之士，曾不留神醫藥，精究方術。…但競逐榮利，企踵豪權。…舉世昏迷，莫能覺悟；蒙蒙昧昧，蠢若遊魂。」這證明了當時仲景的思想意志與封建社會裏的一般人（尤其是士大夫）是完全相反的。他做太守，當然不會長久。同時也說明了：范曄作「後漢書」，陳壽作「三國志」，所以不立他的傳記，甚至於抹煞了他的全部事蹟的理由。

孫鼎宜氏說：據「從漢書劉表傳」及王粲「漢末英雄記」，知建安三年率零陵、桂陽二郡背叛劉表的長沙太守張羡與張機的時、地（指南陽）皆同、而官階及所官之地，與一時同爲漢室之官，又莫不出一。且「羡」與「仲景」、「名」與「字」相應。（羡有「長大」及「慕」義）意者：張羡即張機，「機」爲「羡」之譌字耳。（漢志：「沙羡」之「羡」音夷。攴、微本通，「羡」「美」易混。疑唐時誤「羡」爲「美」，遂聲轉誤「機」）[7]。此說本有相當理由。不過仲景的「傷寒論自序」說：「余宗族素多，向餘二百。建安紀元以來，猶未十稔，其死亡者三分有二，而傷寒十居其七。…乃勤求古訓，博採衆方，…爲傷寒雜病論合十六卷。」可證仲景準備作傷寒論，開始搜集材料的時候，已經接近建安十年（至少也到了建安八九年。不然，便不會說「猶未十稔」的話）[8]。那末，他的卒年至少也到了建安十年以後。而張羡死於建安五年，史有明文。[9]顯然他與張機（仲景）是不同的二人，決不是一人的名誤。且據「後漢書」，「三國志」的劉表傳，及注文，知道張羡在做長沙太守以前，還做過零陵和桂陽的太守；他病死以後，他的兒子張懌又繼續他做過長沙太守。這些事蹟，在現有張仲景的史料中都不能見到的。相反地「精通醫術、善於治療」的記錄，在張羡的歷史中也是絲毫找不到的。由此，可知孫氏的說法還是不合符客觀事實的。

據宋人馬端臨「文獻通考」，（卷222醫部）高保衡、孫奇、林億等校上傷寒論序，所引唐人甘伯宗的「名醫錄」都有：「張仲景…舉孝廉，官至長沙太守」的說法，可證「名醫錄」的原本，確有這樣的記載。宋人張杲的「醫說」、（據皇甫：謐甲乙經，張仲景方序論，）宋人周守忠的「歷代名醫蒙求」（引「名醫大傳」）也都有同樣的紀錄[10]。而「文獻通考」（同上）與晁公武「郡齋讀書志」另列「南陽活人書二十卷」，下引該書序文，還稱仲景爲「張長沙」，更說明了「仲景做長沙太守」事，當時盡人皆知。只用說「張長沙」，人們就會知道是仲景了。由此，可知我們認爲張仲景曾做長沙太守，是有相當的文獻作證的；如果認爲這一事實是後人揑造的，便只是一種唯心的猜想，而沒有任何可靠的物質作證的。所以我們在沒有發現足以推翻上引「名醫錄」等書的確據以前，是無法否認「仲景曾做長沙太守」這一歷史事實的。

日本東都，山田正珍氏把「傷寒論仲景自序」中：「建安紀元以來」的「建安」改爲「建寧」。（漢靈帝年號）附注說：「醫史云：「張機字仲景，漢靈帝時舉孝廉，官至長沙太守」。可知舊本作建安者，傳寫之誤也。若夫建安，獻帝年號，與下文：「感往昔」之文不合」[11]。此說也似合理，其實很有問題。因爲現存該書的各種精刊舊本，都作「建安」。它們似有相當可靠的根據。如果由於傳寫致誤，決不會各本同樣地誤「寧」爲「安」。當仲景開始「勤求古訓、博採衆方」準備著傷寒論的時候，他那三分之二的宗族一百餘人病死已久。當然可以說：「感往昔之淪喪」，何嘗有絲毫矛盾[12]？再看「一統志」和「湖南通志」等書都說：「建安中仲景爲長沙太守時，會大疫流行，仲景治法難出，民賴以全活者甚衆。」與「傷寒論」自序所說：「建安時代，仲景的宗族死於傷寒病者甚多，」的說法，是先後銜接，若合符契的。至於上引「醫史」的話，只能說明仲景在靈帝時被舉爲孝廉，却不能證實他最後「官至長沙太守」也在靈帝時代。而山

(7) 孫氏「傷寒論章句」前附「仲景自序」後的跋文（孫氏醫學叢書第六册）

(8) 左傳（僖公二年）晉卜偃（預斷虢國將亡）說：「不可以五稔」，後來到僖公五年，晉滅虢剛剛四年，這是一個好例證。

(9) 見「後漢書」和「三國志」的「劉表傳」。

(10)「醫說」見陶風樓影印宋刊本，「歷代名醫蒙求」見故宮博物館影印宋臨安刊本。

(11) 見山田氏「傷寒論集成」前附「仲景自序」及註文。（皇漢醫學叢書本）

(12)「往昔」只表示已過去的時間，唯不指已過去的朝代。

田氏旣曲解〔醫史〕文義，作爲他改〔建安〕爲〔建寧〕的根據；但是，他接着把仲景〔感往昔之淪喪〕，因而著〔傷寒論〕，又毫無根據地解爲在獻帝時代。這是他自己也不能自圓其說的地方。由此，可知他改〔建安〕爲〔建寧〕，是完全錯誤的[13]。相反地〔仲景做長沙太守在建安時代〕是可以肯定的。

末了，還要說明一點：〔仲景做長沙太守〕這一問題，雖然不見得十分重要。但是，爲了正確地認識仲景的眞實歷史，我們對於它仍舊有徹底辯證明白的必要。

(13)細審〔仲景自序〕全文，我們知道仲景〔感往昔之淪喪〕開始搜集材料著書，在獻帝建安時代。全賴他說的：〔自建安紀元以來〕一句話，若把〔建安〕改爲〔建寧〕，無形中已把仲景開始著書上移到靈帝時代。試問山田氏還憑什麼證據可以說仲景著書還在獻帝年間？我相信他是找不出使人滿意的解答的。

更　正

中華醫史雜誌 1954 年第一號

姜周行：〔幾種中藥研究的近況〕一文，第32頁右欄第四行〔植物殺菌素〕後應爲句號，句號後漏去“D. V. Lebeder 氏”。又第33頁左欄例九行〔認爲槐花〕之後應補加〔煎液除去黃色沉澱後〕之句。

中華醫史雜誌 1954 年第二號

頁	欄	行	誤	正
100	右	14	現	旣
101	右	10	舊	備
102	左	17	並不	不盡
〃	〃	倒 5	唐雕	重雕
〃	〃	倒10	他能	或能
103	左	5	此非	此外
〃	〃	7	衛美	衍義
內封		16		編輯委員名單漏排〔史書翰〕三字

民間醫生劉完素

龔 純* 馬堪温*

劉完素生卒年代的推測

劉完素字守眞，金河北東路河間府人，是金元四大家之一，也是一位偉大的民間醫生。從金朝到現在數百年以來，在河北省河間一帶，到處都有紀念他的廟宇，並且在民間還遺留着許多有關他的傳說，由此可以想見民間對他的愛戴和尊敬。

金史方伎傳中記載了他的略歷，說他曾遇異人給他仙酒喝，醉醒以後，彷彿曾經有人傳授似的，對醫學有了透徹的了解，因此著有運氣要旨、醫方精要、素問藥證、傷寒直格和宣明論五卷。他怕一般庸醫隨便立說，又寫了一本素問玄機原病式。他喜歡用涼藥，以⌊降心火益腎水⌉爲主，並給自己起了一個外號叫通元居士。

一次，劉完素患傷寒、頭痛、脈緊、嘔吐、不想吃東西，已經八天了還不見好。家裏人延請了名醫張元素爲他診治，因爲張元素在用藥上和他的意見相反，劉完素竟扭身面對牆壁不理睬。張元素問他：⌊你爲什麼這樣看不起我呢?⌉診過脈以後，張元素說出他的脈理，並問劉是不是服過某味藥。劉承認了。張元素說：⌊你錯了，某藥是寒性下降，服過以後，走太陰，以致陽亡汗不能出。現在看你的脈，應當改服另外的藥劑才能有效。⌉

以上所記載的事蹟很簡單，又沒有具體年代可供參考，我們查閱了劉氏的著作和有關的資料，其中記有關於他的年代的書，大概有下面五種：

1. 首先是素問玄機原病式中程道濟的前序[1]程之前序作於大定22年(1182)，他說自己於⌊天德四年(1152)患腰脚痛，……因諸後醫董系者……因董醫始以傳授，次得玄機原病式簡要之書，開發良多；在後親見守眞先生詳加請益，參推妙要，愈究愈精，始知董氏之學，始得先生原病式簡要之書施用之故也。兼傳澤承睍者，迺先生門下高弟子，眞良醫也。並已過世，同爲一家，與世醫可謂冰炭。自天德五年(1153以後)，董氏醫名大著……其鄉黨稱揚，僕有力焉。⌉本序中更提到劉和董⌊並已過世，⌉似乎在1182年以前劉守眞已經去世。但根據醫籍考的考證，金末元初的楊威和杜思敬，與劉守眞的時代相去不遠，都認爲保命集是劉在大定丙午(1186)所作，還有下面數書記載的事實，可見劉在1182年沒有去世。

2. 劉守眞在大定丙午(1186)所作素問病機氣宜保命集的序言[1]中，叙述自己的生平說：⌊余年二十有五，志在內經，日夜不輟，殆至六旬，得遇天人授飲美酒……一醒後，目至心靈，大有開悟，衍其功療，左右逢源，百發百中……今將余三十年間，信於心手，親用若神，遠取諸物，近取諸身，比物立象，直明眞理，治法方論，裁成三卷三十二論，目之曰素問病機氣宜保命集。⌉

3. 李湯卿在心印紺珠經原道統第一中，也曾簡單地提到：⌊劉完素字守眞，號曰眞宗子，章宗皇帝(1190—1208年)三聘不起，御賜高尙先生。⌉

4. 馮惟敏在隆慶三年(1569)作重刻劉守眞先生宣明論序[1]中，更明白地說出是⌊金承安間(1196—1200年)，章宗徵不就，賜號高尙先生。⌉

5. 張從正(子和)儒門事親顧[...]引言中說：⌊然近世惟河間劉守眞深得長沙遺意，故能以斯道鳴乎大定明昌間(1161—1194年)。南渡以來，宛丘張子和出……識者謂長沙河間復生於斯世矣!⌉

根據以上資料，我們知道劉完素25歲開始學醫，在年輕時曾著有內經要旨、宣明論和原病式三種著作，以後更將他30多年的研究經驗，在1186年寫成保命集一書，可見他這時已經50多歲了，因此上溯50多年，推測他大約生於1120—1130年左右。

在1161—1194年時，他已成爲當代的名醫，所以完顏景(章宗——1190—1208年)時，曾經三次聘請，他却保持民族氣節不願應徵，最後於1196—

---

* 中央衛生研究院中國醫藥研究所

1200年間，賜號高尙先生。依照他在1186年所作保命集的序言中，曾提到他已50多歲，肯定他在承安年間，已是七八十歲的人了。同時張子和在1217—1221年間，召補太醫之前，已有人稱讚他是「長沙河間復生，」可見劉守眞在1217年以前，已經死去多年了，所以推定他的死年當在1200左右。(圖1)

圖1 劉完素塑像（據李濤十大名醫和十大名醫廟，中華醫學雜誌外文版，58:267—274.1940）

劉完素所處的時代

如果劉完素大約生在1120—1200年左右，那麽他所處的時代，正是北宋趙佶（徽宗）到南宋趙擴（寧宗）時，也就是金朝建國（1115年）後數年，到完顏景（章宗）統治北方的時候。

當時，宋朝實行科舉制度，專講究文字，使言語與行動分離，風氣所被，產生舞文弄墨的醫書，專從曲解文辭上附會，使醫學理論陷入不可解的地步，提倡唯心的運氣論。按運氣的說法，大約來自阿拉伯人的占星術，唐朝王冰始提到，崔知悌更用歲月干支規定產婦臥位的方向來決定吉凶；這種學說到了宋朝更盛。例如1099年劉溫舒作素問入式運氣論奥，人事發揮運氣理論，1118年趙佶作聖濟經和聖濟總錄，也採用這種說法，附會運氣與疾病和治療的關係。所謂運氣即天氣有六（風、寒、暑、濕、燥、火），地質有五（水、火、土、金、木），以十干配五運，十二支對六氣，因以紀年的干支推定歲氣，更由歲氣推定應得的病，定以施治的方法。總之，完全憑主觀的想法，解釋疾病由於大宇宙運行而發生，人力不能戰勝，這種宿命論適合統治者的需要，憑藉政治和道學的推論，12世紀以後風行一時，妨礙了中國醫學應有的發展。

金人雖然征服了宋朝的統治階級，但征服不了廣大的人民，各地義軍前仆後繼，頑強地和金人對抗，因此在政治上，金人對漢人一貫採取壓迫和歧視的態度。在經濟方面，則實行奴隸制，强佔農田牧地，但他們只貪圖奢侈逸樂，不從事於耕種，結果土地荒廢，租稅苛繁，人民淪於飢餓流亡的慘境。

金人本是開化較晚的種族，在完顏晟（1217年）時，才開始製定文字，翻譯中國書籍，教女眞人閱讀。到了完顏景時（1190—1208年），一切文物典章，完全模仿漢族。因此，金人接受了中國的文化，尤其是道學和運氣論等腐朽的部分，因而變得荒淫無恥，紀綱敗壞，喪失了過去獷悍善戰的舊俗而趨於滅亡。

劉完素就生在這異族統治和烽烟遍野的年代裏，同時也是運氣論盛行的年代裏。因此，他深深地了解人民的痛苦和需要，有着强烈的民族意識和愛國主義思想，不甘仕於異族，而願作一個民間醫生，爲水深火熱中的同胞解除疾苦，並從事於通俗醫書的著作。

劉完素的故里——河間縣劉守村

金史等書都說劉完素是河間人，就是今日的河北省河間縣。縣境東西113里，南北60里，東至天津青縣，東南至獻縣，西北至保定和高陽縣，西至肅縣，北至任邱，東北至順天城。在宋朝的時候，河間和中山，太原號稱三鎭，爲軍事要地。北宋末年，金人入侵，腐朽的宋朝將三鎭割給金人，作爲議和的條件，但兩河的忠義民兵，誓死不屈，曾經數次大敗金人。到1127年，金人才將河間作爲河北東路的府治，因此對當地人民更加苛虐，甚至將兩河男女出賣爲奴隸，或將漢人與西夏交換馬匹。在金人殘酷的統治之下，河間又屢次遭到水災，旱災、蝗災，人民終年辛苦，亦得不到溫飽，甚至人自相食，生活極爲痛苦。

劉完素不但生在這宋金對峙的年代裏，還住在這天災戰亂的河間。關於他的生卒地點和生平詳細事蹟，各書都沒有記載。現存明清二代的碑記，都說他住在河間。根據實地調查*，現在河間縣城東約20里的劉守村，據說就是他定居的地方，並且有他的墳墓。劉守村分前、中、後三部分，村中果木成林，每當春季、桃李繽紛，梨花初放，風景清麗。當地至今還流傳着一段有趣的故事：劉完素是個雲遊的人，一次遇見一位道士告訴他，除非看見「牛上房、車上樹」，才能找到安身之處。後來，他走到本村，看見牛在地窨頂上吃草，一抬頭，又看見樹上掛着架紡車，於是便居住下來。死後，人民爲了紀念他，就把這村子取名爲「劉守」。現存清朝所修的縣志上也記有前、中、後劉守的村名，並知道在明朝時已有此名，明以前叫什麼名字，却沒有記載。(圖 2)

圖 2 劉完素（守眞）的故里劉守村

劉守村中的劉守眞祠、墓和碑記

在中、後劉守之間是劉守眞祠，當地的人稱爲「劉爺廟」，祠中原有劉完素的塑像，可惜在日寇佔據華北時被毀，如今只剩下一片瓦礫，和倖存的墓和碑石。

劉守眞祠原和觀音禪寺毗連，面積約十餘畝，永樂三年(1405)曾加重修，現在觀音禪寺也只留下一塊「重修觀音禪寺碑記」，係嘉靖丁亥(1527年)所立。從下面摘出的碑文中，可以約略看出當年劉守眞祠和墓的概況：

「……瀛州東十八里，村名劉守村，其側有觀音禪寺一所，地基廣闊，環圍十畝，……其寺之衆神：前鎮大殿則釋迦如來，……後殿則觀音大聖……，兩側則清源妙道眞君，護大法而驅魔王，名醫守眞先師，施仁術而濟衆……是地也，揆厥所始，實守眞之墓所在，遺跡尙存，而觀音禪寺所由建焉。」中間有一段讚美劉的偈語：「維彼守眞，時生大金。名爲仁醫，古今播聞。活人甚廣，種德克勤。三百年來，玆復誰倫。……」後記「永樂三年孟肆月吉日河間府主簿重修……嘉靖丁亥壬寅巳亥月建立碑記。」

這段碑文說觀音禪寺之所以建立，是因爲當地有劉完素的墓；觀音禪寺是明朝永樂三年(1405)重修的，表示至少在數十年前已有觀音禪寺。按元朝亡於1367年，距永樂三年僅30餘年，那麼，此廟在元朝必已存在，這一點足以說明劉完素死後不久，便被當地人民供奉入廟了。又清朝康熙25年(1868)吳山鳳等纂修的河間縣志中記有「河間如信都芳，劉完素皆精其技，務有益於世，其人可傳，其事可述。元俗傳劉靈蹟頗類神仙……」等語，更證明了這一點。(圖 3)

劉守眞祠中原記有他的塑像，村中人說，他是坐化死的，人們用缸將他埋葬（甕葬），外砌八方形的磚墓，至今雖稍有破損，還兀立在瓦礫中。以往每逢正月十五日，香火極盛，人們都搶着到廟中燒第一炷香，有的甚至遠道趕來，在頭一天夜裏便去燒香。墓的左前方是「重修妙道明醫劉守眞祠碑」，係崇禎七年(1634)重修的，縣志上則載有明嘉靖甲申(1524)年立的碑文。但是二碑的內容大部相同，似乎是出於一源。今將嘉靖年碑文摘錄如下：

「正德丁卯我武宗毅皇帝聖躬違和，御藥罔效，夜夢老人來醫，問其姓與從來，自謂河間人，

---

* 本年四月作者等曾親赴河間一帶作實地調查。

姓劉氏。比覺，遂娠萬福。博訪所夢。百戶吳鋭，河間人也，奏河間故有名醫劉守眞者，今祠祀之。武宗特旨兵部題奏遣官合吳翔鳳，齎賜綵幣，朱紅祀服，鐃罐，以崇厥祀。考之金史，劉守眞諱完素，早遇陳希夷旅儒酒，酒覺悟。遂得原病式、宣明論、大盡希夷了之術，以神醫著名。我太宗文皇帝往靖內難，人無定址。眞人處所適，偶感異類，化爲人形，丐藥療疾，指示避兵嚮往，遂賴全活。一時病者無遠邇，扶攜求治，往往奏功。於是都督袁傑感其靈異，施地捐資立廟，圖像而祠之。……嘉靖甲申閩師郭鍚復新厥廟，屬予識之。予惟人之生，固有志氣，清明，上智大賢優入聖境者。其次雖〇於術業，苟專門篤信，亦或庶幾精義入神之妙。故生則利人，沒則顯名，皆是垂也。神是勳攷，固崇而信之。況茲英爽不昧，時昭厥靈，上勤天子，嘉以寵賜，下感遠人，新其廟貌者乎？郭闕師公暨鄉閭諸君斯舉，其亦眞人所感動者也。雖然時人之病心者多矣，眞人有靈，其益思所以懋厥功哉？」

圖 5 劉完素（守眞）廟之遺址。左爲劉完素之墓碑，中間爲墓，右爲觀音禪寺碑

河間一帶的劉守眞廟

滿朝吳山鳳等纂修的河間縣志上，記有河間縣學東有劉完素祠和碑，曾先後在明朝成化，正德，滿朝康熙等年重修。作者等實地調查，發覺這個祠已在十年前塌毀，只剩下一些殘跡和明萬曆42年(1614)的「高尚劉守眞君廟碑」，但碑文模糊，已不可辨認。此外，縣志更記載在河間以南的南皮縣，和鄚州縣（今屬任邱縣）大街東北，及鄭州縣西青塔村都有劉守眞廟。根據作者等實地調查，在河間附近各縣都有劉守眞廟，是縣志上所沒有記載的。又據程之範醫師1951年的調查，保定城東有劉守眞廟，過去當地人民每年陰曆三月十五日香火很盛。廟中曾有明代碑一座，後因被毀，又在民國十二年(1923)重修。碑文內容是記載劉完素顯靈時的話語，茲不贅錄。(圖4)

據續文獻通考卷85，羣廟中所載，明世宗嘉靖21年(1542)重修太醫院三皇廟，除僦貸季等十人外，復增名醫18人，從祀兩廡，其中就有劉完素的名字。

此外，在河間縣城西有藥王廟一座，廟內原祀有十大名醫，據說塑像都很莊嚴逼眞。可惜日寇佔據華北時，遭到破壞，現在只剩下廟的遺址，和明正德八年(1513)「重修神應王碑記」一塊。碑上所記載的十大名醫中，便有劉完素。據李濤教授的「藥王廟與十大名醫」的調查(1943年)，明萬曆44年(1616)，北京東藥王廟所祀的十大名醫中，也有劉完素。又據呂超如編著的「藥王考與鄭州藥王廟」記載，藥王廟所祀的十大名醫中，「劉守眞的塑像，是個大黑臉，面目猙獰，令人望而生畏，世俗相傳劉爺擅長外科，一般人倘患了無名腫毒，或諸般惡瘡，多是向他虔誠祈禱許願。」可見劉完素的名聲已經超出了他的故里河間，而爲全國所奉祀了。

圖4 保定之劉完素廟（1950年攝）

以上碑文和傳說，雖然滲雜着不少迷信成份，甚至把他神化了，似乎不可徵信，但這些也正表示從前人民對劉完素的衷心敬仰。如碑文記載武宗皇帝生病時曾夢到他，甚至連狐狸之類的異物也找他醫病，這表示自元朝以來，劉完素的名字，已是全國上下，婦孺皆知了。從劉完素來到河間隱居的傳說，可以看出他是一個清貧的人，在動蕩的年代裏，四處飄流，最後才找到了河間作爲棲止，以行醫生活。

劉完素的著作[2]

一般認爲劉守眞的著作，大約有十多種，最著名的是河間六書，包括宣明論，原病式，傷寒直格、傷寒標本心法類萃、傷寒醫鑒和保命集。此外還有三消論、保童秘要、內經運氣要旨，傷寒心鏡，河間先生十八劑，內經運氣要旨等書。

其中有的書如內經運氣要旨已經失傳。有的如傷寒直格，和傷寒醫鑒係後人編撰。眞正可靠而有價值的，僅宣明論和原病式兩本書。其餘只能算做他這一派的著作，現在將它們的內容，簡單地加以介紹如下：

1. 醫方精要宣明論方 15卷 劉完素撰

這本書首先將素問所有的病名加以解釋，並附載藥方，共有62證，69方。其次分諸風熱、傷寒、積聚、水濕、痰飲、勞燥、洩痢、婦人、補養、諸痛、痔瘻、眼目、小兒及雜病等共17門。每門各有總論，下面載十數方不等，全書共371方。過去如外台秘要，聖惠方等，都根據巢氏病源，而這本書却根據內經來解釋病原，所以它是宋金時代，醫學的一大特色。

北宋時的疾病分類和藥方，都很龐雜，像聖惠方（982—992年）分爲1670門，載16834方，後來的聖惠選方還存七千多方。較簡單的太平惠民和劑局方也有795方。流行於金朝的聖濟總錄更多到兩萬方。而劉守眞的宣明論僅分17門，共371方，用藥只不過三百多味，並且絕少迷信和長生的藥物，非常簡單實用，的確是當時的一實用醫書。

不但如此，他對某些藥物的眞正效用也很清楚，如治咳用御米殼（即罌粟殼），治痢用御米殼和巴豆，治瘧疾用一字錢的砒素，以豆類做賦形藥，以及小兒驚風用巴豆、大黃等瀉藥尙屬恰當。

2. 素問玄機原病式 二卷 劉完素撰

首先敘述五運所主的疾病，如「諸風掉眩皆屬肝木，諸痛癢瘡皆屬心火，諸濕腫滿皆屬脾土，諸氣膹鬱病痿皆屬肺金，諸寒收引皆屬腎水」。其次將所有疾病按六氣分類，如肌肉和運動系統的疾病多屬於風，腎臟的疾病屬於濕，皮膚病，營養不良和凍瘡等疾病屬燥，腸胃病屬寒，外科病屬熱，精神病則屬火等。並且將五運六氣聯繫起來，一切以內經爲根據。他說：「一身之氣皆隨四時五運六氣興衰而無相反」，要「明醫之得失」，只要「類推運氣造化之理」，就可以明白了，將人身的疾病，附會於宇宙的變遷，脫不了當時運氣論的窠臼。但自12世紀初，聖濟總錄等書講究運氣學說；所說旣沒有徵驗，而且與醫學距離極遠，無法實用，因此醫生不易接受。劉完素將疾病按五運六氣分類，也可以說按病原分類，將運氣說實用到醫學，這種簡單的分類法，比較過去堆積多數孤立證候的醫書，就當時說，的確要進步多了。所以劉完素在這一歷史階段的最大貢獻是疾病分類。自從有了這種分類法以後，中國醫學，改變了面貌。

3. 傷寒直格 三卷 臨川葛雍編

這本書是劉完素所作，由葛雍編輯的。內容多為雜糅，不過對醫學總論、脉法和傷寒治療的方法，說得清楚簡單，使初學的人易於了解。全書分上、中、下三卷。上卷用天干地支和臟腑相配，又將五運六氣重復一遍，與原病式相同，所提的三部九候，也多根據脉訣而來。中卷說到傷寒和六經表裏，下面附列藥方和主治症候，與傷寒標本心法類萃差不多。下卷叙述各種藥石的分劑，服法等，計有34方。

4. 傷寒標本心法類萃　二卷　劉元素撰

此書上卷叙述病狀，分別表裏和緩急，將中暑、傷寒等43種病徵分開討論，這是受了朱肱活人書的影響。下卷完全記載藥方，計麻黃，桂枝等52方，共用了70多種藥物，又載有無憂丸等15個方子。最後附了一篇傷寒加減賦，將疾病和治療的藥方寫成韻語，其中只採用了50味藥，簡單實用，而且便於記憶。

劉完素的處方，大都將解熱藥和瀉下藥製成複方，如通聖散，在大黃，芒硝之外，又加麻黃、黃芩等發汗藥。又如書中常引用的劉廷瑞方，有了柴胡、黃芩，復用大黃。這種複方，是用來治療所謂表裏證的，其實只是一種模棱兩可的治法。

5. 素問病機氣宜保命集　三卷　劉完素撰　1186年作

李時珍認為這本書是張元素的手稿，但醫籍考就各種證據，仍舊斷定它是劉氏的著作。全書分為上、中、下三卷；上卷是原道，原脉，攝生、陰陽、察色、傷寒、氣宜、本草等醫學總論。下面兩卷分為中風、癘風等22門疾病，並附有藥方和治法。最後為藥略與針灸，總共分為32門。但這本書除了記載許多方劑外，似乎沒有太大的價值。

歸納以上各種著作的內容，可以說劉完素最大貢獻為疾病的分類。雖然他一切根據內經，理論不盡科學，但按照五運六氣分類，使過去複雜紊亂的醫學病名，有了系統的概念，改變了中國醫學的面貌。

其次，他將北宋複雜的方劑加以删芟，保存其中樸實可用的藥物，在某類疾病後面附載藥方，並說明它主治的疾病，使人可以對症下藥，容易檢查。但他所採用的多限於漢代張機傷寒論所載的藥物，唐宋以來已知的種種特效藥都拋棄不用，是他的缺點。

再其次，他認為一切疾病都由於火，喜歡用涼劑，不免過於偏激。

總之，劉完素的著作簡明通俗，他提倡「醫道以濟世為良，以愈疾為善。」崇尚實用，所以他用藥也多樸實常見，很少珍奇貴重的藥品。元憲宗時(1251年)楊威作保命集序，讚揚他說：「予謂是書，雖在農夫、工販、緇衣、黃冠、儒宗，人人家置一本可也。若已有病，尋閱病源，不致亂投湯劑，況醫家者流哉?」因此，劉守眞的著作流傳很廣，至今一般人有病，也說是受了風、寒、火、燥，等等，可見劉完素影響之深了。

結束語

從以上關於劉完素的古蹟，傳說和著作中，可以看出他是一位偉大的民間醫生。他的偉大不在於發明了什麼新的醫學理論，創造了什麼新奇的療法，而在於他關心人民的疾苦，深入民間，為人民解決了實際問題。雖然他所處的時代限制了他的思想，使他不能跳出五運六氣的思想範疇，然而他了解時代的需要，善於應用自己的智慧，所以為人民寫出了在當時說來是通俗適用的醫書。因此可以說他曾起了一定的歷史作用。

人民衷心地愛戴他，更因為他富有民族氣節。金朝對漢人雖然一貫壓迫和歧視，但對於有技藝的漢人仍加以籠絡。劉完素憑着自己的醫術，滿可以在太醫院得個一官半職，甚至可以因此飛黃騰達。但他痛恨異族的統治和蹂躪，拒絕了章宗的三次聘請，寧願和同胞一起受苦，不願為統治階級服務。

因此，在他死後的數百年中，人民一直紀念着他，尤其是他的故里河間一帶，無論人民處在怎樣困苦的年代裏，都沒有忘記為他立碑修廟。據河間縣志的記載，從宋到清戰禍連年，災荒洊至，計有兵災12次、水災32次，旱災18次，風雹10次，蝗蟲18次，疫癘四次，另外還有飢饉10次。人民雖然處在水深火熱中，仍念念不忘劉完素，一方面表示人民對他的敬仰，一方面更反映出數百年來，人民在異族統治和封建社會的壓迫下，受盡了戰爭和災難的痛苦，得不到應有的醫藥照顧，有了病除去找巫覡之外，只有求禱於名醫的靈廟，希望藉着虔誠的禱祝，以免於疾病。這當然是落後的一面，而且也不能解決實際問題，所以明萬歷末年（1615

後），杜應芳等纂修的「河間府志」中，陳士彥極力主張「救俗」，文中說：「鄭之有扁鵲，河間之有劉守眞……皆精於岐黃家者……河間故有劉守眞祠，似宜合而爲一，歲時俾與藥王同日祭享焉，使百姓明知醫藥是賴，而禱賽爲陋可也，……。」又說：「……令境內之人，凡有病者俱赴惠民藥局，任其取藥，……。」這篇文章主張把劉完素與藥王同日祭祀，證明當時人民是將劉完素與藥王同等看待。此外，還主張人民有病不要去求神，最好去「惠民藥局，」是破除迷信的意思，但是統治階級所立的惠民藥局，實在是惠官而不惠民，所以人民有了病，仍然到所崇拜的名醫廟中去焚香禱祝。以上「救俗」的呼籲，當然起不了什麼作用。

總之，劉完素爲金元四大家之首，並被列入我國十大名醫中，民間更單獨爲他建立碑廟，這些絕不是偶然的事。

主要參考文獻

1. 劉守眞　劉河間傷寒三書　明、吳勉學校刻本、映旭齋藏版、步月樓發兌
2. 劉完素　劉河間醫學六書　明、吳勉學校刻本、映旭齋藏版、步月樓發兌

李時珍和本草綱目

李　濤*

時代背景

明朝是中國封建社會高度發展的時代，殘殺知識分子，限制士子發表言論，甚至在學校裏立石碑禁止議論時事。當時統治階級不准私人自由著書，但是對於醫書的著作，則限制較寬，所以明代才有多種醫書出版。在另一方面規定人民的戶籍如軍戶、醫戶、匠戶等，使各戶父傳子業，不得改變戶籍。李時珍生在醫戶家庭，有義務學醫。雖然他曾想考取功名，但是當時考試極端重視門第，所以屢考不中，最後仍舊繼承父業，棄儒爲醫。

中國在16世紀，正當明朝中葉，政治安定，工商業向上發展。因此，嘉靖時代（1522—1566）號稱盛世。經隆慶（1567—1572）至萬曆中葉，國家始終保持統一和安定。國民經濟在長期和平生活之中，日趨繁榮。文化也隨之進步。醫學方面不但有很多偉大的醫學家出現，例如薛已，王肯堂等，而且有內容豐富的大部醫書出版，例如醫學綱目，古今醫統等，特別是臨床醫學有很大成就，李時珍正是生在這個經濟繁榮的時代。

明朝提倡朱熹的理學，作八股文必須按照朱熹註的四書來解釋。朱熹和他的門人曾編了一部通鑑綱目，爲當時文人必讀的史書，綱目就是將紊亂的史事按大綱細目記載。醫學在16世紀由於內容增多，非常紊亂，需要一種新方法整理，因此這種寫歷史的方法，不久便影響到醫學著作中。先有樓英編的醫學綱目，他用一種主要症候作綱，例如血症作綱，將吐血、咯血、下血、尿血、衄血等都列在血症下，爲目。這種分類法使醫生便於學習，在當時是一種進步方法。李時珍學醫以後，不久即看到本草的紊亂，想按照通鑑綱目的方法來整理本草，因此將所編的書，命名爲本草綱目，意思是要比美通鑑綱目[1]。

在16世紀主張復古的學者有李攀龍和王世貞。風氣所被，學者趨向於考據，李時珍在王世貞和顧問（日巖）的影響下，所著本草綱目、瀕湖脈學和奇經八脈考，都特別注重歷史，這一點是與以前醫書不同的地方。因此本草綱目一書，成爲中國藥物學史的最豐富的參考資源。

李時珍的生平

李時珍（1518—1593）[2]字東璧，晚號瀕湖山人，湖北蘄春縣人（蘄州）。父親名言聞，字子郁，號月池，是一位有名的醫生。李時珍14歲補諸生，20歲曾患肺結核（骨蒸），由其父治愈。後來師事理學名家顧問，因此精通理學[3]。曾經三次鄉試，都沒有考中。30歲以後便棄儒學醫，繼承父業，爲人治病。因醫術甚精，楚王府聘他做奉祠正，掌管良醫所。由於他見到當時本草的錯誤很多，不適於用。更由於自幼好讀書，診務之餘，便從事著作。一生曾著書十餘種。現在仍存有瀕湖脈學（1564），奇經八脈考（1572）和本草綱目（1578）三種，其中以本草綱目貢獻最大。他爲了編本草綱目，曾親到各地訪視，前後歷30年，卒於1578年編成。又經十餘年的修改，始行刊印。1590年文學家王世貞曾爲之作序。當時雕版印書還是很艱鉅的事，尤其是本草綱目那樣大的書需要多年才成，所以在他死後三年即1596年始能出版。

本草綱目

1. 16世紀歐洲藥物學的概況[11]

16世紀歐洲人寫醫書尚沿用拉丁文，藥物學俱是些古代藥名錄，充滿迷信氣氛。在一千多年以前中國人發明的煉丹術，在歐洲還是新事，中國人已使用千年以上的水銀、硫磺，剛開始自東方傳入，檳榔，吐根皆是當時歐洲的新藥。最有名的寇大斯

---

* 北京醫學院醫史科

藥物學（Cordus藥物學於 1546 年印於紐倫堡），僅是抄錄古代名醫藥方，而且是薄薄的一手冊。其餘的藥物書更不足論。在植物學方面各大都市方設立植物園，起始研究，仍在極幼稚階段。這種情況直到17世紀末年，仍沒有大的改變，所以不能與中國明代的學術界相提並論，李時珍本草綱目出版以後，不久即譯成拉丁文傳入歐洲，成爲歐洲植物學進步的基礎。

2. 本草綱目出版前中國本草學的概況

中國醫學到12世紀以後，發生極大變動。張元素，劉完素，李杲，朱震亨等對於醫學創立新說，同時對於藥物的功效也給以新的解釋。當時諸大家對於藥效也特別注意，均有著作發表，例如張元素的潔古家珍，李杲的用藥法象，朱震亨的本草衍義補遺等。元明以後，醫生用藥完全本着諸大家的理論，宋代官定證類本草，已不適用。在這種要求下，元初王好古著湯液本草，徐彥純著本草發揮，王綸著本草集要，汪機著本草會編，都是將金元醫家對於本草的發明編輯在一起，自己則無增益。甚至他們對於藥物也未親自觀察，只是編輯，所以錯誤很多，例如汪機所著的本草會編，便是錯誤最多的書。

14世紀以後，出版了多種有關食物的書，例如吳瑞的日用本草，根據前人多種方書研究食物對於人體的影響。後來汪穎編食物本草，甯原編食鑑本草，與日用本草可說大同小異。

與食物本草類似的書更有救荒本草的編輯。據原書序中說曾將各種植物種植於園內。根據植物的花、實、根、幹、皮、葉繪圖解說。共記載414種植物，以備荒年作爲食品。這部書的目的，雖然是爲開闢食物資源，但是對於植物的辨認上確有相當貢獻。

另外有一部煉丹書叫庚辛玉冊。曾記載動植礦物541種。記載多種物品可以久服長生一類的話，無疑是應該批評的。

此外還有爲學醫用的歌詠體本草，例如本草歌括和本草蒙荃，目的是便於記誦，所以對於本草學來說並無直接貢獻。

由上邊的簡短介紹，可見自 1108 年證類本草刊行以後，到李時珍的時代已經四百多年。不但增加了許多新藥，而且對於藥效的經驗上多所發明。此外在理論上也有根本改變，所以此時極需要有一種完善本草書，將那些內容包羅進去。李時珍在學醫以後，不久就見到了重編本草的需要，所以在35歲那年即 1552 年便立志編輯一部本草。

3. 本草綱目的主要內容和分類

李時珍爲了編輯本草，曾搜羅各種書籍，作爲參考資料。王世貞的本草綱目序上有「上自墳典，下及傳奇，凡有相關，靡不備采。」又說「歲歷三十稔，書考八百餘家。」這幾句話足以說明他掌握了充分的參攷資料。據他的序例中所列的參攷書共分三大類：第一類是歷代諸家本草共 41 種；第二類是醫書，主要是醫方，共 277 種；第三類是經史百家書，共 440 種。三項共計 758 種。

他編輯這部書是以政和經史證類本草作藍本，這書內共載藥 1,764 種，其中一物重出的很多，他乃將重複者除去，同源者歸併。例如標龍爲綱，將龍齒、龍角、龍骨、龍腦、龍胎、龍涎都歸併在一起，而各別爲目。經這樣整理以後，共得 1,479 種。更從金元明諸家本草所載，收錄了 39 種。此外更新增 374 種。三項共計是 1,892 種。如按藥物性質分成動植礦三大類，則植物最多，動物次之，礦物最少。現從原書所載的數字歸納爲四類，如下表：

動物（蟲、鱗、介、禽、獸、人六部）	444
植物（草部 610，穀、菜、果木 484）	1094
礦物	275
日常什物（服器）	79
共計	1892

證類本草原分爲 11 部，就是玉石、草、木、人、獸、禽、蟲魚、果、米穀、菜和有名未用。由於分類是很難的事，以前本草書中錯誤很多，所以本草綱目的凡例中說「舊本玉石水土混同，諸蟲鱗介不別，或蟲入木部，或木入草部。」可見此時有重新分類的必要，更由於當時五行學說盛行於醫家，因此他採用五原質的分類法，增加了水、火、土三部，更將玉石改爲金石，加上原有的木部。此外將蟲魚部畫分爲蟲、鱗、介三部。增加服器部，取消有名未用部，共計 16 部。

這時對於植物藥的知識一天一天多起來。本草綱目收錄草藥便多到 610 種，木部多到 180 種，於是更將各部，詳細分類。例如草部分爲十類。木部分爲六類。當時他所採取的分類法，草部大致是按照所生地區來區別，例如草類分爲山草、芳草、濕草、毒草、蔓草、水草、石草、苔草、雜草、有名未用等。木部則按性質區分，例如香木、喬木、灌木、寓木、苞木、雜木等。其餘各部也有類似的分類，共分了60類。

以前的本草最混亂的部分，是植物。有的一種植物因爲名稱不同，誤作兩種藥，例如開寶本草重出天南星和虎掌。還有本來是兩種植物誤爲一種，例如汪機謂蔓荊和蕪菁（白菜）爲一物。這類錯誤非常之多，必須親到產地採訪，並觀察比較，才能解決。

在他以前蘇頌作圖經本草，是根據各地繪來的藥圖編輯成書。顯然著者未親見各種植物。至於救荒本草，雖說曾經種植各種植物，然後圖繪記載。但是多種植物當時尙無法栽培，著者自不能全部認識。李時珍見到這點，所以親到各地訪視，辨認各種植物。因此描寫詳細確實，絕非以前的本草所能比擬。這種方法直到現在仍爲每個植物家學習上所必循的途徑。玆舉他觀察豨薟草的例子如下：「常聚諸草諦視，則豨薟草素莖有直稜，兼有斑點。葉似蒼耳而微長，似地菘而稍薄。對節而生。莖節皆有細毛。肥壤一株分枝數十。八九月開小花，深黃色。中有長子如同蒿子，外萼有細刺黏人。」由上邊記述可見他鑑別植物的方法是從產地、苗、花、萼、實、葉、根、氣味等作根據，互相比較觀察，然後始作結論。這種結論皆根據實地觀察，和以前的本草所記不大相同。

李時珍研究植物藥，決定先從辨認千種以上的植物入手，特別注意植物的分類，使其綱目分明，不僅便利了醫藥家，而且奠定博物學的基礎。這種分類法，在當時是世界上最進步的分類法。因此波蘭人卜彌格（Michael Boym）於1647年來中國，首先便根據本草綱目譯成中國植物誌（Flora Sinesis），於1659年出版。影響歐洲植物學進步者很大。

李時珍不但將本草全部藥物詳加分類，而且對於每個藥物的敍述，也分條記載。在每個藥物的正名之下，記載了各種異名（釋名），其次分產地（集解），鑑別（辨疑正誤），製法（修治），性狀（氣味），效用（主治），發明，附方各項。他這樣提綱挈領的記載，具有高度科學性。所以現代藥物學仍然要按照這樣分項敍述。

4. 本草綱目在醫藥上的貢獻

（一）總結了十六世紀以前中國人民用藥治病的經驗

現代醫學的絕大部分是繼承古人的經驗。古人的經驗通過科學的檢查證實，去僞存眞之後，成爲科學的醫學。所以說現代醫學主要是來自經驗醫學。李時珍曾總結了16世紀末年中國人民數千年用藥的經驗和知識[4]。首先是整理在他以前諸家本草所錄各藥，分條敍述，在每種藥之下均附入前人的病例和自己的經驗。其次是搜集當時所有醫方，附錄於有關各藥的下面，目的是指明各藥的用法和證實他的效用。從277種醫方內共收集新舊單方11,000多條[5]，更根據經史百家的知識，考據各藥的歷史和發現。

除了整理舊有的藥物以外，更增加了新藥。據書內採集諸家本草藥品總數的表內，本草綱目增加374種新藥，是中國歷代本草學增加藥物數目最多的人。

他所增的374種藥，主要是從歷代醫方內搜集出來。少數是直接記錄當時人民的經驗。新增藥物中，最多的是草類，共達86種。玆列如下表：

草	服器	果	鱗	蟲	金石	獸	土	木	菜	穀	人	水	火	介	禽
86	35	32	28	26	26	23	21	21	17	15	13	11	10	6	5

他所增添的藥物，大部份是西南各省和南洋各地所產的物品。這乃由於南宋以後與海外交通頻繁，對於動植物的知識日多。而李氏自己又生長華中，得以親自採訪。再就他所增的藥物374種來說，如三七，曼陀羅，番木鼈，鴉片，燒酒，葡萄酒，樟腦，大風子等，直到現在仍是醫學上很有價值的藥物。此外更記載了宋元以後始傳入中國，而爲今天日常食用的穀菜，如稻，玉蜀黍，豇豆，胡蘿蔔，

甘藷，南瓜，絲瓜等。如非經他記載，我們已無法一一知其源流了。

（二）反對當時流行的臆說

當時方士服食長生之說仍很盛行，他直斥其非。例如在水銀下面有「而大明（日華諸家本草）言其無毒，本經（本草經）言其久服神仙，甄權（藥性本草）言其還丹元母，抱朴子（葛洪）以爲長生之藥。六朝以下貪生者服食，致成廢篤，而喪厥軀，不知若干人矣。方士固不足道，本草其可妄言哉。」此外黃連，芫花，澤瀉等，當時也有久服長生的說法，他皆一一反駁，並指這些藥有毒不能久服的道理。他更指出砒石毒性極烈，宋人不甚言其毒的非是，曾舉出多數中毒病例，證實其說，提醒藥學家注意。

當時對於動植物發生的來源有種種猜測，例如草子變魚，馬精入地變成鎖陽等。他從實際上觀察判定魚是魚子演變，鎖陽是一種植物。按自生學說在歐洲17世紀仍爲一般人所信仰。李時珍在16世紀即指出魚在春末夏初生子於草際，牡魚射精其上（洒白），數日即化出，稱爲魚苗。他這樣按照實際觀察去研究生物現象，在當時是最傑出的人。

此外醫生對於人類寄生蟲的看法，有些人認爲蟲在體內可以消食，不應該吃驅蟲藥，或者不應該將蟲殺盡。他在使君子條下直斥這是俗醫的鄙說，不應聽信。他更觀察到兒童嗜食燈花等爲寄生蟲病，立用驅蟲藥治之。在16世紀能有這樣銳敏的正確觀察，實在是可驚的。玆舉原文如下：「我宗室富順王一孫，嗜燈花。但聞其氣，即哭求不已。時珍診之曰，此癖也，以殺蟲治癖之藥丸，一料而愈。」

在這本書裏，駁斥當時人的臆說，鄙說的地方很多，現在略舉上邊幾個例子，已可見他如何爲眞理奮鬥了。

（三）發明多數藥物的眞正效用。

中國本草內雖記載了近兩千種的藥。但是每種藥的眞正藥效尙知道的很少，所以本草中所記的治療效用都是樣樣治，使人看了很模糊。他在這一方面可說用力最大，而且成就也最大。他研究藥效的方法，首先是從古人單方中取得經驗，其次經自己試驗，最後作出結論。所以我們今天看本草綱目每種藥的發明一段以後，多數藥物都可清楚地認知效用。玆舉延胡索爲例。荊穆王妃胡氏胃痛，他根據雷公炮炙論「心痛欲死，速覓延胡」的經驗，用延胡索末三錢止住了痛。後來更用此藥治華老的腹痛。最後引證方勺泊宅編用延胡索治全身痛。從這些經驗，他總結了延胡索有止痛的作用。據近代藥理學的實驗，也證明延胡索確有麻醉的效力。其次再舉常山爲例，他在發明項下反復說常山有截瘧之功，最後更舉出李瀕欲治嶺南瘴氣，非常山不可的話。還指出防吐的辦法。最後附26方，除兩方外，都是用常山治瘧方，可見他是確知常山有治瘧之功。最近科學家實驗，也證實常山鹼殺瘧原蟲的效力，較比奎寧高達150倍。可見他的結論是十分正確的。

此外牽牛子的下瀉作用，黃芩的降熱作用，益母草的調經作用，三七止血作用，香薷的利尿作用，人參的興奮作用等，都從前人和自己經驗中總結出正確的療效。而這些療效現在都已經現代科學一一證實。由此我們不難想見，其中必有很多的藥，李時珍已作出極正確的結論，而科學家尙未證實，或無法證實其功用者。這也正是今天科學家應該大力研究的問題。

（四）提供了現代藥物學研究的資料

本草綱目自從1596年刊行以後，大量流行，直到現在，仍然不斷翻印，成爲醫家必讀的書。不但翻印了多次，而且有許多醫家，以綱目爲藍本，作了多種書，例如「本草綱目彙言」，「本草綱目類纂必讀」，「萬方鍼線」，「本草綱目拾遺」等。自從1606年本草綱目傳入日本以後，翻刻和研究的情形[6]，也和中國一樣地熱烈。

日本不但多次翻印，而且在1783年將他譯成日文。1929年爲了正確起見更行重譯，所以現在存有兩種譯本。

在歐洲則早在1659年波蘭人卜彌格已將其中植物部譯成拉丁文，影響歐洲植物學的進步，上邊已經提到。17世紀以後各國開始用本國文字寫科學書，因此1735年都哈德（Du Halde）便將其中一部譯成法文。1857年更有俄文譯本[9]。1928年達利士（Dalitzsch）則將他譯爲德文。英文譯本多達十餘種，但以伊博恩（B. E. Read）所譯，最爲忠實[7]。所以本草綱目一書，據我所知已有七種文字流行於世界，對於人類貢獻之大，不言可知。

本草綱目搜集最全的部分是植物藥，共計一千多種，這也是現在藥物研究中最有價值的部分，因此外文譯本往往專譯此部。其中有一部分如大黃，桂皮，當歸等很早便已傳到歐洲，被世界各民族採用了[10]。近年從本草綱目線索中更發現治麻風的大風子油，治月經病的當歸，治喘的麻黃，治絛蟲的雷丸和檳榔，治瘧的常山，最近又發現治高血壓的杜仲，抗菌作用的大黃、黃連等。最近幾十年不論國內國外，研究中藥時，唯一的材料來源便是本草綱目。總之本草綱目自從1596年刊行以後，已經350多年，不但中國舊醫沿用作教本，而且供給世界藥學家作研究藥物的參考書。由此更可想見他對於人類貢獻之大了。

其次是動物藥，他共收集了444種。所用的分類法與當時歐洲所用者相似。其中人部的藥，歐洲16世紀的藥典所記，仍與本草綱目所記者相同。我們在現代醫學上所能應用的動物藥仍然很少，近40年才開始研究各種激素如垂體素，甲狀腺素，胰島素以及維生素等。在本書內早已記載了蟾酥（與腎上腺素功用近似）、紫河車（胎盤）、羊肝（維生素甲前階級物）、羊靨（甲狀腺）、牛膽等，無疑對於近代激素和維生素的研究，給予極大啓發作用。但是本書內記載了多種動物藥，而現代醫學上所能引用者，仍然很少，這可作爲今後藥學家的努力方向。

中華人民共和國藥典連製劑在內，共收錄531種，其中採自本草綱目的藥或製劑在一百種以上[8]。由此可見中華民族用藥治病的經驗，對於人類保健方面貢獻之大。

最後在營養方面也提供很多材料，在植物方面備穀、菜、果三類已記有三百多種，在動物方面的蟲、鱗、介、禽、獸更記有四百多種，但是我們日常食物所用的動植物原料，較比起來仍極有限。蟲類應用作食物，尤爲少見。此後營養學家應該從我們祖先多年選擇食物的經驗中，發掘人類食物的資源，而這本書可以提供豐富的資料，作爲研究的依據。

結　　語

從上述的簡短介紹，我們會覺得我國古代這位偉大的醫學家，藥物學家兼博物學家是非常值得尊敬的；同時我們也爲祖國有這樣偉大的科學家而自豪。這位科學家的工作精神，根據我的體會，有下列幾個特點：

1. 長期堅苦奮鬥的精神

馬克思說「在科學上面是沒有平坦的大路可走的，只有那些在攀登上不畏勞苦，不畏險阻的人，才有希望攀登到光輝的頂點。」李時珍編輯本草綱目，由1552年起到1578年止，前後凡經28年。其後又經過十年以上的修改，直至1593年病死，仍未出版。其子李建元進書疏稱「行年三十，力肆校讐，歷歲七旬，功始成就。」王世貞的本草綱目序中也說：「歲歷三十稔，書考八百餘家，稿凡三易。」他這樣不畏勞苦，不畏險阻的長期堅苦奮鬥的精神，實在值得後人效法。我們今天寫一本書雖不一定要用30年，但是必須效法他那樣長期艱苦奮鬥，才能攀登到光輝的頂點。

2. 研究和編輯的科學方法

他編輯這部書曾參考了七百多種書，就搜集材料的全面性說，在中國本草學上是空前之作。由於他具有一定的歷史觀點，不惜從諸子百家之書考古證今，將每種藥的歷史皆詳加說明，使這部書成爲現在我國藥物史最好的參考書。更由於他實事求是的治學態度，不惜參考當時所有本草，並結合自己的經驗，將每種藥逐項討論，以辨疑訂誤，而且註明各種材料的來源。更由於他有極强的觀察力，搜集了當時所能利用的藥，而爲舊本草所無或遺漏的藥374種，成爲空前的貢獻。總之搜集材料的全面性，歷史觀點，實事求是的態度，銳敏的觀察，都說明他的工作方法是相當科學的。

3. 理論本於實踐的精神

以前的本草的錯誤，主要是著者彼此抄襲，不肯實地調查。發生爭論最多的部分是植物，往往甲是乙非，莫衷一是。他爲了解決這種混亂的現象，採取實地調查的辦法，親到各地訪視，檢查每種植物的各種特點，如葉、莖、花、實等，並互相比較，然後決定。遇到自己不能解決的問題，便求教於人。還不能解決的問題，則直書容待將來訪問。其次對於藥效的判斷，也是根據前人和自己的經驗，所以多數結論都能與現代科學鑑定者相合。這種理論本於實踐的治學精神，是研究學術不易的定律，正是新中國每個科學家應該學習的。

4. 大胆的批評

本草綱目的編輯，主要是因爲歷代本草的謬誤和遺漏。對於遺漏，他用充分的參考材料來補充，上面已經提到。對於謬誤的批評，則不但需要掌握足够資料，而且需要有正確的判斷力。李時珍極爲重視批評，所以對於歷代本草書均一一加以批評。在他兒子李建元進書疏裏，已指出「證類本草」、「本草衍義」、「名醫别錄」、「嘉祐本草」、「圖經本草」的錯誤。在「綱目」的正文裏，每種藥之下多有辨疑正誤一項，指出前人的錯誤。例如在本草經中說澤瀉久服輕身，面生光，能行水上。其後本草家如陶宏景，蘇頌皆以爲然。他則說澤瀉久服且不可，那能延年，斥爲謬說。在蓬藥條下更直指陶宏景、馬志、蘇恭、大明等人爲臆說。總之他根據實地觀察，對於前人皆毫不留情地給以批評，實在値得我們景仰的。

參考文獻

1. 李時珍：本草綱目，道光丙戌年英德堂。

2. 王吉民：李時珍本草展覽會的介紹，中華醫史雜誌，78 頁 1954。

3. 吳雲瑞：李時珍傳略註，中華醫學雜誌，23 卷 10 期，1942。

4. 宋大仁：十六世紀偉大的醫藥學家，植物學家李時珍、中華醫史雜誌，145 頁 1953。

5. 蔡烈仙：本草萬方鍼線序，萬方鍼線，本草綱目。

6. 陳存仁：李時珍先生本草綱目傳入日本以後，中華醫史雜誌、199 頁 1953。

7. 王吉民：李時珍本草綱目外文譯本談，中華醫史雜誌、203 頁 1953。

8. 中央人民政府衛生部編：中華人民共和國藥典，1953。

9. Вязьменский：論中國民間醫學的藥物集，新中醫藥，1954，五月號。

10. Bretschneider, E.: Botanicum Sinicism, Part III, 1895.

11. La Wall, Four thousand years of Pharmacy, 1926.

（轉載自科學通報 1954 年 9 月號，經作修改）

晚明醫人張卿子像

王吉民

自清軍入關，中原變換了顏色，一般的文人志士，不願出仕清廷，每有退隱於醫的，像太原傅青主是其中最佼佼的一個。他從滿清踐祚後，就棄了青衿爲黃冠，奉母隱居，行醫濟世，詔赴博學鴻詞，不就，他的尙氣節，至今受人稱頌。此外還有不少的愛國醫家直到逝世竟默默無聞的。

1953年的冬天，余因事到杭州，順便留心與醫史有關的文獻，偶然得到了一幀晚明愛國醫人錢塘張卿子的畫像。圖爲絹本，高三尺，闊一尺半，係丁月如繪，全身着色，畫筆清秀，神采奕奕，相傳乃根據明代名畫家曾波臣所繪眞蹟臨摹者。此像原爲杭州榆園主人許增秘藏，像上蓋有榆園秘藏方印，許氏爲清仁和縣人，字邁孫，號益齋，著有榆園叢書等。我國名醫畫像素不多見，特將該像製版刊佈本誌，以供同道瀏覽，並考查其事蹟，載述於下，藉資研究。

考張氏名遂辰，字卿子，號相期，原籍江西，隨其父徙杭州，遂爲錢塘人。少時已穎異，於書無所不覽，尤工詩詞，曾賦野花詩十首，蜚聲衆口，因有張野花之稱(1)。明萬曆中以國子生遊金陵，才名鵲起，華亭董其昌傾倒之。所著詩有湖上，白下，蓬宅，衰晚，四編。崇禎季年，詩格益澄瀋孤峭，多自得之語，在西泠十子外，自成一家(2)。

鼎革後，意殊憤鬱，潛名里弄，以醫自給，遠近爭迎，後卜築城東，自號西農老人，日與往還者，如徐鏡非，嚴印持，武順武敕兩兄弟而已，現在杭州城東舊縣靣處，呼張卿子巷(3)，具見張氏當時的盛名和醫術的高妙，所以至今還留傳着使人稱道不衰。

張氏所著詩四編，每編有自序，其寫「蓬宅編」一序，述其韜隱之志。序曰，「予自白下歸，念犬馬之齒及矣，思效菰蘆中一無事人，因廬舍苕水上。擬借兒子治秋，稼秧來。以老，顧善病，喜讀黃帝書，見同病者，輒惻之相哀憐，爲之決死生，辨强弱，無論中否，丐方求診治，婦孺知名，幾於長安市上不能翳坏遯矣，然不貲以醫者，亦意不槩目之儷中先生也。以是才賢勝友，猶或招尋，雖高枕家巷，較吾仲蔚蓬蒿翳然，與遊只一劉龔，差不寂寂第于往志宿心，不無乖剌，人世何常，存諸飛蓬浮梗，一任風水所之，故數年來，託跡沈冥，未甘枯槁，此編借親戚之情話，代素槊於秋思，感諷偶至，寫志云耳，如之何求詩律而求訣也，因自爲序(4)。」讀此序可知其欲避世而隱於醫，卒以醫名鼛重，欲逃於醫而不得，字裏行間，灼然見其抱負。

按仁和縣志：「張遂辰，字卿子，少羸弱，醫治無效，乃自檢方書，務窮其旨，病遂已。人延之治，輒愈。塘棲婦人，病傷寒十日，熱不得汗，或欲以大黃下之，主人懼，延遂辰脈之，曰，脈强舌黑而有光，投大黃爲宜，此人舌黑而潤，不渴，此附子證也。不汗者，氣弱耳，非參耆助之不可，一劑而汗。又月塘沈文學咯血，遂辰處一方，退謂其友曰，當小愈，再發則不可治矣。易他醫果愈，閱數月死。友駭之，請其故，曰，一日咯血，遂臥牀蓐，此不獨心肺傷，五臟皆損矣，得稍延者，年壯叄力勝也[5]。」其診斷精確，料病如神如此。間取成無已所纂註傷寒論，引經析義，多所發明，並參酌叔微，潛善，潔古，安常，東垣，丹溪，安道諸家，凡精義蘊旨，悉爲甄錄。蓋以成氏原本，增以後賢發明，彙爲一書，俾臻完善，即世所傳張卿子傷寒論七卷也。此外尚著有經驗良方一書，但未行於世。

此畫像中，許氏未曾將印人丁敬身題詩與詩人厲樊榭像贊照錄於上，題詩與像贊對於張氏描寫盡致，無異行述，茲附錄於後。

錢塘印人丁敬身題曾波臣繪張卿子隱君小像詩云：

「張公龍驚徒，及壯丁陽九，射易得無悶，（先生有淡窩射易之著）肥遯吾所取，絃哥樂三遷，賣藥聊敛酒，清詩括衆妙，往往在人口，苦心託軒岐，活人功肯有，公是韓伯休，名姓到童叟，至今城東偶，委巷籍不朽，嗟余生也晚，佳人未携手，虛堂展畫像，低回徙倚久，衣冠魯諸生，須眉杜陵叟，何妨太瘦生，道勝神自厚，儼然高視外，一任雲衣狗，皇天重陰騭，賢者信有後，鄉人愛甘辛，祠官薦尊卣，湖光照栗主，（清祠先生木主於湖濱六一泉）流風被隄柳，庭除有落花，吾願帚一帚[6]。」

詩人厲樊榭題張卿子先生畫像贊曰：

「猗嗟先生，淵懷研理，早遊上庠，文辭清綺，顧厨名逃，桑海時徙，含華隱曜，期山期水，晚託於醫，探丸起死。眞冷猶存，彭殤一視，我讀遺詩，松風入齒。百世之下，孰傳高士[7]。」

參考文獻

1. 章次公：晚明醫人列傳，江西中醫藥，第3卷1—2合刊。
2. 杭州府志：148卷，隱逸，p. 14。
3. 杭州府志：東城雜記。
4. 玉幾山房聽雨錄，下，p. 5。
5. 圖書集成醫部全錄，醫術名流列傳十四。
6. 硯林集拾遺，p. 19。
7. 樊榭山房文集，卷7，p. 12。

太平天国醫林人物傳

耿鑑庭

公元1953年，4月1日，乃太平天国解放揚州百年紀念日！太平軍凡三度來揚，此其首次也。(1)先是1952年冬，謝興堯、聶紺弩諸同志、銜文化部之命，來蘇北調査施耐庵遺跡，路過揚州，邀集地方耆老座談，會後，市委書記周邨同志，提議：「明年爲太平天国解放揚州百年紀念！市文聯、市文管會，應以搜集地方有關資料，爲主要工作。」謝君興堯復鼓勵之。蓋謝君寖饋於斯者、有年矣。時文聯副主任江君、暨市文管會副主委徐君，並欣然諾之。復轉交任務於予，以予多識地方老輩故也。除搜集資料外；更集會數次、得悉：當時揚地文化藝人，對天国藝術上，頗多貢獻！若壁畫也；若刻書也；若印刷也；(2)若布置設計也；以無關本題，姑不具錄。予於搜集史料之餘，亦旁搜天国之醫藥資料。會羅爾綱先生以參加紀念來揚，與之論及，亦促予着手。無何，中華醫史雜誌，53年，第5號，發表唐志烱同志，「太平天国時期衛生事業考」一文，徵引詳博，難其所難，先我爲之。予遂輟筆。十月間，李濤教授來揚，加以慫恿，因忘其固陋，復奮筆從事。顧太平天国之史實，當時宮庭中嘗設正副左右史掌之，主記事記言。(3)自天京淪陷後，曾九縱火延燒，圖掩其搶掠之跡，凡三日夜，歷代金陵之文物建築，並天朝檔案，盡成灰燼！(4)故今日之治太平天国史者，苦無直接材料可稽，縱有之，亦不過國外所藏東鱗西爪而已，反不得不借助於淸方記載。羅爾綱先生，「太平天国史稿」已發其端。予今以關於醫事者，踵而爲之，一仍羅氏成例。玆先將其中人物傳發表，就正於有道，庶他日成書時，知所校正焉。

李俊良

李俊良初名俊昌，因避北王韋昌輝諱，故改俊良，(5)有記爲俊章者，(6)有記國瑲者，(7)當係先後不同，曾一度用之耳，俊良當是最後確定之名。廣西人。舊營藥材業，並精醫理。參加革命，在桂平茶地時，即爲中軍長。足智多謀，(8)深得上級及羣衆之信心，以高級軍官而兼軍醫，軍中有病者，診治輒瘥。因是遂益增其威信！太平天国辛開元年（公元1851）九月，天王洪秀全，在永安染疫，俊良請脉立方，親爲調劑，竟得覆盃而愈，遂封「国醫」，職同將軍。自是：諸王侯罹疾者，悉由俊良辨症投藥。壬子二年（1852）七月，大軍逹長沙，擢指揮。癸好三年（1853）二月，建都天京，擢檢點。在京徵聘醫士，選辦藥材，爲內醫之長。館於評事街胡氏宅，羅致當地名醫十餘人於館中。是年五月，封恩賞丞相。七月，東王患目甚劇，俊良率諸醫悉心診治，各述經驗良方，精選施用，東王因得保其一目。甲寅四年（1854）四月，封補天侯，一作輔天侯。(9)丙辰六年(1856)七月下旬，天京內訌變起，北王殺東王及其部屬，俊良亦罹於難？(10)或謂不知所終。(11)。

黃益芸

黃益芸，本名益雲，因避南王馮雲山諱，改雲爲芸。廣西人。參加革命時，年已40，初隸東王楊秀淸統下，能以草藥療急病。故自金田至道州，皆不離東王左右。太平天国壬子二年（1852）二月，封前一軍拯危急，職同監軍。拯危急者，軍中急救之醫也。旋擢木正木一甲一監軍。11月，克岳州，擢土二總制。領中二軍攻漢陽，兵敗！降爲散卒。癸好三年（1853）二月，大軍下金陵，復擢金一總制，領右一軍攻旱西門。三月，擢土官正將軍，四月，擢殿右16指揮。奉命率衆北上，接應林鳳祥，(12)軍至六合，營中失火，爲敵所乘，(13)戰死！是年九月，天王酬北伐諸將功，追封滅胡侯。

何潮元

何潮元，廣西人。知醫理，兼擅祝由科。庚戌冬（1850）天王起義於金田，潮元參加時年約40，封內軍師。由是含棄祝由發病之法，專尚藥餌。壬子二年（1852）六月，擢內醫監軍。癸好三年（1853）二月，升前一軍內醫，職同總制。六月，封恩賞丞相，後領兵征伐皖贛一帶，頗具戰功。[14]

賴漢英

賴漢英，廣東嘉應州人。天王賴后之弟，美丰儀，通文史，精醫理，素經商於廣西。金田起義時，漢英年將40，參加革命，得授內醫，職同軍師。太平天国壬子二年（1852）10月，擢殿左四指揮，始獨領一軍。癸好三年（1853）正月，大軍下江南，漢英與羅大綱督水軍，二月，進攻南京，擢殿右四檢點。清兵瓦解，漢英馳入城，宣佈革命宗旨，並天朝新政，人心大悅、天王嘉之曰：「吾不喜得江南，喜得江南人心，漢英之功也。」[15]即擢夏官副丞相。天京底定，奉命入贛，征復撫定，頗具成績，居民安堵，喁喁望治。[16]漢英步步爲營，穩紮穩打，以用藥之法用兵，連克附近州縣，使南昌孤立，指日可一鼓而殲矣。八月，秀清忽命其撤圍歸九江？功虧一簣，漢英嘆咦班師。旋被調回天京革職，入刪書衙。11月，曾立昌在揚州被圍急，糧垂盡，不得出，秀清復起漢英督師往援，命曰：「必出守軍」。漢英由三汊河進攻，死戰而前，直抵揚州城下，曾軍竟得出，[17]同歸天京，將士皆授平胡加一等勳位。[18]秀清嫉漢英，以椒房之親，獨不賞功，仍令刪書。尋調爲東殿尚書，[19]竟以憂傷卒。

楊燮成

楊燮成，不知何許人，任天朝內醫，宋耕業嘗隸其統下。[20]後宋氏頗得天朝信任，楊之拔擢，實有力焉。

宋耕業

宋耕業，江蘇上元縣人。居西華門頭條巷。課蒙兼治病，是儒而醫者。癸好三年（1853）二月，江南解放後，天国組織羣衆，其百工技藝，分送各典官處服務，能醫者，則送入內醫功臣諸衙。[21]耕業時隸內醫楊燮成統下。會東王部屬典輔羣二患時疫，延耕業診治，以民間單方投之而愈，衆目爲神醫。東王楊秀清患目，其下慫恿之，得賞將軍銜。隨国醫李俊良等入診。九月，升職同指揮，督理內醫。甲寅四年（1854）正月，天王后不豫，詔耕業診治。二月，封恩賞丞相，旗幟輿馬極一時之盛，其族友親丁，亦皆受職。[22]天国之重醫務工作者，於此可見一斑。

哈文台

哈文台，金陵醫家也。太平軍解放江南，定都爲天京。哈氏應李俊良之徵，參加政府醫療機構。東王楊秀清患目，文台等每日必隨俊良入診，診脉擬方。東王目患得愈，哈氏之功爲多；[23]然並不居功，仍歸其功於李俊良。謙虛之德，令人趨敬。[24]

王震田

王震田，亦金陵醫家。應李俊良之徵，參加政府醫療機構，東王病目，日隨俊良及哈文台會診。敵方聞之，忌甚，嘗言；若果得之，誓殺無赦。[25]觀此，可反證王氏在天国之聲譽矣。

尹姓醫

尹姓醫，不知何許人。嘗爲東王楊秀清治病獲痊，賞物無數。[26]餘不詳。

醫僧

醫僧，不詳其名。東王楊秀清病目，得尹姓醫之薦入診，[27]頗具卓效，亦獲重賞。

黃惟悅

黃惟悅，未詳其籍貫，當係廣西人。乃天朝督內醫。紀律嚴明，凡在京畿之醫務工作者，每朔望必召至其館，集會研究，交流經驗，作學術之探討。每會必親自點名，遇缺席及遲到者，分別輕重，予以記過及懲罰，以加强其責任心，提高醫者之業務及政治水平。故極得東王之信任。[28]

蕭性忠

蕭性忠，廣西人，行醫日久，世故極深。參加革命時，年幾60。其人缺乏鬥爭性，常同情落後份子。黃惟悅任督內醫時，克盡職守，冀欲不斷提高

醫者之水平，性忠不謂然，遂成爲阻力，常生齟齬。黄竄於東王，東王嚴責之，蕭竟託老棄醫業而罷。(29)

洪仁玕

洪仁玕，廣東花縣客家人。天王族弟也。幼習舉子業，屢試不第。天王信教後，仁玕首受其洗，以格於家庭環境，既未能同赴廣西傳道；亦未克重詣香港學道；遂留於鄉間，設帳授徒，研究醫理。(30)迨金田起義，數度入桂從之，俱不得逞，折而入港學習。大軍東指，定都天京後，仁玕於甲寅四年（1854）離港赴滬，圖轉入天京，路阻不通，仍未能達。乃留滬在西洋書館學天文曆數，多間，復返港。在港研究四年，於是精通西洋物質文明，旁及經世濟民，格物致知之學。(31)己未九年（1859）春，洋人助以路費，乃潛從廣州經南雄，踰梅嶺，達饒州蔡康業營。八月，與天朝輔王，同在景德鎮作戰，戰敗。棄行李一空，由饒州至湖北黃梅縣，出其技，爲知縣覃瀚元醫愈其姪頭風症，得有謝金，在龍坪辦貨物以下江南，有志竟成，終達天京。(32)當丙辰六年（1856）天京內訌後，東王楊秀清，北王韋昌輝，俱死於難。丁巳七年（1857）翼王石達開，復遠征不返。執政乏人？天王見仁玕至大喜，立授福爵，旋封義爵，加主將，不及一月，改封「開朝精忠軍師頂天扶朝綱干王」。總理朝政，一如東王故事。(33)乃進資政新篇，建議施政方針。撰英傑歸真，以解釋天朝宗教政制。兩書內容：涉及醫藥衛生者頗多。其中包括「興辦醫院」。「考試醫師」。「環境衛生」。「創傷急救」。「禁止溺嬰」。「禁煙」。「禁酒」。「藉廟宇之資；移迷信之費；創辦醫院；療養院；敎養跛盲聾啞之人，使其不成廢人」。等重要社會衛生問題。(34)及解釋天朝制度，與生理之關係，並疾病方面掃除迷信之論。(35)更奏請改曆，行每40年一斡旋之法。(36)其王府中，並設有醫院一所，由其親自領導。(37)甲子14年（1864）春，天京圍急，奉詔赴江西調兵回救。六月，天京陷，幼天王出奔湖州，仁玕來赴難，擬與堵王黃文金入贛，再圖大舉。到贛後，守軍已撤走，未克會師。輾轉至石城，軍覆被執，從容就義於南昌市，年僅43歲。(38)

無姓醫生

無姓醫生，不知何許人。原係鈴醫，參加革命後，隸德天豫麾下。仁和張爾嘉被俘，奉令爲造兵册，與其同居一室。繼入省城（杭州）寓梅東高橋附近，打館於某宅，即曾任廣東潮州府景江錦之故居。壬戌12年(1862) 7月12日夜，孫醫自患病，不省人事，張竊其制服——褂衣、大脚褲、罩服等，著之潛逃。具見於其追述之筆記中。(39)

湖南醫者

湖南醫者，不詳其姓名。庚申10年時（1860）年已50餘矣。修髯花白，長身鶴立，平日賣藥黄州，大軍過黄，遂參加革命，以其宿擅針灸術，故軍中稱便。江甯李小池（圭）隨大軍入溧陽。五月中，與陸壽楷(40)同往劇場，中暍幾死。適醫亦在場，施以金針，初無效，衆咸謂不可救，擬置僻處待斃矣？阻之。復爲施針，取委中、人中、承漿、三穴、竟得甦。後李氏於其筆記中盛感之。(41)

劉春山

劉春山，未詳何地人，任天朝国醫。其人革命性不强。時潛伏天京之奸細，張炳元，謀爲不軌。察悉劉之動搖心理，遂羅織其名。後被天国偵知，案發？棄市。(42)

楊燮

楊燮，湖北江夏名醫。大軍過境，耳楊名，徵其隨軍醫療。以缺乏革命心，乘間逃逸。軍中諸事，知之甚詳。時漢奸曾國藩，利用特務張德堅，多方刺探太平軍實情，編賊情彙纂一書，作其軍中之參攷手册。楊亦參與此役，所述至多。蓋太平軍圖結技術人員，故不諱隱秘，楊之所述，定多根據，天国史料間接賴以流傳者，往往而在。然楊於當時，背叛革命，罪不容誅，不能因其流傳史料而寬恕之也。(43)

劉麗川

劉麗川，廣東潮州人。素任俠，輕施與，流寓滬濱，同鄉咸推重之。精研瘍醫，初爲夷商通事，後以迫於生計，重理方書，治瘍頗得奇驗，遇貧苦，不受酬，由是名籍甚。(44)太平天国，癸好三年（1853）八月，周立春起事於江蘇青浦，下嘉定。上海小刀會應之，推劉麗川爲首，克上海縣城，並連克南匯、川沙、寶山，於是麗川因上海英領事；以通太平天国，具摺稱臣。[45] 英領事以輪船載洋槍火藥，攜摺往天京，至鎮江，被清軍截獲，致未得聯繫。公元1855年，滿清江蘇巡撫吉爾杭阿，仗法軍之助，攻陷上海。麗川力戰後棄城走，被害於虹橋。或云：麗川實走免，清軍報斬死者，僞也。[46]

蕭 奎

蕭奎，不詳何地人。精於醫。劉麗川被小刀會擁之爲首，起義於上海。劉固知醫，蕭當是其誠服之同道，委之以長太醫院。公元1855年，滿清江蘇巡撫，吉爾杭阿，攻上海。吳淞營守備景文春，帶勇由西門爬城入，奎遂被俘，[47] 後當遇害矣！

參考文獻

1. 續纂揚州府志。
2. 羅爾綱著，揚州的太平天国展覽。見光明日報 53 年 11 月 23—24 日。
3. 太平天国史稿，卷 11，志第 5，——百官。
4. 羅爾綱著，曾國藩奏報攻陷天京事蹟考謬。
5. 張德堅編，賊情彙纂，卷 2，劇賊姓名欄。
6. 金陵癸甲摭談補。（戴型甫述）
7. 謝介鶴著，金陵癸甲摭談補。
武昌因諱昌，曾改爲武瑲。
8. 賊情彙纂，作奸險莫測，依其意以正訔。
9. 據滌浮道人，金陵雜記。
10. 同上。
11. 羅爾綱，太平天国史稿，卷26。
12. 賊情彙纂。
13. 太平天国史稿。
14. 賊情彙纂。
15. 太平天国史稿，卷21。
16. 咸豐東華錄，卷23，向榮許乃釗奏。
17. 杜文瀾，平定粵匪記略。
18. 賊情彙纂，卷 3，僞官制。
19. 金陵癸甲記事略，賴漢英傳。
20. 賊情彙纂。
21. 賊情彙纂，據人述。又、揚州城宦孫太史，劫餘小記，亦有類似之記載。
22. 賊情彙纂，卷 2。
23. 江寧張繼庚（炳元）遺稿，上向帥書，4. 略謂，一旦克城，從賊者，不可赦，並提及，哈等媒力爲東王醫目，尤不可赦。
24. 依謝介鶴，金陵癸甲記事略之記載，而正訔。
25. 張繼庚遺稿，上向帥書，四。
26. 稀閑退叟、汪堃，盾鼻隨聞錄。
27. 盾鼻隨聞錄。
28. 金陵癸甲記事略。
29. 同上。
30. 瑞士巴色會教士，瑞典人，韓山文，所著「洪秀全之異夢及廣西亂事之始源」。一書中之記載。
31. 據干王洪仁玕自傳。
32. 又。
33. 太平天国史稿，卷27。
34. 資政新篇。
35. 英傑歸眞。
36. 據太平天国，已未9年，10 月初 7 日，改曆詔，見太平天国辛酉 11 年新曆。
37. 富禮賜 Forrest 著，天京遊記。
38. 清吏沈葆楨，「席軍生擒首逆摺」，及「席軍剪除湖逆搜獲僞酋摺」，及「洪仁玕等 3 犯就地凌遲處死片」，見沈文肅公政書，卷 3。
39. 仁和，張爾嘉，難中記。
40. 陸鬱楷，金陵大中橋人，癸好，大軍解放天京，隨即參加，後到金壇溧陽，任館中掌書大人。
41. 李圭（小池）思痛記。
42. 金陵癸甲記事略。
43. 賊情彙纂，採訪姓氏欄。
44. 川沙，黃本銓，梟林小史。
45. 羅孝全著，小刀會首領劉麗川訪問記。及晏瑪太，小刀會佔據上海目擊記。
46. 羅爾綱，太平天国史稿，卷 4，會黨起義表下。
47. 向榮與怡良吉爾杭阿，會奏克復上海縣城摺。

雲南瘴氣(瘧疾)流行簡史

李 耀 南

雲南是我國西南邊陲的省份，東連桂黔，北接川康，西界緬甸，南毗越南，據長江的上游，東經95°—106°，北緯21.7°—29.2°中間，在雲嶺（註：雲嶺是一支山脉，其主峯在大理縣，終年積雪，遠望好像刀削過的白玉）的南面，其氣候由於高原關係，所以在夏季並不太熱，而到了冬天以緯度的關係，北方侵襲來的寒氣，受秦嶺和巴山的阻隔，因此不覺得很冷。但雲南的西南部分，地勢較低，所以在夏秋季，是非常的熱，並且雨量多，濕度高，很適合蚊蟲的生長與瘧原蟲在蚊體內繁殖，又加上以往長期的封建和半封建半殖民地統治下的社會生存條件，所以形成瘧疾在雲南世代的流行。瘧疾在雲南以往稱爲瘴氣，但所說的瘴氣不是完全歸之於瘧疾一種病，至於何種瘴是何種病或何時的瘴是何種病，我不敢隨便下定論，但所記載的瘴氣根據其地區、時節、內容，有90%以上是瘧疾，這是肯定的。今將我找到一些不全面的材料叙錄如下，以供同志們的參考並予以補充指正。

公元225年，後漢三國時代，諸葛亮率領軍隊，南征孟獲，渡過金沙江，進入雲南，軍隊感染瘧疾而死亡的很多，其事實可見於太平寰宇記內，「會川縣本漢邛都縣地，唐上元二年移邛都於會川城內安置，川獠逐道川原並會於此川，故名瀘水，按十道記云，水出蕃中，入黔府、歷羣界、出振州，至此有瀘津關，關上有石崖，高二千丈，四時多瘴氣，三四月間發，人衝之死，非此時中，則人多悶吐，惟五月上伏即無，故諸葛武侯征越巂，上疏云：「五月渡瀘，深入不毛」[1]。又三國志演義內將其形容如：「夜夜只聞水邊鬼哭神號，自黃昏直至天明，瘴烟之內，陰魂無數，」這形容雖然是迷信，但可見當時士兵因感染瘧疾而死亡的悲慘事情。

公元547年有晉代華陽國志記：「興古郡持有瘴氣」。他所說的興古郡就是現在的曲靖至廣南一帶，由這句話內，可以看出曲靖以下的南盤江下游和西洋江紅河下游在晉代都有瘧疾的流行，所以常璩（華陽國志的作者）才記載，因爲文章是客觀事物的反映，他決不會從空記載。

公元497年有水經注載：「貢古縣（現在雲南蒙自個舊等地）水廣百餘步，深十丈有瘴氣」，是叙述滇省南部有瘴氣，他所指的可能是紅河流域在蒙自境內的蠻耗一帶地方。又「永昌禁水傍（即現在瀾滄江兩岸谷地）瘴氣特惡，惡氣中有物，不見其形，其作有聲，中木則折，中人則害，名曰鬼彈，惟十一十二月差可渡，正月至十月逕之無不害人」所說的「十一十二月差」正是冬季蚊蟲進行冬眠所以「可渡」。雖然當時看出瀾滄江兩岸瘧疾流行的季節，但只是將瘴氣歸咎於氣、聲之類，以致在當時的人對瘴氣的認識是十分可怕。這對瀾滄河谷的瘴氣提出了一個輪廓，但並不詳細。又：「車里木邦之間，山多瘴氣」，車里有大車里小車里，大車里今已在越界，而小車仍在滇南，木邦則歸緬甸，這二個地方都在瀾滄江怒江下游河谷，所以到現在瘧疾還是高度的流行。

公元754年唐朝大理流行瘧疾，資治通鑑載：「天寶十三年六月，侍御史劍南留後李宓，將兵七萬擊南詔，閤羅鳳誘之深入，至太和城（現在的大理城），閉壁不戰，宓糧盡，士卒罹瘴疫及餓死什有七八，乃引還，蠻追擊之，宓被擒，全軍皆沒。」由這裏看來，李宓的失敗一半是由瘧疾，因李宓軍隊通過瀘水，長途行軍到大理，在古時沒有蚊帳的設備（指士兵），所以容易感染瘧疾。這個流行事實可從白易居所作的一首詩來對照，就更明白了；他說新豐地方有一個老翁，年有88歲，頭髮蒼白，爲了怕到雲南染瘴氣而死，所以在年輕時將自己的臂折斷，藉此可脫免兵役到雲南，今摘錄原詩如下：「聞道雲南多瀘水，椒花落時瘴烟起，大軍涉步水如湯，未過十人二三死。」另有蠻書載：「高黎貢山在永昌西，下臨怒江，左右平川，謂之穹賧湯浪，加萠所居也，草木不枯，有瘴氣。」昔時自保山到騰衝一定要經過高黎貢山，都是步行，早上從怒江登山，傍晚纔到山頭頂上，這一天的路程叫做一個馬站，如在冬天，則山頂上積雪非常寒冷，而夏秋間又苦熱異常，所以當時來往的旅客有個歌謠說：「冬時欲歸來，高黎貢山雪，夏秋欲歸來，無那穹賧熱。」如果旅客在夏秋季歸來，早上從山頂啓程，則晚上到江邊，那末一定要赤胸袒臂在江邊乘涼憩息，則被蚊子叮咬，感染瘧疾機會亦就多，所以說到怒江的瘴氣，我們雲南人從古以來也是談虎色變的。

公元1300年元代因出兵滇南邊陲，以攻八百媳婦國，結果因士兵遭受瘧疾的侵襲，作戰終於失敗，其事載於元史「大德四年十二月，遣劉深，哈喇岱，鄭祐，將兵二萬征八百媳婦（八百媳婦是從前的一個國名，係古時西南兄弟民族之一，在現在的暹邏北境內，世傳其酋長有妻八百，故名）仍敕雲南省每軍十人，給馬五匹，不足以牛補之，……七月二日，以征八百媳婦喪師誅劉深，笞合喇帶鄭祐。」其喪師的原因在元史董士選傳內敘述得很清楚，說：「時丞相鄂勒哲用劉深，言出師征八百媳婦國，遠冒瘴烟，及至未戰，士卒死者什已七八。」又元史郭貫傳載：「大德初遷湖北，道言今四省軍馬以數萬計，征八百媳婦國，深入炎瘴萬里不毛之地，無益於國。」這裏可以看出又是因瘧疾而遭失敗，可見滇西南在接壤緬甸一帶地方，天氣濕熱，瘧疾是一向流行得厲害。

公元1424年明代永樂年間有泳化續編內載：「緬人嘗畜淫婦誘我士卒，犯之必死，謂之人瘴，洪朝夕誨之曰：「汝等來時，父母妻子哭送，拜禱神明，望爾生還，今犯人瘴而死，妻必改嫁，父母何歸。」衆皆感泣，不敢近人瘴，或有病瘧，以平胃加柴胡治之多愈。」[2] 在中緬交界處瘧疾原是流行得很厲害。瘧疾在臨床上是經常復發，復發的原因是大腦皮質性的痕跡復作用，但這痕跡（紅血球外型係肝臟和皮內血管壁）可以由種種外界因素影響而起，那末如房事過度，當然可以使已染有瘧疾誘致復發，又以柴胡治之，在當代來說，是比較合理的。

新纂雲南通志（1949）內記有：「明萬曆24年（公元1596年）巡撫陳用賓，築城於猛卯，大興屯田以備緬，以營兵住屯，非營兵而願者亦聽，緬費不皆，然以瘴惡屯者不能耕，西偏諸兵廢公帑如故。」說明猛卯（在滇西）在明中葉後雖然成爲邊防要地，籌劃了一筆龐大的公款，叫士兵們到那里墾荒，以鞏固當時的國防，但因當時猛卯的瘧疾猖獗，所以「屯者不耕」。

公元1600年明代的客座新聞內載：「洞庭賀澤民，按察雲南時，分巡騰衝等處討賊，因染瘴癘，腰痛發熱，有監生殺犬煮餽之，令空心恣食，飲酒數盃，即溺便，少頃清利，其脹漸退，蓋犬肉能治瘴也。」[2] 瘧疾症狀的發作，是有時間性的，如不吃犬肉，到一定的時間後，也會自癒，所說犬肉及飲酒數盃（蛋白酒）能治瘴尚待研究。

公元1628年古今圖書集成載：「崇禎間，順寧卡思凹……是歲瘴疫大作」是說明順寧在明崇禎年代有瘧疾的流行。

公元1662年清代景東，蒙化、保山、元江，及廣南都有瘧疾流行，在永昌府志內敘述得很清楚：「景東蒙化皆有瘴，至永昌府（保山縣）尤甚，瀾滄潞江水皆綠，瘴則紅烟浮江面，日中無敢渡者，其瘴起自春末，秋盡乃止，夾岸草頭皆交結不可解，名交頭瘴，至行旅褰足，居民多黃瘠，惟婦女如故，明楊愼元謀行云：「十月草交頭，元謀不可遊」固不獨元謀爲然，或元謀至十月瘴尚不止耳。」這裏面對瘧疾的流行景况說得比較清楚，第一是說居民多黃瘠，是係慢性瘧疾貧血現象；第二是說惟婦女如故，則患瘧疾的男性較多，其原因爲婦女多從事室工作，但傣族及其他兄弟民族例外，並多穿着長衣緊褲（在雲南邊沿的中年漢族婦女多數是裹足），因此被蚊蟲吮叮機會少，所以感染瘧疾機會亦少，而男性多赤胸裸脚的在野外體力勞動，被蚊蟲侵襲時機較多；第三是說明流行季節，五月至十月正是夏秋季，雨量多，溫度與濕度均高，因此造成瘧疾季節性的流行。又康熙年修雲南通志載：「元江府，谷深林密，恒雨少雪，沿江而下，晝夜炎熱如炎、瘴氣中人易瘧，離城處，即覺微凉，一郡之中，氣候頓別。」其「沿江而下」至甘莊壩，該區爲有名的瘧疾流行區，我們雲南有俗語說：

「要過甘莊壩，先把老婆嫁」是說明瘧疾在元江流域流行得非常厲害。又載「廣南，風土節令各郡略同，惟廣南列於烟瘴之地，則以寒暑不常，山水異性故也，近城數十里，猶易調攝，若皈朝剝隘板蚌等地，尤悶熱，春夏有青草瘴，秋有黃茅瘴，直至霜降乃消。」說明廣南在康熙年間有瘧疾的流行。其因素不外乎季節，夏秋二季。又載：「雲州多瘴嵐」，雲州是現在的雲縣，當勐祐河谷（瀾滄江支流），接近順寧，地勢低下天氣酷熱，它在康熙時代亦有瘧疾流行。

公元 1769 年乾隆時代，曾數度出兵打緬甸，後因瘧疾而遭到失敗，其事實在雲南通志內載：「明瑞將軍兼雲貴總督在伊犁，未至，先以鄂寧代之，鄂寧奏言：上年九月間，九龍江外，官兵夫役馬匹瘴死過半，今正瘴興之時」[2]，鄂寧根據去年的遭受為避免瘧疾感染，所以建議征緬要過瘧疾流行季節才能出兵。

公元 1769 年有征緬紀載：「已丑七月二十八日陰，沿途林箐益深，蔚薈蕪穢，循阿怪木，搘撐技拒，高者干霄，卑者伏地，有橫垂如龍胡，蒙密連絡，仰不見天日，而楠木數十萬木，皆合抱，日照之，葉亦香甚，土人云：「蠻方有香瘴，即此氣也。」[3]」南甸瘧疾確是流行，但絕不是因楠葉的香氣而發生的。又：「初三日，得旨阿公降參贊大臣，……二十日阿公留駐老官屯，傅公駐戶游，得旨聞官兵多染瘴，如勢不可進，當以便宜蕆事。」這裏說部隊因感染瘧疾，而致不可進攻。另有雲南備徵志載：「由龍陵而下為芒市遮放，各設有安撫司，炎瘴尤甚，九月間攻木邦綠甕園，不能守，入居遮放，以兵溯江而上，蠻暮土司，亦偕其母走入內地，楊應琚，李勳先以瘴卒。」[4] 同年又載：「清廷更命大學士傅恒為經略大臣，阿木袞為副將軍，統大軍攻緬，……進攻八莫出大金沙江，時水陸皆與敵會，大小數十餘戰，各路告捷，但阿木袞死於軍中，天暑瘴興，經略染病，引兵退紮鐵壁關。」由於瘧疾致戰事遭受失敗，人員死得很多，單從指揮作戰的將領，亦死了 18 個人。在道光年修雲南通志內記有：「征緬因染瘴沒於王事各官：額爾景額參贊大臣、豐安領隊大臣、傅顯左都御史、綿康、呼爾起俱副都督，桑伍三護軍統領、鎮鑑安侍衛、鄂寧總督、明德巡撫、葉相德提督、李勳提督、立柱提督、雅爾姜阿總兵、吳士勝臨安總兵、圖桂箍姚鎮總兵，于文煥總兵。」可見瘧疾是頑強敵人之一，到結果那滿清野心勃勃的乾隆王朝，迫得保全面顏收兵議和。

公元 1825 年道光五年，有同州吳啓榮撰的碉堡圖說：「哈山去蠻且江四十里，熱而有瘴，附近無田，可投屯田……招募能耐煙瘴之擺夷，屯耕駐守，」[2]所說的耐瘴是指流行區內的居民對瘧疾的發作有抑止的作用，也就是免疫力，至於這些居民的免疫是否是先天的，或居住幾年後才能產生，或產生後是否鞏固，還須繼續研究。

公元 1919 年思茅瘧疾大流行，據后晉修撰思茅瘧疾流行內載：「惟宣統三年，邊地勐遮頂眞（即今之南嶠）有亂，曾派兵前往作戰，又 1919 年，保夷作戰亦然。」[5]又雲南邊地問題研究記載：「思茅為軍事善後地點、故病兵流離轉徙，死於思茅者為多，其後流毒思茅人民，死亡者幾達十分六七，查此次浩劫之來源、係沿邊之瘴氣所致耳。」[6]其人口的減少，據姚永致[7]等的調查，在 1919 年由 76,800 數目到 1932 年減少到 24,106 數目、當時流行的情形非常的慘。在城區據后晉修說常有往返行旅客人死於馬棧旅店內，及郊外途傍，並且家家戶戶亦常有人生病而未久死去，在農村將成一片荒墟，全村死絕的很多，所剩的孤兒寡婦，一家哭，一路哭。又村中尙未死絕人家，夏秋忙於收割，嬰兒幼童棄置家中，無人護理，故俗語謂，「收割之時兒哭娘」，到收割完畢後，兒童因無人護理，染瘧疾而死了，故俗語又謂「收割已畢娘哭兒」。又農民辛苦了一年，將要到收割的時候，不幸染瘧而死，遂任熟稻腐爛田中。在城裏更是滿目蕭條，據張鳳岐說：「很美麗的紅牆高屋，樓宇深鎖，變成蓬蒿沒脛。」[8]其流行主要的因素是反動的國民黨統治，與兄弟民族作戰而士兵將邊區惡性瘧原蟲帶到思茅，在思茅相互傳染而致高度流行。

公元 1933 年的雲南邊地問題研究內載：「當改四排縣佐時，有縣佐段慶華者，不信瘴氣能傷人，在勐庫縣佐公署打雨水（在炎方度夏，叫打雨水）兩度，並迫擺夷領之尋瘴氣之所在，其後大病幾死，移公署於那賽。」[8] 四排山就是勐勐勐庫地區，在雙江縣境內，這裏的瘧疾到現在還是流行得很厲害，現在勐庫舊的縣佐公署內還有段氏的對聯說：「耐除六屯瘴，回復萬家春」。又載：「自遮芒板直達隴川南甸，……瘴厲惟酸蕉之菓，瘴烈上甘蔗之花，蝦蟆吐氣，飄來蘭麝之香，蝦蟆瘴芳香撲鼻，聞者輒死，鱷魚作孽，絢示雲霧之色，大鱷魚口，吐瘴氣映日光，呈七色，又此種種，曰泥鰍瘴，曰黃鱔瘴，曰悶頭瘴，奪生命於頃刻，滅人類於無形。」這是說滇西騰越南部接壤緬甸的大盈江流域平地的瘴氣，並將瘴氣都給予專門名詞如泥鰍瘴等等，但是在我們雲南民間所傳說的，到底有那幾種名稱的瘴氣呢？這很難考查，據滇海虞衡志說：「瘴形，說之者千彙萬狀，不能悉記。」[10]總之在以前由於封建及半封建半殖民地社會生產落後，科學無由進展，因此對瘧疾的病因學當然是模糊的。

公元1932年雲縣的瘧疾流行是由四周鄉村傳入城區經鄭祖佑等調查，其發病率爲99%，人口逐漸減少，在公元1931年爲140,000，到了公元1938年人口僅有107,360，經隔六年後，又將人口數調查了兩次，其數字又減少了32,000到了公元1938年，城內的婦女大半數未能受孕，不生小孩其原因恐在感染瘧疾後所產生貧血而發生停經，致造成人口減少原因之一[9]。

討　　論

根據上述的瘧疾流行史蹟，在雲南有正式文字紀載的，最早是在公元225年諸葛亮南征孟獲，這個時候就在滇北金沙江的瀘津關一帶流行，而當時雲南西南邊陲很少人去，因此沒有大事的紀載，但我們不能說滇的西南邊陲在當時沒有瘴氣的流行。後來如在1769年乾隆出兵征緬，滇西邊沿一帶瘴氣很厲，而在金沙江瀘津關一帶却沒有瘴氣流行，檀萃撰滇南瘴氣內說：「金沙江渡，爲川滇兩省之通衢，馬街街期人集數千萬，何嘗斷遊，但其地熱多臭蟲。」[10]其次如公元397年曲靖廣南一帶有瘴流行，及公元754年的大理瘴疫流行，到後來這些地方都沒有聽說有瘴的流行了。由此看來，雲南瘧疾（瘴氣）的流行途徑似乎是由北向南退縮，但是到了近代如1919年思茅因戰爭士兵的往返引起思茅瘧疾流行，而順寧及猻雲相繼的流行，似乎是由南向北進犯，這由南向北的主要因素的人事的移動，但是由北向南退縮的因素可能有二，一是可能與水有關係，根據鄭祖佑的雲南之瘧疾內說雲南的東北區地勢高，多湖泊和小平原，這些小平原都是由古代的湖泊經水退而成，所以雲南東北區又叫做湖泊區，因爲湖泊多，按蚊的孳生地亦多，瘧疾相互傳染機會亦多，同時因水的蒸發其溫度濕度雨量都是會變動的。二是可能與戰征有關係，雲南瘴的流行史幾乎都是在戰征時及戰征後才流行，因古代士兵往返移動，都沒有使用蚊帳，所以在雲南一有戰事，就有瘧疾流行，並且這戰事是逐朝的由北向南進行。以上的說法是否合適，希望同志們討論並指正。

結　　論

瘧疾在雲南流行得早，僅從正式文字紀載是在公元225年開始，在民間通行的稱號叫做瘴氣，而後除宋朝沒有見到流行的紀載，其他每一個朝代都有流行的紀載。

由於以往落後的生產，所以科學亦在固封的狀態下對瘧疾的眞相認識不清楚，將病原推之於風、氣、孽（如鬼彈）及水生動物（如泥鰍瘴及黃鱔瘴）及草木（如青草瘴及黃茅瘴），甚至還有啞瘴及荷花瘴等說。因此雲南民間在以往對瘧疾成了恐怖的心理，但事實上在愛國衛生運動基礎上，我們醫務工作者只要繼續在羣衆中展開廣泛衛生宣傳教育，使每一個人民都能對瘧疾常識有適當的了解，是由蚊子叮咬而傳染的，都能有防蚊防瘧知識，這樣對瘧疾的流行是可以抵禦的，可以逐漸收到應有的效果。所以說瘧疾是不可怕，但也不要麻痹。

本文承雲大文學系教授劉文典及夏光南同志在歷史上加以校閱，僅此致謝。

參考文獻

1. 樂史：劍南西道載，太平寰宇記，宋朝。
2. 雲南通志，道光年修。
3. 王昶，征緬紀，乾隆。
4. 王崧：雲南備徵志。
5. 启晉修：思茅瘧疾流行，西南邊疆，第三期1939。
6. 瘴氣，雲南邊地問題研究，民衆叢書，1933年。
7. L. C. Ling, K. B. Liu, Y. T. Yao,: Studies on the so-called Changch'i part II Changch'i in Yunnan. C.M.J. 50, 1815 1936.
8. 張鳳岐：瘧疾與雲南人口，西南邊疆第三期。
9. 鄭祖佑：雲南之瘧疾，雲南衛生第21期，1950。
10. 檀萃：楚志滇南瘴氣，滇海虞衡志，清嘉慶。

揚州疾病方言考（二續）

張羽屏原著　耿鑑庭摘錄

跀　足以旁戾誤傷筋骨者，揚俗呼之如都、當由跀之聲轉。跀切魚厥，說文訓斷足。韓非子外儲說左下篇言跀危、跀危子，皆謂斷足。傷筋骨者足未嘗斷，而俗以爲跀，甚之之意爾。筋骨旣傷，足行不便，直以斷足例之，故呼爲跀。說文跀有重文作趴，莊子德充符篇屢言兀者，兀即趴之省借字。刖在說文訓絕，絕斷義似可通，故諸書多以刖爲跀。韓非子內儲說下篇外儲說左下篇又言刖跪及刖危子。玉篇跀刖同訓，俱以爲斷足矣。說文更有抈字，訓折，字从手作，無與於足。然折義通於斷絕，手之折物，亦以拗戾爲用，聲同者義固不相遠也。

踒　有足疾者，行步不正、揚俗以外之上聲狀之，疑由踒字聲轉。踒切烏過，集韻則有逶音。說文踒訓足跌，段注以跌爲胅字之誤，此說可信。踒在說文與蹇踦跻三字相次，蹇之義爲尳，尳亦爲尢義，是人之曲脛者，踦之義爲足不正，跻亦有曲脛之義，脛曲則行必不正，踒爲足胅，亦不正也，胅之義爲骨差，骨有差忒，言其不能相値。踒從委作，足骨之不相値，宜有委屈而失其常者，此行步之所以不正歟！

蹎　跛者行路，一足偏下，揚俗言丢，或轉其聲如典。後音近似。其原蓋出於蹎。蹎切都年，說文與跋互訓，謂傾仆也。一足偏下，疑於傾仆，故呼爲蹎。漢書貢禹傳言蹎仆，蹎亦仆也。趲可通用，說文趲訓走頓，亦謂傾仆。後出者有𨂂字，廣韻二仙𨂂訓行不正皃。字疑从尢，尢者尳也，兀爲尢之形誤。聲轉爲㡦、爲墊，說文㡦訓屋傾下，方言卷六謂凡屋而下曰墊，屋之偏傾，與人之一足偏下相似，故其聲義相通。莊子外物篇云：廁足而墊之至黃泉，司馬注亦以墊爲下，直謂人之一足陷矣。方言卷十三又訓埝爲下，可與㡦墊通用。

趠　跛者行路，一足偏重，揚俗每再言「戳起」以狀之，戳蓋趠之聲亂。趠切敕角。說文趠有蹇義，廣雅釋詁三訓同，義本方言。方言卷二云：自關而西，秦晉之間，凡蹇者或謂之趠；體而偏長短，亦謂之趠。按體之偏長短者、足爲最顯，是仍同於蹇矣。方言卷六又云：趠蹇也，齊楚晉曰趠。郭注謂行略逴也。𧾷卓與趠同，方言𧾷卓亦訓蹇，廣雅承之。方言郭注謂跛者行跳踔也。是知踔亦與同。玉篇云：踔跛也。莊子秋水篇云：夔謂蚿曰，吾以一足趻踔而行。趻踔同於跳踔。又作䠂踔，玉篇云：䠂踔跛者行。

痿　老人舉步艱重，揚俗言雷，雷蓋痿之聲亂。痿切儒隹，說文訓痹。史記韓王信傳云：痿人不忘起。索隱引張揖謂痿不能行。呂氏春秋重己篇高注謂痿躄不能行。漢書昌邑哀王髆傳附子賀事云：故王疾痿，行步不便。哀帝紀贊如淳注謂病兩足不能相過曰痿。老人不必病足，惟其舉步之艱，有相似者，假以爲比，故亦呼痿。

剺　劃破手皮，揚俗呼如籮之上聲，或如累之陰平，當由剺之聲轉。剺切里之，說文訓剝、訓劃。北史齊本紀中卷言剺腹，東觀漢記耿秉傳、周書王慶傳、突厥傳言剺面、唐書陽嶠傳、崔寧傳、陳敬瑄傳言剺耳，楊思勗傳言剺腦，舊唐書宦官傳作剺髮際，皆取劃義。洛陽伽藍記卷五言于闐國俗居喪剺面，吳若準集證謂剺是剺訛。魏書淸河王懌傳言夷人爲之剺面，孫人龍等考證謂係剺面之訛。剺亦剺字。酉陽雜俎黥篇言以刀剺肌，今本有誤作剺者，不成字矣。後漢書耿秉傳言棃面，李注謂棃即剺字。淮南子齊俗篇高注訓棃爲分，即謂分劃。管子五輔篇房注訓梨爲劃，漢書楊雄傳下卷言分梨單于，梨棃一字，漢書顏注謂梨與剺同。文選長楊賦作分剺單于，李注引韋昭剺亦訓劃。廣雅釋言篇訓剺者有劙字，此在說文當爲𨬓，从刀从金同意。說文𨬓訓剝，義又同剺。齊民要術用劙字，見種桃、種椒二篇，及作虀法注。劙在廣韻十二霽與劙爲一字，荀子彊國篇楊注訓劙爲割，方言卷十三訓解，玄應一切經音義卷二十引方言作劙，荀子賦篇楊注又謂𢹂與劙同。省形存聲爲蠡，孟子盡心篇趙注以蠡爲欲絕之貌，言欲絕則爲分割之已甚者。方言卷六云：蠡分也，楚曰蠡，秦晉曰離。郭注訓爲分割。離與蠡同義，故儀禮士冠禮篇鄭注離亦訓割。

劃　刀裂皮膚，揚俗呼作花音，當由劃之聲轉。劃切呼麥，說文訓錐刀曰劃，言以錐刀分裂物也。畫之古文有劃，與此微異，而實相同。史記大宛傳附安息事云：畫革旁行以爲書記。說文虢下言虎所攫畫明文。畫即劃字。集韻二十一麥劃有重文作㓷，廣雅釋詁二云：㓷裂也。音同者有捇字，撼字、㓷字、說文捇訓裂，玉篇撼訓撼裂，廣雅裂義並載之，廣韻二十一麥㓷訓刀破，皆可與劃通用。今人說劃字恒如繪畫之畫，俗音頗近於華，故知華亦可用。爾雅釋木篇云：瓜曰華之。禮記曲禮上篇言削瓜云：爲國君者華之。鄭注謂華爲中裂之。周禮夏官形方氏云：華離之地。阮元校勘記稱俗語分析謂之花，即此經華字。賈子道德說篇亦言華離，盧文弨校語謂離絕爲華。並與今語意合。今人以華叉、或華拉狀裂紙、裂帛之聲，聲與義固有相關者，但多一尾音耳。

虢　指爪及纖銳之物，誤劃皮膚而有傷痕，揚俗以爲刮了一下，刮當用虢，方音不能別也。虢切古伯，說文訓虎所攫畫明文。人之指爪所及，劃之亦有明文，與虎爪之所攫畫者不類而類，因得稱虢。引而申之，則凡觸於纖銳之物而有明文，或至破裂者，無不可言虢矣。攫與虢聲相轉。

虹　傷於鞭撻、傷於指爪而體有創痕者，揚俗呼此作古巷切之音，字當用虹。說文虹訓螮蝀，原與紅字同音，玉篇、廣韻又同絳音，即切古巷。今揚人呼螮蝀皆作古巷之音，無有說本音如紅者。虹長亙天，有青紅諸色，創痕亦雜青紅而作長形，故得借稱爲虹。沈苑賓韻學驪珠絳韻虹字下釋以指爪攊傷，即此義。攊謂毀裂。小兒戲賭、有以擊腕爲注，呼曰金虹虹者，爲其能起創痕也。蒲松齡聊齋志異卷六小二條云：閉門靜坐，猜燈謎、憶古書，以是角低昂，負者駢二指擊腕臂焉。此效童稚所爲，即俗言金虹虹者是已。小兒有苦內熱而面發赬者，揚俗狀之以〔赤紅赤虹〕。言赤不合復言紅，紅亦宜作虹，上虹字讀如紅，下虹字古巷切。假一物爲喻，連舉之而其音不同，眞奇語也。

肕　纖銳之物，劃傷皮膚而留有長痕者，揚俗呼爲印子，印當作肕、方音無別。肕切羊晉，說文訓瘢，瘢本訓痍，痍本訓傷，然則所謂肕子者，即傷處也。字从引作，引者伸也、長也，肕之爲形，以引伸而能長，其爲傷痕顯然。慭字音近，說文訓慭爲問，玉篇引說文作閒，左氏傳文公十二年釋文引字林亦云閒，廣韻二十一震慭字下有閑義，閑蓋閒之變寫，疑今本說文問爲閒字之誤。方言卷一云：慭傷也。廣雅釋詁二云：慭傷也。傷傷同用。皮膚被劃而致傷者，傷處必有其界，斯即所謂閒矣、閒言中閒，亦言閒隙。（中閒閒隙及閒暇字皆从月俗有以从日之間別之者非其正也）淮南子兵略篇云：不見朕塹。朕之義爲舟縫，舟有縫則爲閒，塹與朕並舉，塹亦宜爲有閒者，可與慭通也。洗冤錄辨四時屍變篇言如有傷損，血瘾分明。此亦當指血痕。瘾从隱作，與肕慭韻部遠隔，字書亦無可考。

呻　被傷者呼痛，揚俗每云生疼的，生疑呻之聲亂，呻切失人。顏師古匡謬正俗卷六云：爾雅恫痛也，郭景純音呻呞。今痛而呻者，關中俗謂之呻恫，鄙俗言失恫者，呻聲之急。郭旣有呻恫之音，蓋舊語耳。按顏引郭音，前言呻呞，後言呻恫，呞恫二字通用。今轉爲疼，呻疼之義、謂其痛極，不能無呻吟也。

暴　受創痛而自呼，揚人恒發音如否之陽平，當由暴之聲轉。暴切蒲角，說文訓大呼自勉，原本玉篇，及廣韻四覺並引作大呼自冤，冤字是也。漢書東方朔傳云：舍人不勝痛，呼暴，顏注謂暴爲自冤痛之聲，今人痛甚則稱阿暴，音步高反。史記魏其武安侯傳載武安侯病，專呼服謝罪。漢書竇田灌韓傳晉灼注言服音瓟，關西俗謂得杖呼及小兒啼爲呼瓟。與暴通用。論衡死僞篇作田蚡病甚，號曰諾諾，其音不同。

㷷　小兒有傷痛而啼呼者，啗以果餌，藉示撫慰，揚俗說此事，率於疼字上加㷷之上聲，蓋由㷷之聲亂。㷷切乃管。張鷟朝野僉載云：三原縣令閻玄一，爲人多忘。曾有人傳其兄書者，止於階下，俄而里胥白錄人到，一遂鞭送書人數下。其人不知所以，訊之，一曰吾大錯，顧直典向宅取杯酒㷷瘡。恰合今語㷷疼之意。㷷在說文訓溫，溫當作𥁕，𥁕者仁也，从皿以食囚，所以恤之也。舊唐書楊國忠傳云：每扈從驪山，五家合隊，出有餞路，還有軟脚。新唐書外戚傳作出有賜曰餞路，返有勞曰㬉脚。亦有溫恤之用，與㷷疼意近。軟㬉一字，聲與類亦不遠。

結 揚俗有所謂冷飯疾者，爲好攫食冷飯之人言之。好食生米者，宜亦有生米疾之名矣。疾當爲結，方音小譌，結切古屑。史記扁鵲傳言癥結。巢氏病源卷十九米癥候云：人有好哑米，轉久彌嗜啞之。若不得米，則胷中淸水出。得米水便止。米不消化，遂生癥結。外臺秘要卷十二引此文，有注，謂啞者飢而喜食之義。據此知食生米之稱結，實謂癥結。冷飯結之名，應同此說。更有喜食石灰，瓦瓷諸物者，俗並言結，皆癥結也。結之本義爲締，締結則難解，故引申有聚義、積義。肘後方卷四治卒心腹癥堅方，有腹中癥有結積之語，癥結因亦得作癥積。千金方卷十七積氣篇言癥積，外臺秘要有食不消成癥積方，即用積字。蓋猶素問舉痛論篇所謂稽留不得行，故宿昔而成積者歟？

嚚 啞者不能出語，但能發聲，揚俗狀之以昂，昂蓋嚚之聲轉。嚚切語巾，說文訓語聲，即謂不能成辭，祇有聲耳。國語晉語云：嚚瘖不可使言。廣雅釋詁作瘂瘖，是知嚚瘂一義。瘂啞同字。王念孫疏證述晉語，謂嚚瘖皆不能言之疾，其說良是。嚚瘖連文，當爲同病。國語韋注釋瘖爲不能言者，釋嚚字依左氏僖公二十四年傳語，以爲口不道忠信之言，似與瘖義不類，細繹之實亦相近。傳文原以頑嚚與聾昧並舉，聾者病在耳，昧者病在目，頑者病在心，皆已顯然；嚚爲不道忠信之言，其病在口無疑。忠信含有正確之義，嚚者雖有語聲，音必不能正確也。潛夫論考績篇云：羣僚舉士者，以嚚闇應明經。嚚闇同於嚚瘖。此固非謂眞瘂，但有口而不肯言，即爲嚚瘖矣。故史記淮陰侯傳亦云：吟而不言。吟與嚚聲相轉。字本爲唫，墨子親士篇亦云：臣下重其爵位而不言，近臣則瘖，遠臣則唫。此猶晏子春秋內篇諫上所謂近臣嘿、遠臣瘖者。唫之類瘖審矣。

吃 澀於言者，揚俗呼急巴子，急當爲吃。吃切居乙，正字作吃，說文訓言蹇難。字从口旁气，气即今氣字；言不能明了者，但有氣出耳。後漢書梁冀傳李注有語吃不能明了之說。漢書周昌傳顏注訓吃爲言之難。李治敬齋古今黈史類言；唐德宗時，神策軍置監句當，炎宋過江後，以避諱改爲幹當，幾於吃口令矣。按吃口令者，謂以口吃人不易說之語爲酒令。如牛僧孺玄怪錄述劉諷事，有一女郎用賀若弼弄長孫鸞口令云：鸞老頭腦好，好頭腦鸞老。令翠綏下坐使說令，翠綏素吃訥，但稱鸞老鸞老。此與所謂吃語詩者同一拗口。史繩祖學齋佔畢卷四言坡公有喫語詩，即謂吃語。坡集所載，如乾鍋更戛甘瓜羹等篇皆是。體非刱自蘇氏，庾信示封中錄詩：貴館居金谷、關扃隔藁街云云，二首各二十字，與問疾封中錄詩形骸違學宦一篇俱用雙聲，俱爲吃語也。玄應一切經音義卷九謂吃古文欯同。欯在說文爲欯，有口不便言之義，猶吃之訓蹇難也。洪邁容齋五筆卷四引晉代名臣文集張敏頭責子羽文云：或蹇吃無宮商。世說新語排調篇記此事作謇喫，喫吃同字，謇蹇亦可通用。

期期 口吃者語難成詞，音自齒縫中出，揚俗以蚩蚩狀之，狀齒齘者亦然，蓋即古語期期之譌、期切渠之。史記張丞相傳附周昌事云：高帝欲廢太子，周昌廷爭之彊，爲人吃，又盛怒，曰臣口不能言，然臣期期知其不可，陛下雖欲廢太子，臣期期不奉詔。王念孫讀書雜志謂期期乃吃者語急之聲。愚按吃字在說文原从气作，互參前吃字條，口吃者急切不能成詞，但見气從口出，期期直是气出之聲耳。玄應一切經音義卷一引聲類訓吃爲重言，言出諸口而重疊其音，乃所謂蹇難也。鄧艾稱名，每云艾艾，是爲重言。周昌未嘗稱名，而於語中夾以期期者再，且重疊其气出之聲，此見昌之病吃已甚；而史公之文，形容入妙，尤非後世所能及矣、舊唐書昭宗紀載錢珝進狀云：臣期不奉勅。又薛存誠傳云：臣期不奉詔。珝與存誠不聞口吃，而妄用期字，皆學史記而謬者。（待續）

作爲配方原則的「君臣佐使」

原著者　渡邊幸三

證類本草卷一序例中，引用神農本草經之文，舉出有關藥品配方的數條原則，其中「君臣佐使」亦爲其原則之一。本來對於「君臣佐使」自古以來有種種不同的見解，非常混亂。本文之目的，即爲究明種種解釋之源流，尋求這些解釋的歷史變遷，並將之整理，茲分別叙述於後。

神農本草經的君臣佐使

神農本草經序文的首段，即載有君藥，臣藥，佐藥的規定：「上藥120種，爲君，主養命，以應天，無毒，多服久服不傷人，欲輕身益氣，不老延年者本上經。中藥120種爲臣，主養性，以應人，無毒有毒斟酌其宜，欲遏病補虛羸者本中經。下藥125種爲佐使，主治病，以應地，多毒，不可久服，欲除寒邪氣，破積愈疾者，本下經。」此乃以神仙的藥效爲標準而分「上、中、下」，「君、臣、佐使」三品。按本草學，最初乃是以不老長生爲理想，附隨神仙之說而發達，故其以神仙的藥效爲分類之標準，似不足爲怪。神農本草經即以此爲標準，將365種藥分爲君、臣、佐使，君藥爲上經，臣藥爲中經，佐使藥爲下經。

神農本草經中在上記之文以後，關於諸藥配方的原則並記有：「藥有君臣佐使，以相宣攝，合和者，宜用一君二臣五佐，又可一君三臣九佐也。」此乃按敦煌出土本草集註序錄之文，按大觀本草則「五佐」爲「三佐五使」「九佐」爲「九佐使」。在日本古抄本千金方及梶原性全之頓醫抄所引本經之文均與敦煌本相同，即「五佐」「九佐」，故當以此爲準」。至於大觀本草或爲宋人所校改的。

總之，神農本草經內各君臣佐使之藥相互作用以發揮藥效，調劑時以君藥一、臣藥二、佐使藥五爲比例，或以君藥一，臣藥三，佐使藥九爲比例。要之，本草經中之君臣佐使是給以每藥之地位，而分爲君臣佐使，並非依處方內所佔之藥的效能，故每藥之爲君臣佐使並不依處方改變而改變；如此意義之君臣佐使，在本草序例抄中稱之爲「三品的君臣佐使」或「本草的君臣佐使」。

素問的君臣佐使

素問卷22至眞要大論中載：「帝曰：方制君臣何謂也？岐伯曰：主病之謂君，佐君之謂臣，應臣之謂佐使，非上下三品之謂也。帝曰：三品何謂？岐伯曰：所以明善惡之殊貫也。」唐王冰更註有：「上藥爲君，中藥爲臣，下藥爲佐使，所以異善惡之名位，服餌之道，當從此爲法，治病之道，不必皆然，以主病者爲君，佐君者爲臣，應臣之用者爲使，皆所以成方用也。」其中所記之君、臣、佐使與前所述神農本草經之依神仙服食之優劣所分之「三品的君臣佐使」逈乎不同，此可謂之「治病的君臣佐使」，即在某處方內有治病主效的藥叫作君藥，輔佐此君藥的叫做臣藥，與臣藥相應的叫佐使藥；因之，此治病的君臣佐使，係由病的不同而決定藥的君臣佐使，例如在某一處方內的佐使藥在另一處方內即可爲君藥或臣藥，並非以藥自身而定其爲君、臣、佐使，乃依在處方內的地位之不同。同一種藥隨時可爲君或臣或佐使。此點與上述的神農本草經「三品的君臣佐使」大有不同。

如此「治病的君臣佐使」之思想，並非始見於素問，早在「莊子」卷八徐無鬼篇即有此種記載：「藥也，其實堇也，桔梗也，雞壅也，豬苓也，是時爲帝者也，何可勝言。」晋人郭象更註有：「當其所須，則無賤，非其時，則無貴，貴賤有時，誰能常也。」又唐陸德明之莊子音義所引晋司馬彪的註：「藥草有時迭相爲帝，謂其王相休廢，各得所用。」要之，即藥物在處方內，有治病的主效時即爲帝君，不然之時則爲臣或佐使，並非依藥而定位也。此與上述素問「治病的君臣佐使」同一淵源。此莊子徐無鬼篇大約是秦漢之間的作品，故推知「治病的君臣佐使」可能是紀元前三、四世紀時始有之。此實中國醫藥學史上可注意的事。

然而，關於對於怎樣的病，某藥應爲君？或應爲臣或佐使？素問中並未說明，或因病本不一，不能一概而論之故。但在至眞要大論編中仍記有：「帝曰善，治之奈何，岐伯曰，諸氣在泉，風淫于內，治以辛凉，佐以苦，以甘緩之，以辛散之。………」由此一連串文字觀之或即爲對怎樣的病，應用怎樣的藥爲君或臣或佐使之一種暗示。

素問至眞要大論篇更記有關於治病的君臣佐使的配方比例原則：「岐伯曰：……君一臣二奇之制也，君二臣四偶之制也，君二臣三奇之制也，君二臣六偶之制也……」「岐伯曰：君一臣二制之小也，君一臣三佐五制之中也，君一臣三佐九制之大也。」在此治病的配方比例原則較神農本草經中記載者多多，正如至眞要大論中說：「岐伯曰：氣有高下，病有遠近，證有中外，治有輕重。」治病服藥較神仙服食複雜得多了。

如上素問中「治病的君臣佐使」的配方原則或叫做「合和的君臣佐使」終成爲處方上之一原則，後世仍遵奉之並有不少發展。例如：金時，成無已的明理藥方論序中所謂：「大、小、緩、急、奇、偶、複」等七方即係以素問爲根據的。

關於素問至眞要大論篇竟爲何時所作？今尙不能十分明確，但由上文中「……非上下三品之謂也。帝曰：三品何謂？岐伯曰：所以明善惡之殊貫也」。據這一段推之，此篇乃受神農本草經的影響，而神農本草經大約是後漢的作品，也就是公元三世紀左右，那末，素問至眞大要論之此段文字或較本草經更晚，約成於漢魏之間。

傷寒論和君臣佐使

傷寒論爲後漢獻帝建安年間（196—219）南陽人，張機（字仲景）所著；考晉名醫皇甫謐甲乙鍼經之序：「漢張仲景，論廣湯液，爲十數卷，用之多驗，近世太醫王叔和，撰次仲景遺論甚精，皆可施用。」又梁之名醫陶弘景著本草集註序錄亦記有：「張仲景一部，最爲衆方之祖宗。」由此看來，可見張仲景確是漢代一位名醫，其著作可能經晉王叔和改編過。又隋書經籍志中有「張仲景方十五卷，（仲景後漢人）」之記載，又謂著有「張仲景辨傷寒十卷」，可見張仲景的著作有兩部：現存隋時之張仲景方，及已佚的辨傷寒。據舊唐書經籍志及新唐書藝文志均載有：「王叔和張仲景藥方十五卷」，此書或即與隋書經籍志所記之「張仲景方十五卷」所指同爲一書。

又開元九年（721）舊唐書經籍志雖未提仲景有論傷寒關係的著錄，但新唐書藝文志中，在「王叔和張仲景藥方十五卷」之下則記有「又傷寒卒病論十卷」。

綜合以上觀之，隋書中的「張仲景辨傷寒十卷」大約即爲新唐書中的「傷寒卒病論十卷」，自梁以後至唐初不甚流行，至開元以後才流行漸廣。

又由唐初的醫書觀之，如孫思邈的千金方中卷九傷寒第九發汗吐下条後有：「江南諸師秘仲景要方不傳，」此「仲景要方」或即指「仲景辨傷寒」而言，可見仲景之辨傷寒在唐初雖有，然一般流行不廣。

孫思邈爲了增補千金方又在二十餘年後作了千金翼方，其中卷九傷寒上中有「論曰：傷寒熱病自古有之……至於仲景特有神功尋思旨趣莫測其致，所以醫人未能鑽仰，嘗見太醫療傷寒，惟大青知母等諸般冷物投之，極與仲景本意相反，湯藥雖行百無一效。傷其如此，遂披傷寒大論鳩集要妙，以爲其方。」此處所說「傷寒大論」即在千金方中所謂「江南諸師秘仲景要方不傳」之「要方」，亦或即隋書中之「仲景辨傷寒」。又觀千金翼方之傷寒記載與傷寒論中甚爲一致，故頗疑此即新唐書所稱之「傷寒卒病論」。

還有比千金翼方稍晚，在天寶11年（752）所成之王燾外台秘要中，曾多處引用千金翼方中同樣文字，並冠以「仲景傷寒論」之題目，由是可證明上述推論可能正確。

由以上所述綜合之：傷寒論即係仲景辨傷寒一系之書，由張仲景著作，至晉王叔和以及六朝諸人增添而成。

今由傷寒論所載諸處方觀之，傷寒論並不受前記的神農本草經之一君、二臣、五佐，一君、三臣、九佐，以及素問之君一臣二，君二臣四，君二臣三，君二臣六，君一臣三佐五，君一臣三佐九，等等配方原則之支配，而是依病症不同自由配劑，似乎脫離了中國特有的數學的宇宙觀的支配，而以經驗爲主，自由配劑。當然在處方中也不免有一君二臣九佐等偶然出現，但此可能是由後人補入的；原則上是不受一君二臣五佐等限制的。這樣事實也說明了張仲景之辨傷寒乃是經驗的，實用的，依病症之不同而配劑的。也可見傷寒論不僅用陰陽五行爲其組成原理了。

其後君臣佐使思想的變遷

如上所述，在漢魏之間，關於醫藥說中的君臣佐使，均已有明確之內容：即神農本草經依神仙之藥效而規定君臣佐使；屬於中國傳統醫學的素問則依醫療的藥效而給以君臣佐使之名；受西域影響的張仲景辨傷寒則完全不受君臣佐使的約束。

隨着時代的前進，此三種醫藥說相互影響，融合同化之結果，無論是對君臣佐使的概念，或配方原則漸趨模糊甚至混亂，其中尤以神農本草經之君臣佐使爲最甚。以下將此變遷約略述之。

梁陶弘景在其所著本草集註中，一方面固然在肯定的立場解說了神農本草經中君臣佐使的性格及其配方原則，但另一方面，在其「藥有君臣佐使章」的解說中却說：「而檢世道諸方，亦不必皆爾。」認爲按照神農本草經的君臣佐使的原則在實際上是不適用的。又在序錄之末，表示諸病適應症的「百病通用藥表」中也完全不依照神農本草經的君臣佐使而舉出了經驗治病之藥。此即陶弘景在表面上雖利用本草經而肯定了其君臣佐使，但實質上則完全不依其君臣佐使而應用。如此，陶弘景的矛盾則由何而生呢？

正如以前所屢述的神農本草經中的君臣佐使及其配方比例的原則，無論如何是以神仙服食爲標準而定的。但是由於時代的前進，神農本草經漸漸地被用作醫藥之用，即一方面承認神仙的三品的名位，而另一方面却利用爲別一目的醫療用途：陶弘景即爲此矛盾之代表。

這樣認識矛盾，並解決此矛盾也是自然的趨勢。於此最可注意的是藥性論。藥性論的著者雖未詳，但可推知爲隋唐之間的著作。此書現雖不存，然由證類本草所載的嘉祐本草註中引用的語句，可窺知其一斑。

今觀嘉祐本草所引的藥性論，例如：在神農本草經中做爲君藥的消石茯苓等則被改爲臣藥；本草經中做爲佐使藥天雄等藥則被改爲君藥；桔梗，葶藶等佐使藥則被改爲臣藥。如此，一方面固然名義上衍襲了神農本草經中各藥君臣佐使三品類別的傳統，但爲了適應醫療的目的，又將各藥改變了君，臣，佐使的品位，以彌補之。宋沈括著的夢溪筆談卷26藥議中，曾批評藥性論關於君臣佐使的三品分類說：「藥性論，乃以衆藥之和厚者，定以爲君，其次爲臣，爲佐，有毒者多爲使也。」（沈括依一君，二臣，三佐，五使的神農本草經爲標準，故又將佐和使分開。）然而實際上，藥性論中却有「丹砂君，有大毒。」「石胆君，有大毒」「天雄君，大熱，有大毒。」等等，並非完全依沈括之言。藥性論實亦一方面爲了保存三品分類的傳統，而又爲了將神農本草經適合於醫療的目的故而將其品位改變。但又因保守三品分類的傳統故其改變是有限度的。而沈括似完全忽視了三品分類，純粹站在醫療的立場來評論藥性論，故有「和厚者定爲君……」之語。

又日人梶原性全著的頓醫抄卷49「諸藥祕傳依本草」章，雖不詳其依據何種本草書所寫，但由其引本草序錄的文字多與敦煌本草集註相合，似與證類本草不同，故推知大約是依據唐本草而成。在其「諸藥祕傳依本草」中也記載了各藥的君臣佐使，如本經中作爲上品的芎藭，黃連，肉蓯蓉，防風，蒲黃，决明子，丹參等則被改爲臣藥。又本經中本爲臣藥的欵冬花，肉豆蔻，則被改爲君藥。這也是一方面保持了神農本草經的三品傳統一方面爲了使其適應治療目的，而作了部分的改變。

總之，隋唐以來本草書中既保存了傳統的本草經的三品分類，而又爲了適合醫療目的而將各藥君臣佐使品位改變，蓋因當時之本草書雖已被用爲醫藥的目的，但神仙的觀念尚殘存，故尚不能將三品分類完全廢除。然而至宋以後則本草經完全被作爲醫藥之目的應用，神仙的色彩只不過呈具文形式存在而已，似已完全不被重視，例如在嘉祐補註本草總叙中：「凡藥舊分上中下三品，今之新補，難於詳辨，但以類附見。」可見完全漠視了三品的分類。

對於三品分類既不重視，同時也忘却了本經中的「君臣佐使」「一君二臣五佐」「一君三臣九佐」是爲了神仙服食，而解釋爲醫療的君臣佐使，例如：宋沈括的夢溪筆談中：「舊說，一君二臣三佐五使之說，其意以謂，藥雖多，主病者專在一物，其他則節級相爲用。」以後很多的醫藥書中都將神農本草的君臣佐使和治病的君臣佐使相混同，即使日本博學的漢醫學家多紀元堅氏，在其藥治通議卷十「君臣佐使」中，也犯了這個毛病。

此外，更有人將全無君臣佐使思想的傷寒論的處方，而以君臣佐使之原則說明之，或將醫療爲目的的素問中的君臣佐使，而以神仙服食的君臣佐使說明之，此等錯誤屢見不鮮，但一見即明，此處不必詳述。

總而言之：君臣佐使的思想的源流，共有爲神仙服食的，爲治病的，和不受君臣佐使約束的三個系統，應當分別清楚防止混同。

（程之範譯自日本東洋醫學會誌，三卷二號四卷一號合冊〔1953年五月號〕）

醫史科學對於蘇維埃醫生的意義*

原著者 П. Е. 查布路竇夫斯基

馬克思列寧主義教導我們認識一切現象要在其發展過程中去認識，要從歷史上去認識。

研究歷史，無論對科學地認識社會現象或自然現象都是必須的。我們研究過去，不是爲把它保存在博物館中，而是爲了根據過去的知識更深刻地了解現在，爲了獲得對過去評價的標準。同時，精通過去任何現象的發展規律，能幫助我們更好地了解它將來進一步的發展。

醫學和任何一種其他部門的知識一樣，並不是一成不變的永恒眞理的結合物。

在任何一個時期，醫學都是一切和人們疾病以及健康有關的知識的一定發展階段。因之，研究醫學，必須在其發展中去研究。

通曉醫學，也和通曉人類活動以及人類知識的任何部門一樣，必須包括切實認識它的歷史。

「……最重要的方法，就是不要忘記基本的歷史上的聯繫，而要對於每一問題都根據某種現象在歷史上怎樣產生出來，以及它在發展中經過了怎樣一些主要階段的情形去觀察，並根據它的這種發展情形去觀察究竟這個現象現在成了什麼。」（列寧全集第 29 卷，436 頁，第四版）

* * *

醫學史是與社會經濟結構的發展和改變相聯繫、與各民族的一般文化史相聯繫地去研究醫學活動和醫學知識的發展的科學。

醫學史指出醫學科學是如何在檢查、理解、綜合人民經驗的基礎上形成的；醫學科學如何因社會的經濟政治的發展而發展，如何在進步的科學唯物世界觀與非科學的唯心世界觀的鬥爭中發展。

醫學史既研究治療醫學的發展，也研究預防醫學的發展，它既包括醫學實踐的歷史發展道路，也包括醫學理論的歷史發展道路。

以辨別、治療和預防疾病爲目的的醫學實踐，和稍後由於醫學實踐的科學總結而產生的醫學理論，在歷史上緊密聯繫和相互作用地發展着。醫學實踐聚集了越來越多的資料，不停地供給醫學理論以新的內容，豐富了醫學理論，而同時向醫學理論提出新任務。發展中的醫學理論，也不斷提高其水平，改善醫學的實踐。

醫學史可以分爲通史和專科史。醫學的歷史發展上的一般問題，這個發展中主要的特有規律的發掘和基本的中心問題的研究，這些都是做爲一門特殊科學的，做爲醫學教育體系中的專門課程的醫學史的研究課題。另一方面，在任何醫學專科的課程中都有歷史問題，研究任何醫學部門都需要了解其歷史。醫學通史和屬於醫學個別部門的醫學專科史之間，有一種自然的區別，而同時又有着緊密的聯繫。醫學通史和醫學專科史不可分割地統一起來，共同構成了蘇維埃醫生醫學史教育的整個系統。

* * *

爲什麼蘇維埃醫生需要有醫學史知識呢？用什麼來武裝醫生的醫學史研究呢？

熟悉醫學的過去就可以了解，在歷史上，在人類勞動過程中，發生和發展了治療、辨別和預防疾

* 這篇論文是蘇聯中央醫師進修學院醫學史講座的一篇緒論。1947 年曾在蘇聯第一屆保健組織領導者訓練班上宣講，經過反覆修改後，又在以後的保健組織領導者講座上，以及中央醫師進修學院研究生、住院醫師和 1948 年中央醫師進修學院醫史教員第一期訓練班上宣講。以後更曾以縮減的方式在醫學研究院（明斯克，1951；斯大尼斯拉夫斯克，1952；阿爾漢格爾斯克，1953）的醫學史講座上宣讀；在塞馬西闊保健組織和醫史研究所中，此講演稿作爲緒論編入「醫史講座材料」教材中。這一篇緒論基本上適合於1951 年醫學研究院批准的醫學史提綱（序言及第一章）中的一部分。作者在這篇論文中淸晰地闡述了蘇維埃醫生學習醫學史的意義，很值得我國的醫務工作者、醫學教育家、醫史工作者一讀，做爲學習蘇聯的參考。

——譯者

病的實際本領和技能，以及關於疾病本質的概念。

了解醫學的過去，使我們可以注意到，這些本領和概念的發展，以及它們在每個時期中的狀況、與社會歷史過程、社會制度、生產力水平有着怎樣的關係；醫學活動的內容和方向，以及醫生的社會地位如何在與這些條件直接聯繫之下發生改變。

過去的醫學，指出人們的宇宙觀——某些哲學觀念，對於人們關於疾病和健康的概念的發展上有什麼影響，關於自然界——整個的自然科學和其個別部門，首先是生物學——知識的情况和發展，對於人們的疾病和健康觀念的發展有什麼影響。

過去的醫學，根據數世紀來醫學實際和醫學科學發展的豐富經驗，提醒醫生們不要沒有根據地倉促地作出總結，不要在個別的科學發現中（即便是大發現也好）尋求萬應藥；提醒醫生們不要誇大個別的（即便是非常重要的）診斷方法和治療方法的意義，後者在醫學的長期歷史發展道路中常常發生（如誇大最近十年來顯微鏡、化學和一般實驗室分析，微生物學的作用，以及疫苗、生物製劑等作用）。醫學史的知識使醫務工作者免於錯誤，武裝醫學活動家去尋求新的東西，成功地前進。

醫學史用在偉大發明（血循環、合理的繃裹傷口、種痘、麻醉、防腐，以及各別病原的發現和傳染途徑等）四週進行的殘酷鬥爭爲例，確鑿地給醫生指出關於醫學科學的發展與社會鬥爭的聯繫，培養醫生使之覺悟到必須反對守舊思想、墨守成規、陳腐過時的權威思想的統治。「科學之所以稱爲科學，正是因爲它不承認偶像，不怕推翻過時的舊物。」（斯大林，列寧主義問題，第502頁，11版）。「在科學發展中有不少勇敢人物，不管有何等障礙，都能不顧一切而打破舊說，創立新說。」（斯大林在克列姆里宮招待高等學校工作人員的演說，1938年5月17日）。

醫學史生動地顯示出蘇聯民族醫學的獨立性，首先是偉大的俄羅斯民族醫學的獨立性，以及它所固有的進步特徵；這些特徵已然在早期階段表現出來，如對病人的人道主義，社會方向等。

同時，醫學史還指出祖國（蘇聯）醫學在世界醫學發展中的意義，以及和世界醫學的相互關係。斯大林、日丹諾夫、基洛夫對歷史教科書的指示，確定了這種關係的意義：「我們需要這樣的蘇聯歷史教科書，在這本書裏，大俄羅斯人歷史不與蘇聯其他民族的歷史相分離，這是第一。蘇聯各民族歷史也不與整個歐洲歷史相分離，並且一般的也不與世界歷史相分離，這是第二。」（斯大林、日丹諾夫、基洛夫對於蘇聯歷史教科書提綱的一些意見，「歷史研究」論文集，國家政治書籍出版局，24頁，1938年）。

醫學史顯示出我們祖國醫學的豐富遺產，認識祖國學者的傑出工作和發明，這些工作和發明，是在沙皇制度下的艱難困苦條件中，在物質條件極其缺乏，得不到承認，甚至是在受迫害的情况下完成的。

醫學史教育蘇維埃醫生對祖國醫學科學，以及祖國醫學活動家的正確的自豪感；這些活動家不僅僅是對醫學有珍貴的貢獻的學者，而且是英雄，是熱心者，是在科學事業中和普通的醫學實際活動中，自我犧牲的偉大範例。如敏霍（Г. Н. Минх）和莫楚托夫斯基（О. О. Мочутовский）在自己身上做英勇的實驗，首次證明了吸血昆蟲傳染寄生蟲傷寒（斑疹傷寒、回歸熱等——譯者）。還有塞瓦斯托坡里（Севастополь）的護士們，他們效法鼓舞她們的彼洛郭夫的榜樣，是世界史上第一批在戰場上服務的婦女。蘇維埃醫務工作者——偉大衛國戰爭中的男女英雄，傑出的蘇維埃醫學活動家和無數普通的實地工作人員，表現了更崇高的特質。

醫學史發現了祖國醫學有無數的優先權（發明，發見），而這些優先權常常是我們認識不足的；資本主義國家的敵對性的御用「科學」，對這些優先權保持緘默，並經常攫爲己有。醫學史在顯示類似這樣的事實的同時，還反對對眞正醫學發展的捏造，捍衛我們祖國醫學科學和醫學活動家的榮譽和成就。

醫學史根據無數的事實，使我們相信祖國醫學的這些成就絕對不是偶然的，而是整個俄羅斯文化和科學主導的進步方針的規律性的結果。進步的俄羅斯學者雖然在沙皇制度的艱苦條件下，仍然克服官僚的作難和警察的壓迫，成功地工作着；因爲他們是被社會進步的同情氣氛所圍繞，受進步輿論所支持，並且大半是處於進步的影響下，而在某些場合中，是在革命的環境中。如19世紀下半葉我們的臨床醫學和醫學理論家斗包特金和謝巧諾夫，就和革命的民主黨人聯繫，並且受到他們很大的影響。

醫學史教導我們正確地了解我們蘇維埃醫學——社會主義時代的醫學，在醫學發展中是本質上新的，最高的階段。

醫學史指出醫學過去的全部發展所提出來的最大的，進步的任務，在社會主義時代裏，在更高的水平上，得到了實現；同時，在體現黨的綱領的基礎上，在黨和政府、列寧、斯大林對蘇維埃人民，對蘇維埃科學發展的無限重視和關懷的條件下，爲安排和解決醫學實踐和醫學理論的新的大規模的任務創造了條件，而這些是過去在社會主義以前所不能想像到的。現代醫學科學的基石——進步的巴甫洛夫學說，在社會主義條件下興盛了起來，並且在繼續發展着。

醫學史顯示出蘇維埃醫生，蘇維埃醫務工作者的一切巨大的主要的優越性；他們是社會主義社會保健事業的建設者，他們和以往世紀的醫學家不同，因爲以往世紀的醫學家是剝削制度條件下的聯營社參加者，而且在大多數情況下，是享有特權的統治階級的僕役。

醫學史確鑿地指出隨着今後社會主義社會向共產主義繼續前進中，爲解決全部疾病問題，爲全面地鞏固勞動人民的健康而創造前提。

研究醫學史幫助蘇維埃醫生武裝起來，反對資本主義國家反動醫學的敵對影響，反對現在準備爲强盜的侵略戰爭和仇視人類的種族主義而服務的醫學。

醫學史的知識武裝蘇維埃醫生去反對向當代的反動資產階級醫學卑躬屈節的最小的現象。一方面反對帝國主義侵略者所培植和宣揚的僞裝斷友的世界主義，而另一方面反對資產階級的種族主義。

醫學史用正確地了解蘇維埃醫學的進步的主導的作用，來武裝我們的醫生，用了解蘇維埃醫學對資本主義國家醫學的巨大優越性，來武裝我們的醫生，其所以有如此巨大的優越性是因爲我們的社會主義社會制度、國家和社會主義思想起着主導的進步作用。醫學史培養並且加强蘇維埃醫生理所當然的自豪感和蘇維埃愛國主義感。

* * *

研究醫學史與徹底的黨性有着密不可分的聯繫，蘇維埃醫生在其全部實際工作和科學工作中是以黨性爲指導。

科學(其中包括醫學和醫學史)中的黨性。使得「……對於事件作任何估計時，必須率直地坦白地站在一定社會集團的觀點上。」(列寧全集，第一卷，380—381頁，第四版）。黨性要求在兩種制度鬥爭中，公開地站在社會主義方面，站在爲徹底解放勞動人民的戰士行列中。研究歷史與現在的任務相脫離是完全不能容忍的。我們看過去，不把它誇大，也不縮小；而是要用我們偉大蘇維埃時代人的眼光去看過去，要用馬克思列寧世界觀的立場去看過去；這種世界觀是較早期各階段科學的過去全部科學發展的頂點，總結和概括。我們從馬克思、恩格斯、列寧、斯大林所闡明的歷史發展的客觀規律出發。

在醫學史的研究中，只有貫徹到底的黨性才能用眞正科學地了解過去的醫學來武裝我們，才能把對過去發展的科學了解，變爲我們現在的工作和鬥爭的眞正武器。

* * *

我們正處在世界尖銳地分成兩個陣營的時代。

「在政治方面，戰後時期形成了兩個陣營，——一個是以美國爲首的侵略的，反民主的陣營；一個是愛好和平的，民主的陣營。」（革·馬·馬林科夫，黨第十九次代表大會關於聯共（布）黨中央委員會的工作報告）。

世界上尖銳地劃分成兩個在利益上和意圖上對立的陣營，不僅表現在政治和社會經濟方面，而且也同樣尖銳地表現在文化、科學和思想方面。歷史科學領域是思想鬥爭進行得特別緊張和尖銳的地方。

目前，世界上各種各樣的反動勢力，採取歷史的武器，企圖利用這個武器反對民主和進步力量，而首先是反對我們國家。帝國主義國家中的反動份子和黑暗勢力，從遺忘中尋出過去反動的學說和各式各樣唯心的神秘思想，特別是在醫學中的，企圖使它們復活起來，企圖把它們變成仇視人類目的的武器。他們更企圖冒充過去一切光榮和英勇的民族的繼承者；他們企圖削弱其他國家中的人民民主運動，剝奪他們的傳統和繼承性，並以此在精神上和政治上削弱他們。黑暗勢力和反動份子們首先盡最大努力捏造我們國家的歷史，其中包括我們國家的文化科學史。

在醫學科學中，我們同樣看到好戰的反動派力圖曲解歷史的眞相；他們如此地介紹醫學的發展，爲的是鞏固黑暗勢力和思想上、政治上的反動勢力。

英美以及其他種族主義者，繼承了已被擊碎的德國法西斯種族主義者的「思想武器」，極力揑造我們國家人民過去的歷史，歪曲我們國家人民過去的歷史，輕視和抹煞我們祖國的偉大世界功績以及祖國在文化中、科學中的功績，其中包括醫學活動家的功績。

我們應當給這些企圖以回擊，並且按照歷史的眞相把我們目前的鬥爭和建設聯繫起來，與我國人民優秀的進步的傳統聯繫起來，與全人類的先進部分聯繫起來。我們應當很好地用過去的知識武裝自己，不要把這個武器委於敵人的手中。歷史問題中的虛無主義不是我們的旗幟。馬克思、恩格斯、列寧、斯大林的學說首先奠定在通曉和正確了解人類歷史和社會發展規律的牢不可破的堅固基礎上。

我們應當研究和通曉我們所繼承的一切（我們的祖先遺留給我們的一切）；應當知道我們過去有很多進步的珍貴的東西，並且沒有權力做不合格的繼承人。「只有通曉人類所積累起來的知識才能成爲一個共產主義者。」（列寧全集，29集，262頁，第四版）。

* * *

我們研究醫學史的時候，應當永遠記住，醫學中的某些學派，醫學科學中某些代表者的活動與哪一些社會集團的利益有關。

列寧教導說：「在每一個民族文化中都有兩種民族文化。有普里什克維奇（Пришкевич）輩、古契可夫（Гучков）輩和司徒盧威（Струве）輩的大俄羅斯文化，——然而也有以車爾尼雪夫斯基（Чернышевский）和普列漢諾夫（Плеханов）爲代表的大俄羅斯文化。在烏克蘭也有這樣的兩種文化，正如在德國、法國、英國和在猶太人那裏也有這樣兩種文化一樣。（列寧全集，第20卷，16頁，第四版）

「……在俄國除去有反動的人物以外，還有革命的人物。俄國曾經產生了車爾尼雪夫斯基、熱里雅波夫（Желябов）、烏里揚諾夫（Ульянов）、哈爾圖林（Халтурин）和亞歷克塞耶夫（Алексеев）。所有這些人使俄羅斯工人的心中產生了革命的民族自豪感，它能撼動山岳，它能創造奇蹟。」（斯大林全集，第15卷，25頁）。

例如，過去俄羅斯醫學中的生理學家威爾蘭斯基（Велланский 19世紀上半葉），他是雪林（Шеллинг）唯心哲學的代表。雪林在科學中表現了尼古拉一世的制度的反動傾向。但是，不是反動份子決定了我們的醫學科學發展的基本道路，他們不起主導作用。俄羅斯醫學曾擁有很多進步科學家和革命科學家，曾經有偉大的俄羅斯臨床家，與當代進步社會潮流匯合的包特金；生理學中的戰鬥唯物論者，因爲科學言論和社會活動而受沙皇政府迫害的謝巧諾夫；民意黨人和職業革命家，傑出的蘇維埃生物化學家巴哈（А. Н. Баха）；今日健在的，既是社會生活中也是科學中的革命戰士勒柏辛斯卡婭（О. Б. Лепешинская）；現在和將來永遠被紀念的蘇維埃保健奠基人和理論家、科學家、醫生、共產黨員塞馬西闊（Н. А. Семашко）和索洛甫耶夫（З. П. Соловьев）。我們在通曉醫學過去任何代表人物的活動的同時，應當永遠記住和懂得當時的代表屬於列寧所指出的「兩種文化中」的那一種代表，他們與「兩種文化」中的那一種文化相聯繫，或者與當時趨勢中的那一種趨勢相近。

研究我們祖國醫學的過去的時候，我們應當記住，在人民及其優秀代表的創造力量和利用這種力量的可能性之間存在着巨大的不協調現象；在沙皇統治時，在剝削制度摧殘人民才能的條件下，在人民中所蘊藏的力量只有極微小的一部分表現出來。醫學科學中，對我們最寶貴的是那些在艱難的條件下所獲得的巨大成就；對我們最寶貴的，特別是繼偉大的羅曼諾索夫（М. В. Ломаносов）之後，從人民中，從民主階層中出來的我們的泰斗的活動，如薩穆伊羅維奇（Д. С. Самойлович）和穆德洛夫（М. Я. Мудров）；他們的成就超過了其他國家的醫學。此外，能以個人的力量戰勝巨大的困難，在科學中佔有應得地位的祖國的無數普通的熱心科學者，對於我們也是同樣珍貴的。

到了我們的蘇維埃時代，越發的放出光輝在偉大十月社會主義革命後開闢了戰勝各種疾病的現實前途。研究醫學史讓我們知道蘇維埃時代醫學的全部內容是在祖國和全部世界醫學發展中新的最高的階段。

蘇維埃醫學和保健的成就是社會主義基本經濟法則的表現之一，這個經濟法則的內容是：「用在高度技術基礎上，使社會主義生產不斷增長和不斷完善的辦法，來保證最大限度地滿足整個社會經濟增長的物質和文化的需要。」（斯大林，社會主義濟經法則，第40頁，1952年）。

了解過去和現在醫學的發展道路後，醫學史就會在今後徹底戰勝疾病的前進運動中，在共產主義制度的條件下真正使人類健康化的前進運動中來武裝我們。

* * *

我們在研究醫學的歷史發展的時候，應當遵循黨關於思想問題的決定和指示，特別是關於研究歷史的指示和決定。我們遵循馬克思列寧主義的世界觀，這個世界觀用認識自然和社會發展規律性的科學方法來武裝我們。醫學史遵循着辯證唯物論和歷史唯物論的方法，利用各種獨特的研究方法，能够更深刻地了解所研究的現象依賴於所考察的材料。

例如，我們對一定時期的醫學文獻進行目錄學的研究，爲的是確定它的特徵和它們在這個時期內的變化。當我們需要知道一定現象的數字規律時，如流行病，患病率和死亡率的變化，我們要應用統計學。爲了理解醫學名詞的發展，某些醫學名詞的起源，這些名詞與該民族其他語彙的聯繫時，我們就要利用語言學的研究。考古學幫助我們在研究古代物質文明的時候，了解該時代的生活衞生水平和醫學的物質設備（如衞生建築，在相當程度上反映醫學活動內容和醫生知識水平的醫療器具等等）。我們也要熟悉傑出的醫學活動家的傳記，爲的是從他們的生活和鬥爭中更清楚地看出該時代醫學實踐和醫學科學的社會環境和發展條件。

醫學史的研究來源是非常多樣的。首先是傑出醫生們的出版著作，醫學定期刊物，醫學學會和社團的著作，治療機關的報告等等；與此相類似的檔案材料也有關係，因爲許多有意義的材料是沒有被出版的，而是以原稿的形式收藏在檔案中。

醫學史不能只限於單獨研究醫學文獻，因爲大部分主要與醫學發展有關的材料，可以在其他科學部門的文獻中發現。

偉大的俄羅斯學者羅蒙諾索夫不是醫生，但是他的著作對18世紀俄國的醫藥衞生事業情況和任務提供了深刻的研究（關於俄羅斯民族的增加和維持），並對其他與當代醫學有關的各別問題有很深刻的研究（論玻璃之益的信）。

研究過去的軍事醫學（在許多情况下是國內的軍事醫學），不能不仔細地熟悉軍事文獻，因爲在這些軍事文獻中，也常可以發現有關醫學性質的詳細報告（戰役的記錄材料中關於武裝力量的情况等）。偉大的俄羅斯統帥蘇沃洛夫（А. В. Суворов）的「科學戰勝」一書中有顯著的篇幅論及士兵的健康及其保護和鞏固。

在古代諾夫哥羅得(Новгород)城的「抄本書籍」中，引證了該城手工業（行會）表冊；在很多其他的表冊中我們遇到關於這樣的職業記載，如「放血人」、「馬醫」、「接骨匠」等等(В. А. Рыбаков，古代俄國手工業，第558頁等，科學院出版，1948)。這樣，我們可以從「抄本書」中得到俄國當時有何種醫生活動存在的知識。

傑出的醫生們的活動，反映在一般的非醫學的科學書籍和文藝書籍中，有時不少於醫學專門書籍。爲了全面地週到地了解醫學活動家的特點，常常須要熟悉這些出處。如在車爾尼雪夫斯基的小說「怎麼辦」中對於謝巧諾夫的描寫，在賽爾吉耶夫——岑斯基（Сергеев-Ценский）的「塞瓦斯托波里的災荒」中的彼洛郭夫。

普希金（А. С. Пушкин）的未完成作品「瘟疫中的筵席」對中世紀的流行病，做了鮮明的描繪。

除去文藝書籍之外，美術作品也可以做爲研究過去醫學的根源。如19世紀後半葉俄羅斯現實派「流動展覽畫家」的作品中，可以找到不少反映當時生活衞生因素的圖畫，特別是關於俄羅斯鄉村的（如 Соколов 的「在田野上分娩」等）。在荷蘭和法蘭達斯（Фламандский）油畫中可以找到同樣的題材，以及醫生和解剖家的畫像，解剖台等圖片。

許多次在歷史上常常起過很大作用並且鮮明地銘記在當時社會意識中的瘟疫大流行，常常反映在非醫學文獻中——在年鑑、回憶錄、傳說、歌曲，以及文藝作品中。

醫學史研究所採用的一切材料，需要經常和其他材料對比，並需要用批判的態度，因爲在闡述事件和活動家的特點時，這些材料中常常表現出作者主觀的（私人的或集團的）見解。

批判的態度——可靠程度的分析，與其他材料的對比——是科學地利用歷史資料的必要條件。

上面所舉的史料是屬於當人類已經掌握了文字——最重要的記錄事實和文化交流的工具——的時代。

關於沒有文字以前更古老的時代，人民的史詩和俚言著作可以作爲史料。

在研究人類遠古時代的醫學時，物質文化的產物(勞動工具，日常生活用具、人民創造的作品——模型、粗陋的而有時是精巧的圖畫等等）具有很大的意義。爲了研究人類有史以來和史前期的遠古時代而做的考古發掘，以及代表人們生活條件的一般物品，可以得到判斷當時發生的某些疾病的寶貴材料（如發掘出來的骨骼上有一定疾病的痕跡，古廟中發掘出來的病人器官模型等等）。

就在這些發掘中，常常碰到遺留下來的古代醫療器械，護理病人的用具等等。這樣的物品可以在我們國家的領土內和其他很多國家內發現。如在發掘克爾奇（Керчи）附近的庫里——奥柏斯基(Куль-Обский）土崗時發現了斯基台人（Скифский 人是黑海北岸之古代遊牧民族）埋葬的遺留物品，其中有保存得很好的帶有醫學圖畫的花瓶——拔牙，包紮傷員等等。從這些圖畫中可以了解到斯基台人一些醫藥救助形式。

在沃龍涅什（Воронеж）附近的寇斯秦克（Костенк)、阿爾明尼亞(Армения)和格魯吉亞(Грузия)、中亞以及其他許多地方的發掘，也發現了類似的物品。

在諾夫哥羅得城的發掘，發現了水管，是11—12世紀的。這些發掘表明了，在古俄羅斯有些城市中的衛生福利設施（水管、鄉村的街道等），超過了中世紀時北歐和中歐的許多國家。

由此可見，醫學史廣泛地利用各該時代、各民族和各國的通史資料。

*　　*　　*

研究歷史，特別是醫學史，最重要最必須的要求之一就是用一定的顯明的不同於其他時期的特點來分期。正確的分期是科學的歷史研究的基本前提。我們把通史（所謂國史）的分期做爲醫學史分期的基礎。醫學實際活動和醫學理論的發展，和通史過程是經常地密切聯繫着。社會制度、生產力的情況，技術的改進和發明、科學有關領域內的知識水平，都影響醫學發展的性質和水平。非常明顯：醫學實踐和醫學理論的情況，提示在人們面前的任務和解決這些任務的可能性，醫務工作者的勞動條件，以及他們在不同社會經濟形式中的社會作用應當是迥然不同。因此，我們在研究醫學史的時候，首先根據適應人類歷史一般進程的世代來分期，即按照基本的社會經濟結構來分期。

這些結構是：原始公社制度、奴隸制度、封建制度、資本主義制度、社會主義制度。醫學在其中的每一種結構中都具有特殊的，與衆不同的特徵；這些特徵區別於其他結構中的醫學特徵。但是在每一個結構的範圍內的醫學實踐和醫學科學，由於該時期範圍內所發生的經濟、科學、技術的變化而顯著地變化着。譬如，醫學在 19 世紀中得到了巨大的變化，雖然這時的社會經濟結構還是資本主義。如工業的迅速發展，無產階級和資產階級之間的階級鬥爭的加强，城市的急遽增長，這些現象不能不對醫學有巨大的影響，事實上也確實影響了；因此發生了一系列新的社會醫學和衛生學的問題。自然科學（物理、化學、生理學）的巨大成就，更進一步地發生了微生物學以及與它相聯繫的免疫學，防腐術和無菌術等——重新武裝了醫學，並賦予醫學以全然新的面貌。到了 19 世紀末期，醫學理論和醫學實際就獲得了與 19 世紀初期全然不同的形式和特徵。

所以我們把每一種社會經濟結構都分成具有某一些特徵的時期，這些特徵要求劃分出獨立的時期。如在資本主義範圍內，我們分成三個時期：資本主義勝利和確立到巴黎公社的時期；資本主義的衰落和它發展爲帝國主義到第一次世界大戰結束的時期；大戰以後是戰後帝國主義時期和資本主義經濟政治總危機，而同時是蘇聯社會主義建設勝利的時期。

如上所述按照社會經濟基本結構和按照每一種結構範圍內的時期而做的劃分，主要涉及到研究整個醫學發展的醫學通史。至於研究醫學獨立科目的發展的專科史，我們認爲除去按照社會經濟結構的一般分期外，還應當考慮到每門專科發展的某些特殊性。譬如，關於外科學，我們應當把傷口的治療分成發明火藥和應用槍砲以前和以後兩期，因爲創傷的特點以及與此相適應的創傷治療，在這兩個時期內是有着本質上的區別的。完全同樣的，醚和氯仿麻醉法的採用（1846—1847），在外科學的發展上也是一個重要的標誌，它把外科學分爲麻醉採用以前和以後兩個時期。防腐術和無菌術的採用也起了不少作用。這些在某門醫學專科發展中所獨具的特點，在按社會經濟結構一般分期的範圍內考察其歷史過程時不能不加以考慮。

醫學史明確地指給我們，醫學中所發生的改變和根本的變化，是由於社會生活中的改革和變化。在偉大的十月社會主義革命，以及和革命相聯繫的社會生活和文化各方面的大規模變化以後，在我國醫學的醫史發展中發生了最深刻的改變。

偉大的十月社會主義革命開始了新紀元——社會主義；關於這個新紀元恩格斯曾預言說，只有當人們轉變到眞正的人類條件，並且「只有從這時起人們才完全開始充分自覺地創造自己的歷史。」（恩格斯，反杜林論，267 頁，1948）。十月社會主義革命也給醫學歷史發展中開闢了一個新的階段。

* * *

一條巨大的鴻溝把現在的世界分成兩個陣營：帝國主義反動陣營和社會主義民主陣營。醫學史的文獻反映了這種深刻的區分。資本主義國家的醫學史文獻（教科書、參考書、專門論文、雜誌）極大多數站在反動立場。無論是在哲學著作和其他部門的科學著作中，或者是醫學史著作中，都表現了現代資本主義世界中的反科學傾向：否認歷史的規律性，企圖把科學與宗教和神秘主義聯繫起來，認爲並宣揚戰爭是「衛生的，使人類健康的」現象，妄圖統治世界的人們從被擊碎了的德國法西斯的「思想」武庫中，以及反動的唯心的維斯曼摩爾根學說中，剽竊來種族優劣論的鬼話。

但就是在沒有表現出現今資產階級「科學」的最明顯最醜惡的反動方面的那一部分醫學史文獻中，也暴露出一系列根本的它所不可避免的固有缺點。我們首先應當指出下列的缺點。資產階級的醫學史家不能，也不想——因爲他們懼怕這個——把醫學的發展與社會生活聯繫起來，與社會制度的變革聯繫起來。醫學史在根本上被他們表現爲個別的傑出醫生的換班，這些醫生好像不與社會生活條件相聯繫，並且在很大程度內是偶然地出現的，就好像是這些醫生所創立的學派和流派的一連串表冊。這就是歷史科學中的唯心主義觀點。19 世紀末期和 20 世紀上半葉德國的麥耳-石切涅（Мейер-Штейнег），朱得郭夫（Зудгоф）、巴格爾（Нагель）、法國的竇湄尼爾（Дюмениль）、梅民葉（Менье），勒涅爾-拉瓦斯丁（Леньель-Лавастин），美國的加里遜（Гаррисон），意大利的嘉斯提朗尼（Кастильони）等其他許多人的著作中都帶有這種特點。資產階級的客觀主義與他們的唯心主義直接相聯合。

客觀主義的特點是搬動外表的現象，缺乏階級的政治分析，這種分析可以使我們理解所研究的過程的實質和他們的內在規律性。

某些資產階級的醫學史家，在這種情況下，雖然也承認社會經濟和政治因素對醫學科學和醫學實踐發展的意義；但是他們同時又認爲醫學思想由於某些獨特的、完全孤立的內部規律而獨立發展，他們認爲個別醫學科學家和活動家的獨立作用好像完全不依賴一般歷史過程。社會經濟和政治因素的各種結合，被這些科學史家認爲本質上就是同樣價值同樣方式和同樣意義的因素。這是企圖無原則地把實質上不相調合的相反的觀點聯結在一起，並調合在一起的折衷主義立場。資產階級作家在許多場合下，在著作中收集了大量的從原著而來的材料，但是不願意，或者是不能够給這些材料以必須的科學的概括和分析，這些概括和分析只有從馬克思列寧學說的立場才可能做到。

照例，外國的資產階級作者對我們祖國醫學在世界上的貢獻避而不談，或者就完全曲解捏造我們國家的醫學及其活動家的形像。1947 年在日內瓦出版的法國醫史家竇湄尼爾（Р. Дюмениль）和包奈-盧阿（Ф. Боннэ-Руа）所編輯的「名醫」彙集，可以作爲近代的一個典型例子（見「新時代」，第 35 期，1950 年「醫學書籍中的冷戰」）。

在我們蘇維埃醫學史文獻中所發生的錯誤和有缺陷的思想，應當認爲與外國資本主義國家的現象有直接的關係。這個，首先和資產階級世界主義的敵對思想有關，這種世界主義正在美國的影響下，在資本主義國家中加緊地宣傳着。

資產階級的世界主義是反動的思想，它宣傳否認民族傳統，忽視各別民族發展的民族特殊性，否認民族的尊嚴和自豪感。世界主義鼓吹對自己的民族性，對它的過去，現在和將來的虛無態度。

反動的帝國主義努力削弱其他民族，並在精神上分解其他民族；削弱他們的民族自尊感和民族的傳統，而首先就在文化和科學領域中下手。

橫暴的帝國主義在用思想上的侵略來補充軍事和經濟侵略的時候，更企圖將其他民族的精神上的寶物掠奪一空，企圖證明這些民族的「能力低劣」，以及它們在文化上的摹倣性、依賴性。而帝國主義的這種侵略首先便朝向反對我們社會主義的祖國，反對我們蘇維埃人民。資產階級的世界主義千方百計地力求破壞和削弱蘇維埃人的愛國主義。世界主義的思想體系是有敵意的，並且根本上和蘇維埃人的基本特點，和蘇維埃社會的推動力量——蘇維埃愛國主義相矛盾。蘇維埃愛國者的職責是反對世界主義的最小現象，並反對對這種現象的容忍和調合的態度。

歷史科學的領域，特別是醫史科學的領域，是蘇維埃愛國主義與敵人的世界主義進行激烈鬥爭的最重要場所之一。

我們國家在醫學科學上，就像在許多其他科學創造領域內一樣，佔着先進的主導地位。在我們的社會主義建設中，應當研究、發展並採用一切人類文化的寶貴成就，醫學也在內。但是首先我們必須記住和研究我國人民、我國偉大的醫生科學家的卓越創造，每一個蘇維埃愛國醫生應當以此爲自豪。

在外國資產階級科學前面卑躬屈節，對我們祖國科學的過去的成就，特別是對現在蘇維埃時期的成就和優越處估計不足，是尤其不能容許的和羞恥的。

「這種對資產階級文化的阿諛的作用和成爲它的學生的作用，能對得起我們蘇維埃先進文化的代表和蘇聯的愛國主義者嗎？！」「我們用不着去阿諛一切外國文化，或是採取消極的防禦陣地！」（日丹諾夫，關於「星」和「列寧格勒」兩雜誌的報告，28—29頁，國家出版局，1952年）。

就是對於醫生——先進的蘇維埃醫學活動家來說，對於外國反動科學的消極的防禦立場也是完全不能容忍的。

在我們的醫學科學中，特別是在醫學史中，曾發生過在外國資產階級醫學面前卑躬屈節，和對祖國醫學的進步作用和成就估計過低的現象。

這種現象的根源遠在革命以前的舊時代就有了。馬林科夫同志解釋卑躬屈節的實質和歷史根源時說道：「我國人民既已實現了文化革命並建立了自己的蘇維埃國家，於是也就打破了我國在物質上精神上受資產階級西方國家束縛的枷鎖。蘇聯成了世界文明進步底堡壘。既然如此，試問爲什麼竟會有崇拜諂媚外國文化的現象發生呢？這一類反愛國主義行爲、心理和情緒底根源，就在於可惡的沙俄舊時代底遺毒，因爲這種遺毒還在我國知識界某一部分人意識中發生作用。在沙俄佔有過堅固地位的外國資本家，曾在俄國極力支持和培植認爲俄國人民文化和精神能力低劣的觀念。沙俄當權階級既與人民隔離，並與人民格格不相入，也就根本不相信俄國人民有創造能力，根本不承認俄國能自力擺脫落後境地。由此就產生出一種不正確的觀念，以爲俄國人永遠應該做西歐教師底「門徒」」。（馬林科夫，聯共（布）黨中央委員會工作情況，1949年9月末在波蘭舉行的幾國共產黨代表情報會議。外國文書籍出版局，莫斯科，1948年）。

崇外的歷史階級根源就是這樣。在過去的醫學史文獻中也可以發現它們。

三大冊「俄國醫學史」（19世紀上半葉）的作者、高級官僚威爾格姆、李赫特爾（Вильгельм Рихтер）直接表示了敵視俄羅斯民族文化的「目空一切的外國人」立場，認爲俄羅斯人民是註定盲目摹倣其他民族的。他談到18世紀的醫學時（在第三冊中），完全忽視俄國醫學的獨立發展，片面地誇大在俄國工作的外國人的作用和意義。

莫斯科大學教授莫洛霍凡茨（Л. З. Мороховец，19世紀末至20世紀初）斷言西歐醫學的優越性，他在講授「醫學的歷史和對比」時（1903）所列舉的很多外國醫學活動家的名字中，俄羅斯學者不到十個人，是包括在二級裏面，同時是順便地提一提。其中既沒有包特金（С. П. Боткин）的地位，也沒有查哈林（Г. А. Захарьин），布亞里斯基（И. В. Буяльский），覺伯洛斯拉文（А. П. Доброславин）的地位。在外科學家中他只提到彼洛郭夫（Н. И. Пирогов）一人。

做爲專門科目和醫生專門研究課題的醫學史，乃是新的，在我們國家醫學教育系統中比較年青的科學。但這門科學仍舊有它的十分豐富的過去基礎，有過去積累起來的許多材料作爲依據。我們國家在醫學史領域內工作有成績的人，19 世紀上半葉有尼吉弗爾列別涅夫（Никифор Лебедев），19 世紀後半葉有契斯托維奇（Я. А. Чистович），滋繆耶夫（Л. Ф. Змеев），茨凡塔耶夫（Д. И. Цветаев），斯科里察科（Г. Г. Скориченко），20 世紀初有莫傑斯托夫(П. В. Модестов)，拉哈素（М. Ю. Лахтин）等人。我們革命前的醫學史家，在沙皇統治時期生活和工作，積聚了大量的材料，並且有許多是寶貴的材料，反映了和表達了各階級、各社會集團和各學派的利益。他們在了解和估價所研究的現象時，缺少唯一科學的辯證唯物的觀點，因此他們的著作有個別的錯誤，有時候還有錯誤思想體系。

需要永遠注意到我們革命前研究家的弱點，在利用他們所獲得的、有些是很寶貴的事實材料時，應當辨別和批判地對待他們的缺點和錯誤的論點。

革命前的文獻中曾有一種相當通行的觀點，認爲俄羅斯醫學的獨立發展只是從 19 世紀中葉（從彼洛郭夫，包特金）開始，而把在這個時期以前所有的祖國醫學看成是「摹倣的」醫學。某些蘇維埃時期的作家不加批判地承受了這種觀點。在「俄國醫史綱要」一書（列寧格勒，1926）中，斯科洛霍多夫（Л. Я. Скороходов）的不正確態度就是這樣。他在書中把「俄羅斯醫學的獨立階段」從 19 世紀中葉劃分開，把在這時期以前的一切發展都認爲是「俄羅斯醫學受外國影響時期」。

在醫學大百科全書（1928—1936）中，「醫學」這一項——係斯特拉順（И. Д. Страшун）教授所撰——可以看到類似的說法。其實，最偉大的流行病學家薩穆伊羅維奇（Д. С. Самойлович），著名婦科學家馬克西莫維奇－阿姆勃吉克（Н. М. Максимович-Амбодик），內科學家和衛生學家澤別林（С. Г. Зыбелин），外科學家謝賀（Щепин）以及許多其他人的活動，正是屬於 18 世紀。

斯特拉順教授在評定 19 世紀末的醫學特點時，描繪了一幅完全不正確的圖畫，好像當時的俄羅斯醫學科學「……除少數例外，都成了西歐科學的尾巴，眞正是隨聲附和，並把題目稍加改變而已……。」然而，事實證明，革命前的俄國學者，其中許多是有榮譽的醫學家；他們在沙皇統治的條件下，不顧科學創作的條件極端困苦，善於應用自己的力量克服警察的壓迫，官僚的漠不關心和直接的迫害，爲祖國人民和國家的福利而成功地工作着，並且創造了偉大的作品，成爲祖國和世界科學設寶貴的基礎。

斯特拉順教授錯誤地把祖國醫學泰斗包特金，描寫成好像是柏林的臨床學家德勞勃（Людвиг Траубе 即 Traube Ludwig——譯者）的無能的「摹做者」；同樣，對查哈林、彼洛郭夫也做了不正確的描述。

另外，也必須記住醫學史作品內的資產階級民族主義的錯誤。資產階級民族主義具體表現在：把無產階級國際主義的原則忘在腦後，片面地誇大他們自已民族的功績和成就，忽視其他民族的貢獻，而主要是過低地估價蘇維埃社會主義文化在質量上高度的特殊性和巨大成就，將其與革命前蘇聯任何民族的文化相提並論。

斯大林同志在說明地方民族主義的特點時寫道：

「地方民族主義傾向的實質，在於他們企圖孤立與關閉在自已民族的框子中，在於企圖抹殺自已民族中的階級矛盾，在於企圖用離開社會主義建設總潮流的方法保護自已，以反對大俄羅斯沙文主義，在於企圖不看蘇聯各民族勞動羣衆正在接近起來，聯合起來的事實，只看他們彼此疏遠」。

「這個傾向的危險，在於它培養資產階級民族主義，削弱蘇聯各民族中勞動羣衆的一致，而有利於武裝干涉者。」（斯大林全集，第 12 卷，371 頁）。

蘇維埃醫生應當警惕並注意類似的可以採取各種形式的惡劣觀念。這種觀念還不僅限於上面所引證的；在很長時期中，從革命前期開始，而且也在蘇維埃時期內，惡劣而錯誤的觀點也潛入了我們醫學史文獻中，並有過相當的流行。爲了和它對抗，蘇維埃醫生應當經常地記住敵對的資本主義的包圍，它極力想要削弱我們的政治思想武器。蘇維埃醫生同樣應當盡可能更好地用過去的具體知識武裝起來，並且用馬克思列寧主義觀點正確地了解醫學的歷史發展來武裝，而首先是了解我們祖國醫學光輝的過去，以及整個發展的道路。這種對於過去知識和對於歷史發展道路的理解，武裝蘇維埃醫生去積極地鬥爭，反對任何來自資本主義國家在生物學，醫學，保健事業中的反動學說和觀念。

*　*　*

根據以上所述，關於醫學史的意義，關於蘇維埃醫生研究和通曉醫學史的必要性，我們可以做出下列的結論：

1. 醫學史是醫學中的獨立學科，它擴充醫學教育，加深專門的醫學知識。

2. 醫學史培養歷史思想；它使我們了解醫學的發展是整個社會發展不可缺少的，而且是重要的方面，並以此擴大政治思想的眼界，提高醫生的一般文化水平。

3. 醫學史在研究我們先進的祖國醫學的發展，通曉它的光榮的優良傳統，認識爲祖國爭光的醫學活動家的生活和功績的基礎上，可以鞏固蘇維埃醫生的愛國主義意識和民族自尊心，武裝並鼓舞他們在我們祖國從社會主義逐漸過渡到共產主義的重要時期內進一步做出富有成果的工作。

（馬堪温譯自 П. Е. Заблудовский: История Медицины, избранные главы, выпуск I, Москва, 1953）

巴甫洛夫的回憶錄（續）

原著者：Ю.П.福羅洛夫

九十年代

在這個時期，這裏所談的是指在斯·彼·鮑特金逝世後的一個時期，科學院中的許多事務不如從前了。

……90年代來臨了。專制政體以嚴重的負担抑壓着國內社會政治生活。但與此同時這正是德·意·門德列耶夫、意·姆·謝巧諾夫創造了不朽的名著，叩瓦列夫斯基兄弟二人、伊·伊·梅奇尼可夫、科·阿·齊米偭最夫生活和創作的時代，也正是伊·彼·巴甫洛夫展開自己卓越事業的時代。

1890年依凡·彼得羅維奇被選爲軍事醫學科學院藥理學的教授。此時他繼續消化生理的系統的實驗研究。

可引證這所舊醫學機關中的幾件歷史材料。

當時在醫學界赫赫有名的人物要算是喔·喔·巴蘇勤，他是醫學科學院的院長，著名的實驗家，是伊·莫·謝巧諾夫的門生，幾乎是巴甫洛夫同時代的人，但他很快地享有盛名，首先在哥薩克大學任普通病理學教授，而後於1879年供職於內外科學院，此時巴甫洛夫已結束該學院了。

巴蘇勤曾是一位非常老練的實驗家，普通病理學新方向的奠基人，有聲望的社會活動家，彼洛果夫醫師代表大會的積極組織者和參加者之一，這樣就必然地使他接近科學界和社會界人士，其中也包括巴甫洛夫。

當1890年巴甫洛夫被選爲藥理學講座的教授時，巴蘇勤是醫學科學院的院長，在這個職位上他充分地顯示了自己行政領導上的天才。

巴甫洛夫承認過和評價過巴蘇勤的科學功績，但在原則上的問題，例如他見到個別教授對院長本人表現諂媚則常常表示獨特的意見。這就是說爲什麽被巴甫洛夫所認爲的候補者們，「準備獲取教授稱號」的醫學院醫生常常在選舉會上落選的原因所在，而巴甫洛夫自己長時期停留於「兼任教授」的稱號。

根據親近瞭解依·彼·巴甫洛夫的人們底回憶錄，1891年曾在巴甫洛夫那裏受過藥理學博士考試的我底父親的回憶錄，試回憶一下科學院當時會議的景況。

……軍醫學院的大廳。一張長而寬的桌子，上面覆以深綠色帶穗的呢子。桌上擺有帶羊帷幔的櫸木箱子。它是預備供解決科學院生活中重要問題秘密投票之用：教授與講師的選舉，以及留學的問題。

科學院會議上的投票是以選舉球進行。這些球是放在秘書的盤子中是身着普通制服的人們携帶來並分給有選舉權的出席者。每一位教授取球，然後走近箱子將手伸進去至肘部把球放在右邊（擁護）或左邊（反對）。然而，常常發生秘密投票的球，竟公然地根據科學職權的理由交給某一個教授一人。結果就是會議上的一員帶着滿口袋的球走近選舉箱，把這些球放在那裏……總是放在一面。

在開始於1879年所謂軍事醫學科學院改革後，隨後不久製定了章程，此章程解決科學院生活中的全部問題，包括講座之調換，助教的任命，以及派送所謂醫學院醫生（從前稱作候補者）出國留學皆應在教授委員會上以秘密投票方式來解決。但是這個規章，如上所述；常被破壞，而且破壞者常是主席自己。因此，依凡·彼得羅維奇常常將科學院章程裝在口袋裏，每當具體破壞規章時他就在科學院的會議上宣佈它。

在這些鬥爭與孜孜不倦的勞動年代裏，巴甫洛夫創造性地成熟並且獲得豐富的科學與生活經驗。但是直至1896年巴甫洛夫仍不得不在科學院藥理學講座任教而不是生理學講座。

然而，依凡·彼得羅維奇一方面在藥理學講座上任教而另一方面則頑強地和認眞地堅持自己的基本科學路線。這種堅毅性引起了青年們一致的稱頌。巴甫洛夫的助教們，不管領導上的反對，在巴甫洛夫那裏專攻生理學，並且利用重新開設的實驗醫學研究所的實驗室，即從1890年巴甫洛夫就着手工作的地方，進行實驗工作。

巴甫洛夫一貫的天性即是鬥爭與探索精神，這位醉心者——實驗家的熱情彼許多人稱之爲【倔强性】。依凡·彼得羅維奇結束科學院之後由於不願意在伊·斯·他拉哈勒夫教授講座中工作（在這個問題上亦表現了他的高度原則性），依凡·彼得羅維奇不得不暫時地把在鮑特金氏內科疾病的教學醫院中的助教工作減少。然而他在這裏於生理學領域中研究 Digitalis lutea 製劑對於心臟作用當中得到深造。巴甫洛夫在鮑特金臨床教學醫院及實驗室中研究過民間藥品的效能，並且還對各種不同療養所的治療作用感到興趣。

依凡·彼得羅維奇頑强地達到了自己的目標並且教育他的學生們要有向前進步的進取心，熱愛實驗科學，研究自然科學。

爲了保存成長中的生理學派，巴甫洛夫同意接受藥理學的講座。在實驗醫學研究所內他展開了巨大的工作，首創防止狂犬病的接種站。依凡·彼得羅維奇廣泛地利用了這一所新的機關以便達到自己科學研究的目的。

巴甫洛夫不是偶然地說出，毀滅向鬥爭的意志就是障礙。他相信嚴肅的科學，相信【知識萬能】，也正如德·伊·彼沙雷夫及前世紀其他卓越的社會活動家所說的一樣。

依凡·彼得羅維奇每天大部分時間在狹小的不方便的講座底實驗室內，奔忙於手術室內，定期地巡視縫合過人工胃及腸瘻管正在恢復健康中的狗。他要求全體工作人員要特別關心動物。

在科學院中巴甫洛夫教導學生最重要的一點，根據他的觀點即是熟練——熟練【從生理上思索】無論是在實驗室內或是病人床前亦即藥品作用於機體時不要帶任何的幾憑進行研究。他教導大學生及準備考博士學位者必須重視事實，總要從實驗的觀點出發，不要相信【古羅馬厨房*】中的奇蹟。

從實驗的藥理學到消化的生理學

90年代中在巴甫洛夫的實驗室內曾進行了查明藥物之生理作用的緊張工作。假若推測，依凡·彼得羅維奇，必定要成爲藥理學家，那麼，最低限度也能把數世紀在醫學中傳統下來的成規：【處方內名稱愈多則愈佳】的原則加以消滅。

對於未來醫生訓練的主要課題，過去的藥理學家曾認爲是要他能够背誦千餘個藥品名稱和劑量，然後到病人家中不看手册即能開出處方。

依·彼·巴甫洛夫仇恨地嘲弄了幾種複雜的處方，認爲這些處方是【無知的僞裝】。他要求學位論文提出者能够將每一種物質都能用生理學的方法進行研究，以便準確地測出這種物質對於動物的任何一種器官的作用。

他認爲藥理學是發展生理學的一種槓桿科學，而生理學的檢查方法又是藥品的第一次【考試】。

巴甫洛夫對於實驗藥理學的這種觀念至今日止仍然是正確的。

依凡·彼得羅維奇，將藥品注射於狗身上而檢查了藥品的作用，這些藥品自然而然地就不會接受任何的幾憑。因此他在動物身上所獲得的客觀材料就是受檢藥品治療特性之毫無疑義的準繩了。

巴甫洛夫並且還對飲食對於消化器官的影響感到興趣。他企圖確定食物對於腺體及食物在機體內通過的瞬間對消化管運動機能起着何種作用。這一個問題不僅僅是簡單地實驗，而是生理學全部的系統觀察並且要有系統的外科經驗以及防腐術的經驗，簡而言之即是實驗治療的臨床。

爲了這些實驗巴甫洛夫選擇了消化的部位，這個部位曾使許多生物學家與醫生感到興趣，然而與此同時對這個部位却很少有研究。曾存在許多不協調，毫無根據的假定以及絕對的臆造。因此曾在治療中常常發生錯誤。

依凡·彼得羅維奇還在自己底事業的最早時期就摸索到新的研究道路：研究機體與周圍環境的關係。根據這個原則，他創立了自己的心臟神經研究方法。現在巴甫洛夫決定不僅將消化腺機能的研究與生理學的問題進行聯繫而且還要同動物的生物學問題進行聯繫。【通過食物的聯繫是動物機體與外界環境最密切的聯繫】——依·彼·巴甫洛夫這樣說。

---

* 古羅馬厨房意思是指製造藥品的地方即藥房的别稱——譯者註

在消化的器官內他具體地找到了物理與化學同神經系統高級部分的生理學及心理學密切相關聯的生命物質部位。消化及其神經調節是與食慾，感覺器官的機能及神經系統的機能問題有關，而這個已經是從「純粹」生理學過渡到機體與外界環境複雜的相互聯繫的學說和過渡到比較的，進化的生理學了。

很久以前，在莫斯科外科學家阿·嘔·巴受夫之後，有人曾在動物身上進行過這種手術：切開胃臟，於開口處安置一個像洋線軸般的銀製小管，管的中央有孔道，然後將小管與四周的組織小心地縫起來。機體的基本特性——組織的隨應性促進了手術的成功。

結果胃的瘻管就好似動物機體的一部分。當把縫線取下後已形成的結實斑痕即制止了瘻管的墜出。在瘻管口處插入膠皮管，胃液就沿管壁流出來，此胃液需要進行最細緻的精製（防臭）而後才可以進行研究。

然而，巴甫洛夫不僅對採取純胃液之技術感到興趣。自從在胰腺分泌上的大學研究時期起就曾從事過另外一個問題的研究：查明中樞神經系統及其高級部分——大腦對胃腺有何影響？

在這裏正需要依凡·彼得羅維奇過去在心臟神經機能方面所積蓄的全部經驗。

在鮑特金實驗室工作期間巴甫洛夫同自己的同事歐·蘇莫娃亞——西莫洛夫斯卡婭曾做第二隻消化瘻管，此次是在狗的頸上，切開食道，將兩端縫於皮膚傷口的外面。此時不需要任何的瘻管。

目今這一個實驗被記載在所有的教科書內好像一個簡單的，技術亦不複雜的實驗。但在當時，爲了進行這樣一種手術是需要巨大的智慧和堅毅，巴甫洛夫也正表現了這一點。

著明的實驗「假想飼哺」是怎樣被提出來的呢？

一早飢餓的狗（有兩個瘻管）就被架在佈置呈俄文字母П的實驗台上。給牠一塊鮮肉。動物貪饞地吞嚥了珍饈，於是稍稍咀嚼一下就嚥下去了。自然，吞嚥了的食物塊立刻即從食道切口墜下來，又落到碗內。狗又將食物啣起而吞嚥了，結果又經頸部的瘻管墜出，就這樣重複了許久。這是實驗的開始。

珍饈刺激了充滿神經末梢的口腔粘膜。刺激沿神經幹傳導至中樞神經系統和延腦。從這裏沿著所謂迷走神經的其他分枝，最後達至動物的胃腺。就在給假想飼哺開始4—5分鐘後就出現大量的胃液流至固定在胃瘻管的玻璃筒內。

胃液是天然的，無食物的痕跡——原來動物的胃曾是空的。

未添加任何東西，手術本身如同其他類似的手術一樣，是以幾乎無痛的深部麻醉的方法進行。

依·彼·巴甫洛夫又進行第三次簡單的但却是重要的手術。他切開狗的頸部皮膚，即通過迷走神經幹的部位（迷走神經是胃分泌神經，即傳導腦髓至腺體的刺激）；從這根神經引出一條絲線，並放置一個環於縫合的傷口內。

假想飼哺是非常有效的，狗總是在分泌胃液，數十毫升，數百毫升，甚至數千毫升。這種「飲食」曾繼續好久。狗是眞正的貪得無厭。因爲食物未到胃中，所以動物怎麼也不能滿足自己的食慾。胃液依然是往更換了的玻璃筒流着，流着。實驗是完全成功了。

現在可在胃腺機能熾烈的時候除去迷走神經的作用。爲此稍微抽動一下線，於是大腦中樞與胃腺聯繫的活的導體就停止動作。胃液分泌立刻停止，雖然狗還是如從前一樣地咀嚼和吞嚥食物。

因而依·彼·巴甫洛夫在大腦機能研究中又邁了新的重要的一步。

由於直接實踐的結果可在實驗醫學研究所中組織製取天然的胃液。餘下的問題僅是用過濾方法澄淸胃液，包裝胃瓶於箱內最後分送給各俄羅斯的藥房以及送往外國以便治療自己本身缺少胃液的患者。

胃液具有巨大的治療意義。依·彼·巴甫洛夫所提出來的胃液獲取方法曾引起醫學界的驚愕。出售各種「胃液滴」的藥劑師們開始憂慮起來了。就連在正式的書籍中——藥典——中亦未記載過天然胃液。誰也未聽到，狗還能製造治療的液體和動物一般可像化學儀器一樣來利用。於是就開始新治療方法的「反對者」和「擁護者」之間的鬥爭。

一位著明的聖彼得堡藥房老闆找到了巴甫洛夫提議購買天然胃液製取的專利權。但是巴甫洛夫是這樣接待了這位有事業慾的藥商，以致這位藥商再也不敢到實驗室來。

關於巴甫洛夫消化研究的實驗曾重複研究過並被其門生——意·歐·斐巴爱威，富·格·扎富利耶威，意·格·吳沙叩威，特别是意·意·細之內所繼承。

依·彼·巴甫洛夫不急於將自己實驗室的工作結果報告發表在刊物上。他決定祇有當結論達到無可非議的準確程度時才能發表它。

1897年依·彼·巴甫洛夫的卓越勞動［主要消化腺工作講義］問世了。雖然這本書僅基於動物的實驗，但它却奠定了新的實驗醫學，胃腸疾病臨床的基礎。依·彼·巴甫洛夫的實驗結果開始使用於消化障礙病人的治療，小兒喂養當中去了。

必須指出在這個時期由於巴甫洛夫多年來倔强的勞動所創造出來的俄羅斯生理學派的特殊重要意義。巴甫洛夫本身的成長發展了和成長了他底科學學派。

［我很幸福能够經常看見——巴甫洛夫寫道，在我的實驗室內有足够的同志，將自己的思想和自己的勞動，且經常是巨大的奮不顧身的獻給——實驗室所追求的目的底成果］。

這種奮不顧身的精神在於什麼地方呢？

當時理論科學工作者有非常較少的權利和優越性較之倘稱良好地從事部分的醫學事業的臨床家。

巴甫洛夫對於理論家——生理學者的缺乏要求給予注意，他認爲他們的勞動不亞於在病人床前進行自己工作的實驗家的勞動價值。

依·彼·巴甫洛夫的聲望逐年在增長着。許多國家的大學及科學院授與天才的俄羅斯生理學家金質獎章和學位。所有的人在等待他在消化領域內更新的發現，並且推測巴甫洛夫將會終生獻身於他成就了科學轉折點的生理學中的這一部分。正由於他在消化生理學中的發現於1904年他獲得了當時最高的科學獎金——諾貝爾獎金。

然而，依凡·彼得羅維奇總是以自己思想上的新穎和勇敢使人們感到驚奇，他又想到另外的在生理學中更爲有意義的部分了。他對於在神經系統支配下與感覺器官即大腦之機能不斷聯繫着的唾液腺，感到興趣。實質上，他在研究消化生理學的同時片刻亦未放過這個重要的題目。他看到外國和祖國生理學家當中除意·莫·謝巧諾夫而外沒有一個人能够好好地將大腦機能的研究列入嚴格生理學的地位上去。

巴甫洛夫堅決地站在唯物主義的立場上，因而接近了解決自60年代起就開始激動全俄羅斯科學界的問題，具體地說：即是用什麼方法研究大腦的機能，換言之，即如何探討客觀的唯物的心理學？

關於條件反射的報告

我第一次聽到依凡·彼得羅維奇的演說是在1908年。當時我還是一個快畢業的八年級的中學生，曾焦急過關於選擇職業的問題和幻想過投入我父親曾經學習過的軍事醫學科學院。然而從那裏會曉得現代醫學工作者從事着何種工作呢？由於認識一位主任醫生得有機會參加一個精神病醫院醫生的會議。在這個會議上依凡·彼得羅維奇應作關於條件反射的報告及高級神經活動。什麼是條件反射和對精神病有什麼關係？這一個問題就是對於醫生來說也是出乎意料的。强調地說，當時巴甫洛夫曾在聖彼得堡醫學界主要是以消化生理學專家的資格而出名。許多人還不曾知道，早在1903年他的第一次公開的報告就是關於高級神經活動和腦髓病理學的研究。

在醫院的會議大廳中集合了許多精神病學者：主席是恩·恩·别富爾馬特勒斯基博士。在規定的時間有一位不高的個兒，斑白的頭髮，蒼白的鬍子和寬大梳理好的鬍鬚的人進入大廳。他坐在主席台上的桌旁。這就是依·彼·巴甫洛夫。在這個會議上與他相逢就決定了我底未來的命運即生理學者的命運。

依凡·彼得羅維奇的前幾句話聲音低微。但過一分鐘他底演講則非常響亮，所有的人皆能聽見並且吸引了所有的人。

我傾聽着報告者每一個思想，每一個措詞。在他的舉止動作中說明許多不平凡的事情，這一點就是對比較成熟的聽衆來說亦是如此。

很早以前，從笛卡兒的時代起，盡人皆知，——依·彼·巴甫洛夫就着手研究，——包含在脊髓和脊髓其他部分的神經中樞，接受外界的刺激，根據一定的生理法則將其變成神經衝動，這是在神經中樞內產生，而後將刺激傳導至工作着的器官——肌肉與腺體。這種神經傳導稱作反射。從前將反射腺制在狹窄的意義上：常常談及脊髓與延髓的反射。但是俄羅斯科學，天才偉大生理學家依·莫·謝巧諾夫對反射的解釋與此不相同，是比較全面和深刻的解釋，這種解釋被鞏固在先進的生理學中並且不可動搖地留存於將來。

反射——這是機體對外界的刺激藉助於中樞神經系統而完成的反應。這是最全面的解釋。但是在這一概念上還有重要的分類。反射有簡單的和複雜的，永久的和暫時的。比較簡單的和永久反射是同脊髓和延腦相聯繫。而暫時性的反射是與中樞神經系統高級部位的複雜解剖有聯繫，與大腦皮層的形成即為精神生活底物質基礎有聯繫。

生理學者是怎樣進入解決精神生活之主要疑謎呢，我們是怎樣找到了表現在複雜的動物行為上的大腦高級功能的客觀研究方法呢？

給狗做一個不大的整形手術，就像我們曾在胃上所做的一樣，給牠按上一個所謂唾液腺的漏管，我們就可以觀察到在吃不同種類的食物時狗可分泌出多少量的唾液。此時唾液的質量同樣是與食物的質量一致。原來，食物是濕的（如濕麵包）則唾液的分泌就少於乾的食物（如乾麵包）。這就是永久性的，先天性反射之一——基本生物神經聯繫的結果。就其出現而言只需要一種東西：食物應落到飢餓的動物口中。這種先天的反射稱為無條件的唾液反射。

但是唾液腺機能底客觀的生理學的描述還遠遠不限於此點。正常的狗不僅在吃食物時分泌唾液，就是在看到食物或是嗅到食物的香味亦同樣分泌唾液，就是說食物不入口亦起作用。對唾液的分泌研究同時說明，唾液的本身性質與因食物真實地入口而分泌出的唾液無區別。唾液腺底刺激與反應的準確適應完全顯示了這一點。僅僅是唾液的份量相對地減少。我們就舉這樣一個例子吧。你們都知道檸檬，檸檬酸是什麼。我雖然不將它倒入口中，僅示給大家觀看……

於是乎依凡·彼得羅維奇就舉起一杯茶和檸檬，立刻就在所有人的口中流出唾液。許多人吞嚥它，微笑着。產生了一系列的活動。

由此，巴甫洛夫立刻着重地指出，——

生理學者斷定，在看到食物或嗅到食物的香味時所分泌出的唾液——這是特殊的反射，適應的動作，但是特殊的性質的。這種反射與先前人所共知的機體先天反應具有很大的相同點，但終究是有區別的：這是暫時性的或條件反射。與其相適應的神經腦髓聯繫是暫時性的聯繫。

設若我展示這個檸檬數次，而不證明這是酸性的飲料，則條件反射消失，開始抑止。

任何的先天性反射或本能，不管它如何複雜，經常是以自己千篇一律的特點影響我們，並且當口中出現食物時每次皆產生這種反射。而新的反射則僅僅產生於一定的條件下——因此就給予它一個條件的稱呼。暫時性的反射是受嚴格的基本法則控制的，既使是非條件的亦不是「自由意志」，「生活力」底作用的結果，而只是機體與環境及其他的互相關聯的結果。同時，其產生是意味着生活發展底新的階段，機體與周圍環境新的複雜的關係。

為了形成新的反射需完成下述生物學的要求：肉體的刺激對於動物來說是無關的，需要有一次或數次的能引起機體某種先天性活動的無條件刺激的伴隨，或者提前一些。在唾液腺的實驗當中，比較方便易行的條件反射的研究方法，一種是以食物的無條件刺激（例如利用麵包粉）而另外一種是利用防禦的同樣是無條件刺激——注入口中弱鹽酸溶液來證實。

這樣一來，條件反射就是信號。對於日常生活中的信號的理解是人人熟悉的。我們本身和在自己行為中的事務皆是受信號支配，也就是說我們每天皆在製造新的又新的條件反射。

條件的或信號的反射——是構成大腦半球皮層底神經細胞的基本特性，是它們底特異性特徵。從生理學的觀點來說，這個皮層神經細胞底一時性的接觸聯繫是新的，是適應改變的外界環境條件比較高級的形式。

其次依凡·彼得羅維奇對條件反射做了廣泛的生物學（而不是生理學）的解釋。條件反射——這不是簡單的意外拾得的反應，而是動物界在數百年過程中發展的結果。但是它還是年輕於無條件反射。

條件反射是在神經系統高級部位出現時產生。但是它們是在具有高級皮層中樞或相當於這些中樞的神經細胞底脊椎動物中獲得特殊的發展。

因而，條件反射是動物界比較新的後天獲得的反射。

無條件反射與本能——巴甫洛夫說——實質上是一種東西。無條件反射迫使動物以如此的必要性與恒久性就像耐光性能引起植物底向光運動來尋覓食物，雖然，肯定植物的向光是不需要神經系統底存在。沒有食物，沒有空氣，沒有繁殖的意向任何一種動物皆不能生存下去。因此，在所有的動物當中我們能够觀察到食物的和自我防禦的無條件反射。生殖的本能——同樣是與性腺成熟相關的先天性反射。

暫時性的反射或由於大約長期練習而獲得的聯想是無數次熟練的基礎，這些熟練可在農畜當中在馴養的時期形成即將行為變得認不出來——變野蠻的——為馴服的。所有動物底適合於新環境皆基於這些反射上。

條件反射還具有另外的特性——不僅僅是基於食物本能的基礎，例如防禦反射；它們是在已知的自我保護反射上形成。如斯，條件反射或在生活過程中而養成的習慣能促使野鳥遠遠地離開人而生活，而當看到人時則迅速地展翼而飛。動物的全部狡猾和習氣就基於此點，同時也就成為獵捕的對象。

所有這些現象，通常是意味着動物底「智慧」，很久以前與有機界有聯繫的人就已經熟知的。獵人對於生活底這一方面較之生理學家知道得多。然而僅僅是知道是不够用的，應該講明在那些情況下在高級腦髓中纔會形成這些特殊的暫時性聯繫，怎樣形成條件反射——整體適應周圍環境的基礎——以及它們是如何消失的。應該善於預言動物行為中所有的事實，而這一點不是將自己的結論基於動物的動作同自己本來行為的比較底獵人，動物心理學者（客觀主義者）所能為力的。

因此，巴甫洛夫確定了法則，他將這個法則稱之為「金的法則」。條件反射只是在信號——刺激作用到感覺器，也就是在有力的生物刺激之後而形成。「馴順的動物」是在人出現之後，人底聲音的音響之後，食物到來時，當將食物從手中給與牠時等才變成。

在動物當中至少是高級的動物當中，條件反射——是適應外界的典型機轉。可是，條件反射的學說是達爾文進化論底更進一步發展的階段。

巴甫洛夫在這個原理上特別詳細地論述了，而且後來還在繼續着。（未完）

（李茂文譯）

抗生素科學的起源和發展

馬譽澂

抗生素科學的起源

抗生素以現代的科學姿態問世僅有短短十幾年的歷史。它是一門年輕的科學，也是一個年輕的工業部門。但它的發展過程和其他科學和工業一樣：先有了多年經驗的累積，再隨着基本科學的發展而進入到解釋現象的階段，最後通過試驗研究的實踐成爲工業生產，才確定了它的地位。

抗生素的起源和整個藥物的起源是不可分割的。全世界人民都有其從古代傳統下來利用自然界物質治療疾病的方法。除了使用無生物以外，利用動物、植物、微生物及其產品的情况也很多。例如「中國在2,500年前已知道利用黴菌產物來醫治疾病。我們祖先用豆腐上的黴來治療瘡、癰等疾病，並得到相當的成功。歐洲、墨西哥、南美等地在數世紀以前亦曾用發黴的麪包、舊鞋、玉蜀黍等來治療潰瘍、腸感染和化膿創傷疾病。」[1] 這些方法經過若干年代使用的考驗，當時雖只知其然而不知其所以然，但一定有其良好的效果。爲大家所信任而留傳下來。

在抗生素的發展過程中，最早應用科學方法作研究的首先是俄國的學者。即以青黴素來說，「青黴的命名是由80年前的俄國學者所確定的。在上世紀70年代，當科學的微生物學才走向第一步的時候，傑出的俄國醫生鮑羅切布諾夫氏便已提出過青黴菌對人體有無影響的問題。他在臨床醫院實驗室中做了很多實驗，因而斷定把青黴菌散劑放在梅毒性和曲張的潰瘍上能使潰瘍迅速癒合的事實，第一次他在醫學史中顯明地指出青黴菌的治療性能。鮑羅切布諾夫的同代人，俄國醫生馬拿恩因和列別津斯基在研究青黴菌時也確定了多種發揮青黴菌的治療性質的因素。」[2] 由此可見，俄國在抗生素的研究上佔有優先的地位。

抗生素學說的創造

「抗生素學說的創造者是俄國傑出的學者——生物學家伊、麥奇尼克夫氏(1845—1915)。他首次提出了並論證了使用微生物品預防人類疾病的思想。」[3] 當 Ehrlich 和 Wassermann 諸氏以及其他科學家們研究化學合成的殺菌藥物時，麥奇尼克夫氏却從另一個角度來研究殺菌劑的問題。他詳盡地觀察了並研究了微生物間的對抗作用(Antagonism)，深信「一定有些微生物具有一種完善的化學武器，可以殺死病菌。」[4] 這就是現代抗生素學說的科學基礎。在具體工作中，這位俄國大科學家愼密地研究了人類大腸裏許多種類的細菌，認爲在正常人的腸管裏的乳酸桿菌有保護人類避免某些病菌侵害的作用，並且着重指出這種作用不僅是由於乳酸桿菌所產生的乳酸，而是由於有其他特殊物質的形成[5]。他建議應用乳酸來抑制生在腸中的腐敗微生物。這就是醫學界稱謂的「麥奇尼克夫乳酸」。據文獻的記載，麥奇尼克夫氏和他的學生們曾大量使用乳酸桿菌來治病，並將乳酸桿菌的製造發展到工業生產的規模。用乳酸桿菌治療腸部疾患的臨床和研究報告很多。關於將乳酸桿菌移殖到動物腸部的困難也有很多人提出過改進意見。這一方法一直用了很長時期，除麥奇尼克夫氏在1909年作了總結報告以外[6]，Rettger 和 Cheplin 二氏在1921年，又 Popacostas 和 Gate 二氏在1928年[7]分別將發展的過程和臨床經驗作爲專書列出。

麥奇尼克夫氏指出細菌在腸部裏的腐敗作用的重要性，其工作在所謂「細菌治療」(Bacteriotherapy)中也是很重要的。在研究霍亂弧菌誘致腸道感染的情况時，他發現某些菌類有抑制霍亂弧菌生長的能力，並在分離出多種桿菌和球菌之外，指出綠膿桿菌的這種作用最爲顯著。茲選譯其一段實驗報告如下：

「接受霍亂菌和抑制菌混合處理的兎子沒有發病。在試驗的第四天將兎子殺死，屍體檢查證明一切臟器都十分正常。胃和迴腸的內容物只有純種的綠膿桿菌；盲腸的內容物則有霍亂弧菌和綠膿桿菌並存。這一試驗指出：細菌對霍亂弧菌發生了抑制的影響，其效力遠達直腸部分。」

在同一文獻中，麥奇尼克夫氏又詳細描述了細菌給予霍亂弧菌的影響是使霍亂弧菌變成巨人的細胞，如下圖：

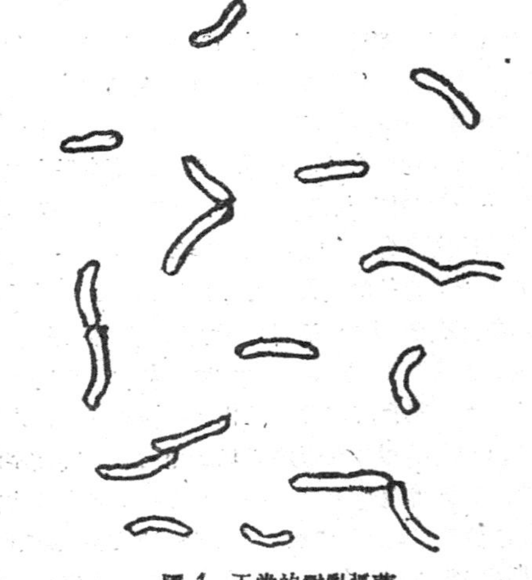

圖 1 正常的霍亂弧菌

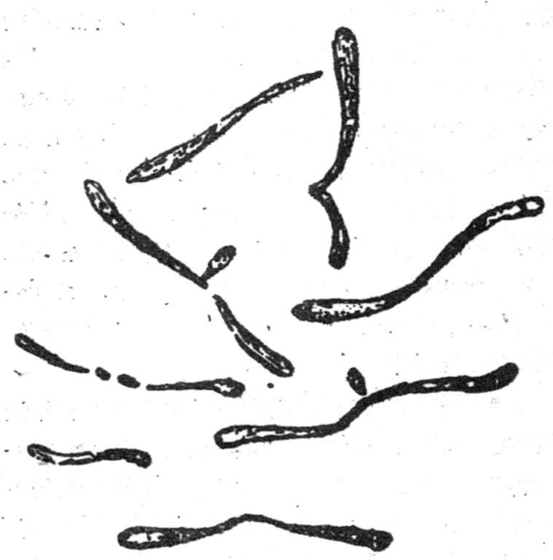

圖 2 受球菌抑制影響而變形的霍亂弧菌巨形細胞

這種細菌細胞受到抗生素的作用而起的形態學上的變化，在其後研究青黴素的作用方式時也有同樣的發見。在英國 Florey 氏所著「抗生素」一書中引用麥奇尼克夫氏的上述圖解時，他也不能不承認麥奇尼克夫氏是第一位觀察到這種現象而且是第一位作這種記載的學者[5]。

微生物相互間的對抗作用

隨着細菌學的發展，從 19 世紀的 70 年代起，各國學者都觀察到一些微生物間的對抗作用。玆舉數例如下：

1876 年發現「田斗氏現象」的物理學家 Tyndall 氏曾記載過青黴菌屬的一個亞種對細菌的生長有抑制作用，但認爲青黴菌的作用是妨礙細菌吸收氧氣。

1677 年巴斯德和 Joubert 二氏發見空氣中某些細菌能抑制炭疽桿菌的生長，但他們的注意似乎是集中在免疫學上面，而未注意到直接的細菌對抗問題。

1885 年 Babés 氏用固体培養基及液體培養基試驗出一種微生物可以產生一種物質來阻止另一微生物的生長。

1887 年 Garré 氏記述用明膠培養基檢測對抗性細菌的方法。

1889 年 Bouchard 氏注意到綠膿桿菌有對抗其他細菌的能力。

文獻中記載很多類似的觀察。這些知識都豐富了麥奇尼可夫氏的學說；其後的抗生素工作及發見更具體地證實了這一學說的眞理。

關於微生物對抗作用的形式，蘇聯學者 Nakhimovskaya 氏認爲可以有如下的四種看法[9]：

1. 在生體中的對抗作用和在試管中的對抗作用。某些學者認爲在生體的對抗形式應稱爲抗生作用(Antibiosis)，只有在試管中現呈抑制作用的才是眞正的對抗作用。在使用抗生素治療時可以看到這種區別，但一般地說，這種區別是不易辨識的；

2. 對抗作用可以有抑制、殺菌和溶解等形式。再詳細區分，可以有細菌抑制、細菌殺滅、黴菌抑制、黴菌殺滅等形式及功能的對抗或生長的對抗作用等；

3. 直接、間接及眞正的對抗作用；

4. 一面的及兩面的對抗作用；同一種屬的各亞種之間的對抗作用及不同種屬的各亞種的對抗作用。

關於微生物對抗作用的方式，Waksman 氏認爲可以有如下的六種解說[10]：

1. 營養物被消耗：例如需氧菌和炭疽菌在一起時，需氧菌將氧氣消耗，使炭疽菌不能生長或生長不良而呈對抗作用。

2. 培養基的物理與化學性狀被改變：一種微生物的生長會改變培養基的成分及性質使不適於另一微生物的生長。如產生酸或鹼所致的 pH 改變，細胞溶解所排出的物質使氨基酸等成分改變，以及表面張力和滲透壓力的改變等。

3. 酶素的作用：由於對抗性菌所產生的酶素，或由於對抗性菌的存在致細胞自溶而產生的酶素，都可能是微生物間呈對抗現象的原因。

4. 產生毒物或色素：例如產生「自體毒素」(Autotoxin) 及綠膿菌藍素 (Pyocyanin) 等。

5. 空間的爭奪。

6. 產生或分泌抗生素。

關於對抗作用的現象和效果，可以概括如下：

1. 抑制生長或逕行殺死或溶解；

2. 完全抑制生長以後，可能恢復生長，但不十分正常；

3. 刺激細菌及黴菌生長孢子；

4. 誘致菌體形態學上的變化，例如黴菌菌絲的畸形生長或細菌形成巨大細胞（即形狀、大小及構造的改變）。

關於各種微生物的對抗能力，大致可以作如下的綜述：

1. 在各種細菌中，產孢子的細菌是强有力的抑制者。

2. 放線菌屬(Actinomycetes)是絲狀黴菌的强力抑制者。

3. 藻菌綱的微生物(Phycomycetes)一般地不抑制其他微生物，亦不被抑制。

4. 擔子菌綱的微生物 (Basidiomycetes) 僅有極少數具有對抗性能。

5. 囊子菌綱 (Ascomycetes) 和不完全菌綱 (Fungiimperfecti) 產生抗菌性物質的能力十分不一致，有强的也有弱的。

6. 某些酵母菌有很强的抑制能力。

7. 某些藻類 (Algae) 能產生抑制革蘭氏染色陽性及陰性細菌的物質（例如綠藻 Chlorella）所產生的綠藻素 (Chlorellin)。

總起來說：細菌、黴菌、放線菌和原蟲等各種微生物，在不同程度上，用不同的方式，損害或毀滅其同族或異族的作用叫做微生物對抗現象；有時必須對抗的雙方共存才起作用，但更多的情況是對抗性的微生物排出具有一定成分的物質來進行對抗。這種物質稱爲毒素、毒物、對抗劑、抑制劑及抗生素，而抗生素一類則根據作爲抗生素所應具備的條件從其他物質區別出來。

早期的抗生素研究工作和抗生性物質的應用 (1875—1915)

人們認識了微生物的對抗作用以後，一直到目前的「抗生素時代」，總共經過了將近 80 年的漫長歲月，其進度不但是緩慢，而且是迂迴曲折，走了不少彎路。早期的摸索時間約佔去 40 年 (1875—1915)，中間停滯不前的時間約佔去 25 年 (1916—1940)，眞正進入到現代的、科學的「抗生素時代」是最近的 15 年 (1940 起)。

關於微生物的對抗性能及利用此種現象的早期工作，大致是從兩方面着手。其一是從菌種保存機構取得細菌及黴菌的純種，廣泛地、無區別地試驗其相互間或對某一特殊菌種的對抗作用。其二是研究自混合傳染病分離出來的病菌，或研究培養碟中偶然自空氣中沾染的雜菌。這些工作主要是醫學細菌學家在尋求抑制病菌的物質時的收穫。另一行人是植物病理學家和土壤微生物學家，他們的目的是尋求能抑制誘致農作物病害的黴菌生長的物質。這些工作積累下很多有關對抗性菌種、對抗現象和對抗作用機理的知識。

1. 在剛一發見微生物對抗作用的同時，人們便將這一原理運用到人類疾病的治療上。最初的治療方法名爲「替代療法」，即用比較無害而對病原菌有尅制作用的細菌來替代病原菌的方法。最初是意大利人 Cantani 氏在 1885 年將名爲 Bact termo (變形桿菌？) 的一個混合菌種混到白明膠裏，用噴霧器噴到一個重症結核病人的喉部。這一種菌對動物沒有致病力，在噴射後，病人的痰裏找不到結核菌而所能找到的却是 Bact termo，同時病人的情况也見好轉。Cantani 氏認爲這樣的「細菌療法」適用於表面的感染，而未曾想到深入到組織裏去克服病菌的可能性。

麥奇尼克夫氏對於「細菌療法」的工作是有很大貢獻的。前面已經説明，他在 1894 年詳盡地研究了腸部發酵的情况，將產生乳酸的細菌移殖到人的腸中，藉以改變腸中的微生物，而達到治療某些腸部疾患的目的。這種治療方法，現在還有人使用。

「替代療法」施用的範圍很廣，而且某些方法延續到目前還在使用。在 1916 年 Nissle 氏認爲便秘和某些慢性腸部疾患是由於病人腸中的「大腸桿菌指數」不高。他用對抗力强的大腸桿菌製成名爲 Mutaflor 的商品在德國行銷，認爲可以替代腸中原有的低能桿菌而獲得治療的效果。蘇聯醫生 Mastova 氏（1935 年）十分支持這一替代療法，而且在 1933 年 Pereta 和 Slowsky 二氏在蘇聯找到更好的大腸桿菌，可以混到牛乳中飲用，獲得良好的治療效果。此外，服用枯草桿菌來替代腸中某些細菌及用乳酸菌治療白喉及表面感染等在 1910 年前後曾風行很廣。

2. 用一種細菌的產物來抑制或消滅病原菌在體内的生長，這是抗生素治療的基本原理。使用抗生素粗製品的方法大致是和上述的「替代療法」同時開始的，不過早期使用的物質至多也只能算是粗製的菌液而已。兹舉綠膿菌脂（Pyocyanase）的研究和使用爲例。

上節已經説明 Bouchard 氏在 1889 年注意到綠膿桿菌有抑制其他細菌的能力。1893 年 Rumpf 氏曾給傷寒患者注射殺死了的綠膿桿菌菌液（每人 7—8毫升），但其用意是菌苗接種而不是抗菌治療。1899 年 Emmerich 和 Loew 兩氏認爲綠膿桿菌的陳舊菌液能够溶解炭疽桿菌並對白喉桿菌、鼠疫桿菌和肺炎雙球菌等病原菌有抑制作用名之爲 Pyocyanase 而用到臨床上，據説對於組織的毒性很小，給動物作靜脈注射也沒有很大反應。氏等認爲 Pyocyanase 是一種酶，又認爲是核酸酶（Nuclease），又認爲可以和血漿蛋白結合成爲免疫蛋白。他們對於這一抗生性物質的作用似沒有很明確的觀念：他們思想中可能有類似現代的化學治療的想法，但這種想法又被當時風靡一時的免疫學説所掩蓋。但這種藥品曾經廣泛地用到臨床上，而且連續用了 20 多年。在1908年以前，臨床上的報告都説它很好：治療的範圍自結合膜炎至癌瘤、包括内、外、皮花各科及獸醫，而以用於白喉的治療爲最多（和白喉血清共用）；治療的方法包括噴霧、塗佈、嗽喉以至注射。大家對這一藥物的熱情頗似青黴素出現初年的情况。但在 1914 年以後的醫學文獻中幾乎絕口再不談及，其原因據説是商品的品質降低，至 1929 年市售的商品竟毫無效力。我們現在可以想像，這一藥物也不一定是完全地毫無價值，不過作爲醫療使用的抗生素，則嫌其毒性太大而已。

上述幾個例子表明在早期的 40 多年中大家對於抗生素的概念十分模糊，也未能很好地區别抗生素在「生物製品」和化學治療劑中的地位。

青黴素發見前後的二十五年
（1916—1940）

在 20 世紀的最初 10 年，抗生素科學只繼承着上一世紀的尾聲，毫無新的發展。20世紀的 20 年代也只有從某種黴菌中分離出來的麴酸（Kojic acid, 1912）和青黴素酸（Penicillic acid, 1913）聊資點綴，否則幾乎是完全空白。從1920年到 Fleming 氏發見青黴素的 1929年又將近 10年，只有 Gratia 和 Dath 二氏發表的白放線菌素（Actinomycetin, 1924），Wrede 和 Strack 二氏提出的綠膿菌藍素（Pyocyanin, 1924）及Riley 和 Pyne二氏報告的紫菌素（Violacein, 1927）等。在此期間，比較熱鬧的可能要推所謂「溶解產物療法」的研究，而青黴素的發見在當時並不爲人所重視。青黴素發見後直到 1939 年 Dubos 氏等宣佈短桿菌素（Tyrothricin）又一個十年，共發見橘黴素（Citrinin, 1931）和枝黴粘毒素（Gliotoxin, 1936）等十二、三種新抗生素。這些物質的抗生效力不高，提製不純，毒性較大，都沒有實用價值。總的來説，二十世紀的開首三十年是抗生素科學停滯不前的消沉時期：青黴素有待於下一階段重加研究，而短桿菌素的發見則重新激起人們研究抗生素的興趣，爲下一階段開闢了道路。

1. 溶解產物療法（Lytic therapy） Kimmelstiel 和 Much 諸氏自 1920 年起將產孢子細菌的產物用到醫療上。他們找到蕈狀桿菌（B. mycoides）的一個亞種（B. cytelyticus）能產生一種具有溶解性的物質，可以溶解紅血球和很多病原菌，其溶解作用不是由於蛋白酶而是由於溶解「類脂」的物質。作者們想像，產生抗生素的菌體是强力的「治療刺激劑」，其溶解性物質能溶解體內的病菌，而病菌的溶解物又能增加治療刺激力，三者共同構成一種「十全的免疫機構」。這種物質的製劑種類很多，統名爲 Sentocym，再依其所含的溶解細菌加以區別、如痢疾 Sentocym，大腸菌 sentocym 等，曾經用來治療痢疾、傷寒、鏈球菌和葡萄球菌感染以及結核病，據說有些效果，但即在德國也推行得不廣。

溶解現象已經很多人研究過，例如 Nicolle 氏在 1907 年用枯草桿菌溶解肺炎球菌及 1925 年 Rosenthal 氏發見 Streptothrix(B. scober)能溶解白喉桿菌等。Gratia 氏等在 1925 年用他們的 Streptothrix 來溶解霍亂弧菌和葡萄球菌，所得的溶解物（Lysate）注射到動物裏有抗原性，而毒力很小。根據這些結果，Gratia 氏等稱這種製劑爲「黴溶解液」(Mycolysate)，建議用來治療葡萄球菌、鏈球菌、白喉桿菌、百日咳嗜血桿菌甚至淋球菌的感染。在 1933 年間，拜耳藥廠所出治療桿菌性痢疾的 Dyspreos 就是利用某種黴菌的作用而製成的「黴溶解液」。這些製劑在臨床上未得到廣泛應用，也不能證明比普通的菌苗好。

2. 青黴素的發見：英國細菌學家 Fleming 氏在 1929 年發表他在研究葡萄狀球菌變異的時候，對於偶然遇到的一個從空氣裏沾染的黴菌的觀察。這一黴菌原先認爲是 Penicillium rubrum，後來經過鑑定是晉符型青黴菌 (Penicillium notatum)。它和葡萄球菌在同一隻碟子裏生長時能將其附近的球菌菌落溶解。如果接種在液體培養基裏，晉符型青黴菌的菌液能抑制或殺死多種病原菌。Fleming 氏將這種抗菌的培養液命名爲青黴素 (Penicillin)，並且由於青黴素對於菌類有很大的抑制能力而對於動物細胞無害，他建議用這種培養液作局部外敷來治療潰瘍之類的表皮感染。

晉符型青黴菌的代謝產物（青黴素及其他），曾經 Clutterbuck 氏等在 1932 年及 Reid 氏在 1935 年，作過再一次的研究，都認爲青黴素的性質不穩定，不值得深入作有關的化學和生物學的研究。青黴素就這樣被大家所放棄；同時，由於大家將熱望寄託於正在飛黃騰達的磺胺，也就將它遺忘。一直到 1940 年 Chain 和 Florey 諸氏重新詳細研究，製成乾燥的製品，進行了毒性和一系列的生物學試驗才肯定了青黴素的價值，將它從文獻的故紙堆中復活起來。

從歷史的觀點來看，Fleming 氏發見青黴素固然是他的偶然奇遇，更是由於他幸運地遇到了毒性絕對低微的青黴素，但前輩學者們多年經驗的累積給予他莫大的啓示也是要首先肯定的。本章開首已經指出：青黴的命名是 80 年前俄國學者所確定的，青黴菌的治療性能是俄國醫生鮑羅切布諾夫氏等在上世紀 70 年代已經在臨床上首先證實的。「特別是列別津斯基氏曾在周密實驗的基礎上指出青黴菌的有效治療性質能被胃酸所破壞，說明了必須用注射法使用青黴素的道理，而在現代醫學中使用的也正是這個辦法[11]。」Fleming 氏的發見和其後 Florey 氏等的研究，只是發展了俄國學者們的寶貴研究成果。

3. Dubos 氏的短桿菌素(Tyrothricin)：Dubos 氏以從土壤中分離具有對抗性能的微生物爲目的，曾在兩年的時間內經常地、定期地向所採的土樣中加入葡萄球菌、肺炎球菌和 A 型溶血鏈球菌的菌液，最後從土樣中分離出一種具有對抗革蘭氏染色陽性細菌的微生物，命名爲短桿菌 (B. brevis)。他從短桿菌的培養液裏提出抗菌物質，名爲短桿菌素；經過詳細的化學、生物學和藥理、臨床的研究，證明這一抗菌物質是兩種名爲短桿菌肽（Gramicidin）和短桿菌酪肽（Tyrocidin）的晶形多肽類抗生素所構成。

這兩種抗生素具有相當强的毒性，只適於外敷和局部使用。Dubos 氏向土壤裏加入菌液從而獲得菌種的方法是否確有加强菌種的對抗能力是有問題的。但由於他這一工作是有意識有目的地來尋找抗生素，又由於他對這一抗生素的研究方法很周密，使得大家重新燃起研究抗生素的熱情，還是十分值得注意的。

蘇聯學者 Gauze 和 Brazhnikova 二氏在1944年檢驗了蘇聯土壤中幾百種產孢子桿菌，找到了一種短桿菌，製出蘇聯短桿菌肽（Gramicidin S），其化學結構和治療性能也和 Dubos 氏的短桿菌肽相近似[12]。

科學的抗生素時代
（1940 年到現在）

本世紀的 40 年代將抗生素的歷史揭到新的

劃時代的一頁。它標誌着抗生素已經從過去的原始的摸索過程轉入到現代的、科學的新階段。它繼承了過去六、七十年各國科學家的勞動和智慧所積累下來的豐富經驗，得到現代微生物學、化學、醫藥學和化學工程各科學部門新發展的配合，在受到青黴素療效卓越的鼓舞、Dubos 氏研究方法的提示和第二次世界大戰的需要這幾個因素的推動下，使抗生素飛躍地向前大大邁進。在過去 15 年中間，全世界每一個國家裏都有人在進行抗生素的研究和生產，每一年都有新的發見和新的知識呈現出來。另外又回顧了過去的情況，將某些物質歸類到抗生素裏面作了進一步的研究而給予適當的估價。以工作量來說，眞正是百花齊放的空前盛況；以工作的收穫來說，是人類保健和生產的偉大勝利。

1. 這一時期的具體情況：在原有的抗生素的再度研究和重新估價方面，最顯著的是 Florey 氏等的工作。他們從 1938 年開始工作，至 1940 年確定了青黴素在醫藥上的地位，隨即組織了青黴素結構和合成的化學研究集體工作。在四、五年之間將它發展成爲大規模的工業生產，爲現代的抗生素建立了鞏固的基礎。在菌種尋找方面，這一時期的第一階段主要是俄國和蘇維埃學者們對於植物病害致病菌如黴菌和放射菌的研究及英、美學者們對於人類病患病原菌的研究，其後對於這兩個題材都作了全面的工作[13]，並且有人依照微生物的分類，有計劃地逐一試驗其抗菌性能。Waksman 氏在 1940 年發見棠放線菌素（Streptothricin）之後，繼續在鏈黴菌屬裏尋找，終於在 1944 年找到了鏈黴素（Streptomycin），並且由於已經有了青黴素的生產經驗和設備，很快即能大量生產，成爲重要的抗生素之一，更加強了人們研究抗生素的信心。其後，世界各處發現新抗生素的報道每年平均達 30 多種，而且數量在有加無已。截至目前，已經用到臨床上作全身治療的金黴素（1947），氯黴素（1948），土黴素（1950），魚素（Экмонин, 1950）、紅黴素（Erythromycin, 1952）、碳黴素（Carbomycin 即大黴素，1952）、生黴素（Биомицин, 1952）、桿菌肽（Bacitracin）、短桿菌肽（Gramicidin）及蘇聯短桿菌肽等，都已經在各國成爲生產工業，供應醫療及其他用途。其他次要的抗生素，如麯黴酸（Fumigacin, 1942）、棒麯黴素（Clavacin, 1942）、黄麯黴素（Flavacidin, 1944）和巨酸（Gigantic acid）等的發見，對於菌類的代謝情況提供了很多有用的知識。此外，對於臨床試驗和抗生素作用方式等問題也作了十分廣泛的研究。在過去的 15 年裏，微生物學、醫藥、化學、化工各部門的書刊都發表了很多有關抗生素的論文和報告，其數量之多也是過去任何一種科學所未有的盛況。

這一時期在抗生素的各方面都表現了高度的積極性，發展十分快速，成就也特別多，其特徵可以歸納爲下列各點：

一、研究系統化——有目的、有計劃、深入的研究，所使用的方法也十分謹嚴；

二、生產方法工業化——科學的、大規模的製藥工業，產品有一定的成分及明確的作用和效果；

三、改革了傳染病治療的方式，推廣了化學治療的範圍並開闢了新的用途。

2. 抗生素事業將來的展望：蘇聯科學院院士卡什金教授在所著「抗生素及其實驗應用」一書中指出：「抗生素的研究還開展得不够：無窮盡的微生物世界被利用到的很少……，植物世界的廣大富源還沒有被開發，各種動物性的產品也有很多可以用來製取有效的藥物[14]。」誠然是這樣的，抗生素的發展確實有着無限的前途。即以微生物來說，對抗現象是十分普遍的，抗生性菌種也廣泛地存在於自然界的各處，新的研究和新的抗生素還看不到止境。尋找新的、實用的抗生素工作是十分艱巨的工作：要研究很多數的菌種才能有一定的收穫。金黴素的發見是研究了 3400 多種土樣得到的（每一土樣含有菌種很多！），鏈黴素的發見是研究了三萬多個菌種的收穫。有很多抗生素因毒性高或療效低而被摒棄，更有很多被認爲連給予名稱也不值得的。所以很多工作是徒勞的。但就現有的抗生素來說，其價值已足以補償一切勞力，而有必要再繼續努力。

用合成方法生產抗生素這一問題十分值得重視。少數抗生素是蛋白質類，用化學方法合成尙有困難。但在整個抗生素的統計表中，看到了不少分子比較簡單的抗生素已經合成成功。比較複雜的青黴素也已經有了試探性的合成方法（產量太低，0.6%！），而氯黴素的合成已經工業化更給予我們很好的事例。我們相信，充分研究了抗生素的化學結構，一定會給我們指向化學合成的道路。近年來，金黴素和土黴素分子的結構式已經研究出來，使得人們對於化學合成更有信心。此外，抗生素分子結構的研究能够幫助了解其結構中起作用的功能部分，而試製這種功能部分或其同功物質（Analogue）也是解決問題的一種途徑。

今後新抗生素的發見及抗生素生產方法的改進，仍有待於抗生素工作者的努力。

附註

（1）載自英著「實用抗生素學」1952年第一版第一頁。

（2）健康報1952年249期刊載「俄國和蘇維埃學者在抗生素研究上的優先地位」。

（3）仝 上

（4）陶竹庵譯，蘇可洛夫著「盤尼西林的故事」1952年第一版第4頁。

（5）Waksman 著「微生物的對抗作用和抗生性物質」1945年第一版第52頁。

（6）麥奇尼可夫氏，巴黎巴斯德研究所年報第8卷529頁（1894）、又「細菌治療，預防接種及血清治療」（1909年）。

（7）Rettger 和 Cheplin 氏等，「腸道細菌的改變和嗜酸菌的移殖」（1921），又 Papacotas 和 Gale 二氏「細菌治療的實用」。

（8）Florey 氏等著「抗生素」1949年第一版第11頁。

（9）蘇聯微生物雜誌（Микробиология）1938年7卷238頁又1939年8卷1014頁（見註五 Waksman 氏著作第47頁）。

（10）同註五 Waksman 氏著作第51頁。

（11）仝註二。

（12）本文第四及第五兩節的資料大部採自 Florey 氏等所著「抗生素」1949年第一版第一章。

（13）仝註五 Waksman 氏著作第55頁。

（14）卡什金氏著「抗生素及其實際應用」1952年第一版緒論第六頁。

伊斯蘭對於世界醫藥的貢獻

原著者：Dr. Mian Mohd Siddiq Husain

自公元200年格林氏死亡後，醫學即停止向前發展，當時有些極端狂熱基督教徒只渴望來世不重今生，以致釀成摧殘亞力山大利亞城等地的學校和文獻，許多基督教會亦抱着仇視科學態度，因此科學就趨向衰亡之路。雖然有個別寺院僧侶曾保留些自以爲有用的書籍，但都充滿着僧侶氣味莫測高深。這是公元400—1,200年在歐洲一般情況。但在羅馬帝國的東部另有一派景教基督徒，因他們熱愛信仰希臘科學並把它翻譯到自已的叙利亞語文裏去，於是被鄙視爲信異端者。他們從君士坦丁堡逃亡到愛迪沙，設立一所醫學校，後又從愛迪沙被驅逐，遷居至波斯的袞大薩波，受到當地君王開孔蘇咨羅薛爾曼的禮遇，所以阿拉伯醫學初期的發展，是要歸功於景教徒和若干埃及醫師們。

在第七世紀時期伊斯蘭教突然從阿拉伯興起，不久傳佈至世界各地，迨東羅馬帝國有部分地方被征服時，叙利亞人和阿拉伯人發生接觸。伊斯蘭教和基督教有基本不同之處：基督教重視來世鄙視今生，而伊斯蘭教則始終無出世思想，雖然它亦注重來世，但明白指出應該用雙手緊握着現世的好處，否則爲有罪，它很着重尋求知識，一個預言者說過：如一個人需往中國求學（當時認爲到達中國是很困難的），他就一定要去不可推諉，它認爲得享來世之福者並不限於回教徒，能進天國不在乎宗派只在乎行爲，可蘭經再三說明這點。回教信徒因站立這樣立場，所以能散佈到世界各地。凡是有好貢獻的，即使是外教人，他們亦極樂意接受。

湯姆斯亞諾爵士在他所著伊斯蘭遺產一書中評述伊斯蘭在醫學上的貢獻，據稱「僅在君士坦丁堡一地已有八十多個回教圖書館，每個藏有十數萬以上稿本書，其在開羅、大馬色、巴格達、波斯和印度等地，也有很多收集，但極少經描述，編纂或列表以便留傳，甚至收藏有大量西方伊斯蘭文化之西班牙愛斯克而阿爾圖書館的目錄也不全備。」由於近年來有許多發現，使我們對於伊斯蘭王國科學思想的初期歷史有所改觀，故現今要估計伊斯蘭究竟在醫藥和科學上有多少成就，很難確定。他們在醫藥上的貢獻統稱爲阿拉伯醫學，因伊斯蘭王國的學者是使用阿拉伯文字寫成醫藥作品，但實際上阿拉伯醫學作者大多數是波斯人，景教徒人，西班牙人，猶太人而極少是阿拉伯本民族人。

當希臘科學和文化沒落時候，各地學者尚多少保留一些關於希臘醫學上傳統的東西，那時基督教已接替舊宗教流行着，有些宗教狂熱份子非常狹隘固執，他們焚燬亞力山大利亞城的圖書館，對教外人士一切文化，包括醫學在內，不能容忍接受。但古埃及的學術社團尚未完全消滅，如袞淡尼斯脾洛板奴斯氏仍繼續傳授亞里士多德學說，又關於奠定醫學基礎的格林氏傑作亦有摘錄。此外，在公曆428年君士坦丁堡的聶斯託利大主教創立了一個基督教支派，後稱爲景教，他們受逼迫驅逐，逃奔至米所波大米的愛迪沙地方，迨489年他們又被部奴王所驅逐而逃亡至波斯，但當地君王開孔蘇魯羅薛爾曼(531—79年)頗爲禮待，因此在波斯西南區的袞大薩波設立了一所醫院和一個醫學校。這王並接待被基督教國王查斯丁尼安在雅典和亞力山大利亞所驅逐的一羣希臘學者，又歡迎從叙利亞，波斯和印度等地而來的醫務工作者。所以到後來袞大薩波被阿拉伯統治時候，就成爲阿拉伯學術發展的中心。第一個受科學訓練的阿拉伯醫師就是從這學校培養出來，他是與謨罕默德同時代的。

首先把希臘醫學翻譯成叙利亞文者，當推瑟孑斯氏（Sergius，536年），他是一個雅各派基督教教士，後來埃及的Ahron會典亦是先翻譯成叙利亞文，然後再翻譯成阿拉伯文。這些寫作曾論及古希臘人所未知悉的天花病症。

當班尼烏馬雅王(Bani Umayya 661—749)統治時期，伊斯蘭王國開始向東西兩面擴展，它對於非回教的各種科學學術的建設亦很贊助，所以袞大薩波的醫學校在回教統治權之下，仍能發揚光大。有一個波斯猶太人馬沙爪外伊氏（Massar gawaih）就是在此時把上述的 Ahron 會典翻譯成阿拉伯文的。當統治權由班尼烏馬雅王傳遞至班尼阿巴斯王（Bani Abbas 750 年）時候，產生出一位在中世紀時代與科學有重大關係（不論東方或西方）的偉人：索非•約培•賓恩•哈炎該柏氏（Sufi Jabil Bin Hayyan Geber），他是一個回教徒，湯姆斯亞諾爵士稱之爲中世紀時代拉丁文學中一位神秘學家，他是古發地方一個阿拉伯藥商的兒子，本身是一位醫師，在他醫學工作中只能追跡得到的就是在毒藥方面，他的工作在鍊金術上有極大貢獻，他被稱爲現代化學的鼻祖。在他的時代，阿拉伯鍊金術者已知悉有蒸餾，昇華，灰化和濾清等方法，他的功績是能發現了硝酸和王水。他的實驗室的遺跡是在他死在古發後二百多年才發現，但其生平大部分工作無可稽考，所留存着一些化學論文，亦已屬半信半疑不甚可靠。他把礦物分爲三類：即物體（金銀等）物心（硫黃，砒霜）和物靈（水銀，硇砂），這種分類後來經累塞斯氏（Rhazes）大加改進。

一般來講，阿拉伯醫學的發展可明確地分爲三個階段：

1. 翻譯時代 750—900 年；
2. 原著時代 900—1100 年；
3. 衰落時代 1100 年之後，在 1235 年科爾多巴 Cardova 崩潰和 1258 年巴格達崩潰之後，阿拉伯醫學即一蹶不振。

翻譯希臘學術的工作是在阿巴息•卡利發•阿爾•孟瑟國王（Abbasid Caliph Al.Mansur 754—75）統治時期在袞大薩波醫學校中進行的。當時有一個基督教醫師家庭，稱爲拔克特怡疏（Bukht-Yishu），袞大薩波醫院的主任醫師喬治氏（Jarjis George）即是其中之一員。他的責任是診治回教國王的病，該家庭的醫師們常伺候阿爾哈的王（Al-Hadi 786）和哈綸阿爾•累希德王（Harun-ar Rashid 809）。最後的一員活到 11 世紀。回教國王對這個醫師家庭的工作技巧深爲折服，所以很樂意助成把希臘學術翻譯成阿拉伯文。大多數翻譯工作者係景教徒，他們掌握着希臘，敘利亞，阿拉伯和波斯等語文。著名的尤漢納•伊本•馬薩華氏（Yuhanan Ibn Masawayh 777—857）是直接用阿拉伯文貢獻他的工作。

回教國王的管轄權轉移到巴格達，就使它成爲阿拉伯科學和文化發展的中心。在哈綸•阿爾•累希德王統治時代（776—809），據該本氏（Gibbon）稱述：在巴格達城內共有 860 名領有執照的醫師，並許多醫院和學校。阿爾•瑪門氏（Al Mamun 815—33）曾建立一所翻譯學校，裏面有很大的圖書館，最著名的翻譯者爲：洪那尼•伊本•伊什克氏（Hunayn ibn Ishaq）係一個景教徒，這位當代偉人是一個醫學哲學家，賦有翻譯天才。他把格林氏的全部著作譯成阿拉伯文，他的兒子伊什克（Ishaq）和姪子胡貝疏（Hubaysh）都是當代的著名翻譯者。正由於他推崇之力，格林氏所以在中世紀時代能够在東方，並間接在西方，都得享有盛名。他翻譯了希波克拉底斯氏（Hippocrates）的箴言，和很多格林氏的希波氏註釋。還有下面三本名著亦是他自己翻譯的：（1）奧巢巴瑟斯的概述（325—403）。（2）愛琴娜海灣保羅氏的七部書。（3）戴奧斯克累德斯氏的藥物學。

洪那尼氏除翻譯工作外，自己還有不少原著，其中最重要的是：眼科十論這是最早一本有系統的眼科書。關於他的翻譯工作，尚有一點值得重視，就是格林氏有幾本重要著作，其希臘原文早已散失，幸賴洪那尼氏和他的學生們翻譯成阿拉伯文，因得保存。

其他的偉大翻譯工作者，尚有莎必特•伊本•奎累拉氏（Thabit ibn qurra），一個在米所波大米崇拜星宿的薩賓族人（825—901），和可斯達•伊本•盧卡氏（Qusta ibn Luqa）一個基督教徒（900）。在第九世紀的上半期，敘利亞文的翻譯盛極一時，但後來阿拉伯文逐漸佔取上風，這時袞大薩波的醫學校開始衰落，因所有的大醫師們都成羣結隊走向巴格達去了。

當時的醫師與今日的醫師有極大不同之處，他們都要懂得神學，法律，哲學，天文學，星宿學，音樂和下棋。學問更好的醫師還要熟悉物理和化學。他們對這些科目亦有一種分類法。會典的寫作是很時髦的。雖然莎必特•伊本•奎累拉氏的工作，在翻譯和天文學方面還要多過在醫學方面，但近年來在埃及發現他的遺作，都是有關個人衞生學，從頭至脚、胸、胃、腸、四肢等病，天花麻疹類的傳染病，並涉及中毒，水土、骨折、脫臼、食料、膳食、性慾等各種病。它很清楚地揭露出一種病症的根源，象徵和治療方法，並有時引述很多希臘和叙利亞的文獻，在這個階段中有一個值得注意的特點，就是當時的大科學家洪那尼氏和阿爾·克地氏（Al. Kindi）是極力反對化學，並認爲鍊金術全是假的。

自公元900年起，因爲已經翻譯過一切希臘的作品和儘量吸收過從波斯，印度和中國而來的東西，於是回教徒進一步開展他們的創作，那時基督教徒和薩賓族人就開始讓位，他們中大多數是能用阿拉伯文寫作的波斯人，下列分述他們個別在工作上的貢獻：

1. 尤漢納·伊本·馬薩華氏（Yuhanan ibn Masawayh 777—857）在拉丁歐洲稱爲老美斯（Mesue Senior），他來自委大薩波。在哈綸阿爾·累希德王朝時候，他是巴格達醫學校的校長。據累塞斯氏稱：他的著作頗多，雖然阿拉伯譯本早已失傳，但幾部拉丁譯本尚保存在英國圖書舘中，他的著作有：（1）箴言經康士坦丁氏譯成拉丁文。（2）熱病（未譯）。（3）脈學（未譯）。

2. 洪那尼·伊本·伊什克氏（Hunayn ibn Ishaq 809—73）又名委漢尼土孫納（Johannitusonan）他已在上文中被提述過，是一個伊拉克的景教徒，尤漢納·伊本·馬薩華氏的學生。他的工作除在翻譯方面外，自己著有醫學通論（Isagoge）一書，這是中世紀時代在拉丁歐洲初步研習醫學最盛行的一本教科書。

3. 伊沙·伊本·阿里氏（Isa ibn Ali），他除了是一個天文學家外，著有一本關於眼病的書，分爲三部，其拉丁譯本名爲 Liber Memoridis ophthalmicorm。

4. 阿爾克地氏（Al Kindi）全名爲阿步·尤沙夫·雅克·依本·依希克（Abu Yusuf yaqub ibn Iskaq），在拉丁西方又稱爲阿爾克德斯（Alkindus），他是唯一的阿拉伯民族醫學著作者。除了是回教國王阿爾瑪門和阿爾馬斯達心的一位有名御醫外，他是一個大數學家。他的著作是百科全書式，多至二百幾本，其中之二十本是有關醫學的。他曾試用一種處方方法：即採取幾何級數式施用於格林氏學說中有關混合物的品質與程度問題，但這一技術並不流行，他的大部份著作已譯成拉丁文，並後來在阿維森納醫典中有所補充。

5. 阿累塞氏（Ar-Razi），全名爲阿布·貝格·卑漢特·伊本·薩克累亞·阿累塞（Abu Bakar Muhammad ibn Zakariya Ar-Razi），中世紀時代一般用拉丁語者稱他爲累塞斯氏（Rhazes）在阿拉伯醫學方面，他是一位最有創作而且最偉大的醫師，他的病症的描寫，足與希波克拉底斯氏並駕齊驅。他是第一個在醫藥治療中能採用化學藥品的人。他生於累伊（Ray）的庫拉散（Khurasan）地區，在902—907年中出世，曾任巴格達醫學校長，享年82歲。他的著作有237種之多，可惜大部分已經失傳。他的傑作 Al Kitabul Mansuri，拉丁譯名爲 Liber ad Al Mansorem，共有十卷，其第九卷名爲 Nonus Almomsores，拉丁歐洲各大學都採用爲教科書直至15世紀末葉爲止。這些書卷的含量，較格林氏所寫的書卷有過之而無不及，其內容大都是基於希波克拉底斯氏，俄利拔塞氏（Ori-Basius），阿伊喜阿斯氏（Aetius）保羅斯氏（Paulus）愛琴尼塔氏（Aegineta）和格林氏等的著作。該書卷科目的分類如下：（1）解剖學和生理學；（2）氣質學和買受奴隸問題；（3）簡單的治療物；（4）保健方法；（5）皮膚病和美容術；（6）膳食問題；（7）江湖醫士或賣假藥者所用的醫術；（8）中毒；（9）醫學通論；（10）熱病的研究。

Al-Havi 拉丁譯名爲 Liber Continens，即萬國醫典，是他的最偉大著作。其內容之多超過阿維森納醫典，是一個百科全書式的著作，包羅醫學內外科各方面，它採納希波克拉底斯氏的理論和格林氏的實用，是中世紀歐洲醫學家的指南。其第九卷是有關藥理學，甚至在文藝復興時代很久以後，仍被採用，可惜這本書只留存有半部，而且分散在世界各地的圖書舘裏，該著作是累塞斯氏死後由他的學生們出版的。他的最重要創作，是在天花和麻疹症方面，這在醫藥上確是一個很卓越而有價值的貢獻。論到病源方面，他還是採取老式的玄妙觀點，但在臨床記述上極合近代，是值得注意，且他很清楚地把麻疹與天花分爲兩種截然不同的病症。這些著作，德國醫史學家譽之爲阿拉伯醫學著作中的光彩，並都已譯成歐洲各種語言，最後的翻譯本是在1848年格林黑爾氏 Greenhill 所寫。累塞斯氏有不少其他著作，都已譯成拉丁文，並大大影響歐洲醫學有很多世紀之久。他介紹了汞油膏，現代化學上有機與無機的分類，亦是他創始的。他說：所有化學物：或屬植物類的，或屬動物類的（有機的）或屬礦物類的（無機的）。他再把礦物類細分爲酒精，物體，石，礬，硼砂和鹽。他又區別出有揮發性的物體和無揮發性的物心，後者包括硫酸，水銀，砒霜和硇砂。總之他是一位有地位的超時代偉大醫師，這個臨床醫師兼化學家，在醫學發展歷史上可以名垂不朽。

6. 阿利·阿拔斯氏（Ali Abbas）是來自波斯（994），在拉丁西方稱爲哈利·阿拔斯（Haly Abbas），他的主要著作是 Al-Kitabal-Maliki（拉丁文爲 Liber regius），這本書共有20卷，大部分是根據累塞斯氏所著萬國醫典而寫成。它是在阿拉伯時代一以名著，或稱之爲「御書」。它在歐洲被採用爲教科書，直經有一世紀時期後，才代以阿維森納氏的醫典。

7. 馬斯魏查·阿爾·馬林地氏（Maswijah al Marindi），又稱爲小美斯（Mesue Junior），他死於1015年，他的著作有（1）Canones generales simplica Antidotarcum；（2）Grabadin 這本書分有12部分，使拉丁歐洲對阿拉伯製藥學和藥物可了解熟悉。這本書在中世紀時代出版了有百次之多。

8. 雅亞·伊本·塞累彼氏（Yahya ibn Serabi）在拉丁歐洲稱爲老塞累彼（Serapion Senior）是一個叙利亞人，死於930年。他有兩本著作：一本分爲七部，一本分爲12部，原文係叙利亞文，翻譯成阿拉伯文和拉丁文直至1543年爲止。他大部分是借述阿伊寡阿斯氏和保羅斯氏的著作。

9. 伊蕯卡·尤大氏（Isae Judaens）全名爲阿布·雅克·伊希克·所拉門阿爾·以息累里（Abu Yaqub Ishaq Sulaman al Israili 850—941），是一個猶太人，生於埃及，早年是一個眼科醫師，後來到開累伊萬（Kairawan）去成爲埃及王朝的醫師，他著有（1）定義論，（2）原素論經沙拉德氏譯成拉丁文，（3）膳食論經君士坦丁氏譯成拉丁文。

10. 阿步·阿里·胡先·伊本·阿布多拉·伊本·辛納氏（Abu Ali Husan ibn Abdullah ibn Sina 980—1036），在拉丁歐洲稱爲阿維森納（Avicenna），他生於菩卡拉區（Bokhara）的阿富先納村莊（Afshen），是當代醫學的偉大代表人物，其辯證之精微，竟超過亞里士多德氏及格林氏之上。他的寫作充滿着玄學的推論，他綜合研究希波克拉提斯氏亞里士多德氏和格林氏的觀點，並申述發揚亞里士多德氏的著作，甚至有些是亞氏本人尚未盡明確者。他自己說過曾經閱讀亞氏的玄學40遍而不得其要領，但後來得助於法拉俾氏 Farabi 的啓發就豁然貫通。阿氏年僅18歲時已博覽羣書，並能背熟整套可蘭經，當時被漢姆登王子封爲國務員，嗣由於妒忌者的陰謀和他個性的瀟灑不羈難以立足，他就逃到波斯的伊斯弗漢地區（Isfahan），後又變爲王朝的御醫。他在21歲時著了一本百科全書，對當時所有各種科學，除算學外，都包括無遺。這說明他是一出類拔萃的天才，可惜因爲過於放縱肉體的情慾，56歲就死了，葬在哈馬丹地方。他所著的書有過百種之多，其最著名的 Al Qanun fit Jibb 一書，集一切醫學知識的大成，裏面充滿着他對於前賢作者有許多解釋，它改訂了希波克拉底斯氏和格林氏的學說著作，使其能更與亞里士多德氏的觀點吻合。他又說出早代作者和他自己的許多經驗。這本醫典分爲五集：第一、二兩集論及衛生學和生理學，是根據亞里士多德氏和格林氏的主張；第三、四兩集，則論及醫學；第五集是藥物學。這本綜合希臘與阿拉伯醫學的會典，是列入歐洲各大學的課程表內，直至1650年爲止。

阿維森納氏在歐洲中世紀時代享有崇高地位，正如格林氏在阿拉伯時代一樣。當時考核學者的標準，要看一個人對於阿氏著作的最深奧之處能够領略多少而定，即所謂新著作也不外將阿氏書中最難懂的章節再加一個註釋而已。但同時另有一些人抱着不同的見解，例如亞諾德-維蘭奴佛氏（Arnold Villanava 1235—1312）認爲阿氏只是一個職業化的草率著作者，且其誤斷反而迷惑了歐洲的醫師使其無所適從。又阿文左氏 Avenzher 亦認爲阿氏的醫典只不過廢紙而已。但無論如何，阿氏影響歐洲力量之大，有如格林氏影響於阿拉伯作者一樣。這是三段論法和玄妙著作勝過臨床觀察和自然現象研究的第二次大勝利。第一次的勝利是格林氏勝過希波克拉底斯氏。在阿拉伯時代阿維森納氏勝過格林氏。

阿氏確是一位臨床醫師，不過他對於臨床的研究還不如對於玄學和邏輯的研究更爲有趣而已。阿維森納氏是一位超時代的偉人，他在阿拉伯作者和中世紀歐洲人的眼目中是一個［醫王］。除了是一位醫師和哲學家，他還是一位詩人，有許多作者認爲那首奧瑪卡揚（Umar Khayyan）的名詩亦是阿氏所作。

11. 伊本·查澤拉氏（Ibn Jazla），在1074年生於巴格達，他出世時是一個基督徒，但後來轉變爲回教徒。他的兩本著作 Jacuim 和 De Cibis et medicins 在歐洲被普遍採用爲學習資料，直至16世紀中葉爲止。

12. 愛布德爾·拉提夫氏（Abdul Latif），是一位醫師，同時又是一位化學家，哲學家和語言學者。他在大馬色，愛立普和開羅等地當教授。他有166種著作的貢獻，大多數是關於醫學的。現只有其中之一本書 Compendium memoyabilium Aegypti 的譯本尚留存着，其最後翻譯本是在1810年發現於巴黎。

13. 伊本·愛皮·尤沙皮阿氏（Ibn Abi Usabia 1205—69），生於大馬色，後來遷居至埃及。他是第一個阿拉伯醫學的歷史家，在開羅的醫院担任醫師。

14. 伊本能·納腓斯氏（Ibnun Nafis），又稱爲愛納腓斯（Annafis），是大馬色的醫師，死於1288年，他寫過阿維森納氏醫學綱要的評註一書。1628年他的著作在加爾咯答出現，是用 Moojizool Oanoon 名義的。

15. 阿布·阿里·哈山·伊本·阿爾·黑泰姆氏（Abn Ali Hasan ibn Al Haytham），在拉丁西方稱爲阿爾哈山（Alhazen），生在巴斯果地方（Basra）（965），他的主要工作是在光學方面。他反對尤其列氏（Euclid）和拖蘭靡氏（Ptolemy）的原理所說：眼目可把光線送到目的物之處。他用實驗方法研究光的散佈，顏色，視覺的幻象，反射等等，來試驗投射角度和反射角度問題，因之就稱爲［阿爾哈山氏問題］。［在一個圓球形的，或凹入的，或凸出的，或圓筒形的，或圓錐形的鏡子內尋求出一個中心點：即是某地方目的物可以反射到某地方眼目之處］這就可引導到阿爾哈山氏用雙曲線所解決的第四等級方程式。

他用透明媒介研究曲折光，已將達到發明凸鏡的地步。羅杰培根氏（Roger Bacon）和許多人的工作都以他爲根據，並且他對於里昂納多·達芬奇氏（Leonardo da Vinci）和解百拉氏 Kepler 的工作亦大有影響。阿爾·俾任尼氏（Al Beruni）和阿維森納氏二人對於視線的原理，亦均有同樣的見解。查視光的產生，並非由於光線從眼目中射到目的物，而是由於可見到的目的物的形狀走到眼目裏去，其中通過透明體（晶狀體）做傳遞工作。阿爾哈山在光學上的工作非常偉大，可以駕乎尤其列氏和拖蘭靡氏之上。他也是發現映畫鏡的人。

16. 克姆爾埃丁氏（Kamal-ud Din 1320）也是一個波斯人，對於光學方面亦有很重要研究，他把阿爾哈山氏有關映畫鏡的工作推進一步。他用玻璃球形管細察光線的行徑，來查考在兩點中太陽光的曲折光，這引導他能解釋虹霓出現的問題。

西方回教王國

這一學派的醫師是現實者。他們對於玄學的三段論法感覺不耐煩，所以他們反對東方回教王國的中堅人物阿維森納氏。這學派中顯著代表人物是：

1. 阿普爾·卡休·遲斯·薩果維氏（Abdul Qasim uz-zahrawi），在拉丁西方稱爲阿爾部克斯（Albucasis），他在936年生於科爾多巴相近的愛爾扎拉。父母是西班牙人。他是愛布德爾果門第三世的御醫，編有內外科全書，名爲 Altasrif。內科部分多借鏡於果塞斯氏，自己只有很少創作。外科有些部分是根據於愛琴那的保羅斯氏所著之外科模範課本 Epitome 作爲藍本。第一本書是集中在烙法，所需用的器具都有圖解。第二本書關於普通外科，是從保羅斯氏的著作襲抄而來，它論述膀胱結石手術，切斷術和眼科牙科手術等。第三本書是關於骨折和脫臼問題，他提及脊椎骨折後隨着的癱瘓，和論述難產時的器械救助法。他承認通過果塞斯氏獲得格林氏的解剖學知識，他所著的 Altasrif 一書，內載有關於果塞斯氏所論述天花和麻疹的原本。烙法和格林氏的解剖學之能遍傳於拉丁歐洲，是由於他推動之力。他的著作在歐洲被採用爲外科教科書有數世紀之久。在這個時期外科地位能够提高，他亦有幫助的。

2. 阿布·梅文·阿布德爾·馬立克·伊本·瑟兒氏（Abu mewan Abdul malik ibn zuhr 1113—1162），在拉丁歐洲稱爲阿文左阿（Avenzoar），出

身於一個有體面的西班牙家庭。他的生死都是在塞維爾地區。他是一個偉大的回教思想家，他不相信占星術和有關醫學的迷信部分。他極力反對醫學玄妙的地方，並着重觀察和經驗就是一個醫師的唯一指導方向。他著有 Altasir 一書，是關於製藥學和膳食問題。他曾提及疥蟲，血液心包炎，和他自己所患的縱隔膿腫等病，並詳述其病狀。他也論述腎結石手術和氣管切割術。他的著作在歐洲被採用直至16世紀爲止。薛登漢姆氏的臨床學觀念，可以追溯到與阿文左阿氏有關，當其時格林氏是歐洲的醫學教皇，他竟有勇氣對其命令加以反駁，這是一個很冒險行爲，他被稱爲有智慧的名家。

3. 伊本·累希德氏 (Ibn Rushd)，在拉丁西方稱爲阿弗羅斯氏 (Averroes)，1126 年生於科爾多巴。他研究醫學，法律和哲學，是一個亞里士多德的隨從者。由於係 *Abu Bakar* 國務員的朋友，他被派任爲 Oazi 之職，先在塞維爾，後來在科爾多巴和摩洛哥。他死於 1198 年。因爲反對在朝掌權的政黨，他最後數年被監禁在獄中，這就是西班牙科學進展的終止。在這時期東方回教王國被蒙古人侵略，巴格達的圖書館也遭焚燬。伊本·累希德氏認爲宇宙或神的智慧是足以刺激一個人的消極智力（即靈魂），使其前進。這種推動力是有助於思想的誕生。他相信一個人死後的靈魂會與神聖的智慧混合爲一體，但並無個人永生不滅之事。這樣就激怒了回教和基督教信徒。他對於回教並無多大影響，所以死後不久就被遺忘，但猶太人當被驅逐出西班牙時把有關於他的學說傳播到法蘭西和意大利地方，那裏得到很大影響。因此阿弗羅斯主義在14世紀時候普遍行於西歐。有許多猶太人並負起了翻譯和傳播阿拉伯經院學工作，其最重要者是伊本約伯累爾氏 (Ibn Jabirue) 和伊本貝雅氏 (Jbn Bayya)，後者在他的隱士之指導一書中，繼續了阿爾法拉比氏的工作。伊本累希德氏爲西方的玄妙思想領導者與東方阿維森納氏互相輝映。這是第三次玄妙醫學壓倒臨證醫學的勝利，因臨床醫學者伊本懸兒氏被人遺忘，而亞里士多德學派的新進理論譯述者伊本累希德氏獨居其上。伊本累希德氏的主要著作是 Kitabul Kullyyat，在拉丁西方稱爲 Colliget，這是一本及時代的醫學摘要，內容有很多與格林氏不同的見解。這本書和他的旁的著作，常常被猶太教徒基督教徒等翻譯成拉丁文。

4. 拉拜摩西·伊本·美蒙氏(Rabbi musa ibn maimum 1135—1208)，在拉丁歐洲稱爲萬蒙尼提斯 (Maimonides)。在 1148 年阿爾摩華邑支人佔據了科爾多巴，他們的正教不爲西班牙猶太人所喜悅。美蒙氏出走至弗滋地方，他反對被人吸取，所以一逃至巴勒士坦，再逃至埃及。他在開羅開始業醫，不久就有了名望和金錢，隨後成爲薩拉丁大王的御醫。英王查理第一曾聘請他，但他拒絕不接受。他與伊本累希德氏同時代。美蒙氏和阿爾先納氏和伊本累希德氏都是屬於玄妙醫學派。由於猶太人不斷的將他的著作註釋，他就得享盛名。在他醫學著作中有一本忠告之書，關於膳食和個人衛生問題，是採取書信體裁寫給薩拉丁王，係用阿拉伯文寫成的。他把阿維森納醫典譯成希伯來文，同時並將希波克拉底斯氏和格林氏的醫學寫成箴言集。他又寫過一本書是關於爬蟲毒素和解毒劑。在他的痔瘡論中常提及累塞斯氏，阿維森納氏和伊本華德氏。他又寫過一篇關於哮喘病的簡短論文。

還有些使用阿拉伯語文的醫師們，很難斷定其係屬於東方回教國王範疇，抑係屬於西方回教國王範疇。

伊本塞累彼氏 (Ibn Serabi)，在拉丁西方稱爲小塞累彼，是在11世紀某時期的人。據傳他有很多著作貢獻但無法證實，所能確定者就是 Liber de Medicamentis Simplicibus 一書，是根據於載奧斯可而德斯氏 Disscordes 和格林氏寫成的，他還有其他著作已譯成拉丁文，被人採用直至16世紀中葉爲止。

伊本華非氏 Ibn Wafid 或伊本基非氏 Ibn guifit 是西班牙人，他也著有 Liber de Medicamentis Simplicibus 一書根據於載奧斯可而德斯氏格林氏和阿爾克德斯氏寫成的。

伊本能貝塔兒氏 (Ibnul Bayter) 也是西班牙人，1248 年死在大馬色。他廣遊希臘，埃及和小亞細亞等地研究藥用植物，後來寫一書，大都以亞里士多德氏的哲學和載奧斯可而德斯氏的醫學爲根據。他這著作是阿拉伯醫藥書最全面的。他描述有 1,400 種藥物，其中三百種是前人所未提過的。他詳細譯述阿拉伯人敘利亞人和埃及人所用的藥品。這書於 1840 年在斯脫特格德 (Stuttgard) 譯成德文。他是最後一位有名望的重要人物，其作品爲阿拉伯醫學上很有價值的遺產，影響到中世紀時代歐洲的醫學思想。

現在我們可推想一下，究竟阿拉伯時代的作者們在醫學上的進展有什麼貢獻。在理論方面講，希臘的思想和哲學並無推動，只不過做些評註和有系統的分類工作而已。因爲他們嚴禁人體解剖又以格林氏的生理解剖學爲千真萬確，所以在醫學實驗工作無甚進步可言。雖然阿布德爾拉提夫氏也曾提及到解剖學問題，但不足與維沙里埃斯氏相比擬。他們與波斯，印度和中國都接觸過，並儘量吸收它們的材料施用於內外科和藥物方面，這對於化學和藥物上的進步很有幫助。他們在植物學和礦物學方面亦頗有進展。在光學方面竟超過於尤其列氏和拖爾密氏。

所以阿拉伯時代醫師的一個偉大貢獻，就是保存希臘醫學文獻。許多希臘著作只能在阿拉伯譯本追尋出來，如沒有阿拉伯人，則前此時代的一切醫學知識勢必失傳。同時他們是很靈敏的觀察者，在臨床診斷和治療方面進步是很大的。果塞斯氏就是當時代並超時代的一位偉大臨床醫師，他對於麻疹和天花的認識是很傑出。有一次他診治一個患腎臟炎膿腫深入尿道的病人，下面是他的病歷史，說明他的觀察力非常强大：

「阿布杜拉·伊本·斯娃特（Abdisllah ibn Sawador）常受到多次不規則熱病的侵襲，有時是每日發的，有時是間日發的，有時是四日發的又有時是六日回復一次的，我斷定這種熱病會轉變爲四日性，否則是腎臟有潰瘍，不久該病人有濃汁從小便中排出，我即告訴他將不會再發熱，其結果確是如此」。

如果我們說：中世紀後期的歐洲醫學歷史就是阿拉伯勢力影響於中世紀歐洲的歷史，這不會有矛盾的。當歐洲倘陷在愚昧迷信和頑固的深坑時代，阿拉伯人已在學術文化上開放光明。當歐洲大陸被籠罩在黑死疫時候，人們過着敗壞絕望的生活，有的沉溺飲酒，有的迷惑於各種神權，但有一著名的阿拉伯政治家兼醫師伊本阿爾卡塔布氏（Ibn Al Khatib 1313—74），已寫成他的名著疫病書。又一位摩爾人的醫師伊本卡添瑪氏（Ibn Khatima 1369），也寫過一本關於疫病的書。這都是勝過甚至在16世紀歐洲人所寫的東西。他寫着「我得到長期經驗的結果，說明一個人和病者接觸，會立刻受到該病的侵襲，染着同樣的病徵；如第一個人患吐血病，第二個人就跟着他也吐血；第一個人患橫痃，第二個人也會在同一的地方患橫痃；第一個人患潰瘍，第二個人會患同樣的病並把它傳播出去」。希臘醫師們從沒有着重指出過一個疾病的傳染，這是阿拉伯人之特殊觀察。阿拉伯醫師們又爲首先在醫書用插圖。他們也介紹了一系列的數目字以代替羅馬數目字。能利用化學施之於藥品方面，亦是他們所創作。他們也很重視製藥者之同業組織和發展藥的調劑工作，例如採用薔薇水橘子汁等作爲佐藥之類。他們建立法定的醫學考試制度，是一件歷史上劃時代的大事。他們並提高了業醫者的尊榮地位，可糾正過去鄙視學醫的觀點。關於醫院的創立，雖然羅馬人早已有之，但後來要大薩波的醫院更爲增加。波斯人當時稱之爲 Bemaristans。在伊斯蘭最興盛時代，全國滿佈了醫院，僅在開羅一個城內就至少有40所。第一所醫院是在872年伊本杜林氏（Ibn Julun）創立的，後來就一天一天增多。在第九世紀初期回教國王哈倫阿爾果希德在巴格達建立第一所醫院，到十世紀時已增至五所。流動醫院是在11世紀開始有的，它們也是教學工作的中心，對學習成功者可發給文憑“Ijaza”。醫院分男女兩部，每部都有完全獨立的單位如病室，診療所等。較大的醫院且附有圖書館設備。合格的畢業生可往各處再求深造，受著名醫師的指導。種植醫用植物的植物園在某些地方亦有設立。

阿拉伯醫學的各種優點已如上述，但亦有其缺點：如寫作方面過於繁贅，有些東西原可一頁寫成，但往往把它寫到10頁之多，又過份重視題材的排列忽視題材的內容。一般著作者差不多毫無例外地喜歡爭辯，無論何事他們常要參引到格林氏和亞里士多德氏方面去，更可藉此大事評論。有時在加些註釋工作時他們也喜歡大大發揮一下，總是再三地評述不休，可是實際上並無增加任何新的意義。往往因爲形式上的苛求以致內容實質有所毀損，在文章的篇幅內常常充滿着辯論，引證，駁斥，確認等語。

從西班牙起阿拉伯的醫學寫作開始譯成拉丁文，但翻譯技術不甚好，上述關於阿拉伯醫學寫作的缺點有增無已。一篇文章如剔除了一小部分有翻譯錯誤外，又再減去了許許多多的爭辯駁斥等語，所餘實已無多。基督教作者對於累塞斯氏阿維森納氏伊薩克氏和阿爾部克斯氏的著作多方箋註，正如過去阿拉伯作者把格林氏和亞里士多德氏作爲註釋對象一樣。這種濫事註解以多樣式出之，直至16世紀爲止。

上述只是西方一面，另外在波斯，印度和中國方面，回教徒亦建立了很大的王國。醫學人員隨着軍隊在一起，他們在這些國裏依照巴格達方式組織了有些醫療機構。所謂巴格達方式其實是抄襲羅馬制度略較詳盡而已。在這些新王國的醫師有錢有勢，但他們只隨從附和格林氏和阿維森納氏，除再增加少許藥品以外可謂毫無建樹。

葛連任德少校在他所著的流行病和各種病症一書中（1934）曾稱：「一個人在滲入了格林氏對希波克拉底斯氏所作之註釋後，仍感覺尚有許多工作留下待做，就算爲偉大。只有那些愚笨者才認爲所有問題都已解決。當希臘科學灌輸到閃族文化上的時候，有關流行症的新資料搜集了不少，使用阿拉伯語的醫師如累塞斯氏阿維森納氏等所搜集的材料甚至比較在希波克拉底斯氏的書典內所載的更爲有價值，可惜在理論方面，阿拉伯人不能擺脫格林氏的桎梏，而只是盲從附和於他。但此種束縛到現在已不存在了」。

（趙士秋節譯自 Islamic Contribution to Medicine, The Journal of the Pakistan Medical Association, Vol. 3 №. 4. 1953.）

公共衛生工程之沿革

原著者　F. E. Bruce

緒　言

介紹這篇文章之前，我先說明採用之標題。第一，此標題在文字上雖正確地表示爲衛生工程，但在實際應用上，一般地卻限於建築房屋、給水及糞便之處理。多數人對衛生工程的概念，以爲只是下水道的排泄；但工程之原則已被應用在各方面改進公共衛生，因此公共衛生工程這名詞，已廣泛地被採用了。其次，把悠久複雜的沿革史，歸納在這短篇中，是有困難的。我只探討重要的一、二件有關建立近代公共衛生工程科學者。

古代文化

雖然近代的衛生工程是近二百年來的發展，但回顧古代文化他們對城市衛生已提到高度的標準，對於我們是有意義而有益的。很多古代的成就，都被湮沒。我們現有者，只是近百年來從地下發掘出來的一些，因此，我們很難知道也可能是永遠不會知道他們全部的技巧。

克里特地下諾蘇斯（Knossos in Crete）皇宮是米諾人（Minoan）文化的產品是近代最好的標本。米諾斯朝代是在紀元前 4,000—1,400 年間。在此地找出高度發展的衛生工程的殘跡，包括給水的佈置、華麗的浴室、近代化的衛生沖水便所及其複雜之地下陰溝系統。在本世紀初，當此巨大皇宮出土時，一位法國學者，欣賞幾千年以前代表諾蘇斯皇宮的克里特女人的飾帶時說「這是巴黎的」。一位意大利學者，見到此地下水道構造時說「純粹的英吉利」，李翁公爵（Sir Leonard Woolley）說「我見到此偉大的克諾索下水道系統，即刻使我回想到我的家中」。

紀元前 2,500 年的印度文化，在住房的上層有浴室、有廁所，在地下有瓦管接聯的下水道。垃圾則有斜槽自動輸送到屋外垃圾箱中，此等精美的建築，除在近代化工程師的廣告上，很少見到。

古代亦感到澄清飲水的必要。埃及用沉澱法，在 1,500 年以前的墓牆上已繪畫着指明抽取清水的方法。紀元前 2,000 年，印度已採用沙及沙石濾水的辦法，對於煮水的價值亦被公認。據說，最天才的飲水處理法，要算紀元前九世紀斯巴達的來喀古士（Lycurgus of sparta）所設計的有名的飲水杯。此杯的價值在於能使污泥停滯在杯邊，亦可能是飲水的人見不到污穢之物及其顏色。來喀古士不是工程師，而是法律家，此點現不詳提。

羅馬人是大工程家，同時最注意體育及健康。配合此二種的品質，造成羅馬及其他城市有名的水道，從數十里遠深山中供給城市用水，建立地下水道浴池，構造屋內巧妙之保暖和通風設備，及露天學校，實際上超過生活上的需要。他們好舒服、奢華，此爲羅馬帝國腐化及崩潰的物質因素，可爲近代文化的殷鑑。

古代文化的崩潰及其重建

羅馬帝國崩潰後，歐洲進入黑暗時期，衛生及清潔無人注意，疾病叢生無法制止。宗教鄙視軀體，此時期流行着成語謂「神巫代替開水」。

從 13 世紀開始，我們見到緩慢的、艱苦的重建城市生活的技術。城市居民及營業漸漸加增。建立法律及規章，使人民彼此不相妨礙，此等法律及規章對於衛生的意義不大，主要是防衛不法的行爲。

積極方面，漸漸進至飲水供給，經常是用溝渠，例如 1591 年德類克（Francis Drake）在普里穆斯（Plymouth）所建築者，使用三百年之久，或如邁德勒吞（Sir Hugh Myddleton）所建的新河，至今日尚供給倫敦市民的飲水。多數城市用木製或鉛製水管，分送飲水。陰溝則是爲路面雨水而建，同時帶走了垃圾和污泥。

工業革命時代

發明蒸氣機及利用機力於工業，是世界歷史一重要的轉折；它從二方面影響我們，其一產生新的工程技術，其次在進步國家中轉變了千百萬人民生活之方式，特別是英國，把過去已存在不衛生狀況更加嚴重化。

英格蘭及威爾斯（England & Wales）在1801年第一次戶口統計時不及900萬居民，其中只有30%住居城市。在18世紀中葉工業革命開始時，居於城市者，不及200萬，但一百年之後便增至1,800萬，其中約1,000萬住居市內。城市戶口增加五倍，使工業區擁擠；由於交通不便，工人集居於工廠附近，建築簡陋，衛生不良的住所，糞便及垃圾無法出清，飲水取於淺陋污染的水井。當1831年，1848年及1854年霍亂從印度傳播全世界時，英國成爲嚴重的傳染區，由於居民擁擠，發生恐怖。

衛生工程的復活

城市居民的衛生受到威脅，無疑的使人民漸漸醒悟，特別是霍亂流行後，經過相當長的時期，社會的力量督促政府採取改善的辦法。

1842年察德威克（Edwin Chadwick），經長時間的調查研究，發表他關於工人生活的衛生狀況報告。在其報告中指出，改善工人的公共衛生，主要是飲水的供給，糞便由地下輸送，住宅及街路上垃圾隨時出清。爲着人民的福利、經濟及衛生，他主張所有新的建築，必須由有經驗的工程師來掌握。他比當時的工程者更見進步，特別對於下水道方面。

彼時多數陰溝是爲導引路面雨水進入河流而設。陰溝用磚及石建築，形式巨大，可以進出其中作清除工作。直至1815年，住宅的糞便及污水始准放入此項陰溝。其他的都市亦如此，甚至有更遲數年者。由於糞便准許放入陰溝，如是陰溝形成爲巨大、平坦慢流的長糞池或稱之爲糞溝。察德威克以爲如果住宅內的糞便及臭氣要迅速出清，則陰溝的管必須縮小，斜度必須增加，而且有足量的水隨時沖洗。察德威克像來略古士非工程師而是學法律者。在實際的工作中，他並不猶豫，投入陰溝的建築技術中。在工程辯論中，他反對大陰溝制，而堅持小管制的優點。他進行試驗，表演水流過瓦管的情況，證實他的理論。在他的指導下，在鄉間建築第一個瓦管陰溝，雖在初期時，由於瓦管質量不佳，大小不一，厚薄不勻，遭到失敗，受到困難，但他堅持不移，而他的理想終於實現。現在則各城市有下水道系統者、多用瓦管，大量之糞便自流其中。

察德威克並未忽略附帶的供水問題。他的陰溝制度必須有經常不停、有壓力的流水供給。少數幸運的地方，有些間斷不定的流水供給是不够用。他的貢獻在政治及行政方面，遠超過供水的技術問題。

在此時期，數年以前，在技術方面已有顯著的發展，在法國、蘇格蘭及郎卡郡（Lancashire）各地經過40年各種給水試驗之後，於1829年西姆普松（James Simpson）一位拆爾息（Chelsea）城自來水公司的工程師在實際上，第一次成功了他的沙濾水法。由於城市居民的糞便、污水及垃圾，倒入河流內，水質變壞，因此濾水變爲必需的方法。倫敦城發展擴大，泰晤士河的水便特別污穢。在此世紀的上半葉，倫敦市民的飲水皆取自泰晤士河，其中混有河水，未處理的糞便，及工廠的廢水。由於拆爾息自來水廠的經驗，其他的城市亦效法用沙濾水，濾去能見到的污物，使水更適合於飲食之用。1852年，英國規定城市飲食所用的水必須經濾，而取水的地方，必須在清水地區，潮水不到之河流中。

沈森（Simpson）的沙濾法，全部的價值從1829年以後，經過多年皆未爲人所注意。沙濾之目的，是除去能見的混懸的物質，但其實際則遠超過此限度，蓋至微細的微生物，包括大量的細菌，亦爲沙面上，膠粘的膜層所絆住。更有進者，此等活細菌，水藻，及原蟲形成膠粘的膜層，它們依賴水中不潔的有機物而生活，同時不潔之有機物，經分化、氧化，變爲無害的無機物，回至水中。糞便污染的水，經過管理合法的沙濾，不特污物排除，水中的細菌亦99%被濾除。沈森在濾水時，見到水過濾床時產生一種現象如同［發酵］，但他及其同時之人，皆未理解到它的作用，雖然沙濾水法是他發明的。至於由水傳播疾病，則彼時尚無人想到。

陰溝用瓦管運走住宅的糞便及廢物，及推廣應用飲水改良法，特別是用沙濾水法，是19世紀工程者對公共衛生一個偉大的貢獻。更值得注意的是此二種的改革，前者是由於假想的理論，而後者則是基於不明瞭的學理而發展者。

疾病的本質

百年以來的進步，及前進的科學思想，如同一種新的光線，照出疾病的本質，及其傳播的形態。更使人感到興趣的，用一種工程的俗語來說，是過去衛生的機構，築成一種新的科學基礎。

1848年，斯諾（Dr. John Snow），約克郡人在倫敦行醫，開始追究霍亂的來源及其傳播的路徑。根據臨床的病狀，他認為此病是由一種毒物直接進到腸胃，因腸胃症狀未現之前、頭不痛、脉搏不快，此與病毒由呼吸系及循環系進者，截然不同。基於病毒是由吞食而非由呼吸，更進而發現病毒是由糞便排出，並能由糞便污染之水，食物或其他接觸病人之物及被服，傳染至他人；1849年斯諾在一小冊中發表他的意見題為「霍亂傳播的形態」。再過數年，他得到充分的材料，因在1854年霍亂流行英國給他完成研究工作的機會。

1854年九月霍亂流行於倫敦，起源於布洛德街（Broad Street）的水站，斯諾認為是英國最兇險的流行病，因在 Regent, Oxford, Dean, 及 Coventry 四條街路周圍的地區內，在二星期內死亡 600 人。死亡的數字可能不止此數，因有多數居民懼怕霍亂逃亡他處，正如斯諾指出不到六天，發病街路的居民少了3/4。其次則據他的意見及觀察，傳病的抽水站，直至八日之後，經附近居民向街道管理委員會請求之後始拆除。此種的處置，究有多大的影響，很難確定，蓋到此時，每日的病者，已開始減少，而原始污染的細菌，估計它亦可能漸漸死亡。事後調查，始知此水站的水是為 40 號舊磚石所造破漏陰溝之水所污染。因霍亂病人之糞便經此溝到達井水中。在此時期中，井水再得到其他的污染，是很可以的。

斯諾在此次流行病，最大的貢獻是他那種詳細調查病人及其病史的方法，發現幾乎所有病人皆飲此水站的水。而無其他原因，是各病人所共同有者。事實證明，不拘霍亂病毒的性質如何，它是由於病人的糞便污染飲水而傳播，則是確定。

至於病毒的性質，基於它所引起的禍害，斯諾充分的認為它是能孳生在人體內者。在 1855 年斯諾重印及擴充他那霍亂傳染的形態一書時說「可怕的霍亂物質，它能自己繁殖，必然有他的組織機構，可能是類似細胞。」

後來他被證明那是正確的。因數十年以後，巴斯德（Pasteur）及科和（Koch），以及其他多人，發明細菌培養及染色的技術，因而使人能從事研究及認識細胞。自從二百年以前，凡·雷汶胡克（van Leeuwenhoek）第一次用他那簡單的顯微鏡，看到微細動物以來，細菌學便徘徊於世界科學的大門前。此時人注意到發酵，並把它比擬於疾病的過程。終則到今日細菌學，成為一完整的科學，跟隨着它有很多重要的發明。

前期的細菌科學史，如同偵探小說，它解決了許多神密的事，並說明其中詳細的情況。當1884年科和分離出霍亂細菌，指明它是霍亂的病源，由飲水傳染他人，斯諾的理論始被證實。傷寒病菌則早於 1880 年由伊柏司（Eberth）分離確定了。

1885年以後另發生一件故事，便是沸蘭克蘭德教授(Percy Frankland)開始經常的檢查倫敦市的自來水。第二年他給工程研究所一個報告，他指出檢查的結果，證明水經過沙濾之後，水中的細菌減少了96—99%。從水中細菌減少的數量，他能決定倫敦市各種處理給水辦法的價值及其功用，他說「理論符合事實，是最準確的證明，減少水中的細菌，不須要在暗中摸索，現在問題很明顯，正如早日人民看見消除水中能見的懸物一樣。

由於證明在管制由水傳染疾病細菌學是一種工具，因此其他的生物科學，亦在其他方面，有所貢獻。在1880年拉夫朗（Laveran）發明在血球中微小的動物為瘧疾的病原。1897 年羅斯（Ross）更有名的發明此微小的動物在蚊蟲的胃組織中。瘧疾證實了是由蚊蟲傳播，使人知道控制的辦法。並很迅速的指示人防止蚊蟲孳生用工程管水的辦法。雖現有殺蟲劑，但它的價值仍是巨大。

現在及將來的問題

衛生統計表示，凡是直接由環境衛生而發生之疾病，較之百年前，現已大見減少幾乎消滅。但世事不是靜停的，戶口仍在增長，不停的變動他的散佈形式。舊的建築物需要維持，或是改造，人民提高生活增加了要求，舊的危險或災禍已減少或消除，但新的起來，代替了他的地位。例如工業廢物的放射，或日見增加的腦炎問題。疾病的形態變了，有的細菌毒性減輕，而其他則增加。環境衛生的管理尚有不少的工作。促進人類更進一步地改善衛生。不能以死亡率之減少爲計算，蓋人必有死，所要者，人民的疾病減少、慢性病減少、體格健全，適乎工作。

工程學應用在此種工作上，是名符其實的衛生工程。當然此非工程者單獨工作。有些人可能受到衝動因我所記述者，是律師、是醫生、是細菌家，而設有正式之工程師，此則因我只記載那些小數形成衛生工程之理論者，而這些人則多不是工程中人。我很可以記述不少的工程師之名，他們將此等理論付之實施。但是亦說明衛生工程，是依賴各種科學家的相互協助而成。建築計劃可能最後的施工是工程師，但需要各種科學專家的技巧與貢獻，始可保證計劃完好的成功。

（江勞、之光譯自 Water and water engineering［水及水的工程］，58; 116--119，1954.）

第三屆全國衛生行政會議決議

（一九五四年二月二十五日政務院第二百零六次政務會議批准）

一

四年以來，全國衛生工作在中國共產黨和各級人民政府的正確領導、各有關部門和廣大人民的支持、蘇聯專家的幫助以及全體衛生工作人員的共同努力下，獲得了很大的成績。在抗美援朝的過程中，動員和組織了廣大醫務工作者在前後方服務，並安置與醫治了大量志願軍傷病員。愛國衛生運動提高了人民的衛生知識，改善了環境和個人衛生，戰勝了美帝國主義的細菌戰。由於積極地進行了防疫工作，天花的發生已大爲減少；解放前連年流行的霍亂，已四年沒有發生；鼠疫的發生率和病死率亦已大爲降低。在工礦、林業生產和水利築路等建設工程中，衛生工作人員發揮了重大的作用。從一九五二年秋起，對國家工作人員開始實行了公費醫療。婦幼衛生工作使初生兒和產婦的死亡率大爲降低。少數民族地區的衛生事業正逐漸改善，建立了三百五十多個縣衛生院和三十多個醫院，培養了兩千多民族衛生幹部，並派遣了巡迴醫療隊深入少數民族地區工作，得到了少數民族的熱烈歡迎。各種衛生機構一般已經恢復，並有一定的發展，全國的病床數較解放前增加了四倍多，大部分的縣區已建立了基層衛生組織。培養幹部方面，高中級醫學院校已畢業六萬餘人，並訓練了大量初級衛生人員，兩萬餘中醫得到了進修，提高了政治與業務水平。對於蘇聯先進經驗的學習，正在逐漸加强，我們組織了巴甫洛夫學說的學習，翻譯了不少蘇聯醫學書籍，並組織了對蘇聯醫學教育和研究機關的參觀，在蘇聯專家幫助下，開始進行了對各醫學院、醫療、防疫、婦幼衛生部門工作的改革。

但我們工作中的缺點和錯誤是很多的。首先我們對於工業衛生重視不够，工礦中的醫務人員量少質差，制度很混亂，以致工礦企業中的多發病、職業病等依然嚴重地影響着生產。對城市醫療工作也缺乏具體領導。醫院中的不合理制度，尙未徹底改革，病床週轉率一般很低，忙亂現象十分嚴重，醫療事故不斷發生。對私人醫院和診所沒有充分利用和發揮他們的力量。在發展縣區衛生組織，開展愛國衛生運動中，盲目冒進，形式主義和强迫命令的偏向相當嚴重，如在愛國衛生運動中曾不顧某些農村客觀實際條件，强調提倡人畜分居、合厩分肥、以及濫發表格、攤派任務，有的地方甚至發動打狗運動，强迫羣衆種痘和打防疫針，過早地提倡婚前健康檢查等，所有這些，都是脫離實際和脫離羣衆的。我們對中醫常常片面强調他們的缺點，沒有看到中醫是我國寶貴民族文化遺產之一，在廣大人民中有很大作用，因而產生輕視和歧視的現象。在醫學教育方面，我們曾片面誇大短期速成和專科重點的作用，忽視了從國家長期需要出發的正規高級醫學教育，並曾盲目發展中級醫學校，對醫學院校也缺乏認眞的管理；對在職幹部的進修和培養，也沒有有系統、有計劃地進行，使幹部的政治與業務水平未能及時提高。

以上缺點和錯誤說明我們衛生部門的領導工作中有嚴重的主觀主義、官僚主義和分散主義。產生這些缺點的原因很多，但主要的是政治領導薄弱。我們許多幹部不認識衛生工作關係於廣大人民的生命和健康，是一個重大的政治任務，也不瞭解一切技術工作必須爲政治服務，因而工作中有使技術脫離政治的傾向。由於這種錯誤的認識，使對上級領導機關常常不嚴格執行請示報告制度；對於黨和政府的方針政策和各項指示，不能認眞研究和貫徹；在決定工作時，往往只從技術要求出發，不從政治出發；在佈置任務時常常不交代政策；檢查工作時，也只看表面成績，不注意檢查政策思想和完成任務的方法。在衛生工作的各個方面，表現羣衆觀點薄弱，缺乏對人民高度的負責精神。並缺乏注意調查研究、深入檢查和具體踏實的領導作風。今後我們應該加强衛生部門的政治領導，加强羣衆觀點，繼續貫徹「新三反」的精神，堅決克服缺點，發揚成績，把衛生工作向前推進一步。

第三屆全國衛生行政會議不僅檢査了四年來的全國衛生工作，對今後工作的方針和任務也進行了討論並作出如下的決定：

二

從今年起，我國已經從恢復時期進入到大規模的有計劃的經濟建設時期。毛主席指示：「從中華人民共和國成立，到社會主義改造基本完成，這是一個過渡時期。黨在這個過渡時期的總路綫和總任務，是要在一個相當長的時期內，逐步實現國家的社會主義工業化，並逐步實現國家對農業、對手工業和對資本主義工商業的社會主義改造。這條總路綫是照耀我們各項工作的燈塔，各項工作離開了它，就要犯右傾或「左」傾的錯誤。」衛生部門必須從國家的總路綫和總任務出發，在黨和政府的領導下，繼續採取「整頓鞏固、重點發展、提高質量、穩步前進」的工作方針，貫徹「預防爲主」「面向工農兵」「團結中西醫」和「衛生工作與羣衆運動相結合」的原則。今後衛生工作應首先加强工業衛生和城市衛生工作，並繼續開展愛國衛生運動，防治對人民危害最大的疾病，有步驟地結合互助合作運動開展農村衛生事業，爲增進人民健康，加强國家的經濟建設和國防建設而奮鬥。爲了完成這些主要任務，必須提高領導、加强團結，大力培養幹部，密切聯系羣衆，堅決克服衛生部門中的主觀主義、官僚主義和分散主義現象。

根據上述方針任務當前必須做好下列幾項主要工作：

1.　工業衛生工作

開展工業衛生工作，是當前衛生工作首要的任務，是保護和增進工人的健康、提高勞動生産率、保證國家經濟建設的順利進行的重要措施之一。衛生部門，必須做好這一工作。在今後相當長的時期內，基層衛生組織的建設重點，應放在工業衛生部門。目前應分別緩急輕重逐步建立與健全以工廠和礦山爲單位的衛生基層組織。在各基本建設工地，應逐步組織工地保健組織和巡迴醫療隊。在工人羣衆中，應大力進行衛生常識教育，使職工能自動自願地參加衛生工作。並應採取切實的方法和步驟，改善廠礦衛生環境和工人衛生條件，防止多發病、時疫和職業病。

今後應學習蘇聯經驗，按各地不同情況，工業類別，主客觀條件等，在當地中共黨委和人民政府統一領導下，穩步實現政府衛生部門對工業衛生工作的統一管理。首先應選擇若干工業城市重點試辦，取得經驗，逐步推廣。在一般地區應由衛生部門逐步配備醫務幹部，加强衛生工作的業務領導，參加衛生機構的基本建設、財務等計劃的製訂，摸清情況，爲實行統一管理準備條件。工礦企業中衛生事業機構的基本建設和經常費用，仍應由企業部門負責，當地衛生行政部門應監督其用途。爲了加强對工業的衛生監督，應逐步建立國家衛生監督制度，首先應從新建的主要廠礦開始試辦預防性的衛生監督，然後逐漸開展全面的衛生監督。

工業衛生工作，應在工礦企業的黨委和行政的領導下以及在上級衛生機構的指導下與工會取得密切聯系，依靠工人羣衆來進行。工業衛生工作要圍繞着生産進行，要明確爲工人健康服務和爲生産服務的觀點。爲此，工業衛生人員要深入車間、坑道、瞭解生産過程和工人的生活狀況，使衛生工作密切結合實際；要加强「預防爲主」的觀點，經常注意研究多發病、職業病的發生和發展原因及其防治辦法。爲了加强工業衛生的領導，需抽調政治和業務水平較高的幹部，充實各級工業衛生部門，衛生部門應設立專門機構管理此項工作。

2.　城市醫療預防工作

城市醫療預防工作的重點，首先是保證國家機關工作人員和與生産建設直接有關人員的健康，並同時照顧一般居民的門診，急、重病和流行病的住院治療。目前城市醫療預防工作的情況是主觀力量與客觀要求極不相適應，對現有國家醫療機構的管理不够完善，私營醫療機構的力量沒有充分發揮作用。因此必須採取下列措施，以求逐步改善：（一）

在整頓、提高、挖掘潛力、發揮工作效能的精神下，改善醫院管理制度；調整組織，改進工作方法，減少會議和醫務人員的兼職；合理規定門診、住院、療養病人的條件和就診區域的劃分；改善掛號、就診、取藥的辦法，克服忙亂現象；特別應加强醫療機構的政治工作，團結教育衛生人員，充分發揮其積極性、創造性，注意提高其業務水平，大力培養後備力量。（二）在大城市有計劃地增設門診部，在適當地區建立療養機構，設法提高病床週轉率。（三）對公費醫療必須加强管理和適當的控制，克服公費醫療工作中的浪費現象，對國家機關工作人員應加强對公費醫療的正確認識和衛生常識教育。對於縣和縣以下的公教人員，可因地制宜，採取不同方法適當解决。（四）積極組織和發揮私人醫院和診所、中醫聯合診所和中西醫聯合診所的力量。公費醫療可酌情委託私人醫院、診所和中醫看病。（五）應根據經濟核算的原則適當地調整收費標準，糾正偏高偏低的現象。

城市私營醫療機構，尚有部分力量未充分利用，應加强團結、改造和管理，防止排斥和歧視現象。對私營醫院和診所一般應視爲社會福利事業，醫生（包括院長）是自由職業者，因工作需要而僱傭一些助手，不宜當作勞資關係來處理。在城市和工礦區，在自願原則下適當地組織聯合性醫療機構，還是必要的，可採取分紅、獎勵等辦法，以發揮其經營業務的積極性。

各地均應以省、市爲單位培養中心醫院，使成爲指定區域內解决疑難病症、技術指導和培養幹部的中心。

加强藥政管理：製訂醫療機關的藥品裝備標準，頒佈藥品檢驗制度和方法，擬訂切實可行的成藥管理辦法，重點試辦縣衛生院的藥品供銷部和加强組織中西藥品下鄉。

3. 繼續開展愛國衛生運動，加强防疫工作

愛國衛生運動的目的在於發動羣衆轉變和革除舊社會遺留下來的各種不衛生習慣，提高人民的健康水平，減少疾病，提高勞動生產率，防制敵人的細菌戰。愛國衛生運動的重點是在城市、工礦、交通要道和學校，農村的愛國衛生運動亦應適當開展，要求在原有基礎上逐漸提高，並使之日益普及和經常化。今後愛國衛生運動的活動方式必須和當地中心工作相結合，並應根據羣衆的生活條件，利用和發揚人民中固有的衛生習慣（如端午節的消毒去蟲、六月初六的曬衣和春節大掃除等）加以逐步提高。爲了防止各種傳染病，須繼續進行撲滅蚊、蠅、蚤、虱和老鼠等媒介動物以及改進環境衛生的工作；但一般應針對當時的情況和特點，提出恰當的口號和要求，不要强求一律。衛生部門對於各項羣衆衛生工作，應在當地黨和政府領導下，協同各人民團體進行，不要孤立地單搞一套。一切預防工作，均應依靠羣衆，發動羣衆，在羣衆自覺自願的基礎上來進行，因而必須在廣大人民羣衆中進行切合實際的衛生常識的宣傳教育工作。要堅決反對衛生運動中的形式主義和强迫命令，但同時也要防止無人領導的自流現象的發生。今後愛國衛生運動委員會統歸各級人民政府領導，愛國衛生運動委員會的辦公機構（省、市、縣不另設編制），可和同級衛生部門合署辦公。目前防疫工作仍不應放鬆對敵人細菌戰爭的警惕，並應繼續嚴格控制天花，壓縮鼠疫區，防止流行性乙型腦炎的蔓延和霍亂從國外傳入；對農民危害最大的住血吸蟲病、血絲蟲病、鈎蟲病、黑熱病、瘧疾、痢疾等應積極進行防治工作。對各地區疫病應加强調查研究，並使研究和防治機關的工作與羣衆的防治經驗相結合。一切防疫業務機關必須在指定的地方衛生機關領導下進行工作，克服强調垂直系統的分散主義的偏向。

4. 加强醫學教育和研究工作

培養新幹部和提高在職幹部的政治、業務水平，是發展衛生事業重要保證之一，應予足够的重視。培養衛生幹部應以高級醫學教育爲重點，同時整頓、鞏固和重點發展中級醫學教育，並有計劃地舉辦在職幹部的進修和組織政治、業務的學習。

高級醫學教育仍採取四年制和五年制兩種，對分科過細之院校，應學習蘇聯醫學教育分科經驗，根據具體條件逐步加以改變。在各醫學院校中應加强政治思想領導，團結教師，培養新師資，逐步保證教材供給，並進行必要的教學改革，系統地學習巴甫洛夫學說，以提高教學質量。

［專修科］原有的班次，仍應繼續辦好，應適

當延長實習時間，專修科的學制均改爲三年。以後辦理專修科應專收在職衛生幹部，主要用以培養內科、外科、小兒科和婦產科等專科醫師。

中級醫學教育，今後應着重整頓，提高質量，以培養醫士爲重點，並按比例地培養護士、助產士、藥劑士、檢驗士、X光技士等中級衛生人員。同時根據衛生工作的情況，增設公共衛生醫士和牙科醫士兩個專科。中級醫學校的修業時間，應按客觀需要，延長至三年。其中質量太差的應進行編併。

爲了提高在職幹部的政治和業務水平，必須有計劃有分別地舉辦進修教育，對衛生行政幹部，首先應加强其政治理論和政策思想的學習，其次爲保健組織的學習，以培養衛生部門的行政領導骨幹。對技術幹部，則着重專業進修，其有合於入高級院校深造條件者，經行政上批准和入學考試及格後，入學深造。爲此，應製定幹部進修計劃和籌辦幹部進修學校或進修班。

爲了加强衛生工作的技術指導，提高醫學水平，必須加强醫學研究工作。此項工作必須密切結合實際，目前應着重研究勞動衛生及流行最廣、危害最大的寄生蟲病、傳染病和地方病的防治辦法。研究的力量，應適當地集中，並應採取適當方法吸收各業務和教育機構中有研究能力的人員，積極參加研究工作。研究計劃應在中央衛生部統一領導下互相配合。

5. 加强中醫工作，充分發揮中醫力量

團結中醫，充分發揮中醫力量，正確地對待中國舊有醫學遺產，是衛生工作中一項重要政策。全國衛生工作者的任務應當正確執行這些政策。我們首先應當團結他們，然後逐步地進行改造和提高。爲此，必須採取下列措施：（一）在各級衛生人員中，普遍進行關於團結中醫政策的教育，堅決克服忽視和歧視中醫的偏向。（二）各級衛生機關應酌情吸收中醫參加工作，建立和加强管理中醫的機構。各大區、省（市）均應在最近期間召開一次中醫代表會議，聽取其意見，改進中醫工作。（三）保證中醫的正常開業。中央衛生部原已公佈的「中醫師考試暫行辦法」和「中醫師暫行條例」要求過高，不切實際，應行修改。在城市中應有領導地協助中醫組織聯合診所，並應加以支持和扶助，其性質是醫師自願聯合的社會福利事業，可以附設藥櫃，不徵收工商業稅，但以對就診病人售藥爲限。在此種聯合診所中，並應實行按技術、勞力取得報酬的工資制度，其內部成員的關係不能視爲勞資的關係。在委託中醫擔負公費醫療任務和參加防疫工作時，必須予以合理的生活費用。爲適應農村分散環境，農村中一般不應過分提倡組織中醫的聯合診所，其已組成行之有效者聽其自便。各地應試行動員中醫參加農業生產合作社和供銷合作社的醫藥工作。（四）中醫進修的主要目的在於提高政治覺悟和業務水平。進修內容應交流中醫臨床經驗，同時學習一些必要的西醫的基礎醫學知識和政治知識。交流中醫臨床經驗的辦法可請名醫作報告，相互講述經驗，進行討論。有相當經驗的具有相當文化程度的較爲年輕的中醫，可送入醫學院授以較系統的醫學科學知識，以培養研究中醫的人材。（五）對成藥管理應製訂妥善辦法，對有效的成藥和秘方，衛生部門應加以收集、整理、研究和推廣，並予以適當獎勵。對生藥的產銷應在栽培、貿易、稅收、運輸上予以照顧，以克服產銷失調、藥價偏高的缺點。各地對於已被取締成的藥，當事人如有異議，應加以從新審查。（六）舉辦中醫藥研究所，擴大針灸研究工作，舉辦針灸訓練班。爲防止中醫經驗的失傳，對全國各地有經驗的年老中醫，應用通訊和訪問等辦法，把他們的經驗記錄下來，鼓勵他們傳授。在西醫中指定有研究能力的人研究中醫學，吸取其合理部分。（七）健全中醫團體，加强其領導。改進和提高中醫藥刊物。

6. 婦幼衛生工作

婦幼衛生工作，關係於保護婦女、嬰兒和兒童的健康，是衛生部門的重要工作之一。目前應特別注意工礦交通企業中的女工、嬰兒和兒童的保健工作，在工業衛生機構中注意防治婦女和兒童的疾病。有條件的地方試辦婦女兒童保健站。此外應適當地注意改進城市和農村的婦幼衛生工作。繼續進行有計劃地改造和教育舊接生人員，給以普通的消毒和新法接生的知識，推廣新法接生，以減少產婦產褥熱和新生兒破傷風的發病和死亡。重點試行新

法育兒，目前要首先注意麻疹、腹瀉、肺炎的防治和營養指導。同時應密切結合總工會和民主婦聯等有關人民團體，進行普及婦幼衛生常識的宣傳，提高婦幼健康水平。對現有婦幼衛生機構應大力整頓與作必要的編併，克服形式主義、分散主義與脫離羣衆的偏向。

7. 少數民族的衛生工作

少數民族地區的衛生工作，對加强民族團結、增進少數民族人民健康、鞏固國防、促進各少數民族的經濟和文化的發展，有重要意義，應當引起重視。目前應首先防治對當地人民危害最大的疾病，如性病、瘧疾、婦女病等。在愛國衛生運動已有基礎的地區，應使之更加深入和經常化。在一般地區則應有計劃地進行衛生知識的宣傳，逐步培養衛生習慣，不宜以搞運動的方式進行。一切工作均應根據當地的經濟文化情況和民族風俗習慣來進行。對於少數民族原有的醫生如喇嘛醫等，應採取先團結後改造的方針。對現有游牧區和國防邊境工作的醫療巡迴隊，應注意檢査其工作並加强其領導。在康、藏、雲南、新疆邊境和海南島等地區，應有計劃地建立衛生組織。爲使少數民族地區的衛生工作能順利開展和鞏固，必須大力培養少數民族的衛生幹部，首先是初級和中級的幹部，在西北、西南地區的醫學院校中，應增設少數民族衛生幹部班；對少數民族地區原已設立的醫學院校、醫院、衛生院，應逐步充實設備和醫務人員，提高質量，加强領導。

除了上述各點以外，目前各級衛生行政和事業機構，應根據精簡原則，按照實際情况進行整編，其中辦得太差、確實無條件辦好的應加裁併；同時要厲行節約，克服一切浪費現象。切實管好幹部和經費工作。

三

爲了保證上述工作有效地完成，必須切實改進衛生部門的領導。首先，要加强政治思想領導。必須認識缺乏政治思想領導，也就不會有認眞的業務和技術領導，甚至會把好事辦成壞事，衛生行政部門如此，衛生業務部門同樣是如此。爲此，要更加認眞地團結和教育全體衛生工作人員，認眞地針對衛生人員的思想情況，結合業務進行國家過渡時期的總路綫和馬克思、列寧主義的學習，以提高衛生人員的政治思想水平，克服領導工作中忽視政治的觀點和技術脫離政治的傾向；並在各項工作中，貫徹國家過渡時期的總路綫和中共中央以及中央人民政府的各項政策，加强整體觀念，爲正確完成自己的計劃而努力。第二要切實加强向各級領導機關的請示報告，系統地反映情况和問題，提出建議，克服和糾正衛生部門中的分散主義現象。加强各級衛生部門的領導核心，認眞執行集體領導制度，經常注意發揚民主，開展批評和自我批評，依靠集體的智慧和經驗，克服和糾正一切違反集體領導原則的不良作風，克服工作中的居功自滿情緒。第三要樹立實事求是聯系實際的工作作風，加强具體領導。對衛生工作中的各個方面，必須加强檢査，力求系統瞭解情況，做到眞正「摸透」和「心中有數」。檢査工作和調査研究工作，必須各級衛生部門領導上親自掌握，有目的有計劃地進行。爲了具體作好各項工作，應抓住每一時期的工作中心，掌握重要環節，一件一件摸透，一件一件管好。

我們的責任更加重大，任務越來越艱巨了。因此，要實現今後的任務，必須進一步加强團結，充分發揮全體衛生工作人員的積極性和創造性。全體衛生工作人員，不論是共產黨員與黨外同志，不分西醫與中醫，不論是行政工作人員和技術人員，不分地區，不分部門，都應從國家的整體出發，親密團結，互相學習，在中國共產黨和中央人民政府的領導下，爲實現國家過渡時期的總路綫而奮鬥。

本決議業經一九五四年二月二十五日政務院第二百零六次政務會議通過批准，各大區、省、市衛生部門應根據決議作好傳達工作，深入動員討論，並以決議精神檢査過去工作，製訂今後工作具體實施步驟和計劃，並隨時檢査實施情况。

（轉載健康報，1954年8月6日）

中華醫史雜誌

（季刊）

一九五四年第三號

（每季第三月二十日出版）

一九五四年九月二十日出版

編輯者 中華醫學會醫史學會
中華醫史雜誌編輯委員會

出版者 人民衛生出版社
北京崇文區緞子胡同56號

總發行 郵電部北京郵局
訂閱批銷處：全國各地郵電局
零售代訂處：各地新華書店

印刷者 北京市印刷二廠
修齡閣路七十一號

每册定價五千元

預定價目

半年二期 10,000元
全年四期 20,000元

平郵在內，掛號另加

本期印數 3,689 册

朱　璉著

針灸療法是中國醫學裏面的珍貴遺產。它已有幾千年的歷史，治病的範圍頗廣。［新針灸學］一書是作者經多年的實踐與研究而編寫出來的。一九五一年三月由人民出版社出版後，引起全國不少中西醫學工作者的重視。現經作者補充修訂，由本社再版，將於九月出書。本書內容分緒論、治療原理、針灸術、孔穴各論及治療等五篇，共約三十萬字，附有插圖多幅。作者根據豐富的經驗，對於針灸操作方法作了詳細的闡述。文字通俗，適合一般中醫和中級醫務工作者閱讀。其中的指針法與簡易灸法，可供一般非醫務人員學習，用於增强身體與對某些疾病的自療。書末附有一些研究觀察資料，可供一般西醫參考。

（東北版）估計每冊定價 60,000 元

介紹一本好書

正常生理學

原著者: A.A 馬爾可先　譯者: 孫明智等

本書是基於俄國偉大的生理學家巴甫洛夫辯證唯物的先進醫學思想而編著的蘇聯醫士學校教本。全書共分十四章：機體完整統一性、血液、血液循環、淋巴和淋巴循環、呼吸、消化、物質及能的代謝、熱的產生與放散、排泄、內分泌腺、肌肉生理、大腦兩半球及高級神經活動和感覺器官。其中高級神經活動一節，深入淺出，簡明易懂。

每冊定價 17,500元

人民衛生出版社出版　新華書店發行

中華醫史雜誌

一九五四年　第四號　十二月二十日出版

編者的話

1954年本雜誌共發表了58篇論文，祖國醫學史佔37篇，蘇聯醫學史11篇，世界醫學史10篇；其中屬於名醫史的17、書史9、醫學通史8、專科史5、疾病史6、藥物史6、醫學語言學3、醫學史教育2、評論2。由於國內專業醫史的過少，所以論文的來源不豐。但是我們祖國有悠久的歷史，並有研究歷史的優良傳統，因此有很多診務繁忙的醫師爲本刊撰稿，尤其是上海分會醫史學會，供給了很多稿件，是該提出的。

試再檢查本年所登稿件的內容，顯然存在着很大缺點，最主要的是古代醫學史的論文多於近代史。在過去研究醫史的人偏重漢唐以前，這當然是必要的，但我們也不能忽略近幾百年來我國醫學的發展。只有把我國醫史做全面的研究，把古代醫學和近代醫學的發展貫通起來，才能更好地發揮醫學史研究的現實意義。

研究近代醫學史是有很大困難的，第一史料過多，就以直接史料醫學文獻來說，例如現存明代的醫書至少有二百種以上，已不易將它整理清楚，近百年醫史尤爲困難，除了醫書以外，還有很多醫學論文，更不易全面掌握。近代醫學史的研究是開荒工作，我們必須攻破這座大山才成。

近來全國醫界在學習蘇聯醫學的啓發下，認識了醫學史的重要，尤其是按照蘇聯各科教本的編輯，首先必要講本科的祖國發展史，但是我們祖國的各科發展史，以前毫無基礎，在現在十分迫切需要情況下，今後醫學家應該本着研究本於需要的方針，向這方面努力，以彌補醫史學術上的空白。

人民日報1954年10月26日載中國作家協會對於考據問題的意見，認爲以往文史家受了資產階級唯心主義的影響，陷入煩瑣的考據中，並指出「考據工作在古典文學研究中是必要的，但這只能是作爲研究工作的一種手段，絕不能僅僅以考據爲滿足，甚至以考據代替研究。考據的目的是爲了幫助理解作品的時代背景和思想內容，而不是爲考據而考據，把讀者引導到牛角尖裏去。」更指出「古典文學研究工作，應以馬克思列寧主義的觀點、方法、闡明古典文學研究的價値和意義，闡明他的人民性和現實主義傳統，以滋養和發展新的文學藝術。」無疑這些原則也適於醫史的研究。我們今後研究醫史應該本着這個方向。

中華醫史雜誌

1954年 總目錄

專論

祖國醫學

蘇聯醫學

世界醫學

醫界大事

會務通訊

消　息

國際醫史學動態

關鍵問題在於西醫學習中醫

中華人民共和國衛生部副部長 傅連暲

團結中西醫，爲人民服務，是毛主席早在十數年前即已明確指出的一項衛生工作方針。毛主席在〖文化工作中的統一戰綫〗一文中曾經教導我們說：〖新醫當然比舊醫高明，但是新醫如果不關心人民的痛苦，不爲人民訓練醫生，不聯合邊區現有的一千多個舊醫和舊式獸醫，並幫助他們進步，那就是實際上幫助巫神，實際上忍心看着大批人畜的死亡。〗（〖毛澤東選集〗第三卷一〇一〇頁）這一指示深刻地說明了中西醫的團結合作，對於廣大人民的健康，關係是如何的重大。全國解放以來，根據毛主席所指示的精神，團結中西醫被訂爲新中國衛生工作的四大原則之一。多年來，我黨中央和毛主席又曾在如何團結和幫助中醫的問題上，在如何發揚和整理我們祖國的醫學遺產的問題上，給予過很多具體的指示。如果我們認眞地體會這些指示，認眞地根據這些指示來進行工作，我們在發揮中醫的作用上，在發揚我們祖國的醫學遺產上，在豐富新中國醫學的內容上，是一定會有很大收穫的。然而，我們竟沒有得到應有的收穫。迄今爲止，我國數十萬的中醫，可以說仍處在不被重視的地位。其原因在哪裏呢？在於我們衛生領導部門雖然把團結中西醫做爲自己的工作原則，實際上並沒有認眞貫徹這一原則。

幾年來，衛生部門在中醫工作方面是做了一些工作的，例如開辦中醫進修學校，組織中醫聯合診所和中醫門診部，推廣針灸療法等等。這些工作也取得了一些成績。但是這些工作並沒有從根本上解決發揮中醫作用的問題。

中華醫學會也是如此。中華醫學會總會曾經舉行專題座談會，邀請中醫參加。並自去年組織了中西醫學術交流委員會。但認眞說來，這些也只是一些初步的皮毛的工作。在這方面，是還有許多應該做的工作而沒有做的。中西醫學術交流委員會僅做到使中西醫在座談會上彼此交流經驗，距離中西醫在工作上、在學術研究上眞正溝通起來還很遠。醫院請中醫看病會診，迄今還是很少的；西醫認眞向中醫請教，則是更少的了。自從全國解放以來，西醫認眞學習中國舊有的醫學而獲得一些成績的，究竟有多少人呢？可以說是寥寥無幾。絕大多數的西醫一直沒有把學習中醫當做一件應該做的事來做，這不能不歸咎於衛生行政領導部門和中華醫學會的領導方面沒有盡到領導責任。

以我自己來說，我雖然和中醫一起看過病，但沒有把中國舊有醫學當做自己的一門必修之課。我沒有認眞研讀過中醫的書籍。所以我至今在祖國舊有醫學知識方面，還是一個門外漢。一個衛生工作的領導人，一個醫學學術團體的領導人，對於自己祖國的舊有醫學，茫無所知，說來是非常慚愧的。我應該老老實實地學習。

我國醫學已經有幾千年的歷史。中醫對於我民族的延續發展，起了一定的保證作用。至今，我國幾乎全部的農村居民和一半或者一半以上的城市居民還在靠中醫看病。中醫無論在過去和現在，對人民都有很大功勞。這是誰也不能否認的事實。這個事實有力地說明了中醫在保健治療上的實際有效作用。如果無視這個事實，當然是一種非科學的態度。如果不從這一事實出發來重視中醫，團結中醫，幫助中醫，並且虛心向中醫學習，那就是漠視人民的利益，那就談不上關心人民的健康。

具有悠久歷史的我國舊有醫學，是具有悠久歷史的我國舊有文化的一個重要組成部分。我國舊有文化對於世界是有很大貢獻的，而醫學這一部分對於世界的貢獻尤爲突出。不但在古代曾有不少國家向我國學習醫學，就在現代，還有許多國家在研究我國舊有的醫學。這也是誰也不能否認的事實。這個事實又有力地說明了我國舊有醫學遺產具有非常豐富的寶藏，值得我們承受下來並且加以發展。如果無視這個事實，當然同樣是一種非科學的態度。

如果不從這一事實出發來認眞學習、研究、整理我國舊有的醫學，那實際上就是甘心把我們的祖先傳流下來的寶貴遺產一概拋棄。那樣，我們就對不起我國人民，對不起我們的祖先，對不起我們的後代。發揚我們祖國的醫學遺產，以豐富我國新醫學的內容，這一艱巨的責任是理應担負在我們這一代的肩上的。

所以，我們對於團結中西醫這一原則是否認眞貫徹，是關係到我國人民健康的問題，是關係到我國醫學發展的問題，是關係到我國對全世界人民的科學貢獻的問題。很顯然，任何一個醫務工作者，都是應該嚴肅地對待這個問題的。

過去我們曾經提倡中醫進修，學習西醫。這固然是必要的，然而還不是最重要的。黨中央和毛主席指示我們說，現在的關鍵問題是西醫學習中醫。如果單純強調中醫學習西醫，其結果是使中醫完全變為西醫，也就是丟掉中醫，只要西醫。唯有不僅中醫學習西醫而且特別強調西醫學習中醫，才能眞正做到中醫西醫的互相貫通，最後發展為一個醫。這一個醫就是具有現代自然科學基礎、吸收了古今中外一切醫學成果的中國的新醫學。過去，在我們的衛生領導部門中間，多數同志是沒有認識到這一點的，是僅以創辦中醫進修學校為滿足的。我自己也正是如此。中華醫學會總會雖然曾號召中西醫互相學習，但並沒有組織西醫有計劃地學習中醫。我認為，今後中華醫學會總會應該協助衛生部，把組織西醫學習中醫這一任務，積極地担當起來。

西醫學習中醫的主要思想障礙是瞧不起中醫。這種瞧不起中醫的想法必須打破。這種想法的產生，可能有兩個原因。第一、認為一切都是外國的好，中國自己舊有的東西都要不得。這實際上是受了買辦資產階級思想影響的一種表現。固然，中國由於過去長期處於封建時代，工業和自然科學落後，因此，必須努力吸收外國的自然科學研究成果，這是非常必要的；為了發展新中國的科學，首先學習蘇聯的科學尤為必要，不如此，我們就要仍然處於落後的地位。但是，僅僅這樣還不够，我們必須看到我國幾千年來的文化遺產，是我國人民智慧創造的結果，在我國舊有的文化中間，是有許多精華的部分值得我們吸取的。不吸收外國的好的東西是不對的，看不見自己祖國原有的好的東西也是不對的。第二、認為只有現代的新的東西才是值得學習的，一切舊有的東西都不值得學習；認為中醫已經過時了，已經落後了，因此可以完全不必學。這其實是一種違反科學的非歷史的觀點。那一門科學沒有它的發展歷史呢？那一門現代的科學不是吸收了歷史上關於這一門的一切經驗和研究成果而發展起來的呢？歷史怎麼能够割斷呢？研究現代的文化是為了使現代的文化更向前發展。研究舊有的文化，吸取其精華，也是為了使現代的文化更向前發展。如果說現代的東西已經完全包括了過去的東西，那也不符合事實。對於過去的東西，我們還有很多沒有弄清楚。對於中醫，尤其是如此。中醫的範圍很廣闊，我們究竟已經研究了多少呢？可以說是微乎其微的。事實已經證明，就是這微乎其微的已經研究過的東西，對於我們已經有很大的效用（如常山、檳榔、鴨膽子、當歸、益母草等藥物研究、針灸研究等）；如果我們繼續擴大對於中醫的學習研究範圍，把我國舊有醫學所有一切寶藏都發掘出來，用之於人民，那將有多麼巨大的收穫！然而這樣巨大的工程，光靠西醫是完不成的，光靠中醫也是完不成的。必須互相學習，共同研究。現在尤其應該特別強調的是西醫學習中醫。

有人認為中藥可以學，中醫不足學。這也是錯誤的想法。中藥怎麼能够和中醫截然分開呢？許多中藥治療作用的發現不正是幾千年來中醫實踐的結果嗎？而且中醫不僅包括用藥。中醫的其他治療方法以及觀察疾病的方法和對於病人的態度也有很多是值得我們學習的。

當然，我們並不是說中醫一切都好。對於我國舊有醫學的吸收，是應該抱着推陳出新的批判態度的。然而，首先必須學習中醫。不通曉中醫就沒有資格批判中醫。

現在，北京有些醫院已經開始正式聘請中醫臨診而且担任講授。我深信，在黨中央和毛主席的號召之下，全國性的學習中醫的熱潮必將來到，中西醫的團結將有進一步的加強。在此基礎上，我國的醫學也必將獲得健全的發展。

（轉載 1954 年 10 月 29 日健康報）

日本所藏銅人的考察

陳存仁

宋天聖時，我國鑄銅人兩座，一座在南宋時流入襄陽，不知所終；一座因金人入寇，在靖康年間給金人掠去，元世祖再從金人那邊奪回，後入明人之手。明英宗時，又重修過，留在明宮後爲清人所得，放在北京的藥王廟中。

清代太醫院中，也曾經放過一個銅人，即是藥王廟移來，太醫院誌中曾說出：「庚子之役銅人失去」。我正在搜集材料，考證銅人沿革，因爲史料不全，疑問太多，尚未完稿。

日本國立博物館所藏銅人一座，依日本的記載，說是：「相傳由中國渡來」，但是否即庚子之役失去的，我不敢確定，今考察日本方面所得材料，彙述如次：

一、日本所記銅人來源

在日本的東京博物院（舊稱帝室博物館）內，共有銅人兩座。在公元 1925 年（即大正 14 年），遠東熱帶病醫學會在日本舉行第六次大會時，曾附帶舉行了一個醫事展覽會。就在那次展覽會中，公開的展出了兩座銅人。

那次展覽會距今約有三十年了，我當然沒有親自見到，但在當時刊行的一本目錄，名爲「第六回極東熱帶醫學會附帶展覽會，日本醫學歷史資料目錄」，中有二項展覽品係帝室博物館展出，計開：

（編號 147）銅人形（一ererson）飯村玄庵、秋田古庵考案，製作年代1663年。

（小註）飯村、秋山二氏考證、岩田傳兵衛製作，又三郎鑄造。

1797年山崎宗運重修考證，松平賴英捐獻。

（編號 148）銅人型（一軀）製作年代不詳。

（小註）原係江戶幕府醫學館舊存、相傳由中國渡來。

上面第一個銅人是日本人複製品，第二個是中國人移過去的，就是本文討論的對象。

二、日本所藏銅人的實況

日本所藏的銅人不甚著名。我第二次訪日時，曾到東京上野國立博物院去參觀過。初時遍覓不見。據說這座銅人不是公開展覽品，是日本皇室的「寄存品」，參觀之前需要有一位日本的國立大學教授介紹，向文部省申請批准，才可以看到。

後來我見到了那座銅人，是青銅製造的，銅質甚厚，中空，頭部身部可以拆開，全身是十一件銅質模型連綴而成，用金屬線（似是銅線）紮緊相連，面貌是一個强壯青年男子，姿勢端正，是一個與人體相等的裸體形像。表面似有一些塗料塗在上邊，又有黑色塗料。記着經絡和經穴名稱，每一穴孔，有一分二厘對徑的圓形空洞。

銅人的全身古色蒼然，一望而知年代相當久遠了，塗料大部分剝落，剝落的現象是很明顯的暴露出來，各部尺寸考定如次：（日本尺寸計算，一日尺等於 0.305 公尺，十日寸爲一日尺制。）

身長五尺三寸

頭圍一尺八寸八分

胸圍（乳上）二尺九寸四分

腹圍（臍上）二尺七寸四分

手（肩骨至中指尖）二尺六寸四分

下肢（肘關節至腕關節）八寸六分

足（環跳至足跟）二尺六寸一分

足蹠（踵根至中趾尖）八寸三分

手腕（腕關節至中指尖）五寸九分

項圍一尺二寸二分

口角長度二寸

目部長度一寸三分

眉部長度二寸

耳部長度二寸七分

兩乳間六寸六分

我有此銅人像片十八幅，正面側面上部中部下部都照了出來，本文插入二幅以見一斑。

此銅人係十一件古銅模型連綴而成，用金屬線條紮緊後，露出空隙仍多，顯然的，中間完全空的，內部並無臟腑。

如照宋仁宗急令王惟一編的針灸經所說：「命

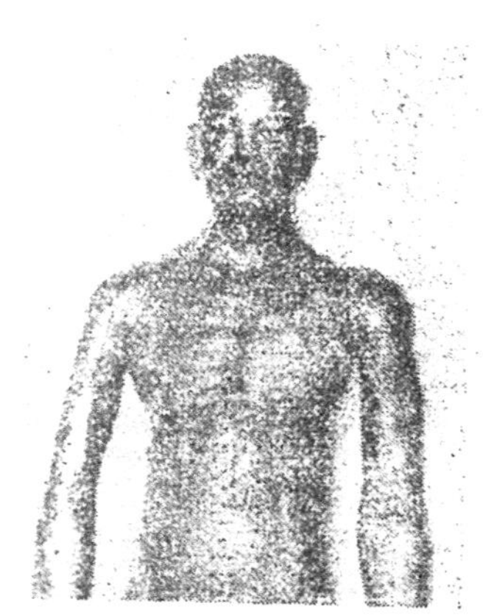

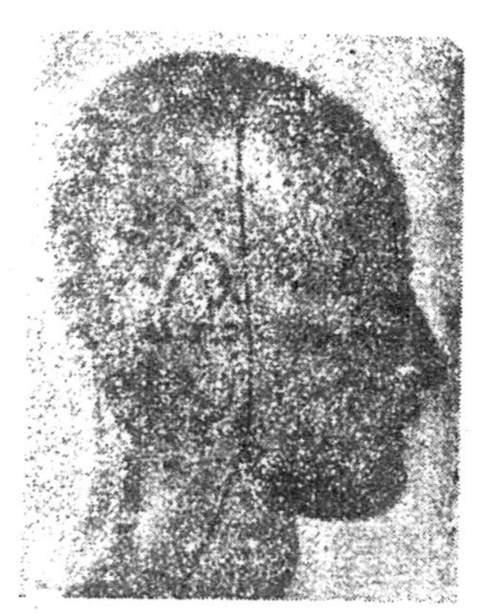

創鑄銅人爲式，內分腑臟，旁注谿谷，井榮所會，孔穴所安，竅而達中，刻題於側」等語，那末此銅人胸腔內部並無臟腑。只是可能原來有一副如佛象胸中象徵性的臟腑。大體觀察胸內空無一物，手擊銅人，錚錚作聲。內有空亮聲。

如照周密齊東野語所載：「昔倅襄州日，嘗獲試針銅人全像，以精銅爲之，臟腑無一不備，其外腧穴，則錯金而書穴名於旁，背面二器相合，則渾然全身，蓋舊部用此試醫者，其法則塗黃腊，中實以水，俾醫工以分折寸，按穴試針，中穴則入而水出，稍差則針不入矣，亦奇巧之器也。」我看了日本實物以後，覺得內部不能貯水，因上下各部都有隙縫，如塗的黃腊彌封不密，不可能「中實以水」，而且並非「背面兩器」，單單頭部便有銅塊數件，所以裏面貯水以試醫工，實在是可能性不強的。

三、考察日本所記來源的意見

日本人記述此銅人的來源，所見有三條：

1. 日本博物院的印刷物上載：「來源不詳」。

2. 帝室博物院時代，展覽時寫出：「原係江戶幕府醫學館舊存，相傳由中國渡來。」

3. 昭和24年10月戶部宗七郎考證，說是「豐臣秀吉從三韓持歸」。

上面三說，我逐一考證，發表意見於次：

第一說是「來源不詳」四字：這是不可靠的，因爲日本人倘有考古癖，這樣一件美術性高級古物，而且有關針灸歷史的製作，不可能考證不到他的來源。而且在日本的針灸舊書中，也查不到此物的記載，特別是江戶時代（明朝萬曆43年至清同治六年）的針灸書籍，可說絕無銅人的記載，「來源不詳」四字，可能內有難言之隱。

第二說是「江戶幕府舊存」問題：我現在查出日本的江戶時代，是明末萬曆43年到同治六年。所稱醫學館，就是研究皇漢醫學的最高學府，由江戶幕府核准，設立醫學館。我又查得醫學館的歷史，大致如次：

明和二年（1763年）幕府醫官多紀元孝，得幕府允諾，設躋壽館於江戶（即今之東京）藏醫書，講醫學，設藥園監，這是醫學館的前身。

安永元年（1772年）江戶大火，躋壽館燒燬，多紀元德（元孝之子）再行興建。

寬正三年（1791年）躋壽館改稱醫學館，由國家撥地撥款，規模大盛。

寬正11年（1799年）多紀元德歿，其子多紀元簡任醫學館總督。

文化三年（1805年）醫學館大火，二年後重建，越數年元簡歿，子元堅任事。

安政五年（1857年）多紀元堅歿，醫學館式微，西醫勃起，設種痘館，西洋醫學所等。

醫學館的整個歷史，差不多就是「多紀世家」四代主持的事業史，多紀一門著書最多（如醫籍考傷寒論輯義等數十種）。我查過元孝、元德、元簡、元堅四代的書籍，只有多紀元堅有一篇「銅人針灸圖經考，附銅像考」，載聿修堂叢書「醫賸」中。這一篇銅像考，引「元史藝工傳，周密齊東野語，長安客話，明史焌雲傳，日下舊聞考，客舍偶聞，宸垣識略」七書，記述銅人沿革甚詳，沒有提及銅人放在醫學館中的情形。

此文中，又引日本出版的本朝醫考云：⌊竹田明室，洪武中入明，載銅人歸，開其製如夏竦所言，正是正統以前仿舊式而造者，後燬於明曆之災，實可惜也。⌉

這一段話很重要，雖有疑點可是說出已燬於火，又沒有提及銅人曾放到醫學館中，我以爲如果這銅人曾經一度放在醫學館中，丹波元簡、丹波元堅著述等身，必定會引述到著述之中，既然四代舊作未曾提及，那末銅人是醫學館舊存之說，我以爲沒有根據，看來是⌊託辭⌉。

第三說是⌊三韓傳來⌉之說：所謂三韓，指今日的朝鮮韓國，三韓兩字，嚴格而論，不能作爲舊朝鮮的統稱，因爲三韓時代，只指朝鮮的上古時代，我在今春搜到二十一種朝鮮古醫書詳加研究，知道朝鮮的朝代如次，且爲中日韓三國的年代做一張比觀表如次：

中國	朝鮮	日本
周、秦、漢、	古朝鮮時代 樂浪時代	
後漢、三國、晉、五胡、隋至唐初	三韓時代 新羅、百濟、高句麗、三個國家	年紀不詳時代 ————古墳時代
唐、五代、	新羅統一時代	飛鳥時代、奈良時代、 ————平安時代初期
宋、金、元、	高麗時代	平安時代後期———— ————鎌倉時代、建武時代
明、	李朝時代	室町時代——安土桃山時代
清、	同上	江戶時代——明治
民國、	併入日本時代	大正、昭和、

看了這個表以後，便知銅人如係豐臣秀吉由三韓持歸的，三韓兩字，大有語病。如以時代論，三韓時代是後漢到隋的時候，中國尚未鑄銅人，朝鮮那有銅人？如三韓兩字只作爲舊朝鮮的統稱，那末朝鮮僅在⌊李朝時代⌉漢方醫學最盛，東醫寶鑑及鄉藥濟生集成方等都是那時代作品，針灸並不發達，僅有針灸經驗方（1644年）一書，此外針灸書全採中國傳入的。那末朝鮮不可能自鑄銅人，也是顯然的。我以爲此說最勉强，所以⌊帝室博物院⌉的展覽說明，也未採用此說，是很有見地的。

四、結 語

總之，很清楚的，銅人是中國傳入日本的，可是要查考銅人原在中國何處？何年何日何人傳到日本？日本方面似有難言之隱，所以略而不詳。我們中國人應該研究清楚的，但研究史學崇尚證據的，我既查不出這一座銅人何時失去，如何傳入日本的經過也不知，今只能搜集這些材料，留給別位淵博之士，續爲考證。

在記載上，大正九年有一位⌊吉田弘道⌉又有一位⌊金原直太郎⌉，據說是日本博物館創設以來，45年中僅有的對銅人曾加考證研究，但是考證結果的文字，並沒有發表，我想象起來或與戰役有關，不便闡述。所以我再抄錄兩項年份，以備研究的參考：

一、⌊中日之戰⌉一役，係1894年，中國是清光緒20年（甲午），日本是明治27年。

二、⌊八國聯軍⌉一役，係1900年，中國是清光緒26年（庚子），日本是明治32年。

附錄 模仿製造的複製品三式

1. 1797年岩田傳兵衛複製一具，即係前段提及的熱帶病大會的展覽品。

2. 1934年即昭和九年四月，有一個團體叫做⌊杉山検校遺蹟顯彰會⌉，曾將銅人加以複製，着手甚久，只依原型折半製作成了一種模造像，就是仿造的複製品，在右側原型繪寫經穴加以雕刻，在左側的穴道，依照日本文部省經穴調查會的考定穴名，加以改正。

3. 1941年即昭和16年，又有一個團體叫⌊日本醫道社⌉，依照原式，模造複製，再製成一批⌊模寫銅人形⌉，製成後公開販賣，可惜後來戰爭日益慘烈，到處轟炸，該社製成品和工場全部化爲烏有，現在存着⌊製作第一號⌉一座，未經毀滅，留存該所。

這三種複製品，在日本現在也成了珍藏品，這次坂口弘來港，我問他博物院的銅人是那裏來的？他說大家相信是中國來的；又問他複製品現在有無希望向收藏家商議一座，他說不可能再得一座；第三次又提及此事，他說他見到的日本針灸朋友，似乎沒有一家珍藏這樣的一座複製品。

中國第一部醫書—內經素問簡介

李　濤*

源流：史記倉公列傳記載公元前180年公乘陽慶傳黃帝扁鵲的脉書於淳于意。又漢書藝文志，公元前26年李柱國校方技有黃帝內經和外經，扁鵲內經和外經。可見至遲在戰國時代即公元前三世紀以上必已有署名黃帝和扁鵲的醫書了。現存中國最古的醫書有黃帝內經和扁鵲難經。自宋以來對於著作年代便有多種不同的意見，但是都從書內一二字句來考據，所以從無定論。現在我們從發展上看，可斷定這兩部書是戰國人的創作，經過漢、隋（全元起）唐（王冰）宋人（林億孫兆）的改編和增益，成爲現在的形式和內容。

內經現在包括素問和靈樞二書。素問現存唐王冰註本和隋楊上善太素本，靈樞是較晚出的書（12世紀初年），即宋紹興中史崧呈獻本主要論針灸。

難經，是注解內經的書，曾經三國時呂廣註解或改編。主要討論內臟構造和切脉針灸等。

一、學　說

陰陽五行的學說，是先秦哲學家解釋宇宙的哲學。由於周人「天人合一」說的影響演成人身是小宇宙的概念，經過多年多人的補充，改進，於是人體構造，機能，病因都是能用陰陽五行論來說明，終成爲一種完善的小宇宙論。管子四時篇禮記月令，都曾闡明這種學說，黃帝內經素問是根據這種學說寫的，例如鍼解篇稱：

「人皮應天，人肉應地，人脉應人，人筋應時，人陰陽合氣應律，人齒面目應星，人出入氣應風，人九竅三百六十五絡應野。」其次如九竅應九州，十二經脈應十二節氣，四經脉應四時等。

素問用陰陽五行解釋人體的構造，機能，病理，治法等。玆分述如下：

1. 陰陽：考陰陽原義，陰是雲覆日，陽爲日出，引申之爲暗爲明，爲表爲裏，爲一切對待相反的現象，故在自然爲天地，爲火水，在人類爲男女，在性情爲剛柔。後來將他抽象化，成爲宇宙變化的兩種基本元質，因而支配一切事務，從此便神秘化起來。

就人體構造說，則外爲陽，內爲陰；背爲陽，腹爲陰；肝心脾肺腎五臟皆爲陰、胆、胃、大腸、小腸、膀胱、三焦、六腑皆爲陽。若就生理學來說，人有五臟，化五氣以生喜怒悲憂恐，暴怒傷陰，暴喜傷陽，喜怒不節，寒暑過度，生乃不固。若就病症來說，陽盛則身熱，喘汗不出，齒乾，腹滿等，陰盛則身寒戰慄，出汗，四肢冷等。再就脉搏來說則動浮者爲陽，靜遲者爲陰。就藥性來說則發汗解熱者爲陽，瀉下寒涼者爲陰。

因爲陰陽是彼此相對待的名辭，故陰中即可有陰，又可有陽。反之陽中也有陽，又可有陰。例如上午是陽中之陽，下午是陽中之陰。前半夜爲陰中之陰，後半夜爲陰中之陽。同理，背爲陽，肺爲陰，肺居背內，故爲陽中之陰。腹爲陰，腎又爲陰，腎居腹內，故爲陰中之陰。餘可類推。

宇宙間最明顯的循環現象爲四時，春夏是陽，秋冬是陰。細分之春爲少陽，夏爲太陽，秋爲太陰，冬爲少陰。素問中陰陽與四時往往並論。甚至說：「陰陽四時者萬物之終始也，死生之本也，逆之則災害生，從之則災害不起，是謂得道。」

人的經脈分爲三陰三陽。三陽就是少陽，陽明，太陽；三陰就是厥陰，少陰，太陰。這個三陽三陰的經脈與內臟相通。又因手足各有三陰三陽脈。共成十二經。症候羣也按三陰三陽分爲六類。例如素問有「二陽（陽明）之病發心脾，有不得隱曲，女子不月，其傳爲風消，其傳爲息賁者死不治。」其餘與此類似。

2. 五行：五德終始論，是一種循環的命定論（終而復始）。同時陰陽家對於五行的序列，抱有

*北京醫學院醫史科

兩種相反的見解，一種是相生，一種是相剋。就是對於自然季節的轉移，抱着相生的見解，對於政權的興廢，則抱着相勝的見解，例如春木，夏火，長夏土，秋金，冬水，是按照相生的序列。而黃帝土運，大禹木運，商湯金運，周朝火運，秦朝水運，是按照相勝的序列。這種相生相剋的循環論，也可應用到各種自然現象上，例如天氣，色，音，味，畜，穀，星，臭等。在人體方面，則將內臟組織器官，聲音，情感，體液，精神等都用五德比擬。由此類推，脈搏，疾病，都不出他的範圍。現在我們爲清楚起見，列表說明於下。

3.　病原：素問中對於疾病原因是主張由氣所致，因有百病皆生於氣的說法。一種是外界之氣，一種是五味之氣。外界之氣有五，就是風熱濕燥寒五氣入鼻藏於肺，因而影響五臟，天氣合宜則人健康，氣候失節，則五臟受病。發病的次序是皮毛，肌肉，筋脈，六腑，五臟，由外及內和由輕到重。素問中有時說五氣，有時說六氣，是當時學說尚未一致的原故，但是全指外因病而言。

用五德解釋自然現象

	季節	方向	氣	色	音	味	畜	穀	星	臭
木	春	東	風	蒼	角	酸	鷄	麥	歲星	臊
火	夏	南	熱	赤	徵	苦	羊	黍	熒惑	焦
土	長夏	中央	濕	黃	宮	甘	牛	稷	鎮	香
金	秋	西	燥	白	商	辛	馬	稻	太白	腥
水	冬	北	寒	黑	羽	鹹	豬	豆	辰星	腐

用五德解釋人體解剖診斷疾病等

	內臟	組織	竅	藏	聲音	情感	體液	精神	脈搏	疾病
木	肝	筋	目	血	呼	怒	淚	魂	弦	濕
火	心	血(脉)	舌	神	笑	喜	汗	神	鈎	痠痛
土	脾	肉	口	形	歌	思	涎	意	代	洞泄
金	肺	皮毛	鼻	氣	哭	憂	涕	魄	浮(毛)	痎瘧
水	腎	骨髓	耳	志	呻	恐	溺(唾)	志	營(石)	咳嗽

味也有五，就是酸苦甘辛鹹，五味入口藏於腸胃，五味合宜，則養五臟，過多則致疾病。例如酸生肝過多傷筋，苦生心過多傷氣；甘生脾過多傷肉，辛生肺過多傷皮毛，鹹生腎過多傷血。中國本草有多種藥是根據味臭以推定治效，正是本乎五行的學說。

總之陰陽五行的學說，發源甚早，尚書內已然道及，後來儒道兩家更推演之，經過兩漢統治者的提倡，成爲我國特有的哲學。中國醫學在公元前六世紀脫去神鬼的覊絆，開始用哲學解釋，可說是一大進步。經過幾百年的發展，便成爲一種陰陽和諧五行生剋的醫學系統。在同時代的印度和希臘的醫學則一致採用地水火風四原質的學說，在本質上與中國的五行學說相同。

二、診病方法

公元前二世紀淳于意從其師學醫時，主要是學脈書，五色診，藥論，古方等。他教學生也是以經脈五色診爲主，學習期間是1—3年。望色和切脉是多人多年經驗的綜合，必在醫學發展到相當階段，才有寫成專書的可能，可見那時中國醫學已很進步了。現在這些專書雖然已不存在，但是從內經素問裏可以得出一個輪廓。

1.　望色：醫生看病第一是憑藉自己的觀察。而最容易觀察到的便是病人面目的顏色，例如肺結貧病人的白色，黄疸的黄色，皮下瘀血的黑色，發熱病人的紅色，心臟病人的青色，中國醫書的望色斷病主要是觀察面部顏色。面部又分目，鼻，舌，唇，耳，齒，眉，髮等，通稱爲五色診。爲公元前三世紀學醫必修的科目。

其次病人的肥瘦，眼瞼以及局部的浮腫，喘息，痙攣（瘈瘲，戴眼，舌捲，卵縮）等，全是易於看出的症候。在素問上也屢次提及，並且說：「能合色脉，可以萬全」，又說：「望而知之謂之神」這思是說醫生要會望診和切脈，便可以斷病無誤。

2. 切脈：是我國公元前六世紀已知的方法，發展到公元前三世紀，即素問著作的時代，切脈已成爲專門技術。最初憑切脈以斷生死，現在進而爲診病所必需。醫生切脈最初所選擇的部位是頭部顳顬動脈，手部橈動脉，足部脛前動脉。這三處是人身上動脈談露於皮下的部分，必須經過多年經驗才能認知。素問上所記載的三部，九候，是由動脈的部位想到與附近臟器的關係。例如上部候頭角口齒耳目之氣，中部候肺胸心，下部候肝腎脾胃。這種解釋，在解剖學不發達的時代是很自然的結果。但是切上下兩部脉不方便，而且不如橈動脈的顯露，並且由經驗上知道切手部動脈的功效與切三部脉相等，因此到了後來醫生切脉只候手部寸口。這是從實際經驗上改進的方法，張仲景雖然有「握手不及足」的批評，但是以後的醫生仍然僅切中部，而不肯切上下兩部。後來玄學家爲了符合三部九候的說法，强將橈動脉露出部，分爲寸關尺三部，每部又分浮中沉三候。這種憑空想象的說法完全與實際脫離，毫無價値可言。

脉的種類：由於人死則脉搏跳動停止，於是想起切脈以斷生死。後來醫生才能漸漸區別有關生死的幾種顯著脈，如脈搏的形狀（大、小、浮沉）至數（滑、濇）和節律（代，散）。素問所記的脉名大約有二十幾種，但是它說能用手指區別的只有六種，即大小滑濇浮沉。這種記載是很質樸的，其餘的十幾種脈因爲不容易分辨，所以素問所用的名字各篇不能一致，例如毛或浮，石或沉，溜或滑，緊或急，軟或弱，緩或遲等，顯然是異名同物。這部書的學說前後往往不同，可見是集合多人著作的叢書了。公元前二世紀淳于意所記的脈名和數目與素問所記很相近，大約是因爲著作時代相近的緣故。

三、疾　　病

素問內所記的疾病主要是消化系統的病，據金代劉完素的素問宣明論方所載的61證有20幾種全是消化系病。描述最詳者爲發熱性病，如熱病，瘧疾，痲風（癘）等病。其次對於咳嗽、疼痛、風濕（痺）、痿、昏厥等的專章討論。再次爲精神病，如顚狂，癲癇，中風等。其餘如糖尿病，腎炎（腎風）等亦均有記載。其餘的症候因所用的病名與唐代所用的病名已異，更與現在病名不同，而且描述症候簡單，所以不易確知爲何病。

四、治　　法

這部書講理論部分多，對於治療敘述較少。主要是用針或灸幾佔全書⅓。其次是按摩法。由於當時很注意飲食與疾病的關係，所以治病時主張用五畜、五穀、五菜、五果等飲食治療，對於發熱病則用發汗藥和瀉藥。並有百藥的說法，因爲本書偏重針灸治療，所以僅記載了動物，植物，礦物十幾種，而且它們的功效也與後人所用者不同，可見當時對於這些藥的眞正效用，尚經驗不足。因此不再介紹。

唐顯慶新修本草藥品存目的考察

洪 貫 之

自梁迄於初唐，醫家所用當以陶弘景「本草經集註」七卷爲主。我國官定的本草書首推唐代的「新修本草」（後世亦稱唐本草），成書於公元658年（顯慶四年），是我國第一部「藥典」。此書早已亡佚，雖北宋時的掌禹錫、唐愼微等也沒有見到它的原有形式。現在日本傳鈔的卷子本，僅存殘卷，因德清傅雲龍爲之影印，列入籑喜廬叢書，始復顯於國內，可謂古本草中的珍本。

新修本草收載藥品的總數是850種。據大觀本草卷一，序例上，引唐本注：「今以序爲一卷，例爲一卷，玉石三品爲三卷，草三品爲六卷，木三品爲三卷，禽獸爲一卷，蟲魚爲一卷，果爲一卷，菜爲一卷，米穀爲一卷，有名未用爲一卷，合20卷。其18卷中藥，合850種：361種本經；181種別錄；115種新附（按即新修所增附）；193種有名未用」。另據唐六典載：本經361；別錄182；唐附114；有名未用194；合計是851種，與唐注不合。此外，大觀本草卷一，補注總敘後附有嘉祐補注本的藥品數總計1,082種，剔除宋代歷次增附之品，仍是850種；計爲「360種神農本經；182名醫別錄；114種唐本先附；194種有名未用。」（因開寶本草退本經「彼子」一種入有名未用，故本經少一種，有名未用數內多一種。據此可知唐六典所載數字可能爲後人所妄改。可是別錄和唐本新附的數字仍互有出入）究竟大觀本草引用唐本注的數字是否也有後人竄改的可疑呢？我想也是可能的。試舉其例：如新修本草卷20，有名无用藥「玉石類」實有藥品爲37種；原書却說「玉石類26種」，顯係錯簡，竟以11種誤入「草木類」。新修原書猶如此，更足說明幾經修訂覆刻的宋代本草書中引用唐本草的數字是難免有問題的。

今傅氏影刊的新修殘本計存玉石部上品卷第三，中品卷第四，下品卷第五；木部上品卷第12，中品卷第13，下品卷第14；獸禽部卷第15；果部卷第17；菜部卷第18；米部卷第19；有名无用卷第20；內缺序例兩卷及草部三品六卷（6—11）、蟲魚類一卷（第16卷）。正因殘本佚去10卷，我們要考訂新修本草的藥品全目，自然要旁採他書以求參證了。

一、唐本草各類藥品總數的校正

我們今天可以取來作爲考證唐本草藥目之參考的，除新修原書殘卷以外，第一是千金翼，第二是康賴醫心方。翼方卷二至卷四的本草，就是新修本的「正文」，（見余氏醫述三集，卷二）今取與殘本文字核對相符。醫心方是日本古籍之一，它雖未引用新修本草各類藥品的全文，但該書卷一的「諸藥和名」篇，有「本草內藥850種」的存目，當然是依據新修的（惟有名無用類無存目）。無疑地，上列兩書是考證和輯補新修本草的重要文獻。

今考三書的藥品總數均不符850種的數字，因此不能不作進一步的考察。醫心方是依據日本傳鈔的新修本草；然「日本之傳鈔唐卷子本，自天平三年始，時唐開元15年也，距顯慶四年新修本草已73年；越59年，其國內府，乃有存本」。（引傅雲龍跋語）此在當時已難保不無脫訛。惟翼方所引當爲國內原書，但書經宋代校刊，今存者又爲覆刻元大德本，雖大體完整，總須互校異同以定其是非。我既發現了今新修殘本有名未用類玉石部藥有11種誤入草木類，而且目次中藥名亦多脫漏；尤其殘本中對本經、別錄文字朱墨不分，其非唐時原有面目可知，我們如僅就目次對勘，仍然不能解決全部問題。

現在我已校出各書的脫誤或衍文，以及移易品類和分條的異同等，原書總目的全貌已可考見，如果除去翼方中有名未用類北荇華、領灰兩目，也正合850種之數。據我個人推斷，翼方有名未用既有此兩藥，新修原本亦應有之，殆非翼方所增益，恐日本傳鈔者已非新修原本，實係當日傳本舊有脫誤；後人未考翼方，遂認唐本只有850種之目，並追改一切記載以期符合此數。余雲岫先生未見新修殘本，以北荇華、領灰兩種爲證類所脫誤，這是不符事實的。

二、新修收載本經、別錄及新附(唐附)藥品的分類

新修所收藥品的總數是852種，已見上文；但是新修收載本經、別錄及顯慶新附的各類細數則比較難以核計。因爲醫心方和千金翼均未註明何藥屬本經，何藥屬別錄，在各類藥品計數也沒有載入本經若干種、別錄若干種的合計；雖然新修殘本在各類目次曾分別註明，但因佚亡草部六卷及蟲魚部一卷，未窺全豹，所以對草部和蟲魚部藥品屬於本經、別錄或新附的數字，我們在今天就只有在證類本草的存目中去考察了。

據經史證類大觀本草統計出來的總數，不但和嘉祐舊目引用本經、別錄數字相合（宋退彼子入有名未用類，故本經總數仍合新修361之數），除了少數移易品類外，與新修殘本核對也是符合的。今本經數字已無問題，但殘本既佚草部及蟲魚部各卷，證類此兩部的別錄和唐附存目是否恰合新修原本，何以別錄和唐附數字較之前文所引唐本注數字互有出入（唐本原注：別錄181，新附115；今核計爲別錄182，唐附114）？此一歧誤現在尚不能解決。

三、補輯新修本草存目（附校勘）

1. 玉石部上品——22種。

玉泉　玉屑　丹沙　空青　綠青　曾青　白青　扁青　石膽　雲母　石鍾乳　朴消　消石　芒硝　礬石　滑石　紫石英　白石英　五色石脂（醫心方作青石脂、赤石脂、黃石脂、白石脂、黑石脂）　太乙餘糧　石中黃子　禹餘糧

2. 玉石部中品——30種

金屑　銀屑　水銀　雄黃　雌黃　殷孼　孔公孼　石腦　石流黃　陽起石　凝水石　石膏　慈（翼方作磁）石　玄石　理石　長石　膚青　鐵落　鐵　生鐵　鋼鐵　鐵精　光明鹽　綠鹽　密陀僧　紫鉚騏驎竭　桃花石　珊瑚　石花　石牀

3. 玉石部下品——31種

青琅玕　礜石　特生礜石　握雪礜石　方解石　蒼石　土陰孽　代赭　鹵鹹　大鹽　戎鹽　白堊　鉛丹　粉錫　錫銅鏡鼻　銅弩牙　金牙　石灰　冬灰　鍛竈灰　伏龍肝　東壁土　硇砂　胡桐淚（翼方在草部）　薑石　赤銅屑　銅礦（翼方作鑛）石　白瓷瓦屑　烏古瓦　石燕　梁上塵

4. 草部上品之上——40種（草部原佚，今據翼方補，下同）

青芝　赤芝　黃芝　白芝　黑芝　紫芝　赤箭　天門冬　麥門冬　朮　女萎萎蕤　黃精　乾地黃　菖蒲　遠志　澤瀉　薯蕷　菊花　甘草　人參　石斛　牛膝　卷柏　細辛　獨活　升麻　茈胡　防（醫心作房）葵　蓍實　菴䕡（醫心作蘆）子　薏苡人（醫心作子）　車前子　菥蓂子　茺蔚子　木香　龍胆　菟絲子　巴戟天　白英（醫心作莫）　白蒿

5. 草部上品之下——38種

肉蓯蓉　地膚子　忍冬　蒺藜子　防風　石龍芻　千歲虆汁　絡石　黃連　沙參　丹參　王不留行　藍實　景天　天名精　蒲黃　香蒲　蘭草　決明子　芎藭　蘼蕪　續斷　雲實　黃耆　徐長卿　杜若　蛇床子　茵陳蒿　漏蘆　茜根　飛廉　營實　薇銜　五味子　旋花　白兔藿　鬼督郵　白花藤

6. 草部中品之上——37種

當歸　秦艽　黃芩　芍藥　乾薑　藁本　麻黃　葛根　前胡　知母　大青　貝母　栝樓根　玄參　苦參　石龍芮　石韋　狗脊　萆薢　菝葜　通草　瞿麥　敗醬　白芷　杜蘅　紫草　紫菀（醫心作菀）　白鮮　白薇　葈耳　茅根　百合　酸漿　紫參　女萎　淫羊藿　蠡實

7. 草部中品之下——39種

款冬　牡丹　防已　女菀（醫心方作菀）　澤蘭　地榆　王孫　爵牀　白前　百部根　王瓜　薺苨　高良薑　馬先蒿　蜀羊泉　積雪草　惡實　莎草　大小薊根　垣衣　艾葉　水萍　海藻　昆布　葒草　陟釐　井中苔萍　蕕草　鳧葵　菟葵　鱧腸　蒟醬　百脈根　蘿摩子　白藥　懷香子　鬱金　薑黃　阿魏

8. 草部下品之上——35種

大黃　桔梗　甘遂　葶藶　芫花　澤漆　大戟　蕘花　旋復花　鉤吻　藜蘆　赭魁　及已　烏頭

天雄　附子　側子　羊躑躅　茵芋　射干　鳶尾　貫衆　半夏　由跋　虎掌　莨菪子　蜀漆　恒山　青葙子　牙子　白斂　白及　蛇含(醫心方作全)　草蒿　雚菌

9.　草部下品之下——67種

連翹　白頭翁　閭茹　苦芙(醫心作芺)　羊桃　羊蹄　鹿藿　牛扁　陸英　蒴藋　藎草　夏枯草　烏韭　蚤休　虎杖根　石長生　鼠尾草　馬鞭草　馬勃　鷄腸草　蛇莓汁　苧根　菰根　狼跋子　弓弩弦　舂杵頭細糠　敗天公　半天河　地漿　敗蒲席　敗船茹　敗鼓皮　屋遊　赤地利　赤車使者　劉寄奴　三白草　牽牛子　豬膏母　紫葛　蓖麻子　葎草　格注草　獨行根　狗舌草　烏蘞莓　豨薟　狼毒　鬼臼　蘆根　甘蕉根　萹蓄　酢漿草　茴實　蒲公草　商陸　女青　水蓼　角蒿　昨葉何草　白附子　鶴蝨　甑帶灰　屐屧鼻繩　故麻鞋底　雀麥　筆頭灰

10.　木部上品——27種

茯苓　虎魄(翼方作琥珀)　松脂　柏實　菌桂　牡桂　桂　杜仲　楓香脂　乾漆　蔓荊實　牡荊　女貞實　桑上寄生　蕤核　五茄(翼方作加皮)　沉香藥木　辛夷　木蘭　榆皮　酸棗　槐實　柠(翼方作楮)實　枸杞　蘇合(翼方合下有香字)　橘柚

11.　木部中品——28種

龍眼　厚朴　豬苓　竹葉葷竹葉　枳實　山茱萸　吳茱萸　秦皮　梔子　檳榔　合歡　秦椒　衛矛　紫葳　蕪荑　食茱萸　椋子木　每始王木　折傷木　茗苦搽　桑根白皮　松蘿　白棘　棘刺花　安息香　龍腦香　菴摩勒　毗梨勒

12.　木部下品——45 種

黃環　石南草　巴豆　蜀椒　莽草　郁核(翼方作郁李人)　鼠李　欒華　杉材　楠材　榧實　蔓椒　釣樟根皮　雷丸　溲疏　櫸樹皮　白楊樹皮　水楊葉　欒荊　小檗　莢蒾　鈎藤　藥實根　皂莢　練實　柳華　桐葉　梓白皮　蘇方木　接骨木　枳椇　木天蓼　烏臼木　赤爪草(翼方作木)　訶梨勒　楓樹皮　賣子木　大空　紫真檀　椿木葉　胡椒　橡實　無食子　楊櫨木　槲若

13.　獸禽(翼方作人獸)部三品——56種

髮髲　亂髮　人乳汁　頭垢　人屎溺　龍骨　牛黃　麝香　馬乳　牛乳　羊乳　酥(新修、醫心並作酪蘇,疑誤)　熊脂　白膠　阿膠　醍醐　底野迦　酪　犀角　零(翼方作羚)羊角　羖羊角　牛角鰓　白馬莖　牡狗陰莖　鹿茸　麞骨　虎骨　豹肉　狸骨　兎頭骨　六畜毛蹄甲　鼺鼠　麋脂　豚卵　鼹鼠　獺肝　狐陰莖　貒膏　野豬黃　驢屎　豺皮　丹雄鷄　白鵝膏　鶩肪　鴈肪　鷓鴣　雉肉　鷹矢白　雀卵　鸛骨　雄鵲　鴝鵒肉　鷰矢　孔雀矢　鸕鷀矢　鴟頭

14.　蟲魚部三品——72種(原佚，今據醫心及翼方補)

石蜜　蜜蠟　蜂子　牡蠣　桑螵蛸　海蛤　文蛤　魁蛤　石決明　秦龜　龜甲　鯉魚膽　蠡魚　鮑魚　鮧魚　鱓魚(醫心作䱇)　鯽魚　伏翼　天鼠屎　蝟皮　石龍子　露蜂房　樗鷄　蚱蟬　白殭蠶　木虻　蜚虻　蜚蠊　䗪蟲　蠐螬　蛞蝓　蝸牛　水蛭　鱉甲　鮀(醫心作鱓)　魚甲　烏賊魚骨　蟹　原蠶蛾　鰻鱺魚　鮫魚皮　紫貝　蝦蟆　鼃　牡鼠　蚺蛇膽　蝮蛇膽　鯪鯉甲　蜘蛛　蜻蛉　石蠶　蛇蛻　蛇黃　蜈蚣　馬陸　蠮螉　雀甕　彼子　鼠婦　螢火　衣魚　白頸蚯蚓　螻蛄　蜣蜋　斑猫　芫青　葛上亭長　地膽　馬刀　貝子　田中螺汁　甲香　珂

15.　果部三品——25種

豆蔻　葡萄　蓬蘽　覆盆子　大棗　藕實莖　鷄頭實　芰實　栗　櫻桃　梅實　枇杷葉　柿　木瓜　甘蔗　石蜜　沙糖　芋　烏芋　杏核(翼方有人字)　桃核(翼方有人字)　李核(翼方有人字)　梨　柰　安石榴

16.　菜部三品——37種

白瓜子　白冬瓜　瓜蔕　冬葵子　莧實　苦菜　薺　蕪菁　萊菔根　龍葵　菘　芥　苜蓿　荏子　蓼實　葱實　薤　韭　白蘘荷　菾菜　蘇(翼方作紫蘇)　水蘇　假蘇　香薷　薄荷　秦荻梨　苦瓠　水靳(翼方作芹)　馬芹子　蓴　落葵　蘩蔞　蕺　葫　蒜　堇　芸薹

17.　米穀部三品——28種

胡麻　青蘘　麻蕡　飴糖　大豆黃卷　赤小豆　豉　大麥　穬麥　小麥　青粱米　黃粱米　白粱米　粟米　丹黍米　蘗米　秫米　陳廩米　酒　腐婢　藊豆　黍米　粳米　稻米　稷米　酢　醬　鹽

18.　有名無用——195種

證類本草和本草衍義的幾個問題

王筠默*

關於證類本草的原始著作及以後的卷數和名稱的衍變情況，許多學者都不太清楚，即李時珍也對此問題有些失考。試看本草綱目卷一序例上歷代諸家本草項證類本草條下有以下的記載：「宋徽宗大觀二年，蜀醫唐愼微取嘉祐補註本草及圖經本草合爲一書，復拾唐本草，陳藏器本草，孟詵食療本草舊本所遺者五百餘種，附入各部，並增五種，仍采雷公炮炙及唐本食療陳藏器諸說收未盡者，附於各條之後，又采古今單方，並經史百家之書，有關藥物者亦附之，共 31 卷，名證類本草，上之朝廷，改名大觀本草。愼微貌寢陋而學該博，使諸家本草及各藥單方垂之千古不致淪沒者，皆其功也。政和中復命醫官曹孝忠校正刊行，故又謂之政和本草。」這一段記載有兩點錯誤：（1）證類本草的原始著作，並不是大觀二年。（2）大觀本草並不就是證類本草的改名，而是證類本草進一步的發展。

近閱中華醫史雜誌1954年第二號洪貫之氏的「證類本草與本草衍義的幾個問題」後，又重新引起我對於這個問題的研究興趣。我曾搜集了一些各種板本的本草書籍。相互參閱比較之後，却發現一些問題。同時，也有一些和洪氏不同的意見，並有一些補充，願提供大家參考。

一、證類本草大觀本草和政和本草的演變過程

證類本草的原始著作，爲唐愼微的經史證類備急本草（1098 年），它的藍本是以嘉祐補註本草（1057 年，掌禹錫等）及圖經本草（1061 年，蘇頌）爲主要根據的。正如上面引證的李時珍的一段記載，唐氏並有些補充。晁公武讀書志云「愼微合兩本草爲一書」，也就是這個意思。愼微之書旣係編撰，且爲了保持原引文獻的面貌，故將歷代本草的序例集於卷前，復將嘉祐初年的補註本草奏敕及嘉祐晚年的圖經奏敕刊刻於後。此書成後，歷經宋金元明各代及各地的屢次修補刊刻，並經過幾次的改名，所以在卷數和內容上就自然有些改變，而漸失愼微原書的面貌。

按愼微著經史證類備急本草 32 卷以後六年，即在大觀二年（1108 年），有杭州縣尉艾晟取其原本，加以增修，是謂經史證類大觀本草，簡稱大觀本草。卷數爲31。因愼微是蜀人，艾晟在杭州，當時山川阻隔，交通不便，故艾氏無從知愼微底細，故艾氏序文裏有「愼微姓唐，不知何許人；傳其書，失其邑里族氏，故不及載云。」後來宇文虛中氏因與愼微同鄉，故知之甚詳，在書後曾云：「愼微字審元，成都華陽人……治病百不失一，…不取一錢……但以名方秘錄爲請，以此士人喜之，……得一藥名一方論，必錄以告。……」可見虛中對於愼微的作風，非常熟悉。且愼微曾爲虛中的先人治病，可見虛中在兒童時，愼微已是中年以上學有素養的人物。按宋史載「虛中字叔通，成都華陽人，大觀三年（作者註：即公元1109年）進士，建炎二年（作者註：即公元 1128 年）應詔爲祈請使，使金不歸，受官至翰林學士知制誥兼太常卿，封河內郡開國公，金人號爲國師。」由此可見虛中成進士的前七年，成翰林學士至少 26 年前，愼微的證類備急本草已出。宇文虛中的書後文字係在皇統三年九月望日所寫，按中國歷史研究會編的中國通史簡編頁 644 南宋年表知公元 1141 年金人年號始號爲皇統，虛中所寫的皇統三年，即公元 1143 年。愼微之書經艾氏修訂改名大觀本草時，爲公元1108年，遠距宇文虛中的書後早 35 年，故艾氏絕對不可能由宇文氏的書後而知愼微底細，因此洪氏謂艾晟粗枝大葉而致失考的話，是錯誤的。

愼微之書出後，以書前未寫序文及編輯凡例，故人多翻刻，而失其原象。而愼微之所以不寫序

* 青島山東大學藥理科

文，也恐怕是因爲他「合兩書爲一書」，照錄原文，只做了一番整理，初未料後日之如是推重。大觀本草是艾晟在愼微原書的基礎上加以增修而成。增訂的惟一材料，就是陳承編的重廣本草圖經(1092年)，洪氏曾引用了大觀本的細註兩行：「最近得武林陳承編次本草圖經本參對，陳於圖經外，又以別說附著於後，其言皆可稽據不妄，因增入之。」此段註文，證明「別說」經由艾氏序刊大觀本草時，臨時增補了進去。艾晟，上距唐氏之書不過十年之久，距陳承之書亦不過16年，故艾氏選了愼微之書作藍本修訂時，很容易得到陳承原書，故有機會加以增入。因此，我認爲證類備急本草，經過艾氏增入了陳承別說，不但已非證類本草的眞面目，並且可以說陳承別說藉大觀本草而得以保存了全部內容。而艾氏之所以取唐本而僅參考陳本，也可說明唐本在當時是普遍地受到愛戴和尊敬。

大觀本草問世後八年，（即公元1116年），朝廷命曹孝忠將證類本草加以修訂，名爲政和新修經史證類備用本草，除了加上「政和新修」四字之外，「備急」改成「備用」，32卷改爲30卷，此書即簡稱政和新修本草。經史證類四字所以歷備急、大觀、和政和三個階段都還存在，也可說明後來的增修僅是原本的發展，而不是原本的改寫。

政和新修本草成於政和六年（公元1116年）。係曹孝忠奉敕校刊，全名爲政和新修經史證類備用本草。該書問世後不久，於公元1127年，金人佔據黃河流域，在公元1127—1234年（蒙古滅金）的117年間是宋與金對峙的局面。宇文虛中所寫書後既爲1143年官居翰林學士時所作，故可證明在金方公元1127年的統治後，有政和新修本草的覆刻本問世。又據晦明軒重修本草卷首語所謂：「此書世傳久矣，諸家因革不同，今取證類本尤善者爲窠模，增以寇氏衍義。……」晦明軒重修本成於公元1249年。文中旣謂「諸家因革不同」，可證明在公元1127—1249年的122年過程中，證類本草覆刊之多。而又因根據備急，大觀及政和之不同，所以內容也不盡一致。公元1143年宇文氏所寫書後的那種版本，無疑地是「政和」本的覆刻，而宇文氏書後旣爲政和新修本草的金刊本而寫，故政和新修本草遂代替原來的各種本草而大大地流行起來，而在南方流行的大觀本草，後來又經王繼先的校正，而成紹興校定大觀證類本草（簡稱紹興本草，1159年）而出現。宇文氏書後106年，即公元1249年，雖其時金已被蒙古所滅（1234年）而晦明軒始加以重修，除保持了政和新修本草的形式，保存了虛文氏的書後，並增加了劉祁的書後一篇。又據麻革之序中謂：「……迨於有宋政和，……其書始大備而加察焉。行於中州者，舊有解人龐氏本，兵煙蕩析之餘，所存無幾，故人罕得恣覩，今平陽張君魏卿惜其寖遂湮墜，乃命工刻梓。……」此可證張之重修本係根據龐本，而龐本係政和新修本。而晦明軒卷首所謂之「今取證類本之尤善者爲窠模。」亦即龐刻本的政和本草無疑。

現流行的重修政和經史證類備用本草，最多見的是上海涵芬樓的影印本。加上重修二字，乃自晦明軒張魏卿始。所謂重修是在政和新修的基礎上進行的。晦明軒本曾有下述幾點改革：

（1）增以寇氏衍義，並補入別本方論。

（2）本經別錄先附分條，其數舊多參互，加以改正。

（3）藥有異名者，取其俗稱註之於目錄各條下。

（4）圖像失眞者，另行寫繪。（作者按，現在柯氏版的大觀本草所以在圖像方面與政和本草不同，亦即此故。）

（5）更正字誤很多。

因爲晦明軒本有以上一些貢獻，而工作精神又是「不敢一毫苟簡，」很認眞，所以「與舊本頗異，故目之曰重修」。張氏希望「歷久不壞」，由於明代翻板之盛而於是果如其言。

晦明軒的重修政和證類備用本草的覆刻，相當普遍。在明代即有下列版本：

（1）原傑刊本（商輅序），成化四年冬11月（1468年）。

（2）陳鳳梧序刊，嘉靖二年(1523年)。

（3）周珫刊本(王積，項廷吉，馬三才三序)，嘉靖壬子(1552年)。

（4）陳瑛校刊本（周俶序），萬曆五年（1577年)。

除上列四種刊本外，至少還有一兩種刊本。據欽定天祿琳瑯書目（光緒甲申年長沙王氏校刊本）卷九，明版子部頁28—30載有「重修政和經史證類備用本草二函，24册。宋唐愼微編輯30卷。後宋嘉祐間掌禹錫等補註本草奏敕並圖經本草奏敕，次政和間校刊證類本草各官銜名次，宋宇文虛中元劉祁書後二篇。……此書卷首有金泰和甲子刊書木記，別無序文，共自嘉祐以前所有本草諸序皆載於卷一中，名爲序例，而嘉祐間禹錫等進書奏敕，又列於書末，不入卷中，其體例殊不劃一。……此或爲成化嘉靖間所刊而闕其序文也。」又另一行爲「明內府藏本，有廣運之寶。」此種內府藏本，到了淸朝乾隆時，仍藏於淸之「大內」。此本即不屬於上列四種之內。可見在明版中確有缺少序文的刊本流行。

關於涵芬樓影印的重修政和經史證類備用本草的來源問題，洪貫之考正是明代覆刻本影印，理由是「人」字已均改爲「仁」字。不僅止此，涵芬樓景印本的最後，祇有宇文虛中書後而無劉祁書後。而劉祁書後旣爲晦明軒本所寫，由此證明該原本絕非晦明軒原本。

在南方，除了大觀本草外，據玉海載「紹興27年8月15日，王繼先進校定大觀本草，詔秘書省修潤，付胄監鏤版」。可見在南宋有政府頒發的紹興本草，可惜紹興本草，正如同李時珍的評語「淺俚無高論」，以至難於流傳下來，現存版本有日本東京春陽堂影印本。

由於以上討論，可以肯定以下幾點：

(1) 陳承的：「合本草及圖經二書爲一」而成的重廣神農本草並圖經早於唐愼微「合兩書爲一書」的經史證類備急本草凡六年，艾晟將陳承別說全部增入經史證類備急本草中，改稱大觀本草。

(2) 艾晟取經史證類備急本草增入全部陳承別說，並有所附，改名大觀本草，因此陳承的全部文獻得藉大觀本而保存下來。

(3) 大觀本草繼續演變，而有南宋王繼先的校正本紹興本草和元代覆刻大觀本的大全本草。

(4) 政和新修本草在金之翻刻相當普遍，1145年宇文書後即爲金刻本而寫，迨晦明軒後就金刻本而後流行的龐氏本加以重修，增以寇氏衍義而遂成重修政和經史證類備用本草，仍爲30卷。並增加劉祁書後一篇。

(5) 重修政和本草問世後，翻刻甚多，在明朝刊本至少有四種，還有其他板本亦有一兩種。上海涵芬樓影印本絕非晦明軒原本，而係元末福建坊刻本。

二、本草衍義和寇宗奭的其他著作

上面已討論了證類本草在各時期的衍變源流，此處首先討論證類本草中增入本草衍義始於何人的問題。我同意中華醫史雜誌編者的按語，不同意洪貫之氏的「新增並不始於張氏」。除了編者按語外，我再舉二事爲證。

1. 陳鳳梧的嘉靖刊本證類備用本草，首頁爲商輅序，作於成化四年，序中有謂：「……蜀唐愼微又於本草圖經之外增藥六百餘種，益以諸家方書及經子傳記佛書道藏，凡該明乎物品功用者，各附於本藥之左，爲書三十餘卷，名曰經史證類本草，至爲明備。舊有解人龐氏得其善本，中更兵燹，所存無幾，後平陽張存惠因龐氏本，附以宗奭衍義，增多藥品，爲之板行，惜傳之未廣。……」此序說明龐氏刊佈了政和新修本草，而張存惠則按照龐氏本，並附以宗奭衍義，增多藥品。所以已酉新增衍義，係張氏所爲。

(2) 李時珍本草綱目序例上本草衍義條下記載：「宋政和中醫官通直郎寇宗奭撰，以補註及圖經二書，參考事實，覈其情理，援引辨證，發明良多，……書及序例凡三卷，平陽張魏卿以其說分附各藥之下，合爲一書。」所謂「合爲一書」，係指衍義之附於證類本草，可見李時珍也是這種看法。

現本草衍義的單行本，作者亦有陸心源校刊20卷本序例爲三卷，卷次與李時珍所言相同。

至於洪氏所說的道藏本寇氏圖經衍義本草42卷，在張存惠之重修政和本草，明劉文泰之本草品彙精要，李時珍之本草綱目各時期均未發現。本草品彙精要凡例中第13條謂：「舊本諸家注釋，皆以漢唐宋年代先後次序……又衍義之言，多能折中，雖非其末，實以正諸家之疑也。……」可見對衍義十分重視，而文中的衍義，當係指寇氏本草衍義而言，如寇氏有其他本草行世，以理推之，當亦必爲世人所難遺忘。洪氏以涵芬樓影元道藏本，認爲是和大觀本草，政和證類本草大同小異的類似書。並且推測許洪校正的道藏本，把衍義分附於各條之後，而恐非寇書原有形式。且洪氏謂：「現正進行政和本草與道藏本衍義的校勘工作，……而此外別無善本，則道藏此本亦數百年前的舊物……在醫藥文獻史上，總是有它一定的價值的」。洪氏正進行校勘而以找不着善本爲苦。按天祿琳瑯書目續編卷五宋版子部頁 14，却發現了一部寇宗奭的著作，書名爲新編證類圖註本草，四函，24 册，內中記載着：「書 42 卷，揭銜通直郎添差充收買藥材所辨驗藥材寇宗奭編撰，敕授太醫助教差充行在和劑辨驗藥材官許洪校正。前有補註總序，本草圖經序，開寶重定序，唐本序，陶隱居序。又序例重廣補註神農本草並圖經序，雷公炮炙論序，又序例上中下，又序例目錄。其正文分部繪圖，詳註藥性，道地炮製方劑，引據雖極博，而編纂無例，標註不明，蓋當時局醫所撰，未經秘省儒臣釐定也。……此本銜內有行在字樣，亦南渡後刻。」後有謙牧堂藏書記圖記兩顆。此書在乾隆時期旣在內府書庫中發現，我認爲祇要不爲過去百年來的帝國主義分子盜去，一定還存在故宮。所以建議中央衛生部有關部門，亟應找出此書影印。如果能找到此書，則定比元刻道藏本完善良多。可謂學術上的一件幸事。

讀了天祿琳瑯書目編者的按語，可知寇氏的新編證類圖註本草，大致和證類本草，大觀本草之類內容差不多。此書刻於南宋，係許洪校正後刻，故洪氏文中所謂：「寇氏只把衍義部分析出單行，而不再刻印全書」的考語，是欠妥的。起碼，寇氏之全書曾由許洪氏校刻是事實無疑。

那末，道藏本的圖經衍義本草和南宋的新編證類圖註本草的中間關係，也是一個問題。先就其名稱來看，新編證類圖註本草爲寇氏全書的原名很合適，表示他的書晚於證類本草，故冠以「新編證類」四字，又因他的書亦係採取圖經和補註二書爲藍本的綜合性編著，故稱圖註本草，一語雙關。而署名寇氏著的道藏本圖經衍義本草的來源，有幾個可能：(1)可能是寇氏原書的改纂；故易其名。(2)可能是因當時元代對寇氏著作的重視，而有人漁利爲念，仿重修政和本草的形式而將衍義條文附於各藥之下。次就內容來看，道藏本「把衍義分附於各條之後，」而南宋原本是「詳註藥性……編纂無例」。可見道藏本已非南宋本原書面目。再就許洪校正來看，南宋本的官銜清楚，有「行在」字樣，而道藏本已無。可見道藏本係後人所爲，冒充許洪校正。南宋本 42 卷，道藏本亦 42 卷者，也可能是刻印道藏本的人僅得南宋本而將衍義分附各條濫竽充數的。

寇氏之書是以補註及圖經爲藍本，而非如洪氏所謂以陳承本草爲藍本，由書名可以概見。從公元 1127—1279 年前後凡 152 年，南北政權分裂，公元 1127 年金佔黃河流域，1234 年蒙古滅金，1280 年蒙古滅宋稱元。據此，寇氏書許洪校正旣有「行在」字樣，則刊於公元 1127 年以後無疑。

醫籍考上的「劉信甫新編類要圖註本草42卷」。正如丹波氏所謂：「信甫編是書後，就證類本草中附以寇氏衍義者，有金平水（作者按：平陽）張存惠……然存惠之書，於政和原本，無所節略；信甫之書，頗加芟汰，二書體裁自異。」日人森立之一氏已證明南方劉信甫的新編類要圖註本草 42 卷，(1208—1224 年)附有寇氏衍義，早於張魏卿 20 餘年。此在醫史編輯同志的按語中已考證清楚。是否新編類要圖註本草即是寇氏的新編證類圖註本草。寇氏二書，就出版時間而論，衍義在公元1119年，新編證類圖註本草在公元 1127 年以後，正如同洪氏就序例文字所考證的寇氏全書寫後鑒於當時有證類及大觀的流行而未出刻，早期只出本草衍義，後來鑒於世人對於衍義的重視和增入證類，故由許洪校刊。劉氏之書亦寫許洪校正，是否即寇氏原書，大有可疑。「證類」變成「類要」可能是劉氏擅改。

至於元版的類編圖經集註衍義本草 42 卷，爲元普明大師慧昌校正，據森立之氏謂：「即類要圖註本草而妄改題目者」頗可信。同樣情況，道藏本妄改寇氏原書書名，當亦有可能。

三、結　論

基於本文總的檢討，可以看出嘉祐補註本草及圖經本草二書出版後，影響很大，據考至少有陳承，唐愼微和寇宗奭三人來加以編纂集中成本草全書的形式。

明板濟陰綱目

耿鑑庭

1950年秋、余受蘇北行署之聘，任文物管理會常委。刀圭之暇，輒往會中鑑別研究。1951年終、泰州專區送來大批典籍，經整理後，其中不乏善本，若宋刻也；若明刻也；若禁書也；若批校本也；若稿本鈔本也。余於醫籍，特三致意，凡得明刻「素問」「靈樞」「脈經」「活幼便覽」「濟陰綱目」數種。濟陰綱目、乃萬曆48年刊，與雍正間汪淇箋釋之14卷本不同，今原書已由文管會交江蘇省揚州圖書館收藏。

一、

濟陰綱目五卷，明板、白棉紙本，底面粉紙淡綠色，猶存書簽書標各一，書簽作補訂濟陰綱目。書標扁方形，僅第一冊者存在，首載冊數，次記其綱，而略其目，前有自序一篇，半頁八行，行十八字，序題之下、有長方形白文鄒吳派字體收藏章一方、二行行四字、文曰「曾在泰州戈秉直家」。正文與序不同、半頁十行、行21字、第一卷列調經、經閉、崩漏、赤白帶下、四綱，計29目，135頁。第二卷列虛勞、血風、積塊、浮腫、前陰諸疾、五綱，計34目、126頁。第三卷列求子、胎前、二綱，計48目、148頁。第四卷列臨產、產後門上、二綱，計28目、128頁。第五卷列產後門下、及乳病門二綱，計38目、125頁。其中卷四之68頁、卷五之106頁、字體略小、皆係補刻，然察其字形，仍係明末所補。板略有模糊、淡墨印、板匡高22.8厘米、寬14.4厘米，原書計高27.3厘米、寬17.8厘米、首尾完好、僅略有捲角而已。

二、

據此刻本萬曆48年武之望自序云：「同年王宇泰氏、所輯女科準繩，……不無駢枝贅疣之病、且分條不整、序次無倫、非耳目所素習者、卒觀之、而莫得其要也。余究心茲術、亦既有年、茲於公事之暇、手爲蒐集、汰去諸雜症、而專以婦人所獨者、彙爲一書、又門分類別而綱之、下各系以目、名曰「濟陰綱目」。是綱目根據準繩改編，一若後之陸九芝病世傳傅青主女科之重複駁雜、重爲釐訂增刪、成「重訂傅青主女科」刊以行世等也。

據武氏自叙、下署全銜云：「萬曆48年、歲次庚申、三月之吉、賜進士第、中順大夫、南京太常寺少卿、前奉敕整飭海蓋永平等處兵備、山東按察司副使、吏部文選司主事、驪下武之望、叔卿甫、書」。每卷首頁、則作「關中陽紆武之望叔卿編次」。關中、驪下、陽紆、皆是陝西，知武氏爲陝西人。武氏於萬曆48年(1620)，已任如上各官、知彼時年歲當不在小，四庫提要指其爲「國朝人」似有可商之處。48年、乃萬曆之最後一年，即1620年也，其間又經過天啓七年、崇禎17年、更越24載(1644)方入清。萬曆48年時、武氏年事若何、不可得知，遍檢圖書集成醫部全錄醫術名流列傳，1089人中、並無武氏小傳，手頭又無陝西通志、不克查考武氏之究竟，不得不尋旁證。

1. 序中稱王肯堂爲同年，據醫術名流列傳第十、引野史王樵傳：「樵子肯堂、字宇泰、舉萬曆17年進士……」國史補云：「進士爲時所尚、俱捷謂之同年」。是武之望亦係萬曆17年(1589)進士也。此書當是進士及第後30年所刊。

2. 卷四，36—38頁，有武氏論「產後寒熱變症」一條、其中有云：「……余庚子年、改官南儀部、內人於12月中難產，……」庚子爲萬曆28年(1600)，乃中進士後之11年。魏晉尚書有儀部郎、歷朝因之、唐置儀部郎中員外郎、爲兵部之屬司，掌輿輦傳乘、郵驛廐牧、明時改爲車儀司、此稱儀部、猶用古稱也。南儀部當指南京兵部、武氏嘗官南京太常寺少卿、任儀部當亦在其先後耳。然仍不能推出其生年之輪廓。

3. 卷二、9—10頁、有論「傳屍勞」一條，首列上清紫庭追勞方、及蘇遊之論，末附武氏按語，其中有云：「歲萬曆甲申，余一嫂年20餘、患虛勞日久　勢已不救、余時稍能閱醫書、……」甲申爲萬曆12年（1584），時嫂年20餘、武氏方「稍能閱醫書」、當亦在弱冠左右。假定武氏其時爲 20 歲、則武氏之生、當在嘉靖 43 年（1564）左右。又原條之後、又云：「後丙午冬、長子婦病虛勞泄瀉。」丙午爲萬曆34年（1606），假定此時、其子亦在弱冠左右、則上推 20 年、爲萬曆丙戌（1586）。余所推測之嘉靖 43 年（1564）左右出生雖不中、不遠矣、據此：武之舉進士、當在 25 歲左右、與一般成進士之年亦合、然亦不盡然、嫂之患病、媳之患病、亦可假定爲 30 歲、武之成進士、亦可假定爲 35 歲，武之讀醫書、亦可假定爲 30 歲、蓋武氏幼習舉子業、非專攻於醫者、涉獵醫籍較遲、亦常理也。總之，假定 1564 年所生、嫌遲而不嫌早、即武氏之生、决不能遲於 1564 年、亦可能再早十餘年。依此而論、則萬曆 48 年、武氏年已 56 歲、再加泰昌、天啓、崇禎、三帝 23 年、當已 80 左右矣、若出生果在 1564 年以前、其壽當不止此、可達 90 外。四庫提要武斷爲國朝人、似有可商之處、蓋武氏生於明；官於明；著述於明；縱國變未死，亦一遺老耳。稱之爲國朝人、未免掠美，八九十之年諒無變節仕清之事！曹炳章先生「中國醫學大成總目提要」稱之爲「明清間人、其濟陰綱目著於清初」，亦屬失考。

三、

四庫提要之誤，蓋導源於汪淇箋釋本，當時定然未見此本，僅依據汪本而著錄，汪本未列武氏原序，四庫館諸公，於提要中武汪並列，一若先後同時者？且云：「此書所分門目，與證治準繩之女科相合，文亦全相因襲、非別有所發明、蓋即王肯堂書加以評釋圈點，以便檢閱耳。」方称爲重要之揭發，殊不知武氏於自序中已有明言，無待提要之嘵嘵矣。

汪氏所列濟陰綱目，釐爲 14 卷，增以眉註，即所謂「箋釋」也、略加校對、其次序方論、略有移易、大致相同，但明本卷一、71—72 頁，「論崩漏由氣虛不能攝血」。同卷，108—110 頁，「論帶久屬虛當補養脾氣」。卷二、1—2 頁，「論婦女虛勞與男子不同」。同卷，9—10 頁，「論傳屍勞」。又同卷、37 頁，「論血風症」卷四、36—38 頁，「論產後寒熱變症」等六處，皆有武長按語。（明本中僅有此六處有武氏按語）。而汪氏箋釋本中，俱不見。一若汪氏故爲刪去者。繼思書簽既作「訂補濟陰綱目」。是此萬曆 48 年刊本之前，必有一初刻無序無按 14 卷本。即汪淇據以箋釋刊行者，五卷本當係增加內容後，重爲刊行。汪本 14 卷中，僅 11 卷題爲武著、其卷二、卷四、卷五、則又作金德生閬風父輯著。參金氏輯著各卷、又悉與明本同，知係書賈妄爲。汪氏所作凡例有云：「是書實醫家之秘寶，因原板無存，世人每欲購求遺本，眞如丹經仙籙，可思而不可得、今本坊重登梨棗，照原本不易一字，至於紙用精良，鐫皆名手，以方可壽人，書可壽世，述者不厭精工，識者自爲鑒賞」，益證汪淇之爲書賈。

觀於每卷作者銜之下，又各列訂正者之名、每卷一人，計 13 人、卷一、卷 11 、則皆爲張隱庵訂正，卷 12 之訂正者，爲武林朱長春永年父，朱氏乃張隱庵之同學，見張註內經之素問卷四，及靈樞卷六合參參訂人欄，餘未暇細考，茲 13 人可能皆係當時或稍前之名醫，汪淇羅列其名，藉以爲醫林見重，廣其銷路耳。

四、

汪氏自序題作雍正戊申（六年）孟冬月。汪氏所作凡例又作康熙四年一陽月。相間 63 年，其中必有一誤。且凡例之末，有「不佞壯志既頹」之語，康熙四年既頹，焉可雍正六年仍能健在而作序耶，汪本濟陰綱目之後，附有「保生碎事」九頁、頁末、有「隨有濟陰綱目即鐫行世謹此預白」一條，知保生碎事刊於綱目之前，待綱目刊成，復印以附其末，其第一頁中有云：「朽淇年已踰甲」，知其鐫保生碎事時，已 60 餘、初疑康熙四年之上脫去 50 兩字，或係 54 年，繼從他書考知，爲汪淇之故弄玄虛，汪序之下署以雍正戊申，（六年）且人名下尚刻圖章二方，其誤必不在此，可商者，當係康熙四年可能因列張隱庵等爲參訂人而變動，張爲清初浙江名醫，著述等身、名震海內、附列其名、實足見重。張氏集注之靈樞經，據其自序：成於康熙壬子，（十一年）又其傷寒論集注自序中有云，「余於內經仲景諸書，童而習之，白首始獲其要，故自甲午以後，20 年來，每日必焚香盥手，開卷舉筆，……迨庚子而傷寒初集告成，越幾載，而金匱要略出，又數載，而素問集注竣，更數年，而靈樞注疏就。」靈樞序作於康熙壬子，（十一年）甲午當是指順治 11 年，庚子是順治 17 年，由順治甲午，至康熙壬子，相距確近 20 年，張氏之另一著作，「侶山堂類辨」、成於庚戌、（康熙九年）其卷下「戊癸合化論」中云、「順治辛卯歲予年四十有二，八月中生一胃脘癰」。辛卯爲順治八年，上溯 42 年張氏當是萬曆 38 年所生，與高士宗等爲友，亦一遺民也，康熙末年已踰百歲，必無再爲汪本訂正之理。汪氏既列其名以欺人，年事又不能符，特故亂其年遷就之，以眩惑世人耳，四庫館竟被其迷誤，指爲「國朝」，事近三百年汪氏之作僞，今被揭發矣。

五、

余先後於揚州文物管理會及圖書館中，校閱明板濟陰綱目，詳爲考證，證明四庫提要之誤，提要則又係沿襲雍正間書賈汪淇箋釋本之誤，蓋汪氏據以箋釋者，乃武氏於萬曆 48 年前初刊之本耳。武氏實明人，訂補之五卷本，確優於 14 卷本。曾將手頭所存國內各大圖書館善本書目檢閱，尚未發現此萬曆刊本之濟陰綱目。然當四庫開館時，即據汪本立論。是明本於乾隆間即已絕無僅有矣。且此書板式登款，書品極佳，有影印之必要，方今人民衛生出版社謀翻印「中醫基本叢書」，此書實可依四部叢刊方式，印以流傳也。

晉代名醫王叔和

邢德剛

王叔和是西晉時代（265—316）偉大的醫學家，他在醫學上貢獻很大，尤其在脉學（診斷）上和古代醫學書籍的整理上。他的診脉方法，總結了前人的成就而集其大成，並且增添一些新的內容。這不僅推動我國醫學的進步，使祖國醫學，在診斷方面，放一異彩，而且後來還影響到國外。例如在歐洲由第八世紀以後，阿拉伯醫學與起，到十世紀前後竟成爲當時國外最進步的文化和科學。而其中切脉方法，是由中國傳入之後，才更豐富起來。中國脉學是中國醫學對世界醫學上偉大貢獻之一，雖然這是中國醫學家歷代成果的總和，但王叔和是有他一定成績的。

其次他對我國古代醫學書籍，盡力去保全整理，漢末偉大醫學家張仲景的著作，在當時已有佚失，經王叔和撰次成書，流傳到今天（傷寒論和金匱要略），並成中醫書籍之經典著作。所以他在保存和整理醫學書籍上，也有功績。

一、生平事蹟

1. 生平和時代背景

王叔和是西晉時候的人，關於他的詳細歷史，在一般史書中（如晉書），都沒有記載，祗能由大約和他同時或稍晚的一些文獻中，知道他的一些事蹟。在甲乙經（皇甫謐撰）的序言上有「近代太醫令王叔和撰次仲景，選論甚精……」，由這序言，知道他是做過晉代的太醫令。在甘伯宗的名醫傳上和高平縣志上，都提到他是高平縣人。如名醫傳上有「王叔和，晉高平人，爲太醫令，……」。

在晉書皇甫謐傳上，記載皇甫謐死於太康三年，年68，所以皇甫謐的生卒年限是公元215—282，由甲乙經的序言和晉書皇甫謐傳上的記載，知道他是在皇甫謐以前，做過太醫令。皇甫謐是當時的名士，也是名醫。他們很可能相知，所以在甲乙經序言上提到王叔和，並表示欽佩。甲乙經著於公元242年，脉經的著作比這還要早。由於以上，我們知道，他是西晉時候人，做過晉朝的太醫令，他的家鄉，是今天山西省高平縣。生卒年月，大約在210—280之間。

西晉時代，祇有50年左右，以後便偏安到長江以南，是爲東晉。而在這50年中，也祇有前十數年較爲承平，以後便有八王之亂和外族的入寇，在前一時期，經濟逐漸恢復，但統治階級的剝削和奢侈也一天比一天加重，人民生活十分痛苦。當時人民祇有消極的從宗教裏找安慰，統治者却利用宗教更加麻痺人民、士大夫提倡玄學，實質上就是統治階級的幫兇，魏晉時代階級鬥爭，也表現在這一方面。

2. 當時的醫學情況

魏晉時代，除了繼承前代（漢三國）的文化成就以外，還創造了自己時代的文化。晉代的政治社會思想和學術思想，是儒家和老莊並行，當然這都是統治階級用來統治人民的，其中老莊之學，由漢代以來，便以被利用的形式——黃老之學——來影響到方技。醫學由漢以來，便被統治者認爲是方技之一種。這說明統治階級不能重視醫學，而醫學和它的進步，却是人民在向疾病做鬥爭中實踐得來的。統治階級也有時注意到科學和醫學，那是在他們爲了享樂，爲了保護自己，爲了進行戰爭，爲了進行更大的剝削，在這樣的需要下，才重視提倡。魏晉時代在天文、數學、水利、冶金和醫藥上都有極大的成就，主要的是勞動人民的成就和功績。

如上所述，西晉醫學，一方面繼承了以往的成就，一方面在實踐過程中增進了新的內容，並由當時的醫學家總結起來，寫出許多醫學上偉大著作。留傳到今天的，有皇甫謐的甲乙經，王叔和的脈經等。這兩部書是西晉時代偉大著作，它總結了以前針灸和切脉法的成就，還充實了新的內容。對我國後來醫學的發展上，起了很大作用。

王叔和做過晋朝的太醫令，當然他著書是有便利條件的，但在他的著作中，能排開當時方技之士服食飛昇煉丹符水等理論和觀念，這是很值得提出的。因爲道家思想，到魏晋時代，已經基本形成，並開始形成道教，有許多醫家，受了極深的影響。這是魏晋時代醫學的特色。

因此我們說他總結了人民向疾病做鬥爭的經驗。這是醫學的正統，發展的主流。由於他的忠於醫學，肯於精心研求，他成爲晋代醫學代表人物，我國脉學代表人物而被人敬仰的偉大醫學家。

二、著作

1. 現存的書

有脉經十卷（王叔和撰），見隋書經籍志。

這部書是王叔和著作留到今天的唯一可靠的書。共十萬一千多字。分成十卷98篇。在他的自序上有「今撰岐伯以來，逮於華佗，經論要訣，合爲十卷。百病根源、各以類例相從，聲色證候，靡不該備。……」。這具體地說明這部書是總結了以前的成就而編成的。

他著此書的本意，在序言中也做了清楚的說明；「脉理精微，其體難辨，絃緊浮芤，展轉相類，在心易了，指下難明，謂沉爲伏，則方治永乖，以緩爲遲，則危殆立至，况有數候俱見，異病同脉者乎？夫醫藥爲用性命所繫，和鵲至妙，猶或加思，仲景明審，亦候形證，一毫有疑，則考校以求驗，故傷寒有承氣之戒，嘔噦發下焦之問，而遺文遠旨，代寡能用，舊經秘述，奥而不售，遂令末學昧於原本，斥兹偏見，各逞己能，致微痾成膏肓之變，滯固絕振起之望，良有以也。」最後又說「誠能留心研窮，究其微賾，則可以比蹤古賢，代無夭横矣。」關於具體内容，以後再介紹。

2. 佚失和僞託的書

（1）王叔和小兒脉訣見醫籍考：「曾世榮曰，宣和御醫戴克臣侍翰林日，得叔和小兒脉訣，……」

此書今天不見，不知它的詳細内容，很有可能是僞託的書。

（2）脉賦一卷，就是一篇文章，很可能是僞託之作。

（3）脉訣四卷，此書經過去醫家考據（陳言、戴启宗、李時珍）是高陽生僞託的書，並且是宋朝熙寧以前的作品。自宋以後這書便盛行起來，這可能因爲它比較通俗而切實用，醫界便將它視爲診斷入門的書。在脉訣一書出現之後，還有一些脉學的書，僞託是王叔和所著。

（4）脉訣圖要六卷。

（5）脉影歸指圖說二卷。

以上二書，都是補充脉訣的書並僞託王叔和做的。

3. 所整理的古代醫籍

王叔和除了撰寫脉經之外，又將張仲景的著作，整理匯集成書，就是今天的傷寒論和金匱要略。以後雖有人非難王叔和，說傷寒論和金匱要略原本是一書，不應分開，不應把自己的意見主張，放到書裏去，但王叔和的功績，是不能泯滅的。若没有王叔和的整理，我們今天就很難知道或更少的知道張仲景的著作，當然對張仲景在醫學上的貢獻成就，就要遭到一定程度的降低，甚而在我國醫學發展上也要受到影響，這種繼往開來的功績，是應該讚揚的。

三、對醫學上的貢獻

1. 王叔和以前脉學的成就

我國醫學在春秋戰國時代，就開始從神權中分離出來，逐步充實，積累經驗，和其他文化科學一樣，構成先秦文化光輝燦爛的一部分。它的代表人物，有醫和醫緩扁鵲等人。而扁鵲更奠定了切脉法的基礎。在史記上有「天下言脉者，由扁鵲也」的記載。

到了秦漢，醫學又向前進了一步。脉學曾被許多醫學家繼承下來，在史記扁鵲倉公列傳上有「傳黄帝扁鵲之脉書，五色診病，知人死生，決嫌疑，定可治，及藥論甚精，受之三年，……」。當時淳于意在高后八年（公元前180），曾在公乘陽慶處學醫，學了診脉方法，並學三年之久。在這列傳上，還記載了許多診脈而知疾病的事實。所以我們知道在當時，不僅診脈有專門書籍和傳受，並且也成爲醫家常用和必用的診病技術了。

在素問和難經中，都提到診脉之法，已經有很多理論和經驗，已經知道切脉的部位，（三部九候）。切脉的時間，（平旦），脉搏的正常速度，（一呼吸四到五至），比這多或少都是病兆，知道人除了有病之外，其他情况下脉也可以改變，（凡人之驚恐恚勞動靜，皆爲變也）。知道數脉，（節律快），代脉（不整脉），大脉（洪脉），細脉（小脉）等。並能區別生死之脉象。初步地將脉分成十餘種，如長、短、滑、數、緊、代、濇、革、弦、伏、緩、遲等。

在傷寒論和金匱要略上也提到診脉。

在王叔和的脉經上，也記錄了他以前的成就。在卷五上有：

張仲景論脉第一

扁鵲陰陽脉法第二

扁鵲脉法第三

扁鵲華佗察聲色要訣第四

扁鵲診諸反逆死脉要訣第五

共五篇，所以說他爲脉經是有所師承的。

我國醫學，到西晋以前，無論在內科，外科，本草，針灸和診脉上，全都有了很大成就。給我國醫學，奠定了很好的基礎。這樣能使王叔和在脉學上，做到進一步發展，並著書立說，蔚然成一家之言。這是古代許多醫學家的成績，而王叔和在脉學上盡到努力，做出了最大的貢獻。

2. 王叔和在脉學上的貢獻

他總結了以前的經驗，爲了更好理解和應用使診脉更有利於治病救人，結合自己的所得，撰成了一部偉大著作，王叔和脉經。

在第一卷上，首先將脉分爲24種，這是前所未有的。以前關於脈學，不僅區分類別較少，而且也都說的不够明確。王叔和力求完備，在脉形狀指下秘訣第一中，將切脉時指下的感覺，詳盡地有區別地叙述出來，規定了下列的24種：

浮、芤、洪、滑、數、促、弦、緊、沉、伏、革、實、微、濇、細、軟、弱、虛、散、緩、遲、結、代、動。

在每一脈象之下，都做了說明，他在開宗明義的第一篇上，就這樣做，這是非常科學的，成一家言的著作。而每一脉象，决不混淆重複。最後還指出八組脉象的相類。

更有科學價值的，則是他指出的24種，基本包括了今天循環生理上所能有的脉象。遠在一千六百多年前，我國醫學，就有了這樣的成就，是值得驕傲的。

我們根據今天生理學上的知識，知道血液在心臟收縮時產生的壓力波名叫脉波，傳到周身各處動脉，而在皮膚上摸出脉波的起伏就是脉搏。切脉可以診出心臟的搏動和血液流過血管的情形。分別來講就是可以由手指感覺出脉搏的大小，速率，節律，和血管壁的性狀等。其中速率，節律二項完全爲心搏動所支配，血管壁的性狀是由血管的改變來决定，而大小則是心臟的搏出量，濃度，和血管本身的緊張度所構成。這些構成切脉時的指下感覺——脉象。尤其當患病的時候，就更明顯。今天在臨床應用上，仍佔重要位置。

譬如就脉象的速率來講，搏動次數快的就是數脉，比數脉再快的就是疾脉。搏動次數少的就是緩脉，和遲脉。就節律來講，搏動不勻整的就是結脉，代脉，促脉。就血管壁來講，按之如繩的就是緊脉。就大小來講，浮、洪、芤、滑、實等都是大的脉象，微、沉、濇、伏、軟等都是小的脉象。而脉象還可以一脉兼有多種脉象，譬如緩脉就是脉象小而搏動次數少。因之必須詳細區別，才能判别清楚，才能診斷正確，而王叔和在脉經上，已經分得很詳盡。今天許多有豐富經驗的中醫前輩，還能掌握它。

在脉經上更應用診斷各種疾病上。如中風病則有「脉緊上寸口者中風，風頭痛亦如之」，這說明中風的人，常是動脉硬化而呈緊脉。又「伏者霍亂」，這說明霍亂病的人，血液濃縮，脉象小，「極重指按之着骨乃得」。又有「尺脈濇，下血下痢多汗」，這說明失水過多，血液濃縮而呈濇脉。診瘧疾有「瘧脉自弦，弦數多熱，弦遲多寒，微則爲虛，代散則死。」這說明患瘧疾的人、脈搏速率較快，按脉像弓弦，在發熱的時候脉搏次數多，退熱的時候次數少，如脉搏不整（代）至數不齊（散），則病人就很危險了。更提出治瘧用蜀漆散（常山、治瘧的特效藥）。

也提到「數候俱見，異病同脉」，如提出中風病的脉象是「脉微而數，脉浮而緊」。提出身被刀器所傷亡血，則「脉微而濇」。他還結合各種症狀是決定一病，譬如論肺痿「肺痿，其人欲欬不得欬，欬則出乾沫，久久小便不利，甚則脉浮弱。」論脉癰有「肺中隱隱痛，脉反滑數，此爲肺癰」，「時時出濁唾腥臭，久久吐膿如粳米粥者爲肺癰，桔梗湯主之。」

他對許多疾病，如傷寒、黃疸、霍亂等，以及婦女，小兒各科的疾病，都提到由診斷和治療。這些雖然在張仲景的書中（傷寒論及金匱要略）就有，但他能再提出，這說明張仲景的正確，由他實踐證明。並且他更系統地由診脉到治療一系列的治病程序，在脉經上作了詳盡地叙述，今天看來，還是十分對的。

由於以上，我們知道，脉經這部書，不僅總結了以前脈學的成就，還充實了新的內容，這說明當時診脉達到高度的成就，並積累了豐富的經驗，才能做到這個地步。它不僅是中國的一部脉學偉大著作，也是世界上的一部脉學偉大著作。雖然其中也有一些不够科學的地方，這是受了時代的限制，遠在一千六百多年前的第三世紀，祖國醫學就有這樣偉大成就，是十分光榮的。

5. 對國外醫學的影響

我國文化，很早地就曾和國外進行文化交流，漢唐以後，這種情形更加頻繁，交流最多的便是印度和西域阿拉伯國家，而阿拉伯國家，更是溝通東西文化的樞紐。譬如中國四大發明，就是先輸入阿拉伯，以後傳到歐洲，對整個世界文化的進步，起了很大作用。

阿拉伯醫學興起在第八世紀（唐中葉），到了第九第十世紀（唐末葉及五代），阿拉伯醫學更加興盛，出了許多名家，並成爲當時國外最進步的醫學。它對世界醫學上的貢獻，主要有兩方面，一方面保存了古代醫學，尤其是希臘，羅馬的成就和文獻的保存翻譯。一方面是在醫學和藥物化學上的成就，這是吸收了當時各國的成就，而發展起來的。

它吸收中國方面的(1) 煉丹術，這是世界上化學的開端，是經阿拉伯人發揚並傳給後世歐洲。當時直接貢獻到藥物學上。(2) 脉學，這對阿拉伯的醫學，起了很大的推動作用。阿拉伯名醫阿維森納氏曾在11世紀初，寫出他的偉大著作醫典。這是一部總結阿拉伯醫學成就的總集。在書的第二編中，論到診脉，阿拉伯人精研脉學，把診脉區別到48種之多，而其中竟有35種，和中國脉學相同。這具體的說明中國脉學對阿拉伯醫學的貢獻。

四、結語

王叔和是西晉時代（第三世紀）的偉大醫學家，他總結了漢魏以前脉學的成就，並充實內容，寫出了中國第一部偉大脉學著作脉經。進一步發展了我國的脉學，推動了醫學的前進，這樣他成爲西晉時代醫學代表人物，我國脉學代表人物。

不僅如此，我國脉學的成就還影響到國外，它豐富了阿拉伯醫學，使它發展前進，成爲中世紀國外最進步的醫學，同時也就在一定程度上豐富了世界醫學。

其次他保存了古代醫籍，加以整理編輯，使古代著作流傳到今天，這種繼往開來的功績，是非常偉大的，這對後來中國醫學的進展，起了一定作用。

最後我們還要學習他的求知力學的精神，他做到忠於醫學，努力鑽研，並不受當時方技之士的影響，這樣使他有進一步的成就，這種精神是科學的。今天我們敬仰祖國醫學上偉大人物，還要學習他們的精神，王叔和正是我們的好榜樣。

唐代名醫孫思邈故里調査記

唐代是我國繼漢以後的一個偉大時代，在政治經濟和文化上都有空前的進展。在醫學方面也不例外，這時產生了不少偉大的醫家，孫思邈便是其中的一個；他不僅是唐代的名醫，也是我國古代最有貢獻的名醫之一。

舊唐書記載孫思邈七歲開始讀書，每日能背誦千餘言。20歲時已精通莊老百家之說，隋文帝請他做國子博士，他假託有病，沒有應徵。後來唐太宗、高宗先後想徵用他，都沒有出仕。他不僅博通經書，更精於醫道，當時的名人宋令文、盧照鄰、孟詵都曾向他問過學。他把唐代和唐代以前的醫藥經驗綜合起來，寫成［千金方］及［千金翼方］，其中對於脉學，針灸、食治、婦嬰病、營養缺乏病，醫學道德等都有詳細論述。特別是對於營養缺乏病中的脚氣和夜盲症有獨到的治法。因爲他一生隱居民間，爲同胞解除疾苦，更因爲他醫術高超，善於用藥，所以一千多年來，人民一直紀念他，給他立碑立廟，尊他爲藥王。他的故里居民，對他尤其尊敬。

舊唐書記載他是京兆華原人，就是今日的陝西省耀縣。明朝嘉靖年間喬世寧編纂的［耀州志］記載耀縣有不少關於他的古蹟；爲了對這一位醫史上的偉大人物進一步了解，獲得更多的生動史料，本年八月27—30日作者等一行五人* 曾去耀縣做實地調查。現在將見到的古蹟，做一簡要報告。

孫思邈故里——孫家塬

陝西省耀縣，唐朝時叫耀州，後來經過幾次易名，到民國以後才叫做耀縣。在縣東北15里有個村子叫孫家塬，根據縣志記載就是孫思邈的故里。從縣城到孫家塬，大部是山路，時起時伏，兩旁莊稼和樹木，青翠茂盛，夾以遠方連綿不斷的山脉，襯着鬱鬱的青天，顯得格外秀麗。雖然是八月的天氣，但因爲大家興緻很高，一口氣便走到了目的地——孫家塬。

一進村，向西南看，便見一座殿宇夾在密綠的樹葉叢裏，那就是孫思邈的祠堂。祠堂建築在一座土山上，共有二畝大；正前下方是一個池塘，兩旁種着楊柳，柳枝輕垂水面，很是優美。祠前殿供着孫思邈的塑像，約有一丈高，全身鍍金，像貌端正嚴肅，令人一看便起敬畏之心（圖1）。像兩旁各立着一個侍童，一個手捧着藥包，一個捧着藥鉢；像右前下方伏着一隻雕塑的虎。據說孫思邈山居時，他的一隻驢，出外馱藥被虎吃掉了，他用符召羣虎來，說道，吃驢的留下，沒吃的散去，結果就有一隻虎伏在地上不去，此後便伴隨着孫思邈，爲他馱藥。故此孫思邈的像右側，永遠有一隻老虎。

圖1　眞人祠中之孫思邈塑像

眞人祠後殿叫做［聖母殿］，供有孫思邈父母的塑像，高約八尺，週身金色，神態怡然，很是生動。聖母殿院中有一塊嘉慶25年（1820年）的石

* 邢德剛、賀純、孔淑貞、由李濤敎授領導。

碑，叫做［重修眞人祠聖母殿碑記］。碑文大意說：［耀州東15里孫家源村是孫思邈的故里，從唐朝起，一直聞名四方；村西南角的眞人祠，不知是什麼時候修建的，祠內有聖母殿，祠南一百多步是眞人的祖塋，嘉慶七年（1802年）曾經重修過，四周有圍墻等語。］

根據縣志記載眞人祠就是孫思邈住宅的舊址，當地的人爲了紀念他，就利用那塊地方建起了眞人祠。在掘地時曾發現鐵鉢，藥瓢等物，此外，還有用紅土泥塗着的土窖洞，不過這些物品都已不知去向了。就是眞人祠南側的眞人祖塋也只剩下一座同治11年（1872年）的墓碑了。這座碑四周用磚砌着，雖然有的地方已遭到破壞，但石碑尚完整，字跡也還淸楚可認。碑中間刻着一行大字是［唐代敕封妙應眞人之先塋碑］（圖2），兩旁刻着碑文，記載孫思邈生平，大意說：［孫思邈生於周宣帝時，但在周宣帝以前就有這塊塋地；他在永淳二年二月15日故去，有一子叫行，曾做鳳閣侍郞，有一孫叫溥，做過蕭縣丞。因爲年代久遠，他們的墓已不知在何處；現在的這塊塋地面積有17畝五分六厘。］

據村中老人談，眞人祠左側200步處是當年孫思邈讀書的地方，可惜現在一點遺跡也看不出了。

孫思邈隱居處——藥王山

耀縣城東約三里，有一座山，因爲有五座山峯對峙，所以叫五臺山，又因爲是孫思邈隱居的山，一般都叫它［藥王山］。山可以分成南北兩大部分，其中都有孫思邈的古蹟。

藥王山，景色很幽美，遠望去，只見山上的殿宇和坊表夾在蒼松翠柏之間，或隱或顯，引人入勝。經過村落和迂迴的山路，漸漸地爬上山來，走過一座大石橋，再向上行，就是［拜眞台］，據說是唐朝時候，封拜眞人的地方。台有石階百餘層，兩旁石欄頂端皆有道士做採藥形式的雕像，背着藥包，刻工很生動，可惜因爲年久，有的已經殘缺。拜眞台盡端便見有一座山門，叫做［靈祐門］，兩旁各豎立着一枝數丈高的鐵旗桿，頂端攀着鐵龍，二龍頭引頸伸爪，遙遙相對，好像二龍戲珠，很是壯觀。鐵桿上還有一副對聯：上聯是［鐵幹銅條撐碧霄千年不朽］；下聯是［鉛燒汞煉點丹藥一匕回春］，說

圖2 孫思邈祖塋碑

明這是當年孫思邈煉丹隱居的地方。穿過山門，再向上行，便是孫眞人祀殿（俗稱藥王廟），殿前是一連兩座亭子，掛着不少扁額，正中的一張寫着［醫中聖人］四個字，左側的一張寫着［唐封妙應眞人］。殿中供有孫思邈塑像，身穿紅袍，約一丈高，很是莊嚴。右前下方有一隻石虎。像後面便是孫思邈隱居的［太玄洞］，縣志上記載原來洞深40里，從前遊人持火把可以深入，後來石崩被阻，不能通行。洞中漆黑，寒氣逼人，作者等由看廟人伴同，持蠟燭向前行十餘步，又發現一座孫思邈的塑像，比外面的要小，旁邊也伏着一隻石虎。明朝李會心曾有詩詠太玄洞：［偶邇靈蹤跡，相將採藥行，丹梯通古洞，晝閣對孤城，風桷時驚瀑，幽巖下放晴，黃冠不喜客，香火素無情］從中可以想見當年情景。

眞人祠殿四週石碑很多，大多是記載和歌頌孫思邈的。現在摘錄其中一座嘉靖37年（1558）的［孫眞人祀殿記］碑文，可以看出這座廟的經過：

［孫處士諱思邈，貫籍華原縣，蓋唐時建置名

也，今爲耀州。郡之東北有孫家塬，父老相傳爲公之生長處也。公生而神靈，長而岐嶷，善醫藥，懷才抱德，隱而不仕，將以醫藥濟人。古所謂不爲三公，必爲明醫，亦以其能濟民也。此公之志願，後誤以爲神仙者流，蓋吾儒輩，隱君子也。今之洞即其棲隱處，唐太宗曾親訪其第，徵之仕，公不屈，後賜爲眞人云。歷代相傳，神以祀之。祀典云，凡有功於民則祀之，公醫濟當時，方伎萬世，可謂有功於民者矣。其祀也夫奚難，顧洞前地狹隘，歲時享祀莫蔽風雨，人甚難之。本洞道士趙演斌、董演濤傳公之術而守道行者，乃募緣鳩材糴工爲祀。殿一大楹、宏敞、勁堅，足以設牲醴，列樂舞，展興拜庶……况公之神靈至今，往往有病者籲禱則夢寐見之，施以藥餌，而病即愈者不可勝紀。於是四方輻輳，不遠千里，每歲二月二日悉集焉……」

眞人祠殿左側亭子中豎立着「千金寶要」石碑八座，高約一丈，兩面刻有全部的「千金寶要方」，共16面，字跡大部完整，序文是這樣：

「千金寶要者，宋徽猷閣直學士郭思按唐孫眞人先生所集千金方中纂要者也。宣和六年思曾刻石於華州公署。我明正統八年華州知州劉整重刻。景泰六年知州楊勝賢以石刻冬月不便摹印，易刊木板。往年春，予得之，喜其方之簡便，藥之近易不煩而効速信，有切於人之實用。迺珍如拱璧，不容自秘，已命壽之梓矣。竊惟寶要纂自眞人千金方中，天下之遊州眞人洞者，歲無虛日，日無虛時，顧獨不立石于眞人洞前，非所以廣其傳也。因刻于洞前云。隆慶六年歲在壬申春三月上吉秦王守中識。」

從上面的序文中可以看出早在1124年（宣和六年）已經開始將「千金方」纂要石刻，1443年（正統八年）及1455年（景泰六年）又先後重刻，在1572年（隆慶六年）又刻石立在孫思邈隱居石洞前，其原因是去藥王廟的遊人絡繹不絕，這樣便能將藥方廣泛宣傳。一方面證明當年藥王廟的盛况，一方面證明至少在北宋時孫思邈和他的著作已普遍爲人所珍視。

「千金寶要」碑亭右側豎立着一座「海上方」石碑，也是在隆慶年刻的。碑上面刻的是「孫眞人養生銘」以及各科藥方。不過「海上方」不是出於孫思邈的手筆，而是後人僞託他的名字所做的，這裏不再贅述了。

「千金寶要」碑亭左側有一座碑，是嘉靖21年（1542年）三原縣一家姓葛的立的。碑兩面刻寫，正面的上半部刻的是「孫眞人進上唐太宗風藥論」，下半部是「孫眞人九轉靈丹」和「神仙雞鳴丸」；背面是「歷代名醫神碑」，從三皇到元朝按照朝代記載了名醫198名，碑文本身就是醫學史，最有價值，世界各國都不曾見過像這樣的碑。第一，它詳細記載了歷代名醫姓名，使後人能對這些名醫永誌不忘；第二，它證明我國醫學的悠久歷史，同時也證明我國古老的文化，使人一看便起愛國之心。

「千金寶要」碑亭對面廊下供有十大名醫，塑像精緻，像後有壁畫，畫工生動細緻；這樣的十大名醫塑像和壁畫可以說極爲罕見，可惜塑像有的已損壞，有的壁畫被竊去。十大名醫廊前立着一座「重修十大名醫神殿過峯樓暨諸工碑記」，碑文大意說該處原來就有十大名醫殿五間，不知建自何代，因爲年久，又在乾隆46年（1781年）重修，47年（1782年）工竣時立了這塊碑做爲紀念。

藥王廟的西側跨院內有「洗藥池」，相傳是孫思邈洗藥的池子（圖3）。池是就山石挖鑿而成，分爲兩部。據縣志記載雨後池中水滿，柏子柏葉浸

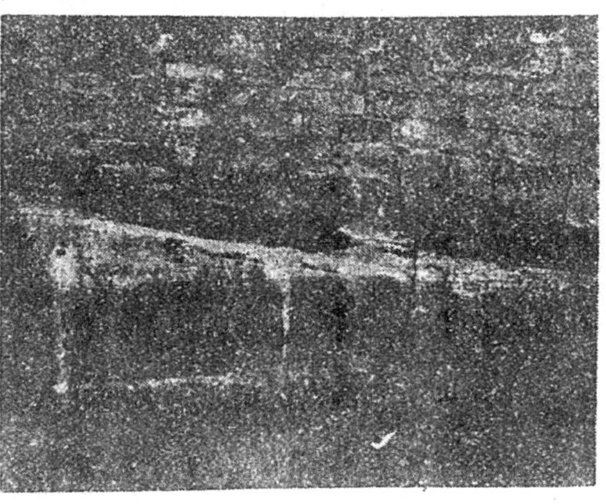

圖3 洗藥池

在水中，水變成綠色，並且發甜。過去遊山的人多掬捧取飲，據說可以明目治病。池西面壁上刻着「石盆仙跡」四字，字跡還可以辨認，是明代文人左經所寫。左經在洪武初年做官，證明這幾個字是14世紀中葉刻寫的了。此外，明朝左思忠曾有「洗藥

池歌」，描寫「洗藥池」一帶的情景：

「太玄洞西巒西盆，靈根深蟠在厚坤，天晴淡浮蘢瀾色，日久像裂苔蘚痕。野老相傳仙翁鑿，斬茅結屋煮丹藥，不知鶴飛幾千年，可憐豐澤宛如昨。巖前漠漠萬壑風，古栢參天掩映同，雷霆時有蟄龍起，雲來氣與滄溟通。……」

以上是藥王山北山（北五臺）的孫思邈古蹟，南山（南五臺）也是孫思邈隱居的地方。山上仍然是蒼松翠柏，青綠相間。據說孫思邈曾親手種過不少柏枳殼梅等樹，每當春季，黃梅紅萼開放，很是美麗。山中看廟老人談，至今有幾棵最大的松柏樹還是當年孫思邈親手種的。

現在南山還存有廟宇，但因長久無人居住，已是荒草過膝，斷垣殘壁了。南山最主要的收穫是發現一座金代重刻的北宋時代的耀州華原妙應眞人祠記」，碑文長約四千字，內容很豐富，現在摘錄一部如下：

「華原本京兆屬邑，後建而爲列郡曰耀，今其名矣。然環耀多山水，其城之東有水曰沮，沮水之東二三里有山曰五臺，其峯回環相望者有五，因以名焉。其間翹楚卓立，發出諸峯至絕頂者有之，俗曰崇陽觀。嘗聞耆老傳之曰，今之觀在昔孫眞人舊隱之地，其後五代之亂，經閭荒毀，後人崇之，流而爲老氏。然登是山也，或升或降，或回或直，或細而幾絕，或平而復陡，怪石稜嶒，松檜夾密者山閣之徑也。及其至也，老木參天，枯枝屈地，門庭瀟洒，殿宇崢嶸，以至就高而危閣，依龕而爲洞房，下瞰城隅而影浸碧水者山之靈崇福也……石室左而右虎伏者，眞人之新堂也。其次北也，循而行之，或下則幽谷，窈然而深邃，或上則山勢聳然而特立，嶄巖險阻，理幾不通。其回旋數曲，有洞邃然，洞幽而深，人莫能測。其宏廣也，則如宇之斯大者，眞人舊隱之所也。然舊隱之所去百餘步，今尚存者，殘碑壞碣，或湮或滅，不復究矣。幸而近足以取鄉里之詳傳，遠足有新舊二史之可驗……案唐史……夫眞人之道上通天地陰陽盈虛之理，下達萬物性命消息之機……故今數百年之後高尚之士與夫大醫名藥所以爭相翹繪，以欽重之而尚未息也。郡人萬俟景……好求古迹，因訪孫眞人故鄉，乃至華原，因以居焉。故其後子孫或以醫藥名聞於一時，或以肆意不顯於當世。至景之時，蓋數世矣。然尚不忘祖宗之業，每遊眞人故宅，觀其遺跡舊基，〇〇有感，乃〇私錢，基構堂宇，塑繪像貌，經之營之，僅費十餘萬而規摹方備，孜孜勉勉，爲力勤矣。時嘉祐己亥四月畢工。景之弟祐，亦紹祖風……後二十三年，忽一日訪獻曰：……堂既修而嚴奉之則至矣，然無文以紀之，則不足以顯揚至道美德……强獻爲記……元豐四年歲次辛酉四月初一鄉貢進士王獻記。」

碑文再下面就是一個跋，從跋中我們知道現在的這座碑已不是元豐四年的碑了，而是在金大定九年（1169年）重刻的。原因是90年後，立碑人萬俟祐的孫子萬俟善深，覺得原來的碑石狹小，字畫纖細，恐怕年久泯滅了。於是便尋找了一塊巨石，令善工按照原來的碑文重刻，仍然把孫思邈的像刻在碑頭上，目的是使人看了便起崇敬之心。

這座碑有幾個主要特點：第一，碑文古老可靠，因爲它是按照宋朝元豐四年（1081年）的碑文刻寫的，證明在北宋時代，孫思邈的名聲已是婦孺皆知了；第二，內容豐富，它不僅描述出一幅五臺山孫思邈隱居處的概況，詳細地記述了眞人祠的修建始末，還抄錄了舊唐書上的孫思邈傳記；第三，碑頭上有一幅生動的圖畫：孫思邈坐在一棵古松下的山石上，右側伏着一隻老虎，左側立着一名侍童，捧着藥匣，前方有一個山人捧着一册書，曲身向前，像是去找孫思邈請敎的樣子；孫思邈的背後是一個山洞，山門半掩，四周佈滿雲氣。根據碑文所述，這幅畫是按原來碑上的像所刻繪的，可見它的來源古遠而可靠。更有趣的是孫思邈的像與同治年出版的「千金方」上按照孫氏家譜所刻的像神態，輪廓都同，進一步證明這幅像的可靠性。

此外，碑文還記載了有關孫思邈的傳說，如老龍祈雨和千金方來源，雖然都是荒誕無稽的事，但這正證明民間對孫思邈的紀念和尊敬，所以把他神仙化了。

* * *　* * *

總之，由以上事實證明，千年來人民對孫思邈的紀念多麼深厚，給他立碑修廟，尊他爲藥王，特別是他的故里，仍然保存了這麼多的古蹟。這並不是因爲他是一個不問世事的隱者，也不因爲他與道家有什麼密切關係，主要是因爲他醫術高超，不慕名利，肯在民間爲同胞解疾苦，更善於利用自己的智慧，綜合了當代的和過去的醫藥經驗，寫出像［千字方］這樣的不朽著作，流傳後世。由此可見，一個歷史人物之所以被人民羣衆所愛戴，永誌不忘，絕不是偶然的事。這次實地調查，我們更深地體會到這一點。

此外，我們認爲實地調查工作對於歷史工作是完全必要的，譬如通過這次調查，我們不但得到許多生動的寶貴史料，開闊胸襟，更進一步體會到祖國歷史的悠久和文化的燦爛，增加了對祖國的熱愛，啓發和鼓舞了我們對歷史工作的熱愛。又譬如孫思邈的像，以前在書本上看到過，這次和實物對照起來，便認識到像的來源必有所本；又如發現的［千金寶要碑］，［歷代名醫神碑］等古蹟都不是書本上所能見到的。當然，這種調查工作，只是歷史工作中的一部分，他如對祖國醫學家的思想、貢獻和影響等的研究，還需要下一番功夫，這裏只是把所見到的材料做一概要報告，供醫史研究的參考。

（李濤、馬堪溫、邢德剛、龔純、孔淑貞等，馬堪溫執筆）

更　正

中華醫史雜誌1954年第三號

頁	欄	行	誤	正
193	右	23	革	格
194	左	23	［只有通曉人類所積累起來的知識才能成爲一個共產主義者。］	［祇有用人類創造出來的全部知識寶藏來豐富自已的頭腦的時候，才能成爲共產主義者。］
195	左	5	經濟	繼續

陶弘景「諸病通用藥」文獻學的考察

原著者：渡邊幸三

中國醫學近日在日本的情況：有以傷寒論爲宗的古方醫學；有以金元爲宗的後世醫學，和兩者併用的醫學；但中國醫學的眞髓還要推隋唐醫學，隋唐醫學乃經葛洪，范汪，又由陶弘景、巢元方、孫思邈諸氏集其大成的醫學。其中藥學以陶弘景本草集注爲代表，病理學以巢元方諸病源候總論爲代表；在臨床方面以孫思邈的千金方和翼方爲代表。作者以爲若將隋唐醫學給以綜合的科學的研究，則必開中國醫學以一新的面目。

本文敘述陶弘景的諸病通用藥，乃因陶弘景無論在藥學和醫學的聯繫方面或對本草的實際應用方面都可以爲隋唐醫學之代表。但作者對於藥學和醫學並無深刻的研究，本文只欲作若干文獻上的考查而已。

陶弘景的諸病通用藥乃本草集註序錄的一部分，敦煌出土本中在「合藥分劑料治法」之後有風病以下80餘病的主對藥列記表。大觀本草中也在「序例下」首先記載。

陶弘景對於此表未給以具體之命名，一般稱爲諸病通用藥；百病通用藥，主對藥，主治藥等等名稱。陶弘景開始在風病中用「治風通用」的題目，又嘉祐本草更引用其文，例如「驚癇通用藥」，「大腹水腫通用藥」等，用「通用藥」的名稱。但由傳統的本草學觀之，以用「諸病通用藥」爲正確。

陶弘景在其諸病通用藥的序中，曾有如下之說明：「諸藥一種雖主數病，而性理亦有偏著，立方之日或致疑混，復恐單行徑用赴急抄撮，不必皆得研究，今宜指抄病源所立藥名，仍可於此處治欲的尋，亦兼易。」此即爲了處方的參考，以應急需，將諸病最有主效之藥選出列記，是爲「諸病通用藥」。

在本草集注序錄序中「本草經卷上」文內，有陶弘景的註解文：「序藥性之本源，詮病名之形診，題記品錄。」其中上邊兩句是指神農本經序錄之本文，下邊「題記品錄」一句乃指所載藥730種之上、中、下三品分類目錄。由此可見，陶弘景編纂的神農本草經尚未加入諸病通用藥；而在神農本草經集注之時始附加的。本草集注大概作於齊永元二年諸病通用藥大約也成於此時。

但是，此諸病通用藥並非只陶弘景一人獨創，北齊徐之才的「藥對」中也有此類說法，由大觀本草序例中通用藥條下，嘉祐本草所引的藥對中可推知此事。無論如何陶弘景和徐之才雖南北異地，但所處時代幾乎相同，由此可見當時的本草已脫離了神仙方家的支配而用之爲醫藥的目的，也表示了本草的實用化。此乃中國醫藥史上可注意之事。

如上所述，陶弘景的諸病通用藥，乃爲處方的參考和應用便利而作，故唐本草以下歷代諸本草均沿用之，不過增加若干藥品而已，今將大觀本草中「臣禹錫等謹按唐本」「蜀本」等字樣下所增添之藥名列舉之：唐本草記有六種病，增添了六種藥品，蜀本草記有55種病，新加了76種藥，又在嘉祐本草中所記載「藥對」中記有65種病，添加了382種藥品，不僅如此，並在：「臣禹錫等謹按序例所載外，藥對主療如後。」句之後，記有藥對中「出汗」以下九病並增補了主對藥89種。又唐愼微的證類本草中記有：「凡墨蓋子者並唐愼微續添。」凡46種病並增加了有「墨蓋子」之藥名149種。

此外，因爲諸病通用藥的形式是爲了處方簡便，故不僅歷代本草書中採用，而且歷代醫方書也多以此應用，如唐孫思邈的千金翼方卷一用藥處方第四即其一例。

由上可見中國傳統的本草書均沿用陶弘景的諸病通用藥，不過又增添了若干藥品。因此，若將大觀本草諸病通用藥中「臣禹錫等謹按」文下所加的唐本草，蜀本草，藥對，和用墨蓋子圈出的等等唐愼微續添的藥品除去後，則是陶弘景的諸病通用藥了，事實上若將敦煌本本草集注序錄與之相校對，則可見兩者大體是相一致的，只是其中藥品數和藥品順序有若干不同。

首先談藥數方面：敦煌本的通用藥是977種，而大觀本草是1034種，較前多出47種，大觀本草是沿襲證類本草上溯至嘉祐本草、開寶本草、以至唐本草。因之其中藥數的不同，可考慮是由於敦煌本和唐本草的底本不同，可能是唐本草的底本和敦煌本各個展轉抄寫，日久遺漏增入，是可能的。玆就大觀本草僅有，而敦煌本沒有的藥品觀之：例如治風通用條「羌活，麻黃」上氣咳嗽條「皂莢、包莢」目赤熱痛條「車前子，菥蓂子」等等，多是各條末所寫的藥品。由是可知大約是在唐本草的底本上由於展轉抄寫，將弘景原本所沒有的而依本草集注本文的記載將之補記於條末，至唐本草誤認爲是陶弘景的原文了。果若如此，可以說大觀本草條末所載而敦煌本沒有的藥品，大概陶弘景的原文也未有，而且唐本草的底本，敦煌本，彼此抄寫由於誤脫而存有若干不同。但是，今將敦煌本和大觀本草校對之，且將記載的藥效參考之，少則補，多則削，則可得到與陶弘景舊本相近之本。

其次再談敦煌本和大觀本草的次序的方面：除了少數例外，（如髮禿落條中，兩者的順序幾乎完全不同，）其他順序相差並不甚遠，此種不同大約是抄寫，校補時所致，今就敦煌本觀之，其誤脫的藥品多是條末補記的。此外在大觀本草中將嘉祐本草有意識的顚倒次序者也有，例如：積聚徵瘕條的「鬼臼，白蘞」髮落禿條的「荊子」等等，爲了附有較長的註解都將次序調換了。若將如上有意識的，無意識的混亂原因估計在內，詳細地將敦煌本和大觀本草校對，則陶弘景的原著可以得到某種程度的復原。

然而，陶弘景竟用何標準而定通用藥之順序？此點正如在拙著「關於陶弘景本草文獻學的考察」一文中所述：本草集注的分類是按玉石部、草木部、蟲獸部、菓部、菜部、米食部等六部的順序，至通用藥各條的順序大體上也是按本草集注的順序。但是其中有不少例外：如泄精條下菜部「韮子」放於最前邊，與前述次序大不相同；此事實或由於只摘錄其中對病有效的主藥，由於對病的特效的限制，所以不能全按本草集注的順序排列。

本草集注中凡本經品名和敘述均用朱字，別錄的品名和敘述均用墨字，但敦煌本通用藥則本經和別錄一律用墨字，與此相反，在大觀本草則用白字和墨字，在大觀本草髮禿落條有「荊子，微寒溫」（橫線代表白字的本經文）在嘉祐本草則註有：「本經有蔓荊牡荊，此只言荊子，據朱字合是蔓荊子。」可見別錄並無牡荊子之名。又由此可見嘉祐本草的祖傳本——開寶本草將「荊子」作朱字的道理了。又由轉筋條下「蓼，微溫」的嘉祐補注的註文，可知開寶本草「蓼」爲朱字。由此可見開寶本草是襲用唐本草的字樣，而且嘉祐本草時唐本草早已存在了。是故可推知唐本草「荊子」「蓼」也是朱字寫的。即本經的藥和別錄的藥是用朱和墨字分開來寫的。

又在拙著「本草序例中的神農本經文」一稿中已詳述的，在敦煌本中凡序錄中朱字的本經之文一律用墨字，更由上述的唐本草的通用藥是由朱墨字分開寫的，可以推定陶弘景的通用藥的原本必定是本草經的藥用朱字，別錄的藥用墨字。

再次：陶弘景通用藥的序中記載「其甘苦之味可略，有毒無毒易知，唯冷熱須明。」按序錄的本經文中有：「藥有酸鹹甘苦辛五味，又寒熱溫涼四氣」的記載，氣、味都是用藥原則的要素而陶弘景則認爲五味可略，獨重視藥氣，此不僅因爲五味易知而可略，大概還有更深的理由。

在以陰陽五行說爲理論基礎的中國醫學的集成素問中，如卷三「五臟生成」，卷22「至眞大要論」等均以五味配合陰陽五行，做爲重要的用藥原則，正如拙著「關於配藥原則的子母兄弟」一文中所說陰陽五行說乃用藥方面的重要要素。各藥的味不問是由味覺規定，還是由臨床經驗規定，作爲用藥原則的五味概念乃是以陰陽五行爲基礎而組成，並非由於臨床經驗爲基礎的。陶弘景的醫藥學乃是脫離了這些陰陽五行說的束縛，而有走向實證經驗爲主的臨床醫學的傾向，所以對依陰陽五行的五味用藥原則不甚重視，而云「可略」。

再看關於冷熱藥氣方面：爲了明白冷、熱、的概念，由觸覺上的冷熱感實驗的結果，除了附子，芒硝等特殊的藥品外，一般所謂「冷、熱」都不能用感覺來決定。而且就本草書中觀之，一藥含有二氣以上的很多，例如雄黃同時具有平、寒、大溫、三氣，如此決不是能用觸覺的冷熱所能查知，所以說藥氣的冷熱乃由觸覺以外的方面所決定的。按序錄本經記有「治寒以熱藥治熱以寒藥」，是爲治療的原則。試看這些治療原則的本質乃是由於長期臨床經驗，以治熱病的藥性爲寒，治寒病的藥性爲熱，以此爲前提條件，綜合歸納的結果，是爲治療之原則。可見藥性是以臨床經驗爲基礎的概念。如上述的雄黃平、寒、大溫三性乃是由於臨床經驗的結果，雄黃無論對熱病、大寒病，無熱，無寒病都可用，所以給以三性是可以理解的。如上所述藥性既是臨床經驗爲基礎的概念，將之綜合歸納的結果，遂以「治寒以熱藥，治熱以寒藥」爲治療的原則了。因爲治病原則是臨床經驗的根本，並非由於陰陽五行說所成，所以陶弘景說「冷熱須明」，對之特別重視。

再次陶弘景通用藥序中：「今以朱點爲熱，墨點爲冷，無點者是平。」凡藥分爲「熱、冷、平」三種藥性。與此相反，上述序錄的本經文則分爲「寒、熱、溫、涼」四氣。今本經中本草的本文則記有七種藥性：「大熱、溫、微溫、平、微寒、小寒、寒」（其中在礬石一條大熱與大溫爲一意義，在曾青條下小寒和微寒同一意義，是爲例外。）因微寒、微溫、乃由於臨床經驗進行的結果，凡能治微寒，微溫病的藥則給以微寒、微溫的藥氣，所以微寒、微溫、可以說是由寒、溫、細分而來的。如此，則神農本經本文的「寒平溫」三性爲標準的和序錄的「寒熱溫涼」的四氣不同。又由太平御覽等所引用的吳氏本草和其中引用的神農，雷公，岐白，桐君，扁鵲，李氏諸本草均係以「寒平溫」三性分類爲標準的，而不是以四氣爲標準。以陰陽五行爲組成原理的素問乃是將寒熱溫涼四氣與一年四時相配，由五行的理論作爲用藥原則。由此作成的四氣分類，是依一年四季的氣候爲前提而做的「溫熱涼寒」的概念，其陰陽五行說色彩之濃厚是可知的。

如上所述漢魏間作成的諸本草，均係以「寒平溫」三性爲標準，實際上「寒熱溫涼」四氣的分類並不存在，可知當時陰陽五行說不過只以觀念的形式存在而已。同此神農本草經中一方面在序錄中是用四氣的分類，而本文中則用三性的分類。此矛盾究竟如何生成，是不容易解決的，且關係神農本經作成的根本問題，容他日另稿草述之。

到了以後的名醫別錄，除溫、微溫、平、微寒、寒、以外，又加入大溫、大熱、大寒，（暖，冷利二性也有，但僅一藥故除外）。更將本草經以外加入了新的藥性，例如硝石在本經只有「寒」一性而別錄則加「大寒」，如此之例甚多。又一藥的生和熟其藥性也不同，例如巴豆在本經本爲「溫」，而在別錄則「生溫，熟寒」。其他如半夏，秦椒均屬此類。總之，隨着醫學之進步，疾病也被分的細微了，同時藥性的分化也更細微了。

在此處要說明一下：藥性由臨床經驗而決定大約是在唐初，到了以後忘却了藥性的本義，只依觸覺，色彩爲標準而定藥性，是不足取的。

如上所述，寒、平、溫、藥性是長久的臨床經驗的結果，更將之歸納組織成爲治病的原則，故陶弘景甚爲重寒、平、溫、而說「唯冷熱須明」。然而用什麼方式表明冷熱呢？上邊引用陶弘景的序中明確的說明：「今以朱點爲熱，墨點爲冷，無點者是平，以省于煩法也。」羅振玉氏吉石庵叢書中石印的敦煌本通用藥中，將朱墨點一律改成了墨點，在小川琢治氏所照的敦煌本的像片中仍可見陶弘景朱墨點的原來形式。但是將此敦煌本的朱墨點與其本文所載的藥性相校對，可見抄寫之間錯誤脫落之處相當混亂，尤其是朱墨點誤脫甚多，遠非陶弘景的原樣了。

今就敦煌本的朱墨點觀之：一藥只限有一藥性，將其他藥性省去了，而且其取捨選擇似又無一定標準，全憑陶弘景的見識而行。又只藥名上附以朱墨點，至微寒，大寒，微溫，大溫則無從表示，結果一律屬於冷、溫了。

如上所詳述的，藥性是治病用藥上重要的要素。由醫學的進步，疾病的分別仔細了，藥性細微的異同也成了問題，因而以陶弘景朱墨點而粗分的冷、平、熱、不能滿足於時代的要求，乃是必然的。且由上述敦煌本朱墨點的例子，依朱墨點以表示藥性的方法，實在易生錯誤。由於這樣的緣故，廢除朱墨點的形式，而在各藥名之下把各藥所有的一切性質用文字註記出來也是當然的事了，大觀本草通用藥序中記有：「今依本經別錄註於本條之下」，乃將朱墨點廢除不用，而將本文記載的本經別錄的藥性改註於各藥名之下。且將本經之藥名寫做白字。

然而由何種本草始將之改爲如此形式？在大觀本草通用藥序中註有：「今詳，唐本以朱點爲熱，墨點爲冷，無點爲平，多有差互，今於逐藥之下依本經別錄而注焉。⌉考註文句首白字的⌊今詳⌉二字，在嘉祐補註總叙第15凡中⌊其開寶考據傳記者，別曰今按、今詳、又按，皆以朱字別於其端。⌉是大觀本草中今按、今詳、又按等白字皆係指開寶本草；故通用藥序註中白字⌊今詳⌉以下的文字都是開寶本草的文字。如此就是開寶本草開始改變了朱墨點的形式。此說一般均遵奉爲定說，但作者則對此說有些疑問。

其疑問的理由：查大觀本草通用藥序中有⌊謹按⌉二字冠于其首，乃是由敦煌本陶弘景的原文⌊又按⌉改變而來。

查嘉祐補註總叙的第15凡中並無⌊謹按⌉的字樣，僅有可疑的字句乃是⌊臣禹錫等謹按某書云⌉。但此種字樣若檢全書必定有⌊臣禹錫等⌉和⌊某書云⌉等在其上下相連，所以通用藥序的⌊謹按⌉與嘉祐補註總叙的意思並不相同。日本仁和寺藏唐本草殘本，及巴黎圖書館所藏敦煌出土唐本草殘本等，在唐本草所加文的句首均有⌊謹案⌉二字，所以通用藥序首的⌊謹按⌉可能是唐本草的文字。如此則該序是否唐本草的序頗有可疑。若然，則序文中⌊惟冷熱須明，今依本經別錄，注於本條之下，⌉句是唐本草的文了。那末，改變朱墨點的形式也自唐本草始。但註文中⌊今詳唐本⌉之下可能脫漏⌊註云⌉二字，此乃唐本草的註，開寶本草將其引用罷了。此雖大胆憶說，但如前所述由巢元方諸病源候總論，孫思邈千金方等可知隋唐醫學非常進步，只依朱墨點而分藥性，當然是不能滿意的。因而推定唐本草將此形式改變大概是不無理由的了。

（程之範譯自日本東洋醫學會誌，

第四卷二號〔1953年12月號〕）

人類社會中醫學活動的起源

原著者 П. Е. Заблудовский

人——這支新的、高等的物種，從居於大陸上的生物界中分化出來，以至後來有了人類社會的形成，是比已知的全部人類歷史時期還要悠久而長遠的一個過程。

人類社會的最早階段是無階級的原始共產制度，從它的開始到現在約有10萬年。

人與其他生物的根本區別在於勞動。「勞動是整個人類生活的第一個基本條件，而且在某種意義上更應該說：勞動創造了人本身」。（恩格斯自然辯證法154頁）

人藉助於自己所製造的工具，以自身的勞動，一面作用於周圍的自然界，同時也改變了自己固有的本性。隨着勞動工具和勞動技能的發展，人們為了謀求自身生存的集體活動也得到發展，並且逐漸複雜起來。由於集體活動，人所共用的特別信號——語言，也因此發生并發展起來。同時和語言直接相關的人類智慧也隨之有所發展。

馬列主義的經典著作，對人類社會的最早階段，予以甚大的注意。上述問題，在恩格斯所著的「家庭、私有財產和國家的起源」一書中，特別有所探討。

由於各種科學知識（人種學、語言歷史學、考古學等）相互充實的結果，對於人類社會的最古階段就有可能形成一個共同的概念。

原始共產社會的人，是處在最低級的發展階段上。在與自然界鬥爭的困難面前，最初是完全無能為力的。

原始人在防禦外界不良條件（如寒冷、和惡劣的氣候等）時所採取的基本方法，與其原始的生活條件有直接關係，就有了住所的構築和衣服的披着。這就是人們簡陋的衛生的萌芽。同樣地，醫療活動的開始也和這些原始生活條件相關。以上所述的醫學起源，使我們能够判斷，在遠古時代醫學活動的領域中，包括着對分娩、對內科病和外傷的救助。

「有了人類的出現，就有醫生的活動，如果認為醫學歷史是從有文字記載時期開始，那就錯了」。（巴甫洛夫全集卷二，第一編，246頁，1951年。）

十分自然地，人們很早就學會了認識和辨別有關營養的疾病。最早用作充饑的重要食物是屬於植物性的，如各種水果、堅果、漿果和根莖。人們都以植物的自然形態採集並食用它，這是最原始的營養方式，也是會使用火、因而使膳食豐富複雜起來以前的唯一營養方式，——這方式無疑地，以後還一直被保留，而且佔着相當重要的地位。一方面因為飢餓，另外由於無知，而食用了不合適的甚至有毒的植物，因此中毒和致病的事故不能不極經常地發生。但是人們也就逐步地，慢慢地學會了辨別那些有用的和無用的，有益的和無益的，能治病的和有毒害的東西。

這樣，從獲取食物，即維持生存的鬥爭中，人們發現並採用了許多植物性的藥物；例如人們將某些植物作為食物用來充飢時，而確知有：譬如嘔吐、腹瀉等作用後，當一旦必需時，人們就會採用這些植物，專門作為治療這種或那種疾病之用。其次，他們對旁的東西也懂得按一定數量來應用，再次，他們學會了對食物進行加工，做成一定的狀態形式而食用。

因為婦女們大都從事於尋找和採集自然狀態的植物性食物，所以她們大部分都成為熟悉草藥的第一流能手。

在荷馬描述原始（氏族）社會制度的「伊利亞特」一詩中，就將「知道所有生長在大地上的各種藥草屬性的」（11篇，741）有亞麻色鬈髮的婦人阿葛米達（Агамеда）描寫成一個精通藥物的能手。在這首詩篇裏，還描述了一個埃及女人波麗旦娜（Полидамна），她教給希臘女人葉列娜（Елена）使用許多草藥，特別是喪失知覺的藥物（「朦朧麻醉藥」）。

原始社會裏，自從狩獵發展後，來自動物的藥物，也隨着植物性的藥物之後而出現了，如脂肪、血、骨髓、以至各種器官例如肝臟。狩獵發展的同時，對損傷的簡陋救助亦有發展：如創傷、骨折、脫臼的治療。這種救助在更早的時期就有了，由於經常地與野獸格鬥，對這種救助的要求自然也就提高了。

由於氏族關係的發展，氏族間和部落間的衝突也就越來越頻繁，這是一種新的現象，它增加了對損傷救助的需要，並促進了相應的救助方法和知識的發展。

後來，礦物性的藥物，隨着植物性及動物性的藥物，也出現了，首先是以礦泉的形式出現。

*　　*　　*

不少淵源於人類社會最古時代的治療方法，是以不同的形式存留於所謂民間醫學之中，特別是在我們國家的民族醫學中。

當然要正確地確定這種或那種現在的民間療法，在什麼年代，初次被應用和通用起來，那是不可能的。原始醫學的各部分，任何地方都不可能以全然不變的形式保留下來，而是由許多逐步長期發展起來的成果與之匯合，並在它上面積累而成的。考古學、人種學、語言學和其他科學，使我們可能在較近時代的特徵中考查出較古時代的遺跡。凡起源於古代的藥物、治療方法和預防方法都屬於古代遺跡之列。許多古老的藥物和療法，經過多少世紀和幾千年之久仍被保留着，並且一代一代地流傳下去；其中也有不少的，已經有某些變化，而留存到近代，甚至到今天。

在蘇維埃社會主義制度下，所謂民間醫學和科學醫學，都同爲全體人民服務，二者間的矛盾已不復存在。但是在剝削制度下，科學醫學實際上不可能或者很少爲廣大羣衆所享用，因此在資本主義國家裏，科學醫學和民間醫學的矛盾，就一直僵持到現在；這情形在沙俄時代也曾發生過。

在民間醫學中，也有不少不合理的和有害的藥物，尤其是與宗教儀式相結合的那些。這些反映出愚昧和偏見。但是民間醫學之可貴，在於它積累了多少世代以來觀察所得的經驗和確定了的事實，而所有這些都是有用於科學的材料。科學醫學的任務，就是要從這些豐富的材料裏，提煉出健康的，合理的精髓，並細心研究有效驗的民間藥物，而後作爲經過科學鑑定的藥物和治療技術應用起來。

俄國醫學的大師穆德洛夫(М. Я. Мудров)包特金(С. П. Боткин)，查哈林(Г. А. Захарьин)等，都從未輕視過民間醫學；而且都是仔細研究民間藥物和應用於臨床的優秀榜樣。特別是在包特金的醫院中研究過許多心臟方面的藥物。

近來，人參已成爲我們蘇聯臨床醫學的財富。因爲人參作用非常強大，在許多情況下，且有救命之效。從古以來，人參在東方，如中國、蒙古、朝鮮，早已知名，現在被應用於很多不同的疾病都很有效，並且正在進行深入的研究。

在研究西伯利亞及其他地區的民間醫學時，發現了大量自古就爲當地居民服用的植物，今後亦可作爲新藥的來源。

舊的民間醫學和科學醫學間所存在的區別：就是民間醫學是盲目地，單憑經驗地去使用藥物；而科學醫學，則選擇民間藥庫中合理而有效的藥物，按已經鑑定的劑量，與適應禁忌症而應用。

古代經驗醫學的特徵，是只在個別有經驗者手中，掌握着範圍極有限的疾病醫療方法的技能和知識。顯然的，一個人要充分地掌握各方面的技能是很困難的。

愈來愈多的民間藥物，經一定的實驗和臨床方面的鑑定後，都從舊的民間醫學轉入科學醫學的寶庫中。

我國許多民族的古代醫學，到現在爲止，既發覺了有毒而需要消除的遺毒，也掘出了許多有價値的，千百年經驗所積累的藥物和技術，這些都需要加以科學的鑑定和批判的接受。

*　　*　　*

「第一個歷史任務，……就是物質生活的創造」（馬克斯和恩格斯著作，卷四，18 頁）。醫學活動的各成份及有關疾病健康的看法發展，是與原始共產制度生產關係和物質生活水平相對應的。

由於人們日常經驗的積累，就有了純粹經驗的醫療技術與藥物的產生和發展。原始的早期醫學，雖在其完全無所依據和渾沌的情況下；雖在認識各種現象和不同藥物的作用時，常不可避免地發生錯誤，但大體上還是根據樸素的唯物世界觀出發的，是根據「自然是這樣，就是這樣，沒有任何額外的增添」（恩格斯，自然辯證法，169 頁，1948年）的認識出發的。

這種幼稚的、本質上正確而無科學知識作為根據的世界觀，顯然地，會嚴重地違背了現代的科學唯物主義哲學。

俄羅斯的民間醫學和其他民族的醫學一樣，保留下許多有效驗的藥物，這些驗方不帶一點神秘的因素，也沒有以宗教解釋其作用的企圖，它只根據民間的經驗。

但從另一方面來看，有相當多的古代藥物和醫療技術，是受了淵源於原始社會制度的荒誕無稽的世界觀的影響。

這些荒誕無稽的觀念之最早形式——拜物教——就是把自然界的現象和物體作為化身並加以頌揚。但是，那時還沒有這樣一種概念，認為有什麼特殊超自然的個體存在。

稍後把這種超自然的存在和自然界的物象分離開來而設想為特殊的「靈魂」的存在。因此就產生了靈魂說，以為自然界的一切現象和物體，如風、雷、電、火、霜凍、河流、樹木、山嶽等，都有各自的靈魂存在。

這種靈魂說，正如發生在它以前的拜物教一樣，都反映了「原始人對自然鬥爭的軟弱無能」。（列寧全集，卷十，65 頁，第四版）因而對於他所不可思議的，强有力的大自然發生了恐懼。

這些原始人的思想概念，正反映出當時在不知道階級區分和財富不均為何物的公有制度下的原始的平均主義。

後來，靈魂說就發展為較複雜的宗教體系，並且有了幽冥的等級制度——上帝、天使、魔鬼等。而這種等級制度正反映出公社生活裏分化的開端。發達的宗教形式的特徵之一，就是分化出來專門的宗教工作者，如巫師、祭司等，他們專以作為世俗人等和幽冥神鬼之間的溝通者的身份而出現。

「宗教不是別的，正是人們日常生活中，支配着人們的那種外界力量在人們頭腦中之幻想的反映。在這反映中，人間的力量，採取了非人間力量的形式。」（恩格斯，反杜林論 229 頁，1950 見吳黎平譯，三聯書店，410 頁）

原始宗教的產生，是由於對自然力量的軟弱無能之後，宗教更表現着人對强大的社會力量也是軟弱無能的。宗教還促進並鞏固對羣衆的壓迫。自從社會裏產生了不平等現象後，（即當原始公社瓦解，宗法氏族關係轉變為早期奴隸佔有制的時候），宗教便為壓迫多數人和維護「天定」的政權而服務，它把這個政權尊之為天意、上帝意志的直接代表者。

宗教從其發生的最早階段起，就在醫療方式和病發之理的觀念上，打上了自己的烙印。

自從鬼神說發展以後，就產生了一套與各種鬼怪（鬼神等）作鬥爭的「治病」方法，把某些疾病的原因歸之於鬼神的活動。例如，這裏有一些這樣的現象，內服使人厭惡的東西（人畜的大便、味極苦、難以忍受的藥物等）以驅除盤踞體內的病魔，或以喧囂的法器（巫師的小鼓）來驅鬼。在這種情況之下，人們這樣作是以為病人所受的痛苦和不適對於侵犯病人的魔鬼也是同樣痛苦和不適的。另外還有這種情況，古時流傳在許多民族間的療法，不但要把病魔從病人體內驅除，而且要把魔鬼趕到一定的物體中，然後把它燒掉或埋入地裏。那種要把人的疾病轉嫁到被選中供犧牲的家畜身上的辦法，也是出於同樣的思想。

咒語和符咒是以為它有驅除附身致病的惡鬼，或能防避惡鬼入身的效用而產生的。有各式咒語和符咒來對付不同的疾病。正如俄語中所謂「念咒鎮牙痛」，表明過去曾流傳過以咒語治牙病的事情。有時，這些咒語被廣泛地應用於日常生活中，由病人自己或由其親屬來唸誦。但在其他比較困難的場合，有些比較困難的咒語，只有那些經秘密傳授的人，專門從事於這行的神官、巫醫等，才能將它唸出來。

與致病的神祇、惡鬼同時並存的，還有其他善良的神靈，會幫助治病並反對惡鬼（如善鬼、神聖、天使等）。現存的宗教常以不同的形式，將許多古代醫學上鬼神說的遺毒，一直保存並流傳到今天。特別是各種宗教的傳教師所宣揚的、為了生活中的各種事件（保祐分娩順利，使嬰孩免遭「不吉」等）而用的各式符咒，香囊等，正是鬼神說的遺毒。

但是，正如對於原始社會文化的科學研究所表明的，神鬼說並非全世界人民古時惟一的意識形態，尤其是在對疾病和健康的理解上。因為有關人類所在的宇宙，有關人的發病和健康的離奇虛幻說法，和與它相應的荒誕醫療方法等的發生和發展的同時，或更早，就已經存在了基於眞正周密觀察和積累經常實用的經驗上所獲得的醫療方法。

許多單憑經驗所得的，但有異於任何神秘主義和宗教的藥物及醫術繼續流傳於民間，並且因爲施用有效，後來雖在宗教統治時期，仍被保存下來。有效驗的民間醫藥，勝利地與僧侶的、宗教的醫學進行了競爭。

* * *

關於原始社會制度下醫學活動和醫學知識的起源與發展的解釋中，有許多錯誤的說法。這些錯誤，一部分是由於研究古代結構的困難，由於研究資料來源的不足和不易理解，以及具體史料的極端缺乏，且絕大部分的資料是間接的，而非直接的等等，關係所使然的。而反動的資產階級的歷史或醫學書籍却利用這些困難，唯心地歪曲了古代醫學眞正的起源和發展情況。

這裏僅舉三種錯誤而又惡劣的說法加以論述：

1． 常易遇到一種觀點，就是以爲從有人類開始，醫學與宗教好像就有了不可分割的聯繫，原始社會的醫學特徵，似乎只是宗教而已。這種觀點，我們確證是錯誤的：因爲醫學的技能和知識之於人類社會中產生，一開頭並不與這種或那種信仰有關，而是直接與人們的生活條件，生存的維持，營養和「物質生活的創造」有關。

2． 很早以前，就存在着一種不正確的觀點，好像人類自古以來，就以非常健康著稱，而疾病只是隨着人類歷史的發展而滋長起來的。這種觀點，李赫切爾（В. Рихтер）在他的「俄羅斯醫學史」一書中曾描述過(1814)。

十八世紀，法國啓蒙學派作家盧梭（Жан Жак Руссо）發揚過類似的觀點。

對眞實史料的研究，和以歷史科學的眼光加以鑑別，都無法證明原始人是異常健康這一意見。當然，隨着文明的逐漸發展，在剝削制度下，無可避免地會產生許多新的疾病。由於城市、交通、工業的發生，資本主義的剝削和與之相關的一切現象，的確會招來許多羣衆性的疾病，如職業病、流行病等。但在原始共產制度下，因爲人們完全無力與疾病作鬥爭，並且沒有對疾病可能作鬥爭的念頭，所以付出了不少的代價，成爲各種疾病的受害者。被科學證實屬於古代的人骨上，找到了關節僵直、骨髓炎、佝僂病、梅毒和其他疾病所留下的痕跡。大家知道軟質臟器上的病變痕跡是不可能被保留下來的。但是如果骨骼上曾患過疾病，那末就很難認爲沒有患過其他的疾病。眞的，人在他出現的早期，因爲不完善的飲食、衣着、住所，或因缺乏武器抵抗，而遭四周野獸的侵襲，或因天災及流行病常受損害。

許多國家民間的史詩、古代歷史典籍、文物文獻上，記述了廣大地區內居民死滅是常有的現象。在法典、文獻中所記載的大部分現象，不屬於原始共產社會，而是較遲的——奴隸制度時期，或在原始氏族制度過渡到奴隸制度的時候。但終究沒有任何理由和根據，認爲屬於奴隸社會初期或以後所記載的現象，不會發生得更早一些，如在生產力發展很低的時期，或當人類對流行病尙較無能爲力、缺乏武器的時候。在羅馬詩人梯特·魯克列其·卡爾（Тит Лукреций Кар）——唯物的原子論哲學的代表——敘述二千年前的長詩「關於事物的本質」裏，引證了有關古代人類遭遇不幸的各種有意義的思想：

「……確實，那時，離羣的人，
常被充作野獸的活點心，
他被撕咬着，哀號聲振撼着山谷與叢林，
眼看他，活生生地被吞進活的墳塋。
那些倖免於難的人們，也都遍體傷痕，
手撫着嚴重的創傷躲避逃奔；
當病痛折磨着殘生，
Орка 僅以淒厲的聲音求救於旁人，
可是，他們也都不知所措軟弱無能。」

（魯克列其：「關於事物的本質」Ф. А. 彼得洛夫譯，篇五，詩990—998，Ан СССР 版，339頁，M. 1946.）

婦女們在分娩時，雖感到自身和幫忙者完全無知，並且遭受一切產時感染的危險。

「原始人獲得了生活必需品，就像自然界隨意賜予的禮物——這是無知的神話……。在我們以前從未有過任何黃金時代，原始人是完全被求生的困難和與自然鬥爭的艱苦所壓迫着」。（列寧全集卷五，95 頁，四版）

3． 還有一種惡劣的主張，可見於外國學者（如列尼葉爾一拉瓦士丁，郭爾同，沙爾同等）

的著作裏，他們的主張是遵循一種唯心的觀念，即認爲藥物和治療技術的起源是人類與生俱來的（生而知之），或者說是神靈的力量，就是上帝，提示人類的。在最近數年來哈佛大學的「科學醫史家」喬治・沙爾同(George Sarton)也宣揚類似的觀點，這正反映着美國科學界反動勢力和反進步力量的增强。其他外國資產階級的作家（列尼葉爾一拉瓦士丁），認爲最早的醫學技術和知識是原始人由動物得來的動物「天生」就有自我保存的本能，並且憑着本能去選擇必需的藥物來醫治各種疾病。

這種動物本能的範例代替了神明的啓示，是「圖騰崇拜」的特殊遺跡，也就是古代崇拜動物的遺風。И. П. 巴甫洛夫的學說使我們科學地了解到無論是動物或是人，本能發生的過程，就是條件反射的機制。獲得的條件反射，表示有機體對周圍環境的暫時性聯繫，和對環境的適應。在一定的生活條件下，經過長期反覆的運用，變成了固定的，無條件的反射，並能一代一代的鞏固起來，個體的適應變成了種族的特性。因此，所謂本能，實質上就是有機體對生存條件確實和有效地適應而已。所以，本能是以條件反射產生，而以無條件反射被鞏固起來。這種現象依照巴甫洛夫的生理學說，可以得到詳盡的科學解釋。

至於人們的早期醫學技術是承受動物本能的說法，是沒有任何採用的必要。人，首先採用自己已有的和前輩所創的經驗。這種——人類的——經驗，首先教人知道，什麼東西對他是有益或無益的，有用和無用的，可治病或能致命的。雖然，在個別情況下，生物學上所觀察到的動物的有效行爲，能被人利用並充實其經驗，不能用上述觀點完全駁斥。但是在醫學知識的形成和充實上，它只能起到偶然和輔助的作用，主要的還是要靠人們自身經驗的積蓄和領會。

И. П. 巴甫洛夫曾引用過一個關於生物學上動物的確實有效行爲的著名例證。這個例子是被描繪在一個浮雕的狗紀念碑上，一隻動過手術的狗，爬下牆上塗抹的泥灰以後，就爲自己安頓好鬆軟的墊窩；因此狗的傷口就很快癒合，且未發生合併症。實驗室的同事們試用了這方法於其他動物後，也得到實驗動物手術後的傷口，不發生合併症的結果。

資產階級的醫學史家，爲要解釋這些現象，而拿「幽冥鬼神」的力量，來代替科學的解釋，並爲此目的而復活原始圖騰崇拜，這種情形，只能作爲資本主義國家裏現代反動「科學」沒落的實例，和附加的證據。

（任育南　龔　純譯 История медицины избранные главы, выпуск 1, ст. 50—41, Москва, 1953.）

輸血的歷史

原著者 И. Г. Руфанов

輸血的最初嘗試是在遠古時代，但經過最近五十年來精細的研究了血型學說以後，科學的輸血方法才建立起來，並且開始沒有危險地或很少危險地廣泛的使用。

輸血學說的發展可分爲三個時期：第一個時期是從古代到哈維發現血液循環爲止(1628)。第二個時期是從1628年到發現凝血和同族血球凝集規律(1901)，第三個時期是到現在。

在第一個時期內（經過了數千年），我們僅能看到利用健康人的血液來治療各種疾病的嘗試；當提到那種嘗試時，我們即想到兩三千年前的埃及人，如 Плиния, Цельса, Гомера 等，這些實驗常常是帶有可笑性質的，譬如吸血的方法，好像吸血蝙蝠一樣，從青年人剖開的靜脉中吸出 50 立方厘米(Фицинус)。

哈維發現了血液循環規律，是奠定了解剖上正確輸血法的基礎。從這以後，許多國家開始進行將血和其它液體輸入靜脉內的試驗。但是從下述的事實即可以判斷，那時對靜脉注射的知識是多麼淺薄的，即在英國僅僅做過血液內注射酒，葡萄酒，牛乳等試驗後，便進入了輸血的試驗(Вин 氏和 Клярко 氏的試驗1663年)。由於不知道血液生物學上的特點和血球凝集規律，致使大多數場合均遭受失敗；然而很少次數的成功，也給醫生們和病人們帶來了很大的希望。而在法國於1670年由於很多次的失敗，因此規定凡沒有經過科學院許可的不准輸血；這條規定，並未使帶有研究技術及謀求成功方法的目的的試驗，停止進行。當時的研究家們致力於動物（小羊）的輸血，其結果得出了聰明的結論：如「不使動物喪失本身的健康，不論是在飲食上，或是在情緒上」等等。

施行輸血的技術是直接用銀的細管子，從這一靜脉連接到另一個靜脉，並且也採用間接的輸血法，這是需要用注射器來協助的。輸血方法當時很簡陋，其輸血數量的測量，是以小羊的重量減少爲準。在輸血有不成功時，如病人有不安和發抖的症狀，即立刻停止。可見溶血性休克的情况，在那時是已經知道了。

十九世紀初，在文獻記錄上述明輸血有部分是成功的。

在1830年有俄國醫生 С. Ф. Хотовицкий 氏建議輸血是產婦嚴重失血後挽救生命的唯一方法；在1832年舊彼得堡有名的產科醫生 Вольф 氏成功地實行了因出血而將死的產婦的輸血。

僅在七十年前有 Бергман 氏宣稱：「如果估計到輸血中帶來了許多危險，那麼就應該對輸血手術所抱的態度堅决地加以重新的審定」(1883年)。但是俄國著名的外科醫生 И. В. Буяльский 氏早在1845年對輸血的意義，已作了很正確的評價，對於以後的輸血問題，表現出卓越的思想。他說：「我從我的角度出發，始終是認爲輸血手術或早或晚地應該成爲必須的實用的急救方法，利用實驗，它最後將和一切其它的急救手術同樣重要」。1840年在專題論文「論述輸血在許多場合下是挽救生命的唯一手段」中 Филомафитский 氏（文獻作者）曾廣泛的宣傳了輸血。在1841年他主張用碳酸鉀濃溶液來使血液穩定。

其後我們可以看到俄國的外科醫生和科學家，對於這個問題引起了普遍的注意。И. В. Буяльский 氏 Саломон 氏 Коломнин 氏和其他許多人很成功地從事於輸血的理論和實踐工作，Коломнин 氏首先在俄土戰爭中(1876年)採用輸血和施用動脉內輸血法。

參加研究這個問題的有偉大的學者 И. М. Сеченов 氏，他證明：血液有興奮脊髓神經的功能(1865年)，參加研究的還有 И. И. Мечников 氏和他的學生 (Борде, Тарасевича)，他們記載了異族血清與紅血球發生凝集的現象(1893年)，由於這些研究，鞏固了輸血的正確性，並解決了輸血中許多問題。

到二十世紀在輸血問題上發現了血型問題，在生物學的研究上和在科學與實踐中佔了應有的地位，生物學中關於免疫學、血凝集和溶血的學說，成功地闡明了輸血的機理，查明了輸血失敗和因輸血致死的原因。

在 1901 年 Ландштейнер 氏發現了健康人血凝集反應的一定規律性，分爲三種血型。到 1907 年 Я. Янский 氏確定血型的類別，還創立了第四種血型。

Я. Янский 氏按照血凝集性質把人們分成四種類型，輸血者和被輸血者的血型要相符合，這一見解的基本公式，一直保持到現在。

輸血在實踐上採用了血型的學說以後，提高了這個治療方法的安全性，和促進它的廣泛應用。

此外促進廣泛地採用輸血的重要條件，就是創立了被輸血液預防凝集的方法。俄國學者 B. Сутугин 氏首先注意到使血液在機體外不凝集的意義。然而有科學根據的預防血液凝集的物質，是在生物學上查明了血凝集的本質後才成爲可能的。第一次發見完整的血凝集理論是 Юрьевским（地名）的生理學家 A. A. Шмидтом 氏在十九世紀末葉。這一理論對以後穩定血液的建議是有用的。有決定意義的要算 розенгардта 和 юревича 氏於 1914 年倡議利用枸櫞酸鈉作爲防血凝集劑。這個辦法最初採用在第一次世界大戰時，接着在以後所謂「枸櫞酸鈉血」的間接輸血法的普及中，仍繼續起着重要的作用。

因此在十九世紀和二十世紀初期，關於輸血問題許多成就，是屬於我們祖國科學家的。

最初研究輸血的機轉作用的是在1848年 Филомафитский 氏和後來的 И. М. Сеченов 氏。他們證明輸血不僅是有代替作用，並且能刺激神經系統起强壯作用，通過神經系統到人體的其它器官。還在 1901 年由 Кеппнов 氏（在 A. B. Мартынов 氏領導的醫院中）和現代的蘇聯科學家(A. B. Гуля, H. A. Федор, Д. М. Грозд 氏等等）所證明。輸血的意義，實際上是運用血庫內的血和組織液到血管中去，這點是爲 B. B. Сутугин (1865) 和 Г. Г. Прозоров 氏 (1872 年）强調指出。血和血清的止血作用爲 Л. Шайкевич 氏（1876 年）和 оттом 氏（1880 年）所證明。

祖國的科學家們（如 Саломон, И. В. Буяльский, A. M. ФиломаФитский 氏等等）廣泛地研究了關於輸血的禁忌症（如動脈硬化，心臟代償機能衰敗，等等）。早在 1865 年已有 B. B. Утин 說明輸血的禁忌症有動脈硬化，心臟的機能衰退等等，及適應症（除貧血外）如霍亂，痢疾，中毒，等等。甚至對手術時的「預防性輸血」也作了介紹（Н. И. Стувенский, С. П. Коломнин 等等）俄國的科學家並提出利用血液和自體輸血術—(B. B. Сутугин, Г. Г. прозоров 氏），血液穩定法（A. M. Филомафитский—碳酸鉀，1846 年； раутенберг 氏—碳酸鈉，M. M. Розенгарт 和 B. A. юревич—枸櫞酸鈉 1914； Сутугин氏—冷藏）。

對於間接輸血，建議使用 Филомафитский 氏和 A. A. Бобров 氏所設計的器械。

И. В. Буяльский 氏曾建立了許多靈巧的輸血設備。

在 1950 年 Олейник 氏在他的學位論文中提供了俄羅斯在十九世紀時關於輸血問題很有益的材料。他指出進行輸血的共有 137 人，其中有 59 人獲得成功，54 人沒有成功，此外 24 人所得效果未有表明。然而作者肯定，實際上在當時俄國輸血的人數一定比上述數字要多。

在第一次世界大戰前和第一次大戰中，不論在俄羅斯或在國外，輸血尙很少採用。

在第一次世界大戰後在世界各國特別是在蘇聯，輸血的方法乃被廣泛地採用了。

在蘇聯第一次考慮到輸血的同族血凝集特性是 B. H. Шамов（1891 年）在 С. П. федоров 教授所領導的醫院中提出的，在 1925 年又一臨床家 H. H. Еланский 氏發表專題論文，後又有 Я. М. Брускин, A. A. Богданов, И. Рутковский 氏等的專題論文，這些論文是涉及輸血的各種各樣問題。

1926 年在莫斯科首次在世界上創立了輸血的研究所，並在全國各地設立了分所與輸血站網。

我們國家在發展輸血事業上是佔着領導地位的，其成績遠超過了國外的研究家；由於偉大的黨和政府對勞動人民健康的關懷，輸血法獲得大量的擴展，而且獻血者的人數也就愈來愈多。

目前許多蘇聯科學家都參加和從事這一問題的科學研究工作（如 A. A. Богомолец 和他的學生 С. И. Спасокукоцкий, B. H. Шамов, H. H. Бурденко, A. A. Багдасаров 和其他許多人士）。初步建議利用屍體的血液來輸血者有 B. H. Шамов, P. Г. Сакаян 氏，利用廢血的有 С. И. Спасокукоцкий, M. C. Малиновский 氏，用某一血型的有 С. И. Спасокукоцкий 氏，用紅血球物質和血液代用品的有 И. Р. Петров, П. Л. Сельцовский, Э. A. Арап 氏，另有 H. Г. Беленький, Д. A. Арап 氏等利用各種普通血清和乾燥血漿。

我國對輸血的組織，在世界上是最好的，其成績是蘇維埃醫學引以自豪的。

（子君譯自蘇聯普通外科學 157 頁。）

巴甫洛夫的回憶錄(續)

原著者：Ю·П·福羅洛夫

伊凡、彼得羅維奇在講堂裏

自從在精神病學家會議上聽了巴甫洛夫的報告後，我想看見他，聽他講課，向他學習的願望，就沒有一天停止過。

我在八年制中學畢業後的第二天，便把畢業證書呈交到軍事醫學科學院去了，那時巴甫洛夫在那裏講授正常生理學課程。我們在一年級的時候，須要學習很多的東西，特別是解剖學和分析化學，但總算是把期中考試和年終考試考過了，這樣我就和我的同志勒·阿·波德可巴也夫和波·斯·古巴洛夫一道升進了二年級。

從二年級起，我們便有機會聽到伊凡·彼得羅維奇的講課了。

眞是驚人的講演！正如別人談論這些演講的那樣，正如我從其他大學生那裏所聽到關於教員巴甫洛夫的事情那樣，他的開課第一講，果然使我非常驚訝並大爲感動，按當時旣有的傳統習慣，開課第一講的題目是自由選擇的。

我就從伊凡·彼得羅維奇的外表開始講起吧，因爲現在我已經能够比較更詳細地看得清他了。

當他走進光線明亮的，擠滿各年級學生的第28號講堂時，他穿的是一件敞開的軍禮服，上面佩有銀色上將肩章。但是禮服裏的那件柔軟的白色襯衫，佩有一條黑色〖蝴蝶〗領結，以及那窄條紋的長褲，是和軍事醫學科學院教授們所穿的這種制服一點也不調和的。他的講演手勢非常有力，眼光熱情凝視。講每一句話時所伴有的雙手手指運動，特別使人感動，看起來，好像他的手在給每一句話伴奏，給每一句話賦予了更加深刻的，補充的意義，和鮮明的感受性。

巴甫洛夫的聲調高而像鈴聲。淸晰的結構，令人信服的論證，中肯的定義和比較，接連不斷地一個接着一個。就是每一個思想，都是用富於表現力的，淸楚的語言加以敘述的。

在軍事醫學科學院中，人們傳說，巴甫洛夫所提出的講題都帶有不平常的勇氣。伊凡·彼得羅維奇是屬於當代的先進人物。大家都知道，在1905年革命時候，他在有名的«〖康諾瓦洛夫斯基事及〗»中爲礦山學院的學生出庭仲裁。當時他是完全站在革命青年方面的。他曾和波·弗·列斯卡弗特一道簽署過一項意見書，其中曾强調指出：學潮的產生歸咎於高級官吏用不正確的，欺詐的態度對待青年。這個有名的«〖仲裁法庭〗»的會議，有一次便是在1905年1月9日舉行的。

伊凡·彼得羅維奇在1910年爲自已選的開課第一講題目，是〖論奴役和貴族方式〗。他向青年大學生們講這樣一個題目，是要我們警戒任何樣的貴族方式（他是把貴族方式和農奴制殘餘聯系在一起的），特別是科學中〖官吏〗的貴族方式。他痛恨類似地主生活方式的那種〖頹廢不振的生活方式〗。

他認爲貴族方式是可怕的毒物，他要求所有的人都積極地參加每天草稿性的科學和教學工作，以對抗這種毒物。他在談到人的思想是不可奴役的時候，以及涉及到教學的任務時，就要求學生們對於在講堂裏所見到的每一項實驗，有獨立判斷的能力。而他所講的全部課程，主要就是表演各種實驗。

巴甫洛夫主張用什麼樣的手段來治療那些已經染有頹廢不振的生活方式的人們呢？他要求每一個人學會具體地思考，要從事實和現實出發，而不要憑不可靠的印象和臆測。

假使你們在試驗的示範中，發現有什麼不正確的地方，就請證明自已對的地方：眞理是從爭論中誕生出來的——他曾這樣說過。

巴甫洛夫在結束講課時，要求我們這些未來的醫生們如此精確地工作，使每個人將來都成爲人體特殊的數學家和機械上，知道壯麗的「人類機器」底一切現象。他號召我們學會科學地思考，並在病人的床邊使用自己的理論知識。治療必須是根據現實的事實出發，而不是從空想和時髦的醫學理論出發，必須根據人們已經掌握得很好的，改變人體疾病過程的生理手術。他打算從第二講起，立即就表演這種生理手術給我們看。

巴甫洛夫雖然外表很嚴肅，並有着嚴格的求實精神，但是，他的作風，從第一次與學生們會見時起，就使人看出他是一位坦白直率的人。我們已聽過不少教授的講課，但是在那些出色的教授中，其中包括我們科學院內馳名的那些組織學，動物學，化學教授，我們却沒有看見一個，像他這樣關心地對待聽衆的態度。

正和過去十五年中所一貫地那樣，巴甫洛夫講的基本課程是從消化這一章開始的。在這一章中，巴甫洛夫總是講他自己所編寫的一般生理學的引言。他利用豐富的實驗材料闡明生理學和化學的關係，特別是和達爾文主義的關係，指出正常生理學對於現代醫學的意義。這似乎都是他所講的每一章的成就。

巴甫洛夫在敍述神經系統學說的基礎，和消化腺的神經支配時，就着重指出，要研究它，就應該在任何場合下，都不要像「反射學家」常常所作的那樣脫離其他各器官的生理。這是巴甫洛夫向唯心主義的心理學家和精神病學家進行的堅決挑戰。

在表演我們上面經常提到的那幾十樣各種不同的試驗時，巴甫洛夫告訴我們，他和他的同事們是如何從化學論和消化神經支配問題的深入研究，過渡到開始是無條件反射，然後是天然條件反射的研究，最後過渡到唾液腺的人工條件反射的研究。

正是對生理學這一章有系統的講解感到興趣的學生們，從最初幾課起，便對以後全年的課程得到很大的啓發。巴甫洛夫開始講自己的消化學說課程的時候是新年以前，也就是說，時間過了半個學期，於是我們中間有些人便担心起來，認爲他無論如何也講不完生理學最後的幾個部分。雖然巴甫洛夫醉心於實驗的表演又樂意回答一切的問題，但是他却以令人驚訝的精確性趕上了要講的其他的講題。感覺器官這一講題是除外的，因爲他自己不講這個題目，而是交給講師們講的。另一方面，根據教學大綱的規定，神經調節的問題是每一講題中的主要部分。但是巴甫洛夫不僅來得及講完這些題目，並且還順便講了與第一章有關的消化材料。

巴甫洛夫是儘量鼓勵學生們提問題的，在這種情況下，有時就發生一些可笑的插話。

在實驗醫學研究所裏

在講課的時候，以及經常在實驗室明亮的走廊中所進行的個人談話的時候，伊·彼·巴甫洛夫總是援引在附屬實驗醫學研究所的，他的另一個實驗中曾進行過的那些試驗。有時講課完畢後，當他沿着涅瓦河和涅弗加河荒漠的岸邊，從維博爾斯基方向走往阿布結卡爾斯基島（實驗醫學研究所所在地）去的時候，我們這些學生們，便成羣地陪伴着他，沿路和他聊天，和他的助手們以及其他的隨行的人（大多是寫學位論文的醫生們）聊天。當然，我們當中那些已經決定完全獻身於生理學的人，是特別珍貴和這位偉大的生理學家進行這種自由交談的幾分鐘的。

巴甫洛夫走得很快，他和他的隨行人，從洛曼斯基胡同的實驗室出來後，首先越過涅瓦河岸的沙姆波索尼耶夫斯基橋，並經過無數的兵營；然後便沿着波坦尼切斯基花園壯麗的柵欄行走。當初秋經過這裏時，可以看見大堆從樹上落下來的葉子。稍後在十月時，看見的是大樹上光秃秃的樹枝，最後在十二月時，便是毛茸茸的雪地氈了。巴甫洛夫喜歡波坦尼切斯基花園，在經過這裏時，總是給我們指點它的美麗。當阿布結卡爾斯基島已經留在後面的時候，實驗醫學研究所便顯出在洛布亭斯基街街口的旁邊。根據那裏的狗的大聲叫吠，就可猜得到研究所是很近了。春天的時候，研究所沈浸在綠蔭的樹木之中。在其他一些建築中顯得突出的，是研究所的那幢獨特的圖書館大樓。這幢圖書館大樓內部有現代的一切舒適的設備，外部是引人注目的古代建築式樣。舊的巴甫洛夫實驗室，是一座長形，無任何裝飾的兩層建築物。現代的實驗生理學，實質上就是在這裏面誕生的。這是一座普通式樣的建築物，像兵營，然而它對每一位生理學家的心，是多麼的寶貴啊！

伊·彼·巴甫洛夫以及跟在他後面的我們，很快的便進入紅磚大門；在大門旁邊的軌道上有一個有輪的籠子，上面裝有可以自動關閉的小門。伊凡·彼得羅維奇不是走進，而簡直是跑進了研究所的。在舊水塔（至今還在保留）旁，有一個狗的收納處。服務人員把狗送到一個專門的檢疫所裏，讓狗在這裏停留一定的時期，直到査明牠們對周圍的人沒有危險的時候爲止。上面有籠子的那雙軌道通到動物室；那些由警察局從彼得堡收集來的懷疑有或是實際上患有狂犬病的狗，就被送到這裏來作初步的觀察。伊·彼·巴甫洛夫尙在90年代時，就使用研究所附屬的一個狂犬病預防接種站，來挑選那些認爲沒有疑問的狗作實驗用。雖然當時在狂犬病的診斷上已達到很完善的地步，但是在工作中，這些狗對巴甫洛夫和他的同事們說來，畢竟還是有某種危險性。

舊的石造實驗室，是和另外一所更古老的似郊外別墅式的木房子連在一起的，它至今仍被保留着。

巴甫洛夫實驗室的過廳，在那些年代決不是華麗的，甚至可以說，恐怕是很陋的，因爲在過廳的旁邊，有一所大廳，其中有一排一排的實驗台，插着瘻管的狗，就是放在那裏面的。那些實驗台，已被那些被迫要保持數小時同一姿態的寂寞無聊的動物的牙齒咬壞了。廳內的地是混凝土的，設有排水溝。缺少資金，微薄的修理費，就是設備非常簡陋的原因。在廳裏甚至連足够的通風設備都沒有。

大廳的末端，有一個很大的窗戶，朝向研究所的花園。春天的時候，這個窗戶開着。伊凡·彼得羅維奇的同事們就是在這裏，在這低矮的窗台旁，聽他報導在進行試驗時所獲得的令人興奮的消息。這種教員的談話，即精確的思想和熱情的口吻，彼此之間是如此奇異地融洽的地方，有如一間小飲茶室一樣，是討論科學和生活中最迫切問題的稱心的地方。

從實驗室的窗口，看得見一座未完成的建築物，由於它靠得非常近，所以遮住了大量的光線。

這就是所要建築的所謂［沉默之塔］——作爲研究高級神經活動的新的實驗室。它是根據巴甫洛夫的倡導，用莫斯科實驗科學促進協助會的資金建造的。沙皇政府對這件事只表示了私人的慈善而完全避開了這件事。巴甫洛夫爲了使莫斯科的富商人慷慨一些，從他們那裏得到一點錢來進行建築，而不得不費盡心力。但這點錢是很少的，因此房屋的建築進行得很慢。這座建築只有在偉大的十月社會主義革命後，才築造完成。

在那時，［沉默之塔］甚至在第一層內都還沒有取暖和照明的設備。雖然如此，但巴甫洛夫却是很得意地向所有的人，包括我們大學生在內，介紹這座建築物的獨特的內部構造。在兩層樓裏，呈十字形地排列着八個無窗的小房間。爲了保持隔音和排除土地可能的震動，建築物地基的周圍，築有一條深的水溝，水溝的上面被掩蓋起來。

巴甫洛夫在介紹耶·阿·崗尼克以孜孜不倦的勞動所發明的設備的一切零件的時候，曾津津有味地說，將來的時候，條件反射試驗到最後都會運用這種新式的設備哩。當時研究所研究高級神經活動的工作人員，被安置在舊建築物第一層的四間小房間內。這些小房間的窗戶開向清靜的洛布亨斯基街，裏面擺滿了一切可能的設備：電燈，鈴，以及從大喇叭起一直到小風琴爲止的可以發出特殊［音階］的各種樂器。在條件反射試驗的場合下，使用這些器械的是第一代研究條件反射方法的研究者們，如伊·福·托洛奇諾夫，斯·格·烏里弗松，格·波·茨林勒依等人。

這些房間中最重要的傢具，是一台站狗的實驗台，它放在房的中央；它的周圍繞有許多的電線和橡皮管。進行試驗的人員就直接坐在實驗台的旁邊。狗是用繩子固定着的。爲了使人的動作，眼睛的表情和呼吸都不致於影響狗，就必須要［消除］一切多餘的動作。巴甫洛夫對這一點是堅決主張的。這就要求一天連續許多小時不動地坐着，重複着同一的輕微謹慎的手勢，不時地保持着像雕像一樣的姿勢。自然，並不是所有的人都有這種耐性的。巴甫洛夫不遺餘力地設法消除意外的刺激，呼吸運動也是要被消除之列的，因爲呼吸運動經常是情緒表現的結果。曾經不只一次地發現，人若是爲了試驗的成敗越激動得厲害，就越少獲得良好的結果。因此有的時候，就需要幾乎是不呼吸地坐着。需要補充說一下，巴甫洛夫絕對不能容忍對狗加以殘酷和缺少愛撫。但對狗過分地關心，一般使狗不再正規地工作，需要把牠從試驗台上放到地下來。

* * * * * *

圓形螺旋梯通到第二層樓巴甫洛夫辦公室的門

口，門上有一塊藍底白字的金屬門牌，上面寫着「伊凡，彼得羅維奇，巴甫洛夫」。

沒有標明任何稱號和職位。

伊凡·彼得羅維奇的辦公室佈置得非常簡單樸素。這裏既沒有安樂椅，也沒有沙發，這些遲至30年代才出現。

使人得到的印象，像是走進了艦長的司令塔一樣，裏面沒有任何多餘的東西。實質上，巴甫洛夫的辦公室確是一個指揮所，他在20多年的過程中，就從這裏指導了祖國生理學的發展。

從辦公室出來，穿過梯台，便可以進入巴甫洛夫研究所的特別地方—手術室。手術室是通過天花板上的玻璃窗而照得很明亮。它的另一邊，是給動物進行手術的臨床治療室，這個臨床治療室是按照無菌外科的一切規則設立的。這裏和底下的一層比起來，却籠罩着完全另一種氣氛。巴甫洛夫對於這些房間是非常引以自豪的，只有穿着清潔的工作服，他才允許別人進入手術室。關於這點是有根據的。在那個時候，類似這樣的手術室，決不是所有的醫院的外科都有的。而在這裏，巴甫洛夫的手術室，却是典型的手術室，它是按照科學的規則裝備起來的。所有的東西都佈置得很整齊，使醫生看了非常悅目，非常熟悉。然而只有一個角落却是例外。

在手術準備室裏（這是在縫合食道瘻管之前給動物洗身和剃毛的地方），有一個很大的銅質浴盆，浴盆上面裝有兩個用輪帶聯接起來的自行車輪。這個「奇怪的東西」是怎麼到這裏來的呢？事實上，這個裝有兩個自行車輪的舊浴盆，曾完成了非常重大的工作。情況是這樣的：在那些年代裏，實驗醫學研究所還沒有電力發動機，也沒有其他的發動機，但是爲了使在實驗室中獲得的胃液潔淨，必須有一個那怕是最起碼的送風機。這就是爲什麼在巴甫洛夫實驗室工作的物理學家工程師斐夫根尼·阿列克山德羅維奇·崗尼克在城市自來水龍頭上，裝置了兩個能在軸承上旋轉的自行車車輪。車輪在水槽（它是用罐頭盒子代替的）所供給的水流推動之下旋轉起來，因而使送風機的風箱運動起來，胃液就是靠送風機而變爲潔淨。雖然它非常簡陋，但是這部獨特的水渦輪機，却能使用假飼養方法取得的天然胃液，變爲非常潔淨，無色透明。已潔淨的胃液送到包裝車間裝入瓶內，加以封閉後，就被送到不僅是俄國的各個藥房，同時也送到歐美國家的各個藥房。於是，無論是什麼地方患有胃液缺乏的人，都可買到這種治療藥物，並以感激的心情念着巴甫洛夫的名字，因爲這種治療製劑是在他的實驗室裏製成的。

實驗室靠出賣胃液得到一些補助的資金來擴大自己的科學理論基地。所賺得的錢由巴甫洛夫親自處理，他把這些錢用來養活實驗室必需的工作人員，因爲根據實驗醫學研究所的預算的規定所得到的錢，只够一個助手的工資。

我們在上面已經說過，巴甫洛夫是非常關心學生的，但是巴甫洛夫不僅是對待學生們如此，同時對待所有的人也是如此。此外，對於在當時社會等級中地位越低的人，巴甫洛夫對他也越關心。

伊凡·彼得羅維奇對待年青的服務人員是非常關心和體貼的。實驗室全部總務工作由編制內的實驗員伊凡·蘇瓦羅夫經管，巴甫洛夫非常器重他，並且常常說：「蘇瓦羅夫對於實驗有很大的才能，如果他在醫學院畢業的話，那麼他一定是一位出色的外科醫生」。

巴甫洛夫在進行手術

1911年我第一次參加了軍事醫學科學院實驗室中的手術。手術由伊凡·彼得羅維奇親自進行，助手是恩·波·吉霍米羅夫。

我們這些進行實習課程的學生們，都在一旁觀看。

眞是一幅忘不了的情景：房間大而明亮；狗躺在窄狹的手術台上，蓋以清潔的白床單。旁邊有一張小桌，上面放着一副金屬框子的眼鏡，這就是伊凡·彼得羅維奇進行手術時用的眼鏡：最近以來，他的視力變得很壞了。但是他還是像從前一樣地喜歡施行手術。伊凡·彼得羅維奇一進來，就看得出他有些激動，並且再三地問着：「一切都準備好了嗎？中途不會耽擱吧？」

我們這次觀看的手術是縫合人工胃，它是在巴甫洛夫實驗室中進行的。這些手術和其他的手術一樣，是按照無菌外科的一切規則進行的。雖然在我們面前要被施行手術的不是人，而是一隻狗，但是並不容許有任何馬虎的地方。所有的器械，敷料和其他的用具，都必須是嚴格地依次相繼，要有一定的順序和規律。助手當中，誰若是動作遲緩，或是注意力離開了委託給他的事情，而觀看手術的一般進行情況，那他就要犯錯誤。這是容易理解的：最小的耽擱能使動物流出多餘的血液，有時甚至喪失生命。

我們這些青年想看到的只是最精彩的動作，「仔細看吧——巴甫洛夫對我們說，仔細看吧！否則的話你們會錯過主要的東西，當你們認爲我還剛開始的時候，而事實上已經作完了」。（這主要是他在進行血管手術時如此）。我們連氣也不喘地，專心一意地注意着手術部位。

我們看見伊凡·彼得羅維奇迅速而文雅地進行手術，他用雙手同時動作，哪一隻手在進行手術時方便些，就用哪隻手拿刀或鑷子。他本來是一個左利，但是在生活的過程中學會了使用雙手，甚至用兩隻手能寫得一樣好的字。

伊凡·彼得羅維奇切開腹壁後，便切開胃底，然後把它裁出一塊形狀相當複雜的「破布」後，隨即就把兩個食指放進窄狹的（爲了使傷口將來更好地癒合起來）開口處，這時候他就閉緊了嘴唇和眼睛。他在這個緊要的時刻，閉着眼睛，全憑他那非常精細的觸覺工作。

這是巴甫洛夫在 1896 年提出來的所喜歡的手術之一，他的手術動作是這樣的精確完美，以致在場以緊張的注意力觀看的大學生們覺得，手術似乎是才剛開始，但是手術的主要部分却已接近完成了。

在這一天，我熟悉了伊凡·彼得羅維奇的一個特點，是我從前已從別人那裏聽到過的特點，那就是當工作人員表現了顯著的馬虎態度，或者是缺乏對工作的興趣的時候，他就表現得非常嚴厲。

在手術進行到後一半的時候，有一位準備考博士的醫生，他的任務是在手術野的上面提着一盞特製的有反射鏡的燈，（這個工作不太複雜，但很重要），由於醉心於談話，無意地用肘部碰開了床單的邊沿。伊凡·彼得羅維奇向他提了第一次意見。但是過了一些時候，這位準備考博士的助手和醫生又被別的東西分散了注意力，消毒床單又被翻開了，狗的尾巴露出來了。巴甫洛夫激怒了：幾乎要摔掉器械，但他忍住了，表現了極度的不愉快。他命令這位助手把燈交給另外的一個助手，而自己就揑住狗的尾巴。

然而，一般誰也不曾因巴甫洛夫的責備而受到委屈，因爲他提的每條意見都僅只是從工作的利益出發的。

必須公平地指出，巴甫洛夫一向總是眞心地承認自己所犯的錯誤，並且像批評別人那樣，非常嚴厲地批評自己。例如有一次，他由於一心一意地在回想內分泌現象的發現，「遺誤了」已割除神經的乳腺的分泌，而責備自己，雖然實際上，這個疏忽應歸咎於他的一位同事。

這裏還有一個明顯的伊凡·彼得羅維奇進行自我批評的例子。有一次，巴甫洛夫在講肌肉的交錯神經支配時，弄錯了應當刺激的神經，而未獲得預期的效果。當伊凡·彼得羅維奇發現自己弄錯了後，便向全體聽衆道歉，並請求大家允許他在下一次講課時表演這個試驗。

虛假的慚愧，或是用含糊的話企圖敷衍了事，廻避困難，特別是把自己的錯誤轉嫁於別人等，對於巴甫洛夫眞誠坦白的性格是絕對格格不入的。

反對主觀主義的心理學家

巴甫洛夫在上課的時候，以及在實驗室裏講到高級神經活動和行爲的時候，總是尖銳地批評那些主觀主義的心理學家。巴甫洛夫嘲笑那些認爲動物（馬，狗和猫）也有意識的高級形態的動物心理學家的作品。屬於這一類的人有精神病學家伊·阿·西哥爾斯基，他在他的「人相學」中曾肯定地說，「公牛，無疑具有宗教感的特性」。

「這種荒謬之談的原因是甚麼呢？」巴甫洛夫問道，並且回答說：「是我們對待動物的特殊關係」。

大家都知道，家畜在某些家庭裏受到多麼的愛護；小孩子們是多麼地喜歡柔順的猫；人們是多麼珍貴「聰明的」獵狗；多麼珍重那種忠實地把主人從死亡中救出來，將牠受傷的主人馱回家的馬匹等等。我們常常聽見別人說：「我的狗是多麼的聰明啊——它能和人一樣，也會思想，僅僅是不會用語言表達自己的思想而已。」

所有這些，在日常生活中是完全令人理解的，並且是可以容忍的。巴甫洛夫本人就喜歡猫，撫摸牠們，把牠們放在自己的膝上坐着。但伊凡·彼得羅維奇激烈地反對，將有關於動物的「智慧」的一些故事寫成科學的著作，反對把類似這樣的一些「發現」刊登在嚴肅的雜誌上。

可是在我們所描寫的那個時代，這種把故事變成科學的情形却非常盛行。

在美國，由於所謂的行爲主義*的發展，有無數的動物愛好者研究起動物心理學來了。這些人是和科學沒有絲毫關聯的，但是他們却把研究自己的家庭「寵女」（貓，狗，猴，鸚鵡，甚至馬）當成是自己的「天職」。

這些「發現」像雪片一樣的滿天飄。它們都被加上達爾文主義發展中的「新階段」的美名。我們記得，愛斯比羅斯氏還出版過專門的雜誌（「動物心理學」），年老的家畜愛好者就在這雜誌上和閱讀者們分享自己的「發現」。

巴甫洛夫曾看過這些雜誌，不過是把它們當作鑑別人類的局限性和愚蠢的參考材料而已。

有一次，巴甫洛夫在雜誌上讀到一位婦人所刊登的一篇報導。這位婦人似乎發現自己的狗有數學的才能。這位太太寫道，她的孩子們在做算術課家庭作業時，她的狗總是在場，並且突然地用吠聲暗示題目的數字答案。這位太太邀請了所有有興趣的人來參觀她的試驗。她把一張張的卡片給狗看，這些卡片上面寫着大的數字和算術四則問題。同時她本人裝着似乎沒有看見卡片的樣子，把卡片的背面對着自己，卡片的正面對着狗和觀衆。於是，動物按照「動物心理學家太太」所寫的數字，用與答案毫不相干的吠聲叫了需要的次數，這樣便算出色地解答了一切的習題。「檢查員」似乎都很驚奇，在意見簿上寫上讚揚的話後就走了。這位婦人常常拿着這本意見簿給自己的朋友看，大家都感到非常滿意。

故事倒是有趣。然而這與科學有何相干呢？

講到這裏，巴甫洛夫打開一份登着「狗數學家」照片的雜誌，他用手指一頁一頁地指給我們看，原來在狗的轡具上，有許多很大的金屬片，它們就和鏡子一樣，能反映出所有的東西，包括給狗暗示的數字在內。

這些數字—伊凡·彼得羅維奇作出結論地說——女主人是看得非常清楚的。因此這裏完全是欺騙，狗不過是一直叫到牠的女主人向牠作出信號時爲止而已。譬如吧，暫時地停止自己的呼吸，或是其他爲在場的人察覺不出的一些方法，就可以是一種信號，以便引起狗的必要的條件反射。

還有一件類似的事情，那是一位叫克羅里的人出版了一本論「有思想的馬」的書。這本書遭到了巴甫洛夫的駁斥。

這位克羅里的職業是一個鑽石商人，他居然也研究起「實踐動物心理學」問題來了。大概他是爲了宣傳自己公司的廣告而建了一座馬棚，這些馬利用他所發明的一種特殊字母，進行各種算術演算（甚至能演算自乘和求出平方根），並能互相用英文和法文談話等。威廉大帝（也是個大無賴）本人「親自」，以及許多德國心理學家，都觀看過這種「愛里柏爾費里茨斯種馬」的表演，他們對克羅里的馬大加讚揚。

作者完全沒有用一般的方式結束自己的書：他在書的末尾列了一份密碼。巴甫洛夫對這個無稽之物，仔細地看了很久，最後堅決地宣稱：「當然，我不知道密碼的索引，但是我深信這裏寫的是：你們全是些傻瓜學者，欺騙你們倒是非常容易的……」。

動物心理學家的基本錯誤是什麼呢？爲什麼憎恨任何欺騙和輕信的偉大學者這樣反對他們呢？

伊·彼·巴甫洛夫認爲，任何樣的仔細觀察動物行爲，對於條件反射的研究是有益和必要的。自然，巴甫洛夫不反對研究運動性條件反射，他從運動性條件反射中給自己的唾液反應試驗作了重大的補充。然而整個問題在於如何研究，和研究什麼。

不妨引用一下達爾文對動物感覺（或像他所說的——動物精神運動）的表現所進行的觀察。

達爾文書中所記載的那些對敵人的威脅——脊柱伸直，毛髮豎立，牙齒暴露——都是與防禦和侵犯有關的運動條件反射的明鮮例子。這些運動性條件反射企圖在搏戰之前，就挫折敵人的銳氣。它們都是防禦或侵犯的信號。

研究剛生下的幼小動物的行爲，是非常重要的。

---

* 行爲主義資產階級心理學的錯誤理論，忽視意識現象，而把整個人的行爲歸結爲生理的行爲。

保證維持生命的條件反射，從最早的年齡（這首先是指吃東西的行動）就開始在形成。它們是動物（特別是哺乳動物）中做父母的與做兒女的之間，建立密切關係的基礎。同時，做父母的（主要是雌性）使做兒女的從一出世起就養成條件聯系，或作爲各種行爲與繼續發育基礎的習慣。這就是所謂的自然的或天然的條件反射。天然條件反射（例如對食物的形狀和氣味的反應），經過數次的强化就可形成；它比人工的條件反射（例如對鈴聲的反應）的形成要迅速。在形成天然條件反射的時候，看出它們與無條件反射（本能）有近似之點；但它們之間的精細區別，是行爲主義者無論如何不想或不能估計到的。他們從機械的立場着手研究動物的行爲。巴甫洛夫從不追求精彩的結論，他感到興趣的是各種條件反射的進化過程；他注意的是科學資料的精確性和循序漸進。他非常懂得，講大腦學說中的「達爾文主義」，就是等於還是什麽東西也沒有講。應該表現出，條件反射轉變爲無條件反射時的一切精細的地方；應該揭發本能的本質。

天然條件反射，是飛鳥季節性的顏色變化，或某些動物（如兎子）季節性皮毛保護色的變化（冬季變白，夏季變灰）等生物現象的基礎。

在高級神經活動生理學中所講的比較精細的變化，不是形態上的變化，而是功能性的變化。天然條件反射，在動物界中經常看見的摹倣現象中起着一定的作用；如無侵害性的動物，用自己的某些動作或聲音摹倣兇惡的動物，以便嚇退比較兇狠的動物。

動物的行爲，一切用以自衛、尋找食物，要求繁殖的各種複雜行動的總和，都是在大腦高級部位中暫時聯系形成的結果。上述各種現象，是構成神經中樞皮層細胞之間的聯合和聯系，它們是在長期的發育過程中而固定在動物的大腦中的。

本能是完全新提出來的生理問題，巴甫洛夫對它很注意，雖然他的大多數同事那時很少研究生物學中的這個問題。它似乎離醫學很遠，但這個問題，却正是我在伊·彼·巴甫洛夫實驗室中作爲研究的對象。我的第一篇大學生報告，就是「從條件反射生理學的觀點論本能學說的現狀」。

對各種本能進行實驗室分析，是行爲唯物主義論——高級神經活動比較生理學——的基礎。

本能與反射

動物的機體，具有什麽樣的手段藉以生存和繁殖呢？藉以發展某些本能而壓制另一些本能呢？（例如在馴順過程中）。

自然，機體的一切器官和系統，包括肌肉和內外分泌腺，必須是不斷地在準備行動。但是，對大腦半球提出了特別高的要求。它的活動要聯系並統一身體許多器官的功能，使整個機體的功能適應於外界的各種條件。這就是爲什麽巴甫洛夫說，皮層至少是脊椎動物發展的主導器官。

除低級部位外，大腦皮層（皮層的暫時聯系）在本能（實質上是先天性，無條件反射）的表現中，起着很大的作用。

低級（單細胞）生物的適應活動，却是另外一回事。適應活動是以最簡單的反應形式實現的，其目的在於和環境保持平衡。即使是低級生物，例如在白晝與黑夜和四季更迭的情况下，也是有臨時性質的適應反應的胚胎的。情况較複雜的，是有高度組織性的動物；牠們的本能是先天性的，但决不是定型的，不是無獨立特性的行爲反應形態。本能和其他形態的特徵一樣，有着獨自的特性。這種得到證明的主要特性之一，是神經反應底可變性。本能屬於生理特徵，而生理特徵的遺傳性是可變的。從這個觀點看，行爲是這種或那種動物的特性中最易改變的特徵。

現在我們列舉一些將本能行爲看成是反射的例子。如果我們用手觸動正在海面上游泳的水母的身體，那麽我們便會得到蕁麻疹。如果我們拿一條蚯蚓放在手中，那麽牠的整個身體便立刻彎曲起來，以致很難把牠保留在手裏。青蛙、魚都有這種類似的現象。例如，有一種鯉魚，從水中取出後，它用力地抖動幾下，便很容易從手中滑走，並在我們的手上留下一種粘液。毫無疑問，這都是機體自衛本能的表現；而在許多的情况中，回答性反應不僅具有運動性質，並且具有分泌性質。巴甫洛夫對分泌性反應，是有研究的。

在巴甫洛夫的實驗室裏，人們都津津有味地在研究條件唾液反射。條件唾液反射，也是整個動物界獲取食物時所特有的本能的表現之一。

我還非常淸楚的記得，那時伊·斯·齊多維奇氏所作的一些試驗。他曾證明，小狗對肉的形狀的反應不是先天性的，也不是什麼別的反射，而是一種條件反射。在此以前，人們曾肯定說，兇惡的動物一出生後，便有「兇惡的本能」。根據齊多維奇氏的試驗材料證明，小狗吃奶長到六個月之前，不僅不抓取第一次給牠的肉，甚至對這塊肉咆哮！此時，小狗對於肉的形狀，甚至對於肉的氣味，並不分泌唾液。由此可見，這是條件反射。但是，纔第一次給食之後，這種條件反射乃表現爲分泌數滴唾液，因此這種條件反射幾乎是已經準備着行動，只不過是需要外部環境的適當條件而已。所列舉的這個例子，再一次地證明了，自然條件反射（對肉的形狀和氣味的反射）是瀕於無條件反射的邊界上的。

巴甫洛夫對後天獲得行爲特徵的遺傳問題，曾特別注意。實驗室的全體人員，爲他的這種與此問題有關的思想吸引住了。我們興奮地根據伊凡·彼得羅維奇所理解的觀點，從事於動物行爲的研究。他要我們探究機體適應活動的一切表現，包括神經系統的高級機能、本能及其可變性。因此，我在學生團體的「理論醫學小組」會議上所講的，後來又在1912年1月24日以伊·彼·巴甫洛夫爲主席的俄羅斯醫師協會會議上重講了一次的報告，便是闡明對本能及其進化所作的研究。

這個時期，在軍事醫學科學院實驗室裏，該實驗室最老的女同事之一，莫·恩·耶羅菲也娃醫生，進行了與本能有直接關係的研究。她系統地用電刺激狗的皮膚，並用食物加以强化；到最後時，狗對疼痛的反應，變成了對陽性（對狗說）刺激物（食物）同樣的反應。這是興奮過程從一個中樞（防禦中樞）轉變爲另一中樞（食物中樞）的明顯例子。

說起來，這件事實的確令人驚奇！英國生理學家契·謝靈頓，1912年來俄國後，曾就這一點不勝感嘆地說：「現在我懂得那些以愉快的心情，走上火刑場去的基督殉難者了！」

這句話引起了伊·彼·巴甫洛夫極度的不滿：謝靈頓把動物界的現象，錯誤地搬運到人類社會和人類的歷史。在這個試驗裏，有一個精細的地方是謝靈頓所沒有發現的，但却爲巴甫洛夫特別挑選出來了。

當耶羅菲也娃氏將電刺激改爲對「酸中樞」（巴甫洛夫如此稱呼）而不改爲對食物中樞的時候，就是說，將引起唾液分泌，因而能引起反射弧疏通的弱性酸溶液注入口中時，並未形成條件反射。這是實驗思想中的一個眞正的勝利，它證明了：控制本能活動是可能的。

巴甫洛夫對這個新的事實，是這樣解釋的：

先天性無條件反射，在動物（狗）的大腦中，形成了一種「致階制度」：某一先天性無條件反射的表現，比另一先天性無條件反射較老，較强。在研究這種無條件反應（我們有權稱它們爲本能）的相互關係時，實驗者第一次用簡單可靠的方法（計算唾液滴數的方法），得以確定，興奮當時在甚麼地方，在甚麼中樞，在什麼樣的本能範圍內佔優勢；並且，在馴順的階段中，在當時的情況下，哪些大腦中樞被抑制。防禦性反射一般比食物反射强，然而在某些情況下，由於外界環境的條件，這種「致階制度」爲了食物反射的利益可以改變。這是說，在動物的生物性機體中，並非一切都是不變的。這爲解答本能的可變性的「疑謎」提供了途徑。本能的秘密，曾被許多的作者（從布魯達爾赫氏起，一直到弗·阿·瓦格勒爾氏動物心理學思想的信徒們爲止），過份的誇大了。由這裏得出另一重要的結論：可以並且應該控制本能。這一點，我們在許多種野性動物變爲家畜的例子中看到了。

關於本能、生理學中的達爾文主義、以巴甫洛夫的方法客觀研究行爲的進化題目，從那時起，便成爲實驗室中受人歡迎的題目之一了。

我在上面所講的並爲巴甫洛夫完全贊成的那些原理，曾遭到許多人瘋狂的反對。決不是所有的自然科學者，都同意巴甫洛夫關於本能可變性的思想。一些有名的心理學家（如弗·阿·瓦格勒爾）都瘋狂起來了。巴甫洛夫把本能和無條件反射同等看待的這個事實，尤其引起了他們的瘋狂。他們把反射和本能對立起來，以反對巴甫洛夫的肯定說法：本能是無條件鏈鎖反射，它有時被內分泌腺（如性腺）的活動複雜化了。實質上，這個爭執所涉及的，是心理學代表者（其中也包括俄國的作者）和偉大生理學家巴甫洛夫之間的，對於世界觀的原則性的本質上的區別問題。

他們寧肯像從前一樣地，討論什麼動物的內在精神生活，討論什麼動物完全和人一樣有智慧。

一位著名的動物學家，有一次向巴甫洛夫宣稱，說他反對的就是「條件反射」這四個字所綜合的術語，就像植物學家反對「猶利洪薔薇花」這個術語一樣，只要它不是生長在猶利洪（Иерихон）這個地方，便不能稱它爲「猶利洪薔薇花」。

關於這一點，巴甫洛夫回答說：

「如果您認爲行爲是反射動作，這是您的事情。但是，爲什麼反射不是條件性的呢？須知，反射的出現，是以許多的情況和周圍環境的條件爲轉移的。還是讓我用我所稱過的名字，來稱呼上述的反應吧」。他是絕對正確的。這些反射，本來還可以像弗·莫·別赫結列夫氏所做過的那樣，稱之爲「綜合反射」呢。然而，它們仍然是以巴甫洛夫所命名的「條件反射」存留在歷史中。

伊·彼·巴甫洛夫的兩次通俗科學演講

有些人認爲，巴甫洛夫旣是科學院的研究家和教授，那他是避免作任何通俗羣衆性的演講和發言的。但這是不正確的。伊凡·彼得羅維奇給那些聚集在巴甫洛夫斯克城的各中學教員一連幾次的講了非常精彩的實驗生理學教程，是毋須贅言了。他非常重視跟廣大的聽衆保持來往，他尊重羣衆性的聽衆，就像尊重自己的大學生聽衆一樣。大概沒有一個人能像他那樣，爲了使聽衆能聽懂每一個事實，而儘量地用試驗來闡明自己的發言。他並不認爲重複科學中已經明確的眞理是羞恥的事情。但是他所援引的論據，每次都是要加以改變一下，並儘量尋找適合聽衆的新的講解方法，考慮到聽衆的成份。

聽衆有時使巴甫洛夫本人產生新的思想和新的事實。如我們已指出過的，條件反射的第一個重要特徵，就是它非常不能持久。條件反射，如不用無條件反射加以強化，便要消失。巴甫洛夫從暫時聯系消失和分化的事實出發，創立了關於內抑制的學說。

談及這一點，是因爲我想起了伊·彼·巴甫洛夫在演講的實際過程中所發生的一段可作爲特徵的插曲。

在1911—1912年的學年期中，伊·彼·巴甫洛夫曾答應給彼得堡的知識分子和大學生們，作過一次公開的、大家都聽得懂的關於他在高級神經活動方面所進行的一些試驗的演講。平常，在這個大廳裏作通俗科學演講的，是另外一位生理學家伊·爾·達爾漢羅夫，他是巴甫洛夫在軍事醫學科學教授會的先輩，是一位卓越的通俗演說家。達爾漢羅夫給非學醫的大學生羣衆和知識界所講的題目，甚至恐怕要比巴甫洛夫所講的更吸引人。但是達爾漢羅夫在演講的實物示範方面，卻很差。譬如，當他講到心臟的工作時，便拿起一隻聽診器，要願意的人來聽一聽他自己的心音。

就在這麼一天，我和我的同志們以及許多其他的人，看見了一羣非常壯觀的巴甫洛夫式的狗，可以說，牠們是排着「行進的隊伍」。

這羣全體帶着唾液瘻管的狗，經過里津雷橋後，進入了彼得堡居民都知的特尼雪夫斯基實料中學(現今是青年劇院)的大廳；這是經常進行演講的地方。率領這羣狗的，是實驗室的老服務員瑟爾格·依格納吉耶維奇·尼哥萊耶夫和他的幾個幫手。

掌管巴甫洛夫實驗室裏全部「工程」部分的耶·阿·揣尼克，這次在實料中學的大廳，安裝了一幅很大的亞麻幕布。狗被放在幕布後面的一張實驗台上。幕布同時被用來將狗和觀衆隔開，因爲狗在進行試驗時，已經習慣單獨和實驗者在一起，而牠們在大廳裏卻必定碰見成千的眼睛。强烈的投光燈從狗的後面照向幕布，於是觀衆能在幕布上淸楚的看到狗的身影，自然，還能看見狗的動作。在那個時候，還沒有科學記錄電影，所以揣尼克的這個裝置，可說是彌補了它的缺乏。

在這個別具風格的「影戲院」中，最重要的東西是一個很大的，用以計算唾液的玻璃標尺，與它成水平綫並列的是一個測壓器，其中盛以深藍色的液體。狗頸部的唾液瘻管的出口和一玻璃燒瓶緊密封住，而玻璃燒瓶又被一根長橡皮管和測壓器聯在一起。從瘻管出口流出的每一滴唾液，就推動映在幕布上的大「寒暑表」的藍色水柱。任何人，縱使是一位沒受過訓練的人，只要他觀察標尺，便能深信，在用食物所强化的鈴聲或節拍器聲的情況下，在狗的大腦裏產生一定的興奮過程，它伴隨有唾液的分泌。這就是說，用最明顯的方式，每個人都能相信，有條件反射。

大廳裏擠滿了人。聽衆的注意力非常緊張。伊凡·彼得羅維奇站在最適當的地方。在他實驗室工作的醫生們表演試驗：在幕後表演自己狗的成績。人們感覺到，雖然聽衆有着各種不同的專業，但是他們都懂得伊凡·彼得羅維奇所講的一切，並且對客觀方法在生理學中的意義估價甚高。當然，伊凡·彼得羅維奇趁此機會，把康德學派的心理學家們，從唯心哲學家阿·伊·魏金斯基的門生中「擠到牆邊」去，因爲他們在大廳裏不少哩。

對節拍器、對燈光，對鈴聲的條件反射表演，進行得非常圓滿。聽衆眞是無限的興奮。許多人都是第一次認識形成條件反射的法則，並爲巴甫洛夫的簡單而深入的叙述而感動。伊凡·彼得羅維奇的理論，在這一天獲得了許多新的擁護者。

依凡·彼得羅維奇滿意這次羣衆性的演講，他宣佈，一星期後打算繼續這次的演講。全場報以熱烈的掌聲。許多人預先便買了入場卷。在試驗室裏，那些被規定作第二次表演的狗的準備工作，整整進行了一個星期。

下一次演講的題目，伊凡·彼得羅維奇决定講關於條件反射的內抑制學說。他想證明，條件反射，如不用無條件反射强化，將怎樣的消失。此外，他打算表演狗對外界刺激物——氣味，聲音等——的鑑別試驗。

在這時，已經出版一些關於這個題目的有趣的學位論文，並且已確定，狗能辨別高達⅛的風琴音調，鑑別幾十種氣味，區別圓形和方形等。

這些試驗有了一些其他有趣的變化。其中用各種方法表演了各種不同的內抑制。例如所謂的延緩抑制，它不是在用食物强化條件刺激物時立刻產生，而是在鈴聲響後的1—2分鐘產生。延緩抑制所表現的是，刺激物的初期作用不引起唾液的分泌：唾液在很遲後，即在幾乎是平常給狗食物的時候，才開始分泌。這是伊·彼·巴甫洛夫所喜愛的一個實驗。曾製作有痕跡條件反射的狗，牠的唾液只是在刺激物停止作用的時候，才開始分泌。

繼第一次公開演講後的一個半星期，伊·彼·巴甫洛夫又登上了擠滿聽衆的特尼雪夫斯基實料中學的講台。

所有的人，其中包括伊凡·彼得羅維奇本人，都以爲在這個大廳已經是第二次並多少習慣這個環境的狗，將成功地把巴甫洛夫在第一次演講時講到的那個關於內抑制題目中的東西表演出來。然而，這次沒有前次試驗成功，甚至是最簡單的辨別聲音的試驗也沒有成功。

在大廳坐着伊·彼·巴甫洛夫的敵人（他們的人不少）的席位上，響起了一陣陣的喧嘩耳語。我們，坐在亞麻幕布後面在表演這些試驗，都感到了不安和困窘。

伊凡·彼得羅維奇思考了一分鐘。他的思想在這一剎那間，工作得特別緊張。但是，在他的腦中，忽然出現了一種新的思想，於是他便這樣講開了。

是的，是的！先生們，狗沒有作出鑑別，這是事實，而在事實面前是須要低頭的。但是，在任何的失敗中，有它成功的部分，特別是當表演的客體是生活的本身的時候，動物的行爲處於變化着的現實環境的時候（須知，我們今天的聽衆就是現實的一部分）。今天到這裏來，我們都以爲，試驗的條件改善了，因爲狗已經習慣了這裏的環境。但是要知道，今天我們所進行的試驗，是比前次更加艱難的一種大腦活動。爲了觀察抑制過程，須要有完全另外的一種環境，比較近似實驗室的環境。我們沒有估計到這一點，因此受到了處罰。但是，那個新的「添加物」，它對於了解我們原來的題目，究竟是什麼呢？內抑制過程比興奮過程精細得多，「脆弱」得多，興奮過程的表現，一般是形成條件反射。

後來研究高級神經活動的全部歷史證實了，這個觀察第一次在特尼雪夫斯基實料中學進行的環境，是這樣一個廣大羣衆聽講的、不適於進行實驗的環境。

從這裏——巴甫洛夫說道——我們可以得出什麼有益的東西，以便更好地向舊的心理學派進行鬥爭呢？

按照巴甫洛夫的意見，「失敗」的原因，是朝向反射——動物對新刺激物的反應。巴甫洛夫比喻地稱之爲「這是什麼？」反射。

大家知道，朝向反應，是特出於條件和無條件反射的，更正確地說，它是站在條件與無條件反射間的邊界上的。它出現於高級神經活動範圍中，毋須任何預告或强化。它在動物身上乃表現爲豎耳傾聽，以及有時不爲人所察覺的用鼻子嗅，用眼睛張望等。這個反射的主要功能，在於使動物的感覺器官立刻處於最有利於感受新刺激物的狀態。

朝向反應（反射）不能列爲無條件反應，因爲它在重複的情况下消失，跟後天獲得條件反射一樣地消失。然而，朝向反應由於自己的先天性質而有別於條件反射。這是令人理解的：條件反射在動物不斷的進化過程中，不斷地變爲無條件反射，它們之間並沒有一道透不通的牆而使彼此單獨分開。因此朝向反應本身具有這樣對立之點。

朝向反射的生理基礎，有它好的一面，也有它不好的一面。每一件新的事物或現象，在引起注意的時候，同時就在大腦皮層中，將神經過程改變爲新產生着的興奮灶方面。同時，根據皮層神經負誘導的原則（它是在很久的後來在實驗中被確定的），高級神經活動一切的其他現象被抑制起來。正如後來不久所證明的，由於朝向反應作用的結果，內抑制遭到特別厲害的損害，但是基於經驗行爲而行成的條件反射，在這時仍然可以是完整無恙。這就是爲什麼第一次的演講成功了，而第二次則沒有成功的緣故。

爲了克服妨礙試驗的現象（朝向反射），那時，在實驗醫學研究所建立了一所新的實驗室——［沉默之塔］。於是乎巴甫洛夫便以描述這個建築物結束了自己的演講。

這座以現代技術所建造的新建築物，［嚴禁］任何燥音進入。附有唾液腺瘻管的狗，被放在特殊的隔音室裏；而實驗者須在隔音室的外面。隔音室也是和外界隔離的，在它的門上裝有很厚的橡皮墊子和螺旋門閂。

在這樣的環境裏，不僅條件反射，就是刺激物的鑑別試驗，都將暢通無阻製作出來，同時試驗的效果將增加許多倍。

試驗室的同事們，永遠記得在特尼雪夫斯基實科中學給羣衆演講時所發生的事情，以及對這件事所進行的分析。這個分析將巴甫洛夫關於高級神經活動的學說大大地向前推進了。

爲了科學

還在1903年，當伊凡·彼得羅維奇第一次作關於條件反射的報告時，曾表示過信心：神經與精神病的臨床工作，將以他所創立的大腦新生理學的成就作爲基礎。巴甫洛夫也深信，像情感（或按笛卡爾氏的術語——［心靈的熱情］）這樣複雜的現象，也將用他的高級神經活動學說來加以解釋。我們要指出，燦爛的情感生活，是正常人所特有的，但當它具有特殊的複雜性質時，當人患有精神障礙（［精神病］）時，它是會變態的。

巴甫洛夫的思想在醫生中，在神經與精神病臨床工作者中，找到了越來越多的擁護者。然而也有這樣的人，他們認爲，精神病學家通曉生理學，比生理學家通曉精神病學基礎更容易。這就是爲什麼出現了另外的一個派別，它的代表者——精神病學家自己決定要成爲高級神經活動的專家和外科學家；但是，他們根本就沒有掌握巴甫洛夫實驗室中在當時已經積累起來的那些經驗和知識。

那些聽了報告的生理學家和精神病學家的集團是不大的。在不同方向的神經病專家之間，也發生競爭。

在俄羅斯醫師協會裏，在伊凡、彼得羅維奇經常作其精彩報告的地方，發生了意見分岐，這種意見分岐立刻具有了攻擊擁護巴甫洛夫的生理學家的性質。事情發展到如此地步，以致伊·彼·巴甫洛夫（協會的副主席）不得不在選舉時拒絕投票。伊凡·彼得羅維奇是這個協會的組織者之一，許多年來，他一直在這裏報告消化生理學試驗的結果，並且在這裏，作了他關於高級神經活動方面工作的最初幾篇報告。

俄羅斯醫師協會一部分會員，對伊·彼·巴甫洛夫改變態度，決不是偶然的。巴甫洛夫是一位徹底的，富於戰鬥性的唯物主義者，因此，他在沙皇的官僚及其走狗的眼中，是一位［危險的］人物。

對巴甫洛夫進行的暗地破壞勾當，引起了巴甫洛夫方面尖銳的反抗，這些破壞勾當是與他近來所進行的高級神經活動方面的研究，以及關於情感的神經-生理實質的結論有關的。

莫·克·彼得洛娃在伊·彼·巴甫洛夫實驗室裏研究了一個題目——狗腦中興奮與抑制的特殊情況。研究了所謂的［警戒反射］或［警戒本能］。進行研究的對象是狼狗，也就是世世代代都是保持羣居的動物。當時須要闡明的是：先天性警戒反射的表現，是如何反映在以外界刺激物的强度和性質爲轉移的條件唾液反射的變動中的。於斯，所講的仍然還是關於本能的問題。

伊凡·彼得羅維奇在有系統地觀察了這種試驗後，有時親自扮演狗的侵犯目標和［安靜底破壞者］的［重要角色，這是頗富趣饒的事情。只要他在進行試驗的過程中，抓住門外的門柄，狼狗便大聲兇暴地咆哮起來。對實驗說，巴甫洛夫這樣做是必須的。爲了加强對［局外人］的反應，並藉此刺激防禦本能，巴甫洛夫於是用一根燒得通紅的鐵條，在狗的面部挑釁地搖來搖去。動物（狗）的興奮於此達到了最高的限度，因而獲得了極好的研究情感的模型。與其說警戒的狗是在進行巴甫洛夫的試驗，也許不如說，牠是非常困苦地處於「暴燥和興奮的狀態中」（按照那時律師的說法）。

當反應達到極點時，彼得洛娃便試驗從前製造出的，對刺激物的條件反射。大家都在期待：唾液條件反射，在防禦本能方面這種「競爭」的影響下，將消失，將被抑制。

使大家驚訝，而使伊凡·彼得羅維奇十分滿意的是：從瘻管流出的唾液數量，不僅沒有減少，反而大大地增加了。在試驗中所獲得的緊張狀態，或者說，警戒本能(防禦反射的變形)的「負擔量」，沒有使興奮減少，沒有使興奮被抑制，相反地，而使興奮擴散到動物大腦皮層的全部細胞，結果是唾滴數增加。研究高級神經活動的客觀方法，爭取了越來越多的新的擁護者。莫·克·彼得洛娃的學位論文「關於興奮的擴散學說」，發展成了一篇重要的專門論文，並在後來（1914年）辯論成功。

另外的一篇學位論文（「關於條件反射生理學的資料」），却遭到了完全不同的命運。這篇論文的作者姆·雅·別芙波卡娅所提出辯論的時期，是反動分子向巴甫洛夫進攻特別猛烈的時候。這篇學位論文包含有非常重要與極饒趣味的觀察。這個觀察，伊凡·彼得羅維奇評價甚高，並認爲有將它通報給所有的人的必要。

作爲該學位論文主要部分的這個觀察，證實了巴甫洛夫關於本能底生理分析的可能性思想，狗由於被類似上述的各種方法，在大腦皮層中引起了極全面的興奮，於是以分泌大大增加的唾液量來反應刺激物（電燈光）的出現。不僅於此，牠還撲向這個刺激物，撲向這個無罪過的電燈，力圖把它毀滅掉。大家都認爲這件事實，就是研究情感的方法。

有時，一位有熱情的人，當他大發脾氣的時候，便抓住某一件東西，並把它搗成粉碎。

寫這篇學位論文和辯論它的時期，如我們已指出的，是巴甫洛夫跟主觀心理學代表者進行極尖銳鬥爭的時期。巴甫洛夫及其同事們，研究了這些試驗，於是第一次使至今曾以「不可了解的情感」爲名所研究的東西，使曾風行一時，被唯心精神病學家福洛依德描寫得異常混亂的東西，得出了客觀的研究。

在這個安排得非常嚴格而客觀的試驗中，我們不僅能觀察到這種「熱情」的發展，並能數小時地在手中看到興奮如何在大腦各高級中樞增長起來。我們取得了新的實驗基地，以便研究從唯物主義觀點所理解的、被稱爲人底下意識的活動。正因如此，伊·彼·巴甫洛夫決心辯護這個規模雖小，但對考取醫學博士學位的對內容上很重要的作品。

有一些彼得堡的「宮庭醫學家」，以及對巴甫洛夫懷惡意的人，認爲他的條件反射理論是「基礎底震撼」，他們決定在科學院的例會上發起一個全面的進攻，以便使學位論文的作者歸於失敗，並藉此手段，打擊以伊·彼·巴甫洛夫爲首的整個科學派別。

革命前，曾有將科學學位論文印刷五百份的規定，在辯論完後，將它分送給世界各科學圖書館，以交換其他的學位論文。如果學位論文落選，——不過這是非常少有的——它仍舊要送往各地去，但在封面上要蓋一個黑色印記，上書「所考學位，業已落第」。反動份子就是打算在出自巴甫洛夫實驗的學位論文上，蓋上這樣的印記。

伊·彼·巴甫洛夫知道了這種陰謀，於是決心堅決反擊自己的敵人。

從前，他曾不得不以戰鬥的姿態捍衞住了自己的第一個產物——關於消化的學說。現在，又面臨着一個新的鬥爭，而它所涉及的，是伊·彼·巴甫洛夫最珍貴的東西——條件反射——生理學底未來的新的篇章。

1913年3月，舉行了學位論文辯論的儀式，參加的來賓很多，其中包括外國的一些科學團體代表。

在辯論時，反對者中，只有一人放棄原來的見解，承認學位論文是有價值的。根據章程，這是足以否決這份作品的。

當伊凡·彼得羅維奇肯定學位論文遭到否決的時候，眞是要看看他，看看他那憤怒和激動的手勢。甚至在平日伊凡·彼得洛維奇講話的時候，他的表情是不斷地變化的。當他正在憤怒的時候，不是任何人都敢接近他的。

偉大的生理學家的心遭到了打擊：他的實驗室

遭到了不應得的侮辱。然而，伊·彼·巴甫洛夫表現了很大的堅毅精神。他在辯論時的發言是非常端正的。

先生們，——他走上講台時說道——在這裏進行着一件最不公平的勾當。你們或許以爲，我將因此受到損失，我們科學中最新、最重要的部分底命運將因此受到損失，不，不會的！因此將受到損失的，是客觀研究大腦生理學新方向的敵人本身。完全能够理解，全部事情發生後，我不能再是你們高貴的幹事會的會員。我要退出科學院。

他說完畢，就穿過惶惑不安的人群，走向大門出口。這些人已經看見，他們的花樣並未成功。許多的人，甚至擁護巴甫洛夫的一部分人，都認爲他「生氣」了。

在過廳裏，實驗室的同事們追上了巴甫洛夫，並把他圍住了。

伊凡·彼得羅維奇，您上哪裏去？——勇氣最大的人問他。

雖然伊凡·彼得羅維奇剛剛遭到了最強烈的神經刺激，但是他很快就抑制了自己。

什麼「上哪裏去？」——他回答說：我要離開這裏，永遠不在這裏工作了，明白嗎！永遠！在他們那一方面的，是黑暗的勢力……。讓他們開會吧！我够了。

眞的，伊凡·彼得羅維奇不久便回到西拉姆雅格自己的別墅去了，在海邊「種山慈姑」。

伊凡·彼得羅維奇懂得，從外表裝璜的觀點看，學位論文是有許多缺點的。然而他堅決地主張承認它，這是爲什麼呢？

問題在於到辯論這篇學位論文的那天，科學院裏的兩種勢力（一方面是官方科學的信徒們，他們打的旗幟，是反動的唯心主義，受宗教的「大主教」支持；另一方面是新的、年青的科學、由巴甫洛夫及其同事們所創立的大胆的唯物主義高級神經活動學說的保衛者們）的衝突，已經醞釀成熟了。事實上，巴甫洛夫已經肯定，用一般的、準確的自然科學方法，精神生活是可以認識的，因而，「人的智慧僅是由上帝賜給」的那些宗教教條完全被駁倒了。所以他在完成一個最巨大的革命任務，以促進唯物主義在科學中的勝利。

在與伊·彼·巴甫洛夫進行鬥爭中，神學家、哲學思想家，以及醫學中「立憲民主黨的」反動教授們，都聯合在一起。伊凡·彼得羅維奇在此以前的一年中，已經從他們那裏得到過第一次警告。據他所知，他們決定投票反對他爲俄羅斯醫生協會的主席。巴甫洛夫預防了自己的敵人，自己放棄了候選資格，這樣危機就延期了。在政治反動派日益增强的條件下，環境變得對巴甫洛夫不利了，反動份子知道這一點，於是決定向他挑釁。

當伊凡·彼得羅維奇肯定，他的敵人在迴避和他本人進行透徹的解釋，而在打擊他的實驗室，知道繼續讓步是不可能的了，於是親自給他們一個打擊，宣佈自己退出科學院。

看樣子，伊·彼·巴甫洛夫關於高級神經活動生理學的勞動，可能中斷……但是，先進的大學生廣大階層，以及所有的俄羅斯革命團體底同情，是站在巴甫洛夫方面的。他感覺到了這一點，於是勇敢地向敵人們進行鬥爭。

就在那一學年，甚至就在那一月（1913年3月），在軍事醫學科學院裏，發生了另外令人振奮的事件，這些事件不僅與上述的情節有關，並與青年大學生革命運動的增長有着密切而深刻的關係。

政治反動派在那時，雖然佔領了生活的一切部門，但是與此同時，無產階級已經恢復了1905年革命的暫時失敗的元氣，準備跟專制制度進行新的堅決的戰鬥。

在未來的革命行動舞台上，各種力量發生了新的佈置。工人階級起來了。富有優秀革命傳統的維傅爾斯基方面的大學生，「軍械廠」和列斯勒爾工廠附近的人，都在布爾什維克黨的領導下採取行動，參加了工人階級的自衛和進攻。

當時沙皇的一位將軍，臭名遠揚的反革命份子和貪汚賄賂者——蘇霍姆林羅夫所領導的軍事部，給科學院的大學生實行穿戴新的，類似軍官的制服。許多人認爲這是一種並無惡意的玩藝。但事情完全不是這樣簡單。發生一個問題——醫學大學生是否要向軍官們「敬禮」呢？因爲在實行穿新制服時，這個問題並未明確。

大學生以討厭的心情，接受了這個改革。他們懂得，在這個裏面隱藏着一個目的：企圖剝奪他們作爲自由職業代表的醫生權利，將他們和普通的大學生分開。在首都的街道上，由於「不敬禮」，發生了軍官和大學生之間的衝突；有位騎兵軍官曾拔出馬刀，砍科學院的一名大學生比羅里雅涅茨的頭。類似的流血事件，曾發生數起。緊張的氣氛，達到了極點。

在科學院聽課的學生們，得到了其他高等學校大學生的支援，他們宣佈了罷課。他們撕下制服上的級別徽章，把它們丟在科學院大樓前面的火堆裏燒毀。罷課獲得了很廣泛的政治性質，滲入到其他的學校去了。

按照軍事部長的命令，因此開除了科學院全部聽課的學生（1000人左右）。被開除的大學生，找科學院的教授們求助，但只有五名教授簽名抗議部長的這個命令。跟在1905年［康諾瓦諾夫斯基事件］時候一樣，伊凡·彼得羅維奇就是這五名之一。

到1913年秋季時，在最反動的教授中間，有的人頭腦清醒了。巴甫洛夫的離開科學院，是一件非常重大的事件，這就不能不引起人們憤慨的心情。先進的人都認為，巴甫洛夫的辭職，應歸罪於軍事部。人們已經感覺到，當時的形勢，已不是1870年伊·莫·謝巧諾夫在類似情況下，離開軍事外科科學院的那種形勢了。甚至在那時，科學院代表會議，曾請求謝巧諾夫他的聲明例。然而在1913年的今天，力量的對比發生了很大的變化。這一點，科學院代表會議不會沒有估計到。

到了八月……伊凡·彼得羅維奇在西拉姆雅格的別墅，他戴着一頂很大的寬邊遮太陽的草帽，正在種花。科學院的教授和大學生的代表團，走進了花園。

親愛的伊凡·彼得羅維奇！——莫·弗·揚諾夫斯基教授說起來了，他是巴甫洛夫在包特金的臨床醫院的同志，經常給他家人治病，——我們請您回科學院去。我們知道您受了很大的委屈。科學院代表會議寫了一封賠罪信，這就是。

須要知道，我曾說過，——巴甫洛夫回答說——我不再回科學院了……。

伊凡·彼得羅維奇，手術怎麼辦呢？講課怎麼辦呢？——弗·弗·沙維契勸說着；他非常了解，對巴甫洛夫最主要的是他的試驗和表演，——要知道，您是已經習慣和我們分享您的一切思想的。近幾天，已公佈您將給學生們開課演講，您可以隨便挑選題目。

噉，好吧！——伊凡·彼得羅維奇斷斷續續地說，——我回去……我一定作篇這樣的演講，使人們長時間的記住它。但是請轉告他們，學位論文要重新印刷，只能修改排版的錯字，要送發到應該送的地方去。

巴甫洛夫的一切條件，包括重新印刷和批准學位論文的要求，都被執行了。在第一次世界大戰和革命前的時期，伊·彼·巴甫洛夫在科學上的功績和威信，是這樣的崇高和不容辯駁，甚至反動派和立憲民主黨的［自由主義教授們］所聯合起來的力量，都不敢和他進行鬥爭。

（李茂文、范兆昀譯）

小兒保育沿革

原著者 J. L. Henderson

古時小兒之保育

在古文化中，小兒保育法，最光輝的時期是古印度伯拉明時代(Brahmin Culture)。希伯來人非常注意小兒，但因道德及宗教的關係，受到很多的限制，後來此等限制有很多結合在基督教的教義裏。古猶太人，對小兒保育之知識，大多得之於猶太教的法典。嬰兒生時全身抹擦食鹽，然後裹以布被，使皮膚堅硬，避免疾病。在古希臘及羅馬亦施行此種辦法，直至 16 世紀。

在古希臘首都斯巴達地方，强調體格健壯的父母，重於道德的觀念，是以衰弱嬰兒多被拋棄任其死亡。在古埃及嬰兒不用布包，任其體力與智力自由發展不受拘束。斯巴達的保姆，由於她們的技巧是有名的，頗爲各國所歡迎。雖然古時有殺死嬰兒的習慣，但從古希臘的文獻中，仍有許多父母熱愛兒女，及用各種遊戲加强發育小兒智力的事實。

Hippocrates 氏，是第一個寫著小兒疾病的作者，然而以弗所 (Ephesus) 的 Soranus 氏生於紀元後二百年，比較晚了數百年，反而被稱爲小兒科的鼻祖。據我們所知，因爲他是第一部小兒保育，衛生及疾病的作者，而此書在古時算得是一部最完備的小兒科的書。

羅馬是第一國家，制定法律保護小兒，並規定地方社會負責收養棄兒。在羅馬帝國腐化的末期，屠殺嬰兒及摧殘女嬰非常流行，故屢次通過法律，禁止此種惡行。

文藝復興時期

文藝復興之號召及其精神，是醫學上一個好徵兆。16 世紀的思想解放的運動，在 17 世紀得到偉大的成就。Harvey 氏 Sydenham 氏及 Leeuwenhoek 氏諸人所樹立的醫學革命思想，奠定了近代醫學科學的堅固基礎。他們不滿足於過去的學說，用實驗的方法，發展他們的理論。

由於思想得到自由，兒科學亦受益很多。在文藝復興時期，著作者亦多注意於兒童的教育及訓練。在醫學出版史上，有意義的是第一部本國語的醫學書，Metlinger 氏的兒童疾病學，是在1473年，在第一部拉丁文醫學書出版後二年於德國出版。在 17 世紀以前，第一本英文小兒醫書是 Thomas Phaer 的小兒科 (Boke of Children) 於 1545 年出版。此時期內在歐洲大陸共計出版 20 餘種小兒科書。

十七世紀

17 世紀是文化大進步的時期，此時文學及文藝皆重視小兒。但在此時期尚有虐待小兒之事似不合乎情理？法國曾屢次通過嚴厲的法律禁示屠殺及拋棄嬰兒，但其成效使人失望。嬰兒救濟所的情況更令人驚駭，所中不特無人管理，兒童多有疾病，更有爲使小兒鎮定，竟施以重量鴉片。羅馬末葉更有進行可耻的兒童賣買，故意使兒童殘廢，假托慈善事業，藉以斂財。爲反對此種罪行，在 17 世紀的中葉，Vincent de Paul 氏貢獻了他的一生，從事救濟被棄的嬰兒，並在巴黎設立小兒救濟所。但因無限制的收容，從各省送來者過多，造成擁擠，發生疾病，於三個月中，死亡達 75%。

十八世紀

在 18 世紀小兒死亡率非常之高。但科學的及社會的醫學已放曙光，有許多小兒疾病及兒童保育著作，標誌着人民開始關懷了兒童。瑞典的著名醫生 Rosen von Rosenstein，任 Uffsola 醫學校的教授，在 1765 年寫了一部兒童疾病學及其治療的方法，爲兒科學奠立下成爲專科的基礎。法國人在保育兒童及矯正體格方面，有他們的特殊貢獻。Nicholas Andry 氏於 1741 年出版第一本的整形醫學 (The art of Correcting and preventing deformities in Children)。彼時他已 83 歲，對此頗有心得。1749 年 Diderol 氏為了建議用手摸的方法教育盲童，被下於巴斯蒂監獄(Bastille)，但未到此世紀之末葉，法國已成立國立盲人所。1775 年 l'Abbé de l'Epée 氏在巴黎成立第一個聾啞學校，數年之後他出版聾啞教學法。

有些蘇格蘭人，在倫敦城的蘇格蘭人，在18世紀對改進兒童的工作，起了巨大的作用，最顯著的是 George Armstrong 氏，他著有「嬰兒最危險的疾病」一書 (Diseases most Fatal to Infants)，並於 1769 年專為貧窮兒童成立第一個診療所於荷樂澂(Holborn)地方。這個診療所很快的受到各方的歡迎，經費則多由他本人負担。他死之後此診所由另一位路柏人(Roxburgh)，Andrew Wilson 氏繼續維持，但由於缺乏社會的重視，20 年後便停辦了。另一位蘇格蘭人，William Buchan 氏，他感到小兒死亡率之高，認為預防較治療更為重要，建議小兒穿着輕便衣服，並建議婦女受保姆的教育。最後值得我們注意的是 Patrick Blair 氏，他於 18 世紀初期在但地 (Dundee) 行醫，因他為 1715 年革命的雅各派 (Jacobite) 被判死刑，但終因他對於科學的成就而被赦免。數年之後他於皇家學會雜誌中，首次發表嬰兒胃幽門閉塞的臨床症狀及解剖病理。

在 18 世紀天花仍是兒童死亡的主要因素，Rosenstein 氏說：在瑞典因天花每年死亡 1/10 的兒童。關於此病的文獻甚多。由於羣衆注意到此病的災害，社會得到相當的報酬，不特發明有效的預防方法，更進而奠定了免疫學在科學上的基礎。用天花的病毒，移種於他人體上，產生免疫的方法，是於 1718 年前中國的種痘法傳入土耳其，由土耳其傳入英國。此法在彼處已施行 40 年。此法為各地廣泛的採用並啓發了 Jenner 氏。Jenner 氏的工作，用接種牛痘預防天花，是經過 23 年詳細的觀察，始於 1798 年發表。

人工哺乳法，僱用奶媽及嬰兒園等辦法，日見推廣，因而便利不合法的生育，造成在 18 世紀，史無前例的高度嬰兒死亡率，同時亦促使英國及歐洲大陸的醫生，進行調查及研究傳統的嬰兒哺乳法。牛乳的品質經化學的分析後，在 18 世紀的下半葉出現原始的科學哺乳法，當時的專家們主張牛乳只應給出生後頭六個月的嬰兒應用。

十九世紀

19 世紀同 18 世紀一樣，最顯著的兒童保育工作，發生在法國，雖然德國的小兒科學者於 19 世紀末葉，在營養方面，作了重要的貢獻，並建立起兒童營養科學的基礎。1853 年一個德國政治犯，Jacobi 氏從德國經英國逃到美國，後來成為新大陸的小兒科鼻祖。

1837 年 Edouard Leguin 氏在巴黎開始研究智力不健全的兒童，隨後在法國為他們建立起特別的學校。數年之後，他出版了教育及管理智力不足及殘廢兒童的建議。

學校的兒童福利

18 世紀之末葉，社會開始注意有害神經的職業及久坐工作的個人衛生。Johann Frank 氏連任格丁根(Gottingen)、維也納、偉羅納(Wilna)、及聖彼保堡 (St. Petersburg) 等地教授，對於衛生的認識，超過他同時代的人。他首次系統地著寫公共衛生書籍。其著作中有一冊專論國家對兒童之保育及教育應採取之態度。他對於學校衛生的建議，除午餐制一項外，其他的直至今日尚是中肯的。這位英明的醫生可被認為是社會醫學的鼻祖。他的一生引起廣大的影響。此後的半世紀，對於學校兒童的體育衛生無人過問。創立近代化的學生體格檢查制則是 Hermaun Cohn 氏，他為北勒斯勞(Breslau)有名的眼科醫師。他堅持不好的光線，不良的椅枱及印刷不明的書籍，有害於兒童的眼睛。他未死之前親見 1904 年的學校衛生大會，在紐倫堡(Nuremberg)舉行。

營養學

在 19 世紀對疾病的基本認識，根深蒂固的限於組織細胞的個體創傷上。但對於嬰兒營養不良，不宜用藥品醫治，而應改良兒童食品這一點，在德國英明的小兒科學者及美國的 Jacobi 氏領導之下得到了推廣。Rubner 氏及 Heubner 氏二人，於 1898—1899年間，在柏林發表他們有名的專著，討論正常及衰弱兒童每日需要食品的平均量。在 20 世紀之初嬰兒營養仍為德國小兒科人士主要有興趣的題材，尤其是 Czerny 氏及 Finkelstein 氏。他們擴大 Rubner 及 Heubner 二氏數年以前已定的規則，並過份的發展哺育方法，此種過份的哺育方法，停留在小兒科醫生的腦海中 20 餘年，直至本世紀始被證明是不必要的而被停止了。在本世紀之初，德國兒童營養學的優勢，爲美國的新陳代謝學所遮蔽。美國 Holt 氏，Howland 氏，Gamble 氏及 Talbot 氏諸人，更科學的更合理化的建立了我們今日所理解的營養學，及新陳代謝與哺育方法。

嬰兒哺乳沿革史

百年以前，嬰兒多由母親喂奶，但隨着人工哺乳法的推行，母親喂奶的漸漸減少。在今日三個月後的嬰兒，多數已是用人工哺乳。從古時直至19世紀當母親哺乳時代，常用奶媽之奶代替生母之奶，尤其是在富有之家。

牛乳代替母奶，古埃及時代已經施用，其後則未有所聞，直至 15 世紀施用於法國，後則推及英國。此等豐富之食品，古時用者如此之少，直至 18 世紀之末葉，牛乳經化學化驗之後始被採用。在此以前，缺乏奶媽時，常用稀粥，或加少許人奶而不加糖，結果是多數嬰兒因營養不足而死亡。

用乳瓶哺乳法的沿革。在 19 世紀的前半葉，樹膠奶頭未被採用之前，控制瓶內牛乳流出的速度，是極困難的。曾經用過各種的方法，例如破布、手指套、牛的乳頭及海絨等，皆曾被採用作爲哺乳之用。在 18 世紀尚有用錫壺的，在嘴上穿無數小孔。目前則普遍用小孔的樹膠奶頭，因孔過小，也可能引起消化不良的現象。

細菌科學之成立及交叉感染的認識

十九世紀的末葉，Pasteur 氏、Lister 氏、Koch 氏等人的發明，對於小兒科有顯著的改善。Epstein 氏於 1880 年在布拉格（Prague）救濟院病房中施用嚴格消毒法，將兒童死亡率，由30%降至 5%。1889 年 Grancher 氏在巴黎小兒科醫院，創用外科消毒法，其承繼者，Hutinel 氏數年後在病房中建立小間格，進出其中者，先經消毒。顯著地降低了交叉感染，後此法遂爲各地所採用。但他們的經驗，經過半世紀後始被英國採用。在此長的時期中有無數的嬰兒死於醫院中。20 世紀的初葉，小兒科醫生發起牛奶廠的衛生運動。免疫學從 Jenner 氏之後很少有進步，直至 1907 年 Von Pirquet 氏發明了對於診斷兒童結核病有極大價值的結核素皮膚測驗法，才得到新的衝動。

工業革命對於社會的危害

19 世紀的上半葉，社會最大的危害，是由工業革命而來的。被剝削的婦女及兒童，長時間在環境不良的車間工作。窮人的住所增加擁擠，阻止住兒童死亡率之下降，及妨礙兒童不能得到他們應有的衛生及發育。在此時期社會漸漸醒起，著作家如 Dickens 氏，Victor 氏及其他人氏，亦多著文暴露忽視兒童的情況。英國在 19 世紀之初，有甚多無家可歸的兒童，流浪墮落。在 1830 年有五萬兒童住宿在廠房中，幾佔住戶的半數。使我們注意彼時可怕的剝削及兒童不幸的遭遇。

我願在此敘述倫敦醫院一醫學生的故事。在 1860 年，有一醫學生同其他的同學，爲流浪兒童成立一個貧兒學校。在他的腦海中，深刻的停留着，無家可歸不幸兒童的印象。某天晚上他偕同一位社會改革的慈善家 Shaftesbury 公爵參觀彼連司格（Billingsgate）魚市場，在彼處他見到無家可歸的兒童 73 人，睡於裝魚的空箱中，蓋着油布。Shaftesbury 公爵趁機勸此學生放棄往外國作傳教之工作，而貢獻他的一生在國內作傳教工作。他終於改變他的思想，並藉着一位無名氏的經濟協助，成立了一個足容 25 個流浪兒的收容所。這是許多這種收容所的第一個，這位學生的名字爲 Barnardo。

對於母親及兒童的主要災害，在 19 世紀中，由於一系列的社會改革，多數漸漸被消除了。主要的改革是實現於 19 世紀的下半葉。由於無數的志願機關，促進兒童的福利。

母親及兒童福利運動

兒童福利運動的基礎，奠定在 19 世紀，主要是起源於法國。John Davies 氏於 1816 年，在倫敦創立兒童診療所，似爲認識到衛生訪問意義的第一人。他利用地方慈善士女組織了家庭訪問的辦法。其結果如何，記載不詳，可能是成功不大。婦女改進會爲另一個同樣的組織，於 1862 年成立於曼徹司特(Manchester)。開始時亦少成效，但從聘用專業的中等階級及工人婦女代替地方慈善士女之後，則成績顯著，因此等工作者，更能了解各家庭的問題，而給以適當的幫助。此組織的工作成效甚大，乃得到曼徹司特市的承認，於 1890 年成爲第一個市立的衛生訪問機關。地方政府家庭訪問制度，很快的開展，於 20 世紀的初期已普遍的推廣了。

1844 年 Marbeau 氏在巴黎創立了第一個日間托兒所，有工作的母親，可將搖籃中的嬰兒寄托其中。此法迅速地推廣到歐洲大陸。1872 年生命保護法規定凡寄養嬰兒的地方都必須登記、註册並經過視察。在第 19 世紀的下半葉，由於瑞士政府的主動，通過了一系列保護母親的法律，規定在產前產後的一定時期內，禁止僱用孕婦到工廠工作。

1892 年，巴黎大學產科教授 Budin 氏，成立了第一個嬰兒保健站，二年之後，在法國及美國，首次成立給乳站，目的在於提倡母親哺乳，及指導母親們以人工哺乳的方法。此種辦法迅速地傳到歐洲各國，並於 1899 年傳入英國。在英國給乳站與衛生訪問員發生了密切的合作，並成爲本世紀兒童福利所的初步組織。法國 Morel de Villiers 家的開明方法，於 1903 年爲漢德費市(Huddersfield)的市長 Benjamin Broadbent 氏所注意，次年他根據該家族的法則，在漢德費市推行改革運動，並請衛生官 S. G. Moore 氏主持其事。到 1907 年兒童福利運動在該市全面展開，嬰兒死亡率由 1906 年之134‰，降至79 ‰ 。

該家族的主要衛生規則，在 1905 年成爲城市的法令如下：

「凡妊娠婦女，不拘曾否結婚，在分娩時，遇有經濟困難。如在第七個月以前，將情況報告市長，並指定她所希望的接生員，有權利向政府申請補助。市政府應指派該接生員前往施以產前檢查，其費用五法郎，由醫藥救濟款中撥給。如產婦需要醫生幫助，接生員必須報告市政府。政府應派孕婦所指定的醫生前往照顧，其診費由醫藥救濟金支付。」

「產婦產後必須臥床六天，可由醫藥救濟金中領取六法郎。」

「任何婦女領育嬰兒一人，如嬰兒爲一半或全部人工哺育者，必須領取嬰兒牛乳器具消毒器，並按市政府頒給的哺育法喂養嬰兒。遇檢查時，她必須將消毒器具，哺乳用瓶及其他器具取出，以供檢驗。如發現嬰兒疾病時，應於 24 小時以內報告市政府。」

「所有嬰兒每二星期一次，應在公共場所或市政府，用公秤，權衡一次。」

「哺乳消毒器及其他附件，由市政府廉價供給。」

「凡奶媽於年終，將自已或人委托之嬰兒，健康地送到市政府檢查，她在養育時期內，每月得補助金二法郎。」

以上法規係在百年以前由法國人發起擬訂，奠定了近代兒童福利的制度。

1914 年法國及英國將預防性的兒童福利計劃區別於醫療性的計劃，另行組織。法律規定產前、臨產及產後的保護，包括系統的母親及兒童的福利。在英國 1918 年有母親及嬰兒福利站七百處。在彼時並規定擴大母親及兒童的福利範圍，供給產婦、乳母及五歲以下的兒童食品，成立托兒所，或日間托兒所，及保育所收養棄兒及私生子。

美國的兒童福利運動，則於近年始發起。

無家的兒童

英國的法律規定：「保證所有的兒童，由地方政府或慈善機關保護並把他們養育在和好的，親愛的、安全的環境中，如同在自已親愛的父母家庭中。」

此法律擴大了，處理棄兒的方法，及慎重地爲他們選擇養身的父母，使他們脫離不正常的孤兒院的生活。此種新政策的成功全賴於政府兒童福利工作者的努力。

心理的變態

對犯罪兒童更英明的態度，表現在1907年的緩刑法律。它規定管理的原則，用教育及鼓勵的辦法代替刑罰。這一政策向各方面擴大，早期適當的給以撫養與保護，因而使兒童重犯錯誤的數目，大見減少。

旨在研究兒童行爲的兒童指導運動，及治療心理變態的運動。是在此世紀之初，由 Healey 及 Bronner 二氏在波斯頓城(Boston)成立珍巴兒童指導所(Judge Baker Child Guidance Clinic)開始。此法傳入英國，並於 1929 年，藉美國公共福利金之助，成立倫敦兒童指導所。

收　　穫

在 19 世紀的末葉及 20 世紀初葉各種進步的兒童保護法，對於兒童衛生，產生了巨大的影響。此種收穫爲近 20 年史無前例的醫學科學上的進步所保證。由於磺胺劑及抗生素之發明，醫療起了革命，無限量地改善了一般兒童疾病的預後。雖然此種成就，爲世界大戰所沖淡，但 20 世紀，無疑的是社會醫學科學的黃金時代。

小兒科醫學教育

首次小兒科臨床教學於 1761 年在瑞典國，由 Rosenstein 氏開始成立，數年之後，Wilson 氏行之於倫敦的安母司頓 (Armstrong's Dispensary) 診療所。第一個小兒科教授的職位，是於 1845 年在斯德哥爾摩的哥樂林 (Karolin Institute) 大學初次設置。19 世紀之下半葉，在巴黎、柏林、維也納有很多的有名的小兒科講師。Charles West 氏在倫敦成立小兒病院，頗爲有名。1862 年 Jacobi 氏在美國開始臨床教學。英國各學校對小兒疾病的教學工作早已由小兒科教授實行，但由於對小兒科興趣之增長，進而給各醫務工作者特別課程。從 19 世紀的下半葉，醫學校開始認識到小兒科的重要性。1857 年柏明漢(Birmingham)及 1881 年曼徹司特 (Manchester)成立講師制度，多數學校亦隨其後，但第一個教授的職位直至 1906 年始授給 Still 公爵聘爲倫敦皇家醫學院小兒科教授。其他的學校則遲遲不前。愛丁堡 (Edinburgh) 是第一個學校注重兒童健康的，於 1930 年成立兒童衛生教授的學位。從彼時起幾乎所有的學校，都設有小兒衛生教授的學位，最多是在第二次世界大戰之後。

展　　望

在 20 世紀下半葉，對於兒童保育的發展，未必能超過它的上半葉，但那並不是說，已經認爲滿足，因爲在許多方面尚須加以改良。最重要的任務是學校應證明小兒體格及心理之衛生，可由國家及家庭來完成，使之成爲一個新的發展方向。所有兒童保育的改良工作，都應重視，而使之實現。所不幸的是無情的經濟條件，限制了它的發展，對於改良小兒保育工作者應針對此種的情況加以注意。

我希望讀者注意下列各項對於兒童保育方面不能令人滿意的事實，主要的是社會方面的，藉解決此項問題，可以提高現有的標準。

1. 社會條件不好，特別是住房不好的影響。嬰兒流產及死亡率分佈在統計中明顯的指出它的重要性。現在最大的努力應該是供給更多更好的住所，廣義的提高小兒保育的標準。

2. 嬰兒的死亡率仍高。此爲社會醫學的問題，並已受到應有的注意。多數嬰兒的損失是由於早產，而早產直接聯系到生活水平及工作條件，故改良社會的生活水平及普通的執行產前與產後的處理，可以大大的減少嬰兒的死亡。

3. 青年母親被僱到工廠工作。此爲我們（英國）社會最大的危害，是工業革命的遺毒。此種情形在敦地 (Dundee) 的地方很爲普遍，令人感覺苦惱。它擾亂了我們家庭的生活及阻礙了保育兒童的高度標準，這種生活的形態，我以爲是與我國（英國）福利的原則是不符合的。所不幸的是我們國家的經濟現狀及生產的需要，加重了此種的危害。我們國家所虧負於做母親們的甚多，但是她們對於國家所担負的担子却比較她們所應當担負的爲重。任何當地政府的福利，不能彌補乳母因參加工作所缺乏的正常家庭生活。

4. 婚姻關係的鬆懈及道德的墮落，此爲近代資本主義文化的產品。父母的指導薄弱，是兒童道德低落，及幼兒犯罪的主要因素。恢復已墮落之道德標準，不是易事，但是不能不向此方面努力。

我相信使下一代的兒童，比我們這一代，享受更健康更快樂的生活是可能的。

（江上峰譯自 Lancet, Vol. CCLXV, pp. 261—266, 1953.）

譯者按：1. 此篇文章的歷史材料相當豐富，不特對醫史有相當的價值，對於啓發婦幼衛生工作亦有它的作用。

2. 人工種痘由土耳其傳入英國，但發明者是中國，由中國傳入土耳其，而後轉而至英國。特此註明。

輸血的歷史

原著者：N. S. R. Maluf

一、從古代到整個十八世紀對血液的使用

﹂活物的生命在血液中﹂或者說﹂生命就是血﹂。古代認爲血就是生命，或是生命所貫注。在古埃及，禁止飲血，只有國王藉神權於偶患痲風病時方可用血浸潤。

羅馬的神話裏有驅(失)血及再灌入的暗示。羅馬詩人 Ovidius（公元前 43—公元後 18）氏述說，Medea 公主爲使年老的 Aeson 王返老還童，縱着劃開他的咽喉，﹂使他身體內的血放出﹂，然後用巫人調和的﹂長生液充滿他的靜脈﹂。此後他在短期內不再消瘦和蒼白，因爲新的血已運行在他豐滿的血管中。在 17 世紀以前，血多半只是由口輸入而不見有由其他途徑者。古羅馬人們還舐食被擊敗倒地的角鬥士和野獸流出的血，以增强體力，好似現代某些非洲部落中青年獵人舐食獵獲的水牛血一樣。意大利醫生們曾建議吸食青年人胳臂的血可以返老還童。教皇依諾森八世是這種﹂强壯劑﹂的受納者，在 1492 年他爲增氣力和返老還童曾喝過三名青年人的血。

第一個詳細記述輸血的是 Andreas Libavius (1546—1616) 氏，他是德國薩克森尼地方哈勒城的一個化學家、內科醫生，也是科堡學院的校長，在 1615 年寫過：

例如一個堅强、健康、富有青年活力的人，和一個無力、軟弱、病惡液質而呼吸困難的老人：現在醫生希望對老人施行返老還童術，他就先要製備適用於兩者的銀管，然後切開健康者的動脈，插入一枝銀管使之與動脈結牢，病者的動脈也要切開，插入另一枝套管。這兩枝管是能互相銜接的，以此使健康者的熱而有精力的動脈血流到病者體內，傳給了他生命的泉源，驅走一切衰弱。

推斷血液必定由青年人的動脈流到老年人的動脈，不能相反，這是 Libavius 的假設。意大利帕雎亞地方的醫學教授 Giovanni Colle (1558—1631) 氏提出 (1628) 的輸血延長壽命，但是毫無證據說明他曾應用過輸血。意大利佛羅稜薩地方的醫師 Francesco Folli (1624—1685) 氏述及一個和 Libavius 氏相似的方法。他記述說，以銀管插入給血動物的動脈，這管以離體的動脈與骨質作的插管相連。並說，在 1654 年 8 月 13 日他在斐迪南二世 (Grand Duke Ferdinand II) 面前施行了一次輸血。雖然很可能他只不過給斐迪南描述了這個方法，而並未實際施行輸血。宮庭裏一些特出的方法常常在其他的著作中提及，但是這樣的材料沒有確證。然而 Folli 氏提出應用一支離體動脈管作爲連接的部分，得到了稱讚，因此，他不但先於 Lower 氏應用割出頸動脈管一部分連接他的銀質管，而且早於現代的外科醫師們應用離體動脈的一部分以彌補動脈管的缺陷。

間接的資料指出，德國騎士 Georg von Wahrendorff 氏在 1642 年最早施行了血脈內的注射，他把酒精小家禽的骨管注入到獵狗的靜脈中去，人們說他曾用過各種藥劑治療有病的狗。1656 年 24 歲的 Christopher Wren (1632—1723) 氏在牛津曾以酒注入到一隻健壯狗的靜脈中使其沉醉。Thomas Sprat 氏在他的﹂皇家學會的歷史﹂(History of the Royal Society) 一書中認爲 Wren 氏就是﹂注液體入動物靜脈的著名解剖實驗的創始人……因此興起了很多新的實驗，主要的就是輸血……﹂。

德國 Johann Daniel Major (1634--1693) 氏在哈維 (Harvey) 氏後一百年畢業於帕雎亞，他在 1664 年由靜脈注入藥劑，並提出輸血。他所主張的輸血方法和 20 世紀初期波斯頓的 Kimpton 和 Brown 氏的相似。他設計用一個銀質量筒，在其底端裝有套管樣的龍頭，當量筒中充滿血液，則龍頭就由活塞將血液射入受血者。爲防止凝固，他提出加一啢揮發的鹿角鹽或氯化銨酯到量筒中。實際按照哈維氏的血液循環理論而輸血，可能是以下因素

的結果：(1) 由哈維氏的發現引起對血循環的興趣；(2) 對哈維氏實驗的新奇，願精和明確；(3)「形而上學院」(Invisible College，後來改爲皇家學會) 所鼓舞起來的對科學研究的興趣。

英國的 Timothy Clarke 氏 (1663) 以實驗指明將不同的藥劑注入活的動物靜脈。他給失血動物輸血，雖尚不詳知實驗用藥物的意義，可能得到過不少的成功。他的著作直到 1668 年 5 月 18 日才以寫給皇家學會的信的形式發表在哲學會報 (Philosophical Transactions) 上。

Birch 氏 (1756) 在「皇家學會的歷史」上記載着：

1665 年 5 月 17 日。Wilkins 博士提出，將一隻狗的血注射到另一隻狗的靜脈中去的實驗可以作的。

1665 年 5 月 24 日。Wilkins 博士和 Daniel Coxe, Thomas Coxe, Hooke 等氏被指定小心地將一隻狗的血注射到另一隻狗的靜脈；而且 Thomas Coxe 氏特別希望試驗變換狗的皮膚。

1665 年 5 月 31 日。以狗血注射到另一隻狗的實驗安排在下一次聚會時作，屆時 Croone 博士提出一個普通的管子適用於這兩隻狗，循此將一隻狗的血抽吸到另一隻狗的身上去。

1665 年 6 月 7 日。Wilkins 博士報告，指定他所作的一個試驗即剖開狗的腹腔，找出下腔靜脈，放出 5—6 兩血液，裝入一個氣胞（或球膽）內繫在一個小銅管上，如同灌腸管，管的一端插入狗的股靜脈，壓擠這氣胞，大約有二兩血注入靜脈，但是在狗沒有覺得的改變。

1666 年 4 月 18 日……Boyle 氏希圖繼續施行這個試驗，並斷言 Lower 氏在牛津必也作過。

我們至少有 Clarke 和 Wilkins 二人的可靠記載，一人是內科醫師，另一人是主教兼物理學家，他們作過少量的間接輸血。Richard Lower (1631—1690) 博士首次作了直接輸血。在他的 Tractatus de Corde 中寫道：

「最初我試圖將血液從一個動物的頸靜脈輸入到另一隻動物的頸靜脈，其間用一根管子相連，但是見到血液很快的在管中凝固，並且阻滯了血液通過，這是由於靜脈血流的緩慢所致；不久以後，我開始用另一種方法，並且注意觀察它的性質，最後我決定由一個動物的動脈血輸到另一個動物的靜脈；由於這一新的創作，使血循環應用範圍增廣。(開始由靜脈輸血到靜脈的失敗，是由於在外未能設置唧筒之故)

準備好幾隻狗和其需要的東西以後，我選了一隻中等大小的狗，切開其頸靜脈，將血引出，直到無力掙扎和咆哮將近搐搦。爲補償這隻狗的損失，此後我就從綁在這隻狗旁邊的一隻大猛犬的動脈引血到這隻大出血的狗，使其恢復，直到因大量血液流入而顯出不安。我以繩將引血的動脈結紮，並從受血的狗將血收回。幾次重複的操作，直到大猛犬沒有更多的血或死去爲止。彼時，我假想從這隻小狗屢次抽出的血和注入的血的量，約和其整個體重相等，然隨即將它的頸靜脈縫合並解去捆綁，它就迅速的跳下桌子，忘却損傷，來和它的主人親熱起來，並跑到草地上打滾以清除身上的血跡。」

這是首次交換輸血的實驗，在這實驗中，小狗的若干血液顯然是由猛犬的血來代換。這種處理方法在當年治療新生兒的胎兒有核紅血球症(erythroblastosis foetalis) 和急性一時性腎功衰竭尙用之。Lower 氏第一次施行直接輸血是在 1665 年 2 月。直到 1666 年 12 月才在第一卷哲學會報上發表。

雖然 Lower 氏的輸血大都是同種的，就是在同一種動物之間；他也沒有反對異種輸血：「因爲想不出理由來說，其他動物的血和人類血混合比和動物血混合有任何不融洽之處。這種觀點被近代法國學者們實驗證明。」Lower 氏確實施行過一次由羊到人的輸血。

另一皇家學會會員 Edmund King 博士在 1667 年描述一直接而「容易且安全的輸血方法，……不必切開動脈」，並且將他這靜脈之間的直接輸血方法寫成提要。他從一隻小牛放出 10 兩血到容器裏，大約用了 40 秒鐘，以後從小牛的靜脈將管子取出轉到受血者羊的靜脈，血液很順利的在五分鐘流過。爲確知血液是否在流動，時時以手指觸及出血靜脈的上部，每次觸及感到像脈搏跳動。但是實際上即使有很少的或沒有血從小牛的靜脈流到羊的靜脈，也會感到有搏動。

Lower 氏的實驗結果提出，在失血者輸血確是可採用的處置方法。人的性格是由他的血液來決定的原始觀念仍很根深蒂固。而且氧氣還未發現，因此血的主要功能尙不知曉。Lower 氏在 1666 年說：「這些試驗將被繼續追求且變化極多，意味這問題將負着如下的使命：交替老年和青年，病人和健康人，熱情的和冷酷的，兇猛和膽怯的，馴服和野猛的動物等的血，這不僅用在同類中，並且也用在非同類中。」他在專論中寫道：「風濕病患者和瘋狂患者，他們的身體健壯，內臟堅實，腦子尚未受損，血液未感染疾病，這些都可望由於新血的注入和舊血的抽去而得到利益。」

1665年12月14日 Samuel Pepys(1633—1703)氏述及 William Croone (1633—1684) 氏告訴他的一個實驗，這實驗曾在牛津的 Gresham 學院皇家學會的星期三聚會上施行過。「這指出很多善意的理由，例如一個教友的血被注入到一個大主教等等之類；Croone 氏說如若這樣作，可能對人的健康有大幫助，因爲壞的血可藉助身體健康者的血而改善。」

Richard Lower 和 Edmund King 二博士在1667年12月23日曾試圖以輸血改變人的性格。患者年22歲，劍橋大學神學士，認爲他的頭腦過分激動。輸血在Arundel 廳中施行，請來許多參觀人，其中包括有一些內科醫生。切開肘前靜脈，使血液流出6—7兩，而後從馴良的動物給患者輸血。在羊的頸動脈近側部位插入一銀管，以同樣的管子插在患者的靜脈，這兩個銀管以鋼管相連接。

血液順利地流到患者的靜脈，用了至少約有兩分多鐘的時間；因此我們在銀管末端的靜脈可以覺出搏動……從以上所述，我們斷定血液在這兩分鐘內不停的流。第一、因爲在當時我們覺出搏動；第二，因爲當患者告訴說已足時，我們從靜脈取出銀管，羊的血從管中流出的還很湧……。從通過管子流到碗中的血液量，我們推測大約有9—10兩血被患者受納。術後患者覺得自己很好。

當時認爲10兩血尚不够血循環量的10%。Moulin 博士曾給不同動物放血使其致死，因此發現「循環的血」量平均是體重的 $^{1}/_{20}$，即體重160磅者似應有128兩循環的血。1668年12月29日，輸血後六天，Samuel Pepys 氏在他的日記中寫道：「我很高興看到被取出血液的人，他講說得很好，當天以拉丁語講說並稱覺得自己比以往好得多……」。

Thomas Coxe 氏(1667) 作過一個相反的實驗，就是以有病的動物血輸給健康的動物。他以患獸疥的狗血輸給健康的狗，疥病並沒有傳過去。

彼時，在法國路易十四 (1643—1715) 建立科學學會和英國的皇家學會對抗。雖然科學家們受到了路易十四直接啓示很少，却領受到實驗費和出版費。Jean-Baptiste Denis(?—1704) 氏是路易十四的御醫，在1667年和 Gayant 氏用動物實驗，但記錄很少。Denis 氏述說，以幾隻牛犢的血輸給一些狗，不只所有的狗都很好，而且一隻失血的狗，輸給牛犢血已恢復了健康。一皇家學會會員在同年報告了「當巴黎 M. Gayant 氏施行輸血時他在場，以年幼的狗血輸到老狗的靜脈，兩小時後老狗又能跳躍嬉戲；反之在輸血以前它幾乎老眼昏花，很難動轉。」

Denis 氏和他的助手 Emmerez 氏在1667年6月中旬於巴黎接受了首次的對人類輸血。由 Denis 氏的報告提醒了 Lower 和 King 二氏，他們作了從羊到人的輸血。Denis 氏作了四個人的輸血。第一次是給一患昏迷發熱，曾經用過多次放血的青年輸血。據稱這青年從羊的頸動脈得到了九兩血，因之使身體得以恢復。第二次輸血是在一健康的自願給血者。此後被法國的醫師反對、妬嫉、憎惡。第三次是給一垂死的病人輸血；據稱輸血僅使死亡推遲了幾小時。

Denis 氏的第四例是本世紀最末一次輸血，約中斷了一個世紀。該患者是一34歲新婚的家庭男用人，名 Antoine Mauroy，行爲放蕩，常離家去巴黎冶遊。de Montmors 先生覺得這樣對不起 Mauroy 的妻子，乃來請教 Denis 氏有無可能予以幫助；牛犢的血可以壓抑他精神，因爲牛犢有溫雅的性格。1667年12月19日上午六時，患者在一些內科醫師參觀下，由 Denis 和 Emmerez 二氏施行輸血。在靜脈切開放出10兩血以後，從牛犢的股動脈與患者的臂靜脈接合，在輸給5—6兩血後患者好似有進步，並且變得安靜多了。在聖誕節前的星期三，在那些參觀的內科醫師之前又重複了一次輸血。這時患者覺得從動脈血來的熱通過他的臂到達靜脈；他又覺得腎臟附近疼痛、胸部壓迫、心搏不規則。聖誕節前一天，他發生鼻衄及黑色血尿。這是第一次的輸血反應，或至少是被報告的第一次。兩個月以後，這患者復變瘋狂。他的妻子堅持要求另一次輸血。

試圖完成再次輸血，但沒有成功，因爲沒有得到患者的合作。患者死於該夜。這些內科醫師憎恨

Denis 氏收買了患者的妻子，說患者是死在輸血過程當中。Denis 氏被判以誤殺論罪，但被釋放。醫師會 (Faculté de Medecine) 的權威會員在巴黎反對輸血，並將輸血看作非法。十年後法國議會禁止在法國施行人類的輸血。英國皇家學會不大贊成輸血，同時在羅馬也被禁止。

在德國 Balthasar Kaufmann 和 Matthaus Gottfried Purmann (1648—1721) 二氏施行過從羊到人的輸血。他們記載說，在兩名患敗血病的戰士無改進，但治癒了一患痲風病者。普魯士勃蘭登堡地方男爵的內科醫師 Fohann Sigismund Elsholtz (1623—1688) 氏也曾施行過一些輸血，並且主要以靜脈輸血的記事「Clysmatica nova」而知名，其中首次出現圖解說明，用注射器注射於人的靜脈內。他提出在夫婦之間交互輸血，可以解決彼此間的衝突。Michael Crügener 和來比錫的敎授 Michael Ettmüller (1664—1683) 二氏不相信輸血是返老還童的方法。荷蘭 Regnier de Groaf (1688) 和 van Horne 二氏也施行過一些輸血的動物實驗。

所幸輸血中斷了約一個半世紀之久。因當時對防腐劑，防腐法和免疫學的知識缺乏，倘常行此法必然會產生無數的不幸。

在18世紀很少有鹵莽的輸血。Helmstadt 大學的外科學和內科學敎授 Lorenz Heister (1683—1758) 氏在「外科學的一般體系」(General System of Surgery) 中描述了他以爲輸血時不可少的器械，但這些器具從未被試用過。他建議用金屬的或骨質的空心管，頸動脈的一段，牛、牛犢或羊的輸尿管，甚或鴨子的氣管等作爲連接的管子。

英國 Erasmus Darwin (1731—1802) 氏在他的 Zoonomia (1794—1796) 中設想以精巧的器具用於輸血，可能從未施用過。在一條割出的鷄腸的兩端各連接一支鵝翎管，血液由供血者通過翎管達到連接的鷄腸，待鷄腸充滿血液後，再擠壓鷄腸，血液即注入受血者的靜脈。

在 18 世紀對輸血不能看作毫無進步，因爲彼時血液的主要成分大都已發現。沒有這一進步，輸血必將仍停留在經驗上。17 世紀的 William Harvey, Richard Lower, Robert Hooke 等氏和其他的科學家，曾經說明過，肺靜脈的血比肺動脈的血鮮明。這很容易斷定，肺從空氣中得到一些左右生命的東西，但是對大氣的知識仍暗昧不明。氧氣——Joseph Priestley (1733—1804)的除去熱素的空氣，在 1774 年由 Priestley 氏發現。1777 年 Antoine Laurent Lavoisier (1743—1794) 指出 Priestley 氏的除去熱素的空氣是一實在的物質，他稱之爲氧氣。Lavoisier 和 Pierre-Simon de Laplace (1749—1827) 二氏描述呼吸如同炭的燃燒 (1780)。

在氧氣和其不可或缺的事實發現後，意大利人 Michele Rosa 氏在解剖學家 Antonio Scarpa (1747—1832) 氏協助下，施行了重要的實驗。他說明一個動物因失血而致嚴重休克，血清不能使之復蘇，而需要全血。他指出動物的血量可以適當的增加沒有意外；他曾給一隻牛犢增加了約 $1/4$ 的血量。他認爲急性失血可以輸給異種血。然而在他的筆記中記有兩隻雞因被輸給了牛犢的血而致死去。

法國生理學家 Marie-François-Xavier Bichat (1771—1802) 氏研究了將黑色去氧的血輸到動物的腦中的作用。他於是偶然施行了第一次有記錄的交互循環實驗(1805)。他將一隻狗的頸動脈近側端與另一隻狗的頸動脈遠側端連接。當供血的狗窒息時，它的動脈血變黑，受血的狗也因此失去知覺。

空氣使得靜脈的血鮮明的事實引人去觀察亞硝酸鹽和其他中性鹽的抗凝血劑效用，因爲加此類的鹽於黑色血中，可使血的顏色變得鮮明些。John Hunter 的學生，英國解剖學家 William Hewson (1739—1774) 氏說明不同的中性鹽的抗凝血效用 (1774)。他陳述:「中性鹽的這一性質，在很早以前那些用牛血製作食物者，就已經知道；因爲在這些人中曾長期的實行，他們將血收到一個有些普通鹽的容器中，放入時儘量搖盪，以防止凝固，血液保持液體狀態，當通過濾器，不留任何凝固物；他們用來和其他物質混合達到烹調的目的。」雖然 Hewson 氏的興趣在鹽的抗凝血效用，而對於他確定食鹽會使血變成鮮紅來說是次要的。這一現象曾使他同時代的一些人推斷大氣中有「硝」。氧氣或 Priestley 氏的去熱素的空氣尚未被發現。因之 Hewson 氏陳述:

某些中性鹽對血的顏色有和空氣相同是硝鹽的作用；因此，有些人將動脈與靜脈血的顏色不同歸因於硝，他們推測係從肺臟內的空氣所吸收的硝的緣故。但我們知道這只不過是一假說，因爲空氣中沒有硝。其實確並非爲中性鹽對血液效用的唯一物質，因爲大多數的中性鹽有不同程度的此種作用。在這問題的一些實驗中，我曾觀察了某些中性鹽在血液中的很多顯著的效用；這就是將中性鹽和剛從靜脈取出的血混合，它防止了血液凝固，然加水於混合液中，則又凝固。若在取於人的靜脈血中加半喃芒硝粉，振動混合液使鹽溶解，則血液在空氣中不會凝固……。

我曾試驗了很多種中性鹽，並將其對血液的效用列成表；但不必以這表來麻煩讀者，因爲我們看不出它在醫學上有何用……。其實這些試驗和其他試驗一樣，沒有直接應用於醫學，只是確定血液的化學性質……。當血液以芒硝（硫酸鈉）保持不凝固時，而對熱及除空氣以外的其他物質仍有凝固的性質……。

Hewson 氏以中性鹽的沉澱效用處理血漿球蛋白，在其中是纖維蛋白原，因爲這效用在稀釋時失去。通常以適量的食鹽加在血液中防止凝固，最初致力於鹽對血液的顏色和凝固效用者有 Freind (1705), J. Handley (1721) 和 Thomas Schweke (1743)等氏。

二、十九世紀的進步

19 世紀以哥本哈根的 Paul Scheel 氏關於輸血和藥物靜脈注射治療的評論而開始。在倫敦 St. Thomas 和 Guy 醫院的產科醫師 James Blundell (1790—1878) 氏被產婦的休克慘狀以至死於產後出血而奮起，他使得臨床上輸血的興趣得以復生，但是在給人輸血前，先施行狗的試驗。他擁護間接輸血，並首先用之作爲選擇的方法。在 1818 年發表他的第一篇輸血實驗論文。他的注射器是二喃容量的，而且「不透氣、銅製，內塗有錫、不怕油、十分清潔」。血液由一隻狗的股動脈取出，注射到另一隻狗的股靜脈。

Blundell 氏只建議在出血而將發生生命危險時施行輸血。他再三的指出，嚴重出血的狗能以及時輸給同種血而復蘇。然而他發現若使一些狗出血直至呼吸和血流停止，雖即刻由頸靜脈輸給同種的血也不能復蘇。他首次提出輸血可以作爲滋補品實驗的事實；動物之死由於脾臟、肝臟擴大及左心室擴張。

Blundell 氏是對異種輸血給予明確警告的第一人，他說：「雖然同屬動物的血或可沒有生命的關係，而與大量的他屬動物的血混合則要謹慎，至今我已知道很多的事實，例如將一動物的血放出，再補充以大量的他屬動物的血，就有很大的危險，通常不免發生死亡。」他敘述一些支持這一見解的實驗。從一隻小狗的股動脈取出四喃血，然後再以同量的人血，用注射器注入狗的股靜脈。這狗在數分鐘內死去。這實驗重複多次均得同樣結果。

他指出血液可以用注射器輸給而不失其復蘇作用的特性。在一細緻的實驗中，他用一狗的全部血通過唧筒，他名之爲「推進器」(impellor)，推進輸入後發現這狗仍然很好。

人類的同種輸血實現的甚晚。Blundell 氏似乎是第一個用人血輸給人的人。1824年他詳細的敘述了三種輸血的方法。起初兩次是直接輸血，第三次是間接輸血。

Blundell 氏曾敘述五個人的例子，這五例都是試圖用同種輸血的。他堅持他的輸血只能用於最危險時的說法。在他的病例中，兩名顯然是在輸血時已經死去，另外三名也瀕於死亡。在他那時期沒有足夠的知識使輸血得到安全的處置；他知道危險是他的長處，他是一個客觀，忠實又慎言的人。1828 年 Lancet 中報告說，他雖給一患者施行過輸血，很成功。其他英國人如 Doubleday, Cline, Waller 和 Davis 等氏追踪他的足跡，但並無若何改進。

法國生理學家 Jean Louis Prévost (1790—1850) 和Jean Baptiste André Dumas (1800—1884) 二氏發表關於血液的知識及這些知識在輸血中的用途。他們指出，動物失血至呼吸和心跳停止時，由靜脈注入 38°C 的溫水或血清不能復蘇，然却可以輸給同類的血復蘇。這僅是 Rosa 氏已經敘述過的事實的一個重要證實。他們確認異種血會造成死亡，故此支持 Blundell 氏的主張，並發現在靜脈注入哺乳動物的血，即刻發生死亡。他們斷定，死亡不能以機械的障礙來解釋，因爲哺乳類動物的紅血球比鳥類的小。Prévost 和 Dumas 二氏發現將血放在攪拌器中攪拌，纖維蛋白產生沉澱，並防止凝固。他們認爲這種不凝固的去纖維蛋白血，能復蘇失血動物與未經處理的血是一樣的。以微量的苛性鈉加在血液中使其不凝固，也有復蘇的作用。

柏林 Charité 醫院的外科醫師 Johann F. Dieffenbach(1792—1847)氏證明 Prévost 和 Dumas 氏的結果，並在 1828 年闡明動脈的血比靜脈的血復蘇的略快一些。一L狂犬病者⌉在切開靜脈放血後，由健康人輸給三杯血。他在1850年給一剖腹產出的窒息的新生兒由臍靜脈輸入了二㖊去纖維蛋白血，這嬰兒畢竟死去。Blasius氏（1852）將以上的方法重複作過，沒有得到更大的復蘇效用。Bennecke氏（1867）企圖以鮮紅的臍帶血輸入臍靜脈，使一窒息的新生兒復蘇。這一嬰兒得以生存，而用同樣方法治療其他一個嬰兒却致死亡。Thomas Smith氏（1873）在倫敦St. Bartholomew醫院用以下的辦法在輸血之先以處置去纖維蛋白血，即L一金屬絲打蛋器；一毛髮篩子；一三㖊的玻璃吸引用注射器；一鈍頭吸引套管；一小段橡皮管套在鈍端上一端接連套管一端連接注射器上；一窄而長的容器立於溫水中，以便在內施行去血液的纖維蛋白；一適當的容器浮在溫水中，用以收容去纖維蛋白血。⌉

德國海得爾堡地方的Theodor Ludwing Wilhelm Bischoff（1807—1882）氏將出血幾乎死去的動物所流出的血，去纖維蛋白後，再注射到它的體內，結果得到恢復。他認爲內於異種血而發生的迅速死亡，是因在輸血時血中有纖維蛋白所致。他的記載中雖然與這一觀點有矛盾，然而他建議應實行以人血輸給人，並去纖維蛋白，在用前溫熱之。Johannes Peter Müller氏等人，包括解剖學家，曾發現攪拌血液去纖維蛋白，並不改變紅血球的特性。

法國生理學家François Magendie（1783—1855）氏發現當鳥類或兩棲類動物的血由靜脈注射到哺乳類動物時，所注射的血，其紅血球很快的即消失。鳥類或兩棲類動物的紅血球，在受血者哺乳類動物的血液中不能認出。另一法國生理學家Charles-Edouard Brown-Séquard（1818—1894）氏證實了Magendie氏的發現，並且對於輸血後一小時在受血者的體內深入的尋找非自身的紅血球而徒然無益（1858）。然而輸血後15分鐘，在每次靜脈檢查都能看見非自身的紅血球。他以爲輸血經過一個月後，在受血者的血液中他又曾看見過非自身的紅血球。非自身的紅血球被想爲能透過宿主的毛細血管。德國婦科學家Eduard Martin氏曾以一玻璃注射器輸給去纖維蛋白的全血（1859）。這較Elsholtz和Blundell二氏應用完全金屬的注射器是顯著的進步。

德國基爾地方的Peter L. Panum（1820—1885）氏對輸血作了廣泛的實驗。他將一隻狗的全血，以同種的去纖維蛋白血代換，發現這隻狗的行爲沒有改變。他贊成在人類應用去纖維蛋白的血，而不贊成異種輸血，除非在血緣很近的動物，如牛和羊、馬和驢之間，否則十分危險。他暗示了血庫的應用，建議將血保藏在冰箱裏。他指明超過血循環的負荷的危險，陳述了只有在嚴重失血時才輸血，而不可同時切開靜脈放血後復又輸血。

漢堡的Willy Kühne（1837—1900）氏發表了以換血治一氧化炭中毒的狗的實驗。這種治療的效果很顯著。Friedberg氏在柏林Charité醫院以八㖊去纖維蛋白血輸給一名一氧化炭中毒者，這是在放出同量的血以後施行的。據說這病人曾有進步，因爲他有了知覺，但仍死於當日傍晚。同樣的一個試圖，以六㖊血做比較小的替換輸血，施行於一個15歲的一氧化炭中毒的兒童，兩小時半以後死亡。

Greifswald大學生理學教授Leonard Landois（1837—1902）和Albert Eulenburg（1840—1917）二氏證明，在復蘇因一氧化炭、煤仿、乙醚、馬錢子鹼、嗎啡、等中毒的狗的替換輸血的價值。Weher和Blasius二氏試圖在一患白血病者適度的替換輸血，沒有成功。Landois和Eulenburg二氏證實並發展了Blundell的實驗，實驗已指出了每日輸血給飢餓的狗可以延遲死亡。

同時波蘭Wilma的皇家醫學會的內外科醫師Franz Gesellius氏（1873）和德國Nordhausen的內科醫師Oscar Hasse氏（1874）又倒退回來贊成使用羊血輸血。Gesellius氏反對應用去纖維蛋白血，因爲他認爲去纖維蛋白血失去血液的重要功能。他設計了一精巧而却致痛的器械，這器械刺透供血者的皮膚很多處；血液滴落在一容器內，然後儘可能快的輸給受血者。

Hasse氏記錄了15個以羊血輸給人的病例，平均輸了150毫升的血。典型的反應是呼吸困難、發紺、劇烈背痛、不適、神志喪失、搐搦、劇烈寒戰、嘔吐、腹瀉、咳嗽、蕁麻疹等類似情形，並有一些死亡的。血尿，最終成爲黃疸。他解釋搐搦是患者接受了動物的新鮮精力所致過度激動的表徵。他認爲血尿是產生於病人變化的紅血球。他主張以羊血治療各種L不治之症⌉。

德國羅司托克地方的病理學家Emil Ponfick

(1844—1913) 和 Leonard Landois 二氏在普法戰爭結束不久，發表了關於輸血的卓越研究。他們作過廣泛的實驗，並拯救過異種輸血絕息者。1874 年 5 月 28 日 Ponfick 氏在波羅底醫學會宣讀了他和他助手 Bamberg 博士的發現，指出異種輸血的危險。他報告了一個 36 歲婦女產後出血發生嚴重休克，垂死的病例，這婦人接受了 1—2 分鐘直接由動脈至靜脈的羊血輸給。她在昏迷後 20 分鐘死去。他說明在屍體剖檢時取得的血漿中發現殘餘的被溶解的紅血球。在1875年發表了他的經典著作，並陳述曾有 M. Herrmann 氏將蒸餾水注射到狗的靜脈，結果紅血球溶解。Ponfick 氏以去纖維蛋白的羊血。在 40 分鐘內注入狗的靜脈約相當於其體重的3%。牠們最初有呼吸增深且促，隨之排糞並有搐搦，此後狗的呼吸及反射減低，在兩小時內死去。他指出屍體剖檢時所見異常如下：心房室擴張充滿血液；肺部很多散在性出血；腸顯著的膨脹並有分散開的瘀斑性出血；在腸系膜和胸的後縱隔有很多出血小點；兩腎都增大且顯著充血；肝臟變黑且出血；胃粘膜亦呈血色；直腸有血色糞便。肺臟沒有梗塞，腦及腦膜無變化。其中接受羊血少的幾隻狗，生存時間較長，查出有血色尿 (bloody urine)。一隻接受了等於其體重1.2% 的異種血的狗，在輸血後延遲到 79 小時死去。貓和兎在輸給羊血後亦發生類似的結果。Ponfick 氏首先記載了血色的尿不是血尿 (hematuria)，而是血紅蛋白尿 (hemoglobinuria)。他引用了〖血紅蛋白〗(hemoglobin)一辭。當時血紅蛋白曾以分光鏡的方法證明。他發現由開始異種輸血至膀胱裏出現血紅蛋白，其潛伏期，最短要有14分鐘，最長者達 82 分鐘。檢查活得較長時間的動物，認爲其死係由於腎臟〖分泌不足〗之故。他是第一個說明者：在已接受了比較多的異種輸血的狗，其腎臟的管腔中有棕色塊，並認爲這些棕色塊是壞了的血紅蛋白和血色素。他指出在輸血未當時死者中，其輸血後不久犧牲者，管型或圓柱呈紅色，較晚犧牲者則呈黑棕色，但是絕非紅血球所組成。腎臟有顯著充血，且呈黑紅色，靜脈異常脹大，其管狀上皮起脂肪性變。

Ponfick 氏另外的主要進步是發現尿裏的血紅蛋白的來源是供血者的而不是受血者的紅血球；他以羊的血清給狗注入其體重的 5%。這狗並沒有發生血尿。

Ponfick 氏將各種異種去纖維蛋白血對狗的最小致死量列表如下：

供血動物	致死量（狗的體重百分率）
羊（直接輸血；不去纖維蛋白）	1.0—1.2
羊（間接輸血；去纖維蛋白）	1.3—1.4
鷄鳥類	2.0—2.5
豬	2.0
牛	2.0
人	3.0
家兎	4.0
貓	5.0
鴨	10.0

約在和 Ponfick 氏的研究工作發表的同時，Landois 氏 (1875) 也對〖輸血〗作出了專論，但被認識的較晚。直達 1874 年末他共搜集了 478 名真實輸血的統計；其中 129 名是施行從動物輸給人：據他說 42 名得到了進步或痊癒，62 名表示沒有進步或死亡，25 名得到暫時的〖進步〗結果可疑。從動物輸血到人的病例，包括有 Denis, Lower, Gesellius, Hasse 等氏和一些 19 世紀的德國學者。Denis, Hasse 和其他學者所說明的一些症狀，我們承認是由血液相忌或不合所致。在 347 例人給人的輸血中：150 例患者進步，180 例結果不良，12 例懷疑，三例效果不明，二例在輸血中死去。Landois 氏承認在一未死的錯誤輸血病例發生黃疸，可能是起於釋出的血紅蛋白轉化成胆色質。從他的許多異種輸血（常是動物間的）實驗裏，他堅決地反對〖現代的 Denis〗——Gesellius 和 Hasse 二氏。他在玻璃管實驗中發現羊的紅血球溶解於人的血清。Brugelmann 氏 (1874) 發現在患者的血液中沒有羊的紅血球，這患者在兩天前曾輸給了 110 毫升的羊血。這患者發生了血紅蛋白尿。Landois 氏在異種輸血後一天左右，在哺乳類的血中不能找出所輸入的魚的、兩棲類的、鳥的橢圓形紅血球。

Landois 氏指出，大多數的血紅蛋白是因溶解而由腎排出，不一定係轉變成胆色質的，並且發現尿中除血紅蛋白外，另含有〖血清蛋白〗。他以分光鏡測定尿中血紅蛋白的濃度；他又測定尿中纖的濃度，並減去正常尿中所有微量的鐵。他從尿的總蛋白量中減去血紅蛋白以定出尿中的「血清蛋白」。

Landois 氏知道異種輸血可能發生少尿症或閉尿。他兩度在狗被輸給了去纖維蛋白的羊血後發現此症。他和 Ponfick 氏一樣，認爲血色素係梗塞腎小管的原因。這隻尿閉的狗在 24 小時死去。屍體剖檢見到腎臟深紅色且充滿血液。他認爲這些狗因爲已接受了達其自身血量的 21%，合體重的 $^{1}/_{18}$ 的羊血。按此計算，一隻患少尿症的狗接受了其自身血量的 31%，結果發生腹瀉，大便有血和死亡。那些得到恢復的狗，顯示了尿素濃度的減少，表示着腎的損傷。所有在異種輸血後死去的狗，腎臟有顯著的充血。但 Landois 氏相信這樣的腎功衰竭不必是這些狗死的原因。他陳述：將狗的兩輸尿管結紮，或摘除雙腎，其結果最少須兩天後才死去。比這時間短而尤其是當並無尿毒症存在時，則不能視之爲由於尿毒症而死。Landois 氏認爲因異種輸血而死的最主要原因，是由於溶解的紅血球放出纖維蛋白產生的栓子所致。

應歸功於他的是由於他認爲因紅血球的溶解而發生血鉀過多症（hyperkalemia）的危險，正是可能有助迅速死去的原因。他用下面的一些實驗來解釋這一事實：

一隻重 5.75 公斤的狗，由頸靜脈迅速地接受了在 100 毫升人血中所有的鉀量溶於 10 毫升的水溶液，即約爲 15 毫克分子當量的鉀，或等於 1.1 克氯化鉀中的鉀。這隻狗立即流涎、震顫，幾秒鐘就死去。在一個相似的實驗中，於狗死後即刻將胸部切開，發現心臟呈現不規則波紋樣的攣縮（纖維性顫動[fibrilation]）。

按 Kerr 氏的說法，若血鉀過多症是一些異種輸血致死的主要原因，則可想到人類的紅血球比其他種屬者含有較高的鉀，比同量含鉀較低的羊紅血球容易致死。實際上，從 Ponfick 氏的表可以看出，這矛盾似乎曾經存在過。當然先假定充血、溶解發生於固定的比率，而可能不是如此。Landois 氏在玻璃管試驗中，發現羊的紅血球被人類血清溶解比狗或貓的紅血球快的多。如果血液不是凝固流體的話，將會有很多的不幸隨着應用動物血而發生。假若人們先假定輸血量的陳述是正確的，就不免會奇怪爲何不同種屬包括人類能很好的耐受異種輸血。

一個比較可信的解釋是：輸血的量只不過是臆度。因此它被估計：測量在已知時間內如 30 秒鐘，有多少血由頸動脈或股動脈經插管引到容器中，當時的假定是當管子與受血者的靜脈連接時，即有等量的血流到受血動物。幸因凝固，大概實際流過的血很少。這個粗糙的輸血量的測計方法甚至 1912 年美國 Johns Hopkins 醫院尚採用之。

動脈內輸血常被認爲是最新的方法。W. S. Halsted（1852—1922）氏在 19 世紀末葉即已採用此法姑且不論，而 Greifswald 的外科教授 C. Hueter 氏（1870），即 Landois 氏在那裏任生理學教授的學校，已經主張注射去纖維蛋白血由外周入橈動脈或脛後動脈，以便注入的血慢慢地均勻地到達心臟。Landois 氏在 1875 年報告了動脈內輸血的實驗。在一實驗裏，他從一隻體重六公斤的狗的頸動脈抽出 100 毫升血，去纖維蛋白，然後以夾子夾住狗的氣管直至完全失去反應，呼吸停止。在呼吸停止後一分鐘，由股動脈注射 100 毫升去纖維蛋白血。這狗顯出了劇烈的氣喘。在另一實驗裏他注射了 43 毫升家兔的去纖維蛋白血到一隻體重 19 公斤狗的股動脈，同側股靜脈已被結紮，結果該腿壞死並腫脹；這隻狗在第三天死去。

當時德國贊成用去纖維蛋白血者和反對者的爭論相持不下，勝負不分。更多的溶血反應必然隨着無限制的應用不凝固血而發生。有些人將「休克反應」歸之於紅血球的溶解，這溶解是因去纖維蛋白時需要振盪或攪拌而鑑起。其他學者，如 Neudörfer 氏認爲異種或非異種輸血的損害是由右心室担負過度所致。Neudörfer 氏常用同種輸血，因爲他認爲通常接受 120 毫升羊血的患者，很快地訴述有窘迫、呼吸困難、頭痛、背痛；患者的臉常蒼白，有時脈搏不能捫出、嘔吐、排糞；尿內雖無紅血球而竟呈深的褐紅色。

Landois 氏和在他以前的 Dieffenbach, Friedberg, Kühne 等氏一樣，根據實驗說明同種輸血有改善各種中毒的效果，如一氧化炭、乙醚、氯仿、水合氯醛等的中毒。

英國另一產科醫師跟踪着 Blundell 氏的足跡，並且啓示了輸血方面的更大進步。這人就是 John Braxton Hicks（1837—1897）氏，他在 1868 和 1869 年試圖防止血液的凝固，不是用去纖維蛋白法，而是用化學的處置方法。在1868年8月8日英國醫學雜誌有一記載陳述Hicks氏在給血過程中以「磷酸鈉」(sodium phosphate)溶液和給血者的血液泥合，克服了凝固。「他首先在下等動物試行過，後來對三名分娩者試行；此法已使手術簡化很多。這溶液以能被身體組織所忍受著名。」在1869年他記述了以「比重2.5，溫度90°F的磷酸鈉溶液」配成不凝固血，治療產科出血三例。血液是和1/4血量的磷酸鈉溶液混合。患者們得到暫時的恢復，但都死於休克。無疑的Hicks氏採用無機物磷毫無學理根據。他不知道磷和鈣可成複合物。William Hewson氏的研究者和其他學者，早在百年前就已對中性鹽的抗凝血效用進行過討論。

Arthus和Pages二氏(1890)最先知道鈣和血液凝固有關係。Nicolas Maurice Arthus (1862—1945)氏是瑞士Fribourg大學的生理學、生物化學、微生物學教授，在C. Pages氏協助下，他發現流出的血加少許草酸的可溶鹽，能永久保持為液體。生理學家們在動物實驗中迅即發見利用無害的檸檬酸鹽，這實驗也包括從事血管的插管壓力計的研究。病理學家Sir Almroth E. Wright (1861—1947)氏在1814年寫過一篇論文「增加和減少血液凝固性的幾個方法，特別關於治療上的應用」，他避而不談在玻管試驗減少凝固性的治療價值。他說生理學家熟諳很多的方法，用這些方法可使血液不凝固……。簡言之，在生理學家所通曉的一些方法中，只有一個方法對治療家有價值。這種方法在作用於血液中的鈣鹽，使其中一部分鹽不起凝固作用，為這個目的，可隨意使用草酸、檸檬酸、酒石酸或羥代丁二酸(蘋果酸)，或這些酸的可溶性鹽。然因草酸及草酸鹽有毒性，故不應用之。

他報告了以少量的檸檬酸鹽注射於動物，加長了凝血時間。然而當血液中鈣游子濃度仍在造成抽搐的程度以上時，血液凝固的時間少有顯明的增加。值得注意的是在輸血中應用檸檬酸鹽約23年前即已發明了檸檬酸鹽對血液的抗凝固作用。

1892年萊比錫的內科醫師Hugh Wilhelm von Ziemssen (1829—1902)氏介紹了用金屬空心針從供血者的靜脈取血，然後由皮下注射到人身。他說這樣注射的血沒有形成凝固或血栓，也沒有產生發熱的反應以及血紅蛋白血症或血紅蛋白尿症。在不得已時他始用空心針作血液靜脈注射。他以注射器間接輸血時，頻頻灌注鹽溶液以杜絕凝固。

19世紀以趨向安全輸血的實踐而告終結，認為拯救失血時的輸血以用全血比血清為妥當已被證實；異種輸血的危險也經證明；從動物到人的輸血終於拋棄；在異種輸血，發現受血者的血管中有供血者的溶解了的紅血球；分光鏡證明了血紅蛋白血症和血紅蛋白尿症的產生；腎小管被血色原梗塞，且腎皮質及髓質的血管普遍充血；血紅蛋白改變成膽色素也被認識；溶解的人類紅血球釋放出鉀以及血鉀過多症被發現；用去纖維蛋白血有效的防止血凝固得到進步；鈣質的重要性被認識；固定性鈣鹽類之抗凝血效用被發現，但是這類鹽除了幾例根據經驗的使用外沒有在臨床上正式採用。

三、二十世紀三十年代的進步

在Landois氏的多次研究後，認為只有異種輸血發生紅血球溶解。然而根據他的實驗，他沒有打算禁止使用所有的異種輸血。因此，在同族動物之間，如綿羊和山羊，以去纖維蛋白的綿羊血輸給一隻山羊，不產生血紅蛋白尿症。他作了兩個這樣的實驗。他又試驗了狗和狐狸、家兎和野兎間的輸血。在由狗到狐狸的輸血及由狐狸到狗的輸血沒有發生血紅蛋白尿或圓柱尿。在由野兎到家兎的輸血及由家兎到野兎的輸血，表示了和由狗到狐狸的相同的結果。他認為在同目(Same order)動物間輸血，例如在肉食類目的貓屬和狗屬之間，其結果發生紅血球溶解，血紅蛋白尿，且有時致死。

在20世紀的開始，初次覺察同種輸血，特別是在人類，可能產生紅血球溶解。彼時即使想到有同種溶素(isolysins)——就是同種之間的溶解素，也是指示疾病的狀態，並且確曾用來診斷很多疾病。Thomas Whartom Jones (1808—1891)氏說，從炎性病患者取出的紅血球，變成緡錢狀(rouleaux)較快。另外一個英國人Samuel G. Shattock氏(1900)研究了炎性患者的血清作用於無病者的血的緡錢狀形成情形。

在這些研究中，沒有事實說明正常的人類血型含有特種凝集素血清的任何發現。某些作者陳述說，Shattock氏是血型的發現人之一，還是不確實的。然而他是最早指出人類紅血球的凝集是由於其他個體的血清所致者之一；到此爲止，這現象只是在異種血液曾經被 Ponfick 和 Landois 二氏首先指明。Shattock 氏將紅血球的凝集歸之於疾病。

19 世紀末葉，Paul Ehrlich, Jules Bordet, Octave Gengou 等氏和其他學者，以正常的和免疫的血研究了免疫性。血清學的種屬特異性被發現。由於此事的鼓舞，維也納大學病理解剖學會的青年助理 Kral Landsteiner (1868—1943) 氏發現某些個體的血清可以凝集其他一些個體的紅血球。後來被命名爲「同種凝集」，意思是細胞被同種屬的血清凝集。Landsteiner 氏的研究在 1900 年 2 月 10 日首次在細菌學中央報 (Centralblatt für Bakteriologie) 上發表，以後又在維也納臨床週報上發表 (1901)。

Landsteiner 氏發現了血型，給輸血的安全開闢了道路，因此使虛弱病、嚴重產後出血或外科大手術的病人可以得到援救。這發現對輸血的貢獻，正如 Robert Koch 氏 (1878) 證明創傷膿毒病係細菌感染原因對外科的貢獻一樣。Landsteiner 氏因爲免疫學的研究和血型的發現，授予 1930 年諾貝爾醫學獎金。

維也納在 20 世紀初葉是醫學先進者。在維也納大學第二醫學臨床學院，Alfred von Decastello 和 Adriano Sturli 二氏發現第四類血型，這是四類中最少見的，而被 Landsteiner 氏所忽略。他們對疾病作了另外一些著名的發現，如同血凝集素的不變性，就是血清凝集素因病凝集紅血球。他又說明了血凝集對疾病沒有診斷上的意義。血清加熱至56°C 30 分鐘，溶血素失去活動，而血凝集素則不失去活動；在這種情況，置含有凝集素的血清於密閉玻管中，經數月，紅血球仍不被溶解。因此，他們指出溶血作用可以從凝血作用分離。他們由於發現出生六個月以內的嬰兒常常缺乏特異性，確認 Ascoli 和 Halban 二氏的工作；這暗示了凝集素發生先在血清，其次始影響紅血球的變化。

1907 年捷克斯洛伐克的 J. Jansky 氏總結了過去關於血型的研究，並報告了他自已的一種分類。美國人 W. L. Moss 氏也得到同樣的結果，而報告了順序相逆的四種類型。Ⅱ和Ⅲ型在 Jansky 和 Moss 氏的分類是相同的，但Ⅰ和Ⅳ型相逆。缺乏同一的命名法，常常造成紊亂並且有致誤的危險。因此，美國免疫學會在 1927 年由 Karl Rockefeller 氏提出一個新的分類，那時他在紐約 Rockefeller 研究院從事血清學的研究；這種分類從此以後被若干國家和美國陸海軍採用。主要血型分類如下：

原 Landsteiner 氏分類 (1900)	Jansky 氏分類 (1907)	Moss 氏分類 (1910)	國際分類
C	Ⅰ	Ⅳ	O
A	Ⅱ	Ⅱ	A
B	Ⅲ	Ⅲ	B
—	Ⅳ	Ⅰ	AB

由上表得知在 1900 年 Landsteiner 氏的最初論文中曾稱之爲C型者，正如現在所知道的O型，並且他在最初沒有認識 AB 型，此型僅佔人口的3%。

在 Landsteiner 氏的發現以後，外科醫師在 20 世紀施行輸血不必先用交互凝集作用試驗。從前常採用「生物學試驗」，但顯然沒有十分把握。如漢堡的 Franz Oehlecker 氏 (1933) 所描述，在「生物學試驗」中，每間隔兩分鐘注入 5、10、20 毫升血。他說明在注射首次後一兩分鐘內發生一些溶血反應，以後在順利的輸血後，沒有溶血反應。多數病例的反應是：煩躁不寧、呼吸困難、背痛、嘔吐、裏急後重、脈細、血壓降低、最重者昏迷。在輸血量不多的時候，常恢復的很快。因此，在 Oehlecker 氏的體驗，以「生物學試驗」查出了 50 例溶血反應，其中只有一例死亡，而這一例開始即已瀕於死亡。究之，在交互配血法誕生以前，人們總是以不安和沒有確信的心情在「生物學試驗」下施行輸血。他以人類的血注入給家兎、狗、山羊和猴，並且發現在受血者的血漿中血紅蛋白的濃度於一分鐘內達到高峰。在 3—5 分鐘，血漿中血紅蛋白已降下一半；此後，呈漸近綫的下降。他因此指出，防止溶血性反應的發生，血液必須早抽出。

當僅以 60—80 毫升不相合的同種血輸到人體，不發生血色蛋白尿。他認爲血漿中之血紅蛋白被肝所攝取，所需能致血色蛋白尿症之量，要看肝的機能如何爲定。

在 Landsteiner 氏的科學研究的發現後七年，

在輸血前還有人在初次用交互凝集作用做測驗。直至採用檸檬酸鹽使間接輸血普遍化，輸血一向操之於外科醫師之手。顯然的在20世紀初葉，即使是主導的外科醫師，他們的科學訓練還是不足，或由於太忙沒有鑽研醫學文獻。Bernheim 氏在 1910 年在 Johns Hopkins 醫院曾說道：「我在當地各醫院和其他較遠處所都施行了輸血，但是從未有人向我建議過，等待血液試驗後才可輸給。」 1908 年美國菲列得爾菲亞城的 Dorrance 和 Ginsburg 二氏對輸血作了一個扼要的總結，但是連預先試驗血液是否相合的辦法都未加提及。對他們來說，防腐法是主要的，他們採用直接輸血。他們作了六例輸血，一例認爲係由於發生溶血反應而死亡；對一惡性貧血患者輸血沒有得到「成功」，在這方面他們應許容後報告。美國賓夕法尼亞州大學的醫學教師Pepper 和 Nisbet 二氏（1907）報告過一例致命的輸血反應。患者係一發育良好的 33 歲男子，最初紅血球 127 萬，輸血後第五天死去；據指出沒有血栓形成、栓塞、或感染的徵狀，致死的原因定係溶血關係。因係根據 Crile 氏用動脈靜脈吻合輸血方法進行的，患者確實接受的血量不詳。「輸血施行在下午 6:33—7:37，手術過程中能看出患者面部變紅。供血者覺作嘔，可是尚能忍受手術。供血者無虛脫及紅血球升高超過 180 萬的事實，正說明患者接受的血液約在 500---1000 毫升之間。」當時不只未施行過交互凝集作用的試驗，而且連對 1900 年在維也納關乎這工作的報道也渾然無所知。這種情況當時似乎是流行的，如作者們所指示：「如能循 Crile 氏報導的處置方法，消滅技術事故，則從正常人輸血給正常人，或給那些出血或患病者將無害的一點，懷疑甚少。」他們所指的是 1907 年外科醫師 George Crile氏描述過的動脈靜脈吻合的方法。七年前的發現尚無所知的事實，由他們的陳述中可得說明，「Crile 氏或別人所發表的一些病例指明對出血病例中施行輸血手術的可靠安全，但是我們的病例中其結果在某些病理情形時顯示危險，並且必須小心謹慎，直到我們掌握到更多的知識。」這些菲列得爾菲亞城的醫師們可能已知道些 Shattock 氏的工作，因爲他們試驗患者血液的血清，對正常人的紅血球呈陰性反應。若果他們已知道維也納人們的發現，則他們必將會用患者的血清來對供血者的紅血球作測驗。

1911 年哥倫比亞大學生物化學實驗室的 Ottenberg 氏贊成可能時應在輸血前先作凝集試驗，這顯然是第一次在美國施行預先試驗而後輸血的辦法。他指出，供血者的血球不能被受血者的血清凝集，這是極重要的。在他的第一例，患者的血液屬於「第二或第三類凝集性」（就是 A 型或 B 型），因此在緊急來不及試驗時，選擇供血者要屬於第一類（這是O型）。因是供血者的血清凝集了患者的血球，但供血者的血球不被患者的血清凝集。輸給充足的血液，患者的血紅蛋白由 18% 升高至正常的 42%，至此時患者沒有遇到不良的徵狀。所有抗 A 和抗 B 凝集素輸到有 O 型血清者，抗 A 和抗 B 凝集素消失。認爲這些凝集素被患者的紅血球所吸收，雖如此，然並不起凝集作用或溶解作用。關於玻管試驗起溶解作用而在活體內不起溶解作用的原因看來似矛盾，而爲以先學者們所苦腦的問題至此得到了解釋。

相反的情形也由第二例獲得解釋（根據 J. G. Hopkins 博士， 1910），患者的血清凝集了供血者的血球，但供血者的血清不凝集患者的血球。在輸血後，患者大便失禁，失去理性，過了六小時後發生一側麻痺，神志不清，輸血後九小時死亡。死亡是由於血管內血凝固。Ottenberg 和 Kaliski 二氏在 1913年指出，輸血事故可以小心地先作凝集作用試驗來防止。他們並主張以瓦色曼反應來試驗供血者有無梅毒。

科學的知識超過實際的應用，這不僅指輸血先應用交互凝集作用試驗，而且也指以檸檬酸鹽用作抗凝血劑。雖然這個用法的理論早在 1890 年初就被發現，但直到第一次世界大戰前不久始付諸實際應用。自從 1890 年實驗室的生理學家們在實行動物試驗時已經應用了檸檬酸鹽作爲抗凝血劑。「水蛭素」，一種水蛭的子宮頸腺粗製浸膏，第一次由 Landois 氏（1875）試用，但因水蛭素有毒，沒有被認爲可以實用而再進行研究。磷酸[三]鈉緩衝液忌用作抗凝血劑有兩主要原因：（1）磷酸鹽游子與鈣結合，由血流被肝、脾的巨噬細胞吞噬，易於消失（McLean 和 Hinrichs 和 Gersh 氏等）；（2）磷酸鹽游子不被身體所氧化，而檸檬酸鹽游子很快的被氧化於水和炭水化合物。在休克時常有暫時的腎功能停頓，因此磷酸鹽游子通往體外的唯一道路被中斷。輸血是治療出血休克的卓越方法，是故必須不使血管通路負荷磷酸鹽游子。同理，草酸鹽也不合用並且有毒。

在醫師們使用滿意的抗凝血劑以前，曾對輸血的辦法有過驚人的時期。在20世紀的開始，Carrel 氏推荐了血管吻合的技術，用導引縫線和血管內膜與血管內膜縫合。自 John Hunter 和他的學生 William Hewson氏的實驗以後，已經知道發生的影血情況即使由於血塊，當血液單獨與血管內膜接觸時是很遲慢的。Hewson 氏 (1774) 寫道：「將一隻活狗的頸靜脈剖露出，我以縛線分在兩處結紮，所以血液停滯在兩縛線之間；以後用皮膚覆在靜脈上，以防止它冷却，乃置狗於此情形下而不變更其位置。根據這個方法的幾次實驗中，一般的我發現在停滯將近 10 分鐘以後，血液全為流體，停滯後三小時 15 分鐘，約有 $^{2}/_{3}$ 仍流動，雖然其後凝固。當血液自同一動物的靜脈取出後則約在七分鐘內完全凝結。」

Carrel 氏的技術被幾位外科醫師在直接輸血中採用過。這需要甚高的技巧，故此 Payr 氏 (1900) 和 Cril 氏 (1907) 開始把這原理簡單化。他們外翻準備供血者的動脈罩在金屬筒上，再將受血者的靜脈與外翻的動脈相聚，血管內膜與血管內膜相接。沒有施行預行交互凝集作用試驗；供血者的動脈被犧牲；輸血量的精確比 Lower 時期並無更大把握。Bernhein 氏簡單的應用銀接管，如同在三百年前曾被 Andress Libavius 氏所提出者。「沒有一件事情比起僅因為血塊或其他不利事情妨礙了血液流通，看着一個人在供血者已準備並甘願供給所需要的血液情況之下而死去更令人沮喪的。」在第一次世界大戰，德國進入戰爭以後，Sauerbruch 氏 (1915)廢棄了縫合術和金屬筒。將供血者的橈動脈遠側端割斷，動脈的近側端導入受血者臂部的正中靜脈的縱切口。他要求野戰醫院使用這一方法，但因應用接置供血者和受血者的血管煩難，故這方法未能付諸實施和推廣。

1913 年紐約 Bellevue 醫院的內科醫師 Lindeman 氏介紹了他的「Lindeman 針」。這針包括一套閉孔套管組。撤出像針樣的閉孔器和精緻的內層套管以後，鈍的外層套管留在靜脈供輸血用。他應用一個這樣的針於供血者，用另外一個於受血者。1914 年他報告已有 135 名應用了注射器套管法 (Syringe-cannula System)輸血。在所有輸血前都要作瓦色曼試驗，血液交互配合和「生物學的試驗」。曾有一次將一體重 79 公斤之男性供血者的血 1400 毫升輸給患者，是為最大量之一次，經常一次抽出的血量是 900—1000 毫升。受血者曾偶然進行屍體剖檢；靜脈穿刺的地方已經由於第一期癒合而封閉，不能看到。過去輸血因為必須切開靜脈，所以主要是由外科醫師施行，至此時輸血進到內科醫師的領域。在惡性貧血係由於肝臟的病因發現以前，對患此病者廣泛採用輸血來維持生命。

彼時在美國還有其他幾種不同的間接輸血和直接輸血。最初的一個是波士頓城的 Kimpton 和 Brown 二氏的間接方法，將血液收集在一個褪蠟的管子末端具有一小插管，以便插入受血者的靜脈。由於血塊造成的困難和施行不便，這方法不久就被拋棄不用了。Mass 氏 (1914) 在 Johns Hopkins 醫院以重力輸給去纖維蛋白血液。他說去纖維蛋白血不產生血色蛋白尿，除非用了相忌的血液。紐約的 Unger 氏(1915)在直接輸血法中用活塞來防止血塊的集聚，活塞交替連接在一個注射器上，抽取供血者之血液，同時另一個注射器含鹽溶液為受血者。轉動活塞，有血液的注射器很快的連接到受血者，而有鹽溶液的注射器接到供血者。一個最簡單，最有效用且靈巧的直接輸血用具，由卓越的外科醫師 Eichael E. DeBakey 氏(1935) 所改進而成。以手搖輪把血液由供血者輸給受血者。輪周僅 18 吋；沒有死腔；不致因活門或注射器損傷到紅血球；血液停留在體外僅很短的時間，因此成血塊的機會減少。用器的潔治只不過是洗淨筒子和針而已。

輸血的主要進步之一，幾乎是與第一次世界大戰猛烈攻擊同時併進的。1914 年 4 月比利時的 Hustin 氏報告應用檸檬酸鈉和葡萄糖防止血液凝固，擬用於輸血。在 1914 年 3 月，他第一次應用這些藥物。他用和血液等量的檸檬酸鹽與葡萄糖溶液相混合。生理學家們在實驗上曾應用檸檬酸鹽作為抗凝血劑，幾乎已有 25 年。還是實驗室工作者全然離開世界以外，還是臨床家完全不知實驗室的進步呢？當時實驗室工作者（生理學家和藥理學家）確實認為注射檸檬酸鹽使循環着的血液不凝固爲不可能，因爲在心臟和神經肌系統隨即產生血鈣減少作用；故此他只能以檸檬酸鹽製成的不凝固的血液灌注離體器官，且常常要藉助於去纖維蛋白血液。Hustin 氏指出，一定量的檸檬酸鹽能引入人類的血液循環中而無害。在玻管試驗裏，一升或一升多的血，加少量的檸檬酸鹽，血液即可不凝固，還在受血者不致發生血鈣過少症。Braxton Hicks 氏在19 世紀施行間接輸血中，已在血液中使用磷酸鹽作爲抗凝血劑，但是四例輸血中的三例死在出血休克回復後不久，並無血鈣過少的手足搐搦。紐約一外科醫師 Richard Lewisohn 氏（1915）和一個阿根廷倍諾斯愛勒省的 L. Agote 氏（1915）各自發表了在間接輸血操作中以溶於小量水中的檸檬酸鹽加到血液作爲抗凝血劑。Bernhein 氏宣稱，檸檬酸鹽使得輸血可用在全世界各階層，而「像我和其他可提起的輸血專家，只有被攻擊的體無完膚。」

Lewisohn 氏和他的助手（1916）在玻管（活體外）試驗中發現，檸檬酸鈉在血液裏的濃度 0.1%不能使凝固延緩，但濃度在 0.15% 時則可最低兩天內不致凝固。所以他們主張在血液裏加濃度0.2% 的檸檬酸鹽，或每升二克。他們發現2500毫升的血，加成濃度 0.2% 的檸檬酸鈉，可以使用於成年人不致中毒，還包含五克的檸檬酸鈉。

第一次世界大戰時，美國農業部化學局的化學家 Salant 和 Wise 二氏在動物中研究了檸檬酸鈉的毒性和分解。毒性表徵在振顫或搐搦，按靜脈的注射量而定，致命量在 0.4—1.6克/公斤之間。他們發現口服大量的檸檬酸鹽，產生鹼性尿，排泄的尿中發生酸性碳酸鹽。Batelli 和 Stern 二氏曾在 1911年指出，檸檬酸鹽很快的被組織氧化成水和二氧化碳。1917 年協約軍加拿大軍醫官 Oswald H. Robertson 氏開始應用了檸檬酸鹽血。

檸檬酸鹽血的出現，推廣了間接輸血，同時伴有非溶血反應的寒戰和發熱的百分率增加。一般都認爲可能是檸檬酸鹽的毒性所致。但是 Lewisohn 和 Rosenthel 二氏則以爲發冷可能就是隨着靜脈注射發生的，因爲單注射普通葡萄糖也可如此。當輸血器械由護士學生在病房清潔過和消毒過而後用時，20%有寒冷和發熱症狀。當器械和溶液由業務能力強的技術員在中心準備室準備，同時以三餾蒸餾水溶解檸檬酸鹽，寒冷和發熱的發病率降至1%。

隨着檸檬酸鹽作抗凝血劑的使用後，一個顯著的進步就是可將血液保存在冷的「庫」裏。去纖維蛋白血不能保存好。1918 年 Robertson 氏將血液保存至 21 天，並用以治療戰場上出血性休克，得到滿意結果。在第二次世界大戰開始，英國科學家們發現血液中加葡萄糖的好處，他們又解釋說，酸性反應對未死的紅血球有益，並且能防止葡萄糖在消毒蒸鍋裏焦糖化。Robertson 氏的成就未被重視達20 年，直到西班牙內戰（1937—1939）時，血液第一次保存在冰箱中而加以最小的搖盪。第二次世界大戰爆發前，蘇聯 Bogdassarov 氏（1937）和其他學者，在西班牙前線上開展輸血服務工作。彼時蘇聯人還設想利用屍體的血液。

Shamov 氏(1937)寫道，當他 1919 年在蘇聯使用輸血時，親屬們往往拒絕供給他們的血去拯救其親人的生命，因爲懼怕給出他們寶貴的一部分。「屍體的血在思想簡單和狹窄的人想像中，無意地會和「屍毒」、腐敗、各種微生物……聯繫起來」，他又說，相反的，死人經過屍體剖檢疾病的可能嫌疑的明確性將比一個活的供血者要大得多。

如莫斯科 Skifosovsky 研究院的外科醫師主任 S. S. Yudin 氏在 1930 年 3 月爲一嚴重休克的青年男人施行人類第一次的屍體血輸血，用一在六小時前死於頭部損傷的 60 歲男人血輸給患者。屍體腹部塗以碘酒後，從下腔靜脈抽出 420 毫升血。患者很快的好轉而且復元了。

M. C. Skundina, S. I. Barenboin 和 S. S. Yudin (1932—1935)等氏研究過，狗在失血以前，部分失血以後，和輸給新鮮的狗血以後的氧消耗情形。輸血的結果，很快的復蘇，氧增加，靜脈血的氧濃度增高。在人類的輸血中也得到同樣的結果。他們發現屍體在室溫中放置20小時以後，腸細菌始進入門靜脈。因此他們規定出屍體可用的時間限度，夏季是死後六小時，冬季八小時。血液的採集是由一個玻璃插管從頸內靜脈取出，屍體位置頭部向下。他們不用因創傷而死的人的屍體，還可能因血流發生傳染。從一個屍體可以得到數量達 2—3½ 升的血。所採集的血往往很快地凝固，但是在半小時至一小時半又變成液體，而不再凝固，大約是由於纖維蛋白溶解所致。這樣的血可以不用抗凝血劑而得保存，且據說在玻管試驗，起溶血作用所需的時間較檸檬酸鹽保持的血液爲長。直至 1937 年，在 927 例輸血中沒有〖毒性表現〗。其中七名致死者是由於技術的錯誤，並不是屍體的血所致。預行屍體剖檢和瓦色曼試驗是首先必要的條件。

胎盤血用於輸血法尚未證明可行，而倫敦和劍橋的 Howkins 和 Brewer 二氏(1939)發現平均一個胎盤可得到 47 毫升血，採集的血大約有 ¼ 已被污染。Naegeli 氏(1940)曾評論這個問題。

總　　結

最初輸血的科學實驗，係在 17 世紀由若干英國新成立的〖形而上學院〗中的成員如 Wren, Clarke, the Coxes, Hooke, Boyle, Wilkins 等氏，特別是 Lower 氏作過。放了血的狗能以直接和間接同種輸血使其復元；交換輸血施行成功；靜脈內注射藥物，顯有效用。這些隨着哈維氏的血循環研究發表而有的進步，幾乎有一代之久。

法國的 Denis 氏主張施行動物到人的異種輸血，這種輸血極危險，又不科學。直接輸入大量的血，幸由於凝固而受到制阻，如果不是快速結塊凝固，而輸血頻繁，可能因爲對於防腐法、無菌法和免疫學的朦昧無知，致發生很多的不幸。輸血中止了有一個半世紀，這還是值得慶幸的事。

18 世紀的輸血尚非一無進展。Priestley 和 Lavoisier 氏發現氧氣，而且Lavoisier 和 Laplace二氏描述了呼吸爲碳酸氣的氧化。Rosa 氏說明一個動物在嚴重休克時可以用全血復蘇，而是不能用血清復蘇。

19 世紀的進步始於 Bichat 氏重要的交互循環實驗，這實驗確切的指明氧氣是由血液輸送的。雖然由一些直接的方法證明了這事，但要等待血液氣體分析的發展才得充分說明。輸血在英國由 Blundell 氏介紹，再度小規模的使用，他施行過許多狗的實驗，而過分拘泥應用同種血，過分選擇瀕死的病例。他證明異種血可能致命。Prévost 和 Dumas 二氏發現血液能用去纖維蛋白使其不凝固。Bischoff 氏證明去纖維蛋白血液在減輕出血性休克中的效力，他的調查書中指出異種的去纖維蛋白血可以致命，正如不去纖維蛋白血一樣。Panum 氏成功的用去纖維蛋白同種血，對一隻狗施行了幾乎完全的替換輸血。一些德國的研究家建議用替換同種輸血以排除各種毒素，如一氧化炭中毒。Ponfick 氏拯救了給息於異種輸血者，並首先注意到血色尿不是血尿，而是血紅蛋白尿。他發現血紅蛋白的來源是供血者的紅血球，而不是受血者的。尿少症而兼有管型亦被試證驗。Landois 氏提出在一些異種輸血中血鉀過多症可能是致命的因素。Arthus 和 Pagès 二氏想到鈣與凝固有關，發現檸檬酸鹽在血液中的抗凝固效用。著名的檸檬酸鹽在血液中抗凝固效用的發現是在輸血應用檸檬酸鹽以前大約 20 年的事，這點值得注意，彼時生理學家們在他們的實驗中早已應用它作爲抗凝血劑了。

20 世紀 Landsteiner 氏首先發現血型，這發現給輸血打開了第一條安全的大道。使免疫學家如 Ehrlich, Bordet, Gengou 和其他學者的研究工作成爲可能。然而在美國，就是突出的醫學中心如巴爾底摩爾城和非列得爾菲亞城對輸血亦不施用交互配血法，遲至維也納發現後才考慮，而當時對維也納的發現顯然是一無所知的。

Hustin, Lewisohn 和 Agote 等氏使用檸檬酸鹽作爲輸血中的抗凝血劑，但是時間上未免過晚。檸檬酸鹽使直接輸血法幾乎全廢，且在西班牙內戰時爲輸血打開了設置〖血庫〗的道路。血液爲出血性休克者的最好替代品，故其效用優於血漿。蘇聯的外科醫師們證明，可以使用新死去的人血。

（陸騂基譯自 Journal of the History of Medicine and Allied Sciences, Vol. IX, No. 1, 1954.）

中華人民共和國一九五三年衛生保健大事年表

一月　中央人民政府衛生部爲了達到1955年在全國範圍內基本上消滅天花這一目的發出1953年預防天花的指示。

中央人民政府政務院修正公佈中華人民共和國勞動保險條例。

二月　中央人民政府衛生部爲貫徹全國衛生會議精神指示各地開展衛生人員學習運動。

全國流行性乙型腦炎防治專業會議在北京召開。

中央愛國衛生運動委員會會同中央人民政府衛生部、中央人民政府重工業部、中華全國總工會等部門舉行廠礦愛國衛生運動座談會。

中華醫學會出席在拉合爾舉行的巴基斯坦醫學協會第三屆年會。

三月　中央衛生部爲了提高社會醫務人員的醫療技術和政治水平發揮其潛在力量，成立全國衛生人員考試委員會。

全國愛國衛生展覽會組成巡迴展覽工作團，前往天津、廣州、重慶、武漢、上海、西安及瀋陽七地巡迴展覽。

四月　中央人民政府衛生部召開第一屆全國衛生防疫站會議。

軍委衛生部發出學習巴甫洛夫學說的通知。

中央人民政府衛生部邀請出席全國婦代會的衛生工作者舉行婦幼衛生工作座談會。

中央人民政府衛生部舉辦衛生行政幹部訓練班。

五月　「六一」國際兒童節中央衛生部指示加强兒童保健工作。

中央人民政府財政部發出通知免徵農村中私人醫院診所及個人醫師工商業稅。

中央人民政府重工業部安全技術處和勞動衛生處同時召開廠礦安全技術工作會議和勞動衛生會議。

中央人民政府紡織工業部召開全國紡織企業勞動保護工作會議和勞動衛生會議。

中國醫學代表團出席在維也納舉行的世界醫學會議。會後蒙蘇聯保健部的邀請曾參觀蘇聯的衛生保健事業。

六月　人民衛生出版社在北京正式成立。

中央鐵道部愛國衛生運動委員會發出指示號召全路加强夏季衛生工作預防腸胃傳染病。

七月　中央人民政府衛生部和勞動部向各地衛生、勞動部門發出關於加强廠礦夏秋季節衛生工作的聯合通知。

八月　中央人民政府衛生部在北京舉辦「巴甫洛夫學說學習會」。

中國防癆協會工作代表會議在北京舉行，總結四年來的工作並作出發展今後會務的若干決定。

十月　中國紅十字會公佈「調查美軍在朝鮮對中國人民志願軍傷病被俘人員醫療錯誤及暴行報告書」。

十一月　中央人民衛生部及直屬單位開始學習過渡時期總路線。

中央衛生部和勞動部聯合通知指示各地加强廠礦工地安全衛生工作。

中華醫學會爲響應毛主席團結新老中西醫各部分醫藥衛生人員開展人民衛生事業的指示，特成立中西醫學術交流委員會。

十二月　中國紅十字會公佈美軍虐殺戰俘暴行調查報告書。

中央人民政府衛生部召開第三屆全國衛生行政會議根據總路線檢查工作確定今後任務。

（孔淑貞摘自健康報）

第一屆全國工業衛生會議決議

(一九五四年八月四日政務院批准)

中央人民政府衛生部於一九五四年五月十八日至六月一日召開了第一屆全國工業衛生會議，討論了當前開展與加强工業衛生工作的問題，並作出如下決議：

一

四年來工業衛生工作是有成績的，隨着國家經濟的恢復與發展，各工業部門、勞動部門、工會系統以及衛生部門，在工礦企業中建立了許多衛生基層組織。許多廠礦和工地，建立了門診部或衛生所；有的工廠並設立了車間保健站、急救站、婦幼保健站；在工業集中地區，還設立了聯合醫院、工人醫院和工人療養院等。在這些機構中一般均配備了一定數量的醫務人員、技術人員及一定數量的藥品和器材。從一九五二年起，衛生部門配合了勞動部門、工業部門和工會系統對全國的工礦進行了安全衛生大檢查，開展了愛國衛生運動，初步改進了廠礦的環境衛生和職工的個人衛生，因而改善了工人的健康狀況，鼓舞了工人羣衆的生產積極性，提高了出勤率，爲今後開展工業衛生工作打下基礎。這些成績是由於中共各級黨委和人民政府的正確領導，蘇聯專家的幫助，各工業部門和廠礦的重視，廣大工人羣衆和衛生工作人員共同努力的結果。

但是，工業衛生工作的現狀，是不能令人滿意的，工業衛生工作中還存在着嚴重的缺點和問題。工業衛生工作中普遍缺乏業務領導，組織機構重叠，人力分散，領導關係極不明確；廠礦中對高溫、粉塵、潮濕、有害氣體等的防治工作還作得很差，多發病、職業病、慢性病，雖比解放前大爲減少，但仍很嚴重地危害着工人的健康。這主要是由於中央衛生部過去的領導思想對開展工業衛生工作在國家經濟建設時期的重大意義認識不足，沒有把工業衛生工作作爲衛生部門的首要任務，沒有及時地制定具體的工作方針和辦法，致使工業衛生工作遠遠落後於客觀形勢的發展。自總路綫宣佈和第三屆全國衛生行政會議召開以後，各級衛生幹部在認識上提高了一步，開始重視工業衛生工作。但現在仍有一些人存在着怕負責任和消極等待的思想，也有不顧主客觀條件，想一下包攬過來脫離實際的急躁情緒。這些問題都應在今後工作中積極加以解決的。

二

根據黨在過渡時期的總路綫，以及預防爲主、面向工農兵、團結中西醫、衛生工作與羣衆運動相結合的四項原則和第三屆全國衛生行政會議的決議，目前工業衛生工作的具體方針是：積極領導，穩步前進，面向生產，依靠工人，貫徹預防爲主。目前的主要任務是：各級衛生行政部門必須把工業衛生工作逐步統一領導起來；繼續開展愛國衛生運動，積極防治多發病、職業病；培養工業衛生工作幹部；建立與調整組織機構和逐步開展衛生監督工作。

(一) 加强工業衛生工作，逐步由地方衛生部門統一領導。

過去工業衛生工作，是由各工業部門分散管理的。這種情況，已不能適應當前經濟建設發展的客觀要求，必須把工業衛生工作，在當地中共黨委和人民政府統一領導下，由當地衛生部門統一管理，加强領導。實行這種統一管理，在目前已有許多有利條件，首先是各級黨政領導的重視，廠礦及有關部門的積極支持，衛生工作幹部對工業衛生工作的重要意義亦開始有了認識。但衛生部門對工業衛生工作還缺乏經驗，幹部不足，技術水平較低，不能適應實際需要。因此，衛生部門必須充分地發揮有利條件，克服困難，把統一管理工業衛生的任務担負起來。

衛生部門對工業衛生工作的管理應從加强業務領導着手。爲此，各級政府衛生行政部門，應即對工業衛生工作進行調查研究，摸清情况，並製訂工業衛生工作計劃，加强醫療預防和衛生防疫工作的領導，總結和交流經驗，推行車間醫師制等先進制度。有步驟有領導地協助廠礦建立與整頓廠礦內部衛生機構，調整衛生工作幹部，充實設備。積極地訓練專業和不脫離生產的工業衛生幹部，組織業務學習，逐步提高其業務水平。對廠礦的託兒所、療養所及其他福利設施，予以衛生業務上的指導。財務工作方面，廠礦醫療機構的基本建設經費，由工業部門負責解決，經常費仍由廠礦行政統一管理，衛生行政部門應監督其用途。目前工業部門的衛生行政機構，仍須保留，以協助地方衛生部門進行工作。

開展工業衛生工作，必須分別輕重緩急進行，首先應加强重工業、國防工業和疾病特別嚴重的廠礦工地的工作，同時適當照顧其他方面的需要。

爲了統一和加强工業衛生工作的領導，應由中央衛生部和中央各工業部門，以及有關方面組織工業衛生工作委員會。省、市根據具體情況亦可成立此種組織。

（二）繼續開展愛國衛生運動，積極防治多發病、職業病。

在廠礦工地中開展愛國衛生運動，是發動工人羣衆貫徹預防爲主，防止多發病、職業病的最有效的辦法。爲此，應經常進行對工人羣衆的衛生宣傳教育，結合安全衛生檢查，舉行羣衆性的衛生活動，工地開工前，作好安全衛生準備工作，建立羣衆性防病防傷和自救互救工作，提倡做好個人衛生，保持作業環境的清潔衛生；積極地研究和防治對工人危害最大的多發病、職業病，特別是高溫、高濕、粉塵、化學物質及有害氣體的損傷和中毒。爲此，中央衛生研究院應加强勞動衛生和職業病的研究工作，有條件的醫學院校應協助廠礦、城市衛生防疫站進行勞動衛生的專題研究，有條件的醫院應進行職業病的研究工作。各工業城市衛生防疫站亦應逐步充實人力建立工業衛生化驗工作。

（三）大力培養和提高幹部。

目前工業衛生的幹部狀況，基本上是數量少、質量弱。應大力培養新幹部，提高在職幹部逐步滿足實際需要。首先各醫學院校應積極培養高級技術人才，對醫學院校畢業生，在目前情況下，仍應採取重點使用，照顧一般的分配原則，重點放在一百四十一項工業建設當中，特別是重工業和國防工業，並適當照顧其他最需要的地區和部門。其次，要提高在職的醫務人員。加强對領導骨幹的培養，提高其政治思想水平與業務能力，達到一般能掌握並貫徹方針政策。對一般醫務人員的技術與政治思想教育亦應加强，在有條件的醫學院校，應舉辦衛生幹部進修班，地方衛生行政部門可成立短期訓練班或組織巡迴醫療隊。應注意運用和發揮中醫力量，糾正某些廠礦限制中醫參加醫療工作的現象。

（四）建立工業衛生組織機構。

爲了加强工業衛生工作的領導，各級衛生行政部門必須根據實際需要，結合本地區工礦企業的發展情況，適當地建立與調整工業衛生行政機構和衛生醫療組織。根據其性質及業務範圍一般可分爲下列三類：

1. 地方衛生行政組織：在衛生部門各項業務均應加强工業衛生工作的前提下，省、市衛生廳、局可根據需要設立工業衛生處（科）負責綜合各項業務對工業衛生的計劃，以實現對廠礦醫療預防的組織管理工作。省、市的衛生防疫站負責廠礦的防疫、勞動衛生及工業衛生化驗等工作。

2. 工礦企業衛生行政與醫療衛生組織：五千人以上大型廠礦（偏僻地區三千人以上的），可設衛生處（科）及醫院，下設廠礦保健站（或門診部），車間保健站、婦幼保健機構。二千至五千人的較大廠礦，可設衛生科，下設廠礦保健站，車間保健站。五百人至二千人的中型廠礦，可設廠礦保健站。五百人以下的小型廠礦，設廠礦保健站或聯合數廠組織工廠聯合保健站。不能單獨設立醫院的廠礦可根據具體情況組織聯合醫院或與省、市衛生廳、局指定的醫院訂立合同；三千人以下偏僻地區的廠礦，可根據具體情況設立綜合性的醫療衛生組織，以應需要。在工人住宅區得按家屬人數，根據需要與可能設立醫療預防婦幼保健機構。或與地方醫療預防、婦幼保健機構訂立合同。

以下只是原則規定，各地仍可根據當地實際的需要與可能，靈活執行。

3. 羣衆性衛生組織：各級衛生行政部門應積極協助廠礦工會組織羣衆性的衛生保健組織，並在不妨礙生產的原則下，訓練不脫離生產的積極分子，［illegible］廠礦愛國衛生運動委員會、安全衛生小組等組織進行工作。

（五）逐步開展衛生監督工作。

隨着工業生產的不斷發展，爲着保障人民健康，必須逐步開展衛生監督工作。衛生監督工作的任務是對嚴重危害勞動人民健康的不衛生狀況及新建、擴建的工礦企業、城市建設進行衛生監督，根據國家經濟建設計劃及國民經濟條件制定工礦企業衛生設計標準，檢查與督促執行衛生保護的措施，在衛生防疫工作的基礎上進行經常性的衛生監督，並逐步地有重點地開展預防性衛生監督工作。省（市）以上可根據需要和可能設立衛生監督員，負責衛生監督工作，在較大的工業城市，必要時在衛生防疫處、科或衛生防疫站內指定兼職的一、二人以協助該地區衛生監督員進行衛生監督工作。各級衛生防疫站亦應確切地有計劃地負起經常性衛生監督與檢查工作。今後應在實際工作中積累經驗，準備製定有關工業衛生和衛生監督的法規。

爲了逐步推廣衛生監督，應選擇條件較好的地區重點試辦。

三

爲貫徹上述方針任務，必須加强中共各級黨委和各級人民政府對衛生部門的政治思想領導，努力提高衛生工作人員的思想覺悟，加强爲國家經濟建設服務的政治責任心。各地衛生部門必須向當地黨委和政府及時請示報告，積極反映情況，並提出改進工作的意見。工業衛生工作並應在廠礦黨委和行政的統一領導下，密切地和工會、青年團、婦聯等羣衆團體配合進行。

工業衛生工作必須面向生產，爲生產服務。爲此，衛生工作人員必須深入車間，深入工地，瞭解生產過程，要把改善勞動條件和工人的合理化建議、技術革新、勞動競賽結合起來。克服和防止衛生工作妨礙生產或和生產脫節的現象。

工業衛生工作必須貫徹預防爲主的方針。首先應在衛生工作人員中克服忽視預防工作的思想並將治療與預防對立起來的現象；爲使預防爲主的方針在醫療、防疫、婦幼衛生等各項工作中切實貫徹，必須依靠和發揮工人羣衆在改善環境衛生、個人衛生以及改善勞動條件上的智慧和力量。衛生工作人員要及時總結工人羣衆和疾病作鬥爭的經驗；同時，要不斷提高工人的衛生知識，使衛生知識爲廣大的職工所掌握，使之成爲工人羣衆自覺的行動，在工人羣衆認識水平不斷提高的基礎上切實貫徹預防爲主的方針。

工業衛生中的許多情況我們還是生疏的，許多知識我們還是缺乏的，工作中還有很多困難。但是我們必須下最大的決心，以最大的努力來解決這一問題。只要我們依靠黨的領導和正確的方針政策，學習蘇聯先進經驗，緊密地團結全體衛生人員，努力工作，深入檢查督促，總結經驗，虛心學習，我們就能克服困難，把工業衛生工作逐步推向前進，更好地爲工人階級服務，爲國家社會主義工業化服務。　　（轉載1954年9月5日健康報）

紀念中國紅十字會成立五十周年

中國紅十字會總會會長 李德全

中國紅十字會自一九〇四年在上海成立起，到今年已整整五十年。

半個世紀，說明了中國紅十字會飽經滄桑，歷史悠久。但是，若從一九五〇年九月八日它正式改組成爲人民自己的衛生救護團體算起，它又是年輕的。它正在發展壯大，它充滿着新生的活力，一步一步地創造着自己的事業。

中國紅十字會最初的名稱是萬國紅十字會上海支會。一九〇七年改名爲大清紅十字會。一九一一年辛亥革命之後改名爲中國紅十字會，正式組織董事會，並制定會員制度。自成立以來，它吸引了不少善良的、熱心社會事業的人士參加了它的各項活動。

由於這些人士的努力，中國紅十字會曾經作過一些有益於人民的事情。自成立起到一九三七年抗日戰爭開始，它曾運用募捐款物等方式，救濟過美國舊金山和日本鹿兒島、東京、横濱等地遭受地震的災民；救濟過土耳其等國及第一次世界大戰期間歐洲各國的難民；還曾協助在日本、俄國、德國和奧國的華僑回國。抗日戰爭時期，又曾組織過救護隊、急救隊、救護醫院等到各戰區救護傷兵。在這些年代中，中國紅十字會還曾救濟了遭受各種災害的災民，設立醫療機構給羣衆治病，並舉辦醫事教育，培養了一些中級醫護人員。

但是，在過去的年月裏，在滿清封建帝王——軍閥袁世凱、徐世昌——蔣介石匪幫掌握下的中國紅十字會，幾乎沒有一年不是忙於應付各種災害和瘟疫等等。它所進行的活動，也祇能是一些不徹底的賑濟、施診、搶救，一直到施棺、掩埋、籌設義塚。一九三三年長城抗日同盟軍起，國民黨的反動統治者更開始對它實行操縱和限制，一九四三年，進而在紅十字會設立了國民黨的特別黨部和政治部。在抗日戰爭初期，一些正直的、善良的紅十字工作者，雖曾參加八路軍、新四軍的救護工作，但在蔣介石匪幫的壓制下，很快就被調回或遣散了。由於蔣介石匪幫對紅十字會工作日甚一日的限制和阻撓，使眞正願意從事紅十字事業的人極難繼續進行工作，紅十字會在人民羣衆中的影響日趨減弱，會務活動陷於停滯狀態。

一九四九年，中華人民共和國成立，中國人民作了國家的主人，給紅十字工作的重新發展開闢了廣闊的道路。隨着國家建設事業的發展，各界人民對發展紅十字會事業的要求也日感迫切，因此在一九五〇年九月八日，經過各有關方面所組成的協商會議的努力，完成了對舊紅十字會的改組工作，選出了具有廣泛代表性的新的理事會，公佈了以「預防爲主」和「動員與組織人民實行自救助人」爲方針的新會章，並且宣佈它成爲一個人民自己的衛生救護團體。這個決定性的轉折，給中國紅十字會帶來了新的任務，它開始從人民最長遠、最根本的利益出發展開了一系列的工作。

由一九五〇年到一九五四年的四年中，它團結了廣大的醫務工作者，組織了各種形式的醫防服務隊，參加了爲徹底消滅水旱災害的各項水利工程。在治淮、荊江分洪和河南的治黃、岳陽的南洞庭湖整修、澄錫運河拓浚以及金盆浴鯉水庫等各項水利建設中，紅十字醫防服務隊都發揮了忘我的工作精神，貢獻了自己的力量。特別是在偉大的治淮工程中，他們在淮河流域巡迴工作了四年。這些醫防服務隊還積極地參加了湘桂鐵路、成渝鐵路的建設工程，目前則正參加豐沙鐵路、官廳水庫水力發電站等建設工程的工作。紅十字會並深入到工廠、礦山和大、中城市的建築工地工作。

不僅如此，四年來，中國紅十字會還積極地在六十餘座城市中推行了初級衛生訓練工作，教育和組織人民自己來保護自己的健康。目前，已經在一些廠礦、建築及水陸運輸等工種的工人中，以及在學生、農民、居民中推行了急救訓練。急救員們的活動證明，當羣衆掌握了科學衛生知識的時候，將會發揮巨大力量。僅據南昌市分會一九五三年不完全的統計，全市二千餘紅十字急救員在一年工作中，節省工時損耗所提供的生產價值約合十五億元。所有的紅十字急救員還在愛國衛生運動中起着骨幹作用，他們一面從事衛生、安全的檢查和監督工作，同時，還廣泛地向羣衆進行衛生宣傳。

以工人家屬爲對象的家庭護理訓練雖然還在試辦，但是僅在北京京西礦區機電廠一地，已經在宣傳衛生常識、防止煤氣中毒和痲疹的流行等方面做了不少工作，給工人們安排了整潔的、健康的生活環境，使他們能更專心地從事生產。

紅十字會還組織了醫防服務隊到農村和少數民族地區工作，使長期威脅兄弟民族的地方性疾病基本上得到控制，降低了嬰兒的死亡率。如海南島黎族人民過去由於反動統治者的長期壓迫，衛生文化水平很低，嬰兒死亡率很高，一九五二年紅十字醫防服務隊在當地訓練了大批新法接生員以後，已基本上扭轉了這種情况。

爲了不斷滿足人民羣衆提高衛生文化水平的要求，中國紅十字會各地分會還結合着當地衛生部門的中心任務，運用各種羣衆喜愛的方式進行了衛生宣傳。北京、廣州、福州、杭州等地紅十字分會舉辦了定期的衛生講座。此外，中國紅十字會各地的醫療機構，還爲羣衆治療疾病和作預防接種等工作。

中國紅十字會遵照中國人民熱愛和平、維護人道原則的意志進行各項國際活動。它曾經組織過八個國際醫防服務隊爲遭受戰爭災難的朝鮮人民服務，並給予美英戰俘以醫藥照顧；它在各種國際會議上多次提出維護世界及遠東和平的建議；呼籲各國進行協商，停止朝鮮及印度支那戰爭。並爲維護朝鮮人民免受戰爭災難及侵略暴行而努力。它呼籲禁止使用大規模毀滅性武器。朝鮮停戰後，中國紅十字會即參加了聯合紅十字小組，協助戰俘遣返工作。此外，它曾捐款救濟了印度、英國、荷蘭、比利時和伊拉克等國的災民，並協助兩萬六千餘名在華日僑返回日本。今後它將加倍努力和各國從事人道事業的紅十字會在一起，爲促進國際和平團結合作，免除人類災難而工作。

中國紅十字會改組四年以來，曾獲得蘇聯紅十字會與紅新月會聯合會的巨大的幫助，北京蘇聯紅十字醫院的建立，不僅爲病患者帶來了福音，而且成爲傳播蘇聯先進醫學的中心。今後爲了更好地發展紅十字會工作，應當加强學習蘇聯紅十字事業的豐富經驗。

四年來中國紅十字會的一切工作、活動，都是按照人民的意志，通過羣衆來進行的。它用自己配合國家建設的各種活動，證明了它是眞正地獲得了新生。它不再是過去在狹小範圍內應付災難的消極力量，而是能够參加到建設美好生活的鬥爭之中，爲勞動羣衆進行各種醫療服務，並發揚救死扶傷的革命人道主義的積極力量。

新中國的紅十字會還是年輕的，還缺乏一套成熟的、系統的經驗來指導工作。可是，由於有中央人民政府的正確領導，有蘇聯和各人民民主國家紅十字會的經驗可作借鏡，相信依靠各地紅十字工作者的認眞積極地努力工作，依靠廣大人民羣衆的愛護和支持，它將會更廣泛地吸引廣大人民羣衆參加它的各項活動，充分發揮它作爲政府衛生部門的助手的作用。

今年我們要慶祝中國紅十字會成立五十周年，同時也要慶祝它改組新生四周年。爲此，我們要更加熱愛人民紅十字事業，爲祖國社會主義建設與和平事業，貢獻我們的一切力量。

（轉載1954年9月10日健康報）

中華醫史雜誌1954年全年索引

三　　畫

四　　畫

五　　畫

六　　畫

七　　畫

八　　畫

九　　畫

十　　畫

十 一 畫

十 二 畫

十　三　畫

十　四　畫

十　五　畫

十　六　畫

十　七　畫

十　八　畫

十　九　畫

二十三畫

中華醫史雜誌

(季刊)

一九五四年 第四號

(每季第三月二十日出版)

一九五四年十二月廿日出版

編輯者 中華醫學會醫史學會
中華醫史雜誌編輯委員會

出版者 人民衛生出版社
北京崇文區褡子胡同36號

總發行 郵電部北京郵局
訂閱批銷處:全國各地郵電局、所
代售處:各地新華書店

印刷者 北京市印刷二廠
佟麟閣路七十一號

每册定價伍仟元

預定價目
半年二期 10,000元
全年四期 20,000元
平郵在內,掛號另加

(本期印數3,869册)

人民衛生出版社出版新書

口腔科學

（高級參考教材）斯塔裴賓斯基著　唐秉寰譯　倘世民校
（上海版）41,000元

原書爲蘇聯高等教育部審定的醫學院教科書；本書係根據第二版譯出，原著者以巴甫洛夫學說作了更正和補充。內容着重於一般醫師都必須掌握的口腔科學基本知識，包括：口腔解剖、口腔檢查、口腔手術特點、口腔科麻醉法、拔牙術、牙齒病、頜骨炎症、牙原性上頜竇炎、口粘膜病、牙周病、口膿毒病、牙原性腫瘤、涎腺結石、頜面部神經疾病、下頜脫臼、頜面部損傷等十六章。本書中不包括牙科、口腔科所有的專門知識。

藥用植物及生藥學

（藥劑教材）　徐國鈞編著　（上海版）10,000元

本書爲藥劑學校教材，分上下兩篇。上篇爲藥用植物學，計五章，從細胞説起，以至組織器官。最後論述植物的分類與命名法。下篇爲生藥學，計十五章，主要以藥用部分來進行編排，重點介紹了主要的植物性生藥五十七種，並簡略介紹了三十種類同品和四十八種次要生藥。這篇也包括了十三種動物性生藥。書末附有常用試液配製法和生藥學名詞索引以供參考。

胸部外科學

安且拉娃教授著　黃家駟譯　（上海版）48,000元

本書共分四大章：（一）肺及胸膜特異性疾患的外科治療；（二）肺及胸膜非特異性疾患的外科治療；（三）心臟、心囊及大血管疾患的外科治療；食道和胃賁門部癌症的外科治療。書中詳盡而細緻地闡述了胸部疾患的外科治療方法，可供各醫學院校和各醫院的外科醫師進修和參考之用。

定性分析

（高級參考教材）謝列茲涅夫著　鄭仁風譯（東北版）14,000元

本書爲醫科大學用課本，包括蘇聯高等教育部關於醫學院校的教學大綱新規定的全部材料。本書僅限於無機化合物的定性分析。爲使學生能更好地掌握主題，在每一章的後面都提出了問題，又考慮到半微量定性分析的日益普遍，因此書中又記述了這個方法所應用的器材和完成各別一些操作的技術。

新針灸學

朱　璉著　（東北版）50,000元

針灸療法是中國醫學裏面的珍貴遺產，它已有幾千年的歷史，治病的範圍頗廣。「新針灸學」一書是作者經多年的實驗與研究而編寫出來的。一九五一年三月由人民出版社出版後，引起全國不少中西醫學工作者的重視。現經作者補充修訂，由本社再版。本書內容分緒論，治療原理、針灸術、孔穴各論及治療等五篇，共約三十萬字，附有插圖多幅。作者根據豐富的經驗對於針灸操作方法作了詳細的闡述，文字通俗，適合一般中醫和中級醫務工作者閱讀。其中的指針法與簡易灸法，可供一般非醫務人員學習、用於增强身體與對某些疾病的自療。書末附有一些研究觀察資料，可供一般西醫參考。

充塡學

胡郁斌　蘇宗韍編著　（東北版）　8,500元

這是一本冠橋學、牙髓治療學相啣接的書，也可以説是整個牙體外科學的一部，凡有關充塡的理論和實施技術都談得很詳盡，並附有教學計劃和實習教程，可作口腔學系教學參考與學員的補充讀物。

營養衛生

陳美愉編著　（東北版）11,500元

本書共分三篇：第一篇「營養素」，是從理論上説明各種營養素在生理上的意義；第二篇「普通飲食物」，將日常食品中的營養價值加以進一步的分析，並對過去一般對飲食及烹飪中的不正確的看法加以批判；第三篇「營養的實際問題」，更就食物加工及管理工作，廚房設計等作了具體的説明。故本書對於一般中級衛生人員及對營養問題有興趣的讀者都有一定的參考價值。

醫士手冊拉丁文處方譯註

翠卓然等譯　（東北版）4,800元

本書爲我社出版的「醫士手冊」第一版的補助本，因該書在第一版出版時，書中每節的處方均未譯成中文、中級醫務人員在閱讀時感到困難，爲補救此缺點，特將處方譯成中文，以單行本出版。

再版新書

內科手冊　鄺元岳、張國治、徐靜等編　（東北版）24,500元
醫士手冊　翠卓然等譯　（東北版）31,500元
簡明法醫學　呼義民編　（北京版）　6,000元
新編藥物學　陳新謙編　（北京版）12,000元

以上各書統由新華書店發行，請直接向當地新華書店購買，若當地新華書店買不到時，可委託他們代購。

一九五五年　　第一號

（第七卷　第一期）

國醫學

聯醫學

界醫學

息

務通訊

三月[illegible]日出版

編者的話

中華醫史雜誌一九五四年第二號刊登余雲岫先生傳略和年譜，其中有乚醫學革命乛一段。前經宋向元先生來函提出意見，認爲余雲岫乚醫學革命乛在今天看正是要取消中醫，是與黨和人民政府的政策不相容的。編輯工作中對這個問題不加批判的刊出，今天檢查起來是應該檢討的。這正是我們政治思想水平不高的表現。

余雲岫先生是醫學界一個前輩，他對祖國醫學與西洋醫學（即西醫）都有很多的研究，曾經整理了許多中醫書，如：乚中國古代疾病名候疏義乛，乚國產藥物的文獻研究乛，乚中國結核病史的研究乛等。這對我們今天來學習研究祖國醫學是有很大幫助的。這一貢獻我們無疑是應該承認的。同時我們亦應認識由於當時歷史條件的限制，反動政治的影響，使他對祖國文化遺產、祖國醫學沒有一個正確認識，加之受了資產階級文化的影響，提出消滅中醫的主張，乃是他用現代科學的成就否定過去的中國醫學，是割斷歷史的觀點。這是他的缺點。這一點我們也是要正確認識的。

余先生傳略第四段有：乚他因熱愛祖國，自然痛恨過去侵略中國的帝國主義和反動政權，以至只知謀個人利益的醫生、及社會上這類的人。乛若從年譜中1926—1929年余氏任當時的中央衛生委員會委員，1934年任當時的教育部醫學教育委員會顧問，可以看出他對反動政權的認識。又從1944年任敵僞所辦的中國醫藥研究所所長一點看來，他並未能十分痛恨過去侵略中國的帝國主義。余雲岫先生雖說是一個有正義感的人，但說他一定如何反對舊政權與帝國主義，則非事實，此與余雲岫先生傳略和年譜的精神有出入。以上兩點均經宋向元先生向本刊編輯委員會書面提出，我們認爲這些問題是值得大家討論的。

我們希望大家對這些問題踴躍提出意見，這樣庶可對余雲岫先生作出比較恰當的評價。

關於李時珍生卒的探索

劉 伯 涵

明代大科學家李時珍生平事蹟留傳下來的很少，直到今天他的生卒年代還沒有定論。張慧劍同志在「李時珍」一書裏說李氏生年是 1518 年（正德 13 年）卒年是 1593 年（萬曆 21 年），但並沒有詳細論述，因之說服力似嫌不足。1953年張慧劍同志曾到蘄春縣調查李時珍事蹟，看到李時珍的墓碑就將墓碑拍了照片回來，這照片現藏中華醫學會上海分會圖書館，曾在該會舉辦的李時珍文獻展覽會上展出。碑文是這樣的：

萬曆癸巳中秋吉（日）立

明勅封 文林郎顯考李公瀕湖
孺人顯妣李門吳氏 墓

男建元
中
方 。

（碑陰）*

依據上面的碑文看，這碑可能是後人補立的，按照明代一般習俗碑文多用「皇明」字樣，或不加朝代名稱，「明勅封」這種字樣是不常見的，而清代爲明代人立的墓碑則加「明」字，因此有人懷疑這碑是清代補立的。假定這碑不是萬曆 21 年（癸巳）立的，是李時珍的後代補立的，那麼上面的年月可信不可信呢？

根據文獻記載我們知道李時珍的後代從明末到清初一直保持着封建士大夫的書香門第，李樹初是個進士[1]，李具慶是州學秀才[2]，李之𤦎也是秀才[3]，李生梨是蘄州的著名詩人，雍政年間應聘修湖廣通志[4]。李時珍的後代在明末清初近百年的長時期中保持着封建士大夫的書香門第，在尊敬祖先的倫理觀念指導下，他們補立墓碑一定要經過研究考核的，所以墓碑即使是補立的，年代也不會與原碑錯訛。

又據顧景星明中順大夫山西按察司副使李公墓誌銘說：「公諱樹初字客天蘄州人，曾祖諱言聞祖諱時珍………子延慶貢生同遇害，具慶學生，宋氏出，全慶學生封氏出。具慶子三：之𤦎、之玖、之綮……景星既受其子所爲狀，爲李氏四賢傳。」顧景星是明代遺老，鶴徵錄有傳。顧景星康熙 26 年病死[5]。上述墓誌銘應作於康熙 26 年（1687 年）以前，那時李具慶是一個博極羣書的秀才[6]，他既然請顧景星作李氏四賢傳，寫李樹初墓誌銘，當然也應該替李時珍補立墓碑了（假若李時珍的墓碑曾經毀壞的話）。因之我們可以得出結論說李時珍的墓碑可能是補立的，補立的墓碑和原碑上寫的年代不會有什麼錯訛，補立的時間大致在清初康熙26年以前。

李氏合葬墓既然是李時珍的卒年在後，那麼李時珍的卒年是否是立碑這一年，即萬曆癸巳（萬曆21年）呢？我想這是應該肯定的，合葬墓築成即樹墓碑這是很自然的事情，何况李建中是蘄州有名的鄉紳曾三登鄉飲大賓[7]，要是在他父母的合葬墓上不立墓碑也不大像樣，所以我們初步斷定李時珍卒年在萬曆21年（癸巳）。

又李時珍臨終寫遺表囑託次子建元把遺表及本草綱目獻給明神宗。可是直到萬曆 24 年 11 月李建元才把遺表和書進獻給明神宗，這不正說明李建元在萬曆 21 年到萬曆 24 年正在爲父喪守制嗎？等到萬曆24年 8 月以前三年之喪服期滿了才進京獻書。由蘄州到北京有幾個月的路程，十月到北京，十一月初四日獻書[8]。

據明史方技傳李時珍傳說：「書成，將上之朝，時珍遽卒。未幾神宗詔修國史購四方書籍，其子建元以父遺表及是書來獻，」又據明史神宗紀萬曆22年 3 月下詔修「國史」[9]。這時距離時珍卒年只有幾個月，明史的記載和墓碑上的年代是相一致的，也和我們的推斷相吻合。再說李建元在萬曆22年就知道了國史館購求書籍的命令。爲什麼要延遲到萬曆

* 括號內的字是作者加的

24年才去獻書獻遺表呢？除了前面說過的爲父喪守制的理由以外，就很難理解。

由以上論證可以確定李時珍卒年在萬曆21年即公曆 1593 年。根據白茅堂集記載李時珍享年 76 歲[10]，從 1593（萬曆 21 年）年起上推76年，李時珍生於 1518 年（正德15年）。

又據顧景星白茅堂集李時珍傳說：「惟本草綱目行世蒐羅百世採訪四方始於嘉靖壬子（1552 年）終於萬曆戊寅（1578 年）」。這種說法被清代本草綱目刻本所採用，成爲最通行的說法。但李建元在進書疏上的說法卻和顧氏的說法有所不同，進書疏說：「行年三十力肆校讎，歷歲七旬功始成就」。這兩種說法是不相符的，有人根據這兩種說法來考證李時珍的生卒，那當然不會得到正確的結論。人們都承認李建元進書疏的某些部分是李時珍的自述，所以「行年三十力肆校讎，歷歲七旬功始成就」，是可信的，這主要是指李時珍對本草學的研究進程。顧景星的說法主要是指本草綱目的編寫過程。這兩種說法表面上衝突，實際上是並行不悖的。把這兩種說法統一起來對於研究李時珍的生卒是有所裨益的。

參考文獻

1. 見湖北通志選舉表。
2. 李具慶是時珍曾孫，李樹初次子，見光緒蘄州志、卷十五李具慶傳。
3. 李之璿是李具慶的兒子，見光緒蘄州志、列女、諸代傳。
4. 李生鱗是李之璿的兒子，見光緒蘄州志卷十一、李生鱗傳。
5. 見白茅堂集、顧黃公行狀。
6. 見光緒蘄州志卷十五李具慶傳。
7. 光緒蘄州志卷九辟薦表及蘄州志卷十二李建中傳。
8. 明神宗萬曆實錄卷三百四：「丙申（十一月）湖廣蘄州生員李建元奏進本草綱目五十八套、章下禮部書留覽。」
9. 明史卷二十神宗紀。
10. 白茅堂集卷三十八、李時珍傳稱：「年七十六預定死期、爲遺表授其子建元……」。

我國歷代本草的編輯

張贊臣

一、引言

中國藥物的應用，也和世界各國一樣，是漸進的，是無數代勞動人民和疾病作鬥爭的經驗累積。最初應用的藥物以動物類居多，植物次之；以後由於農業的高度發展，在藥物方面也以草木類佔多數，而動物類反退居其次，這是和古代由漁獵游牧而發展到農業社會的生產關係相適應的。我們如果不從社會發展的規律去考察，藥物的發展也就無法獲得正確的了解。

古時原有「神農嘗百草」的傳說，一般每以此作爲藥物起源的說明。其實藥物的發現，並不始於某一人物或某一時代，已如前述，所以醫藥的溯源於神農、黃帝，祇是舊史家的「託古」，「神農本草經」也不是最早紀錄藥物的書籍。原始紀錄藥物應用的專書今已不可得見，有些人認爲前漢書藝文志所著錄的「神農黃帝食禁七卷」，可能就是最古的本草，因爲舊時本有「醫食同源」的說法（已故友人陳无咎先生即主此說），然「食禁」一書久已亡佚，前人的推測是否正確，我們仍然難爲肯定的解答。就目前所知，記載古代藥物比較具體的，當然首推「山海經」。（大約成書於戰國時期）一書，它是研究古代藥物的最早史料，但我國醫家一向未予重視，這是非常可惜的。

二、古代藥物應用的分析

山海經記載當時沿用或更早的古代曾經應用的藥物很多，雖然這些記載可能還不全面，但我們很可以從此獲到比較有系統的概念。我現在就原書（據明吳中珩校本）次序，把藥名和用途摘出如下表：

名稱	類別	用途	備註
祝餘	草	食之不飢	原註：其名或作桂荼
迷穀	木	佩之不迷	
狌狌	獸	食之善走	
育沛	未詳	佩之無瘕疾	原註：瘕、蟲病也
鹿蜀	獸	佩之宜子孫	
旋龜	龜	佩之不聾	
鯥	魚	食之無腫疾	
類	獸	食者不妒	
猼訑	獸	佩之不畏	原註：不知畏恐
鵸鵌	鳥	食之無臥	原註：使人少眠
九尾狐	獸	食者不蠱	原註：噉其肉，令人不逢妖邪之氣。或曰蠱、蠱毒。
灌灌	鳥	佩之不惑	原註：或作濩濩
赤鱬	魚	食之不疥	原註：疥一作疾
虎蛟	魚	食者不腫、可以已痔。	
白䓘	木	食者不飢，可以釋勞。	原註：或作睪蘇
羬羊	獸	其脂可以已腊	原註：治體皴．腊音昔。
䳋渠	鳥	可以已㬥	原註：㬥謂皮皴起也
萆荔	草	食之已心痛	
文莖	木	可以已瞢	
條	草	食之使人不惑	
條	草	食之已疥	
流赭	土	以塗牛馬無病	原註：赭赤土。又馬或作角。
肥遺	鳥	食之已癘．可以殺蟲。	原註：癘、疫病也；或曰惡創。
黃雚	草	浴之已疥又可以已胕。	原註：治胕腫也。
薰草	草	佩之可以已癘	
橐𩇯	鳥	服之不畏雷	
蓇蓉	草	食之使人無子	
谿邊	獸	席其皮者不蠱	原註：其名或作谷遺
櫟	鳥	食之已痔	
杜衡	草	食之已癭	
礜	石	可以毒鼠	
無條	草	可以毒鼠	

數斯	鳥	食之已瘻	原註：瘻或作癙
圓葉而白柎，赤華而黑理，其實如枳（失名）	木	食之宜子孫	原註：今江東人呼草木子房為柎。一曰柎、花下鄂。
嘉果	木	食之不勞	
丹木	木	食之不飢	
文鰩魚	魚	食之已狂	
沙棠	木	食之使人不溺	原註：言體輕浮也
薲草	草	食之已勞	
讙	獸	服之已癉	原註：黃癉病人
鵸鵌	鳥	服之使人不厭	原註：不厭(魘)夢也
當扈	鳥	食之不眴目	
冉遺	魚	食之使人不眯	
櫰木	木	食之多力	
丹木	木	食之已癉	
滑魚	魚	食之已疣	
鵸鵌	鳥	食之不疽	原註：無癰疽病也。
儵魚	魚	食之可以已憂	
何羅	魚	食之已癰	
鰼鰼	魚	食之不癉	
耳鼠	獸	食之不䐜 又可以禦百毒	原註：䐜、大腹也。
䳋	鳥	食之已風	
白鵺	鳥	食之已嗌痛可以已痸	原註：痸、癡病也。
鰤鰤	魚	食之殺人	原註：或作鯆
鱳魚	魚	食之已疣	
鮨魚	魚	食之已狂	
鮆魚	魚	食之不驕	原註：驕或作騷，騷臭也。
鶌鶋	鳥	食之已暍	
囂	鳥	食之已腹痛，可以止衕。	原註：治洞下也
人魚	魚	食之無癡疾	
[illegible]	鳥	食之不飢可以已寓	原註：寓未詳，或曰寓誤也。
器酸	未詳	食之已癘	
領胡	獸	食之已狂	
鮥父	魚	食之已嘔	
酸與	鳥		原註：或曰食之不醉
鴣鸐	鳥	食之不灂	原註：不瞧目也
黃鳥	鳥	食之不妒	
師魚	魚	食之殺人	原註：未解，或作鯢。
鯀魚	魚	食之無瘕疾	

珠蟞魚	魚	食之無癘	原註：無時氣病也
其狀如棠赤華其實如棗而無核（失名）	木	食之不瘧	
鱃魚	魚	食者不疣	
茈魚	魚	食之不𦢊	原註：止失氣也
蘀	草	可以已瞢	
難	獸	食之已癭	
櫔木	木	服之不忘	
豪魚	魚	可以已白癬	
植楮	草	可以已癙，食之不眯。	
天嬰	未詳	可以已痤	原註：癰痤也
鬼草	草	服之不憂	
飛魚	魚	食之已痔衕	
彫棠	草	食之已聾	
榮草	草	食之已風	
蠪蚳	獸	食之不眯	
芒草	木	可以毒魚	
鴢	鳥	食之宜子	
荀草	草	服之美人色	原註：或曰苞草
茇	木	可以毒魚	
葶薴	草	可以毒魚	
䲹鳥	鳥	食之已墊	
鴒䳩	鳥	服之不眯	
脩辟	魚	食之已白癬	
苦辛	草	食之已瘧	
帝台之棋	石	服之不蠱	
焉酸	草	可以為毒	原註：為毒、為治也。
䔄草(妒)	草	服之媚於人	原註：為人所愛也。
黃棘	木	服子不字	原註：字、生也
無條	草	服之不癭	
天楄	木	服之不咽	原註：食不噎也
蒙木	木	服之不惑	
牛傷	草	服者不厥	
三足龜	龜	食者無大疾，可以已腫	
鯩魚	魚	食者不睡	
騰魚	魚	食者不癰，可以為瘻。	按：為、作治解。
帝休	木	服者不怒	
鯑魚	魚	食者無蠱疾	
楠木	木	服者不妒	
[illegible]草	草	服之不昧	
亢木	木	食之不蠱	

䔄草	草	服之不惑	原註：言益人智
棃萁	草	可以已疽	
葪柏	木	服之不寒	原註：令人耐寒
蘀	草	服之不夭，可以爲腹病。	原註：言盡壽也。爲、治也，一作已。
莽草	草	可以毒魚	
雞穀	草	食者利於人	
青耕	鳥	可以禦疫	
獜	獸	食者不風	
帝台之漿	水	飲之者不心痛	
三足龜	龜	食之無蠱疫	
羊桃	木	可以爲皮張	原註：治皮腫起
巴蛇	蛇	君子服之，無心腹之疾。	

我們根據上表的統計加以分析，除類別未詳的三種及極少數礦物外，其中動物爲 64 種，植物爲49種。此外書中雖有關於芎藭、蘼蕪、芍藥、門冬等，但均不言入藥或作食用。可知當時人類對植物的知識尚不甚豐富，與今天情況恰恰相反，這和社會發展的過程正是完全符合的。

三、漢魏六朝的本草學(公元25—556)

本草之名起於西漢成帝（公元前 8—32）時，如漢書成帝紀：「有方士使者、副佐，本草待詔，七十餘人皆歸家。」又平帝紀：元始五年（公元五年），「徵天下通知逸經、古記、天文、曆算、鐘律、小學、史篇、方術、本草，以及五經、論語、孝經、爾雅教授者。」可見「本草學」確於西漢時已奠立基礎，但當時尚無以本草作爲書名的，被後世推崇的「神農本草經」，其書名也並不見於漢志。直到東漢末年，高誘注淮南子，始言「王瓜，本草作段契」。可知當時已有本草之書出現。其時本草書今有存目可考的，有蔡邕本草七卷，吳普本草六卷及李當之本草經等，不知高氏所見究爲何種。據近人推測，「神農本草」當由上列諸書發展而來，故藥品時有增益。隋書經籍志有「雷公集註神農本草四卷」及「神農本草八卷」（梁五卷；另有陶隱居本草十卷，陶弘景本草經集註七卷），前一種似爲後梁陶弘景(公元452—536)所見的舊本之一，後一種雖卷數不合，疑與陶氏集註同是一書。今四卷本的神農本草已不可得見，陶弘景七卷本的集註亦僅存殘卷，且世人罕覩。玆據「敦煌石室爲本本經集註殘卷校注」文中引用陶氏本草集註原序摘要如次：

「……今之所存，有此四卷，是其本經；所出郡縣乃後漢時制，疑仲景、元化等所記。又有桐君采藥錄，說其華葉形式；藥對四卷，論其佐使相須。魏晉以來，吳普、李當之等更復損益，或五百九十五，或四百四十一，或三百一十九；或三品混糅，冷熱舛錯，草石不分，蟲樹無辨；且所主治，互有多少，醫家不能備見，則識致淺深……。」

據此可知陶氏所見的本草已不止一種，收錄藥品最少爲 319 種，最多的則有 595 種，因此弘景「苞綜諸經，研括繁省，以神農本草經三品，合三百六十五爲主；又進名醫副品亦三百六十五，合七百三十種。」（均引原序中語）撰成本草集註七卷，其卷帙和三品分類如下：

「本草經卷上：序藥性之本源，論病名之形診，題記品錄，詳覽施用之。

本草經卷中：玉石、草、木三品，合三百五十六種。

本草經卷下：蟲獸、菓、菜、米食、合一百九十五種，有名無實合一百七十九種，合三百七十四種。

右三卷，其中下二卷藥，合七百三十種，各別有目錄，並朱墨雜書，並子注分爲七卷。」（以上引陶氏集註殘卷序錄原文）

關於神農本經三品藥目，在陶弘景時代已很有出入，（見前引原序）後雖經陶氏整理，又因其書不傳，仍無法窺其本眞。清代顧觀光和孫星衍均曾重輯，日本並另有森立之輯本，各以己意類次，品目亦不甚一致。今孫輯有商務印書館叢書集成本，此外尚有王闓運覆明重校「神農本草經」，且本草綱目序例亦載有本經舊目，可供互校。

至於陶氏集註所收藥共七百餘種（剔除有名未用藥，實際應用的僅 535 種），均見唐新修本草存目內，今可在證類本草藥目中加以探索，雖或稍有參差，猶可得其大概，不再複引，藉省篇幅。

漢魏六朝流行的神農本草當然不限陶氏集註七卷本一種，但陶氏書行世較晚，且爲唐新修本草之所本，故作重點提出。此外據隋書經籍志尚有隨費本草、秦承祖本草、王季璞本草、談道術本草經鈔等若干種，但各書較少引述，似未廣用，概從省略。

四、初唐至宋元時期的高度發展

（公元659—1367）

在陶弘景逝世後的一百二十年代，於公元 659 年，正是唐王朝建立封建經濟向上發展時期，出現了第一部中國藥典——新修本草。由於前一時代西北各族的長期侵入，以及南朝與海上交通和海外貿易的發展，西域和印度文化不斷輸入等影響之下，使唐代應用的藥品範圍日益增加。在新修本草裏已出現了安息香（出波斯）、龍腦香（出婆律國）、胡椒（出西戎、摩伽陁國）、訶梨勒（梵言天主持來，出交州、愛州）、底野迦（出西戎，胡人時將至）、紫鉚騏驎竭（生南海山谷）、阿魏（出西番及崑崙）、鬱金（出蜀地及西戎或大秦國）、無食子（出西戎、波斯）等若干種，這裏不過略舉其例，就此可見當時統一王朝疆域的廣闊和中外交通在醫藥方面也起了一定的作用。

所有唐代「新附」的 114 種藥品，有新修本草殘卷及證類存目可供核對；當時別有圖經七卷、藥圖20卷（一作廿六），與本草並行，今均亡佚。然孫思邈撰翼方時已將新修三品正文錄入，又於卷一「藥名第二」篇中另列常用藥名，計 680 種，所謂「皆今時見用藥，並可收採，以備急要用也。」考孫氏以上元三年歸隱（公元 674），卒於永淳元年（公元 682），其撰翼方自在新修成書之後無疑。

其他的私家撰述亦續有出現，如孟詵（孫思邈弟子）的食療本草，陳藏器的本草拾遺，鄭虔的胡本草，甄立言的本草藥性，釋行智的諸藥異名，殷子嚴的本草音義，李含光的本草音義，王方慶的新本草等，以上略舉其要，非謂唐代本草著述僅此數種，因其他較爲生疏，故不備舉。此外則另有孟蜀的「蜀本草」及五代時李珣的「海藥本草」，南唐陳士良的「食性本草」等，是其較著者。

自從北宋王朝建立以後，把唐末和「五代十國」分裂割據的混亂局面由統一而穩定下來，封建經濟得到了恢復和發展。在一定的物質基礎影響下，必然地也和其他時代一樣出現着文化高潮，表現在醫藥方面，首先就是本草的重修。

宋代重修的官定本草，是以「新修本草」和韓保昇的「蜀本草」爲基礎的。在開寶（公元 968--975）中先後命「醫工劉翰、道士馬志等相與撰集，又取醫家嘗用有效者一百三十三種而附益之；仍命翰林學士盧多遜、李昉、王祐、扈蒙等重爲刊定。」故有詳定、重定之目，書爲20卷，目錄一卷。其後在嘉祐二年（公元1057）八月又經掌禹錫等再加校正，定名爲「嘉祐補注神農本草」，藥品亦有增加，計收藥1082種；此外並在嘉祐六年（公元1061）另由蘇頌編撰本草圖經，並行於世。此兩書在明末尚存（見世善堂書目），今已佚失，但內容尚保留在「證類本草」中。

當時的補注本草和圖經既是各自刊行，醫者未必兼有其書，故有蜀人陳承將兩書合而爲一，又附以古今論說與已所見聞，成書23卷，名曰「重廣補注神農本草並圖經」。（見元祐七年四月——公元1092年林希序）但自唐慎微的「經史證類備急本草」出現後，已把上書的地位取而代之了。

唐慎微的書在大觀二年（公元1108）已被作爲官定本草而刊行，在宋、金、元、明一個相當長的歷史時期一直流行着，他以個人的努力而完成了這一部劃時代的巨著，在當時可說是空前的。然而北宋王朝對他的勞動成果進行掠奪，而且艾晟在序文中說：「慎微姓唐，不知爲何許人，傳其書者失其邑里族氏。」可見當時王朝對待科學工作者的態度。後來唐氏書又經過政和六年（公元1116）「新修」和南宋紹興27年（公元1157）的重「校定」。現在的「大觀本草」既經艾晟以陳承的「別說」附入；而「政和本草」也由張存惠以寇宗奭的「本草衍義」散入全書，均非唐氏證類的原有面目了。

證類本草收載的藥品共計 1746 種，比唐新修本草藥品總數要多出一倍以上，內唐慎微新增藥品達六百餘種。尤其唐氏引用歷代「經史方書」二百七十餘家，使本書內容及附方數量大大增加，益見唐氏用力之勤，功績十分巨大。此書對我國醫界影響了將近五百年之久，直到萬曆中（公元1596）近代偉大的藥學巨著——本草綱目出現後，方才代替了它在醫界的實用地位。就歷史的成就說，兩書同樣是重要的私人著作，因係綜合各書資料，其價值尤在陶氏集註之上，確是可以先後媲美的。我們今天如要考察古代本草的原有形式，唐氏證類仍然有它一定的歷史價值存在，這是不可忽視的。現在

「大觀本草」有武昌柯氏覆刻本爲最可靠；至於政和本草增附「衍義」的，尚有明嘉靖刻本及四部叢刊影印本等數種，近聞人民衛生出版社也有重行影印的計劃。

在唐氏證類以外的本草尙有多種，因較少特點，且流行不廣，略而不叙。其中較爲著名而其書至今尙存的爲「本草衍義」，另有單行本；此外別有南宋許洪校本的「圖經衍義本草」一種。前書頗爲世人所熟悉，不再詳述；後一種近年較爲少見，僅有商務印書館影印道藏本，係節略證類原書而以「衍義」散入編纂的形式，惟將冷僻之藥已盡行删略，（書中附圖亦與今本兩種證類亦不盡相同）此與元版張存惠「重修政和本草」不同之處，其成書尤早於張存惠本二十餘年，而前人每多忽略，亦醫藥史上所應特別提出的。惟道藏本「圖經衍義本草」中多錯簡訛奪等，目前尙未見善本可供校勘，殊爲可惜。

五、明淸時期的本草與植物學的發展

（公元1368—1850）

明代建國以後，早在孝宗弘治16年（公元1503）已有重修本草之事，成書42卷，收藥1815種。它本是明代的官定本草，但因稿藏內府，沒有刋行，所以醫家當時應用的仍是重修政和本草，而且沿用很久。成化四年戊子十一月（公元1468），山東巡撫原傑曾加復刻，萬曆時別有內府刋本的政和本草傳世。到了萬曆戊寅（公元1578）近代偉大的藥學巨著——本草綱目52卷已告脫稿，在完稿後十餘年方纔在南京首次刋行，從此代替了證類本草的地位而爲醫家所重視。

本草綱目的作者李時珍一生著作的書有十多種，但對本書的努力特多，貢獻最大。他的編寫本書「歲歷三十稔，書考八百餘家，稿凡三易。」「上自墳典，下及傳奇，凡有相關，靡不備采。」而且他不僅根據文獻記載，同時還十分留意觀察實物。譬如在豬膏母條就有這樣的說明：「常聚諸草諦視，則豬膏草素莖有直稜，兼有斑點，葉如蒼耳而長，似地菘而稍薄。對節而生，莖節皆有細毛。肥壤一株分枝數十。八九月間開小花，深黃色；中有長子，如茼蒿子，外萼有細刺黏人。」全書中這樣的記錄很多，足見他觀察的精密。在體例方面也是特創的，他改變了古本草的分類法，把全書分成16綱、60目，收載藥品1892種，內有374種是時珍新增的。每藥分立釋名、集解、氣味、主治、修治、發明、正訛、附方等項。正因他這書的編寫過程經過了27個年頭（公元1552—1578），搜采古今文獻，博訪民間傳說，再從實際出發，加以考訂，所以其內容的豐富是空前的，至今成爲不朽的科學巨著。它的唯一的科學價值就表現在「實事求是」和「言之有物」，這是和歷代本草不同之處。

本草綱目首次刋行之本爲金陵胡承龍刋本，故世稱「金陵本」，傳世絕少；其後有崇禎13年（公元1640）印本，實即胡氏原版出售與新安程氏據元堂後而重印的，並非重刻。除題銜有剜改外，內容行式均與金陵初刻本同。現在最通行的木刻本有清代光緒11年（公元1885）張氏味古齋刻本，內附有瀕湖脉學、蔡氏萬方鍼綫及趙氏綱目拾遺等，其圖係據吳其濬植物名實圖考訂正，重行改繪。世界書局的精裝本本草綱目即是據味古齋本而影印的，故錯誤較少。（世界本內無瀕湖脉學，惟已另增索引，甚便繙檢）

自從本草綱目行世以後，在清代康熙40年（公元1701）曾由王道純等重修本草品彙精要，並成續集十卷。其實祇是將綱目所有藥品補入，輯成續集，不足以稱「重修」，而且當時仍未刋行（商務印書館曾據抄本略去附圖，將正續兩集合併排印出版，因適當抗戰時期，流傳仍不廣泛），故其書在民間影響不大。但因它是最後一種官定本草，如果從藥物史來說，當然不能不特予提出。

在綱目以後，續有補充或對綱目作部分糾正，足以輔翼原書的，首推乾隆間（公元1765）趙學敏的「本草綱目拾遺」一書。它收載當時習用藥品716種，而且也是經過了幾十年才編寫成功，雖然內容遠不如綱目的豐富，然其實用價值和功績同樣是不可磨滅的，所以能和綱目並垂於世，至今也爲人重視。

此外從植物學方面來說，雖然其目的不在於醫用藥物，但也有幾種重要著作不能忽視的，就是明永樂四年（公元1406）周定王的救荒本草四卷，收載以救荒爲主可供食用的藥共414種，以及清道光28年（公元1849）吳其濬的「植物名實圖考」及

「長編」合60卷，收藥1922種。這兩書的優點是圖說詳明，大有功於文獻，更是研究藥物和本草學者必須參考的重要資料。

當然明、清時代還有不少本草著作出現，但因內容較少特點，對社會上所起的影響不大。惟有清代康熙22年（公元1683）王東皋著「握靈本草」，乾隆49年（公元1784）沈金鰲撰「要藥分劑」，此兩書係取綱目删節而成書，選載常用藥均爲四百餘種，學者稱便，但前一種甚少流傳。此外別有「本草備要」、「本草從新」、「本草求眞」等簡明的書本，流行很廣，但僅供傳授講習之用，爲了使本文勿過分冗長，不再作深入介紹。

清代關於重輯和重刊古本草方面，曾作不少努力，都有一定的貢獻。因在以上各節已摘要提到，爲避免重複起見，不再一一備列。至於1850年以後的藥物史料，目前因寫作時間關係，亦暫從闕，容俟日後另爲補充。

消　息

高等醫學教學大綱已定稿

衛生部和高等教育部在北京聯合召開的全國高等醫學院校教學大綱審訂會議，連續進行了十一天，於二月十日閉幕。參加會議的有全國高等醫學院校二十九個單位的代表，計二百多位醫學專家、教授等，還有衛生部和北京醫學院等單位的十八位蘇聯專家。

會議主要目的是對全國高等醫學院校的教學大綱作最後定稿。此項教學大綱是根據去年八月召開的第一屆全國高等醫學教育會議精神，爲了進行教學改革，學習蘇聯先進經驗和發揚祖國醫學而擬定的。大綱的每一學科，半年以前即由衛生部和高等教育部責成三個學校的有關教研室，以蘇聯醫學教學大綱爲藍本，結合中國高等醫學院校設備情況、教師和學生的水平，結合中國多發病情況和中國的醫學成就等，並適應國家經濟建設的需要擬定草稿，分送全國各高等醫學院校廣泛徵求意見。然後根據各地所提出的一萬一千八百多條意見，由北京醫學院負責對衛生專業和小兒科專業、中國醫科大學對醫療專業、上海第一醫學院對放射學、上海第二醫學院對拉丁文分別整理成初稿。此次會議本着團結和充分發揚民主精神的原則對初稿作了詳細討論，在十八位蘇聯專家自始至終的親自幫助下最後定稿爲全國高等醫學院校教學大綱。

會議上由衛生部蘇聯專家波爾德烈夫和杜施凱維奇以及病理學專家非德洛夫等作了報告。北京醫學院李濤教授和中醫研究院魯之俊院長在會議上分別作了「祖國醫學發展史」與「關於如何學習研究祖國醫學」的報告。中國醫科大學醫療系和北京醫學院衛生系在會議上分別作了關於學習蘇聯醫學教學大綱的體會報告。會議期間還舉辦了祖國醫學遺產及醫學教學資料展覽會。

會議最後由衛生部賀誠副部長作總結報告。報告指出，會議定稿的教學大綱的主要特點：第一、它是以辯證唯物主義爲指導思想而且運用了巴甫洛夫學說的，它顯示擺脫了資產階級的唯心思想；第二、它是爲着國家社會主義建設服務的，它體現了國家的一切新制度，也貫穿了預防爲主的衛生原則；第三，它具有鮮明的民族色彩，便於培養學生的愛國主義思想。這一具有高度思想性和科學性的教學大綱包括五十四種學科，將由衛生部和高等教育部聯合公佈施行。

（轉載1955年2月18日人民日報）

明代本草的成就

李 濤*

十四世紀末年在人民起義的基礎上建立了大明帝國，經過一百多年的恢復和鞏固，到了十六世紀，政治安定，工商業向上發展。嘉靖一代(1567—1572)號稱盛世，經隆慶至萬曆(1567—1619)始終保持統一局面。國民經濟在長期和平生活中，日趨繁榮，文化也隨之進步。所以明代(1368—1645)的醫學以十六世紀最爲發達，其中尤以藥學成就最大。

十五世紀初年，中國造船業發達，鄭和曾率領多人乘寶船七次下南洋，其中有的船一直到了羅馬。下南洋的人學習了那些外國尤其是熱帶所產的動植物以及當地人用藥治病的經驗，有的人將那些異物一一記錄下來，例如顧玠「海槎餘錄」，鞏珍「西洋番國志」等直接增多了中國本草的知識。

十三世紀李杲主張人以胃氣爲本，胃虛則病。十四世紀朱震亨提倡節飲食以去病。明代醫學受李、朱學派影響極大，因此有多人注意飲食學，欲從飲食中防病和治病，於是有多種食物本草的出現。更由於災荒歉收，勞動人民在尋覓食物過程中，發見多數可食的植物，爲人類開闢了更多的食物資源，文人將這些成就記錄下來，例如「救荒本草」，「野菜博錄」等。

明朝提倡朱熹的道學，做八股文必需依照朱熹註的四書來解釋。朱熹主張格物致知，格物就是窮究事物之理，以達到眞知。研究動植礦物治病之理，屬於格物範疇以內，因此明代士人多好研究本草，成爲風氣。結果有多數藥理學的著作出現，例如「本草發揮」，「本草集要」，「本草綱目彙言」等。

政治安定，經濟繁榮，對於外國藥物知識增多，醫學理論的追求，因之引起醫家注意本草的研究。結果使藥物學本身發展起來，極需有一種新的本草出版以便醫家應用。

到了十六世紀末年，終有偉大的科學家李時珍完成了這個歷史的任務。現在爲了敘述方便起見，以李時珍爲中心，分爲李時珍前的明代本草和李時珍後的明代本草。

一、李時珍以前的明代本草

1. 偏重藥理的本草

中國醫學在十二世紀以後，發生極大變動，張元素、劉完素、李杲、朱震亨等對於醫學創立新說，同時對於藥物的功效也給以新解釋。例如張元素的「潔古家珍」，主張分十二經用藥。李杲的「用藥法象」主張藥有升降浮沉。元明以來醫生用藥完全以諸大家的理論作標準，宋代刊行的「證類本草」已不適用。因此元初王好古著「湯液本草」，明初徐彥純著「本草發揮」，都是將諸大家對於本草的發明編輯在一起。這一類的書尙有汪機的「本草會編」，據李時珍的批評是錯誤最多的書。

王好古和徐彥純的本草，分類法仍遵循前人按藥物來源分類，例如草、木、菜、禽、獸、金、石等。王綸於1492年（弘治壬子）著「本草節要」，則按藥物對於人身所起作用，就是按藥性分爲十二門，例如氣、寒、血、熱、痰、濕、風、燥、瘡、毒、婦科、小兒等。這種分類法與現代藥理學的分類法極爲近似，是一種值得稱道的創造。可惜當時關於藥物對於人體所引起的機轉不能眞正明瞭。判定藥效又無實驗作根據，僅憑經驗來推論，往往將性質相反的藥歸入一門，例如延胡索（止痛藥）和巴豆（瀉下藥）均歸入破血藥。還有一藥互見於數門之內，例如人參附子等既見於氣門，又見於寒門和血門。結果失去按藥效分類的作用，反增加閱者的迷惑。但是王綸早在十五世紀末年，能按藥的功用來分類，誠然是一偉大創造。當時不能將各藥一一劃分清楚也是意中之事。

2. 偏重生藥的本草

王綸以後七十餘年，即1565年，陳嘉謨按照

* 北京醫學院講師

「本草集要」的次序編著「本草蒙筌」。據其自序中說，曾五易稿，經七年才寫成。共載藥742種，但實際討論者僅447種，其餘僅附錄藥名。這部書在藥效分類上雖無特殊貢獻，但是特別注意地道，例如白朮分浙朮、歙朮；芎藭分京芎，（關中）撫芎（撫郡）、台芎（台州）。更按性質區分如黃芩疏鬆者爲宿芩，堅實者爲子芩。甚至一藥又分身和梢，如防風。此外對於各藥製法也記得很詳細。從他這些詳細記載，可見他是一位有實際經驗的人。但是著者對於服藥長生的信念很强，往往過甚其詞，例如對於菊花，何首烏，五加皮等皆謂確有長生的作用，顯然是失實的記載。

3. 食物本草

1329年吳瑞編「日用本草」，其中分八門，就是米、穀、菜、果、禽、獸、魚、蟲、味等。他的目的是欲從日常食物中講求防治疾病的方法。十五世紀以後盧和按照「日用本草」的分類法，編成「食物本草」。他將米穀併爲一類，另加水類。更將內容增加一倍。又「日用本草」，仍注意治病，所以附入藥方甚多，至「食物本草」則錄入的藥方甚少。他在每類之後，均有總結性跋語，例如在穀類後主張多種植有營養的黃穀，以增加良好的食物；在菜類以後，主張蔬菜可疏通腸胃，有益於人。自從十四世紀，朱震亨主張以植物如米穀等爲主食，動物的肉能動火，不應該多吃。明代醫家大約都信奉他的學說，因此盧和也主張蔬食，對於肉類則主張節制，不然便可生病。他這部書的稿本，被汪穎所得，於正德時（1506—1521）稍加改編，將水類減去十幾種，菜類和獸類增加數種，簡直談不到有什麼貢獻。後來這部本草改題爲李東垣「食物本草」，實即汪穎「食物本草」。更有將盧和的「食物本草」題爲薛己「食物本草約言」者。

由上邊的介紹，可見「食物本草」在十六世紀題名有盧和，汪穎，薛己和李東垣的不同，但是細加校對，只是盧和的「食物本草」一種。汪穎增減很少，不能算作獨立的書。

與食物本草相類的書，更有寧原編的「食鑑本草」，現有1592年刻本，分類法與前書不同，其次序爲獸物、果、蔬菜、味等，所載食物皆爲尋常食品，並錄藥方於後。這部書記載極簡要，而且敘述法，綱目分明，例如以鹿作綱，鹿下分述肉、血、腎、茸、角等。李時珍的本草綱目的敘述法顯然與這部書有直接關係。

除了「食物本草」以外，更有從積極方面着想爲人民開闢食物資源的書。1406年周憲王朱橚曾著有「救荒本草」。據原書序中說曾將各種植物種植在園內，等到成長以後，由畫家根據植物的花、實、根、幹、皮、葉繪圖解說。這部書對於每個植物均記載了產地、名稱、性質，最後爲烹調方法。共記載414種植物，以備荒年作爲食品。在414種植物中，除了見於舊本草的138種，新增了276種，在植物學上有極大貢獻。

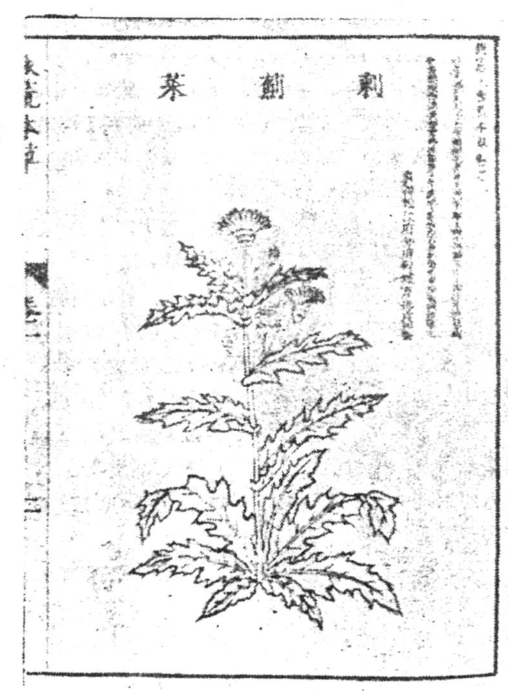

圖 1　救荒本草所繪的植物圖

4. 歌詠體本草

歌詠體本草，在明代曾有多種刊行，固然對於藥物學進步上無大關係，但對藥學教育上起了宣傳作用，其中以署名李杲的「藥性賦」最爲簡明實用，其餘的還很多，但流行不廣。

二、李時珍和他以後的明代本草

1.李時珍的本草綱目

由上邊的介紹，可見自證類本草刋行以後，到明朝中葉已經四百多年。不但增加了許多新藥，而且對於藥效的經驗上也多所發明。更在理論上有根本改變所以此時需要有一本新的藥典，將那些內容，都包羅進去。因此 1505 年劉文泰等奉詔編輯本草品彙精要。但這書僅增新藥 46 種，且未能印行，故無影響。到了十六世紀下半葉，傑出的醫學家，藥學家，卒能完成這個歷史的任務。

李時珍（1518—1593）湖北蘄春縣人，家世業醫。14 歲補諸生，20 歲曾患肺痨，30 歲左右便繼承父業爲人治病。在學醫以後，不久就見到了重編本草的需要，所以在 1552 年，立志編輯一部本草。他爲了編輯本草，曾遍閱各種書籍，作爲參考資料。王世貞的「本草綱目」序上有「上自墳典，下及傳奇，凡有相關，靡不備采」。又說「歲歷三十稔，書考八佰餘家」。這幾句話足以說明他掌握了充分的參考資料。據他的序例中所列的參考書共分三大類：第一類是歷代諸家本草共 41 種，第二類是醫書，主要是醫方共 277 種，第三類是經史百家書，共 440 種。三項共計 758 種。

他編輯這部書是以「政和經史證類本草」作藍本，這書內共載藥 1,764 種，其中一物重出的很多，他參考了「醫學綱目」和「食鑑本草」的叙述法，將重複者除去，同源者歸併。例如標龍爲綱，將龍齒、龍角、龍骨，龍腦、龍胎、龍涎，都歸併在一起，而各列爲目。經這樣整理以後共得 1,479 種。更從金、元、明諸家本草所載，收錄了 39 種。此外更新增 374 種。三項共計是 1,892 種。如按藥物性質分成動、植、礦三大類，則植物最多，動物次之，礦物最少。現從原書所載的數字歸納爲四類，如下表：

動物(蟲、鱗、介、禽、獸、人六部)	444
植物(草部610、穀、菜、果、木 484)	1094
礦物	275
日常什物(服器)	79
共計	1892

「證類本草」原分爲 11 部，就是玉、石、草、木、人、獸、禽、蟲、魚、果、米穀、菜和有名未用。由於分類是很難的事，以前本草書中錯誤很多，所以本草綱目的凡例中說「舊本玉石水土混同，諸蟲鱗介不別，或蟲入木部，或木入草部。」可見此時有重新分類的必要，更由於當時五行學說盛行於醫家，因此他參考「皇極經世書」增加了水、火、土三部，更將玉石改爲金石。此外將蟲魚部畫分爲蟲、鱗、介三部。增加服器部，取消有名未用部，共計 16 部。

這時對於植物藥的知識一天一天多起來，「本草綱目」收錄草藥便多到 610 種，木部多到 180 種，於是更將各部，詳細分類。當時他所採取的分類法，草部大致是按照所生地區來區別，例如草類分爲山草、芳草、濕草、毒草、蔓草、水草、石草、苔草、雜草、有名未用十類。木部則按性質區分，例如香木、喬木、灌木、寓木、苞木、雜木六類。其餘各部也有類似的分類，共分了 60 類。

以前的本草最混亂的部分是植物。有的一種植物因爲名稱不同，誤作兩種藥，例如「開寶本草」重出天南星和虎掌。還有本來是兩種植物誤爲一種，例如汪機謂蔓荊和菘菜（白菜）爲一物。這類錯誤非常之多，必須親到產地採訪，並觀察比較，才能解決。

在他以前蘇頌作「圖經本草」是根據各地繪來的藥圖編輯成書。顯然著者未親見各種植物。李時珍見到這點，所以親到各地訪視，辨認各種植物。因此描寫詳細確實，絕非以前的本草所能比擬。這種方法直到現在仍爲每個植物家學習上所必循的途徑。茲舉他觀察豨薟草的例子如下：「常聚諸草諦視，則豨薟草素莖有直稜，兼有斑點。葉似蒼耳而微長，似地菘而稍薄。對節而生。莖節皆有細毛。肥壤一株分枝數十。八九月開小花，深黃色。中有長子如同蒿子，外萼有細刺黏人。」由上所述可見他鑑別植物的方法是從產地、苗、花、萼、實、葉、根、氣味等作根據，互相比較觀察，然後始作結論。這種結論皆根據實地觀察，和以前的本草所記大不相同。

李時珍研究植物藥，決定先從辨認千種以上的植物入手，特別注意植物的分類，使其綱目分明，不僅便利了醫藥家，而且奠定博物學的基礎。這種分類法，在當時是世界上最進步的分類法。因此波蘭人卜彌格(Michael Boym)氏於 1647 年來中國，首先便根據［本草綱目］譯成［中國植物誌］（Flora Sinesis）於 1659 年出版。影響歐洲植物學進步者很大。

李時珍不但將本草全部藥物詳加分類，而且對於每個藥物的叙述，也分條記載。在每個藥物的正名之下記載了各種異名（釋名），其次分產地（集解）、鑑別（辨疑正誤）、製法（修治）、性狀（氣味）、效用（主治）、發明、附方各項。他這樣提綱挈領的記載，具有高度科學性。所以現代藥物學仍然要按照這樣分項叙述。

2. 本草綱目在醫藥上的貢獻

(1) 總結了十六世紀以前中國人民用藥治病的經驗

現代醫學的絕大部分是繼承古人的經驗。古人的經驗通過科學的檢查證實，去僞存眞之後，成爲科學的醫學，所以說現代醫學主要是來自經驗醫學。李時珍曾總結了十六世紀末年中國人民數千年用藥的經驗和知識，首先是整理在他以前諸家本草所錄各藥，分條叙述，在每種藥之下均附入前人的病例和自己的經驗。其次是搜集當時所有醫方，附錄於有關各藥的下面，目的是指明各藥的用法和證實他的效用。從 277 種醫方內共收集新舊單方11,000多條。更根據經史百家的知識，考據各藥的歷史和發現。

除了整理舊有的藥物以外，更增加了新藥。據書內採集諸家本草藥品總數的表內，本草綱目增加 374 種新藥，是中國歷代本草學增加藥物數目最多的人。

他所增的 374 種藥，主要是從歷代醫方內搜集出來。少數是直接記錄當時人民的經驗。新增藥物中，最多的是草類共達 86 種。

他所增添的藥物，大部分是西南各省和南洋各地所產的物品。這乃由於南宋以後與海外交通頻繁，對於動植物的知識日多。而李氏自己又生長華中，得以親自採訪。再就他所增的藥物 374 種來說，如三七、曼陀羅、番木鼈、雅片、燒酒、葡萄酒、樟腦、大風子等，直到現在仍是醫學上很有價值的藥物。此外更記載了宋元以後始傳入中國，而爲今天日常食用的穀菜，如秈、玉蜀黍、豇豆、胡蘿蔔、甘藷、南瓜、絲瓜等。如不是經他記載，我們已無法一一知其源流了。

(2) 反對當時流行的臆說

當時方士服食長生之說仍很盛行，甚至藥學家也隨聲附和，例如［本草蒙筌］內也記載了很多長生的話，可見應該辨明的事。李時珍在水銀下面有［而大明（日華諸家本草）言其無毒、本經（本草經）言其久服神仙、甄權（藥性本草）言其還丹元母，抱朴子（葛洪）以爲長生之藥。六朝以下貪生者服食，致成廢篤，而喪厥軀，不知若干人矣。方士固不足道，本草其可妄言哉。］此外黃連、莞花、澤瀉等，當時也有久服長生的說法，他皆一一反駁，並指這些藥有毒不能久服的道理。他更指出砒石毒性極烈，宋人不甚言其毒的非是，會舉出多數中毒病例，證實其說，提醒藥學家注意。

當時對於動植物發生的來源有種種猜測。例如草子變魚，馬精入地變成鎖陽等。他從實際上觀察判定魚是魚子演變，鎖陽是一種植物。按自生學說在歐洲 17 世紀仍爲一般人所信仰。李時珍在 16 世紀即指出魚在春末夏初生子於草際，牡魚射精其上（洒白）數日即化出，稱爲魚苗。他這樣按照實際觀察去研究生物現象，在當時是最傑出的人。

此外醫生對於人類寄生蟲的看法，有些人認爲蟲在體內可以消食，不應該吃驅蟲藥或者不應該將蟲殺盡。他在使君子條下，直斥這是俗醫的鄙說，不應聽信。他更觀察到兒童嗜食燈花等爲寄生蟲病，立用驅蟲藥治之。在 16 世紀能有這樣銳敏的正確觀察，實在是可驚的。茲舉原文如下：［我宗室富順王一孫，嗜燈花。但聞其氣，即哭索不已。時珍診之曰，此癖也，以殺蟲治癖之藥丸，一料而癒。］

在這本書裏，駁斥當時人的臆說，鄙說的地方很多，現在略舉上邊幾個例子，已可見他如何爲眞理奮鬥了。

(3) 發明多數藥物的眞正效用

中國本草內雖記載了近兩千種的藥，但是每種藥的眞正藥效尙知道的很少，所以本草中所記的治療效用都是樣樣治，使人看了很模糊。他在這一方面可說用力最大，而且成就也最大。他研究藥效的方法，首先是從古人單方中取得經驗，其次經自己試驗，最後作出結論。所以我們今天看［本草綱目］每種藥的發明一段以後，多數藥物都可清楚地認知效用。

茲舉延胡索爲例，荊穆王妃胡氏胃病，他根據雷公炮炙論「心痛欲死，速覓延胡」的經驗，用延胡索末三錢止住了痛。後來更用此藥治華老的腹痛。最後引證方勺「泊宅編」用延胡索治全身痛。從這些經驗，他總結了延胡索有止痛的作用。據近代藥理學的實驗，也證明延胡索確有麻醉的效力。其次再舉常山爲例，他在發明項下反復說常山有截瘧之功，最後更舉出李燾欲治嶺南瘴氣，非常山不可的話。還指出防吐的辦法。最後附 26 方，除兩方外，都是用常山治瘧方，可見他是確知常山有治瘧之功。最近科學家實驗，也證實常山鹼殺瘧原蟲的效力，較比奎寧高達 150 倍。可見他的結論是十分正確的。

此外牽牛子的下瀉作用，黃芩的降熱作用，益母草的調經作用，三七的止血作用，香薷的利尿作用，人參的興奮作用等，都從前人和自己經驗中總結出正確的療效，而這些療效都已經由現代科學一一證實。由此我們不難想見，其中必有很多的藥，李時珍已作出極正確的結論，而科學家尚未證實，或無法證實其功用者。這也正是今天科學家應該大力研究的問題。

(4) 提供了現代藥物學研究的資料

「本草綱目」自從1596年刊行以後，大量流行，直到現在，仍然不斷翻印，成爲醫家必讀的書。不但翻印了多次，而且有許多醫家，以綱目爲藍本，作了多種書。自從 1606 年，「本草綱目」傳入日本以後，翻刻和研究的情形也和中國一樣地熱烈。

日本不但多次翻印，而且在 1785 年將他譯成日文。1929年爲了正確起見更行重譯，所以現在存有兩種譯本。

在歐洲則早在 1659 年波蘭人卜彌格已將其中植物部譯成拉丁文，影響歐洲植物學的進步，上邊已經提到。17世紀以後，各國開始用本國文字寫科學書，因此 1735 年都哈爾德 (Du Halde) 便將其中一部譯成法文。1857年更有俄文譯本。1928年達利士 (Dalitzsch) 則將他譯成德文。英文譯本多達十餘種，但以伊博恩 (B. E. Read) 所譯，最爲忠實。所以「本草綱目」一書，據我所知已有七種文字流行於世界，對於人類貢獻之大，不言可知。

「本草綱目」搜集最全的部分是植物藥，共計一千多種，這也是現在藥物研究中最有價值的部分，因此外文譯本往往專譯此部。其中有一部分如大黃、桂皮、當歸等很早便已傳到歐洲，被世界各民族採用了。近年從「本草綱目」線索中更發現治痲風的大風子油，治月經病的當歸，治喘的麻黃，治條蟲的雷丸和檳榔，治瘧的常山，最近又發現治高血壓的杜仲，抗菌作用的大黃、黃連等。最近幾十年不論國內國外研究中藥時唯一的材料來源便是「本草綱目」。總之，「本草綱目」自從 1596 年刊行以後，已經三百五十多年，不但中國舊醫沿用作參本，而且供給世界藥學家作研究藥物的參考書。由此更可想見他對於人類貢獻之大了。

其次是動物藥，他共收集了 444 種。所用的分類法與當時歐洲所用者相似。其中人部的藥，歐洲18世紀的藥典所記，仍與「本草綱目」所記者相同。我們在現代醫學上所能應用的動物藥仍然很少，近40年才開始研究各種激素如垂體素，甲狀腺素，胰島素以及維生素等。在本書內早已記載了蟾酥（功用似腎上腺）牛膽等，無疑對於近代激素和維生素的研究，給予極大啓發作用。但是本書內記載了多種動物藥，而現代醫學上所能引用者，仍然很少，這可作爲今後醫學家的努力方向。

「中華人民共和國藥典」連製劑在內，共收錄 531 種藥，其中採自「本草綱目」的藥和製劑在一百種以上。由此可見中華民族用藥治病的經驗，對於人類保健方面貢獻之大。

最後在營養方面也提供很多材料，在植物方面僅穀、菜、果三類已記有三百多種，在動物方面的蟲、鱗、介、禽、獸更記有四百多種，但是我們日常食物所用的動植物原料，較比起來，仍極有限。蟲類應用作食物，尤爲少見，此後營養學家應該從我們祖先多年選擇食物的經驗中發掘人類食物的資源，而「本草綱目」可以提供豐富的資料，作爲研究的依據。

三、李時珍後的明代本草

「本草綱目」出版以後，振動了醫界，曾引起時人研究本草的熱情，因此十七世紀上半紀，有多數本草書出版，其中對於生藥有特殊貢獻者爲李中立編的「本草原始」，他將每個生藥的形狀，自繪成圖，在圖旁附註好壞的標準，採取的季節，根、葉、花苗何部可供藥用，均一一標明。其後更詳細記載炮製方法。文字簡明爲藥業最實用的書。

由於製藥法的進步，自古沿用的雷公炮炙論已不够用，因有多種製藥書出版。例如「炮炙大全」記載439種藥的製法.「雷公炮製藥性解」，記載333種藥的製法。這足以說明當時用的藥絕大部分均經過製造，顯然是一大進步。製藥法是藥業工人從實際經驗創造出來，與醫生的關係不大。但是當時刻書必須僞託名醫的名字才易推銷，所以這兩部書所題的著者均係名醫。

在藥理學方面的著作，有倪朱謨的「本草綱目彙言」。他選擇「本草綱目」中實用的藥仿照「本草發揮」的編輯法，將當時三十多人對於藥理的討論彙集在一起，皆一一註明出處，因稱「本草綱目彙

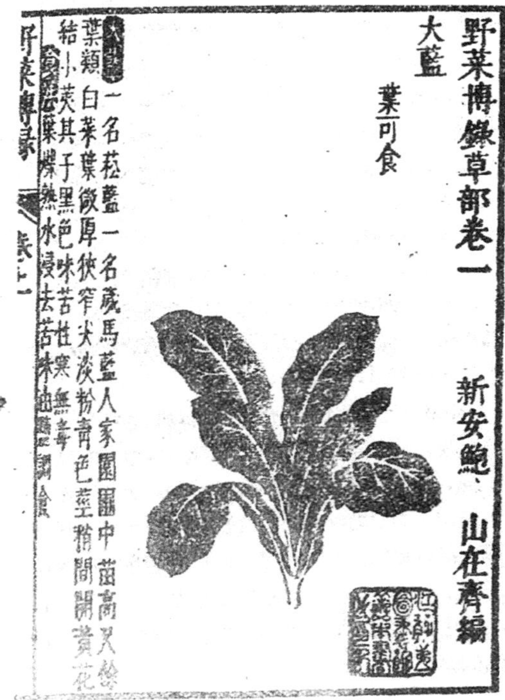

圖 2 野菜博錄所繪的植物圖

言」。我們從這部書可知當時醫生對於藥理十分熱心研究，可惜皆遵循舊路，無大發明。此外有摘錄「本草綱目」中的發明一項編輯成書者，更有舞文弄墨濫詞繁瑣成書者。從藥學的進步看，則無價值可言。

至於飲食學方面，追隨盧和「食物本草」的體例，編輯成書者有「食物輯要」。此外有「上醫本草」和署名李時珍的「食物本草」，皆選錄「本草綱目」中的食物，輯錄而成。此外按照「救荒本草」的形式編輯的植物書有「野菜博錄」，其中記載植物435種，多屬黃山一帶植物，每品一圖，圖繪極精，可與「救荒本草」先後比美。

總之「本草綱目」出版以後引起當時醫藥界研究本草的熱情，所以在短短的半世紀內，相繼有多種名著出版，使藥學勇往直前地向前進步，愈可見李時珍對於人類向疾病鬥爭過程中起了巨大作用。

總　　結

中國在十六世紀國家安定，經濟繁榮，人民對於醫藥的要求增高，加以海外貿易頻繁，傳入多種外國藥物。此外受李杲、朱震亨的影響，注意飲食的研究，受理學的影響，推求藥物治病之理。結果中國此時在藥學上有很大進步。對於藥理學有貢獻者，首推王綸，編有「本草集要」。對於食物本草有貢獻者首推盧和，編有「食物本草」。對於辨認生藥有貢獻者首推李中立，編有「本草原始」。製藥方面，以「炮炙大全」最爲完備。歌詠體本草以「藥性賦」流傳最廣。推求明代本草所以這樣輝煌成就，完全由於長期和平經濟力向上發展的原故。所以我們今天要響應世界和平理事會的號召，必須向美國戰爭犯子作鬥爭，爭取世界和平才能更迅速地完成社會主義建設。

李時珍編輯「本草綱目」，不但曾經長期堅苦奮鬥，而且研究和編輯採用了相當科學的方法，理論本於實踐的精神，大胆的批評等。他不但是醫藥界的導師而且是現代中國知識分子的榜樣。今天介紹偉大科學家李時珍，對於我國的社會主義建設有極其重大的意義。

參考文獻

徐彥純　本草發揮　1384以前　薛氏醫案內
朱　橚　救荒本草　1406　正德乙未皇都書舖
劉全備　註解藥性賦
王　綸　本草集要　1492　弘治壬子
盧　和　食物本草　胡文煥刻本
熊宗立　珍珠囊藥性賦　1501
劉文泰等　本草品彙精要　1505　民25商務印書館
薛　己　藥性本草約言　日本萬治三年
薛　己　食物本草約言　日本萬治三年

白酒
食之暫時與快久當成疾
溫泉水性熱有毒切不可飲一云下有硫
黃即令水熱當其熱處可燖猪羊主治
風頑痹浴之可除廬山下有溫泉池往
來方士教令患疥癩及楊梅瘡者飽食

圖 3 食物本草中釀酒圖　　圖 4 食物本草中溫泉沐圖

圖 5 [illegible]

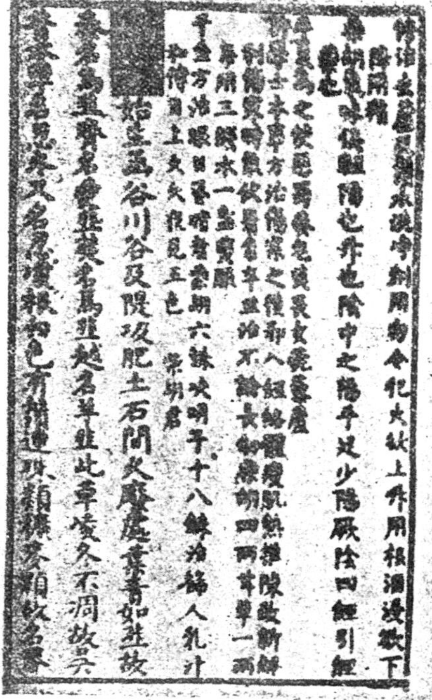

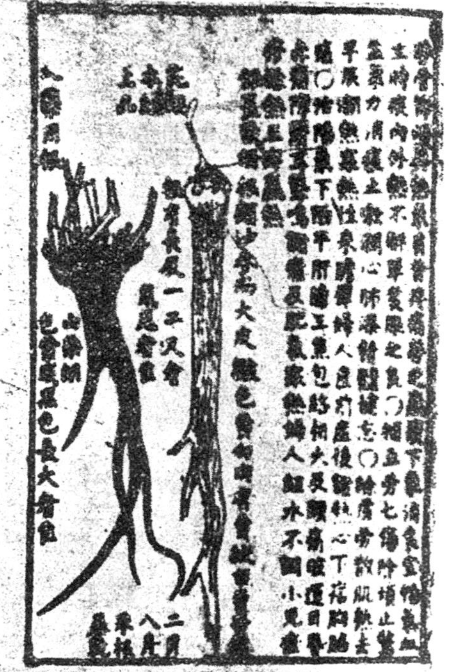

圖 6 本草原始中生藥圖

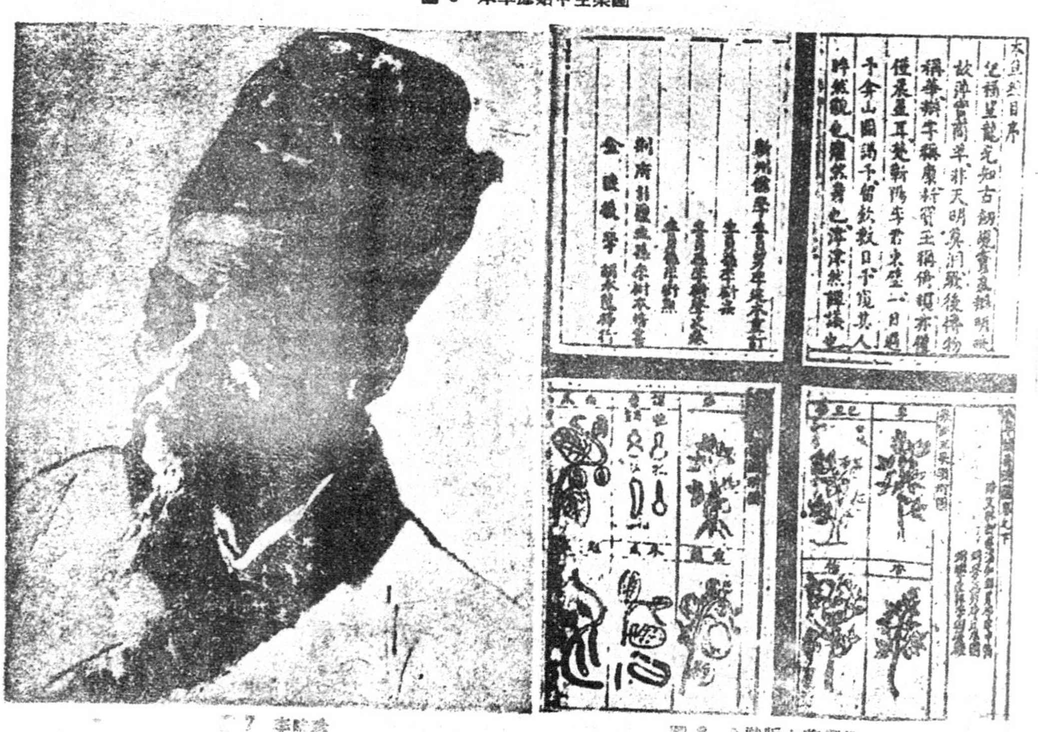

圖 7 李時珍

圖 8 金陵版本草綱目

汪穎（原題李杲）食物本草　1506—21　萬曆庚，[illegible]元[illegible]
蔣儀　藥鏡
程伊　釋藥集韻　1561　明刊
陳嘉謨　本草蒙筌　1565　文茂堂
周履靖　茹草編　1582　金陵荊山書林
寧源　食鑑本草　1592　虎林虎氏文會堂
李時珍　本草綱目　1596　道光丙戌英德堂
李中立　本草原始　1612　明刊
穆世錫　食物輯要　1614
楊崇魁　本草真詮
盧復　神農本經　1616　寬政11年日本江戶鈴木良知
趙南星　上醫本草　1620　趙悅學重刊
鮑山　野菜博錄　1622　民24陶風樓影印
倪朱謨　本草彙言　1624　順治己酉大成齋
張三錫　本草選（發明切要）
繆希雍　神農本草經疏　1625　綠君亭
繆希雍、莊繼光　炮炙大全
李中梓　本草通玄　善成堂
李中梓　本草圖解
李中梓　鐫補雷公炮製藥性解　三槐堂
姚可成（原題李時珍）　食物本草　抄本
盧之頤　本草乘雅半偈

（轉載自新建設1955年二月號，經作者修改並附入插圖）

會務通訊

一　中華醫學會北京分會醫史學會年會

中華醫學會北京分會醫史學會於1954年12月10日下午七時在總會召開1954年年會，並改選下屆委員。

出席會員十七人。由龍伯堅主席。會程如下：

一、學術報告

1.　李濤報告「明代的外科」。

2.　馬堪溫介紹蘇聯論文「蘇聯研究衛生史的任務和概況」。

二、會務報告

1.　主席宣讀中華醫學會總會對各地分會「進一步地學習蘇聯」的指示。傳達「國際醫學雜誌」徵稿事項。

2.　李濤總編輯報告中華醫史雜誌1954年編輯工作概況。

3.　報告醫史學會會員集體編譯嘉氏醫學史一書的工作情況。

三、改選1955年委員

經過協商推定朱璉、李濤、趙樹屏、魯德馨、謝恩增、龍伯堅、譚壯等七人爲候選人，並決定印發選票寄送各會員另行選舉。

會議至此結束。

選舉結果，七位候選人一致當選。

新委員會於1955年1月12日下午七時半在中華醫學會總會召開會議，進行工作分工並擬定工作計劃。

出席的有李濤、趙樹屏、魯德馨、龍伯堅、謝恩增、譚壯。推定魯德馨爲主任委員，李濤爲秘書。並議決委員會每兩月開會一次，本年舉行學術講演會五次。暫訂第一次在二月下旬舉行，由趙樹屏講「太醫院」；謝恩增講「北京西醫的發展」；程之範講「醫學史課程在我國醫學教育中的任務和一些有關問題」。第二次在四月下旬舉行，講員有李濤等，講題未定。其他三次會中[illegible]。

我國皮膚性病科的歷史

(清代以前的記載)

程 之 範

一、皮 膚 病

我國遠在公元前14世紀的甲骨文中已有「疥」字和「疕」(頭瘡)的出現，疥字即人患皮膚病的象形字。周禮的天官篇已有「春時有痟首疾，夏時有癢疥疾，秋時有瘧寒疾，冬時有嗽上氣疾」的記載，可見我國人在很早就已認識了皮膚病。而且在周禮天官篇還記載了外科醫生：「凡邦之有疾病者有疕瘍者造焉，則使醫分而治之」。又有：「瘍醫下士八人掌腫瘍潰瘍之祝藥(敷藥)劀(刮去膿血)殺(蝕去惡肉)之齊(劑)」。

在我國現存第一本醫書：黃帝內經素問，大約是公元前二、三世紀的作品，其中上古天眞論篇就記載了毛髮的生理和內臟的關係：「女子七歲腎氣盛齒更，髮長……四七筋骨堅髮長極………五七髮始墮，六七髮始白，……丈夫八歲腎氣實髮長齒更，五七腎氣衰，髮墮齒槁也。……六八陽氣衰竭於上髮鬢頒白，八八則齒髮去。」在生氣通天論篇更記載了皮膚病的原因：「汗出偏沮使人偏枯，汗出見濕乃生痤疿。」「勞汗當風寒薄爲皶，鬱乃痤。」「營氣不從逆於肉理乃生癰腫」。按素問中乃是以陰陽二氣來說明病理的，即是說兩者調和即保持健康，如失調即生病，而失調的原因是由於外界環境的改變，所以又說：「風者百病之始也」。風的意思就是外界氣候的改變，由於寒暑及溫夜的變化體內也發生相應的變化，就是體內「營氣」也生了改變，因而生癰腫；又如出汗失調也是皮膚病的原因，發汗時遇風或受冷也是皮膚病的原因；這說明了我國當時人民樸素的唯物世界觀發展的結果，在今日看來這樣對疾病原因的解釋仍有其一定的價值。此外，素問中還貫穿了預防思想和身體强健即可免病的話：「清淨則肉腠閉拒，雖有大風苛毒弗之能害。」

素問中更對麻風病有最初的記述：「風之傷人也爲寒熱，或爲熱中或爲寒中或爲癘風。」「使鼻柱壞而色敗，皮膚瘍潰，寒客於脉而不去，名癘風。」又說：「病大風，鬚眉墮名曰大風」，其中「癘風」、「大風」，大約是麻風。此外還記載了許多皮膚病：瘡瘍，胕腫(浮腫)，口糜，皮槁，毛拔(禿頭)、爪枯、鼠瘻等病名。至於對皮膚和外科病的治療方法多用砭石，灸焫，對肌肉麻痹的病已知用按摩。

到了公元二世紀漢朝張機(仲景)所著金匱要略中有「浸淫瘡」的記載，並以黃連粉治之，現在我們雖仍不能十分肯定它究竟是那種皮膚病，但可能是膿皰瘡一類病。

在周禮中本有「凡療瘍以五毒攻之」的記載，後漢鄭玄(公元127—200)註解：「療攻治也，五毒五藥之有毒者，今醫人有五毒之藥合黃堥(即瓦罐)置石胆，丹砂，雄黃，礬石，其中，燒之三日三夜，其煙上著以鷄羽掃取之以注瘡。」由這樣的註解我們可以確定：至晚到了東漢時我國已經知道用汞劑來治療皮膚病和一些外科病了，這可以說是世界上最早應用汞劑在皮膚病上的。

到了公元七世紀隋朝巢元方氏所撰諸病源候總論，是一本叙述症狀非常明確的醫書，其中對於皮膚病有更詳細的記述，例如卷二中記有風瘙身體隱軫、風瘙痒、風痞𤺋等，即是蕁麻疹的記述。卷四「虛勞陰下痒濕」，「陰瘡」，卷27有髮毛病諸候中記有，「鬚髮禿落，令生髮，白髮，長髮，令髮潤澤，髮黃，鬚黃，令生眉毛，火燒處髮不生，令毛髮不生，白禿，赤禿，及鬼舐頭」等十三論，如其中白禿：「在頭生瘡，有蟲，白痂甚癢，其上髮並禿落不生故謂之白禿。」赤禿：「髮禿落，無白痂，有汁，皮赤而癢故謂之赤禿。」前者大約是白癬，後者是濕疹。在面體病諸候中記有蛇身，面皰，面皯䵳，酒皶，鼾面等五候，對酒皶性痤瘡的原因說是「由此飲酒熱勢衝面而遇風冷之氣相搏所生，故令鼻面生皶赤皰帀帀然也。」面皯䵳解釋是：「人皮面上或有如烏麻或如雀卵上之色是也。」大概是雀斑。（按廣韻有：「䵳，面黑子」又外台秘要卷32也有「面皯䵳方」，即是雀斑）。卷31有黑痣，赤疵：「面皮，身體，皮肉變赤與肉色不同。」（大約是紅斑）。白癜：「面及頸身體皮肉色變白與肉色不同，亦不癢痛謂之白癜。」以及疣目（疣贅），體臭，狐臭，以及丹毒等等。卷35全卷幾乎全是皮膚病：癬，乾癬，濕癬，風癬等，和「夏日沸爛瘡」等濕疹類皮膚病。更有漆瘡的記述：「漆有毒，人有禀性畏漆但見漆便中其毒，喜面痒，然後胸臂脛腨皆悉瘙痒……有毒輕者……有重者……亦有性自耐者，終日燒煮竟不為害也。」不但對症狀描述甚詳，而且說明此種皮炎對於個人體質特性有關。其中對疥瘡說明有：「濕疥者小瘡皮薄，常有汁出，並皆有蟲，人往往以針頭挑得狀如水，內瘑蟲。」是對於疥蟲已經想像到了。此外對凍爛瘡和湯火瘡也有記述。巢氏病源是公元610年的作品，我國人民已經對皮膚病有精確的描述，此時歐洲正處在黑暗的中世紀，科學文化非常落後，兩相對比，尤見我國祖先的偉大。

公元652年唐朝孫思邈氏所著千金方中除了巢氏病源所記載的皮膚病以外，更記有丁腫，發背，瘰疽，惡核，（似淋巴腺炎）赤脉，瘺病（似淋巴管炎）等（卷22）。以及火瘡金瘡及毒矢等等（卷25）。這部書不僅對病理、症狀和好發部位都有論述，而且記載了當時所用的治法。如用植物皮或根作成粉末或將動物燒成灰末，或將此等灰末調和後於紙、帛或油紙上貼用，或與酒醋調和。礦物藥品，多與蜜、膠、猪脂、為賦形劑，混合應用，例如對治疥和其他一些皮膚病用猪脂或蠟或蜜調和雞黃或水銀製成軟膏塗抹，與今日的水銀軟膏或硫黃軟膏僅僅是賦形藥的差別而已。

宋淳化三年（992）王懷隱等所編集的太平聖惠方，包括1670門，全書100卷，其中卷24有治大風，風瘙癮胗，白癜風，癧瘍風等等，當時以為是「風」的原因的皮膚病，卷91更詳述了小兒諸皮膚病。這部書是以巢氏病源冠於其首，並搜集了十世紀以前的醫書知識。對於皮膚病雖無更突出的發明，但却是包羅的很完全，而且每病都附有很多的治方。其後宋徽宗時（十二世紀）所編的聖濟總錄中也採用了這部書中不少的內容。

十四世紀初（1335年）元朝齊德之所撰的外科精義是一本簡明的外科書，其中也記述了丹毒，和結核性潰瘍的病，對瘡腫的診斷和鑑別診斷都有論述，如說明「癰」「癤」「疽」的區別，並說：「癰與瘡初生並宜灸之，謂其氣本浮達以導其熱令速暢也。」這種方法至今日看來仍是很科學的。其次更有「辨膿法」，說明何種情況是有膿，何者是無膿，並說：「夫瘡腫之疾毒氣已結者不可論內消之法，即當辨膿生熟淺深，不可妄開，視其可否，不至於危殆矣。」在卷首「論瘡腫診候」時更說明外科病不能孤立的只看外表，也應當注意病人的全身狀況，外科醫生不能只「專攻外治」，這種思想也是今日外科醫生應當注意的。

到了明朝許多外科書都記述了皮膚病，例如薛己的外科發揮，外科樞要，均有皮膚病的記述；外科樞要中更記有脚發，脫疽，疣子等。所謂脚發是：「脚趾縫作癢，出水瘙敝，脚面敷止癢之藥不應」，看來似脚癬。此外在明朝的醫學叢書中如徐春甫所著的古今醫統，（1556年）王肯堂所著的外科準繩（1608年）都有專卷敘述了皮膚病，而記載皮膚病最多的，當推陳實功氏1617年所著的外科正宗，如第四卷中記了火丹（丹毒）、白屑風（錢癬）、血風瘡（紅癬）、臭田螺（脚癬）、鵝掌風（手癬）、腎囊風（恥癬）、枯筋箭（似猴子）、黃水瘡（膿皰病）、白禿（禿髮）、頑癬、黑子（痣）、雀斑，黑砂瘤（黑色素瘤），漆瘡、凍風（凍瘡）、以及寄生蟲所致的疥瘡，陰虱病等，可謂是集皮科大成的一本書了。只可惜有的病對症狀描述的不够清楚，不能斷定是現在的什麼病。

由以上的記述可以知道我們祖先很早就對皮膚病有了精細的認識，當然由於社會條件的影響、生產力的限制，沒有好的工具幫助，還不可能有顯微鏡的檢查，細菌的培養和動物接種等等診斷的方法，但由於人民長期的經驗對於一些皮膚病却有了一定治療方法，如汞劑的應用，熱敷的應用，大蒜療法等等。在現在的醫學中對於某些皮膚病還是沒有很好的辦法，如果我們將祖先這份遺產在臨床方面和藥理方面作進一步的研究，去其糟粕取其精華，則或可對今日的醫學有所補益。

二、性　　病

一般說性病包括了淋病，軟下疳，梅毒，和第四性病，後者一般較爲少見。最主要者爲前三種，而梅毒爲害最甚。我國古代醫書很早就記述了淋病，稍後也記述了軟下疳，而且這兩種病也常相混，被認爲是一種病。至於梅毒大約是與海外交通後才傳入的。

淋病在我國似流行很早，黃帝內經素問已有類似的記載，如素問宣明五氣篇記有：「膀胱不利爲癃」，據元朱震亨解釋：「癃者罷也，不通爲癃」，也就是說有小便不通暢的意思，又同書六元正紀大論也記有：「小便赤黃甚則淋也」的字句。

到了公元後二世紀漢名醫，張機所著的金匱要略，更記有：「淋之爲病，小便爲粟狀，小腹弦急，痛引臍中」，以後隋朝巢元方著諸病源候論，將淋分爲石淋，勞淋，血淋，氣淋，膏淋的區別。唐人孫思邈所著的千金方更解釋了「淋」的名稱：「凡氣淋之爲病，溺難澀，常有餘瀝；石淋之爲病，莖中痛，溺不得出，卒出；膏淋之爲病，尿似膏自出；勞淋之爲病，勞倦即痛，引氣衝下；熱淋之爲病熱即發甚則尿血。」由上解釋可見石淋是膀胱結石，膏淋，勞淋，氣淋，血淋（熱淋）是現在所說的淋病。血淋當然也包括由他種原因所致的尿血。

至宋（公元十世紀）以後，關於淋病之名稱更爲繁多，如沙淋，膏淋，濕淋，暑淋，白淋，赤淋，冷淋，熱淋，急淋，虛淋，疾淋，老人淋，妊娠淋，產後淋，胞痹………等等。是由症狀和原因的不同而分類，顯然是因對眞正的病原尙未了解才有這樣不合實用的分類，至於對淋病治療的方法一般都是用補劑。

以後的各代醫書中差不多對淋病都有類似記載。

至於梅毒在我國究起於何時頗多爭論，近百年來西方人多說此症自古我國即有之，以證明其非自外國傳來，甚或竟有人說歐洲的梅毒也是由中國傳去的；但是遍查我國16世紀以前所有醫學書籍中，並未找到足以證明是梅毒的症狀的記載，更無梅毒之名稱。

例如在素問至眞大要論中雖有「陰中迺瘍隱曲不利，互引陰股」的記述，但不能斷定就是梅毒。即使在我國對病狀和病理敍述最清楚的醫書，巢元方所著的諸病源候總論中，僅有惡瘡，甜瘡，浸淫瘡，反花瘡等等症候的記載，但由其所述之症狀來看，也不能說明其爲梅毒。

有人舉出公元七世紀唐朝孫思邈所著千金方內所記述的「妬精瘡」以爲即是梅毒，按其中記載：「妬精瘡者男子在陰頭，女子在玉門內，並似疳瘡，作臼齊狀食之大痛，疳即不痛也。」由此記載可知確爲下疳，但仍不能斷定爲軟下疳抑爲梅毒*。

以後元朝齊德之撰外科精義在陰瘡條下記有：「陰瘡者大概有三等：一者濕陰瘡，二者妬精瘡，三者陰蝕瘡，又曰下疳瘡，蓋濕瘡者由腎經虛弱風濕相搏邪氣乘之瘙痒成瘡浸淫汗出狀如疥癬者也；陰蝕瘡者由腎臟虛邪熱結下焦，經絡痞澀，氣血不行，或房勞洗浴不潔以致生瘡，隱忍不醫，焮腫尤甚，由瘡在裏措手無方，疼痛注悶，或小便如淋，陰丸腫疼是也，或經十數日潰爛血膿肌肉侵蝕或血出不止以致成下疳，若身體壯熱煩渴惡寒宜急治之。」其中所記述的陰蝕瘡，大約包括淋病、睾丸炎和下疳，但看不出一定是梅毒。

今日所存我國醫書中最早記有梅毒之名者是釋繼洪氏的嶺南衛生方，在卷三最末曾記有「治楊梅瘡方」（圖1）方中並已記有輕粉，有口服方和敷藥方，按釋繼洪氏是13世紀的人，如果這部書確是釋氏所撰的，則可以說明13世紀我國已有梅毒了。但今日所見的書是日本刻本，書中記有明正德八年（1513年）「中奉大夫，廣東等處承宜布政使司左布政使古田羅榮」的序，其中記有：「嶺南衛生方前元海北廉訪所刻，景泰間重鋟於省署，惟其言爲嶺南則一方之書也，抑粵俗重巫輕醫，故傳佈弗廣，歲久板

---

* 據日人僧有隣所著福田方（1362年）曾引用千金方這些記載，但多出「男子在陰頭節下」的「節下」二字，並在作「臼齊狀」有「臼穴」二字，故日人士屋慶藏氏由於在陰節下的部位和臼穴二字的形狀擬之爲軟下疳。

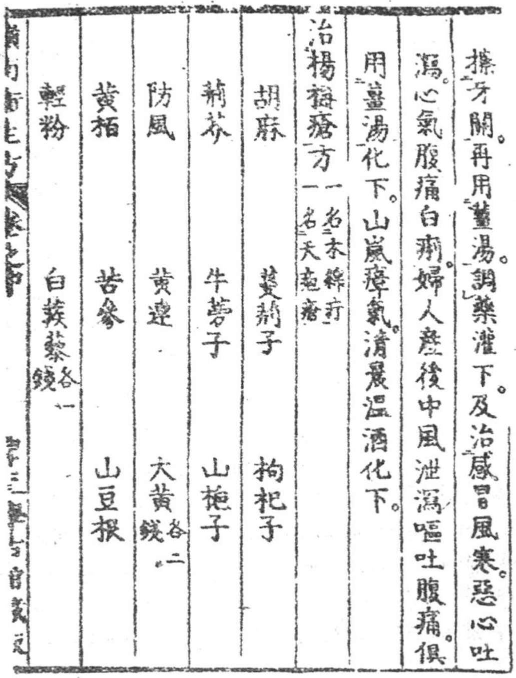

擦牙關。再用薑湯。調藥灌下。及治感冒風寒。惡心吐瀉。心氣腹痛白痢。婦人産後中風泄瀉嘔吐腹痛。俱用薑湯化下。山嵐瘴氣。清晨溫酒化下。

治楊梅瘡方 一名木綿疔 一名天疱瘡

胡麻 蔓荊子 枸杞子

荊芥 牛蒡子 山梔子

防風 黃連 大黃各二錢

黃栢 苦參 山豆根

輕粉 白蒺藜各一錢

圖 1 嶺南衛生方中的治楊梅瘡方

不復存，北客入南，首詢尊擎，俗醫既乏師承，應求草率，鮮有尋其緒者，予甚患之，思得是書以嘉惠兹土，訪購窟勤，今總鎮篤菴潘公，適出所藏抄本，滌梟爰條，是見者忻抃遂梓以傳。」由這段記載可知此書已非原板，而是16世紀初年所集的，而將楊梅瘡方附載此書之最末。因此，只此一項，尚無足說明梅毒在13世紀我國即已存在的。

在16世紀初年明確記有梅毒的書，有1522年韓悉氏所著的韓氏醫通曾記載：「近時黴瘡亦以霞天膏入防風通聖散治愈，別著楊梅瘡論治方一卷，廣壺簡易方一紙爲遠近所傳，用者輒效。」這「楊梅論治方」可以說是最初講梅毒的專書了。

稍後，敘述梅毒症狀最詳的是明朝中葉外科家薛己氏（1480—1558年）在他著的外科心法（1525年）卷五，即記有楊梅瘡之名，並記有病例：「一男子下部生疳，諸藥不應，延遍身突腫，狀似番花，及筋攣骨痛，至夜尤甚」，卷六疳瘡條下記有患下疳及淋症的病例，同時更在外科發揮（1528年）卷六記有患梅瘡的病例，也記有用汞劑（輕粉）蒸治的病例。在治療方法中有用萆薢湯（即土茯苓），並記有擦治法：「用膽礬、白礬末及水銀各三錢半，入香油津唾各少許和勻。坐無風處，取藥少許塗兩脚心，以兩手心對脚心擦磨良久，再塗藥少許，仍前再擦」。可見此時用汞薰治或擦治的方法已很應用了。

此外書中並已經知道二期梅毒之咽喉症狀，並在同卷咽喉條下記有病例：「一男子咽間先患及於身，服輕粉之劑稍愈，已而復發，仍服之亦稍愈而後大發，上腭潰蝕與鼻相通，臂腿數枚，其狀如桃大，潰年餘不斂，神思倦怠，飲食少思，虛證悉具。」卷七並記有下疳和淋症。

與薛己同時的外科家汪機氏（1463—1539）曾著有石山醫案，1531年所著外科理例中記有楊梅瘡病例五人，曾詳述病歷、病狀和治法，並提到水銀中毒，也說到此病來源：「又問何以能相染也，予曰其人內則素有濕熱，外則表虛腠疎或與同厠而爲穢氣所蒸，或與共床而爲瘡汁所漬，邪氣乘虛而入，故亦染生此瘡，……亦有同厠同床而不染者，蓋由內無濕熱之積外無表虛腠疎之患，是以邪不能入而瘡不相染矣，雖然，子之所慎齋戰疾然亦不可自持，而不加之意也。」雖對傳染來源說的不完全正確，但已知爲同床所染，並謂即使身體强壯之人也不可不慎。

16世紀中葉（1545年）俞弁氏著續醫說記有：「弘治（1488—1505）末年民間患惡瘡自廣東人始，吳人不識，呼爲廣瘡；又以其形似謂之楊梅瘡；若病人血虛者服輕粉重劑，致生結毒鼻爛足穿遂成痼疾，終身不愈。」當時人因對梅毒後期症狀不十分明瞭多認爲是服汞劑所致。

此外，我國偉大藥物學家李時珍所著，1576年出版的本草綱目中，第十八卷土茯苓條下對16世紀初梅毒的流行也有記述：「昔人不知用此，近時宏治（1488—1505）、正德（1506—1521）間楊梅瘡盛行，率用輕粉取效，毒留筋骨，潰爛終身，至人用此遂爲要藥。」又說：「楊梅瘡古方不載亦無病者，近時起於嶺表，傳及四方，蓋嶺表風土卑炎嵐瘴熏蒸，飲啖辛熱，男女淫猥，濕熱之邪積既深，發爲毒瘡，遂致互相傳染自南而北遍及海宇」。

由續醫說和本草綱目中的記載，確知梅毒在16世紀初流行我國甚廣，而且水銀治療也成爲當時最應用的方法；由於用量的關係可能發生汞劑中毒。

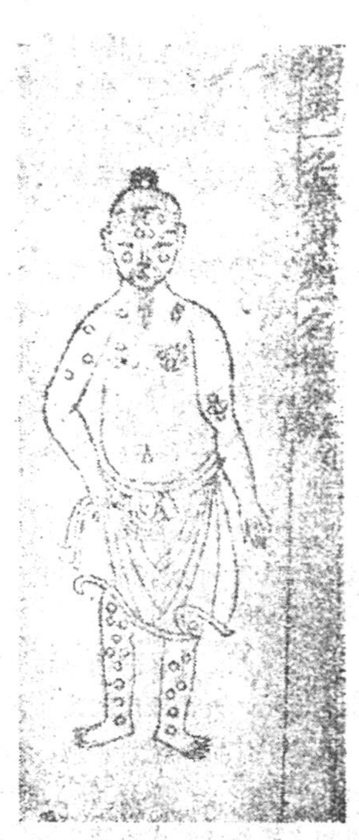

圖 2 瘡瘍經驗全書中的楊梅瘡患者圖

同時土茯苓也是當時流行應用的藥品。而且，在歐洲16 世紀初葉也廣泛應用土茯苓 (china root) 作爲治梅毒的藥品。

在 16 世紀下半紀，有一部帶圖的外科書：瘡瘍經驗全書出現，雖署名是宋竇漢卿所著，但書中的記載和卷首的序言可推知是竇漢卿的後人竇夢麟所編，大約出版於 1569 年以後。這部書是按人體部位記載了各種外科疾病，也記載了梅毒。(圖 2)對原因症狀的描述很清楚，而且記載了遺傳的梅毒：

「此瘡皆臟腑之積毒，脾家之濕熱，其起也……男子與生疳瘡之婦人交，感薰其毒而生，或體虛氣弱偶遇生瘡之人穢氣入於腸胃而生，……或在頭頂中，或在肋下或糞門邊先起，有雄有雌，雄者大如白果，遍身生五六十，或百枚分棵不成片，雌者小如豆瓣遍身連片，膿汁淋漓深能累人，嬰兒患此者皆父母胎中之毒也。宜用汗藥，宜用服藥，宜用搽藥，不可服丸劑，恐內藏輕粉易愈故也，但輕粉乃水銀昇也，腐腸爛骨害不旋踵。」

可見當時對水銀內服甚爲可怖。但主張用汞劑搽藥。如最後記有廣瘡膏：即松香，杏仁，乳香，沒藥，銅綠，輕粉，合以黃蠟作爲外用藥。

此外在男條中也記有陰蝕瘡：「此陰蝕瘡之生也，皆由臟甲虛怯，腎氣衰少，風邪入腑，毒惡損傷榮衛或與有毒之婦人交接，不曾洗淨，故時痛時發以漸成瘡，作疳膿水湧流……」，又說：「夫陰蝕瘡者即下疳也」。治法除用蛇床子、地骨皮、桑槐枝煎湯溫洗外，也主張用汞劑搽藥。這裏所記的下疳大約是軟下疳。

明萬曆十五年(1587)出版的龔延賢氏編的萬病回春，卷八有下疳和楊梅瘡，並記載了楊梅瘡後腫塊經年破而難愈的治方。也記載了治愈後的「鵝掌風癬」，（起白皮去一層發一層久不愈者）用玉脂膏（官粉、麝香，銀硃和柏油黃蠟）作搽藥。

稍後陳實功所著外科正宗（1617 年）也詳細記述了下疳，魚口便毒和楊梅瘡，其「治驗」條下所述之病例甚詳：「痒生患此月餘，乃求速愈……用水銀、膽礬等藥搽擦手足之心，半月內其瘡果愈，隨後骨疼，諸藥不應，半年後內毒方出作爛，疼不堪言，遍腿相串並無一空，又二年腿脚曲而不直，從成疲疾終身又兼耳聾，全不相聽」。可見對二期、三期梅毒已清楚地認識了，最後並列有「結毒」一項，單獨叙述了三期梅毒。

1632年陳司成著黴瘡秘錄是我國第一本叙述梅毒最完善的專書，首用問答方式記述了梅毒的原因和病理，次述治驗，共報告了 29 病例，包括了各期梅毒，對胎兒遺傳梅毒，叙述尤詳：「詞客染楊梅瘡傳於內室，多方調治僅愈，惟生兒多夭，就商於余，曰：此乃先天遺毒使然，或初生無皮，或月內生瘡，或作遊風丹腫，或發塊或生癬，皆黴瘡之遺毒也。」對當時傳染不已說：「邇來世薄人妄，沈溺花柳者衆，忽於避忌一犯有毒之妓淫火交熾，眞元弱者毒氣乘虛而襲，初不知覺或傳於妻妾，或傳於姣童，上世鮮有方書可正，故有傳染不已之意。」

對治療的方法也反對用「輕粉」內服，以防水銀中毒，而提倡用「生生乳」，其治療各期梅毒之方均包括生生乳，按生生乳即用煆煉礬石（砷）和以雲母石、硝石，朱砂液，晋礬，皂礬，食鹽，枯礬及青鹽，用火燒之而成，其所載製作方法相當複雜；同時又反對用生砒以防中毒。這種用砷劑治療梅毒的方法雖然還有許多缺點，但欲使砷劑減弱毒力以治療梅毒的思想却是值得注意的。

除了上述的醫書以外，差不多在 16 世紀以後我國所有的外科醫書中，大部記述了梅毒。例如徐春甫氏的古今醫統（1557年）婁全善氏的醫學綱目（1565年）李梴氏的醫學入門（1576年）以及申拱宸的外科啓玄（1604年）等。相反的在16世紀以前的醫書中，則未見有楊梅之名或相似症狀的記述；除了早一些的巢氏病源，千金方等不談，即使如十世紀的太平聖惠方，12世紀的聖濟總錄，這樣包羅最完善的醫書中，也未見有記載，（雖然在嶺南衛生方一書中已記有治楊梅瘡方，但這部書也是1513年重刻的，當時正是我國梅毒流行盛時，很可能是抄錄者將其加入的。）所以說我國梅毒乃是15世紀末與西方交通，始由葡萄牙人傳入廣東，到16世紀初才廣泛的流行起來。這一點正與16世紀梅毒之在歐洲流行是相似的。因爲是突然傳來的，人們以前對它不認識，所以它的名稱在各書也不一致，如楊梅瘡，黴瘡，綿花瘡，廣瘡，翻花瘡，時瘡，天泡瘡，大風痘（醫學入門）等等都是指的梅毒。在陳司成的黴瘡秘錄的卷首一開頭，即說：「余家世業醫……至不佞已歷八世，方脉頗有秘授，獨見黴瘡一症往往處治無法，……細考經書古未言及，究其根源，起於午會之末，起自嶺南之地，至使蔓延通國，流禍甚廣。」這部書是陳氏在他的家鄉浙江海寧寫的，所指嶺南即是廣州。這部書的著作，已是梅毒流行我國一百多年了，陳氏不但總結了我國人民在16—17世紀百年中與梅毒作鬥爭的經驗，而且正確的叙述了梅毒自南而北蔓延的情况。所以我的結論是：性病中淋病，軟下疳，在我國早就存在，而梅毒一症是由海外傳來的。

附註 本文對我國的皮膚性病科歷史只談到明朝，至於清朝、近百年和解放以後的情况，俟整理後再行發表；其次，本文在皮膚科的治療和用藥方面的記述也很少，還也擬在明朝以後的皮膚病的歷史中再作介紹，因爲近來各方面需要這項材料很多，所以僅將此初稿發表，其中錯誤在所難免，尚希讀者指正——作者註。

參考文獻

1. 黄帝内經　光緒浙江書局據明武陵顧氏影宋嘉祐刻本
2. 張仲景　仲景全書　光緒崇文齋版
3. 巢元方　諸病源候總論　光緒湖北官書處重刊本
4. 孫思邈　備急千金要方　光緒戊寅江戶醫學影北宋本
5. 王懷隱等　太平聖惠方　據宋本光緒手抄本
6. 宋徽宗　大德重校聖濟總錄　光緒年影抄元刻本
7. 齊德之　外科精義　清雲林閣校刊本
8. 薛己　外科心法，外科發揮，外科樞要，　清版石山醫案
9. 王肯堂　外科準繩　民元鴻寶齋石印本
10. 陳實功　外科正宗　康熙萊爾堂刊本
12. 釋繼洪　嶺南衛生方　日本學古館版
13. 汪機　（石山醫案）外科理例　嘉清辛丑版
14. 李時珍　本草綱目　道光丙戌年英德堂藏版
15. 竇漢卿　瘡瘍經驗全書　康熙丁酉浩然樓版
16. 龔延賢　萬病回春　日本萬治三林傳左衛門尉
17. 陳司成　黴瘡秘錄　光緒乙酉年重刻日本版
18. 李梴　醫學入門　萬曆乙亥
19. 申拱宸　外科啓玄　聚錦堂梓行
20. 土肥慶藏　性病學　日本大正12年朝香屋書店出版
21. 廖温仁　支那中世醫學史　日本昭和七年カニヤ書店

我國偉大的外科學家華佗

龔　純

秦漢時代由於政治統一，經濟繁榮，農業與工業有了發展。當時出現了不少偉大的醫生，如淳于意的創製診籍，張仲景的輯錄醫方，華佗的精於外科，比較同時其他民族的醫學，均有過之而無不及，這一點是我們中華民族足以自豪的事。

一、生　平

華佗的事蹟在三國志和後漢書中都有記載。

華佗又名旉，字元化，沛國譙人（今安徽亳縣），與曹操同鄉。他曾在徐州游學，通曉數種經書，沛相陳珪曾舉他作孝廉，太尉黃琬也曾徵辟他去作官，但華佗淡於名利，不慕富貴，情願作一位民間醫生爲人民解除痛苦，並且將自己的醫術傳授弟子，而不願作官。

按黃琬作太尉僅三個月的時間，即由中平六年（189年）十二月到初平元年（190年）二月[1]。他在中平五年（188年）時曾任豫州牧[2]，當時州治即是譙縣，也就是華佗的故鄉，因此他可能知道華佗的學識淵博，所以次年他被任爲太尉時，即辟舉華佗出仕爲官，可是華佗沒有應徵。

後漢的制度，各地郡守及諸王國相令有察舉孝廉的職責，並且自順帝陽嘉二年（133年）後，規定孝廉年齡不滿四十不得察舉。陳珪在初平三年（192年）及建安二年曾經作過沛相[3,4]，當然有察舉孝廉的職責，且譙縣隸屬沛國，華佗是譙人，陳珪係其地方行政長官，他舉華佗爲孝廉當係事實。但陳珪在初平三年以前和建安二年以後是否仍爲沛相；以及究竟在那一年舉華佗爲孝廉，無從查考，但大約總在這一段時間以內，即公元192—197年之間。

根據以上資料，黃琬曾在189—190年間辟舉華佗，陳珪也在192—197年時舉華佗爲孝廉，兩者年代相差並不太遠，故假定華佗在190年以前，已經40歲以上。由此上溯45年，則華佗的生年約當公元145年左右，即生於漢順帝永和間。

華佗傳中載有他爲廣陵太守陳登治病的事。陳登係陳珪的兒子。據魏志呂布及袁術傳中記載：陳登父子在建安二年（197年）因阻止呂布與袁術通婚有功，登被拜爲廣陵太守。建安三年（198年）呂布死，登以功封爲伏波將軍。又記有「建安五年（200年）廣陵太守陳登治射陽，孫策遣軍來攻……以功封爲東城太守，廣陵吏民佩其恩德，共拔郡隨登。」華佗爲陳登醫病，當在197—200年之間。曹操徵用華佗，大約也就在建安五年左右。

華佗曾在彭城（今江蘇徐州）、廣陵（今江蘇江都縣東北）、甘陵（今山東清平縣南）、鹽瀆（今江蘇鹽城縣西北）、東陽（今山東恩陽西北之東陽城）、瑯琊（今山東臨沂北）等地行醫。被他治癒的人很多，醫名被於江蘇、山東一帶，至今江蘇徐州還有華佗的紀念墓，沛縣還有他的故居——華莊和華祖廟，可以想見當地人民對他的敬慕。

曹操知道華佗的醫術高明，曾請他治療頭風眩（三叉神經痛），華佗一紮針就好了，於是曹操便强留華佗作他的侍醫。

華佗既然不受當地長官的推薦和太尉的徵召，當然更不願意作爲曹操的侍醫，可見當時一定出於曹操的强迫。三國志中說他：「本作士人，以醫見業，意常自悔。」按華佗對自己的醫學非常愛重，甚至臨死之際還想把活人的醫書傳給獄吏。他愛爲人治病，就是看見行路的人有病也願意爲他們醫治。傳授了吳普、樊阿等弟子，使他們在醫學上都有各自的成就。可見他並不悔於習醫，而是因爲被曹操徵召後，離鄉背井，還要遭受統治者的奴視，因此引起了他悔恨和反抗的心情。「後漢書華佗傳」中說他「爲人性惡，難得意。」以及皇甫謐（215—282年左右）在甲乙經序中說：「佗性惡，矜技，終以戮死。」這些都只是爲統治者說話的惡意的汚衊，其實由這幾句話中更可以看出華佗堅忠不渝的氣節，不甘爲統治階級服務。三國志華佗本傳中曾有這樣的記載：「太祖（曹操）親理得病篤重，使佗專視。佗曰：『此近難濟，恒事攻治，可延歲月。』佗久遠家思歸，因曰：『當得家書，方欲暫還耳，』到家辭以妻病，數乞期不返。太祖累書呼，又勅郡縣發遣。佗恃能厭事，猶不上道。太祖大怒，使人往檢，若妻信病，賜小豆四十斛，寬假限日，若其虛詐，並收送之。」

在殺華佗時，曹操的謀士荀彧曾爲他說情，說華佗醫術高明，關係病人的性命，希望原宥他。可是橫蠻無理的曹操竟然說：「不憂，天下當無此鼠輩邪」。後來其愛子倉舒病死，才後悔地說：「吾悔殺華佗，令此兒彊死也。」統治者的殘酷與自私，讀之令人切齒憤恨。

華佗臨死時，曾將他的醫書交給獄吏說：「此可以活人」。在自己的生命即將完結時，還熱愛着自己醫生的職業，還念念不忘人民的健康，這是何等偉大的心胸。可惜在曹操的嚴刑峻法下，獄吏怕受株連，不敢接受，他只有悲憤地將自己的心血結晶燒爲灰燼，這在醫學上更是極大的損失。由此可以看出；在反動的封建統治下，醫學不但得不到充分的發展，甚至連偉大的醫學家，也得遭受無理的迫害與殘殺。

晋王叔和的脉經中曾引有華佗的察聲色要訣。隋書經籍志載有華佗觀形察色並三部脉經，華佗方及華佗枕中灸刺經三書。梁阮孝緒（497—536年）七錄載有華佗內事，可見他的醫書並沒有全部焚毀，可惜連這些未曾燒掉的書籍，也都已佚失。其他如通志藝文略的中藏經，崇文總目的華佗玄門脉訣內照圖，醫藏目錄的華佗外科方，都是晚出。根據前人的考證，多係宋人所僞託。華佗眞正的著作沒有流傳至今，不能如張仲景的傷寒論和金匱要略一樣，兩千年來仍爲醫學家學習的經典，這是華佗的不幸，也是中國醫學的不幸。

華佗被殺的年代，本傳上沒有明確的記載，據魏書卷20，鄧哀王沖傳，倉舒（曹沖）死於建安13年（208年），又荀彧死於建安17年，（212年，見荀彧傳），故華佗被殺當在建安13年前，即在公元208年以前逝世。

二、在醫學上的偉大貢獻

華佗的著作旣沒有流傳，我們對於他在醫學上的貢獻，也只有根據文獻上所載的事蹟來加以分析了。計：陳壽三國志華佗傳中記載16個病例，皇甫謐甲乙經序中一例，沈約晋書中一例[5]共18例。此外范曄後漢書係根據三國志而來，記載八例與之完全相似，劉宋裴松之註三國志引華佗別傳增五例，太平廣記增四例等，這些因係後人筆記小說，且多怪誕，故均不論列，現在只就較爲可靠的病例整理後，將其貢獻分述於下；

1.麻 醉 藥

華佗治病如果針灸和湯藥不能奏效，就叫病人以酒服麻沸散，待麻醉後，他就施以外科手術，割破腹背，去掉疾病所在的部分。如果是腸胃有疾病，他也能割治洗滌，然後加以縫合，並敷上藥膏，四、五天後傷口癒合，有一個月左右，病就完全好了。

關於華佗用酒服麻沸散的事，曾經引起了不少爭論，但根據文獻記載，我國在戰國時即已能使用烏頭及其他毒藥於戰爭中[6]。

在漢代也有應用毒藥的記載：如宣帝時，「霍光夫人顯欲貴其小女道無從，明年許皇后當病娠，女醫淳于衍者，霍氏所愛，嘗入宮侍皇后疾……即擣附子齎入長安宮，后免身後，衍取附子闔合太醫大丸以飲皇后，有頃曰；『我頭岑岑也，藥中得無有毒？』對曰；『無有。』遂加，煩懣崩[7]。」這件事發生在本始三年，（公元前71年）。

又在漢靈帝熹平元年（172年）「竇太后崩……太尉李咸時病，扶輿而起，擣椒自隨，謂妻子曰：若皇太后不得配食恒帝，吾不還矣[8]，」

可見在華佗以前的漢代女醫，甚至朝臣也已經知道附子和椒的毒性和麻醉作用了。

三國以後，在南北朝殺貴族時，多令飲毒酒，使麻醉以後再執刑，如北魏高祖太和20年（497年）殺廢太子恂時，「魏主傳中書侍郎邢巒與咸陽王禧奉詔齎椒酒，詣河陽賜恂死[9]。」及在孝武帝永平元年（508年）殺彭城王勰，「乃飲毒酒，武士就殺之[10]。」這些都證明酒類加上麻藥，作爲麻醉劑，在華佗前後均已普遍應用。

關於麻沸散中，使用的麻藥，究竟是那幾味，史書上沒有記載，清，張驥後漢書華佗傳補註中說：「世傳華佗麻沸散用羊躑躅三錢、茉莉花根一錢，當歸三兩，菖蒲三分，水煎服一碗。」這方子不過是傳說、茉莉爲較晚傳入的植物，自不可信。但參看後漢人所作的神農本草經上載有天雄、烏頭、附子、羊躑躅，莨菪、椒等藥物，這些藥物都能令人麻醉，再加上酒服效力就更大了。不過它們的毒性太大，多服容易發生性命的危險。

近代人楊華亭著藥物圖考[11]中說，麻蕡是雌麻的花，具有麻醉作用，他曾親自服用，並曾用麻蕡治療一位喘息難臥的孕婦，腦充血症（非中風類）和小兒因驚夜啼症，均有療效。他還很惋惜地說：「古人發明重要之靈藥，且爲隨地皆生之物，竟使失傳約二千年，此非醫藥界之遺憾乎？」

按神農本草經說：「麻蕡……一名麻勃」麻蕡，麻勃與麻沸在字音上很近似，而且如上所述，麻蕡既隨處皆產，且具有麻醉效力，很可能被華佗採作麻醉藥品，以減輕病人的苦痛。當然，事隔兩千年之久，文獻上既無可查考，我們也只能將麻蕡聊備一說而已，不能作爲定論。但華佗當時能够應用麻醉藥品，却是不容懷疑的事實。

據梁陶宏景（452—536年）因神農舊經而撰的本草集註自序[12]中說：「秦皇所焚，醫方卜術不預，故猶得全錄，而遭漢獻遷徙，晉懷奔迸，文籍焚靡，千不遺一，有此四卷，是其本經，所出郡縣，乃後漢時制，疑仲景元化（即華佗）所記。又有桐君採藥錄，說其華、葉、形色。藥對四卷，論其佐使相須。魏晉以來，吳普、李當之等，更復損益……」由此可以證明華佗是深明藥性的。從本傳中也可以知道華佗除了有系統地接受了古代湯、藥、針、灸的經驗外，並能很好地應用民間的醫藥經驗，如他所使用的蒜齏、大酢及漆葉青黏散等，都是日常生活所有，及隨處皆產的藥物。因之，他運用自己的智慧，在實際治療經驗上，加以提高和修正，首先應用麻沸散作爲麻醉藥品來行手術，以減輕病人的痛苦，這是完全可能的。因此，他才能在漢代醫學家的行列中放出異彩，在外科學上有着輝煌的成就。

2.外　　科

漢末軍閥割據，戰亂相尋，尤其華佗的生地徐豫一帶，（今河南、安徽、江蘇、山東一帶）更是兵家必爭之地。在戰爭中容易受到傷害，因此促進了外科的需要。加上華佗應用麻醉藥品以行手術，所以他在當時即以外科聞名，而且公認爲我國外科的鼻祖。

根據三國志記載，關於外科的有三例，其中他曾行開腹術一次，採取死胎一次。關於華佗是否能行開腹術，頗爲後人懷疑，甚至有人說華佗傳由於附會佛經神話而成，根本否認華佗的存在，這完全是受了過去半封建半殖民地教育的結果，失掉了民族自尊心。我們承認過去的史家有些不懂醫術，而且過去的醫術也不可能有現代的成就，所寫的傳記，容或有些誇大。但陳壽係三國時人，爲蜀國的觀閣令史生於建興11年（233年），距華佗死後不過二、三十年。晉代名醫王叔和與皇甫謐（215—282年）都是公元三世紀的人物，在他們的著作中都曾提到華佗，並且極力尊崇華佗的醫術，難道還不足以證明華佗是漢末偉大的醫學家嗎？

其實，古代醫生如果技術純熟都能施行剖腹手術，這在世界醫史學上並不罕見。古代文明國家；如印度、巴比倫等，很早即有記載。甚至根據考古學家研究、在原始時代，即已施行顱骨環鋸術、剖腹產術及卵巢切除術等，當時尚使用石刀。我國漢代時文化已極發達，並且由於冶鐵技術進步，早已有了鋼刀和鋼針等，因此，華佗在外科上的成就是無可置疑的。

現在將華佗治療的外科病例分述於後；

（1）一士大夫不快，佗云：「君病甚，當破腹取，然君壽亦不過十年，病不能殺君，忍病十歲，壽俱當盡，不足故自刳裂。」士大夫不耐痛癢，必欲除之，佗遂下手，所患尋差，十年竟死。

（2）李將軍妻病甚，呼佗視脉，曰：「傷娠而胎不出。」將軍言：「聞實傷娠，胎已去矣！」佗曰：「案脉，胎未去也。」將軍以爲不然，佗舍去，婦稍小差。百餘日復動。更復佗。佗曰：「此脉故是有胎，前當生兩兒，一兒先出，血出甚多，後兒不及生，母不自覺，旁人亦不寤，不復迎，遂不得生，胎死，血脉不復歸，……今當與湯，並針一處，此死胎必出。湯針既加，婦痛急，如欲生者。佗曰：「此死胎久枯，不能自出，宜使人探之。」

第一例破腹所言不詳，不便判斷，第二例爲探取死胎，爲古代民族通行的手術，第三例用溫水發汗治[illegible]，有它一定的療效。

果得一死男，手足完具，色黑，長可尺許。

（3）彭城夫人夜之厕，蠆螫其手，呻吟無賴，佗令温湯近熱，漬手其中，卒可得寐，但旁人數爲易湯，湯令煖之，其旦即愈。

以上三例載「三國志華佗傳」中。

（4）清、張驥後漢書華佗傳補註引沈約晉書說：「司馬景王嬰孩時有目疾，宣王令華佗治之，出眼瞳割其疾而療之。」但是沈約晉書今已亡佚，現存李世民所撰晉書只記：「初帝目有瘤疾，使醫割之。」且司馬景王約生於建安12年左右[13]，而華佗死於建安13年以前，爲他割瘤似少可能。

此外襄陽府志載：「華佗洞曉醫方……關羽鎮襄陽與曹仁相距，中流矢，矢鏃入骨，佗爲之刮骨去毒。」後明朝羅貫中撰三國演義更將他列入第75回中，回目爲「關雲長刮骨療毒……」於是便成爲婦孺皆知的故事了。

但此事在正史上並無記載，三國志蜀書關羽傳中只說：「羽嘗爲流矢所中，貫其左臂，後雖創愈，每至陰雨，骨常疼痛。醫曰：「矢鏃有毒，毒入於骨，當破臂作創，刮骨去毒，然後此患乃除耳。」羽便伸臂令醫劈之，時羽適請諸將飲食相對，臂血流離，盈於盤器，而羽割炙引酒，言笑自若。」並沒有指明醫者爲華佗。且關羽鎮襄陽在建安29年（219年），華佗在此時業已去世。可能因爲華佗外科高明，後人便將當時名人的疾病都附會爲華佗醫治的了。

3. 提倡體育

華佗對預防疾病和促進健康有極正確的看法。他曾經告訴弟子吳普說：人應當勞動、但不能過度，運動可以幫助消化，流通血脉，預防疾病。他從古代的按蹻導引的方法中，創造了一種新的運動方法，名叫「五禽之戲」，主要是用運動來鍛鍊身體，摹仿五種動物，即虎、鹿、熊、猿和鳥的生動活潑的姿態。我們今天的體操也就是爲了要達到鍛鍊身體的目的。華佗揚棄了秦漢盛行的方士服食，企求長生不老的方法和單純的治療觀點，不但繼承了我國「聖人不治已病，治未病」的預防思想，而且更積極地提倡體育運動以預防疾病和促進人類的健康。據史書記載，吳普按照華佗的運動方法實行，活到九十多歲，還是耳目聰明，齒牙堅固，可以證明當時行「五禽之戲」的實際效果。而且華佗的理論，在今天來說，仍舊有它極大的價值，而且他早在公元二世紀時，即能注意到疾病的預防和體育鍛鍊，尤其是值得稱道的事。

4. 在診斷和治療上的成就

（1）診斷方面：

晉代醫學家王叔和（約當公元三世紀）在所撰脉經中曾提到華佗診斷生死的要訣，即卷五中的「扁鵲華佗察聲色要訣第四」一節 根據內容及篇名，可能是摘自華佗觀形察色並三部脉經中的資料。脉經這部書，今天考證還不是僞出，所以在這一段書中來找尋華佗觀形察色的要訣，當較爲可靠。雖然其中不免雜有扁鵲的說法，但一定是兩人的意見一致，甚至華佗曾將扁鵲的診斷方法，加以發揚，所以才將他們並列在一起。

這一段主要在依照病人的面目、形色、病狀來定人的生死，並根據當時的醫療技術來區別疾病是否可治。特別對於觀察將死時的面容、顏色和形止舉動，描寫得很清楚，總共有76條之多，包括虛脫、發紺、神智不清、呼吸困難、浮腫、營養缺乏、蒼白及僵直等特徵。雖然他所說的必死之症，在今天因爲醫療技術進步，有的疾病已有治療的可能，但一般診斷中，觀察人生死的特徵，仍多與之相似。由此可知華佗的觀察極爲敏銳，診斷也極精確，他所言預後無不徵驗。三國志魏書中記有許多病例，都足以證明華佗經驗豐富，能够察徵知機，玆舉數例如下：

（i）廳濱嚴昕與數人共候，佗適至，佗謂昕曰：「君身中佳否？」昕曰：「自如常。」佗曰：「君有急病見於面，莫多飲酒。」坐畢歸，行數里，昕卒頭眩，墮車。人扶將還，載歸家，中宿死。

（ii）故督郵徐毅得病，佗往省之，毅謂佗曰：「昨使醫曹吏劉租鍼胃管訖，便苦咳嗽，欲臥不安。」佗曰：「刺不得胃管，誤中肝也，食當日減，五日不救。」遂如佗言。

此外皇甫謐甲乙經序中也曾說過：「漢有…華佗…奇方異治，施世者多，不能盡記其本末，若作直祭酒劉季琰病發於畏惡，治之而瘥，云後九年，季琰病應發，發病有感，仍本於畏惡，病動必死。終如其言。」

中国近现代中医药期刊续编·第二辑

（2）驅虫療法的應用：

除前所述外科手術外，尚應用水療法、針灸和湯藥治病。對於驅蟲藥的使用尤有把握，茲舉二例如下：（均見三國志魏書）

(i) 佗行道見一人病咽塞，嗜食而不得下，家車載欲往就醫，佗聞其呻吟，駐車往視，語之曰：「向來道邊有賣餅家，蒜齏大酢從取三升飲之，病自當去。」即如佗言，立吐蛇一枚，懸車邊欲造佗、佗尚未還，小兒戲門，逆見，自相謂曰：「似逢我公，車邊病是也。」疾者前入坐，見佗北壁懸此蛇輩約以十數。按形如蛇的寄生蟲可能是蛔蟲或條蟲。

(ii) 廣陵太守陳登得病，胸中煩懣面赤不食，佗脈之曰：「府君胃中有蟲數升，欲成內疽，食腥物所爲也。」即作湯二升，先服一升，斯須盡服之，食頃吐出二升許蟲，赤頭皆動，半身是生魚膾也，所苦便愈。佗曰：「此病後三期當發，遇良醫乃可救濟。」依期果發動，適佗不在，如言而死。這裏所說的蟲，不知何名，但喜歡吃生魚片之類的腥物，容易患寄生蟲病，這說法是很正確的。

綜合以上文獻的記載來說，雖然由於陳壽等史家不是醫生，記載的不盡合理，甚至含有少數神話的成分，但我們也可以從中看出華佗不但深明藥性，臨床經驗豐富，診斷極爲精確，他對內、外、小兒、婦產等科，都很精通，治療的方法有針灸，湯藥以及水療等。而他最偉大的貢獻，却在首先運用麻醉藥品施行外科手術，以解除病人的痛苦，並且提倡運動以預防疾病，促進身體健康，所以華佗被稱爲我國外科的始祖。

三、華佗的弟子

華佗的弟子有廣陵的吳普；彭城的樊阿和長安的李當之等，他們在醫學上也各有其成就。

樊阿善鍼術，一般醫生認爲背和胸臟之間，不能隨便紮針，就是針紮下去，也不能逾四五分深，但是樊阿針背進去一二寸，針胸臟的巨闕穴（胸劍柄下一寸），甚至深至五六寸，不但沒有絲毫危險，而且能收到療效，他曾活到百多歲。

吳普著有吳普本草六卷，李當之撰有本草經一卷，均名載於七錄，可惜早已佚失，無從得見。由此可以證明李、吳二人在本草上有一定的貢獻。

四、結　語

華佗是中國東漢末年（約公元145—208年）的一位偉大醫學家。他不僅在外科上有很大的成就，並且在診斷上，治療上，以及衞生上都有很大貢獻。尤其是首先利用麻醉藥品施行手術，以減輕病人的痛苦，在古代醫學家的行列中放出異彩。而且他善於教導學生，情願作一位民間醫生，不慕名利，不苟富貴，不肯奴事統治階級，具有獨立崇高的氣節，表現了醫生優良的品質和英勇不屈的精神。二千年來我國人都尊他爲外科鼻祖。華佗精良的醫術和偉大的人格，向爲人民所景仰，也永遠作爲後世醫務工作者的楷模。

參考文獻

1. 范　曄．後漢書、卷 9，帝紀第 9，頁 669，獻帝協（開明書局廿五史，1941 年 12 月初版）。
2. 范　曄．後漢書．卷 91，列傳第 51，頁 836．黃瓊孫琬（同 1）。
3. 陳　壽．三國志、魏書、六卷、頁 937、袁術傳（同 1）。
4. 陳　壽．三國志．魏書、七卷、頁 938、呂布傳（同 1）。
5. 張　驥．後漢書，華佗傳補註 26 頁所引（醫古微六種之一、乙亥暮春、濮義生堂藏版）。
6. 墨　翟．墨子、雜守篇及天志篇。
7. 班　固、漢書．卷 97，外戚列傳第 67．頁 613，孝宣皇后傳（同 1）
8. 司馬光．資治通鑑、漢紀 49、孝靈皇帝、熹平元年
9. 魏　收，（北）魏書、卷 22、列傳第十孝文五王、頁 1959、廢太子恂傳（同 1）
10. 魏　收，（北）魏書、卷 21、下，列傳第九、頁 1958，彭城王勰傳（同 1）
11. 楊華亭．藥物圖考、頁 35，（中央國醫館醫藥叢書之一，1935 出版）
12. 羅福頤．西陲古方技書殘卷彙編、卷三陶隱居本草殘卷（1952 年、中央衛生研究院藏影抄本）
13. 李世民．晉書、卷二、帝紀第二、頁 1081，世宗景帝師（同 1）

太平天國期間在清廷僱傭軍裏的兩個外籍軍醫

王吉民　趙士秋

當太平天國革命高潮正澎湃於長江流域東部一帶的時候，清廷軍隊在李鴻章指揮之下，雖盡力鎮壓，但收效極微。外國帝國主義者眼看見人民革命力量日益壯大，若任其一天一天發展下去，將會對它非常不利；爲保持其地位及商業利益起見，竟想採取直接干涉政策。起初尙不敢明目張胆正式出面，首先由美國浪人華爾，白齊文等串同上海商人及買辦階級組織洋鎗隊，自美其名曰「常勝軍」，實則是一個僱傭軍，姦淫搶刦無惡不作。華爾陣亡後，英國乃派戈登繼任，重加整頓添配軍備，協助清軍攻打太平軍。那時在僱傭軍裏有外籍軍醫二人，一名毛弗脫(A. Moffit)，一名馬格里(Macartney)。他們組織醫療部隊創立兵工廠，甚爲活動。今將二人事蹟分述於下：

一、毛弗脫

在所謂「常勝軍」裏的醫療工作中，曾訓練出一華人部隊，該部隊由外人毛弗脫醫生所組織和領導。毛弗脫原是英國皇軍第六十七團的副軍醫官，在他隸屬下還有兩個輔佐醫官。他組織了一所固定性醫院和野戰隊。該醫院開始設立在松江，後又設立在崑山。受傷人員由船隻運輸頗爲便利。担架的底層係用棕繩所製成。服務員工都要經過訓練。當時野戰隊的組織採用現在英國軍隊的方式，它的工作基地是用兩艘有蓬的大船組成，受傷人員可由中國炮艇運輸至崑山醫治。

統計在「常勝軍」裏中國人員的各種病症和死亡率，除因戰受傷者另行列表統計外，每年平均人數約三千，自1863年4月1日始，其數字如下：

病症	發生數字	死亡數字
痢疾	54	7
腹瀉	690	9
霍亂	2	2
間歇熱	1755	8
弛張熱	1247	48
持續熱	67	8
氣管炎	25	0
初期梅毒	6	0
疥瘡	66	0
腺性蜂窩織炎，潰瘍	99	2
各種傷害	138	2
其他	17	1
總計	4166	87

自1863年4月1日至1864年5月31日的十四個月中，因戰受傷人員數字統計如下：

	中國人	外國人
因傷入醫院總數	864	73
因傷和施手術而死者	65	11

從上列統計表可看出熱病在各種病症中佔最多數，間歇熱和弛張熱很易致命。前者有時投以解熱劑還可能救治，但一經轉變到後者的程度，就屢致死亡。這種病開始時的顯著特徵是胃部灼痛，隨即有嘔吐和感覺食慾不振，迨到了終末期間，頭疼昏眩甚爲劇烈，那時金雞納精亦不能施用。這類病似有傷寒病的性質。

二、馬格里

在滿清「僱傭軍」裏，另外有一個軍醫名馬格里，這個人不但對太平天國的起義極力摧殘，就是孫中山先生的生命也幾乎喪在他的手中。馬格里是蘇格蘭人，生於1833年，在愛丁堡大學醫科1858年畢業，旋即任第九十九聯隊三等助理軍醫官，第二年該聯隊參加第二次鴉片戰爭開來中國，圍攻北京，焚燒圓明園，馬格里曾參與該役。北京條約訂立後來上海，將英國軍醫辭去，任清軍中的軍醫，從事助攻太平軍。他開始加入白齊文所統帶之常勝軍裏任秘書。後投入李鴻章幕府，訓練軍隊，辦現代化兵工廠，監製炮彈，供應各種新式軍器。廠址初設在蘇州，後遷至南京，由馬格里任督辦。凡清軍與外人交涉，均由伊居間奔走，大爲李氏所賞識。

蘇州淪陷時，清軍不守信約，大事搶掠，並慘殺太平諸王，戈登初尙不同意殺諸王所以在12月8日的日記內有「李鴻章派馬格里來勸我，說他不能不殺死太平諸王，我很羞愧，他竟能抓住一個英國人來作這樣說客」。戈登鄙視馬格里的人格，在此也可見一斑。此點可以說明馬格里和李鴻章的兇惡面目。

馬格里野心勃勃，各方鑽營，在1864年於戰爭時擄一女子，爲太平天國某王之戚，竟强佔爲妻室。至1868年曾國藩繼李氏任總督，馬格里仍留於南京，爲統治階級治病，意在久居該地爲寓公，不料於1875年因事撤職。

1876年清廷決意設立使館於倫敦，命郭嵩燾爲中國第一任駐英公使，馬格里鑽營謀得使館參贊並英文秘書，任事十年直至1905年始告退，數月後病死，時年七十有三歲。

馬格里死心效忠清廷，在1896年曾設計誘孫中山先生入中國使館，加以禁錮，擬備文載送回華，使清廷處刑。這是歷史上的一樁重大綁票案，曾哄動一時。孫中山先生後得康德黎和曼森的營救，始獲出險。

結　論

太平天國的失敗，其主要原因固由於領導方面底許多嚴重錯誤所致、可是另一方面、是由於帝國主義者的武力干涉和反動滿清軍聯合向中國人民革命隊伍進攻所致。像僱傭軍挾持其殺人的新式武器，造成殘酷不堪的擄掠慘劇，其中助桀爲虐的兩個軍醫，尤其是馬格里陰險奸滑，手段狠毒，繼續不斷殺害我中國的人民，摧殘中國人民的革命，爲中國人民的死敵，他的罪惡是永遠不能忘却和寬恕的。

參考文獻

1. A. Wilson, Ever-Victorious Army. Chap. 14, London, 1868.
2. S. Couling, Encyclopaedia Sinica, p. 320.
3. 太平天國史料譯叢。第一輯。p. 221. 神州國光社。

陳氏小兒病源方論的我見

趙 秀 夫*

一、緒 論

陳氏小兒病源方論的作者是距現在七百年以前——公元1253年陳文中氏所著。據寶祐甲寅年滋水戶曹鄭子英爲他出版本書所做的序來看，在那個時候他是一位出色的、爲人民所信仰的小兒科醫生。他不僅親自爲小兒治病，而且把綜合了前人的和他自己的診病方法及治療的方藥寫成了書刊印，以供別的醫生學習他的方法，治好更多的病兒。

在七百年以前的年代裏，正是南宋最不穩定頻受戰禍的年代，在政治上腐朽不堪，飢荒病瘟流佈遍及全國，在這樣一個客觀環境中鍛鍊了他，使他成爲一個出色的小兒科醫生，他的小兒科見解一直到七百年以後的今天也不能不認爲是切合實際的。我們中國醫學一向是這樣極其豐富而且是具有獨立見解的，在這本書中證實了這一點，所談到的問題並且是從客觀實踐的觀點出發的。顯示了對症狀觀察之精確仔細週密足以證明了診病方法之科學性，對於治療的方針更提出診斷重於治療，無病及診斷不明的病不可任意投藥，以及反對用瀉藥(輕、朱)都具有高度的醫療原則正確性。

在戰禍頻仍的年代，當時瘟疫流行是很嚴重的，痘瘡亦不例外，在威脅着當時兒童的生命，他已經對這一類疾病有正確的認識，對治療上他創用了有效的藥物，收到了很好的效果是值得我們給予新的評價。

二、對卷一——養子眞訣之分析與研究

著者不僅是一個臨床的小兒科治療家而且是帶有預防爲主色彩的小兒公共衛生學家，在卷一中他論述如何哺養小兒，在現今誰都知道預防幼兒的疾病重於治療，但在那時他早已經看到了這一點對於幼兒生長之重要性，同時他也看到了幼兒的生長與外界環境關係之重要性。他論及當時資產階級婦女懷孕以後，因不勞動、飽食無度，胎兒在身體中發育不好及等到生下來以後藏於帳幃內，不見日光，當然幼兒不會有健壯的身體。這點符合了現代衛生學的知識；在婦女懷孕後應該有適當的運動及飲食方面的注意，以及幼兒應多與外界環境接觸，以接受大量的日光與新鮮的空氣做爲發育的條件。

在小兒胎生時期營養條件之不足出生以後抵抗力弱，可以形成許多慢性疾病的根源。他也很詳細的觀察到「小兒胎稟衰弱，外肥裏虛，面㿠白色，腹中虛響，嘔吐乳瓣、或便青糞，或頭大顖開，若失治者後必爲慢驚風」的確這是對一個具有慢性病小兒的一個精確描述。也是一個慢性發病原因的說明。

關於如何使小兒不生病，對於飲食上他提出：喫熱的不吃冷的，喫流質的不喫固體的，少量不可過量就不生病。也正如同現在幼兒喂養的原則。

他又能不被古方成論所拘，在新生兒剛出生以後，他認爲不應當像傳統的方法給與新生兒朱砂、輕粉、白密、黃連以下胎毒，他看到這樣做是不正確的，是對新生兒有害的，他這樣的見解是合乎科學的，因爲我們知道像輕粉黃連類的藥物都是瀉下藥，性質劇烈，不僅新生兒用它不合適，就是對於幼兒來說我們也應該少用它以防止脫水之發生。

他對於症狀的觀察非常週密，小兒面紅如桃花，大糞黃稠（生理的正常幼兒便），小便淸瀓（沒有炎性病，生理的尿），手足和暖（正常）是健康的表現，易哺養，不應該隨便服藥，尤其是對於服鎭心凉藥（瀉藥）恐怕生驚搐之患（抽風）。小兒吐乳食者胃冷也（胃功能不良），小兒乳食不消化脾虛（消化酶的不足），小兒大便酸臭氣者飽傷也（食物過量），小兒面㿠白者氣血衰少也（貧血），小兒大糞青色（綠）胃與大腸虛冷也（胃與大腸消

---

* 山東大學醫學院

化機能紊亂），他觀察到小兒發燒時兩腮紅，小便色黃，渴不止（脫水的表現）上氣急（呼吸急促）脈息急（脈搏速）足脛熱（小腿熱）並且若有發熱症狀時不應給與促使發熱的藥。他觀察到小兒非熱性病的症狀：面㿠白，糞青色（綠便消化不良），腹虛脹，嘔乳嬭，眼珠青（慢性病象）脈微沉，足脛冷（小腿涼）。

有病以後早找醫生看是他的主張，他又談到更不應該亂吃藥以免殘害幼兒，正如我們現在之醫療原則診斷重於治療。

他提出養育小兒的方法：（1）使身體勿受涼，（2）頭及心部應保持清涼（防止炎症），（3）不叫小兒看見可怖的事務防止受嚇，（4）脾胃要溫（維持消化系統的正常機能狀態），以防止慢性病的發生而抽風，（5）小兒哭時勿授乳以免消化不良，（6）勿服輕（粉）朱（砂）類藥物以避免小兒軟弱。以上幾點都是合乎實際的，可以防止小兒之發病。

但作者提出少洗澡一點應該否定這一說法，可能因他觀察到小兒洗澡後多因感冒發生重病而死亡以及環境衛生清潔知識之不够，使小兒多藉水源得傳染性皮膚病而死（赤遊丹毒）的關係。當然我們不能認爲是正確的。

三、對卷三——驚風門之分析與研究

小兒的疾病，無論是急性病或是慢性病絕大多數的病狀都有抽風，抽風是一個病狀並不是病，在陳氏書中他明確的觀察到了這一點，他批判了當時的醫生一見病兒抽風便與以牛黃，朱砂，腦麝之劑以致耽誤了幼兒的生命。

他論及抽風的發生不僅可由熱生風（發燒的病）而且寒（受涼），暑（中暑），燥（氣溫濕度低）濕（氣溫濕度大）等原因也可以發生抽風。他又看到小兒因受驚嚇以後再加上感冒也能發生抽風——正符合了在小兒發育時期，幾體之神經中樞不穩定性，大腦皮質極易遭受外界環境事務的刺激而發生了對皮質下層中樞調節機能紊亂而發生疾病的說法一致。

對於抽風的預後他說：抽搐不休，休而再搐，驚叫發搐，汗出足冷，痰滿胸喉，口開目直的病兒預後不治。

對於各種疾病所發生的抽風能分得很清楚例如：

在論風搐原因中他列舉：

1. 小兒誤服涼藥發生腹瀉腹脹腹響——（所謂涼藥係指瀉下類藥物）因服瀉藥以後可以脫水。

2. 小兒面少血色，常無喜容，不看上而視下（結核？）

3. 小兒顖顱高起頭縫青筋，時便青糞（佝僂病）。

4. 小兒肌體肥壯糞如清涕或凍汁（消化不良）。

5. 小兒時眨目，糞青色便青白沫，有時乾嘔（維生素A缺乏症？）

6. 由內臟病所致的抽風：

肝病——眼赤糞青（維生素A的缺乏）

胆病——面青下白（胆道阻礙）。

心病——面紅赤。

小腸病——夜啼至曉。

胃病——腹脹不食。

肺病——氣喘喫水（毛細支氣管肺炎？）

大腸病——喉中痰作聲。

腎病——夢中咬牙（古書腦與腎通，可能指腦的皮質受到激惹）

三焦的病——睡中驚哭（胸部的病？）

那時他論及驚風與癇與忤的症狀相似，但實有不同。

他更仔細的很合乎實際的把驚風分爲兩大類：

1. 急驚風：

（1）病因：小兒素熱，或因食生冷油膩，腸實有痰，致肝有風熱而爲是病。

（2）病狀：小兒平常無事忽發壯熱（急性炎症）手足抽搐，眼目戴上，涎潮壅塞，牙關急緊，身熱面赤。

2. 慢驚風：

（1）病因：小兒吐瀉（脫水）惡心口乾吐嬭舌出眼閉（消化不良，維生素缺乏）搖頭髮直心悶氣麤兩脇動（呼吸器病）口生白瘡（鵝口瘡）。

（2）病狀：小兒面青白，身無熱，口中氣冷，多啼不寐，目睛上視，項目强直，嘔涎潮或自汗（結核？）。或小兒頭熱足冷而眼珠青白，小兒頭熱足冷腹脹或腹瀉或作嘔或渴。

他對於驚風的病因，分類，症狀之觀察及驚風的治療上都使我們不能不加以重視，這代表了我們祖國醫學在小兒科內的成就，也代表了我們祖國的醫學光輝與燦爛的一頁。

四、在小兒生長發育過程中所表現之某些生理上的變化

陳氏不但對小兒的疾病有詳盡完善的觀察，而且對於小兒在生長發育過程中所表現之某些生理上的變化也採取了隋唐以來的說法。

現代的小兒科醫生都很熟悉當小兒在生長發育過程中有發熱、嘔吐、腹瀉、驚厥或咳嗽，尤其是在牙齒生長的過程此類症狀多出現。但以上的症狀究屬於病理的抑或是生理的改變很難確定，也很難解釋是否有併發病的存在。這樣在診斷上就會造成一定程度的困難。

陳氏很銳敏的觀察注意到這一點，他說，小兒有十變五蒸是生精神長意智，他又說，變蒸者即是牙生骨長。我想他說幼兒的變蒸就是幼兒的生長發育過程。他仔細的觀察了幼兒變蒸時症狀與徵候將所得的變蒸形證分為：

1. 變——生五臟，主其裏（內部）。最初在上唇中央有白泡突起，發熱，驚悸，嘔穢。

2. 變加蒸——（變與蒸同時進展）生五臟主其表。上唇輕度腫起，發高熱，額熱或忽涼忽熱，唇、口、鼻、發乾、嘔逆、驚悸、夜啼。

3. 三大蒸：（變化最高峯進展時期？）唇、口乾燥，咳嗽、悶亂、哽氣、腹痛、全身骨關節痛、目上視、驚悸。

就以上形證看，除了一般病狀外他特別提出唇部變化，而且他說：唇部變化發生時可看做為變蒸發生的特徵不可妄投藥餌以及火灸刺破，否則必會殺兒。

關於唇部的變化是小兒生長發育過程中表現徵候之一，我想我們還缺乏研究與注意，因為即或注意到也沒有作為一個突出的標誌，而祇是當一般的徵候表現而已。在這裏提出希望小兒科專家能加以研究做為診斷上的幫助。

五、陳氏小兒疾病診斷方法之一——形證學

望診是疾病診斷重要方法之一，尤其對於小兒疾病望診更為重要，陳氏沿襲北宋以來的形證學（望診）分析疾病是值得我們學習的。

1. 辨手紋：他論及幼兒的脉率太速，不能用成人的切脉法診斷疾病。就用看手紋的方法代替切脉診病；也就是應用看食指的方法代替切脉，將食指分成命關（食指末節）、風關（食指中節）、氣關（食指基節）三關。並且他說：（1）氣關易治，風關病深，命關黑死，有此通度三關脉候是極驚（最惡劣）之候必死。餘均可醫。（2）男看左手，女看右手（我想沒有什麼大區別，因為在生理上與解剖上左右手並沒有什麼大的區別）。（3）青是四足驚，赤是水驚，黑是人驚。（血液在手上循環可能發生某些改變）。

2. 辨面形色：也是他用以診斷病的重要方法之一。他將心病——赤色，肝病——青色，脾病——黃色，肺病——白色，腎病——黑色，聯系到臉部某一解剖部位，觀察到臉部某一解剖部位的面色後即可推出某一內臟系有病，或輕或重，或可治或不治。

根據現有的知識而論這一種診斷方法是有他一定價值與重大意義的，根據大腦皮質與內臟與其相關的末梢感受器官的聯繫，這是一種內臟——腦皮質——皮膚的反射關係。

我們祖國相傳數千年以來的針灸療法也就是內臟——腦皮質——末梢感受器反射關係的應用。針灸療法可以治許多的病代替了各種不同的多樣化的形形色色的藥物。

而我們說這一種診斷方法也是可以代替各種各樣方法的診斷，（當然不是說把其他科學的診斷方法都代替）正如針灸療法治療各種疾病代替了很多不同的藥物一樣。

這種診病方法可以很準確的，很迅速的做出診斷。祇是現在我們還沒有眞正了解大腦皮質——內臟——末梢感受器之間究竟有什麼微妙的關係而已因為：高級神經中樞是對機體內界外界巨大的分析器，高級神經活動的主導性對於人的機體的管制是確而不疑的。

六、陳氏治療喉中痰液的方法評價

在他所治療的驚風引證病歷中談到用手除去喉中痰液的方法，是一個很實際的問題，當幼兒痰液

積聚喉部且分泌物稠而多時很難咯出，這樣就會造成幼兒突然窒息（阻塞了整個氣道）死亡，也會形成肺不張、肺氣腫、肺膿瘍、胸膜炎性變化、氣胸、支氣管擴張、肺心症（部分的氣道阻塞或是常期的分泌物存留於氣道中），以及其他胸部的疾病及後遺症。若痰液被吞咽入消化道可引起消化道的紊亂，所以除去喉或氣管中痰液是完全必要的，而且是救急療法之一。陳氏不用袪痰劑除去喉中痰液而用手法除去是很有意思的。袪痰劑應用於成人是很好的，小兒當然也有一定效果，但是因爲小兒不會那麽聽話的把痰吐出來，而且痰量劇增時就能發生危險，用手隨時將喉中痰液取出是可以應急的，聰明的見解，正如耳鼻喉科醫師們經常會把手（帶上防護套後）伸到檢查不合作的小孩的後咽腔內檢查疾病一樣，是很簡單而且是實際上很有價值的方法，當然不祗用手，也可以用橡皮導尿管插入幼兒的後鼻咽腔中去吸出痰液以治療胸部疾病。

七、陳氏應用什麽藥物治療痘瘡

在陳氏的痘瘡引證病例中，我們看到他應用藥物治療痘瘡效果是很好的。

痘瘡（包括麻疹）是由於濾過性病毒所致，傳播侵襲力很大，幼兒遭受的威脅很大，除了天花現在已經種牛痘苗可獲得絕對免疫力以外，如水痘及麻疹仍然沒有效方法來預防與治療，那麽他所應用的藥物是值得我們研究與試用的。

以下是他治療痘瘡的病症及應用藥物摘要：

1. 痘瘡出後腹瀉——用木香散送下豆蔻元一服瀉止。

2. 痘瘡不肥滿，根窠不紅，咬牙喘渴——用木香散加丁香四十枚官桂一錢二服及異攻散一服，其瘡蒼蠟色咬牙喘渴皆止。

八、總結

陳氏小兒病源方論作者陳文中氏是一個優秀的小兒科醫生。他綜合了前人的小兒科知識寫成此書。提出小兒疾病的預防勝於治療，對哺育方法上也有獨到見解。對於其中所記的變蒸和辨手紋，辨面形色給以新解釋。

會務通訊

中華醫學會上海分會醫史學會年會

中華醫學會上海分會醫史學會於1954年11月28日在中華醫學會上海分會禮堂舉行1954年度年會，並改選下屆職員，嗣即舉行學術演講會。兹將當日開會情况暨新選職員分担工作等事項報導於後。

出席會員23人，請假者三人。由王吉民主席，龐京周記錄。

首先，龐京周報告一年來工作總結。丁濟民報告一年來經濟狀况。

其次，由侯祥川副主任委員提出下屆委員會候選人名單。推舉李穆生、石茂年、沈今凡爲檢票員。然後進行改選。

選舉後進行學術演講會，由侯祥川主席。王聿先講「關於醫史研究的幾點意見」。陳方之講「談傷寒論中的消化器證候」。學術演講時除會員外，並有來賓數十人參加，與會者皆由本會贈送年會特刊之「中國歷代名醫及其著述簡表」一份。五時半散會。

選舉結果：王吉民、丁濟民、侯祥川、龐京周、范行準、王聿先、章次公七人爲執行委員。宋大仁、張贊臣、陳海峯三人爲候補委員。

新委員會於1954年12月4日假王吉民先生住宅召開第一次委員會會議。推定侯祥川爲1955年主任委員，龐京周、丁濟民爲副主任委員，龐京周兼秘書，章次公爲會計，討論並佈置各項會務。

女科、產後編及傅青主男女科

劉 元

用傅青主的名義做標榜的醫書，筆者看到的有「女科」、「產後編」和「傅青主男女科」三種。前兩種是商務印書館出版，收在「叢書集成初編」裏的，現在不容易買得到。後一種爲錦章書局出版（原爲廣益書局印行），目前在坊間是頗暢銷的一部醫書。

「女科」和「產後編」兩書與「傅青主男女科」中的女科比較起來，不僅病證的分類及編排次序不盡相同，即其字句也有些微出入。現將三書的內容簡括的介紹一下：

「女科」：此書爲商務印書館根據海山仙館叢書本排印，收入「叢書集成初編」。全書計有上下兩卷。上卷分帶下、血崩、鬼胎、調經、種子五類；每類之下又分若干症候，共計38條，39症，41方。下卷分妊娠、小產、難產、正產、產後五類；每類之下也分若干症候，共計39條，41症，42方，2法。卷首有道光11年（1831）新正上元同里後學祁爾誠序及道光丁亥（1827）夏五月丹崖張鳳翔題序各一篇。正文前面書名下首有「陽曲傅山青主手著」八字（「產後編」亦同）。由序文得知，此書原爲鈔本，張氏從其友人處得來後，纔行付梓；到了道光丁亥，祁氏再加詳校而重刊之。書中還有很多眉批，不知出於何人手筆。

「產後編」：也是商務印書館根據海山仙館叢書本排印收入「叢書集成初編」內的。全書同樣分爲上下兩卷。上卷分產後總論、產前後方症宜忌及產後諸症治法三章。在產後諸症治法章下分列17症。下卷除緊接上卷產後諸症治法分列26症外，並有補編一章。補編之下僅列三症。本書沒有序，也沒有跋。

「傅青主男女科」（以下簡稱「男女科」）：全書分爲男科、小兒科及女科三部份。男科分傷寒、火證、鬱結、虛勞、痰嗽、喘證、吐血、嘔吐、臌證、水證、濕證、泄瀉、痢疾、大小便、厥證、癲狂、怔忡驚悸、腰腿肩背手足疼痛、心腹痛、麻木、脅痛、濁淋（附腎病）、雜方等23門。小兒科內容很少，只列有二十餘種常見的要證，並略及色、脈、三關診法。至於女科，則分調經、種子、崩漏、帶下、妊娠、小產、臨產、產後等八門，附生化編一章。每門之下，也分列了若干症候。原書刻於同治初年；光緒七年時，天倪子又根據舊本校正刊行。書中有郭鍾岳序及懋修（似即「世補齋醫書」的著者陸懋修）跋各一篇。

這三部醫書，都是有論有方的。論證方面，大致仍離不開五行生尅那一套玄虛的唯心學說，沒有什麼精當之處。這對於一般僅讀過些「筆花醫鏡」、「醫方捷徑」、「醫宗說約」之類醫書的讀者來說，倒是頗合胃口的。至於方劑，雖然所用藥味不多，方意却甚平穩，君臣佐使的配合，也很適當。尤其是女科各方，應用很廣。像帶下門中的清肝止淋湯、利火湯、易黃湯、升陽人補湯；血崩門中的平肝開鬱止血湯；種子門中的養精種玉湯、升提湯、溫胞飲、溫土毓麟湯、寬帶湯、開鬱種玉湯、清骨滋腎湯、升帶湯、化水種子湯；妊娠門中的援土固胎湯；臨產門中的療兒散、送胞湯；產後門中的救敗求生湯、保產無憂散、生化湯、及生化湯加味、減味諸方，在臨床上常爲一般婦產科醫生所樂用。這些方劑，都有一個共通的特點，就是它能够時時顧到病人的「氣血」和「脾胃」，所以方中每用大量補品。即在病邪充盛的情況下，也極力主張「攻補並行」的辦法，不肯單用霸藥猛攻。這種立方的精神，是爲一般婦科醫生所同意的。總的說起來，在醫學界中，這三部書是有其相當的地位的。非有二三十年的臨床經驗，絕對不能寫得出像這樣幾部實用的著作。

不過，上述三種醫書，儘管它在外表上標明「陽曲傅山青主手著」或者竟用「傅青主男女科」爲名都好，我認爲在事實上都非傅氏所著；至少，可以舉出幾項理由證明此書不是他的原作。

② 照我個人的想法，以傅青主的學問和他在清初醫壇上的聲望來說，對於那些祖國醫學中的古典著作（如「素問」、「靈樞經」、「難經」、「傷寒論」、「金匱要略」、「肘後備急方」、「千金要方」、「諸病源候論」、「外臺秘要」等），及宋元以來的名著，他一定是看過不少的。同時還可以想得到、他著的醫書，也必然像同時代的「醫門法律」、「張氏醫通」及「黄氏醫書八種」一樣，處處以經爲據，旁徵博引，儘量發揮祖國古代醫學中的精義；並且針對各家的長短得失，或多或少的有些批判。這個推理，該是合乎邏輯的。然而，在這三種醫書裏，不僅沒有什麼引經據典的地方，同樣，對於那些有名的婦科書（如「婦人大全良方」、「證治準繩」等），也沒有隻字提到，這實在是出人意表的。再看各書中所採用的藥方，又都是些時方、禁方、單方、驗方，甚至於在男科傷寒門裏，也是如此，完全不用經方和古方。至於論證，既屬平凡無奇，字裏行間，也和傅氏文集中的筆調大異其趣；加以三書都沒有傅氏本人或其友好的序文，在在都會引起我們的懷疑。

③ 我所見到的關於叙述傅氏生平的傳記、軼事和事略，也沒有一處提到他擅長婦科，著有「女科」或「男女科」行世的話。清代浙東史學家全祖望所撰的「陽曲傅先生事略」一文，談到傅氏父子的著作，也只有「著述之僅傳者，曰「霜紅龕集」十二卷，眉之詩亦附焉。眉詩名「我詩集」。同邑人張君刻之宜興」幾句話。可見還說不定傅青主根本就沒有著過什麼醫書呢。就是細味這幾部書的書名，也有可疑。「女科」和「產後編」，都嫌單調無味；「傅青主男女科」呢，這個書名簡直是不倫不類，難登大雅之堂。我敢斷言，傅青主著的醫書，是決不會定出這種俚俗的名稱的。再者，據「留仙外史」的作者里乘子云：「予幼時喜玩徵君婦科書，見前牘載軼事數則，今刻本已不載矣。猶憶載徵君所爲艷詞者，有「歡牀如天，歡身如雲，登天抱雲，歡纏儂身」之句，歎其不愧爲才人吐屬。……」（「傅青主徵君軼事」）看到這裏，誰都會相信，無論是怎樣狂妄的人，都斷然不會在自己的著作中臚列作者本人的軼事的；傅青主當然絕對不會這樣無聊。從他一生的思想言行上去分析，相信他也決不是個好作綺語艷詞的風流才子。可見後世盛行的「女科」以至「男女科」，都是一般牟利之徒借名而作的。

除了上面所說的理由外，我們還可以借第三者的言論來辨别這些書的眞僞。由「女科」的郭序，可知本書在道光以前，尙未正式刊布流傳，而且一向便有許多種不同的鈔本。這些鈔本，彼此的藥味和分量都有差異，究竟孰眞孰僞，誰也不能判斷；現今的「女科」，不過是這許多種鈔本中的一種而已。在「男女科」的跋中，陸懋修認定本書的男科、兒科都是後人僞刻；而且，他又判斷所謂男科、兒科之名，是因爲有了「女科」一書在先而後杜撰出來的。這些論說，都可以替我的判斷做註脚。

上述三書的作者既然不是傅青主，究竟是誰呢？目前，要正確地爲這個問題找尋答案，尙不可能。我以爲可從三方面來假設：第一，「女科」及「產後編」二書，大約是清朝乾、嘉年間一位很有經驗的醫生做的。作者大約因爲自己的名望不高，恐怕此書一出，不能引起醫學界的重視，所以假託傅青主的名字印行，以便蒙蔽讀者，廣其銷路。古氏醫書便有很多託名的。例如「黄帝內經」及「神農本草經」，就是秦、漢時人託名黄帝、神農做的。清代的陳修園，未成名時的著作，一概託名葉天士所做，也是衆所週知的一個例子。第二，「女科」及「產後編」，可能是傅青主的後人或友好門弟子把傅氏家藏的禁方和他的醫案收集起來，再參以一般醫書中的理論拼湊而成，所以書中對於經方、古方一概從缺，論證也不十分高明。這好比「臨證指南醫案」一書，雖說是葉桂所著，其實是葉氏的門人「取其方藥治驗，分門别類集爲一書，附以論斷」一樣。（「欽定四庫全書總目」卷105）第三，「女科」及「產後編」與「男女科」內容大致相同，但前兩書刊行較早，或許竟是傅氏所著，（不過，已經過了多次的改竄，不能完全是原作了。）「男女科」一書的女科，不僅刊行在後，在內容上也不及前兩書的完備，其非傅氏原作，決然無疑。至於所謂男科、兒科，更是「每下愈況」，遠不如女科來得精采，不用說，這一定是後世一班庸妄書賈或好事者流隨意裒集附麗於女科書中意圖亂眞以漁利的。

我國醫書中關於高血壓症病名演變和發病原因的探索*

耿　鑑　庭

我國本來沒有「高血壓」的名辭，症狀輕的，泛稱為「肝陽」；到腦溢血階段的，則通稱為「中風」。

在內經裏：有兩個病，實係近代的腦溢血，但是老早的無人引用，已成了死名辭。這兩個病名：一個叫做「大厥」，一個叫做「薄厥」。內經卷17第62篇調經論裏記載「大厥」說：「血之與氣，併走於上，則為「大厥」，厥則暴死，氣復返則生；不返則死」。又卷一第三篇生氣通天論記載「薄厥」說：「大怒則形氣絕，而血菀於上，使人「薄厥」。薄字含有「迫」的意思，可見上古時對於腦溢血的突來病象，稱他為「厥」。厥是名辭，「大」字、「薄」字，都是形容辭。

明末清初的喻嘉言，用以經注經的方法，在內經上找出「上實下虛，為厥顛疾」（脉要精微論）及「頭痛巔疾，下虛上實」（五臟生成篇）幾句話來解釋薄厥。他並且說：「鬱怒之火，上攻於腦，氣與血俱逆於高巔」。肯定了「上」字指的是頭腦。

內經上雖然也有好幾處提到了「中風」，但並不是指今日的腦溢血，略等於今日所說的「感冒風寒」：和「傷風」，就是北方話「着涼」的意思。

到了漢末，張仲景的傷寒論上，也有很多「中風」字樣，但仍是指的感冒一類的病。在他的另外一部書金匱上，有「中風歷節病」的專篇，其中所記中風的症象，確是今日的腦溢血。何以一個人嘴裏說出兩個含義不同的中風呢？這可有一些分別。

代表感冒的那一個中風，中字應當讀成去聲「仲」字，和那「中箭」，「中酒」，「中傷」，是同樣的解釋，也就是被風所中了。

代表腦溢血的那一個中風，應當讀成平聲「中間」的中字，「中外」的中字，意思是體中的風，不是外來的風。

經過了魏、晉、南北朝、隋、唐、五代、幾部重要醫書裏，如巢氏病源、千金方、外臺秘要、等書，都是籠統的錄一些成方，佔的篇幅很少，病因上少有發明。

到了南宋時代，也即是相當於金元時代，劉完素、張子和、李東垣、朱丹溪、號稱「金元四大家」，提出些異議來：

劉河間說：「中風癱瘓者，……非外中於風，由乎將息失宜。多因喜、怒、悲、思、恐、五志有所過極，俗云：風者，言末而忘其本也」。

李東垣說：「中風者，非外來風邪，因憂、喜、忿、怒、傷其氣者，多有此疾」。

王安道（履）綜合了金元四大家的學說，定出了一個類中風的病名來，大致說：症候上雖然像是風，可是病源委實不是風，所以定名為「類中風」，取其與中風相類似的意思。

到了明末，張景岳在他的景岳全書裏，又有了深刻的見解，最可貴的，是他的正名，改出一個「非風」的名稱來。他說：「非風一症，即時人所謂中風症也，……本皆內傷積損、頹敗而然，原非外感風寒所致，而古今相傳，咸以中風名之，其誤甚矣，故余欲易去中風二字，而擬名「類風」，又欲擬名「屬風」，然類風，屬風，仍與風字相近，恐後人不解，仍爾模糊，故單用河間東垣之意，竟以「非風」名之，庶乎使人易曉，而知其本非風證矣」。

把上面所引的文獻，綜計一下，可以看出高血壓及腦溢血病的病名確定，及病理研究，在中國可劃分為幾個階段。

---

* 中華醫學會揚州分會中西醫學經驗交流座談會高血壓專題討論的發言。

第一是先秦：記載血併於上，血菀於上的理論，從現象上推測出病理解剖的輪廓。

第二是漢末：從病因上確定爲中（內）風，內在的因素。

第三是南宋和金元時代：又進一步的肯定內因，訂出了「類中風」的名辭，並且認定內因是「五志」。

第四是明末清初，否定了風字，確定了內傷，內傷是什麼呢——七情。

從以上諸家在各個時期裏發掘和引申的學說中，可以發現出一些問題來。

存在決定意識，劃時代的學理，決不是憑空想出來的，而是衆多病例，經過醫務工作者的仔細觀察，所得出的結果，也可以說這四個時代，或也是中國歷史上高血壓最多的時代。

協和醫學院張孝騫博士，在「原發性高血壓病」一文中引用蘇聯學理，曾有這樣的幾句話：「高血壓的原因，是持久的情緒緊張，和精神疲勞所致的神經功能障礙」。又說：「戰時的發病率，較平時爲高。在蘇聯衛國戰爭中，高血壓症增加，尤其列寧格勒被圍時，滿眼都是高血壓者」。

我們拿這幾句話，和上面的對照一下，便可看出我所說的這幾個時代裏高血壓患者最多的道理。確巧這四個時期，都是中國歷史上重要戰爭的時期。

首談先秦：內經這部書，據歷來考據，是周秦間纔結集成書的。這裏且不多談。當春秋戰國五霸七雄的時代，無日無戰，人們處在戰爭恐怖之下，高血壓當然多，醫生仔細觀察，所以當時的書中，已有記載，對這病的病理解剖有了些輪廓。

次談漢末：漢末農民紛紛起義，軍閥紛紛割據，戰爭連綿不絕，高血壓病當然也多，同時的書上，也就有了「中（平聲）風」的記載。

再談南宋和金元：這個時代，戰爭更慘酷了，鬥爭尖銳化，民族被歧視，高血壓患者的增多，不言可喻。四大家的發明，和王安道的定名爲類中風，確是認識上的一大進步。

最後談明末清初：這一時代，階級矛盾加上了民族矛盾，經過史無前例的揚州十日、嘉定三屠，東南方面的鬥爭，最爲劇烈，人民精神上的緊張，可想而知，高血壓病例的增多，更可想而知，張景岳確巧處在這個環境裏，並且常與那一班遺民相往來，一定是經過了衆多的病例，累積了經驗，得出了眞理，否定了「風」字，改病名爲「非風」。

我們現在不妨把上述時代各期的思想，提出來作一對比。

周秦時代是中國思想上最活躍的時期，諸子百家，派別衆多，無從詳其究竟。

漢自武帝罷黜百家，尊崇儒術，故老莊思想一時無人崇拜。

宋代的時候，思想上起了極大的變化，周敦頤、二程、朱熹、等所倡導的「理學」風行一時，知識份子和非知識份子，都普遍的直接和間接的受了這一思想的影響，所以理學就變成了宋代主導的社會思想，他的主要內容便是：「立志以定其本；主敬以定其志；窮理以致其知；力行以踐其實」。

說得通俗和抽象一點，便是對人的要求高，對自已的要求也高。這時候，反動的儒家禮教，被他們變本加厲的提倡，在那「餓死事小，失節事大」的口號下，也不知道死了多少無辜的婦女。

當這思想風行的時候、金人南侵了、一方面的人，偏安南渡，一方面的人，陷身北地，在這重重階級矛盾和民族矛盾之下，外界因子透過了內在因子，高血壓症當然增多了。所以就間接的產生純由於內因的類中風學說。

到了明代，哲學思想又起了一個極大的劃時代的轉變。那便是王陽明的知行合一的思想體系，他的內容，不僅是思想，而且要行動。明末許多堅決抗敵的事實，可能是和這一主導思想有些關係的。那些文人的所謂精神抵抗，不用說，也或多或少有些關係。那一時代傑出的醫務工作者張景岳，仔細的觀察了衆多的病例，確定了內在因素，提出了非風的名稱，由感性認識而達到了理性的認識。

張景岳說非風的病源是內傷，內傷兩字便是指的七情，和外感（六氣），是中國醫學上的兩大病因。七情是什麼呢？「喜」、「怒」、「思」、「憂」、「恐」、「悲」、「驚」。

上面所舉的，是醫家的七情，還有儒家的七情，那便是禮記上的：「喜」、「怒」、「哀」、「懼」、「愛」、「惡」、「欲」。

釋家也有七情，見釋氏要覽，即是把儒家的「哀」字改爲「憂」字，「惡」字改爲「憎」字。

現在把五志和幾種七情，排到一個表在下面。

醫家的五志	喜怒思憂恐
醫家的七情	喜怒思憂恐悲驚
儒家的七情	喜怒○○○○○哀懼愛惡○欲
佛家的七情	喜怒○憂○○○○懼愛○憎欲
綜計（十三種）	喜怒思憂恐悲驚哀懼愛惡憎欲

總括起來說：感情上的變動，使高級神經活動，脫離了正常的範圍，都足以促進高血壓病的發生，也就是 A. П. Мясников 院士所說的：［高血壓是社會環境，影響人體而發生］。反過來說，如果對於這些情志上的刺激，無動於中，不加注意，呈現麻痹，無所感覺，亦即莊子所說的：［死、生、驚、懼、不入乎其胸中］。那便很少有高血壓的發生。

Н. Н. Малковой 在他的實驗證明後，有如下的記載：

［有時看來，似乎很弱的情緒影響，會引起强烈的血管增壓神經反應。相反的，當强烈興奮時，則呈現很弱的血管增壓神經反應。顯然問題並不在於單純的反應强弱，而主要是在於患者高級神經活動的個人特性］。

斯別蘭斯基院士，也把高血壓患者的個性，對周圍環境反應的特性，列作第一項研究。可見得外因是必須通過內因的。拿中國的疾病史來對比一下，也是一致的。

溫故知新，因而把巴氏學說，高血壓發病論的肯定皮層說，尋出了一些註解和印證。尤其巴氏的名言，［……是否出現疾病，表現的如何，均決定於其神經型式］。可以概括上面所引證和推論的一切。

以上談的是拿往古的文獻，來註解巴氏的學說。目前世界上高血壓患者仍然很多，我國由於日寇佔領期間的鐵蹄蹂躪，和若干年反動派的血腥統治，戰爭不絕，空襲頻繁，常使人們的高級神經活動，脫離了正常的範圍，因而直接間接造成若干高血壓症，所以目前病例仍多。自大陸全部解放，經過一列係的重要運動，社會秩序，已趨安定。封建殘餘徹底肅清。婦女壓迫，亦得到解放。社會主義工業化的美麗遠景，即在目前，那許多過去的驚懼恐怖憂慮憤怒等等的刺激，已不復存在。此後發生高血壓的因子，已日見減少。國內的發病率，也必定會一天一天地減少的。

史記醫學史料彙輯

陳邦賢

說明

一、全編共15章：第1章職業；第2章著名醫學家；第3章醫術教育；第4章巫毉；第5章神仙；第6章哲理；第7章解剖資料；第8章體格；第9章衞生；第10章壽命和胎產；第11章疾病；第12章診斷；第13章治療；第14章調護；第15章藥品。每章有分節的，有不分節的；不分節的，每章分爲若干子目；分節的每節分爲若干目。每目再分爲條文若干則，每則都註明條文的出處，俾便查考。

二、本編主要的目的，專供研究中國醫學歷史的人們作爲參考之用，因之搜集材料的範圍較廣，包括史記全部分。

醫學的起源，是由於勞動人民創造的，扁鵲倉公結合勞動人民向疾病作鬥爭的經驗，把祖國醫學逐步脫離了巫術的範圍，成爲祖國經驗的醫學，這是值得後世所推崇的。從公元前四、五世紀到公元前一、二世紀，這是醫與巫作鬥爭的時期，也就是科學與宗教的鬥爭時期；扁鵲創始了醫學分科，在邯鄲爲帶下醫，在雒陽爲耳目痹醫，在咸陽爲小兒醫，隨俗爲變。扁鵲發明了脈法，决生死，所以司馬遷說：「今天下言脈者，由扁鵲也。」倉公不僅傳黃帝扁鵲脈書五色診病，並且發明了記病歷的方法，爲後世醫生記敍醫案留下了範例。當時的治法一面有針灸砭石、熨貼、湯液、按摩等唯物的方法；一面又有祈禱，卜筮，反神、扶形等唯心的方法。

一、職　　業

1. 職　　官

（1）秦

太醫令：秦太醫令李醯自知伎不如扁鵲也，使人刺殺之。（扁鵲倉公列傳45）。

侍醫：是時侍醫夏無且以其奉藥囊提荊軻也。（刺客列傳26）。

（2）漢

太醫令：有詔捕太醫令隨。（匈奴列傳50）。

2. 科　　別

帶下醫、耳目痹醫、小兒醫：扁鵲聞名天下，過邯鄲，聞貴婦人，即爲帶下醫。過雒陽，聞周愛老人，即爲耳目痹醫。來入咸陽，聞秦人愛小兒，即爲小兒醫，隨俗爲變。（扁鵲倉公列傳45）。

馬醫：馬醫淺方，張里擊鐘。（貨殖列傳69）。

3. 地　　位

卜醫並列：賈誼曰：「吾聞古之聖人，不居朝廷，必在卜醫之中。」（日者列傳67）。

4. 醫　　德

六不治　人之所病病疾多，而醫之所病病道少，故病有六不治；驕恣不論於理，一不治也。輕身重財，二不治也。衣食不能適，三不治也。陰陽並臟氣不定，四不治也，形羸不能服藥，五不治也。信巫不信醫，六不治也。有此一者，則重難治也。（扁鵲倉公列傳45）。

5. 敬　　仰

（扁鵲診虢太子）中庶子聞扁鵲言，目眩然而不瞋，舌撟然而不下，乃以扁鵲言入報虢君，虢君聞之大驚，出見扁鵲於中闕曰：「竊聞高義之日久矣，然未嘗得拜謁於前也，先生過小國，幸而舉之，偏國寡臣幸甚，（索隱謂虢君自謙云：「已是偏遠之國，寡小之臣也。」）有先生則活無先生則棄捐填溝壑，長終而不得反。」言未卒，因噓唏服臆，魂精泄橫，流涕長潸，（集解：徐廣曰：「一云言未卒，因涕泣交流，噓唏不能自止也。」索隱：「長潸者，謂長垂淚也」。）忽忽承睞，（索隱：「睞，即睫也。」承睞，言淚恒垂，以承於睫也。」）悲不能自止，容貌變更。（扁鵲倉公列傳45）。

6. 酬　　報

董安于受言，書而藏之，以扁鵲言告（趙）簡子，簡子賜扁鵲田四萬畝。（扁鵲倉公列傳45）。

漢高祖十二年（公元前 195）高祖擊（淮南王黥）布時，爲流矢所中，行道病，病甚，呂后迎良醫，醫入見，高祖問醫，醫曰：「病可治」。於是高祖嫚罵之，曰：「吾以布衣提三尺劍取天下，此非天命乎？命乃在天，雖扁鵲何益！」遂不使治病，賜金五十斤罷之。（高祖本記8）。

已而論功賞，羣臣及當坐者各有差，而賜夏無且黃金二百鎰，曰：「無且愛我，乃以藥囊提荊軻也。」（刺客列傳26）。

7. 以醫幸進

（義）縱有姊姁，以醫幸王太后。王太后問：「有子兄弟爲官者乎？」姊曰：「有弟無行不可。」太后乃告上，拜義姁弟縱爲中郎。（酷吏列傳62），（淮南王黥）布所幸姬疾，請就醫、醫家與中大夫賁赫對門，姬數如醫家；賁赫自以爲侍中，迺厚餽遺，從姬飲醫家，姬侍王，從容語次，譽赫長者也；王怒曰：「汝安從知之？」具說狀，王疑其與亂，赫恐稱病。（黥布列傳31）。

二、著名醫學家

1. 神 農 氏

神農氏…嘗百草，始有醫藥。（補史記三皇本記）。

2. 歧 伯

屬歧伯，使尙方。（集解：徐廣曰：「歧伯，黃帝臣。」駰案漢書音義曰；「尙，主也。歧伯，黃帝太醫屬，使主方醫。」（司馬相如列傳57）。

3. 臾 跗

上古之時，醫有俞跗，（正義：應劭云：「黃帝時將也。」）治病不以湯液醴灑，鑱石撟引，案杬毒熨，（索隱：「鑱音仕咸反，謂石針也。撟，音九兆反，謂爲按摩之法。夭撟引身，如熊顧鳥伸也。杬音玩，亦謂按摩而玩弄身體使調也。毒熨謂毒病之處，以藥物熨貼也。」）。一撥見病之應，因五藏之輸，乃割皮解肌，訣脈結筋，搦髓腦，揲荒，（索隱：「揲荒音揲肓也。」）爪幕，（正義：「以爪決其闌幕也。」）。湔浣腸胃，漱滌五藏，練精易形。（扁鵲倉公列傳45）。

4. 扁 鵲

扁鵲者，（正義：黃帝八十一難經序云：「秦越人與軒轅時扁鵲相類，仍號之爲扁鵲，又家於盧國，因命之曰盧醫也。」）勃海郡鄭人也。（集解：徐廣曰：「鄭當爲鄚，鄚縣名，今屬河間。」（索隱：「按勃海無鄭縣，徐說是也。」）姓秦氏，名越人。少時爲人舍長，（索隱：劉氏云：「守客館之師，故號云舍長也。」）舍客長桑君過，扁鵲獨奇之，常謹遇之，長桑君亦知扁鵲非常人也，出入十餘年，乃呼扁鵲私坐，間與語曰：（正義「間音閑。」）「我有禁方，年老欲傳與公，公毋泄。」扁鵲曰：「敬諾。」乃出其懷中藥，予扁鵲，飲以上池之水，三十日當知物矣。（索隱：案舊說云：「上池水謂水未至地，蓋承取露及竹木上水，取之以和藥，服之三十日當見鬼物也。」）乃悉取其禁方書盡與扁鵲，忽然不見，殆非人也。扁鵲以其言，飲藥三十日，視見垣一方人；（索隱：「方猶邊也；言能隔牆見彼邊之人，則服通神也。」以此視病，盡見五藏癥結，（正義：「五藏謂心肺脾肝腎也。六府，謂大腸胃胆膀胱三焦也」。王叔和脉經云：「左手脉橫癥在左，右手脉橫癥在右。」）特以診脉爲名耳。（索隱：司馬彪云：「診占也。」）（扁鵲倉公列傳45）。

爲醫或在齊，（正義：「號盧醫今濟州盧縣」。）或在趙；在趙者名扁鵲。（扁鵲倉公列傳45）。

扁鵲言醫，爲方者宗，守數精明，後世修序，弗能易也，而倉公可謂近之矣，作扁鵲倉公列傳45。（太史公自序70）。

5. 倉 公

太倉公者，齊太倉長，臨菑人也；姓淳于氏，名意。（正義：括地志云：「淳于國城在密州安邱縣東北三十里，古之斟灌國。春秋州公如曹傳云：「冬淳于公。」如曹注水經云：「淳于縣故夏后氏之斟灌國也，周武王以封淳于公，號淳于國也」。）少而喜醫方術；高后八年（公元前 180）更受師同郡元里公乘陽慶（正義：百官表云：「公乘，第八爵也。顏師古云；「言其待乘公之車也。」）。慶年七十餘無子，使意盡去其故方，更悉以禁方予之，傳黃帝扁鵲之脉書五色診病（正義：八十一難云：└五藏有色，皆見於面，亦當與寸口尺內相應也。┐），知人死生，决嫌疑，定可治，及藥論甚精，受之三年，爲人治病，决死生多驗，然左右行游諸侯，不以家爲家，或不爲人治病，病家多怨之者。（扁鵲倉公列傳45）。

（淳于）意家居詔召問所爲治病，死生驗者幾何人？主名爲誰？詔問故太倉長臣意方伎所長，及所能治病者；有其書無有？皆安受學！受學幾何？嘗嘗有所驗，何縣里人也何病？醫藥已其病之狀皆何如？具悉而對。臣意對曰：└自意少時喜醫藥，醫藥方試之多不驗者。至高后八年（公元前180）（集解：徐廣曰：└意年二十六。┐）得見師臨菑元里公乘陽慶。慶年七十餘，意得見事之，謂意曰：└盡去而方書非是也；慶有古先道遺傳黃帝扁鵲之脉書，五色診病，知人生死，决嫌疑，定可治，及藥論書甚精；我家給富，心愛公，欲盡以我禁方書悉教公。臣意即曰：└幸甚，非意之所敢望也。┐臣意即避席再拜，謁受其脉書，上下經，五色診，奇咳術，揆度陰陽外變，藥論石神，接陰陽禁書，受讀解驗之，可一年所；明歲即驗之，有驗，然尙未精也，要事之三年所，即嘗已爲人治診病，决死生，有驗，精良。今慶已死十年所，臣意年盡三年，年三十九歲也。（扁鵲倉公列傳45）。

問臣（淳于）意師陽慶安受之，聞於齊諸侯不？對曰：└不知慶所師受，慶家富、善爲醫，不肯爲人治病，當以此故不聞；┐慶又告臣意曰：└愼毋令我子孫知，若學我方也。┐（倉公扁鵲列傳45）。

問臣（淳于）意師陽慶何見於意，而愛意，欲悉教意方？對曰：└臣意不聞師慶爲方善也，意所以知慶者，意少時好諸方事，臣意試其方，皆多驗，精良。臣意聞菑川唐里公孫光善爲古傳方（索隱曰：謂好能傳得古方也）。臣意即往謁之，得見事之，受方化陰陽及傳語法，臣意悉受書之。臣意欲受他精方；┐公孫光曰：└吾方盡矣，不爲愛公所；（索隱：言於意所不愛惜方術也。）吾身已衰，無所復事之，是吾年少所受妙方也，悉與公，毋以教人。┐臣意曰：└得見事侍公前，悉得禁方，幸甚。意死不敢妄傳人。┐居有閒，公孫光閒處，意深論方，見言百世爲之精也。師光喜曰：└公必爲國工，吾有所善者皆疏，同產處臨菑善爲方，吾不若；其方甚奇，非世之所聞也。吾年中時嘗欲受其方，（索隱：案年中謂中年時也；中年亦壯年也，古人語自爾。）楊中倩不肯，（索隱：倩音七見反，人姓名也。）曰：└若非其人也┐。胥與公往見之，當知公喜方也；其人亦老矣。其家給富，時者未往，會慶子男殷來獻馬，因師光奏馬王所，意以故得與殷善。光又屬意於殷；曰：└意好數┐，（索隱：└數色句反，謂好術數也。┐）公必謹遇之，其人聖儒，即爲書以意屬陽慶，以故知慶；臣意事慶謹，以故愛意也。┐（扁鵲倉公列傳45）。

問臣（淳于）意診病决死生，能全無失乎？臣意對曰：└意治病人，必先切其脉乃治之；敗逆者，不可治；其順者，乃治之，心不精脉，所期死生，視可治，時時失之，臣意不能全也。┐（扁鵲倉公列傳45）。

三、醫事教育

1. 扁鵲弟子

子陽、子豹、子同、子明、子游、子儀、子越、子術、子容 扁鵲乃使弟子子陽厲鍼砥石，以取外三陽五會。（正義：素問云：└手足各有三陰三陽，太陰，少陰，厥陰，太陽，少陽，陽明也。五會謂百會，胷會，聽會，氣會，臑會也。┐）。有間太子蘇，乃使子豹爲五分之熨，以八減之齊和煮之，以更熨兩脇下。（索隱：└案言五分之熨者，謂熨之令溫煖之氣入五分也。八減之齊者，謂藥之齊和所減有八，並越人當時有此方也。┐）（扁鵲倉公列傳45）。

韓詩外傳曰：└扁鵲入砥鍼厲石，取三陽五輸，爲先軒之竈，八拭之陽。（說苑作軒光之竈八成之湯。）子同藥，子明灸陽，（說苑作子容擣藥，子明吹耳）。子游按摩，子儀反神，子越扶形，於是世子復生。┐（周禮疏曰：按劉向云：└扁鵲治趙太子暴疾尸蹷之病，使子明炊湯，子儀脉神，子術按摩。┐（史記卷105考證）。

2. 倉公弟子

宋邑、高期、王禹、馮信、杜信、唐安 問臣邑學臣意教以五診。歲餘。濟北王遣太醫高期王禹學，臣意教以經脉高下及奇絡結，（正義：素問云：奇經八脉，往來舒時，一止而復來，名之曰結也。）當論俞所居，及氣當上下出入邪逆順，以宜鑱石定砭灸處。歲餘。菑川王時遣太倉馬長馮信正方，臣意教以案法逆順，論藥法，定五味、及和齊湯法。高永侯家丞杜信喜脉來學，臣意教以上下經脉，五診，二歲餘。臨菑召里唐安來學，臣意教以五診，上下經脉，奇咳，四時應，陰陽重未成，除爲齊王侍醫。（扁鵲倉公列傳45）。

四、巫　　蠱

巫咸、巫賢　伊陟贊言於巫咸（集解：孔安國曰：「贊告也。巫咸，臣名也。」巫賢治王家有成，作咸艾。（殷本紀3）。

尹陟贊巫咸，巫咸之興自此始。（封禪書6）。

在太戊時，則有伊陟臣扈假於上帝，巫咸治王家。在祖乙（公元前1507—1525）時則有若巫賢。（燕召公世家4）。

帝祖乙（公元前1525）立殷復興巫賢任職。（殷本紀3）。

問神　文成死，明年天子病鼎湖甚，巫醫無所不致，至不愈，游水發根（服虔曰：「游水縣名，發根人名」）乃言曰：「上郡有巫病而鬼下之」；上召置祠之甘泉。及病使人問神君，神君言曰：「天子毋憂病，病少愈强與我會甘泉」；於是病愈，遂幸甘泉，病良已，大赦天下，置壽宮神君。（孝武本紀12又封禪書第6，所記大致相同）。

視鬼　其春（元光四年，公元前146）武安侯（田蚡）病專呼服謝罪，使巫視鬼者視之，見魏其灌夫共守，欲殺之，竟死，（魏其武安侯列傳47）。

禦蠱　（秦德）公二年蠱，（公元前288）初伏以狗禦蠱。（正義）：「蠱者，熱毒惡氣爲傷害人，故磔狗以禦之。」年表云：「初作伏，祠社磔狗邑四門。以狗張磔於郭四門，禳却熱毒氣也。（秦本紀5）。

（德公）葬陽初伏以禦蠱。（秦始皇本紀6）。

（秦德公）作伏祠磔狗邑四門，以禦蠱菑。（索隱曰：樂樂彥云：「左傳皿蟲爲蠱，梟磔之鬼亦爲蠱。」[illegible]

也。」）（封禪書6）。

射蠱　至以卜筮射蠱道巫蠱，時或頗中。（龜策列傳68）。

掘蠱　（太初三年，公元前102）（韓說）將軍屯於五原外列城爲光祿勳，掘蠱太子宮，衛太子殺之。（衛將軍驃騎列傳51）。

治蠱　（征和二年，公元前91）貳師聞其家以巫蠱族滅，因並衆降匈奴。（匈奴列傳50）。

（公孫賀）子敬聲與陽石公主奸，爲巫蠱族滅無後。……（公孫敖）居民間五六歲，後發覺，復繫，坐妻爲巫蠱族。……（趙破奴）居匈奴中十歲，復與太子安國亡入漢，後坐巫蠱族。（衛將軍驃騎列傳17）。

徐來使婢蠱道殺太子母，太子心怨徐來。…王后徐來亦坐蠱殺。（淮南衡山列傳58）。

武安侯（田蚡）爲丞相徵（張）湯爲史，時薦言之天子補御史，使案事治陳皇后蠱獄。（酷吏列傳62）。

五、神　　仙

封禪　天子既聞公孫卿及方士之言，黃帝以上，封禪皆致怪物與神道，欲放黃帝以嘗接神仙人蓬萊士。（封禪書6）。

天子既已封泰山，無風雨災，而方士更言蓬萊諸神，若將可得，於是上欣然，庶幾遇之，乃復東至海上望，冀遇蓬萊焉。（封禪書6，又孝武本紀12）。

封禪七十二王，唯黃帝得上泰山封申功曰：「漢生亦當上封，上封則能僊登天矣。」（孝武本紀12）。

顧（司馬）遷之所以始黃帝者，蓋以武帝好神仙，神仙家言，並托之黃帝，「視棄妻子如敝屣耳」；遷是以據古史著黃帝事實，以言黃帝亦人耳，非能乘雲御風，長生不死，如彼所言神仙者也；故五帝中獨著黃帝之葬橋山，餘並不書葬者，言黃帝之死，有冢可據也。（漢書史紀目錄考證）。

求僊　（秦）始皇之上太山，中阪遇暴風雨，休於大樹下。諸儒生既絀不得與用於封事之禮，聞始皇遇風雨則譏之，於是始皇遂東游海上行禮、祠名[illegible]

卿:「得毋效文成五利乎?」卿曰:「僊者非有求人主、人主者求之其道，非少寬假，神不來，言神事事如迂誕，積以歲乃可致也。」於是郡國各除道繕治宮觀，名山神祠，所以望幸也。（封禪書6，又孝武本紀12）。

公孫卿曰:「僊人可見、而上往常遽以故不見，今陛下可爲觀如緱城，置脯棗，神人宜可致也。且僊人好樓居。」於是上令長安則作蜚廉桂館，甘泉則作益延壽觀，使卿持節設具而候神人，乃作通莖臺。（索隱: 漢書並無莖字，疑衍也。）置祠具其下，將招來僊神人之屬。（封禪書6，又孝武本紀12）。

十二月甲午朔，上親禪高里祠后土，臨渤海，將以望祠蓬萊之屬，冀至殊庭焉。（封禪書6，又孝武本紀12）。

於是作建章宮，度爲千門萬戶，前殿度高未央、其東則鳳闕，高二十餘丈；其西則唐中數十里虎圈，其北治大池漸臺，高二十餘丈，命曰泰液池，中有蓬萊方丈瀛洲壺梁象海中神山龜魚之屬；其南有玉堂璧門，大鳥之屬乃立神明臺井幹樓，度五十餘丈，輦道相屬焉。（同上，又孝武本紀12）。

齊人之上疏言神怪奇方者，以萬數，然無驗者，乃益發船令，言海中神仙者數千人，求蓬萊神人，公孫卿持節常先行。候名山至東萊，言夜見一人，長數丈，就之則不見，見其跡甚大，類禽獸云。羣臣有言，見一老父牽狗言，吾欲見巨公，已忽不見。上既見大跡未信，及羣臣有言老父，則大以爲僊人也，宿留海上，與方士傳車，及間，使求仙人以千數，四月還。（孝武本紀12）。

（淮南王安傳）（秦始皇）又使徐福入海求神異物，還爲僞辭曰:「臣見海中大神言曰:「汝西望之使邪?」臣答曰:「然!」「汝何求」?曰:「願請延年益壽藥;」神曰:「汝秦王之禮薄，得觀而不得取;」即從臣至蓬萊山，見芝成宮闕，有使者銅色而龍形，光上照於天。於是臣再拜問曰:「宜何資以獻海神」?曰:「以令名男子若振女、與百工之事，即得之矣!」」秦皇帝大說，遣振男女三千人，資之五穀種種，百工而行。（淮南衡山列傳58）。

方術　衞慶有方術，欲上書事天子。（淮南衡山列傳58）。

方藥　（李)少君言上曰:「祠竈則致物，致物而丹沙可化爲黃金，黃金成爲飲食器則益壽，益壽而海中蓬萊僊者乃可見，見之以封禪則不死，黃帝是也。臣常游海上見安期生，安期生食巨棗大如瓜;安期生僊者通蓬萊中，合則見人，不合則隱。」於是天子始親祠竈，遣方士入海求蓬萊安期生之屬，而事化丹沙諸藥齊爲黃金矣。居久之，李少君病死，天子以爲化去不死，而使黃錘史寬舒受其方，求蓬萊安期生莫能得，而海上燕齊怪迂之方士，多更來言神事矣。（封禪書6，又孝武本紀12）。

上使驗小方門棊，棊自相觸擊（索隱:「顧氏案萬畢術云:「取雞血雜磨針鐵，擣和磁石，棊頭置局上，自相抵擊也。」」）。是時上方憂河決，而黃金不就，乃拜（欒）大爲五利將軍。」（封禪書6）。（欒）大見數月，佩六印，貴震天下、而海上燕齊之間，莫不搤捥，而自言有禁方能神僊矣。（封禪書6，又孝武本紀12）。

上使人隨驗，實毋所見，五利妄言見其師，其方盡多不讎，上乃誅五利。（封禪書6）。

其春公孫卿言見神人東萊山，若云欲見天子，天子於是幸緱氏城，拜卿爲中大夫。遂至東萊，宿之數日，無所見，見大人跡云。復遣方士求神怪采芝藥以千數。（封禪書6）。

因使韓終侯公石生求僊人不死之藥。（秦始皇本紀6）。

盧生說（秦）始皇曰:「臣等求芝奇藥，仙者常弗遇，類物有害之者，方中人主時爲微行以辟惡鬼，惡鬼辟眞人。至人主所居，而人臣知之則害於神。眞人者，入水不濡，入火不爇，陵雲氣與天地久長。今上治天下，未能恬淡，願上所居宮，毋令人知，然後不死之藥殆可得也。於是始皇曰:「吾慕眞人」;自謂眞人，不稱朕，乃令咸陽之旁二百里內宮觀二百七十，復通甬道相連，帷帳鐘鼓，美人充之，各案署不移徙行，所幸有言處者罪死。（秦始皇本紀6）。

是時李少君亦以祠竈穀道方見上，上尊之;少君者，故深澤侯舍人主方，匿其年及其生長，常自謂七十能使物却老;其游以方徧諸侯，無妻子，人聞其能使物及不死，更饋遺之。（封禪書6，又孝武本紀12）。

自齊威王之時，騶子之徒，論著終始五德之運，及秦帝而齊人奏之，故（秦）始皇采用之，而宋毋忌、正伯僑，羡門子高，最後皆燕人，爲方仙道，形解銷化，依於鬼神之事。騶衍以陰陽主運顯於諸侯，而燕齊海上之方士，傳其術不能通，然則怪迂阿諛苟合之徒，自此興，不可勝數也。自威宣燕昭使人入海求蓬萊、方丈，瀛洲三神仙者，其傳在渤海中，去人不遠，患且至則船風引而去，蓋嘗有至者，諸仙及不死之藥皆在焉。其物禽獸盡白，而黃金銀爲宮闕，未至望之如雲；及到三神山，反居水下，臨之風輒引去，終莫能至云，世主莫不甘心焉。及至秦始皇并天下，至海上，則方士言之不可勝數，始皇自以爲至海上而恐不及矣，使人乃齎童男女入海求之，船交海中，皆以風爲解，曰：「未能至，望見之焉」。其明年，始皇復游海上，至瑯琊，過恒山，從上黨歸，後三年游碣石，考入海方士，從上郡歸；後五年，始皇南至湘山，遂登會稽並海上，冀遇海中三神山之奇藥不得，還至沙丘崩。（封禪書6）。

康后聞文成已死，而欲自媚於上，乃遣欒大因樂成侯求見言方。天子既誅文成，後悔其蚤死；惜其方不盡及見，欒大說，大爲人長美言多方略，而敢爲大言，處之不疑。大言曰：「臣常往來海中，見安期生，羡門之屬，顧以臣爲賤不信；臣又以爲康王諸侯耳，不足與方，臣數言康王，康王又不用臣。臣之師曰：「黃金可成，而河決可塞，不死之藥可得，僊人可致也」。然臣恐效文成，則方士皆掩口，惡敢言方哉？」上曰：「文成食馬肝死耳；子誠修方，我何愛乎？」）（封禪書6，又孝武本紀12）。

（秦始皇）悉召文學方術士甚衆，欲以興太平，方士欲以練求奇藥。今聞韓衆去不報，徐市等費以巨萬計，終不得藥，徒姦利相告日聞。（秦始皇本紀6）。

方士徐市等入海求神藥，數歲不得，費多恐譴，乃詐曰：「蓬萊藥可得，然常爲大鮫魚所苦，故不得至，願請善射與居，見則以連弩射之。」始皇夢與海神戰如人狀，問占夢博士，曰：「水神不可見，以大魚蛟龍爲候；今上禱祠備謹而有惡神，當除去，而善神可致。」乃令入海者齎捕巨魚具，而自以連弩候大魚出射之。自瑯琊北至榮成山弗見，至之罘見巨魚，射殺一魚，遂並海西至平原津而病。（秦始皇本紀6）。

餐霞咀芝　會食幽都，呼吸沆瀣，餐朝霞兮，噍咀芝英兮，嘰瓊華。（司馬相如列傳57）。

承露　其後則又作柏梁銅柱，承露仙人掌之屬矣。（封禪書6，又孝武本紀12）。

辟穀　張良願棄人間事，欲從赤松子游耳；乃學辟穀道引輕身。（留侯世家第25）。

六、哲　　理

1. 陰　　陽

明時正度，則陰陽調，風雨節，茂氣至，民無夭疫，年耆。（歷志4）。

2. 天　　地

順天地之紀，幽明之占，死生之說，存亡之難。（五帝本紀1）。

男女無別則亂登，此天地之情也。（樂書2）。

天地之道，寒暑不時則疾。（正義：「寒暑，天地之氣也；若寒暑不時，則民多疾疫也」。）（樂書2）。

天地欣合，陰陽相得，煦嫗覆育萬物，然後草木茂，區萌達，羽翮奮，角觡生，蟄蟲昭蘇，羽者嫗伏，毛者孕鬻；胎生者不殰，而卵生者不殈；則樂之道歸焉耳。（樂書2）。

死者，天地之理，物之自然者。（文帝本紀10）。

3. 星　　宿

氐爲天根主疫。（天官書5）。

其失次有應見危，曰大章，有旱而昌，有女喪民疾。（天官書5）。

黑圜爲疾多死。（天官書5）。

4. 神　　形

凡人所生者神也，所托者形也，神大用則竭，形大勞則敝，形神離則死，死者不可復生，離者不可復反，故聖人重之。由是觀之，神者，生之本也；形者，生之具也。（太史公自序70）。

神者，物受之而不能知及其去來。（律書3）。

5. 精　　神

道家使人精神專一，動合無形，贍足萬物。（太史公自序70）。

七、解剖資料

1. 剖心、折肝

紂剖比干，囚箕子，爲炮烙刑（禮書1）。

紂怒曰：「吾聞聖人心有七竅，剖比干觀其心。」（殷本紀3）。

紂怒曰：「吾聞聖人之心有七竅，信有諸乎？」乃遂殺王子比干，刳視其心。」（宋微子世家8）。

臣聞比干剖心，子胥鴟夷。（魯仲連鄒陽列傳23）。兩主二臣，剖心折肝。（魯仲連鄒陽列傳23）。聖人剖其心，壯士斬其胻。（集解：「駰案胻音衡，脚脛也。」）（龜策列傳68）。

2. 刳胎

刳胎殺夭，則麒麟不至。（孔子世家17）。

3. 臏脚

（孫）臏至，龐涓恐其賢於己，疾之，則以法刑斷其兩足而黥之，欲隱勿見。（孫子吳起列傳）孫子臏脚，而論兵法。（太史公自序，70）。

八、體格

1. 身長

孔子長九尺有六寸，人皆謂之長人而異之。（孔子世家17）。

（孔）鮒弟子襄年五十七、嘗爲孝惠皇帝博士，遷爲長沙太守，長九尺六寸。（孔子世家第17）。

今子長八尺，乃爲人僕御。（管晏列傳2）。（項）籍長八尺餘，力能扛鼎。（項羽本紀7）。

韓王信者；故韓襄王孽孫也；長八尺五寸。（韓王信盧綰列傳35）。

若見沛公謂曰：「臣里中有酈生年六十餘，長八尺，人皆謂之狂生。」（酈生陸賈列傳37）。

優孟者，故楚之樂人也，長八尺，多辯。（滑稽列傳66）。

淳于髡者，齊之贅壻也，長不滿七尺，滑稽多辯。（滑稽列傳第66）。

晏子長不滿六尺。（管晏列傳2）。

子羔長不盈五尺。（仲尼弟子列傳）。

初張蒼父長不滿五尺，及生蒼，蒼長八尺餘，爲侯丞相；蒼子復長；及孫類長六尺餘，坐法失侯。（張丞相列傳第36）。

（郭）解爲人短小精悍，不飲酒，少時陰賊。（游俠列傳第64）。

在虞夏商爲汪罔，於周爲長翟，今謂之大人，客曰：「人長幾何？」仲尼曰：「僬僥氏三尺，短之至也；長者不過十之數之極也。」（孔子世家第17）。

2. 侏儒

優倡侏儒，爲戲而前。（孔子世家17，8頁）。

及優侏儒（集解：王肅曰：「俳優，短人也。」）獶雜子女，不知父子。（樂書23）。

俳優侏儒之笑，不乏於前。（平津侯主父列傳52）。

優旃者，秦倡侏儒也。（滑稽列傳66）。

3. 重瞳

舜目重瞳子，（集解駰案尸子曰：舜兩眸子，是謂重眸。）又聞項羽亦重瞳子，羽豈其苗裔耶！（項羽本紀7）。

4. 深眼

（大宛）其人皆深眼，多鬚髯。（大宛列傳63）。

5. 蜂準、隆準

秦王爲人蜂準，（正義：「蜂、蠆也，高鼻也」。文穎曰：「準鼻也。」）。長目，摯鳥膺，豺聲，少恩而虎狼心。（秦始皇本紀5）。

高祖爲人隆準而龍顏（集解：應劭曰：「隆高也。準，頰權準也。顏，頷顙也。齊人謂之顙，汝南淮泗之間曰顏。」文穎曰：「準，鼻也。」索隱：「始皇蜂目長準，蓋鼻高起，文穎說是高祖感龍而生，故其顏貌似龍，長頸而高鼻。」）美須髯，左股有七十二黑子。（正義：河圖云：「帝劉季口角戴勝斗胸龜背龍股，長七尺八寸。」）（高祖本紀8）。

（蔡澤傳）唐舉孰視而笑曰：「先生曷鼻，巨肩，魋顏，蹙齃，膝攣，（集解：「攣，兩膝曲也。」索隱：「曷鼻如蝎蟲也。巨肩、肩巨於項也，蓋項低而肩竪也。」又：「魋顏，謂顏貌魋回，若魋梧然也。蹙齃謂鼻蹙眉，膝攣，謂膝又攣曲也。」）（范雎蔡列傳19）。

6. 容　　貌

越王爲人長頸鳥喙，可與共患難，不可與共樂。（越王勾踐世家11）。

且有仇王亦黑龍面而鳥噣鬢，欒髭額，大膺大胷。（鄭世家13）。

孔子適鄭，與弟子相失，孔子獨立郭東門，鄭人或謂子貢曰：「東門有人，其顙似堯，（索隱：家語云：河目而隆顙似堯。）其項類皋陶，其肩類子產，然自要以下，不及禹三寸，纍纍若喪家之狗。子貢以實告孔子。孔子欣然笑曰：「形狀末也，而似喪家之狗，然哉，然哉！」（孔子世家17）。

孔子狀類陽虎，拘焉五日。（孔子世家17）。

曰：「丘得其爲人，黯然而黑，幾然而長，眼望如羊，心如王，四國非文王，其誰能爲此也？」（孔子世家17）。

澹臺滅明，武城人，字子羽，…狀貌甚惡，欲事孔子。…孔子聞之曰：「以貌取人，失之子羽。」（仲尼弟子列傳7）。

（直）不疑狀貌甚美。（萬石張叔列傳43）。

武安者貌寢。（韋昭曰：「寢，短小也。」魏其武安侯列傳47）。

余以其人計魁梧奇偉，至見其圖狀貌如婦人好女，蓋孔子曰：「以貌取人，失之子羽。」留侯亦云。（留侯世家25）。

趙人聞孟嘗君賢，出觀之，皆笑曰：「始以薛公爲魁然也，今視之乃眇小丈夫耳。（孟嘗君列傳15）。

7. 口　　吃

（韓）非爲人口吃。（老莊申韓列傳3）。

（周）昌爲人口吃，又盛怒曰：「臣口不能言」。（張丞相列56）。

8. 胼　　胝

而股無胈，脛無毛，手足胼胝，面目黎黑。（李斯列傳27）。

心煩於慮，而身親其勞，躬胝無胈，膚不生毛。（司馬相如列傳57）。

9. 漆身爲厲

箕子接輿，漆身爲厲，被髮爲狂，無益於王。（范雎蔡澤列傳19）。

趙襄子最怨智伯，漆其頭以爲飲器。（刺客列傳26）。

豫讓又漆身爲厲，吞炭爲啞，使形狀不可知，行乞於市。（刺客列傳26）。

九、衛　　生

1. 飲　　食

魚餒肉敗，割不正不食，席不正不坐；食於有喪者之側，未嘗飽也。（孔子世家17）。

2. 養　　身

民各安其食，美其服，安其俗，樂其業，至老死不相往來。（貨殖列傳69）。

稻粱五味，所以養口也；椒蘭芬茝，所以養鼻也；鐘鼓管絃，所以養耳也；刻鏤文章，所以養目也；疏房牀笫几席，所以養體也。（禮書1）。

姦聲亂色，不留聰明；淫樂廢禮，不接於心術；惰慢邪辟之氣，不設於身體；使耳目鼻口心百體，皆由順正以行其義。（樂書2）。

耳目聰明，血氣和平。（同上）。

3. 喜怒、憂懼

夫人有血氣心知之性，無喜怒哀樂之常，應感起物而動，然後心術形焉。（樂志2）。

子曰：「君子不憂不懼。」（仲尼弟子列傳70）。

曰：「內省不疚，夫何憂何懼？」（同上）。

4. 音　　樂

故音樂者，所以動蕩血脉通流精神而和正心也：故宫動脾而和正聖，商動肺而和正義，角動肝而和正仁，徵動心而和正禮，羽動腎而和正智，故樂所以內輔正心，而外異貴賤也。（樂書2）。

5. 鍛　　鍊

夫人生百體堅强，手足便利，耳目聰明而心聖智，豈非士之願與。（范雎蔡澤列傳19）。

6. 色　　慾

男女行者別於塗。（孔子世家17）。

婚姻冠笄，所以別男女也。（樂書2）。

禮者所以閉淫也。（同上）。

去子之驕氣與多欲，態色與淫志，是皆無益於子之身。（老莊申韓列傳3）。

嗜酒好色，以早病死。（建元以來侯者年表8）。

7. 沐　　浴

冠者五六人，童子六七人，浴乎沂，風乎舞雩，詠而歸。（仲尼弟子列傳70）。

褚先生曰：「浴不必江海，要之去垢。」（外戚世家19）。

屈原曰：「吾聞之新沐者，必振冠；新浴者必振衣；人又誰能以身之察察受物之汶汶者乎？」（屈原賈生列傳24）。

8. 洗　　足

沛公方踞牀，使兩女子洗足。（高祖本紀8，又酈生陸賈列傳57）。

9. 洒　　掃

及魏勃少時，欲求見齊相曹參，家貧無以自通，乃常獨早夜掃齊相舍人門外，相舍人怪之，以爲物而伺之，得勃。（齊悼惠王世家22）。

10. 地　　理

且南方卑濕。（南越尉佗列傳53）。

（袁盎傳）南方卑濕，君能日飲毋苛。（袁盎鼂錯列傳41）。

南方卑濕，徙衡山王王濟北。所以褒之。（淮南衡山列傳58）。

身毒在大夏東南可數千里，其俗土著大與大夏同，而卑濕暑熱。（大宛列傳63）。

賈生既已適居長沙，長沙卑濕，自以爲壽不得長，傷悼之。（屈原賈生列傳24）。

江南卑濕，丈夫早夭。（貨殖列傳69）。

11. 井　　渠

乃鑿井深者四十餘丈，往往爲井，井下相通行水。（河渠書7）。

井渠之生自此始。（同上）。

易曰：「井渫不食。」（屈原賈生列傳24）。

休舍穿井未通，須士卒盡得水乃敢飲。（淮南衡山列傳58）。

聞宛城中新得秦人知穿井，而其內食尚多。（大宛列傳63）。

12. 溝　　瀆

瀆已脩，萬民乃有居。（殷本紀3）。

十、壽命和胎產

1. 壽　　考

五福：一曰壽，二曰富，三曰康寧，四曰攸好德，五曰考終命。（宋微子世家8）。

昔東甌王敬鬼，壽至百六十歲，後世謾怠故衰耗。（孝武本記12。封禪書6）。

蓋老子百有六十餘歲，或言二百餘歲，以其脩道而養壽也。（老莊申韓列傳）。

蔡澤復曰：「……性命壽長，終其天年而不夭傷。」（范雎蔡澤列傳19）。

（張）蒼年百有餘歲而卒。（張丞相列傳36）。

2. 短　　折

六極：一曰凶短折，二曰疾，三曰憂，四曰貧，五曰惡，六曰弱。（宋微子世家8）。

（顏）回也年二十九，髮盡白蚤死。（孔子弟子列傳17）。

有顏回者好學，不遷怒，不貳過，不幸短命死矣，今也則亡。（同上）。

3. 妊　娠

受孕

殷契母曰簡狄，有娀氏之女，爲帝嚳次妃，三人行浴，見玄鳥墮其卵，簡狄取吞之，因孕生契。（殷本記3）。

姜原出野見巨人跡，心忻然說，欲踐之，踐之而身動如孕者。居期而生子，以爲不祥，棄之隘巷，馬牛過者，皆避不踐；徙置之林中，適會山林多人，遷之而棄渠中，冰上飛鳥以其翼覆薦之，姜原以爲神，遂收養長之。初欲棄之，因名曰棄。（周本紀4）。

旣笄而孕，（正義：禮記云：「女子許嫁而笄」。）無夫而生子，懼而棄之。……後宮童妾所棄妖子出於路者，（徐廣曰：「妖一作夭，夭幼少也」。）聞其夜啼哀而收之，夫婦遂亡，奔於褒，二人有罪，請入童妾所棄女子者於王以贖罪，棄女子出於褒，是爲褒姒。（周本記4）。

女脩織，玄鳥隕卵，女脩吞之生子大業。（秦本紀5）。

索隱：「女脩，顓頊之裔女，吞鳦子而生大業」。（秦本紀5。「女脩吞之生子大業」句註）。

其先劉媼嘗息大澤之陂，夢與神遇，是時雷電晦冥，太公往視，則見蛟龍於其上，已而有身，遂產高祖。（高祖本紀8）。

壬之爲任也，言陽氣任養萬物於下也。（律書3）。

文王之先爲后稷，后稷亦無父而生，后稷母爲姜嫄，出見大人蹟而履踐之，知於身，則生后稷。姜嫄以爲無父，賤而棄之道中，牛羊避不踐也；抱之山中，山者養之；又捐之大澤，鳥覆席食之；姜嫄怪之，於是知其天子，乃取長之。（三代世表1）。

詩人美而頌之曰：「殷社芒芒，天命玄鳥，降而生商。」（同上）。

詩傳曰：「湯之先爲契，無父而生，契母與姊妹浴於玄丘水，有燕銜卵墮之，契母得故含之，誤吞之，即生契，」（索隱：按詩所引出詩緯。殷本紀云：「玄鳥翔水遺卵，娀簡狄取而吞之」。）（三代世表1）。

有妾夢天與之蘭生穆公蘭。（諸侯年表2）。

初襄公有賤妾，幸之有身，夢有人謂曰：我康叔也，令若子必有衞名，而子曰元，妾怪之，問孔成子，成子曰：「康叔者，衞祖也」。及生子，男也，以告襄公，襄公曰：「天所置也，名之曰元」，襄公夫人無子，於是乃立元爲嗣，是爲靈公。（衞康叔世家7）。

初武王與叔虞母會時，（集解：駰案左傳曰：「邑姜方娠太叔」。服虔曰：「邑姜武王后，齊太公女。」）夢天謂武王曰：「余命女生子名虞，余與之唐」；及生子女在其手曰虞，故遂因命之曰虞。（秦世家9）。

博物志云：「徐君宮人娠生卵，以爲不祥，棄於水濱，孤獨母有大名鵠倉，銜所棄卵以歸，覆煖之，遂成小兒，生偃王，故宮人聞之，更收養之，及長，襲爲徐君後。（趙世家13正義）。

（文公）二十四年，文公之賤妾曰燕姞，夢天與之蘭，余爲伯儵，余爾祖也，以是爲而子，蘭有國香，以夢告文公，文公幸之，而予之草蘭爲符。遂生子，名曰蘭。（鄭世家12）。

當武王邑姜方娠大叔，夢帝謂己，余命而子曰虞，乃與之唐。屬之參，而蕃育其子孫，及生有文在其掌曰虞，遂以命之。（同上）。

此兩美人相與笑，薄姬初時約，漢王聞之，問其故，兩人具以實告漢王，漢王心慘然，憐薄姬，是日召而幸之。薄姬曰：「昨暮夜妾夢蒼龍據吾腹」，高帝曰：「此貴徵也，吾爲女遂成之」。一幸生男，是爲代王。（外戚世家19）。

男方在身時，王美人夢日入其懷，以告太子，太子曰：「此貴徵也」。（同上）。

4. 分　娩

胎產

帝相之妃，后緡方娠，逃於有仍，而生少康。（吳太伯世家1）。

武姜生太子寤生，生之難，及生，夫人弗愛。後生少子叔段，段生易，夫人愛之。（鄭世家12）。

初田嬰有子四十餘人，其賤妾有子名文，文以五月五日生嬰，告其母曰：「勿舉也。」其母竊舉生之，（索隱：「上舉謂初誕而舉之，下舉謂浴而乳之，生謂長養之也。」）見其子文於田嬰，田嬰怒其母曰：「吾令若去此子，而敢生之何也」文頓首，因曰：「君所以不舉五月子者何？」嬰曰：「五月子者，長與戶齊，將不利其父母。」（孟嘗列傳15）。

風俗通云：「五月五日生子，男害父，女害母也。」（同上「五月子者」條註）。

言奉光初生時，夜見光其上，傳聞者以爲當貴云。（建元以來侯者年表8）。

高辛於顓頊爲族子，高辛生而神靈，自言其名。（五帝本記1）。

5. 養　育

乳　母

故濟北王阿母。（正義：服虔云：「乳母也，鄭慈己者。」）（卷105考證）。

褚先生曰：武帝時有所幸倡郭舍人者，發言陳辭，雖不合大道，然令人主和說，武帝少時，東武侯母，常養帝，帝壯時號之曰大乳母率一月再朝，朝奏入，有詔使幸臣馬游卿以帛五十匹賜乳母，又奉飲糒飧養乳母。乳母上書曰：「某所有公田，願得假倩之。」帝曰：「乳母欲得之乎？以賜乳母」。乳母所言，未嘗不聽，有詔得令乳母行馳道中。當此之時，公卿大臣，皆敬重乳母。乳母家子孫奴從者橫暴長安中，當道掣頓人車馬，奪人衣服；聞於中不忍致之法，有司請徙乳母家室，處之於邊，奏可。乳母當入至前面見辭。乳母先見郭舍人，爲下泣，舍人曰：「即入見辭；去疾步數還顧。」乳母如其言，謝去疾步數還顧。郭舍人疾言罵之曰：「咄老女子何不疾行，陛下已壯矣，寧尚須汝乳而活邪，尚何還顧？」於是人主憐焉悲之，乃下詔止，無徙乳母罰譖譖之者。（滑稽列傳68）。

狼　乳

匈奴攻殺其父，而昆莫生棄於野，烏嗛肉蜚其上，狼往乳之，單于怪以爲神而收長之。（大宛列傳63）。

十一、疾　病

1. 疫

（後二年）（公元前141）（十月）民疫。（孝景本記11）。

民大疫。（六國表3）。

東南民有疾疫。（天官書5）。

因以饑饉疾疫。（同上）。

（惠王）二十二年（公元前655）大疫。（趙世家13）。

太史公曰：「隆慮離溼疫，（尉）佗得以益驕」。（南越尉佗列傳53）。

2. 蹷

尸蹷　其後扁鵲過虢，虢太子死，扁鵲至虢宮門下，問中庶子喜方者，（正義：中庶子，古官號也，喜方好方術，不書姓名也。）曰：「太子何病？國中治穰過於衆事。」中庶子曰：「太子病血氣不時交錯而不得泄，暴發於外則爲中害，精神不能止邪氣，邪氣積畜而不得泄，是以陽緩而陰急，故暴蹷而死」。（正義：釋名云：「蹷氣從下，蹷起上行外及心胸也」）。扁鵲曰：「其死何如時？」曰：「雞鳴至」。「今日收乎？」曰：「未也，其死未能半日也。」……扁鵲曰：「若太子病所謂尸蹷者也；夫以陽入陰中動胃，繵緣，中經維絡，別下於三焦膀胱，是以陽脉下遂，陰脉上爭，令氣閉而不通，陰上而陽內行，下內鼓而不起，上外絕而不爲，使上有絕陽之絡，下有破陰之紐，破陰絕陽之色已廢，脉亂，故形如死狀，太子未死也。」（扁鵲倉公列傳45）。

風蹷　濟北王病，召臣（淳于）意診其脉，曰：「風蹷胸滿」，即爲藥酒盡三石，病已，得之汗出，伏地。所以知濟北王病者，臣意切其脉時，風氣也，心脉濁，病法過入其陽，陽氣盡而陰氣入，陰氣入張，則寒氣上而熱氣下，故胸滿；汗出伏地者，切其脉氣陰，陰氣者，病必入中，出及瀺水也。（扁鵲倉公列傳45）。

熱蹷　故濟北王阿母，自言足熱而懣，臣（淳于）意告曰：「熱蹷也。」則刺其足心各三所，案之無出血，病旋已；病得之飲酒大醉。（扁鵲列傳45）。

蹷盛　川王病，召臣（淳于）意診脉，曰：「蹷上爲重頭痛，身熱，使人煩懣；」臣意即以寒水拊其頭，刺足陽明脉左右各三所，病旋已。病得之沐髮未乾而臥，診如前，所以蹷，頭熱至肩。（扁鵲倉公列傳45）。

3. 風　　癉

風癉客脬　齊王太后病，召臣(淳于)意入診脈，曰：「風癉客脬。」(正義：「癉音單，是也。脬亦作胞，膀胱也。言風癉之病，客居膀胱也。」)難於大小溲，溺赤。臣意飲以火齊湯，一飲即前後溲，再飲病已溺如故；病得之流汗出滫；滫者，去衣而汗晞也。所以知齊王太后病者，臣意診其脈，切其太陰之口溼然，風氣也。脈法曰：「沉之而大堅，浮之而大緊者，病主在腎。」切之而相反也，脈大而躁；大者，膀胱氣也，躁者，中有熱而溺赤。(扁鵲倉公列傳第45)。

迵風　齊淳于司馬病，臣(淳于)意切其脈告曰：「當病迵風，迵風之狀，飲食下嗌，輒後之；(集解：徐廣曰：如厠。)病得之飽食而疾走。」淳于司馬曰：「我之王家食馬肝，食飽甚，見酒來即走去；驅疾至舍，即泄數十出。」臣意告曰：「爲火齊米汁飲之，七八日而當愈。」時醫秦信在旁，臣意去，信謂左右閣都尉曰：(索隱：案閣者，姓也，爲都尉云閣，即宮閣，都尉掌之，故曰閣都尉也。)意以淳于司馬病爲何？曰：「以爲迵風可治。」信即笑曰：「是不知也，淳于司馬病，法當後九日死。」即後九日不死。其家復召臣意，臣意往問之，盡如意診，臣即爲三火齊米汁，使服之七八日病已。所以知之者，診其脈時，切之盡如法，其病順故不死。(扁鵲倉公列傳45)。

陽虛侯相趙章病，召臣(淳于)意衆醫皆爲寒中，臣意診其脈曰：「迵風」。(集解：駰案迵音洞，言洞徹入四肢。)迵風者，飲食下嗌，(集解：「駰案音益謂喉下也。」)而輒出不留，法曰：「五日死」，而後十日乃死，病得之酒，所以知趙章之病者，臣意切其脈，脈來滑足是內風氣也。飲食下嗌而輒出不留者，法五日死，皆爲前分界法，後十日乃死。所以過期者，其人嗜粥，故中藏實，中藏實故過期。師言曰：「安穀者過期，不安穀者不及期。」(扁鵲倉公列傳45)。

沓風　臣(淳于)意常診安陽，武都里成開方，開方自言以爲不病，臣意謂之病苦沓風，三歲四支不能自用，使人瘖，(集解：徐廣曰：「一作痱。」索隱：「瘖者失音也，讀如音。又作腤，腤者，奮也，言使人運置其手足也。」)瘖即死。今聞其四支不能用，瘖而未死也。病得之數飲酒，以見大風氣。所以知成開方病者，診之，其脈法奇咳言：藏氣相反者死，切之得腎反肺，法曰：「三歲死也。」)扁鵲倉公列傳45)。

4. 中病熱

(梁孝王)六月中病熱，六日卒。(梁孝王世家第28)。

熱氣病　齊中御府長信病，臣(淳于)意入診其脈，告曰：「熱病氣也，然暑汗脈少衰，不死。」曰：「此病得之當浴流水而寒甚，已則熱。」信曰：「唯然，往冬時爲王使於楚，至莒縣陽周水，而莒橋梁頗壞。信則擥，車轅，未欲渡也，馬驚即墮，信身入水中幾死，吏即來救，出之水中，衣盡濡。有間而身寒，已熱如火，至今不可以見寒。」臣意即爲之液湯火齊，逐熱，一飲汗盡，再飲熱去，三飲病已，即使服藥，出入二十日身無病者。所以知信之病者，切其脈時並陰。脈法曰：「熱病陰陽交者死」，切之不交並陰。並陰者脈清順而愈，其熱雖未盡猶未活也。腎氣有時間濁，(集解：徐廣曰：「一作毦。」)在太陰脈口而希，是水氣也，腎固主水，故以此知之。失治一時，即轉爲寒熱。(扁鵲倉公列傳45)。

中熱　齊王侍醫遂病，自練五石服之，臣(淳于)意往過之。遂謂意曰：「不肖有病，幸診遂也。」臣意即診之，告曰：「公病中熱，論曰：中熱不溲者不可服五石。石之爲藥精悍，公服之不得數溲，亟勿服，色將發臃。」遂曰：「扁鵲曰：陰石以治陰病，陽石以治陽病。夫藥石者，有陰陽水火之齊，故中熱，即爲陰石柔齊治之；中寒即爲陽石剛齊治之。」臣意曰：「公所論遠矣，扁鵲雖言若是，然必審診，起度量，立規矩，稱權衡，合色脈，表裏有餘不足順逆之法，參其人動靜與息相應，乃可以論」。論曰：「陽疾處內，陰形應外者，不加悍藥及鑱石。」夫悍藥入中，則邪氣辟矣，(索隱：「猶惡也。」)而宛氣愈深。診法曰：「二陰應外一陽接內者，不可以剛藥。」剛藥入則動陽，陰病益衰，陽病益著，邪氣流行，爲重困於俞，忿發爲疽。」意告之後百餘日，果爲疽發乳上，入缺盆死。(索隱：「按缺盆，人乳房上骨名也。」)此謂論之大體也，必有經紀，拙工，有一不習文理陰陽失矣。（扁鵲倉公列傳45）。

5. 惡疾、病癘、癩、厲

伯牛有惡疾，孔子往問之，自牖執其手，曰：⌊命也夫，斯人也而有斯疾，命也夫！⌉（仲尼弟子傳7）。

（曾參）子時代侯時，尙平陽公主，生子襄，時病癘。（曹相國世家第24）。

6. 痱

魏其病久乃聞，聞即患病痱，（索隱：⌊風病也。⌉）不食欲死，或聞上無意殺魏其，魏其復食。（魏其武安侯列傳47）。

7. 痹

齊王故爲陽虛侯時，病甚，（集解：徐廣曰：⌊齊悼惠王子也，名將廬，以文帝十六年（公元前164）爲齊王，即位十一年卒，謚孝王。⌉）衆醫皆以爲蹷，臣（淳于）意診脉以爲痹。根在右脅下，大如覆杯，令人喘逆氣，不能食。臣意即以火齊粥，且飲，六日氣下，即令更服丸藥。出入六日，病已。病得之內，診之時不能識其經解，大識其病所在。（扁鵲倉公列傳45）。

腎痹 齊王黃姬兄黃長卿家，有酒召客，召臣(淳于)意。諸客坐，未上食，臣意望見王后弟宋建告曰：⌊君有病，往四五日，君要脅痛，不可俛仰，又不得小溲。不亟治，病即入濡腎。及其未舍五藏，急治之。病方今客腎濡，此所謂腎痹也。⌉宋建曰：⌊然，建故有要脊痛，往四五日天雨，黃氏諸倩，（集解：徐廣曰：⌊倩，女婿也。⌉）見建家京下方石，（集解：徐廣曰：⌊京者即倉廩之屬也。⌉）即弄之，建亦欲効之，効之不能起，即復置之。要脊痛，不得溺，至今不愈。建病得之好持重，所以知建病者，臣意見其色太陽色乾，腎部上及界，要以下者，枯四分所，故以往四五日知其發也。臣意即以柔湯使服之，十八日所而病愈。（扁鵲倉公列傳45）。

8. 陰 痿

（膠西于王端）爲人賊戾，陰痿；一近婦人，病之數月。（五宗世家29）。

9. 氣 鬲 病

齊王中子，諸嬰兒小子病，召臣（淳于）意診，切其脉告曰：⌊氣鬲病，病使人煩懣，食不下，時嘔沫，病得之少憂，數忔食飲。⌉臣意即爲作下氣湯以飲之，一日氣下，二日能食，三日即病愈。所以知小子之病者，診其脉心氣也，濁躁而經也，此絡陽病也。脉法曰：⌊脉來數疾去難，而不一者，病主在心。⌉周身熱，脉盛者爲重陽，重陽者逿心主，（集解：徐廣曰：⌊逿音唐，逿者，盪也，謂病盪心者，猶刺其心。⌉）故煩懣食不下，則絡脉有過。絡脉有過則血上出，血上出者死，此悲心所生也，病得之憂也。（扁鵲倉公列傳45）。

10. 氣 疝

齊北宮司空命婦出於病，（正義：命婦名也。）衆醫皆以爲風入中，病主在肺，（集解：徐廣曰：⌊一作肝。⌉）刺其足少陰脉。臣（淳于）意診其脉曰：⌊病氣疝客於膀胱，難於前後溲而溺赤，病見寒氣則遺溺，使人腹腫。出於病得之欲溺不得，因以接內。所以知出於病者，切其脉大實，其來難，是蹷陰之動也。⌉脉來難者，疝氣之客於膀胱也。腹之所以腫者，言蹷陰之絡結小腹也。蹷陰有過則脉結動，動則腹腫。臣意即灸其足蹷陰之脉，左右各一所，即不遺溺而溲清，小腹痛止。即更爲火齊湯以飲之，三日而疝氣散即愈。（扁鵲倉公列傳45）。

湧疝 齊郎中令循病，衆醫皆以爲蹷，人中而刺之，臣(淳于)意診之曰：⌊湧疝也，令人不得前後溲。⌉（索隱：前溲謂小便，後溲大便也。）循曰：⌊不得後溲三日矣。⌉臣意飲以火齊湯，一飲得前溲，再飲大溲，三飲而疾愈。病得之內，所以知循病者，切其脉時右口氣急，（集解：徐廣曰：⌊右一作有。⌉正義：王叔和脉經云：⌊右手寸口，乃氣口也。⌉）脉無五藏氣，右口脉大而數，數者中下熱而湧，左爲下，右爲上，皆無五藏應，故曰湧疝，中熱，故溺赤也。（扁鵲倉公列傳45）。

牡疝 安陵阪里公乘項處病，臣（淳于）意診脉曰：⌊牡疝，牡疝在鬲下，上連肺，病得之內，臣意謂之愼毋爲勞力事，爲勞力事則必嘔血死。處佐蹴踘，（正義：「謂打毬也。」）要蹷寒，汗出多，即嘔血。臣意復診之曰：「當旦日，日夕死，（索隱：案旦日，明日也，言明之夕死也。）即死。病得之內，所以知項處病者，切其脉，得番陽，番陽入虛里，處旦日死。一番一絡者，牡疝也。」（扁鵲倉公列傳45）。

11. 肺消癉

齊章武里曹山跗病，臣（淳于）意診其脉，曰：「肺消癉也」，加以寒熱，即告其人曰：「死不治，適其共養，此不當醫，」（索隱：案謂山跗家適近，所持財物共養我，我不敢當，以言其人不堪療也。）治法曰：「後三日當狂妄起行欲走，後五日死。」即如期死。山跗得之盛怒，而以接內。所以知山跗之病者，臣意切其脉，肺氣熱也，脉法曰：「不平不鼓形弊。」（正義：王叔和脉經云：「平謂春肝木王，其脉細而長，夏心火王，其脉洪大而散，六月脾土王，其脉大阿，阿而緩，秋肺金王，其脉浮濇而短，冬腎水王，其脉沉而滑，名平脉也。」）此五藏高之遠數，以經病也，故切之時不平而代；不平者，血不居其處，代者，時參擊並至，乍躁乍大也，此兩脉絕，故死不治。所以加寒熱者，言其人尸奪，尸奪者形弊，形弊者不當關灸鑱石及飲毒藥也。臣意未往診時，齊太醫先診山跗病，灸其足少陽脉口，而飲之半夏丸，病者即泄注，腹中虛。又灸其少陰脉，是壞肝剛絕深，如是重損病者，以故加寒熱。所以後三日而當狂者，肝一絡連病結絕乳下陽明，（正義：素問云：「乳下陽明，胃絡也。」）故絡絕開陽明脉，陽明脉傷即當狂走。後五日死者，肝與心相去五分，故曰五日盡，盡即死矣。（扁鵲倉公列傳45）。

12. 病　　喘

問臣（淳于）意知文王所以得病不起之狀；臣意對曰：不見文王病，然竊聞文王病喘，頭痛，目不明。臣意心論之，以爲非病也，以爲肥而蓄精，身體不得搖，骨肉不相任，故喘，不當醫治。脉法曰：「年二十脉氣當趨，年三十當疾步，年四十當安坐，年五十當安臥，六十已上，氣當大董；（集解：徐廣曰：「董謂深藏，一作董。」）文王年未滿二十，方脉氣之趨也而徐之，不應天道四時。後聞醫灸之即篤，此論病之過也。臣意論之，以爲神氣爭而邪氣入，非年少所能復之也，以故死。所謂氣者，當調飲食，擇晏日，車步廣志，以適筋骨肉血脉，以瀉氣，故年二十是謂意貿；（集解：徐廣曰：「一作賀，又作質。」）法不當砭灸，砭灸至氣逐。（扁鵲倉公列傳45）。

13. 嘔血、歐血

廷尉因不食五日嘔血而死。（絳侯周勃世家27）。

（申屠）嘉至舍，因歐血而死。（張丞相列傳56）。

（韓長孺）意忽忽不樂數月，病歐血死。（史記韓長孺列傳48）。

濟北王召（淳于）意診脉，諸女子侍者，至女子豎，豎無病，臣意告永巷長曰：「豎傷脾，不可勞，法當春嘔血死。」臣意言王曰：「才人女子，豎何能？」王曰：「是好爲方多伎能，爲所是案法新；往年市之民所，四百七十萬，曹偶四人。（索隱：「曹偶，猶等輩也。」）王曰：「得毋有病乎？」臣意對曰：「豎病重，在死法中。」王召視之，其顏色不變，以爲不然，不賣諸侯所。至春豎奉劍從王之厠，王去豎後，王令人召之，即仆於厠，嘔血死。病得之流汗，流汗者同法，病內重，毛髮而色澤，脉不衰，此亦關內之病也。（扁鵲倉公列傳45）。

14. 肺　　傷

齊中郎破石病，臣（淳于）意診其脉，告曰：「肺傷不治，當後十日丁亥，溲血死。」即後11日溲血而死。破石之病得之墮馬僵石上。所以知破石之病者，切其脉得肺陰氣，其來散數道至而不一也，色又乘之。所以知其墮馬者，切之得番陰脉，番陰脉入虛裏，乘肺脉，肺脉散者，固色變也乘之；所以不中期死者，師言曰：「病者安穀即過期，不安穀者則不及期。」其人嗜黍，黍主肺，故過期。所以溲血者，診脉法曰：「病養喜陰處者順死，喜陽處者逆死」，其人喜自靜不躁，又久安坐，伏几而寐，故血下泄。（扁鵲倉公列傳45）。

15. 傷脾氣

齊丞相舍人奴從朝入宮，臣（淳于）意見之食閭門外，望其色有病氣。臣意即告宦者平，平好爲脉，學臣意所。臣意即示之舍人奴病，告之曰：「此傷脾氣也，當至春鬲塞不通，不能食飲，法至夏泄血死。」宦者平即往告相曰：「君之奴有病，病重死期有日！」相君曰：「卿何以知之？」曰：「君朝時入宮，君之舍人奴盡食閭門外，平與倉公立，即示平曰：「病如是者死！」相即召舍人奴而謂之曰：「公奴有病不？」舍人曰：「奴無病，身無痛者！」至春果病，至四月泄血死。所以知奴病者，脾氣周乘，五藏傷部而交。故傷脾之色也，望之殺然黃，察之如死青之茲，衆醫不知，以爲大蟲，不知傷脾也，所以至春死。病者胃氣黃，黃者土氣也，土不勝木，故至春死。所以至夏死者，脉法曰：「病重而脉順清者曰內關，內關之病，人不知其所痛，心急然無苦。若加以一病死；中春一愈，順及一時。」其所以四月死者，診其人時愈順，時愈順者，人尙肥也。奴之病得之流汗數出，灸於火，而以出見大風也。（扁鵲倉公列傳45）。

16．遺 積 瘕

齊中尉潘滿如病，少腹痛。臣（淳于）意診其脉曰：「遺積瘕也。」（正義：龍魚河圖云：「犬狗魚鳥不熟，食之成瘕痛。」）臣意即謂齊太僕臣饒，內史臣繇曰：「中尉不復自止於內，則三十日死，後二十餘日溲血死。病得之酒且內。所以知潘滿如病者，臣意切其脉深小弱，其卒然合，（集解：徐廣曰：「一曰來然合。」）合者，是脾氣也，（正義：素問云：「疾病之生，生於五藏，五藏之合，合於六府，肝合氣於膽，心合氣於小腸，脾合氣於胃，肺合氣於大腸，腎合氣於膀胱三焦，內主勞。」）右脉口氣至緊小，見瘕氣也。以次相乘，故三十日死。三陰俱搏者，（正義：素問云：「左脉口曰少陰，少陰之前名厥陰；右脉口曰太陰，此三陰之脉。」）如法，不俱搏者決在急期；一搏一代者近也，故其三陰搏溲血如前止。（扁鵲倉公列第45）。

蟯瘕　臨菑氾里女子薄吾病甚，衆醫皆以爲寒熱篤，當死不治；臣（淳于）意診其脉曰蟯瘕；蟯瘕

發化爲蟲。臣意所以知薄吾病者，切其脉循其尺，其尺索刺麤而毛美奉髮，是蟲氣也。其色澤者，中藏無邪氣及重病。（扁鵲倉公列傳45）。

17．消 渴 疾

（司馬）相如口吃而善著書，常有消渴疾。（司馬相如列傳57）。

18．罷 癃

臣（躄者）不幸有罷癃之病。（索隱：罷癃，背疾，言腰曲而背隆言也。）（平原君虞卿列傳16）。

19．神經、精神病

不知人事　當晉昭公時，（索隱：「案左氏簡子專國在定頃二公之時，非當昭公之世，且趙世家敘，此事亦在定公之初。」）諸大夫彊而公族弱，趙簡子爲大夫，專國事，簡子疾五日不知人，（索隱：按韓子云：「十日不知人」所記異也。）大夫皆懼，於是召扁鵲，扁鵲入，視病出。董安于問扁鵲，扁鵲曰：「血脉治也，」而何怪！昔秦穆公嘗如此，七日而寤，寤之曰：「告公孫支與子輿，」（索隱：按二子皆秦大夫，公孫支，子桑也，子輿未詳。」）曰：「我之帝所甚樂，吾所以久者，適有所學也。帝告我晉國且大亂，五世不安，其後將霸，未老而死，霸者之子，且令而國，男女無別。」公孫支書而藏之，秦策於是出；夫獻公之亂，文公之霸，而襄公敗秦師於殽，而歸縱淫，此子之所聞。今主君之病與之同，不出三日必間，間必有言也。」居二日半，簡子寤，語諸大夫曰：「我之帝所甚樂，與百神遊於鈞天，廣樂九奏萬舞，不類三代之樂，其聲動心。有一熊欲援我，帝命我射之，中熊，熊死。有羆來，我又射之，中羆，羆死。帝甚喜，賜我二笥皆有副。吾見兒在帝側，帝屬我一翟犬曰：「及而子之壯也，以賜之。」帝告我晉國且世衰，七世而亡，（正義：「晉定公出公哀公幽公烈公孝公靜公爲七世，靜公二年爲三晉所滅，據此及趙世家簡子疾，在定公之十一年。」）嬴姓將大敗周人於范魁之西，而亦不能有也。董安于受言書而藏之。以扁

乃夢見上帝，上帝命繆公平晉亂，史書而記藏之府，而後世皆曰秦繆公上天。（封禪書 6）。

20. 齒　　病

齲齒　齊中大夫病齲齒，臣（淳于）意灸其左太陽明脈，即爲苦參湯，日嗽三升，出入五六日，病已，得之風及臥開口，食而不嗽。（扁鵲倉公列傳45）。

21. 婦 女 病

月事不下　濟北王侍者韓女病要背痛寒熱，衆醫皆以爲寒熱也，臣（淳于）意診脉曰：「內寒，月事不下也；」即竄以藥，（索隱：謂以藥熏之，故云竄。）旋下，病已。病得之欲男子而不可得也。所以知韓女之病者，診其脉時，切之腎脉也，嗇而不屬，嗇而不屬者，其來難堅，故曰月不下，肝脉弦出左口，故曰欲男子不可得也。（扁鵲列傳45）。

懷子而不乳　菑川王美人懷子而不乳，（索隱：「乳，生也。」）來召臣（淳于）意，臣意往，飲以莨礴藥一撮，以酒飲之，旋乳。臣意復診其脉而脉躁，躁者有餘病，即飲以消石一齊，出血、血如豆比五六枚。（扁鵲倉公列傳45）。

22. 外 科 病

疽　齊侍御史成自言病頭痛，臣（淳于）意診其脉，告曰：「君之病惡不可言也。」即出，獨告成弟昌曰：「此病疽也。內發於腸胃之間，後五日當癰腫，後八日嘔膿死；成之病得之飲酒且內。」成即如期死。所以知成之病者，臣意切其脉得肝氣，肝氣濁而靜，（集解：徐廣曰：濁一作黽，靜一作淸。）此內關之病也。（正義：八十難云：「關遂入尺爲內關。」呂廣云：「脉從關至尺澤名內關也」。）脉法曰：「脉長而弦，不得代四時者。」（正義：王叔和脉經云：「來數而中止，不能自還，因而後動者，名曰代，代者死。」）其病主在肝和，即經主病也；代則脉絡有過，（正義：「素問云：脉有不及，有太過，有經有絡；和即經主病，大則絡有過也」。八十一難云：「關之前者，陽之動也，脉當見九分而浮，過者法曰太過，減者法曰不及，遂上魚爲溢，爲外關內格，此陰乘之脉也。關以後者，陰之動也，脉當見一寸而沉，過者法曰太過，減者法曰不及，遂入尺爲覆，爲內關外格，此陽乘之脉也，故曰覆溢，是其眞藏之脉，人不病而死也。呂廣云：「過九分，出一寸，各名太過也。不及九分，至二分或四分五分，此太過不滿一寸，見八分或五分六分，此不及」。）經主病和者其，病得之筋髓裏，其代絕而脉賁者，病得之酒且內。所以知其後五日而癰腫，八日嘔膿死者，切其脉時，少陽初代，代者經病，病去過入，入則去絡脉主病，當其時少陽初關一分，故中熱而膿未發也，及五分，則至少陽之界，（集解：「徐廣曰：一作分。下章曰肝與心，相去五分，故曰五日盡也」。正義：王叔和脉經云：「分別三門鏡界，脉候所主，云從魚際至高骨，却行一寸，其中名曰寸口，其骨自高從寸至尺，名曰尺澤，故曰尺寸後，尺前名曰關陽，出陰入以關爲界，陽出三分，故曰三陰三陽，陽生於尺，動於寸；陰生於寸，動於尺；寸主射上焦，出頭及皮毛，竟手，關在射中焦，腹及於腰；尺主射下焦，少腹至足也。」）及八日，則嘔膿死；故上二分而膿發，至界而癰腫，盡泄而死；熱上則熏陽明爛流絡，流絡動則脉結發，脉結發則爛解，故絡交熱氣已上行至頭而動，故頭痛。（扁鵲倉公列傳45）。

疽發背　（亞父）行未至彭城，疽發背而死。（項羽本紀 7 又陳丞相世家26）。

（周丘）即引兵歸下邳，未至疽發背死。（吳王濞列傳46）。

創傷　（宋）襄公創股，國人皆怨公。（宋微子世家 8，晋世家 9，楚世家10，同。）

楚射中共王目。（楚世家10）。

祝瞻射中王臂。（鄭世家12）。

傷吳王闔廬指，軍却七里，吳王病傷而死。（吳太伯世家 1，又孫子吳起列傳 5）。

漢王傷胸，乃捫足曰：「虜中吾指」。漢王病創臥，張良彊請漢王起行勞軍，以安士卒。（高祖本紀 8）。

項王亦身被十餘創。（項羽本紀 7）。

曹參身被 70 創。（蕭相世家 23）。

（灌）夫身中大創十餘，適有萬金良藥，故得無死。（魏其武安侯列傳47）。

（灌）夫身被十創，名冠三軍。（同上）。

胡騎得（李）廣，廣時傷病，置廣兩馬間，絡而盛臥，廣行十餘里，廣佯死。（李將軍列傳49）。

出血　破晉軍會合，射傷郤克，流血至履，克欲還入壁，其御曰：「我始入，再傷不敢言疾，恐懼士卒，願子忍之。」（齊太公世家2）。

趙王齧指出血。（田叔列傳44）。

張敖齧其指出血。（張耳陳餘列傳29）。

（鄧）通頓首，首盡出血不解。（張丞相列傳36）。

十二、診斷

1. 患病之深淺

腠理　扁鵲過齊，齊桓侯客之，（索隱：案傳元曰：「是時齊無桓侯」。裴駰云：謂是齊侯田和之子桓公午也。蓋與趙簡子頗亦相當。）入朝見曰：「君有疾，在腠理不治將深。」（正義謂皮膚）。桓侯曰：「寡人無疾」。扁鵲出，桓侯謂左右曰：「醫之好利也，欲以不疾者爲功」。

血脈　後五日，扁鵲復見曰：「君有疾，在血脈，不治恐深。」桓侯曰：「寡人無疾」。扁鵲出，桓侯不悅。

腸胃　後五日，扁鵲復見曰：「君有疾，在腸胃間，不治將深。」桓侯不應；扁鵲出，桓侯不悅。

骨髓　後五日，扁鵲復見，望見桓侯而退走；桓侯使人問其故；扁鵲曰：「疾之居腠理也，湯熨之所及也；在血脈，鍼石之所及也；其在腸胃，酒醪之所及也；其在骨髓，雖司命無奈之何；今在骨髓，臣是以無請也。」後五日，桓侯體病，使人召扁鵲，扁鵲已逃去，桓侯遂死。（以上均見扁鵲倉公列傳45）。

2. 決生死及診法

決生死　問臣（淳于）意曰：「所期病，決死生，或不應期，何故？」對曰：「此皆飲食喜怒不節，或不當飲藥，或不當針灸，以故不中期死也。」（扁鵲倉公列傳45）。

（扁鵲）夫以陽入陰支蘭藏者生（正義：「素問云：支者順節，横蘭者，横節，陰支蘭，膽藏也」。以陰入陽支蘭藏者死；凡此數事，皆五藏蹷中之暴作也。良工取之，拙者疑殆（扁鵲倉公列傳45）。

慶有古先道遺傳黃帝扁鵲之脉書五色診病，知人生死，決嫌疑，定可治。（扁鵲倉公列傳45）。

問臣（淳于）意診病決生死，能全無失乎？臣意對曰：「治病必先切其脉，乃治之；敗逆者不可治，其順者乃治之；心不精，脉所期死生，視可治時時失之，臣意不能全也。（扁鵲倉公列傳45）。

診籍　問臣（淳于）意所診治病，病名多同而診異，或死或不死何也？對曰：「病名多相類，不可知，故聖人爲之脉法，以起度量，立規矩，縣權衡，案繩墨，調陰陽；別人之脉，各名之，與天地相應，參合於人，故乃別百病以異之，有數者皆異之（索隱：謂術數之人，乃可異其狀也）。無數者同之然脉法不可勝驗，診疾人以度異之，乃可別同名，命病主在所居。今臣意所診者，皆有診籍；所以別之者，臣意所受師方適成，師死以故表籍所診，期決死生，觀所失所得者，合脉法，以故至今知之。（扁鵲倉公列傳45）。

切脈、望色、聽聲、寫形　扁鵲仰天嘆曰：「夫子之爲方也，若以管窺天，以郄視文；越人之爲方也，不待切脉、望色、聽聲、寫形。言病之所在；聞病之陽，論得其陰，聞病之陰，論得其陽；病應見於大表，不出千里，決者至衆，不可曲止也。（正義：「言病皆有應見，不可曲言病之止住所在也。」）子以吾言爲不誠，試入診虢太子，當聞其耳鳴而鼻張，循其兩股以至於陰，當尚溫也。（扁鵲倉公列傳45）。

十三、治療

1. 祈禱、卜筮

祈禱　武王克殷二年，天下未集，武王有疾不豫，羣臣懼，太公召公乃繆卜；周公曰：「未可以戚我先王」。周公於是乃自以爲質，設三壇，周公北面立戴璧秉圭，告于太王、王季、文王。史策祝曰：「惟爾元孫王發勤勞阻疾，（集解：「徐廣曰：阻作淹。」）若爾三王，是有負子之責於天，以旦代王發之身；旦巧能多材多藝，能事鬼神；乃王發不能事鬼神，乃命于帝庭，敷佑四方，用能定汝子孫于下地，四方之民，罔不敬畏；無墜天之降，葆命我先王，亦永有所依歸，今我其即命於元龜，爾之許我，我其以璧與圭歸，以俟爾命，爾不許我，我乃屏璧與圭。」周公已令史策告太王、王季、文王，欲代武王發，於是乃即三王而卜，卜人皆曰吉：發書視之信吉，周公喜，開籥乃見書遇吉。周公入賀武王曰：「王其無害，旦新受命，三王維長終是圖，茲道能念予一人」；周公藏其策金縢匱中，誡守者勿敢言，明日武王有瘳（魯周公世家3，又周本紀4）。

初成王少時病，周公乃自揃其蚤，沈之河，以祝於神曰：「王少未有識，奸神命者，乃旦也。」亦藏其策於府，成王病有瘳。（魯周公世家3）。

卜筮　卜歲中民疫不疫；疫首仰足肣，身節有彊外；不疫身正，首仰足開（龜策列傳18）。

命曰：「横吉安以占病，病甚者一日不死，不甚者，卜日瘳不死。」……民疾疫無疾（同上）。

晉景公疾，卜之大業之後不遂者爲祟（韓世家15）。

卜占病者，祝曰：「今某病困，死首上開，內外交駭，身節折；不死首仰足肣。」卜病者祟曰：「今病有祟無呈，無祟有呈兆，有中祟有內，外祟有外。」（龜策列傳68）。

2. 鍼灸、砭石、熨祜、湯液、按摩、反神、扶形、炊湯、脈神、搏藥、吹耳、手術

扁鵲乃使弟子子陽厲鍼砥石，以取外三陽五會；有間，太子蘇；乃使子豹爲五分之熨，以八減之齊和者煮之，以更熨兩脅下；（索隱曰：「案言五分之熨者，謂熨之令溫煖之氣入五分也。八減之齊者，謂藥之齊和所減有八，並越人當時有此方也。」）太子起坐更適，但服湯二旬而復故。故天下盡以扁鵲能生死人，扁鵲曰：「越人非能生死人也，此自當生者，越人能使之起耳。」（扁鵲倉公列傳45）。

臣聞上古之時，醫有俞跗，治病不以湯液醴灑，鑱石撟引，按杬毒熨，一撥見病之應，因五藏之輸，乃割皮解肌，訣脈結筋，搦髓腦，揲荒，爪幕，湔浣腸胃，漱滌五藏，練精易形；先生之方能若是，則太子可生也；不能若是而欲生之，曾不可以告咳嬰之兒終日。（扁鵲倉公列傳45）。

嘗吮　文帝嘗病癰，鄧通常爲帝唶吮之。（佞[illegible]）。

太子入問病，文帝使唶癰，唶癰而色難之，已而聞鄧通常爲帝唶吮之，心慙，由此怨通矣。（同上）

卒有病疽者，（吳）起爲吮之，卒母聞而哭之。人曰：「子卒也，而將軍自吮其疽，何哭爲？」母曰：「非然也，往年吳公吮其父，其父戰不旋踵，遂死於敵；吳公今又吮其子，妾不知其死所矣，是以哭之。」（孫子吳起列傳5）。

十四、調　護

1. 侍　　疾

太后嘗病三年，陛下不交睫，不解衣，湯藥非陛下口所嘗弗進。（袁盎鼂錯列傳41）。

及憲王病甚，諸幸姬常侍病，故王后亦以妒媢不常侍病，輒歸舍，醫進藥，太子勃不自嘗藥，又不宿留侍病。（五宗世家29）。

2. 問　　疾

會（公叔）痤病，魏惠王親往問病曰：「公叔病有如不可諱，將奈社稷何？」（商君列傳8）。

（伍）子胥諫曰：「越王勾踐……弔死問疾。……」（吳太伯世家1，又伍子胥列傳6）。

士卒次舍井竈飲食，問疾醫藥，（司馬穰苴）身自拊循之；悉取將軍之資糧享士卒，身與士卒平分糧食；最比其羸弱者，三日而後勒；兵病者皆求行爭奮出爲之赴戰。（司馬穰苴列傳）。

（鄭伯）夜令祭仲問王疾。（鄭世家12）。

王夫人病甚，人主至，自往問之曰：「子當爲（齊）王欲安所置之」，對曰：「願居洛陽；」人主曰：「不可。」（滑稽列傳66）。

3. 賞　　賜

君（公孫弘）不幸罹霜露之病，何恙不已！（索隱：「恙，憂也，以言罹霜露寒涼之疾輕，何憂於病不止。」）（平津侯主父列傳52）。

今事少閒，君其省思慮，一精神，輔以醫藥，因賜告牛酒雜帛，居數月，病有瘳視事。（平津侯主父列傳52）。

（汲）黯多病，病且滿三月，上常賜告者數，終不愈，最後病莊助爲請客。（汲鄭列傳60）。

前日（淮南厲王）長病陛下憂苦之，使使者賜書棗脯長不欲受賜，不肯見拜使者。（淮南衡山列傳第58）。

4. 養　　病

（汲）黯多病，臥閨閤內，不出歲餘。（汲鄭列傳60）。

武安君病未能行，居三月。（白起王翦列傳13）。

先黥布反時，高祖嘗病，甚惡見人，臥禁中，詔戶者無得入羣臣。羣臣絳灌等莫敢入十餘日，(樊)噲乃排闥直入，大臣隨之，上獨枕，一宦者臥。（樊酈滕灌列傳35）。

5. 其　　他

分食　人有疾病，涕泣分食飲。（淮陰侯列傳32）。

摩足　（史）謁居病臥閭里，士人（張）湯自往視疾。爲謁居摩足。（酷吏列傳63）。

浣滌　（萬石君長子）建爲郎中令，每五日洗沐歸謁親，入子舍竊問侍者取親中裙廁腧，身自浣滌。（萬石張叔列傳43）。

十五、藥　品

毒藥：毒藥苦於口，利於病。（淮南衡山列傳58）。

江蘺、麋蕪：江蘺麋蕪，諸蔗猼且。（司馬相如列傳57）。

芷若、射干、穹窮、昌蒲：其東則有蕙圃、衡蘭、芷若、射干、穹窮、昌蒲。（同上）。

蘭芷芎藭，棄於廣野。（日者列傳67）。

伏靈、兎絲：所謂伏靈者，在兎絲之下，狀似飛鳥之形。（龜策列傳68）。

傳曰：［下有伏靈，上有兎絲］。（同上）

伏靈者，千歲松根也，食之不死。（同上）。

巵茜若巵茜千石。（貨殖列傳69）。

江蘺、蘼蕪、藁本、射干、茈薑、蘘荷、芷若：掩以綠蕙、被以江蘺、糅以蘼蕪、雜以流夷；尃結縷、欑戾莎；揭車衡蘭、藁本射干、茈薑蘘荷，葴橙若蓀，鮮枝黃礫，蔣芧青薠。（司馬相如列傳57）。

俄國科學家在醫學上的貢獻*

原著者：彼得洛夫

俄國許多醫生和生物學家的名字是很著名的，如彼洛郭夫(N. I. Pirogov)、謝巧諾夫(I. M. Sechenov)、包特金(S. P. Botkin)、巴甫洛夫(I. P. Pavlov)、麥赤尼可夫(I. I. Mechnikov)、季米里亞席夫(K. A. Timiryazev)、布爾金科(N. N. Burdenko)、伽馬利亞(N. F. Gamalei)、費拉托夫(N. F. Filatov)，但俄國醫學發展史以及俄國科學和外國科學的關係却少爲人所知。

醫學史給我們描繪出一幅許多民族在抵抗疾病和爭取長壽的鬥爭中共同努力和合作的圖畫。在醫學的各部門中，都能找出一個國家或一個民族的科學家的工作，是怎麽樣被其他國家或其他民族的醫生所補充和發展的線索。

保衛人民的健康是崇高的使命，各民族爲這一共同目的所做的共同工作，證明了共同努力的有力成果。同時，也就比較易於判斷各民族對科學的共同寶庫所做的貢獻。

蘇聯醫學史的代表珍視世界醫史學會委員會的邀請，得以參加此會，並有機會在會上講演。

蘇聯科學家只參加過第六屆和第八屆的醫學史會議，所以關於醫學史方面的互相交流是不够的。

我的報告是關於俄國科學家對醫學某些部門的貢獻的簡單回顧。希望在以後的會議裏，蘇聯的醫學史家能有機會做更詳細的報告。

* * *

醫學史描繪出一幅各個國家的醫生和科學家的發現，以及醫學發展的莊嚴圖畫。

蘇聯的歷史家對歷史進程的理解是從這樣的命題出發的：在每一個民族的文化中都有進步的和反動的因素，新生的和垂死的因素；這兩種因素彼此互相鬥爭。此外，還有民主的因素，反映工人的利益。這種鬥爭也反映在醫學史中。因此，考察歷史現象的重要性不在於靜止地去考察，而在於從現象的發展中，現象的互相制約，互相影響以及互相鬥爭中去考察。

每一個民族，不論大小，都有自己的特點。就是這些特點使得每一個民族對世界文化的共同寶庫做出貢獻，那怕是最小的民族也好。

蘇聯的醫生認爲對任何歷史進程和歷史現象的問題，主要應該全面地、週密地研究；對於任何文化部門，如果不了解其歷史，就不能對其有所理解。但是，單純地搜集歷史事實是不够的，必須找出事實之間的關係，了解事實，指出事實的社會根源，事實和社會結構的產生、發展、衰落以及社會思想的關係。

社會的物質生活條件產生社會的思想和觀點。思想又反過來影響物質生活，變成一種組織生活和改造生活的巨大積極力量。

高爾基在1934年第一屆蘇維埃作家會議上說：「我們對過去越了解，我們對我們所創造的今日的意義就了解得越全面，越正確。」蘇維埃的歷史家認爲這句話確證了歷史科學的價值和意義。

蘇聯埃的歷史家並不崇拜過去。歷史家的工作，在某種程度上講，恰如礦工的工作。礦工只從地下採取那些給人們帶來光亮和溫暖的礦石；所以歷史家必須在浩如煙海的古代材料中去尋找那些能照耀社會進展，並做爲爲科學進展而鬥爭的武器的材料。

過去必須爲未來服務。歷史工作之所以有價值，乃因爲它在說明過去的事件和現象的同時，還幫助解決今日的問題，預見未來，並幫助科學前進。

蘇維埃的歷史家從這樣的命題出發：既不能把過去改好，也不能改壞；不允許把歷史現代化，也

* 本文是1954年9月薩勒諾舉行之第14屆國際醫學史會議上蘇聯代表彼得洛夫(Б. Д. Петров)的報告。1954年莫斯科蘇聯國家醫學出版局之英文版。

——譯者。

就是說，不能把歷史改好，也不能過苛地批判，因爲過去沒有今日的水平。這就是爲什麼蘇維埃科學家認爲必須客觀地估價一個科學家的工作，不加修飾地論證他的功績以及他的錯誤。這樣的全面分析，可以指出科學家活動的哪一點能促進科學進步，並且甚至今日還能用來做進一步的科學研究。

歷史工作中對於科學家活動的判斷，重要的不是從他曾按照當代科學的需要貢獻了什麼，而是與前代相比，看他貢獻了什麼。

找出科學和實際活動，理論和實踐之間的聯繫，以及它們的一致性，是歷史工作的重要而必須的要求。

研究醫學史，我們發現常常是普通醫生發明了新方法，偉大的發明常常是由沒有學位的實際工作者所做的。每個國家的醫學史中都可以舉出若干例子，這就是爲什麼蘇維埃科學家認爲必須不僅僅研究科學領導人物的活動和思想遺產，還必須研究普通醫生的活動和功績。

發掘潛藏在過去科學家工作中沒有被實現的思想是醫學史的另外一個任務。過去，因爲限於科學水平，沒有必須的材料，方法不完善，缺乏物質供應，科學家和醫生常不能實現他們的理想。醫學史的另外一個任務是找出這些沒有實現的思想，並發掘其中的可能性。巴甫洛夫寫道：「一個大無畏的觀察家永遠遺留下某些接近眞理的足跡，縱使他的工作可能是在最不利的條件下也好。」

研究那些曾阻礙各種思想的實現，寶貴建議的實行以及作出研究的必然結論的原因和條件，不僅將在醫學史上展開新的一頁，而且將武裝研究的人，有助於他們的工作。

這些就是蘇維埃歷史家在醫學史工作上的出發點和要求。這就是我們對於我們的工作，對我們在醫學科學上的貢獻的理解。

* * *

俄國的醫學史，和其他民族的醫學史一樣，應當從民間的醫學史開始。俄國的民間醫學，一方面有迷信和神秘因素存在，一方面也有一個豐富的寶庫，充滿觀察、寶貴的處方和治療方法以及疾病的預防。

這一方面值得特別分析，但是因爲時間關係，在這裏不能做適當的詳述。

1073 年的斯維亞托斯拉夫(Svyatoslav)「彙編」中的某些章節是俄國最早的醫學手稿文件之一。

11—12 世紀基輔俄羅斯的文化發展曾受到蒙古入侵的攪擾和後來的韃靼族的桎梏。基輔俄羅斯、俄國，烏克蘭、別洛露西亞 (Byelorussia) 民族，曾受到蒙古侵略的蹂躪，並且阻止了蒙古的侵略，給歐洲民族和平地發展文化建設的機會。

蘇維埃歷史家格列可夫 (B. D. Grekov)、里巴可夫 (B. A. Ribakov) 等，曾闡述基輔俄羅斯的文化寶藏和特點，當時的醫學，也已經有相當的發展。

因爲我們的會議是在意大利召開的，可以提一提 50 年前俄國的歷史家羅巴列夫(K. Loparev)曾在弗羅倫斯醫學圖書館中發現一篇希臘文的論文；這篇論文是弗拉基米爾 · 摩諾馬赫 (Vladimir Monomakh) 大公的孫女攸夫拉西阿 (Eupraxia) 公主寫的 (攸夫拉西阿公主後來與拜占庭皇帝結婚，改名 Zoe)。這篇論文是一篇眞正的關於治療學、藥理學、產科學以及其他部門的百科全書。

基輔俄羅斯最初的醫學設施大部分附屬在教堂的救濟院內。如 11 世紀基輔和彼列雅斯拉夫里 (Pereyaslavl) 等地的主教伊夫列姆 (Ephrem) 所建立的醫院就是。

蒙古入侵的蹂躪使流行病散佈起來。當代的年志記載了「疾病」的廣泛流行，和居民的大毀滅。這就是爲什麼抵抗「疫病」的廣泛措施是在莫斯科省大規模地施行的。

當時的莫斯科俄國的醫學書籍有許多種 (Tsvetnik、Vertograd、Blagoprokhladnii、Vertograd 等)。

莫斯科俄國的第一個醫學行政機構是「藥業管理局」，起初叫做「藥劑廳」，是在 16 世紀末成立的。最初訓練醫生的學校是在 1654 年在莫斯科建立的。稍後在莫斯科軍醫院和主要訓練軍醫的聖彼得堡，以及科倫斯塔德特 (Kronstadt) 軍醫院中建立了醫院學校。

17 世紀末，18 世紀初，特別是在彼得一世時代，醫學是受中央的管理。

在其他的措施中，訓練本國醫生佔着重要的地位。曾從實際工作者中招募老人、醫生、接骨匠以及治療技術的專門人。此外，許多青年被送到國外去學習。

我們現在在意大利開會，應當提一提許多俄國醫生曾在意大利大學中得到醫學博士學位。特別是別洛露西亞民族的斯科立納 (Georgii Skorina)，他是波羅茨克 (Polotzk) 城的人，後來成爲一位著名的科學家和出版家，曾於1512年在巴丢阿大學得到醫學博士學位。德拉郭畢奇斯基 (Yurii Dragobichsky) 和斯科立納一樣，最初是科拉克 (Krakow) 大學的學生，也得到巴丢阿大學的醫學博士學位。1937年在杜平根 (Tübingen) 大學神學系圖書館中曾發現一部德拉郭畢奇斯基 (Dragobichsky) 所作「1483年的預後判斷」一書的抄本。從中可以看出德拉郭畢奇斯基曾做過波倫納大學的教授。

波斯特尼可夫 (P. V. Postnikov) 於1692年自巴丢阿大學畢業，得到醫學博士和哲學博士學位。繼他之後沃爾可夫 (G. I. Volkov) 等人也被送到巴丢阿大學，並在該校畢業。

18世紀中葉，當俄國的醫生在歐洲的許多大學內做論文答辯時，歐洲的科學家已經有機會認識俄國醫生的科學著作。根據不完全的材料，18世紀下半葉，俄國醫生曾在歐洲的大學內〔來丁 (Leyden)、哈勒 (Halle)、哥尼斯堡 (Königsberg)、格丁根 (Göttingen) 等〕獲得330篇博士論文。

世界上關於海洋水手健康最早的文獻之一的作者安得烈 (Andrey Bakherakht)，於1750年在來丁大學獲得博士學位。

烏克蘭的波列奇伽 (Ivan Poletika) 曾就讀於基爾 (Kiel) 大學，後來在聖彼得堡普通醫院學習，最後又回到來丁大學，於1754年在該校得博士學位，此後他就被任爲基爾大學臨床治療院的教授。

俄國醫生所撰的論文中，除去編纂作品外，還有促進科學進步的原著，如傑列霍夫斯基 (M. M. Terekhovsky)、舒姆朗斯基 (A. M. Shumlyansky)、薩穆伊羅維奇 (D. S. Samoilovich) 等人的作品。

烏克蘭的傑列霍夫斯基於1775年在斯特拉斯堡 (Strasbourg) 大學寫了一篇關於微生物自生的性質和可能性的論文。傑列霍夫斯基對於自生的可能性的問題給予了否定的答案。他的論文對於早期的生物學實驗工作是有意義的。

舒姆朗斯基的論文「腎的構造」，也是在斯特拉斯堡大學寫成的(1782)。在這不久以前，偉大的解剖學家摩干尼 (Morgani) 和拉什 (Ruysch) 曾發表過關於腎臟的論文。但是年青的俄國科學家們曾發現腎中的馬爾畢基 (Malpighi) 氏體的被囊，這是以前無人知道的。舒姆朗斯基創造了一種方法，即用壓力使樹脂溶液壓入腎臟血管。這種方法在組織學的進展上起了重要作用。舒姆朗斯基的論文在國外重新印行了兩次；此外，關於他的論文摘要曾印行了十次以上。

18世紀疫病的廣泛流行，使預防疫病成爲首要的事。

丹尼拉·薩穆伊羅維奇 (1746—1805)，生在烏克蘭，他在歐洲的名望比其他人還要大；他的抗鼠疫的著作曾在歐洲反復印行。

薩穆伊羅維奇在國外的時候，熟悉了許多關於鼠疫的文獻，其中多數的例證顯然是作者取自空洞的理論和抽象的原理。而薩穆伊羅維奇的著作所根據的則是正確的已經成立的事實、觀察和實驗。因此，他創作了「論使俄羅斯帝國，特別是使京城莫斯科淪爲荒蕪的鼠疫」一文，因而使他在國外聞名。

這部書於1783年用法文在巴黎出版，外國人因之也能閱讀。

薩姆伊羅維奇的著作不但立論正確，而且提出了抗鼠疫的方法。法國提仲 (Dijon) 科學藝術和文學會曾選舉他爲會員。不久，他就被選爲許多團體如羅馬、馬賽、里昂、土魯斯 (Toulouse)、馬因茲 (Mainz)、曼海姆 (Mannheim)、丢林 (Turin)、巴丢阿、巴黎外科學會、巴黎博物館等的會員。

薩穆伊羅維奇後來根據在俄國南部多年抗鼠疫的經驗所寫成的著作，是當時關於鼠疫方面最好的著作。

* * *

彼得一世於1724年在聖彼得堡建立的醫院，在俄國科學的發展上起了巨大的作用。許多年來，著名的醫生在其中工作，如克拉深尼可夫 (S. G. Krasheninnikov)、貝爾 (K. M. Baer)、普洛塔索夫 (A. P. Protasov)、奧滋列茨可夫斯基 (N. Y. Ozeretskovsky) 和列普麥 (I. I. Lepekhin)。

俄國科學院院士沃爾夫 (K. F. Wolf)、潘傑爾 (K. Pander) 和貝爾在胚胎學上的研究是特別有意義有價值的。

沃爾夫 (1733—1859) 曾在柏林求學，又在聖彼得堡住了50年，他是研究生物進展的創始人之一。沃爾夫最有科學價值的工作是反駁了胚胎學中的前定論；這種學說否認一般的發展，認爲有機體的形成過程是一種最先看不見的素質（Rudiments）的簡單擴大。沃爾夫的另一最有科學價值的工作是確證了漸成論，即在新的生長和胚胎的化成部分或生長着的機體的基礎上發展。

潘傑爾（1749—1865）在脊椎動物胚胎學的解釋上做了許多工作。他是最先確定鳥體發展自三個胚葉的人。

貝爾（1792—1876）的胚胎學論文是很著名的了。他因研究動物胚胎的發展而聞名。1826年他發現了哺乳動物和人類的卵，從而駁斥了認爲全部的囊狀卵泡（Graafian follicle）就是卵的錯誤概念。他的「哺乳動物和人卵的來源」（1827）一論文，是用和聖彼得堡科學院通訊的方式發表的；聖彼得堡科學院曾選他爲通訊院士，1828年又選他爲普通院士。

貝爾的「論動物的發展史」一書，充滿了實際材料、評述和概論。他發現了脊髓（脊椎動物最初的內部骨骼），追溯了胎兒的發展，描述了膈是從泡所形成，並描述了眼、心臟和其他器官的發展。他還證明了胚胎發展的早期囊胚形狀的存在。貝爾對脊椎動物比較胚胎學的研究，使他得出重要的一般發展規律。他確定了胚胎的發展過程中，最先呈現的是最一般的特點，特別是屬於某一種動物的那些特點。然後依次出現了綱、目、科、屬、種，最後是個體的特性。

貝爾的著作很早就得到承認。蘇格蘭的動物學家貝爾福（Balfour）氏寫道：「在貝爾以後的一切脊椎動物胚胎學研究只能認爲是對於貝爾工作的補充和修正，而沒有什麼新的發現。著名的組織學家寇里克（Kölliker）氏稱貝爾的著作是胚胎學中最優秀的文獻。

* * *

羅曼諾索夫（M. V. Lomonosov, 1711—1765）是科學院的著名院士之一，對俄國醫學的發展影響很大。他決定了俄國青年科學家的方向和活動。由於羅曼諾索夫的意見，莫斯科大學在1775年設立了醫學系。

羅曼諾索夫的影響表現在擯棄對於人類有機體過程的空洞研究，廣泛地提倡在生理學上以及臨床醫學上應用實驗。在這一方面，幾乎所有的俄國醫生都是羅曼諾索夫的學生。

例如，薩穆伊羅維奇遵循了羅曼諾索夫的科學概念，曾用實驗去解決鼠疫的流行病學的問題，並用實驗去尋求抗鼠疫疫苗。

前面已經提到在每個民族中的兩種傾向的鬥爭——進步的與反動的，新生的與垂死的。考察羅曼諾索夫在這種鬥爭中的理論貢獻是有意義的。

1836年俄國出版了兩本生理學教科書。一本是在聖彼得堡出版的，作者是瓦蘭斯基（D. Vellansky），他是雪林（Schelling）哲學的附從者。這本教科書，用空論的自然哲學體系解釋一切生理問題。第二部書是在莫斯科出版的，作者是費洛馬非特斯基（A. M. Filomafitsky），他是羅曼諾索夫的繼承者。這本書，擁護在生理學中應用實驗的方法，這是與瓦蘭斯基相反的。費洛馬非特斯基列舉了他的實驗結果，他有時與某些西歐生理學家爭論，其中包括他的先生米勒（Johannes Müller）氏。

費洛馬非特斯基寫道：「研究生物現象的方法有兩種。一種是空論的，另一種是實驗的。一種從一般的分析開始，逐漸達到特殊，另一種則相反，從特殊到一般。」費洛馬非特斯基的著作爲當時的人所推崇，並在1841年得到科學院的吉米多夫（Demidov）獎金。貝爾在評論這本教科書時，認爲它是當代最好的生理學教科書之一，並且提出了作者的創造性見解。

瓦蘭斯基和費洛馬非斯基之間的相反的互相排斥的態度，說明在同一民族文化體系中，不同的傾向是怎樣彼此鬥爭。

在俄國，堅持實驗，並唯物地去解釋現象的相互關係的傾向獲得勝利；由於這種傾向的發展，產生了著名的生理學家謝巧諾夫，維金斯基（N. A. Vvedensky），烏克托姆斯基（A. A. Ukhtomsky）和巴甫洛夫。

* * *

在俄國醫學的發展上起主要作用的是兩個高級教育學院，就是莫斯科大學和聖彼得堡軍事醫學科學院；它們在當時都是科學研究的巨大中心。

二百年來莫斯科大學訓練出許多醫生和科學家。彼洛郭夫、包特金、謝巧諾夫以及其他許多人都在莫斯科大學畢業。

治療學家查哈林(G. A. Zakharyin)和奧斯特洛屋莫夫(A. A. Ostroumov)，生理學家謝巧諾夫，外科家斯克里弗索夫斯基(N. V. Sklifosovsky)、保伯洛夫(A. A. Bobrov)和嘉可諾夫(P. I. Dyakonov)，神經病理學家可什夫尼可夫(A. Y. Kozhevnikov)、衛生學家愛利斯曼(F. F. Erisman)，婦科家斯涅吉列夫(V. F. Snegirev)，小兒科家費拉托夫(N. F. Filatov)和精神病學家考爾薩可夫(S. S. Korsakov)在莫斯科大學中組織了醫學派。

莫斯科大學的醫學系對醫學各科起了深刻的影響。

1798 年在聖彼得堡創設的軍事醫學科學院在俄國醫學的發展上也起了重要的作用。從其最初起，科學院的教授就在醫學上做了有價値的貢獻。沙郭爾斯基(P. A. Zagorsky, 1764—1846)教授是俄國解剖學的奠基人。1807 年出現了第一部俄文的「外科教科書」，作者布士(I. F. Bush)是軍事醫學科學院附屬外科診療所的組織人。

軍事醫學科學院的醫生與著名的物理學家和化學家並肩工作。物理學教授維・維・彼得洛夫(V. V. Petrov 1761—1834)發現了電解現象；他在醫學科學院中建立了一座物理實驗室。俄國一個化學學派的奠基人齊寧(N. N. Zinin)在苯胺的合成上給軍事醫學科學院帶來了榮譽。生物化學家丹尼連斯基(A. Y. Danilensky)以研究酵素的先驅者而著名。列別傑夫(S. V. Lebedev)是橡膠合成的創始人。

外科學家彼洛郭夫，生理學家謝巧諾夫和巴甫洛夫，治療學家包特金曾任軍事醫學科學院的教授多年。他們介紹了新的醫學思想，組織了科學學派，訓練了無數的學生。

野戰外科學的創始人彼洛郭夫在 1841 年成爲軍事醫學科學院的教授。他領導醫院的外科診療所，這一外科診療所是按照他的建議而成立的。彼洛郭夫在軍事醫學科學院熱心地工作了 15 年。他不僅是位解剖學家、臨床學家、傑出的實驗家，而且還是一位著名的教師；他在解剖學和外科學上有不少革新。他創建了軍事醫學科學院中的解剖學院，並在該院出版了他的人體局部解剖圖解。

他精心擬出的手術方法是外科中的權威。

1856 年克里米亞戰爭時，剛從莫斯科大學畢業的包特金(1832—1889)，開始在彼洛郭夫的支隊中工作。1861年他被選爲軍事醫學科學院的教授，直到他逝世爲止，一直担任臨床治療學講座。包特金在軍事醫學科學院的工作是極其有成就的。他把診療所改組成一個標準的診療所；特別是他在診療所內設置了一個臨床實驗室。

包特金是一位優秀的教師，因而得到軍事醫學科學院學生們的熱烈愛戴。他組織了一個大科學學派；他的許多學生後來變成了教授和科學家，如亞諾夫斯基(M. B. Yanovsky)、齊斯托維奇(N. Y. Chistovich)、西洛齊寧(V. N. Sirotinin)、馬那塞恩(V. A. Manassein)等。他在診療所中一共寫出一百多篇論文。

偉大的謝巧諾夫(1829—1905)有一個時期曾和包特金在一起工作。1860 年謝巧諾夫在軍事醫學科學院担任生理學講座。他在該院用去了十年光陰。他的講演受到全俄國的評論，激起了進步的思想。正如與謝巧諾夫同時的一個人所說：他在進步的思想前面揭開了「……幾乎是自然的大部分秘密。」以後謝巧諾夫就在敖得薩和莫斯科大學工作。

1874年剛從大學畢業的巴甫洛夫(1849—1936)變成了軍事醫學科學院的研究生。1878 年他以優秀的成績在該院畢業，受到包特金的邀請主持臨床實驗室。巴甫洛夫在該院的十年工作中間，完成了第一個關於研究心臟和循環機轉的不朽工作，發現了「心臟的興奮神經」(這個神經後來就叫做巴甫洛夫神經)，並寫成一篇「心臟的離心神經」論文。

也應當提一提軍事醫學科學院中的其他科學家和他們的工作：生理學家塔爾汗諾夫(I. R. Tarkhanov)是一位實驗家和教育家，曾是謝巧諾夫的學生；動物學家霍羅德可夫斯基(N. A. Kholodkovsky)是著名的解剖學家和蠕蟲學家；竇柏洛斯拉文(A. P. Dobroslavin)在該院建立了衛生學講座和衛生學派；巴舒丁(V. V. Pashutin)是俄國病理學派的奠基人，過去也是謝巧諾夫的學生；克拉可夫(N. P. Krakov)創立了藥理學派；眼科學家別爾雅米諾夫(L. G. Bellyarminov)組織了流動「眼隊」幫助居民；此外，還有塔爾諾夫斯基(V. M. Tarnovsky)他是第一個皮花科講座的教授。

繼醫學外科學院之後，在喀桑(Kazan)(1804)、哈爾科夫(Khrakov)(1805)和基輔(Kiev)(1842)大學內成立了醫學系。19 世紀 60 年代俄國醫生總數已增至一萬名。

*　　*　　*

俄國 19 世紀下半葉醫學的迅速發展是和俄國當時的大力發展科學分不開的。

這時的俄國對於自然科學的迅速發展有着有利條件。俄國的自然科學家受到來自羅曼諾索夫的唯物傳統的支持，創造了他們的學說：門得烈夫(D. I. Mendeleev)發現了絕對沸騰點的溫度(1861)；布特烈洛夫(A. M. Butlerov)發表了他的「化學結構」理論(1861)，奠定了現代有機化學的基礎；謝巧諾夫在「大腦反射」(1863)一書中記述了他的研究，使唯物的科學的生理學得以產生；門得烈夫發現了「週期律」(1869)是自然界中無機物發展的基本規律；A. O. 科瓦列夫斯基(A. O. Kovalevsky)和 V. O. 科瓦列夫斯基(V. O. Kovalevsky)的發現，確證了生物學、胚胎學和古生物學中的發展思想；斯托列托夫(A. G. Stoletov)、烏莫夫(N. A. Umov)和列別傑夫(P. N. Lebedev)在物理學上有所發現；費得洛夫(E. S. Fedorov)在物理化學的結晶學上有所貢獻。

*　　*　　*

應當提一提其他一些俄國科學家的發現。

俄國解剖學的發展，主要受彼洛郭夫的影響。他在外科學方面，更爲出名，但在解剖學上的貢獻也很重要。

彼洛郭夫稱得起是使局部解剖學成爲科學的創始人。在其經典著作「動脉幹和筋膜的外科解剖」(1881—1882)中，强調解剖學是外科學的發展基礎。在另外一篇「冷凍屍體横切面的局部解剖」(1852)論文中，他不僅介紹了研究器官局部解剖的新方法，並且决定了新的研究路綫和許多器官的位置。

他的圖解包括四卷圖譜和四卷註釋，他在編著這些書的時候，採用了自己做的 12,000 屍檢材料。

他在解剖學上的特點是在研究中的實際方向。他寫道：「我研究解剖學的主要目的，永遠是爲了應用於病理學、外科學，至少也是爲了生理學。」

以後的俄國解剖學家，實際上都是他的繼承人。在某種程度上講，他們的功績和發現，從用他們的名字所起的名詞上就可以看出。英國的科學家湯姆遜(Thompson)於 1945 年在倫敦發表的論文中，舉出 42 個以俄國科學家爲名的解剖學名稱。當然，這個名單還遠不完全。

列斯加弗特(R. F. Lesgaft, 1837—1909)先在嘉桑大學工作，後又在聖彼得堡大學工作；他是解剖學理論的奠基人，主要著作是「解剖學理論基礎」(1892)。他很注意解剖學的研究在體育和運動上的應用問題。針對這個題目，他寫了「解剖學與體育鍛鍊的關係」一論文。

*　　*　　*

直到 19 世紀 60 年代爲止，俄國在解决組織學問題方面，還主要靠生理實驗室，並與生理學上的主要問題緊密結合在一起。60年代的時候，首先在莫斯科大學和聖彼得堡大學成立了獨立的組織學講座，後來又在其他大學內先後成立。從雅庫柏維奇(N. M. Yakubovich)和奧甫斯雅尼可夫(F. V. Ovsyanikov)開始研究腦和腦神經的微細結構時候起，神經系統的組織學和神經病理學就開始迅速發展(A. I. Babukhin, I. F. Ognev, M. D. Lavdovsky和A. S. Dogel 等)。

19 世紀細胞學上最偉大的成就是俄國科學家别列麥什科(P. I. Peremezhko)發現並詳細描述了生活細胞的直接分裂。别列麥什科的論文在 1878 年發表(Zbl. med. Wissensch, 1878, 第29號)。俄國科學家幾乎在一般組織學和特殊組織學的所有領域中都做了重要的研究。他們在組織學的新方法的改進上，和現代組織學最進步的方向的創始上，有很大的功績。因之，在 70 年代，克茲杭士切夫斯基(N. A. Khrzhonshchevsky)首先用活體染色(色素的生理注射)研究腎臟的活動，從而創始了組織生理學。麥赤尼可夫的細胞內消化和發炎的比較研究，是在 80 年代做的，爲組織的實驗生理學研究奠定了基礎。同時也爲組織學研究中的比較和進化的方向奠定了基礎。

俄國形態學家的論文曾在國際會議上和外國科學院中反復得到推許。如儒丹諾夫斯基(P. V. Rudanovsky)的專論曾獲到一枚金質獎章。儒丹諾夫斯基(1829—1888)的著作「論脊神經根、脊髓、人類和某些高等動物的延髓的構造」曾同時用俄文和法文發表。自 1871—1876 年在嘉桑三次印行。每一次都由作者特别附加圖表。這部書對腦神經系統的解剖學和組織學的各種研究方法做了比較的評價。儒丹諾夫斯基曾被選爲巴黎科學院的名譽會員。

別茨(V. A. Betz, 1834—1894)是研究腦皮層構造的奠基人。他確定了皮層不同部位的不同構造。因之，對皮層的機轉和功能的正確了解給以解剖學的前提。後來謝巧諾夫改進了對皮膚機轉的了解。

1874 年別茨發現了巨錐體腦細胞；這種細胞現在就叫別茨氏細胞。（即 Betz cell——譯者）

在維也納的世界博覽會上，許多國家的醫生參觀了別茨的 8000 種組織標本。國際委員會的專家認爲在別茨以前，沒有一個人像他那樣研究過腦。這一套獨特的標本價值三萬盾（荷蘭金幣）。別茨把這套標本贈送給基輔大學，到現在還存在該大學內。

* * *

許多俄國科學家在生理學領域內有重大的成就。

50 年以前，即在 1904 年，聖彼得堡軍事醫學科學院的生理學教授巴甫洛夫，因消化生理學的工作而得到諾貝爾獎金。這是國際上對巴甫洛夫在生理學上的傑出成就的公認。從莫斯科大學的費洛馬非特斯基 (A. M. Filomafitsky) 教授起（他在 19 世紀 40 年代重新改進了生理學教學，使之成爲一種實驗的基礎），至巴甫洛夫的老師謝巧諾夫爲止，曾有不少生理學家是巴甫洛夫的先驅者。

神經系統生理學中的最偉大發現，特別是中樞神經的抑制方面，是與謝巧諾夫的名字分不開的。謝巧諾夫的發現揭露了生理和心理之間的聯繫機轉。在這一方面，謝巧諾夫是從機體和外在環境相統一和不可分的原則出發的。

巴甫洛夫曾受到俄國生理學家和外科學家巴索夫 (V. A. Basov, 1812—1879) 的發現的幫助。巴索夫於 1842 年在醫學史上首先在狗身上做了永久性瘻管的手術；由此，他創始了在慢性實驗條件下，用手術和生理的研究方法。

巴甫洛夫的主要功績在於他證明了機體與外界環境相統一的概念的正確性。他一方面發展了謝巧諾夫的理論，一方面更發現了條件反射。條件反射又反過來成爲走向進一步發現的鑰匙。巴甫洛夫基於發展的原則，締造了一種包括有機體的全部功能的新生理學——從生活物質的原發興奮性到心理活動。

在科學史上，把生理和心理現象看成是完全統一的，這還是第一次。

巴甫洛夫，並不是一個不問世事的科學家，積極地參加社會生活是他的特點。譬如，在列寧格勒舉行的第十五屆國際生理學家會議上，巴甫洛夫表示了他對戰爭的態度；他認爲解放戰爭是必須的和正義的。他憎惡戰爭：「戰爭在本質上是獸性的，毫不值得在人類的廣闊心胸中存在。現在可以看到的一種幾乎是普遍的希望和要求，就是避免戰爭。我認爲現在所用的這些方法比以前的方法都更有效。」巴甫洛夫的人道主義觀點從他的發言中便可證明：「動物試驗做的越多，病人就越少。」

巴甫洛夫的許多繼承者已經進一步確定了中樞神經系統在人體各器官的功能上所起的作用。

藥理學是科學的一支，俄國醫生在這一科學中很有成績。至於他們曾做了什麽，美國醫學會曾做了不完全的答覆。幾年前美國醫學會曾向醫生徵求舉出十種最有價值的藥品。得票最多的有下列十種：(1) 青黴素和磺胺製劑；(2) 血和血漿；(3) 奎寧；(4) 醚、嗎啡和可卡因；(5) 洋地黃；(6) 洒爾佛散（六零六）；(7) 免疫藥品、疫苗；(8) 胰島素；(9) 其他荷爾蒙；(10)維生素。

只把這個單子看一眼，便足能看出俄國科學家在發現、合成和研究這些有價值的藥物上所起的積極作用。

俄國醫生馬那塞恩(V. A. Manassein) 和波洛傑柏諾夫 (A. G. Polotebnov) 在青黴素的發現上起了不可否認的作用。波洛傑柏諾夫曾記述眞菌的藥用價值，發表在 1872 年的「醫學通報」上。假如對他們的發現曾給予適當的注意的話，人類得到青黴素的恩惠可能要早六七十年。

後來被稱爲維生素的物質是俄國科學家魯寧 (N. I. Lunin 1854—1937)發現的。魯寧的「論無機鹽類在動物營養上的意義」(1800) 論文，是世界上首先指出在食物中存在以前不知道的，但是對於生命極其重要的特殊物質，這種物質後來被稱爲維生素。這篇論文於 1881 年用德文在德國著名的雜誌上(Dorpat)發表。

洋地黃在臨床上的廣泛應用是由包特金介紹的。奎寧是在 1816 年由哈爾科夫大學教授蓋滋 (F. I. Gize) 合成的。

免疫作用的解釋和基於免疫去應用藥物，是麥赤尼可夫的特殊功績。

以輸血研究所所長布革得諾夫(A.A. Bogdanov)爲首的蘇維埃科學家，是輸血的先驅者。布革得諾夫爲挽救一名病人的生命，將自己的血輸給病人而犧牲了自己的生命。

羅曼諾夫斯基 (D. L.Romanovsky) 的功績在於爲化學療法奠定了基礎。在他的論文「論沼澤熱的寄生蟲和治療問題」中，他對比了藥物對寄生蟲的毒力作用（即所希望達到的作用），和對於機體的毒力作用（即所不希望的毒力副作用）。總之，羅曼諾夫斯基記述了20年後人所週知的所謂「親病原性」和「親器官性」作用。

科學院院士克拉爾可夫(N. P. Kravkov)是謝巧諾夫的承繼人；他創立了一個大的科學學派，改進了離體器官的血管研究方法，發現了組織因素的屍檢反應，研究了許多新藥，並改進了希盾尼麻醉法 (Hedonal narcosis)。克拉爾可夫的主要著作「藥理學原理」曾反復印行 14 次。

* * *

病理解剖學和病理生理學也是醫學的一支，許多俄國科學家曾在此部門中起了作用。

莫斯科的教授波魯寧 (A. I. Polunin, 1820—1888) 和聖彼得堡的魯得涅夫 (M. M. Rudnev) 是俄國第一代病理學家的代表。

病理生理學成爲一獨立學科比較晚，在彼得堡軍事醫學科學院方面的代表有巴舒丁 (V. V. Pashutin)，在莫斯科的有福契特 (A. B. Focht)，在敖德薩，後來又在聖彼得堡的有波維索特斯基 (V. V. Povisotsky)。

查勃洛特尼(D. K. Zabolotnii, 1866—1929)，塔拉塞維奇 (L. A. Tarasevich, 1868—1927) 和沙甫琴科 (I. G. Savchenko, 1862—1952) 是查勃洛特尼學派的代表人。

應當提一提驅療學的奠基人諾文斯基 (M. A. Novinsky)。

哈爾科夫大學的教授威索可維奇 (V. K. Visokovich, 1854—1912)，不僅是流行病學家和微生物學家，還是病理學家。1882年他在博士論文中，指出纖維細胞在贅瘤的結締組織中的作用。威索可維奇在研究中把形態學的方法和細菌學的方法結合了起來。1886年他發表了一篇題爲「論注入血中的微生物命運」論文。後來，基於他的著作的基礎上，他又創造了網織內皮系統的現代學說，這種系統在保衛機體不受傳染上起着很重要的作用。1890年威索可維奇確證了斯科夫拉 (Scrofula) 是一種結核性疾病。

我們國家的病理生理學之所以能有現代化的情況，是病理生理學工作者熱心工作的結果。他們繼承了俄國病理生理學創始人的最優良傳統，這些人是：波魯寧、巴舒丁、福契特、麥赤尼可夫、波德維索特斯基(V. V. Podvisotsky)、魯庫雅諾夫 (S. M. Lukyanov) 等人。蘇維埃的病理學在朝向加强理論原則上已經有不少成績，並已成爲臨床醫學的眞正基礎。

* * *

俄國科學家在微生物學和與微生物學有關部門中的工作是很知名的了。在這一方面最著名的是麥赤尼可夫 (1845—1916) 和岑考夫斯基 (L. S. Tsenkovsky, 1822—1887)。

麥赤尼可夫是免疫學的奠基人之一。他因爲免疫學的工作 1908 年得到諾貝爾獎金時，他的功績已經是人所公認的了。他當了教授之後，曾被迫離開敖德薩，因爲沙皇政府不給他實現科學工作的機會。1888年開始在巴斯德研究所工作。那時，他已是個全面發展的科學家了，特別是他已發表了一系列的動物學方面的論文；他在動物學上發展了達爾文的學說。1883年他發表第一篇關於細胞吞噬作用的論文。他描述細胞吞噬現象爲：機體藉着白血球和微生物做鬥爭的現象，並稱這種白血球爲吞噬細胞（見麥赤尼可夫「論機體的治療力量」）。他一次在俄國自然科學家會議上，首先指出微生物在傳染過程中的活動以及機體與微生物的交互作用，而微生物在傳染病中起主要作用。

偉大的巴斯德在微生物學發展上所起的作用是大家都知道的。應當注意的是他的最親密的同工是俄國的科學家。麥赤尼可夫當巴斯德還在世的時候，就在該所工作。從 1908 年起，一直到他逝世止。他一直任該所的助理主任。別茲列德科 (A. M. Bezredko) 和後來成爲微生物學教授的塔拉塞維奇

(L. A. Tarasevich)也曾在那裏工作。

數十名俄國醫生和微生物學家曾長期或短期在巴斯德研究所工作，在巴斯德研究所的成就上付出了他們的貢獻。研究所的第一種刊物上所發表的論文，三分之一都出於俄國醫生的手筆，別的就不必多說了。

維諾格拉德斯基 (S. N. Vinogradsky, 1857—1953) 在巴斯德研究所開始做他的研究工作。他首先證明了硫菌 (Sulpho-bacteria) 在氧化過程中的作用，後來又證明鐵菌 (Eerro-bacteria) 在氧化過程中的作用。其後他證明土壤的硝化作用包括氨鹽在硝化菌的作用下的繼續氧化，並證明這些鹽最先轉化爲亞硝酸鹽，然後轉化爲硝酸鹽。維諾格拉德斯基的發現對於農業和農學的發展有很大的意義。

巴斯德研究所在改進麥赤尼可夫的另外一思想上——微生物的對抗作用和微生物變異，起了重要的作用；麥赤尼可夫的這種思想是早在1880年提出的。

1890年法國霍亂大流行時，麥赤尼可夫爲了研究霍亂，甚至飲下一培養基的霍亂弧菌，注意到腸內除有霍亂弧菌外，還有其他微生物能將微弱病原微生物的活動加强。按照他的意見，這表明微生物的性質按照它們的生存條件而變異。他認爲微生物有「多形」(Pleomorphism)的可能性，就是微生物按照所處的環境而變異。

俄國微生物學家的其他許多發現也應當提一提：列什(F. A. Lesh)於 1875 年發現了阿米巴痢疾病原體；彼得生 (O. V. Petersen) 在 1887 年發現了軟性下疳的病原體；格里革耶夫 (A. V. Grigoryev) 在1891年發現了痢疾桿菌。

麥赤尼可夫推進了他的吞噬作用理論。他的功績在於剝去了免疫學的神秘外衣，證明免疫是生理學的一般規則。此外，在免疫學史上，他首先引人注意到神經系統在機體的保衛性反應中所起的作用。

濾過性病毒學是由俄國科學家伊萬諾夫斯基 (D. I. Ivanovsky) 創始的，這是大家都知道的事。他曾發表過一篇關於菸草花葉子病的病原體論文。

麥赤尼可夫逝世後，替代他在巴斯德實驗室工作的人是別滋列德科，他是從帝俄遷居法國的居民，以研究局部免疫聞名。

查勃洛特尼 (D. K. Zabolotnii, 1856—1929) 是微生物學家，同時也是流行病學家。他的廣泛實驗工作，包括鼠疫、傷寒、霍亂和梅毒。

麥赤尼可夫的學生伽馬利亞 (N. F. Gamaleya, 1859—1949) 在微生物學上的工作是多方面的。19世紀90年代，他首先記述了微生物的自溶現象。他稱促進這種現象的物質爲溶菌作用。1898年伽馬利亞發現了一種消滅細菌的特殊物質，並稱之爲「溶菌素」。現在稱這種物質爲噬菌體。伽馬利亞設計了一種抗人類霍亂的疫苗，改進了一種抗霍亂方法，並總結了抗霍亂傳染的豐富經驗。此外，他還傳授了許多學生。

布盧斯基 (P. F. Borovsky) 對中亞細亞利什曼原蟲病病原體的傳佈進行了寶貴的研究。他是在世界文獻上首先記述利什曼病原體的人，認爲它不是細菌，而是原蟲。他的研究結果，發表在 1898 年的「軍事醫學」雜誌上。

許多俄國醫生和微生物學家的特點是自我犧牲。

18世紀末，薩穆伊羅維奇做出了範例，以後的許多俄國醫生都遵循着他的脚步。爲了解决鼠疫流行病的懸而不决的問題，他用自己做試驗。

以後的數十年裏，俄國醫生曾一再用自己做試驗。

1874 年 4 月 25 日敏霍 (G. N. Minkh, 1836—1896) 給自己接種了回歸熱病人的血液，並感染了回歸熱，從而證明病是經過病人的血液傳染的。

在敖德薩市醫院工作的莫楚托夫斯基 (O. O. Mochutkovsky, 1845—1905) 於 1876 年 3 月10日將傷寒和回歸熱病人的血接種在自己身上。

由於這種英勇的試驗，莫楚托夫斯基和敏霍證明了回歸熱、傷寒是由吸血昆蟲媒介傳染的。

1892 年 7 月18日哈夫金 (V. M. Khavkin, 1860—1930) 在自己身上成功地試驗了自己設計的抗霍亂疫苗。由於皮下受了活霍亂弧菌的感染，而使他發燒至38度，並在接種部位感覺疼痛。但在幾年後，數萬人接種了霍亂疫苗。哈夫金在印度創建的實驗室，後來成了一座研究所，並以他的名字命名。

1893年査勃羅特尼和沙甫琴科曾做了一系列的試驗，口服了有毒的霍亂弧菌以使自己免疫。他們是最先試驗腸內接種以抵抗霍亂的可能性的人，由是爲局部免疫的應用奠定了基礎。

上面已經談到1892—1894年歐洲霍亂流行時，麥赤尼可夫曾到流行的地方去，試圖給各種動物感染霍亂。由於這種試驗毫無結果，他於是用自己做試驗。他先用小蘇打（酸性炭酸鈉）中和了胃液，然後飲下一培養基霍亂菌；但這樣並沒有感染霍亂，因此，就引起關於霍亂弧菌的特異性問題。他在一位同事身上再做試驗，仍沒有引起疾病，只是當另外一位同事飲下較老的培養基時，發生了急性霍亂的症狀，但並未引起致命結果。由此證明了霍亂弧菌在亞細亞霍亂的病原學中的特異性。

1881年麥赤尼可夫也用自己做了回歸熱的傳染試驗。

俄國醫生的另外一種由來已久的傳統是在抗傳染病和流行病上幫助別人。

例如俄國微生物學家兼傳染病學家沙甫琴科和哈夫金曾在印度流行鼠疫和霍亂時，在印度工作，這是大家都知道的。1896年威索可維奇在印度參加國際抗鼠疫遠征隊。1897年查勃羅特尼參加了俄國派遣到印度和阿拉伯的抗鼠疫遠征隊。1898年查勃羅特尼出發到美索不達米亞、滿洲、東蒙古和中國去抗鼠疫。

蘇維埃的醫生繼承並鞏固了這些俄國微生物學家的傳統。蘇聯抗流行病的成果，在相當的程度上，是由於微生物學家的成就。

* * *

俄國臨床醫學的發展是與生理學緊密聯繫地。臨床醫學的各部門都發展了生理學的和官能的方向，其特點是以機體是一個整的統一體，並與環境相統一，神經系統起主導作用做爲基礎。所謂細胞病理學，把病理過程視爲局部過程，是狹隘而不全面的。

俄國臨床家和醫生的通力合作改進了並確證了神經主義的理論；神經主義這一名稱，按照巴甫洛夫的看法，應當了解爲神經系統的影響範圍擴及人體最大多數器官。

還在巴甫洛夫以前，俄國的臨床家們就認爲神經系統起主要作用。還在1833年莫斯科大學的嘉吉可夫斯基（I. E. Dyadkovsky, 1784—1841）就寫道：「一切系統和器官，甚至循環系統，都完全依靠神經系統。」

臨床醫學中在神經理論上最傑出的人是包特金（S. P. Botkin, 1832—1889）。包特金的實驗室爲俄國的實驗藥理學、治療學和病理學奠定了基礎。這個實驗室是我國最大的醫學研究機關和實驗醫學研究院的搖籃；實驗醫學研究院後來成爲1944年醫學科學院及其所屬的許多研究所的基礎。包特金的見解發表在其曾先後出版三次（1861, 1866, 1875）的論文「內科病的療程」和其學生所記錄的以及出版的關於他的35次講演中（包特金教授的臨床講演，1—3版，1885—1891）。

包特金以嚴格的科學研究反對粗陋的經驗主義。俄國醫學在認爲機體是一整體，並與外在環境有不斷的交互作用的同時，在生理學和臨床醫學中，建立了機體的相互關係藉着神經系統的反射機轉和其與環境相統一的原則。這種原則在方法論上和實際意義上極爲重要。

包特金臨床學派的機體與環境的交互作用的概念，來自謝巧諾夫的教論。

1886年謝巧諾夫寫道：「機體和環境是不可分的。」包特金發展了這種思想，他說：「對疾病的了解是與其環境不可分的，環境或是直接地或是間接地通過其近祖或遠祖影響於機體。」

俄國的科學家從機體與環境相統一，以及神經系統在機體中起主要作用出發，大多數的俄國科學家否定了維爾嘯的細胞病理學說。維爾嘯過高地估價了細胞的作用，把細胞看成是生命的基本的和自主的單位。

1860年年輕的謝巧諾夫在博士論文的結論中寫道：「細胞病理學把理論建築在細胞獨立於機體之內，或至少是把理論建築在細胞獨立於環境之內，這在原則上是錯誤的。這種學說無異於是生理學的解剖方向的極端發展」。

巴甫洛夫指出病理解剖學本身不能做出全面的分析，不能對疾病過程的機轉有全面的了解；因此，它是一種粗陋的方法。謝巧諾夫和巴甫洛夫的研究否定了維爾嘯細胞病理學的原理。

其他許多俄國科學家的論文，也批判了維爾嘯的細胞病理學，其中可以提一提的有：季米里亞茨夫（K. A. Timiryazev）、阿里斯托夫（E. F. Aristov）、麥赤尼可夫、彼洛郭夫、奧斯特洛屋莫夫（A. A. Ostroumov）和魯得涅夫（M. M. Rudnev）。

由此可見，對於細胞病理學的否定態度，並不是一個因果現象，而是從基本的前提出發的。

醫學中神經發源的理論基礎是承認神經系統在人體中的作用，不單單從解剖構造和局部解剖變化的觀點出發去研究人類的健康和疾病，主要還從所有系統和器官與其環境的一般生理聯繫出發。這種理論前提已證明很有效果，並決定了臨床家在病床前的操作。

神經發源的理論不僅已證明對治療學有有利的影響，也對外科、皮膚科、小兒科、以及其他許多臨床醫學科目有有利的影響。

巴甫洛夫在1900年第十三屆國際醫學會議上做了一個報告，題目是「實驗療法是新的極爲有效的生理學研究方法」，其中明確地提出了臨床家所面臨的問題。他的報告決定了臨床家在工作中遵循生理學方向的可能性與發展。

俄國臨床思想的另外一個特點是注重預防疾病。

因此，19世紀初，莫斯科大學的教授和治療學家穆得洛夫(M. Y. Mudrov)曾指出預防疾病對於醫生的重要性。「使人民健康，保衛他們免於遺傳的或疾病的威脅，使他們有正常的生活方式，對於醫生來講，是既妥當又安全的；因爲預防勝於治療，醫生的主要職責就在此。」

另外一位傑出的臨床學家兼莫斯科大學教授查哈林（G. A. Zakharin）也注重預防醫學的巨大意義。他在一個會議上講道：「我們認爲衛生學不僅是醫學教育中的必須部分，而且還是其中最重要部門之一，即使不是每名實際操作醫生最重要的職責的話」。

在沙皇統治的條件下和資本主義的條件下，臨床醫學家的正當而合理的要求並不能永遠如願。使這些要求得以實現是蘇維埃臨床學家的任務。

蘇維埃臨床學家在臨床醫學各部門中發展了生理學的方向和官能方向。這種方向使醫生朝向疾病的早期診斷，同時注意早期的官能變化，並要求早期的有效治療。

俄國的生理學史和臨床醫學史揭示出在200年前所孕育的豐富思想曾怎樣被俄國科學家的共同努力所改進，並創造出一整體的見解和治療預防方法，從而奠定了蘇維埃醫學的基礎。

* * *

19世紀上半葉，俄國的外科學已經高度發展。同時，解剖學也在發展，慢慢地成爲醫學的一個獨立部門。沙郭爾斯基（P. A. Zagorcky, 1764—1845），曾在聖彼得堡外科學院工作，創建了俄國的第一個解剖學派。第一本用俄文寫的外科教科書原著的人是布什（I. F. Bush, 1771—1845），他曾和沙郭爾斯基一起在聖彼得堡外科學院工作；他是外科學派的創始人。布什的學生中，後來成爲教授的有：伽耶夫斯基（S. F. Gaevsky）、維索特斯基（N. F. Visotsky）、薩文科（P. N. Savenko）、薩羅蒙（K. K. Salomon）等人，其中最出色的是布查爾斯基（I. V. Buyalsky, 1789—1866）。布查爾斯基的「外科解剖圖解」(1828)，敘述在大動脉管上應用縛線。他的「人類腎臟動靜脉的燒灼圖解」，從書的全面和正確性上看，是罕見的作品。

布查爾斯基的外科解剖圖解，第一卷於1828年出版，在俄國受到普遍推許，並聞名於國外。該書出版後一年，便被譯成德文出版。這部圖解得到美國的好評。美國有名的外科學家瓦倫（John Collins Warren）寫信給布查爾斯基說道：「我們已經從我們可敬的朋友亞利里塞·伊耶夫斯提非耶夫（Aleksei Yevstifeev）那裏收到您的優美的科學作品「論大動脉的手術」，這裏僅表示我們的謝意；這證明俄國科學的繁榮。我們在波斯頓醫院常在大動脉上（頸動脉、髂動脉和鎖骨下動脉）施用縛線。我們一直缺少一種出版物幫助我們做實驗，而您的著作眞是恰得時機，因爲您的動脉圖解比迄今所刊行的書都好。」

這時候，外科醫生和解剖學家，彼洛郭夫的學生穆新（E. O. Mukhin, 1766—1850）開始在莫斯科大學活動。他發表了「解剖學教程」、「正骨科學的起源」等著作，並提議採納俄國的解剖學名詞。

彼洛郭夫（1810—1881）在19世紀的醫學中佔有最高的地位。他的成就遠遠地超出外科學和解剖學的界限。

巴甫洛夫談到彼洛郭夫在俄國醫學中的作用時說道：「他以天才的銳敏眼光，自開始從事外科學起，就發現了這門科學的自然科學的基礎，也就是正常解剖學和病理解剖學的基礎，以及生理實驗的基礎；並在短時間內，就在此基礎上有了不可泯滅的成就，從而使他成爲這門科學的奠基人。」

由於彼洛郭夫的科學研究，而為一門新科學，即外科解剖學創立了基礎。使這門科學合理地應用到手術的操作上去，用實驗的方法解決外科上的問題，用生理學和病理學的觀點對臨床事實做更嚴密的科學的研究，這一切使彼洛郭夫給外科學創造了解剖生理學的方向。

彼洛郭夫寫了一系列淵博的實驗的生理學著作。他和伊諾微姆斯基（F. I. Inozemsky）、費洛馬非特斯基合作，用實驗科學地證明了醚的功用，以後又在 1847 年首先證明了氯仿麻醉，並於高加索戰役中在野戰醫院廣泛地使用麻醉法。

彼洛郭夫的「實用人體解剖教程」圖譜，對於外科的發展有很大的意義；彼洛郭夫在這本書中，首先根據人體結構的系統研究，去從事外科措施。

彼洛郭夫和其他臨床家一樣，在其「一般野戰外科學基礎」一書中，表示相信神經的理論和機體是相互聯繫的。

彼洛郭夫和其他臨床家一樣，也是一個預防醫學的信奉者。他寫道：「未來是屬於預防醫學的時代」。這話已經成為一種預言，而且正在蘇聯成功地實現着。

他是第一個介紹用石膏夾的人，也是第一個給腳行骨成形術的人。這種今日每位醫生都曉得的手術，早在 100 年前（1854）他便在軍醫雜誌上描述了。他在發現和證明外科學上的一種新原則上有功。他寫道：「手術的功績不在於截肢術，而在於骨成形術；成形術無疑證明了這樣一個原則：一塊骨在與軟組織相結合時，可以很快地和另外一塊骨長在一起，使肢體的長度和功能恢復。」

他的手術得到了世界的贊許，並成為改進骨成形術的鼓勵力量。

他在野戰外科上有特殊的功績。他的成就是根據 1854—1855 年塞瓦斯托波里（Sevastopol）戰役中的豐富經驗，以及後來的戰役的經驗（如「一般野戰外科基礎」，1864—1866；「保加利亞戰役中的軍事醫學和特別救助」，1879）。

他給軍事醫學奠定了科學基礎。在戰爭條件下他所改進的組織救助傷病員的原則，曾全部地或部分地得到世界所有軍隊的公認。

他曾建議組織戰傷救護，他是根據這樣的主張而提出的：「經驗告訴我，為了使野戰醫院效果良好，需要的不是多變科學的外科和醫療技術，這和經營商業不一樣。」

他的活動不只限於外科，他對醫學其他部門的影響也很大；如病理學，他曾根據自己在 1848 年俄國霍亂大流行時親手做的數千屍檢寫成「亞細亞霍亂的病理解剖」。可以公正地稱他為營養療法的奠基人。他在肺癆學、衛生統計學、流行病學、以及其他醫學科目上都有重要的貢獻。

以後數十年裏俄國所有的醫生都可以說是彼洛郭夫的學生。

雖然在彼洛郭夫以後，外科學發展到防腐的階段，但他的工作仍然保持着豐富的意義。俄國外科學繼續在彼洛郭夫所奠定的解剖生理學的基礎上發展着。外科學家斯克里弗索夫斯基（N. V. Sklifosovsky）、嘉可諾夫（P. I. Dyakonov）、保伯洛夫（A. A. Bobrov）、斯彼滋哈尼（I. K. Spizharnii）、科羅姆寧（S. P. Kolomnin）、納西羅夫（I. I. Nasilov）、布得干諾夫斯基（E. I. Bodganovsky）、薩伯包丁（M. S. Subbotin）、威爾雅米諾夫（N. A. Velyaminov）、拉斯莫夫斯基（V. I. Rasumovsky）等人都是彼洛郭夫的忠實繼承人，並在新的防腐和無菌的條件下發展了他的教導。

他不僅對數代的外科醫生的成長影響很大，而且對俄國的普通醫生有很大的影響。特別具有巨大意義的是他號召醫生應當公開地承認自己的錯誤。他寫道：「在我的『臨床外科教程』中，我公開地說，臨床教員的主要品質在於坦白和無私，需要他在自己的學生面前承認自己的錯誤和失敗。」

巴甫洛夫在談到彼洛郭夫時說道：「做為一個教授來講，他的第一種成就是出版了『臨床教程』一書，這本書在某種程度上，是一部無可匹比的著作。他對自己和自己的著作的無情批評，很難在其他醫學文獻中找到。這底確是一種偉大的品質！當醫生站在把生命交在醫生手中的病人床側和自己的學生面前時，唯一的救助，唯一的道德就是眞理，質樸的眞理。」

蘇維埃時期的外科史證明蘇維埃的外科家是彼洛郭夫的學生和繼承人。儘管學派不同而有所差異，但蘇維埃的外科家如德然涅里德滋（I. I. Dzhanelidze）、布爾金科（N. I. Burdenko）、尤金（S. S. Yudin）、維什涅夫斯基（A. V. Vishnevsky）、斯巴索

古可特斯基 (S. I. Spasokukotsky)、馬爾提諾夫 (A. V. Martinov)、赫爾岑 (P. A. Hertzeu) 等人，在工作上一直從彼洛郭夫的路綫出發，並用從謝巧諾夫和巴甫洛夫的教導中所得出來的結論做補充。

* * *

產科學是自民間經驗來的一種科學。18世紀末俄國出現了第一批產科醫生。第一部俄文原著的產科教科書〔助產技術〕，有五卷之多，作者是馬克西莫維奇——阿姆勃吉克 (N. M. Maksimovich-Ambodik)，於 1784—1786 年出版。

19世紀俄國婦科和產科的代表有：斯涅吉列夫 (V. F. Snegirev, 1847—1916)、古巴列夫 (A. P. Gubarev, 1855—1931)、克拉索夫斯基 (A. Y. Krassovsky, 1821—1898) 等人，對婦產科的各門都有貢獻。例如斯涅吉列夫反對濫施婦科手術，努力設法用不流血的方法去治療婦女病。斯涅吉列夫的基本手册〔子宮出血〕，曾反復出版四次，並譯成許多種外國文。

莫斯科的教授費拉托夫 (N. F. Filatov, 1847—1902) 在小兒科方面享有盛名。他的專論：〔兒童疾病的症狀學和診斷學〕、〔兒童的傳染病〕和〔臨床講演〕，曾訓練了許多代的兒科醫生。費拉托夫所確定的痲疹早期症狀，在文獻上以費拉托夫——考伯利克症狀著名。後來被稱爲費拉托夫——丢克氏疾病第四病的猩紅熱樣紅疹，是首先由費拉托夫在關於兒童疾病講演中所描述的。

費拉托夫的教科書，連同日文譯本在內，共被譯成 11 種外國文。

軍事醫學科學院的教授古賓賓 (N. P. Gundobin, 1860—1908) 曾創建了一兒科學派。他認爲兒科工作應當以兒童身體的解剖生理的正確知識爲基礎。

古賓賓的基本著作〔兒童時期的特異反應〕，在 1906 年出版，這書是他和他的許多學生的工作成果。古賓賓在所有的著作中，都強調兒科學和教育學之間的緊密聯繫，並堅認每一名兒科家應當也是位教師。

應當提一提兒科學家特洛伊斯特斯基 (I. V. Troitsky, 1856—1923)，他對腮腺炎很有研究，他與俄國和外國的許多作家意見不同；他證明了流行性腮腺炎的流行性質，否認那種把腮腺炎看成是一種局部疾病的說法。1891 年在羅馬舉行的兒科會議上，特洛伊斯特斯基曾做了〔俟非斯域第一位兒科學家索蘭納斯 (Soranus)〕的報告，叙述了這位偉大的羅馬兒科學家，並列舉了他的功績。特洛伊斯特斯基的著作曾以書的形式在俄國出版。

在沙皇俄國統治的條件下，俄國產科和兒科學家的許多進步而合理的要求不能得到實現。在我們社會主義國家裏，人民的福利、母親和兒童的利益超出一切，這些願望才得以實現。國家爲保護母親和嬰兒健康所建立的制度，已經科學地得到了保證，特別是被傑出的俄國兒科學家的工作所保證。

* * *

談到神經病理學和精神病學史時。首先應當提一提可什夫尼可夫 (A. Y. Kozhevnikov, 1836—1902) 和考爾薩可夫 (S. S. Korsakov, 1854—1900)。

可什夫尼可夫是莫斯科神經病理學派的奠基人。他描述了癲癇的特别種類，稱爲可什夫尼可夫氏癲癇。

1879 年舉行的國際醫學會議决議把多發性神經炎性精神病冠上莫斯科教授考爾薩可夫的名字，因爲他是第一個描述這種疾病的人。

意大利著名的精神病學家斐拉利 (Ferrari) 氏在聽到考爾薩可夫逝世的消息時寫道：〔考爾薩可夫的名字將永遠活在他的同胞的記憶中，因爲他人性淳厚。他之對於俄國，恰如西奥廬吉 (Cioruggi) 之於意大利，彼內爾 (Pinel) 之於法蘭西；這就是說，他是第一位使人懂得瘋人是病人，是需要治療的人……。所以，他的功績在於他組織了現代化的俄國精神病醫院。〕

應當注意的是即使他不是第一名，也是在世界科學家中最先反對精神病患者減絕生育的人其中之一。

別契列夫 (V. M. Bechterev, 1827—1927) 院士對於神經病和精神病的研究有很大貢獻。別契列夫的科學活動是多樣而豐富的。他寫了約六百種科學著作，其中包括 12 種專論。別契列夫的形態學研究收集在一本叫做〔腦和脊髓的傳導路〕的著作中，這本書在 1893 年出版。

數十個神經中樞和神經症狀都以別契列夫的名字命名。他的巨著〔腦功能的基本研究〕，從1903年到 1907 年分七次出版，直到今日仍有其科學價值。別契列夫有 150 多種關於臨床研究的著作。

波洛傑柏諸夫 (A. G. Polotebnov, 1839—1907) 是俄國皮膚科之奠基人。他批判那些把皮膚病看成是局部過程的皮膚科學派的理論，他們認爲皮膚病的原因是［素質和惡病質］。波洛傑柏諸夫認爲這兩種理論完全沒有根據，提出了並證明了他自己的理論。他遵循着包特金的脚步，發展了皮膚科中的神經理論，並證明了神經系統的作用，以及神經的疾病在皮膚病之發生和發展中的作用。波洛傑柏諸夫的臨床著作彙集［皮膚科研究］（聖彼得堡 1886—1887），其中反映了一種新的皮膚病觀念，這部書變成了皮膚病學家的手冊。

*　　*　　*

波洛傑柏諸夫和俄國其他的皮膚病家〔如他的學生斯圖可文可夫(M. I. Stukovenkov)、尼古爾斯基 (P. V. Nikolsky)、傑列涅夫 (I. U. F. Zelenev) 等〕，是皮膚科走向生理方向的帶頭人。他們證明在皮膚病和內臟疾病與神經系統之間有緊密的聯繫。

聖彼得堡軍事醫學科學院的教授塔爾諾夫斯基 (V. M. Tarnovsky) 在梅毒的研究上起了重要的作用。他和他的學生合著了一篇關於遺傳性梅毒和惡性梅毒，以及抗梅毒的社會措施的原著。

麥赤尼可夫用動物做實驗研究，證明有可能獲得一種減弱性梅毒病毒 (1903)，是性病學研究的發展中一新階段。

1887 年俄國醫生彼得生 (O. V. Petersen) 發現了軟性下疳的病原菌——鏈桿菌。

竇柏洛斯拉文 (A. P. Dobroslavin, 1842—1889) 和愛利斯曼 (F. F. Erisman, 1842—1915) 是俄國革命前衛生學的著名代表。竇柏洛斯文致力於公共營養的組織，改進市區的水供應、抗流行病、學校和醫院衛生。

竇柏洛斯拉文的著作［公共衛生教程］（聖彼得堡 1882—1884)、［軍隊衛生教程］(1885—1887) 等，至今仍是有價值的教科書。

愛利斯曼研究衛生學的特點是把實驗和統計的方法與社會經濟聯繫起來。他的［公共衛生］一書曾用六國文字出版。從 1879—1886 年七年中，在愛利斯曼的監督下，徹底地調查了莫斯科市區一千多企業的衛生。調查揭露了莫斯科市區整個企業的衛生情況，工人的工作和生活條件，以及這些條件對他們的有害影響；並十分正確地在公眾面前提出了改進工人的工作和生活條件問題。這個調查材料曾以 19 卷之多出版。

愛利斯曼的三卷關於衛生學的教科書，曾做爲俄國好幾代醫生的手冊。

1861 年農奴改革以後，俄國的醫生組織了大眾形式的醫學。所謂地方自治局醫學，是當時一種進步現象。

地方自治局醫生中湧現出許多臨床家和衛生醫師。應當特別注意地方自治局醫生在爲農民服務上的成就。地方自治局醫學的創造，使醫學能以傳入鄉村，並給農民以救助。

地方自治局醫生在衛生統計方面的工作是很成功的。他們設計了一種公共衛生的新而有價值的統計方法。庫爾金 (P. I. Kurkin) 和其他俄國醫學統計家在國外也很出名，曾在 1917 年德雷斯頓 (Dresden) 的世界衛生展覽會上引起普遍的注意。

地方自治局醫生的許多思想和願望，只有在蘇維埃政權時期，在新的社會制度下，才能實現。

至於蘇聯的醫學史，則是另外一個專題，希望在以後的國際醫學史會議上，蘇聯醫學史家能報告這個題目，並進一步闡述俄國醫學的成就；由於時間的關係，這個報告沒有能够這樣做。

（馬堪溫譯）

蘇聯皮膚病性病學歷史

原著者: Н. М. Туранов С. М. Гитман

我國皮膚性病學在1869—1870年以前是屬於外科學和內科學的組成部分，而且在發展上還大大落後於外科學和內科學。然而就是在這個時期，俄羅斯皮膚性病學，儘管是在西歐學派的影響下受着他們的學說和思想的限制，但是由於俄羅斯先進醫師們的工作，仍舊指出了自己的發展道路和方向。

在18世紀後半期俄羅斯的學者們，關於皮膚病學和性病學的各種問題，有了一系列的專門著作問世，作出了以下這些創始的研究：在1764年С. Г. Зыбелиный氏作了關於藥用皂及其對皮膚的作用的研究；在1765年П. И. Погорецкий氏研究了關於潰瘍的治療。1776年一等軍醫Степан Веневчанский氏寫了一本關於梅毒的預防及治療的專著，1782年Н. Я. Одерецковский氏和Д. Я. Писчеков氏提出了疥瘡的新治療方法。

這些材料推翻了許多外國「學者」——醫學史捏造者的讕言，他們說是在俄羅斯的皮膚病學界中沒有過獨立的研究。

俄羅斯的科學皮膚性病學，在自己的發展中，走着創始的道路。在俄羅斯，這一門科學的廣泛發展是始於上一世紀的60年代末及70年代初，那時，就是在1869年在莫斯科大學及1871年在聖彼得堡外科醫學院內奠定了皮膚性病學講座的基礎。俄羅斯皮膚性病學，由於有了В. М. Тарновский, А. Г. Полотебнов及А. И. Поспелов這些俄羅斯皮膚性病學派的創始人的工作，而穩步地開始了獨立的創造性的道路。

俄羅斯皮膚性病學派的特點是它的臨床方向。А. Г. Полотебнов氏寫道：「在皮膚科中，直到如今爲止，研究的只是疾病，而患着這種疾病的病人則尙有待於全面的研究。」М.И. Стуковенков氏發展了他的老師Полотебнов的思想，他認爲：皮膚科的目的及任務「在於藉現代科學的一切手段之助，正確地研究病人整個機體的狀態和病人皮膚之間的相互關係。」上述的觀點乃是醫學中的新學派的表現，這種觀點在謝巧諾夫、包特金及巴甫洛夫的學說影響下得到了發展，而他們這些人的世界觀又是受了革命民主主義思想、俄羅斯40—60年代先進的社會運動、赫爾岑、別林斯基、車爾尼雪夫斯基、杜布洛柳波夫這些人的哲學的影響的。

這些卓越的俄羅斯人的進步思想鋪平了自然科學中唯物主義研究的道路。謝巧諾夫、巴甫洛夫、包特金、皮羅果夫、門德烈夫、別赫切列夫、札哈林、奧斯特洛烏莫夫、穆德洛夫及其他許多人的偉大發見證明了，儘管是在沙皇制度的艱難條件下，俄羅斯科學思想也是富有成果的。

先進的俄羅斯學者的科學活動的特徵是：科學與實際相聯繫，對於保健組織問題的關心，和俄羅斯醫學科學的鮮明的羣衆方向。

俄羅斯學者將機體視爲「整體」這種有科學根據的原則，對醫學給以極大的裨益。「從人體與其周圍自然界的相互關係上來研究人體及其周圍的自然界，藉以預防、治療或減輕疾病，這構成了人類知識的一部門，這一部門知識總稱之爲醫學。」（包特金氏語）。這個關於醫學的先進定義，雖然還沒有把社會環境因子對於人體的作用包括進去，但是仍舊是包特金學派及其在皮膚病學中的弟子Полотебнов氏的科學活動的內容和綱領。這就是，爲甚麼沒有理論根據的法蘭西和維也納皮膚科學派的思想不能在俄國發展的原因。

Полотебнов氏是我國皮膚梅毒科的創始人。貫穿着包特金學派的觀點，Полотебнов氏是有別於維也納和法蘭西的皮膚科學派的，他認爲皮膚病是與中樞神經系統及內臟有聯繫的，而且他抱定目的不去研究疾病，而是研究疾病所由發生的基地。基於客觀研究方法的臨床觀察獲得了成績；從他所領導的外科醫學院發表了許多研究的原著，這些著作證實了Полотебнов氏所提出的理論。

在莫斯科大學，將皮膚性病作爲獨立的學科來講授是開始於1864年，由 Н. П. Мансуровый 氏主講。但是事實上莫斯科皮膚病學派的創始人是 А. И. Поспелов 氏，他的科學活動亦是貫穿着 Полотебнов 氏的思想。Полотебнов 氏的彼得格勒學派和 Поспелов 氏的莫斯科學派造就了許多專家，事實上就成爲俄羅斯的科學皮膚病學的中心。我國性病學的創始人之一 В. М. Тарновский 教授也曾起過很大的作用，他在1871年在外科醫學院內把梅毒學由外科講座中分離出來，創立了梅毒學的獨立講座。靠着短期間內進行的一系列實驗工作，他和他的門人檢查了一元論者和二元論者提出的爭執問題，大家信服了後者的觀點的正確性，而在我國開始宣傳這種觀點。由於 В. М. Тарновский 氏的關係，「俄羅斯性學沒有經受得住二元論和一元論擁護者的爭論。」（Мещерский 氏語）。

被 Тарновский、Полотебнов 及 Поспелов 氏所創立的皮膚性學派有着許多繼承者及門人。其中有很多人（Стуковенков、Никольский、Зеленев、Кульнев、Т. Павлов、В. Иванов、Яковлев、Пететсен、Главче、Мещерский、Боголепов 等氏）在皮膚性病的歷史上增補了不少有價值的材料。我國學者的很多發現由於崇拜外國學者的緣故而被遺忘了。應該憶起他們並給以充分的估價。從無數的事實中，此地略提幾個，如首先在歐洲應用昇汞注射法治療梅毒的人是 Коноплев 氏(1866)，而並非是 Левин 氏；而 Тарновский 氏（1867）遠在 Видаль 氏及 Раво 氏工作之前，即已着手研究中樞神經系梅毒；Г. Смирнов 氏（1886）及 Прохоров 氏（1887）即已開始從事於梅毒的大批治療；Лнц 氏（1895）論證了汞性口炎的發病機轉，而 Тарновский 氏（1900）創立了梅毒重複感染的學說。И. И. Мечников 氏（1903）用猴子作實驗，開闢了梅毒實驗研究的廣闊前途。而 Заболотный 氏確立了狒狒對於梅毒的易感受性，擴大了梅毒感染實驗研究的可能性。Зеленев 氏（1905）是許多研究者中第一個注意到蒼白螺旋體形態學上的特性。Никольский 氏（1909）首先發表了汞製劑注射後的深壞疽發生機轉的假設，後來被他的門人 Кожевников 氏在動物身上證實了（1924）。

Шерешевский 氏（1909）首先研究得到蒼白螺旋體純培養的方法；Иващенцев 氏（1912）記述了在反覆注射胂凡納明製劑時所發生的血管神經綜合病徵而稱此情形爲類過敏現象。軟性下疳病原的發現不是 Ducrey-Unna，而是 Петерсен 氏（1889），Истаманов 氏及 Акопянц 氏（1897）首先得到鏈桿菌的純培養。由於我國學者的這些發現，最後，終於解決了一百年來硬性下疳及軟性下疳異同的爭論，而在軟性下疳的預防及有效的治療方法的研究上開始了科學研究的道路。

俄羅斯研究者在皮膚病學方面亦得到巨大的成就。Годнев 氏在實驗上證明了（1878）：日光能夠深深地透過皮膚；Маклаков 氏基於成功的實驗，在芬森氏的發見以前就預言了(1884)將來光療的廣泛應用。Вельяминов 氏是在俄羅斯應用芬森氏光綫療法的開路先鋒，他說明用此法治療皮膚病的作用機轉。Манассеин 氏(1871)、Полотебнов (1872)及 Лебединский 氏（1877）研究了綠黴菌及其對皮膚及某些皮膚病的作用，是青黴素發明的先驅。Степанов 氏在天竺鼠身上首先實驗地得到了硬鼻病(1893)。Минх 氏（1890）在臨床上區別了麻風與白癜風。Иванов 氏及 Кедровский 氏（1911）證明了麻風可以在動物身上接種。Соколов 氏（1895）發現多毛症（Волосатик）的原因，Боровский 氏（1895）發現皮膚利什曼病的病原，而證明其屬於原蟲類。

我國研究者在皮膚性病學方面的成就還可以舉出很多，但是用上面所舉的例子已足够說明俄羅斯學者在我國及世界皮膚性病學發展上所起的作用。

在偉大的十月革命以後，我國皮膚性病學在發展的成功上，得到了無限的可能性。

實行了列寧——斯大林關於理論與實際聯繫的論題，蘇維埃皮膚性病學致力於發掘性病的社會根源，解釋原因不明的皮膚病的發病機制，並在這些基礎上研究治療及預防這些病的新的有效的方法。勞動人民的保健工作是國家的事業，成爲黨和政府注意的中心。爲了培養幹部，開辦了許多的高等醫學校；其中，設立了皮膚性病講座；而在好多城市中開辦了醫師進修學院；在大工業中心開辦了皮膚性病研究所，成爲防治皮膚病及性病的科學組織中心。

在這些研究所中，一方面培養性病科醫務幹部，同時還進行許多科學研究工作。在蘇聯，皮膚及性病學之所以得到發展及巨大的成就是由於靈巧地將臨床研究方法和社會統計研究方法結合起來，由於研究機體的反應，由於對病人及其周圍的外界環境進行全面調查，同時應用各種形式的檢驗室的實驗研究所致。

蘇維埃皮膚性病學者的一支龐大隊伍積極地工作着，創造性地發展了蘇聯科學，並用一切方法鞏固其與生活之聯繫，把科學研究工作和組織工作、方法指導工作和社會羣衆工作結合起來。

一些巨大的理論及實際問題成爲蘇聯皮膚性病學者注意的中心，這些問題被蘇維埃年代中成長起來的、由列寧斯大林黨所教養出來的科學家們成功地解決着。

在許多皮膚性病研究所及教研醫院——全蘇實驗醫學研究所附屬醫院皮膚科、列寧格勒皮膚性病研究所（О. Н. Подвысоцкая 氏），Обух 研究所附屬醫院皮膚科、中央皮膚性病研究所、烏克蘭皮膚性病中央研究所、莫斯科第二醫學院附屬醫院皮膚性病科等——都在用機體完整性和神經論的觀點，並且估計到外界環境諸因子的影響，對皮膚科問題進行着成功的研究。

蘇聯皮膚科學者提出了許多新的研究法，尤其是關於中樞神經系在皮膚病發生上所起的作用這一方面。

由 О. Н. Подвысоцкая 氏領導的皮膚病學派證明了：在濕疹的發病機制上，皮膚神經受器的適應能力失調起着重大的作用。該學派提出了治療皮膚病的新原則，即應用藥物及各種方法，使之作用於機體的一定機制（所謂治療的病理生理階段），並且提出了皮膚病的功能診斷問題，以便查明其發病機制並擬定有科學根據的治療方法。

對於職業性皮膚病在革命前並未予以應有的注意。這一方面的研究只是在偉大的十月社會主義革命以後才開始。

在蘇聯，初次對於職業性皮膚病的發病機制、治療和預防，進行了廣泛的科學研究。此種研究對於我國逐年增長的工業有了極大的幫助（Н. С. Ведров、А. П. Долгов 氏）。

蘇聯學者在膿皮症的理論研究、治療和預防方面得到了巨大成就，尤其是對於所謂慢性膿皮症，此種膿皮症在皮膚科中是一個新的問題，蘇聯皮膚病學者對它作了幾近全面的研究（Н. А. Черногубов 氏等）。

由於在膿皮症的防治方面進行了預防及治療的措施，顯著地減少了所謂生產部門的膿皮症，並且大大縮短了膿皮症患者喪失勞動能力的平均日期。

皮膚結核，在沙俄時代幾乎是不曾被注意過。但是在蘇維埃政權下，在莫斯科、列寧格勒、敖德薩、斯維爾德洛夫斯克及其他城市設立的專門科學研究機構（狼瘡防治站）中進行着研究。

蘇聯是世界上唯一的對於皮膚結核進行有計劃、有組織的防治工作的國家。促進這種防治成功的是，在很多醫院中設立的專門科系、廣泛分佈的大型專門住院部、各大工業中心城市的皮膚結核門診所、以及在雅爾達和卡斯脫波里等地的特殊療養院。

蘇聯皮膚黴菌病學亦得到顯著的成功。Н. А. Черногубов 教授在烏克蘭皮膚性病中央研究所五十週年紀念會上（1939）作了關於皮膚癬菌病問題的報告，他在結語中說道：「總而言之，我們一點也不誇大地說，蘇聯皮膚黴菌病學已經登上了世界科學首位之一。」

在蘇聯，對於皮膚黴菌病問題給以很大的注意：在 1929 年，第三次全蘇性病科代表大會上，皮膚黴菌病列在討論問題的項目之內；1936 年在莫斯科，舉行了全蘇黴菌病學會議，討論了關於皮膚黴菌病防治工作的組織問題；在 1939 年烏克蘭皮膚性病中央研究所的會議研究了皮膚黴菌病問題。在皮膚黴菌病學上，蘇聯學者作出了許多新的貢獻。1928 年由 Черногубов 氏提出的防治所工作方法大大地促進了在這一方面所獲致的成就。蘇聯學者反駁了 Сабуро (Sabouraud) 氏關於各種黴菌具有獨立性的學說，不容置疑地證明了它的形態學及生物學特性的變異性，並且證明了皮膚酿母菌病與職業的關係。表皮癬菌病及癬菌性皮炎的研究提出了表皮癬菌病在濕疹發病機制上的作用問題。

蘇聯學者研究了皮膚黴菌病學中一個新的課題——成年人慢性毛髮癬菌病的學說，反駁了 Сабуро 氏關於成年人對於慢性皮膚黴菌病(Эпидермомиков)無感染性的規律，以及在性成熟期後能自己痊癒的說法。最後，蘇聯學者亦研究出來甲黴菌病有效的治療法，和用鉈（Tallium）（局部應用）來脫髮的方法。

蘇聯學者在療治學方面也得到不少的成就，他們研究出來獨創的及有效的梅毒治療法(同時療法，多種金屬療法等)　合成了國產的抗梅製劑：新胂凡納明、硫胂凡納明、葡萄糖胂、馬法胂、醋氨胂、Бисмоверол、鉍碘奎寧、鉍碘鈉、汞爾鉍(含鉍及卵磷脂)等。並且研究出來生物試驗及臨床試驗的方法(中央皮膚花柳病研究所)，研究了新胂凡納明的有效時間，以及我國驅梅劑的毒理學、病人耐受性及治療效力。蘇聯研究者對於蒼白螺旋體的生物病理學、對於梅毒的發病機制、免疫學、血清學和治療學的實驗研究予以很大的注意。關於這些問題曾在中央皮膚性病研究所、薩拉托夫醫學院、第一及第二莫斯科醫學院的皮膚性病教研組、以 Е. С. Гхвче 氏命名的敖德薩研究所、列寧格勒皮膚性病研究所、喀山醫學院微生物學教研組及巴什吉爾皮膚性病研究所進行了主要的大規模的研究工作。

А. А. Богомолов 氏關於蒼白螺旋體的形態學做了許多有趣的研究，這樣就確定了梅毒病原體的各種形態學的型式。實驗梅毒的發病機制、臨床和治療問題，在薩拉托夫醫學院皮膚花柳病教研組中在П. С. Григорьев 教授領導下進行了研究。

在 1928 年，Мещерский 氏及 С. И. Богданов 氏從實驗上證明了：在梅毒感染的全部時期中都能够發生重複感染，並且證明了在發生重複感染時所表現的皮膚梅毒症狀依被接種的病人所處的梅毒期不同而有各種各樣。

在中央皮膚性病研究所研究家兎實驗梅毒重複感染時，證明了：不只淋巴結是隱性梅毒時螺旋體的儲藏所，而且，螺旋體亦時常存在於陰囊皮膚及睾丸中，這可以由這些器官的接種而證明之。

在蘇聯，性病及傳染性皮膚病的防治得到了任何一個資本主義國家都沒有的成就。因此花柳病的發病率顯著地減少，而且在最近幾年內無疑地將要消滅新鮮型的梅毒。一方面是勞動者經濟狀況改善及文化水平提高，另一方面是黨及政府在保健方面所採取的措施，促成了這些成就。

假如說在偉大的十月社會主義革命以前，在俄國花柳病的防治是一種慈善事業及偶然的事情，那麼在蘇維埃政權建立以後，它已成爲重要的國家事業，成爲保健機關注意的中心，並且由保健機關有計劃地大力地在進行着。先進的俄國醫師及先進的地方自治局活動家，曾努力對城鄉居民舉辦必須的花柳病防治事業，但是這種努力完全被漠然置之，甚或常常受到沙皇政府及其官僚們的阻礙。

1897 年在討論俄國抗梅措施的第一次代表大會時，揭開了這一方面的非常難看的局面。

只有在偉大的十月社會主義革命以後，才眞正開始了由國家政府實施有系統、有計劃的梅毒防治。在保健人民委員部中設立了性病部門，以後改組爲皮膚性病防治部門。所有這些部門的工作都受蘇聯保健部性病及傳染性皮膚病防治司的領導。在每一省有省立性病防治所，而在城市中有市立性病防治所。在鄉村地區，由區立性病防治所及普通醫療網的地段醫師進行性病防治工作，地段醫師工作則由區立和省立性病防治所來領導；此外，尙有管理性病的特殊組織。

1921 年在莫斯科，1922 年在敖德薩及 1924 年在哈爾科夫，組織了皮膚性病科學研究所，此種研究所是我國防治性病及傳染性皮膚病的第一批科學研究中心。自 1930 年起，同樣的研究所在列寧格勒、高爾基城、烏法、基輔、德聶普洛彼得洛夫斯克、梯比里斯、埃里溫、巴庫、塔什干、阿什哈巴德、羅斯托夫（頓河沿岸）、克拉斯諾達、古比雪夫、薩拉托夫、阿爾馬—阿塔、里沃夫及維爾紐斯等地組織起來。在這些研究所內，過去和現在都進行着尋求新的防治性病及傳染性皮膚病的有效方法，研究着病原學及發病機制，爲了新開辦的醫學院的皮膚性病教研組培養着性病科醫師及科學工作者。這些研究所對於我國的性病及傳染性皮膚病防治工作起着不小的作用。各地皮膚性病學會和根據蘇維埃政府及中央保健機關的決定而召開的性病學者代表大會，以及其他各種會議，大大促進了獲得的成就。例如，到現在爲止，開過四次全蘇皮膚性病學者代表大會（1923、1925、1929、1937 年），在全蘇各省召開了本省的性病學者定期會議，在各皮膚性病研究所召開了科學年會。內臟梅毒、神經梅毒及眼梅毒，在第二次全烏克蘭內科醫師代表大會、第一次全蘇神經病理學家代表大會、第五次 Поволжский 瘧疾防治大會及第一次全烏克蘭眼科醫師代表大會上，成爲討論的對象。蘇聯保健部皮膚性病防治司的學術（專家）委員會在皮膚性病的防治上起着巨大的作用。

政府作出的特殊决定和保健部在各個時期關於皮膚性病防治問題所發佈的命令，都證明着布爾什維克黨和蘇維埃政府對於勞動人民健康的經常關懷。

人民的經濟及文化水平的一貫增長，性病防治所、站、門診部及門診所的性病科、城市及鄉村地區性病住院部的廣泛發展，免費的醫療援助，衛生的啓蒙工作，防治所的組織——所有這些，都保證了我們國家內性病防治的成功。關於防治性病的科學組織問題，蘇聯研究者及學者發表了許多著作，製定了防治所的工作方法（在鄉村地區梅毒病人的循環治療方法，治療正確性的檢查，作爲傳染來源的家庭成員的調查），特殊的性病防治機關的組織、性病的登記及統計、預防先天梅毒的措施、羣衆衛生啓蒙工作的方法及型式、性病及傳染性皮膚病發病率增高的地區的清理方法。

我們國家執行的性病防治制度是根據：統一管理統一計劃，强制登記，免費，普及的專科醫療，强制治療，治療及預防方法的統一等原則，已經證明了這些制度是很有效的。

在戰爭的年代裏，由於暫時淪陷地區醫療網破壞的結果，以及特效藥的不够，和醫療預防工作質量的降低，皮膚性病患者又增多了。

在儘可能短的時期內，整頓戰後醫療衛生的任務擺在保健機關的面前。

蘇聯保健部及其所屬機關，在地方上首先採取措施恢復醫療機構網，補充以特殊培養的幹部，保證了器械及藥物的供應。

皮膚花柳病研究所和醫學院的皮膚花柳病科的科學工作面向於尋求最有效的防治皮膚花柳病的方法。

例如，將質的標誌貫徹到皮膚花柳病機關的實際工作中，皮膚性病研究所製定了鄉村醫務段工作的組織形式，以保證鄉村中梅毒的預防及治療。

鄉村的區立醫院及鄉村醫務段的正確的性病防治組織促進了經常檢出患者加以治療、及時地調查患者家屬、接觸者、以及成爲患者的傳染源的人們。

由於保健改革——醫院和門診所的合併——研究了並且普及了皮膚性病防治所與住院部合併的組織機構形式。

傳染性皮膚病及性病的登記安排在戰後幾年中，受到根本的改建和改善。根據新的形式，不僅是活動性梅毒屬於登記之列，而且在所有的軟性下疳、黃癬及毛髮癬菌病、隱性梅毒、神經梅毒、內臟梅毒、慢性淋病及癬菌病中的小胞子菌病亦然。

在戰後五年計劃時期內，蘇聯皮膚科學者主要是集中注意力在研究下述問題：(1) 中樞神經系統在皮膚病發病機制上的作用，(2) 維生素在皮膚病發病機制上及治療上的作用，(3) 皮膚病的組織療法，(4) 膿皮症的預防及治療，(5) 黴菌病的預防及治療，(6) 皮膚病理學的問題。

在科學研究的總結果中，無論是理論上或實際意義上，都得到了材料。如，首先提出的問題是關於皮膚變化的功能診斷，以及研究伴有血管疾患的皮膚病的發病機制的生理的和病理生理的研究方法在研究着。皮膚功能失調的研究是決定於植物神經系統的情況。

證明神經系統在皮膚營養上起主導作用的研究亦在進行着。

在實驗上指出：維生素 B_1 及 C 減低皮膚的發炎現象。在濕疹、痒疹、神經性皮炎、斑禿時的維生素 B_1 的治療證明了它的有效性。維生素 B_2 在治療脂溢性濕疹、唇炎、酒渣鼻、及擦爛時，研究了其治療的積極性。結核性狼瘡的維生素 D_2 治療證明了其高度的有效性。菸酸在瘙痒性皮膚病、副牛皮癬、紅斑性狼瘡、凍傷、光性皮炎等的治療時，指出了其治療價值。

在文獻上，首先，在生活機體內確立了維生素 A 的治療事實。

對於抗生素，曾給予很大的注意。研究了青黴素在機體强健組織內的測定方法。在葡萄狀球菌方面，確立了青黴素是具有增高抗毒免疫作用的能力。研究了局部應用活的及乾的抗生素培養物的方法來治療皮膚慢性化膿性潰瘍，以及在門診部一次注射一晝夜量的青黴素治療方法，須將一晝夜的必須量加於自家血液及奴佛卡因溶液中。

曾以很大的注意力去尋求頭髮部黴菌病的不用 X 綫的治療法。新的、改良的鉈硬膏在研究着。爲了治療頭髮部黴菌病，提出了新的製劑——乙烷汞磷酸——有機汞化合劑，具有高度的殺黴菌性質。

研究了新的、獨創的治療甲癬病的方法，用由賽璐珞塊質組成的藥，此塊質是應用廢X綫軟片溶於醋酮及醋酸戊酯混合物中而成的。

組織療法在戰前已經提出，在治療狼瘡及皮膚利什曼病有良好效果。

在梅毒治療方面的工作，亦進行得很有成績。

蘇聯青黴素在各型梅毒的治療上，表現了高度的療效。

與外國研究者不同，蘇聯學者以往即深信青黴素治療必須根據梅毒的時期、病人的一般情況及體重等而個別化（因人而異）。

在蘇聯，製定了梅毒的長期間斷療法的基本計劃，確定了在各型梅毒時的不同製劑、劑量、及應用時期。

在 1948 年，這些治療計劃被蘇聯保健部批准而建議廣泛用於臨床上。

在 1949 年，製定了神經梅毒及內臟梅毒患者治療方法的指示。

實驗性的觀察，確定了：將青黴素與鉍碘奎寧或碘劑，同時注入，則青黴素從小便中消失的時間，較之單用青黴素治療時，要快得多，而濃度要低。即同時應用青黴素和上述製劑來治療梅毒是不適宜的。

與青黴素的水溶液比較，匹拉米董能使青黴素在機體內的逗留時間增至一倍半，這點亦已確定。

在 1949 年，研究出了兒童梅毒的治療方案，即先用青黴素治療而後伴以混合療程，此方案已由蘇聯保健部批准。

實驗的觀察指出：青黴素由於其濃度及暴露時間的不同，而對淋球菌有制菌作用及殺菌作用。確定了：各種淋球菌菌種對於青黴素表現出不同程度的敏感性，這決定於菌種所處的環境及其特性。

證明了淋球菌在實驗室的條件下對於青黴素能產生抗藥性。

家鼠的實驗及臨床觀察指出：青黴素對於排卵月經週期及妊娠並無有害影響。

下述臨床觀察亦是有趣的：就是自家血液在淋病的青黴素治療上可利用爲延長作用的藥物。

回顧蘇聯學者及醫師過去所走過去的道路，可以堅信地說：在將來，依靠社會羣衆的廣泛支持，將科學成果堅決貫徹到實際中去，他們會成功地執行擺在他們面前的任務。

（丁善慶譯自花柳病及傳染性皮膚病防治手册 1951 版）

性病的歷史

原著者：D'Arcy Power

性病一名在歐洲和美洲都是包括三種疾病：不加治療可影響人類生存的梅毒；可以縮短人類壽命的淋病；和也是由性交而生的軟下疳。梅毒和淋病是由固定的微生物所感染，一是螺旋體，一是雙球菌。軟下疳與一種桿菌存在有關，首先由俄國彼切林氏（О. В. Петерсен）於1887年發現。因為這些病原體不是相對抗的，所以這三種病可以同時在一個人身上發生，於是也造成許多診斷上的困難和治療上不幸的錯誤。軟下疳病勢較輕，能引起鄰近的淋巴腺化膿但沒有嚴重的後果。淋病病期很長較難醫治，而且由於受其侵害的各組織和器官發生慢性的炎性變化，可貽留持久的惡果。梅毒更為嚴重，傳染體很快地達到身體各部並可經內胎盤傳到胎兒。

× × × ×

軟下疳和淋病在歐洲似古代就存在。古代歷史中沒有梅毒，塞爾薩斯氏（Celsus）在描述包莖時有一很似軟下疳的記述他說：

「陰莖包皮應稍用力拉上，但如不可能則應用解剖刀在其上部輕輕劃一下，當濃流出腫脹可以減輕，皮膚較易縮回。當皮膚拉上後可見在包皮內面，在龜頭上或就在陰莖體上有多數潰瘍，這些潰瘍可以是乾燥的也可以是潮濕膿性的。在後者情況下膿液甚多有觸鼻臭味，潰瘍變得深而廣，甚至可以在包皮下面引致很重的損害，以致破壞龜頭且可腐爛脫落。在此情況下患者應割去包皮而且患者的尿道有堵塞的危險。」

這個描述可能為陰莖癌，但是塞爾薩斯氏說是多數潰瘍，而不是單一潰瘍，因此這樣寫的時候是多數性的損害。

色情詩人們暗示存在一種情況，這種情況可以解釋為淋病，但是他們說得含糊其辭，以致對這種病是否存在不能下確切的結論。由於希臘人和羅馬人性生活放蕩，淋症應當特多，但他們沒有確切的淋病記載，這是很奇怪的。但實際上直到12世紀外科作家把「Chaude pisse」從淋病這包括精溢症以至結核腎各種尿道疾患的一般性名稱中區別出來以前，是沒有對於淋病及其療法正確地描述的。Chaude pisse或稱燒症（the burning）自第13世紀以來是熟知的疾病，此病是和不潔的婦人交媾的結果。所謂不潔的婦人在那時的外科醫生說來就是在行經或有白帶的。Chaude pisse曾為Henri de movdeville氏（1260—1320）B. Govdon氏（約1300年）John Arderne氏諸人（1307—90?）提到，他們都是輕描淡寫的提一提，只說是不易治癒。John Arderne氏是英國人，曾參加百年戰爭，在他未出版的一份手稿中給了一個處方。他說：「治療一種叫做Chaude pisse的惡疾，可取荷蘭芹（Parsley）用水熬成稠液，加入薔薇油和紫羅蘭油用力攪拌，然後加入正在哺育男孩的人乳。溶解海草於此稟醬樣的混合物中，用注射器將其注入尿道中。」

在這時和其後的150年當中，軟性下疳與淋病因為沒有第三種病（梅毒）攪亂診斷，可以清楚地區別開來。在15世紀末有一次梅毒大流行，從那以後，直到19世紀中葉這三種病總是糾纏不清。直到我們自己的時代，細菌學有了巨大的進步，我們才有可能確定的說有三種不同的疾病，由三種不同的微生物所致，這些微生物可以共存。

× × × ×

關於梅毒在歐洲的起源，已有過許多討論，有些人相信此病早就存在，但卻未被察覺或是被隱諱，並把它包含在像麻風那樣的一個籠統的名稱之中，我們知道「麻風」這一名稱是包括許多不同的疾病的。我個人認為，梅毒是被哥倫布第二次航海的水手從新大陸帶回的一種新的疾病*。證據是：無論歐洲、非洲在古時都沒有梅毒曾經流行的任何跡象。埃及政府調查處曾對很多墓地進行考察，其中有5000年的古骸，但沒有一個例子可以表明這些骨骼有確實的梅毒徵象，仔細讀一讀色情和滑稽詩人們的作品，以及古典醫學著作，也不見裏面提到似梅毒那些破壞容貌的事，如果古時希臘人和羅馬人有這種情形的話，他們一定會說到的。同樣在1493年以前沒有醫學著作家曾提到任何與梅毒相似的病。哥倫布於1492年8月4日離開西維利（Seville）進行他的第二次航行。他在海地島登陸，並於1493年3月15日回到巴羅斯（Palos）在三月六日曾在里斯本停泊。大約與此同時哥倫布的一個船長賓贊（Pinzen）轉向北行，進入法國的貝約尼（Bayonne）港。賓贊和他的一些船員在那時正患有梅毒。在巴塞羅那（Barcelona）開業的外科醫師 Ruy Diaz de Isla 氏確定的聲稱：「有一種以前從未聽過、見過，也沒有提到過的病症，於1493年首先在那個城市出現，再從那裏傳佈到全世界。」他說的是自已的見聞，是可以相信的，因爲他是一個有名聲的人。後來他移居里斯本，晚年任里斯本全聖醫院外科醫師。Vigo 地方的約翰氏.於1514年寫下他的所見：「1494年12月在整個意大利出現了一種不明其性質的病，此病的名稱各國均不相同，此病帶有小膿皰，接觸傳染，這些小膿皰用內用或外用藥都不能治癒。在出現上述膿皰一個月之後，患者頭部肩部臂部及腿部有劇痛，在此疼痛之後，即在一年或一年多以後，產生一些似骨樣的硬物，在夜間甚痛，晝間不痛。」

此病於1493年在巴黎、羅馬和拿不勒斯發現；1497年在布來斯特(Bristol)和阿伯迪安（Aberdsen）發現；（在阿伯迪安稱爲“Grandgore”，是從波爾多（Bordeaux）來的一個字）。1503年在倫敦被稱爲法蘭西痘(Franch Pox.)。此病的爆發自然引起了全歐洲莫大的恐慌。差不多與此同時，中國的印刷術傳到歐洲，並且使用了木版製圖，因而出現了大量的文獻，大多是零散小冊。Bartholmew Stebet, Sebastian Brants, Goseph Grunpecks，諸氏在1496—1497年間彼此陸續有著作問世。威尼斯的軍醫、巴丟阿大學的解剖學講師 Alexauder Beuedietus 氏在1497年曾說：「這種新的疾病是因爲健康的男子與不潔的女子性交的結果。」Sebastian Aquila 氏1506年在給 Mantua 州的主教的信中說哺乳也是一種傳染的來源，但直到1536年才有 Benedetto vettori 氏對接吻的危險加以注意。

這種新的病不久就給起了名字，因爲總是和想像的起源地相聯結起來，法國人就叫它爲「拿不勒斯病」，在意大利和整個神聖羅馬帝國都稱它爲「法蘭西病」。據說 Jacab Cattaues 氏在1505年介紹了“Ines venerea”這個曖昧的名辭。巴拉薩賽爾薩斯氏將此名稱普及化，到不久以前 Lues　名曾被普遍採用來包括各種性病。Verona 地方的 Fracastorvius 氏是一位人文主義者、詩人、地質學家和物理學家，在1530年寫了題爲「Syphilis sive morbus Gallicus」的一首詩，現在已有確定的科學意義的「Syphilis」一字，就是從這首詩中的主角得來的。最後這個字代替了委婉的名辭「特殊病」（Specific disease)。「Chancre」是和古代英語「Canker」的意味相似，是指任何不同於癌的腐蝕瘡(corroding sore)。曾有一時期此字爲硬或軟瘡（hard and Soft sore）所代替，這樣它就包含了現在知道的兩種不同的感染。紐約的 Freeman Bumstsad 氏在1861年似乎已經創造了「軟下疳」(Chancroid)這個字來代替「軟瘡」(Soft sore)這更爲普通的詞。

× × × ×

性病的原因久爲醫界所注意，Jean Fernel 氏(1497—1558)說性病是由於一種隱秘而有毒的「質」(quality)，附着於膿液或體液而傳染，這種膿液或體液作爲媒介物把它帶進組織中去。如果他能把「質」改爲「微生物」那就離眞象不遠了。Fracastorvius 氏曾說感染是黴菌所爲，這雖近於事實但還是詩人的話不盡可信。外行人不愁給這病找到原因，因爲他們被教導說這是對破壞道德的直接懲罰，要祈求聖麥那斯(St. Minus)和聖代奥尼西阿斯(St. Dionysius）二位神來垂賜痊癒。這種病在許多人的頭腦中仍認爲是道德上的責罰，這使得他們不能當作其他傳染考慮，並使他們覺得這是一種應當秘密治療的病，而且常是去找江湖醫生，因爲患這病的人羞於按平常的方式求診。傳染性病菌的發現及歐戰時的疾病大流行對於淋病和軟下疳等型性病污名的廢除是大有幫助的。

16世紀的梅毒大流行充分的表現了一種疾病對新侵入地區的傳佈是嚴重的。在新大陸有證據表明當地居民在哥倫布到達以前已對該病有習慣性，病的過程較輕，他們是用樹脂或其他植物性的藥物治療。即使在歐洲第一次襲擊的嚴重性，也是很快降低，Vigo 的約翰（John）氏在該病出現的廿年內能够寫出這樣的話：「它的蔓延不知過去之烈。」

此病的分類在 18 世紀陷於無望的混亂之中。大家認爲是由於一種病毒，只是依病人的體質而改變；因此併發有下疳的淋病就稱爲「惡性淋病」，沒有下疳雖然發生白濁也稱爲良性淋病。韓特（John Hunter）氏決定作一實驗，用來確定引致良性淋病和梅毒的病毒是不是一種。在1767年五月的一個星期五，他把一個淋病患者的膿液取出給自己注射。這個患者現在我們清楚地知道，也是患有梅毒的。韓特氏染上了病，並犧牲了自己的生命，而靠着他的權威維持着梅毒和淋病是一種毒素的說法。這個實驗的結果，在英國有好多年阻礙着對於這兩種病的知識和治療，並使初期下疳被稱做「韓特氏瘡」或頑固瘡。

韓特氏的「性病論」於 1787 年出版，但是他提出的觀念未被普遍接受。以後都柏林的 Richard Carmichael 氏在 1814 年告訴我們說不同的性病由不同的病毒引起，並不都需要汞劑治療。Philippe Ricord 在 1836 年重複了韓特氏的實驗，結果表明淋病和梅毒是不同的。Bassorean 氏在 1852 年，Clere 氏在 1854 年先後告訴我們引起軟性下疳的病毒是與引起梅毒和淋病的病毒不同的。他們明確的說：各種性病不同的原因不是因爲體質年齡、性別及受侵的組織的不同，而是由於不同的毒素。這說法在 1862 年爲 Jeffey A. marston 所確定。那時他任英國皇家砲兵的外科醫生。這個是一種還是多種病毒的問題，雖然在臨床上已被認清，可是最後因細菌學的進步才告解決。布來斯勞的 Abbert Neisser 氏於 1879 年注意到某些球菌，這些球菌的特性足以證明它們是淋病的原因。該氏和藹可親的性格使他的學生們都親愛的稱他爲「淋菌之父」。彼切林氏於 1887 年聲稱他在軟性下疳的膿液中發現一種桿菌。其後 Ducrey，Unna 氏確定了它們的存在，並指出可在軟下疳的中央和周圍找到。1903年俄國細菌學家麥赤尼考夫氏在巴斯德研究所發現梅毒可以由病人移種到猴身上。1905 年 3 月 3 日，在柏林保健研究所研究錐蟲及螺旋體的原生動物學家 Fritz schaudiur 氏告訴 Paul Erich Hoffmann 氏說，在由他治療梅毒的一個 25 歲的女子患的硬下疳的分泌物中有一種微小的螺形菌（spirilum）這種螺菌就被叫做 trepomema pallidun 或 spirochaeta pallida 這種生物符合了科赫（Koch）氏的假定。巴黎巴斯德研究所對它的生活史仔細加以研究，不久即認識到它是人類高等猿類及家兎的梅毒的原因。在知道了它在黑暗的視野中容易看清之後，Landsteiner 氏就發明了一種暗視野顯微鏡來研究它。跟隨麥奇尼考夫氏一齊工作的比利時人 Jules Bordet 氏發明了在活體中檢查此微生物存在的試驗法，他的試驗法經過修改即成爲著名的乏色曼氏（wassermann）反應，於1906 年由乏色曼（Angust Vox Wassermann）氏加以應用。Sachs-Georgi 絮狀試驗是在 1918 年開始使用，其後並有其他幾種絮狀試驗法發明出來。

傳染體的發現鼓舞了對這三種疾病的研究，並導致了關於血管系及神經系梅毒的重要發現。動脉瘤與主動脉病長久以來被疑爲有關係，現在很快就被搞清楚了。日人野口氏證明在全身痲痺性患者的腦中有梅毒螺旋體存在。Frederich mott 氏在英國，Wagner-Jauregg 氏在維也納擴大了他的研究。脊髓痨的原因不再是不可解的了，由他們的研究得出一個對中央神經系統疾患的完全新鮮的命名，最重要的是，螺旋體的發現使治療有了改進，因爲現在每個人的目的都是疾病的治癒，不僅是症狀的減輕。

× × × ×

由於人們的不潔習慣而得的許多皮膚病，很久以來即用汞劑治療。大食軟膏（unguentum Saracenicum）是一種著名的製劑，裏面含有 euphorbium，lithargyrum auri，Stavesacre 以及汞和猪脂。當此新的疾病出現了顯著的皮膚損害時，使用這種久已享名的藥劑是很自然的事，由於極端幸運，汞被看作是治療梅毒的特效靈藥。在 1497 年 Gaspar Torella 氏即推荐用汞，幾年以後 Carpi 的 Berengarius 氏，維哥的 Jouh 氏更極力稱贊。但是也有人反對用汞，例如 Benvenutes Cellini 氏曾有尖銳的評論。他說：「一個非常有名的外科醫生 Jacopo 來到了羅馬，這個能幹的人除了治別的病以外還醫治了一些無望的「法國病」，那時這種病在羅馬的僧侶——特別是最富的僧侶中非常流行，這個聰明的人知道了這種情況就表示：他能應用某些藥精來治這種疾病，能有奇效。不過他一定要在開始治療以前訂一個合同，這些合同是價値數百而不是數十「斯苦都」（Seudi）（意大利舊銀幣名）。稍後他又寫道：「江湖大家 Jacopo. 從 Carpi 來的外科醫生，來到了羅馬逗留了六個月，用他的油膏塗擦了數十名不幸的領主和貴人，從他們那裏榨取了許多金錢。現在所有那些被他塗過油的不幸的羅馬人都是殘廢而痛苦的。」

Cellini 氏的話或許是有事實根據的，在塗油膏療法之後，在 1506 年有熏法，1517 年有韓特氏推薦應用癒創木脂(guaiac)；1535 年用茯苓，1545 年 Anger Ferrier 氏用 Sarsaparilla。

用汞劑塗擦和熏法終於代替了所有其他的治療梅毒的方法，在 17 世紀中葉被叫做「流涎」(Salivation)或「溢液」(fluxing)的方法是普遍且被贊同的方法，這是一個可怕的方法，要持續六個星期或更多些，因爲不加區別的濫用，引起了各樣的汞中毒。病理陳列館中有許多標本可表明這種災難性的後果，尤其是在骨系統。溢液法大約在上世紀中葉才廢止不用，而把汞做成丸劑或液劑口服。這種方法不久雖得到了改良，但在此病的原因未被明瞭以前，必然是經驗的療法，又因爲只治療症狀且沒有查驗病勢的方法，所以常常得不到滿意的結果。

碘及其化合物早已用海藻灰的形式來治療喉頭花柳性潰瘍。1821 年 Morini 氏在盧卑克 (Lübeck) 單用碘以代替海藻灰獲得更好的效果，同年 Biett 氏用碘和汞的混合物治療梅毒疹。1831 年 Lugol 氏發表了單用碘治療的一些三期梅毒的病例。碘化鉀是同一年在英國被採用的，聖多馬醫院 (St. Thomas Hospitol) 的 Rober Williams 氏對之鼓吹甚力，它的優越性被 William Wallace 氏 1836 年在都柏林的哲爾維斯街醫學校 (Jervis street School of medicine) 的一系列的臨床講演所確認。碘化鉀與汞的過氯化物合用，如 the haust. hyd. perchlor. Cum pot. iod. 即所謂 Paget 合劑，自 1847 年以來爲英國醫院常備的藥。

舊的給汞法在 1867 年有了變化，當時 Lewis 氏在布來斯勞 (Breslau) 使用肌肉注射法，後由維也納的 Long 氏改良，用一種灰油(mercurial)注射。這種治療甚爲痛疼，直到 1908 年才有 Colonel Lambkin 氏指出在混合劑中加入木餾油和樟腦可使痛疼減輕。

梅毒病原蒼白螺旋體的發現，不久就使汞失去保持了四百餘年的唯一的梅毒療法的地位。Paul Ehrlich 氏在法蘭克福他的實驗室裏作了一系列的實驗，想發現一些對螺旋體有毒但對它所寄居的人體無害的物質。終於在 1909 年製出一種砷的有機化合物，他稱它爲「606」，此藥是以溶液靜脉注射，不久以後知道它雖然在治療上是一種有價值的藥物，但仍有些缺點。其他的砷苯化合物隨後出現，1910 年有 Salvarsan 和 Kkarsivan (英國606)；1912 年有 neo-salvasan 即「914」和 Siliver-Salvarsan. 這些藥至今仍在使用。由於對蒼白螺旋體進一步的知識，興趣轉向鉍劑，鉍似乎較砷苯化合物有更快更持久的療效。砒劑和鉍劑交替聯合使用的方法較單用砒劑更佳。

我們早就知道梅毒和瘧疾二病是不相容的，在 1917 年 6 月 14 日，一個有全身麻痹的患者染上了良性隔日瘧，結果表現有望，於是這樣的療法逐試行於許多病例。病情的進步似乎是賴於所產生的熱度，根據這個假定已推廣用更科學的方法人工產生熱。

1943 年 Mahony 氏試用青黴素治療梅毒獲得成功，近更知用青黴素與砒劑和鉍劑同時或先後混合使用效果尤好。

（袁君譯自：D'Arcy Power: The Venereal Disease, A Schort History of Some Common Disease 部分經譯者修正。）

---

* 梅毒究竟是在美洲發現之後經由西班牙傳到歐洲、還是在歐洲早就存在的問題是經過長期而熱烈的爭辯的；但由兩方面的理由看，前者的理由更爲充足些，至少應當承認自 1493 年以後由於歐洲軍隊的大移動特別是法軍侵襲意大利之後，此病才廣泛傳播。所以有人說即使在此以前歐洲就有梅毒的話，也與以後所流行的梅毒不同，哥倫布自新大陸帶來的是更毒的梅毒。——譯者。

中華醫史雜誌稿約

(一) 來稿須用方格稿紙單面横寫，並正確地使用標點符號；抄寫不可潦草。
(二) 如有附圖，請用白紙黑墨繪出；照片應注意黑白明顯，不可摺卷，以便製版。
(三) 外國人名譯成中文可加一氏字。外文最好用打字機打出或用小楷寫出。
(四) 數字在兩位或兩位以上、小數點以下，以及百分數，均用阿拉伯字寫。
(五) 譯稿及文摘請註明原文出處，必要時應請連同原文寄來。
(六) 參考書請按作者姓名、題目名、雜誌名或書名（並註明出版處）、卷數、頁數、年份次序排列，並需在文內引出。書名按著者姓名、書名、年份、出版社排列。
(七) 來稿經登載後版權歸本會及作者（譯者）所共有，除一律酌致稿酬外，另贈單行本三十冊。
(八) 請勿一稿兩投。本雜誌不擬採用的文稿，一律退還。
(九) 編輯部對來稿有修改之權，如不願修改，請預先聲明。
(十) 來稿請寄北京東單三條四號中華醫學會中華醫史雜誌編輯委員會。

作者注意

1. **文獻** 以必須列出者爲限，可免即免，同時並須依照稿約內所規定格式排列。

2. **圖表或照片** 以必須或有價值者爲限，倘能用簡單文字可以說明者則免去圖表。圖表或照片之大小務請估計到雜誌的版面容量和美觀。繪圖必須用黑墨色方能製版，並注意要清晰整齊。

3. **統計數字與百分率** 務請作者寫稿時詳細核對，如數字不符請勿列入，以免讀者誤解。

4. **文稿寫法** 用横格稿紙繕寫，雖不一定用正楷，但必須儘可能的清楚，不可用自撰的簡筆字，遇有外文請用楷體，如能打字更好。醫學專門名詞尤須寫的清楚，譯名暫以高氏醫學辭彙爲標準。

原稿不够清楚或不合規格，勢須重抄重繪圖表並重加整理，在編輯排版及校對上都要發生困難，一則有違節約精神，再則亦影響了讀者的學習。

中華醫史雜誌

（季刊）

一九五五年 第一號

（第七卷 第一期）

每季第三月二十八日出版

·編輯者·

中華醫學會醫史學會

中華醫史雜誌編輯委員會

北京東單三條四號

·出版者·

人民衛生出版社

北京崇文區緞子胡同35號

·總發行·

郵電部北京郵局

訂閱批銷處：全國各地郵電局、所

零售代訂處：各地新華書店

·印刷者·

北京市印刷二廠

佟麟閣路七十一號

本期印數 4,170 冊

1955年3月28日出版

每冊定價五角

（國外諮林紙本由國際書店發行 每冊定價一元）

人民衛生出版社最近新書

金匱玉函經

漢　張仲景著

（影印北京版）　一元〇五分

本書爲漢代名醫張仲景所著傷寒論，到晉代時王叔和將其中的痓、濕、暍、傷寒、霍亂等篇綜合一起仍提名爲傷寒論；將雜病論篇編爲金匱要略；後擇傷寒論條論於前，會方於後，使之另成一書，即金匱玉函經，遂使仲景之書派分爲三。因此如不將該三書合而觀之，實難得仲景著作之全豹。尤其金匱玉函經，到了元代已爲世所少見，所以後來很少有人提及。現爲供應學習祖國醫學遺產計，特選印清初善本，縮影發行，以備研究參考之用。

全書共爲八卷，首卷述證治總例，第二、三、四卷按症候分述病形證治，第五卷按汗、吐、下等法分述病形證治，第六卷按温、火、灸、刺，水等法分述病形證治，第七、八卷爲方劑實例。書中含文精微簡要，爲古典醫學中不易多得之書。所列藥品種類簡練效力顯著，代表了漢代處方之特長。

微生物學

（助產教材）

謝少文　張乃初主編

（上海版）　八角六分

共分三十三章。先敍微生物及微生物學的概念和發展，細菌的形態和研究方法。次詳環境細菌學，及滅菌和消毒的方法。繼之以傳染學免疫學，根本從巴甫洛夫學說改寫，貫徹到變態反應及血清學反應。其次討論螺旋體、立克次體、病毒、眞菌。然後詳述全身及各系統的感染與防治之理。除隨處作總結之外，最後復全盤總結，包括細菌和免疫學的應用，人工免疫的應用，以及治療的總結。各章提出有重點要求及復習提綱。

英中醫學辭彙

（即高氏醫學辭彙）

魯德馨編訂　（北京版）　五元二角

本書係由［高氏醫學辭彙］十一版改訂而成。在十一版中除增補及修訂從前所定各名詞外並新訂有牙科、藥劑、診斷、治療等名詞甚多。本版又重新作如下之修訂：

1. 前版誤植的訂正；2. 前後新舊名詞的統一及譯名欠妥的修正；3. 刪除重複的名詞；4. 增補了一些新的單字及語彙。

全書收藏名詞共約五萬餘則，書後附度量衡對照表及處方用簡文表以利檢對。

病理學教程

（蘇聯中級教材）

拉波波爾特著　張春雷譯　邢紹發　林振綱校

（上海版）　二元一角

本書是中級教科書，主要分爲三個基本部分：1.關於疾病的一般學說。2. 基本病理過程。3. 臟器和系統的病理學外另添神經系統病理學一章。

本書是根據米丘林生物學及巴甫洛夫生理學的觀點詳細地闡述了理論病理學的基本問題。本書的特點是病理生理學佔主要部分，可供我國中級醫科學校作爲教材和病理工作者的參考。

婦產科學（醫士教材）蘇應寬主編

（上海版）　九角五分

耳鼻喉科學（醫士教材）駱兆平編著

（上海版）　五角五分

理　療　法（醫、護、產教材）朱霖青編著

（上海版）　九角九分

衛生教育工作的組織和方法（蘇聯中級教材）

王毅英等譯（長春版）一元二角

心臟病學　劉存榮譯

（長春版）　五元六角

醫療體育　卑斯柯夫著　傅智　孫籌　謝治仁譯

（長春版）　八角八分

新華書店發行

一九五五年　第二號

（第七卷　第二期）

· 白 页 ·

在我國歷史上最早的一部藥典學著作—唐新修本草

馬 繼 興

我國最早的並且在世界歷史上也是最早的一部藥典著作乃是唐朝政府所纂修的新修本草一書。這部書是唐高宗顯慶四年完成的（公元 659 年）。外國最早的一部藥典是紐倫堡政府在公元 1542 年頒布的，比這一部新修本草要遲 883 年。這部偉大的具有歷史意義的藥物學著作，不僅從其撰寫過程看來，是約有二十多位醫學家集體所完成的工作，而且從著作的內容資料根據方面看來也是承繼了前代的一些代表性藥物學著作的基礎進一步的總結工作，因此，可以認爲新修本草一書乃是在當時最爲完備的一部藥物學著作。正是由於這部作品的內容豐富，取材精要，並且是由政府編製公布，而引起了當時的及以後很長時期的國內外醫學領域中極大的影響。因此，我們醫務工作者對於祖國歷史上的這一偉大的科學貢獻有必要加以認識與了解。

首先，我們談一談這部唐新修本草（以下簡稱唐本草）是在怎樣的情况下產生的？

我們知道，在唐本草以前的時代裏，即公元四世紀，陶弘景曾著一部比較著名的總結性藥物學著作即〔名醫別錄〕。但是這部著作不但有若干錯誤，同時由於新藥日多，已不能適應當時的需要，因此必需加以修正與增補，這也就是唐本草產生的主要原因。

在編纂此書的過程，過去一直存在着兩種說法：李梃[1]和李時珍[2]等說本書的纂修在唐高宗永徽間(650—655年)，由皇帝詔命李勣、于志寧等人修纂陶弘景的著作，而成英公唐本草（英國公是李勣的封號）七卷。此後到了顯慶四年(659 年）又經蘇敬（因避聖諱改敬爲恭，故一作蘇恭）等重爲修訂而命名爲新修本草者。陳桀[6]及中尾萬三則認爲本書的纂修過程只有一次，即由蘇敬所發起而經朝廷批准後開始纂修的（當然李勣等人都參加了這一次的纂修工作）。這一個說法可見於唐代的史書方面包括舊唐書[3]、新唐書[4]和唐會要等文獻。此外，在今日尚存的唐本草序文[5]中也僅提到了本書的纂修過程只有一次的紀錄。作者是同意此種說法的。

參加這一次纂修者包括了上述的蘇敬、李勣、于志寧等，共有 24 人之多[8]（依日本天平鈔本新修本草作 22 人），只因還是從五品上階的官職，而李勣已是從一品的唐代重臣了。由此也可以看到這一工作名義上是在李勣領導，實際工作還是蘇敬等一個集體撰修。

我們從唐本草的序文中知道，本書共有 54 卷之多，其中包括了本草、圖經及目錄等[9]。但是唐新本草的原來內容旣已早佚，那麼這 54 卷又都是包括那些組成部分呢？作者根據舊唐書[10]、新唐書[11]及日本古代的文獻和日本見在書目[7]等書及其他有關的原始資料（包括今日已佚的資料）中所記的本書卷數及內容考察結果，可以簡單地歸納如表一。

由上述各種資料對照看來，可以歸納爲本書在當時曾纂修有新修本草 20 卷及其目錄 1 卷。新修本草藥圖 25 卷及其目錄 1 卷。此外尙有新修本草圖經 7 卷，共計 54 卷。至於 53 卷之說，中尾萬三認爲：在當時還沒有藥圖的目錄一卷，這一卷可能是後來加的[7]。

這樣看來，唐本草一書可分爲三主要組成部分：一是本草的部分，一是藥圖的部分，另一是圖經的部分也就是有關藥物的產地、採用、形狀等內容，即今天所說的生藥學部分。這部唐本草54卷原稿今日完全失傳，因此有關唐本草的內容，只能從其佚文及後代傳抄的內容中去加以研究。我們知道，在唐本草一書中的〔藥圖〕及〔圖經〕部分，至宋代曾在此基礎上進一步發展成爲嘉祐時（1058—1061年）的圖經本草，並進一步發展爲宋代的證類本草以及其後的各種刊本。

表　一

原始資料（存或佚）	所記的卷數與內容
唐新修本草孔志約序（存）	54 卷：（各卷的詳細內容未記）
唐英公上表（佚）	53 卷：本草 20 目錄 1 藥圖25 圖經 7
唐英公本草序（佚）	53 卷：（詳細內容未記）
蜀本草序（佚）	53 卷：（詳細內容未記）
唐李含光本草音義序例（佚）	54 卷：正經 20 目錄 1 圖 25 目錄 1 圖經 7
舊唐書經籍志（存）	54 卷：本草圖經 7 新修本草 21 新修本草圖 26（除去本草音三卷，不計算在內）
新唐書藝文志（存）	48 卷：本草 20 目錄 1 藥圖20 圖經 7（較之英公上表缺藥圖 5 卷）
新唐書藝文志（存）（又一次記錄）	54 卷：新修本草 21 新修本草圖 26 本草圖經 7
日本國見在書目	新修本草 20 卷 又，本草圖 27 卷

在唐本草中的「本草」部分，共 20 卷的內容。這些內容原始資料雖佚，但仍能藉手抄的殘卷及後代所記錄的佚文等方式，得以保留下來。而通過了這些現存資料，就使我們不難追溯認識唐本草的原貌了。

今日我們所已發現的有關唐本草殘卷及其佚文，據作者所知有以下數種：

在唐本草的現存殘卷子抄本方面，已發現者有：

1. 日本聿修堂藏唐本草卷子殘本，只有10卷（即卷 4, 5, 12, 13, 14, 15, 17, 18, 19, 20）[12]。

2. 英國皇家博物院藏中國敦煌唐本草卷子殘片二片（包括卷 17 之一部，卷 18 之末及卷 19 之首）[7]。

3. 法國巴黎圖書館藏敦煌出土唐本草殘本（內容不詳）[13]。

4. 日本仁和寺藏唐本草卷子殘本，完整者五卷（卷 4, 5, 12, 17, 19）。這五卷內容曾於昭和 11 年（1936年）由日本本草圖書刊行會予以影印[7]。

5. 日本尾張德川黎明會藏唐本草卷子殘本一卷（即卷 15。這一卷的內容曾由日本本草圖書刊行會於 1937 年影印）[14]。

6. 清人傅雲龍影印日本影抄唐本草卷子本共11卷（其中包括上述聿修堂藏的十卷，此外又多出卷 3 一卷）[6]。

在唐本草的現存佚文方面主要者有下列各種文件：

1. 唐孫思邈千金翼方卷 1「藥名第二」。

同上卷 2—4「本草上、中、下」——依照余雲岫的意見認爲千金翼方中之本草即新修本草，這個說法從很多既存資料對照看來，是很接近事實的[15]。

2. 日本丹波康賴醫心方——這書是日本圓融帝永觀二年[16]（公元 984 年）所撰。其卷一中有「諸藥和名」一篇即係唐本草的舊目。按本書爲日本今存的最古醫書之一，曾吸收了不少隋唐時代的醫學內容與思想。

3. 宋唐慎微著經史證類備急本草，此書原刊雖佚，但後世的各種刊本及改編增編本甚多。唐本草的存目與內容均散在於此書的各卷中。

4. 其他如明代的本草綱目，日本的和名本草等書中也都存有唐本草一書的佚文。

*　　*　　*

唐本草一書的「本草」部分，將藥物分爲九大類。這種分類方法顯然是較之公元四世紀左右時陶弘景將藥物分爲七類更爲增加了。從這個分類法中也可以看出由於動物性藥品的增多，在本書中已將原來的「蟲獸部」擴大爲「禽獸部」及「蟲魚部」。同時由於植物性藥的增多，在本書中也將原來的「果菜部」擴大爲「果部」及「菜部」。這樣，藥物的九種分類方法即：(1)草部三品（6卷）；(2)木部三品（6卷）；(3)禽獸部（1卷）；(4)蟲魚部（1卷）；(5)果部（1卷）；(6)菜部（1卷）；(7)玉石部三品（3卷）；(8)米穀部（1卷）；(9)有名未用部（1卷）；除此之外，尚有序、例各一卷，共計 20 卷[16]。

唐本草一書，不僅是在藥物的數量上有了很多新的增加，在藥物的分類方法上也更趨於完善，而且在這些新增加的藥品實際臨床價值上也提供了極多有效藥物。譬如作爲鎭痙劑的阿魏，瀉下劑的蓖麻子，以及殺蟲劑的鶴蝨等，都是前代的藥物學中所沒有而是唐本草中新增的。

此外，在唐本草的新增藥物中，我們還可以看到來自國外的一些新藥。譬如來自波斯的安息香，以及毗梨勒、菴摩勒等。

在唐本草一書中最重要的特點之一，就是忠實地按照原來的形式保留了前代的代表性本草學著作中的文字，主要是以朱色書寫了神農本草經原文，以墨色書寫了名醫別錄的原文。並且凡是在本書中新增加的藥物，都記以「新附」的字樣。這種朱色與墨色的區別也就成爲後來在宋初開寳本草鏤板時，所刻記的「白字」與「墨字」的根據。不過這種朱字與墨字的區別在現存的唐本草卷子抄本中是沒有的。這可能是因爲現存的殘卷經過了多次傳抄的結果。

唐本草一書在我們祖國醫學的歷史上是有着非常重大的意義的。首先，由於此書的編成，標誌着我國藥物學的一大進步。因爲如前所說，本書不僅是承繼了前代藥物學的傳統，而且更向前發展了。從本書著作的過程來看，像這樣的一種集體式的撰修藥物學的事情，也是在我國歷史上的創舉。特別是由於本書內容的取材豐富審愼，並且繪有相當多的藥圖與有關生藥學方面的解釋，因此這部著作的內容，曾廣泛地受到學者們如孫思邈等的尊重與研究。

從唐本草這部官定本草學本身所富有的法定根據看來，在唐代的醫事制度上也都是主要以本書作爲醫生學習基礎的。譬如唐代政府所規定的醫學制度，醫博士教學生，本草是一門必修課程。

可見在唐代的醫學教育制度上是非常重視本草的學習的。不論學內科、外科或兒科等的醫生對於本草都是一門必修的課程。

不僅在我國古代的醫學界方面曾深刻地受到本書的影響，就是在接受我國文化最多的日本古代時期，也是異常重視本書的。關於本書最早傳入日本的年代今已不詳。但是唐本草一書的名稱，最早在日本天平三年（731年）就已有了田邊史的手抄卷子本（今日尙存有其重抄殘卷，即上面所說的卑修堂本）。此外，在日本天平20年（748年）本書的目錄尙可見之於正倉院文書之寫章目錄中[17]。

此外，在日本古代的歷史文獻「續日本書記」及「延喜式」[18]兩書中也可以看出，日本方面的醫學教育制度是同樣尊崇這部著作，並列爲醫學教育的必修課程之一。如：

續日本書記，桓武天皇延曆六年（公元787年，相當於唐德宗時），戊戌：「典藥寮言：「蘇敬註新修本草與陶隱居集註本草相檢，增一百餘條。亦今採用草藥。旣合敬說，請行用之。」許焉」[19]。

延喜式：「凡讀醫經者，太素經限四百六十日。新修本草三百十日，小品三百十日，明堂二百日，八十一難經六十日。其博士準大學博士。給酒食並燈油賞錢。

凡太素經準大經。新修本草準中經。小品、明堂、八十一難經並準小經。」[18]

延喜式：「凡醫生皆讀蘇敬新修本草。」[18]

由上面所引證的這些資料看來，唐本草一書對於日本醫學方面的影響之深刻性，也就可以想像一般了。

日本的古文化來自我國，在唐朝曾派許多學生到長安留學。這些學生常有學醫的。日人把中醫叫作漢醫，他們盡力蒐集中國醫書是「現有同例」的。

至於英美帝國主義之把我國的文化遺產盜竊去，藏在他們的博物院與圖書館中，則一方面表示他們的可恥行爲，一方面可見他們對於我國文化遺產的重視。

參考文獻

1. 李梴：醫學入門。
2. 李時珍：本草綱目序例。
3. 舊唐書：呂才傳，卷74。
4. 新唐書：于志寧傳，卷104。
5. 唐新修本草：孔志約氏序文（大觀本草卷一序例中。）
6. 陳榮：籑喜廬叢書影印唐本草。
7. 中尾萬三：關於唐新本草之解說。
8. 新唐書：藝文志。
9. 參見孔志約氏唐新修本草序：「撰本草並圖經、目錄等，凡成五十四卷。」但此外依宋人掌禹錫氏引蜀本草序指爲53卷。
10. 舊唐書經籍志（卷47）。
11. 新唐書藝文志（卷59）。
12. 澀江全善：森立之氏經籍訪古志補遺。
13. 渡邊幸三：陶弘景諸藥通用藥文獻學的考察（日本東洋醫學會誌1953年12月號）。
14. 滿州醫科大學續中國醫學書目 p. 136.
15. 余雲岫：讀千金翼方札記（余氏醫述三集）。
16. 唐本草序例註（現被保留於證類本草序例中）。
17. 該目錄所記原文是：「新修本草，二帙，廿卷。」（依中尾萬三氏）
18. 按「延喜」爲日本醍醐天皇之年號，相當於公元901—922年，爲唐末五代初期。延喜式是日本的一部古代史書。
19. 續日本書記卷39。

歐洲研究經穴「國際編號」介紹

陳存仁

中國針灸術傳入歐洲，約在十七世紀，現在法國、德國、荷蘭、意大利等國都有流行。我常常想：外國人學中國針灸術，關於穴名和經絡名稱，不知從何記起？穴名古奧，記憶困難，即使中國的針灸醫生，他對於十四條經，三百六十多個穴名，不免感到繁雜難記。那末歐洲醫家使用穴名，究竟用譯音名稱呢？或用譯意名稱呢？或另立新名稱呢？這個疑問，我想中國針灸家也會發生的。

近來我流覽許多歐洲出版的法文、德文針灸書刊，才知道中國的經穴名稱，已經全部譯成外文。有英文名稱；法文名稱；德文名稱三種。舊時許多國外針灸書刊，都是根據法國 SOULIÉ DE MORANT 著的「中國針灸學」(L'ACUPUONTURE CHINOISE) 一書，此書即是有「針灸學」三個中國字作封面的那一部。看來此書即根據針灸大成而編譯的，原分三册，第一册是經穴編，銷行最廣，第二三册我未見過，1951 年我到歐洲訪書時，亦未訪到。此外針灸書籍在歐洲，以法文爲最多，所見名稱，約有三十種左右，德文次之，約有十餘種之譜，荷蘭文可能有兩種，已知其名，尚未見過。惟獨英文的針灸書，並未發現。這次針灸家梁鐵生先生赴歐，也親口向我提及，他沒有見過英文針灸書，但有英國人翻譯的一份全部中國經穴名稱而已。

歐洲人對於統一經穴名稱的工作很重視，有一本 DESIDRI P. 編的「中意法英小辭典」名爲 LITTLE DICTIONARY IN CHINESE, ITALIAN, FRENCH AND ENGLISH，此書對於經穴名稱已完成了初步的考定和對譯的工作。是 1953 年出版的，原有四百餘頁。此外在歐洲七次舉行的「國際針灸會議」中，對此譯名統一工作也非常重視。

最近我看到了「國際穴名編號表」一文，發表於1954 年一月份出版的「德國針學雜誌」第 3 卷第 56 期，此表分二期發表，第一編以十四經爲序，第二編以英文字母先後爲序，內中包括英文、法文、德文譯名，及國際編號。其來源如次：

1. 德文係根據 LESSING OTHUIER 及 R. WILBELN 氏所譯，採用意譯法，如中府譯爲 MITTE-BEZIRK，蓋 MITTE 的意義爲「中」，BEZIRK 的意義爲「府」。又如雲門譯爲 WOLKEN-TOR，蓋 WOLKEN 的意義爲「雲」，TOR 的意義爲「門」，因爲穴名的意義本來很難理解，所以看來也覺得另有一種新奇的趣味了。

2. 法文係根據 SOULIÉ DE MORANT 著「中國針灸學」穴名完全譯成法國音，看來原著譯音容有未妥處，故再經「法國遠東法文書院」重加修正。

3. 英文由英人 WADE氏考定，穴名部分概用音譯，據原本說：「中國言語，爲外人所習知者，有國語、粵語、潮州語、上海語等數種，所以譯者將拼音法折衷後照國語譯出」，所以一部分仍與標準國音有別。

全部穴名按照十四經次序排列，計肺經 11 穴，大腸經 20 穴，胃經 45 穴，脾經 20 穴，心經 9 穴，小腸經 19 穴，膀胱經 67 穴，腎經 27 穴，心包絡經 9 穴，三焦經 23 穴，胆經 44 穴，肝經 14 穴，督脉經 27 穴，任脉經 24 穴。以上穴名，除脾經缺少大包一穴而外，其餘完全與中國舊有穴名符合，其缺少大包一穴，不知根據何書，待考。還有胆經卅二中瀆，肝經十二急脉，督脉十三大椎，譯音也有疑問，不知根據何書，待考。還有膀胱經腎經三焦經有二三穴前後倒置，胆經有十個穴倒置。其餘全部與中國舊書符合。

×　×　×

我看到了 WADE 氏的英譯經穴名稱，非常高興，因爲有了這一種譯名表之後，將來任何人翻譯外文針灸書時，有所依據，統一譯出，可以解決不少經穴名稱上的岐異，但是原印譯名只有英、德、法文，獨缺中文原名相對照，因此我在校對時，先從英文翻出全部譯名，現已譯畢。全部次序，除上列十餘穴外，百分之九十五竟與中文原名相合，頗覺欣慰，惟恐翻譯有悞，更請鄧昆明先生核對過。

× × ×

關於全部英、法、德文的名稱，因所佔篇幅太多，且對本雜誌讀者也不大適用，只得留待他日有機會時再行發表，現在只把國際編號譯出如下：

1. 肺經 LUNGEN-MERIDIAN（縮名 P）

P 1 中府　P 2 雲門　P 3 天府　P 4 俠白　P 5 尺澤　P 6 孔最
P 7 列缺　P 8 經渠　P 9 太淵　P 10 魚際　P 11 少商

2. 大腸經 DICKDARM-MERIDIAN（縮名 IG）

IG 1 商陽　IG 2 二間　IG 3 三間　IG 4 合谷　IG 5 陽谿　IG 6 偏歷
IG 7 溫溜　IG 8 下廉　IG 9 上廉　IG 10 三里　IG 11 曲池　IG 12 肘髎
IG 13 五里　IG 14 臂臑　IG 15 肩髃　IG 16 巨骨　IG 17 天鼎　IG 18 扶突
IG 19 禾髎　IG 20 迎香

3. 胃經 MAGEN-MERIDIAN（縮名 V）

V 1 頭維　V 2 下關　V 3 頰車　V 4 承泣　V 5 四白　V 6 巨髎
V 7 地倉　V 8 大迎　V 9 人迎　V 10 水突　V 11 氣舍　V 12 缺盆
V 13 氣戶　V 14 庫房　V 15 屋翳　V 16 膺窻　V 17 乳中　V 18 乳根
V 19 不容　V 20 承滿　V 21 梁門　V 22 關門　V 23 太乙　V 24 滑肉門
V 25 天樞　V 26 外陵　V 27 大巨　V 28 水道　V 29 歸來　V 30 氣衝
V 31 髀關　V 32 伏兎　V 33 陰市　V 34 梁邱　V 35 犢鼻　V 36 三里
V 37 上巨虛　V 38 條口　V 39 下巨虛　V 40 豐隆　V 41 解谿　V 42 衝陽
V 43 陷谷　V 44 內庭　V 45 厲兌

4. 脾經 MILZ-MERIDIAN（縮名 LP）

LP 1 隱白　LP 2 大都　LP 3 太白　LP 4 公孫　LP 5 商邱　LP 6 三陰交
LP 7 漏谷　LP 8 地機　LP 9 陰陵泉　LP 10 血海　LP 11 箕門　LP 12 衝門
LP 13 府舍　LP 14 腹結　LP 15 大橫　LP 16 腹哀　LP 17 食竇　LP 18 天谿
LP 19 胸鄉　LP 20 周榮

5. 心經 HERZ-MERIDAN（縮名 C）

C 1 極泉　C 2 青靈　C 3 少海　C 4 靈道　C 5 通里　C 6 陰郄
C 7 神門　C 8 少府　C 9 少衝

6. 小腸經 DÜNNDAMR-MERIDIAN (縮名 IT)

IT 1 少澤　IT 2 前谷　IT 3 後谿　IT 4 腕骨　IT 5 陽谷　IT 6 養老
IT 7 支正　IT 8 小海　IT 9 肩貞　IT 10 臑兪　IT 11 天宗　IT 12 秉風
IT 13 曲垣　IT 14 肩外兪　IT 15 肩中兪　IT 16 天窗　IT 17 天容　IT 18 顴髎
IT 19 聽宮

7. 膀胱經 BLASEN-MERIDIAN (縮名 VU)

VU 1 睛明　VU 2 攢竹　VU 3 眉冲　VU 4 曲差　VU 5 五處　VU 6 承光
VU 7 通天　VU 8 絡却　VU 9 玉枕　VU 10 天柱　VU 11 大杼　VU 12 風門
VU 13 肺兪　VU 14 厥陰兪　VU 15 心兪　VU 16 督兪　VU 17 膈兪　VU 18 肝兪
VU 19 胆兪　VU 20 脾兪　VU 21 胃兪　VU 22 三焦兪　VU 23 腎兪　VU 24 氣海兪
VU 25 大腸兪　VU 26 關元兪　VU 27 小腸兪　VU 28 膀胱兪　VU 29 中膂兪　VU 30 白環兪
VU 31 上髎　VU 32 次髎　VU 33 中髎　VU 34 下髎　VU 35 會陽　VU 36 附分
VU 37 魄戶　VU 38 膏肓　VU 39 神堂　VU 40 譩譆　VU 41 膈關　VU 42 魂門
VU 43 陽綱　VU 44 意舍　VU 45 胃倉　VU 46 肓門　VU 47 志室　VU 48 胞肓
VU 49 秩邊　VU 50 承扶　VU 51 殷門　VU 52 浮郄　VU 53 委陽　VU 54 委中
VU 55 承筋　VU 56 合陽　VU 57 承山　VU 58 飛陽　VU 59 付陽　VU 60 崑崙
VU 61 僕參　VU 62 申脉　VU 63 金門　VU 64 京骨　VU 65 束骨　VU 66 通谷
VU 67 至陰

8. 腎經 NIEREN-MERIDIAN (縮名 R)

R 1 湧泉　R 2 然谷　R 3 太谿　R 4 大鐘　R 5 水泉　R 6 照海
R 7 復溜　R 8 交信　R 9 築賓　R 10 陰谷　R 11 橫骨　R 12 大赫
R 13 氣穴　R 14 四滿　R 15 中注　R 16 肓腧　R 17 商曲　R 18 石關
R 19 陰都　R 20 通谷　R 21 幽門　R 22 步廊　R 23 神封　R 24 靈墟
R 25 神藏　R 26 彧中　R 27 兪府

9. 心包絡經 MEISTER DES HERZENS-SEXUALITAT (縮名 HC)

HC 1 天池　HC 2 天泉　HC 3 曲澤　HC 4 郄門　HC 5 間使　HC 6 內關
HC 7 大陵　HC 8 勞宮　HC 9 中冲

10. 三焦經 DREIFANCHER ERWARMER (縮名 SC)

SC 1 關冲　SC 2 液門　SC 3 中渚　SC 4 陽池　SC 5 外關　SC 6 支溝
SC 7 會宗　SC 8 三陽絡　SC 9 四瀆　SC 10 天井　SC 11 清冷淵　SC 12 消濼
SC 13 臑會　SC 14 肩髎　SC 15 天髎　SC 16 天牖　SC 17 翳風　SC 18 瘈脉
SC 19 顱息　SC 20 角孫　SC 21 絲竹空　SC 22 和髎　SC 23 耳門

11. 胆經 GALLENBLASEN-MERIDIAN (編名 VF)

VF 1 瞳子髎	VF 2 聽會	VF 3 客主人	VF 4 頷厭	VF 5 懸顱	VF 6 懸釐
VF 7 曲鬢	VF 8 率谷	VF 9 本神	VF 10 陽白	VF 11 臨泣	VF 12 目窗
VF 13 竅陰	VF 14 承靈	VF 15 天衝	VF 16 浮白	VF 17 完骨	VF 18 正營
VF 19 腦空	VF 20 風池	VF 21 肩井	VF 22 淵液	VF 23 輒筋	VF 24 日月
VF 25 京門	VF 26 帶脉	VF 27 五樞	VF 28 維道	VF 29 居髎	VF 30 環跳
VF 31 風市	VF 32 中瀆	VF 33 陽關	VF 34 陽陵泉	VF 35 陽交	VF 36 外邱
VF 37 光明	VF 38 陽輔	VF 39 懸鍾	VF 40 邱墟	VF 41 足臨泣	VF 42 地五會
VF 43 俠谿	VF 44 足竅陰				

12. 肝經 LEBER-MERIDIAN (編名 H)

H 1 大敦	H 2 行間	H 3 太冲	H 4 中封	H 5 蠡溝	H 6 中都
H 7 膝關	H 8 曲泉	H 9 陰包	H 10 五里	H 11 陰廉	H 12 急脉
H 13 章門	H 14 期門				

13. 督脉 ORDNER-GEFÄB (編名 TM)

TM 1 長强	TM 2 腰兪	TM 3 陽關	TM 4 命門	TM 5 懸樞	TM 6 脊中
TM 7 筋縮	TM 8 至陽	TM 9 靈臺	TM 10 神道	TM 11 身柱	TM 12 胸道
TM 13 大椎	TM 14 瘂門	TM 15 風府	TM 16 腦戶	TM 17 强間	TM 18 後頂
TM 19 百會	TM 20 前頂	TM 21 顖會	TM 22 上星	TM 23 神庭	TM 24 素髎
TM 25 水溝	TM 26 兌端	TM 27 齦交			

14. 任脉 KONZEPTIONSGEFÄB (編名 JM)

JM 1 會陰	JM 2 曲骨	JM 3 中極	JM 4 關元	JM 5 石門	JM 6 氣海
JM 7 陰交	JM 8 神闕	JM 9 水分	JM 10 下脘	JM 11 建里	JM 12 中脘
JM 13 上脘	JM 14 巨闕	JM 15 鳩尾	JM 16 中庭	JM 17 膻中	JM 18 玉堂
JM 19 紫宫	JM 20 華蓋	JM 21 璇璣	JM 22 天突	JM 23 廉泉	JM 24 承漿

我閱法文針學書，德文針學書，以及雜誌論文，提及穴名時，有的註明穴名，再加此〔國際編號〕，有的只寫國際編號，不寫穴名。此稿材料，我國醫界人士或未見到，我旣發現，應該作此介紹，使我們知道國際方面對針學的研究，已施行很久了。

考察本草的著述修訂和改移

李　鼎

「本草」是我國古代的藥物學。它最初的著述，名稱就叫做「本草」；後來經過歷代醫家的補充修訂，成爲各種不同的本草。爲了別於後者，人們把前者稱做「本草經」或「神農本草經」或簡稱「本經」。——本文就略爲論述神農本草經文的變遷。

一、本草是西漢初期的作品

藥物原是人類和疾病作鬥爭中的發現，經驗流傳，記錄成書。在「本草」以前，像「山海經」等也約略有些記載，但那是零星的，而且帶有神怪色彩。寫成「本草」，當在西漢初期，約公元前一、二世紀。「本草」一名，最早見於漢書郊祀志、平帝紀和樓護傳，專記書籍的藝文志反而沒有記載。自秦始皇（嬴政，公元前221）、漢武帝（劉徹，公元前140）求神仙，那時聚集許多方士。漢武帝後，歷朝有不少方士待詔京師（長安），聽候皇帝意旨，通本草方術者也在內。成帝（劉驁，公元前32—7）時，匡衡、張譚及谷永提議減免，因此「方士使者副佐【本草】待詔70餘人皆歸家」（建始二年，公元前31）。到哀帝（劉欣，公元前6—2）時，又「盡復前世所常」（郊祀志）。平帝（劉衎）、王莽時「元始五年(公元五年)，徵天下通知逸經、古記、天文、曆算、鍾律、小學、史篇、方術【本草】及以五經、論語、孝經、爾雅教授者在所，爲駕一封軺傳，遣詣京師。至者數千人。」（平帝紀）「樓護字君卿，齊人，父世醫也。護少隨父爲醫長安，出入貴戚家。護誦醫經【本草】方術數十萬言，長者咸愛重之。」（樓護傳）——根據以上的文獻，那時通本草者有不少人數，而且是世代傳授，可見「本草」早就在民間廣泛傳布。在成帝以前，必然已有很久的歷史。即當西漢經70年休養生息，漢武帝尊崇學術、疆域擴大、國家強盛時期所寫成。有人以爲：那時的所謂「本草」並非書名，只是一種口頭傳述。我們也知道，語言是先於文字，在書籍之前必先有傳述。但從上面的文獻來看，「本草」跟別的書籍並列，而且爲樓護所誦讀，數十萬言的內容（包括醫經方術）不會得不用文字記載；既然是用文字記載，那當然「本草」就是那時的藥物學書。這是沒有疑義的。也許就是因爲它是流行民間，不入官府，所以漢書藝文志沒有記載。

二、本草何以要託始神農？

本草何以要託始神農呢？關於神農的傳說，陸賈（漢初人，元前二世紀）新語道基：「民人食肉飲血，衣皮毛，至於神農，以爲行蟲走獸難以久養民，乃求可食之物，嘗百草之實，察酸苦之味，教民食五穀。」後來淮南子修務訓（劉安，？——公元前122年）說得更道地：「古者，民茹草飲水，采樹木之實，食蠃蛖之肉，時多疾病毒傷之害。於是神農乃始教民播種五穀，相土地宜燥溼肥墝高下，嘗百草之滋味、水泉之甘苦，令民知所避就。當此之時，一日而遇七十毒。」——這些都是漢朝的著作。在這以前，對神農很少介紹；在這以後，到晉朝皇甫謐（士安，公元215—282年）著「帝王世紀」把上古的事說得活龍活現，不僅是神農嘗藥、著「本草」，連伏羲、岐伯都嘗過藥[1]。皇甫謐還編著一部「鍼灸甲乙經」，序文上說：「上古神農，始嘗草木而知百藥。……伊尹，撰用神農本草以爲湯液。……漢，張仲景，論廣伊尹湯液爲數十卷。用之多驗。」[2]這裏且不去細論。我們可以

(1)「伏羲嘗味百藥」的話也見孔叢子。

(2)「伊尹撰用神農本草以爲湯液」從上下文義來看，是說伊尹依據「神農本草」作「湯液」一書。陳邦賢著「中國醫學史」第40—41頁、古代醫藥的考證，本草經的起源項目下引文誤作「伊尹撰神農本草一書」以作主張商周時代作品的文獻。

這樣說：「神農嘗百草」的話，盛行於西漢。在戰國時，已經有了「有爲神農之言者——許行」（孟子滕文公章），這還是專指農業方面的。漢書藝文志則於農兵、五行、雜占、經方、神仙諸家，都有託始神農的著作[3]。言必稱古，原是當時的風氣。淮南子修務訓會經說：「世俗之人，多尊古而賤今，故爲道者，必託之於神農、黃帝，而後能入說。」依照神農教民耕種這話來講，本草託始神農還算是最有理由的。也是說，食物、藥物，是出於同一淵源。在古代，當人類爲了爭取生存，必須尋求食物——首先就是屬於植物性的食物。在這同時，會得遭遇到一些不適合於吃用的，進一步也就發覺到可以利用它們來治療疾病的那些植物性藥物或毒物了。跟着，也發現到一些動物性和礦物性藥物或毒物了。因之，本草的內容，必然是以植物性藥物——草藥，佔着最大的比重的，同時，也必須是以植物性藥物居于首要的地位，其所以題名爲「本草」，也正是說明了這點。而現存的「本草」是以「玉石部」爲首，那顯然是經過後人的改易。是誰改易的呢？那就是出於後來的受了煉丹服食影響的醫家。——話再拉回來。班固（公元 1—92）白虎通說：「古之人民皆食禽獸肉，至於神農，人民衆多，禽獸不足，於是神農因天之時，分地之利，制耒耜，教民農作，神而化之，使民宜之，故謂之神農也。」其實，「神農」應該是發明農業時期的概念集中人物。到現在，只有「本草」才流傳，其他託始神農的書，因爲沒有用，大都已經亡佚了。這也可以看出：本草是經得起時間考驗，爲歷代醫家所不能缺少的書。

三、本草的內容文字

書中的藥名，除「朮」「蠡」「蓮」「鐵」是一個字外，其餘都是二個或二個以上的字，不像詩經、爾雅中的一些古名。如「禹餘糧」「王不留行」等名，都可以看出來自民間口語。藥名有好些是冠有產地的，如巴豆、蜀椒、羌青(獨活別名)、巴戟天、秦艽、胡麻、戎鹽、代赭、阿膠、蜀漆、蜀羊泉、海蛤、海藻、吳茱萸等。全書三百多種藥物亦非一地所產，不是政權統一、疆域擴大的西漢時代，則不可能寫成這書。藥名也有經過後人改易的，如晉朝郭璞注爾雅釋草及山海經西山經，引「本草經」門冬作「虋冬」、礜石作「涅石」，和現存的本草所載不同。「恒山」則是因爲避漢文帝、唐穆宗、宋眞宗的名諱(劉恒、李恒、趙恒)，改稱「常山」。

本草文詞，有它一定的格式。每種藥物記有「性味」（甘、辛、酸、苦、鹹，溫、微溫、平、微寒、寒。）[4]「主治」；有些特殊的藥物，還附有「久服」輕身益氣延年一類的話。這是受了秦漢方士的影響，但其中也並不是完全沒有道理。如下品莨菪子（或不同於現在用的西藥莨菪鹼 Scopolamina）「主齒痛、出蟲、肉痹拘急。使人健行，見鬼；多食令人狂走；久服輕身，走及奔馬，强志益力通神。」粗看起來，必然以爲是太荒誕了。其實並不。「治齒痛、肉痹拘急」這該是經驗的記載，「出蟲」可能是認做齒痛由蟲所致。以下所描述的是指藥用過量，刺激中樞神經，行動增加，神志錯亂（見鬼）的現象。有點兒像阿託品的藥理作用。只是文詞有點兒玄妙，人們都往怪處想，陶弘景就因爲「仙經不見用」表示奇異。而沒有想到這是治病的藥，而不是常吃的食物。畢沅校注山海經在序文上說：「山海經未嘗言怪，而釋者怪焉。」這話用來說本草還比較恰當。東漢大思想家王充（公元 27—104）論衡道虛篇說過：「夫服食藥物，輕身益氣，頗有其驗；若夫延年度世，世無其效。百藥愈病，病愈而氣復，氣復而身輕矣。凡人稟性，身本自輕，氣本自長；中于風溼，百病傷之，故身重氣劣也。服食良藥，身氣復故；非本氣少身重，得藥而乃氣長身更輕也。」又「吞藥養性，能令人無病，不能壽之爲仙。」古來文章，每有誇飾鋪張

---

(3) 漢書藝文志：農家，神農 20 篇；陰陽，神農兵法 1 篇；五行，神農大幽五行 27 卷；雜占，神農教民田相土耕種 14 卷；經方，神農黃帝食禁 7 卷；神仙，神農雜子技道 23 卷。

(4)「性味」或稱「氣味」或說「寒溫五味」。本經文中是沒有標明「性」或「氣」的，只有「本說」中說「藥有寒熱溫凉四氣」，這是跟正文中所載的不合的。「寒熱溫凉」語也見現存素問「六元正紀大論」「至眞要大論」，或疑大論是王冰從「陰陽大論」補入。宋寇宗奭著本草衍義說：「氣」字當改「性」字方允。李時珍本草綱目還是作「氣味」，他說：自素問以來只以「氣味」言，卒難改易，姑從舊稱。可見「寒熱溫凉四氣」是種很勉强的說法。事實上，我們平常也只能說寒性、溫性，而不說寒氣、溫氣。

的修辭，論衡藝增篇也說過：「俗人好奇，不奇言不用也。」本草之所以有一些奇怪的地方，可能也有這個緣故。但這只是偶有的條文「尾聲」，絕大部分還是出于踏實的記載。本草雖然是簡短的條文，在修辭上可算是相當完整。如云「寒熱如在車船上」「腸鳴幽幽如走水」「胸肋痛如刀刺」「風寒洒洒」「滌去蓄結飲食，推陳致新」等，都是很好的句子。「狗脊」條「頗利老人」，「頗」字語詞，係漢以來文章中才見用。

本草有好些文字是漢時方士所增羼。明顯的如青、赤、黃、白、黑五芝；本草原有「紫芝」一條，文義已足。淮南子俶眞訓、說山訓也只稱道「紫芝」，因爲紫芝才是常有的。蘇恭唐本草注也說：「五芝，經云皆以五色生于五岳。諸方所獻：白芝未必華山，黑芝又非常岳；且多黃、白，希有黑、靑者；然紫芝最多，非五芝類。但芝自難得，縱獲一二，豈得終久服耶？」「吳氏本草」于紫石英、白石英外又舉靑、赤、黃、黑石英。「名醫別錄」于石流黃外又有石流靑、石流赤，以及五色石脂等文，都是同類的作品，原不當在本草之列。本草開頭有篇像序文樣的「本說」，文詞論調並不與正文相合。如說「藥有寒、熱、溫、涼四氣」，正文中是分溫、微溫、平、微寒、寒。再像「相須、相使，相畏、相反」等語，正文中根本没有講起。「本說」一文，當然也是出于後來的醫家。不去細論。

藥物產地，原來只有「生山谷、生川澤」，東漢時醫家記載上當時的郡縣名稱。如涪陵出丹沙，藍田出美玉，人參出上黨，菖蒲益州生，紫菀出漢中房陵，礬石出漢中等，並和後漢書、說文所記載的相合。這是漢代藥物分布的確實記載。陶弘景疑心是張仲景、華元化（佗）等所記[5]。考察它的郡縣制度名稱早在東漢初期，跟三國時反而有不合，况那時戰亂分裂，哪能記得這樣全面，應該是出于以前的醫家。歷代名醫圖考（書已佚）說「張機（仲景）錄本草藥性，作「神農本草經」三卷」這話也靠不住。

四、東漢後期的本草學論著

到漢朝末年，關於講藥物的書是相當多了。一般都託始古人。根據華佗弟子吳普著的「吳氏本草」所引就有這些——神農、黃帝、岐伯、扁鵲、雷公、醫和、桐君、李氏。除李氏是他的同學李當之外，其餘多數是假託（神農即現存本草），他所根據的同一種書還有不同的本子[6]。「吳氏本草」就是采集各家說法而成，藥物441種，說藥性寒溫五味最爲詳細。宋朝書已散佚，太平御覽還載有多條。淸朝孫星衍會經從各書收集，載于他所考定的「神農本草經」中。

東漢經學家鄭康成注「周禮醫師」說：「治合之劑，則存乎神農、子義之術。」唐朝賈公彥疏：「按劉向云：扁鵲治趙太子暴疾尸厥之病，使子明炊湯，子儀脈神，子術按摩。又中經簿云：「子義本草經」一卷。儀與義一人也。若然，子儀亦周末人也，並不說神農。按張仲景金匱云：神農能嘗百藥。」[7]子儀一名也見「呂氏春秋」。今劉向「說苑」子儀誤作陽儀。「子儀本草經」不見于別的記載，或許也是東漢時的書。

唐朝長孫無忌等撰隋書經籍志說：「梁有「蔡邕本草」七卷。」蔡邕是三國時文人蔡伯喈。

綜括上面來看，那時關於藥物的著作眞够多了！醫藥在東漢初期，班固說是「今其技術晻昧」（藝文志）；到三國時，由於本草學盛行，名醫輩出（像張仲景、華佗等），可說是「其道大昌」了。

五、梁朝陶弘景的編著

本草到了兩晉六朝，那時的醫家爲了便於實用，有各種不同的編錄本子。「秦承祖本草」「徐之才藥對」也是這時的作品。第一部綜合性的編著要算梁朝陶弘景的「本草集注」[8]。他就「神農本經」365種，再加進「名醫別品」365種，共計730

---

(5) 另詳「本草經藥物產地表釋」（醫史雜誌4:4 1952.）。陶序：「所出郡縣乃後漢時制，疑仲景、元化等所記。」有人誤解他的意思，說本草是張仲景、華佗等所記，作爲主張兩漢時代作品的文獻。

(6) 如空靑條說：「神農甘，一經酸。」一經是說另一種本子。

(7)「中經」魏鄭默撰；「中經新簿」晉荀勖撰。書已佚。

(8) 陶弘景藥總決序：「本草之書歷代久遠，旣無師受，又無註訓。傳寫之人，遺誤相繼，字義殘闕，莫之是正。」

種[9]。在當時說來，已經是「苞綜諸經、研括煩省；精粗皆取，無復遺落」了。本書對後來影響最大，由於它的完成、以前的單行本「本草」都漸次失傳、以後的官修本草就根據這書；又由於後來新修本草完成，本書的原本也漸次散佚了。——這是本草學的不斷擴展情況。

陶弘景（公元452——536）是道家人物、對儒家典籍也有過許多著作。讀到葛洪的書就崇奉道家，講求服食，煉丹采藥，同時也接受西來的佛教教理。這原是當時的社會風氣。齊武帝（蕭賾）永明11年（公元493）隱居茅山、「本草集注」是隱居後的著作，其中有不少牽引「仙經道術」的話。原書凡「神農本經」以朱寫、「名醫別品」以墨寫。這跟他的別的著作「眞誥」和「肘後百一方」的形式相仿[10]。有人疑心他有許多僞造，據觀察、他的治學態度是相當踏實的、並沒有竄亂「本草」，可以由下列幾處說明：

1. 陶氏並沒有改移三品——下品水芹條陶注：「論芹主治合是上品，未解何意乃在下?」[11]

2. 陶氏並沒有分并條文——中品葱薤條陶注：「葱、薤異物，而今共條?」下品粉錫、錫鏡鼻條陶注：「錫鏡鼻與胡粉異類，而今共條?」

3. 陶氏並沒有改易文字——下品溲疏條陶注：「「掘耳」疑應作「熊耳」，「熊耳」山名、都無「掘耳」之號。」[12]

他只列舉疑問，沒有隨意改易。後人說他是竄亂舊章，還是不很公道的[13]。那陶氏是否就絲毫沒有改動呢？也不，他說過去的各種本草「或三品混糅，冷熱舛錯，草石不分，蟲獸無辨。」他做的是「分副科條，區畛物類。」——這是經過他變動的地方。

六、唐宋兩朝的官修本草

到唐朝高宗（李治）顯慶四年（公元659），監門府長史蘇恭等20餘人重修本草、補正陶氏「時鍾鼎峙，聞見闕於殊方；事非僉議、詮釋拘於獨學」的缺點。增添藥物114種，並繪列形態稱「圖經」。「唐本草」是第一部由國家修訂頒行的中國藥物學。孫思邈（公元581—682）「千金翼方」中載之。那時改掉一些字和退掉幾種藥。如全書沒有一個「治」字、「主治」只說「主」或說「主療」，是避李治名諱時所改[14]。姑活、別羈、石下長卿、翹根、屈草、淮木六條退在「有名未用」門中，沒有注明原在品次；後人的「本草經」輯本都是隨意歸附。宋朝太祖（趙匡胤）開寶六年（公元973）、醫工劉翰、道士馬志等重修、增添藥物133種，並刻板印行、才改「朱字」作「白字」。仁宗（趙禎）嘉祐二年（公元1057）又詔掌禹錫等重修、增定藥物90餘種。哲宗（趙煦）元祐年間（公元1092）；四川醫生唐愼微又補集經史、醫書、單方、別說，名「經史證類備急本草」。徽宗（趙佶）大觀二年（公元1108）命官校正刊行，改名「經史證類大觀本草」，政和六年（公元1116）詔命醫官曹孝忠重刊正，定名爲「政和新修經史證類備用本草」。以後歷朝有修訂本刊行。在唐、宋兩朝、由於疆域擴大、往來頻繁，官方重視醫藥（？），本草學有了很大的發展。

「宋本草」的藥物次序已經不是「唐本草」或「陶弘景本草」的原樣兒。其中除「有名未用」門和陶氏「序例下」的藥名次序外、大多已經過改移。

七、明朝李時珍的編錄

一直到明朝李時珍（公元1518—1593）編著「本草綱目」，包羅以前的各家本草藥物，分門別

---

(9) 名醫別品365種，內有170餘種在「有名未用」門中，實際只有180多種。「名醫別品」的「別」字一作「副」；以下「分副科條」的「副」字一作「別」。見陶隱居集，本草序。

(10)「眞誥」是關於道家的編著，卷19翼眞檢第七（此卷是標明眞緒、證質玄原，悉隱居所述，非眞誥之例。分爲二卷。）叙錄上說：「眞誥中凡有紫書大字者，皆隱居別抄取三君手書經中雜事各相配類，共爲證明。諸經既非，聊爾可見，便於例致隔，今同出於此則易得尋究。又此六篇中有朱書細字者，悉隱居所注，以爲誌別；其墨書細字，猶是本文眞經始末。」「肘後百一方」是就葛洪「肘後備急方」作補充，序上說：「抱朴此製，實爲深益，然尚有闕漏，未盡其善，輒更采集補闕，凡一百一首；以朱書甄別。」

(11)「芹」經文原作「蘄」，陶注云「俗中皆作芹字」，未改本文。

(12) 今本草產地已改作「熊耳」。

(13) 李時珍說：陶氏作別錄乃拆散各部，三品亦移改。顧觀光說：凡證類本草三品與「本經目錄」互異者，疑皆陶氏所移。——這是不對的臆想。甚至有罵陶氏竄亂古本草，爲神農之罪人者。狂妄之極。

(14) 宋太平御覽引本草經文還多作「治」字。

類，體例也和過去不同。卷二載有「神農本草經目錄」，不同於「宋本草」更不同於「唐本草」，和「綱目」正文中比對也有許多分歧。還是出於李氏編訂。其不同於「證類本草」的地方有：

1. 移上品入中品者——石膽、白青、扁青、柴胡、芎藭、營實、茜根、白兎藿、薇銜、檗木、五加皮、木蘭、牛黄、丹雄雞、鴈肪、海蛤、文蛤、蠡魚、鯉魚膽；

2. 移上品入下品者——瓜蒂；

3. 移中品入下品者——孔公孽、殷孽、鐵落、鐵、梔藿、燕屎、伏翼、天鼠矢、蝟皮、蟹、蠐螬、樗雞、蛞蝓、木宝、蜚宝、蜚蠊、蟅虫、青蘘、赤小豆、大豆黄卷；

4. 移下品入中品者——豚卵、麋脂、桃核仁、杏核仁、水芹。

這樣改移的結果，是和「本說」所說的「上品120種；中品120種；下品125種」的數字相合。但不能就信做這是「古本草」的原來目次。在「綱目」正文中，李氏也改動了「古本草」文字。如「風頭」一詞改成「諸風」「頭風」「瘋頭」；文句前後移調，「本經」「別錄」混誤等。這和他所根據的本子也有關。

八、清朝的本草經輯本

「本草」由於歷代的補充修訂，擴展成爲「本草綱目」這樣的巨著，是我們祖先數千年醫藥經驗的總匯。但本草經早已佚失，明朝盧復首先作了輯佚神農本草經，清朝醫家爲了便於誦讀，從「本草綱目」中輯出「神農本草經」。乾隆、嘉慶年間，考據家孫星衍（公元1753—1818）從「大觀本草」中輯出，刋在「問經堂叢書」中[15]。道光年間，數學家顧觀光（公元1799—1862）又根據「綱目」「神農本草經目錄」排輯，刋在「武陵山人遺書」中[16]。光緒年間，文人王闓運執教成都尊經書院，翻刻一本「神農本草」。序文說：「「本草」今世所傳，唯「嘉祐官本」尙有圈別，如陶（弘景）朱墨之異，而湘（湖南原籍）蜀（四川客地）均無其書。求之六年，毆生始從長安得「明翻本」。其圈頗雜糅移奪，略依例正，而以藥品分卷。」[17] 本書說是「嘉祐官本」尙合，說它「圈別如陶朱墨之異」則不對了。陶書朱墨是用以別明「本經」「別錄」；此本圈別是用以誌異存疑，而且它的誌異每適合乎「綱目」所載，則應該出自明朝人的手筆。——現在國內流傳的「本草」單行本，大致是這幾種。

九、結　　語

總的說來：「本草」是我國古代藥物學第一部成功的書。內容是專門的、廣泛的、系統的、眞實的，不像以前「山海經」一類書所記載的零星、怪誕，也不比金元以後編述本草的附會、玄虛。綜合先人的經驗，成書於西漢時期，奠定了中國藥物學的基礎。是我國古代的偉大著作。原書經過歷代的補充、修訂和改移，集合成——梁陶弘景集注本草——唐顯慶本草——宋開寶、嘉祐、大觀、政和本草——明李時珍本草綱目，擴展成爲名聞世界的巨著，是我們祖先數千年醫藥經驗的總匯。整個本草史，表示了祖國醫藥的悠久的偉大的光輝傳統，現在正爲我們正確的繼承和發展。

參考文獻

1. 班　固（漢）：漢書卷25郊祀志、卷12平帝紀、卷30藝文志、列傳第62游俠樓護；白虎通卷一，號。
2. 陸　賈（漢）：新語卷上道基。
3. 劉　安（漢）：淮南鴻烈解卷19修務訓、卷16說山訓、卷2俶眞訓。
4. 劉　向（漢）：說苑卷18辨物。
5. 許　愼（漢）：說文解字艸部、石部。
6. 王　充（漢）：論衡卷七道虛篇、卷八藝增篇。
7. 鄭康成（漢）；賈公彥（唐）：周禮天官冢宰醫師注疏。
8. 皇甫謐（晉）：帝王世紀；鍼灸甲乙經序。
9. 郭　璞（晉）：爾雅釋草注；山海經西山經注。清，畢沅：山海經序。
10. 長孫無忌等（唐）：隋書經籍志。
11. 陶弘景（梁）：陶隱居集；眞誥卷19叙錄。
12. 范　曄（宋）：後漢書地理志。
13. 李延壽（唐）：南史列傳第66，姚思廉：梁書列傳第45，張君房：雲笈七籤卷107陶弘景傳。
14. 李　昉等（宋）：太平御覽卷78皇王部三。
15. 唐愼微（宋）：證類本草（政和本草）。
16. 李時珍（明）：本草綱目。
17. 神農本草經：孫星衍（淸）輯本；顧觀光輯本；王闓運校刊明翻本嘉祐官本。

(15) 初序作於乾隆癸卯48年即公元1783年，文載問字堂集；到嘉慶四年即公元1799年，再次和姪兒孫馮翼校定刊行。

(16) 錄本草書後作於道光己丑即公元1829年；到甲辰即公元1844年作序。

(17) 王叙寫於「大歲在閼逢涒灘」即光緒14年甲申即公元1884年；於次年刊行。

切 脈 考

尙 啟 東

中醫診斷最重切脈，所以東漢王符的潛夫論上說，「凡治病必知脈之虛實，然後爲方，疾可去而壽可長也。」〔述赦篇〕中醫切脈是何時何人所發明呢？考司馬遷（公元前120年間）史記有：今天下言脈者，由扁鵲也。據此，可以知道中醫在公元前五百年，切脈法即由扁鵲發明，而當時與扁鵲不相上下的醫生，如醫和，治晉平公的病（昭公元年）楚醫視叔豫僞病（襄公九年）左傳上都說：「視之」，不說：「切脈」，是醫和與楚醫都不診脈的證明。

扁鵲切脈有沒有繼承人呢？史記有陽慶公傳倉公（淳于意）扁鵲脈書上下經五色診奇咳術揆度等書（倉公傳），又有倉公可謂近之（指扁鵲）（太史公自序）的紀載，據此我們可知倉公是扁鵲的繼承者，史記又稱：「今天下言脈者由扁鵲也」。據此我們又可知西漢時言脈的，都是扁鵲繼承人，所以倉公傳裏齊王侍醫遂亦引扁鵲「脈書」。

扁鵲切脈，究竟如何切法？考史記紀倉公的脈位有「少陽初代」「弦出右口」「右脈氣口至小緊」等，於此可見扁鵲的切脈，是十二經，三部九候，切脈並不是僅診兩手。考倉公所引的脈書有「脈長而弦不得代，四時者，其主在肝」（史成條），「熱病陰陽交者死」（長信條），「石藥悍」（侍醫遂條）：「病重而脈反順淸者曰內關」（舍人條），「臟氣相反者死」（成開方條），又倉公說脈有：「湧疝也，令人不得前後溲」（齊郎中條），「熱氣暑汗，脉稍衰，不死」（長信條），「重陽者逷心主」（嬰兒條），「陽明脈傷，即當狂走」（山附條），「傷脾之色望之殺然黃，察之如死靑之茲」（宦者平條），「循其尺刺粗毛奉髮也」[6]（薄吾條），「切其腎脉濇而不屬，故曰月事不下。」以上的幾條，並都見於內經書中。於此道可見內經切法，就是扁鵲切法，而且內經乃是由西漢上至春秋時，扁鵲一派人的總著作，（按內經有多篇，爲東漢及唐人所補，然大多數則爲扁鵲一派人的書）。所以我們看內經即可知扁鵲的醫術了。

內經切脈，有三部九候診法，人迎脈口診法，及寸口與色尺膚等，互參的診法，今單就診脈說起。

1. 三部九候診脈法：「上部天，兩額之動脈，上部地，兩頰之動脈，下部人，兩耳前之動脉，中部天，手太陰也，中部地，手陽明，中部人手少陰，下部天，足厥陰，下部地，足少陰，下部人足太陰，下部天，以候肝，地以候腎，人以候脾，胃之氣，中部天以候肺，地以候口齒之氣，人以候耳目之氣。」

2. 人迎脈口診：即項側動脉，與手掌後動脉，兩相比較的診斷法，（人迎自三國時即指爲在左手，氣口在右手），「人迎一盛，病在少陽，一盛而躁，病在手少陽。人迎二盛，病在太陽，二盛而躁，病在手太陽。人迎三盛，病在陽明，三盛而躁，病在手陽明。脉口一盛，病在厥陰，一盛而躁，病在手心主。脉口二盛，病在少陰，二盛而躁，病在手少陰。脈口三盛，病在太陰，三盛而躁，病在手太陰。」

3. 寸口診：「春弦，夏洪（又作鈎），秋毛（又作浮），冬石（又作沉）」，弦洪毛石以胃氣爲本，若純弦無胃脈（即平人的脈象），謂之肝眞臟脈，純洪無胃，謂之心眞臟脈，純毛無胃，謂之肺眞臟脈，純石無胃，謂之腎眞臟脈，皆是死的現象，其他寸口診法，很多不能全引。但是內經所言的寸，是指寸口，診脈處，並非後人所指的寸，僅指高骨前的脈。內經所言的尺，是尺之皮膚，並不是後人所指高骨後的尺脈，（按內經雖有幾處寫作尺脈的，但係錯字）。

扁鵲診脈，能診出些甚麽呢？「劉安淮南子（公元前140年間）」說，「所以貴扁鵲者，非貴隨證施治，貴其擪脈息而知病之所由生也。」（泰族訓），桓寬鹽鐵論（公元60年間），稱「扁鵲撫脈息而知病之所由生，陽氣盛則損之而調其陰，陰氣盛則損之而調其陽。」（輕重篇），由此可知扁鵲診脈，可以診出病源來。又考倉公傳上病案二十餘條，每條都能診出其病源，病灶，病的轉回，預後。其斷診的方法，和所引的脈書，記載的很爲明白，就此可以證明扁鵲診脈的功用廣大而正確了。

易緯通卦驗記載，有手足三陰三陽十二經脈，脈的盛和虛，應生何種疾病，據此可見西漢哀平的時候（公元五年至公元前六年），診脉仍然是取十二經脉的。

又考診脉專取兩手掌後動脉作爲寸關尺的，是出於難經，宋朱熹（公元240—300年）說：「古人之於脈，固非一道矣，近人通行惟寸關尺法爲最要，其法見於難經之首章，亦非言無據者」（跋郭雍傷寒補亡論），按難經第一章說：「十二經皆有動脉，獨取寸口何謂也？然寸口者脉之大會也」，這可以爲難經獨取掌後動脈作爲寸關尺的確實證明。惟難經不見於漢書藝文志，自應爲西漢以後的人，附會扁鵲所作的書。張仲景傷寒序稱它爲「經」，自應爲靈獻以前的書，疑爲郭玉輩所爲，當成於殤帝安帝之時。後漢書郭玉傳，「初有老父，不知何出，常釣於涪水，因號涪翁，乞食人間，見有疾苦，時下鍼石，輒時而效，乃著鍼經診脈法傳於世」（按涪翁疑爲王莽的太醫）。據此可知涪翁是有診脈法傳於世的，但後世各書目及各家醫書，從未引過涪翁的論脉法。郭玉傳又說：「涪翁弟子程高尋求期年，翁乃授之，高亦隱跡不仕，玉少師高學方診六微之妙，陰陽不測之術。」就此可知涪翁的書，是傳程高，程高又傳郭玉了。郭玉傳上又說：「玉和帝時爲太醫丞多有效應，帝奇之，仍試令嬖人美手腕者，與女子雜處幃中，使玉各診一手，問所疾苦。玉曰左陰右陽，脈有男女，狀若異人，臣竊疑其故。玉年老卒於官。」就此可以明了郭玉是專診兩手的脈，不診頭足脈了，就此更可知專診兩手的脈，出自涪翁的診脈法了，所以郭玉傳說：學方診六微之妙，乃是診兩手寸關尺，六脉的微妙啊！

難經十六難上說，「脈有三部候，有陰陽，有輕重，有一脈變四時，有六十首，離聖久遠，各是其法，何以別之。」（下沒有答文），可以見到東漢殤安時，診脈仍然是多種診法的。

難經十八難上說：「三部者寸關尺也，九候者浮中沉也」。十三難說：「脈所以行氣血，……朝於寸口人迎」，四難說：「呼出心肺，吸出腎於肝，呼吸之間，脾受穀味也。其脈在中，浮者陽也，沉者陰也，故曰陰陽。」五難說：「初持如三菽之重，皮毛相得者，肺部也。如六菽之重，與血脈相得者，心部脈也。如九菽之重，與肌肉相得者，脾部脈也。如十二菽之重與筋平者，肝部脈也。按之至骨，舉手來疾者，腎部脈也，故曰輕重。」這部難經是藉解釋內經之名，將古代傳來各種脈法，並入兩手寸關尺中，以成他的一家學說，郭玉爲太醫丞，或者借君主政府力量做的，後來人就沒診項側動脉，和頭足手三部的脈了，所以三國時吳太醫呂廣（公元250年間）註難經的第一難說：「手陽明在口邊」（見難經集註）。又說：「左手關前爲人迎，右手關前爲寸口。」[1] 這證明到三國時，已經不知三部九候和人迎脈口的診法了，張仲景（公元三世紀）診脈法雖寸口、趺陽、少陰三部並診，但是診的是常動的，乃是由熟練體會得來，並不是從前傳下來的。若果是傳下來的，還同於從前的診法了，今另是一種方法，所以說：他不是傳下來，而是另由體會得來的。張仲景的診脈，雖然三部，但是言少陰的少，言寸口，趺陽的多，所以與仲景同時的鄭康成註周禮疾醫說：「診脈之大要在寸口陽明二處。」[2]

張仲景診脈是如何的診法？他於一般的外感疾病，只診寸口，若積聚，及上下隔絕的結胸，則將寸口分爲寸關尺三部診斷，若病至於胃即診趺陽病及腎，或婦人病，多診足少陰，久病雜病，多以寸口、趺陽、少陰比較診斷，並參以色聲形態。

---

(1) 楊上善註內經太素云：此經（指內經）所言人迎寸口之處，數十有餘，竟無左手寸口爲人迎，右手關上爲寸口，而舊來相承無人，診脈稍有小知，得之別註人多以此致信。按隋時醫書註本，僅全元起素問，與呂廣難經，而全註素問，楊上善從未一引，故決其出呂廣註。

(2) 鄭玄註周禮疾醫有「以五氣五聲五色眡其死生，其唯扁鵲倉公以陽明寸口能專是者，其唯秦和乎岐伯榆跗則彙彼數術者」。按左傳言醫和爲視而不云診史記、淮南子、鹽鐵論諸書皆言扁鵲善診脉，又史記並紀有倉公診脈法二十餘條，榆跗係巫醫（另有考岐伯則係托名，秦漢時期，並不單診寸口，陽明二處，則鄭玄之說，不足憑也）。

張仲景診脈能診出些甚麼呢？梁陶宏景（公元520時間）說：「張仲景善診脈，明氣候，以消息之耳，」（神農本草經序例註），杜度集所集其師張仲景治雜病的方（現金匱存其一部），並晉王叔和（公元270年）所著的脈經，引的張仲景診脈病案甚多，都是診出病的原因，病的所在，病的轉歸，病的癒後。

王叔和脈經出後，診脉以脈經爲主，專取兩手，就沒有診及別處的了，梁陽泉（公元502—554年）物理論說：「名醫達脈，求之於寸口三候之間，則得之矣。」宋史龐安時傳，紀安時（公元1078年間）的話，有「察脉之要，莫急於人迎寸口，是二脈陰陽相如兩引繩，陰陽均，則繩之大小等，故定陰陽於喉手。」可惜他著難經失傳了，現在不知他的診人迎氣口的辦法了。千金方（公元650年間孫思邈著）雖然有握手不及足，人迎趺陽三部不參的話（此說又見傷寒論自序但自序後半段乃是唐人本千金加的），但是並沒有人迎的診法。

專診寸關尺三部，能診出什麼病來？後人於脈雖言之甚似確實，但各家醫案之言脈僅可診出病原，病的虛實，病的安危等，而對病的所在，就不能確實辨明不移了。

古人稱脉，只言脈形，並不言脈名，如史記所稱的脈弦脈代（作更字解），素問靈樞皆同。張仲景雖稱有脉名，但仍多脈形，如榮、章、順、逆等，是其證例。到了王叔和作脈經，定成浮、沉、遲、數、微、細、散、緊、弱、滑、澁、動、緩、濇、結、促、代、洪、伏、虛、實、芤、革、弦二十四脈，千金翼方（公元680年間唐孫思邈著）改革脈爲牢脈，脈訣[3]去數散二脈，加長短二脈，仍爲二十四脈。元吳草廬（公元1330年間）將數散長短革牢齊爲收羅，共二十七脈，後人更有增加大小疾等脉的。

脈訣用七表八裏九道以分別脈的性類。滑伯仁（公元1370年間）用上下來去至止，爲診家樞要。明李時珍（公元1518—1593年）以浮、沉、遲、數爲脈的四大綱領。周學霆（公元1730年間）以緩脈爲脈的準繩。

寸關尺三部，各佔若干地位？難經第二難說：「從關至尺部，是尺，內陰之所治也，從關至魚際是寸口，爲內陽之所治也，故陰得尺中一寸，陽得寸內九分，尺寸終始，一寸九分，故曰尺寸也。」照這種說法，掌後動脈，僅尺寸二脈有地位，關爲分界之處，是沒有地位的。十八難又說：「三部者寸、關、尺也，上部法天，主胸以上至頭之有疾也，中部法人，主膈至臍之有疾也。下部法地，主臍下之有疾也。」這又似說寸關尺都有地位的。所以各家纔有爭論。隋楊上善（公元620年間）註黃帝內經太素「陰陽」有：「人之兩手，從關至魚九分爲寸，從關至尺一寸爲尺，尺寸終始一寸九分，此大經所云，竟無關地，關者尺寸之分處，關自無地。越人寸口爲陽，得地九分，尺爲陰，得地一寸，尺寸終始一寸九分，亦無關地。華佗云寸關尺三部，各得一寸，（公元169—212年），三部之地，合三寸，未知何據。王叔和皇甫謐各說不同，並有關地。（公元282年前）既無依據，不可從也。」唐楊玄操註難經說：寸關尺之位，諸家所撰，多不能同，故備而論之，以顯其正。皇甫謐脈訣，「以掌後三指爲三部，一指之間爲六分。三部凡一寸八分」。華佗脈訣云：「寸尺各八分，關位三分，合一寸九分」。王叔和脈訣：「三部穊相距一寸」（按三部各距一寸之說，出華佗爲妥）[4]。諸經如此差異，則後之學者，疑惑彌甚，然脉法始於黃帝，難經起自扁鵲，此二部俱祖宗諸家之論，蓋並枝葉爾，正可務本。不容逐末忘本，今的舉指歸用明人，要宜依黃帝正經（指難經），以掌後三寸爲部，則寸關尺各得一寸，講三才之義也，此法永不可改。」自此之後，醫家都以寸關尺各佔一寸了。

寸關尺三部在人手掌後，甚麼地方叫寸？甚麼地方叫關？甚麼地方叫尺？難經都沒有明文，脈經亦未說，不過他的語氣，似乎指高骨爲寸，所以千金方說：「則寸口也，此處其骨自高」（第二十八卷），宋趙彥衛雲麓漫抄有：「醫書論人之脉，有

---

(3) 脉訣三因方，謂「爲六朝高陽生所作。但不見隋唐書志，醫鬨謂出五代，高陽生，亦不知所本。但宋前無人引之，劉元賓加以註釋，後世遂有行者，謝縉翁曰，熙寧以後人著，總之脈訣出北宋爲當。

(4) 郡齋書目無王叔和脈訣，華佗脈訣，而有王叔和脈經，華佗觀形察色，並三部脈經，則脈訣即脈經也，今王叔和脈經，無寸關尺相距各一寸之說，而華佗之書已佚，但其名役三部脈經，則寸關尺穊相距一寸之說，出其書爲妥也。

寸關尺三部，手掌後高骨下爲寸，寸下爲關，關下爲尺。」由此可見宋前診脉，是以高骨爲寸。脉訣又有「掌後高骨號爲關」。朱熹說：「所謂關者，多不明，竊議病者之臂有長短，醫者之指有肥瘠，而寸關尺必確有其處」。千金方云：「寸口之處，其骨自高」。惟俗傳脈訣，辭最謬陋，非叔和之書，而要能指高骨爲關，關前爲寸，關後爲尺，似得叔和之旨，余非精於斯道者，錄之以待博識者。」（跋郭長陽傷寒補亡論）。據此可以證明南宋時，診脈的地位，仍然不明白，經朱熹一跋之後，醫家診脉，俱用高骨爲關，無有他議了。

寸關尺某部主某臟某腑，難經並沒有言明，後唐蕭淵褚氏遺書（約公元 900 年）[5]本着難經第十九難，「脈有順逆，男女有恒，而相反者何也。然男生於寅，爲陽木，女生於申，爲陰金，故男子脈之在關上，女子之脈在關下，男子之尺恒盛，女子之尺恒弱也。」他說「男子陽順，自下生上故右尺爲受命之根，萬物從土出，故右關爲脾，脾生右寸肺，肺生左尺腎，腎生左關肝，肝生左寸心。女子陰逆，自上生下，故左寸爲受命之根，萬物從土出，故左關爲脾，脾生左尺肺，肺生右寸腎，腎生右關肝，肝生右寸心。」宋儲脉辨疑說：「男女之形絕異，陰陽殊途，男生而覆，女生而仰，男則左旋，女則右轉，男主施，女主受，男子至命在腎，處臟腑之極下，女子至命在乳，處臟腑之在上，形體既異，脈行於形氣之間，此豈不稍異哉，此以褚說爲有理也。」

元朱丹溪說（公元 1338—1358 年）男子寸盛尺弱，肖天不足於西北也；女子尺盛寸弱，肖地不滿於東南也。」元戴同父脈訣刋誤：（約公元 136 年間），闢褚氏遺書說：「男女形氣精血雖異，而十二經脈，所行止始終，五臟之定位則一也。安可以女子脉位爲反耶？」此刋誤一出，後人就沒再認褚說爲正確的了。楊上善本着難經的四難所說：「心肺俱浮，肝腎俱沉，脾主中州，故其脈在中」的理論，認爲「脾在關部，關又無地，有病寄見於尺寸」。宋王宗正難經圖解說：「診脈之法，當從心肺俱浮，肝腎俱沉，脾在中州之說。」明趙繼宗儒醫精要說：「當以左寸爲心，右寸爲肺，左尺爲肝，右尺爲腎，兩關爲脾，脉决言左：心、小腸、肝、胆、腎，右：肺、大腸、脾、胃、命者非也。」

李時珍闢之說：「若趙氏（趙繼宗）所云：蓋本之宋人王宗正難經圖解，豈知脈分兩手，出素問脈要精微篇，而越人推明關脈，及一脈十變於難經，非始叔和也。」後人診脈並沒有本趙的方法。

脈法贊（按此書不傳然旣爲脈經所引當出晋前），本着難經十八難的手太陰陽明金也，足少陰太陽水也，金生水水下行而不上，故在下部。足厥陰少陽木也，生少陰太陽火也，火上炎而不能下，故在上部。心主少陽火也，生太陰陽明土也，土主中宮，故在中部。」三十六難的「左者爲腎，右者爲命門」，說法說「心肝居左，肺脾居右，腎與命門，俱居尺部」。脉經又本着脈法贊就說「左寸屬心與小腸，左關屬肝與胆，左尺屬腎與膀胱，右寸屬肺與大腸，右關屬脾與胃、右尺屬命門與三焦。」千金方（孫思邈著）、活人書（宋朱肱著）、此事難知（元王好古著）、診家樞要（元滑伯仁著）、醫學入門（明李梴著）、三指禪（清周學霆著）、四聖心源（清黃坤戴著）、脈學乳海（王邦傅著）都同的。

脉决刋誤又本着素問脈要精微篇的，「尺外以候腎，尺裏以候腹，中附上，左外以候肝，內以候膈，右外以候胃，內以候脾，上附上，右外候肺，內以候胸中，左外以候心，內以候膻中。」這一段，就說「左寸候心與膻中，右寸候肺與胸中，左關候肝與膈，右關候脾與胃，左右尺俱候腹中，三焦則分屬寸關尺三部」。瀕湖脈學（李時珍著）、醫宗金鑑、醫宗必讀（明李士材著）、景岳全書（明張介賓著）、古今醫統（明徐春甫著）、醫門法律（清喻嘉言著）、時方妙用（清陳修園著）、脉訣正規（清沈微垣著）都同，但是因爲大小腸素問未有說明，所以有的將小腸屬於左尺，大腸屬於右尺，有的將大腸屬於左尺，小腸屬於右尺。

著者曾考出脈要精微篇的「外以候肺，至內以候膻中」四十字，不是素問原書所有的，乃是唐初人本着脈經僞加的。其本來一段，是講尺膚的，不是講脉的。總的說來，寸關尺三部，合五臟六腑，是不完全正確的，所以纔有各各不同的說法。著者

（5）褚氏遺書，上載有五運六氣之說，此說出於唐，蕭淵序稱，盜發褚墓所得，則必唐末蕭淵之托。

以臨床三十年，診病約二十餘萬人的實踐知道寸主上部。關主中部、尺主下部，有時可靠，病的寒、熱、虛、實、濕、燥、痹、危，是絕對可靠的。雖然如此，何以倉公診脉有那樣清白的病灶呢？但是倉公診的是三部九候，人迎脉口，今如手少陰脉動，不是心臟有病，即是婦人懷孕三月；手陽明脉動，不是胸悶不舒、即是大便不正常。頭，診兩額動脈。耳目，診耳前動脈。牙齒，診兩頰動脈，是極其準確的。足上三部的脉，因爲著者没有熟練，尙待考査研究，暫時不敢臆斷陳述。又凡是外面發熱的，人迎脉必大，陽明熱病更大，不發熱的内傷病，寸口脉大（按人迎脉平時都大於氣口，必須熟練才能知道）。張仲景診脉，分寸口趺陽，少陰三部，他亦能診出病灶來。我們來整理發揚祖國醫學，應在古籍中，儘量發掘，脉學乃是中醫診察病情的重要武器，必須把三部九候，人迎脈口，考究清楚，才能詳悉病情，以上不過是個人的考證和看法，正確與否，請予批評。

文　摘

蘇聯在痲風病學上的成就

Н. А. Торсуев

俄羅斯痲風病學者在研究痲風病的事業上作了巨大的貢獻。例如，遠在 1841，Г. Плахов 氏就曾指出痲風病有「免疫界區」的存在。他記述說：「在上臂內側面、腋窩、肘及膕彎處以及腹部都受不到任何損害」。他也首先注意到，「有時由尿道中有少許膿性分泌物出現」，也就是說，遠在外國作者們講述以前，就已確定有痲風性尿道炎的存在了。

Г. Н. Минх 氏的業績，不僅在於痲風流行病學研究基礎的理論上，而且在地方區域流行病研究的實際表現意義上，都是非常寶貴的。他的著作"Терская 區痲風病史"（基輔，1894），「俄羅斯南部的痲風」（基輔，1884—1887）等，在全世界痲風流行病學方面，實值得稱爲經典著作。

1893 年 Г. Н. Минх 氏記述了痲風的第二种經型。此型的存在，是在 1931 年被馬尼刺會議所公認的。最後，也是由他首先證實(1885)甲狀腺、腎臟等器官有痲風病害的。

他的學生 И. Савченко 氏，在世界上首先發表了痲風患者骨組織病理學檢查的結果。Н. Монастырский (1877) 及 Н. Ивановский (1880) 證明了痲風細胞內含有油脂(lipid)；此外，在以後，還確立了：在痲風患處有時有着巨細胞的浸潤。

Н. Ивановский 氏在 1880 年首先指出疣性痲風患者的脾臟中有含鐵血黃素 (hemosiderin) 沉着。А. И. Поспелов 氏在 1894 年指出在患部的皮膚中亦有此物沉着。

Иольсон 氏在 1893 年首先記述了痲風性靜脉內膜炎。И. Винярский 氏(1882) 及 Н. М. Фурсов 氏 (1898) 先後系統地研究了痲風患者的血像。應該指出：痲風患者血液的化學研究也是首先開始於 Н. М. Фурсов 氏的 (1898)。

我國作者在痲風病神經系統疾患的病理及組織學的研究方面有很大的功績：例如 К. Дегио 氏 (1889) 及 В. Герлах 氏 (1890) 的著作中詳盡地指出了痲風性神經炎發展的特性，И. Судакевич 氏(1884)、Н. Н. Внуковый 氏 (1892) 及 В. А. Самгиный 氏(1898) 記述了發現卡色氏(Гассеровый)交感神經節的椎間細胞及脊髓細胞的變化，Г. М. Штальберг 氏所論關於大腦變化的病理組織學檢查等，這些工作都足以說明對痲風病所作的貢獻。

在 1902 年，В. К. Стефанский 氏記述了在敖德薩發現老鼠中有由一種耐酸桿菌所引起的特殊疾病，從那時起就稱之爲"Стефанский 氏病"或「鼠痲風」。

另外，在全書中還貫串着不少蘇聯學者關於痲風病所作的全面而深入的研究，值得我們細讀。

（丁善慶節譯自"Лепра"1952 版 181 頁，題目是譯者另加的）

內丘縣神頭村扁鵲廟調查記

中醫研究院醫史研究室　調　査

馬堪温　執　筆

扁鵲姓秦名越人，是我國古代名醫，韓非子、戰國策、史記等書都記載有關於他的事蹟。由於他有高妙的醫術，深入民間各地行醫，歷來一直得到人民的紀念，至今在民間還有扁鵲廟存在。1954年4月筆者曾隨李濤教授等同志去河北省任邱縣鄚州鎮扁鵲故里調查（詳見中華醫史雜誌1954年第三號），11月10—17日筆者又與丁鑑塘同志去河北省內丘縣神頭村調查有關扁鵲古蹟，特將所見概要報告，供醫史研究之參考。

神頭村和鵲山　河北省西南部內丘縣，相傳是扁鵲曾到過的地方。這個地方在戰國時叫做邢，屬趙國，漢初改爲中丘，隋文帝避父諱改名內丘。此後，在各代雖曾經不同郡府的管轄。內丘縣東西長百餘里，南北寬度較狹，故全縣呈袋形。從縣城外向西眺望，只見遠方地平線上起伏着一片連綿不斷的高山，這便是蓬山。蓬山正好與太行山連脈。因爲相傳扁鵲到過此處，故把其中一個山改名「鵲」。又傳說虢太子曾在蓬山隱居，故把其中一山稱做「太子岩」。鵲山與太子岩是最高的山峯又彼此相連，遠望去，很是雄偉。縣城距鵲山約60餘里，沿着崎嶇的山路，蜿蜒上行，經過幾座村落，漸近鵲山麓，便是神頭村。村四面環山，正好用山做了天然的屏障，中間只有一個缺口，走進去便見一條水（九龍河）從上流下，水上架着一座小橋，兩岸的住家，房屋均用雜色山石砌成；越向裏走，越覺曲廻幽靜，兩岸的柿子樹，被秋霜沾紅了葉，把這座小村，點綴得更加清麗。走到盡頭，便是內丘一帶聞名的鵲王廟了。

鵲王廟　據清朝王匡鼎所修的內丘縣志記載，該地的扁鵲廟，漢唐時期已經有了，不知是從什麼時候開始建立的。如果站在神頭村南側的山坡上向北眺望，便見一行廟宇樓閣，隱映在樹叢裏，背後便是鵲山和太子岩等山峯。廟就建築在與鵲山相連的山坡上，面積約有十餘畝。廟前是一座大石橋，根據廟內一塊明朝嘉靖22年（1543）立的「鵲山重建九龍橋」碑記，知道最初是爲紀念扁鵲的醫術而建的，名「回生」，後改爲「龍登」，到嘉靖己亥（1539）年又改名「九龍」，原因是鵲山西有九澗，山雨後源源水鳴，瀑揚波會，所以易名。橋高二丈七尺，闊二丈六尺，長二丈八尺，兩旁石欄各16，欄壁上刻有浮雕，如姜太公釣魚、蘇武牧羊等，很是生動。橋下泉水淙淙，清澈見底。橋頭南側山坡上有九棵古柏，各粗二摟，眞是老木參天，枯枝屈地；山坡東側有一塊巨石，上面刻有「九龍橋石柏」五個大字，因爲石上長滿青苔，刻石年代不可辨認。山坡北側近石橋頭處，還有一塊巨石，上刻有「藥石」兩大字，是萬曆癸未年（1583）刻的。藥石兩側各一塊石碑，嵌砌在山石裏，一塊是至正 15 年（1355）「鵲山禱雨感應記」，碑文模糊，不可全認，大意是說：至正 15 年夏季天旱三個月不雨，莊稼乾旱，順德路的官員遂赴鵲王廟禱雨，行至中途，見陰雲從鵲山處騰起，傾刻大雨驟至沒脛，因此便立碑記頌。另外一塊是「鵲山神應王記」，因石碑大部剝落，不能辨認；不過按照碑石及大小形式，可能與「鵲山禱雨感應記」一樣，也是元朝的。

過「九龍橋」，稍上坡，便是「鵲樓」，高五丈餘。樓中豎立着幾塊清朝立的石碑。樓內兩側牆基內嵌砌着幾塊元朝延祐年的小碑，多是賦詩記述鵲山的事。鵲樓過去就是「山門」，比鵲樓略低；門前左側尙豎立着兩塊石碑，一塊是宋熙寧二年（1069）「重修神應侯廟記」；一塊是元癸未（1283）年立的「重修鵲山神應廟碑記」，兩碑各高八尺餘。

山門左前方是一座碑樓，比鵲樓還高，四面有浮雕有人像，彷彿是四大金剛；樓頂是黃色琉璃瓦；樓中有至元五年（1268）所立的「國朝重修鵲王神應王廟碑」，高一丈餘，碑頭刻着龍。村中老人談，過去每年三月廟會時遊人爭相用手或銅錢摸觸，傳說可以祛病，所以碑已被摸得油光平滑如鏡，下半部字跡已不可辨認。碑文是元朝翰林學士王鶚所撰。碑陰上刻着修碑人及監修人的姓名，監修人多是當時太醫院的醫官。

走過山門，便是鵲王獻殿，殿前是一塊廣場，長着幾棵古柏，並有不少石碑，有的倒塌，有的破碎，碑頭和碑身分散在地上。較完整的並且依然堅立在那裏的是一排四塊大石碑，各高一丈餘，一塊是嘉靖年所立的「鵲山重建九龍橋記」，另三塊是隆慶四年（1570）所立的鵲王殿祭文，其中有一塊是明代文人歸有光等所立，（歸有光那時正好貶官到順德府做通判）。鵲王獻殿後面是「鵲王殿」，爲鵲王廟建築中最大最巍峩者，殿頂是黃綠等色琉璃瓦，陽光下閃爍耀目，很是壯觀。殿左側有一棵大柏樹，粗三摟餘，當地人都說是唐朝時種植的。從這棵高大的古柏來看，可證明鵲王廟過去歷史之古遠。鵲王殿再向後便是「鵲王後殿」以及一些與扁鵲無關的建築，如前奶奶殿，戲樓，奶奶獻殿，奶奶殿，睡佛殿，玉皇閣。這些殿宇現在全被村中小學做爲教室，殿中塑像祭器等均已無存。縣志上記載每年春三月初旬，千里外的人都來致祭，可見當年盛况了。

關於鵲王廟的修建，當地至今還流傳着這樣一個傳說：唐初大將尉遲敬德曾經督建該廟，完工時，縣官請敬德來驗工，敬德一見，感覺很滿意，不由得笑了出來。但傳聞敬德除非在殺人時，從不笑。這一次笑，嚇壞了縣官，第二天自縊身死。敬德本來還想獎賞他，不料他死了。便令人在殿側修蓋一小廟紀念他。至今這間小廟還存在。這個故事，當然是令人難以置信的，不過却證明扁鵲廟當年之宏偉精緻了。

鵲王廟中的石碑 廟中石碑很多，除上面所提到的一些石碑外，在各處都可以看到石碑，如把碑做了牆角石，石階，石桌，小橋等。當地人稱，過去廟中石碑如林，每遭一次兵災，廟被焚後，碑記便被推倒和鑿毀，有的甚至被人搬走。每次重修，有的碑便被用做爲房基石，因而能僥倖殘存。

廟中的石碑現存較完整的，從五代到清朝不下數十塊，有的記載鵲王廟的修建始末，有的誌恩，有的賦詩讚頌廟景山景，從中可以看出扁鵲廟和鵲山過去的風光。現在按照年代，將其中幾塊較有價值的碑文摘錄如下：

1. 周（五代）顯德年間（公元954—959）的石碑：這塊碑發現於廟前石橋下西岸亂石中。碑已殘，只剩一部碑頭和碑身一角。共一尺長，半尺寬。碑頭上殘存「王碑」二字及「鵲」字之偏旁；碑身字跡殘缺，幸而立碑年代尚清晰。能辨認的碑文是這樣：

「……大王廟宇，頗歷歲華，雨漏風吹，梁欹柱倒……乃急徵良匠刊石……。讚曰：鵲山幽邃，鸞鶴育材，……吳越稱盧，德護寰區……神殿清澈，裝塑光潔……徵巧刊石，磨成碑碣……。」

從上面碑文中的「大王廟宇，頗歷歲華」幾字中，可知扁鵲廟至少在唐時已經建立了，另外從碑文中知道當時蓬山已改名鵲山，神殿中已有塑像碑碣了。清康熙年王臣鼎修的內丘縣志上記有元朝王鶚所撰的「神應鵲王廟記」（1268），其中有「……漢唐以來，像而祀之者舊矣。五季之末，數經殘圮，周顯德中安國軍節度使陳思讓爲重修之，是時碑刻已有……。」等字，不但給這塊顯德年的殘碑做了旁證，而且還證明扁鵲廟歷史之古遠。

2. 宋熙寧二年（1069）乙亥「重修神應侯廟記」：

「……邢之西北隅距城治 80 里曰蓬山，踞其上神應侯祠在焉。按史遷本傳爲渤海鄭人，受長桑君術，治人之疾，雖筋骨眞昧之間，切脉望色而無不愈者……。由於趙而多游焉。既沒，民思其功，立宇以祀，因號其山爲鵲山……。嘉祐初仁宗不豫，雖藥未喜，虔禱於神，遽報如響，始得○謚侯，因以神應爲號。太守李公，被天子明命，尹於茲土下車視俗……乃曰，廟貌未隆，舊制狹陋……非所以妥靈報功以稱於後也。然每歲之間，民所獻物……供神之餘，豈可他費，乃反資其物於廟而完新之，不取於官，無勞乎民……數旬而工告休○，重欄密廡，森然如翼……望之儼然，渠渠而可仰也……。」

3. 元中統壬戌（1263）年「謁鵲王廟」碑：

「鵲山萬壘鬱蒼蒼，廟○象嚴神應王，玉帛時

鵲王廟中周顯德年間（954—959）的扁鵲廟殘碑。

來千里供，危楹風度百花香。有功在理宜歆禩，生死〇譏本自當，今代蒸民多疾苦，更〇普救俾民康」。（翰林待制同知制誥兼國史院編修官劉處讓拜手稽首）。

4. 元癸未年（1283）「重修鵲山神應王廟碑記」：

「……鵲山神應王負槃君子也，王姓秦氏渤海鄭人也，晦迹泯編，寓名方伎，受長桑之祕訣，飲上池之靈湫，精湔腸滌臟之能，妙剖胸易心之術，蘇太子於已亡之後，料諸侯於未病之前，則王之於醫也，其神矣乎。既沒而後，陰祐爾人，或入夢以療諸疾，或降藥以蠲其患……。邢州古襄國也，形襟澧水，勢帶龍岡，距城西北二舍餘，三峯鼎峙，目曰蓬萊，迺鵲王遊居之地。邦人德之，樹祠其側，以王素號扁鵲，因易其名鵲山，邇今千有餘歲，執羞而進奉牲而祭者，肩摩踵繼無虛日矣。惜乎金啟一鳴，干戈四起，梁棟委而灰燼，殿廡廢而丘墟，幸際蒙古大朝，……時既罷戮……坐視神廟之廢，恬不加意，誠可嘆焉。於是節騶父子毅然為倡，官屬吏民悉輸財以輔之，用能鳩工百數指，鳩木千餘章，重葺舊基，創為新廟，華殿聳而岑立，修廊起而翼張，睟尊像以愈嚴，羅侍神面孔肅……。」

5. 明嘉靖戊戌（1538）

「前朝廟貌枕山巔，金碧輝煌歷換年，露潤古楊蟠紫色，當階瑤草帶蒼顏，技臻神品由天授，思入天機奪化權，我有靈丹人不識，用時還解壽顛連。壽城天開百丈閣，萬家工力極經營，遙連北極分丹拱，直館西山作畫屏，調劑當時真國手，追崇異代見民情，宮庭鵲噪梧桐樾，雲樂蕭山雲自橫。」（賜進士中憲大夫順德府事前禮部儀制吏司郎中太室山人張元孝）。

以上的碑文只是這次調查所發現的一部分，另外一些雖然年代也古，因無甚報告價值，故不贅述。

調查的體會　這次實地調查，所得到的材料，都不是從文獻上可以找到的。所發現的碑記，從五代到明清不下數十塊，最有價值。從中可以看出：

1. 至少在唐朝已經為扁鵲修廟立碑，以後歷代曾反覆重修，有時一朝甚至重修幾次。表示人民對名醫扁鵲的紀念和崇敬。

2. 史記記載扁鵲曾游於趙國，並為趙簡子治病，碑文更記載曾得田四萬畝於中丘（內丘）之蓬山。內丘在戰國時確屬趙國，扁鵲曾否為趙簡子治病並得田於該地，暫難肯定。然而根據調查材料，蓬山之易名鵲山，並立廟崇祀，這件事實，至少可供進一步研究扁鵲事蹟之參考。

3. 扁鵲確是我國古代名醫，即使文獻記載前後仍有矛盾，但僅內丘一地，千百年來一直保留着這麼多的古蹟，絕不是偶然的事。雖然我們還不能把文獻上有關扁鵲的記載全部肯定下來，然而只從這次調查所獲得的材料中，便足以證明過去有些人，因為中了半殖民地的買辦思想的毒害，揚言扁鵲並無其人的說法是錯誤的。

附註：調查前後承內丘縣衛生科石洲同志熱心協助，特此致謝。

元滑壽診家樞要考異

朱　顏*

據明朱右櫻寧生傳云：「櫻寧生，出滑伯後，名壽，字伯仁，世爲許襄城大家，元初祖父官江南，自許徙儀眞而壽生焉……著十四經發揮三卷，疏其本旨，釋其名義，通考隧穴六百四十有七，而施治功，以盡醫道之神秘，他如讀傷寒論鈔、診家樞要、痔瘻篇及諸書本草爲醫韻，皆有功後學」[1]。

清蔣廷錫等古今圖書集成醫部全錄醫部醫術名流列傳引浙江通志云：「滑壽醫通神、所療無不效……元時曾鄉舉，按滑氏家譜則劉基之兄弟也，基嘗訪之於餘姚，留數月而去，子孫散居餘姚……」，又引紹興府志云：「壽與朱丹溪彥修齊名……今子孫爲餘姚人，知府浩是其孫，葉知府逢春云，壽蓋劉文成基之兄，易姓名爲醫，文成既貴，嘗來勸之仕，不應，留月餘乃去。」[2]

從上面材料中可以看出下面幾點：

1. 診家樞要是元朝滑壽的著作。

2. 滑壽是宋元以來唯一的脈學專家，而且具有豐富的臨床經驗，所以他的著作之一——診家樞要，是一部「立說甚精」的脈學文獻。

3. 滑壽是元末明初人，本係劉基的哥哥，易名改姓當醫生，曾經有一段較長的時間在浙江餘姚行醫，他的後代就住在餘姚。

診家樞要沒有看到明朝的刻本，經查莫友芝郘亭知見傳本書目（1918年上海掃葉山房石印）、西湖僧清華清華醫室藏書類目（民國壬申）、丁氏八千卷樓書目（光緒己亥）、楊惺吾故宮所藏觀海堂書目（1932）、孫殿起販書偶記（民國壬子）、潘永弱、顧廷龍明代版本圖錄初編（1941）、張之洞書目答問（1920上海掃葉山房石印）、天津直隸圖書館書目、浙江公立圖書館通常類圖書目錄(1924)、滿州醫科大學藏續中國醫學書目、張謇古越藏書樓書目（光緒三十年）、國英共讀樓書目（光緒庚辰）、北京圖書館藏中國醫藥書目（1954）等書目，都沒有記載診家樞要書目和版本，現在傳世的惟一刻本是清代光緒辛卯年（1891）池陽周澂之（即周學海）周氏醫學叢書中周澂之評註醫書八種之一，又有周學熙（1936）影印本[3]，但周氏醫學叢書所收的醫書，沒有舉出所根據的原本來歷，其中診家樞要也未能查考根據什麼版本來評註和刊行的。

現在見到一個明抄本，在沒有發現比周氏醫學叢書本更早的其他版本以前，頗有據以考證的價値，現在先介紹一下這個明抄本。

明抄本診家樞要沒有封面，也沒有標出書名，只在第一節「樞要玄言」的末尾寫着：「撫其切近精賞者，爲診家樞要」。竹紙墨格，每半頁八行，每行到頂二十字，不到頂十九字，每句有硃紅句讀圈點印，每頁書口下端有墨印「松菊堂」三字，第一頁有「安樂堂藏書記」及「明善堂覽書畫印記」二硃印(圖1)。後續抄「二十四脈相類辨」及「臟腑診治」二篇，續抄最末一頁有「宗室盛昱之印」及「聖清宗室盛昱伯熙之印」二記。

查陳乃乾（1934年）室名索引：「松菊堂，明餘姚孫鏊」，又查方賓觀等（1933年)中國人名大辭典：「孫鏊」，明燧孫，字端峯，官上林苑丞，晚歸燭溯，構漆園居之，號漆園供事，有松菊堂集」，又「孫燧，明餘姚人，字德成，弘治進士，授刑部主事，歷河西右布政。」因此可以推知這個抄本是明代孫鏊的東西，孫燧是弘治進士，弘治共十八年，其後正德十六年，嘉靖四十五年，孫鏊爲孫燧的孫子，可能是嘉靖時人，這個抄本的用紙既題松菊堂，墨跡紙色都很古舊，當係明嘉靖年代(1507—1566年）的抄本。

又查室名索引：「安樂堂，清宗室，允祥」，又查中國人名大辭典：「允祥，清聖祖二十二子，世宗時封怡親王」，聖祖就是康熙(1654—1723年)，世宗就是雍正（1678—1735年）。又室名索引：

* 中醫研究院醫儲處

圖 1

〔明善堂，淸宗室，奕繪〕，査中國人名大辭典：〔奕繪，淸高宗曾孫……嘉慶中襲爵貝勒……篤好風雅〕，高宗就是乾隆（1711—1799年），又査〔盛昱，淸宗室，鑲白旗人，字伯熙，光緒進士，官至祭酒……精賞鑑〕，這個抄本旣有〔安樂堂〕，〔明善堂〕及〔盛昱〕等藏書記，可知本書的出現最晚也當在公元17—18世紀以前，曾經〔篤好風雅〕，〔精賞鑑〕的人之手，當係明松菊堂舊抄本。

現行本周氏醫學叢書診家樞要和上述明抄本的內容，大體相同，但也有許多差異，而且周氏本尙有脫簡之處，現在根據明抄松菊堂本（下簡稱抄本）校對周氏醫學叢書本（下簡稱周本），考異如下：

明抄本第一段原文爲：〔樞要玄言〕。〔脈者，氣血之先也，氣血盛則脈盛，氣血衰則脈衰，氣血熱則脈數，氣血寒則脈遲，氣血微則脈弱，氣血平則脈治；又長人脈長，短人脈短，性急人脈急，性緩人脈緩，左大順男，右大順女，男子尺脈常弱，女子尺脈常盛，此其常也；反之者逆。其五臟四時之不同，陰陽變見之或異，吉凶死生於是乎著矣，樞素諸家，彰彰明備，撮其切近精實者，爲診家樞要。〕㈣

而周氏醫學叢書本第一節爲：

〔天下之事，統之有宗，會之有元，言簡而盡，事嚴而當，斯爲至矣。百家者流，莫大於醫，醫莫先於脈，浮沉之不同，遲數之反類，曰陰曰陽，曰表曰裏，抑亦以對待而爲名象焉。有名象而有統會矣。高陽生之七表八裏九道，蓋繁冗也。求脈之明，爲脈之晦，或者曰，脈之道大矣。古人之言亦夥矣。猶懼弗及，而欲以此統會該之，不旣太簡乎。嗚呼，至微者脈之理，而名象著焉，統會寓焉。觀其會通，以知其典禮，君子之能事也。由是而推之，則泝流窮源。因此識彼，諸家之全，亦無遺珠之憾矣。〕

周本第二節標題〔脉象大旨〕，自〔脈者，氣血之先也〕句起到〔反之者逆〕句止，和抄本第一節〔樞要玄言〕前段同，惟抄本〔此其常也〕句，周本作〔此皆其常也〕，而周本無〔五臟四時之不同……爲診家樞要〕一段。

再看抄本最後一節：

〔諸脈亦統之有宗歟，撮以相爲對待者以見，曰陰曰陽，爲表爲裏，不必斷斷然七表八裏九道，如昔人云云也。觀素問仲景書中論脈處，尤可見取象之義。今之爲脈，能以是觀之，思過半矣。於乎，脈之道大矣。而欲以是該之，不幾于舉一而百矣。殊不知至微者理也，至著者象也。體用一源，顯微無間，得其理則象可得而推矣。是脈也。求之於陰陽表裏統系之間，則啓源而達流。因此而識彼，無遺策矣〕。

末署：〔許昌滑壽伯仁志〕（圖2）。

而周本末一節和抄本大同，惟〔不幾于舉一而百矣〕句作〔不幾於舉一而廢百歟〕，〔求之於陰陽表裏統系之間〕句，周本作〔求之於陰陽對待統系之間〕。周本末尾無署名。

抄本無周本的第一節，而於第一節末尾叙明著者撰述本書的原意和根據，頗似本書的序文（周本無），而周本第一節文意和末節雷同，頗似跋語，日本多紀元胤醫籍考亦抄錄此節，但未說明所據版本。

抄本第二節〔左右手配臟腑部位〕標題下有〔此言部位〕四字小註，周本無，抄本文中〔右尺命門心包絡〕句，周本作〔右尺命門〕下註〔心包

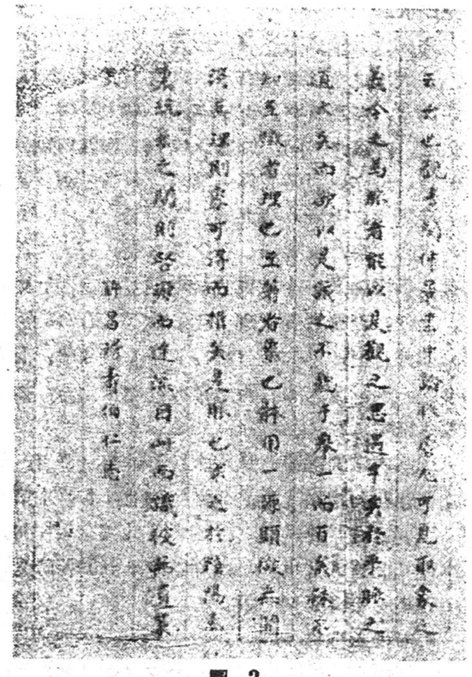

圖 2

絡，手心主」。

抄本「五臟」一節標題下有小註「此言五臟之正脈」，周本標題「五臟平脈」。無小註，第四段抄本文中「肝合筋脈」句，周本缺「脈」字。第六段抄本「腎合骨，腎脈循而行，持脉指法，如十五菽之重……」，周本無「如十五菽之重」句。

抄本「四時平脈」一節後，接「內經三部脈法」一節，周本缺，玆全錄如下：

「脈要精微論云：尺內兩旁則季脇也（兩旁謂內外側也），尺外以候腎，尺裏以候腹中，附上（附上，如越人所定關中也），在外以候肝，內以候膈，右外以候胃，內以候脾，上附上（上附上，如越人所定寸口也），右外以候肺，內以候胸中，左外以候心，內以候膻中（膻中，在胸中兩乳間），前以候前，後以候後，上竟上者，胸喉中事也，下竟下者，小腹腰股膝脛足中事也。」

抄本「呼吸浮沉定五臟法」一節，下有小註「此統三部浮沉大概，切其五臟也」。周本標題作「呼吸浮沉定五臟脈」而無小註。

抄本「因指下輕重以定五臟法」一節，周本標題無「法」字。

抄本「持脈指法」一節，周本標題作「診脈之道」。第一段抄本文中「三重按以消息之」句，周本作「再重按消息之」。抄本「一呼一吸之間，要以脈行四至爲率，閏以太息，脈五至，是平脈也」一段中「是平脈也」句，周本作「爲平脈也」。第三段抄本末句「皆病脈」，周本作「皆病脈也」。抄本第四段首句「凡病之脈，見在上曰上病」，周本作「凡病脉之見，在上曰上病」。抄本「主四肢」，周本作「在四肢」，且全段與第三段併。抄本第五段「以已之呼吸而取之也」句，周本作「以已之呼吸而取」。抄本「皆重手得之之類也」句，周本作「皆重手而得之之類也」。抄本「而緩結微弱皆遲之類也」句，周本作「而緩微弱皆遲之類也」。其下接有「數者一息脈六至，而疾促，皆數之類也」句，抄本缺。抄本「然脈雖似而理則殊也」句，周本作「然脈雖是而理則殊也」。抄本「彼遲數之脈，以呼吸察其至數之疎密，此滑濇之脈，則以往來疎密察其形狀也」句，周本「疎密」作「疎數」，而「往來」下無「疎密」字。抄本「所謂提綱」句，周本作「所謂脈之提綱」。抄本「蓋以其足以統夫表裏陰陽冷熱虛實風寒濕燥藏腑血氣也」句中「濕燥」二字，周本作「燥溼」。抄本「則疚疾之在人者莫能逃焉」句中「疚疾」二字周本作「疚病」。抄本第八段「經文所謂邪氣盛則實，精氣奪則虛」句中周本無「文」字。周本第八段「若短小見於皮膚之間者，陰乘陽也，洪大而見於肌肉之下者，陽乘陰也」二句在抄本第九段中，都無「者」字。

抄本「脈貴有神」一節，周本缺「標題」，文中抄本「今如六數七極，熱也」，周本作「謂如六數七極，熱也」。抄本「神將何以依而主耶」句，周本作「人將何所依而主耶」。抄本「故經曰，脈者氣血之先也」句，周本無「也」字。

抄本「脈陰陽類成」一節，第一段文中「輕指浮上曰浮，爲風虛運動之候」句，周本無「運」字。下接「爲脹、爲風、爲痞」，周本作「爲脹、爲風、爲痞」。第二段抄本「沉弦痃癖內痛」句，周本無「痃」字。抄本「沉而細，腰痠陰癢」句中「腰」字周本作「臍」。第三段抄本「情氣多傷」句中「氣」字周本作「神」。第四段抄本「過於平脈兩至也，爲陽盛陰衰之候」，周本無「於」字，且缺「爲陽盛陰虛之候」句。第五段抄本「氣血俱虛之故也」，周本「故」作「診」。抄本「爲傷暑」句，周本缺「傷」字。第六段抄本「爲氣塞」，周本作「爲氣寒」。抄本「尺實小便澀，小腹痛」，周本作「尺實小腹痛，小便澀」，抄本「實而大，膀胱熱，小便難」，周本作「實大膀胱熱，溺難」。第七段抄本「爲經絡太熱血氣燔灼之候」，周本作「爲榮絡大熱血氣燔灼之候」。第八段抄本「陽不足，必身體惡寒」，周本作「陽不足，必身惡寒」，周本「榮血不足，頭痛胸痞，虛勞盜汗」，抄本無「頭痛胸痞，虛勞盜汗」二句。抄本「男子傷精尿血，女人漏下崩中」，周本作「男爲傷精尿血，女爲血崩帶下」。第九段抄本「爲血虛盜汗」，周本作「爲血虛，爲盜汗」，抄本「尺弦小腹痛，弦滑腰脚痛」，周本作「尺弦少腹痛，弦滑脚痛」。抄本「右寸弦，肺受風寒，致嗽胸中有寒痰，關弦，脾胃受冷」，周本作「右寸弦，肺受寒，致嗽胸中有寒痰，關弦，脾胃傷冷」。第十段抄本「故脈體爲之徐緩耳」句中「耳」字周本作「爾」。抄本「浮緩爲風，沉緩血氣弱」，周本作「浮緩沉緩，血氣俱弱」。抄本「胃弱氣虛」，周本作「胃氣虛弱」。抄本「從容和緩，乃脾家之正脈也」，周本作「從容和緩，乃脾家本脈也」，抄本「傷寒脈大爲病進，脈緩爲邪退」二句周本缺。第11段抄本「蓋血不勝於氣也」句，周本作「蓋氣不勝於血也」。抄本「滑而斷絕不勻者爲經閉」，周本無「滑而斷絕不勻者」句，抄本「痰嗽頭目昏」，周本作「痰暈目昏」。第十二段抄本「往來極難」句，周本無「極」字，抄本「右寸澀，榮衛不和，上焦冷痞，氣短，臂痛，關澀，脾弱不食」，周本缺「榮衛不和，上焦冷痞，氣短，臂痛，關澀」等句。抄本「尺澀大便閉」句，周本「閉」作「澀」。第15段抄本「大而無力，爲之虛，氣不能相入也」句周本「之」作「血」，抄本「經曰大則病進」句周本「則」作「爲」。第17段抄本「關緊，心腹滿痛，脇痛，筋急」句中，周本「筋」作「肋」。抄本「關緊，脾腹痛，吐逆」，周本作「關緊，脾寒腹痛，吐逆」。第18段抄本「爲元氣虧耗」句，周本作「爲元氣虛耗」，抄本「爲委弱不前」句，周本作「爲萎弱不前」。抄本「大便滑泄不禁」句，周本作「大便滑」。第20段抄本「關格閉塞之症」句，周本作「關爲閉塞之候」。第21段抄本「促爲氣痛爲狂悶，爲瘀血發斑」句，周本作「爲氣痛，爲狂悶，爲瘀血發狂」。第23段抄本「而五者或一有留滯於其間，則因而爲結」句中周本無「有」字。第23段抄本「關芤主脇間血氣動」句中，周本「動」作「痛」。第24段抄本「按之如鼓曰革，革，易常度也」，周本作「按之如鼓皮曰革，氣虛寒，革，易常度也」，抄本「又爲中風感濕之診」句，周本於句末多「也」字。第25段抄本「輕手乍來，重手却去，爲氣血兩虛之候，爲少氣」，周本作「輕手乍來，重手即去，爲氣血俱不足之候，爲少血」。抄本「體虛乏力」，周本作「體虛少力」。抄本「自汗多，右寸濡，関熱增寒」，周本作「自汗，多恬，右寸濡，關熱憎寒」。抄本「關濡，脾弱物不化，胃虛飲食不進」，周本作「關濡，脾軟不化飲食」，缺末句。第26段抄本「爲勞傷瘵極」句周本無「瘵極」二字。第28段抄本「來往微細如線」，周本作「往來如線」，抄本「爲傷濕，爲積，爲痛在內在下」，周本作「爲傷寒，爲積，爲痛在內及在下」。第29段抄本「或風家痛家，或痢或痛，脈見代止，只爲病脈」，周本作「或風家痛家，脈見止代，只爲病脈」。抄本「腹心痛，亦有結澀止代不勻者，蓋久痛之脈，不可準也」句中，周本「腹心痛」作「心痛」，「久痛」作「凡痛」。第30段抄本「漫無根底」句，周本作「謾無根柢」，抄本「在病脈主虛陽不斂，又主心氣不足，大抵非佳兆也」句中，周本「虛陽」作「陰陽」、「非佳兆」作「非佳脈」。

「脈陰陽類成」一節，共30段，論述浮、沈、遲、數、虛、實、洪、微、弦、緩、滑、濇、長、短、大、小、緊、弱、動、伏、促、結、芤、革、濡、牢、疾、細、代、散30種脈象及其所主病症，上係明抄本和周氏醫學叢書本的考異。

「脈陰陽類成」一節以下，周本缺「兼見脈類」、「諸脈宜忌類」、「驗諸死證類」、「死絕脈類」、「五臟動止脈」五節，今據明抄本依次抄錄全文如下：

「兼見脈類」

「浮緩風痹，浮大傷風，浮緊傷寒，弦數瘧疾，緊濇寒痹，浮數主熱，遲濇胃冷，滑數結熱，浮數虛熱，長滑胃熱，洪大在右尺三焦熱，滑血熱，微血崩，弦緊癥痛，沉弦癖痛，弦急癖氣疝痛，緊而駛刺痛，弦緊脇痛，滑細嘔吐，緊而實裏痛，緊細在關蟲痛，寸口緊促喘逆，緊滑吐逆，寸數吐，關滑嘔吐，沉濡停飲，滑細宿食，弦實積，短滑酒食病，胃寒穀不消，促結積聚，肝脈弦緊筋攣，浮泛中滿，伏不往來，卒中，堅疾顛病，洪疾狂病，二便祕，沉伏霍亂，尺浮大或洪亦然，尺數小便赤澁，諸脈弦，尺澁，虛勞，脈尺寸俱微，男子五勞，婦人斷產，脈寸尺緊數，中毒，脈緊盛傷寒，虛滑傷暑，弦細芤遲亦然，浮緩傷風，脈洪病熱，沉緩中濕，洪緊癰疽，洪疾癲疾，沉石水畜，急弦支飲，傷於陽則脈浮，傷於陰則脈沉，人迎緊盛傷於寒，氣口緊盛傷於食，脈前大後細，脫血也，喜則氣緩脈散，怒則氣上脈激，悲則氣消脈縮，恐則氣下脈沉，思則氣結脈短，憂則氣沉脈澁，驚則氣亂脈動，微小氣血虛，大則氣血盛，浮洪外痛，沉弦內病，長則氣治，短則氣病，數則心煩，大則病進，上盛則氣高，下盛則氣脹，代則氣衰，細則氣少，脈實病在內，脈虛病在外，尺中沉細下焦寒，小便數，疛病，下迫痢，沉遲腹臟寒痛，微弱中寒少氣，洪大緊急病在外，若頭痛，發癰疽，細小而緊急病在中，寒疝瘕聚痛，浮大傷風鼻塞，諸浮、諸緊、諸沉、諸弦、諸遲、諸澁，若在寸口，鬲以上病，在關中，胃以下病，在尺內，臍以下病，凡尺脈上不至關爲陰絕，寸脈下不至關爲陽絕，陰陽相絕，人何以依，以上諸脈，各以寸關尺及臟腑部分，以言病之所在也」。

「諸脈宜忌類」

「傷寒熱病宜洪大，忌沉細。咳嗽宜浮濡，忌沉伏。腹脹宜浮大，忌虛小。下痢宜微小，忌大浮洪。狂疾宜實大，忌沉細。霍亂宜浮洪，忌微遲。消渴宜數大，忌虛小。水氣宜浮大，忌沉細。鼻衄宜沉細，忌浮大弦長。頭痛宜浮滑，忌短澁。中風宜遲浮，忌急實大數。喘急宜浮滑，忌澁脈。唾血宜沉弱，忌實大。上氣浮腫宜沉滑，忌微細。中惡宜緊細，忌浮大。金瘡宜微細，忌緊數。中毒宜洪大，忌細微。婦人帶下宜遲滑，忌浮虛。婦人已產，脈宜小實，忌虛浮。又云宜沉細緩滑微小，忌實大弦急牢緊。腸澼下膿血宜浮小流連，忌數疾及大。發熱吐血衄血宜沉小弱，忌實大。墜墮內傷宜緊弦，忌小弱。頭痛宜浮滑，忌短澁。風痹痿厥宜虛濡，忌緊急疾。溫病發熱甚，忌反小。下痢身熱忌數。腹中有積忌虛弱。病熱脈靜、泄而脈脈大、脫血而脈實、病在中脈虛、病在外脈澁，皆所忌也。又云腹痛宜細小遲，忌堅大疾。」

「驗諸死證類」

「溫病攘攘大熱，脈細小者死。頭目痛，卒視無所見者死。溫病汗不出，出不至足死。病藉久，腰脊强急瘈瘲者不可治。熱病已得汗，脈安靜者生，脈躁者危，及大熱不去者危。嗽脫形、發熱、脈堅急者死。皮肉着骨者死，熱病七八日當汗，反不得汗，脈絕者死。形瘦脈大，胸中多氣者死。眞臟脈見者死。黑色起於耳目鼻，漸入口者死。張口如魚，出氣不反者死。循衣摸床者死。妄語錯亂，及不語者死。熱病不在此例。屍臭不可近者死。面色光，牙齦黑者死。髮直如麻，遺尿不知者死。舌卷卵縮者死。面腫色蒼黑者死。五臟內絕，神氣不守，其聲嘶者死。目直視者死。汗出身體不凉，加喘瀉者死。」

「死絕脈類」

「彈石脈，在筋肉間，舉按劈劈然；魚翔脈，在皮膚，其本不動，而末强搖，如魚之在水中，身首帖然，而尾獨悠楊之狀，彈石魚翔皆腎絕也。雀啄脈，在筋肉，如雀之啄食，連連湊指三五點，忽然頓絕，良久復來；屋漏脈，在筋骨間，如殘溜之下，良久一滴，濺起無力，雀啄屋漏者，脾胃衰絕之脈。解索脈，如解亂繩之狀，指下散散，無復次第。蝦遊脈，在皮膚，始則冉冉不動，少焉瞥然而去，久之倏爾復來，釜沸脈，在皮內，有出無入，湧湧如羹之上肥，皆死脈也」。

「五臟動止脈」

「凡人脈五十動不止者，五臟皆有氣，四十動一止者，一臟無氣，四歲死。三十動一止者，二臟無氣，三歲死。二十動一止者，三臟無氣，二歲死，十動一止者，四臟無氣，歲中死（病脈不在此例平人以此推之）」。

上述五節，概述各種脈象及其所主病症，並藉以推斷預後，爲脈學的重要內容。

以下「婦人脈法」一節，抄本「婦人女子，尺脈常盛，而右手脈大，此其常也」句，周本作「婦人女子，尺脈常盛，而右手大，皆其常也」。抄本「或尺脈滑而斷絕不勻者，皆經閉不調之候也」句中周本無「者」字。抄本「右手尺脈沉實爲女」句中周本無「尺脈」二字。抄本「又經云陰搏陽別，謂之有子」句下小註「尺內陰脈搏手，則其中別有陽脈也，陰陽相搏，故能有子也」一段中，周本「相搏」作「相平」。抄本「凡婦人室女病傷寒」句，周本無「傷」字。

以下「小兒脈法」一節，周本標題「小兒脈」而無「法」字。抄本「小兒三歲以前」句，周本作「小兒三歲以下」。抄本「命關不治」句，周本作「命關尤重也」，抄本「乃以一指按三關」句下小註「寸關尺之三關」句，周本作「寸關尺爲三關」。抄本「大小不勻爲祟脈」句，周本無「爲」字，抄本「或小、或緩、或沉、或短，皆爲宿食不消」句中「或短」周本作「或細」。

抄本「脈象統會」一節，周本標題「診家宗法」。抄本「虛實微洪」句，周本作「虛實洪微」，且句下小註末尾多「微以括弱」一句，抄本「弦緩滑澁」句，周本作「弦緊滑澁」。

以下明抄本有「脈象歌」22句及小結語一段，爲周本所無，今抄錄如下：

「脈象歌」

「洪大芤虛脈，弦緊實牢革，微小緩弱濡，咸以類相求，浮沉輕重求，遲數息至別，澁滑論難易，長短部位切，動伏緣躁靜，結促因止歇，疾細羸不足，代散乃羸劣，內外並上下，皮肉及筋骨，或以體象徵，或以至數屬，多之氣血盈，少則榮衛縮，至哉陰陽蘊，發以贊化育，學人能了知，昭如秉宵燭。」

「前之樞要及統會，脈病之詳，亦云備矣，復爲之韻語者，蓋欲其後先相紹，詳略相因，學者之易覽也。」

後接「諸脈亦統之有宗歟……」致語，已抄錄在前，玆不再贅。

結　　語

1. 周氏醫學叢書本診家樞要和明松菊堂抄本有許多文句上的小小差異，但還不能斷定孰是孰非，僅提供一些爲進一步考證的參考資料。

2. 周氏本所缺「內經三部脈法」、「兼見脈類」、「諸脈宜忌類」、「驗諸死證類」、「死絕脈類」、「五臟動止脈」及「脈象歌」等六節，內容重要，今全部抄錄，以資補充。

參考文獻

1. 李濂：醫史，卷之八，1—17頁，明刊本。
2. 蔣廷錫等：古今圖書集成醫部全錄醫部醫術名流列傳，卷五百十，清光緒丁酉錫湖陳以真、上元許遠璋校本。
3. 周澂之：周氏醫學叢書，清光緒辛卯池陽周氏福慧雙修館刻本，及1936周學熙影印本。
4. 滑壽：診家樞要，明松菊堂抄，清宗室盛昱藏本。

中國對於近代幾種基礎醫學的貢獻

李　濤*

人類在原始社會全憑經驗與疾病作鬥爭，所以原始社會是純粹經驗的醫學。到了奴隸社會，由於分工的結果，產生了哲學。在哲學進步的影響下，不久人類便開始用哲學解釋醫學，於是醫學有了學說。醫學有了學說以後，便很自然的反轉過來影響經驗技術的進步，從此，醫學上升爲科學。到了中世紀以後，開始有了醫學校，課程中便有了理論課，直到十八世紀沒有大的改變。例如歐洲敎希波克拉底斯的著作，蓋倫的醫經，阿維森納的醫典。中國敎內經、脈經本草等。在歐洲十九世紀八十年代仍僅有四門基礎課程，即解剖、生理、病理和藥物作爲習醫的前期課程。至於細菌、寄生物、生物化學等列入基礎醫學，僅是近五十年以內的事。這些科目雖然成爲獨立科學的年代很短，但是他們能有今天的成就，要上溯到很古，並且是多數民族智慧的積累，這種規律可以說所有的科學皆不能例外。我今天所報告的是中國醫學對於上列基礎各科的貢獻。因爲時間關係，僅能重點提出，而不是瑣碎地列舉。

一、在解剖生理學方面

人類在推求病源的要求下，不得不注意人體的構造和機能。人體最重要的器官之一爲心和血管，中國最早的醫書爲黃帝扁鵲的脉書，也便是談論血管問題的書。據漢書藝文志稱：「醫經者原人血脈、經絡、骨髓、陰陽、表裏，以起百病之本，死生之分，可以見也。」可見中國現在第一部醫書便重視心血管的構造和機能。遠在公元前十二世紀殷紂便曾解剖他的大臣比干的心臟。第一部醫書靈樞經中也有死後解剖以檢查藏府血管的記載。例如「其死可解剖而視之，其藏之堅脆，府之大小，穀之多少，脈之長短，血之淸濁，氣之多少。」公元一世紀，王莽曾使尙方（醫生）與巧屠，共刳剝王孫慶，量度五臟，以竹筳導其脈，知所終始。這是中國最早研究人體血管解剖的記載。

在這種解剖基礎上，首先認識了心是血的主管器官（心主血），肝是血庫（肝藏血），第二認出人身有三種不同血管，即經（動脉）絡和孫（小血管），以及這三種血管的通連。例如素問有「風雨之傷人也，先客於皮膚傳入於孫脉，孫脉滿則傳入於絡脉，絡脉滿則輸入大經脉。」第三更觀察到血管內的搏動，血管破後血的射出。

在心和血管的搏動現象中，推出血液循環的必然性，例如素問舉痛論有「經脉流行不止，環周不休。」在靈樞五十營篇，尤其記載的詳細：「人一呼脉再動，氣行三寸，一吸脉亦再動，氣行三寸。呼吸定息氣行六寸。十息氣行六尺。………日夜凡13500息，氣行五十營於身………故五十營得盡天地之數矣，凡行810丈。」當時認爲動脉內含氣，所以稱橈動脉跳動處爲氣口，稱心跳處爲宗氣所在，後來醫書中將氣血併稱，說氣無形，血有形，全在血管內。可見靈樞經上的氣就是血。

古人認爲動脉內含氣與血，周行全身，因此切脉可以候內臟的正常與否。更由脈動的正常與否，而判斷健康和疾病。自從公元前五世紀扁鵲發明了切脈診病法，到了公元二世紀，淳于意時代，醫生在診斷上已竟能區別二十幾種脉。到了公元三世紀，王叔和更總結了當時脉學知識著爲脉經，集脉學的大成。共能區別二十四種，茲列表如後：

歐洲人對於切脉也曾注意，但是他們僅能區別十五種，而脉經中多到24種。這種心血管的知識，在中世紀中國醫書內（541）最進步，因此公元六世紀以後傳到朝鮮和日本（562），更傳到阿拉伯和印度。按唐僧義淨於671—695年在印度曾以切脉法向印度人誇耀。十一世紀阿維森納的醫典中採用中國脉法極爲明顯已爲史家公認。1313年土耳

---

* 北京醫學院醫史敎研組

素問	大小滑濇浮，沉遲數緊急，緩堅散弦長，弱細虛實代短	
倉公傳	大小滑濇浮，沉遲數緊急，緩堅散弦長，弱細虛實代短	躁，不一，不平，滑顯
脉經	洪微滑濇浮，沉遲數緊急，緩堅散弦長，弱細虛實代促	動結革伏芤散

其人更將中國脉經譯出。可見中國醫學影響世界之大。歐洲人自從十五世紀直到十七世紀下半葉，醫學校的課程，如羅文，蒙培利埃等有名大學，仍以阿維森納的醫典爲主課，醫典內曾吸收了中國的脈學知識。十六、七世紀，歐洲的醫學家競相致力於心血管的研究，顯然與中國的脉學有不可分的關係。所以我們說哈維氏血循環的發明與東方文化的傳入歐洲是有密切關係的。

二、在病理學方面

1. 外在環境對於疾病的發生，遠在公元前六世紀533年醫和曾說陰、陽、風、雨、晦、明六氣，過則成病。陰陽是指溫度過高或過低時所致的疾病。風雨是指氣象性因素所致的疾病。晦明是指精神或體力過勞所致的疾病。後來這種六氣所致的病簡稱爲外感。例如傳染病謂由毒氣或邪氣所致，寄生蟲也認爲由氣化所成。

醫和：	陰	陽	風	雨	晦	明
內經：	寒	火	風	濕	燥	熱

2. 其次注意到機體內在環境的調節：內經中食物入胃化爲精氣。五味入口藏於腸胃。五味合宜則養五臟，過多則致疾病。例如酸入肝，過多傷筋，苦入口過多傷氣，甘入脾過多傷肉，辛入肺過多傷皮，鹹入腎過多傷血等。已知機體內物質代謝平衡的重要，並且對於酸鹼平衡的作用有初步的認識。十三世紀李杲特別發揮飲食不節，足以發病的理論，主張節飲食和節慾。稱此類病爲內傷。

五味：	酸	苦	甘	辛	鹹
適宜養：	肝	心	脾	肺	腎
過多傷：	筋	氣	肉	皮	血

3. 中樞神經系統的興奮和抑制，對於發病的關係，內經中已提及如怒則氣上，喜則氣緩，悲則氣消，恐則氣下，驚則氣亂，勞則氣耗，思則氣結。宋代以後對於神經機能紊亂頗知注意，統稱之爲氣病，即七情內傷。

中國的病理學說，可說是氣體平衡論。大氣調和則人健康，反之外界之氣不正，如邪氣，毒氣等可以生病。體內的氣（主要爲營氣衛氣）通暢無阻則健康。如果鬱結則可以生病。體內之氣由五味產生，因此飲食不宜，可以致病。七情能影響氣的平衡，所以精神紊亂可以致病。因此主張協調大氣培養元氣也就是使內外環境平衡，以保持機體的正常。

三、在免疫學方面

關於慢性傳染病的發生，早已被人覺察是由於肉眼不能見的微生物所致，如唐人說癆病由蟲所致，明人沈之問說麻風由蟲所致，便是明顯的例子。至於急性傳染病有人說由厲氣所致，有人說由毒氣所致。例如天花由胎毒所致。在預防這類傳染病曾試用種種方法，如逃避法、隔離法、熏香法、飲食法、以毒攻毒法，在以毒攻毒法中，曾應用雄黃、砒素、蛇、蜈蚣、蛙等內服或塗布等。至於自動免疫法是人類在運用高度智慧後才能發明，因此出現較晚。

公元一世紀，天花傳入中國。到了十五世紀以後，由於人口增多，天花的流行日益廣泛，爲害人類極大。這時人民與天花的鬥爭極烈，曾想盡種種方法消滅它。1577年（萬曆丁丑）郭子章著博集稀痘方論，極力主張胎毒可以預解，有如明礬能使污水澄清一樣，因手錄稀痘方，使未出痘的小兒飲之以預防天花。他這種想法不久即實現了。據俞茂鯤的記載（痘科金鏡賦集解）明朝隆慶年間（1567—1572）安徽的寧國府太平縣開始種痘。當時的醫生因爲濃厚的保守思想，怕種痘妨害業務，百般毀謗。因此十六世紀找不到記載種痘的醫書。晚到1653年三岡識略才首先記載安徽安慶張氏三世以來，用痘漿染衣，使小兒穿著，可發輕痘，以預防天花。到

1681年，清廷曾派專差迎請江西痘醫張琰等二人爲王子和旗人種痘。至於醫書最早記載種痘者爲1695年張璐醫通，其中記有痘漿、旱苗、痘衣等法。並記有種痘法推廣的情形：「始自江右，達於燕齊，近則遍行南北。」由上介紹可知中國在十六世紀下半葉已發明種痘法，到了十七世紀不但種痘技術已相當完善，而且推廣到全國。

這種偉大發明不久即驚動了世界，1688年中俄訂約以後，首先派醫生到北京學習種痘（俞理初癸巳類稿），由此更傳到北歐、土耳其等國。到了十八世紀（1717年）英國公使夫人（M. L. Montagu）更在君士坦丁學得種痘法，爲自己子女和皇家子女種痘，據中西見聞錄，德貞氏稱英國種痘傳自中國。總之到了十八世紀中葉種痘術已傳遍世界，造福全人類。其後八十年（1796年）英國貞那氏發明了牛痘接種法，顯然是受中國人人痘接種法的啓示。所以現代免疫學的起源，應歸功於祖國的勞動人民，乃是無可置疑的事。

四、在藥物學方面

中國醫學最大貢獻是數千年無數人用藥治病的經驗。十六、七世紀歐洲人對於藥物知識還很少。中國藥物學的研究已很進步，研究方法已相當科學。有的從植物栽培方面研究，如救荒本草，有的從生藥方面研究如本草原始，有的從化學方面研究如庚辛玉册，有的從藥理方面研究如本草集要，有的從製藥方面研究如炮製大全，均有輝煌的成就。其中貢獻最大的當推李時珍的本草綱目。

李時珍(1518—1593)是湖北蘄春縣人，家世業醫。十四歲補諸生，二十歲曾患肺痨。三十歲左右便繼承父業，學習治病。1552年立志編輯一部本草。曾參考了758種書，經過三十多年，編成本草綱目一書。他選部書藥1892種，除了整理舊有的藥物以外，增加了374種新藥。總結了十六世紀末年中國人治病的經驗，提供了十七世紀以後直到現代學人研究藥物的資料。

1. 植物藥方面如健胃和瀉下用的大黃，治麻風的大風子油，治喘的麻黃，健胃的神麴，治甲狀腺腫的海帶，月經病的當歸，治高血壓的杜仲，有興奮作用的人參和樟腦等均已爲世界通用的藥。其次治絛蟲的雷丸和檳榔，治瘧的常山，抗菌作用的黃連，治阿米巴痢的鴉膽子，和白頭翁等。最近也證實有確切的藥效。

2. 動物藥中如用羊肝治夜盲，鹿茸爲强壯藥，蟾酥用作强心藥。其次胎盤(紫河車)人尿（秋石）和月經（紅鉛）是明代研究的長生藥。這種經驗顯然啓發了近代激素的研究。

3. 礦物藥方面：由於漢代方士煉丹，公元前一世紀已能製出水銀。因此中國很早便知道應用水銀、硫和砒等治病。例如用汞或雄黃和豬油配成軟膏治疥癬和蟯蟲直到現在仍然使用。阿拉伯人在七世紀，印度人在十世紀以後，歐洲人則在十三世紀以後才知道用礦物藥，顯然都是由中國傳去的。煉丹術是近代化學的起源，中國在漢代已經開始，魏晉時代煉丹風氣尤爲盛行。葛洪(278—339)曾總結了第四世紀的煉丹術，著爲抱朴子一書。所以我們推究近代化學的起源，也應該追溯到中國。

以上所介紹的中國醫學在生理、病理、免疫學和藥物學等方面的貢獻，都是十五世紀以後東方文化傳入歐洲的史實，可見中國曾推進了現代的文明。所以中國醫學對於基礎醫學的貢獻是很大的。

黨和毛主席號召我們學習中醫，當然不是要我們學習了歷史便已滿足，而是要我們在日常研究中，利用古人的智慧來解決問題。所以我們現在從事研究的人，一方面要學習蘇聯醫學，一方面學習祖國醫學，把醫學科學更向前推進。

（轉載新北醫第十一期）

揚州疾病方言考（三續）

張羽屏原著　耿鑑庭摘錄

頗　頭偏而不正者，行路時尤難遮掩，揚俗以「欹頭跛腦」狀之，欹字說如「奇」音，或入麻韻。「跛」爲足病，腦在頭部，不得言「跛」，當由「頗」之聲誤。頗切滂禾，說文訓頭偏。今語「頗腦」，正用此義。楚辭離騷王注，文選思玄賦舊注並訓頗爲傾。傾出於「頃」，說文頃訓頭不正，義同頭偏。今人呼偏頭音在溪母麻韻，聲與傾頃相轉，若作濁聲則近於「斜」。荀子臣道篇楊注訓頗爲邪，廣雅釋詁篇卷二訓頗爲衺，邪衺通用，與斜同音，廣韻且謂衺斜同字。然則今語所謂「頗腦」者，明其「斜」而已矣。

壯　剃頭時刀鋒所及，誤傷頭皮，揚俗呼爲「打掌子」，「掌」字無理，疑由「壯」之聲譌。壯切側亮，方言卷三云：凡草木刺人，北燕朝鮮之間或謂之壯。郭注訓壯爲傷，謂今淮南人亦呼壯。言淮南，則揚地在其中矣。原謂壯爲草木刺人之傷，引申得爲傷之通稱。周易大壯卦馬注、虞注並云：壯傷也。淮南子俶眞訓高注、廣雅釋詁卷四並同。移用於頭皮之傷，呼爲「壯子」固宜。廣雅訓傷之字，聲與壯近者有「爽」字、「創」字。爽之爲傷、義本逸周書諡法解。老子稱五味令人口爽，宜亦謂傷。淮南子精神訓則云：五味亂口，使口爽傷。呂氏春秋本生篇高注兩引老子，並言：使口爽傷。爽傷連文，其義益顯。文子十守篇卻言：五味亂口，使口生創。知創與爽一義。創之正字爲「刅」，說文刅訓傷也，或體作創。

眙　目有病而欠靈活者，有所注視，恒不轉睛，揚俗以爲「癡癡地望」，「癡」蓋「眙」之聲誤。眙切丑吏，說文訓直視。史記滑稽傳云：目眙不禁。集解引徐廣訓直視貌。方言卷七郭注又訓眙爲住視。直視、住視皆與不轉睛意合。杜光庭神仙感遇傳述韋弇事云：眙而望之，不暇他視。此類固非目病，其爲不轉睛之狀則同。眙之聲可轉爲「瞪」，玄應一切經音義卷十八引蒼頡篇瞪訓直視，莊子田子方篇釋文引字林瞪訓直視貌。漢書外戚傳下卷用「瞪」字，服虔亦云直視貌。玉篇瞪下更有重文作「䁔」。

拳　四肢拘曲不靈，揚俗以爲「蹺手跛腳」。腳可言跛，手不合言「蹺」，「蹺」蓋「拳」之聲轉。拳切渠員，玉篇廣韻並訓屈手，故手之拘曲者即狀之以「拳」。漢書外戚傳上卷云：孝武鉤弋趙倢伃兩手皆拳，上自披之，手即時伸。可知屈而不伸者宜稱「拳」矣。列仙傳則言鉤弋夫人右手拳「卷」；太平廣記卷 59 引列仙傳又作鉤翼夫人右手「捲」。卷捲與拳通用。禮記檀弓下篇云：執女手之卷然。據釋文卷有作拳之本。此非手病，謂其偶屈而不伸耳。詩大雅卷阿篇毛傳訓卷爲曲，曲屈一義。故在莊子：人閒世篇有「拳曲」連文，逍遙遊篇有「卷曲」連文。釋文：一云拳本亦作卷，一云卷本又作拳。此更非言人手，然其屈而不伸並同。在說文：有「齤」爲曲齒、「觠」爲曲角，亦皆屈而不伸，聲同者義無不同也。玄應一切經音義卷12引埤蒼、及玉篇足部，並訓「踡跼」爲不伸，此可通於「拳曲」、「卷曲」。

爪　手病不能持物，揚俗呼此，率於手字上狀以「搊之上聲」，指因僵凍不便運用者語同，或逕呼「搊」，實由「爪」之聲轉。方語雞爪、狗爪、爪皆說入馬韻，其例同也。爪切側狡，說文謂覆手曰爪，象形。手指不靈者、其手正作爪形、呼之曰爪、爲其狀相似耳。小兒持物不愼，至於誤墜、俗每詈之以「雞爪瘋」，爪亦說其音入馬韻。雞足離地，即不伸張，亦如「爪」字形也。

㨹　行動不愼，腰踝旁戾，揚俗呼之爲「閃」。此固有據：中藏經附方如聖散下言治閃肭折傷；宋史楊掞傳言掞夜以青布藉地，乘生馬以躍，初過三尺，次五尺至一丈，皆閃跌不墮。並用「閃」字。按閃字原从人在門中，引申得爲暫見之貌，於旁戾義不相副，當以用「㨹」字爲正。㨹在廣雅釋詁篇卷二、卷四兩見：一云偕也，一云䡾也。二義相因，䡾與戾同用。曹憲廣雅音讀抮如顯，顯在曉母爲喉音，與閃之在審母爲齒音者不同，然而俗音恆不能別。考工記弓人云：老牛之角「紾」而昔。鄭司農讀紾爲抮縳之抮，同有旁戾之義。釋文引許愼尙展反，即是齒音。方言卷三云：「軫」戾也。軫當與抮通用，郭璞謂江東音善，亦是齒音。

尥 有足疾者，行路時足不能正而外向，揚俗呼之爲「料」。「料」當用「尥」。說文尥訓行脛相交。字从尢作，尢爲曲脛，行路必不能便。大徐本說文於从尢勺聲下有牛行腳相交爲尥七字，集韻尥字收五爻者更有牛行足外出之義，移用於人，呼行路時足外向者爲「尥」，義正相合。今語又以棄物爲「尥」，亦由足外出之義引申，爲棄物時必投擲於外也。棄物之稱，通用「拋」字，字爲說文所無，大徐新附加入，以爲从手从尢从力，或从尥聲。「尥」不成字，蓋即「尥」字之誤。慧琳一切經音義卷35引說文云：拋投也，從手尥聲。據此知唐時說文實有「拋」字，言用手「尥」物使外出，聲意固相兼矣。

淜 夏秋之間，江淮汎漲，餘波所及，不止溝澮皆盈而已，日夕與水爲緣，頗有以此致病者。徒涉之稱，揚俗呼如「盼之陽平」，字當用「淜」。原切皮冰，集韻兼收二十八銜，其音乃洽今語。說文淜訓無舟渡河，無舟則徒涉矣。玉篇即稱徒涉曰淜。下復綴言今「馮」字，蓋謂今呼「淜」者，古多借用「馮」也。周易泰卦九二云：用馮河。詩小雅小旻篇云：不敢馮河。論語述而篇云：馮河。爾雅釋訓篇釋馮河爲徒涉。馮字皆讀皮冰之音。或有加心爲「憑」者，皇侃本論語即如此作，鹽鐵論詔聖篇引詩亦作不敢憑河，悉淜之借字也。玄應一切經音義卷18引說文云：「濿」涉渡水也。涉蓋步字之誤。今本說文無濿字，姚文田嚴可均校議疑即淜之異文。隋書經籍志五行類有濿河祿命三卷，沈括夢溪筆談釋濿河爲陷運，言徒涉者易遇險耳。廣韻二十七銜有「䟃」字，訓步渡水。集韻、類篇作「蹸」。䟃蹸同字，與濿通用。今人所稱「蹸水」，率指水在膝下者言之，再上則呼「䥥河」，「䥥」音似由「蹸」字旁轉。

碩 脛大於股者，揚俗呼爲「勺腿」，「勺」當用「碩」。碩之音本同石，古人亦有押入藥鐸韻者：如詩小雅大田篇之「碩」與「若」韻、禮記大學篇之「碩」與「惡」韻是也。碩在說文訓頭大，引申得爲凡大之稱。爾雅釋詁云：碩大也，即渾言之，故腿之大者可呼「碩腿」矣。今人亦有呼「奘腿」者，方言卷一云：奘大也，「奘」與「碩」字一義。脛腫之勢，疑於重腿，小兒袴襱下墜，俗每再言「碩袴」以狀之，擬以腿之「碩大」也。私處浮大而下墜者，呼之如云「沙袴」，「沙」與「碩」之聲可以旁轉。

疒 病人起坐常依臥榻，揚俗以爲「捋在牀上」，「捋」蓋「疒」之旁轉。疒切女戹，篆文作𤕫，說文訓倚，象人有疾病倚箸之形。常依牀榻者取便倚箸，呼「疒」爲宜。徐鉉說牀字云：牀从木，爿則𣶒之省，象人衺身有所倚箸也。「𣶒」即「疒」字。

茹 病愈後不自節制、恣意貪食，幾與壯夫健啖者同，揚俗呼之爲「呂」，或借黃鐘大呂之名以資笑謔，「呂」實「茹」之聲誤。茹在廣韻八語音同汝。爾雅釋言以茹訓啜。左氏定公四年傳孔疏謂茹者啖食之名，詩大雅烝民篇孔疏則以茹爲敢食之名。言啖僅謂食耳，敢食乃爲健啖矣。方言卷七云：吳越之間，凡貪飲食者謂之茹。郭注謂：今俗呼能麤食者爲茹。能麤食者不擇食，猶健啖也。

饕 擇食太過者，欲進不進，若有病態，往往忍飢，此非攝生之道。揚俗有「鐧兒雖兒」之語，或疊言之曰「鐧鐧雖雖」。鐧之本義爲鈍，鈍則不銳，正有欲進不進之象。「雖」當用「饕」。玉篇饕字疾移切、訓嫌食兒。原本玉篇引蒼頡篇云：饕嫌也。此似泛言嫌義，然其字隸食部，當以「嫌食」爲正。管子形勢解篇云：饕者多所惡也，食者所以肥體也，人饕食則不肥，故曰饕食者不肥體也。此在形勢篇作「訾食」，訾饕通用。房注訓訾爲惡，惡猶嫌也。玉篇又有「嘗」字云：嘗嫌也，或作饕。似又謂嘗爲正體矣。

𩚁 小兒食不按時，恆廢正餐，雜進果餌，揚俗以爲「喫零嘴」，或言「喫稀食」，此亦足以致病者。「稀」疑「𩚁」之聲誤，脂微二韻固同部也。𩚁切居衣，說文訓小食。字从幾作，幾者微也，幾微之食，是謂「小食」，與「零嘴」意恰合。玉篇有「𩜎」字，義同。說文訓小食者更有「旣」字，引論語曰：不使勝食旣。今本論語鄉黨篇旣作「氣」，邪疏訓氣爲小食，仍用說文旣字義，蓋以氣爲旣之假借也。旣與㡬音相近，可以通用。

𩟗　小兒有饞癖者，進食旣足，往往竊伺鄰家，覬得美肴，即以過飽致病，亦所不顧。揚俗謷爲「擲嘴」，「擲」當用「𩟗」。玉篇𩟗切此咨，廣韻收六脂。說文謂𩟗饞飁覬也，有伺察之意。字彙以𩟗食爲不請自來，即今語所謂「𩟗嘴」矣。安丘王筠說文釋例卷 18 云：吾鄉或斂人釀金，迭爲賓主，月須必飲酒，謂之當社。其獵食者，謂之社𩟗。足資佐證。食可言獵，則得通用「黐」字。謂其意在黏著，求遂所欲耳。洗絲筋者之「黐知了」，（即莊子達生篇所謂承蜩），熬桐油者之「黐花鵲」，（如容齋隨筆卷 13 所載以𥠖竿取鴝鵒之類，𥠖黐一字，）皆以獵取得之。廣雅釋詁篇卷四云：黐黏也。

㝅　俗讀「卡」字音在溪母馬韻，食魚類不愼，骨梗喉閒，致足傷人，揚語呼「卡」，其實「卡」音不在溪母馬韻，俗讀非正。骨梗喉閒之稱，當由「㝅」之聲轉。㝅切苦蟹，廣韻收蟹韻，其訓爲戾。類篇㝅隸丂部，上从𦍌。𦍌在說文爲羊角，角形多曲而銳，易於罣礙。丂在說文爲气欲舒出而上礙於一。㝅之訓戾，即謂有所礙耳，正合今語之意。引申用之，魚骨即呼「魚㝅」，俗音仍在馬韻。魚骨之屬竄入齒縫，俗云「㝅牙」，食物欠滑澤者，通言「糙㝅㝅」，則皆說作平聲。推廣其義，凡物夾入隙穴中者，並得呼「㝅」。

傳　婦人懷孕，如有病態，揚俗呼爲「害牙子」，亦言「帶身子」，「身」之正字爲「傳」。說文傳訓神也，義不易曉，段注謂神當作身。玉篇即訓傳爲妊身，廣雅釋詁篇卷四則訓身爲傳，是身得與傳通用。周易艮卦六四，艮其身，虞注云：妊身也。詩大雅大明篇，大任有身，毛傳云：身重也。鄭箋謂重爲懷孕。春秋繁露三代改制質文篇云：法不刑有身懷妊；又云：法不刑有身重懷。今俗稱孕婦爲「雙身人」，與「重」義正合。玄應一切經音義卷一引詩作太任有「娠」，是「娠」字亦得通用。廣雅傳義亦有娠字。左氏哀公元年傳，后緡方娠，杜注訓懷身；國語晉語，昔者大任娠文王，韋注亦訓有身。集韻十七眞娠之重文有「震」，是「震」字亦可借作平聲。詩大雅生民篇，載震載夙，鄭箋以震爲有身；左氏昭公元年傳，當武王邑姜方震大叔，杜注亦以震爲懷胎。

覺作　孕婦將臨盆時，微有感動，揚俗呼爲「各索」，當由「覺作」二字聲訛。禮記內則篇云：「妻將生子，及月辰，居側室，夫使人日再問之。作而自問之。」鄭注以作爲有感動，孔疏以爲動作。懷妊而動，是其自動，脈經卷九即有以「妊娠胎動」名篇者。胎動則宜「覺」，故「將產」篇中有云：「婦人欲生，其脈離經，半夜覺，日中則生。」據此可知今語「覺作」二字有自來矣。

涴　產婦所居，易以穢惡致病，揚俗呼曰「臥房」，或曰「闇房」，實爲「涴房」。臥涴音閾，闇涴聲可相轉。涴切烏臥，廣韻 39 過訓泥著物。物沾泥則易污，故集韻訓涴爲污。產婦之房呼「涴」，明其宜求潔也。趙璘因話錄云：腥臊涴鹿掐泉。李綽尙書故實云：客有食寒具不濯手而執書畫，因有涴。蘇軾與佛印書云：豈敢便點涴名山。涴皆謂污。廣韻涴下言亦作「污」，是「污」亦有「烏臥」之音，直同於涴矣。尉遲偓中朝故事述鄭亞邀遊諸處，留其妻幷一婢在山觀中，歸聞婢說娘子將產時，有語以「須出觀外，無污淸境」者。「污」即「涴」字，恰合「涴房」之義。晉書王導傳云：元規塵污人。即謂涴人。今語有云：只有人涴水，沒有水涴人。又稱穢惡之氣爲「涴氣」；衣服色深雖垢而不顯者爲耐涴。皆說作「烏臥」之音。集韻涴有重文作「汙」，世說新語輕詆篇載王導語作元規塵汙人，「汙」即「污」之形變。集韻旣以「污」訓涴，重文卻又作「汙」，似析「汙」與「污」爲二字，類篇水部因之，遂以「汙」「污」分列，並誤。

首　初胎生子，揚俗呼爲「頭受子」，「受」蓋「首」之聲誤。詩大雅生民篇孔疏云：婦人之生首子，其產多難。首在爾雅釋詁篇訓始，與初同義，「首子」即謂「初胎之子」。詩大雅言「先生」，魯頌閟宮篇言「元子」，先與元義亦謂始。首之本義爲頭，「頭首」連文者，在周易比卦上六孔疏，及東觀漢記光武帝紀、續漢書輿服志下卷、素問刺熱篇、靈樞寒熱病篇皆有之，皆複語也。「首子」之稱見於各書者，如史記宋微子世家云：微子開者，殷帝乙之首子。漢書元后傳云：羌胡尙殺首子。管子小稱篇云：易牙烝其首子而獻之公。淮南子主術訓、及精神訓「桓公甘易牙之和」高注略同。韓非子二柄篇、十過篇、難一篇並述易牙事，道藏本皆作首子，亦謂初胎所生。方言卷 13 云：人之初生謂之「首」，與醫之初生謂之「鼻」對言。此固以「頭」爲喻，亦取「始」義也。玉篇乃有「顔」字，訓爲人初產子，是由首字增飾者。

跨　婦人產子之後，例須休養、如養病然，揚俗呼「做月子」。歲末臨蓐，則一月期滿，必待來年，俗呼於「年」字上冠以「卡」之陽平，下復綴言「月子」，爲其兼據兩年也。當由「跨」之聲誤。跨切苦化，說文訓渡。荀子儒效篇楊注，文選西京賦用薛注訓越。上林賦李注訓騎之。晉書郭璞傳云：去秋以來，沈雨跨年。謂其兼跨兩年。「月子」之稱「跨年」，取義實同。小兒年齡未達足歲者，俗亦通言「跨幾歲」也。跨之聲旁轉爲「騎」，騎與跨之義無別，故跨馬者例呼騎馬。陸游詩有爽氣收回「騎月雨」之句，即謂雨跨兩月，在今語以爲「騎月陰」，騎字說入麻韻，作卡之陽平。契約文卷，合兩縫加印者，俗言「騎縫戳子」，語音亦同。錢泳履園叢話卷十言：唐玄宗鶺鴒頌紙本，紙凡四接，「岐縫」內俱有開元二字小印。乃借「岐」字爲之。

文　摘

我國首先應用汞合金充塡牙齒的光榮史

朱希濤　著　　中華口腔科雜誌 1955 年　第一號

關於口腔科臨床上廣泛應用的汞合金充塡法，究竟從什麼時候才開始的呢？歐美文獻上的記載是十九世紀初葉，首先在英國(Bell 氏 1819)和法國(M. Taveau 氏 1826)開始使用，然後才傳入美國。而且，當時汞合金的製法是很原始的，可能就是純銀和汞的合金，也有人將當時的銀幣銼成粉末與汞調和而成。

但是，在我國明朝李時珍(1518—1593)本草綱目裏就已經有了關於汞合金的成分，性質和功用的記載，原文爲：「其法用白錫和銀薄及水銀合成之。凝硬如銀，合鍊有法，今方士家有銀脆，恐即此物……亦補牙齒缺落。」然而，汞合金充塡不是從李時珍的時代才開始，因爲李時珍是引用自唐本草，而唐本草是唐蘇恭在唐高宗顯慶四年 (659) 編成的。所以，我們可以斷定在唐朝或更早，我國已開始使用汞合金作充塡材料了。並且，它的配方是非常接近於現代的以銀、錫爲主體的汞合金。

遠在 1300 年前，我國即應用銀、錫配製的汞合金修復病牙，這便有力地說明了我國當時不僅化學和冶金學是很發達的，同時也證明當時的醫學關於牙科修復學方面已經有了相當的成就。這是值得我們向全世界誇耀的。

（鄔麟書摘轉載中華醫學雜誌 1955 年第五號）

漢書醫學史料彙輯

陳邦賢

說明

一、全編共 19 章：第 1 章醫學制度；第 2 章醫巫和神仙；第 3 章醫學理論；第 4 章解剖；第 5 章體格；第 6 章鍛鍊；第 7 章衛生；第 8 章壽命和胎產；第 9 章疾病；第 10 章治療；第 11 章藥品；第 12 章典籍；每章分若干節（也有不分節的）；每節分若干目，每目分若干條；每條都註明條文的出處，俾便查考。

二、本編目的在供醫史研究的參考，因此搜集材料範圍較廣。從公元前 202 年劉邦稱漢王起，到公元 8 年王莽篡漢止，史稱西漢或前漢，在這階段；漢初社會經濟發展，漢武帝對外擴張，打開了中國和中亞細亞的交通；吸收了西域的文明；豐富了祖國的文化；因此醫學也獲得進一步的發展。東漢班固的漢書，是斷代史的創始。關於醫學的記載，如本草的名稱，始見於漢平帝紀樓護傳。漢初訂定各種制度，因此醫事制度也比較完善。

一、醫學制度

太醫令丞 （太常）屬官有太樂、太祝、太宰、太史、太卜、太醫六令丞。（百官公卿表 7 上）

（少府）屬官有尚書、符節、太醫、太官、湯官、導官、樂府、若盧、考工室、左弋居室、甘泉居室、左右司空、東織西織、東園匠十二官令丞（同上）。

太醫 所加或列侯、將軍、卿大夫、將都尉、尚書、太醫、太官令、至郎中亡員，多至數十人（同上）。

侍醫 疾病侍醫臨治（師古曰：「侍醫天子之醫也。」）（貢禹傳 42）

前東平王嘗與后謁祝詛，侍醫伍宏等內侍案脉。（師古曰：「案謂切脉也」。）（王嘉傳56）

侍醫李柱國校方技。（師古曰：「醫藥之書也」。）（藝文志 10）

女侍醫 又使女侍醫淳于衍進藥，殺共哀后，謀毒太子。（宣紀 8）

女醫 明年許皇后當娠病，女醫淳于衍者，霍氏所愛，嘗入宮侍皇后疾，衍夫賞爲掖庭戶衛，謂衍可過，辭霍夫人行；爲我求安池監，衍如言報顯，顯因生心，辟左右，字謂衍：「少夫幸報以事，（如淳曰：「稱衍字曰少夫，親之也。」。）我亦欲報少夫可乎？」（晉灼曰：「報少夫謀弒許后事」。）衍曰「夫人所言，何等不可者」。顯曰：「將軍素愛小女成君，欲奇貴之，願以累少夫」。（師古曰：「累托也。」）衍曰：「何謂邪」？顯曰：婦人免乳大故，十死一生；（師古曰：「免乳，爲產子也。大故，大事也。」）今皇后當免身，可因投藥去也，成君即得爲皇后矣。如蒙力事成，富貴與少夫共之。衍曰：「藥雜治，當先嘗，安可」？（師古曰：「與衆醫共雜治之，又有先嘗者何可行毒」？）顯曰：「在少夫爲之耳；將軍領天下，誰敢言者，緩急相護，但恐少夫無意耳」。衍良久曰：「願盡力」。即擣附子齎入長定宮，皇后免身後，衍取附子並合大醫大丸以飲皇后。（晉灼曰：「大丸今澤蘭丸之屬」。）有頃曰：「我頭岑岑也，藥中得無有毒」？（師古曰：「岑岑痺悶之意」）。對曰：「無有」。遂加煩懣，崩。衍出過見顯相勞問，亦未敢重謝衍。後人有上書告諸醫侍疾無狀者，皆收繫詔獄，劾不道。顯恐急，即以狀具語光，因曰：「既失計爲之，無令吏急衍」；光驚鄂默然不應，其後奏上署衍勿論。（孝宣許皇后傳 67 上）

乳醫 私使乳醫淳于衍行毒藥殺許后。（師古曰：「乳醫視產乳之疾者」。）（霍光傳 38）

元延二年（公元前 11）褱子其十一月乳，詔使嚴持乳醫及五種和藥丸三送美人。（孝成趙皇后傳 67 上）

醫待詔 伍宏以醫待詔與校秘書郎楊閎結謀反逆。（董賢傳63）

醫工長 （燕王）旦得書以符璽屬醫工長。（師古曰：屬，委也。醫工長，王官之主醫者也。）（燕王旦傳33）

大醫監 又（上官）桀妻父所幸充國爲大醫監，闌入殿中，下獄當死；冬月且盡，蓋主爲充國入馬二十匹贖罪，迺得減死論。（孝昭上官皇后傳67上）

典領方藥 昭帝末（公元前81）寢疾，徵天下名醫（杜）延年典領方藥。（杜周傳 30 ）

本草待詔 候神方士，使者，副佐，本草待詔，七十餘人皆歸家。（師古曰：〖本草待詔，謂以方藥本草而待詔者〗。）（郊祀志 5 下）

方技 去即繆王齊太子也，師受論語孝經皆通，好文辭方技，博奕倡優。（廣川王去傳23）

上欲求非望，而后舅伍宏反因方術以醫技得幸出入禁門，奮顯之謀，行於杯杓。（江充傳15）

（伍）宏以附臭，得興其惡心，因醫技進，幾危社稷。（董賢傳63）

周仁，其先任城人也，以醫見。（周仁傳16）

（義）縱有姊以醫幸王太后；太后問有子兄弟爲官者乎？姊曰：〖有弟無行不可；太后迺告上，上拜義姁弟縱爲中郎，補上黨郡中令。（義縱傳60）

馬醫 張里以馬醫而擊鐘。（貨殖，宣曲任氏傳61）

二、醫巫和神仙

巫 巫咸。（師古曰：〖大戊之臣也〗。）（古今人表 8）

伊陟贊巫咸。（孟康曰：〖巫咸，殷賢臣。贊，說也，謂伊陟說其意也〗。師古曰：〖因此作咸義四篇，見尚書序，其篇亦亡逸也〗。）（郊祀志 5 上）

巫賢。（古今人表 8）

巫覡 在男曰覡，在女曰巫。（師古曰：〖巫覡亦通稱耳〗。）（郊祀志 5）

巫祝 皇后失序，惑於巫祝。（孝武陳皇后傳67上）

醫巫 巫醫 諸取衆物鳥獸魚鼈百蟲於山林水澤及畜牧者，嬪婦、桑、蠶、織任、紡績、補縫、工匠、醫巫、卜祝、及它方技……皆各自占所爲，於其所之縣官，除其本，計其利，十一分之，而以其一爲貢。（食貨志 4 下）

爲置醫巫，以救疾病，以修祭祀，男女有昏，生死相恤。（鼂錯傳19）

（龔）勝曰：竊見國家徵醫巫，常爲駕徵，賢者宜駕。上曰：〖大夫乘私車來耶〗？勝曰：〖唯！〗（龔勝傳42）

巫劉吾服祝詛，醫徐遂成言習君之日，武帝時醫脩氏刺治武帝，得二千萬耳。（師古曰：〖刺治，謂箴之。〗）（孝元馮昭儀傳 67 下）

文成死，明年天子病鼎湖甚，巫醫無所不致，游水發根言上郡有巫病，而鬼下之。（郊祀志 5 上）

巫蠱 （元光五年，公元前 130 ）（秋七月）捕爲巫蠱者皆梟首。（武紀 6）

（征和元年，公元前 92）冬（11月）11日，迺解巫蠱起。（同上）

（征和二年，公元前 91)閏月，諸邑公主陽石公主皆坐巫蠱死。……秋七月按道侯韓說使者江充等掘蠱太子宮。（同上）

（宣帝）生數月遭巫蠱事……（皇）曾孫雖在襁褓，猶坐收繫郡邸獄，而邴吉爲廷尉監，治巫蠱於郡邸，憐曾孫之亡辜，使女徒復作淮陽趙徵卿渭城胡組更乳養。私給衣食視遇甚有恩，巫蠱事連歲不決。（宣紀 8）

（武帝征和四年，公元前89)捕巫蠱督大姦猾。（百官公卿表 7 上）

太初元年（公元前 104）11 月乙酉未央宮柏梁臺災，先是大風發其屋，夏侯始昌先言其災，日後有江充巫蠱衛太子事。……後月巫蠱事興，帝女諸邑公主陽石公主丞相公孫賀子太僕敬聲平陽侯曹宗等皆下獄死。7 月使者江充掘蠱太子宮，太子與母皇后議，恐不能自明，乃殺充，舉兵與丞相劉屈釐戰，死者數萬人，太子敗走，至湖自殺。（五行志 7 上）

（征和 2 年，公元前91)許皇后坐巫蠱廢。（同上）

康始元年（公元前16）正月癸丑大官凌室災，……應戾后衛太子妾遭巫蠱之禍。（同上）

征和元年（公元前92）夏大旱，是歲發三輔騎士閉長安城門大搜，始治巫蠱。（五行志 7 中之上）

（孔安國）遭巫蠱事，未列於學官。（藝文志 9 ）

太初中(公元前104—101)爲游擊將軍，屯五原外列城，還爲光祿勳，掘蠱太子宮，爲太子所殺，子興嗣坐巫蠱誅。上曰：〖游擊將軍死事無論坐者〗。（韓王信傳 3）

后乘舒死，立徐來爲后，厥姬俱幸，兩人相妬，

(江)充見上年老，恐晏駕後爲太子所誅，因是爲姦，奏言上疾祟在巫蠱，於是上以充爲使者治巫蠱，充將胡巫掘地求偶人，捕蠱及夜祠視鬼，染汚令有處，輒收捕驗，治燒鐵鉗灼彊服之，民轉相誣以巫蠱，吏輒劾以大逆亡道，坐而死者前後數萬人。是時上春秋高，疑左右皆爲蠱祝詛，有與亡莫敢訟其冤者，充既知上意，因言宮中有蠱氣，先治後宮，希幸夫人以次及皇后，遂掘蠱於太子宮，得桐木人；太子懼，不能自明，收充，自臨斬之。（江充傳15）

數姬乃惡徐來於太子曰：「徐來使婢蠱殺太子母，太子心怨徐來，徐來兄至衡山，太子與飲，以刃刑傷之。（衡山王賜傳14）

上幸甘泉疾病（江）充見上年老，恐晏駕後爲太子所誅，因是爲姦，奏言上疾祟在巫蠱，於是上以充爲使者治巫蠱，充將胡巫掘地求偶人，捕蠱及夜祠視鬼，染汚令有處，輒收捕驗，治燒鐵鉗灼彊服之，民轉相誣以巫蠱，吏輒劾以大逆亡道，坐而死者前後數萬人。是時上春秋高，疑左右皆爲蠱祝詛，有與亡莫敢訟其冤者，充既知上意，因言宮中有蠱氣，先治後宮，希幸夫人以次及皇后，遂掘蠱於太子宮，得桐木人；太子懼，不能自明，收充，自臨斬之。（江充傳15）

居民間五六歲，後覺復繫坐妻巫蠱族。（公孫敖傳25）

居匈奴中十歲，復與其太子安國亡入漢，後坐巫蠱族。（趙破奴傳25）

治陳皇后巫蠱獄，深竟黨與，上以爲能。（張湯傳29）

（江）充典治巫蠱，既知上意，自言宮中有蠱氣入宮，至省中壞御座掘地。上使按道侯韓說，御史章贛，黃門蘇文等助充，充遂至太子宮掘蠱，得桐木人。時上疾辟暑甘泉宮，獨皇后太子在，太子召問少傅石德，德懼爲師傅並誅，因謂太子曰：「前丞相父子兩公主及衞氏皆坐此，今巫與使者掘地得徵驗，不知巫置之邪？將實有也，無以自明，可矯以節，收捕充等繫獄，窮治其姦詐。……告令百官曰：江充反，迺斬充以徇，炙胡巫上林中。（服虔曰：「作巫蠱之胡人也。炙燒也」）。師古曰「胡巫受充意，指妄作蠱。」（戾太子據33）

求僊　自齊威宣時騶子之徒，論著終始五德之運，（師古曰：「騶子即騶衍」。）及秦帝而齊人奏之，故（秦）始皇采用之；而宋毋忌正伯僑元尙羨門高，最後皆燕人，爲方僊道，（韋昭曰：「皆慕古人之名効爲神仙者也」。師古曰：「自宋毋忌至最後，皆其人姓名也，凡五人」。）形解銷化，（服虔曰：「尸解也」。張晏曰：「人老而解去故骨如變化也。今山中有龍骨，世人謂之龍解骨化去」。）依於鬼神之事，騶衍以陰陽主運，顯於諸侯，而燕齊海上之方士傳其術不能通；然則怪迂阿諛苟合之徒，自此興，不可勝數也！自威宣燕昭使人入海求蓬萊方丈瀛洲此三神山者，其傳在勃海中，去人不遠，蓋嘗有至者，諸仙人及不死之藥皆在焉。其物禽獸盡白，而黃金銀爲宮闕。未至，望之如雲；及到三神山，反居水下，水臨之患且至，則風輒引船而去，終莫能至，云世主莫不甘心焉。及秦始皇至海上，則方士爭言之，始皇如恐弗及，使人齎童男女入海求之，船交海中，皆以風爲解，曰：「未能至，望見之焉」！其明年，始皇復游海上，至瑯玡，過恒山，從上黨歸。後三年，游碣石，考入海方士。（師古曰：考校其虛實也」）從上郡歸。後五年，始皇南至湘山，遂登會稽，並海上，（師古曰：「附海而上也」）幾遇海中三神山之奇藥，（師古曰：「幾讀曰冀」。）不得還，到沙丘崩。（郊祀志5上）

且成帝末年，（公元334）頗好鬼神，亦以無繼嗣，故多上書言祭祀方術者，皆得待詔。（郊祀志5下）

哀帝即位（公元362）寢疾博徵方術士。（同上）

方士　是時李少君亦以祠竈穀道卻老方見上，（如淳曰：「祠竈可以致福」。李奇曰：「穀道，辟穀不食之道也」）上尊之。少君者，故深澤侯人主方，（如淳曰：侯家人主方藥也。）匿其年及所生長。常自謂七十，能使物卻老，（如淳曰：物謂鬼物也。）其游以方徧諸侯。……少君言上祠竈，皆可致物，致物而丹沙可化爲黃金，黃金成爲飲食器，則益壽，益壽而海中蓬萊仙者迺可見之，以封禪則不死，黃帝是也。臣嘗游海上見安期生，（師古曰：「列仙傳云：安期生，瑯琊人，賣藥東海邊，時人皆言千歲也」。）安期生食巨棗，大如瓜。安期生仙者，通蓬萊中，合則見，不合則隱。於是天子始親祠竈，遣方士入海求蓬萊安期生之屬，而事化丹沙諸藥齊爲黃金矣。（師古曰：齊，藥之分齊也。）久之少君病死，天子以去不死也，使黃錘史寬舒受其方，而海上燕齊怪迂之方士，多更來言神事矣。（郊祀志5上）

明年齊人少翁以方見上。上有所幸李夫人，夫人卒，少翁以方蓋，夜致夫人及竈鬼之貌，云天子自帷中望見焉，迺拜少翁爲文成將軍，賞賜甚多，以客禮禮之。……居歲餘，其方益衰，神不至。迺帛書以飯牛，陽不知，言此牛腹中有奇，殺視得書，書言甚怪。天子識其手，（師古曰：「手謂所書手跡也」。）問之果僞書，於是誅文成將軍。隱之。其後又作柏梁銅柱承露仙人掌之屬矣。（蘇林曰：「仙人以手掌擎盤承甘露」。師古曰：「三輔故事云：「建章宮承露盤高二十丈，大七圍，以銅爲之，上有仙人掌承露和玉屑飲之」。蓋張衡西京賦所云：「立修莖之仙掌，承雲表之淸露，屑瓊蘂以朝餐，必性命之可度」，也」。）（郊祀志 5 上）

其春樂成侯登上書言欒大，欒大膠東宮人，故嘗與文成將軍同師。已而爲膠東王尙方（師古曰：「主方藥」。）。而樂成侯姊爲康王后，……康后聞文成死，而欲自媚於上，乃遣欒大入，因樂成侯求見言方。天子旣誅文成，後悔其方不盡；及見欒大，大說。大爲人長美言，多方略，而敢爲大言，處之不疑。大言曰：「臣常往來海中，見安期羨門之屬，顧以臣爲賤，不信臣；又以康王諸侯耳，不足與方；臣數以言康王，康王又不用臣。臣之師曰：「黃金可成，而河決可塞，不死之藥可得，僊人可致也。然臣恐効文成，則方士皆掩口，惡敢言方哉」？上曰：「文成食馬肝死耳，子誠能修其方，我何愛乎」？大曰：「臣師非有求人人者求之，陛下必欲致之，則貴其使者，令爲親屬，以客禮待之勿卑，使各佩其印，迺可使通言於神人，神人尙肯邪不邪，尊其使然後可致也」。於是上使驗小方鬬棊，棊自相觸擊。是時上方河決，而黃金不就，迺拜大爲五利將軍，居月餘，得四印。……又以衞長公主妻之。……天子又刻玉印曰：「天道將軍使」，使衣羽衣立白茅上，五利將軍亦衣羽衣，立白茅上受印，以視不臣也。……於是五利常夜祠其家，欲以下神，後裝治行，東入海求其師云。大見數月，佩六印，貴震天下，而海上燕齊之間，莫不搤擥，而自言有禁方能神仙矣。（同上）

上使人隨驗，實無所見，五利妄言見其師，其方盡多不讎；上迺誅五利。其冬公孫卿候神河南，言見仙人迹，緱氏城上，有物如雉，往來城上，天子親幸緱氏視迹，問卿得毋効文成五利乎？卿曰：「仙者非有求人主，人主者求之，其道非少寬暇，神不來」，言神事如迂誕，積以歲迺可致，於是郡國各除道繕治宮館名山神祠，所以望幸矣。（同上）

齊人之上疏言神怪奇方者以萬數，迺益發船令言海中神山者數千人，求蓬萊神人。公孫卿持節常先行，候名山至東萊，言夜見大人，長數丈，就之則不見，見其迹甚大類禽獸云。羣臣有言見一老父牽狗，言吾欲見鉅公，已忽不見。上旣見大迹未信，及羣臣又言老父，則大以爲僊人也，宿留海上，與方士傳車，及閒使求神仙人以千數。（同上）

其春公孫卿言見神山東萊山，若云欲見天子。天子於是幸緱氏城，拜卿爲中大夫，遂至東萊，宿留之數日，毋所見，見大人迹云。復遣方士求神人采藥以千數。（同上）

東至海上，考入海及方士求神者莫驗，然益遣，幾遇之。……而方士之候神入海求蓬萊者終無驗，公孫卿猶以大人之迹爲解，天子猶羈縻不絕，幾遇求眞。（同上）

谷永說上曰：「……秦始皇初并天下，甘心於神仙之道，遣徐福韓終之屬，多齎童男童女入海求神采藥，因逃不還，天下怨恨。漢興，新垣平齊人少翁公孫卿欒大等，皆以仙人黃冶祭祠事鬼使物，入海求神采藥，貴幸賞賜累千金，大尤尊盛，至妻公主，爵位重絫，震動海內。元鼎元封之際，（公元前 116—105）燕齊之間，方士瞋目扼擥，言有神仙祭祀致福之術者以萬數；其平等皆以術窮詐得誅夷伏辜。（同上）

（王）莽篡位二年（公元前10）興神仙事，以方士蘇樂言起八風臺於宮中，臺成萬金。（郊祀志 5 下）

獻方　大夫劉更生獻淮南枕中洪寶苑秘之方。（師古曰：「洪大也，苑秘者，言秘術之苑囿也」。）（同上）

上復興神僊方術之事，而淮南有枕中鴻寶苑秘書，書言神僊使鬼物爲金之術，及鄒衍重道延命方，世人莫見。（師古曰：「鴻寶苑秘書，並道術篇名，藏在枕中，言常存錄之不漏泄也」。）（楚元王交傳 6）

餐霞　貪食幽都，呼吸沆瀣兮餐朝霞。（列仙傳陵湯子言：「春食朝霞；朝霞者，日始欲出赤黃氣也。夏食沆瀣，沆瀣，夜半氣也；並天地玄黃之氣爲六氣。」）（司馬相如傳 27 下）

導引　辟穀　（張）良從入關，性多疾，即道引不食穀。（張良傳10）

降灾　惡氣　古者天降灾戾。（師古曰：「戾，惡氣也；一曰戾，至也」。）（食貨志 4）

鬼祟 高后八年（公元180）三月祓霸上，還過枳道，見物如倉狗橶，高后掖忽之不見卜之，趙王如意爲祟，遂病掖傷而崩。（師古曰：「祓者，除惡之際也」。）（五行志7中之上）

祈禱 惟四月哉生霸，王有疾不豫甲子，王乃洮沬水作顧命。（師古曰：「洮，盥手也；沬，洗面也。」）（律歷志1下）

厭禳 磔狗邑四門，以禦蠱災。（郊祀志5下）

順時 以順天時，救民疾。（同上）

三、醫學理論

陰陽 陽用其精，陰用其形，猶人之有五藏六體，五藏象天，六體象地；故藏病則氣色發於面，體病則欠申動於貌。（翼奉傳45）

感動陰陽，其害疾自深。……陰陽失節，害及身體。（師古曰：「言此氣損害，故令天子身自有疾也。」）（同上）

天地 人函天地陰陽之氣，有喜怒哀樂之情。（禮樂志2）

夫人宵天地之額(貌)，懷五常之性，聰明精粹有生之最靈者也。（應劭曰：「宵，類也，頭圓象天，足方象地」。）（刑法志3）

民受天地之中以生，所謂命也；……能者養以之福，不能者，敗以禍亂。（師古曰：「中謂中和之氣」。又曰：「之，往也。能養生者，則定禮義威儀，自致於福；不能者，則表之以取禍亂」。）（五行志7中之上）

四時 奧則冬溫，春夏不和傷病，民人故極疾也。（五行志7中之下）

使者即上言：「方盛夏暑熱，(龔)勝病少氣，可須秋涼迺發。（龔勝傳42）

五行 時則有下體生上之痾，時則有青眚青祥，（李奇曰：「外曰眚，內曰祥。」）唯金沴木。……及人謂之痾，痾病貌，言寖深也。（五行志7中之上）

水行地上，湊潤上徹，民則病溼氣。（溝恤志9）

星辰 其南北兩大星，曰南門氐，爲天根，主疫。……月南入牽牛南戒，民間疾疫。（天文志6）

風向 風從……東南，民有疾疫。（同上）

日食 慧星 春秋二百四十年間，日食三十六，慧星三見，夜常星不見，夜中星隕如雨者一，……因以飢饉疾疫。（同上）

地動 （後元年五月）地大動，鈴鈴然，民大疫死，棺貴至秋止。（同上）

神形 神者，生之本；形者，生之具。（司馬遷傳32）夫神大用則竭，形大勞則敝，神形蚤衰，欲與天地長久，非所聞也。（同上）凡人所生者神也，所託者形也；神大用則竭，形大勞則敝，形神離則死；死者不可復生，離者不可復合，故聖人重之。（同上）

故形和則無疾，無疾則不夭。（公孫弘傳28）

魂魄 心之精爽，是謂魂魄，魂魄去之，何以能久？（五行志7下之上）

卑濕 江南卑濕，丈夫多夭。（地理志8下）

長沙卑濕。誼自傷悼，以爲壽不得長。（賈誼傳18）

南方卑濕、絲（爰盎字）能日飲。（爰盎傳19）

身毒國在大夏東南，可數千里，其俗土著與大夏同，而卑濕暑熱。（張騫傳31）

霧露氣濕，多毒草蟲蛇，水土之害，人未見虜，戰士自死。（賈捐之傳34下）當時巴蜀四郡，通南夷道，載轉相饟，數歲不通，士罷餓餧離，暑溼死者甚衆。（西南夷傳65）

遠藏溫暑毒草之地，雖有孫吳將，賁育士，若入水火，往必焦沒。（西南夷傳65）

四、解 剖

解剖 翟義黨王孫慶捕得，（王）莽使太醫尙方與巧屠共刳剝之，（師古曰：「刳剖也」。）量度五藏，以竹筳導其脉，知所終始，（師古曰：「筳，竹梃也。」）云可以治病。（師古曰：「以知血脉之原，則盡攻療之道也」。）（王莽傳69）

剖心 臣聞比干剖心，子胥鴟夷，臣始不信，迺今知之。（賈山傳21）

刳妊 應劭曰：「紂刳妊者，觀其胎產」。同上句註

臏脚 昔司馬喜臏於宋，卒相中山。（賈山傳21）

孫子臏脚，兵法修列。（文穎曰：「孫子與龐涓學，而爲龐涓所斷足」。）（史馬遷傳32）

臏刑 師古曰：「臏罰去膝頭骨。」（刑法3句註）

宮刑　師古曰：「宮，淫刑也。男子割腐，婦人幽閉。」（同上）

蘇林曰：「宮刑，其創腐臭，故曰腐也。」（景紀5句註）

如淳曰：「腐，宮刑也；丈夫割勢，不能復生子，如腐木不生實。」（同上）

五、體格

身長　史記：「秦始皇帝二十六年，（公元前221）有大人長五丈足履六尺，皆夷狄服，凡十二人，見於臨洮」。（五行志7下之上）

韓博上言有奇士長丈，大十圍，來至臣府，欲奮擊胡虜。（王莽傳69下）

臣朔年22，長九尺三寸，目若懸珠，齒若編貝，勇若孟賁，捷若慶忌。（東方朔傳35）

（韓王信）長八尺五寸。（韓王信傳3）

（項）籍長八尺二寸，力扛鼎。（項籍傳1）

長八尺二寸的還有金日磾，漢昭帝等。詳見本傳。

初（張）蒼父長不滿五尺，蒼長八尺餘，蒼子復長八尺，及孫類長六尺餘。（張蒼傳12）

長八尺的有軒秋，朱雲，王商，陳遵，酈生等，各見本傳。

（霍）光爲人沈靜詳審，長財七尺三寸，白皙疏眉目，美須頿。（霍光傳38）

（鉤弋子）壯大多知。（鉤弋子傳67上）

短小　（蔡）義爲丞相時，年八十餘，短小無鬚，眉貌似老嫗，行步俛僂。（蔡義傳36）

其餘雋遂，郭解，樓護，嚴延年等亦皆短小，詳各見本傳。

朱儒　（東方）朔紿騶朱儒曰：「上以若曹無益於縣官，今欲殺若曹」。朱儒大恐啼泣。朔敎曰：「上即過，叩頭請罪」。居有頃，聞上過，朱儒皆號泣頓首，上問何爲？對曰：「東方朔言上欲盡誅臣等」。上知朔多端，召問朔何恐朱儒爲？對曰「臣朔生亦言，死亦言；朱儒三尺餘，奉一囊粟，錢二百四十；臣朔長九尺餘，亦奉一囊粟，錢二百四十；朱儒飽欲死，臣朔飢欲死」。（師古曰：「朱儒短人也」。）（東方朔傳35）

面貌　張良之智勇，以爲其貌魁梧奇偉，反若婦人女子，故孔子稱「以貌取人，失之子羽」。（師古曰：「魁大貌也。梧者，言其可驚。梧，今人讀爲吾非也」。又曰：「子羽，孔子弟子，澹臺滅明字；貌惡而行善，故云然也」。）（張良傳10）

（江）充爲人魁岸，容貌甚壯，帝望而異之。（師古曰：「魁，大也；岸者，有廉稜如崖岸之形」。）（江充傳15）

（息夫躬）容貌壯麗，爲衆所異。（息夫躬傳15）

單于仰視（王）商貌大畏之，遷延却退。（王商傳52）

田蚡爲人貌侵生貴甚。（服虔曰：「侵，短小也」。）（田蚡傳22）

（董賢）爲人美麗自喜。（董賢傳63）

視遠　步高　（成公十六年）單襄公見晉厲公視遠步高。五行志7中之上。

隆準　高祖爲人隆準而龍顏，美須髯，左股有七十二黑子。師古曰：「在頤曰須，在頰曰髯」。又曰：「今中國通呼爲黶子，吳楚俗謂之誌；誌者記也。」）高祖紀1上。

深目　其人皆深目，多須頿。（西域傳66上）

重童子　周生亦有言：「舜蓋重童子，項羽又重童子；豈其苗裔耶？何其興之暴也」？（陳勝項籍傳1）

偏盲　（杜欽）少好經書，家富，而目偏盲。（杜欽傳30）

侈口　蹷顄　（王）莽爲人侈口蹷顄，露眼赤精，大聲而嘶，長七尺五寸；……反膺高視，瞰臨左右。是時有用方技待詔黃門者，或問以莽形貌，待詔曰：「莽所謂鴟目虎吻豺狼之聲者也，故能食人，亦當爲人所食。（師古曰「侈，大也。蹷，短也。顄，頤也。」又曰：「嘶，聲破也」。又曰：「瞰謂遠視也」。）（王莽傳60）

遍身有毛　（宣帝）身足下有毛，臥居數有光燿。每買餅所從，買字輒大讎，亦以是自怪。（師古曰：「遍身及足下皆有毛」。）（宣紀8）

文身　斷髮　本身斷髮，以避蛟龍之害。（應劭曰：「常在水中，故斷其髮，文其身，以象龍子，故不見傷害也」。）（地理志8下）

變形　豫讓釁面吞炭。（鄭氏曰：「釁漆面以易貌，吞炭以變聲也」。師古曰：「釁，熏也，以毒藥熏之」。）（賈誼傳18上）

昔豫子吞炭壞形，以奉見異。（谷永傳55）

六、鍛鍊

勇士 力士 周末有子路夏育，民人慕之，故其俗剛武，上氣力。（地理志8下）

故力稱烏獲，捷言慶忌，勇期賁育。（師古曰：「烏獲，秦武王力士也。慶忌，吳王僚子也，射能捷矢也」。又曰：「孟賁，古之勇士也，水行不避蛟龍，陸行不避豺狼，發怒吐氣，聲響動天。夏育，亦猛士也。」）（司馬相如傳27下）

王慶忌爲期門，夏育爲鼎官。（應劭曰：「以其勁健可爲期門郎也」。）（東方朔傳35）

角觝 （元封）三年（公元前108）春作角抵戲。（應劭曰：「角者，角技也；抵者，相抵觸也」。）（武紀6）

時覽卞射武戲。（蘇林曰：「手搏爲卞，角力爲武戲也」。晉灼曰：「甘延壽傳，試卞爲期門。」）（哀紀11）

極漫衍魚龍角抵之戲。（西域傳66下）

技擊 齊愍以技擊彊，魏惠以武卒奮，秦昭以銳士勝。故齊之技擊，不可以遇魏之武卒；魏之武卒不以直秦之銳士。（刑法志1）

擊劍 十五學擊劍。（東方朔傳35）

太子學用劍，自以爲人莫及，聞郎中雷被巧，召與戲，被一再辭讓，誤中太子，太子怒。（師古曰：「巧者，善用劍也。」）（淮南王安傳14）

蹶張 （申屠）以材官蹶張。（如淳曰：「材官之多力，能脚踏彊弩張之，故曰蹶張，律有蹶張士。（師古曰：「今之弩，以手張者曰擘張；以足踏者曰蹶張。」）（申屠嘉傳12）

騎射 投石 拔距 善馭習馬，得幸騏綠耳之乘。（地理志8下）

（甘延壽）少以良家子，善騎射，爲羽林投石，絕於等倫。（應劭曰：「投石，以石投人也；拔距，即下超踰羽林亭樓是也。」張晏曰：「范蠡兵法：「飛石重十二斤，爲機發行三百步。延壽有力，能以手投之；投距，超距也」」。師古曰：「投石，應說是也；拔距者，有人連坐相把，據地以爲堅而能拔取之；皆言其手掔之力，超踰亭樓，又言其趫捷耳，非拔距也；今人猶有拔瓜之戲，蓋拔距之遺法。」）（甘延壽傳40）

角技 蹴鞠 觀雞鞠之會，角狗馬之足。（師古曰：「角猶校也」。）（東方朔傳35）

扛鼎 胥壯大好倡，樂逸游，力扛鼎，空手搏熊彘猛獸。（齊懷王閎傳33）

厲王有材力，力扛鼎。（師古曰：「扛舉也」。）（厲王傳14）

鐵椎 淮陽東見倉海君，得力士爲鐵椎，重百二十斤。（師古曰：「……蓋當時賢者之號也；（張）良既見之，因而求得力士」。）（張良傳10）

飛行 或言不持斗糧服食藥物，三軍不飢；或言能飛一日千里，可窺匈奴；莽輒試之，取大鳥翮爲兩翼，頭與身皆著毛，通引環伍，飛數百步墮。（王莽傳69下）

七、衛 生

1. 清 潔

洗沐 孝景時爲太子舍人，每五日洗沐，常置驛長安諸郊，請舍賓客，夜以繼日。

（萬石君長子）建者白首，萬石君尚無恙，每五日洗沐，歸謁親，入子舍竊問侍者，取親中帬厠牏，身自浣洒。（服虔曰：「親身之衣也」。蘇林曰：「牏音投」。賈逵解周官云：「牏，行清也」。孟康曰：「厠行清牏中受糞函者也；東南人謂鑿木空中如曹，謂之牏」。晉灼曰：「今世謂反門小袖爲侯牏」。師古曰：「親謂父也。中帬，若今言中衣也。厠牏者，近身之小衫，若今汗衫也。蘇晉說是矣」。（萬石君傳16）

清潔街道 迺庚子雨水灑道，辛丑清靚無塵。（王莽傳69下）

2. 調 溫

寮火 必相從者，所以省費寮火，同巧拙而合習俗也。（師古曰：「省費寮火，省寮火之費也；寮所以明火，所以爲溫也。」）（食貨志4）

藏冰 （惠帝四年）（公元前191）秋七月乙亥未央宮凌室災。（師古曰：「凌室藏冰之室也」。豳詩七月之篇曰：「納于凌陰」。）（惠紀2）

凌室所以供養飲食。（五行志7上）

惠帝四年（公元前191）10月乙亥未央宮凌室災。（同上）

永始元年（公元前16）正月癸丑，太官凌室災。（同上）（又成帝紀10）

夏處南山，藏薄冰。（應劭曰：「夏處南山，就陰涼也；藏薄冰，亦以除暑也」。）（王莽傳69下）

3. 鑿　　井

童謠曰：「井水溢，滅竈煙，灌玉堂，流金門。」（五行志7中之上）

東至山領十餘里間，井渠之生，自此始穿，得龍骨，故名曰龍首渠；作之十餘歲，渠頗通，猶未得其饒。（溝恤志9）

岸善崩，乃鑿井，深者四十餘丈，往往爲井，井下相通行水。（同上）

（伍被）常爲士卒先。須士卒休乃舍；穿井得水，迺敢飲。（伍被傳15）

相其陰陽之和，嘗其水泉之味，審其土地之宜，觀其草木之饒。（鼂錯傳19）

貳師聞宛城中新得漢人知穿井，而其內食尚多。（張騫傳31）

晨起視亭中，誠有新井，入地且百尺。（王莽傳69上）

4. 思慮　哀樂　喜怒

思慮　傳曰：「思之不容，是謂不聖。……思心之不容，是謂不聖；思心者，心思慮也；容，寬也。」（五行志7下之上）

哀樂　喜怒　夫民有血氣心知之性，而無哀樂喜怒之常，應感而動，然後心術形焉。（師古曰：「言人之性感物則動也；術，道徑也；心術，心之所由也；形，見也」。）（禮樂志2）

吾聞之哀樂而樂哀，皆喪心也。（師古曰：「哀樂，可樂而反哀也；樂哀，可哀而反樂也；喪失之也。）（五行志7下之上）

臣聞樂太甚則陽溢，哀太甚則陰損；陰陽變則心氣動，心氣動則精神散，而邪氣及。（東方朔傳35）

5. 養　　生

心和則氣和，氣和則形和，形和則聲和，聲和則天地之和應矣。（公孫弘傳28）

若夫嚴子者，絕聖棄智，修生保眞，清虛淡泊，歸之自然。（敘傳70上）

若胤彭而偕老兮，訴來哲以通情。（師古曰：彭，彭祖也；老，老聃也；言有繼續彭祖之志，升躡老聃之跡者，則可與言至道而通情也。）（同上）

眞人恬漠，獨與道息；釋智遠行，超然自喪。（師古曰：「恬，安也；漠，靜也」。服虔曰：「絕聖棄智而亡其身也」。）（賈誼傳18）

縱軀委命，不私與己；其生兮若浮，其死兮若休；澹虖若深淵之靚，氾虖若不繫之舟。不以生故，自保養空而浮；德人無累，知命不憂。（師古曰：「休，息也」。又曰「澹，安也」。服虔曰：「道家養空虛若浮舟也」。）（同上）

吸新吐故以練臧，專意積精以適神；於以養生，豈不長哉？（師古曰：「臧五藏也；練，練其氣也；適，和也。）（王吉傳42）

人口　總計民戶2,233,062，口59,594,978。（地理志8上）

八、壽命和胎產

壽考　德施大，世曼壽。（師古曰：「曼，延也」。）（禮樂志2）

壽考不忘。（師古曰：「不忘言長久」。）（同上）

延壽命，永未央。（同上）

書曰：「立功立事，可以永年」。言爲政而宜於民者，則受天祿而永年。（刑法志3）

攘木鳥之妖，致百年之壽。（五行志第7中之下）

今欲極天命之壽，敵無窮之樂。（枚乘傳21）

蓋聞尚書五日考終命。

（班壹）年百餘歲以壽終。（敘傳70上）

短折　常風傷物，故其極凶短折也；傷人曰凶，禽獸曰短，草木曰折；一曰凶，夭也；兄喪弟曰短，父喪子曰折。（五行志7下之上）

臣聞師曰：「逆陽者厥極弱，逆陰者厥極凶短折；犯人者有亂亡之患，犯神者有疾夭之禍；故周公著戒曰：「惟王不知艱難，唯耽樂是從，時亦罔有克壽。」」（鄭崇傳47）

師古曰：「六極：謂一凶短折，二曰疾，三曰憂，四曰貧，五曰惡，六曰弱」。（谷永傳55句註）

婚姻　（惠帝六年）公元前189（冬十月辛丑）女子年十五以上至三十不嫁五算。（應劭曰：國語：「越王勾踐令國中女子年十七不嫁者，父母有罪，欲人民繁息也」。）（惠紀2）

儕男女，使莫違。（師古曰「儕耦也；違謂失婚姻時也。）（揚雄傳57上）

早婚　（王）吉意以爲夫婦人倫大綱，夭壽之萌也；世俗嫁娶太早，未知爲父母之道而有子，是以教化不明，而民多夭。（王吉傳42）

廣嗣　（杜）欽因是說大將軍鳳曰：「禮壹娶九女，所以極陽數廣嗣重祖也」。（杜欽傳30）

衆庶熙熙，施及夭胎。（師古曰：熙熙，和樂貌也。施，延也。少長曰夭，在孕曰胎。）（禮樂志2）

妊娠 初劉媪任高祖而夢與神遇，震電晦冥，有龍蛇之怪，及其長而多靈，有異於衆。（叙傳70上）

（高祖）母媪，嘗息大澤之陂，夢與神遇，是時雷電晦冥，父太公往視，則見交龍於上，已而有娠，遂產高祖。

（高祖）憐薄姬，是日召欲幸之，對曰：「昨暮夢龍據胷」；上曰「是貴徵也，吾爲汝成之」；遂幸有身，歲中生文帝。（高祖薄姬傳67上）

男方在身時，王夫人孝景王皇后夢日入其懷，以告太子；太子曰：「此貴徵也」。（孝景王皇后傳67上）

初李（氏）親任政，君在身，夢月入其懷。（師古曰：「任，懷任。」）（孝元皇后傳68）

胎產 胎產臣聞秦丞相呂不韋見王無子，意欲有秦國，即求好女以爲妻，陰知其有身而獻之王，產始皇帝；及楚相春申君亦見王無子，心利楚國，即獻有身妻而產懷王。（王商傳52）

太始三年（公元前九四）生昭帝，號鉤弋子，任身十四月迺生；上曰「臣聞昔堯十四月而生，今鉤弋亦然」；迺命其所生門曰堯母門。（孝武鉤弋傳67上）

產死 長陵女子呂乳死。（孟康曰：「產乳而死也」。）（郊祀志5上）

墮胎 掖庭中御幸生子者輒死，又飲藥傷墮者無數。（孝成趙皇后傳67下）

畸形 左氏傳：「魯襄公時，宋有生女子，赤而毛，棄之隄下；宋平公母與姬之御者見而收之，因名曰弃，長而美好納之」。京房易傳曰：「尊卑不別，厥妖女生赤毛」。（五行志7中之下）

六月，長安女子有生兒，兩頭，異頸，面相鄉，四臂共胷俱前鄉，尻上有目長二寸所。京房易傳曰：「睽孤見負塗，厥妖人生兩頭，上下相攘」。（同上下之上）

乳養 淮陽趙徵卿，渭城胡組更乳養。（師古曰：「趙徵卿，淮陽人；胡組，渭城人；皆女徒也，二人更遞乳養曾孫，而邴吉傳云郭徵卿，紀傳不同，未知孰是」。）（宣紀8）

（掖庭獄丞）（籍）武以兒付（中黃門）（王）舜，舜受詔內兒殿中，爲擇乳母，告善養兒，且有賞，毋令漏泄，舜擇棄爲乳母時，兒生八九日。（孝成趙皇后傳67下）

曾孫病，幾不全者數焉（丙）吉數敕保養，乳母，加致醫藥視遇。（丙吉傳44）

虎乳　狼乳 （令尹）子文初生，棄於瞢中，而虎乳之。（叙傳70上）

子昆莫新生傅父布就翎侯抱亡置草中，爲求食，還見狼乳之，又烏銜肉，翔其旁，以爲神，遂持歸匈奴，愛養之。（張騫傳31）

九、疾　病

1. 傳染病

疫癘 諺曰：「鬻棺者欲歲之疫。」（刑法志8）

會暑濕士卒大疫，兵不能隃嶺。（南粵王趙佗傳65）

會連雨雪數月，畜產死，人民疫病。（匈奴傳64上）

又有水旱疾疫之災，朕甚憂之。（文紀4）

（元康二年）（公元前64）今天下頗被疾疫之災，朕甚愍之其令郡國被災甚者，毋出今年租賦。（宣紀8）

（初元元年）（公元48）六月以民疾疫，令太官損膳，減樂府員省苑馬以振困乏。（元紀9）

迺者關東遭災害，飢寒疾疫，夭不終命。（同上）

朕承鴻業十有餘年，數遭水旱疫之災，黎民婁困飢寒。（成帝紀10）

民疾疫者，舍空邸第，爲置醫藥。（平紀12）

關東流民飢寒疾疫。（于定傳41）

今東方連年飢饉，加之以疾疫，百姓菜色，或至相食。（翼奉傳45）

陰陽不調，百姓疾疫飢饉，死者且半，鴻水之害，殆不過此。（淮陽憲王欽傳50）

百姓飢饉，流離道路，疾疫死者以萬數，人至相食。（薛宣傳53）

民被飢餓，加以疾疫。（翟方進傳54）

平蠻將軍馮茂擊句町，士卒疾疫死者什六七。（王莽傳69中）

緣邊四夷，有所係虜，陷罪飢疫，人相食，

（食貨志4下）

春凋秋榮，隕霜不殺，水旱癘蟲，民人飢疫。（京房傳45）

士卒飢疫，三歲餘，死者數萬。（西南夷傳65）

霍亂　夏月暑時歐泄霍亂之病相隨屬也。……會天暑多雨，樓船卒水居擊櫂，未戰而疾死者過半。（嚴助傳34上）

狂犬病　猘狗入於華臣氏，國人從之。（五行志7中之上）

左傳：「襄公十七年十一月甲午，宋國人逐猘狗。」（師古曰：「猘，狂也」。）（五行志7中之上）

蜮病　嚴公十八年秋有蜮，劉向以爲蜮生南越，越地多婦人，男女同川，淫女爲主，亂氣所生，故聖人名之曰蜮。蜮猶惑也，在旁能射人，射人有處，甚是至死；南方謂之短弧近射妖，死亡之象也。（師古曰：「以氣射人也」。又曰「即射工也，亦呼水弩」。）（五行志7下之上）

劉歆以爲蜮，盛暑所生，非自越來也。京房易傳曰：「……厥咎國生蜮」。（同上）

毒氣　吏士離毒氣死者什七八。（王莽傳69中）

2. 氣候病

中寒　（陳）湯擊郅支時中寒病，兩臂不詘申；湯入見，有詔毋拜。（陳湯傳40）

郅支人衆中寒道死。（師古曰：「中寒，傷於寒也；道死，死於道上也」。）（匈奴傳64下）

中暍（元封四年）（公元前107）夏大旱民多暍死。（武紀6）

中病熱　（孝王）六月中病熱，六日薨。（梁孝王武傳17）

瘴熱　南方暑溼，近夏癉熱；暴露水居，蝮蛇蠚生；疾疢多作，兵未血刃，而病死者什二三，雖舉越國而虜之，不足以償所亡。（嚴助傳34上）

暑濕　數歲道不通，士罷餓餒，離暑溼，死者甚衆。（西南夷傳65）

3. 消化系病

口舌病　時則有口舌之痾。……及人則多病口喉欬者，故有口舌痾。（五行志7中之上）

齒病　齵者，齒不正也。……唇寒齒落，服膺而不釋。（師古曰：「服膺，俯其胸臆也」。）（東方朔傳35）

咽喉病　賀曰：「我嗌痛，不能哭」。（師古曰：「嗌喉咽也」。）（昌邑哀王賀傳33）

歐血　（周勃）因不食五日，歐血而死。（周勃傳10）

（申屠嘉）至舍因歐血而死。（申屠嘉傳12）

（韓安國）意忽忽不樂數月，病歐血死。（韓安國傳22）

上崩（蘇）武聞之，南鄉號哭歐血。（蘇武傳24）

（王）商免相三日，發病歐血薨。（王商傳52）

（王）嘉繫獄二十餘日，不食歐血而死。（王嘉傳56）

單于病歐血。（匈奴傳64上）

（霍光夫人）顯怒恚不食歐血。（孝宣許皇后傳67上）

4. 心臟病

心悸　光因舉手自撫心曰：「使我至今病悸」。（師古曰：「悸，心動也。」）（田延年傳60）

太師王舜自莽篡位後，病悸寖劇死。（師古曰：「心動曰悸。寖劇也」。（王莽傳69中）

5. 新陳代謝病

消渴病　相如口吃而善著書，常有消渴病。（司馬相如傳27下）

6. 泌尿系病

瘇足　如淳曰：「腫足曰瘇」。師古曰：「痛謂動而痛也」。（賈誼傳18句註）

陰痿　（膠西于王端）爲人賊盭，又陰痿，一近婦人，病數月。有所愛幸少年，以爲郎，郎與後宮亂，端禽滅之。（膠西于王端傳23）

7. 神經系病

中風　（班伯）道病中風，既至以侍中光祿大夫養病，賞賜甚厚，數年未能起。（師古曰：「中傷也，爲風所傷」。）（叙傳70上）

（周）堪病不能言。（五行志7上）

會（周）堪疾瘖，不能言而卒。（楚元王傳6）

（成帝）昏夜平善，鄉晨，傅絝韤，欲起，因失衣不能言，晝漏上十刻而崩。（孝成趙皇后傳67下）

狂 貰鄉侯平（梁建王子）建昭元年（公元前38）封，四年（公元前35）病狂自殺。（王子侯表3下）

樂平侯訢（淮陽憲王子）陽朔二年（公元前23）閏6月壬午封，病狂易免。（師古曰：「病狂，而改易其本性也。」）（同上）

（王褒）病狂易，不自知入宮狀下獄死。（五行志7下之上）師古曰：「謂病狂而變易其常也。今梁王年少，頗有狂病。」（文三王傳17）

莽演曰：「我病狂，妄言耳」。匈奴六十四下，告郎吏曰：「大司馬有狂病發」。（王莽傳69上）

不寐 虞有宮之奇，晉獻不寐。應劭曰：（晉獻公欲伐虞，以宮之奇在，寢不寐。）（辛慶忌傳39）

頭痛 （罽賓國）又歷大頭痛小頭痛之山，赤土身熱之阪，令人身熱無色，頭痛嘔吐，驢畜盡然。（西域傳66上）

且通西域，近有龍堆，遠則葱嶺，身熱頭痛。（同上66下）

8. 運動系病

躄痺 （哀帝）即位痿痺。（蘇林曰：「痿音萎枯之萎」。如淳曰：「痿音蹻蹉，痹病，兩足不能相過曰痿」。師古曰：「痿亦痺病也」）。（哀紀11）

痱病 又類躃且病痱；夫躃者一面病，一面痛。（服虔曰：「病痱不能行也」。師古曰：「躃足病；痱風」。）（賈誼傳18）

痿疾 故（昌邑）王年二十六七，為人青黑色，小目鼻末銳卑，少須眉，身體長大，疾痿行步不便。（師古曰：「痿，風痺疾也」）（昌邑哀王髆傳33）

痺病 後遷為東海太守，下濕病痺。（師古曰：「東海土地下濕，故豆病痺也」。）（馮奉世傳49）

腳脛寒泄 其秋（趙）充國病，上賜書曰：「制詔後將軍聞苦腳脛寒泄，將軍年老加疾，一朝之變不可諱；朕甚憂之。（師古曰：「脛，膝以下骨也；寒泄，下利也；言其患足脛又苦下利」。）（趙充國傳39）

9. 外科病

頸 癰 （鄭崇）發疾頸癰，欲乞骸骨不敢。（鄭崇傳47）

文帝嘗病癰，鄧通常為上嗽吮之；上不樂，從容問曰：「天下誰最愛我者乎」？通曰：「宜莫若太子」。太子入問疾，上使太子齰癰；太子齰癰而色難之，已而聞通嘗為上嗜之，太子慙，繇是心恨通。（師古曰：「齰齧也；齧出其膿血」。）（鄧通傳3）

（吳王濞）即引兵歸下邳，未至，癰發背死。（吳王濞傳5）

（范增）未至彭城，疽發背死。（師古曰：「疽癰創也」。）（項籍傳1）

皸瘃 寒瘃 將軍士寒，手足皸瘃。（文穎曰：「皸坼裂也。瘃，寒創也」。）（趙充國傳30）

兵出乘危徼幸，不出令反畔之虜，竄於風寒之地，離霜露疾疫瘃墮之患。（師古曰：「離，遭也；墮，謂因寒瘃而墮指者也」。）（同上）

創傷 漢王傷胷，事捫足曰「虜傷中吾指」。漢王病創臥，張良彊請漢王起行，勞軍以安士卒。（師古曰：「捫，摸也；傷胷而捫足者，以安衆也」。）（高帝紀1上）

上擊布時，為流矢所中，行道疾，疾甚，呂后迎良醫，醫入見，上問；醫曰：「疾可治」。於是上嫚罵之曰：「吾以布衣提三尺取天下，此非天命乎？命乃在天，雖扁鵲何益」？遂不使治疾，賜黃金五十斤罷之。（韋昭曰：「（扁鵲）秦山盧人也，名越人，魏桓侯時醫也」。臣瓚曰：「史記云：齊渤海人也，魏無桓侯」。師古曰：「瓚說是也」。）（高帝紀1下）

（灌）夫身中大創十餘，適有萬金良藥，故得無死，創少瘳。（灌夫傳22）

（李陵）連戰士卒，中矢傷三創者載輦，兩創者將車，一創者持兵戰。（李陵傳34）

（趙充國）身被二十餘創。武帝親見，視其創嗟歎之。（趙充國傳39）

毆傷 傳曰：遇人以不義而見疻者，其痏人之罪，鈞惡不直也。」（應劭曰：「以技手毆擊人，剝其皮膚，腫起青黑，而無創瘢者，律謂疻痏。遇人不以義為不直，雖見毆與毆人罪同也。）（薛宣傳53）

斫創 尚方禁少時嘗盜人妻，見斫創，著其頰。……（朱）博聞知以它事召見，視其面，果有瘢。（師古曰：「瘢創痕也」。）（朱博傳53）

10 耳目病

目病 時則有青眚青祥。（李奇曰：「內曰眚，外曰祥」。）（五行志7中之上）

時則有目痾，則則有赤眚赤祥。（同上7中之下）

及人則多病目者，故有目痾；火色赤，故有赤眚赤祥。凡視傷者病火氣，火氣傷則水沴之；其極疾者順之，其福曰壽。（李奇曰：「於六極中爲疾者，逆火氣致疾病也；能順火氣，則既爲福。）（同上）

耳病 及人則多病耳者，故有耳痾。（同上）

時則有耳痾。（同上）

口吃 （周）昌爲人吃。（師古曰：「吃，言之難也」。）（周昌傳13）

又揚雄，瑕丘，李廣均口吃，各見本傳。

十、治　療

（蘇）武馳召醫，鑿地爲坎，置熅火，覆武其上，蹈其背以出血，武氣半日復息。（師古曰：「熅，謂聚火無炎者也。」又曰：「覆身於坎上也」。又曰：「息謂出氣也」。（蘇武傳24）

服藥 須臾一人言大夫人苦某痛，當飲某藥，比客罷者數起焉。（王莽傳69上）

休養 高帝嘗病，惡見人，臥禁中，詔戶者無得入羣臣。（樊噲傳11）

（汲）黯多病，臥閣內，不出歲餘。（汲黯傳20）

（金）日磾小疾臥廬。（金日磾傳38）

元康四年（公元前62）（張）安世病，上疏歸候，乞骸骨，天子報曰：「將軍年老被病，朕甚閔之；……願將軍强餐食，近醫藥，專精神，以輔天年」。（張湯傳29）

祁侯與（楊）王孫書曰：「願存精神，省思慮；進醫藥，厚自持。」（楊王孫傳37）

太后嘗病三年，陛下不交睫解衣，湯藥非陛下口所嘗弗進。（師古曰：「睫，目旁毛也。交睫，謂睡寐也」。）（爰盎傳19）

會大將軍王鳳病，（淳于）長侍病晨夜。（淳于長傳63）

父大將軍鳳病，（王）莽侍疾，親嘗藥，亂首垢面，不解衣帶連月。（王莽傳69上）

問病 丞相丙吉病中，二千石上謁問疾，遣家丞出謝，謝已皆去，（陳）萬年獨留，昏夜迺歸。及吉病甚，上自臨問以大臣行能。（陳萬年傳36）

（本始）二年（公元前七二）春（霍光）病篤，車駕自臨，問光病，上爲之涕泣。（霍光傳38）

（蓋寬饒）躬案行士卒廬室，視其飲食起居處，有疾病者，身自撫循，臨問加致醫藥。（蓋寬饒傳47）

（張禹）加賜黃金百斤，養牛上尊酒，大官致餐，侍醫視疾，使者臨問。（張禹傳51）

賜告（病假） 孟康曰：「古者名吏，休假曰告。……漢律吏二千石有予告，有賜告。……賜告者，病滿三月當免，天子優賜其告，使得帶印綬將官屬歸家治病。至成帝時，郡國二千石賜告，不得歸家；至和帝時，予賜皆絕。左氏傳曰：「韓獻子告老」。禮記曰：「若不得謝」。漢書諸云謝病皆同義。（前漢紀一上句註）

（汲）黯多病，滿三月，上常賜告者數，終不瘉。（如淳曰：「杜欽所謂病免賜告；詔恩也；數者，非一也。」）（汲黯傳20）

十一、藥　品

本草 （平帝元始五年，公元5）徵天下通知逸經、古記、天文、曆算、鍾律、小學、史篇、方術、本草、及以五經、論語、孝經、爾雅教授者。……遣詣京師，至者數千人。（平紀12）

樓護，字君卿，齊人，父世醫也；護少隨父爲醫長安，出入貴戚家，護誦醫經，本草，方術數十萬言，長者咸愛重之。（樓護傳62）

酒 酒百藥之長。（食貨志4下）

酒者，天之美祿，帝王所以頤養天下，享祀祈福，扶衰養疾，百禮之會，非酒不行。（同上）

蕙草 **杜衡** **白芷** **杜若** 張揖曰：「蕙圃，蕙草之圃也。衡，杜衡也，其狀若葵，其臭如蘼蕪。芷，白芷。若，杜若也」。（司馬相如傳27上句註）

澤蘭 師古曰：「蘭，即澤蘭也；今流俗書本芷若下有射干字，妄增之也」。（同上）

江離 **蘪蕪** 張揖曰：「江離，香草也。蘪蕪，蘄芷也，似蛇床而香」。（同上）

師古曰：「蘪蕪，即芎藭苗也」。（同上）

郭璞曰：「江離似水薺」。（同上）

樂對曰：「蘪蕪一名江離」。（同上）

張勃曰：「江離出臨海縣海水中，正青似亂

髮。（同上）

郭義恭云：「江蘺赤葉」。（同上）

漢書註：「諸說不同，未知孰是，今無識之者，然非糜蕪也，葉對誤耳」。（同上）

奄閭　張揖曰：「奄閭，蒿也，子可治病」。（同上）

桂蘗　師古曰：「桂，即藥之所用其皮者也」。……蘗，黃蘗也」。（同上）

櫨　師古曰：「櫨，即今所謂櫨子也」。（同上句註）

勺藥　師古曰：「勺藥，藥草名，其根主五藏，又辟毒氣，故合之於蘭桂五味，以助諸食，因呼五味之和爲勺藥耳。讀賦之士，不得其意，妄爲音訓，以誤後學；今人食馬肝馬腸者，猶食勺藥而煮之，豈非古之遺法乎」？（同上）

留夷　張揖曰：「留夷，新夷也」。

師古曰：「留夷，香草也；非新夷，新夷乃樹耳」。（同上）

藁本　射干　師古曰：「藁本草類，白芷根，似芎藭。射干，即鳥扇耳」。（同上）

茈薑　蘘荷　如淳曰：「茈薑，薑上齊也」。（同上句註）

師古曰：「薑之息生者，連其株，本則紫色也。蘘荷，蓴苴也；根旁生筍，可以爲菹，又治蠱毒」。（同上）

蔣苧　張揖曰：「蔣菰也。苧三稜也」。（同上）

厚朴　張揖曰：「厚樸，藥名也」。（同上句註）

師古曰：「朴，木皮也，此藥以皮爲用，而皮厚，故呼厚朴」。（同上）

楓樹脂　師古曰：「楓樹脂可爲香，今之楓膠香也」。（同上）

女貞　師古曰：「女貞樹冬夏常青未嘗凋落，若有節操，故以名焉」。（同上）

十二、典　籍

1. 醫　經

黃帝內經 18 卷

外經 37 卷

扁鵲內經 9 卷

外經 12 卷

白氏內經 38 卷

外經 36 卷

旁篇 25 卷

右醫 7 家 216 卷

醫經者，原人血脈，經落、骨髓、陰陽、表裏，以起百病之本，死生之分，而因度箴石，湯火所施，（師古曰：「箴，所以刺病也；石，謂砭石，即石箴也；古者攻病則有砭，今其術絕矣」。）調百病齊和之所宜，至齊之德，猶慈石取鐵，以物相使，拙者失理，以瘉爲劇，以生爲死。（藝文志10）

2. 經　方

五藏六府痺 12 病方 30 卷（師古曰：「痺，風濕之病。」）

五藏六府疝 16 病方 40 卷（師古曰：「疝，心腹氣病。」）

五藏六府癉 12 病方 40 卷（師古曰：「癉，黃病」。）

風寒熱 16 病方 26 卷

秦始黃帝扁鵲俞拊方 23 卷（應劭曰：「黃帝時醫也。」）

五藏傷中 11 病方 31 卷

客疾五藏狂顛方 17 卷

金創瘲瘛方 30 卷（服虔曰：「音瘳，引之瘳。」師古曰：「小兒病也。」）

婦人嬰兒方 19 卷

湯液經法 32 卷

神農黃帝食禁 7 卷

右經方 11 家，274 卷。

經方者，本草石之寒溫，量疾病之淺深，假藥味之滋，因氣盛之宜，辨五苦六辛致水火之齊，以通閉解結，反之於平。及失其宜者，以熱益熱，以寒增寒，精氣內傷，不見於外，是所獨失也，故諺曰：「有病不治，常得中醫」。（藝文志 10）

3. 方　技

凡方技三十六家，八百六十八卷。

方技者，皆生生之具，王官之一守也。大古有岐伯俞拊，中世有扁鵲秦和，（師古曰：「和，秦醫名也。」）蓋論病以及國，原診以知政，（師古曰：診視，驗謂視其脉及診候也。）漢興有倉公，今其技晻昧，故論其書以序方技爲四種。（房中和神仙的書不錄）

俄國組織學發展史

原著者 Н. А. Мануилова

組織學是屬於一門新的生物學科，不過是在上世紀初，才從記載解剖學中劃分出來，成爲一門獨立的科學，然而組織學史的起源則爲時較早，它同光學的發展和顯微鏡的發明是分不開的。

最初應用顯微鏡的各種研究工作是非常不完備的，儘管如此，例如在組織學研究初期所產生的細胞這一名詞，雖然其內容本身已有了重大的變更，却乃沿用至今。

差不多兩百年的細胞研究，只有在十九世紀才使得有關機體構造的細胞學說建立起來，此種學說在相近的學科的發展上起着重大的作用，並且促進了胚胎學、醫學和解剖學上的成就。

但是，不管細胞學說的意義如何重大，也不能把組織學史縮小爲只是細胞學說史。因爲和細胞的顯微鏡觀察的同時，也對當時所謂身體的組成部分，而在我們這個時候叫做組織與器官的東西，進行了研究。

第一架顯微鏡是荷蘭光學家 Янсен 氏於 1590 年設計構造的。1612 年 Галилей 氏又製成一架。但是，最初這些顯微鏡並未引起人們的注意。

只有在 1659年，英國物理學家 Гюйгенс 氏才設計構造出來一種接目鏡，於 1665 年由英國另一物理學家 Гук 氏應用到顯微鏡上，來研究軟木的細微構造。他對這種輕微物體構造感到興趣，便藉顯微鏡觀察軟木的切面，發現這種切面是由許多用界壁隔開，各自獨立的很小的蜂窩所組成，這個他就叫做細胞。雖然 Гук 氏所研究的係死的組織，且在切片上所見到的也不是細胞，而是細胞膜，但是對於植物的顯微鏡觀察却是由他創始的。不久以後，不但在死的植物，而且也在活的植物葉子、莖和其他部分發現了細胞。因此研究家們的注意力放在了搜集可能更多的研究對象上，比較快地就在植物構造的顯微鏡研究上，搜集到了豐富的材料。

然而當時並未把細胞單分出來當作特別重要的東西，而把它跟植物組織的導水管與篩管以及其他細小結構相提並論。

植物細胞的發現，自然會引起在顯微鏡下對動物器官，特別是人體器官結構研究的興趣。但是要研究動物的組織，更困難得多，因爲動物的細胞微小，且由於沒有明晰的細胞膜，而細胞間的界綫如此地不易分，以致難於分辨出來。此外，由於動物組織柔軟，所以遠不如堅硬的植物組織易於製成薄的切片，由此不難理解，爲甚麼是在植物的研究中，發現了細胞和最先進行了顯微鏡觀察。

當開始對動物和人體器官在顯微鏡下的結構進行研究時，植物的細胞結構，人早已知道了。

最先研究動物的，是意大利人馬爾丕基氏（Мальпиги 1628—1694），某些器官的組成部分即以他的姓命了名，如表皮的馬爾丕基氏層（表皮生發層）和昆蟲的馬爾丕基氏管等。

紅血球、雄性生殖細胞及某些原蟲類係由荷蘭科學家列文虎克（Левенгук，1632—1723）氏所發現。他在掌握了琢磨放大鏡的技術後，就設計構造了一架顯微鏡，並且入迷地來觀察活的自然界。雖然他的觀察研究事先並無一定目標，然而他的發現注定了對組織學的發展要起重大的作用。

列文虎克氏的顯微鏡的研究工作，引起了彼得大帝的注意。他對顯微鏡這種奧妙儀器表示驚奇之餘，便不能不想把它得到手裏。約於1717—1718年間，彼得大帝在一次西方旅行中，携帶了一架顯微鏡回了俄國。這就是我們熟識了第一架顯微鏡的時候。有關放大儀器的知識固然早在十七和十八世紀之間就已傳播到了我國，然而立即遭到了宗教式科學的反動代表們堅決的反抗。顯微鏡觀察這一研究方向，雖然在十七世紀後半葉作了西歐自然科學的特徵，但在當時的俄國却得不到應有的發展。努力於死板推理式的對自然認識的方法，阻礙了實驗方法的發展道路。

足以促進組織學繼續勝利地發展的顯微鏡歷史，在俄國應當開始於十八世紀的前25年。從這時起，俄國學者才成功地掌握了顯微鏡的構造技術。彼得大帝又創立了幾所專門的光學儀器製造廠，開始自製顯微鏡。當1725年科學院成立時，這些光學工廠便併入了科學院。

彼得大帝時代所開始的顯微鏡製造工作，由科學院製造廠勝利地繼承下來。實際上，由這些工廠製成的最早的一批顯微鏡並沒用在研究工作上，而是被藏在美術品陳列室裏，從那裏再取出來是極端困難的。

隨後又進行了此項儀器的改進工作，彼得堡科學院院士 Эйлер 氏作出複雜的計算，因而糾正了使顯微鏡下的形像相當歪曲的一系列光學上的缺陷。俄國機師 И. П. Кулибин 氏（1735—1818）製成了第一架完善的顯微鏡。

首先在化學研究中應用了顯微鏡檢查的 M. B. Ломоносов 氏（1711—1765）爲俄國系統地應用顯微鏡奠定了基礎。

在十八世紀，有關於顯微鏡觀察的是 K. Φ. Вольф 氏（1733—1794）的研究工作。他對於雞胚腸管發育的研究，會永久載入胚胎學的歷史中。正是根據顯微鏡觀察，Вольф 氏才能够反對當時佔優勢的形而上學觀點，即關於把發育看成是長在生殖細胞裏已是現成的機體的生長。

俄國第一個生物實驗家 Тереховский 氏（1740—1796）使用顯微鏡的研究工作是值得注意的。他提出來要解決的是當時生物學上一個最重要問題，即原生動物自然發生的問題。藉着對滴蟲類生活條件的研究，他始終不渝地追究這些最微小物質的發展過程。用自己非常精密的觀察，終於推翻了當時佔優勢的、把滴蟲類看作是從灰塵和泥土中偶然發生的那種觀點。

Тереховский氏的研究乃是十八世紀俄國科學利用顯微鏡觀察方面傑出的範例，在他的研究中，他是以一個實驗研究家的身份出現，對於那種遠離開眞正了解的自然現象的抽象構成論者是一個激烈的反對者。

十八世紀末葉，俄國出現了植物的顯微鏡下研究。動物自然科學家們開始利用簡單顯微鏡來進行研究。Шумлянский 醫師（1748—1795）關於腎臟顯微鏡下構造的俄國第一次組織學的研究就是在這個時候。

Шумлянский 氏應用新的注射法，將着色的樹脂注入腎臟血管及尿細管中，藉以十分詳細地研究腎臟的細微構造。正是他，作了關於腎臟中顯微鏡下構造的，即是通常所謂 Боумен 氏囊（腎小球囊）的正確記載。Боумен 氏本人也承認：Шумлянский 氏首先正確地辨別出馬爾丕基氏小體與尿細管之間的聯系，雖然當他研究這類形成時仍處在顯微技術發展水平較低的時代。

此時 Самойлович 氏對於鼠疫傳染的研究亦係採用顯微鏡觀察的方法。

從十八世紀後半葉起，顯微鏡開始在醫學校的解剖學和生理學的教學中應用。顯微分析中的觀察結果也列入解剖學和生理學教材。於是隨着顯微鏡的廣泛應用，逐漸發生了人和動物器官的顯微鏡下的研究。就從這時起，物理學教科書中出現了作爲一種光學儀器的顯微鏡的描述。

如此，十八世紀前半葉可看作是俄國掌握顯微鏡本身使用的時期，而後半葉，顯微鏡則已成爲俄國的科學研究中更廣泛的日常現象，並成爲各專業研究者手中一種不可缺少的用具。

十八世紀，顯微鏡在西方幾乎不再使用，所以在這個時代那裏遺留的顯微鏡研究工作非常地少。十八世紀的西方主要地還是藉肉眼觀察的時代。解剖學家和醫師們利用割製與浸漬* 的方法來研究器官的構造。使身體各部和器官獲得一個較具體的概念的這個企圖，結果產生了身體有各同類部分的概念，這個概念後來就成了組織的學說。

亞理斯多德早已得出結論：機體內有一些彼此相似的部分，謂之「同類的」，又有一些不同的部分，謂之「異類的」。在十七世紀以前，對於亞理斯多德的看法沒有增添任何新的內容，而整個中世紀還是停留在我們的時代前四百年的知識水平上。

組織就是身體各部的相似部分：這個最初的科學概念發生在十八世紀末葉，隨後由法國醫生 Биша 氏（1801）提出來。他的研究係基於浸漬器官的肉眼觀察。儘管如此，他還能够首先把器官係由一系列較簡單的系統（即組織）組合而成，以及不同的

---

* 置器官於液體中浸軟以使之膨脹。

器官之內也含有相類的組織的假定，推動向前發展了。至於他認爲有21種組織的看法，是錯誤的。Биша 所以有這種不正確的結論，是受了他在自己工作中所採用的粗笨的肉眼觀察方法的限制。

大爲改善了的顯微鏡，在十九世紀又重新獲得廣泛的應用。隨着顯微鏡作用的日益增長，又重新回到了精密的組織學研究，顯微鏡技術方法的提高，在不小的程度上促進了這種研究的發展。

十九世紀初期，在雞卵中發現了細胞核(1825)謂之胚泡。隨後，在植物細胞的觀察中，對於細胞核的記載就更爲詳細(1831)。其後不久，又採用了原生質這一名詞（1839—1840）来表示細胞內所含的其他物質。

在各器官的顯微鏡研究方面，也可以看到重大的成就。在這個時期，對於某些器官的描繪的正確到了這樣的程度，它本身的重要性一直被保存到現在都沒有重大的變更。

這樣一來，到了十九世紀30年代，在顯微鏡下的動物器官和植物構造，就積累了不少的真實材料。已經知道的有：細胞的主要成分、細胞核與原生質，以及關於植物細胞的描繪。雖然如此，但是對於細胞在機體內的作用却還沒有明確的概念，至於細胞的繁殖法，更是一無所知了。

我們的同胞 П. Ф. Горяинов 氏剛剛在1834年宣佈了一切生物都由細胞構成的原則之後，便形成了細胞學說的主要原理。然而，有人不顧及這一事實，錯誤的認爲只有 Шлейден 和 Шванн 二氏才是細胞學說的創始人。

Шлейден 氏的著作在1838年發表，他在裏面叙述了植物細胞發展的資料。他觀察到細胞是由未分化的物質所形成，並且注意到核在此過程中的作用。他指出了新細胞的形成僅是在核質的周圍進行。此外，Шлейден 氏從他的研究中得出來一個結論：一切植物構造的基礎就是細胞。

動物學家 Шванн 氏把 Шлейден 氏的觀念推廣到動物界。他在研究軟骨組織和脊索組織時，注意到細胞核在細胞形成過程中的作用，他並且發現了植物與動物細胞形成的經過是相似的。進一步精密研究的結果，使他確信作爲動物組織的結構基礎的，和植物一樣，也是細胞。

Шванн 氏在1839年發表了「關於動物和植物的相類發育與構造的顯微鏡下研究」的著作，他在裏面宣佈了在動物器官的同植物的細胞結構上的一致性。

至此，Шлейден 及 Шванн 二氏才得出了同 П. Ф. Горяинов 氏於若干年前所作的相同的結論。

這樣，就形成了細胞學說的基本理論，這個理論就注定要成爲具有一般生物學意義的最大的總結。

恩格斯對細胞學說的意義評價甚高，把它列爲三大發現（能量不滅論、細胞學說、達爾文的進化論）之一，這三大發現說明了自然界的基本過程，並且把它們歸結到自然的原因，同時把對於自然界的唯物觀點也就放在了牢固的基礎上。

「有了這個發現以後，有機的，有生命的自然產物的研究——比較解剖學、生理學和胚胎學——才得到了穩固的基礎。於是有機體產生，成長和構造的過程底秘密被揭穿了。從前神妙莫測的奇蹟，現在都以在一切多細胞有機體本質上共同的定律下所進行的過程表現出來了。」（恩格斯「辯證法與自然科學」人民出版社，1953年24頁，曹葆華、于光遠譯。）

細胞學說還是從十七世紀開始的顯微鏡下研究的有名的成就，並且很久就成了相關學科——解剖學、病理學、胚胎學——發展的基礎。

細胞學說宣佈以後，很快就使細胞的概念明確了：細胞乃是含有核的密集原生質團，而細胞膜已不像細胞學說創始人那樣，認爲是細胞的基本部分。

在對於細胞核的更精密研究中，發現了細胞分裂現象。最初想像這種分裂過程不過是核與原生質往兩面拉緊分成兩個部分的樣子。不久又有了在細胞分裂時細胞核結構所發生的複雜變化，以及同時發生的染色體形成的描述。上述的這些是首先在植物細胞上觀察到的（И. Д. Чистяков, 1874），因爲植物細胞比動物細胞是一種更便於研究的對象。俄國植物學家 И. Д. Чистяков 氏對於植物細胞分裂的觀察結果很快就在其他植物的研究對象上得到了證實（Страсбургер、Флемминг 等氏），隨着植物的複雜分裂現象的確立，基輔動物學家 Перемежко 氏也對於動物細胞的這種過程作了描繪。

這一切的觀察作了描述複雜的分裂過程——有絲分裂或核絲分裂——的基礎。而細胞分裂現象的發現，乃是細胞學說的主要證明。

顯微鏡和組織學技術的改進，使得細胞本身較精細構造的剖析有了可能：在1875年發現了細胞的中央小體，在十九世紀最後的幾年，有了線粒體和內網器的記載。因之，機體的細胞結構的發現，奠定了有關細胞的科學，即細胞學的基礎，這種科學的順利發展又使關於組織的科學大大地豐富起來。

與細胞學說發展的同時，組織與器官在顯微鏡下的研究仍在繼續進行。「組織」這個概念替代了「同類系統」的概念。建築在細胞學說之上的各種組織的分類第一次出現了。對器官的加意研究結果，證明各種不同的組織學上的結構可以把組織歸納爲四類。然而，不管細胞學說在生物學的發展上的全部意義如何，在這裏仍舊不應當忽視它的重大缺點。

首先，細胞學說僅獲得了片面的發展。細胞被看作是某種固定不變的東西，而只停留在細胞的階段不再發展，至於它的起源問題却不去管它了。

其次，細胞的複雜結構得到承認以後，隨即產生了一種非常不正確的看法，以爲多細胞機體的細胞是獨立的生活單位。這種對於機體內的細胞具有獨立的地位的看法，似乎是想證實自由游動的單細胞原生動物的發現。細胞開始被看作了是一種抽象的東西，與整體無關，即是說細胞與那個機體無關。

當十九世紀後半葉機械唯物論正盛行的時候，完全否認活體內所進行之一切過程的質量上的特徵，並且都是力求用物理與化學的規律來作解釋，試圖在細胞的範圍內揭發多細胞機體所固有的各種功能的全部複雜性。這種把細胞當作機體基本單位的看法也侵入到生理學的領域。這裏就產生了一種有關細胞的特殊觀念（Ферворн），依此便把多細胞機體內的複雜生理現象想像爲單細胞原生動物體內所進行的那些過程的總和。有關細胞獨立性的看法也反映到了病理學裏。德國學者 Вирхов 氏奠定了所謂細胞病理學的基礎。由於他把機體內的細胞看作獨立生活的單位，便把一切疾病的來源解釋爲某些個別細胞的破壞。細胞本身就體現了生命的一切特徵，它是一切活體的最後不能再分的元素，且具有機體的全部的生命特性。

基於細胞分裂的發現，Вирхов 氏和他的信徒們認定分裂過程係細胞形成的唯一方式，因而排斥細胞新生的可能性。以致有機形態的發展過程被設想爲一連串的細胞分裂；就像是原始創造的形態無窮的重覆而已。從此便發生了「一切細胞僅是起源於細胞」的說法，在一個長的時期內 Вирхов 的這一概念混入了生物學中。

Вирхов 氏一方面把細胞看作是獨立生活的單位，另一方面又把一切完整的機體了解爲多數細胞的簡單總和。把多細胞機體比作國家，而細胞是憑着公民的權利在這個國家裏生活。

這樣，對於機體的細胞構造的看法，導上了完全否認發育的道路，其實，這種思想的創始人 Горяninов、Шлейден 及 Шванн 等氏並不否認細胞的發展，也不否認由非細胞物質形成新細胞的可能性。

甚至在上世紀末就作過克服 Вирхов 氏的形而上學觀念的嘗試。但是到了蘇聯學者 О. Б. Лепешинская 氏才能够把 Вирхов 派完全推翻。她用實驗的方法證明了：先細胞結構的活質具有一切的生命特性和發育的能力，她在機體中看到了活質中有細胞的新生物質。О. Б. Лепешинская 用實際的材料給予 Вирхов 派的「一切細胞都起源於細胞」，和細胞是一切活體最後不能再分的要素這種基本原理以致命的打擊。

Вирхов 氏把細胞看作獨立的生活單位的觀念，對於把機體看成整體的了解方法，造成了無法解決的困難。從已陷入的絕境中尋找出路的一切企圖，最終必然承認有一種非物質的生命力。把個別的生命現象寄託在這種生命力上的體現者，便是對機體細胞構造的這種極端機械的觀念，由於不能解決整體的問題，就不得不滾入活力論的泥潭裏去了。

極力把多細胞機體的複雜活動歸結爲細胞初步生命的體現者，特性的單純總和，必然會引起人們對於細胞學說的激烈反對。它的反對者不承認機體細胞構造的普遍性。並且引證了像是有中間性的非細胞的物質的存在作爲根據，這種物質在脊椎動物的機體中佔有相當大的數量（肌肉纖維的非細胞構造，哺乳動物無核紅血球上皮細胞合成的完整小皮層等）。

表現在反對細胞構造普遍性上的、對於細胞所持的批評態度是被這一學說的不正確的理解引起來的。細胞「王國」的擁護者和細胞學說的反對者，在實質上都是站在了類似的形而上學的立場。此種和彼種見解的錯誤是在於把細胞看作是處於靜止不動的狀態，與外界環境沒有關聯。當有諸如此類對細胞的態度存在時，有許多已知的形態無法加以解釋，細胞學說也沒有能够得到公認。

細胞學說的反對者和「細胞王國」論的擁護者均忽略了：多細胞有機體不是一種靜止不動的組織，而是處於發展與生命活動的連續過程中的活體。這就是機體與細胞本身間的關係的性質，不過細胞在機體內只發生從屬作用。只要指出下列事實，就足够了：某些細胞在發育過程中喪失它最重要的部分（如哺乳動物紅血球中核的消失）以後，還能够在機體內盡它的功能，並且即使處在完全衰亡的狀態中（如皮膚表面上的細胞）也具有生物學上的重要意義。同時我們還須指出，機體內的許多最重要的功能的責任要由非細胞的組織來担任（如起支撑作用的細胞間質和細胞的分泌）。

毫無疑義，機體是有細胞構造的，但不是一些獨立存在的細胞的機械總和。機體一切最微細的部分一直到非細胞的物質，均具有活體的特性，並且處於不斷的交互作用與相互制約的狀態中。

機體是一種複雜的組織，其中的各種器官在個別發展的過程中各自獲得嚴格地一定的特徵，但正如細胞一樣，它們並不是機體的獨立部分，恩格斯引證黑格爾的學說時寫道：「無論骨、血、軟骨、肌肉、組織質等等之機械組合或者各種原素之化學的組合都不能造成一個動物。」（恩格斯「辯證法與自然科學」人民出版社，1953 年，50 頁）。在自己的功能上，各個器官處在彼此的交互作用中，同時，引起整個機體與外界環境統一中的協調性作用和完整性。

巴甫洛夫寫道：「如所周知，動物機體是由差不多無數的部分所組成的極為複雜的組織，這些部分一方面彼此互相聯系着，另一方面又與周圍自然界形成統一的整體，二者且處於均衡的狀態中。」（巴甫洛夫全集，卷二，1946 年，452 頁）。

巴甫洛夫把有機體本身的統一整體理解為有機體與四周自然界的一致活動。

有關機體完整性的這種觀點，掃除了有關抽象的「生活力」存在的一切論調。機體的完整性並不以「生活力」的存在為先決條件，而是以從發育的開始時所建立的胚胎與四周自然之間的交互作用為先決條件。「相互作用。——這是我們從近代自然科學底觀點考察整個運動着的物質時第一個遇到的東西。」（恩格斯「辯證法與自然科學」，人民出版社，1953 年，80 頁）。

因此，在十九世紀和二十世紀的初葉，在外國組織學的發展中，引起了有關機體的細胞構造的一種粗魯的機械論，這種論調不可避免地要陷到唯心論的泥坑裏去。

祖國的組織學却經過了不同的發展道路，在俄國一切科學的歷史，包括作為它的領域之一的組織學的歷史，帶有特殊的歷史條件，革命前的俄羅斯歷史便是在這種條件下發展起來的。階級矛盾的尖銳、專制政體與民主思想代表者之間不可調和的鬥爭，以及崇外思想都不能不影響到俄國自然科學發展的特殊性。優秀的俄羅斯學者們，堅決地捍衛並確定了祖國科學的獨立意義。進步的俄國組織學也和一切其他自然科學的領域一樣，乃是俄國科學中先進人物們的事業。

從十九世紀的初葉開始，有關身體各部細微構造的學說，引起了生理學家和解剖學家們更大的注意。從上世紀五十年代起，組織學在解剖學和生理學的課程中，便分佔了重要的地位。組織學的研究也走向系統化的性質，因而就在六十年代從解剖學和生理學分出來，成為一門獨立的學科。

六十年代末葉，首先莫斯科大學與彼得堡大學的醫學系中(1869)成立了獨立的組織學講座，隨後在其他城市（喀山、基輔、哈爾科夫等）亦成立了。這些講座也附設了組織學實驗室。

俄國組織學的創始人是 Н. М. Якубович(1817—1891) 和 Ф. В. Овсянников (1827—1906) 二氏。這兩位學者對腦與神經在顯微鏡下的構造方面的優秀著作，乃是我國組織學的發展上很有價值的貢獻，為這門學科的順利發展奠定了基礎。

值得特別注意的是，Якубович 氏在中樞神經系統方面的著作。仔細的分析使得著者能够闡明决定神經系統複雜活動的各種神經成分的區別。Якубович 氏首先把神經蜂窩體（他對細胞的叫法）分為大的（運動的）與小的（感覺的）兩種。他的研究之所以有價值，就在於他的研究並不局限於組織學中各種成分在形態學上的特徵。在敘述腦的「蜂窩體」時，他注意到了作爲活細胞的特徵的一切性能。他在著作中已經帶有形態與功能之間的不可分離性的思想。對於描述組織學上各種成分的這種態度，使他作出了關於脊髓各部形態學上的特徵與其功能的聯系間的正確結論。

各種器官的比較研究就是由他打下了基礎。

組織學在俄國的繼續發展和Бабухин, Арнштейн, Перемежко三氏以及其他許多從這些先進俄羅斯組織學家的學派出來的人的名子聯系在一起。

最初在莫斯科大學所創立的組織學教研室是由Бабухин氏（1835—1891）主持的。他在組織方面及教學方面的活動促進了組織學在俄國的順利進展。Бабухин氏在某些脊椎動物視網膜的比較研究和在魚類電性器官發展方面研究的科學著作，直到現在有很多部分仍舊保守着它的意義。

喀山大學的組織學實驗室在組織學的發展中起着重大的作用，這個實驗室，按照А. А. Заварзин氏的公平的定義來說是「組織學學科的搖籃」。神經系統在顯微鏡下的構造系統的研究，正好是在此奠下了始基。在這種研究中的榮譽地位是屬於我們的學者的。

現時仍有效地應用於組織學中的美藍染色方法，是由喀山大學組織學教研室主任Арнштейн氏第一次採用的。經過他的門生光輝地研究出來這一方法就成了組織學中神經系統活體染色的主要方法之一。

Арнштейн氏使用自已的方法，對於上皮、平滑肌及腺細胞中神經纖維末梢進行了一大系列的研究。他所作關於末梢神經器的詳盡記載巳列入了神經系統組織學。

在神經系統形態學（神經末梢、神經纖維、神經節）方面的主要著作，都是同Арнштейн氏及其門生（Миславский, Догель等氏）的名字聯系在一起的。

組織學的研究，在數量上逐年有顯著的增加。但是，引起了學者們注意的，不光是利用顯微鏡的解剖學。與Бабухин, Арнштейн二氏及其門生在器官和組織的嚴微細構造方面的卓越研究的同時，出現了細胞研究範圍內的一些著作。Чистяков, Перемежко, Беляев和Герасимов等氏的著作，在細胞學研究的範圍內具有傑出的意義。在細胞核分裂的描述及其在細胞生活中生理作用的闡明上，優先地位是屬於這些學者的。

Герасимов氏對於無核細胞的研究，已列入生物學文獻，作爲細胞核在細胞生活活動中的意義的說明。

組織學的意義顯著地增加，因而引起了研究家們越來越大的注意。進行組織學研究的已不只是它所發源的醫學系，而且也是大學的其他自然科學系別。雖然在自然科學系別中創立獨立的組織學與胚胎學教研組遠較醫學系爲晚（莫斯科大學在1914年）。但是自然科學家在這一學科範圍內的緊張工作早已開始進行。起初，組織學列爲自然科學系別內的選修課程，但是不久就列爲教學大綱中的必修課程，離開這門課程，生物學的研究是不可能的。

唯有十九世紀中葉組織學上的敘述派逐漸被比較研究法和實驗研究法豐富起來。組織學從醫學中產生時不單是服從實際利益。但是它還沒有進化的內容時，就像比較科學和實驗的科學一樣地發展着。Якубович氏已經指出了比較研究的必要性。Бабухин氏在用某些脊椎動物作代表對這種過程作比較研究時，獲得了視網膜發展方面的有價值的資料。Перемежко氏對於紅血球核的複雜分裂現象的觀察，並不只限於一種兩棲類。他也在別的這類動物的紅血球中發現了細胞核的絲狀分裂。

最後，也列入屬於十九世紀的還有И. И. Мечников氏（1845—1916）在細胞內部消化的比較研究方面的傑出著作，此項研究奠定了炎症中吞噬細胞學說的基礎。

И. И. Мечников氏指出，炎症過程是機體對於侵入機體內的致病因子所起之積極反應。此反應是由阿米巴樣的遊走細胞從其遠祖繼承下來的消化能力來實現的。只是由於對細胞內部消化現象作了比較研究的緣故，Мечников氏才理解了炎症過程的實質，並且指出，這種過程是機體對侵入進來的異體的正常反應。他所創立的細胞吞噬學說在許多研究家的工作中獲得了進一步的發展。

俄國組織學鼻祖（Якубович, Овсянников, Бабухин, Арнштейн等氏）所創的事業，由他們的學生勝利地繼承下來。Бабухин氏死後，莫斯科大學的組織學教研室由他的學生И. Ф. Огнёв氏來主持。在列學旅劝創立了組織學學校的 Догель 氏，便是 Арнштейн 氏的學生。有權可以被看作是蘇聯進化組織學的創始人的 А. А. Заварзин 氏(1886—1945)却是 Догель 氏的學生。А. Н. Миславский 氏在領導喀山的組織學實驗室時，順利地繼承了 Арнштейн 氏在神經系統方面的研究派別。從 Миславский 學校出身的卓越的蘇聯大組織學家 Б. И. Лаврентьев 氏，同樣地創辦了一所組織學的學校。Лаврентьев 的學校在自主神經系統的研究領域內獲得了極大的成就。只有在自主神經系統及其功能間的聯系上藉着歷史發展和個體發展的研究，Лаврентьев 氏才能够發現神經系統的這個重要部分的眞實結構。

Лаврентьев 氏的工作在組織生理學領域中的重大意義並不就差了一些。這個學派的發展同 Лаврентьев 氏的名字聯在了一起。Лаврентьев 氏曾經說道：「我們所需要的神經系統形態學的研究，是能够引導我們得到形態學與生理學的眞正綜合的那一種知識。」他實際上把這一點作到了。他經常利用生理學實驗來研究組織學的構造。

我們偉大的俄羅斯組織學家用勞動奠定了祖國的組織學的基礎，這一門學科注定了成爲先進的蘇維埃的組織學。蘇聯的組織學家們，既從老輩的俄國組織學家承襲了比較的與實驗的研究方法，又繼承了俄國進化論者——И. И. Мечников, А. О. Ковалевский, В. О. Ковалевский 和 К. А. Тимирязев 等氏——的傳統，最終創立了這門科目的進步學說。對組織學諸問題的處理所採取的進化觀點，是對組織學同鄰近的一些生物學學科等量齊觀。

在偉大的十月社會主義革命以後，組織學就有了順利發展的一切可能性。

蘇聯的組織學，一方面廣泛採用比較的與實驗的研究方法，並走上了辯證唯物主義的道路，另一方面便在人和動物的組織與細胞的研究領域中取得了重大的成就。

蘇聯的組織學的比較研究在神經系統方面（А. А. Заварзин 與 Догель 二氏），在感覺器官方面(Я. А. Винников 氏)已經取得了卓越的成績。在炎症過程的比較研究領域內，也能够看出來有重要大的成就（Заварзин, Лазаренко, Данини 等氏），早在十九世紀 Мечников 氏已經爲這種研究打下了基礎。

Н. Д. Насонов 氏在細胞生理學方面的研究工作、Г. К. Хрущёв 氏在白血球系統的比較組織學上的研究工作，在進化組織學的發展上是極有價值的貢獻。最後，О. Б. Лепешинская 氏關於活質與細胞新生物的發展形態的新學說，對於細胞學與組織學的發展，具有特殊的意義。她以嶄新的方式提出生命的非細胞形態問題的那些資料。最後她推翻了 Вирхов 派的形而上學與反歷史觀的主張。

甚至把蘇維埃的組織學已經取得的成就簡單地加以列舉，在這裏我們也沒有篇幅了。

忠實於先進俄國學者傳統的蘇維埃組織學，有權利以它所獲得的成就而自豪。組織學規定的最近期間的任務，不僅關聯到深入的理論研究，而且關聯到把它的成就應用到醫學、獸醫及畜牧業的實際方面去。

蘇維埃的組織學家們，正和蘇聯的其他學者們一道，實現着偉大的導師斯大林的話：「蘇聯的科學必定成爲世界上最先進的科學。」

（劉炎南譯自 Курс Гистологии с Основами Эмбриологии, 1953 年，頁 5—13）

祖國(俄羅斯)卓越的醫學活動家——H. A. 米斯拉夫斯基

原作者：A. 哈卡土艮

俄羅斯生理學的發展應當歸功於祖國（指蘇聯——譯者）的許多學者的勞動。這些學者中間，著名的生理學家、實驗醫學與臨床醫學領域中的卓越的研究者尼古拉·阿列克山得羅維奇·米斯拉夫斯基(Николай Александрович Миславский 1854—1929)氏佔有顯著的地位。

在醫學史裏喀山(Казань)的生理學派是很富聲望的，對於這個生理學派的建立，尼古拉·阿列克山得羅維奇貢獻了許多熱情的、創造性的努力。無怪乎 И. П. 巴甫洛夫指出了這位學者在祖國的科學發展中的功績，並寫道：我們有充分的權利可以說這個功績是喀山生理學派的。在這裏，H. A. 米斯拉夫斯基熟練地培養了大批生理學家和臨床學家的骨幹，送出了很多生理學講座的領導人物。在尼古拉·阿列克山得羅維奇的領導下，K. M. 貝柯夫院士，醫學科學院院士 И. П. 拉金柯夫等人開始進行了自己的工作。出色的臨床學家 A. B. 維世涅夫斯基教授領會了 H. A. 米斯拉夫斯基氏所指示的方向作了自己的學位論文。

H. A. 米斯拉夫斯基氏在科學方面的主要貢獻，就在於在實驗與臨床醫學方面一貫地發展了神經論的理論，這種理論在 И. П. 巴甫洛夫的著作中達到了最光輝的發展。

H. A. 米斯拉夫斯基氏1854年4月30日誕生於土倫斯基礦山(Туринский рудник)的市鎮裏（在烏拉爾山上）的一個工廠醫生阿列克山得·安德烈耶維奇·米斯拉夫斯基(Александр Андреевич Миславский)的家庭中；當時喀山大學由於阿列克山得·安德烈耶維奇·米斯拉夫斯基氏富有成績的活動，授予他"honoris causa"醫學博士的學位與大學的名譽院士。所以他的兒子在早年也就對醫學發生了興趣。H. A. 米斯拉夫斯基氏在耶卡捷林布爾格斯基中學(Екатеринбургская гимназия)畢業以後，就進入了喀山大學醫學系，他在1876年得到了醫師證書，並開始了生理學講座的助教工作。九年以後尼古拉·阿列克山得羅維奇勝利地考中了醫學博士的學位，並很快地被批准爲生理學講師。1891年他被選爲生理學教授。在這所學府裏尼古拉·阿列克山得羅維奇整個半世紀的時光都緊張地從事於生理學各個部門的研究和教學工作。

在 H. A. 米斯拉夫斯基氏科學與社會活動50年的歲月中，蘇維埃社會主義共和國聯盟人民委員會授予他功勳科學家的稱號，並在次年被選爲蘇聯科學院的通訊院士。

尼古拉·阿列克山得羅維奇遠在他早年的大學生時代，就開始了愛好科學的研究。在這時候天才的青年學者們——生理學家 H. O. 科瓦烈夫斯基，組織學家 K. A. 阿爾謝金，病理學家 B. B. 帕樹金都領導起理論講座。在生物學與醫學課程中最大的發展就是獲得走向實驗方面的趨勢。這就和臨床醫學的理論課程密切相聯，同時並促進了自然科學中唯物主義觀點的宣傳。

在 H. O. 科瓦烈夫斯基的實驗室中，二年級的大學生尼古拉·阿列克山得羅維奇·米斯拉夫斯基氏堅強地學習了實驗的研究方法。在他的第一本科學著作〔論呼吸不同時期中肺血循環的變化〕中這些實驗得到了完成，並由本書獲得了金質獎章。

H. A. 米斯拉夫斯基的另一位老師，有名的組織學家 K. A. 阿爾謝金氏用組織生理學分析的方法結合生理學的研究方法，循循善誘地培養了他。

敍述的生理學科的建立和對於臨床實踐任務的興趣都使尼古拉·阿列克山得羅維奇的研究工作叢

得了成效和精確的論證。一貫地發展着關於神經系統在機體的生活中佔主導作用的思想，且使他多方設法力求解决這些問題。在他的科學工作計劃裏闡述有關探討神經調節機制方面的研究佔有獨特的地位。

H. A. 米斯拉夫斯基以「論呼吸中樞」（1885）爲題的博士論文爲始，就展開了大腦兩半球皮質對於機體各種活動與分泌機能影響的研究。他根據以組織學鑑定所證明的實驗材料確定了哺乳動物呼吸中樞的位置是在延髓，他並且强調了中樞神經系統較高的部位調節着呼吸中樞活動的作用。這位年靑學者的這部著作在祖國和世界文獻中都擁有廣大的聲譽。

於次年 H. A. 米斯拉夫斯基發表了一部闡於闡述中樞神經支配問題的著作。他研究了大腦兩半球皮質對於內臟的影響（膀胱、消化道的某些部分、心臟、血管及其他等等活動反應）。

在這些當中對於臨床實踐最關迫切的研究是 H. A. 米斯拉夫斯基和 B. M. 別哈捷烈夫所共同完成的，並以此確定了內臟與腦的某些部分相聯繫的事實，以及大腦皮質對於這些器官活動的影響。這些事實在後來對於 K. M. 貝柯夫在大腦皮質與內臟相關研究方面的興盛發展給予了莫大的幫助。

在「論樹狀突的生理作用」（1895）的著作中 H. A. 米斯拉夫斯基氏寫道：「樹狀突不是別的，而是作爲傳佈原生質使細胞接觸面增多的工具罷了；換句話說它們實質上就是原生質突起，而且具有着與神經細胞本身的原生質一樣的特性」。

由此可見，喀山的生理學家首先給予了樹狀突以正確的定義，這對於闡明神經元反射活動的本質是必需的。器官的周圍神經支配生理學的研究要歸功於 H. A. 米斯拉夫斯基和他的許多學生。這個時期研究方面的特點就是具有了更多的完善方法與實驗，周圍神經支配的問題正爲各方面的學者所研究。在 H. A. 米斯拉夫斯基的領導下進行工作的生理學家和臨床學家們有內科學家，血液學家，外科學家。

以後又進行研究了與周圍神經支配問題有着密切聯繫的神經末梢的組織學，以及在靜止與活動狀態中的各種分泌器官細胞的組織學。「……實驗的研究方法——H. A. 米斯拉夫斯基說道——在生物學領域中所有各種科學研究方法中佔着非常獨特的地位。」

另外結合以參與這些生理過程中的解剖結構的分析方法來研究這些過程也佔有顯著的地位。這些研究工作就是對於平滑肌與橫紋肌生理特性的實驗研究，以及對於軀體性和植物性神經支配方面的實驗研究。

根據節後纖維抑制影響的直接證明，研究者作出了理論上的重要結論，這些結論在許多出色的生理學者們的研究中都被證實了。其後 H. A. 米斯拉夫斯基和他的許多學生在有名的實驗「不同神經的十字交叉縫合」中又仔細地加以研究並對這現象作嚴切觀察。

喀山學派由於體驗了前一世紀九十年代對實驗形態學研究的結果，在祖國的神經組織學中就已佔有主導的地位。

爲 H. A. 米斯拉夫斯基的學生們所進行的各個不同器官周圍神經裝置的研究，以後就在蘇聯很多的實驗室裏廣泛地進一步地開展起來。

這個學派所教導出來的學生，出色的蘇維埃神經組織學家 B. H. 拉夫連契耶夫氏繼續並發展了 H. A. 米斯拉夫斯基的研究工作，並且結合着作用於這些結構的實驗來對這些徵細構造加以研究。

另外，也把所闡明了的各種器官和組織（特別是內分泌腺的神經支配）中的代謝過程和分泌過程的研究工作與周圍神經系統的研究工作聯繫起來。至於在闡明關於神經體液調節問題方面，喀山的生理學家們的活動也具有着很大的意義。

這些研究除了有實際資料的價值之外，還有着深刻的理論性的意義：他們報告了當其中一個系統機能亢進，就應當引起相反的機能減退這個簡單概念的不正確性。在 H. A. 米斯拉夫斯基的著作中更進一步闡明了關於協同作用的問題。

喀山生理學派的許多著作當中對於研究藥理學和藥物的作用機制開闢了許多新的道路。在這個學派的很多著作裏也都確證並發展了由 H. M. 謝切諾夫，C. П. 包特金，И. П. 巴甫洛夫，H. E. 維金斯基所提出的神經論的思想。

尼古拉·阿列克山得維維奇不僅是一個學者，而且是一個出色的社會活動家。在沙皇統治的年代裏他積極地起來反對專橫暴虐，並且他還是一位贊成大學獨立的捍衛者。當喀山神學院 50 年的時候，要把大學所準備好的地址贈送給這所學院。對於這件事情 H. A. 米斯拉夫斯基和一批進步的教授們發表了堅決的抗議。因爲要在這個地址上來讚揚這個學院的活動，無非要把少數民族的文化引到爲沙皇政府的意願上去。

在 1905 年 H. A. 米斯拉夫斯基氏擬定了一個以號召爭取政治上的自由向全俄羅斯的大學會議進行呼籲的一個草案，因爲沒有政治上的自由「就不能使大學的事業走向正規化」。

偉大的十月社會主義革命開拓了祖國科學繁榮氣象的新紀元，擴大了這位出色的生理學者創造性的範圍。尼古拉·阿列克山得羅維奇熱烈地，精神煥發地在學府中組織起科學研究工作，並且還執行着頗爲不易的代理大學校長職務。

H. A. 米斯拉夫斯基氏對於各種的醫學科學團體——醫師協會，自然科學家協會，神經病理學家協會，精神病學家協會和其他等等，都貢獻過很多的力量。他並且還是很多外國科學團體與協會的名譽會員，他還參加過國際代表大會的活動。但是作爲眞正的愛國者的這位 H. A. 米斯拉夫斯基氏無條件的謝絕過許多次的外國科學研究所邀他作研究工作的聘請。

這位出色的生理學家豐富的事實資料，科學研究中的大胆和新穎，這些都使 H. A. 米斯拉夫斯基氏在俄羅斯和國外享有盛名。在關於他的著作札記裏 И. П. 巴甫洛夫指出過：他「所確定的無數事實……基本的意義……被另外一些作者們所重覆和證實，這些事實的資料應當加入到教科書中去。」

雖然愛好探究的研究家們有很多科學資料，對於現代生理科學有着不小的意義，但是那些資料仍然還是不够完全的。然而我們對於這位學者的豐富的科學遺產應感到熱烈的景慕，因而對豐富現代生理科學方面才能有所幫助。

(王子棟譯自「蘇聯醫務工作者」1954 年 6 月 29 日)

俄羅斯骨關節結核病物理療法及氣候療法歷史摘錄

國立骨關節疾患與結核外科科學研究院

（院長 П. Г. Корнев 教授）

В. А. Званцева

物理療法是骨關節結核病最古老的療法之一。物理療法在民間醫學中被廣泛地應用着，它在以往數世紀的科學醫學中也佔據着一定的地位。如在十六至十八世紀的手抄稿醫學書籍中經常提到用沐浴以治療慢性骨關節疾患。這種沐浴溫度各有不同，主要是溫浴和熱浴，最常使用的是局部浴。治療患肢所使用的液體，照例是對該病有治療效益的某種植物的浸劑或煎劑。例如，在治療骨及關節的壞血病時，認爲最有療效的，是由小松樹嫩葉、野薔薇及柳樹葉等煎劑所製備的沐浴。在骨關節結核病，特別是有瘻管時，慣用鹼灰浴，鹼灰是焚燒稻草所取得的。

骨及關節疾患（其中包括結核病）的治療，除採用局部浴外，尚廣泛採用俄羅斯浴。這種沐浴除包括水浴及蒸汽浴外尚採用乾熱。往往在行沐浴治療時皆輔用某種藥物塗擦患部以配合之。例如，在治療脊柱疾患時，可用馬錢子作爲塗擦藥物。

用熱蒸汽把病人燻暖的治療方法，即所謂菝葜療法，在特殊物理療法中是最重要的一部分，用它可以治療許多疾病，當然，其中也包括骨關節結核病。此種療法是由受過「菝葜療法專業」訓練的技術人員來施行。

「菝葜療法」是由於使用了菝葜治療這種病而得名。治療過程是很複雜的，分爲兩個階段。第一個階段，把病人放進特製的大箱（關閉着的小房間）或大桶內。在大箱中備有盛着水的容器，再將菝葜和其他藥草放入容器內。把水燒開，如需大量蒸汽時則向容器內放些燒熱的秤錘。病人即停留在形成的蒸汽內。病人停留在這個「蒸汽箱」內的時間，乃取決於病人的狀態，由技術員來測定。第二個階段，在坐「蒸汽箱」後，病人溫暖地穿着特製的皮衣和皮帽，躺在隔離房間內的床舖上。在用菝葜療法進行治療時，須用特定的無鹽的飲食和遵守可以使病人在肉體上和精神上得到安靜的生活制度。

用菝葜療法治療骨關節結核病的規定（札列斯克植物誌，彼得羅夫斯克植物誌），一直繼續到十九世紀末。菝葜療法的餘跡一直到今天仍然保留在民間醫學中，其形式是將結核性脊椎炎病人放在大桶內，桶底置以用熱水澆燙的稻草和特殊的藥草。

所有上述療法（沐浴，菝葜療法等）都是獨特的病原療法，利用這種療法，企圖消除患部（用局部浴）或整個機體（用全身浴、乾熱、沐浴及菝葜療法等）內過多的濕氣——「潮濕」，而將濕氣看做是破壞機體濕度、乾度、溫度及寒冷度正常關係的病理性因素之一。

從十八世紀起始，就有利用具有治療作用的天然泉水治療骨關節結核病的規定，以這種泉水內服，但主要是用作沐浴。用泉水治療時，病人必須遵守規定的生活制度和飲食制度。

往往這種療法皆與輔助性的治療措施配合進行。正如科學院士 Гильденштет 氏於 1780 年描述提列克河附近熱泉水的作用時那樣，他寫道：「溫泉水所有這些效力，經過在食物中的適當分佈，並經過內服藥以後，可能而且也應當發揮更大的作用」。所以，在病人服用泉水的第一天給他進行少量放血，「以免由於服用硫黃溫泉水後，在血液中發生過強的波動而引起致死性的中風。」然後，在放血後第二天給病人瀉藥（大黃），而只在施行了這些預備措施以後，在第三天才使病人沐浴。

除了各種溫泉水的良好作用外，在十八世紀也注意到了新鮮空氣對骨關節結核病病人的重大意義。

還早在十九世紀，就已闡明了各種自然因素對骨關節結核病病人的特殊作用。在十九世紀前半期就掌握了我國自然界的資源，因之自然界有療效作用的因素被應用了，而人工的物理療法措施開始居於次要地位。也許，在十九世紀前半期我國各個「治療的」地方，如舊俄羅斯河口的淤泥，基斯洛沃德斯克，克麥爾恩的硫黄浴，哈爾科夫附近的斯拉維揚斯克鹹湖等，都有骨關節結核病人前來療養。這些泉水的有效作用，首先表現在它對整個機體的作用，也表現在能使病人狀態改善和局部病變的靜息。因此，在此時期內，大多數醫生認爲骨關節結核病是淋巴系統的特殊疾病——瘰癧的結果，所以，首先就要利用某種泉水來進行治療。

硫黄浴及鹽水浴一般認爲是對瘰癧特別有效的。硫黄浴治療結核病的良好作用，若以那個時代的一位醫生（Сидоров）的話來說就是：「按硫黄浴的一般性能來說，是由於它的刺激而加速了身體的有機變化」，也加速了結核結節的消退。

鹽水浴的作用可設想係由於滲入機體內的鹽類，這些鹽類能防止「瘰癧的刺激性」及其在骨和關節內的沉着；即或有了沉着也會在鹽類的作用下溶解。

Н. И. Пирогов 氏認爲，物理因素在骨關節結核病的治療中佔有一定的地位。在慢性結核性水腫時，他建議以沐浴和淋浴的形式進行水療。在較嚴重型的關節結核性疾病時，則進行海水浴和河水浴的治療。Н. И. Пирогов 氏認爲氣候因素有特殊的意義。同時，他認爲某種氣候因素除有上述的影響外，由一種氣候改換爲另種氣候也有重大的意義。所以，在伴有顯著消瘦、貧血或肺結核的嚴重的關節結核病時，Н. И. Пирогов 氏建議，除了規定一定的生活制度和飲食外，還要改換氣候，施行海水浴。

在了解了某種有療效的泉水及海水浴的良好作用的同時，巳早於十九世紀的前半期就指出了空氣的治療因素。認爲含有碘鹽及溴鹽的鹹水湖附近的空氣，有特殊的效益。在以後，新鮮清潔空氣以及陽光都逐漸地被重視起來了，而與此相反地，礦泉療學的措施雖然未從骨關節結核病治療法內被消除，但是它却逐漸地降至次要地位。於 1880 年 Н. И. Студенский 氏在自著的脊柱結核的著作中，巳不提利用任何物理療法的措施來治療脊柱結核，然而却專門叙述了陽光和空氣對於骨結核病病人的意義。按照他的話來說，這種病人經常都有瘰癧病的傾向，所以，應爭取將他們由城市送入鄉村，送到海邊去。如果病人不可能更換住地時，則應在居民少的地區內選擇空氣比較清潔的住宅，因爲「空氣的清潔對於這種病人是首要條件」。

這種想法由組織了夏令營而得以實現，它使骨關節結核病病人，首先是兒童能够得到新鮮的空氣和陽光。最初的夏令營之一，是在 1872 年由 К. А. Раухфус 氏於奥拉尼因巴烏馬（Ораниенбаума）所創辦的。在這一夏令營內計有病床 52 張，來此休養的病人有：一方面是在城市醫院治療後來此鞏固治療結果的恢復期的兒童，另一方面是慢性病人，其中包括骨關節結核病的病兒。在此應當指出，按照 Р. Каганович 氏的材料，在西歐文獻內所記載的夏令營的創始人要算是瑞士的活動家 Бион 氏，他於 1876 年創辦了瑞士小學生的夏令營。而奥拉尼因巴烏馬的夏令營比 Бион 氏創辦的夏令營早四年（1872年），所以，應將奥拉尼因巴烏馬夏令營看做是歐洲最初的此種機構之一。

於80年代在斯特列利納（Стрельна），在 К. Рейер 教授參加下又開辦了一所爲瘰癧病及佝僂病兒童的夏令營，根據 Н. А. Вельяминов 氏的材料來看，到此地休養的人主要是患髖關節炎的病人。

於 80 年代初期在彼得堡組織了慢性病兒醫院協會，由 К. А. Раухфус 氏担任主席。該協會於 1883 年在加特奇納開辦了經常性的醫院，在此醫院裏廣泛地採用了新鮮空氣、日光浴及按摩等療法。

所有上述這些機構都是由慈善事業的經費所建立的，因而它們收容需要治療的病兒的百分比就很小；並且在實施一個時期以後，照例是由於缺乏物資經費而停頓了工作。然而，毫無疑意地它們證實了此類機構設在郊外的好處，並且豫言了治療骨關節結核病的新方向，即我國於二十世紀初期所確定的療養-矯正的方向。

至此時期，外科醫生們對於骨關節結核病的手術療法巳感到失望。而同時因爲巳經積累了空氣和陽光等因素對骨關節結核病病人有良好影響的足够資料，迫使他們緊接着去解決在骨關節結核病上用氣候療法的問題。我國，在這一事業中的創始人爲 Н. А. Вельяминов, А. А. Бобров, В. П. Зеренин, П. И. Тихов 及 Т. П. Краснобаев 氏等。

利用各種氣候因素治療骨關節結核病病人的組織機構各有不同。

在這方面比較完善的組織機構，是二十世紀最初期在俄羅斯所組織的骨關節結核病病人專門療養院。

於 1900 年在溫達瓦 (Виндава) 由 Н. А. Вельяминов 氏創始並由他親自參加所開辦的療養院，就是第一個這樣的療養院。О. И. Гопферауэ 及 И. И. Чарномская 二氏都是這一事業中的助手。

療養院之建成，應歸功於 1899 年開辦的彼得堡瘰性病兒沿海療養院協會。該協會主要注意到了北方的，首先是彼得堡的結核病兒童，所以它才選擇第一所療養院的地址在波羅的海沿岸，因爲那裏的嚴酸氣候是有助於身體鍛鍊的。

這所療養院最初曾預計容納 40 名病人，但在 1903 年建立了第二館以後就已能容納 70 名病人了。

這所療養院接受各種外科結核病的兒童，在夏季也接受「瘰癧病及佝僂病」的兒童。在治療時，主要的是注意使兒童儘可能較長時間地停留在新鮮空氣中。正像 Н. А. Вельяминов 氏認爲的那樣，新鮮空氣對於鍛鍊來說是有特殊意義的，所以，無論是在夏季或冬季皆可採用空氣療法。也廣泛地利用海水浴，並且對於帶有少量分泌物的瘻孔和潰瘍的病例也不禁忌。在療養院內實行着包括給兒童講課的生活日程，以及一定的飲食制度。除氣候療法外，也曾很注意適正確施行使患部安靜的矯正治療措施。Н. А. Вельяминов 氏曾說過：「在沿海療養院內治療骨及關節結核病時，若錯誤地把一切希望都寄託在生活制度及海洋空氣而忽視此種病人的外科矯正療法的基本原則，我認爲那是極大的錯誤」。

在療養院內也做小型手術，膿腫穿刺，瘻道的刮術及切開術。

此種配合的療養-矯正療法的療效，超過了一切預期的結果。早於 1904 年 Н. А. Вельяминов 氏就已報道，恢復健康的病人佔 46%，這樣的比例數字是任何醫院所不能有的，而在 1913 年他寫道：「按照我們在溫達瓦所取得的成果，是有充分根據來自豪的，一般說來，這些成果絲毫不次於很多西歐的療養院，甚至也不次於享有南方氣候並位於大洋沿岸的海濱醫院所得到的成果，也就是說，它們所具備的條件與溫達瓦療養院的惡劣氣候及海水含鹽量很低的條件，是不能相比的。進一步說，在某些類型的疾病中我們所獲得的結果，甚至優於我們的鄰居——西歐的療養院。」

在溫達瓦療養院開辦後兩年，即 1902 年用 Бобров 氏的資金在克里米亞半島南岸，在阿盧普卡開辦了第二所兒童海濱療養院。在這所療養院裏所應用的基本治療原則與溫達瓦療養院相同，但是，由於它位於南方，所以廣泛地輔用了陽光的治療(日光療法)。由於П. В. Изергин 氏的努力，這所療養院一直保存到今天，因之，即以其創始人 А. А. Бобров 氏的姓名作爲自己的名稱。在 П. В. Изергин 氏的倡導並在他的領導下，於 1927 年在 А. А. Бобров 療養院裏曾實行了一種療法，使病人整年整晝夜地居留於海濱凉台上。這種極有效的氣候療法是我們祖國的成就，已經愈來愈被承認和推廣了。

正因爲如此，在二十世紀初期，俄國外科學家們採用了療養-矯正療法以治療骨關節結核病病人，並早在瑞士開辦的著名的羅利耶 (Ролье) 療養院 (1904 年) 之前，就已廣泛地利用了空氣-日光療法的氣候因素，羅利耶療養院的治療基礎也是應用氣候療法與矯正措施相配合的原則。

在以後的 10—12 年內，俄國又開辦了許多療養院，其中包括 1906 年由 К. А. Вальтер 氏和 С. Ю. Малевский-Малевич 氏參加領導在謝斯特羅列茨克 (Сестрорецк) 開辦的療養院。在此時期內，出現了一種趨勢，廣泛利用祖國的一切氣候條件，而不僅僅是限於沿海地帶。正如 Д. Е. Горохов 氏建議基斯洛沃德斯克，П. И. Тихов 氏指出伏爾加河沿岸地區氣候對結核病有良好作用，В. Трофимов 氏指出奔薩省的針葉樹等等。

Т. П. Краснобаев 氏是一個首先主張骨關節結核病病人必須在他們居住的地方進行治療的人。

根據這一結論，В. П. Зеренин 氏提倡（並且他自己也這樣做了）給赤貧的結核外科病人一些金錢，使他們能在鄉間居留一些時間。

醫院也爭取使此種病人多攝取些空氣和陽光。由此種目的出發，在夏季裏，П. И. Тихов 氏和 А. А. Троянов 氏等把自己的病人整天地送到公園裏去，預先實現了英國人 Геллоу 氏的理想，利用帳棚以使病人整天地暴露於空氣中的辦法。

М. М. Дитерихс 氏總結了所有這些利用地方氣候因素的經驗，他於 1913 年寫道：「既然療養院不是治療結核病唯一的必須條件，則需要有高明的、謹慎的醫生，適宜的衛生條件，食物療法及任何治療因素，如山地空氣，海洋及松林等]。

在十九世紀末二十世紀初，開始採用人工的紫外光線——石英水銀燈和米寧燈 (Minin light) 以治療骨關節結核病。礦泉療法的措施，例如泥療及淤泥療法仍不失其意義。然而，就像前面所講過的那樣，它們在治療骨關節結核病當中所起的作用，已遠不如在十九世紀前半期那樣了。

由此看來，賴有俄國醫生們的活動，在俄國於二十世紀起始的十年裏，由很多自然界的治療因素當中選出了一種綜合性的因素——氣候因素，它是治療骨關節結核病病人所用的一種基本的物理性因素。

然而，想利用有效的療養-矯正療法大量地治療骨關節結核病，在革命前的俄國是做不到的。在外科代表大會和Пирогов代表大會上，俄國醫師們不止一次地提出必須廣泛地開展療養院網的問題，不是以個人慈善事業的方式，而是要以國家的幫助來實現。然而，沙皇政府對於人民的需要是漠不關心的，只有在偉大的十月社會主義革命以後，才有可能實際建立廣泛的療養院網，因此才能實現有計劃地救助骨關節結核病病人的任務。

（任國智譯自 蘇聯［Вестник хирургии］№ 6，1954 年）

文　摘

中國醫籍中關於重性精神病的記載

紀　明著　　中華神經精神科雜誌 1955 年　第一號

本文首先概述了祖國醫學的發展和成就。其次對歷代醫籍中關於重性精神病的記載作了約略的介紹。

在精神病學歷史上，我們祖先有人道的態度和正確的方法來對待病人，與歐西國家的野蠻殘酷適成鮮明的對照。在疾病的認識上，歷代都有偉大建樹的醫學家。黃帝內經中已有很多關於精神病的臨床記載。巢氏病源候論對發病機轉辨證最詳。其後對精神病的認識日益豐富。明清以來，醫家對於前人的記述感到懷疑，認爲古來習用的顚、狂、癎……等名稱有予以明確分立的必要，開始有精神病的臨床分類，提出不同的治療方案，說明其不同的預後。唯學說衆多，分類各異，仍無統一的系統以爲規範。

在精神病的治療學方面，祖國醫學提供了豐富的資料，歷代醫籍中羅列有很多的藥物治療方劑和針灸治療方案。孫思邈提出的藥物睡眠療法，朱震亨的精神療法（活套），和明代爲人採用的體育運動療法（導引）的被重視和應用，更說明祖國精神病治療學傳統的進步性。

（少　祺摘）

文藝復興時期的醫學及其在蘇聯的研究

原著者 V. N. Ternovsky

在今天，醫學知識已為精密的研究方法豐富起來了的時候，正在成功的向前發展，並幫助每一個人維持身體的健康，這使我們回溯那些奠定這宏偉醫學大厦的光榮的前輩們，不能不懷着無比尊敬與感激之情。

人類在努力精通科學知識的活動中，是經過激烈勞動曲折道路的。科學摒棄了所有陳腐的和不確定的概念，堅決地向前邁進。

為維護生命的創造性勞動而鬥爭，為人道主義而鬥爭——這就是所有偉大科學家的自由的研究思想方向。文藝復興在科學的發展上留下了它的烙印，包括解剖學和醫學，並且在哲學、數學、文學、藝術各個領域中留下了不可磨滅的成就。

在文藝復興的巨匠們中間，意大利人民的偉大之子里奧納多·達·芬奇（Leonardo da Vinci 1452—1519）引起我們最深的敬仰。

里奧納多·達·芬奇的名字是全世界進步人類所熟習的。就人們對他的生活與創作的興趣日增可以證明。在世界和平理事會的號召下，隆重地紀念了這位偉大科學家的五百周年誕辰。

在科學和藝術範圍中，要想找出一種芬奇無所表現的科目是不容易的。這位偉大的科學家、畫家、和發明家多方面的有成果的活動，表明了與人民的生活和利益緊相結合的藝術和科學的眞正無限的可能性。

里奧納多·達·芬奇是一個最為著名的畫家，但是繪畫對他來說只是他的多才多藝的創作的基礎。為了畫出和雕刻人類的身體和動物的身體，必須研究解剖學。里奧納多·達·芬奇無疑地可以被認為是現代解剖學的創立人之一。他利用了他的前輩在這方面的成就，並進一步用他自己的方法，就是觀察自然的方法。他曾寫道，我的知識「從別人的話裏得來的不如從經驗裏得來的多，經驗是那些寫得出色的人們的教師，同樣也是我的教師，在所有情況下我都將依靠它」。經驗使得里奧納多·達·芬奇有可能獲得對人和動物的器官構造的正確概念。他的科學思想是基於唯物主義。

里奧納多·達·芬奇的著作用重要的論據和新的研究方法豐富了解剖學。他第一個用流水或石灰水洗滌器官，用蠟充填腦室。他介紹了一套切割骨骼和器官的方法，以便詳細地研究它們的構造。他仔細地描繪了他解剖研究的所有器官，因此我們可稱芬奇為以圖解方法研究解剖學的創始人。

× × × ×

在芬奇的著作中有兩個極為美好的人類神經系統圖至今還存在着。當他分別地觀察人體的各部分時，他理解各部為一不可分的整體，或用他自己的話來說是：「一種美妙的工具」。他試圖用實驗的方法來決定人體各部分和器官的意義和機能；他對於肌肉的構造和運動能力以及它們怎樣附着於骨骼上，特別感到興趣。這位偉大科學家發現：全部靜脉血管的根端並非如蓋侖（Galen）氏設想的在肝臟，而是在「心臟凸面」，這是一個重大發現，並且他與蓋侖的概念相反，正確地認為心臟是一個肌肉器官。

芬奇以極大的興趣研究腦的機能，他用蛙作試驗，得到結論：蛙的生命的中心是脊髓。雖然這個結論是不精確的，但他根據這些初步實驗所作的觀察已注意到中樞神經系統的重要性。芬奇正確地把各種智能如知覺力、記憶力、理智，同隨意運動一樣，都與腦的不同部分發生聯系，芬奇觀察到：在手部創傷時，有時手失去感覺，可是運動並未受損害，或者有相反的情形。這使得他得到有運動和感覺兩種神經存在的結論。

另一突出的貢獻是這位大科學家發展了研究動物解剖的比較方法。這個曾被亞里斯多德氏使用過的方法被忘懷了好些世紀。芬奇把人叫做：「所有動物中的第一類動物」並和「那些近似同種動物例如狒狒、猿猴等相比較，另外還有許多」。

最使人感興趣的是芬奇在發生學方面的著作，他無疑的可以被稱爲是此門科學的創立者。

在蘇聯的科學家們和研究者對於這位偉大的科學家、畫家和發明家的生活及著作有着深厚的興趣。蘇聯人民把達·芬奇尊爲偉大的人文主義者，他的完整的創作能力指向掃除「中世紀的幽靈」，指向滿足生活需要的健康的現實主義藝術和科學的創造。蘇聯已出版了他的選集和許多有關他的生活和著作的研究論文，現在蘇聯科學院正預備出版芬奇解剖學筆記的俄文版，這部書裏將有許多他的輝煌的解剖寫生畫。這版本可以使那些研究芬奇著作的人深入地了解他的多方面的研究工作。

× × × ×

芬奇在解剖學中完成的工作是他的許多後繼者的研究基礎。如果說他是解剖學新方向的創立者之一，那麼文藝復興時期最偉大的解剖學家維塞利阿斯氏 (Vesalius) 就是一位眞正解剖學的改革者和研究解剖學的新方法的創立者。他在巴丢阿(Patua)大學作教授時創作了不朽的論文七卷，即「人體解剖學」或人體結構學。此書於1543年在巴賽爾 (Basel) 出版。維塞利阿斯氏在這部不朽著作出版以前，曾作了大量的科學研究和教學工作。當他研究並出版他的前輩們的著作，包括蓋侖的著作時，他確信這些著作中所講的人體構造主要是以動物的解剖爲依據。他堅持用解剖的方法來研究人的機體；他蒐集了不可否認的事實，並在他的論文「人體解剖學」中大胆地使用這些事實來反對以前一切的教義。他的著作在人類歷史上第一次根據實驗的研究對人體的構造做了眞實的描述。他在他的「摘要」(Epitome) 一書中這樣寫道：「解剖學是醫療藝術的基礎和起點」。這說明他爲什麼以如此的客觀性和全面性來描述人體的構造。維塞利阿斯氏以眞實的「人體論著」一書作爲工作的指導，對骨、軟骨、韌帶、肌肉、血管、神經、消化器官、泌尿生殖器官、心臟、呼吸器官、腦及感覺器官，都做了詳細的描述。

闡明維塞利阿斯氏論著的全部圖表都是約翰·斯太范·凱爾卡(John Stefan Calcar)氏所作，他是維賽略(Tiziaxo Vecellio)的天才弟子。凱爾卡貫徹了維塞利阿斯的指示，把解剖標本畫得非常生動有力。就在這圖畫的構圖上，充分表現了維塞利阿斯氏對活人的軀體構造的興趣。他的興趣是生命而不是死亡。維塞利阿斯改訂了解剖學術語名詞並使之更爲精確，他介紹並系統化了新的解剖法。他注意到蓋侖氏和其他前輩關于心臟中隔有孔，血液可穿過這些孔自右心室流入左心室的錯誤見解。雖則維塞利阿斯自己並沒有達到後來哈維 (Harvey) 氏所得到的正確結論，然而卻爲許多進一步的發現準備了條件，包括哈維氏對血液循環的發現在內。

俄羅斯的科學家，特別是醫學家們一直對維塞利阿斯的不朽著作有着深厚的興趣。早在17世紀中葉，就有一位俄國科學家斯拉威尼斯基氏 (Epiphani Slavinetsky) 進行翻譯維塞利阿斯的論著。這要比利維靈 (Leveling) 早一百年，他是在1783年出版了維塞利阿斯論著中的註釋表和圖畫的不全譯本。

維塞利阿斯氏的論著「人體解剖學」的全譯本至今還沒有譯成任何一種現代西歐語言。僅有這部書的部分的摘要已譯成英、法、德文。

在文藝復興時期的博物學家和醫學科學家的傑出著作中，夫拉卡斯托羅氏 (Girolamo Fracastoro 1478—1553) 的著作「論傳染、傳染病及治療」(1546) 佔有顯著的地位。

最近蘇聯的科學家們紀念了夫拉卡斯托羅的四百周年忌辰。他所著的書與上述同時代的偉大人物——達·芬奇和維塞利阿斯的著作一樣，也是對醫學科學寶庫的可貴貢獻。

× × × ×

夫拉卡斯托羅氏是巴丢阿大學的學生，後來又在該校執教，哥白尼 (Nikolaus Copernicus) 氏是他的同學，他的知識極爲廣泛，而他的主要著作卻是有關醫學和自然科學的。

即使在夫拉卡斯托羅以前，醫學科學也已有了某些由經驗蒐集起來的關於傳染病和散佈傳染的可能途徑的概念。夫拉卡斯托羅的貢獻最主要的是在於把各種關於傳染病的雜亂無章的事實去蕪存精，在於企圖將它們系統化，在於闡明它們的本質和傳佈途徑的概念。毫無疑問夫拉卡斯托羅氏可以稱爲是科學的流行病學的創立人，雖然，在這方面在他以前曾有不少前驅者。他的不朽著作在完成「傳染」這一概念的發展和打開研究傳染疾病的道路上，為不可爭辯的證據。

× × × ×

全世界有文化的人民都知道科學家和醫學家哈維氏(William Harvey 1578—1657)的名字，他是生理學的創立人之一，文藝復興時期巨人星羣中之一位。

在劍橋受過教育以後，哈維就按照當時的習慣前去歐洲大陸求學。在巴丢阿大學，他在那些卓越的意大利科學家們的指導下研究醫學，例如外科家和解剖學家加賽芮氏(Casseri)，著名的演講家米那德阿斯(Miades)氏，和天才的解剖學家腓布利喜阿斯(Fabricius Ab Aquapendente)氏等。很可能腓布利喜阿斯的工作對這位未來的生理學家的獨立工作方向給予了影響，腓氏是詳述靜脈瓣對保證血液在心臟中有推動作用的第一人。在科學工作中，哈維氏結合了古代自然科學和醫學最好的傳統與文藝復興時期偉大人文主義者的進步學說。

這就是為什麽在哈維的著作中，可以清楚的看到對束縛人的權威思想方式的抗議，對醫學領域中使用實驗方法的原則的確認。哈維氏寫道：「事實進入我們的感官，並不問我們的意見如何，自然現象並不屈從古人」。

哈維氏於1615年在倫敦皇家學院的一次講演中首次發表他的血循環觀念，並不管他同事們是否同意，他堅持地繼續進行了許多實驗和活體解剖，這些從實驗上確定了他的學說的正確性，經過13年之後，在1628年他的不朽著作「動物心臟和血液流動的解剖論」才出版。

血在肺內循環的問題，在哈維氏以前很久在許多傑出的科學家的著作中已經提到了。應當提出的名字有：阿拉伯醫生 ibn-al-Nafiz(12世紀)；西班牙醫生塞爾維塔斯(Servetus 1509—1553)氏，由於他有進步的科學思想而受到火刑；還有前面提過的維塞利阿斯，和他的學生哥侖布(Colombo 1516—1559)；最後還有腓布利喜阿斯氏，但沒有一個哈維的前輩曾說明肺血循環的眞實意義是整個血循環系統的一部分。哈維氏第一個發現血液運動過程的本質，這是一個重要而複雜的生理活動，所以說作爲自然歷史上的一個科目的生理學是開始於哈維的著作，並不算誇大其詞。

哈維氏研究動物發生時蒐集了大量科學資料，把它們整理後得到了一個概念：所有動物都是由一個卵發展起來的。他重述亞里斯多德的「卵説」的意見，並發展了關於動物發育過程與發育各個階段的一般法則的觀念。

在大量的觀察和實驗的基礎上，哈維氏寫出了他的著述「論動物的繁生」。

哈維的著作已經出版三百多年了。許多國家的科學家們已經大大豐富了我們血液循環生理學的概念，並使之更爲精確。俄羅斯醫學科學的代表人物也曾對哈維的觀念的發展有過重大貢獻，俄羅斯臨床家 Korotkov 氏曾介紹過一種最初的無血測量動脈血壓的方法，這個方法無疑是根據哈維的縛緊綳帶的實驗。

著名的俄羅斯臨床家包特金氏在一系列的臨床觀察中首先注意到脾臟在血循環過程的重要性。關於血中氣體的學說，俄羅斯生理學之父謝巧諾夫氏有過很多貢獻。

最偉大的俄羅斯生理學者巴甫洛夫對於神經系統對心臟血管及內分泌的影響進行了一系列精細的研究，他詳述了心臟的興奮和弛緩神經。巴甫洛夫對哈維的著作有很高的評價，認爲它們是自然科學思想的模範。關於他的研究巴氏曾寫道：「……不爲成見所宥，對實際現象深入觀察，然後立即用一個簡單但有目的有計劃的實驗來加以分析，以證實所觀察到的事例。」

哈維氏有名的附有註釋的著作已在蘇聯出版過兩次。巴甫洛夫並爲之作序。

我們可以相當滿意的報告：蘇聯科學院本年(1954)完成了維塞利阿斯氏著作的全部譯註工作。蘇聯各方面的科學專家們現在有可能用俄文研究這部文藝復興時期最重要的原著了。巴甫洛夫在維塞利阿斯氏的論著俄文版緒言中寫道：「這個時期(文藝復興)的藝術和科學著作必須不斷的公開給現代的人，而且，就科學而言，它須用最易接受的形式，就是：用本國語言。」

巴甫洛夫所表示的這種願望正被蘇聯的科學家們所實現着，他們不僅尊重文藝復興科學家的著作，而且尊重所有世界科學界的偉人。那些人們的著作被研究和譯成俄文。蘇聯科學院並出版一種「科學經典著作叢書」。現在已經出版了50卷以上俄國同外國最偉大科學家的著作。這些版本都有註釋並附有歷史和傳記性質的資料。

哈維的著作「動物心臟和血液的運動的解剖論」第二版，已在1948年由蘇聯科學院出版了。此書有125頁，除譯文外還有附錄，包括巴甫洛夫的後記和貝可夫的「關於哈維的生活和著作」，以及薩馬伊洛夫的「哈維及其貢獻」。

維塞利阿斯的論文「人體解剖學」俄譯本已由蘇聯科學院出版，分兩卷，每卷1055頁。在這版所有圖畫和扉頁圖已加以複製。內有巴甫洛夫所寫的後記，並有特爾諾夫斯基作的註釋和所寫的「維塞利阿斯的生活及著作」一文。

1954年蘇聯科學院出版了夫拉卡斯托羅的「論傳染、傳染病及治療」一書，共160頁，除譯文外，並有 P. E. Zabludovsky 和 S. L. Sobol 所寫的文章以及 Zabludovsky 和 V. P. Zuhov 二氏的註解。此書是由貝可夫院士主編的。

在文藝復興時代醫學科學偉大的代表人物：達·芬奇，哈維和夫拉卡斯托羅的著作是進步道路上的偉大里程碑。這些科學家們鑽研精神的寶貴成果是屬於世界科學寶庫的一部分。全世界人們尊敬這些科學家們的著作，並且對他們創造性的功績表示崇高的敬意。

爲了科學在全世界發達昌盛以嘉惠於人類，有賴於各國進步科學家們的共同努力，富於生命的人道主義和進步思想把他們聯結在一起。

程之範譯自 Medicine in the Renaissance and its Study in the Soviet Union, 1954, 特爾諾夫斯基原著英譯本。本文是1954年9月在薩勒諾舉行之第14屆國際醫學史會議上蘇聯代表特爾諾夫斯基報告。

更　　正（一）

茲接作者耿鑑庭醫師來函作如下的更正：

中華醫史雜誌1955年第一號第38頁左欄倒5行應刪去「清初」二字及「經過史無前例」至「最爲劇烈」廿六字，「並且」至「往來」十二字；又右欄26行「明末」起至29行「關係」止亦應刪去。

中華醫史雜誌編輯委員會

更　　正（二）

中華醫史雜誌1955年第一號第50頁右欄倒5行小標題黑體字「骸䈥」應爲「骸」，「䈥」應退後一格與「川王病」爲一句。

體液循環的研究史略

原著者 西丸義和

自然科學每經一個時期，就有人出來總結一下已往的知識，給我們以新的概念。他們並不是僅僅總結他那時代的知識，乃是用更新的方法來一一檢討，再加上自己所發見的新事實。正如哈維（Harvey）氏所說：不是從別人的著作或論文，而是憑自己的實驗來追究問題。這在今日，仍復無改。

體液循環的概念，也由於希波克拉底斯（Hippocrates 公元前 460～370）氏以來各時代的研究總結——挨拉西斯特拉塔斯（Erasistratus 前 300～250）的解剖屍體，蓋倫（Galenus 130～210）的解剖活動物，以及柏那（Claude Bernard 1813～1878）的應用物理化學，一步步給我們指示出來的。今天也還不斷有人提供其研究，所以這概念也不斷在一點一點地推移着。

先溫故一下，首先有希波克拉底斯的四液說：以為體中血液（心）、粘液（腦）、黃胆汁（肝）、黑胆汁（脾）四液調和就是健康，失和爲病。其時還沒有流動的概念。其次是公元前 300 年光景，Alexandria 學派的挨拉西斯特拉塔斯氏，以爲體液包括血液和精氣（Pneuma）。含有營養的血由肝裏造成，存在右心室，經靜脈運到全身。一方面空氣中的精氣經氣管入左心室，由動脈運行全身。特別是到腦的一部分，變成另一種精氣，通過神經，再達於全身。病時，例如出血、發炎時，動脈中見到血液。又在某種病情下切斷動脈，血便隨着精氣外溢。組織就是血管末端形成的。那時關於血液的來龍去脈，未有記載，但是產生了體液流動的概念，確爲希波克拉底斯氏以來的一大進步。

嗣後 500 年，傳承 Alexandria 學派的蓋倫（Clandius Galenus）解剖活動物，概念爲之一變：由腸吸收的乳糜，經門脈而至肝，於是變成血，接受第一自然精氣而具成長與營養之力。這種血液，一部分由右心室經肺動脈而至肺，不斷受到淨化；一部分通過心室中隔爲眼看不見的小孔而至左心室。肝臟裏的血，經靜脈運到全身，掌營養等的低級機能。而通過心室中隔小孔走進左心室的血，與經過氣管、肺靜脈而至左心室的精氣結合，成爲第二生命精氣，由動脈運到全身，爲生命的根源。其中一部分到腦，又成爲第三精氣（動物精氣），經神經系而至全身，掌運動、感覺等的高級機能。血行的中心，靜脈系在肝，動脈系在左心室。血流的現象則如潮的一張一落。並且認爲靜脈壁之厚度只相當於動脈壁的 1/5。血管末端細如髮，靜脈內血色暗於動脈內血，切斷靜脈時出血的速度均勻而動脈血流出時則是跳躍的。又由於切斷動脈能致出血而死，知道靜脈與動脈是有吻合的，通過這種細小的吻合，血液與精氣相交流；而在血行上起着重大作用的是肝。這樣，蓋倫氏以來血行的概念，從挨拉西斯特拉塔斯的屍體解剖到達了活動物的解剖，又見到一大進展。然而今日辨析得很清楚的血液循環系統、呼吸器系統及腦神經系統，在該時還淆混不清；而血液的源流始末，仍存着一些疑問。

直到 16 世紀，1539 年時，巴黎有個 Guenter von Andernach 的研究室，其實際工作者西班牙人塞爾維塔斯（Michael Servetus）氏及比利時人未塞利阿斯（Andreas Vesalius）氏開始懷疑蓋倫的說法。塞爾維塔斯氏寫了一本 "Christianismi restitutio"（1553），駁斥血由右心室經心室中隔小孔直流左心室之說，闡明了由右心室經肺動脈至肺，復經肺靜脈入左心房的小循環徑路。而他竟因此於是年秋遭火刑燒死，所著書悉遭毀滅，僅存二三本而已，實在是可以痛恨的事。

另一方面未塞利阿斯氏却來到了當時學術中心的意大利 Padua 大學，藉血行系統的解剖學而傳薪於後繼。於是有 Clambathista 的 Canano 發見靜脈瓣，Cremona 的 Realolus Colombus 著 "De re anatomica libri XV"（1559），記載血液小循環與 Servetus 所說無異。還有 Arezzo 的 Andreas Cesalpinus著的"Questionum medicarum libri Ⅱ"(1593)，談到全身的 Circutio（循環）；Fallopius與Leonard da Vinci，有關於血行的交換意見；Fallopius 門人 Aoluapendente 的 Hieronymus Fabricius 更完成了靜脈瓣的研究，著有"De venarum ostiolis"(1603)；Petmus Panlus Sarpi 發表了靜脈機能說。這 Padua 學派的靜脈瓣研究，終於搖撼了千餘年來深信不疑的蓋倫三精氣概念。

才出劍橋大學的19歲青年學者哈維 (William Harvey) 氏正當此時來到了 Padua，眼見完成靜脈瓣研究的腓布利喜阿斯 (Fabricius) 氏在大學裏吸引着廣大學生羣的學術興趣，自己也一向欽仰他的人格與學問，就也承受了血行研究的傳統。後來對波義耳 (Robert Boyle) 的述懷，也說自己投身於血行研究，實導源於靜脈瓣。23歲回國之後直到50歲，不斷專心於蓋倫所未解決的疑問，1628 年出版了名著「動物的血和心動的解剖」。他覺得心臟不斷排出的血量，單靠腸和肝製造是不會够的，於是就各種動物自作活體實驗來重行檢討當時的知識。其叙述心臟的實驗，有這樣的話：「見心臟的運動迅如閃電，才見其收縮，倏忽已在擴張，有時竟莫辨其爲收縮抑擴張。我自己既提不出一句確切的話來說明，也找不到別人的話可以信賴。有人用亞里斯多得的話：像 Euripos 的海潮，忽來復忽往。而在我所見，實在不够形容心臟運動的迅速。研究途中雖曾抱絕望之念，而日夜以非常的綿密和細心，堅持了研究，檢驗動物至 80 餘種之多。終於解脫了許多迷陣，同時看出了心臟及動脈的運動和目的，遂了我的初願。」接着，他記述了：(1) 血液是循環着的；(2) 動脈與靜脈的移行，是在四肢及身體的邊隔部分有着直接的吻合，或則經由肌肉的間隙，亦或是兩路並進的；(3) 動脈是從心臟輸出血液的血管，靜脈是運回血液到心臟的血管，二者都是血液的導管；(4) 心臟的運動和鼓動是血液循環的唯一原因。其心動論文所說的循環，是由大靜脈入右心房，由右心室經肺動脈至肺，由肺靜脈入左心房，由左心室經大動脈而至全身；然後集於靜脈而回至右心房。這完全就是現在的概念——由心還心的循環。不過沒有發見血管的收縮性，而只認爲是導管、是輸送管。雖知有吻合，並且說誰都不考慮血管如何及在何處連合，却仍還想像多孔性組織是其交通路，還沒有知道毛細血管。

1622 年 Pavia 的 Gaspero Aselli 一天爲了給他的友人檢示狗的回返神經，剖開狗的腹部正好因爲那狗營養很好，所以，見到由腸聚集的有種白色線索，特別顯著；而由是首先發見了乳糜管。1661 年意大利 Bologna 的 Marcello Malpighi 寫了"De pulmonibus"，在蛙的肺臟血管裏發見由動脈到靜脈的路徑是毛細血管，於是血液循環的認識才大致完成。這一發明，由於他年輕時受其師 Bartolommeo Massari 的影響，對於血液循環的研究特別感到興趣；而一方面也由於顯微鏡的發明，所以能成此發見。其時荷蘭也有 Antony van Leewenhoek 在鰻魚尾觀察到一個個的血球在毛細管裏流轉。

英國人 Richard Lower 氏懷疑於 Harvey 氏所說心臟收縮爲血液循環唯一無二的動力，血管只是導管、輸送管。1669做了狗血管的灌流實驗，主張靜脈血流的主要因子是血液的重力。1733 年劍橋大學出身的牧師黑爾斯 (Stephan Hales) 氏又在狗的血管裏灌流溫水或白蘭地酒，發見血管並不只是導管而是有收縮的。跟着，罕忑 (John Hunter) 氏發見靜脈的還流，大有關乎動脈的搏動 (1750)，F. P. Mall 氏發見腸運動 (1751)、哈勒 (A. V. Haller) 氏發見呼吸運動 (1751)。這些運動都担負着血液循環的重要任務。日本久野 (1915) 又添上個心囊內壓變化的影響。這一些發見說明了靜脈的血流，與脈管外肌肉的收縮關係很大。自此心臟收縮爲唯一無二的動力這一概念完全打破了。

新加於體液的淋巴之流轉，Aselli 以爲乳糜因腸的運動與血管、肝臟的吸引而入於肝。這一看法也因 Paquet, Rudbeck, Jolive, Bartholin 等氏發見乳糜管與胸導管的連結及一般淋巴管與淋巴液而開始動搖。尤其是 Rudbeck 氏建立了組織營養的灌溉說：淋巴液是血管裏滲出來的溶液，其中固形物爲組織所攝取，剩下水分由淋巴管流入血中。關於還由血管流向組織的體液，在 19 世紀的中葉，穆勒 (J. Müller) 說是由於壁的細胞生氣力，其門人 Heidenhain 從動脈及靜脈的結紮實驗，以及備淋巴物質的作用加以考察，認爲血管內皮細胞有分泌機能。但盧得維克 (Ludwig) 氏和其門人主張是通過血管壁的滲透、擴散、濾過，而血壓爲最重要的因子——機械說 (1850)。Bayliss 與 Starling 二氏

(1898)又覆試 Heidenhain 的實驗，認爲結紮動脈與靜脈的結果，毛細血管內壓反倒上升；第一級催淋巴物質使毛細血管壁發生損傷，其結果淋巴的生成增加。由此，支持盧得維克氏等的看法，並且認爲血液與組織的水分平衡是由血液中膠質滲透壓與毛細血管內壓的定量來保持的，不過除血壓之外，血管的透過性也是重要因子。直到今世紀，Krogh (1930) 及 Landis (1934) 氏等還支持此說。

淋巴管的淋巴流，Hewson 氏 (1846) 以爲生於淋巴管壁的肌層蠕動。盧得維克氏則以爲全身肌肉系統的收縮爲之主因，胸導管則由於呼吸運動。其後 Brücke 氏 (1853) 又加上了腸的運動，特別是絨毛的運動。1870 年 Geresich 氏結論爲凡有肌肉運動，尤其是四肢的屈伸，與淋巴管瓣的作用相輔而吸引成流，在蛙則由於淋巴心臟之力。於是哈維氏所未知的淋巴管也不單是個導管，而血流之外又添加了淋巴流。1851 年法蘭西的柏那實驗切斷了頸部的交感神經，發見這一側的耳血管顯著擴張，認爲血管有收縮神經的分布。德意志的 Schiff 氏 (1856) 跟着也記載了血管擴張的事實。來比錫大學的研究所又有 Cyon 與盧得維克氏 (1866) 證實了主動脈弓有調節血壓的血管神經反射，1924 黑林氏等發見頸動脈竇有竇神經具感受器，起着調節血壓的血管反射作用。更進一步地明確了血管、淋巴管之皆非簡單導管。哈維氏雖闡明心臟如何收縮，而何以收縮與如何調節，未成概念。1845 年 9 月，意大利 Napoli 的學會上，有德人 Weber 氏昆仲當衆實驗，刺激迷走神經，心臟就會停止運動，使當時的生理學家都吃一驚。接着又有盧得維克氏 (1848) 在蛙的心房中隔裏，Remak 氏 (1848) 在靜脈竇裏，Bidder 氏 (1852) 在心室底部房室瓣附近，各發見有結節。以爲此種神經細胞羣就是心臟發起自動收縮的根源。其後 His 氏又在心肌中發見特殊的纖維束 (1893)，田原淳發見房室結節 (1906)，Keith 與 Flack 氏發見 (1906) 竇結節，於是想到 1845 年時 Purkinje 氏所發見的浦頃野纖維與此等結節有着傳遞刺激的系統關係。再與 1883 年 Gaskell 所說靜脈竇是心節律的起步者的話結合起來，新生了一個概念——肌源說。就是：心臟的自動收縮性是竇結節的內刺激產生興奮而由此傳導系統傳遞的。也就是說：先在竇結節發生刺激，興奮傳於房室結節，再經 His 束而傳於浦頃野纖維，然後達到各個心肌，於是由房而室起其收縮、弛緩、休止的周期運動。這就是所謂竇結節爲心節律的起步者。而一方面美利堅的 Bowdich 氏報告過 (1848) 心肌的性質有「全或無」(all or none) 的法則，英吉利的 Starling 氏報告 (1918) 心肌拉得愈長則其收縮亦愈强的「心臟定律」。此外還有 Bainbridge 氏記述 (1916) 心房及大靜脈的壓力上升，則引起反射性的心搏頻率增加；Anrep 氏等又報告 (1936) 由於肺而引起的心臟反射。最近 (1936) Dale 和 Loewi 氏闡明了分布於心臟的交感神經，從其末梢釋放出腎上腺素來；迷走神經末梢釋放出乙醯胆鹼來；獲得諾貝爾生理學獎金。這樣，血液經毛細血管而灌溉組織，乃成淋巴液，事實愈益明白了。於是注意愈益轉到毛細血管、組織間隙、毛細淋巴管上。1831 年 Marshall Hall 氏從組織學來分別開微靜脈與毛細血管，1873 年 C. M. B. Rouget 氏發見過毛細血管壁裏也有收縮性細胞，而當時統治着歐洲生理學會的移勒氏 (1838) 主張毛細血管是不收縮的，使營物質交換作用，所以上世紀誰也沒有十分注意。入今世紀後，Steinach 和 Kahn 氏實驗 (1903) 蛙膠膜的毛細血管，觀察其血壓影響以外的自動收縮性；丹麥的 A. Krogh 氏 (1923) 由組織呼吸的研究進而研究毛細血管，確認毛細血管因有 Rouger 細胞而具有自動收縮性，並闡明骨骼肌的毛細血管在安靜時與活動時其血管數顯著不同。然而美利堅的 D. R. Hooker (1921), B. W. Zweifach (1939) 氏等還主張毛細血管裏是沒有肌細胞的。Hooker 和 M. E. Field (1935) 氏等以爲毛細血管壁的口徑變小乃是內皮細胞膨隆之故。關於毛細血管壁的透過性，E. M. Landis 氏以爲毛細血管靠近靜脈的部分是較大的，所以血壓的上升是使其透過量變大的主要因子 (1927)。最近日本的天野及其共同研究者也唱道微靜脈的外膜間隙 (adventitia space) 是主要透過路 (1950)。

至於組織間隙，Clark 和 Clark 二氏所唱道 (1933) 的是：組織中結締組織是大粒子的移動路，在正常時是否有組織液，還是問題。1934 年 Crandall 及 Anderson 氏用 NaSCN 測定細胞外液量，1938 年 Maurer 氏插細針於蛙的肌肉之間而取得細胞外液。1939 年 McMaster 與 Parson 氏以活體紅（vital red）灌於鼠耳的淋巴管裏使其逆流，發見色素沿結締組織管而流動，作波線如剛毛，呈管狀，浮腫時則瀰漫。1941 年又於皮膚的脈管外插入極微細的針，保持水平位置，連於2毫升的滴管，而注以羅克氏溶液，見其間歇流入，以爲這就是血管的吸收。1950 年木原也以爲結締組織是脈管外的液體通路。而 Cowdry 氏依然主張體液雖分血液、淋巴液、組織液而「循環」這概念只是在血液。總之，體液的循環路之中，組織間隙在今日，尙未脫出未知的範圍。

關於淋巴管的起始部，最初 Donders 氏以爲是閉鎖管（1853），Recklinghausen 氏（1869）否定其說，認爲毛細管成網而與組織間隙相交通。於是這毛細管的始端究竟是開口還是封口的，久成爭論。由於用硝酸銀法來檢索而加以推定，所以沒法確斷。毛細血管的活體觀察，早在 1685 年；而毛細淋巴管，則直至 1930 年才觀察之於活體。例如 Drinker 與 Field 氏注射石墨漿（graphite suspension）於蛙的蹼膜，在顯微鏡下檢察，乃知其口徑約 70 微米，容易因內壓而擴大，約可擴大至 3 倍。此外 Clark 氏等又觀察之於蝌蚪的尾部、兎耳，Pullinger 與 Florey 直接觀察於鼠耳，由於此等結果，遂以爲毛細淋巴管是起於封口的毛細管網的。但是一方面 Schultz 氏（1938）發見 Pneumococci type Ⅲ 從氣管進入了淋巴管，Drinker氏（1941）也說血液被胸腔吸收，膠質、細菌等容易進入鼻粘膜的淋巴管，最近（1950）木原也報道腹膜的淋巴管起始部是呈篩狀的。這幾種的報告，可知身體有些部位的淋巴管起始部是開放性的。

Claude Bernard 氏在 1873 年總結其多年有光輝的生理學研究，說道：「內環境的恒定是自由生命的條件」，這條件一破就不健康了。1935 年 J. Barcroft 及 W. Cannon 氏等檢討了血液的溫度、酸度、CO_2、O_2、糖、水、Na、Ca 等等，指出了相那這所謂恒定並不是恒久的一定，健康體內是有相當寬廣的變動的，其調節機能在中樞神經的上部，中樞神經的異狀實使此所謂恒定越出生理範圍；換句話說，內環境的恒定是心理活動的條件，體液是受着這樣的調節而由心還心地循環的。

血液自哈維氏以來，只是泛泛地認爲不斷在全身流轉，所以概念上，循環血量是一定的。打破這一概念的也是 J. Barcroft 氏，他在 1923 年去秘魯的研究旅行中，測定自身中的全血量。當其在英國劍橋時是 4.4 升，而到了巴拿馬變爲 6.5 升，到了Callao 只有 4.2 升了，相差很大。於是懷抱必有個貯血庫的見解，歸國後實驗的結果，安靜時血液能瀦留在肝臟裏約 20%，脾臟裏約 16%，皮下血管叢裏10%；運動或出血時則輸入循環路中。於是知道全血量是循環血量與貯藏血量的總和。

以上是體液研究的既往推移，可以感到科學傳統是直接間接由人傳人的，不分國境，不關時代，傳給意想不到的人、意想不到的地方去的。福斯特（Foster）在「生理學的歷史」一書中的「哈唯氏和循環」一章裏有這樣一句話：

「科學中沒有一個人的研究成果是獨自創造的，都出於一些已存的東西，而已存的又從以前生存過的東西裏來。」

(In science no man's results are wholly his own, live other living things they come from something which lived before.)

前人所遺留給我們的一些資料和門徑是多麼可寶貴啊！

（大泉譯自體液循環の研究，1952.）

醫學史課程在我國醫學教育中的任務和一些有關的問題

程之範

一九五四年暑期舉行的全國醫學高等教育會議，制定了全國統一的教學計劃，規定醫學史爲高等醫學院校必修課程。這是我國醫學教育進行改革和全面學習蘇聯的具體表現，是值得重視的。

醫學史既是新設課程之一，它在醫學教育中究竟應起怎樣的作用，在一些醫學教育工作者甚或某些從事醫學史教學工作的同志中都還不是認識已很清楚的。現在，僅就講授醫學史的目的，醫學史的內容和範圍，以及我國目前講授醫學史課程中所存在的困難和應注意的問題，把我個人的一些體會，提出討論。

× × ×

醫學史的任務是要闡述整個醫學活動發展的規律，及其與社會發展的關係。

醫學是自然科學之一，是勞動人民多年來與疾病創傷作鬥爭的經驗的累積；包括醫學實踐，也包括醫學理論。醫學理論反映了一定的醫學規律，它隨着歷史時代和人們認識的進步而日益接近於醫學眞理。醫學史就是要描述醫學活動發展的規律，說明它與當時的社會經濟結構、社會意識形態和其他科學的發展情況及其關聯，並如何受這些因素的影響；說明它是如何繼承了綜合了歷年來各地區各民族勞動人民的醫療經驗發展而來，說明醫學實踐和醫學理論的關係如何辯證地發展着。我們學習醫學史，了解了這些醫學發展規律之後，主動地認識它並掌握它，更運用了它，則可以給今後的醫學發展找出方向，使以後的醫學達到更快速的發展。這是醫學史最重要的目的，也就是與以前研究醫學史和講授醫學史根本不同之點。

在我國講授醫學史是有其特殊的意義的。因爲我們是有幾千年文化的古國，千百萬的勞動人民創造了燦爛的文化。我們清理古代文化，剔除其糟粕，吸取其精華，是發展民族文化提高民族自信心的必要條件。我國的醫學是寶貴文化遺產之一，學習醫學史乃是學習、整理古代文化遺產的一部分重要的工作。通過醫學史的講授，可以培養學生愛國主義精神，使學生充分認識，在祖國過去的悠久歷史中，我們祖先向疾病鬥爭積累下來豐富的經驗，和這些經驗對世界醫學的貢獻。

近百年來，我國陷入半封建半殖民地的地位，西方醫學的傳入和新醫學教育的興起是與帝國主義文化侵略有密切關聯的。在解放前受過高等醫學教育的醫務工作者，不少人存在着崇拜資本主義國家的醫學而輕視或鄙視祖國醫學的心理。這種不正確的思想也多少影響了今日的醫學學生。解放以後，中國人民站起來了，這種半封建半殖民地所產生的思想意識，不應在新中國繼續存在。

五年來，黨和政府非常重視中西醫團結工作。但是中西醫團結工作在目前還沒有做到黨和政府所要求的。原因何在呢？我以爲，中西醫對彼此的歷史都了解不够，看問題缺乏歷史觀點，不能不說是原因之一。西醫和中醫是怎樣發展來的？西醫是怎樣傳來中國的？爲什麼沒有和中醫合流？我們知道，我國唐朝曾吸收過印度醫學，但在當時我國並未形成中醫和「印醫」；宋朝又曾吸收了阿拉伯的醫學，甚至今天我國「中藥」中還有許多是阿拉伯的藥物，也並未形成中醫和「回醫」。可是西醫在近百年傳入以後，則儼然地分爲中西醫兩個系統。這些問題，醫務工作者和醫校學生應從醫學史的學習中去了解。因此，醫學史的學習，對扭轉輕視祖國醫學遺產的錯誤思想，對中西醫團結工作是有着重要意義的。而且在講授我國醫學史中，由於重點地介紹祖國醫學中的經典著作，使學生對祖國醫學取得初步的了解，這對他們在畢業後從事醫學工作和整理或研究祖國醫學遺產，是極有幫助的。

講授醫學史還可以培養學生的醫學道德。因爲在講述醫學人物時，除了指出醫學家們在醫學上的貢獻外，還應指出他們的道德品質。

同時，更由於在醫學史的講授中敘述了醫學在發展上與其他科學的聯系，與社會制度的聯系，與思想意識狀態的聯系等等，從而使學生在知識上和一般文化上都能得到提高；使學生了解到任何科學都不是孤立的，醫學更不能例外。

× × ×

我國目前尙存在着兩種系統的醫學——中醫和西醫，爲了使學生更清楚地了解整個醫學的來源和發展而不割斷歷史，所以醫學史的內容也應當包括兩部分：外國醫學史部分和祖國醫學史部分。爲了達到前面所述的講授醫學史的目的，在目前情況下，外國醫學史部分，應充分描述醫學的發展規律。因爲這部分醫學史的研究較爲完善，又可參照蘇聯教材，可充分說明社會發展中所發生和醫學發展中所反映的階級鬥爭，說明醫學發展中唯物主義與唯心主義的鬥爭，辯證法和形而上學的鬥爭。例如在講授希臘醫學時，應指出希臘醫學發達的原因，及如何受哲學的影響，在文藝復興時期，應說明有革新精神的醫學家如何與舊勢力鬥爭終於得到了勝利。講到十九世紀以後的醫學時，應說明維爾嘯的細胞病理學，孟德爾、魏斯曼、毛爾根的遺傳學說是怎樣產生的，並應重點地批判這些不正確的醫學學說；同時對比地說明蘇聯的醫學爲什麼是先進的，以及巴甫洛夫學說的思想根源和社會背景等等。在祖國醫學史部分，則應當根據已經研究確定的結果，着重說明我國醫學偉大的成就。例如遠在公元前二千餘年我們祖先就首先應用了酒。早在公元前六世紀已經開始用「六氣不和」說代替了鬼神致病的解釋；切脉法，種痘法的發明及其對世界醫學的影響，歷代偉大的醫學家們如張仲景，王叔和，李時珍……等人的貢獻，當然也應指出產生這些成就的原因和時代背景。此外更應當說明我國近百年來醫學落後的原因，以及新中國成立後的醫學衛生方面的成就，並根據醫學發展規律指出今後新中國醫學發展的方向。

此外，更應明確醫學史課程的範圍。醫學史包括有醫學通史和專科史，在醫學史課程中所講授的應該是醫學通史，至於專科史則應在每一專業的專門課程中去講授。醫學通史與專科史既不可混爲一談而又有密切的聯繫，兩者共同構成了醫學史教育的整個系統。

× × ×

目前在我國醫學院校講授醫學史是有困難的。首先是書籍的缺乏，因爲過去在醫學院校中教師專攻醫學史或研究過醫學史的人很少，同時，還沒有一本較完整的醫學史書籍可作參考，無論本國史或外國史部分都缺乏參考書籍。在本國史部分，以前雖有一些著作，但這些著作不過是些材料的堆砌羅列，根本談不到什麽分析批判，即使是材料的搜集也還不够完善，甚或是彼此抄襲，史料的正確性也成問題。所以教授醫學史有必要要參考原始著作，做整理，研究的工作。在外國史部分，資本主義國家出版的醫學史書籍雖可參考，但大半材料持有反動立場，應批判地採用。我們絕不可用這些書籍來做課本，或者令學生參考，即使是教員或研究者參考，也應提高警惕，否則極易爲這種不正確的觀點模糊。

在講授醫學史時，應注意避免沒有靈魂的講授；不能只是事實的羅列，只說許多現象而不提到這些現象的本質。講授醫學史當然也要與普通歷史相聯系，和當時社會背景相聯系。醫學思想又與哲學有密切的關係，因之應與哲學史相聯系，在說明這種聯系時，要着重闡明彼此間相互影響和因果關係。

同時，也要注意不能只抽象的教給學生一些空洞的理論和教條，而忽略了重要的醫學事實；或者使醫學史變成了思想史。用生動有趣的方式按照年代的次序講述最重要的事實以及歷史人物的特點的方法，也是在醫學史講授中適用的。

要達到正確地講授醫學史的目的，對醫學史教員的要求也是較嚴格的。醫學史旣包括了外國和中國兩個部分，所以醫史教員必須具有西醫和中醫的理論知識；又因爲是要講述醫學的發展方向和批判錯誤的醫學學說，所以又須具有現代的醫學水平。例如如果不了解巴甫洛夫醫學學說，就無法眞正地深刻地批判維爾嘯的細胞學說，更無從指出醫學的發展方向了。即使在祖國醫學中，如果不了解現代醫學，也就不能在其中「去粗取精」。有人以爲醫學史是講以前的、古人的事，似乎用不着最新的醫學知識，那是大錯特錯的。又因醫學史要與當時社會經濟等情況相聯系，所以更要有通史的知識；又要與哲學思想相聯系，所以要有哲學史的知識。目前這樣的醫學史教員還是很缺乏的，但以後若要培養新的醫學史教員則必須以此爲標準。在解放以前，個別舊的醫學院校中也有醫學史課程的設立，但是醫學史課程的內容不過是一些事實羅列或故事性的叙述，最多是些煩瑣的考據，當然更提不到用辯證唯物論和歷史唯物論的分析和批判了。過去，醫史課程不爲一般人所重視，即使有此課程的學校，也很少有專門教授醫學史的教員，多是由其他課程教員兼任，作爲一種點綴而已。但是，今日我們講授醫學史的目的完全不同了，首先要扭轉以前那樣不重視和不正確的看法，對教員的培養要有一定要求，否則寧可暫缺勿濫。因爲醫學史已是一門獨立科學，是一種醫學思想領導的課程，必須要有一定修養的教員才能勝任，如仍像以前那樣由別的教員兼任「順手講講」，我以爲是不妥當的。

至於根據目前的一些醫史材料，是否能够和是否應當在醫學院校開設此課程呢？我以爲仍是可以的。雖然我們目前從事於專門醫學史研究的人還少，材料的掌握，尤其是本國醫史的材料還不够豐富，甚或有許多問題沒有得到結論，但是只要講授人有了一定的基礎，並根據以上醫學史講授目的，正確地運用了馬克思列寧主義的原則，則醫學史課程的講授仍是十分必要的。正如中國通史中也有許多問題沒有結論，如分期問題，但並未因之而不講授中國歷史。醫學史知識只有在普及之後，才能進一步提高。現在研究醫學史的人少、材料少，正是因爲對醫學史正確地認識的人還少，醫學史課程在醫學教育中還沒有得到應有的重視的緣故。所以它的提高和普及，研究和教學之間，不但不相矛盾，而且是相輔相成不可分割的。

醫學史課程是高等醫學教育中不可少的一門課程。雖然它現在還是很幼小、很不健全的一門課程，但我們一定要充實它和發展它。

（轉載1955年3月17日光明日報）

關於醫學起源的問題

馬　堪　温

資產階級的學者，歷來對醫學的起源抱着唯心的觀點，認爲醫學從其開始產生便與宗教和巫術有不可分的關係，企圖曲解醫學的眞正起源和發展。而這種有害觀點，至今還較普遍地存在着。譬如雷海宗教授寫的「我對祖國醫學遺產的認識」一文中，就有這樣的話：「由歷史發展上看，無論中外，所有的醫學都出於巫術」。（光明日報 1954 年 11 月 20日）自從去年全國醫學高等教育會議把醫學史列爲必修課後，各高等醫學院校都在準備開始醫學史的講授。因此，我覺得有必要對醫學起源的問題提出討論。下面是我的一些粗淺的看法。

從歷史唯物論的觀點看來，一切科學的產生都來自人類的社會實踐和物質生產的需要。醫學也是如此。由於勞動生產的需要，要求人們和疾病作鬥爭，要求了解患病的原因，醫學才得以出現。

恩格斯說勞動「是整個人類生活的第一個基本條件，而且達到這樣的程度，以致我們在某種意義上必須說：勞動創造了人類本身。」（恩格斯，自然辯證法，137 頁曹葆華譯）。因此原始人類的「第一個歷史任務，便是物質生活的創造。」（馬克思、恩格斯選集，卷四，18頁）。原始人類在物質生活的創造過程中，從生活經驗的積累中，漸漸產生了純靠經驗的早期醫學。如穿着衣物，修築住所以防禦惡劣的氣候，而使簡陋的衛生學開始萌芽；在尋找食物中，由於誤食有害植物，常發生中毒，因而發現和採用了多種植物性藥物（如催吐和下瀉藥）；隨着狩獵的發展，出現了動物藥（如脂肪、血、內臟）；更由於狩獵和氏族之間的衝突，常有外傷，簡單的救助便隨之發生。所以偉大的生理學家巴甫洛夫說：「從有了人的出現，就有了醫生的活動。」（巴甫洛夫選集，卷二，246 頁）。

以上這些原始人類的醫療活動和藥物知識的起源，顯然開頭並不與宗教和巫術有關，而是與人類的生活條件，生存的維持，以及「物質生活的創造」有關。隨着人類物質生產活動的改變，這些知識就逐漸地積累和發展起來。

當然，醫學的發展並不是像一條溪水那樣平順地前進，而是從鬥爭中發展起來的。醫學的發展是與社會政治經濟以及一般文化有關，與人們的世界觀有關。醫學本身雖沒有階級性，但階級對於醫學並不是漠不關心。不可否認，在醫學的發展中，曾有一個時期受了宗教和巫術觀念的影響。這主要是由於勞動人民所積累的醫學知識曾爲巫覡與祭司所攫取、所利用的原故。在原始社會，由於人類對自然控制不够，就相信自然力量，相信靈魂和神，從最初的拜物教、靈魂說，發展成爲宗教的形式。而從宗教開始產生起，醫學就受了它的影響。特別是在原始公社制瓦解，奴隸佔有制的階級社會開始的時候，宗教的統治力量加强，專門從事宗教活動的巫覡和祭司就以能和鬼神交通的姿態出現。他們把從勞動人民那裏攫取的治療方法和藥物知識，加上一系列驅鬼求神的魔術形式，給疾病的概念加上了鬼遣神罰的解釋，因而把素樸的醫藥知識神秘化起來。

但是，只有那些在保存生命和保存種族上有用、客觀上有效的醫藥知識才能存在和發展。儘管在醫學發展中摻入了宗教巫術，也不能阻止人民由生活經驗中積累起來的醫藥知識的進展。民間的有效藥物及療法（如外敷藥，內服藥，推拿術，針灸等）仍然繼續保存着，不斷地與驅鬼求神的治病方法相鬥爭，不斷地擺脫開宗教巫術的羈絆，並戰勝了它，一代一代地傳遞，豐富和發展，非宗教式的民間醫生也仍然存在着。譬如埃及的斯密司紙草文（約公元前20世紀前後）就記載當時有不受魔術藥方拘束的藥物和手術療法；埃及另外一種叫做愛柏氏紙草文（公元前16世紀）記載當時曾有普通醫生和巫醫兩種。描述希臘氏族社會的荷馬史詩「伊里亞特」中，記載當時存在有精於手術的民間醫生和以魔術治療的巫醫，並記載着前者顯然佔優勢。羅馬最初的醫生是奴隸，不是巫覡和祭司。至於我們祖國的古代醫學，在遠古時代便已積有相當多的醫藥經驗。例如〖伏羲製九鍼〗的傳說，表示我們的祖先在很古的時候已能製造和使用簡單的醫療器械；〖神農嘗百草，一日遇七十毒〗的傳說，正是勞動人民在尋找食物過程中發現藥物的明證；甲骨文記載殷商時期（公元前13世紀）已知道耳、目、舌、齒、首等的疾病；尚書記載〖若藥弗瞑眩，厥疾弗瘳〗，是熟悉藥物的證明。周禮記有各種傳染病，如瘠疥、瘧寒等。黃帝內經素問異法方宜論記載砭石從東方來，毒藥從西方來，灸焫從北方來，九鍼從南方來，導引按蹻從中央來，不僅說明這些醫藥療法是生活環境的產物，而且是古代各地醫藥經驗的積累。禮記所載〖醫不三世，不服其藥〗，正是重視經驗的證據。春秋戰國時候不僅醫藥經驗更加豐富，而且已經顯著地戰勝和鄙視巫醫了。例如發明切脈診病的名醫扁鵲在他的〖六不治〗中，便有〖信巫不信醫〗不可治一項，這是很明顯的證據。

總起來講，關於醫學起源的問題，可以得出這樣的結論：

一、儘管世界各民族的醫學具體發展情況不同，然而醫學總是人類根據和疾病做鬥爭所積累的經驗，經過長期的實踐而發展起來的。醫學開頭並不與宗教和巫術有不可分的關係，而是與人類〖物質生活之創造〗相聯繫的。一切民族最古代的醫學，其主要特徵並不是宗教和巫術。

二、在醫學的發展中，曾有一個時期摻雜了宗教和巫術觀念，但真正有效的醫藥知識不但不出於宗教和巫術，並且自古以來，一直與之鬥爭；醫藥知識正是與求神驅鬼的治療方法鬥爭中發展起來的。如果說醫學從一開始就與宗教和巫術有不可分的關係，或起源於它們，便抹殺了勞動在人類文化創造中的作用和意義，便模糊了醫學和宗教巫術的眞正歷史關係。

（轉載1955年3月22日光明日報）

悼念寄生蟲學家洪式閭教授

浙江醫學院微生物學教授　屠寳琦

洪式閭教授被高血壓症奪去了珍貴的生命，與世長辭了！我懷着沉重的心情悼念他。

洪式閭教授是浙江樂淸人。1917年畢業於前北京醫學專門學校，曾留學德國。回國後，任前北京醫學專門學校教授，前北京醫科大學校長，前浙江省政務委員會直轄廣濟醫院院務委員會主任，私立熱帶病研究所所長，前南通學院寄生蟲學教授兼醫科主任，前江蘇醫學院寄生蟲研究所主任等職務。

解放以後，他被選爲全國人民代表大會代表，並担任浙江省人民委員會委員，浙江省衛生廳廳長，浙江醫學院院長，浙江衛生實驗院院長，中央衛生研究院華東分院院長等職。

他一生的經歷，說明他是一位熱愛醫學教育和科學研究工作的人，他在自己的工作崗位上，三十八年如一日，孜孜不倦，未嘗稍懈。他原學病理學，也從事過病理教學工作；後又轉學寄生蟲學。當時，有些科學家認爲研究流行很廣的寄生蟲病是徒費勞力。但他認識到研究寄生蟲病正是解除爲害最大的地方病的重要關鍵。因此，他仍然不顧任何困難，堅持關於寄生蟲的研究工作。

由於他有實事求是的科學態度，刻苦鑽研的精神，他在寄生蟲學方面作出了卓越的貢獻。他著有醫學科學書籍十種，在國內外著名雜誌上發表的主要學術論文有45種，其中「病理學總論」和「病理學各論」兩書是國內最早的也是當時完整的病理學專著。他發明的基礎膜染色法、鉤蟲卵定量法（即是現在所通用的「洪氏鉤蟲卵測量法」），至今仍爲世界各國所採用。在蟲體學方面，由於他親自到薑片蟲病流行區（浙江省山湘湖）反覆調查研究，否定了薑片蟲病有許多種的錯誤論點。他並於1929年應日本九州醫學會之聘，出席該會演講「關於薑片蟲的研究」。解放後，1950年他代表我國醫學科學界出席捷克斯洛伐克第六屆微生物學會議，宣讀了他的一篇寄生蟲學方面的論文。他所支持的浙江衛生實驗院，貫徹了預防同治療相結合的研究方針，作出了很大貢獻，前來參觀的國內外著名專家，無不稱讚其研究方向的正確和實事求是的科學態度。

他之成爲我國著名的寄生蟲學家，並享有一定的國際聲譽，是同他的艱苦勞動分不開的，是同他的敢於向各種困難作鬥爭以及同他的堅忍不拔、孜孜不倦的學習精神分不開的，更重要的是同他的正確的研究方向、實事求是的科學態度分不開的。

洪式閭教授熱愛祖國。在第一次國內革命戰爭期間，他站在自己的崗位上，積極地參加了反對帝國主義的鬥爭。在接收英帝國主義所辦的中華聖公會廣濟醫院的過程中，他曾設法搜集前廣濟醫院院長英人梅籐更的侵犯我國主權和壓迫杭州人民的史實，隨時刊印，教育羣衆認識帝國主義的面目。湯爾和係前北京醫學專門學校校長，是他的老師，但他聽到湯爾和背叛祖國投靠日寇的消息後，即毅然斷絕師生關係。1937年抗日戰爭爆發，他激於愛國熱情，决心參加抗戰，組織南通學院醫科師生成立重傷醫院，救護抗日將士。

洪式閭教授一貫過着艱苦樸素的生活，特别在抗戰期間，有時一天僅吃兩粥一飯，但他還要省下錢來救濟貧困青年。他待人謙遜誠懇，和藹可親，對青年一代教誨不倦，眞正是培養後起不遺餘力。如彭巨名過去在四川北碚江蘇醫學院寄生蟲學科當工人，由於洪式閭教授的諄諄教誨，現在已成爲浙江衛生實驗院的技師。

解放以後，如洪式閭教授自己所說的，他聽到了未曾聽到的話，見到了未曾見到過的事。毛主席在中國人民政治協商會議第一屆全體會議上的開幕詞：「佔人類總數四分之一的中國人從此站立起來了。」「中國人被人認爲不文明的時代已經過去了，我們將以一個具有高度文化的民族出現於世界」，深深地打動了他的心坎。他時常說：「跟共產黨走，聽毛主席的話。」這句話已成了他的箴言。在歷次政治運動和社會改革中，他都積極響應黨和政府的號召，起帶頭作用，他的認識因而不斷提高。1954年8月，他光榮地參加了共產黨。我記得他在入黨的儀式上講的話：「我現在還只有60來歲，還能爲黨工作30年……」黨給了他以新的生命力，他誓願竭全力爲共產主義奮鬥到底。他入黨的時候，振奮了年老的教授，也振奮了年青的學生。他的入黨給我們樹立了榜樣，我們都爲他的入黨祝賀。科學界的老戰士參加光榮的偉大的共產黨的戰鬥行列，我們也引以自豪。逝世前，他還在孜孜不倦地學習辯證唯物主義，批判思想上所存在的資產階級唯心主義，從而更好地掌握巴甫洛夫的醫學思想，來指導教學工作。他常說：要再活30年，爲社會主義建設盡一份力量；所以課間操他從不間斷。不幸他正在主持浙江肺吸蟲病治療學術研究座談會中，高血壓症奪去他的生命，這是科學界的損失，也是黨的損失，我校全體師生員工莫不同聲悲痛和哀悼。

洪式閭教授爲醫學教育和科學研究工作付出一生的勞動。我們要堅決繼承他的遺志，學習他的精神，在黨的領導下團結全體師生員工搞好教學，以實際行動來悼念他。

（轉載人民日報1955年5月10日）

全國衞生科學研究委員會會議

全國衞生科學研究委員會第一屆第四次會議於2月12日在京召開，出席這次會議的有該會委員以及被邀列席的醫學科學專家共64人。會議進行了七天，於19日下午閉幕。

這次會議審訂了1955年的醫學科學研究計劃，決定以工業衞生、中醫中藥以及對人民危害最大的傳染病和寄生蟲病作爲研究的重點。參加會議的人員展開了批評和自我批評，許多人初步批判了過去輕視和歧視中醫的錯誤觀點。

中央衞生部部長李德全在開幕詞中說：實現國家過渡時期的總路線總任務是全國一致奮鬥的目標，醫學科學工作者也應該圍繞這一中心，根據國家的計劃，訂出自己的研究計劃，並努力使其實現。過去衞生科學研究工作中所存在的缺點，首先是缺乏統一的計劃，衞生科學研究工作沒有和國家的建設工作結合起來，因此，一些研究工作，往往脫離了實際。不能適應國家的需要；其次是領導思想薄弱，醫學科學工作人員間沒有很好地展開批評與自我批評。這些，都阻碍了研究工作的進展。一定要克服這些缺點，使衞生科學研究工作向前推進一步。

賀誠副部長作了「關於當前醫學科學研究工作的任務」的報告。賀誠副部長在報告中指出：醫學科學研究工作必須體現爲國家過渡時期總任務服務的精神。必須以提高人民的健康水平，減少疾病作爲它的研究方向。因此，一切危害勞動人民健康的環境、工作條件、多發病、職業病、傳染病、地方病等都是擺在我們面前必須解決的問題，但由於我們主觀力量的不足，就必須有重點、有步驟、有計劃地分別輕重緩急來安排我們的研究工作。發展工業，是第一個五年經濟建設的首要任務，爲了保證這一任務勝利完成，我們就應着重研究降溫、防塵、防潮，減少有害氣體與化學毒物，以預防多發病和職業病。同時研究這些病的發病原因，早期診斷和治療方法。此外我們還必須研究與提高工人健康水平有關的勞動生理和營養問題。發展農業是保證國家的社會主義工業化和不斷提高人民生活水平的重要條件，爲了提高農民的健康水平，我們就必須重視影響農民健康的傳染病，寄生蟲病，及地方病等的研究工作。此外，關於國民營養，化學藥物，生物製品，基礎醫學與臨床醫學等，均應根據可能，結合國家建設的需要，進行重點的研究。

在賀誠副部長報告中，對學習祖國醫學和學習蘇聯，以作好我國醫學研究工作問題，也作了重要的指示。賀副部長說：對祖國寶貴的遺產的忽視、輕視是與人民的保健利益不相容的。這種情況必須改變。中西醫務人員必須共同合作，來整理和發揚祖國的醫學遺產，有條件的醫學教育與醫療預防機構，對祖國醫學應盡可能地進行學習，整理與研究。同時，必須認眞地學習蘇聯。對各種不重視學習蘇聯先進經驗的保守思想和非辯證唯物主義的觀點，必須進行批判。

蘇聯專家波爾德烈夫教授、那多斯卡維奇教授、哥烈克教授，向出席人員作了「組織有計劃的科學研究工作方面的幾個基本情况」「在高等醫學院校組織科學研究的幾個問題」以及「有關進行科學研究工作的方法」等報告。

出席會議的人員，分組討論了賀副部長和蘇聯專家的報告，並審查了全國各醫學科學研究機構及各醫學院校的研究題目。最後，由賀副部長作了總結。

（轉載二月二十一日「光明日報」）

全國衛生防疫會議

中華人民共和國衛生部於3月10日至23日在北京召開了第二屆全國衛生防疫會議。出席會議的有29個省、市衛生行政部門負責人，流行病學專家、教授和中醫代表共175人。中蘇技術合作蘇聯醫學代表團團長巴斯杜霍夫教授和全體團員也參加了大會。

會議在總結過去經驗的基礎上，着重討論了今後衛生防疫工作的方針任務、衛生工作如何貫徹羣衆路線、整頓衛生防疫機構、開展衛生監督工作等問題。

會議確定今後衛生防疫工作的方針是「加强領導，深入宣傳，依靠羣衆，大力貫徹預防爲主，進一步控制急性傳染病，重點防治多發病，爲工農業生產服務。」根據這個方針，各級衛生防疫部門應整頓組織，提高衛生防疫工作質量，開展衛生監督工作，進一步改善人民衛生狀况。今後除繼續積極防治鼠疫、天花、霍亂等烈性傳染病，鞏固既得成績外，必須結合當地情况，把防治痢疾、麻疹、流行性乙型腦炎和對農村危害最大的血吸蟲病、瘧疾、黑熱病和鈎蟲病作爲中心任務。

會議認爲：幾年來的經驗證明，開展羣衆性愛國衛生運動是改善人民衛生狀况，減少各種傳染病的有效辦法，今後仍應大力開展愛國衛生運動，並應根據不同情况提出不同要求。在城市應加强對交通要道、飲食行業和公共娛樂場所清潔衛生的管理，並注意建立與健全街道責任地段制，以及做好機關學校的衛生工作；廠礦工地應着重改善工人作業環境和安全衛生；在農村以農業生產合作社爲重點，結合生產，有計劃地改善農村衛生。

會議討論了加强衛生防疫站工作的問題，進一步明確衛生防疫站是在當地衛生行政部門領導下，開展衛生防疫工作的業務機構。衛生防疫站今後的主要任務是：進行流行病的調查研究；對工業生產開展勞動衛生、職業病、多發病的調查研究和衛生檢驗工作；大力開展衛生宣傳教育；結合實際進行科學調查研究，提高技術質量。

根據目前國家大規模經濟建設的需要，會議認爲：今後要積極開展衛生監督工作，首先從城市規劃和廠礦的基本建設做起。

大會還討論了中醫在防疫工作中的作用問題。認爲過去幾年中醫在防疫工作中起了很大作用，今後各地在防疫工作中應很好地組織中醫的力量。對中醫在防治傳染病方面的經驗應加以學習、研究和推廣。

（轉載三月二十六日「光明日報」）

中華醫學會北京分會醫史學會

1955 年 3 月 6 日上午九時在中華醫學會總會會議室舉行第一次學術演講會。到會 17 人。由謝恩增講「西醫傳入中國瑣談」。程之範講「醫學史課程在我國醫學教育中的任務和一些有關問題」。趙樹屏因病請假。

1955 年 5 月 11 日下午七時在中華醫學會總會會議室舉行第二次學術演講會。到會的有會員及非會員 26 人。主講人原定爲趙樹屏和李濤二人，趙樹屏因病未能出席。

李濤講「明代的臨床醫學」，主要介紹了明代在內科方面的成就。

演講後由魯德馨主任委員傳達北京分會本年底舉行年會的通知。並推定下次由馬繼興，講「宋代的大本草學家唐愼微先生和他的證類本草」，趙樹屏講「由太醫院看到宮庭的黑暗」。九時散會。

*　　*　　*

中華醫學會上海分會醫史學會

1955 年 2 月 18 日下午七時半舉行第二次委員會議。出席：王吉民、龐京周、丁濟民、范行準（王代）。

報告：自第一次全委會推定正副委員侯祥川、龐京周（兼秘書）、丁濟民及會計章次公，並決定本年工作計劃以後，各委員及會員姜春華、王玉潤等分別參加了醫務工會技術交流展覽會醫史部分的籌備及上海市中國醫藥學術研究委員會醫史研究和文獻鑒編組的工作。

討論：

1. 對於學習蘇聯先進經驗，研究寫作方法和參考資料問題。決定先將一部分書籍名稱通函介紹給各會員。

2、 對於加强對醫史雜誌寫稿問題及解放日報經由中華醫學會滬分會向各分科學會會員徵稿問題。決定再行通函各會員請多寫有關疾病史論文及通俗化短文。

3. 關於加强中西醫團結工作，決定除參加當前展開的中醫工作各項活動外，應另遵總會最近指示吸收中醫師參加中華醫學會爲會員並轉入本分科學會。

4. 關於進行編纂工作，決定請王吉民先生繼續編製論文索引，至擬編世界醫學史及中國醫學史中的大事紀須俟多數會員集合時再加商討。

5. 中華醫學會滬分會囑催作出本年內學術演講計劃及其預算，決定本年內由本會與滬分會合併舉行較大規模之演講二次，本會內部另舉行座談會及學術演講四次，首兩次座談會題目：「中國醫學史的研究方法」的提綱待擬。

6. 關於本會今年度請領補助費預算問題。決定參考上年實況造表。

*　　*　　*

1955 年 3 月 6 日下午四時舉行第三次委員會議。出席：侯祥川、龐京周、王吉民、丁濟民、范行準。

報告：上次委員會決定和進行狀況，參加中華醫學會會員組，並對吸收中醫入會討論經過。報告各會員最近二月來各會員參加學術演講及其他學術活動情況（龐、丁報告）。傳達北京總會暨醫史雜誌編委會一切活動及決議，並報告北京會員李濤將於本年內來滬作多次演講等項（侯報告）。

討論：

1. 關於豐富醫史雜誌稿件，密切聯系京滬編委工作及如何發掘寫作力量問題，決定（甲）再次通函各會員請努力寫作。（乙）吸收新會員入會以增强力量。（丙）稿件請先送滬編委審査。

2. 關於本會會員參加其他同樣性質的學術活動後不能兼顧本會工作需要的問題。決定嗣後凡會員參加其他學術研究活動如演講或投稿其他刊物等可報告本會以資記錄，並可了解會員們時間力量的支配。

3. 如何安排本年度演講會與各項座談會問題。決定在四月中旬先開始「中國醫學史的研究方法」座談會。提綱推王吉民，龐京周兩委員草擬，於三月底前先行分發各會員作準備。

4. 關於李濤會員來滬演講應如何與本會工作配合問題。決定由中華醫學會滬分會學術組統籌。

中華醫史雜誌

（季　刊）

一九五五年　第二號

（第七卷　第二期）

每季第三月二十八日出版

·編輯者·

中華醫學會醫史學會

中華醫史雜誌編輯委員會

北京東單三條四號

·出版者·

人民衛生出版社

北京崇文區緞子胡同36號

·總發行·

郵電部北京郵局

訂閱批銷處：全國各地郵電局、所

零售代訂處：各地新華書店

·印刷者·

北京市印刷二廠

佟麟閣路七十一號

本期印數 4.009 册

1955 年 6 月 28 日出版

每册定價五角

（國外道林紙本由國際書店發行，每期定價一元）

1953 1954 年各種期刊合訂本

出版預告

中華衛生雜誌	1953 1954 年合訂本	1953年1—2號 1954年1—6號	定價 4.00 元
中華婦産科雜誌	1953 1954 年合訂本	1953年1—4號 1954年1—4號	〃 4.00 元
中華放射學雜誌	1953 1954 年合訂本	1953年1—2號 1954年1—4號	〃 3.60 元
中華結核病科雜誌	1953 1954 年合訂本	1953年1—2號 1954年1—4號	〃 3.00 元
中華口腔科雜誌	1953 1954 年合訂本	1953年1—2號 1954年1—4號	〃 3.00 元
中華耳鼻咽喉科雜誌	1953 1954 年合訂本	1953年1—2號 1954年1—4號	〃 3.00 元
中華皮膚科雜誌	1953 1954 年合訂本	1953年1號 1954年1—4號	〃 3.00 元
中華醫學雜誌	1954年合訂本	1954年1—12號	〃 6.00 元
中華內科雜誌	1954年合訂本	1954年1—6號	〃 3.00 元
中華外科雜誌	1954年合訂本	1954年1—6號	〃 3.00 元
中華眼科雜誌	1954年合訂本	1954年1—6號	〃 3.60 元
中華兒科雜誌	1954年合訂本	1954年1—4號	〃 2.00 元
中華醫史雜誌	1954年合訂本	1954年1—4號	〃 2.00 元
中級醫刊	1954年合訂本	1954年1—12號	〃 3.60 元

紙面精裝　九月底出書

人民衛生出版社出版　新華書店發行

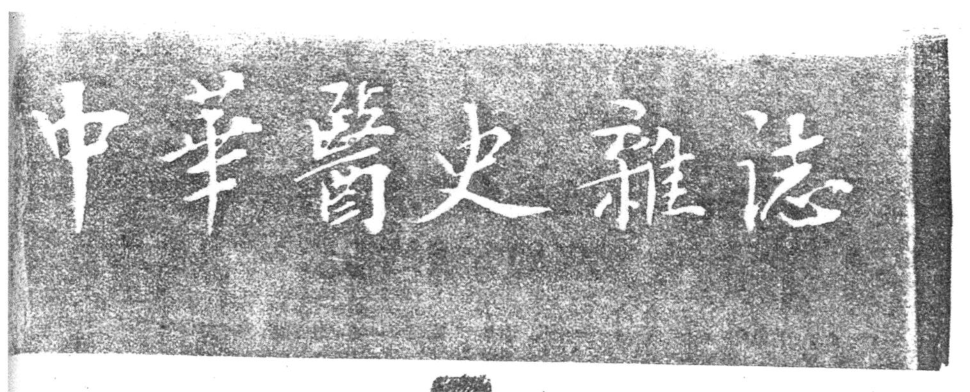

一九五五年 第三號

（第七卷 第三期）

九月二十八日出版

中華醫學會醫史學會主編　人民衛生出版社出版

·白页·

中華醫學會總會爲加强學習中醫給各地分會的指示

去年七月中央再次指示加强中醫工作後，本會一年來在推動西醫學習中醫方面已有進步，這是執行黨的指示的具體表現。但是仍有不少的分會還未積極開展這一工作，廣大會員學習中醫的迫切要求得不到解决，因此，努力作好五五年下半年關於學習中醫的工作，是很重要的任務。

一、本會四十一個分會現祇四個分會成立了中西醫學術交流委員會。十二個分會的工作總結中沒有提到中醫工作。我們認爲有條件的分會都應該積極籌備成立中西醫學術交流委員會、使在分會領導下有專門機構籌劃這一工作，條件上不能成立委員會的分會也應指定專人籌劃與推動這一工作。

二、吸收中醫入會問題：四十一個分會中已有廿一個分會吸收了中醫入會共196名，這對中西醫團結和西醫學習中醫的工作將有很大幫助，其他分會應即進行這一工作，爭取本年內發展的新會員中能有中醫入會。

三、不少分會及分科學會先後舉辦了祖國醫學講座，請中醫或西醫報告座談，使西醫得到學習中醫理論與臨床工作中的經驗，今後凡有條件的分會應把這一工作訂爲制度，作到經常化。

四、總會聯合北京中醫學會和北京市公共衛生局舉辦西醫學習中醫的學習班，系統地學習中醫經典著作。原計劃是學習傷寒論，因初學比較困難，故現已决定先學［醫學心悟］（程國彭編著，人民衛生出版社影印，新華書店發行）。由北京中醫學會組織七名中醫組成教研組，並請名中醫爲顧問，集體備課，一人主講，已講一次，都反映講得好。學員是醫科畢業有兩年臨床經驗的西醫。不少醫學院、醫院的專家教授參加，開課的那一天，傅連暲理事長也出席講了話，情緒很高。（參看七月十五日光明日報，健康報、十六日北京日報）。有條件的分會均應仿照組織這種學習班，以適應廣大西醫學習中醫有系統地讀中醫書的要求。

爲加强中西醫的團結與學術交流，今後學術活動均應請適當中醫參加，經常鼓勵會員向中醫學習，並將工作經常化和持久化。

各分會接此指示後，希組織一次討論，並將意見與辦法報告總會。

一九五五年七月廿二日

西醫學習中醫的學習班第一班開學

爲着響應黨和毛主席的指示，西醫學習中醫，發揚祖國醫學遺產，總會與北京中醫學會，北京市公共衛生局聯合舉辦的中醫學習班，於7月13日下午七時半舉行開學儀式，並開始第一講。

這次的講座是有系統地由淺而深地講解中醫典籍，以幫助西醫學習中醫。北京中醫學會組織了教研組，聘請名中醫作顧問，集體研究講解內容，然後再講。這次先講［醫學心悟］，分24講，每月講二次，在講解內容告一段落時，則要求學員寫學習心得。

正式參加此次學習的有北京各醫院有臨床工作經驗兩年以上的西醫共261名，超過原定名額61名。中華醫學會副理事長方石珊，醫學科學研究委員會副秘書長張查理、人民衛生出版社社長徐誦明、北京醫院副院長計蘇華、中國協和醫學院內科主任教授張孝騫等以及部分北京市立醫院院長、副院長和科主任等也參加了這一學習。

中華人民共和國衛生部副部長、總會理事長傅連暲到會講了話。他指出：西醫學習中醫是很光榮的政治任務，也是開展科學研究工作和提高醫療水平的要求。同時，他認爲：發揚祖國醫學遺產的艱巨任務，只有通過中、西醫的長期合作，才能逐步完成。因此，他希望大家要努力學習中醫，放下架子，老老實實的做學生，要克服困難，下决心學下去，才能學好。

對「余雲岫先生傳略和年譜」的意見

俞維艮

中華醫史雜誌1954年第二號，載有「余雲岫先生傳略和年譜」一文，刊出之後，引起了宋向元同志的反響，提出了他的一些意見，這意見雖未被編者所發表，但根據中華醫史雜誌1955年第一號「編者的話」中，頗透露出讀者們對此文有相反的意見。編者說：「希望大家對這些問題，踴躍提出意見，這樣庶可對余雲岫先生，作出比較恰當的評價。」我個人對於余雲岫所謂「醫學革命」和他的政治意識，認爲確有重行評價的必要。

這一篇傳記和年譜，是由中華醫學會上海分會醫史學會署名，但是從文字的內容觀察，實際的執筆人，很有可能是龐京周等這一小集團中人所作。這一小集團和當時的西醫汪企張等，從1927年以來，一貫是以摧毀祖國的醫學文化遺產爲唯一的目的。而余雲岫便是這一小集團的領導人物。這一篇傳記和年譜的主要目標，是在掩飾余雲岫毒害祖國醫學遺產的罪惡，也就是想模糊大家對余雲岫的觀念；因而逃避了他們這一集團所應負的罪責。所以對這一小集團的罪惡行爲，不能不及時加以揭發。

余雲岫著書無幾，而字字不離詆清中醫。解放之後，毛主席明確地指出：「團結新老中西各部分醫學衛生工作人員，組成鞏固的統一戰線，爲開展偉大的人民衛生工作而奮鬥。」而余雲岫在「醫學革命論初集」三版跋文中，還要堅持他的錯誤。跋文說：「不意一班舊醫，仍本其一貫反科學立場，猶圖最後掙扎，竟借早年老解放區，於進行解放戰爭中，在某一條件之下，曾有一度中西合作，統一戰線之號召，現在舊醫即據此爲教條，大肆鼓吹，歪曲事實，抑知此一號召係指人事上之合作，而非學術上之匯通。因正式新醫缺乏，故須團結合作爲人民服務。如曲解爲舊醫理論與新醫學術之溝通，等於唯心主義與唯物主義統一合作，甯非滑稽耶。」

回顧1927年前後，當時社會的醫藥情況，中醫尙有深度的羣衆基礎。病家非到病情危急，諸醫束手，很少肯請西醫診治，因此開業西醫，經濟情況頗爲拮据。正如余雲岫的好友汪企張所說：「新醫做十年以上，而居積至三萬五萬的能有幾人，反之舊醫擁有造孽錢十萬百萬，起大厦，設藥肆，開典當，做地產的，就上海一部而論，已不在少數。」（見汪企張著二十年來中國醫事芻議第221頁）基於這種卑劣的資產階級經濟觀點，由妬生恨，煽動西醫，與中醫對立，製造分裂，鬧不團結，進而產生了消滅中醫的歪曲論據。想把這十萬百萬的横財，從中醫手中奪取過來。開始不過對個別中醫的攻擊，接着向整個中醫進攻，更進而摧殘到祖國的寶貴的文化的醫學遺產上來了。這種無耻的行動，就是年譜和傳記中所讚美的「醫學革命」。

在這種醫學革命中，余雲岫片面地誇大了西醫的長處，抹煞了數千年來，祖國勞動人民所創造和積累起來的醫藥經驗。「革命」是可尊敬的事業，革命是爲人民增進福利的鬥爭。余雲岫爲了私利而冒上了革命。這是損害了革命，侮辱了革命，而這樣的革命，却在傳記和年譜中，予以讚美，予以極高的評價，這是異常地不恰當。

余雲岫既立下取消中醫的志願，他用「擒賊先擒王，射人先射馬」的方法，第一砲就先攻打中國第一部醫籍「內經」。「內經」是祖國秦漢時代，勞動人民的集體創作，它總結着二千年以前祖國的醫學成就。這是一部鉅著，包括着「素問」和「靈樞」兩部分。「素問」是叙述一般性的醫學理論，「靈樞」是一部最古老的鍼灸醫療學。這兩書不但被中醫奉爲經典之作，在一般古代典籍中，也被重視爲重要文化遺產之一。余雲岫竟爲一己的私利，撰了一部「靈素商兌」。蜀犬吠日似地，狂妄攻擊，將這樣一部重要典籍，不加批判，全部予以抹煞，說是「落後」說是「不科學」。民族的文化遺產，因限於當時產生的年代，形式上的落後是不可避免的，正確的態度該是批判吸收，而不該是主觀抹煞。即就所謂科學而論，余雲岫所稱的科學是魏爾嘯氏的，以細胞病理學立論的僞科學，站在機械唯物論的謬誤基礎上的，而不是馬克斯主義的唯物辯證論的科學。在已故的余雲岫，也許沒有機會去研究巴甫洛夫理論。所以遽然說出「內經」是不科學的看法。在一個處在大都市如上海的，上海醫史學會這樣的單位，也盲目地讚美「靈素商兌」，無視祖國的重要醫學典籍，這種不可容忍的錯誤，是該加以檢討的。

余雲岫的摧毀祖國醫學，雖然自稱如摧枯拉朽，所向無敵，但是瞞不過羣衆雪亮的眼睛，他的「靈素商兌」，他的「社會醫報」，沒有起到取消中醫的作用。因此他發動了另一毒計，採用帝國主義利用亞洲人打亞洲人的方法，指使了宋大仁，葉勁秋等人，組織了一個「中西醫學研究社」，僞裝成中醫的立場，來打擊中醫。宋大仁在余雲岫所著「醫學革命初集」三版跋文中，曾自白他的陰謀說：「由於鬥爭之開展，醫學革命之陣營，日益廣大而鞏固。予因糾合同志，於1935年，倡組中西醫學研究社，以醫學革命與醫史研究，爲唯一任務。刊布文字，揭發舊醫思想之落伍，與理論之虛妄。」突出的個別中醫如葉勁秋，就在解放之後，還在余雲岫指使宋大仁所主持的「改造中醫座談會」中，得意忘形地說：「我曉得四川、江西、廣州，和香港，就還有中醫職業學校，而且廣西桂林，還有官立的呢。人民政府值得調查一下，限令停辦。中醫教材，無法審訂，誤人不淺。」你看這樣的論調，有那一些是像中醫說的呢？在傳記和年譜中，却把這些事實，說成是余雲岫對中醫的團結，堪稱是當面說謊。

在同一個座談會中，麗京周醫師，還提過書面資料說：「處理中醫的根本要圖，我以爲在座諸君，宜向余雲岫先生請教。而以他1929年向全國衛生會議的建議爲依據，最爲妥善（按這一個全國衛生會議，是反動政權所掌握的。）當年若照他的主張，則今日所謂中醫問題，也就早已不成問題了。不幸被焦易堂等誤盡蒼生，延誤了廿年。」我們看一看當時的余雲岫主張些什麼呢？在座談會中，余雲岫自己說明他的主張是：「我在1929年全國衛生會議席上，早已提出廢止中醫的議案。我當時的辦法，是不論中醫的出身和學力如何，即使還在醫塾裏的學徒，都把他們登記起來，以後不再產生新的中醫。我計算當時登記的中醫，年齡最輕者，大約不下二十歲，假如一個人活滿六十歲，不過再四十年的光陰，大都可以把中醫肅清。」你想余雲岫的面目，多麼可怕，總的說起來，是一個消滅中醫的四十年計劃。內容的謊謬，可說無以復加。除了錯誤地想取消幾千年來，勞動人民所積累的醫學創造和經驗之外，還引起了人民對政府的錯覺，以爲祇有反動的政府，才會侮想中醫，人民政府一定會同意他們取消中醫的看法，因此離間了中醫和人民政府之間的情感。

更荒謬的是，在這座談會中，四十年消滅中醫的計劃，還嫌時間太長，改成三年之內，超速完成。這新的計劃是主張在一次的總登記之後，就截止中醫的產生，不准再開設中醫學校，不准再帶收徒弟。對已經登記的中醫，除了年滿六十歲的，任憑靜待死亡之外，其餘的中醫一概須於三年之內，完成再教育的訓練。訓練成爲醫助，不許單獨開業，祇許充作西醫的助手。把中醫的進修，變成了三年肅清中醫的計劃。在這次座談會中，余雲岫和宋大仁，總結了一個「處理舊醫實施步驟」的方案。登載在「醫學革命論初集」三版的篇末。還利用全國自然科學工作者代表大會籌委會上海分會公衛組的名義，向中央建議採納，而政府的某些工作人員，竟受了他的蒙蔽，逐步實施。在登記政策中，在進修政策中，在中醫參加防疫注射，和中醫禁用西藥政策中，都逐步依照了余雲岫的錯誤方案，而跟着錯誤，把中醫科學化，暗中改變成中醫西醫化。這一錯誤是嚴重的，而且廣大地在全國各處展開，使中醫們感覺到嚴重的壓力，一直到毛主席直接指出了這一錯誤，才扭轉這一局面。

像這種違背人民利益，違反黨的指示，和馬列主義思想的人物，如余雲岫這樣的人，在製作他的傳記和年譜的人，一些沒有加以批評，是十分錯誤的。從1955年2月4日健康報370期，發表「批判王斌輕視中醫的資產階級思想」一文之後。在上海、廣東、武漢等各省市，都開展批判王斌思想的運動。同年3月23日中央衛生部爲進一步學好中醫政策，曾通知各省市衛生廳局說：「前東北衛生部部長王斌，曾在1950年發表過在一定政治經濟基礎上，產生一定的醫藥衛生組織，與思想作風的論文，內容極其謬謬，在衛生幹部的思想上，中毒很深，對人民保健事業，危害甚大，應該加以批判。」在通知時還曾加强地說明：「這種資產階級思想，並不限於王斌一個人，每一個衛生工作人員，都應該結合工作，檢査自己的思想，以達到加强各級衛生機關的政治領導，和提高工作效率的目的。」

我們檢查一下，王斌的論文中，它的謬謬內容，是說了些什麼呢？另外想一想，王斌的錯誤思想，他的來源在那裏呢？假使我們把王斌的論文，和余雲岫的醫學革命論文和處理舊醫實施步驟方案，相互對照，便可發覺，王斌所說的荒謬內容，正是抄襲了余雲岫的原文，而加上了一些僞裝的馬列主義名詞。王斌思想的來源，正是余雲岫的買辦資產階級思想。余雲岫的思想毒害了王斌，正如胡適的思想毒害了俞平伯。在紅樓夢事件中，我們批判俞平伯的錯誤思想，一定要直接針對胡適的錯誤思想，方能取得徹底的勝利。對王斌思想的批判，我們也不能滿足於僅僅批判王斌，必須進一步展開對余雲岫思想的批判，方能掃除余雲岫所給予每一個衛生工作人員的思想毒素。

王斌的論文中說舊醫是「金、木、水、火、土五行，相生相尅的封建醫學」這正是余雲岫「靈素商兌」的翻版。王斌說：「取消他們（中醫），是爲了人民」。這也是脫胎於余雲岫所說：「廢除舊醫，是爲了科學」。王斌說中醫治病，「只能起到精神上有醫生治療的安慰作用」。也正是承襲了余雲岫「我國醫學革命之破壞與建設」一文中，說中醫是「精神上之慰籍也」。至於王斌所說「停止其（中醫）今後招收學徒」和「開設訓練班，訓練合格者予以醫助資格」的說法，則是完全採納了余雲岫所建議的「處理舊醫實施步驟」中所擬訂的辦法。所以說爲了徹底批判王斌對衛生工作者的資產階級思想，我們不能不指出，余雲岫是這種毒害思想的唯一來源。

余雲岫一類的人物，在口頭上雖然一味强調，反對中醫，但暗地裏也都在驚異着中醫的療效，因此學習了中醫，使用了中藥，所以在傳記和年譜中，也提到余雲岫的著述中醫書籍，和他的使用中藥。西醫們的學習中醫和使用中藥，原屬好事，在中醫代表會議之後，中央衛生部門的政策，還是有系統的組織西醫來學習中醫。但是余雲岫的學習中醫和使用中藥却另有不純正的目的。他所著的中醫書籍，是想取消中醫爲目的，他的使用中藥，更簡單地是爲了賺錢。他用割斷歷史的老方法，一刀先把中醫和中藥的關係割斷。主張把中醫放入醫學史中去，把中藥拿過來賺錢，他用皂甬，芒硝，麝香，獨活，草烏，白石脂，和蜂蜜調合，把老形式的膏藥改成消腫膏的新形式，製成「止痛消炎膏」。設立「余氏製藥股份有限公司」。單就醫學革命論二集一書之中，就登了佔篇幅十一頁之多的大量廣告，就足以表現余雲岫的十足市儈行徑。

最後還應該揭露一下余雲岫僞裝熱愛祖國和反對帝國主義侵略的醜惡面目。他曾爲專門推銷帝國主義國家所出藥品的「新纂藥物學」和「各病注射療法大全」作序。他以參加反動組織的全國衛生會議爲榮，在解放之後還津津樂道，一再提起。他對蔣匪介石予以同情和推崇。（在醫學革命論二集272頁說：「此次蔣主席維護舊醫之論，必非蔣之本意。」）他對偉大的農民反帝運動中的義和團誣蔑爲「拳匪」爲「妖民」。他對破壞我們規模最大一次農民革命的太平天國的破壞者，漢族地主曾國藩、列舉成該崇拜的人物。（俱見醫學革命論二集76頁77頁）

在傳記和年譜中，把這樣一個醜惡人物，描繪成一個反對舊政權，反帝，和熱愛祖國的正面人物，是十分失態的。一個在生前一貫以全力摧殘祖國寶貴的醫學遺產的人，在死後還要以不正確的傳記和年譜來誦揚，永遠地散佈着毒害思想，使王斌等一流人物，走向錯誤的道路，這該是任何人所不能忍容，甚至該憤怒的，寫這一篇傳記和年譜的人，應該知道歷史是活在人的心頭，而不是你的筆頭所能歪曲或掩蓋。

詩人白樂天的眼病考

陳　耀　眞*

唐代宗大曆七年，（公元772年）即李白死後之十年，杜甫死後之二年，中國誕生了人民所喜愛的詩人白居易。白字樂天，生於鄭州之新鄭縣，其祖與父均任縣令，樂天年十一、二歲時，曾隨父任所。繼避亂越中，歷江浙湖北等地。年29進士及第，授校書郎。37歲，除盩厔尉，續任翰林學士，左拾遺，江州司馬，忠州，杭州及蘇州刺史，河南尹，太子少傅等職。年71歲，以刑部尚書致仕，退居洛陽之履道里。樂天足跡半中土，因得目覩當時社會的動蕩，洞悉民間的疾苦。白童年即喜爲詩，年十五、六時，曾以「野火燒不盡，春風吹又生」一詩，使朝士刮目。白詩平易近人，爲廣大羣衆所喜愛，元微之序長慶集稱：「二十年間，禁省觀寺郵候牆壁之上無不書，王公妾婦牛童馬走之口無不道，至於繕寫模勒衒賣於市井，或持之以交酒茗者，處處皆是。」白致元微之書稱：「自長安抵江西三、四千里，凡鄉校佛寺逆旅行舟之中，往往有題僕詩者，士庶、僧徒、孀婦、處女之口，每每有詠僕詩者。」皆爲實錄。其詩不但流行關內，且傳至朝鮮、日本、西域，流傳之廣而速，在詩人中確爲僅見。

毛主席論及文藝時指出：「無論高級或初級的我們的文學藝術，都是爲人民大衆的。」俄共（布）關於文藝方面的政策，規定是要創造出千百萬人所能理解的適宜形式。樂天是符合這種要求的。他以詩歌的形式，用通俗流暢的文字，並融化了民歌來從事寫作。故一有所就，即爲羣衆所接受，所喜愛。而且他站在人民立場，對社會的批評，對人物的愛憎，都有着鮮明的態度。他對詩的主張是：「歌詩爲事而作」，所以他的詩的題材，多從人民實際生活中去覓取的，是寫實，是反映時代，而非虛構的。他的傷唐衢二首之一有云：

「憶昔元和初，　參備諫官位。
是時兵革後，　生民正憔悴；
但傷民疾痛，　不識時忌諱。
遂作秦中吟，　一吟咏一事。
貴人皆怪怨，　閑人亦非訾。」

在這裏，我們可以看出他的愛憎，看出他的立場和作風。他的詩歌言及時事，直詞詠寄，略不隱避，把被壓迫的人民敢怒而不敢言的情緒，用詩歌替他們高唱出來。我們試一讀他的新樂府紅線毯一詩，末段云：

「宣城太守知不知？　一丈毯，　千兩絲。
地不知寒人要煖，　少奪人衣作地衣！」

又杜陵叟一詩中有：

「典桑賣地納官糧，　明年衣食將何如？
剝我身上帛，　奪我口中粟；
虐人害物即豺狼，何必鈎爪鋸齒食人肉！」

這些詩歌，諷刺何等尖銳，批評何等胆大，難道不是人民要講而不敢講的話嗎？這正是人民喜愛和流傳最廣的基本原因。

白氏一生所過的生活，似乎可以說是一種小康的局面，仕途中無多大波折，既不似杜甫之顚沛流離，亦不若李白之騰跌潦倒，且壽達七十有五，更不似杜李之不得其死。所惜者，這樣一位偉大的人民詩人，不幸稟質羸弱，一生多病，尤其是眼病，糾纏其後半生，不勝苦惱。對於這位詩人有極大影響，不然，定會有更多的遺產留給我們的。茲就其詩篇中所述眼病症狀，加以分析如次：

一、眼昏　白詩中述眼昏者21首茲錄三首：

（一）答卜者

「病眼昏似夜，　衰鬢颯如秋。
除却需衣食，　平生百事休。
知君善易者，　問我決疑否？
不卜非他故，　人間無所求。」

（二）晚歲

「壯歲忽已去，　浮榮何足論。
身爲百口長，　官是一州尊。
不覺白兩鬢，　徒言朱兩轓。
病難施郡政，　老未答君恩；
歲暮別兄弟，　年衰無子孫。
惹愁諳世網，　治苦賴空門。
緊帶知腰瘦，　看燈覺眼昏。
不緣衣食繫，　尋合返丘園。」

（三）六十六

「七十欠四歲，　此身那足論。
每因悲物故，　還且喜身存。
安得頭髮黑，　爭教眼不昏。

* 華南醫學院眼科教研組

交遊成拱木， 婢僕見曾孫。
瘦覺腰金重， 衰憐鬢雪繁。
將何理老病， 應付與空門。」

二、眼暗 詩中述眼暗者八首，玆錄二首：

（一）不二門

「兩眼日將闇， 四肢漸衰瘦。
束帶勝昔圍， 穿衣妨寬袖。
流年似江水， 奔注無昏晝。
志氣與形骸， 安能長依舊！」

（二）重詠

「日覺雙眸暗， 年驚兩鬢蒼；
病應無所避， 老更不宜忙。
徇俗心情少， 休言道理長。
今秋歸去定， 何必重思量。」

三、眼痛 詩中述眼痛者三首，玆錄二首：

（一）病中答招飲者

「顧我鏡中悲白髮， 盡君花下醉青春。
不緣眼痛兼身病， 可是樽前第二人？」

（二）和劉郎中曲江春望

「芳境多遊客， 衰翁獨在家。
肺傷妨飲酒， 眼痛忌看花。
寺路隨江曲， 宮牆夾柳斜。
羨君猶壯健， 不枉度年華。」

四、眼花 詩中述眼花者六首，玆錄二首：

（一）別行簡

「漠漠病眼花， 星星愁鬢雪。
筋骸已衰憊， 形影仍分訣。
梓州二千里， 劍門五六月。
豈是遠行時， 火雲燒棧熱？
何言巾上淚， 乃是腸中血！
念此早歸來， 莫作經年別。」

（二）自問

「黑花滿眼絲滿頭， 早衰因病病因愁。
宦途氣味已諳盡， 五十不休何日休！」

我國固有醫學，在診斷上向用望聞問切四種方法，今欲爲樂天的眼病下診斷，只有根據樂天詩文中所述眼病症狀和他的體質生活情形，來作診斷。

其自覺症狀，在下列詩文中各節，描繪尤爲逼眞。

與元九書

「二十以來……至於口舌成瘡，手肘成胝，旣壯而膚革不豐盈，未老而齒髮早衰白；瞥瞥然如飛蠅垂珠在眸子中也，動以萬數，蓋以苦學力文所致。」

眼病二首之一

「散亂空中千片雪， 蒙籠物上一重紗；
縱逢晴景如看霧， 不是春天亦見花。」

由上列詩文，可知樂天40餘歲後，眼見黑花甚多，如飛蠅垂珠，動以萬數，有時如千片白雪，漂浮空中。視物模糊，如隔重紗；天晴景像，彷彿如在霧中。此種病狀，無疑爲閃輝性玻璃體融化症。病因常由於高度近視兼患葡萄膜改變所致，往往與睫狀體脈絡膜炎或網膜炎等疾患併發，亦有因眼球受傷或全身性疾患所引起之睫狀體脈絡膜炎或視網膜血管出血後所產生；在老年人，可能與血管硬化性視網膜炎有關。白樂天大概在40餘歲時，已有視網膜血管硬化症，至68歲，得風痺之疾，體瘰目眩，左足不支（見病中詩十五首並序）。當時可能發生右大腦中動脈血栓形成。其老病幽獨偶吟所懷一詩有云：

「眼漸昏昏耳漸聾， 滿頭霜雪半身風。
已將心出浮雲外， 猶寄形於逆旅中。」

其詠身詩云：

「自中風來三歷閏， 從懸車後幾逢春？
周南留滯稱遺老， 漢上羸殘號半人。」

其詠身詩爲74歲時作，自68歲初患風痺，在此五、六年中，詩內述及風疾者凡12首，玆再錄三首：

（一）病中看經贈諸道侶

「右眼昏花左足風； 金篦石水用無功。
不如迴念三乘樂， 便得浮生百疾空。」

（二）病後寒食

「故紗絳帳舊青氈， 藥酒醍醐引醉眠。
斗藪弊袍春晚後， 摩挲病脚日陽前。
行無筋力尋山水， 坐少精神聽管絃。」

（三）病中晏坐

「有酒病不飲， 有詩慵不吟。
頭眩罷垂釣， 手痺休援琴。
竟日悄無事， 所居閑且深；
外安支離體， 中養希夷心。」

從樂天詩中，得知其左手足均患風痺，顯然是腦血管硬化所致，此種改變，在眼球內的表現爲視網膜血管硬化或血管硬化性視網膜病變。

上列病中看經贈諸道侶有「右眼昏花左足風」之句，其和晨興報問龜兒一詩，有「雙目失一目」之句，可知樂天在50歲後，其右眼視力較左側者大爲減少，究竟其右眼之主要病理損害，位於玻璃體或視網膜或視神經，則無法診斷。

樂天40餘歲後，屢訴齒患，詩中述及者凡九次，茲錄三首：

（一）東院

「老去齒衰嫌橘酸，　　病來肺渴覺茶香；
有時閑酌無人伴，　　獨自騰騰入醉鄉。」

（二）新秋早起有懷元少尹

⌊秋來漸覺此身衰，　　晨起臨階盥漱時，
漆匣鏡明頭盡白，　　銅瓶水冷齒先知。⌉

（三）病中贈南鄰覓酒

⌊頭痛牙疼三日臥　　妻看煎藥婢來扶
今朝似校抬頭語　　先問南鄰有酒無⌉

齒疾能爲病灶，助長上述玻璃體之改變或其右眼底之改變。

樂天嗜酒，下列詩文中所載，頗爲突出。

效陶潛體詩

⌊………………　　朝亦獨醉歌，
暮亦獨醉醒。　　………………
先生去已久。　　紙墨有遺文，
篇篇勸我飲。　　此外無所云。
我從老大來，　　竊慕其爲人。
其他不可及，　　且傚醉昏昏。⌉

其自題酒庫云：

⌊野鶴一辭籠，　　虛舟長任風。
送愁還闇處，　　移老入閑中。
身更求何事？　　天將富此翁。
此翁何處富？　　酒庫不曾空。⌉

其所作醉吟先生傳，實自況也。傳中云：⌊嗜酒，耽琴，淫詩。凡酒徒，琴侶，詩客，多與之遊。……肩舁適野，舁中置一琴，一枕，陶謝詩數卷。舁竿左右，懸雙酒壺。尋水望山，率情便去。抱琴引酌，興盡而返。如此者凡十年。其間日賦詩千餘首，釀酒約數百斛，而十年前後賦釀者不與焉。⌉

其餘詩文談酒者尚多，樂天幾於無日不飲，數十年不輟。且樂天更有空腹飲酒之習慣。其和祝蒼蒼華一詩云：

⌊稟質本羸劣，　　養生仍鹵莽；
病飲困連宵，　　悲吟飢過午。⌉

枕上作有云：

⌊腹空先進松花酒，　　膝冷重裝挂布囊。
若問樂天憂病否？　　樂天知命不知憂。⌉

其醉吟先生傳，尋水望山亦攜酒而不帶食品。是以樂天詩中常訴眼昏眼暗，可能亦由於酒弱視所致。今日眼科書中所述之煙酒弱視，在我國唐代則無，蓋煙草，於明朝始由呂宋輸入中土，故唐時不致有煙草中毒之疾患。

在自問一詩中有⌊看花眼不明⌉；無夢一詩中有⌊老眼無夢花前暗⌉。此種視力欠佳，有涉及紅色盲之疑。

煙酒弱視，用平面視野計檢查，可發現中心性或傍中心性暗點，常屬比較性，尤以紅色盲爲最顯，是以患者分辨紅色物體，每感困難。

近年眼科專家對於煙酒弱視之發病主因，以爲仍屬於酒；以樂天之嗜酒如命及喜空腹飲酒，其眼昏眼暗，大有可能爲酒弱視。酒弱視主要由於缺乏維生素B族，特別是維生素B_1。

其眼病二首之一有云：

⌊眼暗損傷來已久，　　病根牢固去應難。
醫師盡勸先停酒，　　道侶多教早罷官。⌉

是當時醫師亦均肯定樂天眼病與飲酒有極大關係，故咸勸停酒。以今之科學醫學眼光觀察，勸告極屬洽當，正針對病源施治。

白樂天的全身症狀，顯然是缺乏維生素B族的蜀黍疹症，而非缺少維生素A，證以眼暗一詩所載：

⌊早年勤倦看書苦，　　晚歲悲傷出淚多。
眼損不知多自取，　　病成方悟欲如何？
夜昏乍似燈將滅，　　朝闇長疑鏡未磨。
千藥萬方治不得，　　唯應閉目學頭陀。⌉

此詩清楚寫出其眼目朝夕昏暗，足知白氏所患者，確爲蜀黍疹症。在該詩中亦可看到當年醫學上對於眼昏眼闇的病源，預防與治療的知識，正與唐代王燾著：外台秘要卷21眼闇令明方所載⌊……夜讀細書，……日沒後讀書，……月中讀書，……泣淚過度，……皆是喪明之由。……凡人從少時不自將慎，年至四十，即漸漸眼闇⌉等相切合。

考眼暗一詩，係樂天四十三、四歲時所作，至約60歲時，其病眼花一詩有云：⌊大窠羅綺看才辨，小字文書見便愁。⌉至約六十三、四歲，亦有⌊眼昏燈最覺⌉之句，此種記錄，似可證明白氏60歲左右，始發現本人有老視。平常正視眼，在45歲左右即現老視，或稱⌊老花⌉，看遠無困難，但看書則需帶用球面透鏡。如爲近視眼，則視其度數之深淺而延遲老視發生之年齡。近視度數愈淺，需載凸透鏡之年齡愈早，即愈近45歲，如近視度數爲−1.00D，患者大概至50歲或50以後，方用老視鏡片。白氏60歲以後看小字始感困難，晚間看書尤甚，可以推想其近視約爲−2.00D左右。

樂天在四十三、四歲所作「得錢舍人問眼疾」有云：「春來眼闇少心情，點盡黃連尚未平」，因此得知白氏曾用黃連治療眼疾。查黃連一藥，唐孫思邈千金翼方云：「味苦微寒，無毒，主熱氣目痛，眥傷泣出，明目……。」李時珍稱：「五臟六腑皆有火，平則治，動則病，故有君火相火之說，其實一氣而已。黃連入手少陰心經，爲治火之主藥。」從前眼科局部用黃連，主要在治療眼痛眼赤，即今之所謂結膜炎。

外台秘要載眼闇令明方 14 首，其中之一即引「小品療眼漠漠，黃連洗湯方」黃連（三兩）秦皮（二兩）蕤人（半兩）。

右三味，㕮咀水三升，煮取一升半絞去滓，適寒溫，以洗目，日四爲度。又加升麻二兩加水煎之忌猪肉。

宋朝聖濟總錄眼目門，載有黃連點眼方不下20條，其中治眼暗眼不明者，有以下三條：

（一）卷第一百三

「治熱毒乘肝上衝於目，推眵赤腫，磣澀疼痛黃連點眼方：

黃連（去須擣末半兩）

右一味，以生竹筒一個，留節，可長六、七寸，以水二大合，將黃連末用新綿裹內竹筒中，着古銅錢一文蓋筒口，於炊飯甑中密蓋之，待下饋即取出，以綿濾過，候冷，內瓶中，每以銅筯點少許着目眥頭，日三度，不可過多，一、兩日差；若治眼暗，不過一、七日差。」

（二）卷一百八

「治目䀮䀮不明黃連膏方：按此方與小品方大致相同。

黃連（去須一兩）蕤人、决明子、秦皮（去粗皮各半兩）

右四味，擣羅爲末，以水八合，煎至三合，以綿濾去滓，澄清，點注眼中，日三次。」

（三）卷一百九

「治風毒攻眼，黑花不見物，點眼白蜜黃連膏方：

白蜜（半合）黃連（去須一兩）大棗（五枚）淡竹葉（一握洗）

右四味，用水二升，先煎竹葉取一升，去滓，大棗及黃連白蜜，煎去三合，去滓，重湯煎如稀餳，逐夜取少許點眼中三兩滴，蓋覆勿令塵灰入。」

近人如徐仲呂，張迺初，詹㴋泉，張維西，劉國聲，湯澤光諸君已證明黃連煎劑與黃連素硫酸鹽，對各種細菌有抗生作用。

樂天40餘歲時，即患閃輝性玻璃體融化症，已如前述，其眼病二首之一有云：

「案上謾鋪龍樹論，　　合中虛貯决明丸。
人間方藥應無益，　　爭得金篦試刮看。」

當時樂天曾因眼病勤讀龍樹論，並服决明丸。考李濤醫學史綱稱：「龍樹本爲第三世紀名醫，世傳能療眼疾，故後世往往假托以神其書。按熊均醫學源流，將龍樹王菩薩列入北齊（公元550—577），此龍樹是否眞有其人，無從斷定，不過由此可以推定龍樹論一書，必作於公元六世紀也。」

關於决明丸者，千金翼方載：「决明圓主眼風虛勞熱暗運內起方：

石决明燒　石膽　光明砂　芒硝熬　空青　黃連（不用漬）　青葙子　决明子（以苦漬經三日暴乾）蕤仁　防風　鯉魚膽　細辛

右12味，等分擣密絹篩石研令極細，以魚胆和丸如梧子大，暴乾研碎，銅器貯之，勿泄氣，每取黃米粒內眥中，日一夜一，稍稍加以知爲度。」

石决明與草决明不同，一屬介類，一屬草類，陳仁山藥物生產辨云：「石决明即鰒魚殼也」。李時珍曰：「殼氣味鹹平無毒，主治目障，翳痛、靑盲、久服益精、輕身、明目、磨障……。」

宋朝日華諸家本草論石决明曰：「明目磨障」。宋寇宗奭本草衍義論石决明曰：「水飛點外障翳」。

「决明」李時珍曰：「此馬蹄决明也，以明目之功而名，又有草决明，石决明，皆同功者；草决明即靑葙子，陶氏所謂萋蒿是也。」又曰：「决明子，氣味鹹平無毒，主治靑盲，淫膚，赤白膜，眼赤淚出。」

唐甄權藥性本草論决明子曰：「治肝熱，風眼赤淚，每旦取一匙，挼淨空心吞之，百日後夜見物光」。宋朝日華諸家本草論决明子曰：「助肝氣，發精，作枕治頭風，明目甚於黑豆。」

結　　語

唐代詩人白居易是廣大羣衆所喜愛的文藝作家，他的著作，除反映出當時社會的黑暗，表達了人民正義的呼聲而外，對他自己身體的健康情形，也有詳明的記載，特別是眼病，困擾其後半生。此文係就詩文中所描述的眼病症狀加以分析診斷，白氏大約在 45 歲後患有閃輝性玻璃體融化症；視網膜血管有硬化，這與他的腦血管硬化同時發生，以後表現在他的左半身麻痹；又因白氏酷嗜飲酒，可能在40—50歲之間，開始有酒弱視，與缺乏維生素 B 族的蜀黍疹症。白氏在60歲左右，始發現老視，顯然一向有約-2.00D之近視。當時醫家對白氏眼疾除勸戒酒外，主要以黃連膏及决明丸治療。

詩人白樂天眼病及其他疾患記錄

公元	唐代年號	年齡	職官	住地	詩題	眼病症狀	詩題	其他疾患	附註
811	元和六年	40	退居	渭村	白髮，自覺，答卜者	眼昏，雙眸昏，病眼昏	白髮，村居臥病，自覺	酒病，顛病，一齒落	一、樂天眼疾，詩文中可考者40歲起 二、40歲以前僅知稟質羸弱，多病
812	七年	41	〃	〃	別行簡，寄崔錢詩百韻	病眼花，眼損	代書詩寄微之	失眠	
813	八年	42	〃	〃					
814	九年	43	〃	〃	病中答招飲者，得錢舍人書問眼疾，眼暗	眼損，眼闇，眼痛，眼暗	病氣，病中早春	病氣，風痰疾	
815	十年	44	贊善大夫	長安	睡起，晏坐，與元九書，舟中讀元九詩	眼昏，眼痛，飛蠅垂珠在眸子中	潯陽歲晚寄元八	病肺	
816	十一年	45	江州司馬	潯陽		眼昏，眼昏	閑居	肺病	
817	十二年	46	〃	〃	閑居，晚出西郊 答崔郎書	目疾如霧			
818	十三年	47	〃	〃		兩眼將闇	衰病無趣因吟所懷，東院	失眠，齒衰嫌橘酸	
819	十四年	48	忠州刺史	忠州	不二門	病眼	衰病	失眠	
820	十五年	49	司門員外郎	長安	曲江亭晚望 自問	黑花滿眼	新秋懷元少尹	齒槃	
821	長慶元年	50	主客郎中	〃	晚歲	眼昏	吾雛	齒欲墮	
822	二年	51	杭州刺史	杭州	東樓南望，自歎	病眼昏，兩眼春昏	祭社宵，病中書事	秋泉嗽齒塞，氣嗽風痰	
823	三年	52	〃	〃					
824	四年	53	〃	〃					
825	寶曆元年	54	太子左庶子	長安	宿東亭曉興，九日寄微之	眼昏，眼暗	九日寄微之	頭風	
826	二年	55	蘇州刺史	蘇州	自歎，直詠，眼病二首	眼暗，雙眸昏，視物如隔紗如看霧，眼花	自歎，酬別周從事	氣嗽，腰痛	
827	太和元年	56	〃	〃			不如來飲酒	齒傷水冷	
828	二年	57	刑部侍郎	長安	和劉曲江春望 洛中偶作，文集後序，和晨興因報問龜兒	眼昏，目昏，病眼	和除夕作	齒疎	
829	三年	58	太子賓客	洛陽	自問，無夢，病眼昏	看花眼不明，眼暗，眼昏	苦熱	頭痛	
830	四年	59	〃	〃	除夜，哭崔兒，病眼花	病眼，啼眼加昏，目眩，花發眼中	除夜，病眼花	失眠，頭風	
831	五年	60	河南尹	〃					
832	六年	61	〃	〃	答夢得秋日書懷見寄 哭崔常侍，晦叔，秋日遊龍門	眼昏燈最覺 病眼，眼暗	病中贈南鄰	頭痛，牙疼	
833	七年	62	太子賓客	〃					
834	八年	63		〃	詠老贈夢得	眼澁，休看小字書	憶夢得	齒蹉跎	
835	九年	64		〃					
836	開成元年	65	太子少傅	〃	六十六	眼昏	齒落辭序	雙齒墮	
837	二年	66	〃	〃					
838	三年	67	〃	〃	病中詩序，病中五絕	目眩，目昏	病中詩序，初病風，病中五絕	風痺，肘痺，頭眩，足軟	
839	四年	68	〃	〃	對鏡偶吟	眼悴	足疾，枕上作，對鏡偶吟	足疾，風疾，肺渴，耳聾	
840	五年	69	〃	〃	老病幽獨偶吟所懷	眼悴	春暖，病擒	風痺，脚擒	
841	會昌元年	70	〃	〃	達哉白樂天	右眼昏花	達哉白樂天	頭眩，手痺	
842	二年	71	刑部尚書退休	〃			病中看經贈道士，病中晏坐	左足風，足風	
843	三年	72	〃	〃	病中看經贈道士	眼暗			
844	四年	73	〃	〃	贈泉石	眼悴	詠身	風痰	
845	五年	74	〃	〃	春夕感舊	眼闇			
846	六年	75	〃	〃					本年卒

王安石變法與北宋的醫學教育

龔 純

唐末藩鎮割據，形成了五代十國的局面，在短短地53年中，連年混戰，人口耗損，農商業凋敝。趙匡胤以欺詐的手段奪取了後周的政權，建立了宋朝，先後征服內地各國，但邊疆要地多已失去。甘肅以西陷於吐蕃、回紇，南方的交州為丁璉所據，燕雲十六州屬於契丹，西夏復佔陝北綏米一帶，在北宋統治的167年中，始終未能統一中國。對內則為了要換取豪紳地主階級的擁護和支持。政府對於嚴重的土地兼併不加制止，反而加以庇護和縱容，於是農村中失掉土地的農民數量日益擴大，被剝削的勞動人民對剝削階級的仇恨日深，鬥爭日趨激烈。

1068年宋神宗即位，任用偉大的改良政治家王安石施行新法，其目的一方在富國强兵，一方也在緩和人民的反感。新法推行了17年（熙寧2年至元豐8年，即1069—1085），在政治、經濟、軍事和教育上實行了一系列的改革，造成了社會生產的向上發展。但由於大地主、大官僚集團——保守派的拚命攻擊，主張恢復舊制，故自神宗死後到北宋滅亡的40年中（1086—1126），新舊兩派進行激烈的鬥爭，新法時行時廢，實際上當時所行的新法已失去王安石變法時的改良本意，而成為兩派官僚們借以鬥爭的工具，於是內部黨爭尖銳，對外却忍辱求和，終於1127年為金人滅亡。

北宋的統治完全依靠分裂政策。在軍事上，則兵與將分離；在政治上，則官與職分離；在科舉上，則專取文辭，使言語與行為分離；在教育上，則為學生與學校分離；學生不入學，學校徒具空名，州縣官吏藉口興學以搜括民財，富家子弟出錢購買學額藉以避免徭役。朝廷為了防止士人作亂，嚴禁本地學校收留外地學生入學，所謂學校，不過是士人進身利祿之階而已。到王安石變法時，實行三舍法，希望能造出真才實學，可是統治階級為了防止學潮，制定數百條學規，禁止師生會見談話，使學生與教師分離。在國家政策和教育制度上既然這樣，當然在醫學教育領域內也不會例外。

宋朝的醫學行政機關與醫學教育機關是分立的，翰林醫官院掌管醫藥和治療的事務，所有軍醫、使節、學校等都由醫官院派遣醫官担任治療，此外民間醫藥，也歸醫官院掌管。另設太醫局，主要以醫學教育生徒，是實施醫學教育的機關。但太醫局的行政、組織，以及醫學教育的實施，在各時期中稍有不同，為了敘述方便起見，現在以王安石變法為中心，分為三個時期。

一、王安石變法以前的醫學教育（太祖—英宗，960—1067）

歷代的統治者為了要用一定的學術思想來教育士人，使知識分子為他們更好的服務，不得不設立學校，但是學生有了知識，羣聚在一起，往往批評朝政，使得統治階級不安，所以在這種矛盾的心理下，祇有初唐曾大規模設立學校，其餘各朝所謂學校，都是名存實亡，形同虛設。

北宋教育制度承襲前朝舊制，中央設國子監，收七品以上京朝官子孫入學；又有太學收八品官以下及平民子弟入學，這兩個學校僅設學官，而經常在經筵聽講的學生不超過一二十人，入學限制也是虛文，學生只要捐助「光監錢」二千餘緡，就可得到監生名義，作為科舉應試的資格。

宋初在太常寺下雖設太醫局，但醫學並沒有成立正式學校，只是按照科舉辦法，隨時考選，例如十世紀末年，宋太宗趙匡義因為賈黄中得風眩病而死，曾經召集京城（開封）所有的醫生加以考試錄用。

慶曆時（1041—1048）對學校教育相當重視，規定學生在校學習滿五百天的，才能參加秋試，不是監生要求入監時，先在學校旁聽，並立下課程嚴加考選，及格後才能成為正式生。又令全國各州縣部設立學校，由各道使者選擇部屬官作教員，如果教員人數不够，以鄉里中有道德學識的人充當，並且建立太學，設置內舍生二百人，學校才始萌芽。

當時醫學歸太常寺管理，慶曆4年（1044）3月，曾下詔國子監，於翰林院選能講說醫書的三、五人爲醫學教員，在武成王廟講說素問、難經等文字，召集京城的醫學生來聽講，可是遭到國子監的反對，認爲武成王廟是儒者（士人）讀書的地方，不能讓醫官講說。後來太常寺只得令太醫局在鼓吹局授課，當時各科學生已有八十多人，鼓吹局只有三間房子，過於窄隘，而且靠近南郊，每天教習音樂，妨礙醫學的講授，到八月，經再度請求，才准許移到武成王廟講學，可見當時一般士人對於醫學教育很不重視。

嘉祐5年（1060）規定太醫局學生人數以120人爲額，學生年齡須在15歲以上，先到太常寺投下家狀（本人家世及履歷），由召命官、使臣、翰林醫官或醫學一員作保證人，並令學生三人結爲連保，聽讀一年以後，經過試問經義十道，能回答五道即爲合格，由太常寺給牒，補充太醫局的正式學生。

從前學習的功課只是難經、素問、巢氏病源和聖惠方等幾種醫書，這時太常寺認爲醫生必需明瞭藥性，便在問義十道題目中兼問神農本草大義三道，並且強調地指出：醫學生即令通曉其他醫經，而對本草完全不了解的，也不收作學生。又因爲眼、瘡腫、口齒、書禁及針科學生的功課比較大方脉科、小方脉科少，規定以後這五科的學生，在十道題中必需七題全對才算合格。

現在將當時各科醫學生規定名額及實有人數列表於下：表一

嘉祐6年（1061）由於亳州知州李徽之的請求，各道州府也倣照京師太醫局的例子，設立地方醫學。學生在本州軍投納家狀，仍由召命官、醫學博士或者助教一員作保證人，並令學生三人以上互相聯保，在各地選官管理，令醫學博士教習醫書，一年後派官來考試。當時考試科目各科不同：

1. 大方脉：難經一部，素問一部共24卷。
2. 小方脉：難經一部，巢氏病源6卷和太平聖惠方一宗共12卷。

十道經義中有五題全對的，由本州給牒補充醫學生。大致規定大郡以十人爲額，小郡以七人爲額。等到本州醫學博士或助教有缺，即從學生中選擇醫業精熟且累有療效的人充當。所以在宋仁宗時，無論中央或地方的醫學均已草創，並略具規模，爲王安石變法時的三舍法打下了基礎。

表一　嘉祐5年（1060）各科醫學生規定名額及實有人數對照表

科　　目	規定名額	實有人數	不足人數	超額人數
1. 大方脉科（內科）	40	33	7	—
2. 風科（神經精神病科）	30	66	—	36
3. 小方脉科（兒科）	30	38	—	8
4. 產科	4	1	3	—
5. 眼科	6	5	1	—
6. 瘡腫科	4	8	—	4
7. 口齒兼咽喉科	4	6	—	2
8. 金鏃兼書禁科（戰傷外科）	1	1	—	—
9. 瘡腫兼折傷科（外科）	1	3	—	2
合　　計	120	161	11	52

二、王安石變法時的醫學教育（神宗時，1068—1085）

1067年宋神宗即位，宋朝所處的形勢已非常嚴重，國內階級矛盾更加尖銳，莊園主占有田地六分之五，多不納稅。人民負担過重，賦役苛繁。更由於對遼和西夏的戰爭失敗，增加了新的軍費與賠款。當時爲了改革政治，擺脫財政困難和社會危機，增加國防力量，便於熙寧2年（1069）任用王安石爲相，實行變法。

王安石是我國封建時代的大政治家，有政見，有魄力，同時也富有謀略與機智，能憑着豐富的經驗和學識，針對着宋代的社會病象，提出種種救治方案。在此，我僅就他在教育上，尤其是醫學教育上的改革加以簡略的敘述。

王安石不僅是一位政治家，而且還是文學家、文字學家、經學家兼教育家。他的學識很淵博，肯虛心地向老百姓學習，曾對友人曾子固說過：「某自諸子百家之書，至於難經、素問、本草諸小說……無所不讀，農夫女工無所不問。」由此可以想見他涉獵範圍的寬廣，對於醫學也有相當研究，因此在醫學教育上有着不少改革。

宋朝以詩賦取士，官吏多無能，於是王安石廢科舉興學校，主張造就眞才實學。首先建立太學，想以學校養士代替科舉取士，所以增加太學生員的名額，於熙寧4年（1071）創設［三舍升試］的方法，並頒佈學令，增加教育經費。太學置80齋，每齋能容30人，學生名額共2400人，分爲三個班次，外舍生（低年級）2000人，內舍生（中年級）300人，上舍生（高年級）100人。外舍生經月考、年考得升內舍，又經考試得升上舍。上舍生考列優等，可以直接作官，中等免除禮部試（省試）直接應殿試，下等免解（地方試）。於是在熙豐時（1068—1085）學校大盛。［熙寧三舍法］在教育史上成爲有名的學制。不久，又將三舍法推廣到醫學上。

熙寧5年（1072）7月，太常寺因爲武成王廟已修建武學，便將太醫局遷於城西扁鵲廟內。

熙寧9年（1076）下詔：太醫局不再隸屬於太常寺，另行設置提舉一員，判局二員（校長及副校長），選精通醫學的人充當，每科有一位教授，選翰林醫官以下與上等學生或者外面的名醫充當。

學生在春季招考，以300名爲額，計分上舍40人，內舍60人，外舍200人。學習的專科分爲方脉，針和瘍科三種但各專科的學生必須精通其他有關的學科，他們的學習是建築在廣博的基礎上，名義上雖只分三個專科，實際上却包含13科的診斷與治療，它們的劃分於下：

1. 方脉科：必需通習大方脉、小方脉及風科三門。
2. 鍼科：通習鍼、灸、口齒、咽喉、眼、耳六門。
3. 瘍科：通習瘡腫、傷折、金瘡、書禁四門。

教科書除黃帝素問、難經、巢氏病源和補注本草爲三個專科的共同必修課外，又依照各專科性質加習不同的醫書：

1. 方脉科：加習脉經及傷寒論。
2. 針科：黃帝三部針灸經及龍木論。
3. 瘍科：黃帝三部針灸經及千金翼方。

考試方法完全倣照太學的辦法，每月一次私試，每年一次公試。成績的評定分爲［優、平、否］三等，學習優良的補內舍。間年一次舍試，成績爲優、平二等的補上舍，並且還參考學生的品行和醫療技術，將上舍分爲三等：二優爲上，一優一平爲中，二平或者一優一否的爲下等。

不但在理論上考察學生，而且還注意學生的實際醫療技術，令醫學生輪流治療三學（太學、律學和武學）的學生和各營將士的疾病，每人發給印紙，記錄治療的經過和結果，到年終考查學生的成績，也分爲三等，依次遞補，並加以適當的獎勵，上等以20人爲限，每月津貼緡錢15千。中等以30人爲限，每月10千。下等以50人爲限，每月5千。醫療過失太多的，依照情况的嚴重與否，加以責罰，甚至黜退。這樣，使得學生理論與實踐能够密切結合。

王安石的改革雖然在熙豐時，造成了社會生產的向上發展，從1070—1085這十多年內，物價長期處在極穩定的狀態下，在1073年與西夏作戰時，更獲得了北宋一代對外戰役中空前的勝利，達到了富國强兵的效果，但由於當時豪紳地主代表集團的守舊派加以阻撓和圍攻，王安石終於在熙寧9年（1076）罷相而退居江寧。

這時宋神宗所用的執政大臣先後有王珪、吳充、章惇、蔡確、蒲宗孟、王安禮等人，這些人有的早就參加推行新法的工作，有的則無甚主見，樂得遵循着王安石的成功，加之神宗本人繼續實行新法，所以政局沒有大的變化，基本上還是依照王安石安排妥當的道路前進。

元豐（1078—1085）中，太醫局學生分爲九科專業學習，名額仍爲300人，元豐5年（1082）又將太醫局隸屬於太常寺禮部管理。根據元豐備對所載分科的情形於下：

表二 元豐中（1078—1085）太醫局各科學生人數表

科目	大方脉科	風科	小方脉科	眼科	瘡腫兼折傷	產科	口齒兼咽喉	鍼灸	金瘡兼書禁	合計
人數	120	80	20	20	20	20	10	10	10	300

元豐8年(1085)趙頊死，次年哲宗趙煦即位，高太后聽政，以司馬光爲相，將新法完全罷斥，於是醫學三舍法也被廢止。一代改革家的王安石，也因此憂心如焚，加重了病况，終於是年(1086)4月逝世。但是在熙豐(1067—1086)時，自中唐以後間斷了二百多年的醫學校制度，在王安石的提倡下又恢復了，而且唐代僅分爲六科，而熙寧時雖大略分爲三個專科，實則必需精通13科，元豐時更具體地分爲九科專業學習，爲了便於對照起見，今列表於下：

表三　唐代及北宋熙寧、元豐中的醫學分科情況

<table>
<tr><td colspan="2">唐代</td><td colspan="3">醫療</td><td>少小</td><td colspan="2">針</td><td colspan="4">耳目口齒</td><td colspan="3">瘡腫</td><td>咒禁</td></tr>
<tr><td rowspan="3">宋代</td><td rowspan="2">熙寧</td><td colspan="4">方脉科</td><td colspan="6">鍼科</td><td colspan="4">瘍科</td></tr>
<tr><td colspan="2">大方脉</td><td>風科</td><td>小方脉</td><td>針</td><td>灸</td><td>口齒</td><td>咽喉</td><td>眼</td><td>耳</td><td>瘡腫</td><td>傷折</td><td>金瘡</td><td>書禁</td></tr>
<tr><td>元豐</td><td>大方脉</td><td>畜科</td><td>風科</td><td>小方脉</td><td colspan="2">針灸</td><td colspan="2">口齒兼咽喉</td><td colspan="2">眼</td><td colspan="2">瘡腫兼傷折</td><td colspan="2">金瘡兼書禁</td></tr>
</table>

如果說醫學的分科愈細，即是醫學進步的象徵之一，那麼，我們可以肯定地說：北宋的醫學教育是比唐代詳備。尤其臨診實習，不但可以使學生理論與實際能密切聯繫，而且還建立了學校衛生制度，更爲部分將士們解除了疾苦。總之，熙寧、元豐間的醫學教育是唐宋以來最發達的時期。

三、王安石死後的醫學教育(哲宗—欽宗1086—1129)

在王安石死後的四十年中(1086—1129)，新舊鬥爭激烈，新法隨著政潮的變遷時行時廢。元祐8年(1093)高太后死，哲宗於紹聖元年(1094)親政，任用章惇爲相，仍舊實行新法，不久，哲宗逝世(1100)，向太后聽政，又將新法廢除。

1101年徽宗即位，他想繼承神宗的業績，專用新法，改元崇寧，意即「崇尚熙寧之治」。於崇寧二年(1103)恢復醫學三舍法，認爲「熙寧追灋三代，詔興建太醫局，教養生員，分治三學及諸軍疾病，爲惠甚廣，然未及推行天下，繼述其事，正在今日。」(見該年9月15日講議司奏——宋會要、崇儒三、醫學)，並有見於醫工沒有獎進的辦法，一般士人認爲當醫生的流品不高，所以耻於學醫，現在當另設醫學教養上醫，不隸屬於太常寺，而和三學(太學、律學和武學)一樣，隸屬於國子監，並制博士四人，分科教導，立上舍40人，內舍60人，外舍200人，計共300名學生，每齋各設長諭一人。

地方醫學也于崇寧3年(1104)普遍設立，以現任官精通醫術與文章的人，兼任醫學教員。

總之，不論中央和地方的醫學，都仿照王安石的辦法，實行三舍升試制，但在課程中加入運氣論的學習，以唯心的觀點來解釋疾病，是其最大的缺點。

徽宗時代曾作聖濟經和聖濟總錄，其中採用運氣的說法。說天氣有六；即風、寒、暑、濕、燥、火，地質有五：即木、火、土、金、水，以十干配五運，十二支配六氣，因以紀年的干支來推定歲氣，更由歲氣推定應得的疾病與治療方法。如徽宗政和7年10月1日公佈次年的運曆如下：

「政和八年〔後改爲重和元年(1118)——作者註〕戊戌歲運氣，陽火太過…太陽司天…太陰在泉…以運推之，陰氣內化，陽氣外榮，炎暑施行，物得以昌。其氣高，其性速，其收齊，其病痓…其味苦辛鹹，其藏心肺…以氣推之，天氣肅，地氣靜，寒政大舉，澤無陽燄，小陽中治，時雨迺涯，遺于太陰，濕化迺布，寒濕之氣，特于氣交。歲半以前，民感寒氣病本于心，平以辛熱，佐以甘苦，以鹹瀉之。歲半之後，民感濕氣，病本于腎，治以苦熱，佐以酸淡，以苦燥之，以淡泄之。一歲之間宜食元黅之穀以全其眞，以資化源，以助天氣，無使暴過而生疾，是謂至治…」(見宋會要、運曆一、五運)

由上可知所謂運氣，完全是憑主觀的想法來解釋，認爲疾病的發生是大宇宙的運行所決定，是預先安排好的，非人力所能戰勝。將封建制度殘酷剝削下，嚴重的疾病流行情況，說成是該年的歲運和

各人的否運，藉以遮蓋自已醜惡的面貌，並麻痺人民的鬥爭意識，這種反動的、唯心的宿命論，適合於統治者的需要，憑藉着政治和道學的推論，12世紀以後，風行一時。趙佶並規定運氣大義爲醫學生必試科目之一，竭力灌輸學生唯心的觀點，當時規定考試分三場：

第一場：考三經大義五道。

1. 方脉科：考素問、難經和傷寒論。

2. 針科及瘍科：考素問、難經和黃帝三部針灸經。

第二場：

1. 方脉科：考諸科脉證大義三道，運氣大義二道。

2. 針科及瘍科：小經（巢氏病源、龍木論及千金翼方）大義三道，運氣大義二道。

第三場：假令病法三道（病案分析）

此外，也規定太醫局的上舍生和內舍生輪流醫治五學（太學、武學、律學、算學和藝學）學生的疾病，各發給印曆，紀錄疾病的情況，根據治療結果，分爲上、中、下三等，十全爲上，十失一爲中，十失二爲下，如果痊癒的人十分中不及七分的降舍（降級），失出五分的開除學籍。

政和 3 年（1113）閏 4 月，爲了學校開始建立，希望廣得儒醫，勅令諸州內、外舍學生中有精通醫術的，令各州教授保明，申報提舉學司，依照貢士的方法，送到京城醫學校，經過私試三場中選後，外舍生即可遞補內舍。這樣，形成了京師醫生的過剩，和地方醫生的缺乏，當時京師翰林院醫官至祗候有七百多人，並無職事，不過尸位素餐而已，但諸路駐泊額（即常川留駐的醫生）共總才百餘人，因此立下考試方法，將醫學分爲大方脉、小方脉、產、眼、針、瘡腫、口齒及金鏃等八科，並且將州郡也分爲八等，依照科別及考試成績來分配，以解決地方醫務人員的不足，其分配的情况於下：

表四　政和 3 年（1113）各地醫生人數分配表

	大方脉	小方脉	產科	眼科	針科	瘡腫科	合計
三京	2	1	1	1	1	1	7
帥府	2	1	1	1	1		6
上州	2	1	1				4
中州	2	1					3
下州	2	1					3
次遠州	1	1					2
遠州	1	1					2

由於宋代政治腐敗，採取官與職分離的制度，所以醫官有了功勞，可以就其年資按着武官的品級來升遷，如刺史、團練使及防禦史等名義。於是學生多以學校爲進身利祿之階。三舍選試的方法，本意在培養有優良技術，爲人民解除疾苦的醫生，可是學生畢業以後，多在州縣作官，不復從事醫術，於是數年的培養均付之東流，學與用根本不一致。除此以外，還有一條出路，就是到州縣担任醫官，或者到翰林醫官院任職，但一般多是人浮於事，飽食終日，爲統治階級服役而已。

宋初，醫官院的醫官沒有定額，到寶元元年（1039）才將員額規定於下：

表五　寶元元年（1039）規定醫官院人數表

名稱	院使	副使	直院	尚藥奉御	醫官	醫學	祗候	合計
額數	4	2	7	7	30	40	12	102

政和以前醫官屬於武階，到政和 2 年(1112)才改爲文職，分爲 14 階，今列表於下：

表六　政和前後（1112 前後）醫官職名對照表

舊名	軍器庫使	西綾錦使	榷易使	翰林醫官使	軍器庫副使	西綾錦副使	榷易副使	翰林醫官副使
政和	和安、成安成全、成和大夫	保和大夫	保安大夫	翰林良醫	和安、成和成安、成全郎	保安郎	保安郎	翰林醫正

以下還有翰林醫效、醫愈、醫證、醫診、醫候及醫學等八種名稱，名目多至22種，但最高的和安大夫也不過從六品而已。

根據當時翰林醫官院奏稱，在政和3年(1113)時，自和安大夫至翰林醫官凡14階，連額外的人員有117人，而自醫效至祗候凡八階，並未規定名額，在職的有979人，二項合計1096人，官員的冗濫和組織的臃腫，莫此爲甚。爲了節省國用，不得不重新規定名額於下：

表七　政和3年(1113年)重訂翰林醫官院名額表

名稱	大夫	郎	醫効	醫痊	大方脈兼風科	小方脈	針科	眼科	產科	瘡腫	金鏃	口齒咽喉	合計
員額	20	30	7	10	153	24	14	16	18	14	32	12	350

政和5年(1115)曹孝忠奏請在各州縣設立醫學，在學校內又分齋教養，將醫學隸屬於州學，開封則隸屬於府學。學生仍分三科學習，一切制度均與王安石的三舍法同，但考試科目却與過去不同，包括素問、難經經義三道，儒經義二道，運氣一道，處方義二道，假令病法三道。運氣大義在素問內出題，臨時指問五運六氣，「司天在泉」，「太過不及」與「平氣之紀」等，外加考問如何勝復所掌疾病，隨着歲運應如何調治，或者設問病症，依今年的歲運應如何理療等，完全用唯心的觀點來解釋及治療疾病。

政和7年，太醫學也和太學、辟雍、國子監一樣，隸屬於禮部，並且規定各地方應昇貢醫士，仿照儒學貢士的辦法。自政和5年至7年的三年當中應貢733人，外加推恩人數100人，共計833人。但是地方各州縣學醫的人少，所立貢額太多，福建路在政和6年即沒有昇貢醫士，便於政和8年(1118)根據地方大小及醫學發達與否，規定各路醫士貢額爲：府畿15人，京東東路5人，京東西路5人，京西北路5人，河北東路3人，河北西路4人，河東路3人，永興軍路2人，秦鳳路2人，江南東路4人，江南西路4人，淮南東路4人，淮南西路4人，荊湖北路3人，兩浙路6人，福建路6人，廣南東路3人，廣南西路3人，成都府路3人，利州路3人，梓州路3人和夔州路3人，合共93人。

到了徽宗末年，迷信道教，驕侈淫佚，朝政日益敗壞，金人大舉入侵，國內農民如方臘等到處起義，而統治階級對外則稱臣納幣忍辱求和，對內則加重剝削，以強力鎮壓人民運動。當時稍有民族氣節的人無不切齒痛恨，徽宗害怕學生羣衆，議論朝政，便廢止州縣三舍法，於宣和2年7月(1121)藥口醫局之外，復建醫學，有違元豐舊制，下令廢止在京醫學，三舍生原係內外學籍願意入學的上內舍，並且特令在當時醫學舍額上降一等，外舍生允許通融辦理校定入學，內舍降充外舍，原來是外舍生而未經校定的也可以通融入學。

總之，自王安石死後，徽宗在形式上雖極力摹倣王安石的三舍法，希望能造就儒醫，在中央和地方都極力推行醫學教育，可是統治階級之所以設立醫學，只在爲自己階級的利益服務，它的宗旨即在鞏固封建制度，因此在醫學教育中提倡運氣論，灌輸學生唯心的思想。並且由於官與職的分離，以及科舉制度的毒害，結果學生畢業後不從事醫學，而是爲了作官，失掉了醫學校培養人才的眞意。到了末年，徽宗因害怕學潮，甚至廢除了一向「尊崇」的醫學三舍法，更加顯示了統治階級的醜惡面貌。不久，金人攻陷汴梁，徽宗與兒子趙恒被擄，北宋也於1127年滅亡。

結　語

醫學是具有專門特徵的社會現象，它的任務是以提高健康水平，和防治疾病有關的知識爲社會服務。醫學本身是沒有階級性的，它是與生產、生產力的發展水平，以及人們的生產活動相聯繫，並不像上層建築一樣，與階級社會同時消滅。但是在階級社會裏，醫學通常掌握在統治階級手裏，爲他們服務，甚至以之作爲他們進行統治與剝削的工具。同時，階級通過哲學思想給醫學——尤其是醫學理論部分——以一定的影響，所以科學的醫學，即是各民族在長時期中與反動的唯心論作鬥爭而發展起來的。

從宋代的醫學中，即可以看到統治者如何給樸素唯物論的〔陰陽五行〕學說，披上了唯心的外衣，而且更利用醫學教育來灌輸唯心的思想，培養爲統治階級服務的醫務工作者。因爲教育是社會和歷史的過程，它在階級社會內是具有階級性的，所以醫學教育必然地也蓋上階級的烙印。

北宋時，一方面由於科學的進步（如火藥、羅盤以及冶銅鍊鋼等技術的進步），印刷術的發明、促進了醫學和醫學教育的發展。在王安石變法時，實行了醫學三舍法，醫學分科愈益精細，由唐代的六科發展爲熙寧、元豐間的9至13科，同時教育學生從事臨診實習，以病人痊癒的比例數來考核學生的成績，使理論與實際能够密切聯繫。自中唐以後間斷了200多年的醫學校重新恢復，且愈益完備。但一方面，統治者却採用分裂政策，使教師與學生分離，官與職分離，學習與實用分離，趙佶更在醫學教育中，加上運氣論的學習，使醫學理論陷入玄學的境地，妨礙了宋代醫學教育應有的發展。

由此可見，教育總是和政治相聯繫着的，不僅學校制度是由社會底階級性來決定，而學校底全部組織，學校工作底內容（如教學計劃、大綱、課程及教科書等），教學工作方法，以及學校一切教育活動，都是由這種階級性來決定的。

附記：本文係根據宋會要中所記載的醫學史料整理而成。其中主要部分是：(1) 崇儒3，醫學。(2) 職官22，太醫院。(3) 職官36，翰林醫官院。故凡文中未加註的，均依其性質屬於以上三部分，其他材料則均加以註明。

參考文獻

1. 宋會要輯稿 北平國立圖書館印，1936年（民25年）10月。
2. 陳邦賢：中國醫學史商務印書館，1954年12月重版。
3. 李濤：北宋時代的醫學中華醫史雜誌，1953年12月。
4. 鄧廣銘：王安石三聯書店，1953年11月。
5. 尙鉞：中國歷史綱要人民出版社，1954年8月。

文摘

竇漢卿考

干祖望 著　原載新中醫藥1955年六月號頁220—223

本文據衛生寶鑑，針灸聚英、古今醫統、增註鍼經密語貝瓊序、金華府志、瘡瘍經驗全書中時行序、四庫全書提要、浙江採集遺書總錄、讀書敏求記、元史、元史類編、綱鑑易知錄等有關竇氏的記載，作者推知：

竇默，字子聲。初名傑、字漢卿。公元1190——1200年間生於河北省肥鄉縣肥水鄉。

在1232年以前，大約在30—40歲間，不堪蒙古族的壓迫和掠奪，家破母亡，於是隨了許多漢族人民轉徙兵亂之中而南走渡河。醫者王翁，以女兒嫁給漢卿，使其學醫。於是一面行醫自給，一面苦力讀書。此後，北歸大名，和姚樞、許衡講明道學。再回故鄉，以經術教授，因此知名。

1260年元世祖在潛邸、聞其賢，召之，訪以治道。1261年授以太子太傅，辭去，乃改授翰林侍講學士。以後加昭文館大學士。

1280年一二月卒，年80餘歲，贈太師，追封魏國公，謚文正。但他生平並未任職過太醫院醫士。

他的著作有1232年寫的一部〔流注指要賦〕。1241年著〔鍼灸指南〕，又名〔竇太師鍼灸〕。可能一篇〔標幽賦〕就附屬在內。其餘著作如〔鍼經密語〕，〔子午流注〕，〔六十六流注秘訣〕等未詳。但〔瘡瘍經驗全書〕則絕對不是他所寫。

他雖然或者行過醫，但在1260年後即停止。他以鍼灸見長。

他有習醫弟子蘭谿王鏡澤一人。夢麟是否是他的嫡系子孫很可疑。　（少 麒摘）

婦產科家陳自明

孔淑貞

陳自明字良甫，江西省臨川縣人。作過建康府明道書院的醫諭（醫學教授）。他是世代醫家。家裏收藏了很多醫學書籍，和家傳的治病經驗的方子。這些都薰陶了他對醫學的熱愛，而奠定了以後終生獻身於醫學的偉大宏願。

陳氏在其外科精要自序中稱李迅和伍起予爲近代名醫，並稱他們爲先輩。查李迅在1196年（慶元二年）著有集驗背疽方，伍起予在1207年（開禧丁卯）著外科新書。陳氏幼小時或者與彼等相識，由此推測可能生於1190年左右。在他任建康府明道書院醫諭時，1237年（嘉熙元年）陳氏約四十餘歲，編著了婦人大全良方。1263年（景定癸亥）已七十多歲，又著外科精要[3]。陳氏當逝世於此後。由以上的年代可推知陳自明約生於1190—1270年間。從事醫學活動的年代當在1237—1263年之間。

陳氏生活在南宋（1127—1279年）。統治階級的剝削壓迫與異族侵略相結合，給當代人民帶來了莫大的苦難，使經濟和文化受到極大的破壞和摧殘。而在這樣極其困難的條件下，他熱愛着在他以前的歷代勞動人民所創造的科學成就。在祖國醫學領域中，對婦產科和外科，尤其是對婦產科，進行了一次全面的總結，促進了祖國醫學的成長，使婦產科從此成爲一門獨立的學科。

一、婦人大全良方

現存最早的產科專書是唐昝殷的產寶[5]，此後又有南宋李師聖、郭稽中、楊子建等所著的產育寶慶集[6]，繼有朱端章的衞生家寶產科備要[7]，專門記述產前產後的症狀和治療，但是內容都比較簡略。陳氏深深感到這些書不易使醫生領會，因而根據歷代有關婦產科的醫書三十多種系統地綜合了前代與當代的婦產科知識，並結合他家傳的經驗方，在1237年編輯成婦人大全良方。這部書編成時，曾經其子陳六德補訂，因在莒蒲圓下及妊娠下血方下都有「男六德續添」五字，又婦人服草藥墮胎腹痛方下有「男六德補遺」五字，（新編婦人大全良方）可見曾經過他的兒子補訂。

婦人大全良方是當時最完善的婦產科專書，對以後婦產科的進步具有很大的影響，直至1529年（明嘉靖乙丑）明薛己爲了能更廣泛地使讀者學習，便重加校定，對書中每一論，又作了進一步的研究，並在論後附以治驗，使這部書流傳更廣。可惜有些重要記載，被薛己刪去致失去原來面目[1]。到了1607年（明萬曆丁未）王肯堂著外科證治準繩時，仍採取了這部書的十分之六七。

這部書共分八門，前三門是婦科，後五門是產科。門下設論，共272論，分別討論研究婦產科的病因與病狀。論中引用了很多醫學著述，其論點主要依據內經，巢氏病源。在這272論中有56論與巢氏病源所述完全相同，但比較簡明的多。明薛己曾加以註釋。這些論後附有很多治驗。這些治驗是結合臨床治療的典型病例記錄，詳細地記述了患者的病狀，治療經過，與療效的臨床觀察。其中也有些是薛己在註釋時附加的。治驗後附方，大多是臨床實踐後的有效處方。

本書的主要內容是這樣的，在婦科方面有三門：調經、衆疾、求嗣。

調經門　共20論，分別敘述了有關月經的生理與月經異常。其中有月經機能失常症（月水不調）、閉經（月水不通）月經過多（月水不斷、暴崩、崩中帶下）、痛經（月水不利、月水行或不行、心腹刺痛）。他認爲閉經是血結或消化不良或勞傷過度，因之主張服健胃藥。對於月經痛則主張用延胡索，說是自家秘方。月經過多則用鍜蠣（牡蠣），阿膠（鹿角膠）和炭（灰、墨）。

衆疾門　共91論，記有一般常見的婦科病。

結核引起的閉經：他在婦人勞瘵各症方與婦人骨蒸方中敍述了結核症後，並明確[illegible]症結核可引起完全停經。對於結核引起的無月經他主張用滋補藥，反對用瀉下藥，此點與現在治療結核的原則完全相合。

外陰疾病：記有婦人外陰瘙癢，陰中生瘡。

子宮脫垂：爲女性生殖器位置異常的一種。常因生產創傷，年老婦女，或多產婦骨盆底組織鬆弛，致使子宮下墜或甚至脫出。在婦人陰挺下脫方中記有「因胞絡損傷，子臟虛冷，或因分娩，用力所致。」這裏的陰挺下脫很可能是子宮脫垂。是陳自明最早記載的病。

膀胱陰道瘻：在臨床上比較多見，其主要原因是生產創傷。患者痛苦異常，長時間有尿液自陰道流出，會陰部及上腿內側亦往往因小便的刺激而發生濕疹、膿疹、皮炎等而引起劇痛。陳氏從遺尿失尿這一客觀症狀上開始記載了這一病症。在遺尿失禁方中並說明其產生的原因是「婦人產褥產理不順，致傷膀胱，遺尿無時。」[2]

傷寒：陳氏對傷寒有了更明確的認識。他說「凡妊娠傷寒仲景無治法。」而他認爲傷寒不分男女，只是妊婦用藥，宜加注意。婦人傷寒傷風方中記載「傷寒之症………不分男女，但妊娠用藥宜清凉，不可輕用桂枝、半夏、桃仁、朴硝（芒硝）等類。」他並指出妊婦患傷寒久而不愈，可引起流產。

痢疾：此外陳氏並進一步奠定了痢疾的流行病學的意義。明確地認識了痢疾的傳染性及其與季節的關係。因而對古人關於痢疾病因的解釋發生了懷疑。並對細菌性痢疾（熱痢）症狀的描述更爲切實，其治療多採用對痢疾桿菌具有直接制菌作用的藥物，如黃連、黄芩、大黃、白頭翁等。茲將滯下方中[2]有關痢疾的摘錄如下：「夫赤白痢疾者，古人名之曰滯下是也………。此積滯又夏秋之間或再感暑濕風冷之氣，發動而成痢也。其症必先臍腹疼痛，洞泄水瀉，裏急後重，或有或無，或赤或白，或赤白相雜，日夜無度。………雖古人有言無積不成痢，豈有一歲之日獨於夏秋之間皆有積，而冬春無之………。又有一方一郡之內上下傳染，疾狀相似，或只有一家，長幼皆然，或上下鄰里，間相傳染，或有病同而症異，亦有症異治同，或用溫劑而安，或用凉藥而愈，有如此等是毒疫痢也。治毒疫痢者雖當察五運六氣之相勝，亦不可狎泥此說，且如運氣相勝，豈獨偏於一方一郡，而獨於一家二家者乎。………如下痢赤多，或純下鮮血，裏急後重，大便不通，身體壯熱，手足心熱，大煩燥渴，腹脇脹痛，小便赤澁，六脉洪大，或緊而數或沉而實，此熱痢也。……」從此可知他否認了痢疾（毒疫痢）是由於積滯所致。更進一步否定了由於運氣所致，直接指出痢疾是一種季節性和地方性傳染病特稱之爲毒疫痢。遠在十三世紀能有如此精確的觀察，反對前人的謬說，誠可驚人。在未能發現痢疾病原菌前我們祖國偉大的醫學家陳自明，利用了當時的醫學知識對痢疾曾進行過細密的觀察和科學的分析。他的目光已不只是放在治療一個病人這一問題上，而更進一步注意到多數人發病的現象和發病的原因。從而聯系到與氣候，周圍環境的關係。這就顯示出了本症有着明顯的季節性和傳染性，亦即在我們祖國醫學中進一步奠定了痢疾的流行病學的意義。

求嗣門　共10論，記載了經絕後1—6日爲受妊期，過此即不能成胎。更討論了不育症的病因，指出勞傷血氣，或血經閉澁，或崩漏帶下是足以致不育的三種病。

在產科方面有五門：胎教、候胎、妊娠疾病、產難、產後。

胎教門　共八論，描述了妊娠各期胎兒的發育狀態。

候胎門　共六論，記述對妊娠的診斷及在妊娠期中應禁忌的藥物。

妊娠的診斷：妊娠的早期診斷已認識到停經僅爲其不確徵象之一，因而採用刺激受孕子宮的藥物，使其收縮增强，以驗胎動。在驗胎法中是這樣記載的「婦人經脉不行已經三月，欲驗有胎，川芎爲末，空心濃煎，艾湯調下二錢，腹內微動則有胎。」根據實驗室的藥理試驗，少量川芎有刺激受孕子宮收縮增强的作用。

妊娠禁忌藥物：編寫成孕婦禁忌歌，使醫者容易記憶。此類藥物主要有子宮平滑肌之興奮藥：牛膝、三稜、乾膝。有刺激性之瀉藥：大戟、巴豆、芒硝、牽牛子、芫花、桃仁。具有催吐作用的如藜蘆。所謂妊娠禁忌，在於保育胎兒，免致流產或早產。這類禁忌藥物大致都經現在藥理上證實。

妊娠門　共50論，首先叙述一般的孕期衛生，並着重記述了妊娠特有的疾病。

（1）孕期衛生：

飲食：注意到胎兒各期發育中應有富於營養的食物，以供胎兒的生長，及母親分娩與哺乳時的需要。大概指出在妊娠前五個月胎兒吸收母體的營養不多，孕婦的膳食和常人沒有多少差異。五個月以後，胎兒發育爲最速，所以孕婦的膳食應調五味，食甘美，以刺激食慾，增高食量，但飲食又不可過多，以免孕婦體重增加不正常，使胎兒發育過速，而致難產，所以主張勿大飽，必節飲食。

清潔與休息：在同一論中記有╰宜晏起，沐衣、浣衣。╮這說明注意到了孕婦應有充足的睡眠和休息，並應保持身體的清潔。

戶外活動和充足的陽光：同處記有╰呼吸天光以避寒殃。╮表明孕婦應有適當的戶外活動。

（2）妊娠期特有的疾病：記有妊娠嘔吐與妊娠子癎。

妊娠嘔吐：在妊娠惡阻、妊娠痰逆不食，妊娠吐血等論中敘述了不同程度的妊娠嘔吐。妊娠惡阻中記有╰嘔吐吞酸╮。在妊娠痰逆不食，妊娠吐血中所敘述的可說明重症者已妨礙飲食，並嚴重到甚至嘔血。這已經不同於一般孕婦的早期妊娠嘔吐。可稱作妊娠惡性嘔吐，能引起營養不良，甚至可危及生命。

妊娠子癎：妊娠痙方中稱╰口噤背强，甚則腰反張，名之曰痙，須臾自醒，良久復作，又名子癎子冒，當審查其原因而治之。╮按子癎是眞性妊娠中毒症之一，病情最爲嚴重。從這裏的描述我們可知，其主要徵象是痙攣發作，牙關緊閉，背部强直，短時間的呼吸停止，陷於昏迷，漸漸恢復，清醒。並反復發作。其治療多用運動神經抑制藥。

產難門　共七論，記有各種難產，其中所記大部爲胎兒所致的難產，並描述其通過產道時之狀態，更記載了使胎位轉正的各種助產法。因胎位異常所致的難產，計有横產（肩產式）、倒產（足產式）、偏產（額產式）、坐產（臀先露）。因臍帶過長所致的難產有臍帶攀肩（礙產），子宮脫垂（盤腸產）。

臍帶攀肩：╰言兒身已順，門路已正，兒頭已露，因兒轉身，臍帶拌其肩，以致不能生，令產母仰臥，穩婆輕手推兒向上，以中指按兒肩，脫臍帶，仍令兒身正順，產母努力，兒即生。╮此即由於臍帶過長而形成的臍帶攀肩。

子宮脫垂：其中更記載了子宮脫垂，當時稱之爲盤腸產。╰一婦人每臨產則子腸脫出，然後產子，其子腸不收，不可不知。╮從這段記載並可知其處理方法是用冷醋水噴產婦背，以刺激肌肉收縮，而自行收回。

產後門　共70論，記述產褥期的護理及產褥感染。並詳細記載了乳脹及乳房炎。

產褥期的護理：在產後將護法與產後調理法兩論中關於產褥期的護理記載的較爲詳細，指出產後應有充分的休息。飲食以易消化之半流汁爲宜，並要避免影響產婦身心健康的刺激性的談話。

乳脹及乳房炎：在產後吹嬭方與產後妬乳方[2]中詳細敘述了乳脹是由於乳汁分泌，而不能及時哺乳所形成的鬱結，腫硬如石。並在產後妬乳方中又特別指出╰……初覺（乳脹）便以手助捏其汁，更令傍人助吮引之，不爾或作癰，有膿甚熱，勢盛必成癰也。╮這裏所指的乳癰亦或是乳腺炎。

二、外科精要

陳氏並著有外科精要。這書主要根據李迅的集驗背疽方和伍起予的外科新書，總結了當時癰疽方書而編輯成的，簡單扼要，便於實用。在1548年（明嘉靖戊申）名醫薛己曾加注釋，可見已流行在三百年以上。

在當時的社會裏，外科醫生仍被輕視，所以知識分子不肯學外科。在外科精要的自序中有╰余鄉井多是下甲人專攻此科。………蓋醫者少有精妙能究方論者，間讀其書，又不能探賾索隱，乃至臨病之際，倉卒之間，無非對病閱方，遍試諸藥。况能療癰疽，持補割，理折傷，攻牙療痔，多是庸俗不通文理之人。╮他對當時貪圖名利的庸醫非常鄙視。他批評一些醫生╰用心不臧，貪人財利，不肯便投的當伐病之劑，惟恐效速，而無所得，是禍不及，功不大矣。╮他對當時醫生存在的一種保守思想也進行了嚴厲的批評╰有醫者得一二方子，以爲秘傳，唯恐人知之。╮╰又有自知衆人嘗用已效之方，而改易其名，而爲秘方。╮他並指責一些醫生不從治好病人出發，不照顧病人的經濟條件，而╰妄增藥物，以惑衆聽，而返無效者亦多矣。╮他的這種以病人爲出發的醫療思想，在現在的醫務工作者中仍應受到一定的表揚。

三、總　結

陳自明是南宋時代的一位偉大的醫學家；是一位熱愛醫學遺產的楷模。他總結了前人的婦產科學的成就，並結合自己豐富的臨床經驗編輯了我國第一部完善的婦產科專書，使婦產科從此在祖國醫學中成爲一門獨立的學科。這不僅在歷史上促進了祖國婦產科學的進步，而且使歷代的婦產科知識得以流傳到今天。他更總結了當時的癰疽方書，編著爲外科精要。這說明了他總結和整理祖國醫學遺產的偉大功績。在醫學研究工作中，他具有敏銳的觀察力，用科學的頭腦仔細分析研究了痢疾的傳染性，而進一步確定了痢疾的流行病學的意義。他的思想是進步的，診病時能爲病人着想，而考慮到藥物對病人的實際需要。他的這些科學精神對於我們今日的醫務工作者來說，仍具有其現實意義。

參考文獻

1. 陳自明　婦人大全良方　1237年（嘉熙元年）　明嘉靖刊本
2. 陳自明　新編婦人大全良方　1237年（嘉熙元年）日文化二年丹波元簡手抄本
3. 陳自明　外科精要　1263年（景定癸亥）　明嘉靖刊本
4. 巢元方　巢氏病源　610年（隋大業六年）　中國醫學大成
5. 昝　殷　產寶　827年（唐文宗太和元年）　光緒7年刊本
6. 李師聖等　產育寶慶集　光緒戊寅當歸草堂本
7. 朱端章　衛生家寶產科備要　1184年（宋淳熙十年）光緒13年陸心源校刊本

中醫外科的發展*

張贊臣講、葉顯純記

中醫外科在祖國醫學文化中，也和其他各科同様具有悠久的歷史。上古時代人類都居住在山林或洞穴裏，時常要受到猛獸毒蛇的傷害，往往因此由創傷而殘廢，就必須設法預防和治療，於是逐漸累積了不少經驗；逐漸發明而且也掌握了很多的藥物和塗裹、包紮等的治療方法，爲後世的外科學打下了决定性的基礎。在此同時，原始人類已能利用他們日常接觸的物品，如燧石、骨片、獸齒、海貝等來作爲外科應用的醫療器械。他們用燧石切開膿腫，用石針或骨針放血，還用石片燒熱來治病（這種方法叫做砭），山海經裏記載說：「高氏之山，有石如玉，可以爲鍼」，足見古時所用的鍼本是石器製成的，後來石器製造的器械日漸精巧，除了一些石刀、石針、石斧、石鑿之外，還出現了一種石鋸，據說古時人就用這些器械來施行穿耳鼻的手術、斷肢的手術和閹割的手術，甚至還能做剖腹產和卵巢切開的手術等。一直到冶金術發明爲止，各種石製器械才由金屬品所代替，因此外科手術方面，也就獲得了顯著的改進。

關於外科疾病的記載，遠在公元前十四世紀左右的甲骨文字中，已經有「疥」字和「疕」出現了。周禮天官篇上將醫生分成疾醫、瘍醫、食醫、獸醫四種，其中瘍醫就是現代的外科醫生，所以我們知道在公元前8—12世紀的周朝，外科已是獨立成爲的專科。周禮還說：「瘍醫下士八人掌腫瘍潰瘍之祝藥劀殺之齊」，在治療方法上「祝」是敷藥，「劀」是刮去膿血，「殺」是用藥物腐蝕惡肉或者剪去腐肉，較前時已有了進步。山海經裏也記載了治「癘」的藥，「癘」就是麻瘋病。大約在公元前2—3世紀的著作，爲我國現有最早的醫書——內經上對外科疾病的記載也很多，除了有「癰疽篇」之外，素問異法方宜論說：「其病皆爲癰瘍，其治宜砭石」，因爲針灸是由砭石發展而來，所以中醫外科治療方法上還保存着許多針灸療法，不是沒有原因的。靈樞經有治驗中發猛疽，腋下生米疽的豕膏和騎下生敗疵的蔆翹散，此外尚有瘡瘍鼠瘻等外科疾病的記載，並說：「營氣不從逆於肉理乃生癰腫」，用營血衛氣以及陰陽失調等來解釋病理。由於外界環境的改變影響到體內的變化而發生外科疾患，這種說法在今天看來，仍有其一定價值的。

中醫外科的專籍，我們在漢書藝文志裏面可以看到的「金創瘈瘲方」，這部書可以說是中國最早的外科書了，可惜我們雖然能够看到書名，而原書却已佚失。漢鄭玄（公元127—200）註解周禮的「凡療瘍以五毒攻之」說：「療、攻治也，五毒、五藥之有毒者，今醫人有五毒之藥合黃堥置石膽、丹砂、雄黃、礬石其中，燒之三日三夜，其烟上著以雞羽埽取之以注瘡」，由於有這樣的註解，我們可以知道至少在東漢時代我國已經用人工煉製汞劑來治療外科病了。張仲景雖是內科醫生，但在他所著的「金匱要略」一書裏就有「浸淫瘡」的記載，並主張以黃連粉治療，這種病可能就是膿皰瘡一類的病。金匱要略還說：「諸浮散脉應發熱而反洒淅惡寒若有痛，當發其癰」，在他另一部名著——傷寒論裏也有「瘡家忌表」的話，都給予後人很大的啓示。到三國時代更出現了一位傑出的外科專家——華佗，（約公元112—212）他因爲不肯爲統治階級服務，結果被曹操所殺害，是歷史上最有氣節的醫生。他的醫術非常高明，不論在當時、在後世都爲人民所歌誦。後漢方技傳有這樣一段記載：「精於方藥，處劑不過數種，心識錙銖不假稱量，針灸不過數處。若病發結於內，針藥所不能及，乃令先以酒服麻沸散，既醉無所覺，因刳破腹背，抽割積聚。若在腸胃則斷截湔洗，除去疾穢，既而縫合，

---

* 中華醫學會上海分會外科學會1955年5月30日學術演講會上的報告

敷以神膏，四五日創愈，一月之間皆平復。」由此可見華佗已能應用麻醉法，而且還能施行開腹手術，雖然他的著作沒有流傳下來，可是他曾傳授幾位學生，如吳普及樊阿等人，現在中藏經裏所記載的「五疔」對顏面癰腫的重要性，已有着深刻的認識，此書雖非華佗手筆，可能也有他的經驗在內。華佗一生到過很多地方，爲廣大人民服務，受到人民的熱烈愛戴，眞是醫務人員的好榜樣。

由於華佗被殺，在外科手術方面，當然受到一個很大的損失，雖然並非從此失傳，然而對施術方面是比較隱晦得多了，甚至有很多技術高超的醫生，不敢公佈自已的姓名，如晉書第85卷的魏詠之傳，說到魏氏生來有先天性兎唇症，（右稱兎缺）是經當時荊州刺史殷仲堪幕中的一位醫生用手術治愈的，但這位醫生的名字在史書上却沒有記載下來（見晉書及太平御覽723卷方術部）。此外在晉朝對外科感染病已能認識「馬鼻疽」了，當時稱爲「馬熱類」的（見葛洪「肘後方」——公元281）。南北朝連年戰爭，戰傷和創傷感染最爲嚴重，此時出現了「鬼遺方」一書，（公元483）傳說是劉涓子在野外獲得的偏重於金創癰疽方面的方書，後來他從宋武帝（劉駿）北征時，按方給受傷兵士治療，往往獲效，這一部書在中醫外科書籍中，是佔着一定地位的。一直到隋唐時代，醫務人員大都還着重在這一方面的研究，所以在隋唐的醫學書籍目錄裏，記載癰疽金瘡方藥的就有十幾種。現在我們祇要根據巢氏病源和千金方兩書的記載，就可以了解這一時期外科學的概況，並且了解這時醫生對外科病的認識，已大大提高，例如鑑別淋巴管炎（赤脉、瘺病），癭疽、丹毒等病，都敘述得很精詳。此外對治療皮膚病和淋巴結結核的專方，也在此時出現，如療三十六瘻方，趙婆療瘰方等，巢氏病源還首先記載了有關皮膚病「禿瘡」的材料，千金方裏所說的「妬精瘡」的症狀，似和現在硬性下疳極爲相近，「巢氏病源」是巢元方在公元610年的作品，「千金方」是孫思邈在公元652年的作品，他們對於外科病已經有了精確的記載並發明了不少治療方法，而此時歐洲的醫學還正處在黑暗時代，科學文化非常落後，兩相對比，尤見祖國醫學的偉大成就了。此外在唐代對麻風病人已知隔離，這是値得特別指出的。

宋代醫學隨着經濟和文化的高漲，有了很大的進步，外科醫書的著作也就日益增多起來。官定的方劑書有宋淳化三年（公元992）王懷隱等所編的「太平聖惠方」，全書100卷，包括1670門，其中好多卷是詳述外科疾病的，包括很是完全，每病都有很多治法，對痔核的治療，此書已說明可應用砒劑，經過改進形成了外科上通治的方藥，到現在仍有一定的地位。另一部官定方書是宋徽宗時（12世紀）所編的「聖濟總錄」，對於淋巴結核（瘰癧）一症，所述的治療方藥就佔了二卷，可見當時對這一病症的重視，也可見此時對外科的重視。此外論癰疽的有東軒居士的「衞濟寶書」，論背疽的有李迅的「集驗背疽方」以及陳自明的「外科精要」等書，都是我國外科學上傑出的著作。在學說方面，發明「托裏法」和「內消法」，托裏法就是促進化膿的意思，內消法就是停止化膿、促其治癒的意思，運用了人的整體機理作用來治病，其意義是非常寶貴的。

金元時代由於蒙古族統治者爲保護自己的生命，所以在攻城屠殺時，獨不殺害醫生，同時因爲在四方征伐時騎兵最易遭遇傷害，就特別注重外科和骨科。13世紀北京來到了阿刺伯醫生，外科方面吸取了他們的經驗，使本來已經具有相當成就的外科學，更加充實豐富起來。1335年齊德之的「外科精義」和1337年危亦林的「世醫得效方」等書都吸取了不少阿刺伯的醫藥。關於「外科精義」是一本簡明的外科書，引用前人三十多種方書，總結了前人的經驗，足以代表14世紀中國外科發展的情形，同時記載的診斷、治法、藥方、外科用藥等都簡明扼要，他在卷首「論瘡腫診候」時更說明外科病不能孤立的祇看外表，應當注意病人全身症狀，這種思想在今天說來對外科治療上仍是很有價値的。

有明一朝，外科發展更加有了進步，書籍著作的種類也更形豐富起來。著名的有薛立齋（己）的外科發揮、外科摳要以及外科心法等書，在辨析病理、治療方法上都比較精詳。與薛己同時而且也享有醫名的還有一位汪機，他著有「外科理例」一書，分爲154門，附方156則，自序說：「外科必本諸內，知乎內以求乎外，其如觀諸掌乎；治外遺內，所謂不揣其本而齊其末」，說明醫治外科疾病，必須要熟悉基礎醫學，立論很爲正確。公元

1604年(明萬曆32年)申斗垣著有〔外科啓玄〕一書，此書後世很少重印，所以流行不廣，但內容却比較完整，全書共有12卷，對癰疽瘰癧等病的症治，各種外症的部位，症狀和療法以及各種外科處方都有詳細的介紹。書中內服、外敷、針灸、灸烙、爆點、刀割等治療方法還比較切實可行，而且對外科病理的說明除按中醫一般陰陽虛實外，並能將勞動人民所得外症的原因說出，如〔日晒瘡〕一症就說是〔三伏炎天，勤苦之人，勞於工作，不惜身命，受酷日晒曝，先疼後破而成瘡〕，一反過去一切外症都由〔氣血不和〕所造成的說法，是從前各書所沒有的特點，實在是一部中醫外科書籍的善本。此外還有陳實功的〔外科正宗〕，對於病名治法的講述，很是詳細；王肯堂的〔外科準繩〕流行也非常廣泛。1632年陳司成著有一部〔黴瘡秘錄〕，裏面已經記載應用砒劑治療梅毒的方法，比歐洲使用砒劑治梅毒要早上三百多年。

在清代外科醫學史上佔着首要地位的，當推洞庭王洪緒，他將祖傳的外科秘術錄著成一部很有價值的書——外科證治全生集，公之於世，一掃過去醫界〔秘方〕的陋習。他對醫治外症非常精通，而且別有見解，他認爲對癰疽的治療應當分別陰陽，不能濫用刀鍼，主張〔以消爲貴，以托爲畏〕，儘可能來使病者減少痛苦。至於顧世澄的〔瘍醫大全〕搜羅很爲廣博；高錦庭的〔瘍科心得集〕辨症精詳，着重於外科的鑑別診斷，都是清時外科的佳本。咸豐六年（公元1856年）高文晉著了一部〔外科圖說〕，以圖釋爲主、文字爲輔，和歷代醫書以圖釋爲輔的恰得其反，可稱得別創一格。書中對中醫的外科應用器械也作了介紹，使後學者易於學習，便於了解。官定的外科書——醫宗金鑑外科（簡稱外科金鑑）是當時醫生必修的書本，內容也很是精詳。另外許多醫家已能將外科診療經過，搜集彙訂成册，輯爲外科醫案，如馬培之、余聽鴻等都有醫案出版，給後人在臨床上很多的參考。當然清代關於外科方面書籍還有很多，由於篇幅所限，不再一一詳爲介紹了。

到現在爲止，如外科十三方，尙爲民間所重視，其中有些處方是採用化學治療的，又如痔疾的掛線療法的療效，已爲目前醫界所採用，且在不斷改進中。由此可見中醫外科確有專精，足補現代醫學之不及，即使祇有一點一滴，我們也不能忽視，特別在外科不作局部病症來處理，而顧到人的整體，這一點是符合巴甫洛夫學說的基本精神的，値得我們進一步的研究。

文　　摘

清代名醫陳修園傳略

宋大仁　著　　原載中醫雜誌1955年第五號頁55—56

陳修園，名念祖，又號愼修，福建長樂人，家在溪湄。初習舉子業，兼行醫自給。乾隆壬子(1792年)舉於鄉。

陳氏對醫藥各書很有研究，診病精確應驗，常有他人所不能治的病症，經修園之手而得存活。在診病之餘，從事著述工作，將自已的經驗與心得記載下來。

嘉慶廿四年己卯（1819年）因年老退休，回福建後，講學於嵩山井上草堂，和他學習的人日漸增加，陳氏亦誨人不倦，有來問學的人，必先給予自著的傷寒論淺註和金匱要略淺註二書。

陳氏著述很多，坊本有題名23種、32種、48種、50種、70種、72種的區別，其實只有：傷寒論淺註、長沙方歌括、金匱要略淺註、金匱方歌括、靈素集註節要、傷寒眞方歌括、傷寒醫訣串解、神農本草經讀(1803)、醫學三字經(1804)、女科要旨、時方妙用、時方歌括、新方八陣砭，難經淺說、傷寒類方集註、十藥神書註解（1857年林跋）。此外尙有傷寒論註、重訂柯註傷寒論、傷寒論讀、重訂活人百問、新訂喩嘉言醫案、醫醫偶錄、金針二卷等26種。醫約、醫訣二書不傳。以上各書都不易淺近，讀者易於接受，所以影響很大。

本文最末討論到陳氏的生卒年份。作者據陳元犀（修園次子）在醫學實在易靈龕門和魏敬中在醫學從衆錄魏序中的記述推斷，修園死於道光三年(1823)，時年71歲。

（少　麒摘）

關於證類本草的一些問題的商榷

馬繼興

中華醫史雜誌1954年第二期及第四期內曾分別刊載了洪貫之和王筠默的：「證類本草和本草衍義的幾個問題」兩篇同名的論文和1954年第二期洪氏論文後的編者按語。我認爲這幾篇文字在介紹有關證類本草等問題時有很多寶貴的見解，但是由於現存的古代資料的限制也還存在着若干重要問題。作者就一些新的資料，加以補充和討論。

一、證類本草的著作年代問題

洪貫之論文中並沒有提到證類本草一書的原始著作年代問題，王筠默論文中，是這樣說的：「證類本草的原始著作，爲唐愼微的經史證類備急本草(1098年)。」

王氏所說的1098年相當於宋哲宗元符元年，但是這一年代的根據並沒有提出。

按歷代學者對於唐代著作曾有過各種不同的看法，如南宋時的王繼先[1]及明代的李時珍[2]等都認爲是大觀中(大觀二年，1108年)由唐氏所撰著的。

也有的學者認爲是在大觀二年以前撰著的，例如日本的岡田元矩氏[3]。

另外，還有的學者們認爲本書的著作年代應當是在宋哲宗元祐之間(1086—1094年)。例如南宋時的趙與時[4]及清人錢大昕[5]等。

可見，關於證類本草的撰修年代問題確是存在過很多不同的說法的。但是到底上述說法那一種可靠？就不能不根據既有的各種資料加以重新考察了。

中尾萬三氏認爲大觀本草卷首艾晟序文[6]中所說的「而其書不傳(指證類本草)，世罕言焉。集賢孫公得其本而善之。邦計之暇，命官校正，募工鏤板，以廣傳。」是指本書的第一次付刊時期。更認爲，這個時期應比艾晟刊本時期爲早。據他考據宋史卷374孫升傳。孫升曾任職集賢學士，就是序中所說的集賢孫公。更謂宋代政府設立集賢學士的年代，當是由元祐五年(1090年)至紹聖四年(1097年)的八年間，而孫升氏在這一段時期中又曾一度因爲董敦逸與黃廷基的彈劾而一再被貶。董氏任御史的年代是元祐6—8年(1091—1093)，因此斷說孫升最初將證類本草付印的年代，應在其任中的年代，也就是1091—1093(元祐6—8年)。

關於「集賢孫公」的另一個說法是明代人梅鷟(一作梅鸞)所寫的南雍志經籍考(卷18)類書類的「大觀本草」項下，以爲集賢學士孫公是孫覿，並非孫升。其說如下：「愼微不知何許人。大觀二年，集賢學士孫覿得善本刊之。大德壬寅宗文書院重刊。」

不過，梅鷟所指的這個集賢孫公即孫覿的說法是不可靠的。但從孫覿的有關傳記資料看來[9]都可以證明孫覿在大觀二年，年28歲，大觀三年中進士，並爲太學諸生。歷事徽、欽、高、孝四朝，雖曾任過翰林學士，但都從未任過集賢學士。集賢孫公絕非孫覿氏。

但是，這一個說法並不能說明證類本草一書就是這時寫出的。因爲既然在艾晟的序文中指出了「而其書不傳，世罕言焉」之後就立刻提出了孫公得其書而開始鏤板的事，當然本書的著作年代應在此時以前。

中尾萬三氏對於這個問題的考察是根據政和本草的宇文虛中跋文(金皇統三年，1143年)。宇文虛中是宋臣降金，這時距孫氏刊本的年代不遠，在宇文氏跋文中既然很詳細地提到宇文代本人在兒童時曾見過唐愼微爲其父治病等，當然在文中所提到的其他字樣也是值得研究的了。特別是在該跋中所提到的：「唐愼微……遂集爲此書。尙書左丞蒲公傳正，欲以執政恩例奏與一官，拒而不受。」等話看來，中尾氏認爲很可能是蒲傳正見到唐氏原書之後，欲保薦他到朝廷中作官。據中尾氏的考察，蒲宗孟於元豐五年(1082年)四月始任尙書左丞，元豐六年（1083年）八月罷官。認爲唐氏撰著證類本草的時期，應當是1082年左右，或在此以前。

不過，此外又有一個問題出現，就是在證類本草一書中曾引用下列二個著作。

「孫尙藥方」。在證類本草的內容中，如卷四的「石硫黃」項下就引用了這個書目，原文作「孫尙藥」三字。（但這一書目在政和本草卷首的引用書目中並沒有記載。）據說孫尙曾著有秘寶方十卷，刊行年代是元豐八年（1085年）。

「初虞世方」。這個名稱不僅見於政和本草卷首的引用書目中，也見於證類本草（包括大觀本與政和本）的內容中。如卷七的「黃耆」項下，卷九的「惡實」項下等，都記有「初虞世」字樣。查初虞世曾著有「古今錄驗養生必用方」一書。本書已佚依陳振孫書錄解題所記，本書卷首有紹聖丁丑（1097年）的序文，這可能就是本書的刊行年代。

如果把上述兩書的年代和中尾氏的考證對照一下，就可以排列成以下的次序：

1082年左右	蒲宗孟見到唐愼微氏的著作（中尾氏）
1085年	孫尙撰秘寶方十卷
1091—1093年	集賢孫公開始刊行本書
1097年	初虞世撰古今錄驗養生必用方

從上表看來，如果承認了孫尙的秘寶方就是證類本草中所指的「孫尙藥」，和初虞世的古今錄驗養生必用方就是證類本草中所指的「初虞世方」的話，那麼顯然證類本草的撰成年代當是在1097年以後。

但是無論如何，有一個問題是必須提出的，就是證類本草的著作年代是在陳承所纂的重廣補註神農本草並圖經一書的年代（元祐七年，1092年）以後，因本書卷三的丹砂項下註文中曾特別說明，未採用和參考陳承的著作。

二、關於證類本草中加入陳承著作的問題

在證類本草一書內開始加入陳承的重廣補註神農本草並圖經的內容是由宋大觀二年艾晟所加入的這一個問題，亦非始自洪氏提出。

最早曾經南宋時代的本草學家陳衍指出了（1249年），現在不妨節錄他的話如下，以供參考[7]。

「大觀經史證類備急本草（唐愼微編）……於大觀二年，杭州仁和縣尉艾晟氏爲序。晟仍參對陳承議論，皆可稽據，謂之「別說」。入於逐藥之尾。其序且言愼微姓唐，不知爲何許人，傳其書，失其邑里、族氏，故不及載云。」

可見，這一問題的發現已是很早的事了。並且我們知道，這一問題的發現，也不僅是陳衍一人，此外像日本的丹波元胤氏[8]，中尾萬三氏[9]等都曾先後的發現了這一個問題。這裏就不再引述。

三、關於在證類本草中最早加入本草衍義的問題

洪氏認爲在政和本草中加入本草衍義的開始，並不始於張存惠。中華醫史雜誌的編者却否認這個說法，而認爲：「在北方，張存惠是將寇氏衍義增入政和本草的第一人。」「在南方却不然了。」此後該編者並提出了「新編類要圖經本草」一書，來說明南方早於北方增入衍義。

我認爲，上述二說均欠妥當。

第一，中華醫史雜誌編者把政和本草和證類本草（即唐氏的原著），沒有嚴格區分開來。事實上，據我所見的「新編類要圖經本草」及各種刊本的內容來源主要是證類本草，至少也是大觀本草加入本草衍義的改編性著作，絕不是根據政和本草而發展來的。因爲南宋時代政和本草流傳於金人之手，因此南宋沒有政和本草重刊本。（這是我根據南宋時期很多有關證類本草刊本考察的結果，在錢大昕養新錄中也有同樣的看法[14]。）旣然這樣，那麼首先就應當承認，在證類本草後世刊本之一的「政和本草」一書中首先加入本草衍義的就是張存惠本（亦即晦明軒本，已將「新修政和經史證類備用本草」的「新修」二字改爲「重修」二字。），而不是「新編類要圖經本草」，因爲後者並不是政和本草刊本，當然就談不到南方早於北方的問題了。

至於若是談到在證類本草中首先加入本草衍義的問題當然可以指出「新編類要圖經本草」一書的名稱，但是也不是最妥當的。因爲這部換了名稱的著作，不僅是將證類本草與本草衍義加以合編，而且也將證類本草的內容予以縮編。也就是說這部書的形式已完全和原來的證類本草不同了。

第二，據我所見今日尚存的南宋時證類本草刊本最早者尚有慶元元年(1195年)的江南西路轉運司第二次大觀本草刊本（王回氏刊本）（今存有殘本），和金人夏氏書舖於金貞祐二年(1215年)刊行的大觀本草刊本（今日尚存有一部）。這兩部刊本的年代均較晦明軒刊政和本草(1249年)爲早，並且都是將大觀本草與本草衍義二書的最早合刊本（非合編本）。可見在南宋嘉定時代（1208—1224年）出版的「新編類要圖經本草」或即據王回氏刊本將二書內容予以合編與改編。正是這樣，如果說更晚的張存惠在政和本草中不是遵循着上述這些著作（特別是金人夏氏書舖本）的方式而再度地發展結果，是很難理解的。

綜括以上所說，我們可以得到下面的一些初步結論：

1. 最早將大觀本草與本草衍義合刊的有南宋慶元刊本(1195年)及金人貞祐刊本(1215年)

2. 最早將證類本草的內容與本草衍義的內容加以合編、改編並改變其書名的著作是南宋嘉定時（1208—1224年）的新編類要圖經本草一書，此書後世又有多種不同的刊本與名稱。

3. 最早將本草衍義的內容逐條加入到政和本草中並開始改稱爲「重修」政和本草字樣的是張存惠（晦明軒刊本）。

四、關於證類本草的各種後世刊本問題

關於證類本草的各種後世刊本問題，在洪氏的文章沒有提到。王氏的文章中只提到了晦明軒的重刊本四種，但都只是屬於重修政和本草的刊本，並且都是明代的，至於大觀本草和它們的各種其他後代刊本等都說得很少。對於「證類本草大觀本草和政和本草」一個標題的內容來說，則不够全面。王氏所說：「除上列四種刊本外，至少還有一二種刊本。」實際除王氏所舉的刊本外歷代的證類本草刊本（大觀、政和及紹興三類刊本）包括國外日本及朝鮮的一些覆刻本至少要在30餘種以上。這些刊本，據作者所知今日尚存的也有20種左右。不過關於這些刊本的演變過程，它們之間的系統，它們內容的異同點等詳細事項很難在這篇短文中說明。以後有機會當另行介紹。

五、關於新編類要圖經本草一書的刊本問題

關於新編類要圖經本草一書，據我們所知曾有着很多不同的刊本，並且這些刊本的名稱也不完全相同，內容方面也有很多出入。根據洪、王二氏和中華醫史雜誌編者所引的書目有以下幾個名稱：

1. 涵芬樓影印元刊道藏本圖經衍義本草（42卷16册，序例5卷1册）

2. 天祿琳瑯書目—新編證類圖註本草（4函24册）

3. 經籍訪古志補遺—新編類要圖經本草

4. 類編圖經集註衍義本草

以上四種不同名稱的刊本，除了第3種外，其餘三種我都見過，並且作過一些初步的校勘工作，因此我想就這個問題談一談。以下爲了避免這些冗長的書名，就暫用第1、2、3、4種刊本來代替。

關於第1種刊本與其他刊本對照看來，涵芬樓影印版原缺卷首目錄一卷，而這卷的內容在第2與第4種今存刊本中尚被保留着。

關於第2種刊本，現收藏於北京圖書舘善本書內但被編目者記爲元刊。據我根據天祿琳瑯書目中所說的在本書各册之首末均加蓋有「謙牧堂藏書記」的白文及朱文印記的話看來，完全與此本相同。此外除了上述印記之外，在各册封裏尚印有淸高宗的「五福五代堂寶」（上），「八徵耄念之寶」（中）及「太上皇帝之寶」（下）等印鑑。而在各卷的第一頁，除了謙牧堂的白文印記外，尚有「天祿繼鑑」及「乾隆御覽之寶」等印鑑。更可以證明這就是天祿琳瑯的遺書無疑。但是本書今日尚存16册，其中尚欠卷7—16各卷。

關於第3種刊本，據編者根據經籍訪古志補遺中所說的書名與著者和醫籍考一書中所說的書名與著者對照的結果，認爲可能就是一種刊本。這二種說法如下：

經籍訪古志補遺：「新編類要圖經本草，42卷，序例五卷，目錄一卷。建安余彥國刊本。聿修堂藏。宋桃谿儒醫劉信甫校正。卷首有許洪校正字。目錄末記建安余彥國刊於勵賢堂。」

醫籍考：「劉信甫，新編類要圖註本草，42

卷。」

上面所說的書名一作「圖經」，一作圖註。並且校者方面後書缺許洪氏的名字。可能後書尙缺序例五卷及目錄一卷的緣故。至於這二種書是否即同一刊本，因爲今日我都沒有見到，還是一個問題。

關於第4種刊本，我也是在中央衛生研究院圖書舘中所見的「元世醫普明眞濟大師賜紫僧慧昌校正」殘本（即中華醫史雜誌編者所說的刊本）。這一殘本只有二册，，即目錄一卷和序例五卷，至於內容方面的42卷則已全佚了。但是，本書內容中的主要部分還不難從既存的目錄中找到一些綫索。

此外在這一刊本的各卷之前都記以寇宗奭編撰，許洪校正字樣。

我們知道，在經籍訪古志中也曾提到本書的名稱，並且指出：「按此書即類要圖註本草而妄改題目者。」

從上述四種刊本對照看來，在刊行年代上雖然都沒有記載，但第1、4種刊本較爲晚出。因爲這都是元代刊本，而第2、3二種刊本可能較早一些，我認爲第3種刊本應當是更早期一些的。這是因爲：

從著者方面來看，第3種刊本有許洪及劉信甫兩人的姓名。許，劉二氏爲同時代人（約宋嘉定中人），他們將唐愼微的證類本草和寇宗奭的本草衍義二書內容加以合併與縮編並改編了原來的卷數編次之後，題以「校正」的字樣是很恰當的。因此，在這一刊本中並沒有加上寇宗奭氏編撰的字樣。因爲如果追溯起本書的原著者時，當然主要還是唐愼微。至於其他的三個刊本，都添了寇氏的名字，但却把劉信甫校正的字樣給略去了。

從內容方面來看，在第3種刊本中也刻有黑白字的標記，並且「仁」字一律書作「人」字。這是在經籍訪古志中已經提到過的問題。

最後，我還要特別談一下關於現在尙存的三種刊本內容的對照問題，與這三種刊本內容與證類本草（大觀與政和）內容對照的問題。

在前一個問題上，値得注意的是，據我根據現存各本相互校勘的結果，發現第2種刊本（即天祿琳瑯書目中的）和第4種刊本（即元僧慧昌校正的）的內容編排與各卷所收藥數完全相同。但是在第4種刊本卷首的子目中却又比第2種刊本對於所引證的藥物來原的記載更較詳細一些。至於現存的第1種刊本（即道藏本）內容却是和第2、4二種刊本的內容有很多出入。譬如在第2種與第4種刊本中共收有藥物總數1050種，而第1種刊本却只有1045種。此外在各卷中所收的藥物數目也均互有出入。當然，這些刊本的卷數雖都是48卷（即本文42卷、序例5卷、目錄1卷），但內容方面，不論在藥物的總數方面或是每種藥物的註文方面或所給的藥物圖形方面均較證類本草的各種刊本（包括大觀、政和）爲少。至於爲什麼會產生這麼多的出入其原因還不明瞭。

總　　語

綜括以上所提出的若干問題，僅是個人的認識和補充。深信在我所提出的問題中還是存在更多的缺點與錯誤。謹在此要求各位著者與讀者們予以指教與改正，使我們對於祖國的這一偉大科學著作證類本草的認識更能正確。

註　　釋

1. 紹興校定經史證類本草序
2. 見本草綱目序例
3. 岡田元矩氏醫壽館醫籍考
4. 趙與時氏賓退錄
5. 錢大昕氏養新錄卷14
6. 中尾萬三氏紹興本草解題
7. 陳衍寶慶本草折衷卷20
8. 丹波元胤醫籍考卷10
9. 參考孫覿鴻慶居士集（光緒盛氏刊本）中周必大及孫覿之子介宗氏及慶之5年的序跋，此外尙可參考孫覿孫尙書內簡尺牘編註及陳振孫書錄所題等書都提到過有關孫覿生平問題。至於孫氏本人，宋史未予立傳，這個問題，在光緒時盛宣懷是曾有過說明的，這裏從略。

原始社會的衛生文化

宋大仁

一 火的發明提高人類征服自然的力量

在太古時代的人類，生產工具幼稚，僅有一種極簡單極原始的略為加工的鈍厚的手斧、石片、和木棒。他們獲取生活資料的方法，主要是靠採集樹木果實，蠃蜣之肉，和容易捉獲的禽獸，充作食物，所以食物的種類和來源都是極其有限的。為着求食，便形成了地面上到處流浪的原始羣團[1]。由巢居進而為穴處。在這時候生產力水平很低，而且祇能生食，人類不過是剛脫離動物界的半動物狀態。原始人類通過了無數次偶然的火的利用，漸漸的變成經常的利用，而學會保持和保存天然的火[2]。

人類能够生火，當在舊石器時代中期，在歐洲的莫斯耶文化期以前，沒有發現過火的遺跡，但是中國猿人已能用「火」，並且證據確實。第一個證據即是周口店含骨化石的地層中，曾發現遺留的灰燼；第二個證據，是在周口店的地層中發現燒過的動物骨骼；第三個證據，是燃燒過的土石。

火的發見和使用，在人類歷史上是一個重要的成就，恩格斯認為發見火的價値，「就其對人類的意義來說，還高於蒸汽機的發明」[3]。

當時由於火的發明和使用，幫助了人類防禦猛獸的殘害，同時還可以獵取野獸，「火」是首先使人類獲得了征服自然的力量，並從此促使人類徹底地脫離了動物界，在生活上起了極大的變化，因為火不僅給人們取暖或防禦的知識，而且主要是提供了熟食的可能條件，使人類從生食到熟食，非但擴大了食物的種類和來源，也引起了人們生理發展上的急速進化。因為熟食可以幫助食物消化，增加營養，這對人類身體的發展，起着很大的作用。所以恩格斯認為火的使用，在人類進化中有決定性的作用；而且食物經過燒熟，有了消毒作用，消滅了傳染病的病源；由於用火，人類對於自然的控制力提高了，對於身體健康更加增强了。

二 食物來源的擴大與體質發育的關係

在人類學的研究，猿人牙齒的構造，可以判斷它們是雜食動物，它們是以植物為食料，同時也還需要肉類。研究到這些砍伐的工具時，就會想像到他們除獲取禽獸與砍伐植物外，實無任何其他取得食物的方法。

在猿人時代，那時還沒有農業，牧畜的生產技術，人類的生活祇能靠採集天然的、現存的東西來維持，這時主要的當然就是天然的菓實、植物根、植物葉幹等。但是到了舊石器時代晚期，人類使用了骨角做器物，能够製作魚杈，從水中捉捕魚類，人類的生活資料又推廣到水中的生物，生活資料的來源又擴大了[4]。

由植物採集發展到穀物種植：

當人類處於狩獵生活的時代，必須每日尋找食物，並沒有時間去從事其他的工作，直到新石器時代才開始種植，後來繼續發展就有了農業，因為從弓矢發明後，可以獵獲更多種類的禽獸，食物來源擴大，人們可比較長期地住在一個地區，相對地減少了原來的流動性，因而有改進住宅的可能。於是傾倒在室外的植物殘骸，使他們看見它在明年又發芽、成長，便發現了栽培植物的方法，出現了田野農業。農業發明後，就可儲蓄糧食以供隨時應用，並有較閒時間來分工合作，因而促進了文化的進

---

(1) 參考呂振羽：簡明中國通史 18 頁 1949年 3 月華東新華書店版

(2) 參考B. K. 尼科爾斯基教授著繼龍譯原始社會史第 54 頁

(3) 譯編：社會發展史綱 113 頁轉引

(4) 參考呂振羽：簡明中國通史第 22 頁

展。

在我國原始農業時代，它所種植的作物已有粟、麥、稻、三大類。這在山西省萬泉縣的荆村，和熱河省赤峯蜘蛛山的史前文化層中，發見了很多粟的灰燼，可以證明粟的種植，從史前時期就開始了。於是人們的生活資料又擴大了範圍，「有了穀物和蔬菜。

三　原始人的壽命

中國猿人的壽命非常短促，據魏敦瑞的研究，中國猿人40人中計有：

死於約14歲以下之孩童佔39.5%

死於30歲以下者佔7%

死於40歲至50歲之間者佔7.9%

死於50歲至60歲之間者佔2.6%

死亡壽命不可確定者佔43%

看了這些統計數目字，就可看出中國猿人的壽命很短，據魏敦瑞推測其壽命短促之原因，均由傷亡所致。

其短壽可能由於下列幾種因素(1)常被巨大肉食獸侵害(2)血親雜交(3)對於植物攝取有限性(4)無能對付自然災害。現在再看尼安德特人的壽命如何？

據瓦婁哇(H. V. Vallois)推測歐洲尼安德特人之結果：

生活於40歲以上的約有5%

死亡於11歲上下者爲40%

由這個數字看來，中國猿人與尼安德特人的壽命都是很短促[5]再看山頂洞人的壽命如何？

據魏敦瑞以山頂洞發現的7個男女不同的遺骸而估計死亡率爲：

死於童年者（包括初生之嬰兒）佔43%

死於20歲至40歲者佔29%

死於60歲者佔14%

死於壽命不可確定者佔14%

由此可以看出山頂洞人的死亡率，比中國猿人與尼安德特人又是比較減縮了。可以得到證明山頂洞人對於食物攝取性的限制，有了放寬，而於自然界所加諸其身的災害，也漸漸地有了抵抗能力[6]。因而壽命得以延長。過去人們憑主觀的想像，以爲時代愈古人類壽命愈長，是很大的錯誤。

四　陶器發明，人類飲食衛生有了顯著進步

原始人類製陶的起源，我們可以說是從燒食物中發現出來的；因爲最初人類祇以「土塗生物」放在火上燒烤，而得以熟食。原人這樣做法，以爲比之將食物直接放在火上燻燒，可以減少一些枯焦，吃起來比較好些。但在屢次燒熟打開泥巴來吃的時候，外面剝離下來經火燒過的泥土層，必已凝固成塊，假使並不敲得太碎時；那麼遺留下來的較大泥塊，就可能形成瓢形、勺形。經過無數次的實踐和觀察，取得了經驗，再由累積經驗的結果，才知怎樣燒出了一個完整的作爲器皿的泥胚來，陶器從始誕生了，後來便得到逐步提高。

這裏要提出的有兩點：(1)我國的陶器，在細石器時代就開始，（如昂昂溪所發見的）我國先民是極重視極努力於製造和改進陶器的，因此過去的外族，有的就稱中國爲磁國。爲什麼先民這樣的重視陶器？不能不說他們是注意改善衛生。(2)照我國的傳說，「神農耕而作陶」，是拿發明農業和製造陶器看做同時的事，此外還有神農開始定居的傳說

圖1　中國細石器晚期陶器昂昂溪出土
梁思永昂昂溪史前遺址1930年發掘報告。

(5) 參考賈蘭坡中國猿人131頁

(6) 參考賈蘭坡山頂洞人89頁

圖 2　中國細石器晚期帶流罐(B)昂昂溪出土

手製，完全深棕色，質料滲合多量的介殼末做煆料，烘烤火力較陶罐(A)强，也較硬。深碗形，平底，差不多直的口緣，帶流。外面全部印滿了小凹點，似乎是塗抹髗的印痕的結果。口徑 148，底徑 97 公分；邊口厚 5 公分。

（梁思永：昂昂溪史前遺址 1930 年發掘報告）

圖 3　龍山文化黑陶烹煮器

南京博物院藏

（如說他築城）。現在也有考古家說，有了陶器人們才開始定居的。從這裏就可體會到陶器發明關係之大了。假使我們承認有陶器才有定居，也就應承認有了陶器才有農業，因爲農業必然在定居之後，才能產生。那末，陶器的作用，間接地擴大了食物（穀物）範圍。

古代遺留下來的陶器，我們所見到的，最多的是烹飪器（如鼎鬲等）和貯藏食料的器具（如罎罐等）（圖１、２、３），這就不難想像陶器大大地改善了人們的生活。

五　火葬的起源與公共衛生的關係

根據臨洮寺窪山新石器時代晚期遺址的發掘報告[7]。

「火葬在寺窪出現，是一件很有意思的事，墓中收藏骨灰的陶罐和殉葬罐，都是標準型的寺窪陶。還是屬於寺窪期文化，毫無疑問；可見當時是火葬制和全屍土埋制，同時存在。」

從最早（春秋戰國間）有關火葬的文獻紀錄——墨子節葬篇來互相印證，足以說明墨翟之言，與實際相符，也可證明火葬是遠古傳統而來；節葬篇說：「秦之西有儀渠之國者[8] 其親戚死，聚

(7) 寺窪山在甘肅臨洮縣城南 20 公里，位於洮河西岸，前中央研究院歷史語言研究所 1954 年 4 月田野考古發掘，夏鼐同志所作的報告，載中國考古學報第四册1949年12月由中國科學院出版。

(8) 據唐魏王：泰括地誌說：「寧、原、慶、三州，秦北地郡，戰國及春秋時爲義渠戎國之地」。便是今日甘肅東部，慶陽、固原、一帶地方。後漢書（卷 117）西羌傳將義渠歸入西羌種屬。

圖 4 新石器時代火葬骨灰罐

（左）骨灰罐的剖視，內有燼餘的殘骨碎片。

（右）完整的寺窪陶骨灰罐。

夏鼐：臨洮寺窪山遺址，1945年發掘報告。

柴薪而焚之，燻上，謂之登遐，然後成爲孝子，此上以爲政，下以爲俗，中國未足爲非也。爲而不已，操而不擇，此所謂便其習而義其俗也」。呂氏春秋義賞篇、列子湯問篇、荀子大略篇，亦有類此記載。諸子學說，以墨翟之言，最爲切中時弊，因爲戰國之初，所謂禮者，煩擾而浪費，所以墨翟反對厚葬而提倡薄葬。

火葬的意義，在現代講來是具備三大優點：一爲節約經濟的浪費，二爲不荒廢土地有利於生產建設，三爲公共衛生減少疾病傳播，都有其積極作用。但是原始公社時代，尚未發生經濟和土地的問題，唯有這「公共衛生」一項，雖然未能有明確的認識，但由於切身體會到屍體腐敗，疾病傳播的災害，積累了這種經驗的結果，所以部分氏族或部落便認識到火葬旣屬簡便易行，而且又合乎衛生的好處，自然地成爲風俗。

六 遠古人類的疾病

疾病的侵襲，在遠古時代時，甚至還沒有人類之前，是早已發生的了，眞可說是與生俱來。遠在千百萬年之前，遠古植物的化石之中，已有細菌眞菌類的遺跡，在動物化石之中，亦可窺見幾種疾病的徵象，周口店掘出的骨化石，如鹿、熊、土狗等的遺骨上，均可找到生前是有關節炎的病態的許多標本，最多的要算是一種名爲腫骨鹿的鹿，其下顎靠近臼齒部分特別腫起，高與寬幾乎相等，故呈圓形，其上顎靠近臼齒部分也有腫起，凡此類化石多

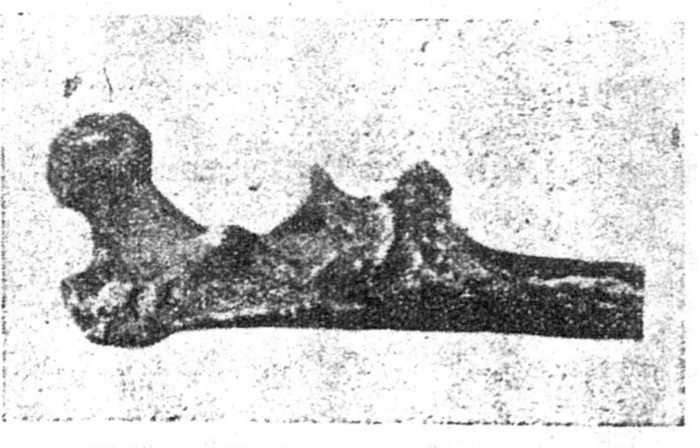

圖 5 五十萬年前一個爪哇猿人的左大腿骨上部的小粗隆之下發現有骨骼異常腫突，這係病態「外生骨疣」的表示。

中國科學院新生代古生物研究室賈蘭坡贈

有這樣的現象。在外科方面的病態最爲常見，如動物受了傷，骨骼損壞，復元以後，骨骼當然也變成了病態的畸形，像周口店有許多鹿化石，其角往往爲生前所損壞的，角端稍粗，改變了一般的常態，這或者由於生前鬥爭而受的傷，才使巨大的角變了形[9]。由此可見生物疾病和損傷確是由來已久的了。

五十萬年前一個爪哇猿人，在大腿骨上部的小粗隆之下，發現有骨骼異常腫突，這是病態「外在骨疣」的表示（圖5）二十餘萬年前尼安德特人的橈骨，比一般人彎曲，學者都認爲這是病態。（根據中國科學院古生物研究室模型攝影）五萬年前克魯馬努人的頭骨，顱部很平廣，面部則凹坑不平，

圖6 是山頂洞人女性的頭骨（舊石器時代後期）這個穿孔有人認爲是由重擊而破的傷口，頂骨和枕骨雖然破碎，但仍綜疊的黏在一起，則又認爲這個頭骨是在有皮肉之前破碎的。
中國科學院新生代及脊椎古生物研究室賈蘭坡同志添贈。

有人認爲這是被土酸侵蝕所致的，但是也有人認爲這是病態。在我國周口店發掘出來舊石器時代後期（約二十萬年前）的山頂洞女性的頭骨，（圖6）雖然破裂得嚴重，但仍是嚴密的結合在一起，而是作綜疊形狀粘合在一起，因之有人認爲這個頭骨的破碎，一定是在她生前，有皮肉的時候才能癒合粘連而成這綜疊形狀，再有在她左部額骨和頂骨之間，顳顬線的經過處，有一個前後長15.5毫米，上下寬約10毫米的一個穿孔，這個穿孔有人認爲是由重擊打破的傷口，也看得出不是她死後的骨殖破損，還有在山頂洞發現的男性老人骨頭上（亦舊石器時代後期），在他左上方額骨和頂骨之間，顳顬線經過的地方，有一個長形的凹坑，這個坑的前後有1.5毫米闊，上下有12.4毫米長，及3.0毫米深度，有人認爲這個凹坑的痕跡也是當他頭骨生有皮肉的時候被尖銳器物所傷的痕跡[10]。

七 原始人對於疾病的處理和醫療

自從人類用手勞動，開始製造適應生活的工具，當然是一種簡單的，不加磨製的石塊，後來才逐漸加工，又形成一定的形狀，如石斧、石刀等等。當他們用石塊擊殺，或用羣體的力量獲得來的野獸如鹿等，吃了它的血肉之後。遺留下來的一些骨、角、也成爲他們的器材，使用這些角骨，來刻劃着硬性的石片或骨板，然而由於自然的角頂尖銳程度不够，很容易使他們漸漸去敲擊着，磨削着製造出比較更尖銳的石器和骨器，所以當時他們所用的日常物品，大都是用燧石、骨、角、蚌、壳等所製成的，而所謂醫療工具，也就是這種日常用具，例如用燧石開切膿腫，或施行劃痕；以骨針或棘刺放血。我國古書上所說的上古醫療工具有箴、砭二字。

箴（或作鍼，針），在原始社會生產力和物質條件關係，本來是沒有特製的醫療工具。衣服的起源很早，縫製獸皮用的骨針（山頂洞人），後來發明紡織，縫製麻布的石針，當時的針很粗大，大約如現在裝米蔴袋的縫針。當初祖先們拿起手頭日常用具作爲治病的工具，經常用它而能收到療效，就成爲正式的醫療工具了。山海經東山經說：「高氏之山，其下多箴石」，又說：「高氏之山，有石如玉，可以爲箴」，素問說：「鑱石鍼艾，治其外也」，禮內則：「古者以石爲箴，所以刺病」，但古代人類用針，祇是針刺皮膚表層[11]。或用來刺穿靜脉放血；及刺破膿瘍以排膿。近來有人說先用竹作針，不能用石製針是一偏之見。因各處博物館皆存有石製或骨製的針，是最好的證據。

砭、說文：「以石刺病也」，韓愈苦寒詩：「鋋刃甚割砭」，可見砭能起割剖作用；素問：「癰瘍治宜砭石」，郭璞也說：「砭石所以治癰瘍」。砭、是一端尖銳的細小石塊（不局限一定形式），爲醫療上割剖和劃開肌膚的工具。中國及世界各地原始時代都是這樣情況，（中國醫學大辭典謂：「砭是燒熱來治病的石片」待考）。

原始人類又能用燧石之刀，施行割腹產術、卵巢切除術、斷肢術、穿耳鼻術、閹術、及穿顱術等手術[12]。以上各種手術，都是根據各國考古學家

---

(9) 參考楊鍾健「化石是過去生物的寫形」科學通報1卷7期第436頁。

(10)這節所述，根據賈蘭坡同志的意見。照片也是賈同志供給，特此致謝。

(11)參閱宋大仁：針灸起源和發展，中華醫史雜誌1954年1月號。

(12)參考李濤：原始社會的醫學，醫史雜誌3卷2期，1951年6月版。

或醫學家調查各地的原始氏族的報告[13] 其中最特殊的是穿顱術係原始人類常時施行的手術，在世界各地，如：地中海西邊，西班牙、葡萄牙、意大利、英吉利、德意志、捷克、奥地利、法國北部、比利時、丹麥、瑞典、波蘭、蘇聯、南北美洲、秘魯、波利維亞、墨西哥、加拿大、巴爾幹各地，南太平洋羣島，及日本發掘新石器時代頭骨蓋中，時有發現。首先是 1685 年在法國發現，至 1873 年考古學家 Prenieres 氏將他很多發掘資料，作系統的研究，提出在里昂召開的科學促進會上報告。外科醫生人類學家 Proca 氏熱心研究，發表許多論文，在十九世紀開始時引動學者更多的注意穿顱術種種動機，大致可分爲兩種：

(1)宗教巫術關係：採取人頭骨片，懸掛頸上，作爲護符。施術方法第一法：以銳利石器，方形切口，取出骨片第二法：以銳利石器尖端，做成圓形，穿孔的穴，內緣較外緣狹小，周邊平滑，取出骨片，再開小孔兩個，大約是爲穿繩佩掛之用[14] 非但死體施行，在生體也做這種手術。馬來亞羣島的原始人智識簡陋，遇頭腦疾病，他們認爲頭腦裏有鬼作祟，就施行穿顱術，祛鬼外出，和南美洲土人放血同一意義，其法用棕葉做成一個小人塗上些香料或食物，放置顱孔前面，引鬼出來。

(2)爲醫治病症目的而施行。如頑固頭痛、昏睡、神經痛、癲癇、瘋狂、驚風、及白痴等，我們始初不信用石器能够做腦外科手術，後來經科學家用屍體試驗，不但可能，而且用燧石來開刀，比刀還快而容易，（圖 7）在南洋及美洲還發現若干種穿顱工具，棘球石器其術有三個方法：用石器尖端一點點括骨頭；或先劃一圓圈，步步挖深；或用拉鑽，在圓圈上鑽若干小孔，然後割斷中隔而成一個大孔。手術的部位，大多數在頂骨，亦有在額骨或枕骨的。其孔穴有大有小，尺寸不一定的，我們看到穿顱的孔穴邊緣其中有發生骨增殖的，可知病人開刀後能生活，手術是成功的（圖 8）在日本考古學界發現三個例子，清野謙次及平井金關共同發表於1928年人類學雜誌，清野氏爲京都帝大醫學部病理學教授，又著「日本石器時代人研究」一書，關於生理和病理方理有詳細的研究。

或問穿顱術並非小手術，施術時劇烈疼痛怎能忍受？避免痛苦，是全人類和動物界一致的要求，原始人類很自然地早巳開動過腦筋，設法來解決這個問題，原始人類也找到含有麻醉性的植物，作爲手術時應用的。E. G. Wakefield 和 S. C. Dellinger 兩教授曾於1939年發表一篇關於穿顱術的論文，論述美洲哥倫布發現新大陸以前，祕魯、波利維亞兩處土人於施行穿顱術之前，預備好麻醉藥及制腐藥。麻醉藥爲可可葉（內含哥根 Cocain）及蔓陀羅葉 Datura（內含莨菪或顚茄），印度、中國也常用蔓

圖 7 穿顱術用的石製工具

美洲土人有許多石器，爲鑽骨及括骨的工具，穿顱術的施行時或亦用這種石刀石鑽。美洲 Arkansas 古墓中出土。

採自 E. G. Wakefield M. D. Prof. S. C. Dellinger, (Possible Reasons for trephining the skull in the Past, Ciba Symposia, Trepanation Vol. 1, No. 6, 1939)

陀羅作爲麻醉藥。該論文並說及被施術的人。男女皆有，自兒童以至中年爲多，頭売開竇後，用葫蘆片、或介壳等遮蓋而包紮之[15]。

八 藥物的萌芽

當初人們日常的生活資料，多半是自然產生的植物，草木中含有催吐促瀉的東西，人們吃了，或吐或瀉，這種現象非常普遍。逐漸認識到那一種草是催吐的，那一種草是促瀉的。我國相傳神農嘗百草，一日而遇七十毒，正表示當時人類爲了尋求食料而隨時遭遇到中毒的情况。也說明了原始羣團由經驗嘗試而得知草木具有藥效的經過。就此我們可以知道，發明藥物的是原始羣團的勞動人民，而神農氏並不是發明藥物的始祖，只是社會進步到發明

---

(13)參閱 Henry E Sigerist: History of Medicine, Vol. I: Primitive and Archaic Medicine Page 206, Oxford University Press. 1951. 有詳細記述，爲日譯出，另行發表。

(14)Mac: Curdy 氏報告見 Americ an Journal of Physical Authrop. Vol. 6 No. 3, 1929.

(15) 摘譯自 E. G. Wakefield M. D. Prof. S. C. Dellinger: Possible Reasons for trephining the skull in the past. Ciba Symposia Trepanation, Vol. 1, No. 6. 1939.

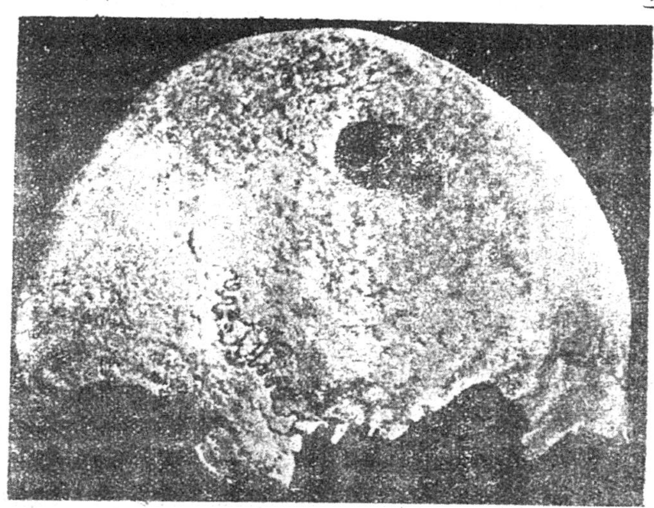

圖 8 新石器時代頭骨有愈合的穿孔瘡口

見 Prof. Meyer-Steineguna Prof. Karl Sudhoff Geschichte dex Medizin in Überblick Mit Abbildungen 1928.

種植的象徵，决不是像傳統的傳說那樣，神農氏一個人所發明的，事實上一天之中也不可能中七十次毒。

所謂神農嘗百草無非是後世維護封建統治者的假托，因爲封建社會往往把任何發明創造之類歸功於個別的所謂「神聖」，個別的帝王將相。封建統治階級，本來是一貫掠奪勞動人民智慧累積的果實，製造神話，表示封建主的全能，以欺騙人民，使人民馴服，來維護其統治，因之對藥物的起源和發明，也無例外。

藥物最早的產生，原是人類經過無數次的偶然遭遇，引起注意而後才能漸漸地知道把催吐的草拿來用作醫治心窩苦悶等疾病，把促瀉的草用來醫治腹脹便秘等疾病。這雖是偶然零碎的經驗，也可說是藥物的萌芽。藥物多以草木爲主體，乃是人類經過漁獵遊牧時代後，因在遊牧生活中需用大量的草類，所以進而從草類中發現了五穀等類的食料，同時也在日常體驗中從而展開了藥物的出現。石器時代晚期的北美印第安人所用的藥物，已達 144 種[16]但是原始人對於治療疾病的認識當然是非常幼稚的，所以藥物仍是很少應用，大部是憑着外科的或巫術的處理。

九 結 論

原始人類，依靠勞動，創造了自己，完成了從猿到人的過程。同時他們也創造了世界，生產方法和生產內容逐漸豐富，在衣食住三方面的物質生活逐步改善，雖然還很低下，但已奠定了文明時代衛生文化發展的基礎，是值得我們重視的。

歸納本篇主旨，有下列幾點：

1. 壽命的長短基因於物質生活水平：根據近代科學的研究，中國猿人與尼安德特人的壽命，都很短促，可能是由於攝取食料的限制，與自然界的災害無力抵抗等原因所致，但是山頂洞人的壽命，比較起來，已長得多了。

2. 陶器的發明，是劃時代的衛生工具：因爲原人生活環境需要，而開始創造，起初是從飲食的關係發現出來，它們所製的陶器多是用來儲水、蒸煮食物及儲藏食物的，它製作的動機，不是爲美術裝飾，而是爲飲食衛生的目的而製作。因此有了陶器之後，可以減少人類的疾病和死亡率，陶器的產生，在衛生文化史上可以寫上光輝的一頁。

3. 火葬爲葬葬中最優良的方法，於公共衛生方面、經濟方面、和社會建設方面，都有其積極作用，查以往歷史文獻，約在二千餘年的墨子節葬篇爲最早的記錄，今據中國科學院最近(1949年12月)發表的田野考古報告，才能知道火葬的始源，實起於原始社會時代。但是這種優良的傳統文化，被封建統治階級提倡「禮教」所迫害而不能普遍發展。

4. 原始人類的醫療手術：原始人類遇有疾病，所用的醫療工具，自然也只是日常使用的燧石製的和骨角製的器物。他們使用這樣的簡陋的器具，竟然能够展開了醫療手術。例如用燧石開切膿腫，施行劃痕，或以骨針棘刺放血。後來又能用燧石之刀施行剖腹產術，卵巢切除術、斷肢術、穿耳鼻術及穿顱術等手術。特别是穿顱術。

附註 本文經中國科學院考古研究所及華東師大歷史考古教授東世澂同志提供意見和補充，謹此致謝。

(16) 參考李濤原始社會的醫學

太平天国時期的醫藥史料

耿鑑庭

一、韋昌輝招延良醫的誠諭

這是「太平天国史料」一書裏收載的一件招醫文告，南京中醫藥展覽會，曾經複製了一個模型，就是下面的這張照片（圖１），因爲拍得太小，不很清楚，所以仍然將原文照錄出來。

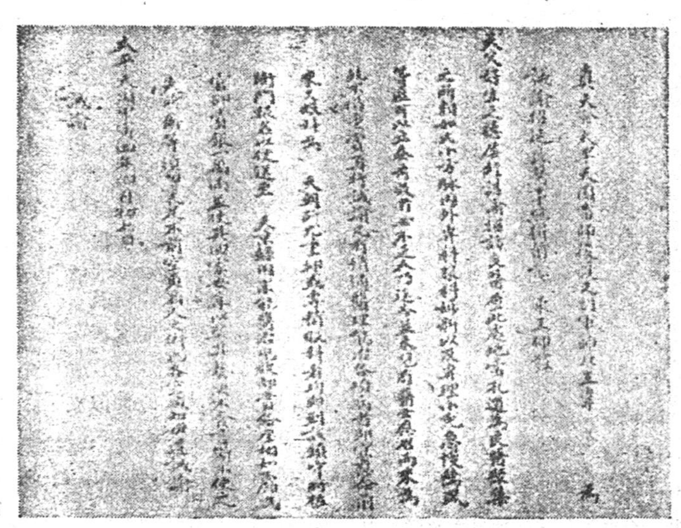

圖　1

真天命太平天国雷師後護又副軍師北王韋　爲
誠諭招延良醫事，照得前蒙　東王仰體
天父好生之德，屢經誥諭，招訪良醫，查此處地當孔道，爲良醫聚集之所，類如大小方脈，內外專科，眼科，婦科，以及專理小兒急慢驚風等症，可以立奏奇效者，必不乏人，乃迄今並未見有醫士應召而來，爲此不惜重賞，再行誠諭，凡有精通醫理，能治各項病者，即宜應命前來，又眼科爲天朝所尤重，抑或專精眼科者，均即到該鎮守將佐衙門報名，以便送至　天京錄用，果能醫治見效，即賞給丞相，如不願爲官，即賞銀一萬兩，並使其回家安享，以獎其醫，决不食言，斷不使之失所，爾等慎勿裹足不前，空負濟人之術也。各宜感知，毋違誠諭！
太平天国甲寅四年四月初七日
誠諭

二、忠王准徐少遽病假的瑞批

這是一件原物，由徐少遽的後裔徐振麟，捐獻給江蘇省博物館籌備處的（圖２）。原係黃紙所書，故拍照不能顯明，開頭有「忠王瑞批」四個紅字，分兩行寫，連同年月上的朱印，都沒有能拍下來，所以也須把原文重行錄出。

撫天侯徐少遽跪稟報
爲因病請假事
忠王瑞批　據稟，因病請假等情已悉，但旣經抱病，應如所請，而地方諸事，尙期勷理，恐該邑佐將有不合之處，并望弟從中調停，善爲撫慰，俟兄凱旋，再酧弟勞，總期毋負委任爲要！此批。
天父天兄天王太平天国壬戌十二年九月十五日

按徐少遽爲蘇州永昌人，其官階爲「撫天義」。在王，朝將，主將之下，安、福、燕、豫之上。

三、宗良給徐少遽的啓

這也是一件很寶貴的東西，在內容裏，提到他

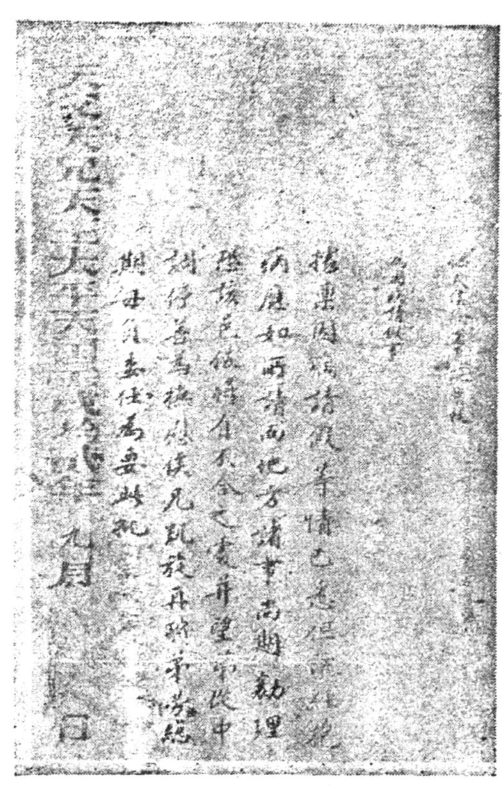

圖 2

自己疾病略愈，並於啓後附言中，有「忠王在京，亦且帶病」，等語。是壬戌十二年十月初七日寫的，形式與前件相同，因爲主要內容與醫藥無關，所以不錄全文，也未曾拍照。原件亦在江蘇省博物舘籌備處，陳列在忠王記念堂前。

四、太平天国革命時代的中醫

這是南京中醫藥展覽會，第一部分，第九階段的第一塊大說明（圖3）。因爲南京是太平天国的建都地點，所以展覽裏，特把這一時代的醫史，特別展出。照片尙清晰，故不再錄原文，其中「軍官」兩字，應改爲「將領」，則更爲合理。

五、太平天国期間在淸廷僱傭軍裏的另一個外籍軍醫

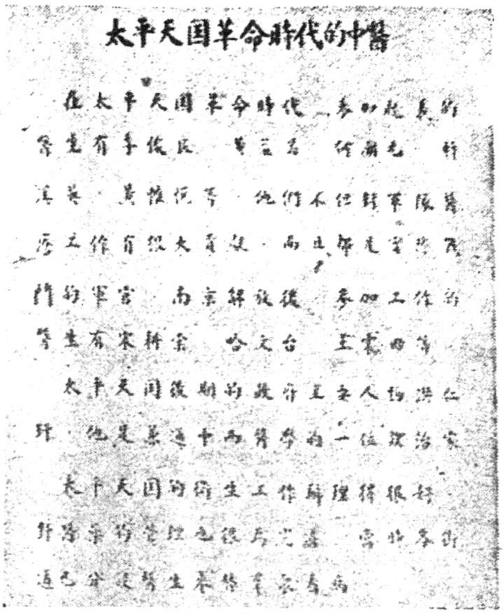

在中華醫史雜誌1953年第一號裏，有王吉民、趙士秋兩先生合作「太平天国期間，在淸廷僱傭軍

太平天国革命時代的中醫

在太平天国革命時代，参加起義的醫生有李俊民、[illegible]、何潮元、[illegible]等，他們不但對軍隊醫療工作有很大貢獻，而且[illegible]的軍官。南京解放後，参加工作的醫生有宋耕余、哈文台、王雲[illegible]等。

太平天国後期的政治主要人物洪仁玕，他是兼通中西醫學的一位政治家。

太平天国的衛生工作辦理得很好，[illegible]

圖 3

裏的兩個外籍軍醫」一文，叙述毛弗脫、馬格里二人幫兇事跡甚詳。玆又續得一人，亦係英籍，名叫「老司」，詳見於當時反動軍官羅榮光，致僱傭軍頭目戈登移文中，今將原文照錄如下：

管帶撫標親軍炮隊兩江即補協鎭都督府果勇巴圖魯羅爲

移知事，玆於五月初三日，接奉

撫憲札開，據候補府賈守禀稱「戈總兵屬卑府代禀，以現留礮隊，有英國兵弁十三人，前求留英國醫生一名，已蒙允准，玆有常勝軍醫生，老司醫生尙好，老司在常勝軍，每月辛工三百五十元，現在礮隊人少，辛工應減，每月發洋二百七十五元，伊帶通事一名，每月工鈔五十元，總目一名，每月工鈔廿二元，藥料每月約五六十元，醫生所用治傷刀，剪、鑷、鋸等物，常勝軍從前所置買者，令其帶用，以免另購，以上三人，可否令其前來，恭候

批示等情到本部院；據此，除批外國醫生老司，准其留於礮隊，每月改發工食洋二百七十五元，並准帶通事一名，月給工食銀洋五十元，醫生非弁兵可比，不必另用總目，以節糜費，仰即移明知照」等因；奉此，當即遵札移明，即希轉飭　貴國醫生老司，隨帶通事一名。並帶所用之物件，遵照前來礮隊可也。合行此移，須至移者。

右移

欽加提督銜，會帶常勝軍頭等功牌總兵戈

同治三年五月初三日

從「留醫生一名」一語裏看，可知當時幫兇作惡的外籍醫生，必不止此數人，尙當續考。

有關婦產科的一些史料

陳　邦　賢

一、婦產科疾病最早的記載

婦產科疾病最早的記載，要推甲骨文中的卜辭了。

乙丑卜，貞帚（婦）䵹育子亡疾。

乙丑，貞帚（婦）䵹育子亡疾。婦䵹也是武丁之妃，這是貞她育子是否有生產之病。

貞子母其毓（育）不𣦸（死）。母讀爲毋。說是后妃所孕的幼子，不育，或不致於死。這或是孕期過久，或是孕婦臨盆得病，才有此貞。

卜辭毓字作𡿪𡿪，𡿪：象婦人生子；又作𡿪，便象婦人生子之後，有人兩手持衣以包之，₍₍正象血漿的形狀。[1]

二、古籍中關於婦產科的記載

1.　子嗣的延續

易繫辭下：「天地絪縕，萬物化醇。男女構精，萬物化生。」又：「乾，陽物也。坤，陰物也。陰陽合德，而剛柔有體。」陰陽會合是生育的開始。生育的形式是男女接觸而產生一機體，所以男女配合是重要的條件。易九五爻辭有「婦孕不育」和「婦三歲不孕」的話。

2.　妊娠的記載

詩大雅生民之什，生民：「載震載夙。」釋文引鄭，訓有娠。

爾雅釋詁：「娠動也。」郭註：「娠猶震也。」說文：「娠，女妊身動也。」春秋傳：「后緡方娠。」哀元年左傳：「后緡方震。」詩：「太任有身，」身就是娠。漢書高帝紀：「已而有娠。」孟康註：「娠音身。」俗作㑗。

昭元年傳：「當武王邑姜方震太叔。」杜註：「懷胎爲震。」釋文：「震，本又作娠，懷妊也。」

廣雅：「孕、重、妊、娠、身、㛪、㑗也。」

說文解字：「孕裹子也，從子從几。」

又：「妊，孕也，從壬，壬亦聲。」又：「娠，女妊身動也，從女，辰聲。」春秋傳曰：「后緡方娠。」

又：「㛪，婦人妊身也，從女，芻聲。」周書：「至於㛪婦。」

3.　妊娠的疾病

說文解字：「姅，婦人汚也，從女，半聲。漢律：「見姅變不得侍祠。」段氏注：「謂月事及免身及傷孕，皆是也。」

又：「娗，女出病也，從女，廷聲。」

4.　胎兒的發育

說文解字：「腜婦胎孕腜兆也，從肉，某聲。」又：「肧，婦孕一月也，從肉，不聲。」胎，婦孕三月也，從肉台聲。」

淮南子精神訓：「一月而膏，二月而胅，三月而胎，四月而肌，五月而筋，六月而骨，七月而成，八月而動，九月而躁，十月而生。」

廣雅釋親：和文子九守篇所記載的大致相同。

5.　臨產的記載

說文解字：「娩，生子免身也，從子從免。」舊注引纂要：「齊人謂生子曰娩。」

又：「字乳也，從子在門下，子亦聲。」廣雅釋詁：「字，乳生也。」

又：「孿，一乳兩子也，從子䜌聲。」

方言：「陳楚之間，凡人嘼乳而雙產，謂之釐孖。秦晉之間，謂之僆子。自關而東，謂之孿生。女，謂之嫁子。」

說文解字：「殰，胎敗也，從歺，賣聲。」又：

(1) 殷代疾病考二，七，一十一頁

「殰，胎敗也，從歺，賣聲。」

三、扁鵲（約公元前四五世紀）時代已有婦科家

史記扁鵲倉公列傳：「扁鵲名聞天下，過邯鄲聞貴婦人，即爲帶下醫。」王肯堂說：「婦人有白帶者，乃是第一等病，令人不能產育，宜急治之，此扁鵲之過邯鄲聞貴婦人，所以專爲帶下醫也。」[1]

四、兩漢婦產科學說和醫方的建立

1. 女醫乳醫的名稱

史記外戚傳，有女醫淳于衍（公元前71年），得入宮侍皇后疾，因搗附子合太醫大丸以飲皇后。霍光傳便稱爲乳醫淳于衍。師古說：「視產乳之疾者。」[2]在漢時有女醫的名稱，同隸屬於太醫令，惜史書上未能詳記其制度。當時所稱的女醫或乳醫，也就是後世的女科或婦產科。

2. 素問關於婦產科的學說

(1) 女子的成長發育

素問對於女子的成長發育，記載很詳。上古天眞論篇：「女子七歲腎氣盛，齒更，髮長。二七而天癸至，任脉通，太衝脉盛，月事以時下，故有子。三七腎氣平均，故眞牙生而長極。四七筋骨堅，髮長極，身體盛壯。五七陽明脉衰，面始焦，髮始墮。六七三陽脉衰於上，面皆焦，髮始白。七七任脉虛，太衝脉衰少，天癸竭，地道不通，故形壞而無子也。」天癸就是月經，又稱做月事；不僅女子的月經稱做天癸，男子的精也稱做天癸。這篇是敍述女子成長發育最早的記載，認爲性成熟期所謂生育年齡，是14歲，經絕期是49歲。

(2) 女子月事的疾病

（一）女子不月[3]素問陰陽別論篇：「二陽之病發心脾，有不得隱曲，女子不月，其傳爲風消[4]，其傳爲息賁[5]者，死不治。」

又評熱病論篇：「月事不來者，胞脉閉也。胞脉者屬心而絡於胞中，今氣上迫肺，心氣不得下通，故月事不來也。」

（二）血枯[6]素問腹中論篇：「帝曰：「有病胸脅支滿者，妨於食。病至則先聞腥臊臭，出淸液，先唾血，四肢淸目眩，時時前後血；病名爲何？何以得之？」岐伯曰：「病名曰血枯，此得之年少時，有所大脫血，若醉入房中，氣竭肝傷，故月事衰少不來也。」帝曰：「治之奈何？復以何術？」岐伯曰：「以四烏鰂骨，一藘茹，二味並合之，丸以雀卵，大如小豆，以五丸爲後飯，飲以鮑魚汁，利腸中及傷肝也。」

(3) 女子妊娠診斷和疾病

（一）妊子的脉搏　素問陰陽別論篇：「陰搏陽別[7]謂之有子。」這是以診脉的方法辨別女子的懷孕。又平人氣象論篇：「婦人手少陰脉動甚者，妊子也。」

（二）臨產的診斷　素問腹中論篇：「帝曰：「何以知懷子之且生也？」岐伯曰：「身有病而無邪脉也。」」

（三）九月而瘖[8]　素問奇病論篇：「黃帝問曰：「人有重身，九月而瘖，此爲何也？」岐伯對曰：「胞之絡脉絕也。」帝曰：「何以言之？」岐伯曰：「胞絡[9]者，繫於腎少陰之脉，貫腎繫舌本，故不能言。」帝曰：「治之奈何？」岐伯曰：「無治也，當十月復。」」

（四）重身[10]中毒　素問六元正紀大論篇：「「婦人重身毒之何如？」岐伯曰：「有故無殞，亦無殞也。」帝曰：「願聞其故何謂也？」岐伯曰：「大積大聚，其可犯也，衰其大半而止，過者死。」」這是形容懷孕的人，吃了大寒大熱的藥因中毒，而致殞命。

---

(1) 王肯堂女科證治準繩

(2) 陳邦賢中國醫學史（1920）十三頁

(3) 靈樞邪氣臟腑病形篇：「腎脉微濇爲不月。」

(4) 風消，熱極風生，而津液消竭。

(5) 息賁，肺氣積於脅下，喘息上賁。靈樞經筋篇：「成息賁脅急吐血。」又：「支轉筋前及胸痛，息賁。」本藏篇：「脅悗爲息賁。」難經五十六難：肺之積，名曰息賁；在右脇下，覆大如杯，久不已，令人灑淅寒熱，喘欬發肺壅。按似即肺病。

(6) 血枯，血液枯槁。就是月事衰少。

(7) 陰搏是尺脉滑利而搏擊應手，陽別是和寸口之脉有所區別。

(8) 瘖是口不能言語，俗稱做啞。

(9) 胞絡，女子胞宮的絡脉，就是衝脉。素問痿論篇：「悲哀太甚，則胞絡絕。」

(10)重身，是妊娠而身體重。

3. 淳于意關於婦產科的病案

淳于意[1]關於婦女疾病的驗案，共有六則，內有兩則是屬於婦產科的：

(1) 女子不月　扁鵲倉公列傳[2]：「濟北王侍者韓女，病腰背痛寒熱，衆醫皆以爲寒熱也，臣意診脉曰：「內寒，月事不下也，」即竄以藥[3]，旋下病已。病得之欲男子而不可得也；所以知韓女之病者，診其脉時，切之腎脉也，嗇而不屬。嗇而不屬者，其來難堅，故曰月不下。肝脉弦，出左口，故曰欲男子不可得也。」

(2) 難產　扁鵲倉公列傳：「菑川王美人懷子而不乳[4]，來召臣意，臣意往，飲以莨礍藥一撮，以酒飲之，旋乳[5]。臣意診其脉而脉躁，躁者有餘病，即飲以消石一齊，出血，血如豆比，五六枚。」

4. 張機關於婦產科的脉證方治

(1) 經血病

(一) 帶下　張機金匱要略：[6]「問曰：「婦人年五十，所病下利，數十日不止，暮即發熱，少腹裏急腹滿，手掌煩熱，脣口乾燥，何也？」師曰：「此病屬帶下。何以故？曾經半產，瘀血在少腹不去。何以知之？其證脣口乾燥，故知之，當以溫經湯主之。」」

(二) 痛經　金匱要略：「帶下經水不利，少腹滿痛，經一月再見者，主瓜根散主之。」

(三) 陷經漏下　金匱要略：「婦人經漏下黑不解，膠薑湯主之。」[7][8]

(四) 水血俱結　金匱要略：「婦人少腹滿如敦狀，小便微難而不渴生後者，此爲水與血俱結在血室也，大黃甘遂湯主之。」

(五) 經水不利　金匱要略：「婦人經水不利下，抵當湯主之。」

又：「婦人經水閉不利，藏堅癖不止，中有乾血，下白物，礬石丸主之。」[9]

(2) 妊娠辨別法和病證方法

(一) 妊娠辨別法　金匱要略：「師曰：「婦人得平脉[10]陰脉小弱[11]，其人渴不能食，無寒熱，名妊娠，桂枝湯主之。於法六十日，當有此證，設有醫治，逆者，却一月加吐下者，則絕之。」」

又：「婦人宿有癥病，經斷未及三月，而得漏下不止，胎動在臍上者爲癥痼害，妊娠六月。動者，前三月經水利時胎也。下血者，後斷三月衃也。所以血不止者，其癥不去故也；當下其癥，桂枝茯苓丸主之。」[12]

(二) 妊娠疾病

(Ⅰ) 胎脹：金匱要略：「婦人懷娠六七月，脉弦發熱，其胎愈脹，腹痛惡寒者，少腹如扇；[13]所以然者，子藏開故也。當以附子湯溫其藏。」

(Ⅱ) 胞阻：金匱要略：「師曰：「婦人有漏下者，有半產後因續下血都不絕者，有妊娠下血者。假令妊娠腹中痛爲胞阻，膠艾湯主之。」」[14]

(Ⅲ) 腹痛：金匱要略：「婦人懷娠，腹中㽲痛，當歸芍藥散主之。」[15]

(Ⅳ) 嘔吐：金匱要略：「妊娠嘔吐不止，乾薑人參半夏丸主之。」

(Ⅴ) 小便難：金匱要略：「妊娠小便難，飲

---

(1) 淳于意，姓淳于，名意，臨菑人，做太倉長，人稱他爲太倉公，簡稱倉公。他在少時喜好醫方術，在漢高后八年（公元前180年）受師公乘陽慶，得黃帝扁鵲的脉書五色診病和禁方。他能知人死生，決嫌疑，定可治，並且論藥很精。他因爲不願意爲人治病，得罪了當時的統治者，漢文帝四年（公元前176年）以刑罪傳之長安，他的女兒緹縈替他贖罪。

(2) 扁鵲倉公列傳，見史記：一百五、記載淳于意的驗案，是醫案的權輿。

(3) 竄就是爐。

(4) 索隱說：「乳，生也。」就是產生。

(5) 旋乳，索隱說：「旋乳者，言迴旋即生也。」就是旋即生產。

(6) 張機字仲景，後漢南陽郡人，約生於公元二世紀。著傷寒論金匱要略等書，爲後世醫方之祖。

(7) 林億校正無膠薑湯，疑膠艾湯。

(8) 余無言金匱要略新義，以爲陷經是一病，漏下是一病，就是血崩。

(9) 下白物即白帶下。

(10) 平脉，尤在涇說：「平脉，脉無病也。」就是素問所說，身有病，而無病脉的意思。

(11) 陰脉小弱，就是素問所說：「手少陰脉動甚，妊子也。」

(12) 尤在涇說：「癥，舊血所凝，爲宿病也。癥痼害者，宿病之氣，害及胎及胎氣也。」

(13) 余無言說：少腹如扇，是腹部惡寒的形容詞。

(14) 胞阻，胞胎阻礙。

(15) 說文：「㽲音絞，腹中急也。」

食如故，當歸貝母苦參丸主之。」

又：「妊娠有水氣，身重，小便不利，灑淅惡寒，起即頭眩葵子茯苓散主之。」

（三）妊娠保養　金匱要略：「婦人妊娠，宜常服當歸散主之。」

又：「妊娠養胎，白朮散主之。」

（四）傷胎　金匱要略：「婦人傷胎，懷身腹滿，不得小便，從腰以下，重如有水氣狀，懷身七月，太陰當養不養，此心氣實，當刺瀉勞宮及關元，小便微利則愈。」

（五）產後的疾病

（Ⅰ）新產婦三病：金匱要略：「問曰：『新產婦人有三病：一者病痙，二者病鬱冒，三者大便難，何謂也？』師曰：『新產血虛多汗，出喜中風，故令病痙。亡血復汗寒多，故令鬱冒。亡津液胃燥，故大便難。產婦鬱冒其脉微弱，嘔不能食，大便反堅，但頭汗出；所以然者，血虛而厥，厥而必冒，冒家欲解，必大汗出，以血虛下厥，孤陽上出，故頭汗出。所以產婦喜汗出者，亡陰血虛，陽氣獨盛，故當汗出，陰陽乃復，大便堅，嘔不能食，小柴胡湯主之。』」[1]

（Ⅱ）發熱：金匱要略：「病解能食，七八日更發熱者，此爲胃實，大承氣湯主之。」

（Ⅲ）腹痛或少腹痛：金匱要略：「產後腹中㽲痛，當歸生薑羊肉湯主之，並治腹中寒疝，虛勞不足。」

又：「產後腹痛煩滿，不得臥，枳實芍藥散主之。」

又：「師曰：『產後腹痛，法當以枳實芍藥散。假令不愈者，此爲腹中有乾血著臍下，宜下瘀血湯主之，亦主經水不利。』」

又：「產後七八日，無太陽證，少腹堅痛，此惡露不盡，不大便，煩躁發熱，切脉微實，再倍發熱，日晡時煩躁者，不食，食則譫語，至夜即愈，宜大承氣湯主之，熱在裏，結在膀胱也。」

（Ⅳ）陽旦證：金匱要略：「產後風，續續數十日不解，頭微痛，惡寒，時時有熱，心下悶，乾嘔汗出，雖久，陽旦證續在耳，可與陽旦湯。」

（Ⅴ）中風：金匱要略：「產後中風、發熱、面正赤、喘而頭痛，竹葉湯主之。」

（Ⅵ）嘔逆：金匱要略：「婦人乳中虛，煩亂嘔逆，安中益氣，竹皮大丸主之。」

（Ⅶ）下利：金匱要略：「產後下利虛極，白頭翁湯加甘草阿膠湯主之。」

5. 華佗對於婦產科的貢獻

後漢書華佗傳[2]及三國志華佗傳，華佗對於婦產科的貢獻，胎死腹中有兩病案：

後漢書華佗傳：「有李將軍者，妻病，呼佗視脉，佗曰：『傷身而胎不去。』將軍言聞實傷身，胎已去矣！佗曰：『案脉胎未去也。』將軍以爲不然，妻稍差，百餘日復動，更呼佗；佗曰：『脉理如前，是兩胎，先生者去血多，故後兒不得出也；胎既已死，血脉不復歸，必燥著母脊；』乃爲下針，並令進湯；婦因欲產而不通，佗曰：『死胎枯燥，執不自生；』使人探之，果得死胎，人形可識，但其色已黑。佗之絕技，皆此類也。」

三國志華佗傳：「李將軍妻病甚，呼佗視脉，曰：『傷娠而胎不去。』將軍言：『聞實傷娠，胎已去矣。』佗曰：『案脉胎未去也。』將軍以爲不然。佗舍去，婦稍小差百餘日，復動，更呼佗；佗曰：『此脉故事有胎，前當生兩兒，一兒先出，血出甚多，後兒不及生，母不自覺，旁人亦不寤，不復迎，遂不得生，胎死血脉不復歸，必燥著母脊，故使多脊痛，今當與湯並鍼一處，此死胎必出。』湯針既加，婦痛急如欲生者；佗曰：『此死胎久枯，不能自出，宜使人探之，』果得一死男，手足完具，色黑長可尺所，佗之絕技，凡類此也。」以上兩篇傳記，意義相同，華佗是用手術取出死胎的。

又，「故甘陵相夫人，有娠六月，腹痛不安，佗視脉曰：『胎已死矣。』使人手摸，知所在，……於是爲湯下之，……即愈。」

魏志也有相同的記載。可見我國婦產科在二世紀，不僅應用針治，並且能應用手術，探知胎死腹中。

五、晉代對於婦產科的脉法

脉經[3]關於經水有居經或避年的名稱，三月一

---

(1) 程林註：「產後血暈者，爲鬱冒，又名血厥。」

(2) 華佗，字元化，一名旉，沛國譙人；（今安徽亳縣。）約生於公元 145—208 年左右，精通醫術，尤擅長外科，發明麻醉法，爲中國外科學的鼻祖。

(3) 王叔和，名熙，晉高平人；著脉經。

來，叫做居經；一年一次，叫做避年。

1. 經水的脉法

脉經：「左手關上脉陰虛者，足厥陰經也，婦人病苦月經不利，少腹痛。」

又：「肝脉沉之而急，浮之亦然，女人月事不來，時亡時有，得之少時，有所墜墮。」

又：「尺脉滑，血氣實，婦人經水不利，宜服朴硝煎大黃湯，下去經血，針關元瀉之。」

2. 離經脉

脉經：「懷妊離經，其脉浮，設腹痛引腰脊，爲今欲生也；但離經者不病也。又法婦人欲生，其脉離經，夜半覺日中則生也。」

3. 產後脉法

脉經：「診婦人新生乳子，脉沉小滑者生，實大堅弦急者死。」

又：「診婦人新生乳子，因得熱病，其脉懸小，四肢溫者生，寒青者死。」

又：「診婦人生產，因中風傷寒熱病，喘鳴而肩息，脉實大浮緩者生，小急者死。」

又：「診婦人生產之後，寸口脉焱疾不調者死，沉微附骨不絕者生。」

六、唐代對於婦產科保養和治法

1. 求子論和種子法

千金方(1)有求子論種子法；求子論：「夫婦之別有方者，以其胎妊生產崩傷之異故也；是以婦人之病，比之男子，十倍難療。經言婦人者，衆陰所集，常與濕居，十四已上，陰氣浮溢，百想經心，內傷五臟，外損姿顏，月水去留，前後交互，瘀血停凝，中道斷絕，其中傷墮，不可具論。生熟五臟，虛實交錯，惡血內漏，氣脉損竭，或飲食無度，損傷非一，或瘡痍未愈，便合陰陽，或便利於懸廁之上，風從下入，便成十二痼疾，所以婦人別立方也。

……凡人無子，當爲夫妻，俱有五勞七傷虛羸百病所致，故有絕嗣之患。夫治之之法，男服七子散，女服紫石門冬圓及坐藥蕩胞湯，無不有子也。」

種子法：「……經後一日男，二日女，三日男，此外皆不成胎。」

2. 養胎和禁食

千金方：「……（妊娠三月）居處簡靜，割不正不食，席不正不坐，彈琴瑟，調心神，和情性，節嗜慾。……」

又：「兒在胎日月未滿，陰陽未備，臟腑骨節皆未成足，故自初迄於將產，飲食居處，皆有禁忌。」

3. 臨產的注意

千金方產難論：「產婦雖是穢惡，然將痛之時，及未產已產，並不得令死喪汚穢家人來視之，則生難；若已產者，則傷兒也。」

凡欲產時，特忌多人瞻視，惟得二三人在旁，待產訖，乃可告語諸人也；若人衆看視，無不難產。

凡產婦第一不得匆匆忙忙怕，旁人極須穩審，皆不得預緩預急及憂悒，憂悒則難產。若腹痛眼中火生，此兒迴轉未即生也。兒出訖，一切人及母皆忌問是男是女，勿令母看視穢汚。」

4. 產後護理和疾病治療

(1) 護理

飲食：千金方：「凡產婦愼食熱藥熱麵。食常識此飲食當如人肌溫溫也。」

上厠：千金方：「特忌上厠便利，宜室中盆上佳。」

節慾：千金方：「凡產後滿百日，乃可合會，不爾至死虛羸，百病滋長，愼之。」

產後虛損：千金方：「凡婦人非止臨產須憂，至於產後，大須將愼，危篤之至，其在於斯；勿以產時無他，乃縱心恣意，無所不犯；犯時微若秋毫，感病廣於嵩岱。何則？產後之病，難治於餘病也。婦人產訖五臟虛羸，惟得將補，不可轉瀉。」

(2) 產後疾病

中風：千金方：「……及即便行房，若有所

(1) 孫思邈，唐華陰人，（陝西耀縣）公元581—683著有千金方30卷，千金翼方30卷。

犯，必身反强直，猶如角反張，名曰蓐風。」又：「凡產後角弓反張，及諸風病，不得用毒藥；惟宜單行一兩味，亦不得大發汗，特忌轉瀉吐利，必死無疑。大豆紫湯，產後大害。」

漏血：千金方：「治漏血不止，或新傷胎及產後餘血不消，作堅，使胞門不閉，淋瀝去血，經踰日月不止者，未可與諸斷血湯，且宜與牡丹丸散，等待堅血消便停也。……」

5. 赤白帶下崩中漏下

千金方：「諸方說三十六疾者，十二癥九痛七害五傷三痼不通是也。何謂十二癥？是所下之物，一曰狀如膏，二曰如黑血，三曰如紫汁，四曰如赤肉，五曰如膿痂，六曰如豆汁，七曰如葵羹，八曰如凝血，九曰如清血，血似水；十曰如米泔，十一曰如月浣，乍前乍却；十二曰經度不應期也。何謂九痛？一曰陰中傷痛，二曰陰中淋瀝痛，三曰小便即痛，四曰寒冷痛，五曰經來即腹中痛，六曰氣滿痛，七曰汗出陰中如有蟲嚙痛，八曰脅下分痛，九曰腰胯痛。何謂七害？一曰竅孔痛不利，二曰中寒熱痛，三曰小腹急堅痛，四曰臟不仁，五曰子門不端引背痛，六曰月浣乍多乍少，七曰害吐。何謂五傷？一曰兩脅支滿痛，二曰心痛引脅，三曰氣結不通，四曰邪思洩利，五曰前後痼寒。何謂三痼？一曰羸瘦不生肌膚，二曰絕產乳，三曰經水閉塞。病有異同，方亦不一。」

七、宋代婦產科理論和治療

宋代（公元960—1276）元豐備對：「太醫局九科，學生額三百人，……產科十人……。」這是產科獨立爲一科的開始。因此宋代對於婦產科貢獻也較大，茲分輯如後：

1. 經脉的概論和疾病

(1) 經脉的概論

宋代關於婦產科經脉的理論，仍然以素問爲指歸。婦人良方：[1]「衝爲血海，任主胞胎，二脉流通，經血漸盈，應時而下，常以三旬一見，以象月盈則虧也。若遇經行，最宜謹愼，否則與產後證相類。若被驚怒勞役，則血氣錯亂，經脉不行，多致勞瘵等疾。若逆於頭面肢體之間，則重痛不寧。若怒氣傷肝，則頭暈脅痛嘔血而瘰癧癰瘍。若經血內滲，則竅穴淋瀝無已。凡此六淫外侵，而變證百出，犯時微若秋毫，成患重如山嶽，可不畏哉！

經者，常候也，謂候其一身之陰陽愆伏，知其安危，故每月一至，太過不及，皆爲不調。陽太過則先期而至，陰不及則後時而來；其有乍多乍少，斷絕不行，崩漏不止，皆因陰陽衰盛所致。」

(2) 經脉的疾病

（一）月事不來：寇宗奭說：「童年情竇早開，積想在心，月水先閉。……宜用柏子仁丸澤蘭湯益陰血制虛火之劑。」[2]

（二）淋漓不斷：陳自明說：「或因氣虛不能攝血，或因經行而合，陰陽外邪客於胞內。」

（三）月事異常：許叔微[3]主血有餘不可止。

（四）血崩：許叔微說：「經云：『天暑地熱，經水沸溢。』又云：『陰虛者，尺脉虛浮，陽搏者寸脉弦急。』是爲陰血不足，陽邪有餘，故爲失血內崩，宜奇效四物或四物加黃連。」又說：「女人因氣不先理，然後血脉不順，生崩帶諸證，香附是婦人仙藥。……」

（五）帶下：陳自明說：「婦人帶下，其名有五，因經行產後，風邪入胞門，傳於臟腑而致之。若傷足厥陰肝經，色如青泥。傷手少陰心經，色如紅津。傷手太陰肺經，形如鼻涕。傷足太陰脾經，黃如爛瓜。傷足少陰腎經，黑如衃血。人有帶脉橫於腰間，如束帶之狀，病生於此，故名爲帶。」

嚴用和[4]說：巢氏病源[5]論婦人有三十六疾，所論三十六疾者，七癥八瘕十二帶下是也，然所謂十二帶下者，亦不顯其證狀，今人所患，惟赤白二帶而已。推其所自，勞傷過度，衝任虛損，風冷據於胞絡，此病所由生也。且婦人平居之時，血欲常多，氣欲常少；方謂主氣有原，百疾不生；倘或氣倍於血，氣倍生寒，血不化赤，遂成白帶。氣平血少，血少生熱，血不化紅，遂成赤帶。寒熱交併，

---

(1) 陳自明，字良甫，宋臨川縣人。著婦人大全良方24卷。

(2) 寇宗奭，宋政和時人，著本草衍義三卷。

(3) 許叔微，字知可，宋眞州人。

(4) 嚴用和，字子禮，宋時人，著有濟生方八卷。

(5) 巢元方，隋人，大業中爲太醫博士，奉詔撰諸病源候論 50 卷。

則赤白俱下。有室女或室後虛損而有此疾者，皆令孕育不成，以致絕嗣。凡有是證，宜速治之。久而不治，令人面野黯色，肌肉瘦瘠，腹脅脹滿，攻刺疼痛；甚至足脛枯細，多苦逆冷，饑贏不能食矣。診其脉，右手尺脉浮，浮爲陽，陽絕者無子，苦足冷帶下也。」

2. 子嗣有無的理論和治療

陳自明說：「有夫婦則有父子，婚姻之後，必求嗣續，故古人謂不孝有三，無後爲大者，言嗣續之至重也。凡欲求子，當先察夫婦，有無勞傷痼疾，而依方調治，使內外和平則有子矣。」

嚴用和說：「婦人氣盛於血，所以無子，宜抑氣散，蓋香附子乃婦人之仙藥也，不可謂其耗眞氣而勿服。」

又：「婦人血弱，子臟風冷凝滯，令人少子，宜紫石英圓。」

3. 妊娠的疾病和治療

（一）惡阻：婦人良方：「妊娠惡阻病，產寶[1]謂之子病，巢氏病源謂之惡阻，由胃氣怯弱，中脘停痰；脉息和順，但肢體沉重，頭眩擇食，惟嗜酸，鹹甚者，寒熱嘔吐，胸膈煩滿，半夏茯苓主之。」

濟生方：「惡阻者，即所謂惡食也，治療之法，順氣理血，豁痰導水，然平安。」

（二）子煩：妊娠四月或六月而苦煩悶的，也有兩月而苦煩悶的，稱做子煩。濟生方以爲是：「由母將理失宜，七情傷感，心驚膽怯而然也，麥門冬湯。」

（三）子懸：陳自明說：「治一婦孕七箇月遠歸，忽胎上衝作痛，坐臥不安，兩醫治之無效，遂云胎已死矣，用蓖麻子研爛和麝香貼臍中以下之，命在呼吸，召陳診視，兩尺脉絕，他脉和平。陳問二醫作何證治之？答云死胎。陳問何以知之？曰：「兩尺沉絕，以此知之！」陳曰：「此說出何書？」二醫無答。陳曰：「此子懸也，若是胎死，却有辨處，面赤舌青，子死母活；面青舌赤吐沫，母死子活；唇舌俱青，子母俱死；今面不赤，舌不青，其子未死，是胎上逼心，宜以紫蘇飲，連進至十服而胎近下矣。」這是陳自明一段病案，可以說是神乎其技了。

（四）胎水，陳自明說：「胎孕至五六個月，腹大異常，此由胞中蓄水，名曰胎水，不早治，恐胎死，或生子手足軟短，宜千金鯉魚湯。」

（五）子淋：陳自明說：「妊娠小便淋者，…心煩悶亂，名曰子淋也。」

（六）轉胞：陳自明說：「妊娠小便不通，名曰轉胞。若胎滿尿出，名曰遺尿。」

4. 臨產的措施和難產

(1) 孕婦的護理

婦人良方將護孕婦論：「凡妊娠至臨月，當安神定慮，時常步履，不可多睡，飽食過飲，酒醴雜藥。……預請老練穩婆，備辦湯藥器物，欲產時不可多人，喧鬨愴惶，但用老婦二人扶行及凭物站立；若見漿水，腰腹痛甚，是胎離其經，令產母仰臥，令兒轉身，頭向產門，用藥催生。坐草若心煩，用水調服白蜜一匙。覺饑喫糜粥少許，勿令饑渴，恐乏其力。不可强服催藥，早於坐草，愼之。」

濟生方滑胎論：「懷妊十月，形體，成就，入月合進瘦胎易產之藥；今世多用枳殼散，非惟不是，若胎氣肥實，可以服之，况枳殼大腹皮能瘦胎，胎氣本怯，豈宜又瘦之也；不若進救生散安胎益氣，令子緊小，無病易產，多少穩當。」

(2) 難產的理論

婦人良方：「婦人以血爲主，惟氣順則血和，胎安則產順。今富貴之家，過於安逸，以致氣滯而胎不轉動。或爲交合，使精血聚於胞中，皆致產難。若腹或痛或止，名曰弄胎；穩婆不悟，入手試水，致胞破漿乾，兒難轉生，亦難生矣。凡產值候痛極，兒逼產門，方可坐草。時當盛暑，倘或血運血溢，當飲清水解之。冬末春初，產室用火，和煖下部，衣服尤當溫厚，方免胎寒血結。若臨月洗頭濯足，亦致產難。」

(3) 楊子建十產論

楊子建十產論，是論產最詳備的作品。一正產；二傷產，未滿月而痛如欲產，這叫做試月，並不是眞產；漫然用力，這叫做傷產。三催產，正產之候都見了而難產，用藥催生，這叫做催產。四凍產，冬產血凝不生。五熱產，過熱血沸，令人昏暈。六橫產，兒身半轉，漫然用力，致先露手，令

(1) 昝殷產寶三卷、唐昝殷撰。

穩婆慢慢推兒手使其自攀。七倒產，兒身全未得轉，即爲用力，致先露足，令穩婆推足入腹。八偏產，兒未正而用力所致。九礙產，兒身已順，不能生下，或因臍帶絆肩，令穩婆撥之。十坐產，急於高處繫一手巾，令母攀之，輕輕屈足坐身可產。十一盤腸產，臨產母腸先出，然後兒生。產後若腸不收，用醋半盞新汲水七分，和勻，噀產母面，每噀一縮，三噀盡收。

（4）難產的治療

（一）難產：許叔微說：「有產累日不下，服藥不驗，此必坐草太早，心懼而氣結不行也。經云：「恐則氣下。」恐則精怯，怯則上焦閉，閉則氣逆，逆則下焦脹，氣乃不行，得紫蘇飲一服便產。」

（二）交骨不開產門不閉：陳自明說：「竊謂交骨不開，產門不閉，皆由元氣素弱，胎產失於調攝，以致氣血不能運達而然也。交骨不開，陰氣虛也，用加味芎歸湯，補中益氣湯。產門不閉，氣血虛也，用十全大補湯。」

（三）產難子死腹中：陳自明說：「產難子死腹中，多因驚動太早，或觸犯禁忌，其血先下，胎乾涸而然也。須驗產母，舌若青黑，其胎死矣，當下之。」

（四）胞衣不出：郭稽中說[1]「胎衣不下者，因氣力疲憊，不能努出，或血入衣中脹大而不能下，以致心胸脹痛喘急，速服奪命丹，血散脹消，其衣自下，牛膝散亦效。」

5. 產後的護理和疾病的治療

（1）產後的護理

婦人良方：「婦人產畢飲童便一盞，閉目上少坐，上床倚高，立膝仰臥，不時喚醒，及以醋塗鼻，或用醋炭及燒漆器，以手從心擀至臍下，使惡露不滯，如此三日，以防血運血逆。酒雖行血，亦不可多，恐引血入四肢，且能昏運。宜頻食白粥少許；一月之後，宜食羊肉豬蹄少許。仍慎言語，七情寒暑。梳頭洗足，以百日爲度。若氣血素弱者，不計日月，否則患手足腰腿酸痛等證，名曰蓐勞，最難治療。初產時不可問是男是女，恐因言語而泄氣，或以愛憎而動氣，皆能致病。不可獨宿，恐致虛驚。……須血氣平復，方可治事。……」

（2）產後的疾病和治療

（一）發熱：朱肱活人書，[2]對於產後發寒熱，極爲重視，他的產後用藥方法：「婦人產後，寒熱往來，心胸煩滿，骨節疼痛，及頭疼壯熱，日晡加甚，又如瘧狀，宜蜀漆湯。

婦人草蓐中傷風，四肢苦煩熱頭疼，與小柴胡湯，頭不疼但煩，宜三物黃芩湯。

婦人產後頭疼，身體發熱，腹內拘急疼痛，宜桂心牡蠣湯。

婦人產後虛羸發寒熱飲食少腹脹等疾，宜增損柴胡湯。」

（二）血崩：濟生方：「產婦下血過多，血氣暴虛，未得平復，或因勞役，或因驚恐，致血暴崩。又有榮衛兩傷，氣衰血弱，亦變崩中。」

（三）血運：婦人良方：「產後血運，乃血入肝經，甚至眼花昏悶，用黑神散主之；下血過多，用清魂散補之；或以醋湯細飲，或預燒秤錘，以醋沃之；或釅醋塗口鼻，或燒漆器熏之；使產母鼻吸其氣，庶無此患。」

（四）發痙：婦人良方：「產後口噤，由血氣虛而風邪乘於手三陽經也。」

（五）腹痛：婦人良方：「產後腹痛，或因外感五邪，內傷六淫，或瘀血壅滯所致，當審其因而治之。」又：「產後兒枕者，乃母胎中宿血也；或因風冷凝滯於小腹而作痛。」又：產後小腹作痛，由惡露凝結，或外寒相搏；若久而不散，必成血瘕而月水不調。」

（六）惡露：婦人良方：「產後惡露不絕，因傷經血，或內有冷氣，而臟腑不調故也。」又：「產後惡露不下，因臟腑勞傷，氣血虛損，或風冷相搏所致。」

（七）蓐勞：婦人良方：「婦人因產裏不順，疲極筋力，憂勞心慮，致令虛羸喘乏，寒熱如瘧，頭痛自汗，肢體倦怠，欬嗽痰逆，腹中絞刺，名曰蓐勞。」

（八）血瘕：婦人良方：「產後瘀血與氣相搏，名曰瘕。」

按以上所記的各種症狀，可能包括產褥傳染，產後出血及休克，生殖器上下部炎症等在內。

（1）郭稽中，宋時人，著婦人方。

（2）朱肱，宋湖州人。

八、金元對於婦產科的理論和治療

元代(1277—1367)醫學十三科，其中有產科。金元承唐宋的餘緒，尤其是宋代對於婦產科小兒科的重視，金元四大家對於婦產科，都各有論列；特別是東垣、丹溪，對於婦產科治療方法有更進一步的研究，現在分述在下面：

1. 經脈的理論和治療

東垣[1]和丹溪[2]雖然一偏重於脾胃，一偏重於養陰，可是對於調血主張調氣，則所見略同。李東垣說：「凡治雜病，先調其氣，次療諸疾，無損胃氣，是其要也。若血受病，亦先調氣，謂氣不調則血不行。……故婦人病經，先柴胡以行經之表，次四物以行經之裏，先氣而後血也。」朱丹溪說：「經水者，陰血也；陰必從陽，故其色紅，稟火色也。血爲氣分配，氣熱則熱，氣寒則寒，氣升則升，氣降則降，氣凝則凝，氣滯則滯，氣清則清，氣濁則濁。往往見有成塊者，氣之凝也。將行而痛者，氣之滯也。來後作痛者，氣血俱虛也。色淡者，亦虛也。錯經妄行者，氣之亂也。紫者，氣之熱也。黑者，熱之甚也。人但見其紫者黑者作痛者成塊者，率指爲風冷而行，溫熱之劑，禍不旋踵矣。良由病源論月水諸病，皆曰風冷乘之，宜其相習而俗也。」

2. 孕育的理論和治療

子和[3]有言：「夫婦人年及二三十者，雖無病而無子，經血如常或經血不調，乃陰不升陽不降之故也。」他衝任督三脈有病，是妨礙孕育的。丹溪分爲肥盛和怯瘦兩種不能受孕的。他說：「若是肥盛婦人，稟受甚厚，恣於酒食，經水不調，不能成胎，謂之軀脂滿溢，閉塞子宮，宜行濕燥痰；……若是怯瘦性急之人，經水不調，不能成胎，謂之子宮乾澀無血，不能攝受精氣，宜涼血降火；……東垣有六味地黃丸，以補婦人之陰血不足，無子服之者，能使胎孕。」

3. 胎前調治和疾病治療

丹溪對金匱當歸散備極推崇。他說：「婦人有孕，則礙脾運化，遲而生濕，濕而生熱，古人用白朮黃芩爲安胎之聖藥；蓋白朮補脾燥濕，黃芩清熱故也；況妊娠賴血培養，此方有當歸川芎芍藥以補血，尤爲備也。服此藥則易產，所生男女，兼無胎毒，則痘疹亦稀，無病易育，而聰明智慧，不假言矣，累試累驗。」他對於妊娠調治方法，主張「以四物去地黃加白朮黃芩爲末，常服甚效。」他主張「產前清熱養血」。

4. 難產診斷和理論治療

丹溪心法有切脉法和驗死胎法。切脉法：「凡妊婦脉細匀，易產。大浮緩火氣散，難產。」驗死胎法：「胎死腹中，則產母面青，指甲青，唇舌青，口臭；如兩臉微紅，則母活子死。」

格致餘論：「難產論：世之難產者，往往見於鬱悶安佚之人，富貴奉養之家；若貧賤辛苦者無有也。方書止有瘦胎飲一論，而其方爲湖陽公主作也，實非極至之言，何者？每見有用此方者，其難自若。余族妹苦於難產，後遇胎孕，則觸而去之，余甚憫焉。視其形肥而勤於針指，構思旬日，忽自悟曰：「此正與湖陽公主相反，彼奉養之人，其氣必實，耗其氣使和平，故易產。今形肥知其氣虛，久坐知其不運，而其氣愈弱，其胞胎因母氣弱不能自運耳。當補其母之氣，則身健而易產。」今其有孕至五六個月，遂於大全方紫蘇飲加補氣藥，與十數貼，因得男而甚快；後遂以此方隨母之形色性禀，參以時令加減，與之無不應者，因名其方曰大達生散。」

5. 產後用藥的主要方法

東垣對於「婦人分娩及半產漏下，昏冒不省，瞑目無所知覺，蓋因血暴亡，有形血去，則心神無所養。……得血則安，亡血則危。……亡血補血，又何疑焉。」丹溪對於「產後無得令虛，當大補氣血爲先，雖有雜症，以末治之，一切病多是血虛，皆不可發表。……凡產後有病，先固正氣。」都是主要的治療原則。

九、明代對於婦產科的理論和治療

1. 李時珍對於月水的理論

明代(1368—1643)醫學十三科，有婦人科。明

(1) 李杲，字明之，號東垣老人，金元間眞定人。

(2) 朱震亨，字彥脩，元義烏人，學者尊之爲丹溪翁。

(3) 張從正，字子和，號戴人，睢州考城人。

代對於月水的理論以李時珍所論最詳。他說：「女子陰類也，以血爲主，其血上應太陰，下應海潮，月有盈虧，潮有朝夕，月事一月一行，與之相符，故謂之月信，月水，月經。經者常也，有常軌也；天癸者，天一生水也。邪術家謂之紅鉛，謬名也。女人之經，一月一行，其常也；或先或後，或通或塞，其病也；復有變常，而古人並未言及者，不可不知。有行期只吐血衄血，或眼耳出血者，是謂逆行。有三月一行者，是謂居經，俗名按季。有一年一行，是謂避年。有一生不行而受胎者，是謂暗經。月月行經而產子者，是謂盛胎，俗名垢胎。有受胎數月，血忽大下，而胎不隕者，是謂漏胎。此雖以氣血有餘不足言，而亦異於常矣。

女子二七天癸至，七七天癸絕，其常也；有女年十二十三而產子，如褚記室所載平江蘇達卿女十二受孕者，有婦年五十六十而產子，如遼史所載亟普妻六十餘生二男一女者，此又異常之尤者也。學醫者之於此類，恐亦宜留心焉。

女子入月，惡液腥穢，故君子遠之；爲其不潔，能損陽生病也。煎膏治藥，出痘持戒，修煉性命者，皆避忌之，以此也。按居經避年的名稱，都見於王叔和脉經。

2. 萬全子嗣的方法

萬全廣嗣精要：[(1)]「古人男子三十而後娶，女子二十而後嫁，正如褚氏論恐傷其精血也，故求子之道，男子貴清心寡慾，所以養其精；女子貴平心定意，所以養其血。蓋男子之形樂者氣必盈，志樂者神必蕩；不知安調則神易散，不知全形則盈易虧，故其精常不足不能至於溢而瀉也；此男子所以貴清心寡慾養其精也。女子之性褊急，而難容，女子之情媚悅而易感，難容則多怒而氣逆；易感則多交而瀝枯，氣逆不行，血少不榮，則月事不以時也，此女子所以貴平心定氣養其血也。」萬全是主張寡慾多男的，所以有寡慾篇。嘗有擇配篇，敘述古人五種不男之說，即所謂螺、紋、鼓、角、脈。一叫做螺陰，交骨如環，不能開坼，必以產厄亡。二叫做紋陰，陰竅屈曲如螺紋的盤旋，礙于交合，俗稱做石女。三叫做鼓，陰戶有皮繃如鼓，僅有小竅通溺而已。四叫做角，就是俗稱陰陽人雌雄人。五叫做脈，終身不行經的。

半產　王肯堂證治準繩：[(2)]「便產須知云：「小產不可輕視，將養十倍於正產可也。」又云：「半產即肌肉腐爛，補其虛損，生其肌肉，益其氣血，去其風邪，養其臟氣，將養過於正產十倍，無不平復，宜審之。」」王綸明醫雜著[(3)]對於半產調護，便更具體，他是主張服固胎藥以防止半產發生的。

3. 臨產的理論和實施

明代醫家上承宋元餘緒，對婦產科頗注意於難產。如明樓英醫學綱目[(4)]有論楊子建傷產法，他主張：「慎勿妄服催生藥餌，愴惶致令產婦憂恐，而挫其志，務要產婦寬心，存養調停，亦令坐婆先說解諭之。」他又論楊子建橫產偏產礙產倒產四法，他主張：「若看生之人，非精良妙手，不可依用此法，恐恣其愚，以傷人命。」這說明到了明代對於難產，更加謹慎。虞搏醫學正傳[(5)]有難產論，他說：「……是故催生之藥，即芎歸益母草冬葵子之類，皆使之逐去污血者也。」他同意丹溪所說：「難產之婦，皆是八九個月，內不能謹。」之故。李梴醫學入門：「凡難產皆孕後縱慾及驕恣，全不運動，又食生冷粳物凝滯；或矮石女子交骨不開，或腹大甚；胎水未盡，或臨產閒雜之人，驚恐產婦……紫蘇飲最妙。氣實者瘦胎枳甘散，氣弱者，達生散。戴思恭證治要訣：「將產調治法：將產當順氣瘦胎，使臨期易產，宜瘦胎飲加砂仁少許。」薛己醫案[(6)]有入月預備藥物，臨盆法；王肯堂證治準繩，萬全婦人祕科，張介賓景岳全書都有催生法，景岳說：「凡妊娠胎元完足，彌月而產，熟落有期，非可催也；所謂催生者，亦不過助其血氣而利導之耳。……若期未至而妄用行氣導血等劑以爲催生，亦猶方苞之揠宋人之苗耳。」

4. 產後疾病和治療

（1）發熱　明戴思恭證治要訣：「產後諸病，有作寒作熱，而亦有獨熱；然獨熱亦有三：惡

---

(1) 萬全，字密齋，明人。
(2) 王肯堂，字宇泰，明金壇縣人，萬歷間（1573—1619）進士，著證治準繩。
(3) 王綸，字汝言，明慈谿人。
(4) 樓英，字全善，明蕭山人。著有醫學綱目。
(5) 虞摶，字天民，明義烏人。著有醫學正傳。
(6) 薛己，字新甫，號立齋，明吳縣人。著有薛氏醫案。

血未下者，腹痛而發熱；感外邪者，必有頭痛惡風而發熱；惟血虛者，但發熱而無餘證，名曰蓐勞。宜同血虛證用藥。」樓英醫學綱目：「產後發熱，多屬虛寒，惟乾薑加入補藥中神效，此丹溪妙法也。」又：「凡產後發熱，頭痛身疼，不可便作感冒治之，此等多是血虛或敗血作梗，宜以平和之劑與服必效。」王綸明醫雜著：「凡婦人產後陰血虛，陽無所依，而浮散於外，故多發熱。……然產後脾胃虛，多有過於飲食傷滯而發熱者，誤作血虛，則不效矣。」李梴醫學入門：「產後血虛發熱，氣虛惡寒，氣血俱虛，發熱惡寒，切不可發表。」王肯堂證治準繩：「產後乍寒乍熱，榮衛不和，難以輕議；……陰勝故寒，陽勝故熱，只可云敗血循經流入，閉諸陰則寒，閉諸陽則熱。」張介賓景岳全書：「產後發熱，有風寒外感而熱者，有邪火內盛而熱者，有水虧陰虛而熱者，有因產勞倦虛煩而熱者，有去血過多頭運悶亂煩熱者，諸證不同，治當辨察。」明代諸醫，對產後寒熱，是很重視的，以血虛爲原因者爲最多。

（2）血運　李梴醫學入門：「產後去血過多，眼花頭眩，昏悶煩躁，或見頭汗者，古芎歸湯入童便。……」張介賓景岳全書：「血脫之證，產時血既大行，則血去氣亦去，多致昏運不省，微虛者少頃即甦，大虛者脫竭即死。」這都是說子宮出血的徵象。

（3）發痙　樓英醫學綱目：「凡產後痙病，皆因虛遇風挾痰而作。」薛己醫案：「產後發痙，大補血氣，多保無虞，若攻風邪，死無疑矣。」王肯堂證治準繩：「陳臨川云：凡產後口噤，腰背強直，角弓反張，皆名曰痙，又名曰痓，古人必察有汗無汗，以分剛柔陰陽而治。」

（4）兒枕痛與腹痛　李梴醫學入門：「產後小腹痛者，名兒枕痛。」王肯堂證治準繩：「母胎中宿有血塊，產後不與兒俱下，而仍在腹作痛，謂之兒枕。其惡露下不快而作疼痛者，胎中原無積聚，不爲兒枕也。若惡露已盡，或由他故腹痛，……或由血虛作痛，……自當別論。」張介賓景岳全書：「產後腹痛，最當辨察虛實，血有留瘀而痛者，實痛也；無血而痛者，虛痛也。大都痛而且脹，或上衝胸脅，或拒按而手不可近者，皆實痛也，宜行之散之。若無脹滿，或喜揉按，或喜熱熨，或得食稍緩者，皆屬虛痛，不可妄用推逐等劑。」

十、清代婦產科的理論和治療

清代(1644—1911)設婦人科；婦人科包括產科在內，通稱女科。女科的範圍，包括調經、種子、崩漏、帶下、小產、臨產、產後等項，這是依據傅青主的分類，現在概述如下：

1. 調經的理論

傅青主[1]關於調經分爲經水先期、後期、先後無定期；忽斷忽來，行後復行，數月一行，又有經未來腹先疼，經後少腹疼痛，經水將來臍下先疼痛；又有經前吐血或大便下血，或洩水；又有年老經水復行或年未老而經水斷。陳修園[2]引方氏之說：婦人經病有月候不調者，有月候不通者，然不調不通中，有兼疼痛者，有兼發熱者，此分而爲四也。細按之，不調中有趲前者，有退後者，趲前爲熱，退後爲虛。不通中有血枯者，有血滯者；血滯宜破，血枯宜補也。疼痛中有常時作痛者，有經前經後作痛者；常時與經前爲積血，經後爲血虛也。發熱中有常時發熱者，有經行發熱者；常時爲血虛有積，經行爲血虛而有熱也；是四者之中，又分爲八矣。又蕭慎齋按婦人有先病而後致經不調者，有經不調而後生諸病者；如先因病而後經不調，當先治病，病去則經自調；若因經不行而後生病，當先調經，經調則病自除。惟王孟英[3]對於調經之說，別具理論，他說：「婦人之病，雖以調經爲先，第人稟不同，亦如其面，有終身月汛不齊，而善於生育者；有經期極準而竟不受孕者；雖於女科閱歷多年，見聞不少，始知古人之論，不可盡泥，无妄之藥，不可妄試也。」

2. 妊孕胎產的理論

傅青主女科關於種子，有身瘦不孕者，有體肥不孕者，有虛寒不孕者，有腰痠腹脹不孕者，有便澀腹脹足浮腫不孕者，有骨蒸夜熱不孕者，有少腹

(1) 傅山，字青主，明清山西陽曲縣人。

(2) 陳念祖，字修園，清長樂縣人；著有南雅堂醫書，內有女科要旨等十六種。

(3) 王士雄，字孟英，晚號夢隱，又號潛齋，清海寧人，遷居於杭。

急迫不孕者，有下部寒冷不孕者，有嫉妒不孕者。陳修園說：「婦人無子，皆由經水不調，經水所以不調者，皆由內有七情之傷，外有六淫之感，或氣血偏盛，陰陽相乘所致。」王孟英說：「有終身不受孕者，有畢世僅一產者，有一產之後踰十餘年而再妊者，有按年而妊者，有娩甫彌月而即妊者，有每妊必駢胎者，且有一產三胎或四胎者；駢胎之胞，有合有分，其產也有接踵而下者，有踰日而下者，甚有踰一旬半月而下者。諺云：「十箇孩兒十樣生；」是以古人有「寧醫十男子，莫醫一婦人，」之說，因婦人有胎產之千態萬狀，不可以常理測也。」診脉驗胎，王孟英也有深切之論，他說：「雖按諸家之論，皆有至理，而皆有驗有不驗；余自弱弁，即專究於此，三十年來見聞多矣。有甫受孕而脉即顯呈於指下者，有半月一月後而見於脉者，有二三月而見於脉者，有始見孕脉而五六月之後反不見孕脉者，有始終不見於脉者，有受孕後反見㹠濇細數之象者，甚有兩脉反沉伏難尋者，古人所論原是各抒心得，奈死法不可以限生人，紙上談兵，未嘗閱歷者何足以語此。」孟英多閱歷有得之言，不爲古說所拘，這也是婦產科醫生們所應知道的。

3. 妊娠的疾病和臨產的象徵

胎前的疾病很多，大致與宋元明相同。如妊婦似風，王孟英註即子癇證。沈堯封以爲妊婦病源有三大綱：一、陰虧；二、氣滯；三、痰飲。孟英以爲陰虛氣滯，二者昔人曾已言之，痰飲一端，可謂發前人之未發。次如初娠似勞，也有勞損似娠的。次如喘急，惡阻，子煩，子懸，子滿，（或名子腫，或名子氣，或名胎水，或名琉璃胎；但兩脚腫的，或名皺脚，或名脆脚。沈堯封說：名色雖多，不外有形之水病，與無形之氣病而已。）胎漏，子淋，轉胞，腹痛，腰痛，胎動不安，胎墮等症。臨產護理及救治之法，陳修園極力推崇達生編[(1)]他更說明驗產法：「腰痛腹不痛未產，腹痛腰不痛者未產，腰腹齊痛甚緊時，此眞欲產也。」有謂腹痛試捏產母手中指中節，或本節跳動，方臨盆即產。王孟英說：「中指跳動，亦有不即產者，更有腰腹不甚痛，但覺後墜而即產者。」

4. 難產的理論

王孟英說：「難產自古有之，莊公寤生，見於左傳，故先生如達，不坼不副，詩人以爲異徵。但先生難而後生易，理之常也，晚嫁者尤可必焉，然亦有雖晚嫁而初產不難者；非晚嫁而初產雖易，繼產反難者；或頻產皆易，間有一次甚難者；有一生所產皆易，一生所產皆難者；此或由稟賦之不齊，或由人事之所召，未可以一例論也。……若得兒身順下，縱稽時日，不必驚惶，安心靜俟可耳。會稽施圃生茂才誕時，其母產十三日而始下，母子皆安。世俗不知此理，稍覺不易，先自慌張，近有凶惡穩婆，故爲恫嚇，妄施毒手，要取重價，臠而出之，索謝去後，產母隨以告殞者有之，奈貿貿者尚誇其手段之高，忍心害理，慘莫慘於此矣。設果胎不能下，自有因證調治諸法，即胎死腹中，亦可有下之方；自古方書，未聞有臠割之刑，加諸投生之嬰兒者，附識於此，冀世人之憬然悟而勿爲凶人牟利之妖言所惑也。但有一種驟形者，交骨如環，不能開坼，名鎖子骨，能受孕而不能產，如懷娠必以娩難，此乃異禀，萬中不得其一，其交骨可開者，斷無不能娩者也，」孟英理論能全面看難產問題，殊爲可貴。

5. 產後的疾病

傅青主女科關於產後疾病，首先論及敗血攻暈狂，婦人有產後二三日發熱，惡露不下，敗血攻心，狂言呼叫，甚至强力奔走者，又有惡寒身顫之說，可見對產後發熱的重視。其次如少腹疼，辨別其虛實。次如氣喘血崩，均屬大危之證。次如惡心嘔吐，四肢浮腫，乳汁不下，胞破淋漓不止，產後肝痿等，都有治療的方法，補前人所未及。

---

(1) 達生編一卷，題亟齋居士撰，論胎前臨產產後調護之法，難產救治之方，平易淺近，盡人能曉。

中国近现代中医药期刊续编·第二辑

後漢書醫學史料彙輯

陳　邦　賢

說　　明

一、全編共分十六章：第一章職官；第二章著名醫學家；第三章仙巫；第四章體格；第五章運動；第六章衞生；第七章壽命；第八章胎產；第九章疾病；第十章易緯所記的病；第十一章診斷和治療；第十二章醫案；第十三章調護；第十四章藥品；第十五章著述。每章分爲若干節，每節分爲若干目，每目分爲若干條，每條均著明來歷，俾便查考。

二、從光武稱帝（公元25）到獻帝禪位於曹丕（公元 220）史稱東漢，又稱後漢。東漢的科學文化，隨著西漢社會的經濟日益發展，醫學也因此受了很大的影響。如郭玉、程高的針灸；華佗、吳普、樊阿的診療技術和身體的鍛鍊，尤其是華佗麻醉法和破腹手術的發明，對祖國醫學有極大的貢獻。後漢書是宋范曄所寫，其中關於醫學的史料，有實踐的紀錄，有神怪的描寫；惜乎把偉大的張機未能列入。

一、職　　官

太醫令　太醫令一人，六百石。本注曰：「掌諸醫。」藥丞方丞各一人。本注曰：「藥丞主藥，方丞主藥方。」（百官志2）

漢官曰：「員醫二百九十三人，員吏十九人。」（同上句註）不豫，太醫令丞將醫入就進所宜藥，嘗藥監近臣常侍小黃門皆先嘗藥過量，十二公卿朝臣問起居無間。（禮儀志6）

（東海恭王彊）及薨臨命上疏謝曰：「……自修不謹、連年被疾，爲朝廷憂念，皇太后陛下哀憐臣彊，感動發中，數遣使者太醫令丞方伎道術，絡繹不絕。」（東海恭王彊傳32）

建安二十三年，（公元218）與太醫令吉平（平或作平）丞相司直韋晃晃等謀起兵誅操不克，夷三族。（耿弇傳9）皇后年少，希更艱難，或驅使醫巫外求方技，此不可不備。……後（董）賢果風太醫令眞欽使求傅氏罪過。（桓譚傳18上）

太醫丞　（郭玉）和帝時（公元89—104）爲太醫丞多有效應，帝奇之，仍試令嬖臣美手腕者，與女雜處帷中，使（郭）玉各診一手，問所疾苦，玉曰：「左陰右陽，脉有男女，狀若異人，臣疑其故，」帝嘆息稱善。（方術傳72下、郭玉傳）

醫工長　醫工長。本注曰：「主醫藥。」（百官志28）建武二十七年，（公元 51）（第五倫）舉孝廉補淮陽國醫工長。（第五倫傳31）

太醫　元和二年（公元85）春東巡狩以（韋）彪行司徒事從行還，以病乞身，帝遣小黃門太醫問病，賜以食物，彪遂稱病篤。（韋彪傳16）

（桓）榮每疾病，輒遣使者存問，大官太醫相望於道，及篤，上疏謝恩，讓還爵土，帝幸其家問起居，入街下車，擁經而前，撫榮垂涕，賜以牀茵帷帳刀劍衣被，良久乃去，自是諸侯將軍大夫問疾者，不敢復乘車到門，皆拜牀下。（桓榮傳20）

永平元年（公元58）（東海恭王）彊病，顯宗遣中常侍鉤盾令將太醫乘驛視病。（東海恭王傳32）後數日詔使直事郎問（榮）暉起居，太醫視疾，太官賜食。（朱暉傳33）（樂）恢以意不得行，乃稱疾乞骸骨，詔賜錢，太醫視疾。（樂恢傳33）詔即遣小黃門視（龐）參疾太醫致羊酒。（龐參傳41）使（樊英）出就太醫養疾，月致羊酒。（方術傳樊英傳72上）

侍醫　（李固）推舉侍醫（梁）冀慮其事泄。（李固傳53）

尙藥監　時小黃門京兆高望爲尙藥監。倖於皇太子。（蓋勳傳48）

中宮藥長　中宮藥長一人，四百石。本注曰：「宦者。」（百官志27）

嘗藥太官　常和以下，中官稍廣，加嘗藥太官。（百官志26）

二、著名的醫家

張尊　（衡王）錯爲太子時，愛康鼓吹妓女宋閏，使醫張尊招之不得。錯怒自以劍刺殺尊，國相舉奏，有詔勿案。（濟南安王康傳 32）

黃憲之父　世貧賤，父爲牛醫。（黃憲傳43）

其母問曰：「汝復從牛醫兒來耶？」同上

臺佟　（臺佟）鑿穴爲居，采藥自業。（逸民傳 73 臺佟傳）

延熹二年，（公元 159）桓帝公車備禮徵（韋彪）至霸陵，稱疾歸，乃入雲陽山采藥不返。（韋彪傳 16）

韓康　韓康字伯休，一名恬休，京兆霸陵人；家世著姓，常采藥名山，賣於長安市口，不二價三十餘年。

時有女子從康買藥，（韓）康守價不移；女子怒曰：「公是韓伯休、乃不二價乎？」康歎曰：「我本欲避名，今小女子皆知有我焉，何用藥爲！」乃遯入霸陵山中。（逸民傳 73 韓康傳）

張霸　（張霸）家貧無以爲業，嘗乘驢車至縣賣藥足給食者，輒還鄉里。（張霸傳 26）

薊子訓時或有百歲翁，自說童兒時見子訓賣藥於會稽市，顏色不異於今，後人復於長安東霸城見之，與一老翁共摩挲銅人，相謂曰：適見鑄此而已，近五百歲矣。（方術傳 72 下、薊子訓傳）

壺公市中有老翁賣藥，懸一壺於肆頭，及市罷輒跳入壺中，市人莫之見，唯長房於樓上，覩之異焉。（同上費長房傳）

郭玉　郭玉者，廣漢雒人也；初有老父，不知何出，常漁釣於涪水，因號涪翁；乞食人間，見有疾者，時下針石，輒應時而效，乃著針經診脉法傳於世。（方術傳 72 下。郭玉傳）

（郭）玉仁愛不矜，雖貧賤厮養，必盡其心力，而醫療貴人，時或不愈，帝乃令貴人羸服變處，一針即差，詔玉詰問其狀；對曰：醫之爲言意也，腠理至微；隨氣用巧，針石之間，毫芒即乖，神於心手之際，可得解而不可得言也。（方術傳72下郭玉傳）

程高　（郭玉）弟子程高尋求積年，翁乃授之，高亦隱疾不仕；玉少所事，高學方診六微之技，陰陽不測之術。（同上）

華佗　華佗，字元化，沛國譙人也，一名旉。遊學徐土，兼通數經，曉養性之術，年且百歲而猶有壯容，時人以爲仙。沛相陳珪舉孝廉，太尉黃琬辟，皆不就。（同上華佗傳）

（華佗）爲人性惡難得意，且恥以醫見業；又去家思歸，乃就操求還取方，因托妻疾，數期不反，操累書呼之；又勅郡縣發遣，佗恃能厭事，猶不肯至；操大怒，使人廉之，知妻詐疾，乃收付獄訊，考驗首服；荀彧請曰：「佗方術實工，人命所懸，宜加全宥；」操不從，竟殺之。（同上華佗傳）

吳普　樊阿　廣陵吳普，彭城、樊阿，皆從佗學，依準佗療多所全濟。（同上）

三、仙　巫

1．神　仙

方術　臣（桓）譚伏聞陛下窮折方士黃白之術，甚爲明矣（黃白謂以藥化成金銀也。方士謂有方術之士也。）而乃欲聽納讖記，又何誤也！（桓譚傳 18 上）

三月大鴻臚奏遣諸王歸國，帝特留（東平憲王）蒼賜以秘書列仙圖道術秘方。（東平憲王蒼傳32）

漢自武帝頗好方術，天下懷協道藝之士，莫不負策抵掌，順風而屆焉。（方術傳 72 上）

修養　（仲長統傳）安神閨房，思老氏之玄虛；呼吸精和，求至人之彷彿。（仲長統傳 39）

於是百姓滌瑕盪穢而鏡至清；形神寂寞，耳目不營，嗜欲之原滅，廉正之心生，莫不優游而自得，玉潤而金聲。（班固傳 30 下）

胎息胎食　辟穀　王眞、郝孟節者，皆上黨人也。王眞年且百歲，視之面有光澤，似未五十者，自云周流登五岳名山，悉能行胎息胎食之方，嗽舌下泉咽之，不絕房室。漢武內傳曰：「王眞，字叔經，上黨人；習閉氣而吞之、名曰胎息，習嗽舌下泉而咽之，名曰胎食。眞行之斷穀二百餘日，肉色光美，力並數人。抱朴子曰：「胎息者，能不以鼻口噓吸，如在胎之中。欸晉朔。」孟節能含棗核不食，可至五年十年。又能結氣不息，身不動搖，狀若死人，可至半年。（方術傳 72 下王眞郝孟節傳）

御婦　壽光年可百五六十歲，行容成公御婦人法，（列仙傳曰：容成公者，能善補導之事，取精於玄牝，其要谷神不死，守生養氣者也。髮白復黑，齒落復生，御婦人之術，謂握固不瀉，（精補腦也。）常屈頸鷸息，須髮盡白，而如三四十時。（同上華佗傳）

甘始、東郭延年、封君達三人者，皆方士也，率能行容成御婦人術，或飲小便，或自倒懸，愛嗇精氣，不極視大言。（同上甘始、東郭延年、封君達傳）

承露 抗仙掌與承露。前書曰：「武帝時作銅柱承露，僊人掌之屬。」三輔故事云：「建章宮承露槃高二十丈，大七圍，以銅爲之，上有仙人掌承露和玉屑飲之。」（班彪傳30上）

甘露 夏甘露降南行唐。（光武帝紀1下）

又有赤草生於水崖，郡國頻上甘露，羣臣奏言地祇靈應，而朱草萌生。（同上）

十七年（公元74）春正月甘露降於甘陵。（明帝紀2）

是歲甘露仍降樹枝內附芝草生殿前。（同上）

時甘露降泉陵洮陽二縣。（章帝紀3）

壬戌，沛國言甘露降豐縣。（安帝紀5）

夏四月，上郡言甘露降。（桓帝紀7）

秋八月，魏郡言嘉禾，甘露降。（同上）

馮翊言甘露降頻陽衙。（安帝紀5）

其日降甘露於陵樹，帝令百官采取。（后紀10上）

醴泉 是夏京師醴泉湧出，飲之者固疾皆愈，惟眇蹇者不瘳。（光武帝紀1下）

時麒麟白雉醴泉嘉禾所在出焉。（明帝紀20）

噏青岑之玉醴兮，餐沆瀣以爲糧。（張衡傳49）

飲六醴之清液兮，食五芝之茂英。（馮衍傳18下）

芝草 是歲零陵獻芝草。（章帝紀3）

芝草生中黃藏府。（桓帝紀7）

二月郡國上芝英草。（靈帝紀8）

羞玉芝以療飢。（張衡傳49）

元初七年，郡界有芝草生。（方術傳72下唐檀傳）

留瀛洲而採芝兮，聊且以乎長生。（張衡傳49）

巫術 徐登者，閩中人也，本女子化爲丈夫，善爲巫術。（方術傳72下徐登傳）

祈禱 天子親袒割牲，執醬而饋，執爵而酳，祝鯁在前，祝饐在後。（禮儀志4）

並禱求福，疾病，公卿復如禮。（同上）

家家爲（郭）訓立祠，每有疾病，輒此請禱求福。（郭訓傳5）

卜筮 后嘗久疾，太夫人令筮之。（后紀10上光烈陰皇后傳）

越方 趙炳，字公阿，東陽人，能爲越方。（方術傳72下趙炳傳）

符呪 初鉅鹿、張角，自稱大賢良師，奉事黃老道，畜養弟子，跪拜首過，符水呪說以療病，病者頗愈，百姓信向之。（皇甫嵩傳61）

禁架 （徐）登年長，（趙）炳師事之，貴尚清儉禮神，唯以東流水爲酌，削桑皮爲脯，但行禁架，所療皆除。（方術傳72下徐登傳）

各相謂曰：「今既同志，且各試所能；」（徐）登乃禁溪水，水爲不流；（趙）炳復次禁枯樹，樹即生荑；二人相視而笑，共行其道焉。（同上）

厭勝 得貴人書云：「病思生菟，令家求之，」因誣言欲作蠱道祝詛，以菟爲厭勝之術。（清河孝王慶傳45）

驅鬼 遂能醫療衆病，鞭笞百鬼。及驅使社公，或在它坐獨自喜怒。（方術傳7費長房）

沙度之道，身熱首痛，風災鬼難之域。（南蠻西南夷傳76）

婦人有婦，爲魅所病，（壽光）侯爲劾之，得大蛇數丈，死於門外。（方術傳72下，解奴辜張貂傳）

反對巫祝 太后其年寢疾，不信巫祝小醫。數勅絕禱祀。（后紀10上光烈陰皇后傳）

其巫祝有依託鬼神詐怖愚民，皆案論之。（五倫傳31）

後道縣有唐后二山，民共祠之，衆巫遂取百姓男女，以爲公嫗，歲歲改易，既而不敢嫁娶，前後守令莫敢禁。（宋）均乃下書曰：自今以後，爲小娶者，皆娶巫家勿擾良民，於是遂絕。（宋均傳31）

婦人不脩中饋，休其蠶織，而起學巫祝，鼓舞事神，以欺誣細民，熒惑百姓。妻女羸弱疾病之家，懷憂憒憒，易爲恐懼，至使奔走便時，去離正宅。崎嶇路側，風寒所傷，姦人所利，盜賊所中，或增禍重祟，至於死亡，而不知巫所欺誤，反恨事神之晚，此妖妄之甚者也。（王符傳39）

四、體　格

1. 體長、腰圍

體長　故體有長短檢以度。（律歷志1）

時有長人巨無霸，長一丈，大十圍，以爲壘尉。又驅諸猛獸虎豹犀象之屬，以助威武。（光武帝紀1上）

（李通）父守身長九尺，容貌絕異。（李通傳5）

（趙壹）體貌魁梧，身長九尺，美須豪眉，望之甚偉。（文苑傳70下趙壹傳）

（虞延）及長，長八尺六寸，要帶十圍，力能扛鼎。（虞延傳23）

（何熙）身長八尺五寸，善爲威容，贊拜殿中，音動左右，和帝偉之。（梁慬傳37）

（蘇石君）兄弟形皆偉壯，唯（馮）勤祖父偃長不滿七尺，常自恥短陋，恐子孫之似也，乃爲子伉娶長妻。伉生勤，長八尺三寸。（馮勤傳16）

身長八尺二寸者，有盧植，賈逵，銚期等均見本傳。

身長八尺餘，姿貌溫偉者。有劉表，郭涼，蓋延，虞翻，郭太，鄭玄等均見本傳。

身長七尺二寸者，有馬皇后，和熹鄧皇后。（后紀10上）

后長七尺二寸，姿顏姝麗，絕異於衆，左右皆驚。（同上和熹鄧皇后傳）

長七尺一寸。（同上10下靈思何皇后傳）

其人形皆長大美髮，衣服潔淸。（東夷傳75）

體短　上有州胡國，其人短小髡頭。（同上）

至朱儒國人長三四尺。（同上）

腰圍　爲人美須頿，腰帶十圍。（東平憲王蒼傳32）

（耿）秉、字伯初，有偉體腰帶八圍。（耿弇傳9）

細腰　（馬廖傳）楚王好細腰，宮中多餓死。（墨子曰：「楚靈王好細腰，而國多餓人也。」）（馬援傳14）

2. 容　貌

大王以龍虎之姿，遭風雲之時。（劉植傳11）

（班超）相者指曰：生燕頷虎頸，飛而食肉，此萬里侯相也。（班超傳37）

（袁紹）有姿貌威容。（袁紹傳64上）

爲人美姿貌，大音聲，言事辯慧。（公孫瓚傳63）

性沈靜，美姿容。（荀悅傳52）

美姿貌。嘗著越布單衣，光武見而好之。（獨行傳71陸閎傳）

（周舉）姿貌短陋，而博學洽聞。（周舉傳51）

（梁冀妻孫）壽色美而善爲妖態，作愁眉啼粧墮馬髻，折腰步，齲齒笑，以爲媚惑。（梁統傳24）

（馬援）有三女：大者十五，次者十四，小者十三，儀狀髮膚，上中以上。（后紀10上、明德馬皇后傳）

頭扁　兒生欲令頭扁，皆押之以石。（東夷傳75）

豐下　帝生而豐下，十歲能通春秋，光武奇之。（明帝紀2）

欽頤折頞　周燮、生欽頤折頞，醜狀駭人。（頤頷也。欽頤曲頷也。說文曰：頞，鼻莖也，折亦曲也。）（周燮傳43）

顉頤蹙頞　蔡澤亦顉頤蹙頞。（同上句註）

牛首、蛇軀、鳥喙、牛脣、伏羲牛首，女媧蛇軀，皋繇鳥喙，孔子牛脣，是聖賢異貌也。（同上）

大耳　（呂布）目備曰：「大耳兒，最叵信。」（呂布傳65）

豺目　（梁冀）鳶肩豺目，（鳶鴟也；鴟肩上竦也，豺目，目竪也。）洞精矘眄（說文：「目精直貌」。）口吟舌言。謂語吃不能明了。（梁統傳24）

訥口　（何）休爲人質朴，訥口而雅有心思。（儒林傳69下何休傳）

明須髮　爲人明須髮，眉目如畫。（馬援傳14）

多髯　左氏傳曰：「于思于思，弃甲復來。」杜預注云：「于思多須之貌也。」（皇甫嵩傳61句註）

3. 體　魄

壯健　（扶風曹世叔妻）（班昭）男以彊爲貴，女以弱爲美，故鄙諺有云：「生男如狼，猶恐其尫；生女如鼠，猶恐其虎。」（列女傳74班昭傳）

（臧）洪體貌魁梧，有異姿。（臧洪傳48）

（祭）彤爲人質厚重毅，體貌絕衆。（祭彤傳10）

（馬）援據鞍顧眄，以示可用，帝笑曰：「矍鑠哉，是翁也！」（馬援傳14）

山東之士，素乏精悍，未有孟賁之勇，慶忌之捷。（鄭太傳60）

五、運　　動

導引　（矯慎）仰慕松喬導引之術。（逸民傳73矯慎傳）

夫熊經鳥伸，雖延歷之術，非傷寒之理。呼吸吐納，雖度紀之道，非續骨之膏。（崔駰傳42）

（華）佗語（吳）普曰：人體欲得勞動，但不當使極耳，動搖則穀氣得銷，血氣流通，病不得生；譬如戶樞終不朽也。（方術傳72下華佗傳）

是以古之仙者，爲導引之事，熊經鴟顧，引挽腰體，動諸關節，以求難老。吾有一術，名曰五禽之戲：一曰虎，二曰鹿，三曰熊，四曰猨，五曰鳥，亦以除疾，兼利蹏足以當導引，體有不快，起作一禽之戲，怡而汗出，因以著粉，身輕便而欲食。普施行之，年九十餘，耳目聰明，齒牙完堅。（同上）

擊劍　（馬）嚴少孤，而好擊劍，習騎射。（馬援傳14）

雙鞬　（董）卓膂力過人，雙帶兩鞬，左右馳射。（董卓傳62）

貫弓　（祭）彤有勇力，能貫三百斤弓。（祭彤傳10）

舉石臼　（梁鴻妻）孟氏有女！狀肥醜而黑，力舉石臼，擇對不嫁。（逸民傳73梁鴻傳）

鍛鍊　以戰死爲吉利，病終爲不祥，堪耐寒苦，同之禽獸，雖婦人產子，亦不避風雪。（西羌傳77）

六、衛　生

1. 飲　　食

飲料　權水輕重，水一升、各重十二兩。（禮儀志5）

節食　傳曰：「非其時不食。」（後紀10上）

昔夏后惡衣服，非飲食；孔子曰：「吾無間然」今新遭大憂，且歲節未和，徹膳損服，庶有補焉。（和殤帝紀4）

薦新　因下詔曰：「凡供薦新味，多非其節，或鬱養强孰，或穿掘萌芽，味無所至，而夭折生長，豈所以順時育物乎？」（后紀10上）

寒食　舊俗以介子推焚骸有龍忌之禁，至其亡月，咸言神靈不樂舉火，由是士民每冬中，輒一月寒食，莫敢煙爨。老小不堪，歲多死者。舉旣到州，乃作弔書以置子推之廟，言盛冬去火，殘損民命，非賢者之意，以宣示愚民，使還溫食。（周舉傳51）

糜粥　比民年始七十者，授之以杖，餔之糜粥；八十九十禮有加，賜玉杖長尺，端以鳩鳥爲飾，鳩者，不噎之鳥也，欲老人不噎；是月祀老人星於國都南郊老人廟。（禮儀志5）

又月令仲秋養衰老，授几杖，行糜粥。（安帝紀5）

秋令是月養衰老，授几杖，行糜粥飲食。（章帝紀三）

營養　客居安邑，老病家貧，不能得肉，日買猪肝一片，屠者或不肯與，安邑令聞勑吏常給焉，仲叔怪而問之，知乃嘆曰：「閔仲叔豈以口腹累安邑耶？」遂去。（後傳43）

缺乏營養　三年不食鹽菜，憔悴毀容，親人不識之。（后紀第10上）

浚井　**鑽燧**　日夏至禁舉大火，止炭，鼓鑄消石，冶皆絕止。至立秋如故事，是日浚井改水。日冬至鑽燧改火云。（禮儀志5）

2. 起　　居

居住　（笮都夷）皆依山居止，纍石爲室，高者至十餘丈，爲邛籠。（南蠻西南夷傳76）

（濊北與高句驪沃沮）疾病死亡，輒捐棄舊宅，更造新居。（東夷傳75）

清潔　是月上巳，官民皆絜，於東流水，上曰：「洗濯祓除，去宿垢疢爲大絜；」絜者，言陽氣布暢，萬物訖出，始絜之矣。（禮儀志4）

都尉埽灑其門，猶懼辱焉。（循吏傳66任延傳）

（灑水車）（畢嵐）又作翻車渴烏，（翻車，設機車以引水；渴烏，爲曲筒以氣引水上也。）施於橋西，用灑南北郊路以省百姓灑道之費。（宦者傳68張讓傳）

沐浴　盥浣塵穢，服飾鮮潔，沐浴以時，身不垢辱，是謂婦容。（列女傳74班昭傳）

其俗男女同川而浴，故曰交趾。（南蠻西南夷傳76）

假臥　（邊）韶口辯，曾晝日假臥。（左傳：「趙盾坐而假寐」，杜注云：「不脫衣冠而睡也」。）弟子私嘲之曰：「邊孝先，腹便便，懶讀書、但欲眠，」韶潛聞之應時對曰：邊爲姓，孝爲字，腹便便，五經笥，但欲眠，思經事，寐與周公通夢，靜與孔子同意，師而可嘲，出何典記。嘲者大慚。（文苑傳70上邊韶傳）

3. 節　慾

（楊）秉性不飲酒，嘗從容言曰：我有三不惑，酒色財也，（楊震傳44）

（法眞）性恬靜寡欲。（逸民傳73法眞傳）

（田）邑年三十，歷位卿士，性少嗜慾。（田邑傳18上）任（隗）少好黃老，淸靜寡欲。（任隗傳11）

安危亡於旦夕，肆嗜慾於目前，奚異涉海之失柂，積薪而待燃。（趙壹傳70下）

止繁聲　戒淫色　宋弘止繁聲，戒淫色，其有關雎之風乎？（宋弘傳16）

苟目能辯色，耳能辯聲，口能辯味，體能辯寒溫者，將皆修絜爲諱惡，設智巧以避之焉。（仲長統傳39）

聽之不聰是謂不謀。（五行志15）

近取諸身，則耳有聽受之用，目有察見之明，足有致遠之勞，手有飾衛之功，功雖顯外，本之者心也。（同上延篤傳）

耳無聽，目無邪視。（列女傳74班昭傳）

4. 地　理

地多暑溼。（南蠻西南傳76）

且南方暑溼障毒互生，愁困之民，足以感動天地，移變陰陽矣。（楊終傳38）

天竺國一名身毒，……俗與月氏同，而卑溼暑熱。（西域傳78）

南州水土溫暑，加有瘴氣，致死亡者十必四五，其不可三也。（南蠻西南夷傳76）

5. 槃　冰

寒尸　周禮：「凌人天子喪，供夷槃冰。」（禮儀志句註）

鄭玄曰：夷之言尸也，實冰於槃中，置之尸牀之下，所以寒尸也。（同上）

6. 養　生

養生　冬至前後君子安身靜體百官絕事，不聽政擇吉辰而後省事。（禮儀志5）

（蘇順）好養生術，隱處求道。（文苑傳70上蘇順傳）

全名養壽，無有怵迫之憂。……養身者，以練神爲寶。（李固傳53）

養性　皇太子見帝勤勞不怠，承間諫曰：「陛下有禹湯之明，而失黃老養性之福，願頤愛精神，優游自寧。）」帝曰：「我自樂此不疲也。」（光武帝紀1下）

聊優游以永日兮，守性命以盡齒。（崔駰傳42）

（臺）佟幸保終性命，存神養和。（逸民傳73臺佟傳）

養神　子勤正性命，勿勞神以害生。（郅惲傳19）

勞散精神，生長六疾。（劉瑜傳47）

夫樂而不荒，憂而不困，先王所以平和府藏，頤養精神，致之無疆。（馬融傳50上）

練余心兮浸太清，滌穢濁兮存心靈，和液暢兮神氣寧，情志泊兮心亭亭，嗜欲息兮無由生。（蔡邕傳50下）

夕惕若厲以省諐兮，懼余身之未勑也。（張衡傳49）

游精神於大宅兮，抗玄妙之常操；處淸靜以養志兮，實吾心之所樂。（馮衍傳18下）

7. 人　口

（禹貢九州）民口3,553,923人。（地理志19句註）

周公相成王，……民口13,714,923人。（同上）

至齊桓公二年周莊公之13年，……自世子公侯以下至於庶民，凡11,847,000人。（同上）

（元始二年，公元2）民戶13.233.612，口59,194,978人，多周成王45,480,055人。……中元二年（公元前148）民戶4,271,634，口31,007,820人。……永壽二年（公元156）戶16,070,960，口50,066,856人。……景元四年（公元263）與蜀通，計民戶943,423，口5,372,891人。（同上）

至於孝順（公元126）……民戶9,698,630，口

49,150,220。（地理志23）

應劭漢官儀曰：「永和中（公元136……141）戶至10,780,000，口53,869,588。又帝王世紀永嘉2年（公元146）戶則多978,771，口7,216,636。（同上句註）

光武中元二年（公元57）戶4,279,634，口21,007,820。（同上）

明帝永平18年（公元75）戶5,860,573，口34,125,021。（同上）

章帝章和二年（公元88）戶7,456,784，口43,356,367。（同上）

和帝永興元年（公元105）戶9,237,112，口53,256,229。（同上）

安帝延光四年（公元125）戶9,647,838，口48,690,789。（同上）

順帝建康元年（公元144）戶9,946,919，口49,730,550。（同上）

冲帝永嘉元年（公元145）戶9,937,680，口49,524,183。（同上）

質帝本初元年（公元146）戶9,348,227，口47,566,772。（同上）

七、壽　　命

生死觀念　夫含氣之倫，有生必終，蓋天地之常期，自然之至數，是以通人達士，鑒茲性命，以存亡爲晦明，死生爲朝夕，故其生也不爲娛，亡也不爲戚。夫亡者元氣去體，貞魂游散。反素復始，歸於無端。（趙咨傳20）

有秦客者，乃爲詩曰：何清不可俟，人命不可延。（文苑傳70下趙壹傳）

死生有命，張宗豈辭難就逸乎。（張宗傳28）

夫人稟天地之氣以生，及其終也，歸精於天，還骨於地，何地不可藏形骸，勿歸鄉里。（崔駰傳42）

死生有命富貴在天。（論語子夏之詞）（馮衍傳18上）

良醫不能救；無命彊梁，不能與天爭。（蘇竟傳20上）

死生有命，未有逃避之典也。（魯恭傳15）

歲忽忽而日邁兮，壽冉冉其不與。（馮衍傳18下）

死生錯而不齊兮，雖司命其不晰。（張衡傳49）

壽考　若使人居天地，壽如金石，要長生而避死地可也；今百齡之期，未有能至，老壯之期，相去幾何！（馮衍傳18上）

王眞年且百歲，視之面有光澤，似未五十者。（方術傳72下王眞傳）

（倭）人性嗜酒，多壽考，至百餘歲者甚衆。（東夷傳75）

（甘始、東郭延年）（封君達）凡此數人皆百餘歲及二百歲也。（方術傳72下）

甘始、東郭延年、封君達傳堯年一百一十七歲，舜年一百一十二歲，言百年舉全數。（郎顗傳20下句註）

短折　厥極凶短折。（五行志16）

孝冲孝質，頻世短祚。（郎顗傳20下）

八、胎　產

1. 婚　　配

配偶　漢法常因八月筭人，遣中大夫與掖庭丞及相工於洛陽鄉中，閱視良家童女，年十三以上，二十以下，姿色端麗，合法相者，載還後宮，擇視可否，乃用登御。（后紀10上）

使男女婚娶，不過其時。（周舉傳51）

又駱越之民，無嫁娶禮法，名因淫好，無適對匹，不識父子之性，夫婦之道，（任）延乃移書屬縣各使男年二十至五十，女年十五至四十，皆以年齒相配；……同時相娶者二千餘人。（循吏傳66任延傳）

同姓不婚，多所忌諱。（東夷傳75）

又與劓女遇於野，遂成夫婦。（西羌傳77）

多妻　齊桓有如夫人者六人。……高祖帷薄不修，孝文衽席無辯。（后妃10上）

帝多內幸，博採宮女至五六千人。（后妃10下，桓帝鄧皇后傳）

宋弘當讌見御坐新屏風，圖畫列女，帝數顧視之，弘正容言曰：「未見好德如好色者」。帝即爲徹之。（宋弘傳16）

今陛下多積宮人，以違天意，故皇胤多夭，嗣體莫寄。詩云：「敬天之怒，不敢戲豫」。方今之福，莫若廣嗣。廣嗣之術，可不深思，宜簡出宮

女，婁其姻緣，則天自降福，子孫千億。（郎顗傳20下）

昔文王一妻，誕致十子；今宮女數千，未聞慶育；宜簡德省刑，以廣螽斯之祚。（同上）

陽性純而能施，陰體順而能化，以禮濟樂，節宣其氣，故能豐子孫之祥，致老壽之福。（荀爽傳52）

（高句驪）其俗淫，皆潔淨自憙，暮夜輒男女羣聚爲倡樂。（東夷傳75）

（倭）國多女子，大人皆有四五妻，其餘或兩或三。（同上）

2. 孕　產

竇孕和胎産　夜郎者，初有女子浣於遯水，有三節大竹，流入足間，聞其中有號聲，剖竹視之，得一男兒，歸而養之，及長，有才武，自立爲夜郎侯，以竹爲姓。（南蠻西南夷傳76）

後牢山下有一夫一婦，復生十九子，隆兄弟皆娶爲妻，後漸相滋長，種人皆刻畫其身，象龍文衣著尾。（同上）

哀牢夷者，其先有婦人，名沙壹，居於牢山，嘗捕魚水中，觸沈木，若有感，因懷妊十月，產子男十人，後沈化爲龍，出水上。（同上）

桓帝時鮮卑檀石槐者，其父投鹿侯初從匈奴軍三年，其妻在家生子，投鹿歸，怪欲殺之；妻言嘗晝行聞雷震，仰天視而雹入其口，因吞之，遂妊身，十月而產，此子必有奇異，且宜長視，投鹿侯不聽棄之，妻私與家令收養焉。（鮮卑傳80）

又說海中有女國，無男人，或傳其國有神井闚之輒生子云。（東夷傳75）

初北夷索離國王出行，其侍兒於後妊身，王還欲殺之。侍兒曰：前見天上有氣大如雞子，來降我，因以有身。王囚之，後遂生男。王令置於豕牢，豕以口氣噓之不死，後徙於馬闌，馬亦如之，王以爲神，乃聽母收養，名曰東明。（東夷傳75）

墮胎　時王美人妊娠，畏（何）后，乃服藥欲除之，而胎安不動，又數夢負日而行；四年生皇子協，后遂酖殺美人。（后紀10下靈思何皇后傳）

畸形　（光和二年，公元179）洛陽女子生兒兩頭四臂。（靈帝紀8）

（中平元年，公元184）（六月）洛陽女子生兒兩頭共身。（同上）

（中平二年，公元185）洛陽民生兒兩頭四臂。（同上）

中平元年（公元184）壬申，雒陽男子劉倉居上西門外，妻生男兩頭共身。（五行志17）

二年（公元185）雒陽上西門外，女子生兒兩頭異肩共胸，俱前向，以爲不祥，墮地棄之。（同上）

建安中（公元196—219）女子生男兩頭共身。（同上）

又洛陽人妻生子兩頭。（劉虞傳63）

奇異　初（竇）武母產武，而並產一蛇，送之林中。後母卒，未窆，有大蛇自榛草而出，經至喪所，以頭擊柩，涕血皆流，俯仰蛣屈，若哀泣之容，有頃而去。（竇武傳69）

3. 習　　俗

弄瓦　（扶風曹世叔妻傳）卑弱第一，古者生女三日，臥之牀下，弄之瓦塼，而齋告焉。臥之牀下，明其卑弱，主下人也；弄之瓦塼明其習勞，主執勤也；齋告先君，明當主祭祀也。（列女傳74）

4. 乳　　養

保嬰　其嬰兒無父母親屬，及有子不能養者，稟給如律。（章帝紀3）

賜胎養穀　（元和）二年（公元84）春正月己丑詔曰：令云：「人有產子者，復勿算三歲；令諸懷妊者賜胎養穀人三斛，復其夫勿算一歲，著以爲令。（章帝紀31）

肅宗帝以后無子命令養之，謂曰：「人未必當自生子，但患愛養不至耳」。后於是盡心撫育勞悴，過於所生。（后妃10上光烈陰皇后傳）

（李善對孤兒李續）親自哺養，乳爲生湩，推燥居溼，備嘗艱勤。（李善傳71）

九、疾　　病

1. 傳　染　病

會暑甚，士卒多疫死，（馬）援亦中病，遂困，乃穿岸爲室，以避炎氣。（武陵記曰：壺頭山邊有石窟，即援所穿室也。）（馬援傳14）

王莽建國三年（公元11）大疾疫，死者且半，乃各分散引去。（劉玄傳1）

（李善傳）建武中（公元25—31）疫疾（李）元家相繼死沒。（獨行傳71李善傳）

（更始14年，公元38）是歲會稽大疫。（光武帝紀1下）

（永元四年，公元92）時有疾疫，（曹）褒巡行病徒，爲致醫藥，住理饘粥，多蒙濟活。（曹褒傳25）

（永初）四年（公元110）楊厚上言今夏必盛寒，當有疾疫蝗蟲之害；是歲果六州大蝗，疫氣流行。（楊厚傳20上）

（元初六年，公元119）夏四月會稽大疫，遣光祿大夫將太醫循行疾病賜棺木，除田租口賦。（安帝紀5）

（延光四年，公元125）是冬京師大疫。（同上）

（延光三年，公元124）九月京師大疫。（順冲質帝紀6）

元嘉元年（公元151）春正月，京師疾疫，使光祿大夫將醫藥案行。（桓帝紀7）

（延熹九年，公元166）己酉詔曰：比歲不登，人多飢窮，又有水旱疾疫之困，盜賊徵發，南州尤甚（謂長沙桂楊零陵等郡也）。（同上）

饑饉之所夭，疾疫之所及，以萬萬計，其死者則露屍不掩，生者則奔亡流散。（隗器傳3）

（度尙）遷文安令，遇時疾疫，穀貴，人飢，尙開倉廩給營救疾者，百姓蒙其濟。（度尙傳28）

時遭兵亂，疾疫大起，（徐登、趙炳）二人遇於烏傷溪水之上，遂結約共以其術療病。（方術傳72下徐登傳）

飢疫　匈奴人畜飢疫，死耗大半。（後漢書西域傳78）

疫癘（孝順）上干和氣，疫癘爲災。（永建元年，公元126）甲辰詔以疫癘水潦，令人半輸今年田租，傷害什四以上勿收。（順冲質帝紀6）

癘疫之氣，流傷於牛。（律歷志2）

厲疫　今天垂異，地吐妖，人厲疫，三者並時而有。（郎顗傳20下）

安帝元初六年（公元119）夏四月會稽大疫。（五行志17）

公羊傳曰：大災者何，大瘠也；大瘠者何，㾐也。（句註）

何休曰：民疾疫也，邪亂之氣所生。（同上）

古今注曰：光武建武十三年，（公元37）楊徐部大疾疫，會稽江左甚。（同上）

案傳鍾離意爲督郵，建武十四年（公元38）會稽大疫，案此則頻歲也。（同上）

古今注曰：二十六年郡國七大疫。（同上）

延光四年（公元125）冬京都大疫。（同上）

桓帝元嘉元年（公元151）正月京都大疫，二月九江廬江又疫。（同上）

延熹四年（公元161）正月大疫。（同上）

太公六韜曰：人主好重賦役，大宮室，多臺遊，則民多病溫也。（同上句註）

靈帝建寧四年（公元171）三月大疫。（五行志17）

熹平二年（公元173）正月大疫。（同上）

光和二年（公元179）春大疫。（同上）

五年（公元182）二月大疫。（同上）

中平二年（公元185）正月大疫。（同上）

獻帝建安二十二年（公元217）大疫。（同上）

魏文帝書與吳質曰：「昔年疾疫，親故多離其災。」魏陳思王常說疫氣云：「家家有彊尸之痛，室室有號泣之哀；或闔門而殪，或舉族而喪者。」（同上句註）

（建寧）四年（公元171）大疫，使中謁者巡行致醫藥。……（熹平）二年（公元173）春正月大疫，使者巡行致醫藥。……（光和）二年（公元179）春大疫，使常侍中謁者巡行致醫藥。……（中平）二年（公元185）春正月大疫。（靈帝紀8）

（興平22年，公元217）冬有星孛於東北，是歲大疫。（獻帝紀9）

建武十四年（公元58）會稽大疫，死者萬數。（鍾離）意獨身自隱，親經給醫藥。所部多蒙全濟。（鍾離意傳31）

疫癘氣也。（同上句註）

軍中大疫，死者十三四，（皇甫）規親入菴廬，巡視將士，三軍咸悅。（皇甫規傳54）

牛疫　又以郡國牛疫，通使區種增耕。……又郡國以牛疫水旱墾田多減。（江革傳29）

瘴氣　又出征交阯，土多瘴氣，（馬）援與妻子生訣，無悔吝之心。（馬援傳14）

日南多瘴氣，恐或不還。（公孫瓚傳63）

瘴氣　南州水土溫暑，加有瘴氣，致死亡者十必四五，其不可三也。（南蠻西南夷76）

瘴疫　建武二十年（公元44）秋振旅還京師，軍吏經瘴疫死者十四五。（同上）

逐疫　先臘一日大儺，謂之逐疫。其儀選中黃門子弟年十歲以上，十二歲以下，百二十人為侲子，皆赤幘皁製，執大鼗；方相氏黃金四目，蒙熊皮，玄衣朱裳，執戈揚盾；十二獸有衣毛角；中黃門行之，冗從僕射，將之以逐惡鬼於禁中。夜漏上水，朝臣會侍，中尚書御史謁者虎賁羽林郎將執事，皆赤幘陛衛乘輿。御前殿黃門奏曰：「侲子備，請逐疫；」於是中黃門倡，侲子和，曰：「甲作食𧌑，胇胃食虎，雄伯食魅，騰簡食不祥，攬諸食咎，伯奇食夢，強梁祖明，共食磔死寄生，委隨食觀，錯斷食巨，窮奇騰根共食蠱；凡使十二神追惡凶，赫女軀，拉女幹節，解女肉，抽女肺腸，女不急去，後者為糧。」因作方相與十二獸儛嚾呼，周徧前後，省三過，持炬火，送疫出端門。門外騶騎傳炬出宮，司馬闕門，門外五營騎士傳火，棄雒水中。百官官府，各以木面獸，能為儺，人師訖，設桃梗鬱儡葦茭畢，執事陛者罷；葦戟桃杖以賜公卿將軍特侯諸侯云。（禮儀志5）

譙周論語注曰：「儺却之也。」（同上句註）

漢舊儀曰：顓頊氏有三子，生而亡去，為疫鬼；一居江水，是為虎；一居若水，是為罔兩蜮鬼；一居人宮室區隅；漚庾善驚人小鬼。（同上句註）

月令章句曰：「日行北方之宿，北方大陰，恐為所抑，故命有司大儺，所以扶陽抑陰也。」（同上）

盧植禮記注曰：「所以逐衰而迎新。」（同上）

東京賦曰：「捐魑魅，斮獝狂，斬委蛇，腦方良，囚耕父於清泠，溺女魃於神潢，殘夔魖，與罔象，殪野仲而殲游光。」注曰：「魑魅，山澤之神；獝狂惡鬼；委蛇大如車轂；方良草澤神；耕父女魃，皆旱鬼惡水，故囚溺於水中，使不能為害；夔魖罔象，木石之怪；野仲游光兄弟八人，恒在人間，作怪害也。」（同上條註）

臣昭曰：「木石，山怪也；夔一足，越人謂之山𤢖，罔兩山精，好學人聲，而迷惑人。龍、神物也，非所常見，故曰怪。罔象食人，一名沐腫。」（同上）

薛綜曰：「獝狂無頭鬼。」（同上）

東京賦曰：「煌火馳而星流，逐赤疫於四裔。」注曰：「煌火光，逐驚走，煌然火光如星馳。赤疫，疫鬼惡者也。侲子合三行，從東序上，西序下。」（同上句註）

山海經曰：「東海中有度朔山，上有大桃樹，蟠屈三千里；」其卑枝門曰：「東北鬼門，萬鬼出入也；上有二神人；一曰神荼；一曰鬱儡；主閱領眾鬼之惡害人者，執以葦索，而用食虎，於是黃帝法而象之，歐除畢，因立桃梗於門戶上，畫鬱儡持葦索以御凶鬼，畫虎於門，當食鬼也。（同上）

史記曰：「東至於蟠木。」（同上）

風俗通曰：「黃帝，上古之時，有神荼與鬱壘兄弟二人，性能執鬼。桃梗，梗者，更也，歲終更始，受介祉也。」（同上）

蘇秦說孟嘗君曰：土偶人語桃梗，今子東國之桃木削子為人。虎者陽物，百獸之長，能擊摯性，食鬼魅者也。」（同上）

歲終，當饗遣衛士，大儺逐疫；太后以陰陽不和，軍旅數興，詔饗會勿設戲作樂，減逐疫侲子之半。（后紀10上和熹鄧皇后傳）

禮記月令：「有大儺，旁磔土牛，以送寒氣。」（同上句註）

鄭玄注云：「儺陰氣也，此月之中，日歷虛危，有墳墓四星之氣，為厲鬼隨彊陰出以害人，故儺卻之也。」（同上）

驅厲　禦厲　導鬼區，經神場，詔靈保，召方相，驅厲疫，走蜮祥。（馬融傳50上）

三曰禦厲。（防禦疫癘之氣。）禦癘者，宋后家屬，並以無辜委骸橫尸，不得收葬，疫癘之來，皆由於此，宜勅收拾，以安遊魂。（盧植傳54）

驅蠱　乃命壺涿驅水蠱，逐罔螭，滅知狐，豬鯨鯢。（馬融傳50上）

2. 氣　候　病

中暑　（伏湛）因讌見中暑病卒。（伏湛傳16）

溫溼　及馬援卒於師，軍士多溫溼疾病，死者大半。（宋均傳31）

3. 消　化　系　病

口舌病　時則有口舌之痾。（五行志13）

車過三步，腹痛勿怨。（橋玄傳41）

癉病　詩云：「上帝板板，下民卒癉。」刺周

王變祖法度，故使下民將盡病也。（李固傳53）

心腹病　時則有心腹之痾。（五行志16）

4. 呼 吸 系 病

欬逆唾血　頃以廢病沈滯，久不侍祠，上力上原陵，加欬逆唾血，遂至不解。（后紀10上和熹鄧皇后傳）

歐血　（祭彤）出獄數日，歐血死。（祭彤傳10）

及莽簒位，遣使齎玄纁束帛，請爲國師，遂歐血托病杜門自絕。（卓茂傳15）

（李嵩）捕求（蘇）不革歷歲不能得，憤恚感傷，發病歐血死。（蘇不韋傳21）

（原鄉侯）平病卒，（王）紆哭泣歐血，數月亦歿。（劉般傳29）

（陳紀）遭父母喪，每哀至輒歐血絕氣，雖衰服已除，而積毀消瘠，殆將滅性。（陳寔傳52）

（袁術）因憤慨結病歐血死。（袁術傳65）

嘔血　（馬）日殫深自恨，遂嘔血而斃。（孔融傳60）

（趙苞）遂嘔血而死。（獨行傳71趙苞傳）

（清河孝王）慶號泣前殿，嘔血數升。（清河孝王慶傳45）

吐血　（東海恭王疆）母卒皆吐血毀骨。（東海恭王疆傳32）

胸脅疾　（班）超素有胸脅疾，既至，病遂加；帝遣中黄門問疾，賜醫藥。（班超傳37）

羸瘠　（韋彪）哀毀三年，不出廬寢服，竟羸瘠骨立異形，醫療數年乃起。（韋彪傳16）

5. 血 行 系 病

心悸　光武曰：「我昨夢乘赤龍上天，覺悟心中動悸。（馮）異因下席再拜，賀曰：此天命發於精神；心中動悸，大王重慎之性也。」（馮異傳7）

6. 泌 尿 系 病

浮腫　「詔曰：朕素有心下結氣，從間以來，加以浮腫，逆害飲食，寢以沈困。……」（后紀10下順烈梁皇后傳）

遺溲　（張）湛至朝堂，遺失溲便，因自陳疾篤，不能復任朝事，遂罷之。（張湛傳17）

7. 新 陳 代 謝 病

消疾　（李通）素有消疾，自爲宰相，謝病不視事，連年乞骸骨，帝每優寵之，令以公位歸第養疾，通復固辭。（李通傳5）

8. 神 經 系 病

中風　太守葛興中風病，不能聽政。（韓稜傳35）

風病　（酈）炎後風病恍忽；性至孝，遭母憂病甚發動，妻始產而驚死，妻家訟之，收繫獄，炎病不能理對。（文苑傳70下酈炎傳）

眩瞀　（韋）豹曰：「犬馬齒衰，旅力已劣，仰慕崇恩，故未能自割，且眩瞀帶疾，不堪久待。」（韋豹傳16）

眩疾　明年夏，帝風眩疾甚。（樊陰傳22）

兩手不仁　（班）超年最長，今且七十，衰老被病，頭髮無黑，兩手不仁，耳目不聰明，扶杖乃能行。（班超傳37）

9. 耳 目 病

目疾　（杜篤）以目疾二十餘年，不闚京師。（文苑傳70上杜篤傳）

眊　厥咎眊。（五行志17）

耳痾　時則有耳痾。（五行志第15）

鄭玄曰：「聽氣失之病。」（同上句註）

10. 外 科 病

疽　（朱）穆素剛，不得，居無幾，憤懣發疽。（朱穆傳33）

疽發背　（蓋勳）不得意，疽發背。（蓋勳傳48）

（建安13年，公元208）八月（劉）表疽發背卒。（劉表傳64下）

瘡𤸷　（濟北惠王壽）頭不批沐，體生瘡𤸷。（濟北惠王壽傳45）

創傷　（劉茂）身被十創，歿於陣。（獨行列傳71劉茂傳）

唯（駿）授力戰身被十創，手殺數人而死；（張）顯中流矢。（鮮卑傳80）

（耿）恭乘城搏戰，以毒藥傅矢傳語匈奴曰：「漢家箭神，其中瘡者，必有異。」因發强弩射之；虜中矢者，視創皆沸，遂大驚。（耿弇傳9）

元嘉元年，（公元151）長史趙評在于窴病癰死；評子迎喪，道經拘彌，拘彌王成國于窴王建素隙，乃與評子云，于窴王令胡醫持毒藥著創中，乃破死耳。（西域傳78）

流血 遵中(祭)遵口，洞出流血，衆見遵傷，稍引退，遵呼叱止之，士卒戰皆自倍，遂大破之。(祭遵傳10)

洞胸 十一月丁丑，漢護軍將軍高午刺述洞胸。(天文志10)

貫脛 (馬)援中矢貫脛，帝以璽書勞之，賜牛羊數千頭。(馬援傳14)

貫髀 (張)宗夜將銳士入城襲赤眉，中矛貫髀；又轉攻諸營保，爲流矢所激，皆幾至於死。(張宗傳28)

面部破裂 天時寒，面皆破裂。(光武帝紀1上)

12. 兒 科 病

嬰兒病 嬰兒有常病，嬰兒常病，傷於飽也。(王充傳39)

癎病 哺乳多則生癎病。(同上)

十、易緯所記的病

易緯：[冬至晷長一丈三尺，當至不至，則旱多溫病；未當至而至，則多病暴逆心痛。(律歷志3)

小寒晷長一丈一尺四分，當至不至，……丈夫多病喉痹；未當至而至，多病身熱。(同上)

大寒晷長一丈一尺八分，當至不至，……病厥逆；未當至而至，多病上氣嗌腫。(同上)

立春晷長一丈一寸六分；當至不至，……民疫瘵；未當至而至，多病熛疾疫。(同上)

雨水晷長九尺一寸六分，當至不至，……多病心痛；未當至而至，多病蹷。(同上)

驚蟄晷長八尺二寸，當至不至，……老人多病、嚏，未當至而至，多病癰疽脛腫。(同上)

春分晷長七尺二寸四分，當至不至，……多病耳癢。(同上)

清明晷長六尺二寸八分，當至不至，……多病嚏，未當至而至，多溫病暴死。(同上)

穀雨晷長五尺三寸六分，當至不至，……多病疾瘧振寒霍亂；未當至而至，老人多病氣鬱，(同上)

立夏晷長四尺三寸六分，當至不至，……牛畜疾；未當至而至，多病頭痛腫嗌痹。(同上)

小滿晷長三尺四寸，……當至不至，凶；未當至而至，多病嗌腫。(同上)

芒種晷長二尺四寸四分，……未當至而至，多病厥眩頭痛。(同上)

夏至晷長一尺四寸八分，……有大寒未當至而至，病眉腫。(同上)

小暑晷長二尺四寸四分，當至不至，……多病泄注腹痛；未當至而至，病臚腫。(同上)

大暑晷長三尺四寸，當至不至，……多病筋痺胸痛；未當至而至，多病脛痛惡氣。(同上)

立秋晷長四尺三寸六分；……未當至而至，多病咳上氣咽腫。(同上)

處暑晷長五尺三寸二分；……未當至而至，病眼耳熱不出行。(同上)

白露晷長六尺二寸八分，當至不至，多病痤疽泄；未當至而至，多病水腹閉疝瘕。(同上)

秋分晷長七尺二寸四分，當至不至，……多溫悲心痛；未當至而至，多病胸鬲痛。(同上)

寒露晷長八尺二寸，當至不至，……多病疝瘕腰痛；未當至而至，多病疢熱中。(同上)

霜降晷長九尺一寸六分，當至不至，……人病腰痛；未當至而至，多病胸脇支滿。(同上)

立冬晷長丈一寸二分，……未當至而至，多病臂掌痛。(同上)

小雪晷長一丈一尺八分，當至不至，……多病脚腕痛。未當至而至，亦爲多肘腋痛。(同上)

大雪晷長九尺一寸六分，當至不至，……多病少氣五疸水腫；未當至而至，多病癰疽痛。應在芒種。(同上)

十一、診斷和治療

1. 診 脉

脉之虛實 凡療病者，必知脉之虛實，氣之所結，然後爲之方，故疾可愈而壽可長也。(王符傳39)

2. 治 療

四難 夫貴者處尊高以臨臣，臣懷怖懾以承之；其爲療也，有四難焉；自用意而不任臣，一難也；將身不謹，二難也；骨節不彊，不能使藥，三難也；好逸惡勞，四難也。(方術傳72下郭玉傳)

方藥 (華佗)精於方藥，處齊不過數種，心識

分銖，不假稱量。（同上華佗傳）

（樊）阿從（華）佗求方，可服食益於人者，佗授以漆葉青黏散，漆葉屑一斗，青黏十四兩，以是爲率，言久服去三蟲，利五藏，輕體，使人頭不白，阿從其言，壽百餘歲。（同上）

針灸　針有分寸，時有破漏，重以恐懼之心，加以裁慎之志。（方術傳72下郭玉傳）

（華佗）針灸不過數處。（同上華佗傳）

（樊）阿善鍼術，凡醫咸言背及胸藏之間，不可妄針，針之不過四分，而阿針背入一二寸，巨闕胸藏乃五六寸，而病皆瘳。（同上）

黃帝素問曰：「鍼頭如芒，氣出如筐也。」（陳忠傳36句註）

舐痔　莊子曰：「秦王有病，召醫舐痔者，得車五乘。」（趙壹傳70下句註）

急救　（段）翳爲合膏藥，並以簡書封於筒中，告生曰：「有急發視之；」生到葭萌，與吏爭度津，吏檛破從者頭，生開筒得書，言到葭萌，與吏鬥頭破者，以此膏裹之。生用其言，創者即愈。（段翳傳72上）

（龐）萌傷甚氣絕，有頃蘇，渴求飲，（劉）平傾其創血以飲之，後數日萌竟死，平乃裹創扶送萌喪。（劉平傳20）

十二、病　案

1. 內科病

頭痛身熱　（魏志）府吏倪尋李延共止，俱頭痛身熱，所苦正同。（華）佗曰：「尋當下之，延當發汗。」或難其異；佗曰：「尋外實，延內實，故療之宜殊。」即各與藥，明旦並起者也。（方術傳72下華佗傳句註）

寒熱注病　（佗別傳）又有婦人長病經年，世謂寒熱注病者也。冬十一月中（華）佗令坐石槽中，且用寒水汲灌，云當滿百，始七八灌，戰欲死，灌者懼，欲止，佗令滿數，至將八十灌，熱氣乃蒸出囂囂高二三尺，滿百灌，佗乃然火溫牀，厚覆良久，汗洽出，著粉汗燥便愈。（同上）

頭眩　（佗別傳）又有人苦頭眩，頭不得舉，目不得視，積年，（華）佗使悉解衣倒懸，令頭去地一二寸，濡布拭身體，令周帀，候視諸脉，盡出五色，佗令弟子數人，以鈹刀決脉五色，血盡視赤血出乃下，以膏摩，被覆汗出周帀，飲以亭歷犬血散，立愈。（同上）

頭風眩　曹操聞而召，佗常在左右，操積苦頭風眩，佗針隨手而差。（同上）

苦四支煩　（魏志）縣吏尹代苦四支煩，口中乾，不欲聞人聲，小便不利，（華）佗曰：「試作熱食，得汗即愈，不汗後三日死；」即作熱食，而不汗出；佗曰：「藏氣已絕於內，當啼泣而絕；」果如佗言。（同上句註）

蟲疾　廣陵太守陳登，忽患胸中煩懣，面赤不食，（華）佗脉之曰：「府君胃中有蟲，欲成內疽，腥物所爲也；」即作湯二升，再服，須臾吐出三升許，蟲頭赤而動，半身猶是生魚膾、所苦便愈。佗曰：「此病後三朞當發，遇良醫可救，」登至期疾動；時佗不在，遂死。（方術傳72下華佗傳）

（華）佗嘗行道，見有病咽塞者，因語之曰：向來道隅，有賣餅人萍虀甚酸，可取三升飲之，病自當去；即如佗言，立吐一蛇，乃懸於車而候佗；時佗小兒戲於門中，逆見自相謂曰：「客車邊有物，必是逢我翁也！」及客進，顧視壁北懸蛇以十數，乃知其奇。（同上）

2. 外科病

腸癰　初軍吏李成苦欬，晝夜不寐，佗以爲腸癰，與散兩錢服之，即吐二升膿血，於此漸愈；乃戒之曰：「後十八歲疾當發動，若不得此藥，不可差也。」復分散與之，後五六歲，有里人如成先病，請藥甚急，成愍而與之，乃故往譙；更從佗求，適值見收竟不忍言；後十八年成病發，無藥而死。（方術傳72下華佗傳）

病名未詳　有疾者詣（華）佗求療，佗曰：「君病根深，應當剖破腹，然君壽亦不過十年，病不能相殺也。」病者不堪其苦，必欲除之，佗遂下療，應時愈十年竟死。（方術傳72下華佗傳）

3. 產科病

傷胎　有李將軍者，妻病呼佗視脉，佗曰：「傷身而胎不去；」將軍言間實傷身，胎已去矣。佗曰：「案脉胎未去也。」將軍以爲不然，妻稍差，百餘日復動，更呼佗，佗曰：「脉理如前，是兩胎，先生者去血多，故後兒不得出也；胎既已死，血脉不復歸，必燥著母脊；」乃爲下針，並令進湯，婦因試產而不通；佗曰：「死胎枯燥，勢不自生」。使人探之，果得死胎，人形可識；但其色已黑；佗之絕技，皆此類也。（方術傳 72 下華佗傳）

十三、調　護

侍疾　初（鮑）德被病數年，（子）昂俯伏左右，衣不緩帶。（鮑德傳 19）

（東平憲王）蒼還國疾病，帝馳遣名醫小黃門侍疾，使者冠蓋不絕於道，又賜驛馬千里，傳問起居。（東平憲王蒼傳 32）

（父況病）（耿）弇兄弟六人，皆垂青紫，省侍醫藥，當代以爲榮。（耿弇傳 9）

後元伯寢疾篤，同郡郅君章殷子徵晨夜省視之。（獨行傳 71 范式傳）

養疾　老母八十，疾病須養。（趙咨傳 29）

問疾　今遣太中大夫賜征西吏士死傷者醫藥棺斂，大司馬以下，親弔死問疾，以崇謙讓。（馮異傳 7）

帝使中黃門慰問，因留養疾。（同上宋均傳）

（鄧禹）居歲餘寢疾，帝數自臨問。永寧元年，（公元 301）遂謝病不朝，太后使內侍者問之。（鄧寇傳 6）

（建武）二十年，（公元 44）吳漢病篤，車駕親臨，問所欲。（吳漢傳 8）

建武十二年，（公元 36）耿況既病，乘輿數自臨幸。（耿弇傳 9）

建初五年，（公元 80）（趙）熹疾病，帝親幸視。（趙熹傳 16）

（樊玄）及病困，車駕臨視留宿，問其所欲。（樊玄傳 22）

（陰）興疾病，常親臨問以政事。（同上陰興傳）

（建初）五年（公元 80）病篤，使者數存問。（淳于傳 29）

（桓）榮嘗寢病，太子朝夕遣中傳問病，賜以珍羞帷帳奴婢；謂曰：「如有不諱，無憂家室也；」後病愈，復入侍講。（桓榮傳 27）

（清河孝王）慶多被病，或時不安，帝蚤夕問訊進膳藥，所以垂意甚備。（清河孝王慶傳 45）

（包咸）病篤，帝親輦駕臨視。（儒林傳 69 包咸傳）

致醫藥　疾病加致醫藥。（和殤帝紀 4）

甲辰，詔稟貸荆豫兗冀四州流冗貧人所在安業之疾病，致醫藥。（順沖質帝紀 5）

又徒在作部疾病致醫藥，死亡後埋藏。（桓帝紀 7）

十四、藥　品

1.　植物藥品

蘋　詩義疏曰：「蘋濱水上浮萍者，麤大謂之蘋，小者爲萍，季春始生，可糝蒸爲茹；又可苦酒淹，就酒也。」（方術傳 72 下華佗傳句註）

漆葉　青黏　漆葉處所而有、青黏生於豐沛彭城及朝歌間。（方術傳 72 下華佗傳）

薏苡　初援在交阯，常餌薏苡實，用能輕身省慾，以勝瘴氣。南方薏苡實大，援欲以爲種，軍還，載之一車，時人以爲南土珍怪，權貴皆望之。（馬援傳 14）

神農本草經曰：薏苡味甘微寒，主風濕痹下氣，除筋骨邪氣，久服輕身益氣。（同上句註）

昔馬援以薏苡興謗。（吳延傳 54）

地黃　當歸　羌活　玄參　劉向列仙傳曰：山圖隴西人，好乘馬，馬蹋折脚，山中道士教服地黃當歸羌活玄參。服一年不嗜食、病愈身輕。追道士問之，自云五岳使之名山採藥，能隨吾汝便不死。山圖追隨、人不復見六十餘年，行母服於冢間，朞年復去，莫知所之也。（莋都夷傳 76 句註）

枳　蕙　杜若　澤蘭　白芷　射干　芎藭　新夷　捷六枳而爲籬兮，築蕙若而爲室，播蘭芷於中廷兮，列杜衡於術。攢射干雜蘼蕪兮，搆木蘭與新夷。（馮衍傳 18 下）

枳，芬木也。晏子曰：「江南爲橘，江北爲枳。」（同上句註）

蕙，香草也。杜，杜若也。蘭，即澤蘭也。芷，白芷也；一名符離，一名藥杜衡，其狀若葵，其臭如蘼蕪。（同上句註）

射干，烏翼也。蘼蕪似蛇牀而香，其根即芎藭也。……新夷亦樹也。（同上句註）

烏扇　香草　（陳）寵奏曰：「夫冬至之節，陽氣始萌，故十一月有蘭射干芸荔之應。（陳寵傳 36）

（射干）即今之烏扇也。芸，香草。（同上句

註)

江蘺　纚幽蘭之秋華兮，又綴之以江蘺。（張衡傳 49）

江蘺、香草也。「本草經曰：蘼蕪一名江蘺，即芎藭苗也。」楚辭曰：「扈江蘺與薜芷兮，紉秋蘭以為佩；」皆取芬芳以象德也。（同上句註）

艾　蕙　芷　珍蕭艾於重笥兮，謂蕙芷之不香。（同上）

虎魄　伏苓　廣雅曰：「虎魄生地中，其上及旁不生草，深者八九尺，大如斛，削去皮，成虎魄如斗，初時如桃膠凝堅乃成。」博物志曰：「松脂淪入地千年、化為伏苓，伏苓千歲，化為虎魄，今太山有伏苓而無虎魄，永昌有虎魄而無伏苓。」（滇王傳 76 句註）

黃連　水銀　漢武帝內傳曰：「封君達，隴西人。初服黃連五十餘年，入鳥舉山服水銀百餘年，還鄉里，如二十者，常乘青牛，故號青牛道士。聞有病死者，識與不識，便以腰間竹管中藥與服，或下針，應手皆愈。不以姓名語人。（甘始東郭延年封君達傳句註）

蘇合香　會合諸香，煎其汁以為蘇合。（西域傳 78）

蒲萄酒　粟弋國屬康居，出名馬牛羊蒲萄衆果，其土水美，故蒲萄酒特有名馬。（西域傳 78）

2.　動物藥品

牛黃　時皇子有疾，下郡縣出珍藥，而大將軍梁冀遣客齎書，詣京兆並貨牛黃；（延）篤發書收客曰：「大將軍椒房外家，而皇子有疾，必應陳進醫方，豈當使客千里求利乎？遂殺之。」冀慙而不得言。（延篤傳 54）

吳普本草曰：「牛黃味苦無毒，牛出入呻者有之，夜有光走角中，牛死入膽中，如雞子黃。」神農本草曰：「療驚癇，除邪逐鬼。」（同上句註）

靈羊　麝香　有靈羊可療毒；又有食藥鹿，鹿麑有胎者，其腸中糞，亦療毒疾。又有五角羊，麝香，輕毛毼雞牲牲。（南蠻西南夷傳 76）

本草經曰：「羚羊角味鹹無毒，療青盲蠱毒、去惡鬼、安心氣、彊筋骨也。」（同上句註）

犀象　瑇瑁　舊交阯土多珍產、明璣、翠羽、犀象、瑇瑁、異香美木之屬，莫不自出。（賈琮傳21）

3.　其　他

毒草　雲南縣有神鹿兩頭，能食毒草。（同上）

地生白草有毒，國人煎以為藥，傅箭鏃所中即死。（西域傳 78）

雜藥　（莋都夷）特多雜藥。（南蠻西南夷傳 76）

十五、著述

養性書　（王充）肅宗特詔公車徵，病不行，年漸七十，志力衰耗，乃造養性書十六篇，裁節嗜欲，頤神自守。（王充傳 39）

復神說疾　（王隆）著頌誄復神說疾凡四篇。（文苑傳 76 王隆傳）

遺書　（華）佗臨死，出一卷書，與獄吏曰：「此可以活人；吏畏法不敢受，佗亦不彊，索火燒之。（方術傳 72 下華佗傳）

文　摘

我國青光眼病的史料摘錄

陳耀眞　著　　原載中華眼科雜誌 1955 年第四號，頁 303—305

作者蒐輯了我國古籍中有關青光眼的記載。早在後漢書即有青盲的記載，但含義較廣，不僅一症，青光眼也包括在內。唐代外臺秘要將白內障與青光眼區分為腦流青盲與綠翳青盲。元明時代眼科龍木論，證治準繩等書則將青光眼自青盲肯定區別出來，名叫綠風內障，並加以描述其病程之輕重及前後期情況，病的發起多與肝腎血衰、勞勞、心思憂鬱、忿怒過甚有關。

（少　祺摘）

俄羅斯醫學的優先地位和先進的特點

原著者 П. Е. Заблудовский

蘇聯醫學和保健工作人員重要的愛國主義任務之一就是維護祖國醫學的榮譽和優點，正如維護祖國科學和整個文化的榮譽和優點一樣。

由此闡明，建立和保衛祖國醫學的優先地位，首先在於研究醫學史。

在其他文化方面，特別是在醫學上，我國有很多具有科學知識和實際經驗的重大發明家，他們的許多重大發明武裝了人類和疾病作鬥爭。我們科學的泰斗——Н. И. 皮羅戈夫(Н. И. Пирогов)，С. П. 包特金（С. П. Боткин）等等所有偉大的貢獻已載入醫學史册，而許多比較平凡的本國醫生們也做了不少事業。

例如，在十九世紀的七十年代，當 Г. Н. 敏奮(Г.Н.Минх)和 О. О. 莫丘特可夫斯基(О. О. Мочутковский）尚未成爲著明的學者，而只是奥斯基市立醫院的平凡的醫生的時候，他們就確定了回歸熱和斑疹傷寒是吸血寄生蟲傳染的；在他們初次發表這事以後，經過35年的光景，法國醫生沙爾利、尼可利(Шарль Николь)在突尼斯也有同樣的發現；殊不知在很久以前，在我國（而在國外現在也記載着）便記載着這種發現，也就是說尼可利並不是一個眞正的這些病的發見者。

俄羅斯的軍醫 П. Ф. 保羅夫斯基(Боровский)曾在中亞細亞工作，在1898年在自然科學家和醫師代表大會上報告了，同時在「軍醫雜誌」上發表了關於平金(1)潰瘍的研究。然而，這個病名一直到現在在醫學文獻上都結合利什曼（Лейшман）的名字（美洲利什曼病），其實，利什曼在1903年才發現病原體——較保羅夫斯基晚五年。

醫學所以能明瞭糖尿病的性質應當歸功於在1900年 Л. В. 梢包列夫(Л. В. Соболев)所做的「關於在某些病理條件下胰腺的構造」的報告。後來，在1901年他實驗證明胰島在炭水化合物（醣）代謝中的作用。並主張用幼小動物的胰腺製劑治療糖尿病。但是，這個發現在其他國家的文獻中——經過二十多年的時間——則是與1922年分析出胰島素的班丁(Бантинг)和柏斯特(Бест)的名字密切相關的。我們的責任是恢復梢包列夫的不可爭辯的優先地位。

在1871年 С. П. 包特金的學生，В. А. 曼納塞因(В.А.Манасеин)就研究青黴菌(Penicillium glaucum)的構造和生機，在 1872 年包特金的另外一個學生——皮膚病學家 А. Г. 包洛捷布諾夫（А. Г. Полотебнов）就應用青黴菌治療皮膚潰瘍，皮膚膿皰等，並提議在外科用青黴菌治療化膿性外傷。

差不多經過 60 年的光景，在 1929 年佛來明（Флеминг）（英國）提議把青黴菌製劑當做抗細菌性製劑來應用。

大家都知道以吉姆薩（Гимза）爲名的血液塗片染色法，但是吉姆薩這個方法是 Д. А. 羅曼諾夫斯基（Д. А. Романовский）和 Ч. И. 何欽斯基（Ч. И. Хенценский）（1889，1890）的功績，而古斯塔夫吉姆薩在其1902年和1905年發表的文章中就多次引證羅曼諾夫斯基的話。

Н. И. 盧寧(Лунин)確定（1880 年）有維持生命所不可缺少的食物；過了三十二之久，在1912年К. 芬諾克（Функ）分析出這些物質，並命名爲「維生素」。

俄羅斯的外科醫生 В. А. 巴索夫(Басов)在1842年首先作了人工胃瘻的手術〔爲生理學家 А. М. 菲洛馬菲特斯基（Филомафитский）作教學實驗〕，法國外科醫生布朗得洛(Блондло)在 1843 年才做了這個手術，然而在文獻內手術上一般都論到布朗得洛的名字，而並未談到眞正的創始人——巴索夫。

類似這樣的例子還可舉出很多。

---

(1) Пендинская язва（平金潰瘍——是中亞細亞的一種地方病）。——譯者

現在帝國主義國家的反動醫學家們，爲了準備爲新的侵略戰爭服務，千方百計地努力貶低、歪曲或者抹殺走向和平民主社會主義道路的人民文化的成就和寶貴的文化遺產，首先他們企圖抹殺或者輕視我們偉大的社會主義國家的成就和光榮傳統以及過去它的人民對文化的巨大貢獻。在1947年法國醫史學主編人 Р. 丘麥尼亮（Р. Дюменилл）和 Ф. 包涅-盧阿（Ф. Боннэ-Руа）在日內瓦出版的文集「著名的醫師」可以做爲捏造歷史的例子。〔參看「新時代」№ 35. 1950, —Э. 康牛斯（Э. Конюс），「醫學書上的冷戰」〕。

爲了捍衞祖國醫學的優先地位，防止無天良的攫取和輕視，首先必須對他們本身有很好的了解。最近幾年來在醫學方面我們許多遺忘了的和半遺忘了的優先地位已從遺忘中選拔了出來。某些優先地位雖初次得到建立，但是在這方面所作的努力還遠遠不够。

建立，確定和捍衞祖國科學家的優先地位，在我們面前仍然是最迫切的任務之一。

* * *

然而闡明與捍衞祖國醫學的巨大功績還不只這一點。問題不僅在於時間，說明發現的年月固然重要，但只此一點，還是不足以闡明與捍衞祖國醫學的。

醫學的每個重大問題的深刻討論，使我們對祖國醫學先進思想的事實和其獨特性有了明確的認識，尤其關於我們的理論和實踐醫學上循序漸進，應用先進的巴甫洛夫學說——我們醫學的關鍵——以及關於與阻撓巴甫洛夫學說發展的殘餘作鬥爭的討論上更是重要的。

關於戰勝魏爾嘯(Вирхов)及其繼承者的殘餘的局部學說的問題在辯論中佔很重要的地位。

歷史的事實是俄羅斯的學者最早地批評了醫學中的局部原理之後，繼之以戰勝這種局部原理。

當魏爾嘯的學說在醫學界中佔統治地位的時候，俄羅斯的理論和臨床醫學的代表人物 И. М. 謝切諾夫，Е. Ф. 阿里斯托夫(Е. Ф. Аристов)，С. П. 包特金，А. А. 奧斯特勞烏莫夫(А. А. Остроумов)等便已駁斥與批判了魏爾嘯的各種類型的學說。

謝切諾夫寫道，「所謂細胞病理學是以細胞生理的獨特活動爲基礎，或對周圍環境只有低限度的支配作用，這個原理是錯誤的（虛僞的），只不過是病理解剖方向發展的極端」（謝切諾夫醫師得醫學博士學位的論文——酒精麻醉的未來生理學的資料，2頁 提綱7. СПБ, 1860）。

俄羅斯的理論醫學和臨床醫學的泰斗們不是站在病理學的立場，而是站在整個機體病理學的立場上。

魏爾嘯的學說，雖然在十九世紀的下半葉和二十世紀的初期有了世界性的傳播，但是在俄羅斯和其他各國所遭受的命運是極其不同的。

我們另舉一個最重要的問題——進化論的學說，這個問題已成爲我們醫學界注意的中心，而且特別與1948年的李森科全蘇農業科學院大會有關。進化論的學說，主要地是與達爾文不朽的著作分不開的，然而，在達爾文的「物種的起源」未問世之前早就有了先行者；在我們國家也有這樣的前輩：如十八世紀的 А. Н. 拉吉舍夫(А. Н. Радищев)，阿凡納西．克威爾茲涅夫(Афанасий Каверзнев)，十九世紀初期的亞可夫．開達諾夫(Яков Кайданов)，П. Ф. 高梁尼諾夫（П. Ф. Горяннов），十九世紀中葉的 К. Ф. 盧里耶(К. Ф. Рулье)，А. Н. 柏開托夫（А. Н Бекетов）等。

達爾文主義在俄羅斯不是偶然的，К. А. 吉米亮切夫（К.А. Тимирязев）關於自己的教師 А. Н. 柏開托夫寫道：「科學思想的新潮流並未使他措手不及，而却使他完全有了準備」。

達爾文的著作在生物科學的發展上起了特別重要的作用，列寧寫道——「達爾文推翻了那認爲動植物種類是彼此沒有任何聯系的偶然的「神造的」不變的東西的觀點，而第一次把生物學放置到完全是科學的基礎上來，確定了各物種底變更性以及其間的繼承性一樣……」（列寧文選，第一册頁138，解放社1949.）。然而進化論以後的發展在外國和我們蘇聯是極其不同的。

達爾文的學說，在自己的國家，在英國遭到了非常冷淡的待遇；而在美國，特別是在最近幾年來在南美却發生了反達爾文主義的所謂「猴」演變的學說。

許多外國學者首先響應了和發展了的不是達爾文的進步學說，而是發展了達爾文學說弱的和錯誤的方面：他的馬爾薩斯「人口過剩」的思想，「爲生存而鬥爭」的觀點，正如馬克思主義創始人所指出的一樣，達爾文實際上從當代英國資產階級社會中的競爭和「以人類對人類戰爭」的方法運用在自然界「爲生存而鬥爭」的問題上。作爲外國資產階級學者〔艾爾斯特·凱哥爾(Эрнст. Геккель)，凱爾柏特·斯賓塞爾(Герберт Спенсер)和其他許多學者等〕特徵的「社會達爾文主義」，是達爾文學說不合規律的發展到人類社會。以後這虛僞的進化論及其他的反動體系，與威斯麥主義（新達爾文主義），種族主義，還和後來的法西斯主義有密切的結合。反動的思想家，故意用達爾文的術語欺世，以便證明一定的民族，在其環境中的統治階級是「自然淘汰」的結果，證明執政的資產階級是被生存競爭中所挑選出來的，證明執政階級是早已確定的也是將來人類最好的和最優秀的一部分。因此所謂的「爲生活競爭而被征服」的勞動羣衆——是「劣等的」人類之一部——必遭滅亡和不可避免的絕跡，也就是說證明了後者必將消滅。現在的美國社會達爾文主義者和新的馬爾薩斯主義者——皮爾遜(Пирсон)，佛荷特(Фохт)等——以美國吃人的帝國主義的辯護人和宣傳家的資格演說時說「證明」了飢餓，戰爭，流行病是有利的。

在外國除了曲解進化論的學說以外，還把它當做對資產階級統治是危險的學說來企圖直接否定和反對它。例如魏爾嘯(Вирхов)還堅決地反對達爾文主義，因爲他認爲依次應用達爾文主義使得他敵視社會主義和共產主義的思想，此外，生理學家狄巴-列伊蒙（Дюбуа-Реймон），動物學家蓋爾特維哥(Гертвиг)及其他許多學者也都站在這種相似的立場上。

我們國家是進化論的眞正祖國，年青的 И. И. 麥其尼可夫(И. И. Мечников)是達爾文主義可靠的擁護者；當時他根據單細胞種的研究的新資料豐富了進化論，而且他是最初的一個指出了達爾文錯誤的馬爾薩斯論。К. А. 吉米亮切夫(К. А. Тимирязев)終生不斷地宣傳進化論，駁斥和揭露了他的敵人和歪曲者——布艾特遜(Бэтсон)，柯布立（Кибль）等等；他也無情地批評了個別的俄羅斯的學者——像 А. А. 吉何米勞夫(А.А.Тихомиров)，И. И. 斯特拉何夫（И. Н. Страхов），即爲沙皇制度，宗教院，和資本主義的迴護人，而且也是反達爾文主義者。

А. О. 柯瓦列夫斯基（А. О. Ковалевский）以比較發生學（胚胎學）的新資料確證了進化論，В. О. 柯瓦列夫斯基(В. О. Ковалевский)用古生物學，Н. А. 塞威爾曹夫（Н. А. Северцов）以特殊見地的生物學，他的兒子；А. И. 塞威爾曹夫（А. Н. Северцов）用發生學的研究確證了進化論。

進化論發展中的新時代是與 И. В. 米丘林，是與米丘林的繼承者 Т. Д. 李森科（Т. Д. Лысенко）和他的許多同事的活動有不可分割的關係。以他們爲代表，進化論從解釋生物界轉而積極地改造自然界有利於人類。「米丘林教導說，我們的任務——我們不能等待自然界的恩惠，而應該從自然界爭取恩惠」。上昇到高級的——米丘林的——階段的進化論使實際工作有了成效，並幫助理論上有了進一步的發展。蘇聯的創造性的達爾文主義吸收了和批判地發展了過去進化論者的優秀遺產和拉馬爾克(Ламарк)學說的珍貴的一面，這是我國生物科學進步的唯物主義的方向。

我們把進化論的方向甚至運用在形態學上——似乎僅與靜止的結構有關的領域，我國生物科學的這種優先地位其重要性並不次於某個科學的重要誕生或某個著作發表的日期。在這方面我們在質量上，在內容上，在唯物主義的方向上，在思想上是佔優先地位的，對我們國家來說這是大批學者的方向。在這裏優先地位並未表現在日曆上，而是表現在科學的整個進步的方向上，這是很重要的。

我們另舉一些例子，麻醉劑（醚和氯仿）按其初次使用的日期來說：首先在 1846 年與美國有關（渥奥林和莫爾頓的手術），其次在 1847 年與蘇格蘭有關（西姆普遜的產科手術）。

然而，當時在美國和西歐各國發表了關於醚麻醉劑的第一批資料後，良好的發明成了爲專利權而投機的商業競爭，甚至引起法庭鬥爭的目標，而在俄國麻醉劑立刻受到許多科學集團的嚴格檢查（藥理的，生理的，臨床的）。莫斯科大學醫學系主任 А. М. 菲洛馬菲特斯基領導了這個工作，在彼得堡醫學外科專門學校 Н. И. 皮羅戈夫也領導了這個工作；在俄羅斯初次提倡和應用了麻醉口罩，確定了禁忌徵候，確定了劑量，在俄羅斯 Н. И. 皮羅戈夫在野戰情況下首先大規模地應用了麻醉藥；他也提倡了直腸麻醉和其他的新方法。

那一個國家是無痛外科的眞正祖國呢？

在防腐劑上也是同樣的，俄羅斯在俄土戰爭的哥薩克前錢 К. К. 烈伊也樂 (К. К. Рейер) 及其年青的同事 Н. А. 威利亞米諾夫 (Н. А. Вельяминов) 首先大規模地應用了防腐劑，與此同時 П. П. 派列鑫 (П. П. Пелехин)，А. А. 刻捷樂 (А. А. Китер)，Н. В. 斯可利佛騷夫斯基 (Н. В. Склифосовский) 等在臨床上應用和改進了防腐劑。利斯捷樂 (Листер) 引證了俄羅斯醫生的經驗，針對着許多批評家的攻擊，後來證明有可能廣泛的實用他所提倡的防腐法。

無菌法實質上就是防腐法原理的進一步的發展，在俄羅斯也有其先進的代表人物，如在外科臨床治療醫院的 А. А. 特羅亞諾夫 (А. А. Троянов)（奧布赫夫斯基醫院的一科），基輔產科醫院的 Г. Е. Рейн，彼得堡馬林印斯基醫院外科的 К. К. Рейер——他們在九十年代的初期並不依靠無菌法的創始人史墨里布石 (Шимельбуш) 及柏爾克曼 (Бергман) 而就應用了無菌法。

在 1885 年巴斯德氏 (Pasteur) 作了第一次的狂犬病疫苗注射，但在巴黎之後於 1886 年俄羅斯的幾個城市敖德薩及彼得堡和不久以後的撒馬拉及莫斯科也建立了抗狂犬病接種的專門實驗室。其中第一流的年青俄羅斯學者 И. И. 麥其尼可夫 (И. И. Мечников) 和 Н. Ф. 卡馬列亞 (Н. Ф. Гамалея) 掌握與運用了這個救命的發明。後來其中的麥其尼可夫成了巴黎巴斯德大學領導崗位上的巴斯德的繼承者。在 1888 年有了巴斯德大學之後，在 1890 年這類型的第一流的科學機關在彼得堡建立了實驗醫學研究所，其主要的任務之一就是與人及動物的傳染病作鬥爭，因此在俄羅斯所建立的巴斯德實驗室網比其他國家要早的多。

無論是達爾文的進化論，無論是麻醉劑（醚和氯仿），無論是創傷感染的預防（防腐法和無菌法），或是抗狂犬病接種及其他等等內容相異的世界科學的問題，雖然這些問題在各國科學中得到了解決，但是在俄羅斯這些問題才得到了進步的發展和解決。因此不能不回憶 Н. А. 道布勞留保夫 (Н. А. Добролюбов) 的譬喻：火花可以落在石頭上，可以落在火藥桶裏，在第一種情況下火花就可熄滅，在第二種情況下就可爆炸。俄羅斯的土壤，甚至在以前反動氣氛的苦難年代裏，照例不是石頭，而是進步思想發展的豐富土壤；俄羅斯的土壤，恰如 Н. А. 道布勞留保夫的比喻，是一觸火花就可大聲爆炸的火藥桶。因此在衡量祖國科學的優先地位時不能忽視這重要的一面。

可以注意一下另一方面的一些例子，如果要問何處建立的大學和醫學院最早，那麼在形式上看來優先地位似乎屬於意大利，法蘭西和其他西歐國家。但是，如果要問研究的內容和方向，便證明西歐大學和醫學院祇不過是中世紀經院哲學的中心；復興時代第一個人道主義者彼特勞樂柯 (Петрорка) 曾公正地寫過這一點：「我仇恨空談的人，因爲空談的人與其說是武裝了經院派哲學，不如說是裝滿了而且糾纏在那種哲學裏，他們只會滔滔地講，而不會治療，因此他們簡直是健康人難以忍受的，而對病人甚至是催命的」。在醫院的訓練，在內外科專門學校，大學醫學院，以及在研究院——在其各個部門中，蘇聯的高等醫學教育在形式上興起的較晚，然不受經院哲學的桎梏，所以基本上是根據臨床治療的方針建立起來的。還在彼得一世以前，於 1682 年，根據命令建立了兩個指示：「醫院內可以訓練醫生和治療病人」。臨床治療的方針，這裏表現得非常明顯。實質上，就是這些臨床的觀點和臨床教授的傳統使得俄羅斯醫學未與當時歐洲的最大醫學中心〔巴黎，蒙別利 (Монель)，波羅尼亞 (Болонья) 等〕建立聯繫，而却與按照布爾格維斯基 (Бургевиский) 式進行臨床教學的比較樸實的荷蘭林金大學建立了聯繫。

爲什麼僅僅從學校創立的日期而不從學校工作的內容和方向來提出高等醫學教育和訓練醫生的優先地位的問題呢？

最後，不知爲什麼一般地絲毫不提關於優先地位的問題。我們考慮到我們整個文化的社會傾向，注意到俄羅斯醫學傳統的特點都是不同於其他許多國家的醫學。當然有一切附帶條件和沙皇俄國條件限制的這種社會特點，無疑地，使得俄羅斯的醫學不同於其他國家的醫學。這個特點在地方醫學中表現得特別明顯。

地方醫學組織的缺點，它的數量以及實際效果的微小對我們來說是很明顯的。無須證明，地方醫學比我們蘇維埃醫學差到無與倫比；地方醫學和蘇維埃醫學在原則上是有分別的，而且在其基礎上是彼此有矛盾的，正如產生這種或那種醫學的社會經驗形態與階級之間的彼此的矛盾一樣。

然而，這一點並不是拋棄那些當時地方醫學的先進的科學家所給予的有價值的和進步的東西的根據。列寧的原則在俄國是我們的指導基礎：〔歷史的功績是不按照歷史家與現在要求的比較所未給與的那樣來判斷，而是按照他們與其先輩的比較所給與的新的東西來判斷〕。

衡量地方醫學我們不僅不限於與以前的醫學比較，同時我們還能够把它與其他國家的鄉村醫學事業組織形式來比較。除此以外：甚至與資本主義國家目前的醫學事業狀況相比較，我們的地方醫學也可算比較高級的組織形式。地方醫學在其發展和成長中（就是除了形成的頭幾年，以及除了其反動的個別地方機關之外）在農民當中不允許實習醫生私人開業，因爲在當時並不是慈善事業。擺在地方醫學面前的任務是爲廣大的人民服務——事實上是爲俄國當時的大多數人民服務。地方醫生非常關懷減少病人數量和縮短疾病的時間——這是與資本主義國家的醫生和鄉村醫生的相反的關懷是根本不同的。

列寧在其著作中很清楚而有力地指出，剛從農奴制度解脫出來的俄國，雖有不少的農奴制度的殘餘，但是還建立了許多社會醫學部門。由於官僚警察的限制和地方醫學家本身數量的限制，在當時的條件下雖有其不可避免的缺點和不足，可是這種社會醫學也超過了那時和現在資本主義國家農村醫療的組織。

1911 年俄羅斯的得列茲斯基的衛生展覽會的醫學統計文獻使得西歐國家非常驚異，因爲這種類似的研究在其他任何一個國家都是沒有的。俄羅斯統計資料，是誠懇的西歐學者的特徵，俄羅斯的統計資料如同〔斯拉夫文化的古典證據〕，如同指出醫學的統計在俄羅斯得到了自由發展的例子一樣，在其他任何的一個歐洲國家都沒得到發展。

難道這一切不是祖國醫學的巨大優先性嗎？這决不次於某一種業務新變更中的優先性。

我們使得資本主義國家無所事事的醫學只追求專利聲請的日期，只追求個別的技術方法和它的改進，因此使得科學優先地位的問題形成這樣——資本主義國家的科學在現在除了相似的〔優先地位〕以外很難提出什麼東西。我們祖國的醫學在基本的唯物主義的方向上，其思想性、內容、是非常豐富而又進步的。因此它顯得資本主義國家的優先性是只能歸結爲日期和個別的技術部分來測定的。

結論，我們要及時查明祖國醫學的優先地位作爲我們的任務，在發現和發明的日期上，說明新的原則和方針，是有整個意義的，而且將來還有它的價值，並且祖國科學的優先地位將因此得到說明，要對科學中巨大的有决定性的變化和成就加以注意，而少注意次要的技術部分，因爲次要的技術部分遮住了重要的和頭等重要的一面。

我們一定要說明，而且要很好地研究和捍衛我國學者和實際科學家的優先地位。

但是，同時不要忽視，甚至應該重視在實質上的優先地位，重視祖國醫學科學思想和方向的優越性。

只有這樣提出優先地位的問題今後的研究才會有成效，才能全面地說明過去祖國醫學的眞正的寶藏和偉大，才能眞正地說明醫學科學家的世界功績和歷史意義。

（董征譯自 История медицины избранные главы, 頁 77 1953.）

論蘇聯衛生學史研究的任務

原著者 П. О. 堪涅夫斯基 Е. И. 羅托娃

Н. С. 馮吉那

塞馬西闊保健組織和醫學史研究所

我國(蘇聯)衛生學有着豐富而光榮的歷史。但是對祖國衛生學史的研究還有不够，對祖國衛生學史的現狀和所研究的進度在某種程度上也不能令人滿意。到現在爲止，還沒有一本或多或少完全從馬克思主義立場闡述祖國革命前衛生學或蘇維埃時期衛生學發展的嚴肅專論。蘇聯衛生學史基本上有過不少可紀念的論文，這些論文大部都發表在雜誌上；刊載在醫學大百科全書和其他百科全書上的論文，都是從客觀的資產階級世界主義立場闡述衛生學發展的。衛生學史在指導學生和指定參考書上闡述得不够令人滿意。

塞馬西闊保健組織和醫學史研究所的醫史部按照上述的一切，並根據蘇聯醫學科學院主席團的決議擬定了祖國醫學通史和祖國衛生學史的未來科學性的計劃。

未來科學性的計劃是以下列大綱作爲基礎：(1)祖國衛生學史料的編纂；(2)祖國衛生學的發展與自然科學及哲學的關係；(3)祖國衛生學的發展與其他醫學科目的關係；(4)祖國衛生學個別部門的發展；(5)祖國衛生學主要問題和方針的歷史，祖國科學家的貢獻；(6)祖國衛生學的活動家和學派；(7)祖國學者們的卓越學位論文及其在衛生學發展上的作用；(8)祖國科學家的優越性；(9)祖國和外國的衛生學；(10)衛生學講座和教學的歷史、教科書、指導、教材；(11)研究所和機關(實驗室，衛生防疫站等)的歷史；(12)學術團體和代表大會在祖國衛生學發展上的作用；(13)醫學期刊和一般印刷品在衛生學發展上的作用；(14)祖國衛生學爲國防服務；(15)祖國衛生學在加盟共和國和自治共和國，以及州和省中的發展。

研究祖國衛生學史應當首先面向於偉大的十月社會主義革命後的衛生學史的研究。

這一時期的基本任務是：指出衛生學在偉大十月社會主義革命後進入了在質上的新階段，以及無論在理論方面和實際方面的成就，這些成就只有在社會主義條件中才能達到。研究衛生學史時，應當與國家生產力的發展，社會經濟條件，哲學和自然科學的成就，以及其他醫學的和與其相近的學科緊密地聯繫起來。特別應當注意闡明布爾什維克黨和蘇維埃政府在衛生科學和衛生實際發展事業中的主導作用。

衛生學史著作應當指出布爾什維克，蘇維埃政府和斯大林同志個人所給予蘇維埃科學和蘇維埃科學家的關懷和注意，是我們蘇維埃衛生學成就的保證。

唯物主義哲學發展的最高階段——辯證唯物主義——是蘇維埃科學家世界觀的基礎，並決定了蘇維埃衛生科學發展中在本質上最高的新階段。按照這個綱領規定了下列題目：

馬克思、恩格斯、列寧、斯大林的學說是做爲現代衛生學發展的新的和最高階段的蘇維埃衛生學的理論和方法論的基礎。黨代表大會的作用和意義，黨中央和政府關於蘇聯各衛生部門(市政衛生、勞動衛生、營養衛生，兒童和少年衛生)發展中的保健問題的決議。

巴甫洛夫學說是我們祖國醫學先進思想的綜合。蘇維埃衛生學史家的任務是：指出巴甫洛夫學說在衛生學基本問題發展中的偉大意義，顯示出蘇維埃學者在按照巴甫洛夫學說和米丘林生物學說的觀點來研究衛生學問題的先進和進步思想。

在指出蘇維埃時期衛生學所達到的成就的同時，不可忘記衛生學是在與僞科學的唯心的資產階級理論的鬥爭中發展起來的。只有在鬥爭中戰勝僞科學的唯心的資產階級理論時，衛生學才能勝利地富有成果地前進。蘇維埃衛生學從與生活不斷地聯繫中獲取力量；它在實踐中檢查自己的結論和原理，不停地前進，並有成效地服務於人民。

研究衛生學個別問題的歷史，是提綱中的特別章節：市政衛生發展的基本方針和特殊性（也表現在勞動衛生、營養及其他方面），蘇聯衛生立法史（題目可分成幾方面去研究：市政衛生，飲食衛生、學校衛生、勞動衛生等）；水及給水衛生問題；貯水池的清潔保護及清除污水問題；祖國生理學家著作中的勞動衛生問題；工業毒理學的歷史；職業病診療所的歷史；衛生科學在研究食品中毒方面的發展；蘇聯食品衛生監督的發展；幼兒衛生發展的主要階段等等。

計劃中的一些題目便是這樣製訂出來的，其目的是爲了有可能廣泛地進行綜合性研究，爲了使衛生工作者的工作能與保健事業組織者和研究發病率問題，機體與環境相互關係的問題，以及機體是一個整體等問題的臨床家共同合作。

認爲衛生學沒有自己獨特的歷史道路是不正確的。衛生學的觀點和知識是人民羣衆中長期生活經驗，觀察和綜合的總結。因此人民的衛生學形成了，並一代傳一代地繼承了下來。

彼得一世以前俄國的手稿中包含着一系列的衛生學問題，並反映當時人民衛生的情況。在「百條宗教會議」(стоглав Собор)的決議中（在16世紀——譯者）有一些衛生法令。彼得一世以前俄國盛行的「家政管理」(Домострой, 16世紀俄國僧人 Сильвестр 所著——譯者）文集中對於住宅衛生，食物衛生和個人衛生問題給予相當的注意。在耶皮范尼·斯拉維涅茨基 (Епифаний Славинецкий) 氏論兒童習慣的一書中曾講到學校衛生的問題。

需要精密地研究這一時期的衛生知識。在這一方面我們只有一些歷史著作：彼羅夫 (О. В. Перов)，「彼得一世時代以前俄國醫學的一些獨有的特徵」，1947 年的學位論文，列寧格勒；保果亞夫連斯基 (Н. А. Богоявленский)，「論古代俄國生活中的一些衛生學和公共衛生學因素」，衛生學與公共衛生，第三期，43—48 頁，1948 年；保果亞夫連斯基，「論俄羅斯抄本醫書中一些民族獨特性的特點」，醫療事業，第七期，640—642 頁，1948 年。革魯滋傑夫(В. Ф. Груздев)，「俄羅斯的醫學」，1948 年學位論文，列寧格勒。應當指出發列可夫斯基 (Н. И. Фальковский) 的著作：「俄國給水的歷史」，(莫斯科，1947 年)，以及「工業史中的莫斯科」，(莫斯科，1950)；這些著作明確而有力地指出11—12世紀俄國衛生技術對當時說來是多麼高。可惜的是，甚至在像「俄國古代文化史」（莫斯科，1951）這樣巨大著作中，幾乎完全沒有反映衛生技術問題。

羅蒙諾索夫(М. В. Ломоносов)的哲學和自然科學觀點在衛生學的發展上起了極大的作用；這些觀點對俄羅斯科學家和社會活動家如薩穆伊羅維奇(Самойлович)，澤別林(Зыбелин)，巴爾蘇克——孟塞耶夫(Барсук-Моисеев)，安勃吉克 (Амбодик)等人有很大的影響，他們都很注意衛生學的問題。由於這個計劃的關係，規定了專題：「羅曼諾索夫的哲學和自然科學觀點對祖國 18 世紀下半葉和 19 世紀上半葉衛生學發展的影響」等。

18 世紀和 19 世紀上半葉是衛生學做爲科學來講的形成時期和顯著發展的時期。城市的增長，需要解決一系列的衛生學問題。這時出現了關於專門的衛生學問題的著作，這些著作應做爲專史研究的題材。

研究衛生學歷史完全不應該廻避 18 世紀和 19 世紀上半葉科學家們（薩穆伊羅維奇、澤別林、穆德洛夫、穆新、嘉吉可夫斯基等人）的衛生學觀點。研究者的任務是：研究這些材料，指出我們科學家先進的衛生學觀點，他們並不把治療問題與預防問題，以及衛生問題分開來看。因此，便計劃了這樣的題目，如「18及19世紀上半葉的傑出學者薩穆伊羅維奇、沙豐斯基 (Шафонский)、穆德洛夫、穆新等人和他們的衛生學觀點」，「彼洛郭夫的衛生學觀點」等。

俄羅斯革命的民主主義者的哲學是馬克思唯物主義哲學以前的最高形式，它對祖國衛生學的發展，特別是對衛生學的社會和唯物傾向的發展上給了巨大影響。它的民主思想，在自然科學的熱心宣傳上沒有形而上學抽象議論，它對唯物主義原則的忠實，對於俄國，也正是對於科學的勝利上起了很多作用。關於拉吉歇夫(Радищев)、十二月黨人、尤其是革命民主主義者（赫爾岑、別林斯基、車爾尼雪夫斯基、竇柏劉勃夫等）的社會政治和哲學觀點對於祖國衛生學發展的影響的研究著作，具有重大的意義，尤其是目前文獻上關於這種問題只有一些雜誌上的論文。

工業和城市的迅速增長，無產階級和資產階級之間階級鬥爭的加强，以及自然科學的巨大成就，給19世紀下半葉衛生學的發展以極大的影響。衛生學開始發展成爲一種實驗科學。

19世紀下半葉，在資本主義發展的時期，祖國（蘇聯）的衛生學達到了高度的水平，在許多方面超過了外國的衛生學。一切俄羅斯醫學科學先進代表者所固有的社會方針，在祖國衛生學中廣泛地普及了，這是與西歐衛生學中的純技術觀點，狹隘的實驗技術方針（如Петтенкофер的著作，即Pettenkofer——譯者）相對立的。俄羅斯醫學的獨立性，特有性，及其對西歐的優越性，明顯地反映在先進的地方自治局醫生們的衛生學和公共衛生的著作和研究工作中。

研究祖國（蘇聯）衛生學史首先應當闡明俄羅斯衛生學的進步作用，確定祖國科學家無論在衛生科學上和衛生事業組織中的優先地位。在指出我們祖國衛生學的進步特點的同時，不可以忘記沙皇俄國的經濟和政治條件，因爲祖國衛生學是在這種條件中發展起來的。因此，無論是社會組織，無論是個別科學家和醫生的全部活動的局限性都成爲明顯的了。蘇維埃醫學史家的任務是：指出這種「兩種文化」的鬥爭，而這種鬥爭是祖國科學先進的代表們曾英勇地進行了的。

祖國衛生學在其歷史道路上是和其他醫學學科，技術和教育科學的發展密切相聯繫着的。偉大的俄羅斯科學家在衛生學上起了極大的作用。爲了說明查哈林（Захарьин）賦予衛生學以如何巨大的意義，只要引證他在1873年所發表的講演中的一小段就足够了：「越是富有經驗的醫生，越明白衛生學的實力和治療的比較軟弱性。有些人不了解當治療對於抵抗最有害的流行病無能爲力時，只有衛生學才可以。最有效的治療只有在保持衛生的條件下才可以……只有羣衆講衛生才能有效地抵抗疾病」[1]。

彼洛郭夫寫道：「我相信衛生學……未來的醫學是預防醫學的時代……。」[2]

這些觀點也同樣可以在列斯加弗特（П.Ф.Лесгафт），斯克里弗索夫斯基（Н.В.Склифосовский），古寶賓（Н.П.Гундобин）等其他許多偉大的科學家那裏找到。

衆所周知，祖國傑出的衛生學家和社會醫學活動家多勃洛斯拉維奇（А.П.Доброславич）教授，愛利斯曼（Ф.Ф.Эрисман）教授，以及進步的地方自治局醫生奥西波夫（Е.А.Осипов），莫爾松（Л.И.Моме-сон），彼得洛夫（А.В.Петров），尼可里斯基（Д.П.Никольский），吉嘉可夫（Н.И.Тезяков），斯克沃爾策夫（И.П.Скворцов），蘇保金（В.А.Субботин）等人在衛生學發展上起了多麼大的作用。對於他們的一切事業，不應該誇張他們的優點，而應當忠實地記載下來。這些誇張往往是沒有深入到事實的本質的緣故。除去誇張他們事業某些部分，也有一些估計不足的地方，有時還把他們本來沒有的缺點和觀念强加在這些學者身上。應當指出在他們科學的創造性工作中的獨特點，這些特點使他們成爲科學界的第一流活動家。學者本身思想的成長，以及在時代的具體歷史條件下，他們的學術活動的發展，社會和思想的聯繫，是歷史研究不可缺少的成分。除此之外，還沒有一本叙述衛生學和一般醫學中有卓越成就的偉大活動家的傳記，尤其是還沒有關於獻身於蘇維埃社會衛生和蘇維埃保健事業的奠基者，像尼古拉·亞利克山大洛維奇·塞馬西闊（Николай Александрович Семашко）和席諾維依·彼德洛維奇·索羅維也夫（Зиновий Петрович Соловьев）的專題研究工作，關於莫爾高夫（А.В.Мольков），赫羅賓（Г.В.Хлопин），奥波赫（В.А.Обух）的作品也還沒有。這就是爲什麼着重於研究祖國衛生學活動家和學派是今後工作基本計劃中的一部分。

從1865年起祖國的衛生學就在大學中醫學系教育中開始。

蘇維埃和蘇維埃前期在高等學校中的講座史和衛生教育的研究應做爲軍事醫學院和醫學院教研組科學工作的對象。

---

(1)Г.А.查哈林：臨床講演和論文選集（В.Ф.Снегирев編譯），1873年大學講演，莫斯科，1909。

(2)Н.И.彼洛郭夫：野戰外科學總論，第一卷，國家醫學出版局，第二頁，1941年。

祖國衛生學家的論文和專論可以做爲特別研究題目，其中也包括衛生學早期的著作〔如普洛塔索夫(Протасов)，尼其金（Никитин）的著作〕和較晚期的著作〔如盧達可夫斯基（Рудаковский），多勃洛斯拉維奇，愛利斯曼，傑民契也夫（Дементьев），波古葉夫（Погожев）等人的著作〕。對於研究來講，蘇維埃時期醫學校和科學研究機關關於衛生學各別科目的學術辯論論文，具有特殊的意義。

在偉大的十月社會主義革命以後的最初幾年產生了很多專門的衛生科學研究機關；這些機關的歷史應當作爲特殊題目來研究。

科學團體和代表大會在祖國衛生學的發展上所起的作用是很明顯的。專門衛生學的團體，如俄羅斯人民保健協會，莫斯科衛生協會，曾研究出一系列的衛生問題。很多有關衛生問題都是在醫學科學協會專門部門中（如莫斯科的俄羅斯醫師協會，彼得堡醫師協會等）研究出來的。代表大會（如俄羅斯自然科學家及醫師代表大會，自來水及衛生技術代表大會等）在普及衛生知識上及許多衛生問題的提出上起了很大的作用。按照這些就擬出了如「科學團體和代表大會在祖國衛生學發展中所起的作用」等專題的計劃。蘇維埃時期的衛生學家，流行病學家，微生物學家，以及傳染病學家關於職業衛生和安全技術等專門代表大會對於蘇維埃時期的衛生史具有特別的意義。

醫學和一般書刊，以及它們在祖國衛生學發展上的作用，同樣也應當做爲研究的題目（如「法醫學和社會衛生學檔案」，「健康」，「俄羅斯人民健康保衛協會雜誌」，「工業和健康」，省地方自治局衛生記事等）。應當指出蘇維埃時期的衛生雜誌的巨大意義，研究它們可以發掘從開始到我們今日的蘇維埃衛生學史。

每一篇衛生學史的著作（專論，小册子，論文等）只應當按照它對我們的人民有多大益處，它揭發了多少對我們格格不入的反動觀點來評價。

專論、單行小册子和論文所提出的題目使我們能够開始編成一卷「衛生學」，這是蘇聯醫學史的巨大著作。

著作的進度在解決這個措施上具有最重要的意義。這就是爲什麽在蘇維埃衛生學家面前擺着一項巨大而重要的任務：積極地從事於衛生學史的研究。

蘇聯醫學科學院保健組織與醫學史研究所的醫史部認爲只有在與衛生科學和衛生事業各個部門大批專家幹部有成效地合作，才可能順利地完成這個任務。

（馬堪溫、許曾瑛譯自 Каневский Л. О. Лотова Е. И. Фокина Н. С. О Задачах изучения истории гигиены в СССР. Гигиена и Санитария, 5. 41—46, 1952.）

更　正　一

本雜誌於1955年第一號編者的話中載有余雲岫先生「從1944年任敵僞所辦的中國醫藥研究所所長一點看來，他並未能十分痛恨過去侵略中國的帝國主義」一句，與事實不符，應删去此句，謹此更正。

中華醫史雜誌編輯委員會啓

更　正　二

茲接作者陳邦賢先生來函作如下的更正：

中華醫史雜誌1955年第二號第126頁右欄小標題，第6「泌尿系病」應爲「泌尿系和生殖系病」特此更正。

中華醫史雜誌編輯委員會啓

中国近现代中医药期刊续编·第二辑

巴甫洛夫在消化方面的工作

原著者：Н. Е. Дюбюк

食物在機體內被利用須經過愼重的加工，即消化作用，很久就有人想說明這一過程，但歷久未獲成功。困難首先在於消化器從我們的眼睛來看是隱蔽着的。

如何探究食物在胃腸內的變化以及將其變爲動物和人體所需的物質和如何研究消化器的功能，容簡述如下：

十八世紀時研究鳥的消化作用，把壁上有孔的金屬導管，裝滿食物插入鳥胃，消化液透過小孔就對食物起了作用。稍過一會把管子從鳥胃拔出檢驗，其內容物時就可以相信，胃內食物在胃液的作用下被得到消化。

從別的動物身上也可以取得這種胃液。其法，將繫於線上的小塊海綿給動物吞下。胃內海綿爲胃液浸透，然後連線把它拔出，擰乾。將取得的胃液添加種種食物，以研究胃液對食物的作用。又人由於外傷而在腹壁所形成的瘻管——通向胃或腸的瘻管，也可觀察消化和胃液的分泌。

莫斯科外科醫師巴索夫（В. А. Басов）爲了研究消化過程，於1842年在狗身上進行了一系列的手術，在狗身上做了人工瘻管，這種瘻管就是狹窄的小管，開口於皮膚上，直通胃腔。把銀質導管插入瘻管小孔內，從胃液就能順着管子流出。

所有這些實驗皆具有某些消化器功能的概念，但是更深入的研究和理解整個消化過程的祇有偉大的俄羅斯科學家伊凡·彼得洛維奇·巴甫洛夫（И. П. Павлов）做過了些卓越的實驗。

巴甫洛夫提出了他研究無害機體的整體活動的任務。所以他設法把他的實驗應用到一般自然環境裏的動物身上。

巴甫洛夫在狗身上作了多次實驗，證明在某種條件下，分泌各種不同的消化液，作用於不同種類的食物。流入狗口內與食物接觸的第一道消化液就是唾液。爲了研究唾液的成份及其繫於不同種類的食物所分泌的量，巴甫洛夫和他的學生們用手術做了一個唾液腺的導管孔，使它外露於頸部的表面。手術後唾液腺的唾液不再流入狗的口內，而通過貼附於頸上的漏斗流入掛着的容器內。但其他唾液腺所分泌的唾液仍然進入口內；所以正常消化在狗的口內不會被破壞。

這些實驗證明了唾液的量和成份都依進入狗口內物質的種類爲轉移。如果食物是機體所不需要的物質就引起黏性唾液的分泌，例如河砂能引起液性唾液的分泌，液性唾液可幫助口冲去不相干的物質。當狗吃含有多量澱粉的馬鈴薯或麵包時分泌富於酶的唾液，酶促使澱粉分解成較爲簡單的物質，而後把它轉化爲糖。當狗吃液體食物時，唾液就分泌得很少。如果狗吃乾燥的食物，唾液分泌得很多，因食物須被唾液充分濕潤，才容易嚥下。

何以食物剛一放入嘴內，就立即開始流唾液呢？這說明食物刺激了口內味神經的感覺末梢，其間發生的興奮沿着味神經傳導至大腦特定區域（指皮質言）。由大腦特定區域沿着由大腦發出的其他神經傳導至唾涎腺，乃引起唾涎的分泌。

在具有中樞神經系統的人和動物，對某種刺激機體的反應，經常是通過神經系統來實現的，這種反應稱之爲反射。

對剛出生的動物能觀察到食物進口的反應，如分泌唾液的這些反射。巴甫洛夫稱這先天性反射，爲非條件反射。

巴甫洛夫在他的實驗中證明，不僅把食物放進動物口內以後，就是狗一看見食物或聽到食具的敲擊聲或聽到常給牠送食物的人的脚步聲，唾液就開始分泌。在巴甫洛夫實驗室內被作實驗的狗，當牠看到電燈開亮或聽到鈴聲時，有時也分泌唾液。在這些情況下何以會引起唾液的分泌呢？巴甫洛夫的天才實驗幫助解答了這一問題。

在生命的過程中，動物除了先天性反射外，還形成新的反射，巴甫洛夫稱它爲條件反射。條件反射依動物所處的那些條件爲轉移，特別是與餵狗時所具有的條件有關。例如，反復開亮電燈後，立即開始餵狗，那末經過一些時期，狗就會形成以往所沒有過的新反射：現在在狗取得食物前祇要開亮電燈，從狗頸部唾液瘻管的小口就開始泌出唾液。

巴甫洛夫把食具音響，脚步聲，燈光，鈴聲等反應所引起分泌的消化液稱爲引起食慾的誘導液（аппетитный, запальный），因爲這是在開始消化時所必需的。

巴甫洛夫指出，條件反射的形成有中樞神經系統高級部位的參與，也就是有大腦兩半球皮質的參與。這反射在人和高等動物的生命中具有巨大的意義，特別是在消化方面起了很大的作用。由於條件反射能事先準備進食，依照着食物的性狀，氣味，滋味，在它入口之前就引起了消化液的分泌。

爲了探求胃腸腺的功能，巴甫洛夫施行了以下的手術：在狗的腹壁，將胃壁或腸壁做成瘻孔，把金屬導管插入這瘻孔中，金屬導管的一端露出孔外。手術後傷口很快地癒合，祇留有一導管的位置。只有利用瘻管才能獲取消化液，並能看到健康動物在消化時消化液的分泌。拔去塞閉導管口的軟木塞，就可以取得胃或腸內的食糜，因而觀察胃腸內的食物在消化液作用下所起的變化。

先前有人設想，食物在動物胃內時才開始分泌消化液，可是巴甫洛夫的實驗證明了這一見解的錯誤性。

在作有胃瘻管的狗身上切斷食管，把食管的兩端縫於皮膚上。如此被作了手術的狗用人工方法來飼養：攝取食物或通過被切斷的食管下部，或直接經過胃瘻管。

當被作過手術的狗嚥下一塊肉時，這塊肉從切斷了的食管上部掉到安放的容器內。這種假的餵飼（假飼）能延續數小時——這時一塊肉也未進入狗胃。雖食物經過胃瘻管到了安放的容器內，而在整個實驗過程中却分泌了純粹的胃液。胃液的分泌有時在「假飼」完畢後一二小時才停止。祇要把肉重新餵給狗或甚至把肉給牠看，就又恢復了胃液的分泌。

這一實驗明顯地證明，食物還未進入胃內時，胃液就開始分泌。經常也是這樣的。

這「誘導的」（запального）或「引起食慾的」液質的分泌是由神經系統的參預而發生的。巴甫洛夫爲了證明這一點，將接近胃部的神經切斷，此後在「假飼」時就無胃液分泌了。

插圖：偉大的俄羅斯科學家伊凡·彼得洛維奇·巴甫洛夫（1849——1936）。

切斷食管顯著地打亂了正常的消化過程。爲了探究健康狗的消化腺功能，巴甫洛夫在多次實驗後，才能做成這樣的手術：他把胃分成二個不均等部分，即大胃和小胃。狗所食的食物由食管至大胃，再從大胃進入腸內，在腸內繼續其消化作用。小胃與大胃完全隔離，在腹壁上有一瘻管與小胃相通，胃液即通過此瘻管而排出。

進行這一手術時，不祇保存血管，並且要保存通向胃兩部分的神經。

插圖：「假飼」時香噴的食物雖然沒有進到胃裏去，但胃內仍有胃液分泌。

被分隔的小胃好像是一面鏡子，在小胃裏可看到動物大胃的功能。在大胃分泌胃液時「被分隔的小胃」的胃液也常從瘻管排出。

這些實驗證明，胃液的量和成份是依動物所吃的食物來決定的。在病人的胃的正常消化遭到障礙時，可根據胃液的量和成份幫助確定各種有治療作用的飲食。

實驗同樣也證明了從「被分隔的小胃」裏胃液的分泌，在吃了食物後會持續數小時之久。這是由於消化蛋白質時所構成的某些物質透過腸壁至血液內，刺激了胃腺，而使胃液不斷分泌。

因此，隨着最初誘導的或「引起食慾的」液質後，繼之分泌由消化胃內食物時已形成的化學物質所引起的液質。當食物還在胃內時就稱之爲「化學」液的分泌。

巴甫洛夫在胃或腸的各個部分進行手術時並不損害機體的完整性及其正常功能，而研究了整個消化器系統的功能。巴甫洛夫指出中樞神經系統高級部位——大腦兩半球皮質這時起了重要的作用。

插圖：被分隔的小胃好像是一面反映大胃活動的鏡子。

從偉大的俄羅斯生理學家的工作中可以作出一系列的實用結論，使飲食衞生制度能以科學爲根據。遵守這些制度對保護我們的健康有很大的意義。

（王怡德節譯自「健康與營養」
1954 年，醫學出版局出版）

南京中醫藥展覽會簡要介紹

主辦：南京市衛生局 中華醫學會南京分會
南京市中醫學會 中國藥學會南京分會

南京中醫藥展覽會現在和大家見面了。

它的主要任務是讓廣大人民羣衆進一步了解祖國醫學的偉大成就，使我們更加熱愛我們的偉大祖國，激發我們建設社會主義國家的勞動熱情；對每個醫務工作者來說，則希望通過展覽，能幫助他們正確認識祖國醫學遺產，掀起學習祖國醫學的風氣，使祖國醫學更加發揚光大，發揮更大的作用。

在籌備過程中，承南京博物院、圖書舘、醫務工會以及上海、蘇州、鎭江、揚州等地有關機關和社會人士給予很大支持。在這裏謹向他們表示感謝。

展出內容分爲「中醫藥史料」、「中醫主要各科簡介」、「中藥」、「中醫工作概況」等四部分。由於籌備工作時間短促和許多條件的限制，特別是籌備工作人員各方面知識不足，缺點是在所難免的，我們十分懇切地希望各界人士給予批評和指正。

第一部分中醫藥史料

第一階段——中國醫藥的起源 蘇聯生理學家巴甫洛夫說：「有了人類出現，就有醫療活動」。我國「北京人」頭骨的發現，證明他們在五十萬年前已能使用原始石器，用火燒烤食物。這證明祖國醫藥歷史的悠久。

砭石做醫療工具治病在古書「山海經」和「內經」裏都有記載。當時用它來切割或刺破膿腫的，後來進化磨尖了作石針。這便是鍼灸的開端。

醫藥是古代勞動人民與疾病作鬥爭的經驗積累。古代由於神農氏族在農業生產上比較發展，因此產生了「神農嘗百草」的傳說。

我國第一部醫書——「黃帝內經」是古代醫學理論的積累，經後來的人編成的。

——這裏陳列着北京人頭骨、石器、用火圖、人獸搏鬥圖，因勞動受傷或蟲獸傷的原始醫療模型；有新石器時代刺割用的石器和骨針、竹針、荆棘、蚌刀等原始醫療工具；還有畫像、書等實物。

第二階段——夏商周時代（公元前 2197—770 年） 這時藥物已由生藥改成了湯液。當時用來烹煮的器具有鬲、甗、鼎等。直到現在羣衆中使用的藥罐、藥銚，仍保持這種式樣。公元前兩千多年我國已開始造酒，並用到醫療方面（如最古的方子雞矢醴）。

甲骨文裏有不少像「𤻲」「疥」「疾」一類的古字，這就證明當時已有文字記載疾病。我國古代的人民素來就有良好的衛生習慣。甲骨文裏的「盥」字像洗手，「沬」字像洗面，「盡」字像用刷帚清潔。

到了周代，醫事制度已較完備，衛生用具更加精緻。

——這裏陳列的有當代的鬲、甗、鼎、玉刀、甲骨文、盥洗器等衛生用具和周代醫事制度表等。

第三階段——春秋戰國時代（公元前 770—220） 古代應用的藥物在「詩經」、「呂氏春秋」、「山海經」裏都有記載。扁鵲（秦越人）是公元前三世紀左右的醫家，他能正確地掌握切脈診斷和多種療法，在醫療上有很大貢獻。

——這裏展出有扁鵲治虢太子的尸蹷圖和他的著作，還有藥衡、環頭刀、藥鼎、骨瓶、銅豆等，以及洗浴的銅鑑，理髮用的梳子，燕下都的水管，還有陶井甃，陶竇等等當代醫藥衛生用具。

第四階段——秦漢時代（公元前 221—公元 279 年） 在司馬遷的「史記」裏特地爲扁鵲倉公立了傳。倉公診脈很準確，治療成績顯著。這篇傳是我國最初的病歷記載。華佗是漢代的傑出的醫家，他能使用麻藥和動大手術，還發明了一種體育療法——五禽戲。張仲景是漢末的內科醫生，他捜集古人驗方編成「傷寒雜病論」。後人把這部書分成兩册——「傷寒論」和「金匱要略」。該書是內科的重要典籍，在亞洲傳播應用甚廣。

這個時代醫藥衛生用具有藥罐、陶勺、金藥罐、銅瞬桶和明器裏的清潔夫、陶碾。還有幾片木簡是記載疾病和醫方的。

——這裏陳列着當代的圖畫、著作、實物和模型。

第五階段——由晉到唐(280—907)　晉代的皇甫謐把針灸穴位整理統一起來，編成一部「甲乙經」。這是流傳最早較完備的針灸書籍。後來甄權又根據他的著作重修了「明堂圖」。王叔和把以往的脈學理論系統化起來，編成了「脈經」。葛洪是晉代傑出的煉丹家，他對汞、硫、砒、礬的化學作用都有了初步記載。當時傑出的醫藥家還有整理本草經的陶宏景，搜集驗方的孫思邈、彙集病理的巢元方，編集唐以前驗方的王燾等。唐代鑑眞和尚曾經把我國醫藥學術傳授到日本。

對於麻風病的管理，我國遠在隋代即開闢「癘人坊」來隔離。

唐代營養療法已普遍應用，叫做「食治」如「千金方」食治篇、「食療本草」都是這種專門著作。

這個時期衛生醫療用具有：研鉢、藥瓶、裝藥出口的青瓷藥壺、素三彩雨淋紋的煮藥酒罐、石刻千金寶要、以及剪、鑷、薰爐、石刻龍門洞藥方等等。

由於當時我國醫藥已有輝煌成就，便傳播到附近國家如朝鮮、日本、印度、阿拉伯等，推進了世界醫學的進步。

——這裏展出的有畫像、著作、仿製圖和實物。

第六階段——宋元時代(908—1369)　由於印刷術的進步，醫學書籍的刻板和印行也普遍起來，並且設立了校正醫書局。「和劑局方」是世界第一部配方手册；「洗冤錄」是世界第一部法醫學。

「銅人」是宋代鑄造，用來考試和訓練針灸醫生的。

金元四大家——劉完素、張子和、李東垣、朱丹溪——是當代的四位傑出醫家。他們各人創了適應治病的方法，對臨床方面都有顯著貢獻。

——這裏展出的有：清代仿製的大小銅人各一具，防嵐瘴的效方，李唐的艾灸圖原件像片和宋元兩代的精美瓷器——醫藥用具以及醫家畫像與著作。

第七階段——明代(1369—1644)　明初鄭和曾率多人七次下南洋，把我國藥材如大黃、茯苓、桂皮等帶往國外，並換回很多南洋藥材。這是又一次的中外醫藥交流。他曾把帶回的藥材栽種在南京獅子山下靜海寺裏。藥物學家李時珍曾特地來考察過。

李時珍——是「本草綱目」的編著者，他對醫藥上有突出貢獻，因此在世界學術界很有地位。

我國的種痘，在十七世紀時已有文字記錄。當時俄國政府曾派人來我國學習種痘方法。

著「十藥神書」的葛可久，認識口和鼻是傳染途徑的吳又可，醫學著作家王肯堂，多產醫學作家張景岳，肯幫助病家解決困難的薛朴。他們都是明代的江蘇醫家。

——這裏展出的有種痘形象圖，醫家的雕塑像、畫像、史蹟畫和著作（其中有許多外國譯本），還有明代的磁研鉢，磁藥瓶等等的醫藥用具。

第八階段——清代(1644—1911)　清初的傅青主、呂留良、戴曼公、郝太極、高旦中等都是愛國醫家，有幾位曾遭到清廷迫害。

清代陳修園為便於學醫的人易懂，曾著有「醫學實在易」、「醫學從衆錄」等通俗醫書；王清任觀察臟腑著有「醫林改錯」；吳尚先提倡外治，著有理瀹駢文；溫病學家葉天士；醫藥書評家徐靈胎；「本草綱目拾遺」作者趙學敏等他們對當代醫學都有一定的貢獻。

——這裏展出的有醫家像、著作、遺物和當代的醫藥用具。

第九階段——太平天國(1851—1866)　參加起義的醫生李俊良、黃益芸、何潮元、賴漢英、黃惟悅等，他們不但對軍隊醫療工作有很大貢獻，而且都是實際戰鬥的將領。

外科醫生劉麗川，他能密切聯系羣衆，經常進行施診工作，南京解放後，他在上海響應起義，為起義領袖之一。太平天國後期政府主要人之一——洪仁玕，他精通中西醫學，在他遺作裏還保留了不少的醫藥衛生理論。

太平天國軍隊裏針灸療法非常流行，環境衛生尤為重視。

——這裏展出的有醫家的生平事蹟的介紹，還有北王韋昌輝招延良醫的誠諭的模型和忠王李秀成的批准徐少蘧請病假的批示。

第二部分中醫主要各科簡介

(一)針灸　針灸的記載最初是發現在「內經」

的〔靈樞〕裏，實際上遠在有文字以前就有針灸了。到晉朝，針灸已成爲一門獨立的物理療法，如〔甲乙經〕即是我國第一部針灸專書。

公元十一世紀（宋仁宗年代）針灸學術得到進一步的發展，元朝滑伯仁著的〔十四經發揮〕充實了〔經穴〕的內容，明朝對針灸曾作一翻整理工作，〔針灸大成〕至今仍流傳很廣。

九世紀（唐代）我國針灸傳到日本，十七世紀時我國針灸傳入法國。

針灸療法在抗日戰爭時期的解放區裏曾起到一定的作用。解放後，針灸療法得到推廣，在內容和經驗上更加豐富。〔新編針灸學〕和〔新針灸學〕的出版，奠定了進一步研究針灸學的基礎。

——這裏展出的有小銅人、古代九針、歷代針灸圖、中外針灸書籍以及各科金屬針等。

（二）內科 內科，在中醫學上是佔主要的地位，古代有兩位名醫，一叫醫和，一叫醫緩，是很早的內科學家。

公元二世紀張仲景做了一部傷寒雜病論，七世紀的千金方，八世紀的外台秘要，十二世紀的聖濟總錄，十八世紀的醫宗金鑑，都是拿內科做主題的。

中醫內科有三個特點：一、〔整體觀念〕；二、〔病候羣〕；三、〔對症治療〕。

中國醫書裏，記載各種內科疾病，有些比世界上的記錄早得多。

中醫的診斷方法，分做望、聞、問、切，四大項。這裏畫出了一張表。中醫的舌診，在診斷上是很重要的。

對於黃疸病程的觀察，是每天用布條子浸在病者的小便裏，然後把它晒乾，看他逐日顏色的不同，來斷定疾病的進退。對於糖尿病的診斷，早知道尿有甜味，就是病像，後來，更曉得撒在地上的小便，叢集螞蟻的，就肯定是糖尿病。

——這裏展出的有內科發展情況，望、聞、問、切和常用方濟的表解，還有黃疸、糖尿病的診斷圖以及內科的代表書籍。

（三）婦兒科 婦兒科在公元前就有專書，漢書藝文志裏，記載得很詳細。公元九世紀的昝殷，十一世紀的陳自明，以及後來王肯堂等，都是婦產科的名醫。在十一世紀，兒科方面的名醫，有錢乙等等。

——這裏陳列的有王獻之寫的字帖婦科藥方，代古喂小孩湯藥的銅匙，預防痲疹的〔阿魏囊〕，掛在身上辟疫的香珠，以及代表性的專科書籍。

（四）外科 中醫的外科早在周代就有詳細分科，如周禮上的瘍醫，就是指的外科。在瘍醫一項裏，又分腫瘍、潰瘍、金瘍，折瘍。我國很早的時候，就使用繃帶，在公元四世紀的范汪方裏，即有正式記載。

華佗的外科手術，國內已經失傳了，但是據歷史記載，曾經流傳到中東的回教國家。

中醫看外科，也是從整體着手的，不但看瘡口的好壞，還要觀察全身的現象，做預後的參考。所以外科正宗裏有五善、七惡的標準。

我國治療梅毒，在明代就用砒霜和水銀。比歐洲的應用，要早得多。中醫的外科書籍裏也記載了很多的手術，如接腸術，鼻痔切除術，喉癰切開術，兎唇的手術等等。

——這裏陳列的有金屬或磁器的各種外科用具和書籍等等。

（五）正骨科 正骨科，又叫做傷科。治療效果很顯著。比較重要的有除碎骨手術，下顎脫臼手術等等。

——這裏陳列的有古代手術用具等實物和〔正骨八法〕的圖。

第三部分中藥

（一）本草 古時候用的藥物，草類較多，所以記載藥物的書都叫做〔本草〕。

中國第一部藥書——〔神農本草經〕。這本書是漢朝人把古時候流傳下來的藥物知識編寫成功的。這是中國藥物學的第一次總結。梁代醫生陶宏景又以此書作基礎，搜集了藥物365種，寫成〔名醫別錄〕。這是中國藥物學的第二次總結。經唐朝李勣的擴充，蘇恭又重加訂註，後由長孫無忌、許孝崇等22人再來一次詳定共成53卷，名叫〔唐本草〕。這就是世界上第一部官修藥典，也是中國藥物書的第三次總結。後來陳藏器又撰了〔本草拾遺〕十卷做了這次總結的補充。宋朝劉翰、馬志、扈蒙等人修訂本草，名叫〔開寶本草〕。這是中國藥物書的第四次總結。不久蘇頌撰成了〔圖經本草〕。這是藥物書的第五次總結。三十年後，唐愼微就著了一部有名的「經史證類本草」還是中國藥物書的第六次總結。這一部本草，在李時珍本草綱目未出版之前，是一部較完善的本草。

明朝嘉靖萬歷年間，李時珍參考了八百多種書籍，換過了三次草稿，寫成一部「本草綱目」。其中收集了1882種藥物，共分16部，60類，計52卷。這是中國藥物書的第七次總結，也是一部最完善的本草。清代趙學敏，因許多藥物有了新用途，又有好多新的發現，就編了一部「本草綱目拾遺」。這是第七次總結的補充。

——這裏展出的有歷代重要本草書的畫圖和內容。

(二) 全國重要藥材出產概況　我國藥材產量豐富，品種繁多，分佈甚廣。根據本草記載，我國自產的藥材有1800多種。其中許多常用藥材不僅供應了全國的需要，而且有某些藥物輸出國外。

——這裏選出了200多種常用藥材，以全國分省地圖表示了它們的分佈情況。

(三) 江蘇省出產藥材概況　江蘇省位於長江下游，氣候溫暖，水份適宜，因此出產的藥材是很豐富的。據江蘇省衛生廳的初步調查：全省大約出產130餘種藥材。蘇州、南京、鎮江、南通、徐州等地是主要產地和外銷地。

——這裏是以江蘇省地圖表示全省各地藥材分佈情況。

(四) 南京附近出產藥物概況　南京市是江蘇省的一個重要的藥材集散地。像附近的寶華山、茅山、獅子嶺等地皆出產很多種藥材，如桔梗、何首烏、太子參、丹參等皆是。

——這裏是用沙盤地圖形表示南京附近各地區產藥的情況。

(五) 常用藥物　常用藥物有100多種，其中有植物的、動物的和礦物的。

——這裏展出的是選擇了百餘種常用藥物、原植物標本和活苗。

(六) 中藥成藥下鄉爲廣大農村服務　我國的丸散膏丹成藥種類很多，是家庭常備藥品。在農村中不太嚴重的疾病，而找醫生診治困難的情況下，可以使用這些成藥，解决一般疾病痛苦。

——這裏展出的55種成藥是根據中華人民共和國衛生部處方製成的。

第四部分中醫工作概況

(一) 認眞貫徹黨對中醫工作的政策，繼承與發揚祖國醫藥遺產　中國共產黨和人民政府向來是重視自己祖國的文化遺產的；對中醫的政策向來是明確的。黨一貫號召中西醫團結合作、共同學習研究祖國的醫學遺產。十多年前毛主席就强調指出必須發揮中醫力量爲人民治病。最近，周恩來總理在第一屆全國人民代表大會第一次會議上所作的「政府工作報告」中也指出：「……我國有幾十萬中醫散佈在全國廣大農村和城市，各級衛生部門應認眞地團結、教育和使用他們，並且同他們合作來把中國原有醫藥中有用的知識和經驗加以整理和發揚。」

1950年第一屆全國衛生行政會議，根據毛主席指示把「團結中西醫」作爲衛生工作方針之一。最近，全國各地熱烈地開展中醫政策的學習，並結合批判王斌輕視中醫的資產階級思想。

(二) 南京市中西醫門診人次比較表　根據南京市中西醫今年第一季度門診人次統計，全市門診人次有517,279，其中中醫担任了99,454人次的醫療任務。在半郊區的七區中中醫担任着46.8%的醫療任務。這就告訴我們：目前中醫不僅在我國廣大農村担任着幾乎全部醫療任務，即在南京市這樣一個療機構較多與設備比較完善的城市裏，仍然起着相當大的作用。

(三) 學習和研究祖國醫藥遺產　學習和研究祖國醫藥遺產是我們科學醫務界的一項十分光榮的艱巨任務。幾年來在南京的很多科學機關、學術團體和醫療機構都在進行這項工作。

(四) 組織進修提高醫療水平　中醫進修的主要目的在於提高政治覺悟和業務水平。五年來，全省舉辦了119個中醫進修學校和中醫進修班，有6,590名中醫參加了學習。進修內容主要是：傳授中醫的醫療技術，在繼承我國民族醫學傳統的基礎上，吸收先進的科學知識，提高業務水平。

(五) 江蘇省和南京市中醫機構人員概況　目前，我國有中醫約50萬人。本省有中醫21,264人。全省現有公立中醫院和中醫門診所各一所，組織了中醫和中西醫聯合診所1,794個，還有12個醫院中附設了中醫科室。全省開業中醫15,887人。

南京市中醫有386人。有中醫和中西醫聯合診所18所。開業中醫299人。人民鼓樓醫院和直屬醫院分別附設了針灸室和中醫科，江蘇省還在南京設立了中醫院。

（六）活躍在各個戰線上的中醫 五年來，在黨的教育下廣大中醫提高了政治覺悟，積極參加各項政治活動。例如抗美援朝醫療團、支援皖北抗災救災、愛國衛生運動以及去年的防汛和今年的修堤治療工作都有中醫參加的。近來還紛紛公開了祖傳秘方和驗方。

許多中醫參加了工廠醫療保健工作；許多中醫聯合診所與農業生產合作社訂立了特約醫療合同，按時下社爲農民兄弟服務。

（七）中西醫團結互學互長 繼承和發揚祖國醫學遺產是中西醫及有關部門的光榮任務。這裏介紹的是南京市中西醫互學互勉的活動片斷。

（八）中醫藥幾種療效介紹 近年來，據蘇州市中醫診所提出的材料，在正骨科92個病例中有67個經過［整復手術］兼用外敷內服藥已完全痊癒。針灸療法對一部分疾病確有顯著效果。據南京市人民鼓樓醫院針灸室1954年療效統計，針灸治療慢性風濕性關節炎、神經衰弱、坐骨神經痛、顏面神經麻痹、小兒麻痹症、遺尿症等都有顯著效果。中藥治療痔核和肛瘻效果是良好的。蘇州市中醫診所用［枯痔療法］治療痔核，用［結紮手術］治療肛瘻，在195名病例中痊癒者達188名，治癒率佔95.9%。

（九）人民的反應 人民對中醫的辛勤工作和優良的成果是滿意的。許多醫院、診所、開業醫生和報社常常收到感謝中醫的來信。

文　摘

祖國作者在放射學方面的貢獻

李松年　汪紹訓　張益瑛　著

原載中華放射學雜誌1955年第二號頁81—96

本文就我國作者自1923——1954年32年來在國內外雜誌中發表過的研究論文作一綜述介紹。共引證了240篇文獻，其中解放後五年內文獻數量幾乎等於解放前27年內文獻的總數，且質量也在逐漸提高。

作者等分別介紹了祖國作者在X線診斷學、放射治療學和物理技術各方面的許多有價值的貢獻。

呼吸系統X線診斷學方面著作最多約佔總數的1/4，尤以肺結核方面的材料爲豐富。如肺結核的統計數字；我國人肺結核病變的解剖分佈情況；肺結核的初染情況；肺結核在肺內的進展情況。此外肺結核的綜合性X線研究論文還有很多，關於肺炎的X線研究材料不多。祖國的學者對肺內寄生蟲症的研究有相當成就，遠在18年以前汪、謝二氏（1937）首先發現肺吸蟲病在肺內有肯定的X線所見，此後梁氏（1942）又進一步作了研究，並將肺吸蟲病治癒後的X線所見作了報告。關於日本住血吸蟲病的肺部X線表現，1950年首次報告。肺梅毒的X線研究亦有報告。肺職業病X線診斷的材料，在以前我國研究的很少，解放後始逐漸增多。謝志光氏等（1940）首次用科學的研究證實了肺原發癌在我國並不少見。關於肺囊腫及枝氣管擴張症也有學者研究。在肺不張及側枝呼吸的X線研究上有相當重要的貢獻。在胸膜病變的X線研究方面、在橫膈及縱隔病變的X線研究方面以及胸廓骨骼的異常或病變、胸腔金屬性異物的X線診斷材料均有文獻討論。

循環系統X線診斷學範圍內的研究比較少，但這些論文在世界醫學學術地位上却都是很有價值的原著。

消化系統X線診斷學方面，在食管、潰瘍病、胃及十二指腸腫瘤，腸結核、蚓突患、先天性腸道疾患、急腹症、阿米巴性肝膿瘍等都有研究報告。

泌尿生殖系統X線診斷學不如其他系統內容豐富，正在逐漸發展。

骨骼與關節X線診斷學我國也作了一些有價值的統計工作。

X線診斷技術方面，如在X線對比的研究、造影劑、X線照像測量方法、特殊投照位置、X線機附件的改進方面論文報告。

放射治療學我國作者有許多寶貴的貢獻。如在放射線損傷方面、劑量測量問題、腫瘤的放射治療方面及良性疾患的放射治療方面都有論著。　　（少　麒摘）

中華醫學會上海分會醫史科學會中國醫史研究方法座談會各次開會暨發言記錄(一)

第一次會於1955年4月17日下午3時半在中華醫學會會所舉行。出席會員：張孟聞、張贊臣、侯祥川、王吉民、丁濟民、王聿先、陳方之、汪企張、姜文熙、朱中德、吳雲瑞等廿二人。〔初稿記錄龐京周〕

首由主任委員侯祥川致開會辭如下：

1. 侯祥川開會辭：本次之會爲本會今年第一次學術活動，旨在提高學術水平，發掘前人思想，繼承祖國文化遺產，發揚愛國主義，解放後有良好條件能使會員們充分發揮才能。（以上海市中醫藥研究委員會中有本會好多會員工作爲例）今後學術活動根據科聯指示，主要爲提高會員的學術水平，因此擬以座談會形式爲主，間有專題報告；座談會可以加强學術交流，相互批評與自我批評，因而獲得提高，爲了做好這一工作須求得基本共同認識，故有此座談會，而討論題目也是在這個意義下選定的。事先也曾由委員會推定了中心發言人預先函知。

現在擬依照擬訂而業已印發的提綱開始討論第一項：醫學史的當前任務和作用問題。並請丁濟民會員先發言。

2. 丁濟民：談到任務；首先中國醫學史書至今尚未有一部完備者，過去的英文本當然不適用了。目前急迫需要醫史教材，據我個人的經驗，祇要有少數人編寫，再發動大家來集體討論，來滿足各醫學院校的八小時教材，是可以辦到的。

以往我們研究醫學史，大多是憑興趣出發，今後必須服從國家及人民的要求來編寫，否則是不切實用的。

世界醫學史及蘇聯醫學史是必須參考的，因此可以看到醫學的發展過程，但是應當着重我們祖國的醫學文化遺產，把它整理和發揚起來，編寫醫學史當然亦不能例外。

近百年來，中西醫都是被殖民地醫學害得相互傾軋，停留不前，解放後這個情況改變了，我們社會主義的統一醫學的發展前途，是未可限量的了。

3. 王吉民：1955年3月17日之光明日報上程之範的文章〔醫學史課程在我國醫學教育中的任務和一些有關問題〕的結論可以介紹給會上，認爲可作今日討論第一問題的參考資料，該文尤其着重指出醫學史如果不與國際現代醫學，當時社會經濟情況和哲學思想等聯系，即不可能担起它的任務，若僅僅靠一些煩瑣的考據來替代研究，而不掌握馬克思列寧主義的原則，運用辯證唯物論和歷史唯物論的分析和批判，更不足以完成它的任務。

4. 龐京周：提醒大家爲了節省時間儘可能就每一個提綱的範圍來討論，並請看一看我們所有的提綱全部。但是各題不免都有着聯系性的。如果大家討論中涉及另幾個提綱之處亦將記錄下來留待討論那一提綱時作實貴資料。

5. 徐德言：爲了把中國傳統醫學交給下一代，當前醫史任務應以做出教學方面的材料爲首，教學提綱應擬出，應先寫出醫學史綱和通史，另外主張以往有著作的老前輩先行自我批判。因爲非展開批評與自我批評工作就不能好好推進。最好行集體研究分工寫作等方法，研究出來的東西要注意：①有無資本主義思想，②要批判主觀的保守的東西。希望能做到集體討論。

6. 宋大仁：醫史工作當前的任務，主要應爲醫學今後發展方向，須堅持兩個原則：愛國主義與現實主義。以往醫史雜誌上却登過好多實用主義觀點方法的文章，現在學術界已展開對胡適思想的批判，我們也應展開這個運動，肅清醫史界的錯誤思想。

7. 汪企張：我卅年的時間希望有一部完整的中國醫史，但到現在還沒有，主張先做成醫學史綱。以前認爲難搞，以今日條件言，大家集中力量來搞可望成功。此爲各校急需，但中國醫學史上古中古較易，宋金元後學說紛繁較難了，但總可從簡單的做起而慢慢發展，程之範君主張醫史必須有專人研究，顏福慶先生十年前也說過，都很對的。

8. 葉勁秋：不能說我們以往沒有寫過任何醫

史，不過觀點不同，要求不同故須另寫。宋元以後，頭緒紛煩，毛病在於各成一家言，後人翻案文章太多，此皆主觀唯心，太不尊崇事實。理論離開實踐終不妥當。所以研究醫史必須結合臨床的實踐經驗。

9. 陳海峰：在北京時曾知道大家一致認爲目前醫界搞醫史者還太少，這也必須結合當前國家建設任務與保健事業任務來解决。總之，研究醫學史應掌握下列三點：(1) 愛國主義、國際主義。(2) 由歷史唯物觀掌握醫學科學本身發展規律，使醫務工作者知醫學發展方向。(3) 發掘歷史上還未被發現的東西，被人遺忘的東西。

蘇聯醫史課程，他們本國的幾乎佔²/₃，我國各校醫史所佔比重爲八小時，爲了完成當前任務必須掌握理論準備，並且須重視批評與自我批評，整理已往總的醫史資料，由簡而繁先立史綱實爲要圖。醫史學會會員散在上海與北京爲多，研究起來，以京滬分担任務爲主較妥。

侯祥川作總結：

(一) 醫學史當前的任務須配合我國社會主義文化建設。

(二) 爲了把醫史知識教給醫學校學生，首先須訂出教學提綱，並趕作教學上不可少的醫學史綱或通史。

(三) 作用在於繼承發揚祖國醫學遺產，加强愛國主義。

(四) 作用又在於弄清祖國醫學發展的過程，明瞭因果關係，演變過程，進一步認識發展方向。

(五) 務須端正學習態度，採取正確的立場、觀點、方法來求基本的共同認識。所以醫史工作者必須努力學習馬列主義，並掌握批評與自我批評的武器。

至此經主席宣布休息後繼續討論第二提綱：醫史的分期和它的根據問題。

首請張孟聞會員發言。張會員說：他雖不是醫學工作者，但因正在研究生物學史，擬將他的意見提供參考。嗣即叙述他的分期方法如下：

1. 張孟聞會員所擬分期及說明參考生物學的分期爲：最早期，有史期（甲骨），秦漢，中西交通以後，因此以爲醫學可分爲：

甲、上古——周（周代醫巫漸漸分工了）。

乙、秦漢時期，國家統一，史料全面，本草學在漢末出現。

丙、西漢年間，中西已有交通，從這以後直至鴉片戰爭。宋末向外屈服，外族入居，生活習慣不同，而病源不同，於是南北分派，醫法不同蓋由此來。明末以後，更受外來系統文化的侵入。

丁、鴉片戰爭以後迄解放前，1805 年形勢陡變。東印度醫官 1807 年首入中國，第二、三個外國醫者亦係東印度公司的。第四個是美國人名爲醫生實是外交官有侵略陰謀者；中國醫因此被看作不科學的，而祇當作披上陰陽五行外衣的巫醫，被現代外國醫看不起了。

戊、解放後發覺過去經驗之可寶貴，才重視起祖國醫藥來。

2. 葉勁秋：醫史是文化史之一部分，故須服從於文化史的分期。但西周初已是奴隸社會還是封建社會？迄今各家學說不一，甚至有謂漢代尚是奴隸社會者，有謂明代就有了資本主義者。蘇聯東方史將出版，對於通史分期或可借鏡。國內史學家的分期研究估計也將在一、二年內解决，將可供我們遵循。我國外來文化早已有之，外台秘要中治眼疾已是外來方法，而中國宮刑又是很早自創的外科手術。華佗的大手術今日很多人在注意，然而他遺法和傳人還不大清楚。中醫理論脫離實際之處太多，然而沒有理論的實踐功夫，還很寶貴，無傷大雅。

3. 宋大仁：對張教授提出的醫史分期問題，我提出三點意見：

一、他將中國醫史隨意分爲五段，一方面可以說對的，另一方面也可以說不對的，因爲依照資本主義史學觀點的老方法來分，是對的；倘若以歷史唯物主義的觀點來衡量，就不對了。試問張教授的第一期「上古至周末」根據什麼標準呢？

二、原始醫學，是從巫分家出來的話，也是陳舊的說法，其實醫學的起源與巫無關，在原始的狩獵和戰爭中，人們學會了簡陋的治療創傷的方法，隨着農耕和畜牧的發達，逐漸發明了一些植物和動物的藥物，所以巴甫洛夫說：「從有了人類，就有了醫療的活動」。宗教意識發生於新石器時代後期，發展於奴隸制時代，這種專門的宗教工作者——巫覡和祭司，從勞動人民那裏攫取了藥物知識和醫療方法，加以一系列的驅鬼求神的魔術形式，把樸素的醫學知識，神秘化起來。但是勞動人民在生活實踐中的醫學經驗，仍舊繼續發展着。我國到春秋戰國間偉大醫學家扁鵲（秦越人），出來極力反對巫醫，才把它劃清界限，醫與巫本來是兩個系統，反轉來說：醫從巫來，是錯誤的。

三、我們應該根據社會發展的階段來分期，但是我國歷史分期問題，尤其奴隸社會階段的下界，到什麼時候爲止呢？我國史學界討論迄今已三十年了，還沒有得出最後的結論，但照現在的趨勢，大約一兩年就能解決問題的。在目前我以爲暫時仍舊依照一般通史的分期，也不過十段左右，（如：原始社會，商殷，周春秋戰國，秦漢，魏晉南北朝，隋唐五代，宋，元，明，清至太平天國，太平天國至解放以前，中華人民共和國成立以來。）根據通行的方法，總比不成熟的方法來得穩妥。

4. 沈今凡：研究醫學史的分期法，必須參考通史，而且必須有研究歷史的整體觀點。

5. 汪企張：我們是多民族的國家，中國民族有從西與北方來的，我們應拿中國爲主體，外來云云不應作爲分期之據。

6. 徐德言：分期按照馬列觀點自然重要，但是分期問題到底如何爲妥，蘇聯也還在研究，也有以醫學本身上的大轉折點而分期的——例如定爲巴甫洛夫前期與後期等方法，基本上應按照通史的分期法，至於各時期再如何細分還是我們今後應行研究的。

7. 侯祥川：我們所討論的分期本來是人爲的分期，是爲了教學，講演，寫文，研究的方便，本來不是說歷史本身可以由人們意旨强分爲各種期。

8. 姜春華：我以爲張孟聞先生的以朝代分法不够妥當，我同意以生產方式和生產關係來劃分，可以按照一般社會通史的寫法。

9. 陳海峯：歷史時期是要分的，但不能憑主觀意旨來分。醫史是文化史之一部分，文化史是通史一部分。或從大變革來劃分，以社會經濟分期較正確。若僅講因素則資本主義因素南宋即有其萌芽了。生產關係與生產方式對醫學發展有着重大關係。中國歷史學界在兩年內即將作出歷史分期的決定。封建社會三千年是否應作爲一期呢？其中應否分小段落呢？都是應當考慮的。

10. 龐京周：醫史分期原是爲便於研究寫史等服務的，並不是硬把歷史本身承認爲有嚴格的期的界限，至於張孟聞先生所提出的方法使用便不便，正是我們要討論之處。已往寫中國醫史的文字，多數取材到清中葉或清末爲止，而寫近代的很少是不妥當的，其實即使是外國醫生在中國活動也就是中國醫學史料的一部分，而况不過是中國人接受外國方法，古書上記番僧如何治病，又豈能不作我國醫史資料？

11. 朱中德：把秦漢以後外國醫藥逐漸輸入作爲分期的根據是不妥當的，因爲那時起我國醫藥也逐漸向外輸出，尤其在隋唐以後，曾影響了日本，朝鮮，阿剌伯，南洋各地的醫學，但醫史工作者寫得少。爲了結合愛國主義的教育，發揚祖國歷代醫學的輝煌的成就，我提出這一點意見來。

12. 王吉民：對於中國醫藥文化傳到國外的文字，我在二十年前就寫過好幾篇的，還預備再寫。主張對張教授草案應分小組研究重提意見。

13. 丁濟民：我們現在所談的分期方法，當然是配合目前的需要，不可能說是一個永久的分類方法，爲了實踐醫學史的研究和編寫的方便起見，作出目前大家同意的分期方法，未嘗不可。以後在實踐中可以不斷的加以修正的。

14. 侯祥川：分期問題很重要，我們必須明確其目的是要取得統一觀點，以便將來研究，寫文種種方面有其一致性。

討論至此，因時間已晚，主席宣布結束，當另推定陳海峯，徐德言，張孟聞三會員對第二提綱研究後下次會上再行報告。對第三提綱：疾病史分類研究的方法問題，推陳方之、吳雲瑞，姜春華三會員會同準備中心發言。

下次開會日期由委員會議後通知。（散會）

（嗣於五月三日全委會議决定第二次會期在五月廿二日舉行；並由侯祥川提議特邀唐志炯先生參加討論當經通過。）　　（未完）

中華醫史雜誌

（季　刊）

一九五五年　第三號

（第七卷　第三期）

每季第三月二十八日出版

·編輯者·

中華醫學會醫史學會

中華醫史雜誌編輯委員會

北京東單三條四號

·出版者·

人民衛生出版社

北京崇文區䌷子胡同 36 號

·總發行·

郵電部北京郵局

訂閱批銷處：全國各地郵電局、所

零售代訂處：各地新華書店

·印刷者·

北京市印刷二廠

佟麟閣路七十一號

本期印數 3,751 册　　1955 年 9 月 28 日出版　　每册定價五角

最近新書

內科學（下卷）

蘇聯 E. M. 塔列耶夫著　李健羣譯

（上海版）3.07 元

本書是醫科大學學生及醫師用的內科教科書。全書共分八大篇：呼吸、循環、腎臟及腎盂、消化、新陳代謝及維生素缺乏，內分泌，關節和造血器官疾病。在每篇的開端都有一解剖生理緒論，在這裏大部分用巴甫洛夫學說觀點解釋生理與病理現象。此後講該篇疾病的徵候學及檢查患者的方法。最後根據下列順序，講解了每個疾病的病原學，發病原理，病理解剖，臨床病象，診斷預後，預防和治療。本書對疾病過程的描寫具體而深入，把現象和本質，臨床觀察和基礎各科的知識，密切的結合着，在許多地方將已知和未知的交界線作了清楚的交代。討論到診斷和治療問題時，又是處處根據理論。全書貫徹了蘇聯的先進醫學思想——巴甫洛夫學說，正是因爲這樣，所以才達到了這樣高度的科學性和理論與實際的一致性。

潰瘍病發病機制的皮質內臟學說

К. М. 貝柯夫著　張瓊、梅磊譯

（北京版）1.20 元

本書爲貝柯夫和庫爾金，對潰瘍病發病機制的總的概括，對潰瘍病發病機制用巴甫洛夫生理學說觀點作了一次全面的闡明，並分析和批判了舊的潰瘍病學說。作者在本書內詳細的叙述了皮質與內臟的相互關係，以及在潰瘍病發病機制中神經因子的作用。

內容包括了豐富的實驗資料。

爲了有助於臨床醫師的工作，作者在最後對潰瘍病的治療提出了總的說明；並指出了潰瘍病治療的今後方向。這對治療醫師的工作是有很大幫助的。關於潰瘍病發病機制中的神經因子，作者提出了內部感受性和外部感受性；條件反射間的相互作用，潰瘍病的病人的血管反應和胃分泌中神經因子的作用。

有機化學（蘇聯藥劑學校課本）

Б. Н. 斯切潘年考著　鄭仁鳳等譯

（上海版）3.02 元

本教科書係按照蘇聯保健部中級醫科學校管理局批准爲藥科學校用的有機化學大綱編寫的，本書盡力反映了蘇聯學者們在有機化學發展中所起的巨大作用，並用簡短而使人易懂的形式，把在有機化學中唯物主義與唯心主義的鬥爭，也就是唯物論對生機論及近幾年來對唯心論的「共振論」的鬥爭反映出來。

本書共三十一章，內分：脂肪族化合物、碳環化合物及雜環化合物。

產科疑難問題處理法

Paul Titus 著　劉本立譯（長春版）4.26 元

本書原著者 Titus 氏爲著名的產科專家。書中對產科中各種常見的疑難問題作了詳細的叙述，總結並批判了近代歐美產科專家的廣泛意見；舉出了適當的處理步驟。每章之末附有參考文獻，讀者可以查閱原文作進一步的研討，譯者也添注了一些按語，補充了較新的觀點和個人意見。不甚適合國情的部分，如食譜等略去未譯。

條件反射研究五十年

M. K. 貝柯夫等著　李維清等譯

（北京版）1.40 元

本書爲紀念伊・彼・巴甫洛夫院士關於條件反射學說研究工作五十週年會議上的演講記錄。包括二十一篇專論性的報告。這些報告，皆爲條件反射學說創立五十年來，生理學者在此領域內研究工作的精華。

在本書的若干專論中，對於高級神經活動生理的及病理的某些特徵的基本概念，如可塑性，爆發性等，作了深刻而具體的說明。所以對於目前正在學習巴甫洛夫學說的本國生理學者，心理學者及臨床醫師等，實爲一本極好的參考書。

急性傳染病學

楊　宜編著　（上海版）2.45 元

本書基本上將急性傳染病全部包括在內，同時對幾種重要的急性傳染病加以重點的叙述。對一般較易演成流行的急性傳染病如傷寒、痢疾、斑疹傷寒、霍亂、大腦炎、天花、麻疹、鼠疫、白喉、猩紅熱等尤加以詳細的討論，並提出消滅這種傳染病的具體有效方法。本書本着巴甫洛夫學說的觀點，盡量吸收蘇聯學者的先進經驗，尤其是對於傳染病的發病機制加以闡述，藉以糾正過去對於傳染病的發病機制的錯誤看法。此外，本書並詳細的把內科部分的真菌病加以叙述，藉以使得今後醫界對真菌病的重視。本書內容比較廣泛，討論部分也比較多，可供一般醫務工作者——特別是衛生防疫部門的工作者、醫學院校畢業生及醫士學校畢業生參考。

眼科屈光學及其測定法

索林頓著　畢華德譯　（長春版）1.86 元

眼的屈光學是講眼睛與光線的各種作用的。眼科醫師必須懂得屈光學，方能診斷病人的眼睛是近視或是遠視，並進一步開出鏡方（配眼鏡），矯正病人的視力。本書的內容豐富，包括了有關屈光學的各方面，並涉及眼肌和弱視的矯治方法。著者特別照顧到初學的人，對於他們所容易犯的錯誤和常會遇到的困難，都特別的作了指示。關於鏡片的選擇與鏡框的裝置等，本書內都有詳細的論述，所以適合於一般的眼科醫師們的應用，對於眼鏡醫師們也有很大的幫助。

人民衛生出版社出版　　新華書店發行

·白 页·

一九五五年　　第四号

（第七卷　第四期）

祖國医学

苏联医学

書　評

会务通訊

十二月二十八日出版

·白页·

我國青光眼歷史考

畢華德*

由於中國歷史的悠久，我國的医学在很早的時期就開始了，關於眼病的記載，尤其是青光眼，因受当時医学知識的限制，很难見到有系統的文字記載，可是从河南安陽殷墟的發掘中，曾找到記載有目疾的刻辭甲骨，例如，“癸巳卜㱿，貞子漁疒目，𥙊告于父乙”，它的大意是“癸巳这天占卦，一个名字叫做㱿的人問：武丁的兒子名字叫子漁的眼睛害病了，要举灯禍祭，以禱告於父乙，好不好”，是为我國早在殷商時期所發現的文字記載。这項發現在文字上虽然是極其簡單，但有關眼病的記錄載在殷王的公文記事中却是無疑的，因而足以証明公元前 14 世紀的医学已經涉及到眼病。

根据詩經（公元前 12 世紀），“矇瞍奏公”，毛傳“有眸子而無見曰矇，無眸子曰瞍”。“又漢刘熙釋名，矇、有眸子而失明，蒙蒙無所别也。”

这一段的意思也就是說有眼球而失明者叫做“矇”，没有眼球或者說患眼球痨者叫做“瞍”，从这兩个字的解釋來講：“矇”必是由於眼內部疾病所引起的，如視神經萎縮，視網膜和脈絡膜病变、白內障或青光眼等，所以我們可以說在公元前 12 世紀或 12 世紀之前，在矇的病內就包括着青光眼病。

至於目盲的記載在古書中常常見到，例如左傳著者左邱明，最出名的音樂家師曠（孟子、師曠之聰不以六律不能正五音），秦始皇焚書坑儒後大文学家伏生和孔子的弟子卜商（子夏）等都是目盲者，關於左邱明、師曠和伏生是因为什麼病而致盲的，古書中並没有記載，惟对於子夏的失明記載較詳，且後人每以“喪明之痛”的典故为引証，茲把其始末略述於下：

在史記卷 67，仲尼弟子列傳記載：“卜商，字子夏，少孔子四十四歲………孔子旣沒，子夏居西河教授，为魏文侯師，其子死，哭之失明。”

又在禮記卷之二，檀弓上第三也記載着：“子夏喪其子，而喪其明，曾子弔之曰：吾聞之也，朋友喪明則哭之。曾子哭，子夏亦哭曰：天乎予之無罪也。”

根据史記的記載，“子夏居西河教授，为魏文侯師，其子死，哭之失明”，則証明子夏之失明是由於痛哭喪子的緣故，並且是在教魏文侯書的時候。

南宋洪邁容斋續筆，“按史記所書子夏少孔子四十四歲，子夏二十八矣，是時周敬王四十一年，後一年王立，歷貞定王，考王，至威烈王二十三年魏始为侯，去孔子卒時七十五年，文侯为大夫二十二年而为侯，又六年而足，姑以始侯之歲計之，則子夏已百三歲矣，方为諸侯師，豈其然乎？”

由这一段話更可以証明当子夏为魏文侯師時已經是一百零三歲，这只不过是一种推测，虽然如此，但是由於这一考証，没有疑惑的，不能不叫我們相信，子夏必是一位年邁的老者，再加上子死哭而失明的事实，不論子夏失明之前有無視力障碍，而失明的主要原因，当推充血性青光眼急性發作的可能性为最大。

中國現存最早的医書是黃帝內經，根据前人的考据，它寫作的年代当在战國（公元前三、四世紀）。这書虽然是在战國時期寫的，可是書中內容那样的丰富，决不是只靠着一个短時期的經驗所能寫出來的。

在該書中的素問金匱眞言論寫着，“东方青色入通於肝，開竅於目，藏精於肝。”

这說明当時的理論認为眼睛和肝臟存在着相互联繫，相互制約的關係。

在素問生气通天論中寫着：“陽气者煩劳則張，精絕辟積於夏，使人煎厥，目盲不可以視，耳閉不可以听，潰潰乎若坏都，汩汩乎不可止。”

提出了由於精气虚，遂發生目盲的症狀。这

* 北京医学院眼科教研組

說明我國医学对於致成目盲的原因有着理論上的探討。

又在至眞要大論篇中寫着"………帝曰天气相勝奈何？岐伯曰少陽之勝，熱客於胃，煩心、心痛、目赤、欲嘔、嘔酸………"，又："帝曰善，天地之气內淫而病何如？"岐伯曰"………太陰在泉…病衝头痛目似脫，項似拔…………。"

这些症狀更明顯的說明了充血性青光眼前驅期或急性發作期的現象。可惜在黃帝內經中祇是按問答方式个别的寫出，並沒有能明確地把上述的各种症狀和目盲結合起來，而且也沒有提出它們中間的相互關係。自然这是限於当時的医学知識的緣故。

繼黃帝內經的次一部医書是扁鵲难經。在扁鵲难經卷之三第二十难中也提出了目盲。他說："……脫陽者見鬼，脫陰者目盲。"

从这段話裏可以知道扁鵲更近一步的把黃帝內經所提出目盲的致病原因找到了，他認为目盲是由於陰气虛脫的緣故所造成的。从当時为了追求致病的原因探討來講，足以說明由黃帝內經的医学知識的階段上已經向前發展了一步。

在後漢書李業傳裏却寫着："是時犍为任永及業同郡馮信並好学博古，公孫述連徵命，待以高位，皆託青盲以避世难。"

从这部史学書籍中我們可以想象"青盲"的病名早已存在，如果在後漢書寫成以前沒有"青盲"的名称，那麼寫歷史的人們絕不会替医家們創造病的名辞。

到了隋煬帝時巢元方著巢氏諸病源候總論，其中目青盲候："青盲者，謂眼本無異，瞳子黑白分明，直不見物耳，但五臟六腑之精气，皆上注於目，若藏虛，有風邪痰飲乘之，有熱則赤痛，無熱但內生障，是腑臟血气，不榮於睛，故外狀不異，只不見物而已，是之謂青盲。"又目青盲有翳候中寫着："白黑二睛，無有損伤，瞳孔分明，但不見物，名为青盲，更加以風熱乘之，气不外泄，蘊積於睛間而生翳，似蠅翅者，覆瞳子上，故謂青盲翳也。"

在这本著述中我們才見到了对於青盲的說明，从他的描寫中知道，青盲的眼球外形和現象沒有变化，只是消失了視力。根据今天的医学知識对於上述的症候，我們可能認为是單純性青光眼，也可能是視神經萎縮和視網膜或其他病变所引起的。

唐孫思邈所著千金方卷十五裏寫着"補肝：治目失明漠漠方"，"治睆䀮無所見方"，"青盲远視不明，承光主之………"，"青盲無所見远視睆䀮……漠覆瞳子巨窌主之"，"青盲瞶目惡加風寒上關主之"，和"青盲商陽主之"等有關医治青盲的处方。

根据譚賓錄的記載"唐高宗（公元683年）苦風眩，目不能視，召侍医秦鳴鶴診之。秦曰：'風毒上攻，若刺头出血愈矣。'天后自簾中怒曰：'此可斬也，天子头上豈是出血处耶。'鳴鶴叩头請命。上曰：'医人議病，理不加罪，且我頭悶，殆不能忍，出血未見不佳，朕意决矣。'命刺之。鳴鶴刺百会及腦戶出血。上曰：'我眼明矣。'言未畢，后自簾中頂禮以謝之曰：'天賜我師也。'躬負繒宝以遺之。"

按以上所叙述的"目不能視，头重悶，殆不能忍"等症狀，毫沒有疑惑的唐高宗的"風眩"就是充血性青光眼的前驅期或是急性發作期，由於刺百会和腦戶出血之後，視力立即恢復是值得研究的。这一事实是否与歐西各國用水蛭放在額部吸血以治療急性充血性青光眼的作用相同或較水蛭療法更为有效，則有待我國眼科工作者作進一步的研究。

由这一段的叙述，可以說明在以往对於青盲，只不过是注意到致病的原因和診断，到了这个時候已經進入用种种不同的处方來治療这种疾病的階段了。

龍樹論这本書根据歷史的考据是由印度傳入的眼科医書，由於公元752年所編寫的外臺秘要未加引証因此怀疑这本書是公元八世紀中葉以後所譯成的。根据明万曆版龍木論來講，其"卷之首"独立列出，而且內容較之其他各卷又極簡單，从这种編寫的方式上看，可能前者即是龍樹論原書，而後者則是原著的發展成果；在該書第59問提出了小兒青盲和第62問"目患青盲翳"，此外在第七十問中的"头風"之說是为前人所未提出的。此後医書中所提出的多种"头風"可能是从它發展而來的。

公元752年王燾著有外臺秘要，根据書中的內容可以看出來他是接受了印度的医学知識，並且得到了新的啓發，由於文化交流的成果我國的眼科便丰富起來。在出眼疾候一首中寫着："……不痛不癢，漸漸不明，久歷年歲，遂致失明，令観容狀，眼形不異，唯正当眼中央小珠子裏，乃有障作青白色，虽不辨物，猶知明暗三光，知晝知夜，如此之者名作腦流青盲，眼未患時，忽覺眼前時見飛蠅黑子，逐眼上下來去，此宜用金篦决，一針之後，豁若開雲而見白日。………”。

按照病情的解釋，虽然有“青盲”的名称，其实所謂腦流青盲沒有疑惑的就是白內障，因而也就与青光眼開始有了區别；当時我國医学对於白內障已知道是可能用手術治療。

又在該書眼疾品類不同候一首中寫着：“謝道人曰若有人苦患眼漸朦朦，狀与前青盲相似，而眼中一無所有，此名黑盲，宜針刺服藥；如瞳子大者，則名曰烏風，为瞳子翳綠色者，名为綠翳青盲，皆是虛風所作，当覺急須即療，湯丸散煎針灸，禁慎以驅疾勢，若眼自闇多時，不復可療，此疾之源，皆从內肝管缺，眼孔不通所致也，亦宜須初欲覺時即須速療之，若已成病，更不復可療，亦無劳措意也。”

这一段更明確的提出烏風和綠翳青盲这兩个名辭，从命名的意义來看沒有疑惑的是指着青光眼的疾病所說的，並且也指出应在早期就医，稍有因循致使病成，便不能医治，而且治也無效，这時我國眼科对於青光眼的危害和致病的原因有了新的認識和發現。所謂眼孔不通也就是今天我們所知道造成眼压高是由於前房角閉塞的原因。可見在当時不但是已經認識青光眼病，而且也已經理想到致病的基本原因。

外臺秘要又附有青盲和盲方六首並引証巢氏諸病源候總論：“病源青盲者謂眼本無異，瞳子黑白分明，直不見物耳，……………是謂之青盲”。

(1)“深師療青盲方”。

(2)“黃牛肝散療青盲積年方”。

(3)“療肝藏病眼，青盲內或生障惡風赤痛補肝散方”。

(4)“療肝气之少，眼視𥆨𥆨，面目青，眼中眵淚，不見光明調肝散方”。

(5)“療眼盲腦痛方”。

(6)“必效蔓菁子散，主青盲瞳子不坏者治十得九方”。

从这段的內容裏來看，固然存在着迷信的成份，但是提出了六种方劑作为医治青盲的依据却是突出的，其收效如何，祇有進一步研究以後才能肯定下來。

在公元942年即宋太宗淳化三年編成的太平聖惠方裏也找出了不少有關医治青光眼的处方，例如：第69卷治妇人風眩头痛諸方，“夫妇人風眩是体虛受風，風入於臟也，諸藏腑之精皆上注於目，其血气与脈並上屬於腦，循脈引於目系，目系急，故令眩也，其眩不止，風邪甚者，变为癲疾也。”

“治妇人風眩头痛目被風牽引，偏視不明細辛散方……”，由於充血性青光眼多見於老年妇女，按照上述的症狀很可能是青光眼急性發作的处方。

第89卷治小兒青盲諸方：“夫眼無障翳而不見物者謂青盲，此小兒藏內有停飲而无熱，但有飲水停積於肝也。目是五藏之精華，肝之外候也。肝气通於目，肝为停飲所積，藏气不宜通，精華之不明，故不赤痛，亦无翳而不見物名曰青盲。”

關於小兒青盲的名称，在这裏乃開始見到，所謂小兒青盲按照今天的医学知識恐为腦膜炎而引起的視神經炎所造成的視神經萎縮，並不是由於青光眼所致的，因为小兒青光眼是罕見的眼病，而且在病的晚期不但成盲，眼球也顯著变大。

第33卷眼內障論：“……非草所療之見功，唯金針撥之乃效，又曰內障之眼凝滑數种，異象多般，有浮有沉，或滑或澁，或形如皓雪，或狀似淸水……其中亦有不可治者，初患之時腦痛眼疼，又有虽不痛，鍼之不動者，名死翳，其翳作黃赤色不可治也。”

“治烏風內障昏暗不見物，宜服羚羊散方”。

“治青風內障瞳人虽在昏暗漸不見物，狀如青盲，宜服葳蕤散方”。

“治眼昏暗，瞳人不分明，成黑風內障，宜服補腎圓方”。

“治黑風內障肝腎風虛客熱，昏暗不見物，宜服空青圓”。

“治綠風內障，肝肺風熱壅之事，見紅白黑花，头額偏疼，漸漸昏暗不見物者。”

“治眼青盲諸方”，“夫眼者輕膜裹水也其性靜其鑒明，瞻視分别物無不矚也，至如气淸神爽藏乃安和，稍有一藏气伤風邪，竟作目無痛痒，卒然而失明，为肝膽風邪毒气所伤，毒气不散，上注於目，故令目青盲也。”

根据聖惠方中提出了各种內障足以說明当時我國医学，对於青光眼有了進一步的認識，这个時候已經能够把青光眼从青盲的含混名称中分别出來。而在歐洲的同一時期中尚未見有这項記載，这更足以說明我國医学的先進性。但是其中所提到的小兒青盲，我們固然不能理解当時医家对它的認識，可是由於青光眼从青盲中分出的事实，自然也就不能把小兒青盲看做是小兒青光眼的解釋，而应当認为是由於其他原因所致的。

在聖惠方以後一百二十六年（公元1118年）又有聖济總錄問世，在該書卷15—17中載有諸風門的处方，都是治療有關青光眼的方剂。

元李杲十書內記載，瞳子散大："……瞳子散大者少陰心之脈，挾目系厥陰肝之脈，連目系，心主火，肝主木，此木火之势勝也。"

这說明瞳孔散大是心肝所致，就是俗說的肝火过勝，換句話說就是情緒波動所致的。

又在該書內障二、三証中記載：

五風变——"五色变为內障，头痛甚，即無淚，日中如坐暗室，常自憂嘆，此毒風腦熱所致。"

雷头風——"此熱毒之气衝入眼睛中牽引，瞳人或微或大或小，黑暗全不見物。"

驚振——"因病目再被撞打，变成內障，日夜疼痛不能見三光。"

綠風——"初患头旋，兩額角相牽，瞳人連鼻鬲皆痛，或時紅白花起，肝受熱則先左，肺受熱則先右，肝肺同病則齐發。……"

烏風——"眼虽癢痛而头不旋，但漸漸昏暗。……"

黑風——"此与綠風相似，但時時黑花起，乃腎受邪風攻於眼。"

青風——"此乃不痛不癢，瞳孔儼然如不患者，但微有头旋及生花，轉入昏蒙。……"

小兒青盲——"胎中受風，五臟不和，嘔吐黃汁，兩眼一同視物不明，無活法。"

總起以上所叙述的，除去最後的小兒青盲之外，幾乎都是在描寫着各類型青光眼不同的症狀。在五風变內不但說明青光眼的症狀，也說明了致病的原因；在雷头風內並作了進一步瞳人改变的观察；在驚振內所描寫的恐怕是由於外伤所致的晶狀体脫位而引起的續發性青光眼；在綠風內障內除去描寫了青光眼的症狀之外，同時也說明这病兩眼可能同時發生，也可能一先一後；烏風，黑風和青風大半是描寫單純性青光眼。

在銀海精微內記載：坐起生花——"坐起生花者，此是內障。此症肝血衰，胆腎二經虛也。六陽不举，故久坐伤血，起則头暈眼花，或前常見花發數般，或赤或黑或白，潦乱昏暗不明，良久乃定，瞳人開大不清。此症宜補肝腎，或明目固本丸。不治患久变为青盲，內障变为五風难治之症也。……"

又在該書五臟要論中，"夫審瞳人之法，瞳人開大者忌辛辣之藥，瞳人焦小者宜寒凉辛辣則可也，開大者以酸藥收之，焦小者以辛藥散之，久注不開者宜發之。……"

銀海精微一書虽署名为唐朝孫思邈，沒有疑惑是假託的，根据該書之"膜入水輪"內的記載，"此黃仁与水輪变內定矣，虽使岐黃龍木再世亦不能为也"，这書必是寫在龍木論之後。再根据該書記載"五風"的名辭，僅於元李杲十書中初次見到，又根据該書的內容來看，所以断定这書为元代作品。在該書中的"坐起生花"，僅描寫了一點青光眼的症狀而已。使人最感兴趣的，是書中叙述了瞳人開大者忌辛辣之藥並应以酸藥收之，至關辛辣之藥和酸藥指何藥而言，不得而知，但我國在这麼早的一个時代就知道用收瞳藥治療青光眼，頗可驚人。

在元末明初倪維德的原机啓微一書中，虽然承襲了龍木論眼病諸候，沒有更多的論述，但是他对於致病的原因却有着突出的認識，以为眼病的發生不外乎外在和內在因素的影响，致使臟腑損伤，形成了眼病諸候。例如：論目病分三因："陈無擇云：病者喜怒不節，憂思兼並，致臟气不平，鬱而生涎，隨气上厥，逢腦之虛，侵滛眼系蔭注于目，輕則昏濇重則障翳，眵淚胬肉白膜瞞睛，皆內所因，或數冒風寒，不避暑濕，邪中於項乘虛循系以入於腦，故生外翳，医論中所謂青風，綠風，紫風，黑風，赤風，白風，白翳，黃翳等證八風所中变諸症，皆外所因，或嗜慾不節，飲食無時，生食五辛，熱啖炙煿，馳騁田獵，冒涉烟塵，劳動外情，丧明之本皆內外因治之。"

又報告了瞳子散大的病例："戊戌冬初李叔和至西京，朋友待之以猪肉煎餅同蒜醋食之，後復飲酒大醉，臥於煖亢，翌日病眼兩瞳子散大，於黃睛視物無的，以小为大，以短为長，卒然見非常之处引步踏空多，求医療而莫之愈。………"

另外还提出“气为怒伤散而不聚之病”，說明了瞳子散大也可以由於气怒的原因而造成，他說：“气陽物類天之雲霧，性本動聚共体也，聚为陰，是陽中之陰，乃离中有水之象，陽外陰內故聚也，純陽故不聚也，不聚則散，散則經絡不收。經曰：‘足陽明胃之脉，常多气多血’，又曰：‘足陽明胃之脉，常生气生血，七情內伤脾胃先病’，怒七情之一也，胃病、脾病、气亦病焉，陰陽应象大論曰：‘足厥陰肝主目，在老为怒，怒甚伤肝。伤脾胃，則气不聚，伤肝則神水散，向則神水亦气聚也’。其病無眵淚痛癢羞明緊澁之証，初則昏如霧露中行漸空，中有黑花，又漸覩物成二体，久則光不收遂为廢疾。……”。他还認为：“此病最难治，餌服上藥必要積以歲月，必要無飢飽劳役，必要驅七情五賊，必要德性純粹，庶幾易效，不然必廢，廢則終不復治，以病光不復收者，亦不復治。”最後他还例举病案用來說明：“一証因为暴怒神水隨散，光遂不收，都無初漸之次，此一得永不復治之証也。”

按照以上所叙述的很清楚地說明了，充血性青光眼的急性發作瞳人散大是由於情緒的波動所引起，这也就是我們現在所認为促進青光眼急性發作首要的原因，这种臨床的观察和理論，不用說在歐洲的同一時期沒有这样的記載，就是在最近二三百年也沒有，这足以說明我國医学的先進性远超过其他國家之上。

葆光道人的龍木總論，大約为明代作品，書中卷之一和卷之二中提出了多种內障，今把有關青光眼者列举如下：

五風变內障——“此眼初患之時头旋偏痛，亦是臟腑虛劳肝風为本，或一眼先患，或內嘔吐，双胎毒風入眼兼腦熱相侵，致令眼目失明，初覺即須急療，宜服除風湯通明補腎丸立效”詩曰：

“烏綠青風及黑黃，堪嗟宿世有灾殃。
瞳人顏色如明月，問覩三光不見光。
後有腦脂留結白，氣如內障色如霜。
医人不識將針撥，医落非明目却伤。”

这分明是充血性青光眼絕对期引起的續發性白內障。

雷头風变內障——“此眼初患之時，头面多受冷熱毒風冲上头旋，尤如熱病相似，俗名雷头風或嘔吐或惡心，年多冲入眼內，致令失明，或从一眼先患，瞳人或大或小不定，後乃相損，眼前昏黑，不辨三光，初覺有患宜服瀉肝湯磁石丸立效”詩曰：

“俗号雷头熱毒風，年多冲入眼睛中；
瞳人微大或微小，坐对三光黑不紅。
腦熱流脂來結白，医師不了便針通！
虽然撥腔依前暗，目愧庸医不用功。”

这是說明充血性青光眼急性發作之後轉入絕对期，繼而發生續發性白內障。

綠風內障——“此眼初患之時，头旋額角偏痛，連眼臉骨及鼻頰骨痛，眼內痛澀見花，或因嘔吐惡心，或因嘔逆後便令一眼先患，然後相牽俱損，目前生花或紅或黑，为肝肺受劳，致令然也，宜服羚羊角飲子还睛丸，兼針諸穴眉骨血脉令在却瀉勢也”詩曰：

“初患头旋偏头痛，額角相牽是綠風。
眼眶連鼻時時痛，悶澁生花黑白紅。
肝臟誰知先患左，肺家右眼作先鋒。
續後相牽多總患，綠他脈帶气相通。
風劳入肺肝家壅，客熱潛流到腎宮。
秘澁大腸由自可，每覺心煩土築胸。
必是有時加嘔逆，風痰積聚在心中。
羚羊湯藥須当服，还睛丸散主成功；
頻針眉骨兼諸穴，能引病本滅行蹤。
忌針腎脉宜出血，恐因此後轉昏朦。
瞳子開張三曜絕，妙藥能医更漫逢。”

这沒有疑惑的是急性青光眼的症狀，从諸方更可以了解当時医家已經明確了青光眼發病的过程——由於瞳孔散大而失去了光感——並認識到这病难於治癒的事实。至於日本称青光眼为綠內障是沿襲我國医学知識把綠風內障蛻化为綠內障。

烏風內障——“此眼初患之時，不疼不痒，漸漸昏沉，如不患眼人相似，先从一眼起，復乃相牽俱損，瞳子端然，不開不大，微小不覩三光，此是臟气不和，光明倒退，眼障閉，經三五年內昏气結成，翳如青白色，不辨人物，已後相牽俱損，瞳人微小，針之無效，惟宜服藥補治五臟，令夺病勢，宜服决明丸補肝湯立效。”

这分明是單純性青光眼的症狀。

青風內障——“此眼初患之時，微有痛澁，头旋腦痛或眼先見有花無花，瞳人不開不大，漸漸昏暗或因劳倦漸加昏重，宜令將息便須服藥，恐久結为內障，不宜針撥，皆因五臟虛劳所作致令然也，宜服羚羊角湯还睛散即瘥。”

这和烏風內障都是單純性青光眼。

根据上述的資料，很清楚地看到我國的医家这時对於青光眼的發病过程以及其不同的症狀，均有了深刻的認識，尤其是在雷头風內障的諝方中寫着：“医師不了便針通，虽然翳墜依前暗”，这說明了撥去續發性白內障对於治療絕对期青光眼是毫無補助的。

明（公元17世紀）王肯堂所著的証治準繩七竅門論目篇內記載：

大小雷头風証——“此証不論偏正，但头痛倏疾而來，疼至極而不可忍，身熱目痛，便秘結者曰大雷头風，若痛从小至大，大便先潤後燥，小便先清後澀，曰小雷头風，大者害速，小者稍遲，虽有大小之說，而治則同，一若失遲誤緩，禍变不測，目必損坏，輕則繖凸，重則結毒，宜早为之救，免於禍成而救之不逮，世人每慮此患害速，故疑於方犯惑於鬼祟，深泥巫祝而棄医治，遂禍成悔無及矣。”

左右偏头風証——“左边头痛右不痛，曰左偏風，右边头痛左不痛，曰右偏風，世人往往不以为慮，久則左發損左目，右發損右目，有左損反攻右，右損反攻左，而二目俱損者，若外有赤痛淚熱等病，則外証生，若內有昏眇眩运等病，則內証生矣。凡头風痛左害左，痛右害右，此常病易知者，若难知者，左攻右，右攻左，痛从內起止於腦，則攻害也遲，痛从腦起止於內，則攻害也速，若痛从中間發，及眉梁內上星中發者，兩目俱害，亦各因其人之觸犯感受，左右偏勝起患不同，遲速輕重不等，然風之害人尤慘，若能保养調護，亦可免患，愚者驕縱，不知戒忌，而反觸之，以致患成而始悔，良可痛哉。”

巔頂風証——“天灵蓋骨內痛極如槌如鑽也……若痛連及珠子而脹急瘀赤者，外証之惡候。……”

邪風証——“人素有头風，因而目病，或素目病因而头風，二邪並立博夾，而深入腦袋，致伤肝膽諸絡，故成此患，头痛則目痛，目痛則头痛，輕則一年數發，重則一月數發，头風目病常並行，而不相悖也。……”

又在論內障中有，

青風內障証——“視瞳神內有气色昏蒙，如晴山籠淡烟也。然目視尚見，但比平時光華則昏矇，日進急宜治之，免变綠色，变綠色則病甚而光沒矣。陰虛血少之人及竭劳心思憂鬱忿恚，用意太过者，每有此患；然無痛風痰气夾攻者，則無此患。病至此亦危矣。不知其危而不急救者，盲在旦夕耳。”

綠風內障証——“瞳神气色濁而不清，其色如黃雲之籠翠岫，似藍靛之合藤黃，乃青風变重之証，久則变为黃風。虽曰头風所致，亦由痰濕所攻，火鬱憂思，忿怒之过。若伤寒瘧疫熱蒸，先散瞳神而後綠後黃，前後並無头痛者，乃痰濕攻伤眞气，神膏耗溷，是以色变也。蓋久鬱則熱勝，熱勝則肝木之風邪起，故瞳愈散愈黃，大凡病到綠風危極矣，十有九不能治也。一云此病初患則头旋，兩額角相牽瞳人連鼻鬲皆痛，或時紅白花起，或先左而後右，或先右而後左，或兩眼同發，或吐逆，乃肺之病，肝受熱則先左，肺受熱則先右，肝肺同病則齐發，先服羚羊角散，後服还睛散。”

黑風內障証——“与綠風候相似，但時黑花起，乃腎受風邪，熱攻於眼。……”

黃風內障証——“瞳神已大而色昏濁为黃也，病至此十無一人可救者。”

銀風內障証——“瞳神大成一片雪白如銀，其病头風痰火。人偏於气忿，怒鬱不得舒，而伤眞气，此乃痼疾，恐金丹不能为之返光矣。”

烏風內障証——“色昏濁暈滯气，如暮雨中之濃烟重霧風痰。人嗜欲太多，敗血伤精，腎絡損，而膽汁虧，眞气耗，而神光墜矣。”

綠映神瞳証——“瞳神名看無異，久之專精，熟視乃見其深处隱隱綠色。……”

瞳神散大——“东垣云……瞳神散大而風輪反为窄如一周，甚則一周如綫者，乃邪熱鬱蒸風濕攻擊，以致神膏遊走散坏。若初起即收可復，緩則气定膏散，不復收斂。未起內障顏色，而止是散大者，直收瞳神，瞳神收而光自生矣。散大而有內障起者，於瞳神藥內漸加攻內障藥治之，多用攻內障發藥，攻動眞气。瞳神难收，病即急者以收瞳神为先，瞳神但得收復，目即有生意，何內障之有，或藥或鍼庶無失收瞳神之悔。若只攻內障，不收瞳神，瞳神愈散，而內障不退，緩而疑治不决者，二証皆气定而不治，則終身疾矣。大抵瞳神散大，十之七八皆因头風痛攻之害……凡头風攻散者又难收……若風攻則內障即來，且难收斂，而光亦損耳。”

青盲——“目內外並無障翳气色等病，只目不見者，是乃元府幽邃之源，鬱遏不得發此灵明耳。其因有二，一曰神失，二曰膽澀。須讯其为病之始。若伤於七情則伤於神，若伤於精血則損於膽，皆不易治，而失神者尤难，有能保真致虛抱元守一者，屡有不治而愈。若年高及疲病，或心腎不清足者，虽治不愈。世人但見目盲便呼为青盲者謬甚。夫青盲者瞳神不大不小，無缺無損，仔細視之瞳神內並無些少别样气色，儼然与好人一般，只是目看不見，方为此証。若有何气色即是內障，非青盲也。”

从以上的叙述可以看出，王肯堂虽然是全面發展的医家但是称他为一位当代的眼科專家，也未为不可，因为他对於一切的眼病，格外是青光眼，都作了詳細的观察和研究。在他的著作中幾乎处处都描寫着前所未有的發現，他曾用不同証候的名辞，詳尽的描寫了有關青光眼的原因和經过。由於他这种慎密的观察才为後人留下了十分丰富的研究資料。最令人感覺有兴趣的就是他提出了大小雷头風这个名辞，以區别充血性青光眼的前驅期和急性發作期。在綠風內障証、黃風內障証和銀風內障証中不但叙述了致青光眼病的原因和臨床的經过，並且也描寫了青光眼的絕对期和它的併發性白內障。此外他並認为瞳人開大，十之七八都是由青光眼所致。他也認为青盲是另外一种眼病，但是其中必然包括着單純性青光眼在內。这乃是由於当時的医学知識的限制，所以不能够把它區别出來。

在明崇禎年傅仁宇寫的審視瑤函書，“气为怒伤散而不聚之病”中，所叙述的“……久病光不收者，亦不復治，一証因暴怒，神水隨散，光遂無收，都無初起之次，此一得永不復治之証也。又一証为物所擊，神水散如暴怒之証亦不復治，俗名为青盲者也。……”

这一段上一半傅氏所描寫的沒有疑惑的就是充血性青光眼急性發作後而達至絕对期，後一半所描寫的为外伤性續發性青光眼，眼为外物擊伤之後，瞳人散大，症狀同暴怒所致的一样。

又在大小雷头風症，“雷头風症，來之最急，症類伤寒，头如斧劈，目若錐鑽，身猶火炙，大便不通，小便赤澀，痛不可禁，禍亦难测，據證已甚，应知爆出，着意速医，勿延時刻，瀉火为先，須防胃液，逼損清純，中当一失。”

“此症不論偏正，但头痛挾痰而來，痛之極而不可忍，身熱目痛便閉結者，曰大雷头風。若雷头風大便先潤後燥，小便先清後澀，曰小雷头風。大者害速，小者稍遲，虽有大小之說，而治則一。若失之緩，禍变不测，目必損坏。輕則凝凸，重則結毒，宜早为之救。宜服清震湯。……”

以上所叙述者虽然簡短，但对於描寫青光眼的症狀以及其重要性，較以前王肯堂所描寫者更为逼真。

又在左右偏头風中叙述，“左右偏头風，發則各不同，左發則左坏，右發則右坏，人多不为慮，致使失光明”，“此症左边头痛，右不痛者，曰左边風；右边头痛，左不痛者，曰右偏風，世人往往不以为慮，久則左發損左目，右發損右目，有損左反攻右，右損反攻左，而兩目俱損者。若外有赤痛泪澀等病，則外症生。若內有昏渺眩暈等病，則內症生。凡头風痛左害左，痛右害右，此常病易知者，若左攻右，右攻左，痛从內起，止於腦，則攻害也遲。痛从腦起，止於內，則攻害也速。若痛从中間起，發及眉棱骨，在工星中發者，兩目俱坏。亦各因其人之觸犯感受左右偏感，起患不同，遲速輕重不等，風之害人尤慘，宜服羌活芎藁湯。……”

根据傅氏的解釋，風与痛同一意义，所不同者痛不致失明，而風者可致失明。根据我們今天的医学知識來講，恐所謂之偏头風也就是充血性青光眼前驅期或急性發作期的症狀。

又在該書“瞳神散大症”中所叙述，“瞳神散大为何如，只为出熱熏蒸膝，悠悠鬱久精汁虧，致使神光皆失散，陰精腎气兩衰虛，相火邪行無管制，好如雞鴨卵中黃，精气不足熱所伤，熱勝陰虛元灵損，至死冥冥不見光”，“此症專言瞳神散大，而風輪反为窄狹。若过甚則一週如線也，乃熱邪鬱蒸，風濕攻擊，以致神膏遊走敗坏。若神起即收可復，緩則气定膏損，則不復收斂。若未起內障顏色，只散大者，直收瞳神。瞳神收而光自生矣。散大而有內障起者，於收神瞳藥內漸加內障藥治之。如瞳神难收，病既急者，以收瞳神为先。瞳神但得收復，目即有生意。有何內障，或藥或鍼，庶無失收瞳之悔。若只攻內障，不收瞳神，瞳神愈散，而內障不退，緩而疑治不决者，其症皆气定而不能治，終身疾矣。大抵瞳神散大，症有數种，皆由头風痛攻之害。虽有伤寒瘧疾，痰熱气怒，憂思經產敗血等病，久鬱熱邪大症，致令肝腎中所蘊精汁虧耗，不能滋着目中神膏，故精液散走，而光華失，水中隱伏之大發矣。水不足不能制火，火愈勝陰精愈虧，致情純太和之元气，總皆乖乱，精液隨之而走，是故因头風攻散者，最难收也。且伤寒瘧疾痰火等熱症，炎燥上蒸，神膏漸坏，內陰漸起來遲，而收亦易斂。若因風攻，則內障來速，亦难收斂，而光亦損矣。宜服羌活退翳丸，瀉肝湯，調气湯，滋陰地黃丸。”

这一段記載不但对於瞳人散大在理論上作了詳細的解釋，並对於瞳孔收縮能以恢復視力的重要性加以說明，同時並指出瞳孔散大的原因不同，以及与青光眼的關係（皆由头風痛攻之害）。

此外該書对於青盲症、青風障症、綠風障症、烏風障症等也加以詳細申述。从審視瑤函的內容中，可以体会到傅仁宇是專攻眼科的医師，在我國的医学史中，可以說是一位空前富有眼科知識和研究性的眼科專家了。

清乾隆御纂医宗金鑑，編輯眼科心法要訣目錄中有：

內障總名歌——“內障初患变五風，黃綠黑烏青，圓水滑濇浮沉，橫散偃黃心，黑水棗花形，雷動驚振及瞳缺，雀目高風胎患名，二十四証为內障，須当一一辨分明。”

內障初患久变五風歌——“內障初患如好眼，生花視物霧烟中，隱隱似翳瞳失彩。久変黃綠黑烏青，黃風雀目久金色，綠風時見花白紅。头旋額鼻目牽痛，黑風見黑綠風同，烏風亦与綠不異，但痛不旋乃烏風。头旋不痛青風証，瞳黃黃風發脾經，淺綠如白肺經發，黑色黑風腎經名，烏帶渾紅心經病，青是青風屬肝經。外因头風痛引目，腦脂熱注忽失明。內因精伤不上注，左右相傳漸漸盲，或兼外因皆赤痛，內因不足補其精。”

五風初患有餘歌——“五風初患有餘証，除風湯內主羚羊，黑苓蠍尾車前子，黃芩白芍共消黃。”

五風初患不足歌——“五風初患不足証，通明補腎决明参，生地桔車芜芎細，引經寬散少加軍。”

黃風有餘歌——“已成黃風有餘証，須用通脾瀉胃湯，知母軍芩芜蔚子，石膏梔子黑参防。”

黃風不足歌——“已成黃風不足証，補益脾經山藥丸，人参山藥茯苓地，澤瀉防風同作圓。”

綠風有餘歌——“已成綠風有餘証，羚羊角飲黑参防，茯苓知母黃芩細，桔梗羚羊車大黃。”

綠風不足歌——“已成綠風不足証，还睛丸草木参苓，羌防菊地蒺蓉薯，牛膝藉藁兎賊芎。”

黑風有餘歌——“已成黑風有餘証，羚羊角飲黑羚羌，車前桔梗黃芩共，柴胡芜蔚細辛防。”

黑風不足歌——“已成黑風不足証，補腎丸中熟地黃，澤瀉芜蔚五味子，細辛山藥兎絲良。”

烏風有餘歌——“已成烏風有餘証，决明丸內决明辛，桔梗防風芜蔚子，車茯山藥共元参。”

烏風不足歌——“已成烏風不足証，補肝散內用川芎，熟地当歸蒺藜芍，木賊夏枯草防風。”

青風有餘歌——“已成青風有餘証，羚羊湯內用羚羊，元参地骨車前子，川芎羌活細辛良。”

青風不足歌——“已成青風不足証，还睛散內用苓参，防風地骨車前子，羌活川芎共細辛。”

雷头風歌——“头响如雷又似風，雷头風熱毒衝瞳，腦汁下注瞳色变，瞳人大小目昏矇，瀉肝苓梗消黃黑，羌活車歸知母龍，虛者磁石丸薑附，味黑丹皮磁石同。”

瞳神散大歌——“瞳神散大風輪窄，邪熱蒸之風气攻，或因思怒痰寒瘧，地黃丸內芍歸芎，巳丹柴知二地丹，参独藥味寒芜。”

本書除把以往有關青光眼的症狀和治療的方法以歌詞的方式寫出來之外，对於青光眼並沒有作了什麼權威的研究和观察。

清嘉慶顧养吾所寫的銀海指南書中記載有：头風牽目疾論，“头为諸陽之首，目为七竅之宗，一身之經絡，皆上接於首，而少陰厥陰少陽太陽之脈皆出於目系。若風邪乘之則为头痛，故曰头風；然有大小雷头風，左右偏头風，以及陽邪風陰邪風之殊。然究其原不过六經头痛而已，自有表症可察。蓋身必寒熱，脈必緊數，或涕淚鼻塞，或咳嗽項强，或背脊酸疼，按足何經，用藥各有所主。若太陽头痛，羌活藁本主之，陽明头痛升麻葛根主之。

若陽明胃九上冲，有達头维而痛者，宜白虎湯主之，少陽头痛柴胡川芎主之……若雷头風者乃滿头作痛，面皮疙瘩，宜清震湯主之，右偏头痛者宜補气散風，左偏头痛者宜养血除風，此治外風之大略也。若內風發動，有陰陽气血之辨。陰虛者乃水虧於下，而虛火乘之則痛。陽虛者乃陽衰陰勝，遇寒則痛。气虛者微遇外邪或劳頓則痛。血虛者以肝臟血脾統血，血虛則熱自生風，眩目耳鳴，此所謂肝風內動也……凡头風之症，最易損目者。蓋邪風上受，必犯空竅，肝開竅於目；为風木之臟，木動則生風，以風招風，內外合邪，故头風必害目也。或为旋螺泛起，或为蟹睛高凸，或为內外推雲，或为紅白垂簾，或为瞳神散大，或为內障青盲。此等症候，皆宜各隨其經考之脈象，臨症应变，不可执法而治也。”

顧养吾氏对於青光眼只不过作了很簡單的理論和治療的叙述，並未作任何臨床的观察。

在1912年以後陈滋編著的中西眼科匯通一書中，对青光眼曾把以往眼科書籍（審視瑤函、医宗金鑑、目經大成、东医宝鑑）加以研究，作了以下的叙述：

“雷头風，偏头風，五風变，綠風，黑風，青風，烏風，即綠內障。”

根据在中西眼科匯通一書的陈滋医師和陈任教授的序言中可以知道陈滋医師早在三、四十年前即从事於貫通中西医学的研究工作，尤其是在該書的各种眼病研究的後面还附着按語，这是陈滋医師多年來工作的珍貴成果。由於近百年來我國受着帝國主义者的侵略，而陈滋医師的動机和成果自然不为当時的一般医务工作者所重視，祇有在今後的日子裏方有可能。

總 結

我國有着四五千年的悠久歷史，但是有關青光眼的記錄在早期的文字中無所發現，只是詩經大雅篇中曾提出“矇”，關於目盲的史实，虽然在古書中也曾提出一些，由於没有詳細的記載也就無从進行研究。由於青光眼而致成目盲的史实，我們从史書中有關子夏哭子失明的記載中則僅見其端倪。

医学書籍則是由黃帝內經開始的，其中固然寫出了有關眼病的理論根据和青光眼的症狀，但是由於当時条件的限制，遂把一切由於視力消失的疾病統称为目盲。因此，目盲的內容極其廣泛。

關於青盲的名称，始見於後漢書，足見在公元二世紀以前医師已然知道这种眼病。

至於青盲名称的來源，虽然在我國失於記載而無从考証，但是从用顏色形容目盲來說明症狀这一點上，恰巧与希腊医学家 Hippocrates 氏对於目盲提出海綠色眼病的名称同一意义。其中是否在那个時候就存在医学文化的交流，还是偶然性的巧合，是有待考古学家的証明。

在隋朝巢氏諸病源候總論中首次把青盲的症狀和原因加以闡述，並没有深入的分析。

到了唐朝，在龍木論卷之首的第59問找到小兒目患青盲。第62問找到目患青盲翳，和第70問找到头風等最簡單的記載，王燾著的外臺秘要一書中，对於青光眼症狀的描寫和青光眼与白內障的鑑別診断和綠翳青盲以及烏風病的提出等，没有疑惑的当時对於青光眼的研究已經有了新的認識。並且指出应在早期就医，稍有因循則病成，便不能医治，同時並且認为眼孔不通（前房角閉塞）就是致成青光眼的原因。

从宋朝的太平聖惠方裏所提出的头風內障和聖济總錄裏所提出的各种头風（烏風、青風、黑風、綠風）症狀的闡述和处方來看，当時对青光眼就已經有了很清楚的認識，並且也把青光眼从青盲的統称中分割出來，足以說明在这一時期我國医学对於青光眼的研究有很大進步。

署名孫眞人著的銀海精微一書中，对於瞳人開大的治療作了最有兴趣的叙述，瞳人開大者忌辛辣之藥，並应以酸藥收之，这种最有價值治療青光眼的方法，我國在这麼早的時期就已經開始应用，是远超过其他國家之上。

从元朝李杲十書中的記載有關青光眼的症候來看，有了新的發現，五風变、雷头風和驚振等名称是首次見到的。此外对於致青光眼病的原因理論和瞳人改变的观察，外伤所致的續發性青光眼，也作了簡單的說明。

元末明初倪維德在他的原机啓微一書中提出，充血性青光眼的急性發作，其瞳人散大是由於情緒波動所引起的学說是空前的發現，而且他認为瞳人不復縮小者，永为不治之病。

明葆光道人的龍木總論不但用不同的內障名称对青光眼作了叙述，並且为了讀者或学者更容易牢記該病的症狀等还用詩詞把它編寫出來。元李杲十書只不过提出雷头風、五風变、烏風、青風等的名辞和很簡略的說明而已，而葆光道人对於以上所說的內障作了更進一步的描寫，令人对於青光眼發病的过程以及其不同的症狀有了更深刻的認識。同時他也指明，对於用手術治療青光眼絕对期的續發性白內障是毫無補助的。

明王肯堂著的証治準繩不但对青光眼有極大的供献，对全眼科也有極大的供献，他曾用大小雷头風的命名以區別充血性青光眼的前驅期和急性發作期，是前所未有的。在綠風內障証、黃風內障証和銀風內障証內也描寫了青光眼的絕对期和它的併發性白內障。此外他認为青盲是另外一种眼病，但是其中必然包括着單純性青光眼在內，这完全是由於当時医学知識的限制，不能够把它區别出來。

明朝末葉傅仁宇著的審視瑤函一書中，对於青光眼不僅有着新的論述，而且具有極为丰富研究的資料，最突出的就是指出如果瞳孔收縮視力即可恢復，对於治療青光眼应先收縮瞳孔，瞳孔不能收縮者，則永为不治之病。

此後清朝並沒有什麼光輝燦爛的成就，尤其是到了滿清末葉，外人內侵，帝國主义者的处心積慮使我國淪为半殖民地的國家，崇外風气日趨盛旺，遂把祖國固有宝貴的医学遺產遺棄殆尽。

1912年以後陈滋医師著有中西眼科匯通一書，書中不但把中医眼科医書有關青光眼病歸納在一起，並且还按照現在的医学知識用按語作了詳細的解釋，实在是我們眼科医务工作者研究祖國眼科最好的資料。

最後为了响应毛主席所指示中西医相結合和發揚祖國医学的号召，迅速地使我國的医学能够更好地面向工農兵，早日建成社会主义社会國家，願我眼科医务工作者在共產党和毛主席的領導下共同努力向前邁進，以期从速的擺脫奴化教育而繼續不断的發揚祖國固有的医学成就。

我國古代嶺南的恙虫病*

朱 師 晦**

恙虫病在我國一千多年前已有文献記載，但查"恙"字的意义，辞源釋为"憂也"、"病也"，倘有屬於兩种動物的名称：一說"恙，噬虫，能食人心，古者草居，多被此毒，故相問劳曰無恙。"草居時代，在我國有史記載以前，至少距今四千多年前的時候，就有此害人的毒虫，但是否为恙虫病，当不能武断。

第二說是（元）陶宗儀所著輟耕錄第四卷載有"恙或为獸，或为虫……"，这是一千五百年前所記載。又康熙字典 791 頁（廣韻）"㺊獸如獅子，食虎豹及人"（集韻）"如狻猊食熊羆"，又神異經"北方大荒中，有獸吃人則疾，名曰㺊㺊。恙也常入人室居，黄帝殺之，人無憂疾，謂之無恙。"依此，則古代的㺊是北方一种兇猛惡獸，常出害人，故不能說与今日南方的恙虫病有何關係。

距今一千六百多年前的晋朝，葛洪抱朴子說："沙蝨水陸皆有，其新雨後及晨暮前，跋涉必著人，唯烈日草燥時差稀耳，其大如毛髮之端，初著人便入其皮裏，其所在如芒刺之狀，小犯大痛，可以針挑取之，正赤如丹，著爪上行動也，若不挑之，虫鑽至骨，便周行入身，其与射工相似皆殺人。人行有此虫之地，每还所住，輒当以火炙燎令遍身，則此虫墮地也。"这說明此蝨是生活於水或陸地上，在雨季裏的早晨或晚上，有人行踏沙地，遇此蝨，蝨会爬上人身，並像毛髮的刺痛，鑽入皮肉，蝨为赤紅色，蝨入於皮膚時，可用針挑取之，如虫已入肉不挑出，可使人發病死亡。最後还談到預防此病的方法，到有这种虫的地方去歸來時，应以火炙身，以驅除爬到身上的蝨，作为預防的措施。这些叙述和早年日本發現的河流熱的流行病学很相似。

另外有一篇文章是一千三百多年前隋朝巢元方所著的巢氏病源学內關於沙蝨候的記載："山水間有沙蝨，其虫甚細，不可見，人入水浴及汲水澡浴，此虫著身，及陰雨日行草間亦著人，便鑽入皮裏。其診法初得時皮上正赤如小荳黍粟，以手摩赤上痛如刺，过三日之後，令百節疼强痛寒熱赤上發瘡。此虫漸入至骨，則殺人。人在山澗洗浴竟巾拭，㸌㸌如芒毛針刺。熟看見处，以竹簪挑拂去之，已深者用針挑取虫子，正如疥虫著爪上，映光易見行動也。挑不得，灸上三七壯，則虫死病除，若止兩三，不能为害，多处不可尽挑灸，挑灸其上，而猶覺昏昏，是其已入深，便应須依土俗，作方術拂出之。……"

巢氏所載的，頗似葛洪抱朴子的記述，但內容更为詳細，符合於科学性，分析如下：

"山水間有沙蝨"——流行病區在於近水地方。

"其虫甚細不可見"——恙虫是一極小的蟎類，小蛛体大在 0.3—0.5 毫米，故確極細小，而不易由肉眼可見。

"入浴及汲水澡浴，此虫著身，及陰雨日行草間亦著人"——入水中沐浴或汲取河水澡浴，陰天行草地，虫都可以爬到人身上。正如我們今日知道小恙虫出土後，是停留在草上或被冲入水中，動物經过，即爬至動物体上吸着皮膚。

"其診法初得時皮上正赤如小荳黍粟"——对初期診断上，要認識虫咬的伤口顏色發紅，大小如小荳或黍子粒，手摩觸此咬口，是有痛感的（正如今日所見的恙虫穿入皮膚处所生的"初瘡"的形狀）。

"过三日之後，令百節疼强痛寒熱赤上發瘡"——經三天潛伏期後，虫咬处發生潰瘍，發寒，及全身關節疼痛，这些局部和全身症狀，正符合恙虫

* 本文曾於 1955 年 6 月在中華医学会廣州分会学術交流大会宣讀

** 華南医学院

病的臨床症候。

“此虫漸入至骨，則殺人”——入骨的意思就是深入身体內部的意思，那時的观察者以为虫可以深入至骨，其实就是說病更深入，嚴重的使人死亡。

“人在山澗洗浴竟，巾拭㨉㨉如芒毛針刺”——这是說及預防法，在河澗中洗浴後，要取手巾拭身体，及至皮膚發熱感有痛为止，这样可將虫拭去。另外应当小心檢查看見有虫可以竹簪將虫挑出，挑不出來可以火灸之使虫死。

“虫子正如疥虫，著爪上映光，易見行動也”——此時已能觀察出恙虫的形狀，知其似疥虫，能作生物学上的鑑别。当時未有顯微鏡而只將虫放在指甲上对光觀察，而能微細見其形态及行動，可想当日我國的科学已走在世界上的前头了。

“多处不可尽挑灸，挑灸其上，而猶覺昏昏，是其已入深，便应須依土俗，作方術拂出之”——虫太多的則不易完全挑尽灸尽，挑灸後病人仍是昏昏狀态，就表示病毒入体已深，則应用藥物处方治療。

又备急方（卷之七第32頁治卒中沙虱方第66）的記錄，大都与巢氏病源內所載相同，其中有一段說“比見嶺南人，初有此者，即以茅葉，細細刮去，及小伤皮則为佳，仍敷塗苦苣菜汁，佳。”古代指嶺南是閩粵兩省，嶺南必是常有此沙虱病已久，对於預防，相当有經驗，所以民間見有此虫着身，都知道取茅葉將表皮輕輕刮去，使毒不会入身，同時塗上苦苣菜汁作为消毒之用。什麼是苦苣菜呢？中國医藥大辞典902載“苦苣”即苦菜之古籍別名。“苦菜”又名曰貝母（本經）、游冬（別錄）、苦苣（嘉祐）、龍葵（唐本草）、褊苣（日用）、老鸛菜（救荒）、苦蕒、敗醬、天香菜（綱目）、野芥子、黃瓜菜、芥子薊（日本）。苦菜效用（唐）陳藏器本草拾遺論苦菜曰：擣汁飲，除面目及舌下黃，其白汁塗丁腫拔根，滴癰上立潰。（宋）寇宗奭本草衍义論苦菜曰點瘊子自落；（宋）大明諸家本草論苦菜曰傅蛇毒；（明）李時珍本草綱目論苦菜曰血淋痔瘻；依此可知苦菜是一种治瘡消毒，及清蛇毒的良藥，故將其汁滴在蝨咬处，可以消滅病毒之用，这裏是值得我們來研究的。

又在一千零六十五年前的唐宣宗時代，李德裕宰相被貶至崖州（瓊崖）曾著有次柳舊聞会昌一品集，其中有記錄越过海南的嶺南山峰時所詠的三体詩，大意是：“蠻地海南島的嶺南空中很多燕子飛舞，这燕为作巢計，以嘴运泥，因为是泥，嘴中破碎而落泥，設若有人接觸了这落下的泥，就会被其中的恙虫所螫而發恙虫病。敬告旅行人，越这山屹切須警戒，莫被空中落泥所中。”

宰相李德裕並非生物学家亦非医学家，距今一千多年前我國亦未有顯微鏡來观察微生物，而当時李氏能明瞭此恙虫病可从燕子含泥而作傳播，恙虫生活於泥土中成幼虫期而出土咬人，这是現代科学所証明的，据李氏所說是很有道理的。而当時亦指明在嶺南地區，特别說明在海南島，此說与前巢元方所寫的“比見嶺南人”亦相符合。李氏並且警告旅行人，越过山屹切須警戒，劝人臨此毒區時，有所警惕，不要被傳染恙虫病。查日本人自称恙虫病是他們的学者一手完成所研究而發明的，但他們的發見是在十九世紀時代，我國的記載已早过一千多年前了。可惜那時我國未有人注意把这种發明繼續研究及發表出來。

距今四百六十多年前李時珍考証有載“沙蝨”之釋名“便蟹”、“蓬活”、“地蜱”等名称，其实为同一物，李時珍又引証前人郭义恭所著的廣志述“沙蝨，在水中色赤，大不过蟣，入人皮中殺人。”赤为紅色也，而大不及蝨子的卵，大小与顏色与今日的紅恙虫是相符合的。

李時珍又分析“溪毒，射工毒，沙蝨毒三者相近，俱似伤寒，但不同一种毒，恙虫病亦屬斑疹伤寒之一种，正如今日分開伤寒病有很多种，如斑疹伤寒。

李時珍曾述“閩粵兩省有一种惡性流行熱症，乃由沙蝨傳染者，其症狀有‘潰瘍’、‘發熱’及‘疹子’。”此种記載恰与今日恙虫病的三大徵狀相符合，証明当時对恙虫病已很有明確的診斷了。

總　結

1. 我國古代數千年前的“恙”字可能有二种意义，一似惡虫噬人而可致病，另一意义似猛獸“㺊”噬人，在草居時代可能數千年前，地點尙在北方大荒中，这可能不屬於恙虫病了，因恙虫病是南方溫熱地帶的近河流沙地發病。

2. 及至一千六百多年前的晋朝，葛洪抱朴子記載的“蝨”可能就是“恙虫”，隋朝，唐朝，及至明朝記錄虽無正確有系統性的研究，但由前後一連串的文献可以看出对恙虫的形态，生活情況，發病地帶，傳染情形，臨床特徵，診斷方法，預防及治療方法以至於豫後不良等等，已有很詳細的記述，当時虽然没有細菌学的学說，但已完全符合今日的恙虫病，並且証明此病在嶺南流行了很久，可見祖國过去科学的發達，已經超过当時的全世界了。如葛洪，巢元方，李德裕，李時珍者不但是先進的医学家，亦可說是祖國先進的生物学家。我們後代未曾加以繼續研究及發揚，不但是可惜而且是慚愧。

吳其濬和植物名实圖考

王筠默*

吳其濬先生的名字，是研究植物学和本草学的人所熟悉且推重而敬仰的一个人。由於他的实事求是的鑽研精神和孜孜不倦的治学态度，他給植物分類学，生藥形态学，藥物治療学留下了宝貴的文献，这部宝貴的文献就是他死後二年山西巡撫——他死後職务的繼任者陸应穀先生代他序刻的"植物名实圖考"及"長編"。圖考凡三十八卷。長編有二十二卷。全書共六十卷，分裝六十大册。

吳其濬到底是怎样的一个人？虽然說距現在不过百餘年的時間，但是很多人不太清楚，对於他也不过是从陸应穀的序文中稍知涯略而已。当今政府倡導研究中医中藥的時候，而这位对於研究中藥提供实物圖片，文献產地形性考証及藥物歷代綜要記述的人，应当首先介紹出來，和大家認識。尤其是現代流行的"本草綱目"張紹棠冶山竹居版本（商务印書舘鉛印版的祖本），大家都看到"本草綱目"首册的藥物圖影，仰慕李時珍的偉大，但是其中許多圖片，已經不是李時珍的原圖，而早由張紹棠換上了吳其濬的圖。所以流行版的"本草綱目"的圖，已經早和原版的"本草綱目"的插圖不同了。从金陵胡氏刻本起，下經江西版、錢氏版、張朝璘本，吳毓昌本，同仁堂本、芥子園本、三樂齋本、衣德堂本、英德堂本等等刻本的藥物插圖都和今流行的張本不同，而且没有附錄趙学敏的"本草綱目拾遺"。自从趙著在同治年間为杭人張应昌校刊後，所以在光緒年間的張紹棠便在"本草綱目"原有的基礎上，便做了兩項重要的改革和補充。我們既然很敬重李時珍，当然对李時珍以後的趙学敏和吳其濬，更不該遺忘。

"吳其濬字瀹齋，固始縣人，嘉慶二十二年一甲一名進士，授修撰，官山西巡撫，道光二十六年卒，詳名臣傳。"[1]这幾句簡單的介紹，是中州藝文錄上的記載。吳其濬的学識和才智，从"一甲一名"这四个字就可以充分說明。在他的同年考場中和名人年譜記事中，先都以他的名字做起首。例如在"歷代名人年譜"中，揭開他赴考的那一年，上面寫着："嘉慶二十二年（丁丑）：是年翰林榜一甲吳其濬、凌泰封、吳清鵬……等七十一人。"[2]可見他是七十一名進士中的第一名，也可說是当時全國赴試学子的精華中的第一名，是肯定的。

他成進士前一段的生活，都找不出詳細的記載，不过从"中州藝文錄"固始縣的人物看來和乾隆年的固始縣志看來，他的家族是当地很大的有名的一个家族，而且乾嘉時期他的族家長輩在京为官者甚夥。由於固始縣人民政府的帮助，我得知吳其濬先生許多確实的事蹟，而这些宝貴材料部分是根据吳氏家譜的記載，部分是吳氏後代玄重孫吳明焌先生（字灼南）的口述材料。吳先生字瀹齋，这是書册上可考的，但是从实地調查中，又知先生别号吉蘭，是固始縣城內东門大街人，他的住宅称为"宮保第"，嘉慶15年庚午科中試为第三十一名举人，在22年丁丑科会試中試第二百三十一名進士，殿試一甲第一名"狀元"。"固始縣志"为乾隆51年9月謝聘重修的卷本，而吳先生是54年生人，所以該年的縣志没有先生的記載。以後固始縣未再修过縣志，所以从縣志中無法找到吳先生的材料。由固始縣人民政府提供的材料，吳姓氏族是前清該縣的"四大家族"之一，所以从这裏可以推知他的幼年环境。

至於他有"功名"以後的記載和他的事蹟，在"清史列傳"中最为詳細。"吳其濬，河南固始人……由举人捐內閣中書，嘉慶二十二年（公元1817年）一甲一名進士，授修撰，二十四年充廣东鄉試正考官，道光元年充实錄舘纂修官。旋丁父憂。五年（公元1825年）丁母憂，八年服闋，九年充日講起居注官……十七年充浙江鄉試正考官，八月授兵

*山东大学医学院

部左侍郎，命提督江西学政。……署湖廣總督，十一月授湖南巡撫，……二十三年五月調浙江巡撫……閏七月調雲南巡撫……八月以捐輸东河河工，賞加五級，尋署雲貴總督。……二十五年調福建巡撫，……旋調山西巡撫兼管鹽政，……二十六年以舊疾屢發，陈請開缺，允之，旋卒。……”(3)，他生於乾隆54年己酉二月初六日卯時。死於道光26年丙午（公元1846年）12月11日申時。(以上月份係指陰曆，不是現在通行的陽曆。)，於道光27年10月初八日未時葬於固始縣城南八里松鄉，享年58歲。在过去封建社会裏，往往对不幸早死的人，說成是“造物忌多才”。实际上多才多藝的人，聰明才智高出一般人以上，往往有很大的抱負，尤其像吳先生这样的人，事業心很强，朝夕鑽研，廢寢忘食，怎能不積劳成疾呢。我們对这样一位辛勤劳动的人，能做别人所不能做而为学術界樹楷模的先輩，竟不能長寿，不能再留下更多的成功著述，实寄予無限的惋惜！

从吳其濬的生卒年譜可以看出來，他中進士的那一年已經三十歲整。成“植物名实圖考”暨編，是在中進士以後二十八年內的事。据陸应穀的序文看來：“……瀹齋先生具希世才，宦跡半天下，独有見於茲，而思以愈民之瘼。所讀四部書苟有涉於水陸草木者，靡不剬而輯之，名曰長編。然後乃出其生平所耳治目驗者，以印証古今，辨其形色，别其性味，看詳論定，摹繪成書，此植物名实圖考所由包孕万有，独出冠時，为本草特開生面也。……”(4)从此可知吳氏所作，实古人所未做，吳氏所办，誠古人所难办。有他的特殊兴趣，才力和学識为基礎做出發點，他走遍了大半个中國，而且有权勢，所以在那時，他每到一处，就可有力量動員当地有名的医生和辨驗藥材的藥工以及善於繪画的人，共同努力完成他这部著作。因为“植物名实圖考”既为陸应穀所序刻，可以証明吳氏並不完全滿足於他自己現有的成就，否則，他生前又为何不命山西府署刻版呢？如果吳氏再多活幾年，这部書的內容，一定更充实，更完全。也一定出現吳氏的自序，也就有可能把和他共同致力工作的無名人物都一一的介紹出來。

“植物名实圖考”最偉大的地方，是圖考，而不是長編。正如同陸应穀說的而且直到現在我們研究本草学的人还是照样是如此認識的：“……天下名实相符者尠矣。或名同而实異，或实是而名非。先生於是區區者，且決疑糾謬，毫髮不少假，……”这样就把有許多别名的中藥，許多不同品种的某一中藥用实物和產地治驗等方法比較对照出來。正如同我們現在研究中藥所感到的第一个困难是生藥植物学方面的問題一样。現在研究中藥如常山、白头翁等等不是因为品种問題鬧了很久嗎？偉大的吳其濬怎能不对本草学罗列的中藥品种感到有責任搞清楚呢？当時流行的古典本草，当然是“証類本草”及“大观本草”。但是試看本草上每一味中藥，都不只一个圖，兩个或兩个以上，而且画的圖像很不相似。如果再到中藥店買點來比較一下，更成問題，也可能中藥店所賣的和書上完全不同，甚至为其他东西。“証類本草”明明記載不同的產地，例如天門冬，有“漢州天門冬”、“西京天門冬”、“建州天門冬”、“梓州天門冬”、“兗州天門冬”、和“溫州天門冬”等六种，就有六个不同的圖，朮有“荆門軍朮”、“石州朮”、“舒州朮”、“越州朮”、“歙州朮”、“商州朮”和“齐州朮”、等七种，七个不同的地方出產了七种不同的“朮”。这是些实际問題，这是自从“神農本草經”以後即遭遇到一兩千年而且是越積越多越难解决的問題。藥物是直接關係人民健康的，吳先生便把这个千餘年積累下的重担，挑在他的肩上。下尽功夫，从实际出發。藥物既因產地而有不同变种，於是就有机会使他到了十幾省做实际調查研究的工作。見其物，圖其形，尽意描寫形态和生長情况，实事求是，不虛假，不誇大。每到一处，立即做藥產学的調查，並取实物对照古本本草和当時中藥店現貨加以比較。例如鶴虱一藥，他那時已經發現用胡蘿蔔子來代替的事情，（卷11頁16天名精註文）而至今寧滬一帶仍是沿習未改。他以实物精繪附以形性簡說的格式，完成了圖考38卷。內分穀類52种、蔬類176种、山草201种、隰草284种、石草98种、水草37种、蔓草235种、芳草71种、毒草44种、群芳142种、果類102种、木類272种。以上共計1,714种。

他在完成圖考的同時，並進行了長編的撰述工作。長編22卷。將每藥自“神農本經”、“名医別錄”、“弘景集註”開始，記錄它們的藥性。並參考了“唐本草”、“藥性論”、“日華子”（这些材料恐係由証類轉錄）“救荒本草”，“本草綱目”以及諸子百家的文献。所謂圖考就是他“身治目驗”研究工作的实地紀錄。所謂長編就是各个中藥古代文献的整理編纂。所以按價值論，圖考比長編更有貢献，也最是他心血的結晶。惟長編總目的次序並不和圖考完全一致，在圖考是穀類、蔬類、山草、濕草之後为石草、水草然後蔓草，而長編把水草、石草放在蔓草之後。圖考在蔓草後，有芳草、毒草，但長編把芳草置水草、石草前，而將毒草置於水草、石草之後。總的次序，也有問題，在圖考 23 卷为蔓草、芳草、毒草，到 25 卷，又出來芳草。顯見次序不够嚴整，这些小疵，恐怕都是校刊者所为，而与吳先生無咎，亦不足於使吳著損色。試翻開原版圖，確是感覺画的精美而確实。从这些逼真的圖，使後世研究中藥的人得以按圖对照实物，为進一步对藥用植物生藥学研究打下良好基礎。吳氏的主要貢献就是实踐出發的研究精神和他在圖考內提供做後世研究植物鑑别种名的宝貴材料。1919年商务印書舘在鉛排該書時曾說过歐西学者競相購求該書的情况，日本的植物学大家牧野博士的鉅著“日本植物圖鑑”，也可以說是日本人在利用植物名实圖考这部宝貴材料做進一步研究的心得。可見該書对於世界学術影响之大！近年裴鑑周太炎二氏所編“中國藥用植物誌”，錄出不少幅，多採自本書，並从而証明吳氏原圖是可以經得起現代科学考驗的著作。縱然有些圖画稍嫌粗率，但總不能拿現在条件來苛責古人。

吳其濬既因陸应穀氏的序刊其書而知名於学術界，对於陸氏这种与人为善不泯人功的优良品質，应該同样地受到愛戴。此与窃夺他人劳動成果之人，正是顯明对比。

吳著序刊後，不但对中医中藥别開了生面，对於世界医学的影响也很大。正如 1919 年商务印書舘鉛印重排植物名实圖考[5]的時候所說的，世界各國研究植物学和藥物学的人，都注意到这部鉅著，拿它做为研究的資料。日本在明治維新以後，虽然蘭学漸微，力圖学習西洋科学，但对於具有科学性的吳著却仍大加推崇。所以在明治 22 年，日本就出版了小型木夾板式的“植物名实圖考”38卷[6]。並且在序言上說明在圖繪上又加以校正。可見國外对於本書的重視。後來出版的書如牧野富太郎編的“日本植物圖鑑”，也有很多地方借重於“植物名实圖考”之处，前面已有介紹，不贅述。

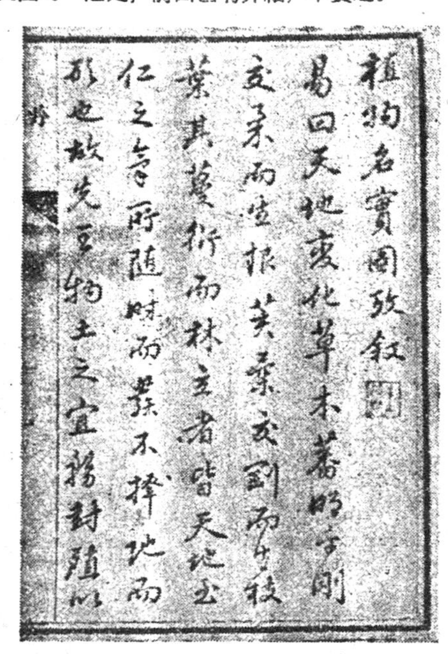
植物名實圖攷敘
易曰天地變化草木蕃明乎同
文柔而生根荄莢莖或剛而生枝
葉其蔓衍而林立者皆天地至
仁之含所隨時而發不擇地而
形也故先王物土之宜務封殖以

圖 1 道光山西撫署原刻本
（此版頁迄 1919 年未毁，光緒及 1919 年兩次重印，版型如一。）

關於“植物名实圖考”的版本，最初是道光28年（公元 1848 年）陸氏太原府署序刻本。原刻初印本是包有八大布函的棉紙本。繼印有十夾板的白連史紙本。原刻初印本如圖 1，以後到了光緒庚辰有曾國荃序葆芝岑補刻本，即世所謂山西濬文書局版本。如圖 2，这种濬文書局本，据曾國荃序称：“……板存太原府署，散失板片五十有二，芝岑商於余，从印本橥刊如毁，依次補入，工費無幾，庶是編得称全書，使數千百十板，不致終为爨下物，誠善举也。……”可見光緒版，已較道光原板補充了五十二塊板。仔細檢查，字劃較粗，与原刻有别。並且在每頁補刻的版心左側書明“濬文書局補刻”字样。以後曾國荃即奉調去山海關，而葆芝岑即代曾为山西督撫。

國內的第三次板本，为 1919 年秋山西官書局的重印本。又補充了一些新板，字劃如同小学生寫的字蹟一样，一望即知。与道光原刻比較，絕大部分虽仍保留了原始面目，但圖版一再重印，木板漫患之处頗多，所以圖考上的圖片，也就不如原刻清晰了。重印本首頁为隸字，次頁为图序，如圖 3。幸而山西官書局版所採紙張为“上上扇料”白連史紙，所以印刷得並不算坏。紙張坏的是光緒版。道光原版虽亦为白連史紙，但紙質較差，色較暗。三次的版型是一样的，所以版本大小差不多一致。因为主要是補版而且是很少數，故版型紙型不能和其他改版書重印的有大差別。为了說明道光原刊本的特點，我必須再照兩張照片。圖 4 是植物名实圖考長編卷之六第 83 頁的前半面，这是原刊本，83 及 84 兩頁在光緒時还沒坏板，到 1919 年板坏了，所以又補刻的。圖 5 是長編卷之十第 32 頁前半面。版在光緒時坏了，由濬文書局補刻，故光緒板不但在字跡上与原版不同，且在後半頁版心部分有“濬文書局補刻”字样。因为光緒時換的板，直至 1919 年未坏故在 1919 年山西官書局本又復印了一次。由圖 4 圖 5 就可充分証明道光本的原刊面目。

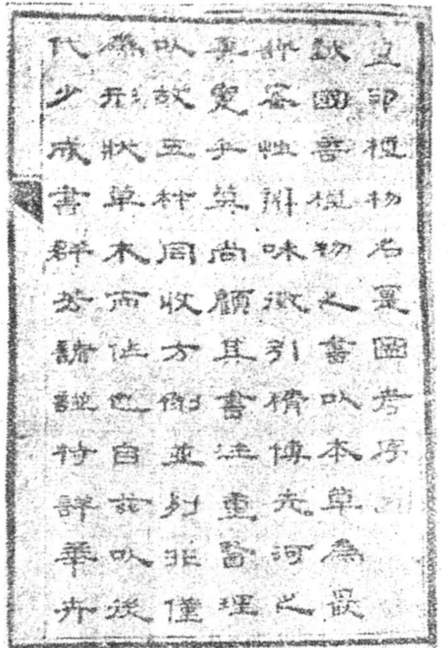

圖 3　1919 年山西官書局重印本
（1919 年新刻，列卷首頁。）

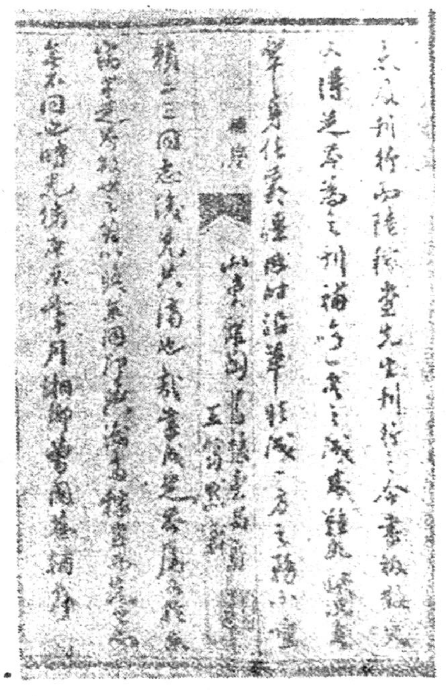

圖 2　光緒山西濬文書局補序本
（此版頁为光緒刻，迄 1919 年未毀，故 1919 年重印本，仍为此版。）

圖 4　道光原刊本圖影
（与1919年山西官書局本比較，不同。）左上角頁碼为作者編製索引時所加。

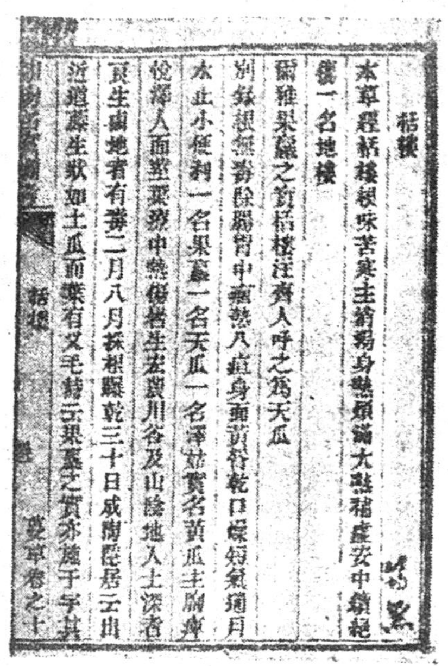
栝樓

本草經栝樓根味苦寒主消渴身熱煩滿大熱補虛安中續絕傷一名地樓

爾雅果臝之實栝樓注齊人呼之爲天瓜

別錄根無毒除腸胃中痼熱八疸身面黃脣乾口燥短氣通月水止小便利一名果臝一名天瓜一名澤姑實名黃瓜主胸痺悅澤人面莖葉療中熱傷暑生宏農川谷及山陰地入土深者良生鹵地者有毒二月八月採根曝乾三十日成陶隱居云出近道藤生狀如土瓜而葉有叉毛詩云果臝之實亦施于宇其

植物名實圖考 栝樓 蔓草卷之十

圖 5 道光原刊本圖影

（与光緒濬文書局本比較，不同。）

除了上述一版三次重印，因为第二第三兩次補刻了一些，故亦可称为三版外，第四种版本就是1919年商务印書舘重排的鉛字本。該版为道林紙，精裝兩厚册。序中称圖的縮小是影縮，但看來已与原圖相差很多，該書旣以圖为重，故此版除引用文字有目可查較为方便外，頗不足取。如果轉引这些縮小的圖，是不好的。但不过鉛印本也有兩个优點：一为鉛排字体小，分裝兩册，較60册的線裝大本携帶方便。另一點就是原書檢査不便，商务印書舘重排頁數，製訂索引，翻檢頗便利。此版的出刊，与閆刊山西官書局本同年。

第五种版本，就是上面已經提到过的日本明治年間小型木夾板本。圖形約为原刻尺寸的二分之一，但甚淸晰，据其前記，此版已有修訂，係黃色毛边紙，非日本皮紙。文字为寫体，観之，似石印寫体。祇見圖考，未有長編。

第六种版本是1915年雲南圖書舘的重印本。共圖考38卷，分裝48册。版型尺寸如日本刊本。大致和今日的白報紙32開差不多。不过不是白報紙，而是白粉紙。此版完全是照日本版重印。首为由雲龍氏的重刻植物名实圖考序，次为陸应穀原序，再次为明治17年伊藤圭介的重修植物名实圖考序。重印圖很不淸楚。"植物名实圖考"的版本，据我知我見，有以上六种。我的意見是將原刻初印本，在板匡上方的書角上标註頁數，並以藥物名称字劃的多寡編製索引，然後請國家出版社影印出版。这样不但可以保存原版的眞蹟，而且增加翻找的方便。如此在保存文献和研究中医中藥上，都是有重大意义的工作。但影印最好不要用白報紙，宜行採取非薄紙堅而耐久的紙料。

如果以研究中藥人的眼光來看"植物名实圖考"，它也具有一些令人不十分滿意的地方。有以下幾點：

1. 藥品种類不够齐备

本草經上的植物藥如竹葉、彼子、翹根、別覊、石下長卿（别名徐長卿，与徐長卿别名鬼督郵者不同。）姑活（一名冬葵子，与上品的冬葵子不同），屈草、雷丸及淮木等一概無有。

2. 圖繪精粗互見

前面已言，本書以圖为重，各圖且多精繪，但劣圖亦有。如韭、山韭、蕺菜、貝母、石瓜、黃瓜菜、白微、秦艽、連翹、蛇含等。也有一些从"証類本草"轉繪的圖，証明是未照实物，为何不照实物繪，由吳先生全書的精神，可以推知未見实物之故。如永康軍紫背龍牙、施州半天回施州露筋草、宜州半边山、信州紫袍、福州建水草，福州鷄頂草、常州菩薩草、密州胡堇草、秦州苦芥子等。

尙有些轉繪自"救荒本草"，如鷄腸草（"救荒本草"名鷄腸菜）、卷五中採自"救荒本草"之藥物如地瓜兒、星宿菜、山苦蕒等數十种。"救荒本草"的圖幾全部編入圖考，而文字亦全部引用，这幾百張圖都很坏。卷五、卷十二幾乎全部都是。

还有的圖是照"本草綱目"轉繪的，如山草類卷八中的硃砂根，綱目原圖很坏，也就照繪下來。尤其是不像样的是卷35頁64的烏木，和"本草綱目"圖卷下烏木（烏樠木）原圖比較，簡直是粗枝大葉，应付了事。"綱目"的原圖本就不好，"植物名实圖考"轉錄的圖更坏了。

3. 有圖無文

圖考中有部分圖僅有圖而無文，这可能是因为吳氏死的早，未來及撰著之故。如卷八之杏葉沙參、細葉沙參，皆有圖無文，不知究有何用途，習性，使後人研究，增加困难。

4. 僅繪圖無名無文

如卷10頁5有一張圖，無名，背面也無文介紹。这是因为吳先生生前未曾註釋，死後由他人校刊，当然祇好缺如。

5. 一物數圖未加訂正註釋

如卷10頁13，前後兩面有兩張"釘地黃"的圖，但頁14的介紹文中並未說明，也未分辨。是否兩种都如文中所說的用途，也未註明。卷11大薊有二圖。卷11"艾"有兩圖。卷11"牛膝"有二圖。卷11"藍""地黃"均係二圖。卷15"公草母草"有二圖。卷20"懸鉤子"有二圖，"黃藥子"有三圖。卷22"羊桃"有三圖。卷24"天南星"有四圖。

6. 有圖有文但無名

卷10頁35及36均係有圖有文，但無名。卷13頁41—46均無名。卷15頁18—21均無名。卷19頁44、51均为無名之物。卷21頁10無名。無名者頗多，宜定名。

7. 引据錯誤之处

如王不留行（卷11頁77）文中謂"別錄"上品，"別錄"係"本經"之誤。卷33頁35桑上寄上"別錄中品"係"本經"上品之誤。卷7頁18升麻，註为"本經"上品，係"別錄"之誤。又卷一大豆註为本經中品，係下品之誤。

8. 普通的东西有時疏忽遗漏

例如在果類只有林檎（卷31，林檎即沙果。）但缺乏蘋果。有橘皮味而果小皮青的臭漆也無有。

9. 裝訂不愼，頁碼重覆

有的本子裝訂不愼，發現重覆。例如我藏道光原刊本，其中一部在我編定号碼後，發現卷23頁75的象头花，又重覆出現在頁78紫背天葵之後。这当然与吳先生無關，但在我編完頁數後訂製索引時方發覺，致使頁1,841以後，中缺頁1,842（与1438頁象头花重覆），如果一改，全部号碼改変，頗屬梗梗。全書60册，計4,404頁，但因为1,842係重覆頁，故实际上是4,403頁。現已編成索引，标註頁數，閱讀非常方便。

10. 体例不整

例如卷32溲疏文下，只云"前人無確解"，脫落"本經下品"四字，宜加之。又有的只寫明是"宋圖始著錄"，圖字之下顯然脫落一"經"字。又如圖考和長編各物介紹的次序不同，前後互見。

11. 一名數物，乱人耳目

例如卷10頁7—10有四种"土常山"，卷9頁37—40有三种"土三七"，卷9頁17的"小青"和卷14頁48的"小青"，根本是兩种东西。卷10頁20的"山豆根"和卷20頁29的"山豆根"，是兩种东西。水松一物，在圖考卷31果類有其圖，長編果類卷16著其文，但長編水草卷13的水松是"本草拾遺"上的，在圖考上沒圖。一为草，一为果，其名皆"水松"，很易混淆。圖考卷13頁8及卷14頁73有兩个水楊梅皆云"本草綱目"始著錄，但卷38木類頁33又出來一个"水楊梅"，而在長編卷8頁44的水楊梅，未指明解釋究係前二种的那一种。与上面類似情况，有白蒿、白头翁、見腫消、胡頹子、草石蚕、接骨木、紫花地丁、紫參、通草、鷄桜、鷄腸草等等，恕不一一說明了。俟該書影印時，再提供較詳的校勘記。

最後，關於吳先生的家世，除以上介紹者外，就其著作"植物名实圖考"中也可略知一二。試讀卷31頁36蜜罗条下有謂："……吾少時侍先大夫於楚北学使署中，有幕客自施南回，携一果見啖如橘柚而形不正圓……越二十餘年，儤直南齋歲騷賜果一简，題曰蜜罗，蓋閩中疆吏所進。時大寒，纔作堅冰，以溫水漬之，剖置茶甌，一室尽香，亦內臣所授也。尋使湖北，按試施州，筵之核盤之供，皆是物也。……"可見他的家長和他的童年生活情况。又査卷7頁2人參条下有謂："……凡文武二品以上及待直者皆預。臣父臣兄备員卿貳，歲蒙恩賚。臣供奉南齋時，叠承优錫（錫应讀作賜），其私販越關入公者，亦蒙分賞，自維臣家俱飫仙藥，愧長生之無術，荷大造之頻施，敬紀顛末，用示後人。……"这是吳氏的自記，比任何書的記載都確切。可見吳的父親和哥哥都是当時的大官，而他自己在南書房工作時，更得到皇太子賜以人參，所以有这一段逼眞的記述。

吳先生的著述除"植物名实圖考"外，尙有"念餘閣詩鈔"，"滇南礦廠圖略"，"雲南礦廠工器圖略"，"滇行紀程集"等。

吳先生後代，長重孫現任大学敎授，次重孫居固始，玄孫在空軍部門工作。特併告世之愛吳先生者。

本文蒙固始縣人民政府帮助及吳氏後代供給材料，特致謝忱。

參考文獻

1. 中州藝文錄卷三十三，頁十五，經川圖書館乙亥年校刊。
2. 吳荷屋：歷代名人年譜，青華書局版。
3. 清史列傳三十八册，頁二十六至二十九。
4. 陸应穀序刻：植物名实圖考，山西撫署原刻本，道光二十八年。
5. 商务鉛印重排本序言及凡例，民國八年（1919）。
6. 日本明治年間的小型木夾板本。圖考分三夾板，首頁有序文說明。

溫病發展簡史

時逸人

溫病学說，是从伤寒基礎上發展起來的，这是不可否認的事实。所以要研究溫病学說思想的变遷，必定先要追溯其源流。

內經熱論篇：“熱病皆伤寒之類”，論病情，虽有伤寒熱病之分，而受熱來源，及發病原理，同屬時令感冒性病症之一類，古医經驗之言，足可为後世所取法。难經58难說：“伤寒有五”，以中風、濕溫、溫病、熱病等，包括於伤寒門中，後世有廣义伤寒的名称，实自难經始。以上皆可証明伤寒与溫病，同屬一類的病症，但其症狀与治法，仍有顯著的分別。

史記，倉公治熱病，用“火齐湯”。周澂然溫証指歸解釋說：“火齐湯，即三黃湯之別名”。是溫病治法，宜涼不宜溫，主裏不主表，前乎仲景，已有成法，迨仲景伤寒論，尤有顯明的區別：“太陽病，發熱而渴，不惡寒者，曰溫病；發汗已（疑为自汗出之訛），身灼熱者，曰風溫”。非但伤寒与溫病的症狀治法，不容混淆，即溫病与風溫，亦有分別。柯韻伯解釋說：“寒去而熱罢，即伤寒欲解証；寒去而熱熾，即溫病發現症。如服桂枝湯，大汗出後，大煩渴不解，脈洪大者，即是溫勢猖獗，宜用白虎加人參湯之類。”这是治溫病最早的方法。

千金治溫病方法，大都与陰陽毒混合立論，外台論溫病，多兼論溫毒，对溫毒發斑診断，“赤斑者五死一生，黑斑者十死一生”，实为經驗独到的話語。朱肱類症活人書說：“溫熱二义，为熱之多少而異”；是知溫熱病与伤寒的症狀治法不同。所以說：“麻桂二方，祇適宜於冬令西北方之病人，若江淮間，惟冬令及春初可行，自春末及夏至以前，可加黃芩半兩（活人書中，以桂枝加黃芩即为陽旦湯，是否祇好存疑。）夏至後可加知母一兩，石膏二兩，若病人素寒，正用古方，不必加減也。”

其伤寒十劝中，第一条即說：伤寒头痛，身熱，便是陽症，不可用熱藥；第三劝說：伤寒不思飲食，不可服溫脾藥；第四劝說：伤寒腹痛，亦有熱症，不可服溫暖藥。这都是經驗独到的話，应当深思熟讀。

又朱肱自序說：“病家曾留意方書，稍別陰陽，即知熱症召善治熱症之医家，如为冷症，則召善治冷症之医家，往往应手而效。”則宋時医家，已有寒熱兩派之不同。

金代刘河間，以陰陽分作表裏，並反对朱肱以陰陽为寒熱的說法，蓋河間祇知有熱症，这限於主观的緣故。

河間自製双解涼膈天水通聖諸方，以代麻黃桂枝，在治療上得到不少便利，不拘执古方，而加以化裁。古方發汗退熱二法並用的甚少，虽有麻杏石甘湯，及葛根黃連黃芩湯，但仲景氏，用治汗出而喘，及發熱不利等症，对其發汗退熱並用的療效，还未曾加以肯定。自刘河間論表熱裏熱等症，肯定以清熱为主要，確实是溫病学說進行过程中特出的表現。後世治溫諸家，多守他的遺教，可惜他在疏邪化熱諸法，还未能適合病情，留待後人來補充。

張子和儒門事親治溫方法：“病人喜涼則从其涼，用辛涼解之，喜溫則从其溫，用辛溫解之，”並推重河間辛涼清解方法的適用，是知溫病治法，不同伤寒。

李东垣說：“溫病發生，蓋因房室劳伤，与辛苦之人，腠裏開泄，少陰不藏，腎水涸竭而得之。”是知陰虛的体質，因腠理開泄，而受感冒，二种病症混合發生，与現代医家所見，还有不少暗合处。

王安道於溯洄集中說：“溫病不得混称伤寒，因伏熱在內，虽見表症，惟以表症为多，法当治裏熱为主，佐以清表之法，亦有裏熱清而表自解者。”後世談溫熱病的，都以为始於河間，可是河間所論的，在伤寒中亦有熱症，宜用清涼之劑，不可用熱藥誤人，至安道才大張旗鼓，將溫病另立門戶，不得与伤寒相混。

我認为王安道在溫病学說上，有兩點貢献，(1)在名称上，說"溫病不得混称伤寒。"(2)在治法上，"法当治裏熱为主。"这二項，有關後世溫病学說，至深且鉅。

但王安道所說溫病，虽然脫离仲景範圍，还知尊崇仲景，不敢与仲景对立。

溯洄集中，又說仲景書中祇有中風与伤寒二項，如溫暑寒疫時行溫瘧等，必另有治法，想已失傳，这話为近代裘吉生氏（已故）所採取，並認为葉天士的溫熱，張鳳逵的伤暑，喻嘉言的伤燥，吳又可的瘟疫，陈耕道的疫沙，（猩紅熱），余師愚的疫疹（斑疹伤寒），陈平伯的風溫，薛生向的濕熱等。都各有一得之处，以能羽翼於仲景，即有功於医学。（見裘刻伤暑全書序）。

王安道又說："仲景書中諸法具备，凡雜病之治，莫不可借，後人因伤寒治法可借治溫暑，遂謂其書通为伤寒溫暑設，誤矣。"又說："伤寒三陰經，寒症居十之七、八，而溫病則祇有熱而無寒，故必須注意於此，以免誤用。"

明李梴医学入門說："溫熱不惡寒，則病非外來，渴則自裏達表，鬱熱勝裏，不得外泄之故。終是裏多表少，当治裏熱为主，而解肌次之。"似專指伏熱在內的病，新感之症，未曾提及。

張景岳說："溫病暑病之作，本由冬季時寒毒內藏，故至春發为溫病，至夏發为暑病。"又說："虽与寒証不同，然亦因時而名，非謂起病必皆熱也。"此据王叔和伤寒例，說冬時受寒，至春变为溫病，至夏变为暑病。旣知与寒証不同，又說起病未必皆熱，徬徨岐路，顯然可見。伤寒与溫病，前代医家已有相当的認識，景岳仍以推測所得的而妄言之，亦是研究不顧事実的。

吳又可於明代崇禎末年，目覩瘟疫流行之慘，遂認为瘟疫比伤寒多十倍，瘟疫与溫病亦不同，溫病由伏熱在內，瘟疫由戾气而發，且对於素問冬伤於寒至春变为溫病，至夏变为暑病，均加以反对，当時如能用科学方法，加以檢驗，則病菌傳染之說，必能提早二百餘年，由他所發明戾气（或称厲气及雜气），多見於兵荒的年月，間歲亦有，但不嚴重。与病菌傳染之說，基本上已到接近階段。

吳又可氏对於伤寒瘟疫的分別，認为"伤寒不傳染，瘟疫能傳染，伤寒自毛竅而入，瘟疫自口鼻而入，伤寒感而即發，瘟疫感久而後發，伤寒汗解在先，瘟疫汗解在後，伤寒初起，以發表为主，瘟疫初起，以疏利为主，种种不同，其所同者，为伤寒瘟疫皆傳於胃，故用承气湯導邪而出，要知伤寒溫疫，始異而終同也。"

我过去曾主張伤寒溫病与傳染病，須分別施治，即是盲从吳氏之說，故有此片面的論斷，今乃知他所分析的，未为確論。

又吳氏以为"疫感天地之厲气，在歲运有多少，在方隅有輕重，在四季有盛衰，此气之來，無論老少强弱，觸之即病，邪自口鼻而入，內不在臟腑，外不在經絡，去表不远，附近於胃，乃表裏之分界，是为半表半裏，即內經瘧論所謂募原是也。"

我認傳染病發作，有一定的節令，如冬多呼吸器病，夏多胃腸病，有一定的方隅，向鄰近蔓延，注重隔离消毒，以預防之。又可所言方隅有輕重，亦是事实，惟所說伏於募原，乃想当然的說法，不可从。他所說伤寒溫疫不同點，亦祇在受病輕重，及体質强弱之分而已。

清初喻嘉言，所談疫症，以三焦分論，独具慧眼，葉氏医案中說"河間溫熱，須究三焦"，吳鞠通抄其陈言，便以为溫熱病以三焦为綱，其託名河間之处，陸九芝氏世補齋医書中，已直揭其妄。"並指出疫症在三焦之說，实以喻氏發其端。"故中医界凡說瘟疫（或說溫熱）在三焦的，皆暗承喻氏之說而不自知。

喻氏以"仲景書詳於伤寒，而略於治溫病"，他的意思与王安道所說的相同。但他所訂溫病治法，仍襲用伤寒論方法，故鞠通譏他將伤寒認作溫病。

喻氏論溫病，將冬伤於寒为一例，冬不藏精为一例，冬伤於寒，又不藏精又为一例，共成三例，以与伤寒論中，伤营、伤衞、兩伤营衞之三綱並立。此項說法，在紙上空談，亦未能自圓其說，僅可看为作文的材料，不是研究医学的正当途徑。惟論溫病注重在熱邪內灼，陰液消亡，这是葉氏滋陰療法之所本。

葉天士有溫熱論，及幼科要略，王孟英列入溫熱經緯中，溫熱論經章虛谷、王孟英捧場，儼然認为談溫病者特出的宗派，吳鞠通編溫病条辨時，更奉他的理論为最高指導的原則。我們应当承繼和發揚他的优點，同時也不能忽略了他的缺點。他說溫邪上受，首先犯肺，（亦有人認为是指急性肺炎），是感冒性疾病的症候羣中，以呼吸器病較多。但是亦有不發現呼吸器症狀的，不得以首先犯肺，以印定後人眼目。我認为他所說首先犯肺，是指麻杏石甘湯，及越婢湯等症候。在病理上叙明則可因表邪外受，調節机能障碍，肺气壅塞，藉咳嗽气喘，以求生理上的平衡。吳鞠通在溫病条辨中，認为溫病包括九种不同的溫病，都始於上焦，在手太陰，乃固执其說，致有理論与实际脫節的舛誤。

葉氏又說：“伤寒多变症，溫病在一經不移。”我認为溫熱論中，多經驗独到之处，足供治療上參考，惟这句話是最大語病。伤寒溫病，为同一性質的疾病，僅在初起時，有惡寒輕發熱重及惡寒重發熱輕口渴与口不渴的不同。且溫病变症，較伤寒要多，因熱邪內壅，易於侵犯腦部，葉氏自已也承認易於“逆傳心胞”。为何又說他在一經不移，眞是“千慮之失”。

葉氏談溫病，注重营衞气血，以别於仲景六經，不知太陽篇中，已包括营衞气血，不能將营衞气血，剔出於太陽範圍之外。

伤寒論中，对於舌診，祇有數条，語焉不詳。葉氏在溫熱論，詳述舌診方法，及驗齒方法，更为独到，此外他所注意到斑疹，白痦，都是从实际經驗出發，頗有參考價值。在中医診斷学上，可說推進了一步。

溫熱經緯中，还有陈平伯風溫篇，和薛生白濕熱条辨，其中对於肺炎、流行性感冒、百日咳、腸熱症、副腸熱症、瘧疾、痢疾等治法，可資參考之处甚多。

王孟英編溫熱經緯，將各家学說詳列，其功有足多者。惟王氏迷信伏邪之說，（傳染病，多半有相当長的潛伏期，似可称为伏邪）。但臨時感冒，亦有無潛伏期的。王氏注重伏邪，又在伏邪中專設伏溫，他項概不言及，亦不是平允之論。故葉子雨評說：“溫暑为病，多屬外感引動伏气，当視其內外之輕重，而消息治之，苟無伏气，祇少感微邪，治亦易愈，海寧每譏吳鞠通，劃界三焦，而不知自已却强分內外，葉香岩於景岳全書發揮中，於溫暑条下，言之甚詳，溫熱論中，辨別营、衞、气血之理，內外輕重之机，示人以活法，何得更定为外感溫熱，而不關伏气，豈必陽明白虎梔子豉湯症，始可謂之伏气哉。强作解人，妄事穿鑿，陋矣。”

吳鞠通溫病条辨，他的缺點很多，但也有他的長处，我現在先說他的長处。

1. 他將溫病發展到瘟疫方面，將經中所載“厲大至，民善暴死。”等等尽皆列入。即吳又可所說戾气，亦都尽量包括。

2. 關於外感伏气等，亦都备具，並無成見。

3. 認識到四季气候变遷，能影响人体健康，把环境气候变動，和体質有連帶關係，亦都分別說明。

至於他的缺點則：

1. 伤寒溫病，性質相同，經过亦大致相同，硬要分别为病在三焦，未免牽强。我認为三焦之說，僅可認为病症經过的次序，如第一期，第二期之類，吳氏疑为凡病溫者，在手太陰，祇說到外感初起，有呼吸器病的一部分，如外感初起，並無呼吸器的症狀，一概認为在手太陰，未免無的放矢。

2. 用桂枝湯治溫病初起，亦覺不妥，可能說是用桂枝湯，必然引起高熱，後用白虎湯來退熱，即使幸而獲效，已成焦头爛額，以後用三甲復脉專翕大生膏之類，釀成嚴重危候，鞠通不能辞其責任。

3. 誤服桂枝湯後，是否須用白虎湯，須以症狀为主，如不能分析病情，祇以白虎湯來塞責，亦未能認为滿意。

4. 溫病中，包括風溫、溫熱、溫疫、冬溫、四种（見溫病条辨第一条）。立一法以統治，亦覺尙待研究。

5. 溫病初起，桑菊銀翹，力量太輕，白虎力量太重，太过不及，都不適宜，伤寒論中，麻杏石甘湯，葛根黃連黃芩湯，都可借用，吳氏計不及此，未免所見不廣。

6. 濕溫初起，有表邪为多，藿香正气加減用之，頗少捷效。吳氏惟先用三仁湯，亦未能認为滿意。

張路玉說：“伤寒自气分傳入血分，溫熱自血分發出气分。”並申明伏邪自內達外，最忌辛溫發散，確是治溫病扼要之談。周揚俊氏彰“黃芩湯”，說是治溫病初起主方，中期亦可用的。所說“寒伏於內，鬱化久熱”，論溫熱病情，亦多精到。

柳宝詒溫熱逢源中說："六經形症，伤寒与溫病不殊。"是他見道处。又說："有隨時感受之溫邪，有伏气外發之溫邪。"分別新感伏邪，亦多精到。他評溫疫論說："又可所列治法，表症多用溫燥劫陰之剂，与伏气溫熱，先伤陰分之病，不甚相宜。所論裏症治法，都与伏溫相合，可以取法不少。……"但吳氏所論，多經驗之言，那時盛行之症，病情有一部分与伏溫相近。柳氏專論伏溫，故將吳氏所論瘟疫，一概指为伏溫，这是因主观不同的緣故。

陸九芝說："在太陽为伤寒，在陽明为溫熱。"自称独得眞傳。但陽明病与溫病，同是身熱、自汗、不惡寒、心煩、口渴，症型固無二致。但是陽明的提綱，注重胃家实，宜用通便的藥。若溫病治法，注重在辛涼解表，淸透伏熱，至於通便方法，不可濫用。是举溫病的名义，可以概括陽明病；單执陽明病症候，不可概括溫病。仲景說："太陽病，發熱而渴，不惡寒者，为溫病。"是太陽篇，亦有溫病，不可說溫病祇屬陽明。故当認为六經都有發生溫病的可能。不可一概用陽明來限制。

戴北山廣瘟疫論，是用吳又可的書为基本，而推廣的，注重五种兼症，十种夾症，而对於本症反覚簡略。陸九芝以"此書明辨溫熱与伤寒，病反治異，实足为度世金針。"並將其書名改为廣溫熱論，由於陸氏認为溫熱的病較瘟疫为多，举溫熱可以概括瘟疫的緣故。在实际上，用瘟疫來概括溫熱，才与現代的观點符合。

結　　語

古代医家，遵奉"伤寒方法，可以包括各种急性熱病的治法"，为此項思想所蒙蔽，阻碍了应有的進步道路，在实际上，113方，也万难包括一切傳染性疾病的治療。宋代朱肱，也認为伤寒麻桂二方，祇適宜於西北，江淮一帶。祇適宜於冬季及春初。許叔微也認为伤寒方有效应用的，不过二分之一。金元時期，刘河間自製双解涼膈天水通聖諸方，在方藥上，以補充伤寒論的缺略。王安道認为伤寒論方藥，祇適於即病的伤寒，而不適於不即病的溫暑。張潔古認为古方不能療今病。这項見解，在崇古好古的人看來，斥为离經叛道。我認为研究溫病，对古代開始怀疑，必需深入鑽研，經研究後，另有滿意的收穫。学術界的生机在此。如專一崇古信古，以为古人天生上智，企不可及，畢生鑽研，祇做到"食古不化"而已。有什麼進步可說。从張潔古、刘河間、王安道等的思想研究，已暗中培植了溫病学說。溫熱病虽然是与伤寒为同一性的病症，經过也大致相同，但是为了有伏熱为其素因，故須認定針对伏熱治療，才能恰合病情，因此，治法有淸開、淸透、淸泄的分別。决不能將伤寒治法，如喻嘉言、張景岳的見解，整套全搬过來，因为是要从摸索中得來經驗教訓，所以各家学說，是逐渐蛻变，由張潔古、刘河間、王安道为首的，从此項基礎上建立据點，經多數医家，歷三、五百年間的实踐經驗，至葉天士乃蔚为大观，內容也比較充实。

我們現在認为葉氏学說，在溫病可以算是最後集其大成，方案也非常丰富，在治療上，也能收到一定的療效。所以吳鞠通承繼了这份遺產，便狂妄地欲与仲景伤寒論对立了。

北京中医雜誌1955年五月号，鄧鉄濤先生說："溫病学說，是从伤寒基礎上發展起來的，但是如果認为既然發展到溫病，便可以一筆抹煞了伤寒，取銷了伤寒宝貴經驗，是錯誤的。同样的認为溫病学說不足道，抹煞了溫病，數百年來治療經驗也是不对的。"应該以科学方法，与臨床治療——研究和实驗，而加以批評与揚棄。把其中宝貴的經驗，加以肯定和發揚。

我現在來說，由溫病学說發展到瘟疫学說，这也是進步表現之一。由於近代科学發達，病原細菌的学說成立，傳染病学上已奠定了良好基礎，不容否認，但是也不能認为有了傳染病学說，就可以將中医伤寒論与溫病，完全否定，如有此項見解，这也是同样的錯誤。故必須認傳染病，每一种疾病有固定之徵象，但是在初起時期，未能確定为何种疾病，則中医伤寒溫病方法，足够应用，在治療上，且收到一定療效，这是早期治療的优越性。我們应当擴充此項技能，以期对世界医学上有所貢献。

中华医史杂志

中國針灸学源流紀略

李 元 吉*

針灸学是中華民族医学遺產之一，它是我國歷代劳動人民在生產过程中長期与疾病作鬥爭的实践中發展成長起來的。中國最古的医書黃帝內經，關於針灸方面的輯錄特別丰富。自从三世紀皇甫謐的甲乙經的刋行，給針灸学開拓了道路，奠定了針灸科独立的基礎；唐朝以後，歷代均設立針灸專科，对人民保健事業上起了一定作用。

中國針灸療法对世界医学的貢献亦很大。在唐朝時候中國針灸術已傳至日本，十七世紀又傳到歐洲。苏联对針灸極为重視，進行科学研究，福立波而特教授等發現的电气皮膚活動點，与我國孔穴的分布很相一致，証实針灸是有科学基礎的。

中國針灸学經过長期的臨床实践与不断的改進，到唐代已有高度的發展，为針灸学隆盛時期。自十四世紀以後，封建制度發展到最高度，針灸施行受到限制，逐漸为湯藥所代替，清代以後針灸便漸次衰微，一蹶不振了。但在廣大劳動人民中間，对針灸療法的信仰是非常深刻的。

針灸学是祖國医学組成的一个重要部分，它的特點是利用器械与溫熱的刺激作为治病的工具，情况是不一样的，因此試述於下。

一、針灸的起源和發展

針灸療法起源於中國，根据文献記載及多數学者的意見，大概是在新石器時代（公元前約3000年）。这時，人類穴居原野，和獸類雜处，夏季和烈日相爭，冬季和霜雪抵抗，皮膚異常坚实，所以感冒很少。因为和異族搏擊，捕捉或抗拒野獸，創伤極多，便塗裹包紮。因为还没有認識藥物，生了疾病，都以为是鬼神作祟，祇曉得用祈禱和符咒來治病，往往無效。於是由本能的嘗試，偶然拿了石刀或石針，作为刺破癰腫，流出膿血，覺得輕快，解除痛苦。同時对身体上某些疾病的痛苦，也得到消除。这种石針便是針術的開端。

石針又叫做砭石，是拿石刺破皮膚治療疾病。山海經說：“高氏之山，其上多玉，其下多箴石。”箴就是鍼字，也就是針字。郭璞注云：“可以为砥針，治癰腫者。”郝懿行箋疏云：“砥当为砭字之誤，南史王僧史傳引注‘作可以为砭針’是也。”素問異法方宜論：“东方之域，魚鹽之地，海濱傍水，其民食魚而嗜鹹……其病皆为癰腫，其治宜砭石，故砭石者，亦从东方來。”王冰注說：“砭石，謂以石为針也。”史記扁鵲倉公列傳索隱注：“鑱石，謂石針也。”刘向說苑卷二說：“病在肌膚，針石之所及也。”素問血气形志篇：“病生於肉，治之以針石。”灵樞玉版篇：“故癰疽已成膿血者，惟砭石鈹針之所取也。”素問保命全形論新校正引全元起云：“故來未能鑄鉄，故用石为針。”从这些材料中，我們可以看出最初治病的器械，首先利用針砭，是毫無疑問的。在东北沙鍋屯土裏掘出的石錐、石刀等，更提供了有力的証据而加以証实。

此外，在石器時代的人們，並不意味着只能認識石器，利用石器，对自然界一切動植礦物，也能逐漸認識，加以利用。这是社会發展过程中不断改進演变，是很自然的事。由於劳動人民的智慧，發揮創造積極性，認識到動物的骨骼，能做成像石針一样的針，而且光滑細緻，要比石針好得多。最近考古家發掘出多數骨針，便可証明。

灸的發現，是在人民懂得熟食以後，無意中被火燒了皮膚，但同時却解除了身体上某种疾病的痛苦，从而体会到灸是可以治病的。譙周古史考：“太古之初，人吮露精，食草木实，穴居野处。山居則食鳥獸，衣其羽皮，飲血茹毛；近水則食魚鼈螺蛤，未有火化，腥臊多害腸胃。於是聖人造作鑽燧出火，教民熟食，民人大悅，号曰燧人。”由此可知当時人民已知道用火，並且利用火來治療疾病。据

* 江苏省中医院針灸科

考古学家說："我國在1926年於北京周口店發現的'北京人'是50万年前的原始人骨骼，並在周口店發掘出土的东西中，可以看出那時的他們已知道用火，用石製和骨製的工具。"因为在新石器時代很早以前就知道用火，究竟灸法是否比針砭要早一些。还需進一步的研究。

在新石器時代，曾經盛行过一种骨卜的方法，就是將艾蒿一類的菊科植物燃着，放在動物的骨骼上，燒成一些斑點，观察它的裂紋，以求得徵兆，这种骨卜，与灸法極相類似。根据骨卜，初步認为是新石器時代的產物，所用的灸料也是选擇艾蒿類的植物。

从上面的材料來看，我們大抵可以說，針灸是起源於新石器時代，为後世針灸療法的萌芽，由此可知中國針灸療法，在四千多年前已奠定了初步的基礎。

中國針灸術在当時虽然技術幼稚，工具簡單，但在医療上已建立了治病方法，实在是足以自豪的事！

1. 針的演变

中國在公元前兩千多年已發展到奴隸社会，能使用銅器，農業發達，生產提高。在夏商周時代（公元前2197—770），治病的方法除針灸砭石之外，有祝由科用符咒治病，次为簡單的藥物治療。到春秋战國時代（公元前770—221），已發明冶鉄術，人民能使用鉄器，針具也跟着有了改進，製成鉄針，代替了原始的石針。灵樞九針十二原云："無用砭石，欲以微針通其經絡，調其气血……九針之名，各不同形。一曰鑱針，長一寸六分，头大末銳，去寫陽气；二曰員針，長一寸六分，針如卵形，揩摩分肉，不伤肌肉，以寫分气；三曰鍉針，長三寸半，鋒如黍粟之銳，主按脉勿陷，以致其气；四曰鋒針，長一寸六分，刃三隅，以發痼疾；五曰鈹針，長四寸廣二分半，末如劍鋒，以取大膿；六曰員利針，長一寸六分，大如氂，且員且銳，中身微大，以取暴气；七曰毫針，長三寸六分，尖如蚊虻喙，靜以徐往，微以久留之而养，以取痛痹；八曰長針，長七寸，鋒利身薄，可以取远痹；九曰大針（明楊繼洲的針灸大成則修正为火針，長四寸，風虛腫毒，解肌排毒用此。不知从何处採來，尚未發現其來源），長四寸，尖如挺，其鋒微員，以寫机關之水也。"是針具已發展为九种式样，称为九針。每种針各有它的性能和功用，現在針灸科所用的針大都为毫針与員利針兩种。

針的質料，由石針骨針竹針逐漸發展到用銅針，鉄針，也有用馬啣鉄製的。近代多半採用金針（包括合金）、銀針及不銹鋼針等。此外，在針的种類上还有皮膚針（小兒針）、七星針、梅花針、花針、叢針等，这些多半是从灵樞官針篇的毛刺蛻变而來的。至於指針的名詞，見於針灸大成卷11的医案中。

有些人惋惜後世沒有好石，故用鉄針來代替。春秋："美疢不如惡石。"服子愼注云："石，砭石也，季世無復佳石，故以鉄代之尔。"漢書藝文志顏師古注："砭術失傳。"这些都是割断歷史的錯誤看法，他們不懂得歷史的進展、改革和新陈代謝的規律。他們沒有看到这是劳動人民的智慧和社会發展过程中不断改進的演变，是辛勤創造的成果。

2. 灸的演变

灸是火灼的意思，灸法所用的燃料，是选擇艾葉为原料。素問異法方宜論云："其治宜灸焫。"素問湯液醪醴篇："鑱石針艾，治其外也。"灵樞背腧篇："疾吹其火，傳其艾，須其火滅也。"这些說明是採用艾葉为灸料和灸術的操作方法。

在點艾火的火种方面，認为用八木之火燃艾，会引起损伤血脉肌肉骨髓，故主張改用其它火种來燃點。黃帝蝦蟇針灸經（漢代和漢代以後的作品）第28頁辨灸火木法："松木之火以灸即根深难愈；栢木之火以灸即多汁（当作汗）；竹木之火以灸即伤筋，多壯即筋絕；橘木之火以灸即伤皮肌；榆木之火以灸即伤骨，多壯即骨枯；枳木之火以灸即陷脉，多壯即脉潰；桑木之火以灸即伤肉；棗木之火以灸即伤骨髓，多壯即髓消。左八木之火以灸，久皆伤血脉肌肉骨髓，太上陽燧之火以为灸，上次以碏石之火常用；又槐木之火灸，为瘡易差，尤者膏油之火益佳。"明楊繼洲針灸大成卷11點艾火篇亦有類同的記述。如上所述，可見当時灸法在操作上發現缺點，諧戒後人要謹慎使用八木之火，这在灸法來說，也得到了改進。

最初的灸法，是將艾置於孔穴的皮膚上，以火燃點，叫做直接灸，就是所謂有瘢痕灸。在清代的瘍医大全（顧世澄著）中有雷火神針的記載，雍正年間潮州鎮軍范培蘭又傳出太乙神針，其它如隔姜片灸、隔蒜片灸等等，这些都是間隔灸法，也叫無瘢痕灸。近代則又增添溫灸器溫灸，艾捲灸等。

3. 針灸的合併及其盛衰

針和灸是兩种不同的治病方法，古時針者不灸，灸者不針。备急千金要方孔穴主对法篇云："其有須針者，即針刺以補瀉之，不宜針者直尔灸之"。又說："然灸之大法，但其孔穴与針無忌，即下白針若溫針訖，乃灸之……若針而不灸，灸而不針，皆非良医也"。由此可知針灸的合併施用，多半是由臨床改進而來。

晋唐時代（280—907），是針灸最隆盛時期。晋皇甫謐的甲乙經刊行，对針灸的發展起了承先啓後的作用，提供了当時和後世研究針灸的有利条件。此外唐千金方及外台秘要等書的針灸論著，对針灸也都有一定的推進作用。晋抱朴子說："猶施灸者，術虽殊而救疾均焉，况起死回生熟如灸法之神且速耶。"千金方云："吳蜀多行灸法。"唐韓愈有詠灸師詩云："灸師施艾灸，酷若獵火圍。"秦鶴鳴为唐高宗治風眩头痛，刺百会出血，应手而愈。可見当時針灸療法極为盛行，非常普遍。

自十七世紀起，由於藥物內容的增多，着重藥物治療疾病。同時因亂教的束縛，封建社会的輕視和摧殘，針灸到清代便漸次衰落，特别是清朝後期，西洋医学輸入，封建統治階級粗暴地停止太医院的針灸科，因之針灸療法更一蹶不振了。清太医院志職掌："道光二年頒旨：針灸一法，由來已久，然以針刺火灸，究非奉君之所宜，太医院針灸一科，着永远停止。"光緒末兩江總督端方所訂的医生考試法，亦沒有針灸的考題。从此針灸療法進入厄运時期。但是，在廣大劳動人民中間，仍非常信仰和欢迎。幾千年來，賴它作为向疾病鬥爭的有力武器。

二、歷代針灸文献

1. 針灸治療病例

古代医学家有許多精通針灸的，如医緩、扁鵲、淳于意、華佗、張仲景等都是善用針灸療法的。關於針灸療法的病例記載，不勝枚举，茲擇要叙述於下：

医緩　左傳成公十年（公元前576年）："晋候有疾……医緩至曰：疾不可为也，在肓之上膏之下，攻之不可，達之不及，藥不至焉！"据左傳所說的治病方法，是攻達藥三种：攻就是灸，達就是針，藥就是藥物。後漢鄭康成有針膏肓語。三國荀悅的申鑒雜言篇說："夫膏肓近心而处阨，針之不達，藥之不中，攻之不可。"說明左傳的達字，確是指針刺。

扁鵲　他在虢時为虢太子治尸蹶，使弟子子陽厲針砥石，以取外三陽五会，有間太子苏，乃使子豹为五分之灸，熨兩脇下，太子起坐。

淳于意　公元前81年（漢高后八年），他受師公乘陽慶的禁方，傳黃帝的脉書五色，知人死生，决嫌疑，定可治。史記本傳：治齐北宮司空命妇出於病……灸其足厥陰之脉左右各一所即不遺溺而溲清，小腹痛止。菑川王病，蹶上为重，头痛身熱，刺足陽明脉，左右各三所。

華佗（大約公元141—203）後漢書方術傳：曹操積苦，头風眩，佗針隨手而差。華佗別傳：有人病脚躄，灸背數处各七壯，灸創愈即行也。因为他不願为統治階級服务，被曹操殺害。他的学生樊阿，針灸学得很好，别人不能針治的病，他能針治好，可見得到華佗的教誨，所以他的針灸技術是很高明的。

張仲景（大約公元142—210）在他著的伤寒雜病論（後人分为伤寒論和金匱要略兩部分）中，有可刺五条，可灸五条，如太陽病初服桂枝湯，反煩不解者，先刺風府、風池，却与桂枝湯。並且在操作上分成針刺、溫針、燒針（火針）、灸、熏、熨等方法，隨症应用。

从上面这些材料中，可知古代不少医学家对於針灸療法的技術是很高明並且是很有研究的，那時虽然針灸还沒有成为專科，从他們的針灸治療病例來看，已反映了当時針灸学的發達程度。

2. 著　　作

中國歷代針灸專門書籍及兼載針灸的書籍，不下二百餘种，可惜亡佚的很多。医籍考 21 卷、22

卷所收錄的已達187种之多。茲擇其主要的介紹如下：

黃帝內經　是中國第一部医学經典著作，大約是春秋战國時代的作品。黃帝和岐伯、雷公等坐於明堂，問答医学的傳說，是为後人所假托。其实是由古代許多医学家輯錄和整理出的有系統的第一次医学總結。內經分成素問和灵樞兩部分；素問81篇（計分9卷或24卷），灵樞也是81篇（計分9卷或12卷）。在东漢初年班固著的漢書中首先道及，黃帝內經計18卷。当時黃帝內經並沒有素問和灵樞的分別。晋皇甫謐說針經9卷，針經就是灵樞，素問也是9卷，都屬內經，素問所引經典，多出灵樞，可見灵樞在前，素問在後。素問的內容，首先着重衞生預防，次为生理、病理、病名、診断、療法等；治療方面应用針灸为多数。灵樞是針經，大都为記錄針灸的理論和一些治療經驗；对於解剖方面，已有初步成就。由於解剖被应用到医学上，促使医学得到更進一步的發展。特別是对針灸孔穴的分布，更有很大成就，所以針灸專門書籍，要推灵樞为第一了。

難經　著者为扁鵲秦越人（公元前403—222）。它的內容大部分根据內經而來，設为問答，解釋經义。其中23難至29難論經絡，62難至68難論穴道，69難至81難論針法。亦有功於針灸的書籍。扁鵲是河北省任邱縣鄚州鎮人，相傳他到过趙國的邢，就是現在的河北省內丘縣，後人在神头村鵲山建立鵲王庙，表示对名医扁鵲的紀念和崇敬[1]。

涪翁針經　大約是秦漢時代的作品，可惜亡佚失傳。後漢書郭玉傳：有父老，不知何出，常漁釣於涪水，因号涪翁。乞食人間，見有疾者，時下針石，輙应時而效，乃著針經診脈法傳於世。涪翁有一个学生名叫程高，郭玉是从程高学針灸的，因为得到涪翁的教導，所以他們都是精通針灸療法的。

甲乙經　晋代皇甫謐著，是中國一个傑出的針灸学家。他幼名靜，字士安，自号玄晏先生，生於後漢建安二十年(215)，卒於晋太康三年(282)，活了68歲，是安定朝那人，即現在的甘肅灵台縣[2]。自幼發奋讀書，以著述为务。沉靜寡欲，有高尚之志。他在42—46歲時（甘露元年—五年，256—260），得風痹疾，因而学医，習覽經方，手不釋卷，致力於發揚医学，完成了有名的針灸專門書籍—甲乙經。对祖國針灸学起了承先啓後的作用，是一部有歷史價值的巨著。从灵樞經總結古代針灸經驗起，到皇甫謐著甲乙經，又是一次總結。甲乙經書成於公元256年後，282年出版。甲乙經是根据內經，明堂孔穴、針灸治要三部書編輯而成，全書分为12卷，128篇，其中70篇是講孔穴。它的內容包括生理、病理、診断和預防思想。

备急千金要方　是唐代（581—683）孫思邈所著。南朝刘宋時代有秦承祖者著偃側雜針灸經，孫思邈以甲乙經來校秦承祖圖，發現秦圖有闕漏，於是採用甄权的新定圖來著針灸經。千金要方卷29、卷30，千金翼方卷26、卷27、卷28的針灸，就是孫氏的針灸經。孫氏以甄权的新定圖为定，而孔穴却与甲乙經完全一样。可見甄权的新定圖是取法於甲乙經的，或者是与甲乙經取擷材料是相同的。

外台秘要　唐代(752)王燾撰，其中卷39論明堂灸法，穴數与甲乙經有些出入。王燾說針能殺人，而不能生人，故取灸而不取針。他这种說法，遭到很多人的反对。因为外台秘要只講灸法，也可以說是研究灸法的書籍。

銅人腧穴針灸圖經　北宋天聖五年(1023)尙藥奉御王惟一（一作王惟德）撰，將圖刻於石碑，並鑄成腧穴銅人模型。从皇甫謐之後，是針灸的又一次大整理。王惟一不但是一位医学家，而且又是一位雕刻藝術家。夏竦序說："王惟一素受禁方，尤工厲石……定偃側於人形，正分寸於腧募。"可見他是非常審愼从事这項工作的。这样的銅人有兩座，一置医官院，一置大相國寺仁济殿。到了元朝至元年間（1277—1294）將銅人和石碑，从河南開封移到北京，放在明照坊三皇庙的神机堂內。銅人模型的製作，，对於針灸的学習提供了有利条件，在針灸学上的貢献的確是偉大的！現存北京故宮的銅人，已不是原物。四庫全書銅人針灸經提要說："今銅人及章氏圖皆不傳。"伍連德氏在中華医学雜誌第五卷第一期的論文也說該銅人係後人仿造，原物於庚子之役被外人携去了。日本东京上野國立博物院裏的一个銅人，就是中國傳入的[3]。南京博物院的銅人，据說是清代的作品。自宋朝第一次鑄造銅人後，在明代亦曾鑄过二次銅人，下落如何，有待淵博之士，繽为考査。这裏附帶的介紹一下：一是在明代洪武初年，將宋鑄銅人取入內府，歷經石刻，藏在神机堂內。到明英宗正統八年（1443），上距王惟一製作時間已四百多年，銅像昏暗难辨，石刻漫滅不完，於是礱石範銅，倣前重作，比前更加精緻。一是嘉靖年間，四明高武，曾鑄銅人三座。鄞縣志說：“高武，号梅孤……晚乃專精於医，治人無不立起。嘗慨近時針灸多誤，手鑄銅人三，男妇童子各一，以試其穴，推之人生，所驗不爽毫髮”[4]。

金蘭循經　元代（1363年間）翰林学士忽泰必列著，首繪藏府前後二圖，中述手足三陰三陽走屬，繼取十四經絡流注，各为注釋，發展为十四經，列穴名 360 个。

十四經發揮　元代（1341）滑寿撰，对十四經經絡經穴学說，有巨大的發揮。滑寿，字伯仁，自号撄甯生，世为許襄城大家，元初祖父官江南，遷徙儀眞而寿生，後又遷徙餘姚行医。他从京口名医王居中学医，繼学針法於东平高洞陽，尽得其術。他本係刘基的哥哥，易名改姓为医，刘基曾到餘姚訪問，勸他为官，沒有答应[5]。他說：“人身六脉，虽皆有繫屬，惟任督二經，則包乎背腹，而有專穴，諸經滿而溢者，此則受之，宜与十二經並論。”於是取灵樞本輸篇，素問骨空等論，著十四經發揮三卷，通考隧穴 657 个。十四經發揮一書，薛立齋曾收集在他的医案內。近代有翻印日文版的單行本。

針灸大成　明代（1601）楊繼洲撰。从宋王惟一後，針灸学又一次總結，要推針灸大成了。此書初名針灸大全，共十卷。万曆年間巡按山西監察御史趙文炳为之補輯刊刻，易以今名。四庫全書提要曰：“針灸大全十卷，明楊繼洲編，繼洲万曆中医官，里貫未詳，據其刊版於平陽，似即平陽人也。”楊繼洲的出生里貫，尚待進一步考查。清順治丁酉，平陽府知府李月桂以舊版殘闕，復为補緝，分为十二卷。針灸大成是集明前針灸的大成，凡有關針灸方面的，搜輯甚廣，亦为有功於針灸的一部專門書籍。

医宗金鑑　吳謙等編纂，1742年出版，其中刺灸心法要訣，簡單扼要，是比較適用的針灸書。

三、医学制度与分科

祖國歷史進入到西周的時期，封建社会制度開始；周公訂出許多法規，称为周禮。周禮內將医生分为疾医（內科）、瘍医（外科）食医（管理飲食）及獸医，並設立管理衞生行政的医師，这是世界上最早最完备的医学制度。

在周朝時候，医学有了進步。曲禮：“医不三世，不服其藥。”孔疏引舊說：“三世者，一曰黃帝針灸；二曰神農本草；三曰素女脉訣，又云天子脉訣。”灵樞就是黃帝針灸的一派，这是中國医学最古的派别。

由於針灸的功用，那時还局限於外治方面，可能是包括在瘍科之內。周禮虽沒有將針灸分成專科，但在学理上已發展成为專門性的知識了。

自黃帝內經總結古代医学理及針灸經驗起，針灸療法有進一步的發展。更由甲乙經的刊行，給後世針灸学確立了規範，逐步進展到專科規模階段。到唐代，已正式成为專科了。

唐代医学敎育制度，有很大進步，設立太医署（与医学院相仿），分科敎授学生。舊唐書職官志：“太医令掌医療之法，丞为之貳；其屬有四：曰医師、針師、按摩師、咒禁師，皆有博士以敎之，其考試登用如國子監之法。”新唐書百官志：“針博士一人，从八品上，助敎一人，針師十人，並从九品下，掌敎針生，以經脉孔穴，敎如医生。”医学方面，先敎授本草、甲乙經及脉經，再分科学習內科（体療）、外科（瘡腫）、兒科（少小）、耳鼻口齒，針灸科、角法。針灸科学習黃帝內經、明堂、脉訣，兼学流注偃側等圖，赤烏（隋志作赤烏）神經等。修業期滿，举行考試。

到十二世紀時，由於医学不断進步，專科發達，医学分为九科。十三世紀時，更發展成为十三科，針灸始終是其中的一科。

四、經穴与奇穴

在上古針灸在什麽地方，就叫做孔穴，故古時是沒有經穴名称的。後來在各个散在的孔穴，發展有系統的連繫，將穴位劃歸某一經絡，再後又把任督兩脉併入十二經內，称为十四經，穴位就叫經穴，所以經穴是由孔穴發展來的。經穴俗称穴道，現在又叫做刺激點。素問气府气穴兩篇，記載穴道有 365 名，一穴一名，單穴計算，实际數字僅为 313 穴。分布全身各处，与神經徑路，暗合的很多。

甲乙經孔穴總數，是 649 穴，其中單穴49，双穴 300，穴名共 349。穴位的排列，以头面、胸、背地位採取分線來部署，四肢用三陰三陽經脉排列，比內經用十二經絡从头到足的排列法不同。这样的部署法是合乎科学的。

唐代的針灸学，都是以甲乙經为基礎而發展的，千金要方的孔穴与甲乙經完全相同，不过在孔穴之外，增添了一些奇穴。但是，千金方把側人圖的会陰穴当做双穴，所以單穴为48名，双穴为301名。因此，他計算穴名349是对的，而總計穴數時則为650穴，比649多了1穴。所以側人圖173穴，說成174穴。千金翼方就改正过來，說是649穴，符合了甲乙經孔穴的數目。

王燾的外台秘要，說是依準甲乙正經，但却比甲乙經多了8名双穴，就是膽腑人第四，多了後腋、轉穀、飲郄、应突、脇堂、旁庭、始素7名，膀胱腑人第十一，多了膏肓俞1名。除旁庭穴在千金翼方取孔穴第一，膏肓俞在千金方卷30雜病第七及千金翼方卷27肝病第一見到外，其餘6名，不知出自何处。

穴位的排列法，各書也不相同。千金要方和千金翼方是用仰人、伏人、側人三人圖來部署表示，和甲乙經相彷彿。外台秘要是用十二經絡的路綫來排列，改用十二人圖，可能是根据內經而來的。

千金式的表示，是分身体地位來部署，对於望準孔穴的地位，便於記憶，是比較科学的。

在經穴以外，还有其它地方可以針灸，就叫阿是穴，阿是穴的名詞，最早見於千金要方第29卷，他說："凡人吳蜀地遊宦，体上常須三兩处灸之，勿令瘡暫差，則瘴癘溫瘧毒气不能着人，故吳蜀多行灸法。有阿是之法，言人有病痛，即令捏其上，若裹当其处，不問孔穴，即得便快，成痛处即云阿是，灸刺皆驗，故曰阿是穴也。"灵樞經筋篇："以痛为腧。"王冰注："不求穴俞，而直取居邪之处。"漢書东方朔傳師古注："今人痛甚則称阿。"可見唐代是有阿是穴的，而且可能在唐以前已有这名称。玉龍賦叫做不定穴，明針方六集也叫不定穴，就是說不拘穴位，在痛处下針。医学綱目及医經会元叫不定穴为天应穴，近代又称痛點，不定穴、天应穴与痛點，就是阿是穴，都从阿是穴演化而來的。

除了阿是穴外，还有些是在十四經穴外的穴名，叫做經外奇穴。

五、針灸在國外的概況

祖國医学進入到唐朝時代，有了輝煌的成就。不僅在國內保健事業上起了巨大的作用，而且傳布到國外如日本、朝鮮、印度、阿拉伯等國家。造福人類，影响世界医学的進步。

公元562年，吳人知聰攜黃帝明堂圖等医書至日本。日本学医最初的是針灸学，学習課本是甲乙經，所以日本孔穴部位和甲乙經一样。到公元1362年日本發布大宝令，置針博士[6]，針灸学得到進一步的發展。近代則加生理、解剖、病理的解釋，研究很有成績。日本的針灸是分開的，分为針科和灸科，在針灸的用具及操作方面，也不断有所改進。朝鮮則早在公元514年已傳去，693年置針博士教中國医学，針灸孔穴部位，也与甲乙經一样。所以我國为世界針灸学的發源地，甲乙經發揮的作用是很大的。

針灸療法在日本，是非常盛行和普遍，並且設有針灸学校，針灸学術团体，有關針灸的書籍出版得很多。

十七世紀時，中國的針灸經荷蘭医生天利尼的介紹，傳入歐洲[7]。如法、德、意大利等國家，对針灸都很重視，加以研究，已逐漸發展起來。法國近年來，針灸療法也得到進展，現在巴黎有五个医院設立金針門診部，有二个金針学会，都出版金針月報，其中一个学会已有会員三百多人，一个学会每年組織金針国际会議[8]。其它如德國、意大利等國家都在推行針灸療法。

苏联对我國的針灸療法非常重視，展開科学研究。烏克蘭生理研究所福立波而特教授及其共同工作者發現的电气皮膚活動點，証明皮膚活動點与中國的針灸圖很相符合，給我國針灸学發掘了科学內容，奠定了科学的基礎。

六、針灸的現狀

針灸在过去封建社会，反動統治下，遭受到束縛、歧視、迫害，得不到提高發揚。1944年毛主席在延安文教工作者会議上，指出了文教衛生工作的方向以後，針灸療法在老解放區首先推行起來，解決了一部分医藥缺乏的問題，獲得了顯著的療效。1951年春人民日報發表了針灸文章，引起全國医学界的重視，針灸療法得到進一步的提高發展。中央人民政府衛生部設立了針灸療法实驗所，公私医療机構添設針灸科室，也逐漸增多，少數民族地區也推行針灸療法，在医療上解决了不少困难，在藥費上節約了許多資金。全國衛生会議决定了四大衛生政策，指出了今後衛生工作的方向。1954年人民政府号召貫徹中医政策，团結中西医，繼承、整理和發揚祖國医学遺產，已扭轉了过去輕視排斥等情况，逐步轉向發展提高。各省市先後創設中医院，这是史無前例的事。中医進修学校及進修班，都設針灸学課程。中西医务人員，組織学習，針灸專修班亦不断開办，掀起了学習針灸的高潮。在毛主席和共產党領導的优越的社会制度裏，中國的針灸学得到了空前的提高和發展。

今後，在党与人民政府正確領導之下，团結中西医，努力發掘祖國医学宝藏，学習苏联先進医学，从事科学研究，中國針灸学必然会飛躍的發展，出現新的面貌，有可能在新的中國医学理論上寫出光輝的一頁，在科学領域中更向前推進一步，更好地为祖國劳動人民和人類的保健服务。

參考文献

1. 馬堪温：內丘縣神头村扁鵲廟調查記，中華医史雜誌第2号，100頁1955.
2. 胡玉青：祖國晋代偉大的針灸学家—皇甫謐，中医雜誌第3号，1955.
3. 陈存仁：日本所藏銅人的考察，中華医史雜誌第4号，1954.
4. 圖書集成医部医術名流列傳九
5. 圖書集成医部医術名流列傳七
6. 張俊义：針灸医術之歷史，高等針灸学講义針灸学，民國25年，东方針灸書局。
7. 鍾益生：中國医学演变的梗概及其發展方向，中医雜誌第1号，1955.
8. 刘永純"中國金針治療法"在法國之概况，中華医学雜誌35卷，第11，12期合刊。

元代的衞生組織和医学教育

龔　　純

一、社会背景

自从蒙古建國以後，許多小國都被滅亡，消除了西方割据的現象，商旅往來便利，並且又開闢官道，設立驛站，分置守兵以保衞行旅，便利了东西兩洋的交通，使得东西各民族接觸頻繁，並且蒙古大汗注重招致外人，一切色目人都加以重用，因此，西洋的天文、算学和砲術傳入我國，而我國的罗盤針、活字板等，也在这時傳到了歐洲，促進了中西文化的交流。在医学方面，也有多數歐洲人在十三世紀來到北京，如愛薛（Frank Isaiah）和約翰（John of Montecovino）等都曾在北京行医，首先直接將西洋医学介紹到中國。

蒙古武裝力量主要是騎兵，騎兵最易遭遇的伤害，便是由於墜馬所致的骨折和脫臼，所以他們不得不注重骨科和外科，十三世紀中葉，蒙古侵佔了回教國的領地，擄回阿剌伯医生，設立回回藥物院，因此他們的正骨術得以傳到中國。使正骨科成为独立的学科。

在蒙古入侵中國時，还处在从氏族社会末期向封建制飛躍轉变的階段。他們的經济生活主要是畜牧，虽然由於中國封建制度优越性的实际經驗与教育，引起了蒙古統治者，以及進入中國的蒙古人的經济生活和統治方式的一定程度的变化；但由於蒙古征服者殘酷地屠殺和奴役中國人民，嚴重地破坏了農業、手工業生產和文化藝術遺產，致使兩宋以來，高度發展的封建經济和文化陷於衰敗狀态，从而对中國社会的發展起了嚴重的阻滯作用。因之，除前述正骨科独立之外，在医学上的成就也很少。

蒙古兵攻城時，屠殺極慘，但独不殺工匠而俘作奴隸，医生也視同匠藝，得以免死。元世祖（忽必烈）至元13年2月（1276）平定江南詔書中，下令搜求"前代聖賢之後，高尚僧道、儒、医、卜筮，通曉天文，曆、數，並山林隱逸名士…"[1] 以为統治階级服务，医生也在被利用之列。

蒙古对种族歧視和階級压迫極其殘酷，除將各族人民分为蒙古、色目、漢人和南人等四級外，並將人民分为十等；即一官、二吏、三僧、四道、五医、六工、七獵、八民、九儒、十丐；（据南宋遺民鄭思肖的說法），医生位居第五。世祖中統三年（1262）及成宗（鐵木耳）大德三年（1299）並下詔免除医戶差役及賦稅[2]。过去医生不耻於士林，而元時医生位在儒士之上，但是他們重視医生，並非对於医学有所認識，而是为了保護統治者自己生命的安全，因此，中國的医学才賴以保全。

在蒙元統治中國將近九十年的过程中（1280—1368），以漢族为主体的中國人民，曾進行了長期的英勇反抗，全國性的人民起义，振撼了蒙元的統治，終於在農民軍領袖朱元璋領導下，完成了推翻元朝的業蹟。

二、衞生組織

1. 中央衞生机關

(一) 太医院

元代的中央衞生行政机關名叫太医院（秩正二品），掌管一切医藥事务，領導所屬医官，調製供奉皇帝的藥物，設於世祖（忽必烈）中統元年（1260），下面設宣差，提點太医院事（相当於現在的衞生部長）；至元二十年（1283），改为尚医監（秩正四品），下面設置提點四員、院使、副使及判官各二員。

成宗（鐵木耳）大德五年（1301）仍舊陞为正二品，設医官十六員，十一年（1307）又增加院使

---

(1) 元典章、典章2、聖政一

(2) 元典章、典章32、禮部卷之5、学校二、医学

二員。

仁宗（愛育黎拔力八達）皇慶元年（1312）增加院使二員，二年（1313）又增設院使一員。

英宗（碩德八剌）至治二年（1315）定置院使十二員，同知（正二品）二員，僉院（正三品）二員，同僉（从三品），院判（正四品）二員，經歷（正五品）二員，都事（从七品）二員，照磨兼承發架閣庫（从七品）一員，令史（正八品）八人，譯史二人，知印二人，通事二人和宣使七人。

元代以前太医院最高的爵位不过五品，而元代为正二品，由此也可以看出医生在社会地位的提高了[3]。

（二）典医署

典医署是專門为太子服务的东宫官（秩正三品），領導东宮太医，配製供進太子的藥餌，設於世祖至元十九年（1282），不久即罢去；大德十一年（1307）復行設立典医監。武宗（海山）至大四年（1311）又廢去；泰定帝（也孫鉄木耳）於泰定四年（1327）又設典医署；文宗（圖鉄木耳）天歷二年（1329）改为典医監（秩正三品），下置達魯花赤二員，卿三員、太監二員、少監二員、經歷和知事各一員，吏屬共十八人，下面管理一个司，二个局[3]。

2. 藥物管理机關

（一） 御藥院和御藥局

管理藥物製造和儲藏的机關：有至元六年（1269）設立的御藥院（秩从五品），掌管受理各路地方鄉貢，和各藩國進献的珍貴藥品，及医藥的修造湯煎，有達魯花赤一員（从五品），大使二員（从五品），副使三員（正七品），直長一員，都監二員。

又於至元十年（1274）設立御藥局，掌管兩都（即大都——北京和上都——多倫）的行篋藥物。

成宗大德九年（1305）分設行御藥局，掌管行篋藥物，但本局只管理上都藥倉的事务：規定設置達魯花赤一員（从五品），局使二員（从五品），和副使二員（正七品）[2]。

（二） 典藥局

典藥局掌管修製东宮太子的藥餌，設有達魯花赤一員，大使、副使和直長各二員。

另有行典藥局，也是專为太子服务的，設達魯花赤、大使和副使各二員[3]。

以上这些机關大都是沿襲唐、宋以來的官僚制度，为統治階級的健康服务。

（三） 藥物的收採和貢納

關於各路藥物的貢納，規定必須依照不同藥物的性質來按時節收採，按照藥物的產地來分派种類与數量，但是有的地方每年拖欠，不來送納，有的地方則託人順帶，藥品低劣損坏，不能使用，以致藥物奇缺。当然，这种現象的發生，是由於在殘酷的剝削和战役的頻繁下，人民的生活困苦，以及对藥物的栽培和保護不够所造成，但統治階級是不顧这些的，故於成宗大德八年（1304）下詔說：今後如果遇有催取急缺藥味，需要地方官按時節收採新鮮精粹藥物，經官医提举司辨驗眞假优劣後，然後差官到御藥院貢納，如果違背時，分別治罪[4]。

3. 阿剌伯医学机關——廣惠司及回回藥物院

元代衛生組織有別於歷代的特點，就是在元世祖至元七年（1270）設置廣惠司（秩正三品），掌管修製皇帝御用回回藥物及調剂，和治療各宿的衞士，以及居住北京的貧寒百姓，下面設提举二員。十七年（1280）增置提举一員。仁宗延祐六年（1319）陞为正三品，七年（1320）仍舊改为正五品。至治二年（1322）又定为正三品，設置卿四員，少卿和丞各二員。後來規定置司卿四員，少卿二員，司丞二員，經歷、知事和照磨各二員[3]。

廣惠司是阿剌伯式医院，蒙古兵在1253—1259年西征回教國，佔領波斯一帶地區，建立伊尔汗藩國，中統元年（1260）調西征軍充城防軍，更由於許多衞士來自西方（欽察衛和西域親軍等），因为这些衞士慣於阿剌伯治法，因此於1270年設立廣惠司，聘用阿剌伯医生，配製回回藥物，以治療患病的衞士。

至元29年（1292）更擴大組織，在大都（北京）和上都（多倫）各設一回回藥物院，於是元時的中國境內，已設有三个阿剌伯式的医学机關。

---

[3] 陈邦賢、中國医学史所引元史、百官志

[4] 元典章、典章57、刑部卷之19、禁毒藥

4. 医戸管理的机關——官医提举司

至元25年（1288）設置官医提举司，掌管医戸的差役、詞訟等事务(秩从六品)，設提举一員，同提举一員。在河南、江浙、江西、湖廣及陝西五行省各設立一司，其餘行省則設太医散官，分为十五階，大夫六階：即保宜、保康（从三品）；保安、保和（正四品）；保順（从四品）；保冲（正五品）；郎九階：即保全（从五品）；成安（正六品）；保和（从六品）；成全（正七品）；医正（从七品），医效，医候（正八品）；医痊及医愈郎（从八品）[8]。

除此以外，各处行省提举司及提領所，还可任意增添名額，如医正、医司、提調医戸和寫發、听探等人役，因过於冗濫，都在大德二年（1298）加以革斥，並且重新規定医官应設員數及办法如下：

（一）州縣差撥檢医催办差稅，查驗医戸多少，必須設立办事处的地方，应由提举司保选通曉医書且廉潔幹鍊的人充当，經查明沒有犯过罪的人，才能援例任用。設立提举司和提領的所在地，不必拟設。

（二）府、州、司、縣遇有差撥和当檢医正，应在本地現居医戸內輪流差遣，不許於管轄地區內乱行差擾不安。

（三）官医提举司和提領因为掌管差稅及受理詞訟，可以量行添設一、兩名司吏或祇候，其他人員不得濫行委任[5]。

元貞元年（1295）下詔規定：医戸与百姓發生爭执和訴訟時，管民官和医戸头目共同約会决斷，如果約会不到或不服决斷時，再行申院究問，因此，医戸在法律上比一般百姓享有不同的待遇[6]。

5. 貧民医療机關——廣济提举司和惠民局

除上述廣惠司治療居住北京的貧民外，另設廣济提举司，設達魯花赤一員，提举、同提举和副提举各一員，掌管調剂製藥，以施惠於貧民。

中統二年（1261）在北京設立大都惠民局，秩从五品，掌管經收官錢，經營出息，賣藥製剂，以救治貧民，受太医院管轄，至元十四年（1277）定为从六品，廿一年（1284）陞为从五品官。大德元年（1297）更於各路設置惠民藥局，貧病的人可以享受免費医療。

中統四年（1263）於多倫設立上都惠民司，設置提點一員和司令一員[3]。

以上这些医藥机關，虽然名为"廣济"和"惠民"，但由於吏治的腐敗，貧民很少能得到眞正的救济与实惠，不过作为統治階級收買人心和粉飾太平的點綴品而已。

6. 法医和監獄医生

元代对於法医極为重視，成宗貞元二年(1296)令各路荐举儒吏，每年二人，由廉訪司試选，並且規定儒吏考試程式，其中將罪証的法律鑑定列为必須精通的業务，其內容分为：

（一）尸 如勒死、欄死、牢內病死、罪囚被勒身死、驚諕死、毒藥死、燒死、杖瘡死、落井死、刃伤死、病死、自縊、馬踏死、俸毆死、自割死和刺死等尸体变化，均有詳細的記載。

（二）伤 如伤眼、太陽穴、四肢殘廢、中毒、落水、落齒、撕去头皮、刃物伤、拳手伤及墮胎等伤害的如何辨别。

（三）病 如瘖啞、骨折、精神病、痴、中風、四肢伤殘、風毒、癭腫、瘡腫及手足缺趾等病态的描述。

（四）物 如造蠱毒的藥物，致死伤的磚石和皮帶、刀刃、槍、棒等物証的鑑定[7]。

以上尸、伤、病、物的罪証都由医工檢驗，依照一定的格式填寫，作为判罪的憑据。

至於監獄医生，元代也有設立，但因当時政治腐敗，各路、府、州、縣的獄医，都是憑着医工或提領差撥医治，其中有許多人根本不懂脉理，甚至僱覓不畏公法，惟利是圖的人來冒名頂替，遇着獄囚患病，獄卒等只是在案卷後面，填上"該犯病症幾分"的字样以此塞責，因此寃死的人很多。

仁宗延祐四年規定：今後差撥獄医，必經再三試驗及格後，才能充任，不得隨便冒充。

---

(5) 元典章典章9，吏部卷之3、官制三、医官

(6) 元典章典章53，刑部卷之15，約会

(7) 元典章典章12，吏部卷之6，儒吏

成宗大德七年（1303）詔令囚犯医藥，由惠民局免費發給，除開所謂“大逆不道”等死罪外，可以由家屬入內服侍病囚，且以監獄衞生及病囚死亡人數，作為獄官和獄医考績的标準，但官吏們多陽奉陰違，統治階級也只是官样文章而已，实际上流弊很多，並無多大改進[8]。

7. 軍人的医療机關——安樂堂

元世祖至元七年（1271）因为蒙古軍和漢軍連年征伐，多由自已处理旅費，以致有錢、馬的軍官得以早日还家，而一般士卒回程時，自已沒有旅費驢馬，地方也不予照顧，在路途飢餓病死的很多，为了收拾軍心以加强战鬥力，便規定今後出征回程軍人經过的地方，当地官員必須支付口粮，患病的兵士必須給予藥餌，並於各翼設置安樂堂，聘請高手医工用藥看治，选差健康的人服侍，五个病軍，撥一个人为他們煎煮湯藥，扶持照料，有如現在的護理人員。但是有的地方还不曾設立，或者虽有設立，只是幾間房舍而已，照顧簡漏，什物也不完备，甚至医藥缺少，医治怠慢，以致軍人得病後，呻吟床榻，不易痊癒，死亡極多。元世祖便在至元21年（1285）下詔，令各翼普設安樂堂，並且以病死軍人多寡來施行賞罰，以後患病軍人才能得到適当的医藥照顧[9]。

三、医学教育

元代設有專門管理医学教育的医学提举司，凡屬考較各路医生課义，試驗太医教官，校勘各医撰述的文字，辨驗藥材，訓誨太医子弟等，都屬於它的職务範圍之內，並兼理各处所設医学提举（一人）和副提举（一人）。於世祖至元九年（1273）開始設置，十三年（1277）曾一度廢止，十四年（1278）復行設立[3]。

至於医学校的設立，始於中統三年（1262），由於太医院大使王猷和副使王安仁的建議：“以先医学久廢，後進無所師受，設或朝廷取要医人，切恐学不經師，深为利害。…”希望依照兩宋舊來体例，以当地医充任教授，設立医学以訓誨後進。於是在該年九月，差王猷和王安仁兩人懸帶金牌，隨路設立医学，校址即在各州縣的三皇庙內，於是从南宋末年以來，久已廢弛的医学，才得重新建立[2]。

世祖至元22年（1285）又下詔：命令各路精选医教授，不許濫保空疏無学的人，因此由亂部与尙医監共同研究医学制度，令各路、府、州、縣遵照施行：大凡未曾設立医学的地方，不得再行拖延苟且，今後必需逐漸設立，由本路總管府和官医提举司主持，公选学問淵博、医術精通，为所有医生推服且堪为師範的人充任教授，塡具履歷，並覓妥实保証人，將教授親筆書寫的治法三道，以及过去医愈的病人姓名、病患和脉証等，送呈尙医監，經过体覆試驗，考較优劣後，才可正式担任教授，成立医学。

現在將元代的医学制度与实施办法略述於下：

1. 学校的來源

諸路官医提举司或提領，委任正官一人，專行提調，会同医学教授，將所有在籍医戶和開設藥鋪，行医貨藥人家的子弟，选取合格的一人上学，如果有良家子弟，資質可以教訓，願意就讀的，也可收为医学生員。

取錄後，將現今在校学生的姓名、籍貫，以及学習那种科目和經書，有無習課和医义，逐項開列，申報尙医監，將來畢業時，就依成績与科别擢用[5]。

2. 考試科目与所習經書

大德九年（1305）太医院以“藝不精明，不能为上工，業不專科，則不能入妙。”因此拟定了考試程式，並規定不能精通本科經書的人，禁止行医。

（一） 程試太医应設的科目

太医应設十三科，經合併後只有十科，即大方脉雜医科（內科）、小方脉科（小兒科）、風科（神經精神病科）、產科兼妇人雜病、眼科、口齒兼咽喉科、針灸科、瘡腫科及祝由書禁科。

---

[8] 元典章典章40刑部卷之2，察獄。

[9] 元典章典章34，兵部卷之1，軍役。

(二) 各科应試經書

科別	应試經書					
	素問	難經	神農本草	聖济總錄	傷寒論	千金翼方
太方脉雜医科	1	1	1	83卷（20—100，185—187卷）	1	0
小方脉科	1	1	1	16卷（167—182）	0	0
風科	1	1	1	16卷（5—20）	0	0
産科兼妇人雜病	1	1	1	16卷（105—116）	0	0
眼科	1	1	1	13卷（102—112）	0	0
口齒兼咽喉科	1	1	1	8卷（116—124）	0	0
正骨兼金鏃科	1	1	1	4卷（129—140，144—145）	0	0
瘡腫科	1	1	1	21卷（114—116，125—128 141—143，200）	0	0
針灸科	1	1	1	4卷（191—194）	0	0
祝由書禁科	1	1	0	3卷（195—197）	0	2卷

3. 医生的考选

至元8年（1271）經省部議定"选試太医法度"六卷，每三年一次选試太医，將十三科应試經論，預先發到各路總管府，嚴行榜諭名人溫習本科医經。

考試日期：各路为八月，中試後，於次年二月赴大都省試，經省試合格者，開報姓名奏明朝廷，收充內医，承应差事；府試中选者，補充隨路学官，听从省試收補錄用。

虽然規定了考选办法，但仍有营私作弊的，如成宗元貞二年（1295）李克讓不懂医藥，用錢買通太医院，委充單州学正，又抄襲济寧路韓教授所作医义，由太医院拟充嘉兴路医学教授，經查出以後，除本人撤職不准叙補外，为了杜絕流弊，並規定各地应保医学教授，今後必須考試親筆課义三道，治法一道，送呈本路總管府，轉本道肅政廉訪司査驗，与保举的相符，然後申覆到太医院，再送回諸路医学提举司加以考較，認为文理通順，治法合適時，才能作最後决定，以免滋生流弊。

仁宗延祐三年（1316）更議定太医院試驗医生、提領和提举等人办法於下：

（一）除本年度令楊大方、完顏、李叔茂和兩位監察，將隨朝太医考試外，今後依照舊例，三年一次設立科举，試驗太医、教諭、学錄、学正和教授。

（二）不在京的提領和提举，在上任時必需考試医义，不及格的不准行医，只准管理医戶，及格的方准委付職务，不許詐冒。

（三）本年秋季，各路举行鄉試，來年秋天來北京会試，赴試人員，从路、府、州、縣医戶和其他医藥人員内，选举年在三十以上，医術精通，品行端正，孝、友、信、义著称於鄉閭的医生，覓保貢举，倘若名实不符，交由監察御史和廉訪司糾察。

（四）鄉試不限定人數，各科目共取一百人，赴都会試的，取錄三十人。考試医义題目，比元世祖至元11年（1274）減少二道。即：

第一場：本科經义一道，治法一道。

第二場：本科經义一道，藥性一道。

考卷不限字數，在試中三十名內，第一甲充任太医，二甲为副提举，三甲則为教授。从此以後，医生的考选比較嚴格，医官們也不敢濫竽充數了[2]。

4. 医学經驗的交流

各路、府、州、縣除医学生員外，所有隸籍医戶及行医人家，既然都以医業为生，各人都对医術有不少經驗和体会，同時也会發生不少無法解决的困难，因此在至元22年（1285）規定：在每月朔（初一）望（十五）日，大家齐到三皇庙——即医学校內，先在聖前焚香亂拜先医畢，然後各人說出自己所行的科業，治过的病人，互相討論得病的原因和時月运氣，用过的藥餌是否合宜？应該用那些藥物治療？並由各人寫出自己曾經治愈病人的姓名、疾病、治法和藥方，交与本路教授，然後由州、縣医学人員，每月呈報与医正討論，到年終時，彙呈本路医学教授評判优劣和等第，呈報上級以备錄用。这样，每月兩次的集会，有似現在的病案討論会，是一种很好的組織形式。一方面將本地的医生聚集，藉此交流經驗，提高大家的業务水平，一方面也可考查医生的本領，革除假冒医生的流弊。

5. 教学人員的名額

依照儒学体例，設教授、学錄和学正各一員，上州、中州各設教授一員，下州設医正一員，各縣設教諭一員。規定除各路医学教授（一員）祇受朝廷勅牒外，上州、中州及下州各設医正一員，都由尚医監委任；各縣設学諭一員，受本路医学教授聘請[5]。

6. 教学人員的考查

教員教医学生徒，依照每年公佈的十三科題目，令医学生每月学医义一道，年終時造册送呈尚医監考較优劣。

此外，对教学人員也举行考試，他們的成績另行造册塡寫，年終時，連同本校生員和医生的名簿成績一併考評，現在將当時試問教授的題目三道寫出，以見一斑：

（一）假令有人病头痛，身体拘急，惡寒無汗，寒多熱少，面色慘而不舒，腰脊疼痛，手足指末微厥，不煩躁，其脉浮而緊濇者，名为何証？何法治之？

（二）假令有人病身体熱，头痛，惡風，熱多寒少，其面光而不慘，煩躁，手足不冷，其脉浮而緩者，名为何証？何法治之？

（三）假如春夏月，有人病自汗，惡寒，身熱而渴，其脉微弱者，名为何証？何法治之？

元貞二年（1296），太医院因为已經公佈的十三科医义，共120道題目，而各处教授、学正、学錄和教諭人等，未能遵照学習，所有作業內容没有按照公佈的題目，或則依照过去所出舊題，或則自立題意，不合格法，往往赴太医院求進時，泛濫不一。於是規定今後教学人員，必須学習最近三年內所公佈的題目；教授应作医义三道和治法一道，学正則作医义二道和治法一道，送到太医院，經評定文理暢通，治法允当者，才可以依例銓補，量材擢用。如超出公佈題目內容，或題目在三年之外的，即行作廢，不予評定[2]。

7. 不尽職的教学人員罰俸

大德九年（1305）以各地虽已設立医学校，但多因循苟且，虛应故事，"月試旣未举行，課义亦皆鹵莽，朔望一來，苟圖塞責，講解勿問，視为虛文。羣居終日，旣不明岐黄之書，一旦疾民，安望有倉、扁之術？脉理不察，藥劑妄投，欲使民無横夭，难矣！皆由教官、正錄，尸素备員，淺見寡聞，不能訓誨，循習廢惰，致無成功。憲司所至，欲加嚴責，緣为医官又無罰例，減与寬恤，特此肆志效尤，若不明立責罰，何以作新？"[2]

因此責令各路提調正官，嚴行督促所屬医学校，务須遵守累行法規，訓誨後進医生，以期有成。廉訪司官巡視時，考査他們的課業，審定成績，如果有訓誨無成，奉行不力的。連学官和提調官一併治罪。並規定医学官罰俸办法於下：

（一）各处学校的大小学生，今後如果还有不坐齋肄業，有名無实的，初次，教授罰俸一月，正錄各罰中統鈔七兩；再次，教授罰俸兩月，正錄視前例加倍科罰；三次，教授和正錄取招供後，再行議罰，且标注所犯过名。至於提調官，依照学官罰例減等，初次罰俸半月，再次一月，三次罰兩月。

（二）教学人員如果訓誨無方，講課敷衍了事的，初次，教授罰俸半月，正錄各罰中統鈔五兩；再次，教授罰俸一月，正錄各罰中統鈔七兩；三次，教授和正錄招供後，再行議定，並标注所犯过名。提調官初次罰俸十日，再次半月，三次一月[2]。

經过这样嚴厲的整頓以後，元代的医学才具有現代医学校的規模，而不是徒具空名了。

8. 禁治庸医

当時因为庸医殺人的事時有所聞，不得不加以禁治。如至元七年（1270）益都府医工刘执中，針死也速歹兒元帥的妻子，武宗至大二年（1309）曲周縣張永用藜蘆治朱当兒的心風病致死，鳳翔府王文素誤医李大使病亡等。

因此，在法律上明文規定：医死人必須斟酌情形定罪。如至元七年（1270），医工李忠將王阿唐割癰致死，刑部断决李忠杖47下，不賠償燒埋銀兩。同年七月，焦轉僧医治慕阿罗的女壻陈某病症身死，審刑官断决將焦轉僧杖77下，並追徵燒埋銀兩付給苦主[10]。

同時更積極地禁治庸医，武宗至大四年(1311)十一月下詔：令各处路、府、州、縣的医学提領和教授等官，必須嚴立規程，課試医生的医經医义，若能明察脉理，深深了解藥性和製藥的，才許行医看病。

仁宗延祐三年（1316）更立下試驗医生的办法（見本節3、医生的考选）。三年举行一次大考，經过考試及格的方許行医，一方免得庸医冒濫，誤人性命，一方更可促使医学校的師生認眞教学，以發揮医学教育的眞正效用。

四、結論

1. 在蒙古統治的九十年中（1280—1368），由於殘酷地屠殺与奴役中國人民，使兩宋以來，高度發展的封建文化和經济衰退，社会發展受到極大的阻碍。元代医生的地位与秩品虽較歷代为高，但仍只是作为統治者的奴隸，为帝王貴族的健康服务。所以除正骨科發展成为單独的学科外，在医学上別無多大成就。

2. 在衞生組織方面，由於蒙古帝國疆域廣大，横跨歐亞兩洲，海陸交通發達，故除承襲唐、宋以來的官僚制度，与中國医学的傳統外，更設立了阿剌伯医院，採用回回藥物与療法，使西方医学直接傳入中國，在中西学術交流上，曾起了一定的作用。更由於战爭的頻繁，在各翼設立了專門的医療机關——安樂堂。

3. 十三世紀中葉，曾在各路、府、州、縣普遍設立医学，校址为当地的三皇庙，但多有名無实，不能促進医学進步。直到十四世紀初，經过嚴厲的考选与整頓後，医学才略具規模，並且將医学生和当地的医务工作者組織起來，成立了医学經驗的交流会，但終因当時政治腐敗，經济破坏，使得医学教育不能發揮更大的作用。

参考文献

1. 大元聖政國朝典章（簡称元典章）、涵芬室叢刊初編。
2. 陈邦賢：中國医学史、商务、1954年12月重版。
3. 李 濤：金元時代的医学、中華医史雜誌1954年6月。
4. 尙 鉞：中國歷史綱要、人民出版社1954年8月。
5. 柳詒徵：中國文化史、南京鍾山書局1953年1月再版。

---

(10) 元典章典章42，刑部卷之4，医死人。

祖國医学对腫瘤学的貢献

陈 义 文

腫瘤学在現代医学中，是重要部門之一。在苏联及其他先進國家，各城市都有設备完善的腫瘤防治及研究机構，如列寧格勒之苏联医学科学院腫瘤研究院；莫斯科之Ⅱ.格尔金腫瘤研究院等，正在不倦的尋找着最有效的預防腫瘤的途徑，早期正確診断及治療，各地廣泛地設有防治腫瘤的組織，因此完全消滅了晚期癌症的現象，如斯大林省等許多地區，兩年沒有發生过一例晚期之下唇癌、皮膚癌、乳腺癌，及子宫癌。这种防癌工作的成就，是我們应当学習的。

为了建設祖國的社会主义医学文化事業，除了学習苏联医学的先進經驗之外，更重要的是学習祖國医学的遺產，因为祖國医学具备有中國的地理、气候、藥產及各民族的生活習慣等自然条件，为廣大劳動者所爱好。

尤其腫瘤学，目前在國际医学上，还是一个沒有解决的，最複雜的問題。为了作好腫瘤的防治工作，發掘祖國医学中有關腫瘤知識的丰富宝藏，找尋新的抗癌及治癌物質，是必需的。

腫瘤学所研究的疾病，在祖國医籍中，多列論在腫瘍一類疾病之中，故有称为腫瘍学者，迄今朝鮮，日本及我國一部分学者，仍沿用腫瘍学的名称。

"腫瘍"兩字最早見於公元前12世紀，"周禮"天官有瘍医下士八人，掌管腫瘍、潰瘍……等病，其治法有三：(1)藥療，(2)劀（即割除法），(3)殺（即蝕去惡肉）。

腫瘍正是指腫瘤一類的疾病。以後歷代医籍中有：腫瘍、癰疽、疣贅、痞瘍、陰菌、乳岩、潰瘍、瘜肉、腸覃、癭腫、惡瘡、疔毒、瘰癧、癥瘕積聚、舌菌、瘰癧、流注等專篇論述。

迄至清代，"瘍医大全"卷七云："初起腫瘍者，乃癰疽惡毒，始發癭腫，七日之內，未成膿者，名曰腫瘍。"这样樸实的描寫，是教育医生对腫瘍（腫瘤）的診断，要提高警惕性，七天以後未成膿者，要考慮到腫瘤的問題。因为腫瘤日久生長，或瘜肉、疣痣等癌前症，經久会形成腫瘤性潰瘍，故叫腫瘍。若未潰爛而日益增大，擴散蔓延（或轉移），危及生命者叫癭腫毒（惡）瘡（惡性腫瘤）。

腫瘤学的分科研究，在國外也只50年來的歷史。在祖國医籍中，不但很早就有腫瘤疾病的記載，仔細查考歷代医学中之經典著作，已有預防的方法；臨床治療的經驗；更有理論的基礎。

一、預防腫瘤的方法

預防腫瘤的方法，主要是提倡体育，講求飲食，禁煙戒酒，節慾等。

(1) 提倡体育 祖國偉大的医学家，外科学之鼻祖——華佗(145—208)曾繼承了中國"上工治未病"的預防医学思想，提倡体育，防止衰老，对於預防腫瘤的問題上，是頗適用的，他对学生吳普說："古之仙者（長寿人）为導引（深呼吸）之事，熊經鴟顧，引挽腰体（摹仿動物及鳥類生動活潑的姿态），動諸關節，以求难老（防止衰老）。"他創造五禽之戲（虎、鹿、熊、猿、鳥），以防止疾病（包括腫瘤）。他又說："人体欲得劳動，但不当使極耳。動搖則穀气得銷，血脉流通，病不得生。"

吳普执行華佗的体育療法，活到90多歲，还是"耳目聰明，齒牙堅固"。防止衰老，是預防腫瘤的主要条件。因衰老会使血循不良，新陈代謝發生障碍，防禦力減低，为腫瘤打下基礎。注重体育，使生活活潑，多不易發生腫瘤，是近代公認的事实。

(2) 講求飲食 歷代食物專書，如神農食經，孟詵"食療本草"，孫思邈之"千經食治"，忽思慧之"飲膳正要"……等，均多記述穀類、豆類、蕈等植物性食物。此類食品內含維生素B較丰富，多有抑制癌症的作用。

藥物与長寿的關係：据"神農本草經"的記載，大部分的藥品均有涉及养生与長寿的記載，僅僅上品藥的120味中，就有103味，記述有"久服輕身延年"，"不老"，"耐老"，"益寿"，"增寿"，"長年"等防止衰老，提倡長寿的描寫。其中如蜂蜜、芡实、柏实、藕实、葡萄、鹿角膠、麦冬、白朮、薯蕷、龍骨、玉竹、茯苓、甘草等等迄今中医仍認为是腫瘤病人重要的調养剂，或衰老及老年人的補养品。以後如五癭丸之"蜀椒"，每百克中含維生素B_1達220微克；消癭散之"海藻"每百克，含維生素B_1達40微克；通气丸（治癭瘤）之"杏仁"每百克含維生素B_1達340微克。療治惡瘡之馬齒莧每百克含維生素B_1 40微克。其餘如飲用之六一散，碧玉散等，均具有解毒作用；補养用之黃耆、当歸、黑大豆、蜂蜜、芡实等，均含維生素C較少，而含維生素B較丰富，是合乎現代腫瘤防治原則的。据現代了解，使飲食中的維生素C減少到一定限度。不但可防止腫瘤的擴展，且可促進放射治療的敏感性。上述藥品，据已有的实驗記錄，是具备这些条件的。

水土与腫瘤的關係：早在"山海經"就記載有："天目之山，有草如葵，名曰杜衡，食之能令人癭。"已認識到"杜衡"为抗甲狀腺素之植物。又有"鱃魚……食之不疣"，"鱍……食之無腫疾"，"虎蛟……食之不腫"。呂氏春秋有"輕水所多禿与癭人……甘水所多好与美人"。癭是飲水中缺碘，使人病甲狀腺瘤。但在某些地區的水中，含有能利用致癌性煙化合物作养料的微生物，此种水即有抑制腫瘤發生的作用（И. Ф. Леонтьев, 1948），故甘水美好。

金元四大名医之一（朱丹溪）說："癭气須斷厚味，他更認为乳癌，胃癰（癌？）等均为"厚味所釀"。以及李东垣等均主張節制飲食以防病。"厚味"即过度烹調的食物。因食物过度烹調如黃油煮三小時以上，即產生"類胆固醇物"一類的致癌質。因此"節制飲食"，"断厚味"以預防腫瘤，是合乎現代学理的。

其次關於攝生养性的記載，如飲食不宜过飽、过少、过快、过硬、过熱等，對於預防腫瘤亦具重要意义。

（3）禁煙戒酒，節慾 吸煙的害处，記載很多，僅据中國医学大辭典3493頁煙草条云："此物善行善散，性辛溫微毒，燃而吸其煙，其性能頃刻徧於週身，……有熏臟腑之害也，其性猛烈，久食則壯火，耗血散气，令人毀容損年（衰老）……戕賊寿命。"因为吸煙受到"尼古丁"及"煙草焦油"兩种毒害，後者具顯明的致癌作用。只需煙草焦油在兎耳上塗10天，即可生炎症，繼則成乳头瘤，然後癌变而致死亡。所以預防腫瘤，必須禁止吸煙。

酒是中國外科家最早应用的一种麻醉藥，漢代華佗曾有"以酒服麻沸散"为病人"抽割積聚"的記載。酒作藥用是必需的，然日久飲用，会使血管硬化，引起衰老，血循不良，容易發生癌症。

所以淳于意（公元前215—167年）認为"酒和色"（縱慾）是生病的重要原因，他報告25例病案中，由"酒和色"引起疾病者，佔11例。追蹤观察至死亡者，有10例之多。因为醉酒与食管癌胃癌確有密切關係，迄今我國对食管癌有特殊成就之吳英凱教授，仍强調食管癌的原因与醉酒，或过硬，过熱的食物有密切關係。

縱慾（色）容易引起性器官損伤，經久而發生癌变，因为癌腫多發生在不健康的組織裏。色情过度，易促進衰老，以至間接引起腫瘤的發生。性病中之梅毒与癌腫（子宮癌、舌癌、口底癌、陰莖癌等）更有密切的關係。十二世紀李东垣等曾竭力提"節制情慾"以防止疾病。

二、臨床腫瘤学上的治療經驗

（1）外科方面 "後漢書"華佗傳云："疾發結（腫瘤）於內，針藥所不能及，乃令先以酒服麻沸散，既醉，無所覺，因刳腹背（開腹術），抽割積聚，若在腸胃，則斷截（截除術），湔洗，除过疾穢，既而縫合，傅以神膏（殺菌藥膏）"。〔"結"为腫瘤的根据，据孫思邈（581—682年）曾云："結而为瘤贅，陷（潰爛）而为癰疽，奔而喘乏（肺轉移）。孫思邈对於瘤石癰結，主張用五香連翹散，黃耆散等內服，認为針角不当，多致禍患〕。

"晉書"云："初帝目有瘤疾，使医割之"。此为我國割治腫瘤最早的記載。國外文獻到1879年始有割治胃瘤的記載，到1885才有成功的報告（welch氏）。故我國割治腫瘤的歷史，最少比國外早1600年。

到1253年"嚴氏济生方"，記有割治內痔瘡（牙瘤腫瘤之類），已知道"用勾刀决其根"，並"用燒灼法以止血"。

朱丹溪（1281—1358年）已观察到妊妇患乳癌的不良後果云："乳房爛尽，延及胸腋，諸藥尽試不效……。"更記錄有男性乳癌："左乳側瘡口大如盌，惡肉紫黯，嶙峋嵌深，宛如岩穴之狀，臭不可近……。"对此种病例，追隨探視到"吐血"乃至"發暈"死亡。

明代李梴"医学入門"指出割治腫瘤的注意事項：

(1)"切不可輕用針刀决破，破則膿血崩潰，滲漏不已，必至殺人。"

(2)"脂瘤用利刀破去。"

(3)"茄垂（蒂狀纖維瘤），根甚小者，用藥點其蒂，俟茄落，即以生肌斂口藥敷之，防其出血。"

王肯堂(1552—1639年)"外科準繩"指出："諸瘤贅……按之推移得動者，可用取法(手術)去之，如推移不動者，不可取也。"又云："瘤無大小，不量可否，而妄取之，必妨人命。"

(2) 內科或內服藥方面 張仲景(168—219)金匱要略云："妇人臟腫如瓜，陰中疼，引腰痛者，杏仁湯主之"。这样記錄女性生殖器官腫瘤，發展增大如瓜時，不但陰部疼，而且压迫荐叢神經会牽引到腰部疼痛。杏仁含維生素B_1最丰富（100克中含340微克)对腫瘤病人確有帮助。又有"妇人年50歲，病帶下，數日不止……少腹裏急，腹滿……溫經湯主之"。溫經湯之主藥为吳茱萸三兩（每100克含維生素B_1 280微克），其次为营养丰富之当歸、人参、阿膠、麦冬、丹皮、甘草等。因为50歲以上病帶下（陰道流血或流臭水）多为子宮腫瘤。

該書又有："朝食暮吐，暮食朝吐，宿穀不化，名曰反胃，脉緊而濇其病难治。"因胃幽門部由腫瘤或其他疾病的梗阻，經久胃壁肌肉衰弱，而擴張，食物宿留，不消化，而嘔吐，由於腫瘤引起者为难治。

魏晉時代，医書对於癭瘤一類疾病，記載丰富，而且正確。如葛洪(218—361年）由丹陽句容南遷到廣东罗浮山煉丹，並著"肘後方"，主張用海藻等（含碘的藥物），防治甲狀腺腫瘤。該書記載有："海藻酒方，療頸下卒結囊漸大，欲成癭者，用海藻一斤去鹹，清酒二升，絹袋盛海藻，酒漬，春夏二月，一服二合，稍稍咽之，日三……"。

"外臺秘要"記載有治療癭瘤的藥方36种，其中含昆布、海藻者，有27种。

國外文献到1170年以後，始知燒"海草"治療甲狀腺腫，故我國發現碘剂及抗甲狀腺素（杜衡）治療，最少比國外早800—1000年。

陈無擇"三因方"(1161—1174年）已注意癭与瘤的鑑別謂："癭多著於肩項，瘤則隨气凝結"而遍及全身。更注意到年齡及五癭（石癭、肉癭、筋癭、血癭、气癭）六瘤（骨瘤、脂瘤、气瘤、囊腫、肉瘤、膿瘤、血瘤）的分類及其治法。

李時珍(1518—1593年）"本草綱目"記載有治療癭、瘤、疣、痣的藥物，共計113种。

由此可見祖國医学中，对於腫瘤一類病的藥物治療，非常丰富，有待於今後的研究。

对症治療方面：竇漢卿"瘡瘍全書"認为腫瘤为血聚不散，日漸增大，破者用梅花散敷，內服秘方流气飲等。"外科準繩"对晚期乳癌謂："体倦口乾，中气虚也，補中益气湯；……欲嘔作嘔，胃气虚也。香砂六君子湯；……若怒气腫痛，肝火伤血，八珍加柴胡山梔。……"

薛己治療翻花瘡（皮膚瘤），用滋肝補气之法，外塗藜蘆膏；陈实功用清肝蘆薈丸治療筋瘤等。

初步尋找歷代医籍中，記載的腫瘤名称約有四十餘种，均各有其不同的治療方法（內服藥及外敷藥物）。头頸部分的腫瘤，大都列入癭瘤之類，癭（甲狀腺瘤）：計有前述之五种。遍及全身之腫瘤，除上述六种外，还有粉瘤、黑沙瘤（黑色素瘤）、疣贅、黑子、痣、髮瘤（皮样囊腫）、胎瘤、蛆瘤、蛔虫瘤、發瘤、虫瘤、翻花瘤、痰瘤、膠瘤（腱鞘瘤）、物瘤、膿瘤、丹瘤、昔瘤、筋瘤（纖維肉腫或纖維瘤）腸瘤、瘜肉、腸蕈、陰菌、惡瘡、癭腫、舌菌、乳岩、妳岩、瘰癧、茄垂（蒂狀纖維瘤）、臟腫（子宮瘤）、風瘤（轉移瘤）等等。

三、關於腫瘤的理論

公元前533年医和提出"六气"太过或不及，則令人生病即所謂"气体平衡"的理論。

六气之"陰陽"指溫度高低，低溫可抑制腫瘤擴展；"風雨"指气象变化对人致病的外界因素；"晦明"指情緒（七情）或过劳引起衰老等內在因素。

我國第一部医書——“內經”对於腫瘤已開始有樸实的記載与原因的探討。該書刺節眞邪篇記筋瘤謂：“筋屈不能伸，邪气居其間而不反；記腸瘤为：有所結气歸之，衞气留之不得反，津液久留，合而为腸瘤；岐伯說：“寒气克於腸外，与衞气相搏，气不得营，因有所繫，癖而內著，惡气乃起，瘜肉乃生，其始生也，大如鷄卵，稍以亦大，至其成，如怀子之狀，久則离歲，按之堅，推之則移。……”

總之，“內經”認为腫瘤的病因，不外“虛邪”，“惡气”“結气”，衞气及寒气等。以現代語來說：虛（衰弱或衰老），邪，惡气，可釋为病毒或其他病原微生物。“气”字一般釋为作用或机轉。“結气”为血液淤滯，或血循不良；衞气即抵抗力；寒气即外界环境因素的影响。

朱丹溪（1281—1358）認为腫瘤（乳癌）由於“怒忿所逆”（巨烈精神刺激）。王肯堂認为腫瘤於“肝气横逆”。引証內經有：“怒則气上，驚則气乱，喜則气緩，思則气結……。”这說明外界环境因素的刺激（邪气、惡气、怒忿憂思等）与內在因素的反应（結气、衞气、虛弱等）而使平衡失調，即發生腫瘤。近年來國外文献亦有報告“憂愁促以誘發癌瘤”的学說，如扎哈林（Захарьин）氏曾說：“老人由於憂愁可生兩种病（即癌与糖尿病）……由於憂愁而生癌的百分率之高，和梅毒造成脊髓痨相彷。”

祖國医学很早就注意到“整体观念”來分析病因，且注意到环境因素（七情，六气）在我國的地理气候上对人致病的影响，腫瘤是一个全身疾病的局部表現，密切的受到体內外环境的影响。故治療上主張“調補元气”，增强抵抗力。但也不放鬆局部对整体的影响而用解毒、清利、攻堅、內托及枯瘤膏等。

四、小　　結

1. 略述祖國医学中，有關腫瘤的一些防治方法与成就。已为我們開闢了廣大的研究園地。

2. 隨着医学科学的發展，我們必需“溫故知新”，从丰富的医学遺產中，找尋或提取新的防治腫瘤的藥品，或抗癌物質。

3. 遵循“整体观念”的理論指導，重視整体对腫瘤的反应，但也不放鬆腫瘤对整体的影响。繼續發掘新的方法，作好防癌工作。

清代王清任对於解剖学的貢献

丁 鑑 塘

王清任，字勳臣，河北玉田人，是一位革命的医学家。生於清乾隆三十三年（公元1768年），卒於清道光十一年（公元1831年）。他所著的医林改錯，是他畢生对解剖学研究的總結，这部作品出版於清道光十年（公元1830年），次年他就死去了。这部作品的出版，在祖國医学解剖学上來說，是劃時代的，是具有着一定的進步意义和革命精神的，但是在已往的時代裏，它不但沒有受到应有的重視，反而受到了反对和排斥。解放以來，在党和人民政府的正確領導下和繼承發揚祖國医学遺產的偉大号召下，王氏这部作品有重新加以研究和整理的必要。这裏僅提出个人对这部作品關於解剖方面的一些見解，供作大家参考。

祖國医学的解剖学也和其他学科一样有着悠久的歷史，記錄在医学經典著作"內經"和"难經"中的解剖学說，有很多論断符合或接近現代的解剖学。漢書王莽傳載："誅翟义捕得其党，使太医尙方与巧屠共刳剝之，量度五臟以竹筵導其脈。"晁公武讀書志載有楊介五臟存眞圖說："崇寧間，泗州刑賊於市，郡守李夷行遣画工往，親决膜摘膏肓曲折圖之。"这是見於記載的解剖史料。

在祖國医学長期發展史上，解剖学術因受了封建社会宗教道德观念的限制，阻塞了它的發展。清代的解剖学，虽然新的学說不斷出現，但守舊的思想仍然佔着首要地位，当時滿清政府纂修的医学标準書医宗金鑑，引用的臟圖仍然是和前人一样。在舊学說的本身來說也是很不系統，在这方面綜定古人的学說，提出新的学說是非常必要的，王氏在这样的歷史情况下開始了他的偉大研究工作。

从医林改錯的序文中知道，王氏在十幾歲的時候就对解剖学開始注意了，他幾乎用了畢生的精力完成了他这部巨著。这部作品也正如他所說的："余著医林改錯非治病全書，乃記臟腑之書也。"他著这部書的動机是什麼呢？从下面的一段話中可以得到答覆，他說："著書不明臟腑豈不是痴人說夢，治病不明臟腑何異於盲子夜行。"在十八世紀的祖國医学家們，对这方面的重視是不够的，正是因为他認識到解剖学对医療上的重要性，認識到观察清楚人体的秘密对發揚和整理祖國医学的積極意义而開始的。他以非常客观的态度和实事求是的精神，仔細的研究了人体的各个器官，为此，他曾观察了數十具小兒屍体[1]观察了數具受刑犯人的內臟，作过動物比較解剖[2]，也参閱和引証了很多文献，吸收了前人学說的合理部分。他在研究和接受医学遺產中，对不能肯定的地方就提出來留待後人研究，从不肯强不知以为知，他这种科学态度是我們应該効法的。

一、在解剖学上的貢献

1. 对心臟和血管

指出古人論說心包絡的錯誤：他在医林改錯臟腑記敍中說："其論心包絡（指古人），細筋如絲，与心肺相联者心包絡也。又云，心外黃脂是心包絡也；心下橫膜之上豎膜之下黃脂是心包絡。又云，膻中有名無形者乃心包絡也。旣云有名、無形，何得又云手中指之經乃是手厥陰心包絡之經也。論心包絡竟有如許之多，究竟心包絡是何物，何能有如許之多。"

王氏为了研究血臟和血管，親自观察了三十幾具屍体，对大動脉的走行徑路曾作了詳細的研究，他書中称主動脉为衛總管，称大靜脉为榮總管。現在把他的这些学說摘錄在下面：

---

(1) 医林改錯臟腑記敍有在灤州稻地鎮义塚中，逐視十天屍体看至不下三十餘具的記載。

(2) 医林改錯論氣管出水道部分，有"後以畜較之，遂喂遂殺之後……………"的記載。

（1）对頸總動脉和主動脉的認識："肺管之後，胃管之前，左右前边凹处有气管兩根，上口在会厭之下，左曰左气門，右曰右气門（左右頸動脉），左右气門兩管兩傍下行至肺管前半截处歸併一根，如樹枝兩杈歸一本，形粗如筋（無名動脉），下行入心，由心右轉出，粗如筆管，从左後行由肺管左边过肺入脊前下行至尾骨，名曰衛總管（主動脉）。"

（2）对腸系動脉的認識："自腰下向腹長兩管，粗如筋，上一管通气府（腸系動脉），气府俗名雞冠油……，乃存元气之所，元气即火，火即元气，此火乃人生命之源。食入小腸全仗元气蒸化（認識到腸系膜的吸收作用）。"

（3）对肱動脉、股動脉和腎動脉的認識："衛總管（主動脉）背心兩边有兩管粗如筋，向兩肩長（肱動脉）。对腰有兩管，通兩腎（腎動脉），腰下有兩管，通兩胯（股動脉）。"

（4）对動靜脉的形体和動靜脉在人体內分佈情况的認識："衛總管（主動脉）体厚形粗，長在脊骨之前，与脊骨相連散佈头面四肢近筋骨長……榮總管（靜脉）体薄形細，長在衛總管之前与衛總管相通，散佈头面四肢近皮肉長……。"（圖1）

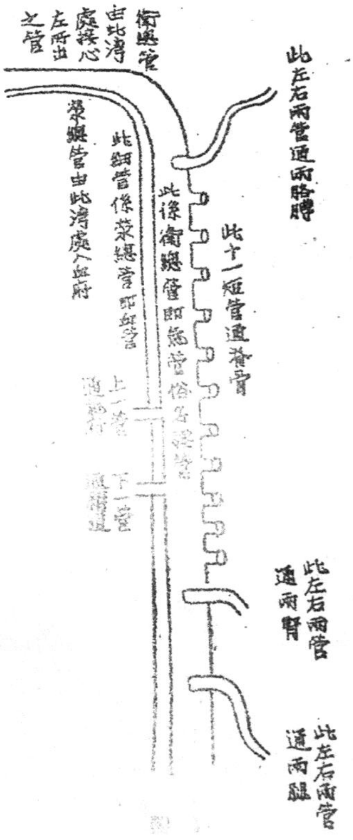

2. 对於肺藏

他在叙文中指出古人論說的錯誤称："其論肺（指古人），虛如蜂巢下無透竅，吸之則滿，呼之則虛。既云下無透竅，何得又云肺中有二十四孔行列分佈以行諸臟之气，論肺孔竅其錯誤又如是。"

王氏湿着在屍体中的观察，提出了他的認識，他說："肺兩大葉，大面向背，上有四尖向胸，下一小片也向胸。肺管下分为兩杈入肺兩葉（气管和枝气管），每杈分中小杈，每中小杈分九小杈，每小杈長數小枝，枝之尽头处並無孔竅，其形仿佛麟麟菜。肺外皮也無孔竅，其內所存皆輕浮白沫。"

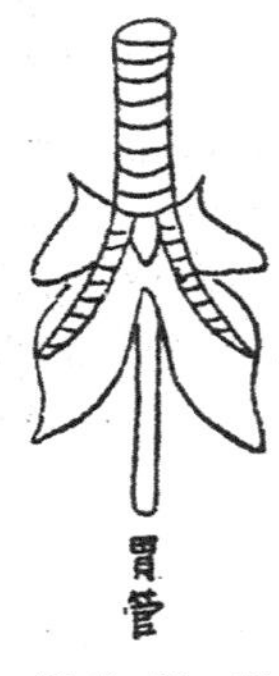

圖2 肺圖

說明：①肺管至肺分兩杈，入肺兩葉直貫到底皆有節。
②兩大葉大面向背小面向胸，上有四尖向胸，下一小片亦向胸。
③肺內所存皆輕浮白沫，如豆腐沫有形無体。
④肺外皮实無透竅，亦無行气之二十四孔。

3. 对於胃臟

他在叙文中指出古人的錯誤称："其論胃（指古人）主腐熟水谷，又云脾動磨胃化食，胃之上口名曰賁門，飲食入胃精气从賁門上輸於脾肺，宣播於諸脉，此段論說無情無理……。"

王氏就自己观察所得，叙述如下："古人画胃圖，上口在胃上，名曰賁門，下口在胃下，名曰幽門。言胃上下二門，不知胃是三門（包括十二指腸輸胆管）。画胃竖長不知胃是横長，不但横長在腹是平舖臥長，上口賁門向脊，下底向腹，下口幽門也在胃上偏左脇向脊。幽門之左寸許另有一門，名曰津門，津門上有一管，名曰津管（輸胆管），津門之左一寸远有一疙瘩，形如大棗，名曰遮食（幽門括約肌）。”

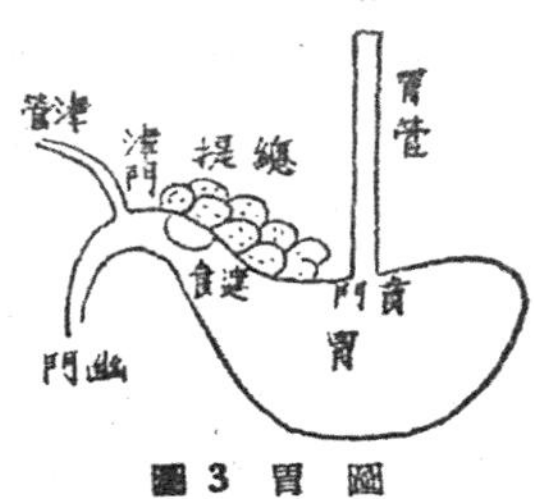

圖3　胃　圖

說明：①胃府之体質上口賁門在胃上正中，下口幽門亦在胃上偏右，幽門之左寸許名津門，胃內津門之左有疙瘩如棗，名遮食。胃外津門左名總提肝連於其上。

②胃在腹是平舖臥長，上口向脊，下口向右，底向腹連出水道。

4.　肝臟和腎臟

圖4　肝　臟

說明：①肝四葉，胆附於肝右边第二葉。

②總提（胰臟）長於胃上，肝又長於總提之上，大面向上後連於脊，肝体坚实非腸胃膀胱可比。

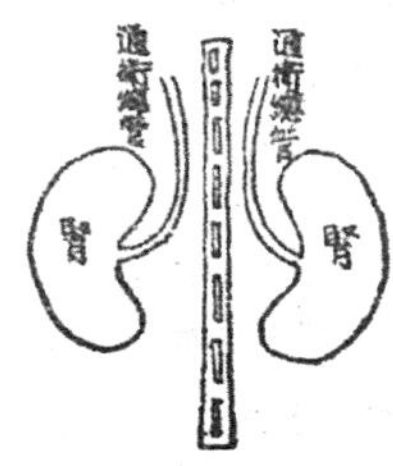

圖5　腎　臟

說明：①兩腎凹处有气管兩根，通衛總管兩边，腎体实实內無孔竅决不能藏精。

从前面介紹中可以看出，王氏对人体內臟確是作了較为細緻的观察。也以多年实际观察的心得，提出了不少新的学說，这些学說是有其一定的科学價値的，如他对肺臟的認識，改变了从前“六葉兩耳”的說法，他所繪製的肺臟圖已很接近实际了。对肺的气管，支气管和肺的組織等都有較为詳細的說明。在胃臟器官方面，他所繪製的胃臟圖更是比以前有了顯著的進步；对胃的形体、胃臟的內部情况、胃臟和其他器官的關係等方面都有較为詳細的叙述，他認識到胃臟的幽門括約肌（食遮），找到了和十二指腸連接的輸胆管（津管）等等。

二、主張腦是智慧的中樞

古人对心臟和腦器官生理机能上的認識，有些地方比較混乱，如王清任所說：“不但医家論病言灵机發於心，及儒家談道德言性理亦未有不言灵机在心者。”他的这种說法虽然有些过甚其辞，但这种現象是存在的，如在內經中說：“心者君主之官神明出焉”，难經：“心藏神”，荀子“人之動靜性情莫不由心”（五行大意）。可見这种說法在社会間在医学理論中是存在很久了。

由於医療知識的向前發展，很多近代先進医学家对这一学說提出了不同的意見，提出了对腦器官生理机能認識的新学說，現將这些学說引在下面。

金正希：“人之記性皆在腦中，凡人外見一物必有一形影留在腦中，小兒腦未滿，老人腦漸空，故皆健忘。愚愚凡人追憶往事，必閉目上瞪而思之，此即凝神於腦之意也……。”（引於本草备要）

王惠源医学源始：“人之一身五臟藏於身內，止为生長之具。五官居於身上为知覺之具……故云心之記性記於腦中。”

喻嘉言寓意草：“腦之上为天門，身中万神集会之所……。”

王氏在这方面的学說：“灵机記性在腦一段……不但医書論病言灵机發於心，即儒家談道德言性理也未有不言心者，因始創之人不知心在胸中所办何事……心乃出入气之道路，何能生灵机貯記性；灵机在腦者，因飲食生气血長肌肉，精汁之清者化为髓，由脊骨上行入腦名曰腦髓，盛腦髓者名曰髓海，其上之骨名曰天灵蓋。腦气虚、腦縮小，腦气与耳竅之气不接故耳聾……兩目系如線長於腦……小兒出生時腦未全，顖門軟，目不灵動，耳不知听，舌不能言；至週歲腦漸生，顖門漸長，耳稍知听，目稍有灵動……至三、四歲腦漸生，顖門長全……所以小兒無記性者腦髓未滿，高年無記性者腦髓漸空……以此观之豈不是灵机在腦之証据乎。”

腦器官是非常複雜的高級器官，以当時的客观条件來說，王氏对这一器官的研究是有困难的，因之，他在这方面研究的成就不甚顯著，他在这方面的貢献是：以非常銳敏的观察能力，选擇了新学說的合理部分，他較有系統的總結和補充了前人的学說。

三、对古人論說三焦的批判

他在臟腑記叙中說道：“其論三焦（指古人）更为可笑，灵樞曰：‘手少陰三焦主乎上，足太陰三焦主乎下。’已是兩三焦矣。难經三十一难論：‘上焦在胃之上，主內而不出；中焦在胃中脘，主腐熟水穀；下焦在臍下，主分清濁。’又云：‘三焦者水穀之道路’此論三焦是有形之物，又云：‘兩腎中間動气是三焦之本’，此論三焦是無形之气，在难經一有形一無形又是兩三焦矣。王叔和所謂有名無狀之三焦者蓋由此也。至陈無擇以臍下脂膜为三焦。袁淳甫以人身著內一層色形最赤者为三焦。虞天民指空腔子为三焦。金一龍有前三焦後三焦之論。論三焦者不可以指屈，有形無形諸公尚無定準，何得云乎手無名指之經是手少陽三焦之經也。其中有自相矛盾者，有後人議駁而未当者。”

他說：“余不論三焦者無其事也。在外分头面四肢周身血管，在內分膈膜上下兩段，膈膜以上心、肺、咽喉左右气門，其餘之物皆在膈膜以下……。”

結　　論

医林改錯是新舊学說鬥爭中代表新学說的作品，它承繼了祖國医学的优良傳統，反駁了舊的各种謬說，並在这个基礎上，提出了新的学說，由於科学的不斷發展，这部作品今天分析起來，不可諱言的是存在着很多缺點，如他在解剖屍体時看到心臟和大動脉沒有凝固的血液，就認为心臟無血，動脉是藏气的等等。应該理解，王氏所生在那个時代，想研究清楚人体各机能部分的詳細構造，是一件很困难的事。依靠当時的医学遺著是不能找到答覆的，封建的哲学思想，鬼神論和舊的道德观念等等，都不允許他和現代解剖屍体那样去進行研究，除此以外，在主观研究方法上，也有不够正確的地方，他沒有能够正確的認識古人已有的經驗，如他認为古人的切脉学說，是不值一駁的理論[3]，否認了古人的血管由每臟腑向外長兩管的合理学說[4]。如果他能够正確的对待这些問題，不是会使他的学說更丰富更有根据嗎。總之这一主观的缺點，也使他的研究受到了很大損失。

我們对王氏的評價，不应以現代科学水平來衡量，不要离開当時的歷史情況，更不要以他某些方面的缺點而忽略了他的進步意义。在医学領域內五运六气的哲学思想非常盛行的時代裏，王清任竟完全摒棄了这些影响，他以实际观察屍体的方法去从事解剖学的研究，在他这一研究方法的本身來說就有很大的進步意义。解剖学是一門非常複雜的科学，它必須在多人的長年累月的辛勤实踐中，才能積累若干正確的学說。因之王氏的研究成果，虽然現在看起來是微不足道的，而在当時的解剖学上來說那已經是非常了不起的貢献。

以上多根据“医林改錯”一書中的記載，評述了王清任在解剖学上的貢献，一方面因受資料的限制，另一方面也限於筆者学識水平，顯而易見，这些分析定会存在很多缺點和錯誤，希大家对这篇簡單的叙述提出補充和修正意見。

---

(3) 医林改錯气血合脉說中有“古人論脉二十七字，余不肯深說，非謂古人無容足之地，恐後人对症無談脉之言”的記載。

(4) 医林改錯衛總管榮總管圖後註說：“古人言經絡是血管由臟腑向外長兩管，惟腑臟向外長四根，余親見百餘臟腑無向外長血管之形……”。

医藥金石过眼錄

耿鑑庭

吾鄉汪硯山先生，咸同間博雅士也，著作甚丰，嘗为金石萃編之續，成書若干卷，名金石过眼錄，为十二硯齋叢著之一。先六伯祖光奇公，昔与之訂忘年交，余虽不及見，然心儀焉而奉之为楷式。廿年來，余搜訪金石，初致力於鄉邦文献，繼見關乎医藥者較多，遂亦箸之於書。其鮮見者，且附以攝影。竊仿汪氏書名，顏之曰医藥金石过眼錄，以别於先成之廣陵訪石記。

一、漢　羽人搗藥圖

徐州附近新出漢墓石室中画像之一段。考嵩山少室闕及其他漢画中，均有玉兎搗藥浮彫。此作羽人、更具有現实意义。原刻中人物車馬故事甚多，其數虽不若武氏祠画象，然亦可观。刻工較武祠为粗，但别具風格（圖1）。

圖1　漢羽人搗藥圖

二、北齐　龍門治疾方

此方刻於龍門第二十窟，俗称藥方洞。洞外彫刻極精，日人曾攝其影，收入世界美術全集第八卷中。廿年前曾翻一影，今以舊影載出（圖2）。屢經兵燹，洞不識仍其舊否？頗思前往調查，作竟日之摩挲，洗石而親施氈蜡也。此刻上有浮彫佛像及道兴造像記，刻於武平六年（公元575年）。記之下即为藥方。寰宇訪碑錄及金石萃編，均題为“古驗方”。金石家褚德彝先生藏有明拓本，原为張叔未清儀閣中故物，審其中療上气欬嗽一角尙存，該段康熙年間即已殘泐，益証其为明拓無疑。褚氏有跋，略云：“……日本康賴所撰医心方，采集古經方甚多。康本唐人，故其所輯方書，皆吾國唐以前逸書。中引龍門方百許条，余以是刻校之，文字悉合，惟其中一病數方者，石刻間有芟落，蓋为省刻。計石刻殘泐者，亦可据刻本訂補。日本和名本草，引作龍門百八方。今以石刻核之，凡所治疾40种，132方，或石刻殘渦失之。余曾撰考証二卷。丙子夏五褚德彝記。”後若干年褚氏又綴一跋，略云：“余於光緒庚子年，据日人康賴所錄龍門方，因撰考証二卷，其中訂正王述菴之異同譌謬者約百餘字。一時承学之士皆目为見所未見，余亟思付之影印，庶可公諸同好耳。春雨初霽，庭生众綠，因題數語以自怡。”褚氏之考証虽未及刊行，然楊家駱叢書大辭典，曾为著錄，在褚氏松窗輯著之子目中。幾經遷变，原稿不知尙在人間否？清約堂主人亦有一跋，書於右上方。參其文，知有龍門古藥方考一卷尙未殺青。丁仲祜老先生，亦为此拓作跋，略云：“……國藥古方，時有特效，往往突过西藥，所以中医歷千百年而不墜者以此。龍門古驗方，其治效經試，十九皆有神驗。其間虽多剝蝕之处，然大抵已收於医心方中。他日当檢書与此拓細細校勘，以補其剝蝕之字。”後於壬午間此拓歸之嶺与海煦樓，主人後加一跋，軒甕之情，溢於言表。並以另紙作校勘記，復摹一圖。碑文駁蝕，無法辨認者，則任其空白；拓片所缺，萃編所存之字，外則加以方框；拓片所有，萃編所無者，則加引号为記；稍有異同者，另以硃筆附註於旁。其校勘之精，有足多者。余以出席全國衛生行政会議籌备会華东分会擴大会議，得以參观全國医藥衛生展覽会之預展，偶見此拓，愛不忍釋，爰信筆摘錄而誌之，以識眼緣。

圖 2　洛陽龍門藥方洞外景

三、唐　鑑眞和尚墓塔題字

鑑眞为唐代揚州高僧，俗姓淳于，乃齐辯士髡之後裔，精研戒律，通曉医藥，住揚州大明寺（即今日之平山堂）。天宝年間接受日本來華留学生之邀請，东渡日本，傳戒律，並授医藥学術。登程六次，經过十餘年，歷万險而不辭。最後一次，始克安然到達，館於南京（奈良）东大寺，除講律授戒以外，並將中國医藥，傳授於日本。在鑑眞未渡日前，日本医藥仍处草昧時代。自上人东渡傳授後，始有医藥学術可言，故今日日本人尊之為律宗及医藥始祖，不啻中土之尊達摩仲景。上人曾診治日本光明皇太后弗豫有功，又嘗敎东人以鼻辨藥之眞偽

圖 3　鑑眞和尚墓塔題字

圖 4　补气湯方

良否。後於天平宝字七年圆寂於东瀛，寿77。上人不顧艰險，置生命於度外，过海講学，实堪敬佩。墓在日本下野國藥師寺邮龍兴寺。方塔形，正面題"鑑眞大和尚"五字。長凡二尺四寸，寬五寸許。側書天平宝字七壬寅五月五日十一字。長凡二尺二寸餘（均舊尺）。皆正書。壬寅唐代宗廣德元年也。昔德清傅雲龍氏以兵部郎中奉派遊歷日本、秘魯、巴西、美利堅等國及加拿大与英日屬地等，曾着日本圖經，於东邦廣搜金石。歸國後贈此拓与卞丈公跋。丈本揚人，復精書法，得之如獲至宝。丁丑歲首，獲观於卞氏小松蹊閣。是年冬中日战起，揚城淪陷，原拓遂化刼灰。幸昔日曾留一影（圖 3），似亟应放大模刻，樹塔於平山堂側，以留紀念也。

四、宋　养气湯方

养气湯方石刻（圖 4），乃廣西臨桂刘仙崖摩崖，刻防治地方病藥方於通衢，使往此者均可知之，用意極善。拓本絕少流傳。光緒間吾鄉張幼丹先生訪碑百粵，洗石拓數本以歸。李文梅閣之章入獲其一，藏之數十年，未肯輕易示人。戊子早春，李氏漢画軒有琴樽之集，始獲一观，並留小影。石鐫於宣和四年上巳日，首行作"廣南攝生論載养气湯方"。第二、三行書藥三味，並有夾注，惜各缺其第一字。四、五行为服法。6—14 行叙述皇祐至和間，刘君錫以事貶嶺南，至桂州遇刘仲远口授此方。君錫服此湯，間關嶺表數年，竟免嵐瘴之患。後还襄陽，寿至九旬等語。末兩行作"朝請郎提舉廣南西路常平等事 晋江呂渭記"。按廣南攝生論未見於著錄。新唐志有亡名氏"嶺南急要方"二卷，已佚。医藏目錄亦有釋氏繼洪"嶺南衛生方"四卷，未悉即此攝生論否？

廣州医藥方言疏証

蕭　熙

脝(腹膨脹)

腹脹滿謂之痕，廣雅釋詁二："痕，腫也"。王念孫疏証云："說文：'胝瘢也'，亦腫起之义也。"朱駿声云："亦作脹"。俗作脝，集韻：膨脝，腹滿貌。亦作彭亨。韓愈孟郊城南联句："蹴旋皮卷臠，苦開腹彭亨。"又侯喜石鼎联句："龍头縮菌蠢，豕腹脹彭亨。"則彭亨固象腹形之腫滿也。引申为膨隆之狀詞，黃庭堅謝錫歷道送銀茄詩云："君家銀茄白銀色，殊勝埧裏紫彭亨。"今謂腹形之膨隆曰："大腹便便"，便讀皮延反，与彭一語之轉。便亦作平，史記五帝紀："九族旣睦，便章百姓。"索隱："古文尚書作平，平旣訓为便，因作便章，今文作辯章。"按論語鄉党："其在宗庙朝廷，便便言，唯謹尔。"疏："宗庙，行礼之处；朝廷，布政之所。当詳問極言，故辨治也，虽辨而唯謹敬。"詩小雅采菽："平平左右"，毛傳："平平，辨治也。"辨治，蓋治辨之倒文；韓詩作便便。陈奐傳疏："韓詩云：'便便，閑雅之貌'；当亦是治辨至極之义"，此則所謂臨事从容之致尔。史記孔子世家亦作辯辯，後漢書边韶傳："韶口辯，曾晝日假臥，弟子私嘲之曰：'边孝先，腹便便；懶讀書，但欲眠。'韶潛聞之，应時对曰：'边为姓，孝为字；腹便便，五經笥；但欲眠，思經事。寐与周公通夢，靜与孔子同意。師而可嘲，出何典記'？嘲者大慚。韶之才捷，皆此類也。"按本傳云口辯，云才捷，則便便固屬於雍容勝任，辯才無碍；与治辯义合。是平平实寓恃才驕滿之义。其与彭之訓气盛，亦声似而义通者。故彭彭以狀腹之大，蓋与便便，平平，固同其声紐也。

按彭，假借为旁，易大有："匪其彭"，子夏傳作旁，王肅注："壯也"，干宝注："彭亨，驕滿貌。"韻会："又：蒲光切，壯也，近也；一曰彭亨，驕貌。"今檢詩大雅蕩："女炰烋於中國"，傳："猶彭亨也"。疏："汝旣官不得人，徒彭亨然，自矜莊以为气健。"[1] 熙按：炰亦作咆，壯盛大滿之謂，声誼同泡。方言卷二："泡，盛也。僄，自關而西，秦晉之間語也；陈宋之間曰僄，江淮之間曰泡。"郭璞注："泡，肥，洪張貌。"說文繫傳咆字注，引詩作咆哮。蓋烋，陸德明音义：火交反，音同哮。据此，則气盛息滿，在上者，为炰烋作态；在下者，为彭亨腹張矣。

雷浚說文外篇孟子經字云："經典烹字多作亨，而說文亦無亨字。部首亯，献也，从高省"。吳善述說文廣义校訂云："享亨同，字則作亯，許書誤以为亯之重文，遂合三义为一字。"按易坤："品物咸亨"，通也。頗与膨亨之义不倅。然而大通必滋於盛滿，易无妄："大亨以正"，今世俗猶以"大亨"称喻壯盛廣大之义，蓋本之於易丰："丰，亨，王假之"。按疏有云："財多德大，故謂之丰。德大則無所不容，財多則無所不济。無所壅碍，謂之亨；故曰丰亨"。此亨通轉訓为彭大之所由歟。顧腹張曰亨，实兼况腫滿之腹候。故原其始义，当以痕为正字；今江西南城謂腹腫为"滿腹痕"，而粵言之音讀，亦並讀痕，不讀亨也。

痕(瘙)

謂瘙曰痕，或言痕瘙。按字書痕，胝瘢也；又瘡瘢曰痕；未見訓瘙。今檢釋名釋疾病："痕，根也；急相根引也。"皮肉中急相根引，則有瘙之义。痕瘙者，重言之；猶疼痛之連称也。

胸翳(胸窒悶或兼結痛)

粵俗字作胸翳，不作胸碍。翳讀作靄，阿蓋切。謂胸中如被物压住，覺有阻碍不適也。然翳之讀作碍，从音韻学上探索之，其來甚古。陈第考毛詩屈宋之音，有："音曀：哀。"曀、哀固为韻，依、哀亦互轉。詩小旻："潝潝訿訿，亦孔之哀，謀之其臧，則具是違；謀之不臧，則具是衣。"衣与哀亦互为韻，詩四月："山有蕨薇，隰有杞桋，君子作歌，維以告哀。”由音韻观之：則翳与哀，亦一声之轉。吕氏春秋孟秋紀第七，禁塞篇高注云：“哀，亦痛也。”然此謂悲痛，非病候。考說文：“翳，華盖也。从羽，殹声，於計切。”按粤音：計讀若盖，翳音於盖反，則有宜讀若碍者，段玉裁說文解字注引薛綜云：“羽盖，以翠羽覆車盖也。按以羽，故其字从羽。翳之言蔽也，引伸为凡蔽之偁；在上在旁，皆曰翳。”然翳訓華盖，徐灝說文段注箋已明辨其非：“翳者，羽盖之名，以羽盖覆蔽，則謂之翳，翳訓華盖非是。盖翳翳形近，粗率者妄改之。方言曰：‘翳，掩也。’廣雅曰：‘翳，障也。’乃其本义也。”熙按方言：“殹，幕也”；当作翳。又方言：“掩翳，薆也。”是揚雄已訓薆、訓掩矣。郭璞注：“謂蔽薆也。詩曰：‘薆而不見’。”(2) 故薆与掩，皆謂障碍。廣雅釋詁二：“障也”。集韻：“瞖，目病也”；字变作瞖。周語：“是去其藏而翳其人也”、注：“猶屏也”。离騷：百神“翳其备降兮”，怨思：“石嵯嵯以翳日”。注：“蔽也”。則翳之与薆，皆有隱蔽之义。按薆，阿槪切。尔雅釋言：“薆，隱也。”史記司馬相如傳：“時若薆薆將混濁兮”。然檢說文無薆字，於竹部籮云：“蔽不見也”，即薆字。廣韻十九代籮下云：“尔雅作薆”。熙按薆又通爱，詩大雅：“爱莫助之”。毛傳：“爱，隱也”。則詩言非謂有喜好之心，盖有所隱而碍莫能助耳。孟子梁惠王：“百姓皆以王为爱也”，則字又訓嗇。故薆、爱，均可作隱障滯嗇解。然爱固有喜訓，喜与爱，古音亦相轉；詩彤弓：“彤弓弨兮，受言載之；我有嘉賓，中心喜之。”載、爱叠韻字，今載与喜为韻，載叶子利反，讀若記；喜叶去声，讀若戲。若与載为韻，則喜当为爱。是喜与爱，古音常互为訛轉也。陈氏毛詩古音考：噫直音哀，与爱声近。按：噫音意，寘韻；亦音医，支韻；又倚戒切。莊子齐物論：“夫大塊噫气”。徐春甫古今医統卷二十四噯气証，注云：“內經名噫气，俗作噯气，今从之。”桂馥說文解字义証云：“字或作欬”，此在廣韻去声十七夬，从食，亥声；於犗切，音餲。与說文：噫，於介切相合。是噫古讀为噯。則翳、薆古之音义互通也。据此，胸翳云者，字当为胸薆，胸翳間覺隱蔽窒碍；即伤寒論胸中窒，心中結痛之謂。伤寒論云：“發汗若下之，而煩熱，胸中窒者，梔子豉湯主之。伤寒五六日，大下之後，身熱不去，心中結痛者，未欲解也；梔子豉湯主之。”腹証奇覽釋此云：“窒者，知空房滿塞，不受物也。而胸中虽食物等，亦覺阻塞，此亦因熱鬱結於心所致。”湯本求眞氏謂：“食道枯燥乾燥，食物不滑利也。”於以知胸中窒碍，古謂之胸薆。

閉碍（抑鬱）

閉碍与悲哀声近，然字皆作去声，义亦迥别，謂抑鬱愁悶也。虽關情志，願亦屬於七情病，甞惜感性精神病中之憂鬱症者見之。予藏書有招子庸粵謳（道光戊子原版），云：“鵠呀，做乜你咁係咎人地塡桥，總唔曉得自己屓屭。（听鳥啼）哭、若呀，你唔好为我屓屭，知到咁硬鐵鄧心腸，唔多顧贈。（别意）”据原書方言凡例云：“屓屭，原作名，方言：閉翳，猶鬱抑也。”然屓，喜肆切；屭，並肆切，音备；皆寘韻。本草綱目介部蠵龜下，李時珍曰：“蠵龜大者，为蟕蠵，屓屭。”又云：“屓屭，有力貌，今碑趺象之。”升菴外集謂“龍生九子，各有所好；一曰贔屭，好負重，今碑下趺是也。”沈德符野獲編謂：“贔屭乃今碑兩旁蜿蜒者是，非碑下之趺。”

按屓亦作屭，段玉裁曰：“西京賦、吳都賦皆用奰屆字，作力之貌也。奰俗譌贔，屆俗伪屓，又譌屭，学者罕知其本矣。”按西京賦“巨灵贔屓”（亦作屭），吳都賦“巨鼇贔屓”，皆不作奰屆。集韻：奰屆，壯大貌。玉篇：奰，壯也。詩大雅蕩：“內奰於中國”，疏引西京賦作巨灵贔屓，据段氏之說：正字当作奰屆。按：字当訓怒，傳：“不醉而怒曰奰”，疏：“奰者，怒而作气之貌。”奰亦並肆切，音备；屆，紀肆切；皆寘韻。然亦讀如屆，則訓臥息。是奰屆（ㄅㄧ ㄐㄧ）本为屓屭；今粤音讀如閉碍，由声似而訛轉也。

然則奰屆，乃怒而作气貌；而龜屬贔屭之好負重，今碑趺象之者，則取义其重也。借为鬱怒憂思，抑塞滞重於心而莫釋，猶刘基贈周宗道詩所狀鬱悶之情：“抑塞無由揚也”。

莽憎（悽懆）

悽惱鬱怒，粤人謂之莽憎，亦作莽猙，声韻稷猛猙，即發脾气也，則猛猙为悽惱在心，鬱未發越。必曰發，始为動怒矣。今按王宇泰伤寒準繩曰，懆，即惱字，古通用。據傷寒論太陽病中篇梔子豉湯条云："發汗吐下後，虛煩不得眠，若劇者，必反覆顚倒，心中懊憹。"汪琥傷寒辨注："反覆顚倒而不安，心中懊憹，鬱鬱然不舒暢而憤悶也。"案懊憹，成無已注解謂："心中懊憹而憤悶，懊憹者，俗为鬁突，是也。"傷寒直格："懊憹者，煩心熱躁，悶亂不寧也。甚者似中巴豆、草烏之類毒藥之狀也。"揚雄方言："愁恚憒憒，毒而不發，謂之氐惆。"郭璞注云："氐惆，懊憹也。"孫奕示兒編云："糊塗，詖鶻突；或曰：不分明也。鶻，隼也，突起鹵莽之狀。"按隼，晋筍，銳利猛禽類。氐惆，当是鶻鵃之轉，皆狀鬱恚憒憒，突起鹵莽之义。熙按猛狰之訓懊憹，亦取獴獱之莽突狀也。郭璞注尔雅，字作蒙貴，即廣志之獴獱；一名蒙頌。粤音頌讀雖雄反，与隼、憎並相轉。郝懿行尔雅义疏引匡謬正俗云："蒙頌为獸狀，類猱。"參同契注："心猿不定，意馬四馳，神气散乱於外。"今審其誼，虽未能尽合，蓋亦借喻为煩心熱躁，悶乱不寧尔。但推其語源，或宜作夢憎。詩正月："民今方殆，視天夢夢（晋蒙，叶莫登反），既克有定，靡人弗勝；有皇上帝，伊誰云憎。"朱熹集傳云："疾痛号訴於天，而視天反夢夢然，若無意於分別善惡者。"此实怒懟於心，鬱而未發之辭。疑懵憎出於此。

熙按：仲景書梔子豉湯之主效：若心中窒，若胸中結痛，若心中懊憹。胸翳，蓋窒与結痛也；懵憎，蓋窒之"劇者，必反覆顚倒，心中懊憹"也。

老肚痛(腹絞痛)

老肚痛字，粤俗作紐，言紐腸而痛也。繹其詞旨，当为疝，說文：腹中急也，古巧切。小徐說文繫傳，急下有痛字，謂"今人多言腹中絞結痛也。"桂馥說文解字义証："方書疝，諸气感觸邪熱而發。"惠棟著惠氏讀說文記："吳語，疝腸，俗作絞。"段氏解字注："今吳俗語云：絞腸刮肚痛，其字当作糾也。古晋讀如糾，釋詁云：咎病也。咎，蓋疝之古文叚借字；古巧切，古晋在三部。"則疝痛乃吳語。今檢王筠說文釋例云："殆方書之絞腸痧也，陰陽不分，糾結作楚，故从丩声。丩，相丩繚也。"則丩訓紐，即丩繚也。紐、繚一晋之轉，而老、繚声似。說文："繚，纏也。"元应一切經晋义卷六引："繚，繞也，纏也。楚辞怨思曰：'腸紛紜以繚轉兮'，注：'繚，繞也。'与許解合。"史記扁倉傳："動胃𤸪緣"。正义謂"脉纏繞胃也"。古蓋以形况腹痛，如胃腸之繚轉也。今覈說文之晋讀为：从系，尞声，盧鳥切，而慧琳書二十七讀力小反；据清陈立著說文諧声孳生述，由尞孳乳者計二十二，其字有讀老声，如潦。說文："从水，尞声，盧皓切"。玉篇：郎道切；亦作澇。廣韻：潦收上声，澇收去声。段注謂古晋在二部；俗借澇水字。又按：說文痨下云："朝鮮謂藥毒曰痨"。廣雅釋詁二："瘌，痨，毒，痛也。"余巖廣雅病疏云："蓋有刺戟强烈之藥，服之則腹痛。"（古代疾病名候疏义頁二六一茶）。則亦可曰痨肚痛，猶形况字也。然仍以作繚，於本义为允。

𦚢(腫)

腫呼为𦚢，如云：面𦚢、脚𦚢。文选張衡西京賦："鬱蓊薆𦚢"，蓋言草木盛貌。今借为腫訓，取丰盛之义。然考其字实为敦，金匱要略妇人雜病："妇人少腹滿如敦狀，小便微难而不渴；生後者，为水与血，俱結在血室也。"按敦，如誨切，晋对，禮明堂位曰："有虞氏之兩敦。"鄭注："盛黍稷之器也。"周禮天官曰："珠盤玉敦。"鄭注："敦，盤類也。故以盤盛血，以敦盛食也。"春秋繁露祭义："宗廟之祭，冬上敦实。敦实，稻也；冬之所畢熟也。"蓋盛稻於敦。敦，古祭器。按金匱少腹滿如敦狀者，据和久田寅叔氏腹證奇覽云："敦者，对也。祭時用盛黍稷之器，而似腹者也。"尾臺榕堂氏類聚方廣义，釋此綦詳，云："如敦狀者，少腹高起，形如敦，而不急結，不鞕滿者也。敦晋对，器名……妇人於產後如敦狀，下腹部膨滿。"則以敦訓腫滿，实昉於仲景書，粤晋蓋从古也。

哈焮(急讀)(身熱)

焮，粤言發熱之本字，其晋讀有二：一，希殷切，晋欣，文韻。一，喜靳切，問韻，与問同屬去声；六書晋韻表，在十三部。夫焮，炙也，一曰：爇也，見集韻。雷浚云："昭公十六傳：'行火所焮'，杜注：'焮，炙也'。說文無焮字。"宋氏翔鳳曰："宜假昕为之"。徐鍇繫傳云："昕猶焮也。日炙物之貌。"[3]按說文："昕，許斤切"，粤晋：許，讀哈暑切（ㄏㄩ），是昕有ㄏㄧㄣ之声，而焮則讀去声之ㄏㄧㄣ(Hing)矣。然說文曉其义云："且明，日將出也。从日，斤声，讀若希。"按禮"大昕之朝"，讀若希。繫傳謂讀若忻。按繫傳校勘記："忻当作希，此古讀也，見祇記釋文。徐鍇說希当作忻，今音也。詩齐風：'东方未晞，顛倒裳衣'，傳曰：'晞，明之始升'。則当作昕無疑。"晞与昕，各形各义，而昕讀同希，因誤为晞耳。段玉裁云："斤声，而讀若希者，文微二韻之合，齐風是以与衣韻也。今讀許斤切，則又合乎最初古音矣。"又云："說文讀若希，見文王世子（熙按：大昕鼓徵）音义，鍇作讀若忻，非。鄭注樂記：訢讀为熹，是其理也。"徐灝曰："凡从斤声之字，皆在文韻，周秦間，旂、頎、沂、蚚、蕲等字，轉入微韻，而昕亦讀曰希"。通訓定声云："希、昕一声之轉"。葉氏說文讀若考云："按詩齐風：'东方未明'，'东方未晞'，傳：'晞，明之始升'，即此昕也。晞本訓乾，非日出之义；詩作晞者，借字也，知昕、希古音同。"按漢書古今人表：曹劌時，顏云："即曹欣時"。实則欣、劌互为声讀。熙按：外台秘要引肘後方中溪毒論："葛氏云：'心中煩懊，四肢振焮'。尙德按：'焮，肘後作淅，千金作焮'（外台卷40溪毒方）。明正統道藏本肘後方作'四肢振淅'，另本作淅。淅者，淅之誤。焮之为淅，亦声之变，猶昕之讀为希也；蓋均学上靑与支陰陽之对轉耳。則身熱为焮，昉於左傳，字本作昕；讀若希。而粤言讀为焮者，虽謂之今音；然由今觀之，則猶保漢世之舊語也。

㦥(七厄切)(痛)

头痛，俗書作头瘌，头赤，头刺。考粤音赤与尺，均讀作入声之七厄反（ㄑㄧㄞ）也。熙按：方言卷二："㦥，刺痛也；自關而西，秦晋之間，或曰㦥。"郭注："憯，㦥，小痛也。"錢繹箋疏云："廣雅：'㦥，痛也。'玉篇：'㦥，小痛也。'"又引說文："'怛，憯也'，'憯，痛也。'憯㦥双声字。"按憯，音七感切，古音在七部。今檢左氏襄公二十六年傳：王夷師熸"，說文無熸字，疑为憯字之誤；見叢說。王夷師憯者，夷伤也，憯痛也，痛、伤义相近。箋疏又云："方言卷三：'凡草木刺人，謂之茦。'釋草（按指尔雅）：'茦，刺'，注：'草刺針也。'廣雅作瘌。卷三（按指方言）：'瘌，痛也'；注：'辛螫也。'茦、瘌声义並近，是㦥为刺螫之痛也，刺与瘌同。"余巖謂"錢氏箋疏刺刺混同，誤甚。刺針刺螫之刺，从朿，音七賜切，不与瘌同。本条之刺，从刺，音盧達切，与廣雅之瘌同音，則与瘌同也。"（古代疾病名候疏义頁四）。王念孫廣雅疏證云："方言：'凡草刺人者，北燕朝鮮之間謂之茦'，义与㦥亦相近。"余氏据此乃謂"則㦥者，刺螫之痛也。"熙按方言："凡草木刺人，北燕朝鮮之間謂之茦，自關而西，謂之刺，江湘之間謂之棘。"茦、刺、棘均入声，孟子梁惠王："是何異於刺人而殺之"之刺，七迹切，陌韻。故粤言之痛，乃刺㦥相合之声，讀如七厄切也。粤語㦥痛，則又重言之也。

㾊陀陀(頭暈語)

头暈，头重不了了，謂之㾊陀陀（ㄨㄣ　ㄊㄨㄛ ㄊㄨㄛ，wenn two two）。余初疑为瘟痆痆，然檢粤謳方言凡例云："瘟痆，方言昏迷也"。於义未尽洽。按陀，古亦通脂韻，讀垂。說文：錘，从金，垂声，直垂切。徐灝箋云："今假錘为称錘，字俗作陀，古音垂，讀若陀，口相傳不变也"。則垂、陀声讀之異，今古所同。头暈而言陀陀，即垂垂墜重之义也。杜甫和裴迪逢早梅詩："江边一樹垂垂老，朝夕催人自白头"，注："楊愼曰：'梅花放皆下垂，故曰垂垂'"。說文："垂，是为切"，字加水为涶，又重出加口为唾，皆音吐臥切；而加金为錘，則或讀垂，或讀陀矣。引申之，垂涕而多流，亦曰沱，詩陳風澤陂："寤寐無为，涕泗滂沱"。沱，涕垂貌。易離："出涕沱若"。重言之，則曰沱沱，以狀垂流之多也。

涕垂曰沱，亦謂之涔；文选江淹雜体詩："涔淚猶在袂"，涔然，泗淚垂也。潘尼苦雨賦："听長霤之涔涔"。謂垂水不絕，而淚落多亦从其义而衍之也。杜甫風疾舟中伏枕書怀詩："轉蓬憂悄悄，行藥病涔涔"，則言病之困重纏綿，以垂水不断为喻矣。由此借为病久神衰，头目不爽之形況詞。故少陵所云病涔涔，当本於漢書；按漢書外戚傳云："我头岑岑也，藥中得無有毒"？注："岑岑，痹悶之意"。桂馥說文解字义證云："岑，嶃也"。假借为高而重之义；岑岑，朱駿声說文通訓定声云："重言，形況字。"或从水，亦有煩悶眩暈之證。熙按垂在脂韻，而岑在侵韻，其音殊別，而义則同用，何也？蓋自小学求之，乃合軸声韻五相轉之律，夫陰声有隔越相轉之条，然其勢不能上遂，則從下頭。故脂欲对侵，則垂、岑同义，为隔越轉也；因脂与侵轉，故其比鄰之歌韻，亦附之以轉。學之譌音，委借为陀，是隋歌寄与侯轉。此所謂变声，从章太炎氏之說也。據古之韻目，歌泰"脂""隊"同居，故垂与墜同义，若从近旁轉，則墜轉为墮，而为泰韻；盖隊弁又"歌""泰"同居，故墮亦陀之去声，同具垂落之义也。

垂有垂長之訓，据成均圖說，凡同列相比为近旁轉，故佗之与垂，其声互轉，而义亦从同。詩小弁及尔雅釋訓，佗佗，有長义；孫炎注亦云。字通拖，史記龜策傳："醮酒佗髮"，索隱注："佗音徒我切，謂被髮也。"今按其字之本誼，兼寓負荷、垂重，引長諸意。茲既負荷为說：凡牛馬载物，曰負佗，今与它通用。易終來有他，吉。釋文，作它。詩："委委佗佗"，尔雅顧舍人注，引作它它。士虞禮記注云：今文他为它，玉篇：它，古文佗字。後漢書任邵傳贊："委佗还旅"，即詩委蛇字，蛇与它同。說文段注："佗之俗字为駝，为馱"。盖今俗以馱为佗，以佗为彼之称，又变从也。而它与蛇，别为二音二字。高翔麟說文字通云："佗，負荷也"。又說文："何，儋也"。徐鉉云："即負何也，借为誰何之何，今俗别作担荷，非是"。何，徐鍇說文繫傳："一曰誰也"。按：誰，音垂，莊子应帝王："吾与之虛而委蛇，不知其誰何"。顧炎武日知錄卷三十二考証："何誰，原注亦有作何誰者，晉刘实崇讓論：不知何誰最賢，不知何誰最不肖"。盖古音誰在脂部，誰、何互轉，垂、荷亦互轉也。垂假为陀，义为重墜；荷假为馱，义为負重也。

再申蛇、佗互轉之义。李富孫說文辨字正俗，引詩为証云："君子偕老，委委佗佗，即羔羊之委蛇委蛇也……它又加虫左旁，是俗字。今人蛇与它，異义異音"。按說文："它，虫也，从虫而長，象冤曲垂尾形。上古草居，患它，故相問無它乎？凡它之屬，皆从它（託何切），它或从虫"。徐鉉校："今俗作食遮切"，並引詩云：蛇蛇碩言，廣韻收歌，为它之重文。引說文，又收支麻二韻；均見鈕樹玉說文解字校錄。据此，蛇蛇，即垂垂也，象它尾引長累贅之狀。引申为下垂、重墜、荷重之意。然則粤言瘟陀陀者，盖况头之暈重，即暈垂垂之謂也。

註(1)　陸德明：毛詩音义卷中："炰，白交反。烋，火交反，注同炰烋，猶彭亨也"。（蕩之什第二十五，据抱經堂叢書三，經典釋文。

註(2)　郭璞注云：薆，音爱。見輶軒使者絕代語釋别國方言第六。

註(3)　見雷浚著說文外編卷八經字。

註(4)　封演聞見記曰：周顒好为体語，因此切字皆有紐；紐有平上去入之異。然則收声称勢，發声称体；远起齐梁間矣。

南史医学史料彙輯

陈　邦　賢

說　　明

一、本編共分九章：第一章医政；第二章著明医学家；第三章衛生；第四章解剖資料；第五章养命和胎產；第六章疾病；第七章 病因和診斷；第八章療治；第九章藥品。每章分为若干節（也有不分節的），每節分为若干目；每目分为若干条；每条都註明出处，俾便查考。

二、南史，就是南朝的史，包括宋齐梁陈，从公元 420—589，統治着南中國。在思想上受了佛学的很大影响，道教在当時也很發達；医学也受了佛教和道教的影响，如祈禱、誦經、符咒、厭勝等唯心的治療，很發達；同時針砭、火灸、藥物等治療也很進步。病理解剖和法医学的資料，也初步發現。医学人物如徐文伯、徐嗣伯、褚澄、羊欣、姚僧垣、陶弘景等都有相当的貢獻。

一、医　政

1. 職　官

太医正　父僧垣梁太医正。（姚察傳59）

太医　令太医煮藥，左右止之。（明恭王皇后傳1）

当明帝起事之夜，廢帝橫屍太医閣口。（蔡兴宗傳18）

太医署　以为侍中，在門下尽其心力，掌檢校御府太官太医諸署。（王悦之傳14）

2. 养病場所

六疾館　太子与竟陵王子良俱好釋氏，立疾館以养窮人。（文惠皇太子長懋傳29）

立廨养病　永明九年（公元491）都下大水，吳兴偏劇，子良開倉賑救，貧病不能立者，於第北立廨收养，給衣給藥。（竟陵文宣王子良傳34）

3. 医学輸出

（大同七年）（公元541）是歲宕昌蠕蠕、高麗百济滑國各遣使朝貢；百济求涅槃等經疏及医工畫師毛詩博士並許之。（梁本紀中7）

二、著名医学家

1. 褚　　澄

（褚）澄字彥道，彥回弟也。……澄尚宋文帝女廬江公主拜駙馬都尉，歷官清顯，善医術。……豫章王感病，高帝召澄为療立愈。（褚裕之傳18）

2. 徐文伯　徐嗣伯　徐雄

（張）融与东海徐文伯兄弟厚，文伯字德秀，濮陽太守熙曾孫也。熙好黄老，隱於秦望山，有道士过求飲，留一瓠䕸与之，曰："君子孫宜以道術救世，当得二千石"；熙開之，乃扁鵲鏡經一卷，因精心学之，遂名震海內，生子秋夫，彌工其術，仕至射陽令；嘗夜有鬼呻声，甚悽愴，秋夫問何須？答言："姓某，家在东陽，患腰痛死，虽为鬼痛猶难忍，請療之。"秋夫曰："云何厝法，鬼請为芻人，案孔穴針之；"秋夫如言，为灸四处，又針肩井三处，設祭埋之。明日見一人謝恩，忽然不見，当世伏其通灵。秋夫生道度，叔嚮，皆能精其業，道度有脚疾不能行，宋文帝令乘小輿入殿，为諸皇子療疾，無不絕驗，位蘭陵太守。宋文帝云："天下有五絕，而皆出錢唐，謂杜道鞠彈棊，范悦詩，褚欣远模書，褚胤圍棊，徐道度療疾也。"道度生文伯，叔嚮生嗣伯；文伯亦精其業，兼有学行，倜儻不屈意於公卿，不以医自業。融謂文伯嗣伯曰：昔王微嵇叔夜並学而不能，殷仲堪之徒，故所不論，得之者由神明洞徹，然後可至，故非吾徒所及，且褚侍中澄当貴，亦能救人疾，卿此更成不達。"答曰："唯達者知此可崇，不達者多以为深累，既鄙之何能不恥之"；文伯为効，与嗣伯相埒，……子雄，亦傳家業，尤工診察。

嗣伯，字叔紹，亦有孝行，善清言，位正員郎諸府佐，彌为臨川王映所重。（附張邵傳22）

3. 羊　　欣

羊欣，字敬元，泰山南城人也。……欣少靜默，無競於人，美言笑、善容止、泛覽經籍，尤長隸書。……素好黄老，常手自書章，有病不服藥，飲符水而已。兼善医術，撰藥方數十卷。……元嘉十九年（公元442）卒。（羊欣傳26）

4. 姚　僧　垣

（姚察）父僧垣梁太医正。……僧垣精医術，知名梁代，二宮所得賞賜，皆回給察兄弟为遊学之資。（姚察傳59）

5. 伏　曼　容

伏曼容，字公儀，平昌安丘人，……曼容多伎術，善音律、射馭、風角、医算，莫不閑了。（伏曼容傳61）

6. 何佟之　何[illegible]

何佟之，字士威，廬江灊人。……佟之少好三禮，師心獨学，强力專精，手不輟卷。……永元末（公元500）都下兵亂，佟之常集諸生講論，孜孜不怠。性好潔，一日之中，洗滌者十餘过，猶恨不足，時人称为水淫。……善医術，与徐嗣伯埒名，子聰能其家業。（何佟之傳61）

7. 陶　弘　景

陶弘景，字通明，丹陽秣陵人也。……幼有異操，年四五歲，恒以荻为筆画灰中为書，至十歲得葛洪神仙傳晝夜研尋，便有养生之志，謂人曰："仰青云，覩白日，不覚为远矣。"父为妾所害，弘景終身不娶。……讀書万餘卷，一事不知，以为深恥。善琴棊、工草隸、未弱冠、齐高帝作相，引为諸王侍讀。永明十年（公元492）……上表辭祿，詔許之；賜以束帛，敕所在月給伏苓五斤，白蜜二升，以供服餌。……於是止于句容之句曲山。（茅山）……乃中山立館，自号華陽陶隱居，人間書札，即以隱居代名。始从东陽孫游嶽受符圖經法，徧歷名山，尋訪仙藥；身既輕捷，性愛山水，每經澗谷，必坐臥其間，吟詠盤桓，不能已。……有時独游泉石，望見者以为仙人。性好著述，尙奇異，顧惜光景，老而彌篤；尤明陰陽五行風角星筭山川地理方圓產物医術本草。……弘景既得神符秘訣，以为神丹可成，而苦無藥物，帝給黃金朱砂曾青雄黃等，後合飛丹，色如霜雪，服之体輕；及帝服飛丹有驗，益敬重之。天監四年（公元505）移居積金东澗。弘景辟穀導引之法，自隱处四十許年，年逾八十、而有壯容。……大同二年（公元536）卒，時年八十五，顏色不变，屈申如常，香气累日，氛氳滿山。……謚曰貞白先生。……所著学苑百卷，孝經論語集註，帝代年歷，本草集註効驗方，肘後百一方。（陶弘景傳66）

8. 王　　微

（王）微，字景玄；……少好学，善屬文，工書兼解音律及医方卜筮陰陽數術之事。……弟僧謙亦有才譽，为太子舍人，遇疾微躬自处療，而僧謙服藥失度遂卒，深自咎恨，發病不復自療。（王弘傳11）

9. 王　　筠

（王）筠，字元禮，一字德柔。幼而警悟，七歲能屬文，年十六为芍藥賦其辞甚美。……餘經及周官儀禮國語尔雅山海經本草竝再抄。（王曇首傳12）

三、衞　　生

1. 清　　潔

（何佟之）性好絜，一日之中，洗滌者十餘过，猶恨不足，時人称为水淫。……又有遂安令刘澄，为性彌絜，在縣扫拂郭邑，路無横草，水翦虫穢，百姓不堪命，坐免官，然甚貞正。（何佟之傳61）

2. 盥　　漱

及疾不能進膳，盥漱如初。（梁本紀中7）

四、解剖資料

1. 屍体解剖

時沛郡相縣唐賜往比村彭家飲酒还，因得病吐蠱二十餘物；賜妻張从賜臨終言，死後親刳腹五藏悉糜碎。郡縣以張忍行刳剖，賜子副又不禁止；論妻伤夫五藏，刑子不孝，母子棄市，並非科例。三公郎刘勰議賜妻痛往遜言，兒識謝，及理，考事原心，非在忍害，謂宜哀矜。覬之議以妻子而行忍酷，不宜曲通小情，謂副为不孝，張同不道。詔如覬之議。（顧覬之傳25）

2. 以血瀝骨

以父屍不測，入海尋求，聞世間論是至親，以血瀝骨，当悉凝侵，及操刀沿海，見枯骸則刻骨灌血，如此十餘年，臂脛無完全，血脉枯竭，終不能逢。（孫法宗傳63）

五、寿命和胎產

1. 長 寿

鍾离人顧思远挺叉行部伍中，渓見甚老，使人問，对曰：「年一百一十二歲，凡七娶，有子十二，死亡略尽，今唯小者，年已六十，又無孫息，家闕养乏；…召賜之食，食兼於人，檢其头有肉角長寸；……賜以宰宅，朝夕進見，年百二十卒。（始兴忠武王憺傳42）

2. 寿 命

家世無年，亡高祖四十，曾祖三十三，亡祖四十七，下官新歲便四十五，加以疾患如此，当復幾時。（謝莊傳10）

問协年率言三十有五，帝曰："北方高凉，四十强壯，南方卑濕，三十已衰。"（顧协傳52）

3. 胎 產

宋後廢帝出樂遊苑門，逢一妇人有娠，帝亦善医，胗之曰："此腹是女也。"問文伯，曰："腹有兩子，一男一女；男左边青黑，形小於女。"帝性急，便欲使剖，文伯惻然曰："若刀斧恐其变異，請針之，立落。"便寫足太陰，補手陽明，胎便应針而落；兩兒相續出如其言。（張融傳22）

母为女巫，常謂人云：敬則生時，胞衣紫色，应得鳴鼓角，人笑之曰："汝子得为人吹角可矣！"敬則年長，而兩掖下生乳，各長數寸。（王敬則傳35）

六、疾 病

1. 傳 染 病

疫 （中大通二年）（公元530）（六月）是月都下疫甚，帝於重雲殿为百姓設救苦齋，以身为禱。（梁本紀中7）

疾疫 （元嘉四年）（公元427）夏五月都下疾疫，遣使存問給医藥。（宋本紀中2）

（元嘉二十八年）（公元451）是月都下疾疫，使巡視給医藥。（宋本紀中2）

（大明元年）（公元457）夏四月都下疾疫，丙申遣使巡賜給医藥。（宋本紀中2）

大明四年（公元460）辛丑詔以都下疾疫，遣使存問，並給医藥。（宋本紀中2）

人疾疫流腫，死者十七八。（梁本紀上6）

彥之先有目疾，至是大動；將士疾疫，乃回軍焚舟，步至彭城。（刘彥之傳5）

先是郡境連歲疾疫，死者大半，棺槨尤貴，悉裹以葦席，棄之路傍，憲之下車，分告屬縣，求其親党，悉令殯葬；其家人絕滅者，憲之出公祿使綱紀營護之。（顧憲之傳25）

景知城內疾疫，稍無守备。（沈顗傳26）

夏日疾疫死者相枕，蝇虫晝夜声合。（康絢傳45）

初郢城之拒守也，男女垂十万，閉壘經年，疾疫死者十七八，皆積屍於牀下，而生者寢处其上，每屋盈滿叡料簡隱恤，咸为营理，百姓賴之。（韦叡傳48）

開皇十二年（公元592）長安疾疫，隋文帝聞其名，行召令於尚書都堂講金剛般若經。（徐孝克傳52）

疫癘 元嘉二十四年（公元447）六月都下疫癘，使巡省給医藥。（宋本紀中2）

疫癘所加，亦不存恤。（邵陵攜王倫子確傳43）

疫病 賊又置毒於水竇，於是稍行腫滿之疾，城中疫死者大半。（侯景傳70）

瘴癘 流离大海之南，寄命瘴癘之地。（任昉傳49）

癘疾 隨武帝起兵，摧堅陷陣，旅力絕人，所經村邑，恣行暴害，江南人畏之，以其名怖小兒，

画其形，"於寺中，病瘧者寫形帖著牀壁，無不立愈。（桓康傳36）

郡舊多山瘧，更暑必動，自鈞在任，郡境無復瘧疾。（殷鈞傳50）

赤斑病 建武二年（公元495）剡縣有小兒年八歲，与母俱得赤斑病；母死，家人以小兒猶惡，不令知，小兒疑之，問曰："母嘗數問我病，昨來覺声羸，今不復聞何也"？因自投下牀，匍匐至母尸側頓絕而死。（杜京産傳65）

猘犬伤 弟牧嘗为猘犬所傷，医云："立食蝦蟇"，牧甚难之，暢含笑先嘗，牧因此乃食，創亦即愈。（張暢傳22）

溪蜮毒 又諸暨东洿里屠氏女，父失明，母痼疾，……忽空中有声云："汝至性可重，山神欲相驅使；汝可为人療病，必得大富貴"；女謂是魅魖弗敢从，遂得病積時，隣舍人有溪蜮毒者，女試療之，自觉病便差，遂以巫道为人療疾，無不愈。（蕭孺妻羊傳63）

石蚘 後秣人張景，年十五，腹脹面黃，众医不能療，以問嗣伯；嗣伯曰："此石蚘耳，極难療，当死人枕煮服之"；依語煮枕，以湯投之，得大利、並蚘虫头堅如石五升，病即差。（張融傳22）

2. 内 科 病

患熱 年五歲，母楊氏患熱，思食寒瓜，土俗所産；曇恭歷訪不能得，銜悲哀切，俄遇一桑門，問其故；曇恭具以告；桑門曰："我有兩瓜，分一相遺；"还一与母，举室驚異；尋訪桑門，莫知所在。（滕曇恭傳64）

食雞子过多 建元中（公元479—482）为吳郡太守，百姓李道念以公事到郡，澄見謂曰："汝有重疾！"答曰："舊有冷疾，至今五年，众医不差"；澄为診脉，謂曰："汝病非冷非熱，当食白瀹雞子过多所致"，令取蒜一升煮服之，始一服，乃吐得一物如升，涎裹之，動，開看是雞雛，羽翅爪距，足能行走，澄曰："此未尽更服所餘藥"；又吐得如向者雛十三头而病都差，当時称妙。（褚澄傳18）

冷疾 鑠清羸有冷疾，常枕臥，武帝臨視，賜牀帳衾褥。（桂陽王鑠傳33）

病瘕 母常病瘕三十餘年，一朝而差，鄉里以为孝所感。（張景仁傳64）

冷癖 初孝倬居母憂，冬月飲冷水，因得冷癖，以大同五年卒。（刘孝倬傳29）

冷苦癖 昭一眼失明；乾亦中冷苦癖。（張昭傳64）

胸腹痞脹 帝甚悅食逐夷，積多胸腹痞脹，气將絕，左右啓飲數升酢酒，乃消疾大困，一食即淬，猶至三升，水患積久，藥不復動。（虞愿傳50）

發黃 一夜僧珍忽头痛壯熱，及明而顙骨益大，其骨法亦有異焉。十年疾病，車駕臨幸中，使医藥日有數四；僧珍語親舊曰：吾昔在蒙縣熱病發黃時，必謂不济，主上見語，卿有富貴相，必当不死！俄而果愈，吾今富貴，而後發黃，所苦与昔政同，必不復起，竟如言卒。（呂僧珍傳 46）

膽破 及融誅，召準入舍人省詰問，遂懼而死；举体皆青，時人以为準膽破。（王融傳21）

酒疾 苏徽耽酒成疾，旦夕待尽，一門無此酣法，汝於何得之，义季虽奉旨，酣縱不改成疾，以至於終。（衡陽文王义季傳 3）

中毒 忽夢見母曰："……汝噉生菜，遇蝦蟇毒；灵牀前有三丸藥，可取服之！"傑驚起，果得甌，甌中有藥，下科斗子數升。（丘傑傳63）

服石中毒 時直閤將軍房伯玉服五石散十許剂無益，更患冷，夏日常複衣，嗣伯为診之曰："卿伏熱，应須以水發之，非冬月不可；"至十一月冰雪大盛，令二人夾捉伯玉解衣坐石，取冷水从头澆之，尽二十斛；伯玉口噤气絕，家人啼哭請止，嗣伯遣人执杖防閤，敢有諫者撾之；又尽水百斛，伯玉始能動，而見背上彭彭有气，俄而起坐；曰："熱不可忍，乞冷飲"，嗣伯以水与之，一飲一升，病都差。自尔恒發熱，冬月猶單褌衫，体更肥壯。（張融傳22）

石博小腸 文伯为效，与嗣伯相埒，宋孝武路太后病，众医不識，文伯診之曰："此石博小腸耳！"乃为水剂消石湯，病即愈。除鄱陽王常侍，遺以千金，旬日恩意隆重。（張融傳22）

癥結 唯飲冷水，因患癥結。（始兴忠武王憺子暎傳42）

髮癥 宋明帝宮人患腰痛牽心，每至輒气欲絕，众医以为肉癥，文伯曰："此髮癥；"以油投之即吐，得物如髮，稍引之長三尺，头已成蛇，能

勦，挂門上，遶尽一髮而已，病都差。（始兴忠武王憺子暎傳42）

气疾　藻因感气疾。（長沙宣武王藻傳41）

擒不獲朝謁，因感气疾而卒。（徐擒傳52）

自流寓南土，与兄荔隔絕，因感气病；每得荔書，气輒奔劇，危殆者數矣！（虞寄傳59）

察旣累居憂戚，齋素日久，因加气疾，後主嘗別召見，为之動容，命停長齋，令从晚食。（姚察傳59）

渴利　點少時嘗患渴利，積歲不愈，後在吳中石佛寺建講，於講所晝寢，夢一道人，形貌非常，授丸一掬，夢中服之，自此而差。（何求傳20）

利血　秣陵朱緒無行，母病積年，忽思菰为羹，緒妻到市買菰为羹，欲奉母，緒曰："病後安能食？先嘗之，"遂併食尽；母怒曰："我病欲此羹，汝何心啖尽，天若有知，当令汝哽死，"緒便聞心中介介然，即利血，明日而死。（蕭叡明傳63）

喉痛　每当哭輒云喉痛。（齐本紀下 5）

歐血　（中大同三年）每哭輒歐血數升。（梁本紀中 7）

答仁請入不得，歐血而去。（梁本紀下 8）

（父）綽歐血而死。（朱齡石傳 6）

每致感慟，必致歐血。（張昭傳 6）

覽因暖得寐，及覚知之，号慟歐血。（刘覽傳29）

嘔血　發病嘔血吐物如肝肺者。（蕭惠開傳 8）

昂号慟嘔血，絕而復苏。（袁昂傳 16）

每哭輒嘔血。（刘霽傳 39）

子輿尋丁母憂，哀至輒嘔血。（庾子輿傳46）

及至号慟，嘔血气絕。（謝藺傳 64）

每慟嘔血數升。（李慶緒傳 64）

每号慟，輒嘔血。（褚脩傳 64）

旬日感慟，嘔血，絕而復苏。（滕曇恭傳64）

朔望節歲，絕而復續，嘔血數升。（杜京彥傳65）

曇浄奔喪不食飲者累日，絕而復苏，每哭輒嘔血，服闋因毁成疾。（刘慧斐傳 66）

吐血　暈年四歲，思慕不恩成人，每慟吐血。（武陵昭王曅傳 33）

預悲感悶絕，吐血數升，遂發病。（梁預傳63）

兩脇癖疢　莊素多疾，不顧居选部与大司馬，江夏王义恭自陈兩脇癖疢，殆与生居，一月發動，不減兩三，每痛來逼心气，餘如綖利，患數年遂成癎疾；悏悏惙惙，常如行尸；眼患五月來，便不復得，夜坐恒閉帷避風，晝夜惛懵，为此不復得朝謁諸王，慶弔親舊。（謝莊傳 10）

羸疾　梁武帝見其羸疾，歎息久之。（司馬暠傳 64）

勞病　因患劳病積年，飲妇人乳乃得差。（何尙之傳 20）

虛勞　文帝有虛劳疾，每意有所想，便覚心中痛裂，屬纊者相係，义康入侍医藥，尽心衞奉；湯藥飲食，非口所嘗不進，或連夕不寢，彌月不解衣，內外众事，皆專决施行。（彭城王义康傳 3）

時得病小差，牽以迎喪，因得虛劳病，寢頓二十餘年，時有閒日，輒臥論文义。（閒康之傳65）

尸注　尸疰　常有嫗人患滯積年不差，嗣伯为診之曰："此尸注也，当取死人枕煮服之乃愈。"於是往古冢中取枕，枕已一边腐缺，服之即差。（張融傳 22）

十歲母患尸疰，每發輒危殆，怀明於星下稽顙祈禱，時寒甚切，忽聞香气，空中有人曰："童子母須臾永差，無劳自苦；"未曉而母平復。（韓怀明傳64）

王晏問之曰："三病不同，而皆用死人枕而俱差何也？答曰："尸注者，鬼气伏而未起，故令人沉滯，得死人枕投之，魂气飛越，不得復附体，故尸注可差。石蚘者，久蚘也，医療旣癖，蚘中轉堅，世間藥不能遣，所以須鬼物驅之，然後可散，故令煮死人枕也。夫邪气入肝，故使眼痛而見魍魎，应須邪物以鉤之，故用死人枕也。气因枕去，故令埋於冢間也。（張融傳22）

心疾　父於路感心疾，每至必叫，子輿亦悶絕。（庾子輿傳46）

心气　素有心气，寢病歷年，上使臥疾理事。（沈演之傳 25）

心痛　襃母常卒患心痛，医方須三升粟漿，時冬月日夕思莫，求索無所，忽有老人詣門貨漿，量

（陸襄傳 38）

祖母病，元卿在远，輒心痛，大病則大痛，小病則小痛，以此为常。（解叔謙傳 63）

心虛病　述有心虛疾，性理時，或乖謬。（謝述傳 9）

心驚疾　入东粛小船度岸，見藤花，弘正挽之，船覆俱溺，弘正僅免，豫玄遂得心驚疾。（周弘正傳 24）

悸病　偃不自安，遂發悸病，……备加医療，乃得差。（何偃傳 20）

初翂以父陷罪，因成悸疾。（吉翂傳 64）

腫病　（吳）明徹晝夜攻擊城內。水气轉侵，人皆患腫，死病相枕。（王琳傳 54）

手足腫　又过肥水灌城，城中苦濕，多腹疾，手足皆腫，死者十六七。（吳明徹傳 56）

腰脚虛腫　腰脚虛腫，医云須服猪蹄湯，炯以有肉味不肯服。（何炯傳 20）

消渴　父僕常患消渴嗜鮮魚，昭乃身自結網捕魚，以供朝夕。（張昭傳 64）

風疾　武帝即位，以風疾欲陳解。（王僧虔傳 22）

初求父鑠素有風疾，無故害求母王氏，坐法死。（何求傳 20）

憲之風疾漸篤，因求还吳。（顧憲之傳 65）

須臾溉入，暢謂曰："公昔年風疾，今復發。"（刘溉傳 63）

病風　母病風積年，沉臥，叡明晝夜祈禱，時寒，叡明下淚，为之冰如筋；額上叩头血亦冰不溜。忽有一人以小石函授之，曰："此療夫人病；"叡明跪受之，忽不見。以函奉母，函中唯有三寸絹，丹書为日月字，母服之，即平復于時。（蕭叡明傳 63）

風痹　續之素患風痹，不復堪講，乃移病鍾山。（周續之傳 65）

脚疾　鍾于時脚疾。（刘鍾傳 7）

詔以侍中司尚書令。朏辞脚疾，不堪拜謁。（謝朏傳 10）

司徒左長史慈患脚。（王慈傳 12）

素有脚疾，多病还家。（王球傳 13）

以脚疾出为义兴太守。（張裕傳 21）

以脚疾拜於家。（張怀傳 21）

感脚疾數年，然後能行，武帝有詔慰勉之，賜以医藥。（南丰伯穎冑傳 31）

少而脚疾，不敢躡履。（皇子大訓傳 44）

患脚轉劇，久闕朝覲。（徐勉傳 50）

別彥回不起曰："比脚疾更增，不復能起。"灵鞠曰："脚疾也是大事。"（邱灵鞠傳 62）

潛有脚疾，使一門生二兒举籃轝。（陶潛傳 65）

脚痛　唯有十許人脚痛，不復能行。（南郡王义宣傳 3）

躄疾　生而躄疾。（始安王遙光傳 31）

3. 外科病

風疽　兴嗣兩手先患風疽，十二年又染癘疾，左目盲，帝撫其手，嗟曰："斯人而有斯疾！"手疏疽方以賜之。（周兴嗣傳 62）

病疽　瓛有至性，祖母病疽經年，手持膏藥。漬指为爛。（刘瓛傳 40）

釘疽　又春月出南籬間戲，聞笪屋中有呻吟声，嗣伯曰："此病甚重，更二日不療必死，"乃往視，見一老姥称体痛，而处处有黯黑無數，嗣伯还煑斗餘湯送令服之，服訖痛勢愈甚，跳投牀者無數，須臾所黯处皆拔出釘長寸許，以膏塗諸瘡口，三日而復，云此名釘疽也。（張融傳 22）

發背　時又薛伯宗善徙癰疽，公孫泰患背，伯宗为气封之，徙置齋前柳樹上，明旦癰消，樹边便起一瘤如拳大，稍稍長二十餘日，瘤大膿爛，出黃赤汁斗餘，樹为之萎損。（張融傳 22）

悅不得志，疽發背，到豫章少日卒。（庾悅傳 25）

尋（姚）紹疽發背薨。（沈約傳 47）

乳癰：母患乳癰，諸医療不愈，康祚乃跪，兩手捧癰大悲泣，母即不觉小寬，因此漸差。（解叔謙傳 63）

肉瘤　景左足上有肉瘤，狀似龜，战应剋捷，瘤則隱起分明；如不勝，瘤則低，至日，瘤隱陷肉中。（侯景傳 70）

大瘤　舅头有大瘤，齡石伺眠密割之即死。（朱齡石傳 6）

皴裂　每冬月四更，竟即敕把燭看事，执筆觸寒，手为皴裂。（梁本紀中 7）

皸瘃　冒履冰霜，手足皸瘃；至都遂至攣躄，

数年乃愈。(司馬延义傳64)

凍伤　永征彭城遇寒，軍人足脛凍断者十七八，足指加墮。(張沖傳21)

足指爛　齐軍晝夜坐立泥中，縣鬲以爨，足指皆爛。(陈本紀上9)

脚指断落　復遇寒雪，士卒离散，永脚指断落，僅以身免。(張永傳21)

金創　修尋还京口，帝托以金創疾動，不堪步从。(宋本紀1)

帝素有熱病，並患金創，末年尤劇，坐臥常須冷物，復後有献石床，寢之極以为佳，乃歎曰："木床且費，而況石耶!"即令毀之。(宋本紀1)

帝先患手創，積年不愈，沙門有一黃藥，因留与帝，旣而忽亡，帝以黃散傅之，其創一傅而愈，宝其餘及所得童子藥，每遇金創傅之並驗。(宋本紀1)

後忽苦头創，夜有女人至曰："我是天使，來相謝行，創本不關，善人使者远相及，取牛糞煮傅之即驗；"一傅便差。(孫法宗傳63)

折臂　初之遴在荆府常寄居南郡，忽夢前太守袁彖謂曰："卿後当为折臂太守，即居此中；"之遴後牛奔墮車，折臂右手，偏直不得後屈伸。(刘之遴傳40)

4. 眼科病和其他

眼風　眼患風，不为孝武所愛。(晋安王子勛傳4)

患目　旣患目多不自执卷。(梁本紀下8)

眼痛　後沈僧翼患眼痛，又多見鬼物，以問嗣伯，嗣伯曰："邪气入肝，可先死人枕煮服之，竟，可埋枕於故处，"如其言又愈。(張融傳22)

眼疾　蒨有眼患，又不悉人物乃止。(江蒨傳26)

子真自臨海太守眼疾歸。(陸慧曉傳38)

初生患眼，医療必增，武帝自下意療之，遂盲一目。(梁本紀下8)

年十三，父蒨患眼，紑侍疾將朞月，衣不解帶，夜夢僧云："患眼者飲慧眼水必差。"及覺說之莫能解者，紑第三叔祿与羊堂寺智者法師善，往訪之，智者曰："無量寿經云："慧眼見眞，能度彼岸。"蒨乃因智者啓捨同，夏縣界牛屯黑舍为寺，乞賜嘉名；勑答云："純臣孝子，往往感应，晋時顏含遂見冥中送藥；"又近見智者以卿第二息夢云："飲慧眼水，慧眼則五眼之一号，可以慧眼为名"。及就創造瀝故井，井水清洌，異於恒泉，以夢取水洗眼及煮藥，稍覺有瘳，因此遂差，時人为之孝感。(江紑傳26)

王嘗游江濱，歎秋望之美，諒对曰："今日可謂帝子降於北渚；"王有目疾，以为刺己，应曰："卿言目眇眇以愁予邪?"从此嫌之。(刘諒傳39)

後有目疾，久廢視瞻，有道人慧龍得治眼術，恢請之，及至空中忽見聖僧，及慧龍下針，豁然開朗，咸謂精誠所致。(鄱陽忠烈王恢傳42)

除南海王府諮議参軍，以目疾不之官。(阮卓傳62)

損目　至应休散，佩独留不起，精力不倦，致損右目。(王錫傳13)

失明　尋以疾失明，將还鄉里，太子解衣贈之，为之流涕。(陸玠傳38)

以疾失明，謝病不朝。(徐世譜傳57)

及母卒，晝夜哭泣，遂喪明。(蕭叡明姉文英傳63)

母晝夜泣涕，目为失明，耳無所聞，遺还入戶，再拜号咽，母豁然即明。(吳逵附陈遺傳63)

惡疾　後遂惡疾，…藥，直二百四十万。(南平元襄王偉傳42)

七、病因和診断

憂憤　还都以憂愧成卒。(長沙宣武王猷傳41)

(中大同三年)帝以所求不供，憂憤寢疾。(梁本紀中7)

傳染　同里范法先父母兄弟七人，同時疫死；唯餘法先，病又危篤；喪屍經日不收，叔孫悉备棺器，親为殯埋。又同里施夫疾病，父死不殯，范苗父子並亡；范敬宗家口六人俱得病，二人喪沒，親隣畏远，莫敢营視。叔孫並为殯瘞；躬恤病者，並皆得全。(范叔孫傳63)

嘗糞　徙孱陵令，到縣未旬，易在家遘疾，黔婁忽心驚，举身流汗，即日棄官歸家。家人悉驚其忽至，時易疾始二日，醫云："欲知差劇，但嘗糞甜苦。易泄利，黔婁輒取嘗之，味轉甜滑，心愈憂苦，至夕每稽顙北辰求以身代。俄聞空中有声曰："徵君寿命尽，不可復延，汝誠禱旣至，故得。"(庾易傳40)

八、療　　法

驅巫　性不信巫邪，有師万世荣称道術，为一郡巫長；君正在郡小疾，主簿熊岳薦之。師云須疾者衣为信，命君正以所著襦与之，事竟取襦，云神將送与北斗君，君正使檢諸身，於衣裹獲之，以为亂政，即刑於市而焚神，一郡無敢行巫。（袁君正傳16）

驅邪　山陰白石村多邪病，村人告訴求哀，欢往村中为講老子规地作獄，有頃見狐狸鼋鼍自入獄中者甚多，即命殺之，病者皆愈。（顧欢傳65）

又有病邪者問欢，欢曰："家有何書？"答曰："唯有孝經而已。"欢曰："可取仲尼居置病人枕边恭敬之，自差也！"而後病者果愈。後有人問其故。答曰：善禳惡，正勝邪，此病者所以差也。"（顧欢傳65）

禁禁　顯達出杜姥宅，大戰於宜陽津陽門大破賊，矢中左目，而鏃不出，地黄村潘嫗善禁，先以釘釘柱，嫗禹步作气，釘即出，乃禁顯達目中鏃出之事。（陳顯達傳35）

厭勝　初有疾，無暇听覽，靈臣莫知；及疾篤，敕臺省府署文簿求白魚以为藥，外始知之；身衣絳衣，服飾皆赤，以为厭勝；巫覡云："後湖水头經过宮內，致帝有疾；"帝乃自至太官行水溝左右，啓太官無此水則不立，決意塞之；欲南准流，会崩事寢。（齐本紀下5）

針砭　全元起欲注素問，訪以砭石；僧孺答曰："古人当以石为針，必不用鉄；說文有此砭字。許慎云"以石刺病也。"东山經"高氏之山多針石"。郭璞云："可以为砭針，春秋美疢不如惡石。服子愼注云："石砭石也；季世無復佳石，故以鉄代之尔。（王僧孺傳49）

火灸　（更申五年）是歲有沙門从北齎此火而至，色赤於常火而微，云以療疾，貴賤爭取之，多得其驗，二十餘日，都下大盛，咸云聖火，詔禁之不止，火灸至七炷而疾愈。……邑人楊道慶虛疾二十年，依法灸即差。（齐本紀上4）

吮癰　祖母患癰，恒自含吮。（范之孫傳66）

十、藥　　品

人蓡　母王氏忽有疾，兄弟欲召之，母曰："孝緒至性冥通，必当自到，"果心驚而反，隣里嗟異之。合藥須得生人蓡，舊傳鍾山所出。孝緒躬歷幽險，累日不逢，忽見一鹿前行，孝緒感而隨後，至一所遂滅，就視果獲此草。母得服之遂愈，時皆言其孝感所致。（阮孝緒傳66）

黄蓍　梁天監五年，（公元506）舒彭遣使，献黄耆四百斤，馬四匹。（鄧至國傳69）

甘草　**当歸**　梁天監四年，（公元505）王梁彌博來献甘草当歸，詔以为使。（宕昌國傳69）

芍藥　年十六，为芍藥賦其辞甚美。（王筠傳12）

紅花　先是青州資魚鹽之貨，或彊借百姓麥地，以种紅花，多与部下交，以祈利益，洪軌至一皆斷之。（王洪軌傳50）

刘寄奴　後代荻新州，見大蛇長數丈，射之伤；明日復至州裏，聞有杵臼声，往視之，見童子數人，皆青衣，於榛中搗藥，問其故，答曰："我王为刘寄奴所射。合散傅之；"帝曰："王神何不殺之？"答曰："刘寄奴王者，不死不可殺！"帝叱之，皆散，仍收藥而反。（宋本紀上1）

丁公籐　母有疾，叔謙夜於庭中，稽顙祈福。聞空中語云："此病得丁公籐，为酒便差。"即訪医及本草註，皆無識者。乃求訪至宜都郡，遥見山中一老公伐木，問其所用。答曰："此丁公籐療風尤驗。"叔謙便拜伏流涕，具言來意，此公愴然，以四段与之，並示以漬酒法。叔謙受之，顧視此人，不復知处，依法为酒。母病即差。（解叔謙傳63）

檳榔　江氏後有慶会，屬令勿來，穆之猶往，食畢，求檳榔。江氏兄弟戲之曰："檳榔消食，君乃常飢，何忽須此。……"及至醉，穆之乃令厨人以金拌貯檳榔一斛以進之。（刘穆之傳5）

出……檳榔；檳榔特精好，为諸國之極。（干陁利國傳68）

茯苓　（永明十年）敕所在月給伏苓五斤，白蜜二升，以供服餌。（陶弘景傳66）

虎魄　寧州嘗献虎魄枕，光色甚美，價盈百金，時將北伐，以虎魄療金創，上大悅，命碎分賜諸將。（宋本紀上1）

西与大秦安息交市海中、多大秦珍物，珊瑚琥珀，金碧珠璣，琅玕，鬱金、苏合；苏合是諸香汁煎之，非自然一物也。又云大秦人采苏合，先笮其汁，以为香膏，乃賣其滓与諸國賈人，是以展轉來達中國，不大香也。鬱金独出罽賓國，華色正黄而細，与芙蓉華被蓮者相似，國人先取以上佛寺，積日撝乃糞去之，賈人以轉賣与他國也。（天竺國傳68中）

鹹地生珊瑚樹，長一二尺，亦有虎魄、馬腦、眞珠，玫瑰等，國內不以为珍。（波斯國傳69）

沉香 木香 沉木香者，土人斫斷，積以歲年，朽爛而心節独在，置水中則沉，故名曰沉香，次浮者棧香。（林邑國傳68）

出金銀銅錫沉木香。（扶南國傳68）

（梁中通四年）其王使使奉表累送佛，佛牙及画塔，並献沉檀等香數十种。（槃槃國傳68）

又出瑇瑁貝齒，古貝，沉木香。（林色國傳68）

雜香藥 （梁天監元年）（公元502）奉表献金芙蓉雜香藥等。（陁利國傳68）

（中大通二年）（公元550年）其王遣使……雜香藥；大同元年復遣使献金銀、琉璃，雜宝、香藥等物。（丹丹國傳68）

普通三年（公元523）其王頻伽復遣使珠智献……雜香藥等數十种。（婆利國傳68）

天監初，其王屈多遣長史竺罗達奉表献琉璃唾壺雜香古貝等物。（中天竺國傳68）

雲母 断穀三十餘載，唯以澗服雲母屑，日夜誦大洞經；梁武帝敬信殊篤，为帝合丹，帝不敢服，起五嶽樓貯之。（鄧郁傳66）

朱沙 水銀 曾青 雄黃 又以朱沙为阜，水銀为池。（始興簡王鑑傳33）

弘景既得神符秘訣，以为神丹可成，而苦無藥物，帝給黃金，朱沙，曾青，雄黃等，後同飛丹，色如霜雪，服之体輕，及帝服飛丹有驗，益敬重之。（陶弘景傳66）

馬宝 有人献馬，宝玄欲看之，喧曰，"馬何用看"？（江謐傳37）

蟒蛇膽 郡舊出髯蛇膽可为藥，有遺愿蛇者，愿不忍殺，放二十里外山中。（虞愿傳5）

藥性 和香方，其序之曰："麝本多忌，过分必害；沉实易和，盈斤無伤；零藿虛燥，詹唐黏溼，甘松苏合，安息鬱金；奈多和罗之屬，並被珍於外國，無取於中土，又棗膏昏鈍，甲煎淺俗，非为唯無助於馨烈，乃当彌增於尤疾也。"所言悉以比類朝士，麝本多烈比庾仲文，零藿虛燥比何尚之，詹唐黏溼比沈演之，棗膏昏鈍比羊玄保，甲煎淺俗比徐湛之，甘松苏合比慧琳道人，沉实易和以自比也。（范曄傳23）

採藥 敬弘常解貂裘与之，即著以採藥。（王弘之傳14）

測曰："少有狂疾，尋山採藥；远來如此，量腹而進"。（宗測傳65）

採藥服食。妻子皆从其志。（刘凝之傳65）

种藥 樹以奇樹，雜以花藥。（張貴妃傳2下）

長廊將一里，竹林花藥之美公家花園所不能。（茹法亮傳67）

買藥 病無以市藥，以冠劍为質，表自陈解。（褚炫傳18）

过去是为將來服务的

（關於医学史的研究）

原著者 Б. Д. 彼得罗夫

苏联共產党中央委員会在战後時期中所通过的關於思想問題[1]的涉及歷史方面的决議，其目的是在加强同資產階級思想，特别是同世界主义和資產階級客观主义的表現作鬥爭。

这些决議帮助了苏維埃的医学科学团体揭露出医学史方面的研究工作的極其落後狀态，並且在这門科学中存在着粗暴的歪曲和嚴重的錯誤。根据这些决議揭露出了許多科学工作者的世界主义观念和見解。

科学工作者和医生們对祖國科学歷史的巨大兴趣，在医学院中作为教学課目進行医学史的講授，用苏維埃爱國主义精神教育年青的大学生，都使我們有責任提高对医学史著作的要求。必須堅决徹底地同歷史科学中的世界主义表現和資產階級影响作鬥爭。

近年來，着手研究医学史的已經不是个别的研究家了（不久以前还是如此的），而是好幾十个或甚至上百的各种医学分科的專門工作者了。这就是成功的保証。同時必須指出在開始的一个階段裏，对初次从事医史著述的医生來說是有困难的；他們常有偏差，需要支持和帮助。

医学史著作的科学水平和數量近來有顯著的提高和增加，但还不能認为是滿意的。这些著作常常是膚淺的，缺乏明確的目的性和布尔什維克党性。对医学研究的任务和目的欠正確的理解，主要是由於許多史学家未逃出資產階級的歷史編纂学的圈子而造成的。

目前的首要任务是批判地重新審查医学史領域內的那些著作。

某些作者有時忘記医史研究的基礎必須建立在馬列主义的党性原則上面，这个原則責成我們向資產階級客观主义、反動的观念論、捏造歷史、無思想性、不問政治、屈从外國化等作不調和的鬥爭。

我們要樹立起正確理解歷史編纂学的任务和途徑和在科学中堅决貫徹馬克思列寧主义的党性原則的苏維埃医史学派。馬克思主义以前的社会学和歷史編纂学没有越出个别的片断的事实之堆砌的範圍，甚至往往也無意企圖去解釋它們。祇有馬克思主义才給与了全面地研究社会形态及其观念的發生、發展和衰亡过程的可能性。

医学史必須把我們的科学研究工作者，医生和大学生武裝起來，它必須为確定祖國学者的优先权而鬥爭，必須闡明祖國医学科学的全部財富和所有的紛繁形式，必須指出祖國医学科学的英雄人物，他們对待唯物主义傳統的正確性以及在世界科学中的先進作用。假如没有履行这些必需的条件，那麼医学史就变成編年史、傳記、彙集、事实奇談和逸事的堆砌了。

關於某些学者的稍有些头緒的傳記或是關於某些事实和事件的稍有些連貫的叙述，在医学史著作的名目下刊出的相当多。这些作者好像常常在說：这些事实的“歷史性”有权使它們在科学研究的行列中佔据位置。“善与惡，皆淡漠視之”，祇做了事实的記述工作的編年史作者，对苏維埃的医史学家來說是有失面子的事。

必須力求做到使医学史著作具有高度的思想性和政治性。这就是說，它們应該有助於医学科学的發展，有助於苏維埃保健事業的实踐。

---

①党中央1946年8月14日關於“紅星”(«Звезда»)和“列寧格勒”雜誌的决議；1946年8月26日關於話劇院的劇目及其改善办法的决議；1946年9月4日關於影片“偉大的生活”的决議；1948年2月10日關於 В. Мураделъ 氏的歌劇“偉大的友誼”的决議。

歷史学者的劳動在某种意义上是与掘煤工人的工作相同的；正如掘煤工人只由地下深处採出那些能够給我們以光和熱的礦層一样，歷史学者应由过去、大批的档案資料中，选出那些能够闡明社会过程的，以及在为祖國科学的优先权、進步以及繁荣的鬥爭中可以成为武器的事实和事件。

歷史学者不应該蹲在“純科学”的圈子裏。他們指出医学家的实踐活動是怎样推動了科学前進，为人類健康而鬥爭的經驗是怎样被總結成为科学理論和發明的，这都是必要的。同時必須指出俄罗斯医学科学的优秀傳統之一是將医学科学与生活需要的密切結合，不断地企望改善生活和实踐，把全部的科学經驗貢献給人民。俄罗斯医学科学泰斗穆德罗夫 (М. Я. Мудров) 和皮罗果夫 (Н. И. Пирогов)，包特金 (С. П. Боткин) 和奧斯特罗烏莫夫 (А. А. Остроумов)，謝切諾夫 (И. М. Сеченов) 和巴甫洛夫 (И. П. Павлов)，他們的工作从來也没有脫离过保健事業的实际，这不是偶然的。

如果从这个立場上來看近來所刊出的医史著作，則可發現許多作者——願意或者不願意，有意或者無意——是把自己放在完成上述各种要求之外的。

布尔什維克党性，目的性和思想性必須是决定医学史領域中的科学研究工作的一切环節的，从选擇研究題目開始。

所拟出來的題目的狹隘性和題目的單調性是一望而知的。關於同一位活動家的幾十篇作品，常常是以同一材料为基礎的。这些作品的見解是一致的——这是一种对科学、对讀者皆無貢献的反覆彈唱，祇要看看近年來所刊行的關於查哈林 (Г. А. Захарьин) 和皮罗果夫的著作，就足可相信这一點。自然，關於这些学者的寫作是比較容易的，關於这方面的已有幾十种作品了。在档案裏面尋找新的材料是比較困难的，要有勇气爭先發表自己对於在祖國科学中留下了顯明跡象的某些發明、学派或学者的意見。

我們能举出幾十位卓越的俄罗斯医学家的名字，而簡直没有寫出过關於他們的任何东西。例如，內科医生 Ф. Г. Яновский，在闡明臟的構造方面作了許多工作的解剖学者 В. А. Бец，外科医生 Н. А. Вельяминов, С. П. Федоров, И. И. Греков，衞生学者 А. П. Доброславин, Ф. Ф. Эрисман 以及許多其他学者們的活動，幾乎没有被研究过。

隱諱不談，是反映思想鬥爭的科学史中常有的現象。例如，在 Вильгельм Рихтер 撰寫的三卷俄國医学史中，我們看到幾十幾百位普通医生的名字，但是却找不到卓越的俄罗斯学者 Н. М. Максимович-Амбодик 的名字。这証明自成一家的俄國学者同許多外國人的鬥爭之激烈。这就是証明为什麼不要被限制在列入舊的参考書中的人名圈子裏，而要走出这个圈子，找出新的和被忘記不久的或被蓄意抹殺的傑出的祖國科学活動家的名字之所以重要的道理。

因此，擺在医学史工作者面前的第一个任务，就是擴大研究題目的範圍；第二个任务，是提高医学史科学研究工作的思想水平。必須達到作者們能够在科学学派的歷史中，在机關团体的和学者的活動中，选出主要的迫待解决的問題。

有許多例子說明对歷史現象的冷淡虚幻态度是如何害事的。在俄國解剖学巨匠 Д. Н. Зернов 的傳記中作者隨便地叙述这位学者，不能不使我們为之驚訝；但是也不能怀疑这一點，即 Д. Н. Зернов 是世界上最先对意大利人 Ломброзо 的犯罪人類学“学派”的种族主义的研究予以回擊的学者中之一人 (Ломброзо 企圖把社会因素生物学化，創立了犯人有先天的“变态”特徵的学說)。完全同样，在關於精神病医生 С. С. Корсаков (他的科学著作在世界科学的發展中構成了一个時代) 的一些論文中，没有在应有的程度上鄭重記述下面的事实，即他是最先或最力的發出反对断絕精神病人生殖能力的抗議者中之一人。

在同世界主义观點和概念，同种族主义的反動的資產階級理論的鬥爭中，医学史著作的战鬥性和進攻性还应該表現在这一問題上，即必須特别指出祖國学者和医生們的進步作用。为此，医学史的研究必須有明確的目的性，医学史的作者們必須不懈地在科学中貫徹馬克思列寧主义的党性原則。

不論如何，讚揚、辯護和掩飾錯誤与弱點，也还是頗为常見的医学史著作上的一个缺陷。这特别表現在所謂“紀念”文献上面。紀念論文集的作者們，好像約好了似地，把自己的目的放在不可遏制的頌揚上面。苏維埃的医学史除了强調某些医生或学者的積極性活動之外，不应該害怕指責他們的失策和錯誤。在这种情况下，批判的态度，一則可以帮助確定歷史的眞相，二則可以武装讀者，帮助他們評定科学遺產的眞假。

在自称是医学史著述的許多著作中，忘記了思想發展的歷史及其繼承性和联繫，也是常見的而須与之作堅决鬥爭的缺點。

關於某些学者的著述常常被刊行出來；在这著作裏面有着一些：那位学者在何地出生，在何地求学，讀了那些書，什麼時候当上了講師和取得了講席，結过婚沒有，他們有过幾个孩子，在那些雜誌上登載过文章。但是，对於他在某些知識領域中的思想遺產、理論观點和优先地位，祇給了微不足道的注意。

某些作者有時忘記：沒有思想的形成、確立和鬥爭歷史的科学史，是名符其实的無思想的科学。

斯大林的話称："………科学和实际活動間的联繫，理論和实踐間的联繫，它們的一致，应当成为無產階級党底南針"[2]，指出理論与实际的一致；說是一致的，但並沒有說是同一的。在医学科学和保健事業之間打上等号的企圖是由在苏維埃社会的条件下科学和实际是同一的錯誤的假設出發的。斯大林同志强調地指出"……新的思想，新的理論，……所具有的那种偉大的組織的，動員的和改造的意义"[3]。撰述任何科学史，不提出和不强調思想史的重要作用，是不可以的。

既然自然知識的發展形态，如同恩格斯所指出的那样，是假設，那麼某些科学研究工作者拒絕思想史的分析（不待說是同人們的实际活動联繫起來的，同决定着某些思想出現的其它因素联繫起來的分析），决不能被認为是正確的。

在这种情况下，当医史学者叙述某些医生或学者的思想遺產時，他們常常是孤立的離開歷史發展來叙述这些思想的。用列寧的話來說，即是"思想史是思想更替的歷史，因而也是思想鬥爭的歷史"[4]。科学史總是唯物論反对唯心論的战鬥場所。叙述新的理論，新的观點的出現時，不同時指出那些条件决定了它們的產生，它們在開闢自己的道路上有着什麼样的困难，怎样战勝这些困难的，这也是不正確的。在这裏，斯大林關於新生的东西之不可战勝性的指示应該做为指路南針。

恩格斯寫道："……任何思想体系一經發生後，便与現存的全部观念相联結而發展起來，並对現存观念作着進一步的加工。否則，它便不成其为思想体系了，也就是說，它便不是將那些思想作为具有独立發展和僅僅服从自己法則的独立实体來处理的了"[5]。

根据恩格斯的这一指示，应該指出許多医学史著作的缺點是把我們的学者們表述成为孤立的，双脚沒有踏在歷史的土地上的人物。偉大的学者及其理論和發明的形成就变成沒有道理的事情。由当時的具体歷史背景下的祖國科学水平的狀况出發，來闡釋新生的某些学者的先驅者的作用，对於医史学者來說是絕对必要的。

我們往往把皮罗果夫的活動表述成为只像个"幸运的偶然事件"一般。自然，这种态度不是别的什麼，而是对歷史实际的惡劣歪曲。皮罗果夫以前的和同時代的俄國外科学界有过數十位著名的專家学者：А. П. Протасов 和 П. А. Загорский, И. Ф. Буш 和 И. В. Буяльский. К. И. Щепина 和 Х. Х. Саломон，以及許多其他創造了那些足以引起皮罗果夫天才發展之基礎和前提的学者們。如果相信某些皮罗果夫的作傳者，則皮罗果夫的"冰凍解剖"之所以能够出世，是因为有一天，一个冬天，皮罗果夫打肉舖旁边路过時，看到了凍肉（譯註：原文 замороженные туши 係指去掉头、皮、內臟的被屠獸畜）的緣故。看來，關於牛頓的蘋果之奇談，將会給某些医史学者以資料的。但是，如果对眞正的歷史，而不是对奇談式的虛構臆造關心的話，問題原來是在皮罗果夫之"冰凍解剖"的前十五年，另一位俄國的著名外科医生兼解剖学家 И. В. Буяльский 已經在製作解剖标本時应用了寒冷法。用凍硬了的和以冰凍法处理过的人屍來作石膏模型，然後倒出銅像。И. В. Буяльский 把这种銅像寄給了五个外國

---

② 联共（布）党史簡明教程，1948年莫斯科中文版，第146頁。

③ 联共（布）党史簡明教程，1948年莫斯科中文版，第148頁。

④ 列寧全集，第4版，第20卷，第237頁。

⑤ 恩格斯：費尔巴哈与德國古典哲学的終結，人民出版社1955年北京版，第64頁。

的医科大学，其中包括巴黎和維也納的医科大学。

關於俄國科学的另一位天才巴甫洛夫的活動，祇有在了解到他的先驅者們——謝切諾夫，菲洛馬菲特斯基（А. М. Филомафитский），巴索夫（В. А. Басов）（在1842年做过狗胃人工瘻管手術），包特金以及其他决定着巴甫洛夫生理学說之出現的著名俄國学者——給科学帶來了些什麼的時候，才能够得到正確的理解。

不注意实际工作者和普通医生們的勞動，也是医学史研究上的嚴重缺點。要知道，斯大林同志指示过："……開拓科学和技術新道路的，竟不是在科学界著名的人物，而是在科学界全不著名的人物，平凡的人物，实践家，工作革新者"[6]。因而，把全部的注意力集中在教授和院士們的著述上，而忘却闡明没有学位和称号的学者們在科学和实践中的傑出的作用，是不正確的。例如，在世界医学文献中使用着的術語"克匿格氏徵"（腦膜炎的早期鑑別徵候），要知道克匿格（В. М. Кернит）是彼得堡Обуховский医院的普通医生。对医学科学作出了巨大貢献的这類平凡的活動家，在我國难道是很少的嗎！

列寧寫道："在每个民族文化裏面都有，那怕是不發達的，民主的和社会主义的成份，因为在每个民族裏都有勞動的和被剝削的羣众，他們的生活条件不可避免地会引起民主的和社会主义的思想"[7]。

列寧關於兩种文化的指示，应該决定苏維埃学者对祖國医学發展的看法的态度。把过去幾世紀的祖國科学的歷史錯誤地解釋和形容得醜陋不堪，都是忘記把列寧的指示作为自己的原則。

在"統一源流"的圈子裏观察科学的歷史，就不可避免地会造成嚴重的錯誤。在莫斯科大学的教授中間，有过像偉大的俄國学者、生物学家和思想家季米良捷夫（К. А. Тимирязев）那样的進步的活動家，也有过像好战的观念論者和唯心論者、神秘論者和馬克思主义的死敌的哲学教研室的教授Л. М. Лопатин那類人物，列寧在他的著作"唯物主义与經驗批判論"中喻之为"哲学的黑帮份子"的也正是这个Лопатин。

決不可像某些研究工作者所作的那样把各个時期的先進的俄國学者同沙皇專制制度的"文明的"代表人物混在一起。

俄國医学活動家还有一种特點，医史学者或者没有注意到此种特點，或是没有賦予它以应有的意义。俄國学者照例是具有寬闊的眼界的，他們熱情地關心着認識論的問題，用哲学观點來考察自然界的和社会的現象以及科学的資料。同時应該指出他們的唯物主义思潮。列寧在"論战鬥唯物主义底意义"一文中指出："很可慶幸的一點，就是俄國先進社会思想中的主要潮流拥有丰富的唯物主义傳統"[7]。这句話完全可以用之於先進的医学思想上面。

应該再補充說一點——这也是革命前的祖國学者之所以區别於外國学者的一點——，即許多俄國学者，自然科学者和医生們［麥奇尼可夫（И. И. Мечников），謝切諾夫，季米良捷夫］不是自發的，而是自覺的唯物主义哲学的拥護者，这个時候的西方的同一医学部門的代表人物很多都是康德主义及其它唯心主义思潮的繼承者。

俄國学者們都受到了自己同胞們——傑出的哲学家，唯物主义者赫尔岑（А. И. Герцен）、車尔尼雪夫斯基（Н. Г. Чернышевский），杜勃洛柳包夫（Н. А. Добролюбов）及其他人——的良好影响。

比起西方來，不大受教会的約束，較为自由地發展祖國科学，也促成了俄國学者照例是佔据了先進的進步地位。俄國学者們的知識的廣闊和多方面也表現在：他們絕大多數不是狹窄的專門工作者，而是具有極为廣闊的医学眼光的工作者。例如，决不可把皮罗果夫僅僅看成是外科医生和解剖学者，他还是出色的內科医生，特别是，他是創伤的綜合療法的發明者之一，他是营养療法的奠基人之一。包特金不僅是优秀的內科医生，並且还是少有的出色的藥物学者；由於他和他的学生們，山梗菜素（лобелин），剪秋罗（горицвет）以及其它極有價値的藥物在全世界的內科臨床上被应用了。

參加國防工作也是祖國医学者活動的一項重要特點。志願貢献自己为人民服务，希望在解决保衛祖國的問題上做出可能做出的貢献，是沙莫伊洛維

---

⑥ "列寧、斯大林論科学技術工作"，中國科学院1954年6月版，第259頁。

⑦ 列寧：論馬克思恩格斯及馬克思主义，1949年莫斯科中文版，第456頁。

奇（Д. С. Самойлович），穆德罗夫，皮罗果夫，包特金等一大批光荣的祖國学者的优秀特點。不指出祖國医学者参加衛國的事蹟，就不可以著述俄國医学史。

不分青紅皂白的一味批判把某些研究工作者引導到这样一个境地上來：他們降低了俄國学者在科学發展中的地位，他們不管有無理由，罗列了学者們的机械論的，唯心論的以及一切別的錯誤，來代替在具体的歷史条件中仔細分析研究这些学者們的活動的各个方面。

在这裏，列寧的指示应該成为正確評價的可靠準繩："歷史上的功績，不能根据与現代要求相比歷史人物沒有做到那些來判断，而要根据与他們的先驅者們相比他們新給了些什麼來判断"[9]。

"斯大林，日丹諾夫，基洛夫同志对於苏联歷史教科書提綱底一些意見"对研究医学史的人有着極其重要的意义。特別是，从这些"意見"的最後一段："我們需要这样的苏联歷史教科書，在这本書裏，大俄罗斯人歷史不与苏联其他民族的歷史相分离，这是第一。在那裏苏联各民族歷史也不与整个歐洲歷史相分离，並且一般的也不与世界歷史相分离，这是第二。"[10] 所有的医史学者都必須作出重要結論。

如果研究範圍非常局限，如果不强調俄國医学的世界性意义，那麼就不可能指出祖國科学对外國科学的优越性，那样明顯地表現在医学的許多領域中的优越性。例如，在關於皮罗果夫的許多著作中，可以很明顯地看到在这些著作裏面隱晦地端出这样的思想：好像皮罗果夫沒有把自己的成就和俄國科学联在一起，而是把它同德國的科学联在一起似的（这些著作必定是强調着皮罗果夫在学時的莫斯科大学的教育上的缺陷）。但是，很少引用皮罗果夫自己的（在他的日記本和他的其它作品中所有的）無數次的言論，例如，皮罗果夫寫道："我們住在德國 Дерпт 的第一年，德國的一切就使我產生了某种不愉快的感覚，他們，無聊的平庸的教師們——在我看來——不能够激起我們对自己的科学產生一點點的兴趣。"

皮罗果夫举出許多事情，証明愚昧無知"照耀了"Дерпт 大学。他用同样的筆調典型地記述了外國学者的科学水平。在自己的一部作品"動脈幹和肌膜的外科解剖学"（是外科学的新方向的宣言書）的序言中，皮罗果夫寫道："比方說，如果我說在德國可以碰到这样的著名教授，他們在講壇上論述解剖学知識对外科学是沒有益处的，我們的同胞之中有人相信我否？"。这不是偶然的，因为俄國学者的先進的医学理論的反对者常常是德國的反動学者。

不注意苏維埃時期的医学史，是絕对不能容忍的，苏維埃医学史和苏維埃保健史是同反映資產階級文化的衰頹的反動的唯心理論作鬥爭的鋒利的武器。

苏維埃医学的發展史不僅說明着科学思想的偉大勝利，並且还顯示出医学科学發展的新道路。

医学史的研究工作，隨着歲月的移行而成長壯大。僅在最近兩年之內，關於医学史、医学專科史和傑出的祖國学者的活動方面的書籍已超过百种以上。

祖國学者在医学、生物学和自然知識的發展中的巨大作用，一年比一年顯得更加明著和確实。

医学史教研室在高等医学院校中的建立和加强，教学大綱的確定，还有医学科学团体对医学史所表示的關心，在这方面都起了積極性的作用。

应該特別强調指出医学雜誌編輯方面的巨大工作，在最近二三年內刊出的医学史著作比以前二十年間刊出的还要多。

苏維埃的医生和学者們尽很大的努力执行着苏（联）共中央的指示，这个指示是要求編寫出眞正馬克思主义的祖國医学科学史。

目前在展開医学史寫作方面，須注意那些事情呢？

斯大林同志在關於語言学的著作中指出：上層建築是由基礎產生的，但是，"上層建築一出現後，就要成为極大的積極力量，積極幫助自己基礎的形成和鞏固，採取一切办法幫助新制度來摧毀和消滅舊基礎和舊階級。"[11]

---

⑨ 列寧全集，第4版，卷2，第166頁。

⑩ 解放社編：馬克思、恩格斯、列寧、斯大林思想方法論，人民出版社，1953年第5版，第292頁。

⑪ 斯大林：馬克思主义与語言学問題，人民出版社，1953年第二版，第8頁。

在叙述医学史時，往往有人忘記上層建築在社会發展中的積極作用。往往有人沒有很好地，不能使人信服地叙述学者們的思想功績如何，这些思想是怎样形成的，生活实踐的哪些力量影响了他們，这些思想是怎样具体表現到实踐中去的，怎样服务於人民，服务於祖國科学的，怎样地帮助了我們國家前進的。

馬克思列寧主义經典著作家關於思想的組織和改造作用的指示，使科学研究工作者有了正確的南針。

我們需要这样的医学史，能闡明过去的現象，帮助解决今天的任务，說出远景，並帮助运動前進的医学史。

揭露过去作者的著作中沒有实現的，沒有提到必要的顯明的認識上面去的，以及被遺漏的东西——这也是医学史的任务之一。

要知道，假若以前細心地研究过 В. А. Манассеин 和 А. Г. Полотебнов 之間的著名的討論，那麼老早就会發現並廣泛应用黴菌的治療性能。

在过去的時代裏，学者和医生們常常是处在这样一种地位：由於科学水平的不足，方法的不完善，物資基礎的缺乏，不能够实現他們的理想。医学史的任务之一是找出这些沒有实現的假設和理想，並揭露出隱藏在其中的可能性。

为了解决正確地治療病人的問題，必須把实驗的方法貫徹到臨床中去的巴甫洛夫的这一主張，如果作歷史的考察的話，可以提出很早以前的先進的俄國学者。在一百多年以前，於 1851 年，卓越的俄國医学家和社会活動家 Ф. И. Иноземцев在莫斯科医学雜誌上發表了一篇論文"治療的經驗"，提出了这样的問題："神經是否参与局部过程？"

Ф. И. Иноземцев在分析農妇 П. А. 的疾病史時，对这个問題作了答覆。Ф. И. Иноземцев 在引用外國生理学者的材料時寫道："我决定用实驗的方法來檢驗他們的結論是否正確。經驗是允許这样作的，因为可以不使病人的健康受損而完美地進行，因为我所选用的藥物是在我的控制之下的，在这种情况下是不会成为毒物的。"[12]

Ф. И. Иноземцев 所進行的实驗獲得了二重的成功——病人的完全恢復健康和神經系統在疾病的發生和發展中的重要的决定性的作用之証实。这个論題在那个時代來說是証明 Ф. И. Иноземцев 用独創的方法找出完全新的大胆的論題，因此，我們有权利称他是神經論的先驅者之一。

他的行動和言論的整个經歷和我們（巴甫洛夫的繼承者及同期人物）很相近。

Ф. И. Иноземцев 有趣味地論述了他对解釋疾病所持的态度的規律性和正確性："医療实踐是一种高級法庭，一切医学上的發明必須由它來通过；一切医学上的發明只有在这种法庭上經得住应行的公正審判的時候，才能獲得不可反駁的眞理权並得以普遍的实际应用。"

此种主張和馬克思主义關於实踐是衡量眞理的準繩的原理是多麼相似呀。但是要知道，这些話語是在一百多年以前寫下的。

上述例子是說明提出过去是为現在和將來服务的要求的根據。找出，揭露出沒有实現的，沒有引導到邏輯上的結論的，被忘却了的过去活動家的思想，应該認为是医学史的任务之一。在每个医学專科中，都有沒發掘出來的，未經確証的經驗，因各种原因未能实現的理想，医学史的任务是在使它們为今天和明天服务。

这是否意味着必須把医学史縮小成思想史呢？不，不是这个意思。祇有那些不懂得或不想懂得实踐在思想發展中的作用，不懂得或不想懂得普通的工作者、平凡的人民羣众、实踐者在新的科学途徑的發現中的作用的訓詁学者和書獃子，才能做出这样的結論來。祖國学者同生活，同实踐的緊密結合，是他們的特點。穆德罗夫和包特金，皮罗果夫和斯克里佛索夫斯基（Н. В. Склифосовский）不僅是偉大的学者，並且（如果用現代語言來說的話）是保健事業的組織者。正是他們的此种特點使得他們的許多著作沒有陈舊变老，仍保持着它的新鮮性和生命力。

斯大林同志在語言学問題的著作中强調了："社会現象，除了这个共同东西之外，还有自己專門的特點，这些專門特點使社会現象互相區別，而且这些專門特點對於科学最为重要。"[13]

---

⑫ 莫斯科医学雜誌，1851 年，第 1 號。

⑬ 斯大林：馬克思主义与語言学問題，人民出版社，1953 年第 2 版，第 35 頁。

做为从社会实践，物質生產的要求而產生的特殊的社会意識形态的極为複雜的現象——保健事業和医学科学——有着自己專門的特點。医学史的最重要的任务之一是在於：揭露出这些專門的特點，指出它們在不同的歷史階段上和在不同的國家中的區別，这些區別是决定於某种社会經济形态下的人類社会的發展条件和人們的物質生活条件。如果能正確地做到这一點，那麼顯然，目前通用的医学史分期就需要重新劃分，許多医学專科的歷史需要重新編寫。

要知道，举例說，在苏联科学院与苏联医学科学院關於巴甫洛夫院士生理學說問題的联合科学会議（1950年6月28日至7月4日）之後，生理学歷史的分期已經明確了，直到現在医学史中所使用的分期法是不正確的，因为，在生理学史中实际上是有着兩个階段的——巴甫洛夫以前的階段和巴甫洛夫的階段。

各个科学分科的專門特點，它的發展的特殊性，某种傑出的發明在此种發展中的作用，生活所提出來的新的要求的意义，与有關部門的相互關係——所有这一切在一定的科学部門的發展規律中都佔有地位的，特别是在像医学这样複雜的知識分野的發展中更是如此。

如果用斯大林同志的指示的观點來观察整个医学以及它的个别專科的分期和歷史時，顯然此种分期是經不住批判的。原來，这直到現在我們所認为要大得多的作用，是应該歸功於我們祖國的学者們。例如，在外科学中規定皮罗果夫的階段，在微生物学中規定麥奇尼可夫的階段，在內科学中規定包特金的階段，在胚胎学中規定原則上有所不同的新的階段（在貝尔［Бер］的工作以後），是完全可能的。

闡明祖國学者的优先地位有着不小的重要意义。在这一任务方面，近二三年來許多研究家有成效地工作了，並且还在繼續工作着，但是做的还不够。現在已經到了不僅需要在个别的發明和个别的局部領域中闡明祖國学者們的作用的時候了，而是到了需要在某个科学分科的整个方面的產生和發展中，在解决各該分科的原則性的中心問題上，來闡明祖國学者們的作用的時候了。

藥理学史是一个典型例子。

數年前，美國医学会向医生們發出了調查表，請求指出十种最貴重的藥物。調查結果公佈了。

最多數的医生指出最貴重的是下列藥品：1)青黴素和磺胺剂，2)血液和血漿，3)奎寧，4)乙醚，嗎啡，可卡因，5)洋地黃，6)六零六，7)免疫用藥品，疫苗，8)胰島素和其它激素（荷尔蒙），9)維生素。

表面地看一看这个統計表就足可以發現俄國学者在發現、合成和研究这些有價值的藥物方面的作用是多麼偉大的了。

В. А. Манассеин 和 А. Г. Полотебнов 在發現青黴素上的作用是大家非常熟悉的。維生素是俄國学者 Н.И. Лунин 發現的。洋地黃是由包特金运用到臨床上的。奎寧是1816年由哈尔科夫大学的教授 Ф. И. Гиз 合成的。胰島素是 Л. В. Соболев 發現的。免疫作用的闡明以及根據这个原理而使用治療藥物，被公認是麥奇尼可夫的功績。在輸血方面，開路先鋒是以輸血研究所的最初的領導者 А. А. Богданов 为首的苏維埃学者，А. А. Богданов 在挽救病人（他將自己的血液輸給了这位病人）時捐軀了。

現在我們已經不能滿意於確定某某祖國学者的优先权的个别的零散的工作了，而是需要更深入的歷史研究，这种研究不是闡述医学科学史中的那些瑣事和細節的，而是披露祖國学者在許多医学專科的發展中的主導作用的。

决不能容忍直到現在还没有寫出祖國內科学史，歷史中關於光榮的祖國外科学的記述不多的情况，幾乎完全是由於缺乏个别医学專科史方面的文獻的緣故。

上述任务的必須解决，就不能不使我們注意到一个重要的缺點。到現在为止，引起研究家的注意的祇是有關个别医学者的創造性傳記方面。在这方面有些人做过一些工作：編寫並刊行了20种以上的書籍，特别是關於許多学者的"祖國医学的傑出活動家"叢書形式的。这類工作应該繼續下去，但是必須着手進行科学学派史和科学思潮史方面的研究；沒有这些研究我們就得不到完整的能說服人的个别的專科史。經驗証明：祇有在使得祖國医学科学如此丰富的学派史、思潮史方面的大批單一問題的研究的基礎之上，才可能編寫出專科史來。

善於在集体中進行工作，善於和青年一道進行工作，並常常吸收实际工作者特别是普通的医生來一道解决最複雜的理論性問題，是祖國学者的特點。

小兒科医生 Н. П. Гундобин 提供了此類的成功的集体創作的傑出範例。在短短的期間，十年之內，他不僅創造出了傑出的經典式的著作"小兒的年齡特徵"（聖彼得堡，1906年），並且还組織有講学本領的同人們和其他医生們進行了巨大的科学研究工作。在 Н. П. Гундобин 的領導下，於十年之內，寫就和辯護了100篇以上的学位論文。在苏維埃年代裏，Н. Н. Бурденко 院士在我們的面前組織了同样廣大範圍的科学工作，在这些工作裏面吸收了相当多的医生和学者，並且如我們所知道的，是有了卓越的成果的。

神經論的建立和發展的歷史以及它的前史，提供着巨大的科学兴趣，这方面的工作已經開始了。

由祖國学者的劳動所創建起來的，做为世界医学思想的頂峯之一的神經論，理应受到最仔細的研究；而第一批的史学研究已經表明我們所知道的有關这一祖國科学大事件的編年史是太少了。

医学通史問題的研究也是重要任务之一。我們只好後悔，沒有注意到这个問題。企圖把过去的偉大遺產攫到手中的某些資產階級的史学者和医学者正利用着这一點，或則是法西斯化的"研究家"妄圖把 Парацельс 变成为法西斯主义者，或則是某些英國和美國的"学者"宣佈偉大的中央亞細亞的学者Ибн-Сина（以阿維森那的名字見知於歐洲已有千餘年之久）是阿拉伯人，說他的創作是阿拉伯文化的成果。

人民民主國家的医学革新者和学者們的活動早就期待着馬克思主义史学家能够公正地闡明他們在科学史中的眞实作用，能够批判資產階級"研究家"的誣衊性言論。例如，我們举出幾位傑出的捷克学者的名字：J. E. Purkinje（1787——1869），布拉格的解剖学和生理学的教授；他所記述的細胞是用他的名字來称呼的；Purkinje 又是術語"原生質"的命名人，也是細胞学理論的奠基者之一；Георг Прохаско（1749——1821）是在布拉格受过医学教育的解剖学者，生理学者，眼科医生；生理学者 В. Б. Томс 於 1865——1883 年在基輔主持过生理学的講座；有一大批姓 Чермак 的著名医生，其中之一的 Иоганн Непомук Чермак 是喉鏡的發明者。

我們祇举出了捷克人的名字，但是要知道提一些匈牙利、中國、波蘭、保加利亞、罗馬尼亞以及其他國家的著名学者是不困难的。擺在人民民主國家的学者面前的任务——寫出他們國家的眞实的医学科学史，而不是伪造的医学史——，早已成熟了。

必須反对为了取悅於美國黑暗势力來歪曲医学史，伪造医学史的反動的医史学者所公諸於世的大量著作，必須眞正地把科学的医学史从世界主义观念和种族主义罗網中解放出來。

必須对以抹煞不談來埋沒一些民族在医学發展中的功績以及用捏造歷史來吹噓擴大另一些民族的功績的企圖給以反擊。

斯大林說过："每个民族，大的或小的，——都一样——，有着自己的質的特殊性和自己的特徵，此种特徵祇屬於該民族的，而不屬於其它民族的。这些特徵就是每个民族放入世界文化的總宝庫，充实和丰富这个總宝庫的那些貢獻。"[14]

苏維埃医史学者的任务是帮助闡明世界的科学宝庫中的各个民族的貢獻。

苏維埃医学史方面的科学研究工作是一个巨大而重要的任务，直到目前所完成的还远不能令人滿意。必須更加大胆地廣泛地開展苏維埃医学和苏維埃保健事業方面的研究工作。研究苏維埃医学科学史之所以重要，除了丰富我們思想，能帮助我們發現並擴大我們的知識之外，还因为它能給我們極鋒利的武器同資產階級学者的反動的唯心主义理論作鬥爭。同時，也正是苏維埃的保健史和医学史还武裝着世界上所有國家的先進学者們，特别是人民民主國家的医务工作者。

進行距現代越是古远的医学史研究越有價値的看法是不正確的。明確此种看法是完全有害和危險的時候到了。要知道，問題的判斷不是在於距被研究的那些事件和現象經过了多少時間，而是在於研究过去的那些方面，如何把过去的事物拿來为現在和將來服务。

必須同愚蠢的愛好过去作鬥爭，必須善於在过去中把那些受着光荣的尊重的东西同那些籤揚着腐朽的东西區别開來。

考古学家在發掘到 Микены（譯註：古代希臘的城市）文化遺跡之後，發現了盛有穀粒（小麥）的器皿，这些穀粒在地下深处睡了很久。当時把这些穀粒播种了，它們出了芽，開了花並結了果。

我們需要那些尋覓过去事实之此种"穀粒"的史学著作，如果能仔細地、善於去研究並正確闡明它們（过去的事实），它們会開花結果的，会帮助我們的今天（現在和將來），便於我們为共產主义所作的鬥爭。

（王有生譯自 Б. Д. Петров: Профилактика——охрана здоровья здоровых, Медгиз—1955, стр. 61—79）

---

⑭ 斯大林：1948年4月7日在招待芬蘭政府代表团的宴会上的講話："布尔什維克"雜誌，1948年第7期，第2頁。

对"中西医都需要学習的傷寒論它的內容和評價"一文的幾點意見

史常永

我國劳動人民在漢代以前，已經積累了很多对疾病鬥爭的經驗，同時也出現了不少偉大的医学家如扁鵲、倉公、伊尹等。至後漢張仲景乃勤求古訓，博採众方、總結了後漢以前的医学經驗，完成了我國在医学上具有歷史意义的一部偉大著作——伤寒雜病論，奠定了我國医学以方藥治病及"隨証施治"的基礎。伤寒論共397法，113方，仲景的立法用藥精到，早为我國歷來医家的臨床实踐所証实，晋皇甫謐說"仲景論廣湯液为數十卷，用之多神驗"[1]，唐孫思邈說"伤寒熱病自古有之，致於仲景特有神功"[2]，清徐灵胎說"用藥不过五六品而功用無不周"[3]，清陈修園說"其方非南陽所自造，乃上古聖人相傳之方所謂經方是也，其用藥悉本於神農本經，非此方不能治此病，非此藥不能成此方，所投必效，如桴鼓之相应"[4]，由此已可窺見仲景被我國歷代医家所尊敬不是沒有原因的。我國歷代的医生把"伤寒論"奉为金科玉律，称仲景为医中之聖、經方之祖。

我們在今天学習伤寒論仍然具有現实意义的，因为伤寒論是一部中医的最基礎的經典著作，当然在今日看來伤寒論並不是沒有缺點，但是我們应該强調它的積極方面，我們学習它的目的也正是要取其精華、去其糟粕、發揚祖國医学遺產，丰富現代医学科学內容，以達到更好的为人民健康事業服务的目的。

学習中医並不是一件簡單的事情，關於如何学習"伤寒論"，國內各种医学雜誌發表了一些文章，我相信这对学習伤寒論会有莫大的帮助。但是我在讀过了中華医史雜誌一九五四年第一号所登載李松声先生寫的"中西医都需学習的伤寒論它的內容和評價"一文以後，我感覺这篇文章有很多地方是值得商榷的，故把个人一點意見提出來供大家參考。

李松声先生在論伤寒論中的疾病分類和病名時寫道："因为傳染病的病程有長短，这部書中規定凡是6—12天能治好的病叫做伤寒、溫病或暑病。12天以上仍然不能痊癒的病称为溫瘧、風溫、溫毒名"。这种規定不知道从何而來，我們遍閱"伤寒論"六經八篇、397法，找不到这样的規定。王叔和伤寒例確曾談到了溫瘧、風溫和溫毒，但也不是这样規定的，伤寒例說："若过十三日以上不間，尺寸陷者危"，这是說患伤寒的人，若是过了十三天以上仍然不見好，並且脈搏微弱甚致消失者有危險。又說："若更感異气，变为他病者，当依坏証病而治之。若脈陰陽俱盛，重感於寒者变为溫瘧；陽脈浮滑、陰脈濡弱者，更遇於風，变为風溫；陽脈洪數，陰脈实大者，遇溫熱变为溫毒，溫毒为病最重也"。这段的意思很明顯是說，伤寒本症未癒，患者如果不慎，重新又感受了寒、風或溫熱，就会变成坏証——溫瘧、風溫或溫毒，据此可知，李松声先生所說的6—12天能治好的病叫做伤寒、溫病或暑病等等，与伤寒例精神不符。

李松声先生將"伤寒論"113方，根据各方所用的藥效，分为解熱、瀉下、利尿、催吐、鎮靜、兴奋、健胃及止利等八類，並例为12个表，这些个表，故然很明白醒目，但是作者对每个表的說明，却貶低了"伤寒論"，至少也应該說对"伤寒論"没有給以適当的估價，例如在該文中表二麻黄湯類方表下边，李松声先生寫道："由上方可知主要用麻黄解熱，其餘皆为調味和健胃藥"。大家知道，杏仁向來中西医都用作鎮咳藥，細辛是中医經驗的鎮痛

①見皇甫謐"甲乙經"序言。
②見孫思邈"千金翼方"第九卷，伤寒上。
③見徐灵胎"医学源流論"下卷，千金方外台論。
④見陈修園"医学三字經"医学源流。

定喘藥，据近藤氏報告，大量細辛揮發油对蛙、鼠及兎之作用，初期为兴奋，漸次轉入中樞麻痹[5]，五味根据苏联学者的研究，有刺激呼吸中樞神經系統的反射应激能，調節心臟血管系統病态生理机能及改善失常的血液循环[6]，中医貫用於治療虛痨咳嗽及作强壯剂，半夏是有效的鎭吐剂，並有顯著的鎭咳祛痰作用[7]，附子有解熱鎭痛及兴奋作用，生用毒性甚烈，能麻痹呼吸中樞及皮膚粘膜感覚神經系統[8]，中医常用於四肢厥冷、腹瀉等危証，难道以上这些都能用調味健胃藥來解釋嗎？誰能拿具有麻痹神經毒性的附子、半夏、細辛作調味用呢！我認为麻黃湯類方証，絕不能只是一味解熱藥——麻黃，或者是再加點無關緊要的調味健胃藥所能達到治癒目的的。麻黃湯類方虽大都用麻黃，其他藥品也决不容忽視，作者顯然是没有对“伤寒論”的用藥或处方的特點和实質，“伤寒論”的用藥和認証，總是不可分割的整体，中医認为某种疾病在臨床上所呈現的症候羣，是診斷的依据，也是用藥的依据，“寒伤論”不看成一种疾病所出現的各种症狀是互不相關或者是孤立的發展，而看成是疾病整个發展的机轉，按穆德洛夫（М. Я. Мудров）的說法“不是医治疾病的本身，而是医治病人”，这就是伤寒論所奠定的“隨証施治”的整体治療观念，所以中医的用藥和辨証，都千絲万縷的有机的联系在一起。如果症狀發生了变化，則处方就有了加減，处方的加減是隨症候羣的轉移而轉移的，因此，“伤寒論”的处方加減变通不是平白無故的，更不能把一个处方裏的主藥以外的藥品都看成是一种机械的增減或者是無關緊要、可有可無的矯味藥。例如头痛發熱，身疼腰痛骨節疼，惡風無汗而喘者，这个症候羣組成了麻黃湯的適应証，假使这个症候羣有了变動，例如又增加了乾嘔，咳嗽，或渴或利或噎或小便不利少腹滿等症狀，那麼單單麻黃湯就不適应了，应該在麻黃湯裏增加半夏、細辛以止嘔鎭咳，加五味以調節恢復中樞神經机能和改善病态的血液循环，这样就变化成了小青龍湯，也可以說这个症候羣成了小青龍湯的適应証了。只有这样才能瞭解“伤寒論”的用藥規律，才能正確的从積極方面來領会“伤寒論”。

作者在止痢剂条下寫道：“白头翁和黃連均經实驗証明有殺菌之效，所以本書（指伤寒論）所載白头翁方应是有效的藥方，其餘（指赤石脂、禹餘粮、粳米等）則無效用”，作者將赤石脂、禹餘粮等止痢藥品均加完全否定，这是不恰当的。我們僅以赤石脂为例，“神農本草經”說“五色石脂主洩痢腸澼濃血”，“明医别錄”說“療腹痛腸澼，下痢赤白”，李時珍說“厚腸胃，除水溼，收脫肛”，“千金要方”收載的五十六个治痢方[9]，就有十一个方用赤石脂，“外台秘要”載有一百七十二个治痢方[10]，就有十八个方有赤石脂，这說明古人对赤石脂的止痢作用是相当重視的。赤石脂的藥理作用与高嶺土同，主要为吸着作用，內服能吸着消化道內的毒物，如燐、汞、細菌毒素、及食物異常醱酵的產物等，对發炎的胃腸粘膜，有局部保護作用，一方面減少異物的刺激，另一方面吸着炎性滲出物，使炎症得以緩解[11]。由以上所述可知，除了白头翁湯一方，其他止痢藥品是否都一點作用也無有，我們不能过早的，武断的下結論。

按照李松声先生的說法，我們可以得出这个結論：痢疾是由於痢疾桿菌或阿米巴原虫作用於腸組織所致，白头翁和黃連有殺菌效力，故有止痢作用，其他止痢藥品無殺菌之效，故無治痢作用。这种观點顯然是魏尔嘯氏的細胞病理学观點，而忽視了机体的反射机制。根据巴甫洛夫高級神經活動学說，認为人体是一个統一而完整的有机体，机体依靠着神經系統——特别是起着主導作用的高級神經——通过反射的方式，使机体和环境之間保持密切的联系和平衡，巴甫洛夫寫道：“極度複雜的高級与低級動物之所以能够以整体的形式存在，只因为它們所有的細微精確的構成部分彼此間保持平衡，並且和周圍世界也保持平衡”[12]。由此出發，机体任何部分的活動都和其他部分相關联，从而也

---

⑤參閱張昌紹“現代的中藥研究”三十四頁。

⑥參閱朱顏“中藥的藥理与应用”第七十一頁 1954.

⑦參閱朱顏“中藥的藥理与应用”一百六十五頁 1954.

⑧立憂波“中藥新編”一百四十六頁1955 及朱顏“中藥的藥理与应用”，1954.

⑨見孫思邈“千金要方”第十五卷。

⑩見王燾“外台秘要”第廿五卷。

⑪見朱顏“中藥的藥理与应用”，第一百六十三頁或於達望“國藥提要”四百八十頁。新医書局，1950.

⑫見巴甫洛夫“条件反射演講集”第一章第三頁。人民衞生出版社，1954.

影响着整个机体，一但机体遭遇到各种致病因素（生物的或非生物的）的刺激超过了机体所能適应的程度，便使机体和环境之間的平衡破坏而引起疾病，“所謂疾病，就是机体和环境間的正常關係破坏”[13]，巴甫洛夫曾指示我們“当作一定的、独立的、特殊的物質性系統的一个有机体，对於每个瞬間一切的周圍条件，如果不能保持平衡，就不能存在”，这是我們瞭解疾病的基礎。另一方面，机体在受到致病因素的刺激以後[14]，藉助於自己的防禦装置——如吞噬作用，免疫反应甚致搔汗、排尿、下瀉、嘔吐等等都可能成为防禦現象——，可以消除致病動因，甚致完全消滅浸入机体的病原，这就是旨在恢復机体平衡地抗疾病的“生理手段”，而高級神經，在实現机体与环境之間的平衡，以及動員机体的防禦机構都有重要义意，所以疾病的發生不單决定於致病因素对机体刺激的質和量，也决定於机体的反应性。据此，我們在評論某种藥品的效用時，不單要注意該藥直接对病原因子的作用如何，也要考慮該藥对机体的疾病防禦机構的影响怎样。还拿痢疾來說吧，由於腸組織受到細菌的刺激，这个刺激便能通过内部感受器沿向心道達到植物性神經中樞，進而達到大腦皮層，这个联系还可以反回來沿离心道而至內臟，即大腦皮層——→植物性神經中樞——→腸組織，这時，如果神經机調節机能發生了障碍，便可能形成了一个惡性循环，破坏了机体內部的平衡，这時如果用赤石脂去治療痢疾，那便避免了細菌对腸組織的嚴重刺激，使惡性循环緩解，从而恢復了高級神經的調節机能，加强了机体的防禦装置，最後以達治療目的。当然，这样說並不是要我們忽略对細菌具有直接殺滅作用的特效藥物，但是过於輕視具有扶助机体对抗疾病“生理手段”的藥物，甚致說成是一點作用也無有，也不能是正確的。

按照李松声先生的說法，往往会使我們把“伤寒論”裏的一些有用方劑都忽視过去，例如我們說白虎湯和竹葉石膏湯（兩方都以石膏为主）能治療流行性乙型腦炎（很难肯定石膏对流行性乙型腦炎病毒有直接的消滅作用），恐怕李松声先生更要譏为“滑稽”吧？事实上不但能治，而且治癒率達到百分之九十幾[15]！

最後，作者对“伤寒条”是怎样評論的呢？作者認为“自从体溫表应用於測量人体熱度以後，以前所爭的陰陽表裏，幾分鐘便可以解决，为什麼还費很大功夫去記誦那些很不易記的六經証治”，所以作者建議“中医科学化的第一步便是使用体溫表來檢查体溫，不再憑着‘脈浮、头項强痛，惡寒’，診断为太陽証，更無須憑着‘脈微細，欲寐’診断为少陰証”，作者認为“伤寒分經是应該拋棄的东西了”。我認为中医使用体溫計來檢查体溫，这是正確的，因为中医过去只是憑着患者的主訴和自覺來判断是否發熱，这是不够準確的，如果使用体溫計來檢查体溫，確能幾分鐘便能正確的測知患者究竟是否發熱，况且体溫計的用法簡單，中医容易接受，但是把体溫計說的过於神秘，甚致看成是万能法宝也是錯誤的，按照作者的說法，似乎体溫計往腋窩一放，便能分辨陰陽表裏[16]；体溫計往口腔一含，便能得知是何經之病，这豈不是把西医学習中医这个重大問題看得太簡單了嗎！

致於伤寒分經，六經証治应不应該拋棄，我認为还値得考慮，所謂伤寒分經，六經証治，正是我前边所提到的“隨証施治”或者叫“隨証治療”的法則，如果拿現代的科学尺度來衡量它，当然还存在着一些缺點，但也有它合理的一方面，問題在於我們如何發揚它的合理核心並結合現代的科学技術灵活运用。姑且認为应該拋棄，那麼就目前对中医提出來拋棄伤寒分經，六經証治等等，也是不現实的，因目前中医的科学知識絕大多數还沒有達到相当的水平，如果硬要中医拋棄伤寒分經、六經証治及陰陽表裏等等，再搬过來一套西医办法，事实上这条道行不通，那將不是什麼“中医科学化”，而是中医西医化了，同時將会造成我們想像不到的嚴重混乱後果。

如果从發揚祖國医学遺產这个角度來看問題，那就不在於給讀者宣揚什麼拋棄伤寒分經等等，而是我們如何承繼祖國的医学遺產，取其精華，去其糟粕，把其合理的核心加以發揚光大，以丰富現代的医療科学，如果从这積極的方面去理解李松声先生的文章，就很容易使我們想到，作者不是在發揚祖國医学遺產，而是企圖取消中医了。

總之，这篇文章使人看了以後，不僅不能对目前学習祖國医学的熱潮起到積極的推動作用，相反的有些地方使人扫兴，或者是使讀者不能正確的去理解伤寒論。以上是个人的一點看法，由於我对中医和西医的知識过於膚淺，錯誤的地方恐怕很多，提出來作为大家参考並希同道及專家們多多指教。

---

⑬見高里聰托夫 Л.Д. Горизонтав“巴甫洛夫學說中的病理生理学問題”第七十六頁。

⑭見巴甫洛夫，大腦兩半球机能講义第八頁。

⑮中医治療流行性乙型腦炎，在使用白虎湯和竹葉石膏湯時，当然要根据不同情况進行加減变通，但總不能減去石膏。讀者可参閱——“流行性乙型腦炎中医治療法”——1955年河北人民出版社出版。

⑯按中医的“陰陽”涵义相当廣泛，廣义來說，它代表着一切事物的兩个方面，狭义來講，对自然可代表天地、陰晴、日月、動靜、寒熱；对人体可代表臟腑、背腹、内外、气血；对診断方面可代表人迎气口、或脈之浮大沉遲；对疾病可代表急性慢性、实証虛証等等，總之要看“陰陽”这兩个字所处的地位而定。

中華医学会上海分会医史科学会
中國医史研究方法座談会各次開会暨發言記錄（二）

第二次會於1955年5月22日下午3時仍在中華醫學會會所舉行，出席會員王聿先、侯祥川、姜文熙、葉勁秋、丁濟民、姜春華、陳海峯、胡宣民，以及特邀出席唐志炯等18人。（初稿記錄：朱中德、姜春華）

主任委員侯祥川宣布開會，繼續就上次未經結束的第二提綱"醫史的分期和它的根據問題"補行討論，並希望今日能進入第三第四提綱的討論。

1. 侯祥川：上次開會對第一題已有結論，茲再宣讀整理文字一過。（見上）

2. 徐德言：應補入［掌握批評與自我批評武器］語句。

當經補充後通過全文。

3. 侯祥川：上次會議對醫史分期問題，各會員尚有不同意見，經推三位會員研究再作報告，以資繼續研討。

繼由張孟聞發言：說明他上次所擬分期方法，精神上與社會發展經濟形態的觀點無何分歧之處；或許上次說明不够完備，今經與徐德言、陳海峯二會員共研後，我們意見已趨一致。其次寵京周將上次對第二題的討論作了歸納性的記錄，亦由張孟聞宣讀如下：

（一）歷史是一線貫串的，它本身並不具有分期的界綫。即使按照社會發展的情形來看也不一定就有純粹的界綫可尋，例如奴隸制社會的末期就可孕育着農奴制。還有其他種種的過渡時期。

（二）但爲了研究歷史的方便應當把它分期，而分期的方法和根據無非找大變革的關鍵——以至名稱妥當與否。除首先必須運用辯證唯物的史學觀點方法而外，還要看它對於我們寫作，研究，教學方便與否。

（三）醫學史應以整個歷史社會發展史爲依據，爲一致公認的原則，但是醫學的發展也和其他自然學科的歷史一樣，又有它自己的特點。因此除大綱上服從於整個史學分期以外，也可以找出它自己的特殊轉折點，作爲分段落的根據，目的也無非爲了便於研究教學等。

（四）上次討論中間發言者很踴躍，但只有張孟聞會員具體提出了一個分期的草案，大家對這個分法還存有不同的意見（會後葉勁秋會員又寄來了一個補充方案）因此公推陳海峯、徐德言、張孟聞三會員共同聯系研究後在本次會上再作報告（在此期間張會員在復旦大學舉行的"動物學組小型科學討論會"時特邀請本會會員參加，當有徐德言會員參加）。葉先生的意見中有一處提到：一面是醫學史固須依據社會發展史，而反過來研究醫學史也未嘗不能有助其他史料的豐富。另外則葉君具體提出了：（1）未有文字期，（2）有記載到仲景，（3）仲景到金元四大家，（4）金元到鴉片戰爭，（5）鴉片戰爭至解放，（6）解放後方產生新的馬列主義爲主導思想的新時期（葉勁秋原文附後）。

以上是我歸納上次會議情況的報告，其間也有我個人的見解，請指正。此外，我想趁此對於這個問題再補充幾句話：

上次我曾基本上同意張孟聞會員的（今天也沒有多大改變）分期法。但是在名稱上——或者說是在解釋上——覺得應略加修正的；那就是張先生所說的第二期——外國文化開始滲入到中国以後那一期。因爲張先生所定這一期時間很長而給予這個名稱和解釋則很易被人誤認爲這一期的史實都是受外來文化的主導思想所推動。那將在教學中給學習者帶來很模糊的影響。首先，妨礙了愛國主義的培養，這就和我們第一個提綱——醫史工作的當前任務和作用的結論不符合。據我所知，雖有些歷史考古的專家曾提出過我們東北的細石器時代文化是從西伯利亞帶來的說法，而這些說法都被保留着、研究着，但是這也絲毫沒有改變了我們目前古代文化史分期的名稱和它的內容。外來文化如果點點滴滴滲入進來而無重大特性，就不該作爲我們研究歷史的分期根據，因爲這種文化的交流是各民族相互間經常都有的。

1. 張孟聞：讀了龐已整理的記錄，應再補充說明了上次所提草案的具體理由。(一)我的分法主要是按照通史分的，封建時期確太長了，但事實如此。(二)我以爲對葉勁秋的分法可作補充。以必然性——社會發展——爲主而以偶然性的爲輔也未嘗不可。但偶然性亦須找出它的堅强理由。

2. 葉勁秋補充書面意見：

中國醫學史的分期問題，自然，依據社會發展史爲惟一的原則，毫無疑問。因爲百事皆不可能脫離生產力和生產關係的關係。

在今日言，我國的奴隸社會與封建社會的上下界，猶未明確規定，凡醫史工作者，如能從醫藥方面的史跡去發掘若干新鮮材料，在在足以有助於劃分奴隸與封建社會的界線。這是最高的要求，不很容易的。然而不可因爲不容易便放棄了這個願望。

今知蘇聯以巴氏前後劃分二個時期。那末我想：我國醫學史不妨以未有文字這一個時期爲第一期；從有文字到張仲景前爲第二期；仲景到金元四大家前爲第三期；四大家到鴉片戰爭爲第四期；鴉片戰爭到解放爲第五期。

爲什麼這樣分法呢？

理由：文字前的史料，有不少的地下實物，足資考證，從殷商（甲骨）到張仲景前，不以内服藥爲醫療中心，理論樸質。仲景到四大家前，便以湯方爲醫療中心。四大家到鴉片戰爭（或太平天國）雖亦以湯方爲醫療中心，但學說紛歧了。鴉片戰爭到解放，雖亦以湯方爲醫療中心，議論不一，但又滲入了西洋醫學，產生中西匯通派。解放後，以馬列主義爲中心。以後才是眞正合理的科學醫。才是眞正的中國醫學。

附錄徐德言抄交會中的蘇聯醫學通史的目錄：（世界，蘇聯）

1. 人類社會醫學活動的發生。2.奴隸社會的醫學：古代東方民族的醫學；古代希臘的醫學；古羅馬的醫學。3. 封建社會的醫學（中世紀）：東方國家的醫學；歐洲的醫學。4.資本主義時代的醫學：(1) 資本主義確立和發展時期的醫學；十八世紀末期和十九世紀初期偉大的自然科學的發現；形態學；生理學和病理學；臨床醫學；微生物學；衞生學；保健事業；(2) 帝國主義和無產階級革命時期的醫學。

3. 唐志炯：

唐志炯：中國醫史分期的原則：

第一，應該依據社會的性質來劃分。自然科學固然不是上層建築，但當時的社會條件與哲學思想對某一自然科學是起着很大的影響，醫學也不能例外。

第二，醫學上的特殊成就，或者有劃時代的發展，可以作爲某一專科史的分期依據。例如外科學自從發現了消毒學與麻醉學以後，生理學自從發現了血液循環與巴甫洛夫高級神經活動學說以後，都有劃時代的推進。如在醫學通史上按上述情况爲分期的依據，尙應值得考慮。

第三，中國的醫史分期應該以中國的通史分期爲準，因爲世界各國的各個社會發展都有不同。例如中國的封建社會可能比其他國家來得早（羅馬在五世紀），而中國資本主義的發展就比歐美來得遲。

第四，某些問題在社會性質上與醫學上不能起決定性影響的不能作爲分期的依據，例如中外交通問題，因爲中外交通自秦漢以來一直就有，很難以某次的通使、通商作爲醫史的起折點。另外，某一次的溝通或多或少帶來了別國的一些文化（也包括醫藥），但對中國的社會與中國的醫學並沒有起根本性質的變化。

第五，某一社會的階段很長，爲了便於敍述和明確起見，其間可以再分爲幾個段落，例如中國的封建社會。但這一段落的劃分，以何爲依據尙是一個問題。按上述的五個意見，主要的困難是中國通史上的分期有好多尙未確定，因此也影響到目前醫史的分期。陳邦賢先生的中國醫史以及有些醫史講義中都以上古、中古、近世、近代等來作爲分期，恐怕也是因爲這個困難。

分期的具體意見：

一、原始公社時的醫學（即我國傳說中的醫學尙無從考據的），以殷商以前爲分界。

二、奴隸社會的醫學，從殷商開始，這是中國開始有文字（甲骨文）記載而可作爲考據的材料，但從甲骨文中所發現的醫學上材料並不多。

關於中國奴隸社會到何時爲止，各史家見解不一，也有從殷到春秋戰國的，也有一直到秦漢的，也有以西周就作爲封建時代的開始。以我個人的意見，現在是傾向於第一個，爲了叙述或講解便利起見，暫以春秋時代爲奴隸社會的末期，待以後，通史確定後，再予改變。

三、封建社會的醫學，因奴隸社會的末期尙未確定，因此中國封建社會從何時開始當然又是一個問題。個人暫認爲春秋起爲我國封建社會的初期。

在攸長的封建社會中尙可分爲幾個段落：

（一）春秋戰國爲一階段。

（二）秦漢[illegible]階段。

（三）西晉到隋唐爲一階段。

（四）宋元爲一階段。

（五）明清爲一階段——淸至鴉片戰爭時爲止。

把封建時代分爲這樣五個段落，並沒有决定性的關鍵所在，但我多少結合着一些各段落中社會經濟的改變。"近世、近代"的輪廓上劃分的意義。

另外，我尙認爲把封建時代劃分爲封建初期、中期、末期三個階段；但這三個階段，究以何時起止，尙待根據通史論證進一步研究。

四、過渡性的半封建半殖民地社會的醫學（自鴉片戰爭起至解放前爲止）。

這一個時期也很複雜，一方面中國傳統的醫學尙在發展與廣泛的運用，另一方面，隨着帝國主義的侵略傳入了西洋的醫學，而在老解放區逐漸的出現了具有新的科學觀點的醫學。

五、社會主義社會過渡時期的醫學（從中華人民共和國成立到現在）。

這一時期雖很短，但却是一個翻天覆地的轉變。在醫學科學上與唯心的、奴化的思想鬥爭。吸收前進的科學理論，技術與保健組織。發揚祖國醫學作爲一個國家政策等。

4. 汪企張：主張上次所提分類法，原是根據社會發展史，可以更細緻的再分時期。醫學不能脫離社會發展。金元四家都受程、朱影響，因程、朱學說流行，他們就受了程、朱影響，尤其醫藥是文化發展一部分。金元以後，很困難整理，如脫離社會發展是不可能的。

周秦以前是傳說，是後人補的，有些有主觀性的，漢到唐分一期，金元以後要好好研究。最要緊不可主觀太强。

近代有外國來了以後好着手。

政治性與時代有關係，如果批評前人，大家都錯。

5. 姜春華：張孟聞先生上次分期並未說明依社會發展史而再在醫藥特殊的地方重點地提出分段的。

假如根據社會發展史爲原則，再在醫藥發展特殊的地方重點提出分段，或加小段落，這個主張，我是可以同意的，否則周秦至淸末一長段封建社會，將無從分起了。

6. 龍京周：旣然從巴甫洛夫的學說產生可分爲它的前期和後期，則中醫史如張仲景首先發表有效的經方，也可作重點來分段落了。問題在於變化大否？適合與否？

7. 汪企張：我同意唐同志的意見。但在通史未能確定之前，醫史分期，我們如何下筆，這困難還希望大家研究。

8. 陳海峯：我對醫學史分期問題，初步意見：

（一）醫學史必須依照經濟形態來分，但醫學專科可以按照特殊發明而分期，以上是李濤的意見，我同意這個意見，社會經濟的發展和醫學保健的發展是相符合的。

在通史未確定前，可以依時代來分，朝代加公元作過渡時期實際應用辦法。其中應再考慮醫學停滯和發展等因素，我將另稿說明之。

9. 徐德言：我以爲五個時期中，細節問題，仍必須繼續研究。

對醫學史分期問題的初步意見 陳海峰

"醫學是人類與疾病鬥爭的科學，醫學史是與社會經濟結構的發展和改變相聯繫，與各民族文化相聯繫地去研究醫學活動和發展的科學。"（李濤）

醫學是自然科學的一種，本身並無階級性，問題在於應用這門科學的人，人是有階級性的。

關於醫學史分期問題，是一個尙未解决的問題，許多人看法不一致，李濤教授認爲："將通史的分期作爲醫學史分期的基礎，通史是按照經濟結構來分，所以醫學史也必要按社會經濟制度來分。

就是原始公社制度，奴隸制度、封建制度、資本主義制度，社會主義制度。在每一種社會經濟制度下，由於經濟，科學，技術的影響，醫學也起着很大的變化，因此形成該時期的特徵。

但是在專科史方面的分期，亦可按照特殊發明的影響來分，例如外科方面，可用麻醉法和消毒法的發明來分期，生理方面，用血循環和巴甫洛夫學說來分等。”我認爲這是比較妥當的分法，生物學方面，也可考慮以達爾文和米丘林學說來做分界綫。

按蘇聯醫學史教學大綱所定醫學史分期，亦是以社會分期爲根據。

在醫學史方面，由於中國歷史分期的通史分期尚未確定，目前用以習慣分法的朝代加上公元年代順序是適宜的。但必須適當指出每一時期的特點，影響醫學發展進步，或影響進展停滯不前的各種因素。中國通史分期一决定，即按照它來分期。

10．宋大仁：對張孟聞同志的五段法，我認爲應該愼重考慮的，有人說爲便利編寫醫史或教學講義，可以人爲的分期，但是歷史分期要掌握社會發展規律的，教學講義，更加不可草率從事。個人寫稿，可以自由發揮，提到學會來討論，那末，在目前情况反而不容易得到一致性的結論。

侯祥川總結：分期問題經反覆熱烈討論後意見已趨相當一致，即以社會經濟發展的大變動來劃分並以通史爲依據。在通史未確定前，可按社會大時代與朝代的特點來寫文或教學。大致以今日會上唐同志草案爲較適當。

至此由主席宣佈休息後繼續討論第三提綱：疾病史分類研究的方法問題。吳雲瑞會員因事請假，交來書面意見經宣讀如下：

1． 吳雲瑞書面：

（一）疾病史分類依醫學分科爲原則，目前實行方法可請中華醫學會各專科學會擬定疾病史目。

（二）各科整理及發掘史料。

（三）研討上古、中古及近代疾病命名的變遷中西一體。

（四）各科疾病史分總論及各論，每個疾病（或徵羣）包括病原、發病、症象、診斷、病變、預後防治等各點歷史。

（五）等待各專科擬就疾病史目，再由醫史學會會同各科專家及本分會中西醫會員作綜合性研討。

繼由陳方之、姜春華就如何分科及就中西醫學的那一方面病名作基礎發表意見。姜會員並有較詳書面意見交會。

2． 陳方之： 吳雲瑞的五條意見中

（一）疾病史分類依醫學分科爲原則。

（二）由各科整理和發掘史料。

（三）研討上古、中古、近代、現代疾病命名的變遷，原文“中西醫一體”想係一樣進行之意。

（四）（從略）

（五）（從略）

我對吳先生分類，有以下一些意見作爲補充。究竟以中醫抑西醫病名爲準？在研史上是各有長短的，就疾病史分類而言擬提出以下三點：

（一）以現代分科爲原則是當然對的，但分科祇有限於以臨床醫學科目爲主要根據，因中醫基礎醫學資料太少了。只好有可能時，帶敘基礎醫學中有價值部分。

（二）以現代世界各國所通行公認的西醫病名爲經，去尋繹歷代中醫證治規範，更以中醫的證治爲緯，來論列各種病名的變遷經過。

（三）各種疾病的討論，以證候治療爲主，有可能時，然後旁及病原病理的概略。

3． 姜春華書面意見：

疾病史的分類研究方法是站在疾病分類法上面的，就是說疾病應該怎樣分類而疾病史也應該怎樣分類。

以前外國醫學對疾病分類有好多種分法，各有優缺點。

在我們面前疾病史分類研究的方法，有二個，第一是用西醫的，就是根據西醫疾病分類的系統，向中醫文獻中去找疾病史材料。這就必須具有完全熟悉現代的醫學，而且具有足够的臨床經驗的人，才能在極度複雜的記載文字裏發現某一種病在某書中是某時代的記載。更要繼續地搜集另外記載中類似的東西。可是要從記載一個疾病在過程中段落的症狀，來判明它的病種是相當困難的。因爲中醫對於病的記錄，重點在於治療，而它的治療又是隨着症狀而轉移的。例如子宮癌這個病，在古代肯定是有的，可是要找一個自始至終的完整敘述就很困難。內經裏雖有一段論癥瘕的文字像子宮癌，可是不够鮮明，後世許多書都缺子宮癌病過程中某些症狀重點的記載，如月經不調，白帶、血崩、崩漏、腥臭、腹內積塊，……把它聯系起來很像子宮癌的叙述，把它分開來看又是其他疾病。同樣共有的症狀，如白帶，經期不調，腹中結塊，它的原因就很多，不能把共通的症候硬指屬於任何一種病，這在史料的發現肯定上就很困難。

還有因爲古人沒有化驗，沒有現代的診斷理論和工具，因此對於病的認識，只有有病狀才有紀載，沒有症狀，就沒有記載。如沒有浮腫的腎臟病沒有顯著出血的白血病都要靠化驗才能證明，古人沒有化驗，因此對於這些病就沒有很好的記載。其餘如心臟病沒有心動電流圖，在古籍中都無法一一找得可靠的材料。即使有些脉搏上的不整也是很少，而且難以肯定它是那一種心臟病。這個找史料困難是大缺點，可是這一個方法，也有它的優點，就是這個疾病史是現代醫學上的病名，是通行的病名，它符合於現代醫學界的要求。可是這些疾病史怎樣分類？應該歸循環系還是歸泌尿系？這當中就值得考慮。或許有人說我們根據現代通行的疾病分類來分類應該是沒有問題的。可是根據蘇聯先進的學說而言，是有問題的。

現在醫學分科按照器官而分別各個不同內臟疾病如心、肝、……的觀察是暫時性的。許多器官病原因往往不在於該臟器本身。因此對疾病的認識亦在變。如長期認爲骨髓病的惡性貧血，新材料認原發性病理變化應是胃腸官能異常。又如高血壓長期認爲是腎症候病的，最近確據由神經系統障礙所引起而腎症候是續發的，據蘇聯學者的意思，應將分類法徹底改革那一向遵循病理解剖的原則。另從原則上應根據病因分類，如風濕、肺結核、維生素缺乏等主要疾病分別出來，從侵害的器官方面來叙述其常見症狀，這項希望不久將來會得到實行。

蘇聯這一改革的企圖，完全是正確的，我們應該學習他們改革的途徑，故關於疾病史照舊的分類，還應該予以考慮。

第二個分類方法是根據中醫疾病分類，中醫疾病分類它一向是從侵害的器官方面所現的常見症狀而分類的，它所叙述某一器官的病名雖不一定眞是該器官的病，但確實代表了某一種臟器的病，只是名稱上的不符，如中醫中風一類，有眞中、類中、中臟、中腑、中經、中絡、偏枯、癱瘓，如腫病有風水、有皮水、有石水等，它們是相當於症狀和臟器侵害的說明。我們如果根據這個分類方法研究它的優點是同屬一個系統中容易找材料，容易分類，容易分析和綜合。舉傷寒爲例，從內經的傷寒以及仲景以後直至現在將這一病名自上而下的分析它們的內容，比較他們的同異，就是清理了二千年來各家學說，符合於整理祖國醫學的要求。古代所不認識的病，由於分析和綜合先後的聯系而清理出來的症狀，可以予以新的認識，在疾病史的內容方面，可以大大的豐富起來，可是他的最大缺點，是病名不與現代通行病名相同，一時不容易歸納到現代醫學分類當中去。

不過我們對這項缺點，可以補救的。就是在整理過程中對於某些病症可以肯定是某種病時，加以註釋。這樣如果要把它分離出來，歸於現代醫學系統之中，也還可能。

總結起來說，就是從中醫疾病分類研究開始，以後才從現代疾病分類而分類，應該是蘇聯改革的分類作進一步的分類研究。

4. 龐京周：寫疾病史時只有以古代的病症納入近代醫學的系統分類爲宜，因爲我們不能忘記近卅年疾病史也要寫的，不是僅僅古時才是史，這是世界醫學發展一般的情况。但在我國目前情形下須要解釋清楚的是：這正是發展祖國醫學而不能誤以爲是割裂祖國醫學。

5. 汪企張：即西醫現代還很多也是以症狀而治病，如果依西醫疾病來分，可能引起內地中醫的誤會。余雲岫著有"古代疾病名候疏"聞蔣亦凡尹著手編"中西病名對照表"，似可參考。

6. 龐京周：余蔣諸書只是參考工具不能解決今日所討論的問題，蔣書底稿我曾見過，恐還稱不到"病名對照"。

7. 丁濟民：祖國醫學的病名，有些是用術語的，例如痢疾則大家都懂，肝腸則非中醫就不懂了。我們現在整理發揚祖國醫學文化遺產，是拿來充實和豐富現代醫學的。疾病史亦應當爲了這個目的來編寫，所以我個人的主張分類的名稱以現代醫學的病名做根據，是符合於整理發揚和充實豐富這兩個要求的。而且編寫出來中西醫都能懂，可以相互學習，相互討論，不必顧慮少數人的誤會的。

8. 侯祥川：問題在於首先須確定疾病名稱。因爲多名之下往往祇有一個病，或則一名之下又有許多病。名稱的統一，方便於研究其歷史，究應如何爲妥當應先決定，以現代病名爲中心呢？還是以其他的方式？

9. 徐德言：以余書蔣書爲參考是好的，能用病名則用病名，否則就用症名，不然疾病史就不能寫得完了。分類方面應盡量按照近代的醫學分類，以便西醫易於學習。

10. 姜春華：有病的分類，才有病史的分類，疾病史最大的問題，是以中醫的分類？或以西醫的分類？

中醫病名，從古到今，雖同一名稱，而內容不同，如傷寒則仲景，華佗，的傷寒不同。中醫病名以症狀分，如子宮癌只有症沒有病，在中醫有部分爲帶下，有部分爲崩漏，爲癥瘕。又如白血病肯定古代是有的，不是今有而古無的，可是在中醫中找不到這個疾病史。不過現在可以分兩部份做，一方面以現代科學系統向中醫書中找資料，一方面依照中醫疾病病名分類，依照中醫自古至今的變遷，從不同時代不同內容中加以說明。有可能時再註以現代通行的病名。

11. 朱中德：我以丁濟民所說爲然，儘量用古代病名及症治名稱，以現代病名解釋之。

12. 宋大仁：分類不妨分兩方面做。一方面以現代疾病爲主附以古代疾病，另一方面以古代疾病爲主附以現代疾病，此二法並不矛盾。另編一套或幾方都編未嘗不可。

侯祥川總結：歸納各會員意見可作出如下結論：（一）便於疾病史的研究自應分類進行，然有了病的分類才有史的分類，因而首須解決科目與病名問題。（二）病科病名古簡今繁，乃全世界醫學發展的必然事實。用現代通行分科方法與病名爲經，以傳統醫學的證治規範爲緯，暫以臨床學科爲主，以基礎醫學爲副來研究各項疾病之史的變遷，是符合於整理發揚祖國醫學和充實豐富現代醫學兩個要求的可採的方法。（三）鑒於我國古代文獻記載和中醫習慣證治用辭，與現代病名有一定的差別而一時尚不能完全作出對照，所以亦不應硬性規定上項做法。儘可另以中醫習用名稱爲主而貫串到現代醫學中的某病來寫病史，其目的只在便於研究，得出成果。 （完）

中華医史雜誌一九五五年全卷索引

說明：本索引內首字排列次序，係按“漢字簡化方案草案”中所規定之得字起首筆画“丶一丨丿乛”而定，例如四画中之“王”字（首筆为横）在“中”字（首筆为竪）之前，十画中之“消”字（首筆为點）在“袁”字（首筆为横）之前。

二至三画

四画

五画

六画

七画

八 画

九 画

十 画

十 一 画

十　二　画

十　三　画

十四至十六画

十七至二十三画

譯文著者索引

中華医史雜誌一九五五年總目錄

第一号

祖國医学

苏联医学

世界医学

消 息

会务通訊

第二号

祖國医学

苏联医学

世界医学

評 論

文 摘

消 息

会务通訊

第三号

評 論

祖國医学

苏联医学

消 息

会务通訊

文 摘

第四号

祖國医学

苏联医学

書 評

中華醫史雜誌

（季　刊）

一九五五年　第四号

（第七卷　第四期）

每季第三月二十八日出版

·編輯者·

中華医学会医史学会

中華医史雜誌編輯委員会

北京东單三条四号

·出版者·

人民衛生出版社

北京崇文區褛子胡同36号

·總發行·

郵电部北京郵局

訂閱批銷处：全國各地邮电局、所

零售代訂处：各地新華書店

·印刷者·

北京市印刷二廠

佟麟閣路七十一号

本期印數3,416册　　1955年12月28日出版　　每冊定價五角